KB020906

관련 파생어, 동의어, 반의어 및 유의어를 일목요연하게 정리
표제어와 관련해 한번에 익힐 수 있도록 파생어, 동의어, 반의어를 충실히 정리했고, 별도의 유의어 난을 마련하여 의미의 구별이 애매한 단어들을 비교해 익히도록 했습니다.

중요어 및 기능어, 어법, 참고 사항을 친절히 정리
필수 기본어와 주요 기능어는 별도의 박스로 처리하여 관심을 가지고 학습하도록 했으며, 각 표제어의 주의할 어법이나 필요한 참고 사항은 그때 그때 수록하여 학습 효과를 높였습니다.

엣센스 수능영어사전과 함께하는 여러분의 영어 학습에 큰 향상이 있기를 바랍니다.

민중서림 편집국

How to use

표제어 17,000여 단어들을 알파벳 순으로 제시

별표는 교육인적자원부에서 제시한 기본 단어임을 나타냄

두 가지 이상의 뜻은 숫자로 구분

해당 뜻의 동의어는 SYN, 반의어는 OPP로 표시

함께 익혀 두면 좋은 파생어

표제어를 포함한 주요 숙어를 예문과 함께 제시

단어의 의미와 쓰임을 이해하는 데 도움이 되는 예문

비슷한 의미를 가진 단어들의 쓰임을 비교 설명

한 단어가 두 가지 이상의 품사로 쓰임

해당 뜻의 또 다른 표현

비교하여 함께 익히면 좋은 단어나 표현

*cancel [kǽnsəl] v. [T] 1 (계획·예정 등을) 중지하다: We had to *cancel* the game because of the bad weather. 날씨가 나빠서 경기를 중지해야 했다. 2 (계약·주문 등을) 취소하다, 무효로 하다: I *canceled* an order for the book. 그 책의 주문을 취소했다. SYN call off

candid [kǽndid] adj. 솔직한, 노골적인 SYN frank
— candidly adv. candour n. 정직, 솔직
숙어 by any chance (정중히 부탁할 때) 만일, 혹시: Do you have a spare stamp *by any chance*? 혹시 여분의 우표가 있니?
by chance 우연히: I met him *by chance* on the train. 나는 우연히 열차에서 그를 만났다.

*carry [kǽri] v. 1 [T] 나르다, 운반하다, 들고[갖고, 지고, 업고] 가다: Could you *carry* this box for me? 이 상자 좀 날라 주시겠어요?

■ 유의어 carry
carry '나르다'를 뜻하는 일반적인 말. bear 운반되는 물건의 무게를 받치는 것에 중점이 있으며 비유적인 뜻으로 쓰임. convey 나른 물건을 도착지에서 상대에게 인도하는 뜻을 내포하고 있음. transport 사람 또는 물건을 대대적으로 먼 목적지로 나르는 경우에 쓰임.

*capital [kǽpitl] n. 1 수도 (capital city): Seoul is the *capital* of Korea. 서울은 한국의 수도이다. 2 자본(금) 3 대문자 (capital letter) 4 중심지: Jejudo is the honey-moon *capital* of Korea. 제주도는 한국에서 신혼 여행의 중심지이다.
adj. 1 (죄 등이) 사형에 처할 만한; 치명적인: a *capital* crime 죽을 죄 2 대문자의: a *capital* letter 대문자 *cf.* small letter 소문자

husky¹ [hʌ́ski] *adj.* (목소리가) 허스키한, 쉰 목소리의

husky² [hʌ́ski] *n.* 에스키모 개, 허스키

　　　　　　　　　　　동음 이의어(같은 철자의 다른 뜻을 가진 단어)

*****choose** [tʃuːz] *v.* [I,T] (chose-chosen) 선택하다, 선정하다: *choose* death befor dishonor

　　　　　　　　　　　동사의 불규칙 변화형, 마지막 자음을 한 번 더 겹쳐 쓰는 경우

scan [skæn] *v.* [T] (scanned-scanned) **1** 자세히 조사하다, 세밀히 살피다: The detective

*****good** [gud] *adj.* (better-best) **1** 좋은, 훌륭한: a *good* book 좋은 책 / a *good* film 좋은 영화

　　　　　　　　　　　형용사의 불규칙 변화형

*****silly** [síli] *adj.* (sillier-silliest) 어리석은, 분별 없는, 바보 같은: It was *silly* of you to buy

goose [guːs] *n.* (*pl.* geese) **1** 거위 **2** 바보
※ 수거위는 gander, 새끼 거위는 gosling이라고 한다.

　　　　　　　　　　　명사의 불규칙 복수형

*****scissors** [sízərz] *n.* (*pl.*) 가위: I need to buy two pairs of *scissors*. 나는 가위 두 자루를 사야 한다.

　　　　　　　　　　　복수 명사

*****color, colour** [kʌ́lər] *n.* **1** 색, 빛깔: Are the photos in *color* or black and white? 그 사진들은 컬러야 흑백이야? **2** 안색, 혈색: have

　　　　　　　　　　　미국식, 영국식 철자순으로 제시

chip [tʃip] *n.* **1** (도자기 등의) 이 빠진 자국, 흠 **2** (돌·유리·나무 등의) 조각, 부스러기 **3** (보통 *pl.*) [영] 가늘게 썬 감자 튀김 ([미] French fry) **4** (보통 *pl.*) 얇게 썬 감자 튀김 (potato chip; [영] crisp) **5** [컴퓨터] 칩; 집적 회로 (micro chip) **6**

　　　　　　　　　　　단어가 해당 뜻으로 사용되는 형태

　　　　　　　　　　　같은 뜻에 해당하는 미국식, 영국식 단어

*****citizen** [sítəzən] *n.* **1** (출생·귀화로 시민권을 가진) 공민, 국민: He was born in Japan, but became an American *citizen*. 그는 일본에서 태어났지만 미국 시민이 되었다. **2** (도시의) 시민,

　　　　　　　　　　　단어의 뜻을 이해하는 데 도움이 되는 부가 설명

*****candy** [kǽndi] *n.* ([영] sweets) 사탕, 캔디
※ 복수형 candies는 둘 이상의 종류를 나타낼 때 쓰고, 단지 수를 나타낼 때에는 several pieces of candy와 같이 표현한다.

　　　　　　　　　　　단어의 쓰임에 관해 알아 두어야 할 내용

자동사는 [I], 타동사는 [T]로 표시

*shout [ʃaut] *v.* **1** [I] 큰 소리를 내다, 외치다, 소리치다 (at, out, to): There's no need to *shout*, I'm not deaf! 큰 소리 낼 필요 없다. 나는 귀먹지 않았다. **2** [T] 큰 소리로 말하다: He *shouted* his orders. 그는 큰 소리로 명령을 내렸

동사와 흔히 함께 쓰이는 전치사나 부사 표시

*gather [gǽðər] *v.* **1** [T] 모으다 (together, up, in): Would you *gather* up books and put them on the desk? 책을 모아서 책상 위에 갖다 놓아 줄래? / A rolling stone *gathers* no moss. [속담] 구르는 돌에는 이끼가 안 낀다., 직업

시험에 자주 나오는 속담

을 자주 바꾸면 이롭지 못하다. / Let's *gather*

약어 및 약어의 원래 단어

*cent [sent] *n.* (*abbr.* c, ct) 센트 (미국 · 캐나다 등의 화폐 단위; 1달러의 100분의 1); 1센트짜리 동전

CEO, C.E.O *abbr.* Chief Executive Officer 최고 경영자

발음 기호, 강세 표시, 품사에 따라 발음 기호가 다른 경우 각각 제시

contract [kántrækt] *n.* **1** 계약, 약정 **2** 계약서: Read the *contract* carefully before you sign it. 서명하기 전에 계약서를 주의하여 읽어라. *v.* [kəntrǽkt] **1** [I,T] 수축시키다, 죄다, 축소하다: *contract* one's eyebrows 눈살을 찌푸리

형용사의 쓰임에 대한 설명

scant [skænt] *adj.* (명사 앞에만 쓰임) 불충분한, 부족한: a *scant* supply of water 부족한 물 공급

scarce [skɛərs] *adj.* **1** (명사 앞에는 쓰이지 않음) 부족한, 적은: Food was *scarce* in wartime. 전쟁 기간 중에 식량이 부족했다.

필수 기본어와 주요 기능어는 별도의 박스로 처리

come [kʌm] *v.* [I] (came-come) **1** 오다; (상대 방에게 또는 상대방이 가는 쪽으로) 가다: I'm *coming* in a minute. 지금 바로 갈게요. / *Come* this way, please. 이쪽으로 오십시오.
2 도착하다, 도달하다: The train is *coming* in a

cartel [kɑːrtél] *n.* [경제] 카르텔, 기업 연합: The oil *cartel* controls the prices of crude oil. 석유 카르텔은 원유의 가격을 관리한다.

전문 용어 및 특수 분야 표시

challenge [tʃǽlindʒ] *n.* **1** 해 볼 만한 일(문제), (보람 있는) 힘든 일; 문제: The company will have to face many *challenges* in the coming years. 앞으로 그 회사는 많은 힘든 일을 겪어야 할 것이다. **2** 도전(장), 결투(시합)의 신청: accept a *challenge* 도전에 응하다

〔 〕는 대체하는 말에 사용

( )는 생략 가능하거나 부가 설명하는 경우 사용

■ 용법 **half**
1 'half of+명사'의 of는 종종 생략된다.: *half (of)* an apple 사과 반쪽 **2** 'half of' 다음에 대명사가 오면 생략되지 않는다.: *Half of* it is rotten. 그것의 반은 썩었다. **3** 'half of'가 주어일 경우 동사는 명사에 의해 결정된다.: *Half of* the banana is rotten. 바나나(한 개)의 반이 썩었다. / *Half of* the bananas are rotten. 바나나들 중의 반 정도가 썩었다.

단어의 쓰임에 관한 문법적 설명

■ **give**와 함께 많이 쓰이는 표현
give a speech 연설하다
give help 도와 주다
give ... a lift …를 차에 태워 주다
give ... advice …에게 충고를 하다
give ... a kiss …에게 키스하다
give ... a chance …에게 기회를 주다
give ... permission …에게 허락하다
give an explanation 설명하다
give information 정보를 주다

기본 동사와 함께 많이 쓰이는 표현

시 인기를 얻다: Miniskirts are *coming back*, apparently. 분명히 미니스커트가 다시 유행할 것이다.
come by 1 …을 손에 넣다: I'd like to know how you *came by* the cheap organic

약어 및 기호

abbr.	abbreviation (약어)
adj.	adjective (형용사)
adv.	adverb (부사)
aux.	auxiliary verb (조동사)
cf.	compare (비교, 관련어)
conj.	conjunction (접속사)
def. art.	definite article (정관사)
indef. art.	indefinite article (부정관사)
int.	interjection (감탄사)
n.	noun (명사)
pl.	plural (복수)
prefix	접두사
prep.	preposition (전치사)
pron.	pronoun (대명사)
rel. pron.	relative pronoun (관계대명사)
sing.	singular (단수)
suffix	접미사
v.	verb (동사)
v. [I]	intransitive verb (자동사)
v. [T]	transitive verb (타동사)
SYN	synonym (동의어)
OPP	opposite (반의어)
숙어	숙어

a A

*a [ə, ei] **, an** [ən, æn] *indef. art.*
※ 발음이 자음으로 시작되는 말 앞에는 a, 모음으로 시작되는 말 앞에는 an을 쓴다.
1 어떤 하나(한 사람)의 (처음 화제에 오르는 한 가지 예를 말할 때, 많은 같은 종류의 것 중 하나를 가리킬 때): This is *a* book. 이것은 책이다. / *an* old man 노인
2 하나의, 한 사람의: *a* day or two 하루 이틀 / *an* hour 한 시간 / three men and *a* woman. 남자 세명과 여자 한 명
3 (any의 뜻으로 총칭적) …라는 것, 모든 …: *A* dog is a faithful animal. 개는 충실한 동물이다.
4 (고유 명사에 붙여서) … 집안 사람; …같은 사람; …라는 사람; …의 작품: *a* Smith 스미스 집안 사람 / *a* Mr. Brown 브라운이란 사람 / *an* Edison 에디슨 같은 발명가 / I bought *a* Picasso. 나는 피카소의 그림을 한 점 샀다.
5 (단위를 나타내는 말에 붙여) …에, …마다: I work eight hours *a* day. 나는 하루에 8시간 일한다. / She goes to church twice *a* week. 그녀는 일주일에 두 번 교회에 간다. ⎣SYN⎦ per
6 같은, 동일한: We are of *an* age. =We are of the same age. 우리는 동갑이다.

ab- *prefix* '이탈'의 뜻.: *ab*normal, *ab*stract

abandon [əbǽndən] *v.* [T] **1** (사람 · 장소 등을) 버리다: We had to *abandon* the car. 우리는 차를 버려야 했다. **2** (계획 · 습관 등을) 그만두다, 단념하다: He was forced to *abandon* the attempt. 그는 그 시도를 포기할 수밖에 없었다. ⎣SYN⎦ give up
— **abandonment** *n.*
⎣숙어⎦ **abandon oneself to** …에 내맡기

다, …에 빠지다: He *abandoned himself to* despair. 그는 자포자기에 빠졌다.

abandoned [əbǽndənd] *adj.* **1** 버림받은; 버려진 **2** 자포자기한

abate [əbéit] *v.* [I,T] 약해지다, 완화시키다, 줄이다: The wind has started to *abate*. 바람이 약해지기 시작했다.
— **abatement** *n.*

abbess [ǽbis] *n.* 대수녀원장

abbey [ǽbi] *n.* 대수도(수녀)원, 대성당

abbot [ǽbət] *n.* 대수도원장

abbreviate [əbríːvièit] *v.* [T] (낱말 · 어구 등을) 생략하다, 단축하다: This dictionary *abbreviates* the word 'verb' by using 'v.' 이 사전은 'verb'를 'v.'로 생략해서 쓴다.
— **abbreviation** *n.*

abduct [æbdʌ́kt] *v.* [T] 유괴하다: The police think the boy has been *abducted*. 경찰은 그 소년이 유괴되었다고 생각하고 있다. ⎣SYN⎦ kidnap

abhor [æbhɔ́ːr] *v.* [T] (abhorred-abhorred) (특히 도덕적인 이유로) 몹시 싫어하다, 증오하다: I *abhor* slavery. 나는 노예제도를 증오한다. ⎣SYN⎦ hate, detest
— **abhorrent** *adj.* **abhorrence** *n.* 혐오

abide [əbáid] *v.* [T] (의문 · 부정으로) 참다, 견디다: I can't *abide* the hot weather. 나는 무더운 날씨를 참을 수가 없다. ⎣SYN⎦ endure
⎣숙어⎦ **abide by** (규칙 · 법규 · 결정 등을) 지키다: We have to *abide by* the rules. 우리는 규칙을 준수해야 한다.

*ability [əbíləti] *n.* 할 수 있음, 능력, 재능: She's a woman of considerable *ability*. 그녀는 상당히 유능한 사람이다. / to the best of one's *ability* 힘이 닿는 한

SYN capacity OPP inability

■ 유의어 **ability**
ability '지적 · 육체적 능력'을 뜻하고, 선천적인 것과 후천적인 것 양쪽에 쓰임.
talent 어떤 특별한 분야의 타고난 재능.
capacity 원래 '수용 능력'을 뜻하고 주로 '지적 재능'을 말함.

---

abject [ǽbdʒekt] *adj.* **1** (상황 · 상태) 비참한, 처참한 SYN miserable **2** (사람 · 행위) 비열한, 비굴한 OPP proud

ablaze [əbléiz] *adj.* (명사 앞에는 쓰이지 않음) **1** 활활 불타는, 완전히 불길에 휩싸인: The whole town was set *ablaze*. 온 마을이 불길에 휩싸였다. **2** (흥분 · 분노로) 감정이 격한: He was *ablaze* with anger. 그는 노여움으로 격분했다.

*★**able** [éibəl] *adj.* **1** (명사 앞에는 쓰이지 않음) …할 수 있는 (to do): You'll be *able* to meet my family at the party. 너는 파티에서 우리 가족을 만날 수 있을 거야. / After the surgery, he was *able* to walk again. 수술 후 그는 다시 걸을 수 있게 되었다. SYN capable OPP unable **2** 능력 있는, 유능한: He is an *able* teacher. 그는 유능한 선생님이다.

※ can에는 미래형, 완료형이 없으므로 be able to의 변화로 대용한다. 과거 시제는 could를 쓰는 경우가 있으나, 가정법과 혼동하기 쉬우므로, was(were) able to를 쓰는 것이 좋다.

-able *suffix* **1** (타동사에 붙여) '…할 수 있는,' '…하기에 적합한'의 뜻.: use*able*, eat*able* **2** (명사에 붙여) '…에 적합한,' '…을 좋아하는'의 뜻.: change*able*

abnormal [æbnɔ́ːrməl] *adj.* 정상과 다른, 이상한 SYN unusual OPP normal
— **abnormally** *adv.* **abnormality** *n.* 기형, 불구

aboard [əbɔ́ːrd] *adv. prep.* 배(기차, 비행기, 버스)를 타고: We finally went *aboard* the ship. 우리는 마침내 배에 올라탔

다. / All *aboard*! 모두 올라타세요! SYN on board OPP ashore

abode [əbóud] *n.* 거처, 주소 SYN residence

abolish [əbáliʃ] *v.* [T] (관례 · 제도 등을) 폐지하다: We must *abolish* unnecessary punishments. 불필요한 형벌은 폐지해야 한다. SYN do away with OPP establish
— **abolition** *n.*

A-bomb, atomic bomb [éibàm, ətámikbàm] *n.* 원자 폭탄

abominable [əbámənəbəl] *adj.* 혐오스러운, 지긋지긋한; (날씨가) 지독한: The weather has been *abominable* all day long. 날씨가 하루 종일 엉망이었다. OPP favorable

aborigine [æbərídʒəni:] *n.* **1** 원주민, 토착민 **2** (Aborigine) 오스트레일리아 원주민 **3** (aborigines) 토착 동식물
— **aboriginal** *adj.*

abort [əbɔ́ːrt] *v.* [T] **1** 유산(낙태)하다 **2** (계획 등을) 좌절시키다, 중단하다: We *aborted* a trip because of my brother's illness. 동생이 아파서 여행가는 것을 취소했다.
— **abortion** *n.*

abound [əbáund] *v.* [I] 풍부하다 (in, with): Fish *abound* in the river. 그 강에는 물고기가 많다. SYN be plentiful OPP lack

*★**about** ⇨ p. 11

*★**above** [əbʌ́v] *prep.* **1** (방향 · 장소가) …보다 위에, (소리가) …보다 높이: She raised her hands *above* her head. 그녀는 머리 위로 손을 올렸다. **2** (서류 등의) 윗 부분에 OPP below **3** (수치 · 수량 · 가격 등이) …을 넘는: You must get *above* 70 to pass. 합격하려면 70점 이상 받아야 한다. OPP below **4** (지위가) …보다 높은: She's a grade *above* me. 그녀는 나보다 한 학년 위다. OPP below **5** (고결하여 …등의 행위) 하지 않는, (…하는 것을) 부끄럽게 여기는

(doing): She is *above* telling lies. 그녀는 거짓말을 할 사람이 아니다. OPP below

adv. **1** 위쪽에[으로], 하늘에[로] **2** (지위가) 상위에[로] **3** (책 등의) 앞에; (페이지의) 위쪽에

adj. 위에서 말한, 상술의: as mentioned *above* 위에서 언급한 바와 같이

n. (the above) 상기의 사실[사람]

[숙어] **above all** 무엇보다도, 그 중에서도 특히: I would like to thank my teachers, my friends, and *above all*, my parents. 선생님, 친구들에게 감사하고, 특히 누구보다 부모님께 감사드립니다.

above-mentioned *adj.* 앞서 언급한

abreast [əbrést] *adv.* 나란히, 병행하여

[SYN] alongside

[숙어] **be(keep) abreast of(with)** (시세에) 뒤지지 않고 따라가다: I try to *keep abreast of* the latest news. 나는 최신 시사 정보에 뒤지지 않으려고 노력한다.

abridge [əbrídʒ] *v.* [T] 요약하다, 단축하다, 축소하다: This is *abridged* from the original. 이것은 원작에서 축소된 것이다.

— **abridgment, abridgement** *n.*

***abroad** [əbrɔ́ːd] *adv.* 외국으로[에], 해외로[에]: at home and *abroad* 국내외에 / He went *abroad* last year. 그는 작년에 외국에 나갔다. [SYN] overseas OPP home

abrupt [əbrʌ́pt] *adj.* **1** 돌연한, 갑작스러운: He took an *abrupt* turn to the left. 그는 갑자기 왼쪽으로 돌았다. **2** (말·태도가) 퉁명스러운, 무뚝뚝한: an *abrupt* reply 퉁명스러운 대답

— **abruptly** *adv.* **abruptness** *n.*

absence [ǽbsəns] *n.* **1** 결석, 부재: *absence* from school 학교[수업]에 결석 / He called on me in my *absence*. 그는 내가 없을 때 찾아왔다. **2** 없음: *absence* of

---

about

about [əbáut] *prep.* **1** …에 관하여[관한] a book *about* animals 동물에 관한 책 / talk *about* business 사업 이야기를 하다 / What are you so happy *about*? 무엇을 그렇게 좋아하고 있니?

2 …의 주위에, …의 신변에: *about* the neck 목 언저리에 / Look *about* you. 주위를 살펴보아라. / There is something noble *about* him. 그에게는 어딘지 모르게 고상한 데가 있다.

3 …경(에), …(때)쯤: He came *about* four o'clock. 그는 4시쯤 왔다.

4 …의 근처[부근]에, …주위에[를] ([미] around): He is *about* the office somewhere. 그는 사무실 근처 어디에 있다.

5 …에 종사하고: What are you *about* now? 지금 무엇을 하고 있는가? / Mother is busy *about* cooking. 어머니는 요리하느라 바쁘시다.

adv. **1** (시간·수량·정도) 약, 대략 ([미] around): *about* a mile 약 1마일 / *about* ten days ago 약 10일 전

2 거의, 대략: It's *about* time to leave. 떠날 시간이 거의 됐다.

3 주위에, 근처에, 여기저기에 ([미] around): hang *about* 주위를 어슬렁거리며 배회하다 / There was nobody *about*. 근처에는 아무도 없었다.

[숙어] **(be) about to** 막 …하려고 하다: The boat *was about to* capsize. 보트는 금방 뒤집힐 듯했다. / The man *about to* open an account proved a prisoner. 막 계좌를 하나 만들려던 남자는 죄수임이 밝혀졌다.

How(What) about …? **1** (문의) …은 어떤가?: *What about* Amy? Have you heard from her lately? 에이미는 어떤가? 요즘 그녀 소식 들었어? **2** (제의·권유) …하는 게 어때?: *How about* a movie tonight? 오늘밤 영화 보러 가는 게 어때?

not about to 아주 내키지 않는

mind 방심 / *absence* of light 빛이 없음
OPP presence
축어 **in the absence of** …이 없을 때
에, …이 없으므로: *In the absence of* clear
evidence, the police let the suspect
go. 경찰은 명백한 증거가 없어서 혐의자를 풀
어 주었다.

*★**absent** [ǽbsənt] *adj.* 결석한, 부재의
(from): He has been *absent* from
school for a year. 그는 일년 동안 휴학 중
이다. OPP present
— **absently** *adv.*

absentee [æbsəntí:] *n.* 부재자; 결석자,
불참자: *absentee* ballot 부재자 투표

absent-minded *adj.* 방심한, 멍한
— **absent-mindedly** *adv.*
absent-mindedness *n.*

absolute [ǽbsəlù:t] *adj.* **1** 완전한, 확실
한: That's *absolute* nonsense! 그건 정말
터무니없다! SYN complete **2** 절대적인: A
sick person needs *absolute* confidence
and trust in doctor. 환자는 의사에 대한 절
대적인 신뢰와 믿음이 필요하다. OPP relative
3 무제한의, 무조건의; 독재적인: an *absolute*
monarch 전제 군주
— **absoluteness** *n.*

*★**absolutely** [ǽbsəlù:tli] *adv.* **1** 완전히,
전적으로: I *absolutely* believe that. 난 그
걸 전적으로 믿어. **2** [ǽbsəlú:tli] 정말 그
래, 그렇고 말고: "It's a good idea, isn't
it?" "*Absolutely*!" "그거 좋은 생각이지, 그
렇지?" "그렇고 말고!"

absolve [æbzálv] *v.* [T] (종교·법률적으
로) 사면하다; (책임·의무를) 면제하다: The
priest *absolved* him of his sins. 신부는
그의 죄를 사면했다. SYN forgive

*★**absorb** [əbsɔ́:rb] *v.* [T] **1** (액체·기체를)
흡수하다: This drug is slowly *absorbed*
into the bloodstream. 이 약은 혈액 속으
로 천천히 흡수된다. **2** 받아들여 이해하다:
You have to try to *absorb* new ideas.
새로운 사상을 이해하도록 노력해야 한다. **3**

(작은 나라·기업 등을) 병합[흡수]하다 (into):
A small firm was *absorbed* into a
large one. 작은 기업은 큰 기업에 병합됐다.
4 집중하다, 마음을 사로잡다: The movie
was totally *absorbing* her attention. 그
영화는 완전히 그녀의 넋을 빼앗았다. **5** (빛·
소리·충격 등을) 흡수하다, 완화시키다: The
bumper *absorbed* most of the impact.
범퍼가 충격을 대부분 흡수했다.
— **absorbed** *adj.* 열중한 **absorbing**
adj. 열중케 하는
축어 **be absorbed in** …에 몰두해 있다:
He *was absorbed in* thought and
didn't hear me come in. 그는 생각에 몰
두해 있어서 내가 들어오는 것을 알지 못했다.

absorption [əbsɔ́:rpʃən] *n.* **1** 흡수 (작
용): A sponge is useful for the
absorption of water. 스펀지는 물을 흡수하
는 데 유용하다. **2** 병합 **3** 열중, 전념 (in):
absorption in (one's) work 일에 몰두함

abstain [əbstéin] *v.* [I] **1** …을 끊다, 억제
하다, 삼가다 (from): You had better
abstain from smoking. 담배를 끊는 것이
좋겠다. SYN refrain **2** 기권하다 (from)
— **abstainer** *n.* 절제가, 금주가

abstention [əbsténʃən] *n.* **1** 절제, 자
제: *abstention* from drink 금주 **2** (투표
등의) 기권: 50 votes for, 40 against,
and 10 *abstentions* 50명 찬성, 40명 반대,
10명 기권

abstinence [ǽbstənəns] *n.* 절제, 금욕,
금주

abstract [ǽbstrǽkt] *adj.* **1** 추상적인, 관
념적인: Happiness is an *abstract*
concept. 행복이란 추상적인 개념이다. OPP
concrete, practical **2** 모호한, 난해한
n. [ǽbstrækt] **1** 추상 예술 작품 **2** 개요,
발췌 (연설이나 책 등의 요점만을 뽑아 놓은
것): make an *abstract* of a book 책의 요
점을 발췌하다
v. [T] [æbstrǽkt] 발췌하다: The author
has *abstracted* a few lines from earlier

books. 작가는 초창기의 책에서 몇 줄을 발췌했다.

[숙어] **in the abstract** 추상적으로: consider a problem *in the abstract* 문제를 추상적으로 생각하다 [OPP] in the concrete 구체적으로

absurd [əbsə́:rd] *adj.* 터무니없는, 어리석은: Don't be *absurd*. 얼빠진 소리 마라. / It seems quite *absurd* to drive for 4 hours just for a ten-minute meeting. 10분짜리 회의에 참석하려고 4시간 동안 차를 타고 온다는 것은 어리석은 것 같다.
— **absurdly** *adv.* **absurdity** *n.*

abundance [əbʌ́ndəns] *n.* **1** 풍부, 다수, 다량: Flowers grow in *abundance* in our garden. 우리 정원에는 꽃이 많이 자란다. **2** 부유

abundant [əbʌ́ndənt] *adj.* 풍부한, 많은 (in, with): The land is *abundant* in minerals. 그 지방에는 광물이 많이 난다. [SYN] plentiful
— **abundantly** *adv.*

abuse [əbjú:z] *v.* [T] **1** 남용〔악용〕하다: The politician *abused* his position in order to enrich himself. 그 정치인은 자신의 부를 챙기기 위해 지위를 남용했다. **2** 학대하다, 혹사하다: He *abused* his eyesight. 그는 눈을 혹사시켰다. **3** 모욕하다, 욕하다: The crowd started *abusing* a goalkeeper after he failed to save a goal. 사람들은 골키퍼가 골을 막지 못하자 그에게 욕하기 시작했다.
n. [əbjú:s] **1** 악용, 남용: an *abuse* of power 직권 남용 **2** 학대 **3** 욕설
— **abusive** *adj.* **abusively** *adv.* **abuser** *n.*

abyss [əbís] *n.* 심연(深淵), 끝없이 깊은 구렁: the *abyss* of despair 절망의 구렁텅이

***academic** [æ̀kədémik] *adj.* **1** (학교) 교육의, 대학의: an *academic* degree 학위 **2** 인문학과의, 문학부의: *academic* subjects 인문학 과목 **3** 비실용적인: an *academic*

discussion 탁상 공론
n. 대학생, 대학 교수〔연구원〕
— **academically** *adv.*

academy [əkǽdəmi] *n.* **1** 전문 훈련을 하는 학교: an *academy* of music 음악 학교 / a naval〔military〕 *academy* 해군〔육군〕 사관 학교 **2** (Academy) (예술·과학·문학 등의) 학회, 협회: the Royal *Academy* of Arts [영] 왕립 미술원 / the *Academy* Award [미] 아카데미상

■ 「아카데미」의 유래
academy는 보통 대학 정도에 미치지 못하는 것이라든가 사립 학교, 특수한 기술 학교 및 과학·문예의 전문가의 집단에 대해서 쓰이는데, B.C. 387년에 플라톤이 아테네 교외의 Akademia에 세운 학원의 이름에서 유래함.

accede [æksí:d] *v.* [I] **1** (요구 등에) 동의하다, 응하다: *accede* to a proposal 제안에 동의하다 **2** (높은 지위·왕위 등에) 오르다: *accede* to the throne〔crown〕 왕위에 오르다

accelerate [æksélərèit] *v.* [I,T] 빨라지다, 속도를 더하다: Suddenly, the bus *accelerated*. 갑자기 버스가 속도를 더했다. / The government *accelerated* the pace of reform. 정부는 개혁의 속도를 높였다. [SYN] quicken [OPP] decelerate
— **acceleration** *n.* **accelerator** *n.* (자동차의) 가속 장치

***accent** [ǽksent] *n.* **1** [음성] 강세, 악센트: the primary〔secondary〕 *accent* 제1〔제2〕 악센트 **2** 악센트 부호 **3** 지방〔외국〕 사투리〔어투〕: He speaks French with a strong English *accent*. 그는 강한 영국식 말투로 프랑스 말을 한다. **4** 강조, 특별히 중요한 점: In all our products, we put the *accent* on quality. 우리는 모든 제품의 품질에 역점을 두었습니다.
v. [T] **1** 악센트를 두다, 강하게 발음하다 **2** 악센트 부호를 붙이다

accentuate [ækséntʃuèit] *v.* [T] 강조
〔역설〕하다, 악센트(부호)를 붙이다
— **accentuation** *n.*

*****accept** [æksépt] *v.* **1** [T] 받아들이다, 받
다: Please *accept* this small present. 이
작은 선물을 받아 주세요. **2** [I,T] (초대·제
안·구혼 등을) 수락하다, 응하다: I *accept*
your offer. 당신의 제의를 받아들입니다. **3**
[T] (대학·클럽 등에) 받아들이다: She was
accepted at Harvard. 그녀는 하버드 대학
에 입학했다.

※ receive가 단지 '받다'의 뜻인데 비해
accept는 승낙하여 '받아들이다'란 뜻이다.
— **acceptable** *adj.* **acceptance** *n.*

access [ǽkses] *n.* **1** 접근, 출입; 접근〔출
입〕하는 방법〔수단·권리〕: For some
reasons, *access* to the area is restricted.
어떤 이유에서인지 그 구역은 출입이 제한되어
있다. **2** (정보·장비 등을) 이용〔입수〕할 수
있는 권한: He gained complete *access*
to the patient's record. 그는 그 환자의
기록을 볼 수 있는 권한을 얻었다. **3** (사람을)
만나 볼 수 있는 권한: They are divorced,
but the children's father has *access* to
the children. 그들은 이혼했지만, 아버지는
아이들을 만나 볼 수 있는 권한을 가지고 있다.
v. [T] [컴퓨터] (정보를) 기억 장치에 입력하다,
(데이터에) 접근하다: I could not *access*
the Web site without a password. 암
호 없이는 그 웹사이트에 접속할 수 없었다.
— **accessible** *adj.* **accessibility** *n.*
[축어] **have access to** ⋯에 접근〔출입〕할
수 있다: He *has access to* my library. 그
는 나의 서재 출입이 허용되어 있다.

accession [ækséʃən] *n.* 접근, 도달; 취임

accessory [æksésəri] *n.* **1** 부속물, 부속
품: the *accessories* of a motorcar 자동차
의 부속품 **2** (보통 *pl.*) 액세서리, 장신구 (보
석·가방 등) **3** [법률] 방조자: He was
charged with being an *accessory* to
robbery. 그는 강도 행위의 방조자로 고소되
었다.

*****accident** [ǽksidənt] *n.* (돌발) 사고, 뜻
밖의 사건〔재난〕: He was killed in a
traffic *accident*. 그는 교통 사고로 죽었다.
[축어] **by accident** 우연히, 뜻밖에: He
got into trouble purely *by accident*. 그
는 순전히 뜻하지 않게 말썽에 휘말리고 말았다.

accidental [æksidéntl] *adj.* 우연한,
뜻밖의: *accidental* death 불의의 죽음, 사고
사
— **accidentally** *adv.*

acclaim [əkléim] *v.* [I,T] 갈채하다, 환호
하다
n. 갈채, 환호
— **acclamation** *n.*

acclimatize [əkláimətàiz] *v.* [I,T]
(〔미〕 acclimate) 새 풍토〔환경〕에 익숙하
게 하다〔익숙해지다〕: get〔become〕
acclimatized 적응하다 [SYN] get used to

accommodate [əkámədèit] *v.* [T] **1**
⋯에 편의를 도모하다, ⋯에 융통〔제공〕하다:
accommodate ... with lodging〔money〕
⋯에게 숙소를〔돈을〕 마련〔융통〕해 주다 **2** 숙
박시키다: We will be *accommodated* in a
nearby hotel. 우리는 근처 호텔에 머물 것이
다. **3** ⋯의 수용력이 있다: Each room can
accomodate three people. 각 방은 세 사
람씩 사용할 수 있습니다. **4** (보통 수동태) (건
물·방 등에) 설비를 공급하다: The hotel is
well *accommodated*. 그 호텔은 설비가 잘
되어 있다.
— **accommodating** *adj.* 남의 편의를 잘
봐주는

accommodation [əkàmədéiʃən] *n.*
1 (accommodations) (호텔·여객기·병원
등의) 숙박 시설, 좌석: We need
accomodations for six. 여섯 명의 숙박 시설
이 필요합니다. **2** 편의, 대접

accompany [əkámpəni] *v.* [T] **1** 동반
하다: He went to Canada *accompanied*
by his parents. 그는 부모님과 함께 캐나다
로 갔다. **2** ⋯의 반주를 하다 (on): She
accompanied the singer on the piano.

그녀는 그 가수의 피아노 반주를 했다. **3** (보통 수동태) 잇따라 일어나다: Poverty is *accompanied* with sickness. 가난에는 병이 따른다.

accomplice [əkámplis] *n.* 공범자

accomplish [əkámpliʃ] *v.* [T] 성취하다, 완성하다: I will *accomplish* it by tomorrow. 내일까지는 그것을 완성하겠다. [SYN] achieve
— **accomplished** *adj.* 뛰어난, 능란한
accomplishment *n.*

accord [əkɔ́ːrd] *n.* (특히 국가 간의) 합의, 협정, 조약: the Helsinki *accord* on human rights 인권에 관한 헬싱키 조약 [SYN] agreement
v. **1** [T] 주다, 수여하다 **2** [I] 일치하다: His deeds *accord* with his words. 그의 언행은 일치한다.
[숙어] **in(out of) accord with** …와 일치하는(일치하지 않는): My views are *in accord with* his. 나의 견해는 그의 견해와 일치한다.
of one's own accord 자발적으로: He would never have done it *of his own accord*. 그는 자발적으로는 결코 그것을 하지 않았을 것이다.

accordance [əkɔ́ːrdəns] *n.* 일치, 조화
[숙어] **in accordance with** …에 따라서, …와 일치하여: Everything has been done *in accordance with* the rules. 모든 것이 규정에 따라 이루어졌다.

***according as** *conj.* …에 따라서: The thermometer rises or falls *according as* the air is hot or cold. 온도계는 공기가 뜨거운가 차가운가에 따라서 오르내린다.

***according to** *prep.* **1** …에 따라서, …에 응해서: He came *according to* his promise. 그는 약속대로 왔다. **2** …을 기준으로 하여, … 순으로: We arranged the books *according to* size. 우리는 크기 순으로 책들을 정리했다. **3** (보통 문장 첫머리에서) (…가 말한 바에) 의하면: *According to* the

paper, there was an earthquake in Japan. 신문에 의하면 일본에 지진이 있었다고 한다.

accordion [əkɔ́ːrdiən] *n.* 아코디언, 손 풍금

***account** [əkáunt] *n.* **1** (사건 등에 대한) 기술, 기사, 보고서; 설명 **2** (예금) 계좌 (bank account): open(close) an *account* 계좌를 개설하다(끊다) **3** (보통 *pl.*) 계산, 셈; 계산서, 청구서: keep *accounts* 치부하다, 경리를 맡아보다 **4** 가치, 중요성 **5** 외상 거래 (charge account)
v. **1** [I] …을 설명하다, …의 원인이 되다 (for): How do you *account* for your absence from school? 학교에 결석한 것을 어떻게 설명할래? / Poor health *accounts* for his failure. 그의 실패는 건강이 좋지 않아서이다. **2** [T] …라고 생각하다: *account* him (to be) foolish 그를 바보 같다고 생각하다 **3** [I] (…의 비율을) 차지하다 (for): Black people *accounted* for 30 percent of the population in America. 흑인이 미국 인구의 30%를 차지했다.
[숙어] **make much(no) account of** …을 중요시하다(무시하다): You need not *make much account of* his words. 그의 말을 중시할 필요는 없다.

not ... on any account, on no account 결코 … 아니다(않다): I can*not* forgive him *on any account*. 난 절대로 그를 용서 못해. / You ought to take part in that *on no account*. 너는 절대로 거기 관여하면 안 된다.

of much(no) account 중요한(대수롭지 않은): a man *of no account* 대수롭지 않은 사람

on account of …때문에: He was absent from school *on account of* illness. 그는 병으로 학교에 결석했다.

on all accounts 모든 점에서
on every account 무슨 일이 있더라도: It is best to do so *on every account*. 어

떤 일이 있더라도 그렇게 하는 것이 제일 좋다.

on one's own account 자기의 부담으로; 자기의 이익을 위해서: He started business *on his own account.* 그는 자비로 사업을 시작했다.

on this(that) account 이것(그것) 때문에

take ... into account …을 참작하다, 고려하다: You should *take* these *into account.* 너는 이런 것들을 고려해 보아야 한다.

accountable [əkáuntəbəl] *adj.* **1** 책임 있는, 해명할 의무가 있는: We are *accountable* to him for the loss. 그 손실에 대해선 우리가 그에게 책임이 있다. ⎡SYN⎤ responsible **2** 설명할 수 있는, 지당한: an *accountable* reason 타당한 이유
— **accountability** *n.*

accountant [əkáuntənt] *n.* 회계원, (공인) 회계사 ⎡SYN⎤ book-keeper

account book *n.* 회계 장부, 출납부

accounting [əkáuntiŋ] *n.* 회계(학)

accumulate [əkjú:mjəlèit] *v.* **1** [T] 축적하다 **2** [I] 증가하다 ⎡SYN⎤ increase
— **accumulative** *adj.*
accumulation *n.*

accuracy [ǽkjərəsi] *n.* 정확, 정밀: I'm not sure about the *accuracy* of the report. 나는 그 보도가 정확한지는 모르겠다. ⎡OPP⎤ inaccuracy

accurate [ǽkjərit] *adj.* 정확한, 정밀한: He is *accurate* at figures. 그는 계산이 정확하다. ⎡SYN⎤ precise ⎡OPP⎤ inaccurate
— **accurately** *adv.*
⎡숙어⎤ **to be accurate** 정확히 말하면

accuse [əkjú:z] *v.* [T] **1** 비난하다 (of): She *accused* me of cheating on the exam. 그녀는 내가 시험에서 부정 행위를 했다고 비난했다. ⎡SYN⎤ blame **2** 고소(고발)하다 (of): He was *accused* of theft. 그는 절도 행위로 고소당했다. ⎡OPP⎤ defend
— **accusation** *n.* **accuser** *n.* 원고

accused [əkjú:zd] *adj.* **1** 고소(고발)된

2 비난받은
n. (the accused) 피고인, 피의자

accustom [əkʌ́stəm] *v.* [T] 익숙케 하다, 습관을 붙이다: *Accustom* yourself to early rising. 일찍 일어나는 습관을 붙여라.
※ 보통 수동 또는 재귀형으로 쓰인다.
⎡숙어⎤ **be accustomed to** …에 익숙해져 있다, 항상 …하다: He *is accustomed to* Korean way of life. 그는 한국 생활 양식에 익숙해져 있다.
※ get(grow, become) accustomed to는 '…에 익숙해지다' 라는 뜻이다.

ace [eis] *n.* **1** (카드 · 주사위의) 에이스 **2** 최고의 것, 제 1인자, 명수 **3** (테니스 · 배드민턴 등의) 상대가 못 받은 서브; 서브로 얻은 득점
adj. 최고의: an *ace* reporter 우수한 기자

*****ache** [eik] *v.* [I] **1** 아프다, 쑤시다: My tooth *aches.* 이가 아프다. **2** …하고 싶어 몸이 쑤시다(못 견디다): The boy *ached* to see his mother. 그 소년은 어머니를 간절히 만나고 싶어했다. ⎡SYN⎤ be eager
n. (-ache) (복합어를 이루어) (오래 지속되는) 통증: head*ache* 두통 / stomach*ache* 복통 / tooth*ache* 치통
— **aching** *adj.*

*****achieve** [ətʃí:v] *v.* [T] **1** (열심히 노력하여) 성취하다: On the final he *achieved* high scores. 기말 시험에서 그는 높은 성적을 거두었다. ⎡SYN⎤ accomplish ⎡OPP⎤ fail **2** (승리 · 명성 등을) 획득하다: *achieve* success 성공하다 ⎡SYN⎤ gain
— **achievable** *adj.* **achievement** *n.* 업적, 공로; 성취

acid [ǽsid] *n.* [화학] 산(酸)
adj. **1** 신맛이 나는: Vinegar has a strong *acid* taste. 식초는 강한 신맛이 난다. **2** [화학] 산(성)의: an *acid* reaction 산성 반응
— **acidity** *n.* 산(성)도

acid rain *n.* 산성비

acknowledge [æknálidʒ] *v.* [T] **1** 인정하다: He *acknowledged* that he was wrong. 그는 자신이 틀렸음을 인정했다.

SYN admit **2** 감사하다, 사의를 표하다: *acknowledge* a favor 호의에 감사하다 **3** (편지 등의) 도착〔수령〕을 알리다: Call your grandmother to *acknowledge* her gift. 할머니께 선물 잘 받았다고 전화드리렴.
— **acknowledged** *adj.* 정평 있는

acknowledgment, acknowledgement [əknάlidʒmənt] *n.* **1** 승인, 인정; 자백: *acknowledgment* of an error 잘못의 시인 **2** 수취 증명〔통지〕, 영수증: I have had no *acknowledgment* of my letter. 편지의 회답을 받지 못했다. **3** 감사, 사례; 답례품: As an *acknowledgment* for his hard work, they presented him with a gold watch. 그의 노고에 대한 감사의 표시로 그들은 그에게 금시계를 선물했다. **4** (보통 *pl.*) (협력자에 대한 저자의) 감사의 말

acorn [éikɔ:rn] *n.* 도토리, 상수리

acquaint [əkwéint] *v.* [T] **1** 익히 알게 하다 (with): I *acquainted* myself with my new neighborhood. 나는 새 이웃과 익히 알게 되었다. **2** [미] (⋯을 한두 번 만나) 알고 있다 (with): I'm *acquainted* with him but only on a professional basis. 나는 그를 알고 있지만 단지 직업상의 관계이다.
숙어 **be acquainted with 1** ⋯을 알〔고 있〕다, 정통하다: He *was acquainted with* it from the beginning. 그는 처음부터 그것을 알고 있었다. **2** ⋯와 아는 사이이다〔가 되다〕

acquaintance [əkwéintəns] *n.* **1** (가까운 친구는 아니지만) 아는 사람〔사이〕 **2** 알고 있음, 면식: They had no *acquaintance* with Korean philosophy or history. 그들은 한국의 철학이나 역사에 대해 아는 바가 전혀 없었다.

acquire [əkwáiər] *v.* [T] **1** 손에 넣다, 획득하다: She *acquired* real property in the town. 그녀는 그 마을에 부동산을 구입했다. SYN get OPP lose **2** 얻다, 습득하

다: I desire to *acquire* French quickly. 프랑스 말을 빨리 익히고 싶다.
— **acquired** *adj.* **acquirement** *n.* **acquisition** *n.* 획득, 취득(물)

acquit [əkwít] *v.* [T] (acquitted-acquitted) **1** 석방하다, 무죄로 하다: He was *acquitted* after a long trial. 그는 긴 재판 끝에 석방되었다. / They *acquitted* him of murder. 그는 살인 혐의를 벗었다. SYN release OPP convict **2** 처신하다 (oneself): He *acquitted* himself well like a man. 그는 남자답게 잘 처신했다.
— **acquittal** *n.* 무죄 방면, 석방

acquired [əkwáiərd] *adj.* 취득한; 습득한, 후천적인: *acquired* rights 기득권 / *Acquired* Immune Deficiency Syndrome 후천적 면역 결핍증 (AIDS) SYN inborn, innate

acre [éikər] *n.* 에이커 (약 4,047 평방미터)

acrobat [ǽkrəbæt] *n.* 곡예사
— **acrobatic** *adj.*

acrobatics [æ̀krəbǽtiks] *n.* (*pl.*) 곡예

acrophobia [æ̀krəfóubiə] *n.* 고소 공포증

****across** [əkrɔ́:s] *adv. prep.* **1** ⋯을 가로질러: The stream was so wide that I couldn't jump *across*. 개울이 너무 넓어서 건너뛸 수가 없었다. **2** ⋯을 가로질러 맞은편에: There's a restaurant just *across* the road. 길 맞은편에 식당이 하나 있다. **3** 지름으로, 직경으로; 폭이 ⋯인: The lake is five hundred meters *across*. 이 호수는 폭이 500미터이다. SYN in diameter

****act** [ækt] *v.* **1** [I] 행동을 취하다: The doctor *acted* quickly to save the child. 그 아이를 구하려고 의사는 재빠르게 행동을 취했다. **2** [I] ⋯로서 행동하다: The man was kind enough to *act* as our guide. 그는 친절하게도 우리의 여행 안내자 역할을 해 주었다. **3** [I] ⋯처럼 행동하다: Stop *acting* like a child! 아이처럼 굴지 마! **4** [I,T] (연극·영화에서) 연기하다: I

acted Hamlet in a play at school. 나는 학교 연극에서 햄릿역을 연기했다.

n. **1** 소행, 행위: a brave *act* 용감한 행위 **2** (Act) (연극의) 막: a one-*act* play 단막극 / Act III, Scene ii 제 3막, 제 2장 **3** (Act) 법령, 조례 **4** 꾸밈, 시늉: Her sadness was just an *act*. 그녀의 슬픔은 단지 시늉이었다.

[숙어] **act on(upon) 1** …에 작용하다: Alcohol *acts on* the brain. 알코올은 뇌에 영향을 미친다. **2** …에 따르다: I always give him advice but he never *acts on* it. 나는 언제나 그에게 충고하지만 그는 충고를 따르지 않는다.

get(have) one's act together 일관성 있게 효율적으로 행동하다: You need to *get your act together* if you're going to pass the test. 시험에 합격하려면 일관성 있게 효율적으로 공부할 필요가 있다.

in the (very) act of 한참 …을 하고 있는 중에: He was *in the very act of* starting. 그는 막 출발하려던 참이었다.

acting [ǽktiŋ] *adj.* 직무 대행의; 임시의, 대리의: He'll be the *acting* director for the time being. 당분간 그가 임시 감독을 맡을 것이다.

n. 연기: She returned to London to pursue her *acting* career. 그녀는 연기자로서의 길을 걷고자 런던으로 돌아왔다.

action [ǽkʃən] *n.* **1** 행동, 활동: Now is the time for *action*. 지금이 행동을 해야 할 때이다. **2** 조치, 방책 **3** (이야기의) 가장 중요한 사건 **4** (배우의) 연기; (손에 땀을 쥐게 하는) 활동적 연기: *Action!* 연기 시작!

[숙어] **in action** 작동하고, 행동하고
out of action 움직이지 않아
take action 조치를 취하다, 행동을 개시하다

activate [ǽktəvèit] *v.* [T] 활동(작동)시키다: Even the slightest movement could *activate* the alarm. 조그만 움직임에도 경보기는 작동할 것이다.

— **activation** *n.*

active [ǽktiv] *adj.* **1** 활발한, 활동적인: Although he is over 70, he's still *active*. 그는 70이 넘었지만 여전히 활동적이다. **2** (화산 등이) 활동 중인: *active* volcano 활화산 [OPP] extinct **3** 적극적인: *active* measures 적극적인 대책 / He took an *active* part in the discussion. 그는 토론에 적극적으로 참여했다. [OPP] inactive, passive **4** [문법] 능동태의: the *active* voice 능동태 [OPP] passive

— **actively** *adv.* **activeness** *n.*

■ **접미어 -ive**
'…의 경향이 있는' '…의 성질을 갖는'의 뜻의 형용사를 만든다.: act*ive*, nat*ive*, pass*ive*, suggest*ive*

activism [ǽktəvìzəm] *n.* 행동(실천)주의
— **activist** *n.*

activity [æktívəti] *n.* **1** 활발한 움직임, 활기 **2** (오락·스포츠·학생의 과외 활동 등의) 활동: school *activities* 교내 활동

actor [ǽktər] *n.* (연극·영화·텔레비전 등의) 배우, 남자 배우 *cf.* actress 여배우

actual [ǽktʃuəl] *adv.* 현실의, 실제로 발생한: The *actual* damage to the car was greater than we feared. 실제로 차의 손상은 우리가 우려했던 것보다 컸다.

actually [ǽktʃuəli] *adv.* **1** 실제(로)는, 사실은: She looks very young, but she's *actually* 40. 그녀는 매우 젊어 보이지만, 실제로는 40살이다. **2** (강조·놀람을 나타내어) 참으로, 정말로: He *actually* refused! 그가 정말 거절했어요!
[SYN] really

acupuncture [ǽkjupʌ̀ŋktʃər] *n.* 침술
— **acupuncturist** *n.*

acute [əkjúːt] *adj.* **1** (아픔·감정 등이) 격한: *acute* pain 격한 통증 **2** (상황·사태 등이) 중대한, 매우 심각한: an *acute* shortage of food 매우 심각한 식량 부족 **3** (병이) 급성인: *acute* appendicitis 급성 맹장염 **4**

(감각·통찰력 등이) 예리한, 민감한: an *acute* observer 예리한 관찰자 [SYN] keen [OPP] dull **5** (사물의) 끝이 뾰족한, 날카로운
— **acutely** *adv.* **acuteness** *n.*

ad [æd] *n.* 광고 (advertisement): an *ad* agency(agent) 광고 대행 업소(업자)

A.D. [éidí:] 기원후 (라틴어 Anno Domini= in the year of our Lord, 즉 '서기 … 년'의 뜻으로 쓰임): *A.D.* 100 서기 100년

adapt [ədǽpt] *v.* **1** [I,T] (변화된 상황에) 적응하다: The animal was quick to *adapt* itself to the new environment. 그 동물은 새로운 환경에 빠르게 적응했다. [SYN] adjust **2** [T] (건물·기계 등을 용도에 맞춰) 개조하다, 조정(조절)하다: We must *adapt* our plans to the new situation. 우리의 계획을 새로운 상황에 맞춰 조정해야 한다. **3** [T] 개작(번안, 각색)하다: The book is *adapted* for children. 그 책은 아동용으로 각색되었다.
— **adaptable** *adj.* **adaptability** *n.* **adaptation** *n.* 적응, 개작(물)
[숙어] **adapt oneself to** …에 순응하다, 적응하다: You will easily *adapt yourself* to any circumstances. 너는 어떤 환경에도 쉽게 적응할 거야.

*****add** [æd] *v.* **1** [I,T] 더하다, 가산하다; 증가(추가)하다 (to): Two *added* to three makes five. 3+2=5 / The soup tasted better after I *added* salt to it. 수프에 소금을 더 넣었더니 맛이 더 좋아졌다. [OPP] subtract **2** [T] 합산(합계)하다 (up, together): *Add* up these figures and see if the sum is correct. 이 숫자를 전부 합산하여 총계가 옳은지 확인해라. **3** [T] 부언하다: He *added* that it was true. 그는 그것이 사실이라고 부언했다.
[숙어] **add up to 1** 총계가 …이 되다: The figures *add up* to 365. 숫자는 총계가 365이다. **2** 결국 …의 뜻이 되다: It all *adds up to* this—he is a fool. 그것은 결국 그가 바보라는 뜻이 된다.

addict [ǽdikt] *n.* **1** (마약 등의) 중독자: a drug *addict* 마약 중독자 **2** 열광하는 사람: She's a TV *addict.* 그녀는 TV를 너무 좋아한다.
v. [ədíkt] (나쁜 일 등에) 빠지게 하다 (to): He is *addicted* to gambling. 그는 도박에 빠져 있다.
— **addictive** *adj.* **addiction** *n.*

addition [ədíʃən] *n.* **1** 부가, 추가 **2** 덧셈 [OPP] subtraction **3** 추가 사항, 부가물
[숙어] **in addition** 그 외에, 더욱이, 게다가: I paid 5 dollars *in addition.* 나는 5 달러를 더 지불했다.
in addition to …에 더하여, … 이외에: *In addition to* swimming, he likes tennis. 그는 수영 이외에 테니스도 좋아한다. [SYN] besides

additional [ədíʃənəl] *adj.* 부가적인, 추가의: an *additional* budget 추가 예산 / an *additional* charge 할증료
— **additionally** *adv.*

additive [ǽdətiv] *adj.* 추가의; 덧셈의
n. 첨가제: food *additives* 식품 첨가제

*****address** [ǽdres] *n.* **1** 주소: My business *address* is 2 Wall St., New York, NY 10002. 내 사무실 주소는 2 Wall St., New York, NY 10002이다. **2** 공식 연설
v. [T] [ədrés] **1** (봉투 등에) 받는 이의 주소와 이름을 쓰다: The letter is *addressed* to you. 편지는 너의 앞으로 되어 있다. **2** …에게 연설하다: He *addressed* a crowd of thousands of people. 그는 수천 명의 군중들에게 연설했다.
— **addressee** [ǽdresí:] *n.* 수신인
addresser *n.* 발신인

adequate [ǽdikwət] *adj.* **1** 충분한: Make sure you take an *adequate* supply of water for the trip. 여행에 충분한 물을 준비해 가는 거 잊지 마라. [SYN] enough [OPP] inadequate **2** 겨우 합격할 만한, 그만그만한: Her work is only *adequate*; I'm not impressed. 그녀의 작

품은 그만그만하다. 감동적이지는 못하다.
— **adequately** *adv.*

adhere [ædhíər] *v.* [I] **1** 들러붙다, 부착하다 (to): Mud *adhered* to his clothes. 그의 옷에 흙이 말라붙었다. SYN stick, cling **2** 계속 지지하다, 고수하다 (to): *adhere* to the regulations 법규를 준수하다

adherent [ædhíərənt] *n.* 자기편, 지지자
— **adherence** *n.* 고수, 집착

adhesion [ædhí:ʒən] *n.* **1** 점착, 부착 **2** 집착, 고수

adhesive [ædhí:siv] *adj.* 점착성(접착성)의 SYN sticky
n. 점착물, 접착제

adieu [ədjú:] *int.* 안녕, 잘 가요
n. (*pl.* adieus, adieux) 작별, 이별: He bid her an *adieu*. 그는 그녀에게 이별을 고했다.

adjacent [ədʒéisənt] *adj.* 인접한, 부근의 (to): She works in an office *adjacent* to the museum. 그녀는 박물관과 인접한 사무실에서 일한다. SYN close

adjective [ædʒiktiv] *n. adj.* [문법] 형용사(의)

adjoin [ədʒɔ́in] *v.* [I,T] 이웃하다, 인접하다 SYN neighbor

adjoining [ədʒɔ́iniŋ] *adj.* 인접한, 부근의: A scream came from the *adjoining* building. 비명 소리가 인접한 건물에서 들려왔다. SYN neighboring

adjourn [ədʒɔ́:rn] *v.* [I,T] (회의 등을) 휴회하다, 연기하다: The meeting was *adjourned* for a month. 그 회합은 한 달 연기되었다. SYN postpone
— **adjournment** *n.*

adjust [ədʒʌ́st] *v.* **1** [T] 조절하다, 맞추다, 바로잡다: If the chair is too low you can *adjust* it to suit you. 의자가 너무 낮으면 너에게 맞게 조절할 수 있다. / Your tie needs *adjusting*. 넥타이를 바로 해야겠다. **2** [T] (기계 등을) 조절하다, 정비하다: Check and *adjust* the brakes regularly. 브레이크를 정기적으로 점검하고 정비해라. **3** [I]

새로운 환경에 적응하다: He found it hard to *adjust* to the tropical heat. 그는 열대 지역의 더위에 적응하기 힘들다는 것을 알았다.
— **adjustable** *adj.* **adjustment** *n.*

administer [ædmínəstər] *v.* [T] **1** 관리하다, 지배(통치)하다: *administer* the affairs of state 국무를 보다 **2** (약을) 주다, 복용시키다: The doctor *administered* medicine to the patient. 의사가 환자에게 약을 주었다.
— **administrative** *adj.* 관리의, 행정상의 **administrator** *n.* 지배자, 행정관

administration [ædmìnəstréiʃən] *n.* **1** 관리, 경영 **2** 행정, 통치 **3** (the Administration) [미] 정부, 내각 ([영] government): the Kennedy *Administration* 케네디 정권 **4** (the administration) 관리자측, 경영진: the board of *administration* 이사회

admirable [ǽdmərəbəl] *adj.* 감탄 (칭찬)할 만한, 훌륭한: He showed *admirable* self-control. 그는 감탄할 만한 자제력을 보여 주었다.
— **admirably** *adv.*

admiral [ǽdmərəl] *n.* 해군 대장, 사령관

admiration [ǽdməréiʃən] *n.* **1** 감탄, 칭찬 (for, of): I have great *admiration* for his courage. 나는 그의 용기에 크게 감탄한다. **2** (the admiration) 칭찬의 대상 (of): He is the *admiration* of all. 그는 모두의 칭찬의 대상이다.

*★**admire** [ædmáiər] *v.* [T] 매우 존경하다, 매우 좋아하다, 감탄하다: *admire* Korean architecture 한국의 건축을 찬미하다 / He is *admired* for his achievements. 그는 그의 업적 때문에 추앙받는다. SYN look up to OPP despise
— **admiring** *adj.* 찬미하는 **admirer** *n.* 찬미자

admission [ædmíʃən] *n.* **1** 입장(입학) 허가: She was offered *admission* to the local university. 그녀는 지방 대학의 입학

제의를 받았다. **2** 입장료: *Admission*: $10 입장료 10달러 **3** 승인, 자백

*admit [ædmít] *v.* (admitted-admitted) **1** [I,T] 승인〔시인〕하다, 자백하다: He *admitted* his mistake. 그는 자신의 실수를 인정했다. OPP deny **2** [T] (장소가) 수용(가능)하다: The hall *admits* 2,000 persons. 그 홀은 2,000명을 수용할 수 있다. SYN accommodate **3** [T] 입장〔입학·입국 등〕을 허가하다: This ticket *admits* one person. 이 표로 한 명 입장할 수 있다.

— **admissible** *adj.* (증거로서) 인정될 수 있는 **admittance** *n.* 입장 (허가)

admitted [ædmítid] *adj.* 시인된, 명백한

— **admittedly** *adv.* 명백히, 틀림없이

admonish [ædmániʃ] *v.* [T] **1** 타이르다, 충고하다: She *admonished* the kids gently. 그녀는 아이들을 부드럽게 타일렀다. **2** 경고하다, (위험 등을) 알리다, 꾸짖다: I *admonished* him of the danger. 나는 그에게 위험을 경고했다.

— **admonition** *n.*

adolescence [ædəlésəns] *n.* 청춘기, 사춘기 SYN youth

— **adolescent** *adj. n.* 청춘기(의); 젊은이

*adopt [ədápt] *v.* [T] **1** 양자〔양녀〕로 삼다: They have been hoping to *adopt* a child. 그들은 아이를 한 명 입양하고 싶어해 왔다. **2** 채택하다: What approach do you *adopt* when dealing with the problem? 그러한 문제를 다룰 때 어떤 방법을 취하나요?

— **adopted** *adj.* **adoption** *n.*

adoptive [ədáptiv] *adj.* 양부모의: *adoptive* parents 양부모

adorable [ədɔ́:rəbəl] *adj.* 귀여운, 사랑스러운: What an *adorable* baby! 정말 귀여운 아기네!

adore [ədɔ́:r] *v.* [T] **1** 숭배하다, 사모하다: She *adores* her parents. 그녀는 부모님을 정말 사랑한다. **2** 몹시 좋아하다: He *adores* reading books. 그는 책 읽기를 매우 좋아

한다.

— **adoring** *adj.* 숭배하는 **adoration** *n.* 동경, 숭배 **adorer** *n.* 숭배자

adorn [ədɔ́:rn] *v.* [T] 꾸미다, 장식하다 (with): She *adorned* herself with jewels. 그녀는 보석으로 치장했다. SYN decorate

— **adornment** *n.* 장식(품)

*adult [ədʌ́lt] *n. adj.* 성인(의) SYN grown-up OPP child

adulthood [ədʌ́lthùd] *n.* 성인임; 성인기

*advance [ədvǽns] *v.* **1** [I] 나아가다: The army is *advancing* toward the capital. 군대가 수도로 진격하고 있다. OPP retreat **2** [I,T] 진보〔발전〕하다: Recently, the information technology has *advanced* a lot. 최근 정보 기술이 급격히 진보했다.

n. **1** 전진, 진군 OPP retreat **2** 진보, 향상: New *advances* in medicine improve the quality of health care. 의약품의 새로운 진보는 건강 관리의 질을 향상시킨다. **3** 선불: They offered an *advance* of $200. 그들은 선불로 200달러를 제시했다.

— **advancement** *n.* 진보; 승진, 출세 숙어 **in advance 1** 미리: Please call *in advance*. 미리 전화해 주세요. **2** 앞에, 선두에 서서 **3** 선불로, 선금으로: We paid the rent two weeks *in advance*. 우리는 2주치 방세를 선금으로 지불했다.

in advance (of) …보다 앞서서, …보다 진보하여: His thought was *in advance* of our own. 그의 사상은 우리들보다 앞서 있었다.

advanced [ədvǽnst] *adj.* **1** 상급〔고급〕의: an *advanced* English class 영어 고급반 **2** 진보한, 진보적인: an *advanced* country 선진국

*advantage [ədvǽntidʒ] *n.* **1** 유리, 이익, 편의: *advantage* of education 교육의 이득 **2** 우세, 우월: The *advantage* is with

us. 우리 쪽이 우세하다. [SYN] superiority
3 이점, 장점: the *advantage* of good
health 건강하다는 이점 / personal
advantage 미모 [OPP] disadvantage
[숙어] **take advantage of 1** (좋은 기회
등을) 이용하다: He took *advantage of* the
opportunity to go to college. 그는 대학
에 갈 수 있는 기회를 이용했다. **2** (다른 사람
의 친절함 등을) 이용하다, 속이다: I think
they are *taking advantage of* your
good nature. 내 생각에 그들은 자네의 사람
좋은 성격을 이용하는 것 같아.
turn ... to one's advantage … 상황
을 유리한 쪽으로 이용하다: You had
better *turn* the opportunity *to your
advantage*. 기회를 당신에게 유리한 쪽으로
이용해야 합니다.

advantageous [æ̀dvəntéiʒəs] *adj.* 유
리한, 형편이 좋은: an *advantageous*
position 유리한 위치〔입장〕
— **advantageously** *adv.*

adventure [ædvéntʃər] *n.* 모험; 뜻밖의
진기한 경험: The young man is looking
for excitement and *adventure*. 그 젊은
이는 흥분과 모험을 찾고 있다. [SYN] venture
— **adventurer** *n.* 모험가; 투기꾼
adventuresome *adj.* 모험적인

adventurous [ædvéntʃərəs] *adj.* **1** 모
험적인 **2** 대담한; 위험한
— **adventurously** *adv.*

adverb [ǽdvə:rb] *n.* 〔문법〕 부사

adverse [ædvə́:rs] *adj.* **1** 불리한, 어려
운, 좋지 않은: Despite the *adverse*
weather condition, the plane took off.
좋지 않은 날씨 조건 하에서도 비행기는 이륙했
다. [SYN] unfavorable [OPP] favorable **2**
역(逆)의, 반대의: *adverse* winds 역풍 /
adverse criticism 악평
— **adversely** *adv.* **adversity** *n.* 역경
adversary *n.* 적, 상대자

advertise [ǽdvərtàiz] *v.* [I,T] 광고하다,
…의 광고를 내다: *advertise* for a house

집 구하는 광고를 내다 / He *advertises* a
great deal. 그는 자기 선전을 굉장히 많이
한다.
— **advertisement** *n.* 광고 **advertiser**
n. 광고자〔주〕

advertising [ǽdvərtàiziŋ] *n.* 광고(업)
adj. 광고의: *advertising* media 광고 매
체 / an *advertising* agency 광고 대행사

advice [ədváis] *n.* 충고, 조언: take a
person's *advice* 아무의 충고에 따르
다 / Let me give you a piece of *advice*.
당신에게 충고 한 마디 할게요. [SYN] counsel
※ advice는 셀 수 없는 명사이므로 a piece
of advice, a lot of advice 등으로 쓴다.

advisable [ədváizəvəl] *adj.* 권할 만한,
타당한, 현명한 [OPP] inadvisable

*****advise** [ədváiz] *v.* [I,T] **1** 충고하다, 조언
하다: The doctor *advised* me to abstain
from drinking. 의사는 나에게 술을 삼가도
록 충고했다. [SYN] suggest **2** 알리다: He
advised me of his arrival. 그는 나에게 자
신의 도착을 알렸다.

advisor, adviser [ædváizər] *n.* 충고
자; 의논 상대자, 고문

advocate [ǽdvəkèit] *v.* [T] 옹호〔변호〕
하다; 주장하다
n. [ǽdvəkit] **1** 옹호자: an *advocate* of
〔for〕 peace 평화론자 [SYN] supporter **2**
변호사: She's an *advocate* for the poor.
그녀는 가난한 사람들을 위해 일하는 변호사이다.

aerial [έəriəl] *n.* (〔미〕 antenna) 안테나
adj. 공기의, 공중에서: an *aerial* photo-
graph of the city 공중에서 찍은 도시 사진

aero- *prefix* '공기, 공중, 항공' 이란 뜻.
※ 미국에서는 보통 air-를 쓴다.

aerobics [εəróubiks] *n.* (*pl.*) (단수 취
급) 에어로빅스: She does *aerobics* for 30
minutes every morning. 그녀는 아침마다
30분씩 에어로빅을 한다.

aeronautics [ὲərənɔ́:tiks] *n.* (*pl.*) (단
수 취급) 항공학〔술〕

aeroplane [έərəplèin] *n.* (〔미〕

airplane) 비행기

aerospace [ɛ́ərouspèis] *n.* **1** 우주 공간, 대기권 내외 **2** 항공 우주 산업

aesthetic [esθétik] *adj.* ([미] esthetic) 미(美)의, 미술의; 미학의; 심미적인: an *aesthetic* person 심미안이 있는 사람
— **aesthetically, esthetically** *adv.*

afar [əfɑ́ːr] *adv.* 멀리, 아득히
n. (다음 관용구로) *from* afar 멀리서

affable [ǽfəbəl] *adj.* 상냥한, 사근사근한, 붙임성 있는
— **affably** *adv.* **affability** *n.*

*****affair** [əfɛ́ər] *n.* **1** (모든 사람이 알고 있는) 사건, 상황: Several teachers had to resign over the *affair*. 몇몇 선생님이 그 사건으로 사임해야만 했다. **2** (affairs) 개인이나 사업상 또는 국가적으로 중요한 일: private *affairs* 사사로운 일 / public *affairs* 공무 **3** (다른 이들에게 알리고 싶지 않은) 사적인 일: What happened between us is none of your *affair*. 우리 사이의 일은 네가 상관할 바가 아니잖아. **4** 불륜의 연애 관계, 정사

*****affect** [əfékt] *v.* [T] **1** 작용하다, 영향을 주다: His mother's death seems to be *affecting* his work a lot. 어머니의 죽음이 그의 일에 상당히 영향을 미치는 것 같다. [SYN] influence **2** (슬픔·분노 등의 감정을) 일으키다: Everybody was *affected* by the terrible tragedy. 모두들 그 참혹한 비극에 비통해 했다. [SYN] touch, move **3** …인 체하다: He listened to them *affecting* ignorance. 그는 모르는 체하면서 그들의 이야기를 들었다. **4** (병 등이) 침범하다, 걸리다: Rub salve on the *affected* part of the skin. 피부 환부에 연고를 발라라.
— **affected** *adj.*

affectation [ǽfektéiʃən] *n.* …인 체함, 꾸민 태도

affecting [əféktiŋ] *adj.* 감동시키는; 애처로운: an *affecting* sight 애처로운 광경

affection [əfékʃən] *n.* 애정, 사랑: The

child needs his mother's *affection*. 아이는 어머니의 사랑이 필요하다.

affectionate [əfékʃənit] *adj.* 애정 깊은, 사랑에 넘친, 다정한: an *affectionate* letter 애정 어린 편지
— **affectionately** *adv.*

affiliate [əfílièit] *v.* [I,T] 가입시키다 (oneself), 합병하다, 제휴하다: *affiliate* oneself with (to) …에 가입하다 / *affiliated* company 계열 회사 [SYN] join
— **affiliation** *n.*

affinity [əfínəti] *n.* **1** 좋아함, 친근감, 호감: He has a strong *affinity* for her. 그는 그녀에게 상당히 끌린다. **2** 유사성(점), 밀접한 관계

affirm [əfə́ːrm] *v.* [T] 단언하다, 확언하다: He *affirmed* his innocence. 그는 자기가 무죄임을 강력히 주장했다. [SYN] assert
— **affirmative** *adj.* **affirmation** *n.*

afflict [əflíkt] *v.* [T] (정신적·육체적으로) 괴롭히다: He was *afflicted* with an optical disorder. 그는 눈병을 앓았다.
— **affliction** *n.*

affluent [ǽflu(ː)ənt] *adj.* 부유한 [SYN] wealthy
— **affluence** *n.*

afford [əfɔ́ːrd] *v.* [T] **1** (보통 can·could·be able to 뒤에 쓰여) …할 여유가 있다: I cannot *afford* a car. =I cannot *afford* to buy a car. 나는 차를 살 여유가 없다. **2** 주다, 제공하다: The transaction *afforded* him a good profit. 그 거래가 그에게 많은 이익을 주었다. [SYN] offer
— **affordable** *adj.*

afire [əfáiər] *adj. adv.* **1** 불타: The house is *afire*. 집이 불타고 있다. **2** (감정이) 격하여

aflame [əfléim] *adj. adv.* **1** 불타올라 **2** (불타는 것처럼) 빛나서, (얼굴이) 화끈 달아서: The trees were *aflame* with sunlight. 나무들이 햇빛을 받아 금빛으로 빛났다. / with cheeks *aflame* 얼굴이 붉어져 **3** (열

A

의 등에) 불타서: *aflame* with patriotism
애국심에 불타

afloat [əflóut] *adj.* (명사 앞에는 쓰이지
않음) 물 위에 뜬: We got the boat *afloat*.
우리는 보트를 띄웠다.

****afraid** [əfréid] *adj.* (명사 앞에는 쓰이지
않음) **1** 두려워하여: She is *afraid* of
thunder. 그녀는 천둥을 무서워한다. **2** 걱정
〔염려〕하여: Are you *afraid* that it will
rain tomorrow? 내일 비가 올까봐 걱정이
되니? **3** …을 섭섭하게〔유감스럽게〕 생각하는
(흔히 that을 생략한 명사절을 수반): I'm
afraid I've broken your camera. 네 카
메라를 고장내서 유감이다.

[숙어] **be afraid of -ing〔to do〕** …하는
것이 두렵다: He *was afraid to jump* into
the river. 그는 물에 뛰어들기가 두려웠다.

afresh [əfréʃ] *adv.* 새로이, 다시: start
afresh 다시 시작하다

****after** ⇨ 아래 참조

aftermath [ǽftərmæθ] *n.* (전쟁·재해

등의) 결과, 여파, 영향 [SYN] result

****afternoon** [æftərnúːn] *n.* 오후

afterthought [ǽftərθɔ̀ːt] *n.* 되씹어 생
각함, 때늦은 생각

afterward, afterwards
[ǽftərwərd(z)] *adv.* 뒤에, 나중에: We
went for a walk, and *afterward* we
had lunch. 우리는 산책을 했고 나중에 점
심을 먹었다.

****again** [əgén] *adv.* **1** 다시, 한 번 더:
Would you say that *again*? 다시 한 번
말해 줄래요? **2** 그 전의 장소〔상태〕로: I
hope you'll be back to health *again*.
네가 다시 건강해지면 좋겠다.

[숙어] **again and again** 몇 번이고, 되풀
이하여

as much〔large, many〕 again (as)
(…의) 두 배의 양〔크기, 수〕의: books *as
many again as* yours 너보다 두 배나 많은
책

once〔over〕 again 한 번 더: They

---

after

after [ǽftər] *prep.* **1** (시간·위치) …의
뒤〔다음〕에: the week *after* next 다음다음
주 / *after* school 방과 후 / *after* ten
o'clock 10시 지나서 / the day *after*
tomorrow 모레 / Read *after* me. 나를 따
라서 읽어라.

2 (순서) …의 다음에: the greatest
dramatist *after* Shakespeare 셰익스피어
다음 가는 대극작가

3 (목적·추구) …을 찾아: He is always
after something new. 그는 언제나 새로운
것을 추구한다.

4 (모방) …을 본받아: a painting *after*
Picasso 피카소풍의 그림 / He was named
after his uncle. 그는 삼촌의 이름을 따서 이
름이 지어졌다.

5 '명사+after+명사'의 꼴로 '반복·계속'을
나타낸다: day *after* day 매일 / month

after month 매달

conj. …한 뒤에, 나중에: I shall start *after*
he comes. 나는 그가 온 다음에 출발하겠다.

※ after 이하의 종속절처럼 시간/조건 부사절
에서는 현재형으로 미래의 의미를 나타낸다.

adv. (시간) 후에, 나중에; (위치) 뒤에: a few
days *after* 그로부터 며칠 후에 / You go
first; I'll go *after*. 네가 먼저 가라, 나는 나중
에 가겠다.

[숙어] **after all 1** (문장 끝에 써서) 결국 (생
각했던 것과는 다른 경우에 씀): So you are
determined to see him *after all*! 그러니
까 결국 그 사람을 만나보기로 결심한 거구나! **2**
(문장 머리에 써서) 아무튼, 하지만, 어쨌든: He
can't speak. *After all*, he's only two. 쟤
는 말을 못해. 겨우 두 살이잖아. / *After all*,
we are friends. 뭐니뭐니 해도, 우리는 친구
가 아닌가.

played the game *once again*. 그들은 게임을 한 번 더 했다.

then〔there〕again (앞 문장을 받아서) 그렇지 않고, 반대로

***against** [əgénst] *prep.* **1** (게임·전쟁 등에서) …을 상대로: We played baseball *against* a school team from another town. 우리는 다른 마을의 학교 팀과 야구 경기를 했다.

2 (계획 등에) 반대하여: Is he for or *against* our plan? 그 사람은 우리 계획에 찬성이야 반대야?

3 (법 등에서) 금지하는: It's *against* the law. 그것은 법에 어긋나는 일이야.

4 …에 대비하여: This food might help protect you *against* heart disease. 이 음식이 심장병을 예방하는 데 도움이 될 수도 있다. / Lay up money *against* a rainy day. 만일의 경우에 대비하여 저축하라. ⟨SYN⟩ in preparation for

5 반대 방향으로: sail *against* the wind 바람을 거슬러 항해하다

6 …에 기대어: lean *against* a tree 나무에 기대다

***age** [eidʒ] *n.* **1** 연령: He left home at the *age* of 17. 그는 17살이라는 나이에 집을 떠났다. **2** (개인의 삶이나 역사에서) 특정 기간: Middle *age* starts after 40. 중년은 40에 시작된다. **3** 노년: *Age* before beauty. 미인보다 노인이 먼저. ⟨OPP⟩ youth **4** 시대: the space *age* 우주 시대 **5** (ages) 매우 긴 시간: It's *ages* since I've seen you. 너를 본 지가 너무 오래 되었다.

v. [I,T] **1** 나이가 들다 **2** 늙어 보이게 하다

⟨숙어⟩ **come of age** 성년이 되다〔성년이다〕: In England a man *comes of age* at twenty one. 영국에서는 21세에 성년이 된다.

from〔with〕age 노령 때문에; 여러 해를 거쳐; 해가 지남에 따라: He is bent *with age*. 그는 노령으로 허리가 굽었다. / The envelope was yellow *with age*. 봉투가 오래 되어 누렇게 변색했다.

aged [éidʒd] *adj.* **1** (명사 앞에는 쓰이지 않음) …세의: a man *aged* thirty 30세의 남자 **2** (the aged) 노인들

ageless [éidʒlis] *adj.* 늙지 않는; 영원의

agency [éidʒənsi] *n.* **1** 대리(권), 대리점: I went to a travel *agency* to book my holiday. 나는 휴가를 예약하기 위해 여행사에 갔다. **2** [미] 정부 기관

agenda [ədʒéndə] *n.* 안건, 의사 일정, 예정표: The matter of security was placed high on the *agenda*. 안보 문제가 매우 중요한 안건으로 잡혔다.

agent [éidʒənt] *n.* **1** 대리인, 대행자: A travel *agent* makes airline and hotel reservations. 여행사 직원은 비행기와 호텔 예약을 한다. ※ agent는 사람에 중점을 두며, agency는 대리 업무와 그것이 행해지는 장소를 가리킨다. **2** 첩보원, 간첩 **3** 약품, …제(劑); 병원체: chemical *agents* 화학 약품 / a transmitting *agent* of disease 병의 매개체

aggravate [ǽgrəvèit] *v.* [T] **1** 악화시키다, 더욱 심각하게 만들다: *aggravate* one's illness 병을 악화시키다 ⟨SYN⟩ worsen **2** 화나게 하다, 짜증나게 하다, 괴롭히다: Stop *aggravating* the cat! 고양이를 괴롭히지 마라! ⟨SYN⟩ annoy, irritate

aggregate [ǽgrigèit] *v.* [I,T] **1** (…을) 모으다: He made estimates using the *aggregated* data. 그는 모은 자료를 이용하여 견적을 냈다. **2** 총계 …이 되다: The guns *aggregate* 20. 총은 전부 20정이다.

adj. [ǽgrigit] 집합한, 총계의 ⟨SYN⟩ total

n. [ǽgrigit] 집합, 총계: in the *aggregate* 총계로

— **aggregation** *n.* 집합(체), 집단

aggression [əgréʃən] *n.* **1** (정당한 이유 없는) 공격, 침략, 침범 ⟨SYN⟩ invasion **2** (욕구 불만에 기인한) 공격성: You need to learn how to control your *aggression*. 네 공격성을 다스리는 법을 배워야겠다.

— **aggressor** *n.* 공격〔침략〕자, 침략국

Ａ

aggressive [əgrésiv] *adj.* **1** 공격적인, 호전적인: an *aggressive* person 싸움쟁이 **2** 진취적(적극적)인: A successful salesman must be *aggressive*. 성공한 세일즈맨은 적극적임에 틀림없다.
— **aggressively** *adv.*

aggrieved [əgríːvd] *adj.* 고통받고 있는, 기분이 상한

aging [éidʒiŋ] *n.* **1** 노화: the *aging* process 노화 작용 **2** (술 등의) 숙성: They put wine in a cellar for *aging*. 그들은 숙성시키기 위해 포도주를 저장소에 둔다.

agitate [ǽdʒətèit] *v.* [I,T] (사람 · 마음을) 선동하다, 동요시키다, 여론을 환기시키다: *agitate* for a strike 파업을 선동하다
— **agitated** *adj.* 흥분한, 동요한
agitation *n.* **agitator** *n.* 선동자

*****ago** [əgóu] *adv.* 이전에: How long *ago* was that? 그것은 얼마 전의 일인가?
※ ago는 현재를 기준으로 하여 '…전'의 뜻으로 반드시 시간을 한정하는 어구와 함께 쓴다.: He graduated from college three years *ago*. 그는 3년 전에 대학을 졸업했다. before는 과거의 어느 때를 기준으로 하여 그 보다 '…전'이라고 할 때 또는 그냥 막연히 '전에 한 번 …한 적이 있다'라고 할 때 쓴다.: He had graduated from college three years *before*. 그는 그보다 3년 전에 대학을 졸업했다. / I have been to Europe once *before*. 나는 전에 한 번 유럽에 간 적이 있다.

agonize [ǽgənàiz] *v.* [I] 괴로워하다, 고민하다: *agonize* over a difficult decision 힘든 결정 때문에 괴로워하다
— **agonizing** *adj.*

agony [ǽgəni] *n.* 고뇌, 고통 [SYN] suffering

*****agree** [əgríː] *v.* **1** [I] 의견이 일치하다, 동감하다: I *agree* with you. 동감입니다.
[OPP] disagree **2** [I] (제의 등에) 응하다, 승낙하다: He was stupid to *agree* to the proposal. 그 제안에 응하다니 그가 어리석었

다. [OPP] refuse **3** [I,T] (…을 하겠다고) 약속하다: We *agreed* to decide quickly. 우리는 빨리 결정하겠다고 약속했다. **4** [I] …이 옳다고 여기다: I don't *agree* with experiments on animals. 난 동물을 실험용으로 쓰는 것에 찬성하지 않는다. **5** [I] (진술 등이) 일치하다: Your story *agrees* with what I have already heard. 너의 이야기는 내가 이미 들은 것과 일치한다. **6** [I] (음식 · 기후 등이) 성미에 맞다: The climate here does not *agree* with me. 여기의 기후는 내게 맞지 않다.
— **agreement** *n.*
[숙어] I couldn't agree (with you) more. 대찬성이다.

agreeable [əgríːəbəl] *adj.* **1** 기분 좋은, 유쾌한: *agreeable* to the taste 맛이 좋은 [OPP] disagreeable **2** 마음에 드는, 기꺼이 동의하는: If you are *agreeable*, we would like to meet you tonight. 괜찮으시면 오늘밤에 뵙고 싶은데요.
— **agreeably** *adv.* 기꺼이; …에 따라서

agreement [əgríːmənt] *n.* **1** 동의, 승낙: We are in *agreement* with their decision. 우리는 그들의 결정에 동의한다. [OPP] disagreement **2** 협정, 협약(서), 계약(서): sign an *agreement* 계약서에 서명하다

agriculture [ǽgrikʌ̀ltʃər] *n.* 농업, 농학: the Department of *Agriculture* 농무성
— **agricultural** *adj.*

ah [ɑː] *int.* 아아! (놀람 · 기쁨 · 이해 · 고통 등을 나타내는 소리): *Ah*, I see. 아, 그렇구나.

*****ahead** [əhéd] *adv. adj.* **1** 전방에, 전방으로: The road *ahead* is busy. 앞쪽의 길이 혼잡하다. **2** 앞서서, 능가하여: He was far *ahead* of us. 그는 우리보다 훨씬 앞서 있었다. **3** (시간적) 앞으로, 장차: There is a bright future *ahead* of her. 그녀의 앞날에는 밝은 미래가 있다. / The deadline was pushed *ahead* a week. 마감이 일주일 앞으로 당겨졌다.

숙어 **ahead of one's time** 시대를 너무 앞서가는

go ahead 1 …을 시작하다: Mike will be late but we'll *go ahead* with the meeting anyway. 마이크는 늦을테지만 우리는 회의를 시작할 것이다. **2** (재촉하여) 자어서; (허가를 구하는 말에 답하여) 어서: "Could I ask you a rather personal question?" "Sure, *go ahead.*" "좀 사적인 질문을 하나 해도 되겠습니까?" "네, 그러세요." **3** 진행하다, 추진하다: We are *going ahead* with our plans. 우리는 우리의 계획대로 진행하고 있다.

AI *abbr.* artificial intelligence 인공 지능

aid [eid] *n.* **1** 도움, 원조: The old man was glad to have friendly *aid* of his neighbors. 그 노인은 이웃들의 친절한 도움을 받아 기뻐했다. / first *aid* 응급 치료 / economic *aid* 경제적 원조 SYN help **2** 원조자; 보조 기구, 보조원: a hearing *aid* 보청기

v. [T] 돕다: She *aided* me to move the garbage bags. 그녀는 내가 쓰레기 옮기는 것을 도와 주었다.

숙어 **by(with) the aid of** …의 도움으로: He could reach there *with the aid of* a map. 그는 지도를 보고 그 곳까지 갈 수 있었다.

Aids, AIDS [éidz] *abbr.* Acquired Immune Deficiency Syndrome 에이즈, 후천성 면역 결핍증

***aim** [əim] *n.* **1** 목표: His main *aim* in life is to be a good father. 그의 인생의 주요 목표는 좋은 아버지가 되는 것이다. **2** 조준: take *aim* 겨냥하다

v. **1** [I,T] 겨누다, 조준하다, 겨냥하다: She *aimed* at the target and fired. 그녀는 표적에 조준을 하고 방아쇠를 당겼다. / The commercial is *aimed* at teens. 그 광고는 10대들을 겨냥하고 있다. **2** [T] (말·노력 등을) …을 향하다, 빗대어 말하다 (at): That remark was *aimed* at him. 그 말은 그를

빗대어 한 것이었다. **3** [I] 목표삼다 (at, for); …할 작정이다 (to do): *aim* at success 성공을 목표삼다 / He *aims* to get first prize. 그는 1등 상을 노리고 있다.

— **aimless** *adj.* **aimlessly** *adv.*

***air** [ɛər] *n.* **1** 공기: I opened a window for fresh *air*. 신선한 공기를 들이려고 창문을 열었다. **2** (the air) 대기, 허공: fly up into the *air* 하늘로 날아오르다 **3** (여행 수단으로서) 항공편: an *air* ticket 비행기 표 **4** 외양, 풍채, 태도: He has a confident *air*. 그는 자신감이 있어 보인다. **5** (airs) 젠체하는 태도: put on *airs* 뽐내다

v. **1** [I,T] (옷 등을) 공기(바람)에 쐬다, 말리다 **2** [I,T] 환기시키다 **3** [T] (의견을) 발표하다, (불평을) 늘어놓다

숙어 **by air** 비행기로

in the air 1 (소문이) 퍼져: The rumor is *in the air*. 소문이 돌고 있다. **2** (일이) 벌어질 것 같은: A great change is *in the air*. 커다란 변화의 조짐이 보인다.

on (the) air 방송되어, 방송 중에: What's *on the air* this evening? 오늘 저녁에는 무엇이 방송되느냐?

air bag *n.* 에어백, 공기 주머니 (자동차 충돌 때 순간적으로 부푸는 안전 장치)

airborne *adj.* **1** (명사 앞에는 쓰이지 않음) 이륙하여 **2** 공중 수송의, 공수된: *airborne* troops 공수 부대

air conditioner *n.* 에어컨, 냉난방 장치, 공기 조절 장치

air conditioning *n.* 냉난방 시스템, 공기 조절 시스템

aircraft [ɛ́ərkræft] *n.* (*pl.* aircraft) 항공기 (비행기·비행선·헬리콥터 등의 총칭)

air force *n.* 공군

Air Force One *n.* 공군 제1호기 (미국 대통령 전용 비행기)

airline [ɛ́ərlàin] *n.* **1** 정기 항공(로): *airline* ticket 항공권 **2** 항공 회사 (Air Lines로도 씀)

airliner [ɛ́ərlàinər] *n.* (대형) 정기 여객기

airmail [ɛ́ərmèil] *n.* 항공 우편: via *airmail* 항공 우편으로

*****airplane** [ɛ́ərplèin] *n.* ([영] aeroplane) 비행기

*****airport** [ɛ́ərpɔ̀ːrt] *n.* 공항

airship [ɛ́ərʃìp] *n.* 비행선

airsick [ɛ́ərsìk] *adj.* 비행기 멀미가 난

airy [ɛ́əri] *adj.* (airier-airiest) **1** 바람이 잘 통하는: an *airy* room 통풍이 좋은 방 **2** 공기 같은, 공허한: *airy* dreams 허황된 꿈 **3** 가벼운: *airy* clothes 가벼운 의상 **4** (태도 · 기분 등이) 경쾌한, 쾌활한: an *airy* gesture 경쾌한 손짓

aisle [ail] *n.* (좌석 사이 · 건물 등의) 통로, 복도: We walked down the *aisle* to our seats in the theater. 우리는 극장에서 좌석까지 통로를 걸어 내려갔다. / *aisle* seat 복도 쪽 좌석 *cf.* window seat 창가 쪽 좌석

akin [əkín] *adj.* 유사한: Pity is *akin* to love. 동정은 사랑에 가깝다. [SYN] similar

*****alarm** [əláːrm] *n.* **1** 놀람: She turned around in *alarm*. 그녀는 놀라서 뒤돌아보았다. **2** 경보 (위험을 알림): A passenger saw the smoke and raised the *alarm*. 한 승객이 연기를 보고 사람들에게 위험을 알렸다. **3** 경보기: The burglar *alarm* went off last night. 어젯밤에 도난 경보기가 작동했다. **4** 자명종 (alarm clock)
v. [T] 놀라게 하다 [SYN] frighten

alas [əlǽs] *int.* (슬픔 · 후회 등을 나타낼 때 쓰임) 아아, 슬프도다

album [ǽlbəm] *n.* **1** 앨범 (사진첩 · 우표첩 · 사인북 등) **2** 음반(레코드)첩 (하나의 CD 또는 카세트 테이프 등에 실린 노래 모음)

alchemy [ǽlkəmi] *n.* 연금술
— **alchemist** *n.*

alcohol [ǽlkəhɔ̀(ː)l] *n.* **1** 알코올 음료, 술 **2** [화학] 알코올

alcoholic [æ̀lkəhɔ́(ː)lik] *adj.* **1** 알코올 (성)의: *alcoholic* drinks 알코올 성분이 든 음료 [OPP] non-alcoholic **2** 알코올 중독의

n. 알코올 중독자
※ 알코올 성분이 없는 음료를 soft drinks라고 한다.

alert [əláːrt] *adj.* (온 감각을 동원하여) 살피는, 귀를 기울이는: Parents should be always *alert* to sudden changes in children's behavior. 부모들은 아이들의 갑작스러운 행동의 변화에 주의를 기울이고 있어야 한다. [SYN] watchful [OPP] dull
n. 경계, 경보
v. [T] …에게 경계시키다
[숙어] **on the alert** …에 빈틈없이 경계하고 있는 (for): He was instructed to be *on the alert* for any indications of battle. 그는 어떤 전쟁의 조짐에도 경계하라는 지시를 받았다.

algebra [ǽldʒəbrə] *n.* 대수학 (수학의 일종으로 문자나 기호 등으로 숫자를 대신 나타냄)
— **algebraic** *adj.*

alibi [ǽləbài] *n.* 알리바이, 현장 부재 증명

alien [éiljən] *n.* **1** 외계 생명체 **2** 외국인 [SYN] foreigner
adj. **1** 외국의: *alien* friends (국내에 있는) 외국인 친구 **2** 이질의, 성질이 다른; (생각 등이) 맞지 않는: Luxury is *alien* to his nature. 사치는 그의 성미에 맞지 않는다. [SYN] strange

■ **유의어** alien
foreigner '외국인'을 의미하는 일반적인 말. **alien** 어떤 나라에 살면서 귀화하지 않고 거류하고 있는 외국인.

alienate [éiljənèit] *v.* [T] 멀리하다, 소원케 하다, 따돌리다 (from): Frequent arguments *alienated* him from his friends. 빈번한 말다툼으로 그는 친구들로부터 멀어졌다.
— **alienation** *n.*

alight¹ [əláit] *adj.* (명사 앞에는 쓰이지 않음) **1** 불타는 [SYN] burning **2** 생기 있게 빛나는

alight² [əláit] *v.* [I] (말 · 버스 · 기차 등에

서) 내리다

align [əláin] *v.* [T] 한 줄로 하다, 정렬시키다: *align* the chairs 의자를 한 줄로 놓다 / Before you cut the paper, *align* the ruler. 종이를 자르기 전에 자를 똑바로 대라.

***alike** [əláik] *adj.* (명사 앞에는 쓰이지 않음) 매우 유사한: The children all look very *alike*. 아이들이 모두 아주 비슷하게 생겼다. / an Audrey Hepburn look-*alike* 오드리 헵번과 매우 닮은 사람
adv. 같은 방식으로: Women and men are treated *alike* in this company. 이 회사에서는 여자나 남자나 동등하게 대우받는다.

***alive** [əláiv] *adj.* (명사 앞에는 쓰이지 않음) **1** 죽지 않은, 살아 있는: Is she still *alive*? 그 여자 아직 살아 있니? [OPP] dead **2** 계속하여, 소멸하지 않고: keep one's hope *alive* 계속해서 희망을 가지다 **3** 생생하여, 활발한: The party came *alive* when he showed up. 그가 나타나자 파티는 활기를 띠었다.

***all** ⇨ p. 30

allege [əlédʒ] *v.* [T] 단언하다, 증거 없이 주장하다: The woman *alleged* that he had attacked her with a knife. 그 여자는 그가 칼을 들고 자기를 공격했다고 주장했다.
— **allegation** *n.* 주장, 진술; 단언

alleged [əlédʒd] *adj.* (명사 앞에만 쓰임) (근거 없이) 주장된, 진위가 의심스러운: an *alleged* criminal 추정 범인

allegedly [əlédʒidli] *adv.* 주장(하는 바)에 의하면: He was *allegedly* involved in the great jewel robbery. 주장에 따르면 그는 엄청난 보석 강도 사건에 연루되어 있었다.

allegory [ǽləgɔ̀:ri] *n.* 풍유, 비유; 우화, 비유담
— **allegoric, allegorical** *adj.*

allergic [ələ́:rdʒik] *adj.* **1** 알레르기(체질)의: I'm *allergic* to dogs. 나는 개에 알레르기가 있다. **2** 몹시 싫은 (to): He is

allergic to housework. 그는 집안일을 몹시 싫어한다.

allergy [ǽlərdʒi] *n.* **1** 알레르기, 앨러지, 과민성: Do you have an *allergy* to cat fur? 고양이 털에 알레르기가 있나요? **2** 반감, 혐오

alleviate [əlí:vièit] *v.* [T] 경감하다, (고통 등을) 덜다, (문제를) 다소 해결하다: The drugs *alleviated* the patient's pain. 그 약이 환자의 고통을 완화시켰다.
— **alleviation** *n.*

alley [ǽli] *n.* (건물 사이의 좁은) 골목길; [미] 뒷골목 (alleyway)

alliance [əláiəns] *n.* 동맹, 연합; 협력, 제휴: The two countries formed an *alliance* during the war. 그 두 나라는 전쟁 동안 연합했다.

alligator [ǽligèitər] *n.* (미국산) 악어 (corcodile에 비해 주둥이가 짧고 넓적함)
cf. crocodile 아프리카 및 아시아산의 악어

all-night *adj.* 철야의, 밤새도록 하는: *all-night* service 철야 영업〔운전〕

allocate [ǽləkèit] *v.* [T] 할당하다, 배분하다, 배치하다: The government should *allocate* more jobs to people. 정부는 국민들에게 보다 많은 일자리를 만들어 주어야 한다.
— **allocation** *n.*

allot [əlát] *v.* [T] (allotted-allotted) (일이나 시간 등을) 할당하다, 분배하다: Each candidate is *allotted* ten minutes to make a speech. 각 후보에게는 10분간의 연설 시간이 할당된다.
— **allotment** *n.*

all out *adj. adv.* 총력을 기울인: an *all out* attack 총공격

***allow** [əláu] *v.* [T] **1** 허락하다, 허가하다: Smoking is not *allowed* here. 이 곳은 금연 구역입니다. / My father won't *allow* me to ride a motorcycle. 아버지는 내가 오토바이 타는 것을 허락하지 않으신다. **2** (시간·돈 등을) 주다, 지급하다: He didn't

all

all [ɔːl] *adj.* **1** 모든, 전부의, 전체의: *All* the money is spent. 돈을 다 써 버렸다. / *All* his friends were kind to me. 그의 친구들은 모두 나에게 친절했다.

2 최대한의, 최고의: in *all* haste 아주 급히 / with *all* speed 전속력으로

adv. **1** 전혀, 아주, 완전히: He was *all* excited. 그는 완전히 흥분했다.

2 오로지: He spent his income *all* on pleasure. 그는 수입을 오로지 오락에만 쏟아 부었다.

3 (the+비교급 앞에서) 그만큼, 더욱더: The job was made *all* the easier by using computers. 컴퓨터를 사용하게 되어 일이 훨씬 쉬워졌다. / I love him *all* the more because he has some faults. 그에게 약간의 결점이 있기 때문에 나는 그를 더욱 좋아한다.

pron. **1** 전부, 전원, 모두: Let's *all* go there together. 모두 같이 저리로 가자.

2 (단독으로 쓰여) 모든 사람, 모든 물건(일): *All* are agreed. 모두 찬성이다. / *All* is over. 모든 게 끝났다.

※ 위 뜻의 all은 사물을 나타낼 때는 단수, 사람을 나타낼 때는 복수로 취급한다.

〔숙어〕 **above all** ⇨ above

after all ⇨ after

all along 처음부터: I didn't know that you were joking *all along*. 난 네가 처음부터 농담을 하고 있다는 것을 몰랐다.

all around(round) 사방에, 도처에: It was foggy *all around*. 주위는 온통 안개에 싸여 있었다.

all at once 갑자기, 별안간: *All at once* I heard a cry. 갑자기 비명 소리를 들었다.

all but … 이외에는 모두; 거의: Keep this space free of *all but* study materials. 이 공간에는 연구 자료 이외에는 아무것도 두지 마라.

all for nothing (in) (…에) 아무 영향도 없는: I worked hard, and *all for nothing*. 나는 열심히 일했으나 아무 소용 없었다.

all over 1 온 몸에; 어느 곳이나: *all over* the world 세계 어느 곳에서나 **2** 완전히 끝나 (with): The party is *all over*. 파티는 다 끝났다. / It's *all over* with me. 나는 가망이 없다.

all right ⇨ all right

all the same 1 똑같은, 아무래도 상관 없는: Man are *all the same*. 인간은 결국 마찬가지다. **2** 그래도 (역시): He gives us a lot of trouble, but I like him *all the same*. 그는 우리에게 여러 가지 말썽을 일으키지만, 그래도 나는 그를 좋아한다.

at all 1 (부정문) 조금도 (…아니다): I'm not tired *at all*. 나는 조금도 피곤하지 않다. **2** (의문문) 도대체: Do you know anything about it *at all*? 도대체 그것에 대해서 아는 거니? **3** (조건문) 적어도, 이왕: If you do it *at all*, you must do your best. 어떤 식으로든 그 일을 할 것 같으면 최선을 다해야 한다.

in all 통틀어서: We were eleven *in all*. 우리는 통틀어서 11명이었다.

not at all 전혀 …않다: I'm *not at all* tired. =I'm *not* tired *at all*. 나는 조금도 피곤하지 않다.

allow us enough time to finish the test. 그는 우리가 시험을 마치는 데 충분한 시간을 주지 않았다.

— **allowable** *adj.*

〔숙어〕 **allow for** …을 고려하다: We have to *allow for* heavy traffic. 우리는 교통 체증도 감안해야 한다. 〔SYN〕 consider

allow of …의 여지가 있다, 허용하다: It *allows of* no excuse. 그것은 변명의 여지가 없다.

allowance [əláuəns] *n.* **1** (허가되는) 한도, 정량: The baggage *allowance* for most flight is 20 kilos. 대부분 비행기의 허용되는 여행용 수하물은 20킬로이다. **2** (정기적으로 지급되는) 수당, 급여; (가족에게 주는) 용돈: We give our son a weekly *allowance*. 우리는 아들에게 매주 용돈을 준다. 숙어 **make allowance(s) for** …을 참작하다, 고려하다: You must *make allowance for* his youth. 그가 젊다는 것을 고려해야 한다.

all right *adj.* **1** 건강한, 무사한: He is *all right*. 그는 잘 지낸다. **2** (승낙) 좋아, 알았어: "Can you get me some pens?" "Yes, *all right*!" "펜 좀 줄래?" "그래, 좋아 (그러지 뭐)!" **3** (반어적) 어디 두고 보자: *All right*! You will be sorry for this. 어디 두고 보자. 나중에 후회할 걸. **4** 더할 나위 없는, 훌륭한: Everything is *all right*. 만사 오케이다. / "Sorry I'm late." "That's *all right*." "늦어서 죄송해요." "괜찮아요." **5** (의문문에서) 좋아?, 너도 동의하니?: Is it *all right* if I go now? 내가 지금 가도 좋니? *adv.* 더할 나위 없이, 훌륭히; 틀림없이: He did *all right* on the exam. 그는 시험을 잘 봤다.

all-round *adj.* (명사 앞에만 쓰임) 다방면에 능한: Our school aims at the *all-round* development of the students. 우리 학교는 학생들의 전인 교육에 목표를 두고 있습니다.
— **all-rounder** *n.* 다재 다능한 사람, 만능 선수

allude [əlúːd] *v.* [I] 언급하다, 넌지시 말하다, 암시하다: She *alluded* to her problems over a cup of coffee. 그녀는 커피를 마시면서 그녀가 안고 있는 문제거리들에 대해 넌지시 말했다. SYN imply
— **allusion** *n.*

allure [əlúər] *v.* [T] 꾀다, 유혹하다, 매혹시키다: This beautiful island *allured* me. 이 아름다운 섬이 나를 매혹시켰다. SYN attract
n. 매력

— **alluring** *adj.*

ally [əlái] *v.* [I,T] 동맹〔결연, 연합〕시키다: England *allied* itself with〔to〕 France. 영국은 프랑스와 동맹을 맺었다.
n. [ǽlai, əlái] **1** 동맹국 **2** 자기 편, 협력자
— **allied** *adj.* **alliance** *n.*

almanac [ɔ́ːlmənæk] *n.* 달력, 연감

almighty [ɔːlmáiti] *adj.* 전능한: the *Almighty* God 전능하신 하느님
n. (the Almighty) 전능자, 신 SYN God

almond [áːmənd] *n.* 아몬드(열매·나무)

***almost** [ɔ́ːlmoust] *adv.* 거의, 대체로: She was *almost* killed. 그녀는 거의 죽을 뻔했다.

aloft [əlɔ́(ː)ft] *adv.* 위에, 높게: He threw the ball *aloft*. 그는 공을 높이 던졌다.

***alone** [əlóun] *adj. adv.* **1** 홀로: The woman lives *alone*. 그 여자는 혼자 산다. / all *alone* 단지 혼자서 OPP together **2** (명사·대명사 뒤에서) 다만 …뿐, …일 뿐: He *alone* knew it. 그만이 알고 있었다. SYN only
※ alone은 수식하는 말 다음에 오고 only는 문장의 끝에 올 경우를 제외하고는 수식하는 말 앞에 온다.: I *alone* can do it. / *Only* I can do it. 나만이 그것을 할 수 있다.
숙어 **let〔leave〕… alone** …을 홀로 놔두다: *Leave* me *alone*. 나 좀 내버려 두게.

■ **유의어 alone**
alone 단순히 다른 사람과 함께이지 않음을 나타내며 명사 앞에는 쓰이지 않음.
lonely 다른 사람과 함께이지 않아 외롭다는 의미가 내포됨.

***along** [əlɔ́ːŋ] *prep.* **1** 한쪽 끝에서 다른 쪽 끝까지: Walk *along* the road, then you can find the place. 길 저쪽 끝으로 걸어가면, 그 곳을 찾을 수 있을 겁니다. **2** …을 따라서: Wild plants grew *along* both sides of the stream. 야생 식물들이 시냇가 양쪽을 따라 자라나 있었다.
adv. **1** 앞으로: Move *along*, please! 앞으

로 움직여 주세요! **2** (…와) 함께: Do you mind if I come *along*? 내가 따라가도 괜찮겠니?

[숙어] **all along** ⇨ all

along with …와 함께: Come *along with* me. 나와 같이 가자. / I'll send some books *along with* the package. 짐과 함께 책을 좀 보낼게. [SYN] together with

get along ⇨ get

go along with …의 아이디어나 계획에 동의하다: Other people already agreed, but it's going to take time to make Michael *go along with* it. 다른 사람들은 벌써 동의했지만, 마이클을 동의하도록 설득하는 데는 시간이 걸릴 것 같아.

alongside [əlɔ́ːŋsâid] *adv. prep.* (…와) 나란히, (…의) 옆에: I rode my bicycle and my brother jogged *alongside*. 나는 자전거를 탔고 내 동생은 옆에서 조깅했다.

[숙어] **alongside of** …와 나란히, …와 함께: I walked *alongside of* my uncle. 나는 삼촌과 나란히 걸었다.

***aloud** [əláud] *adv.* 소리를 내어서: She read the letter *aloud* to her father. 그녀는 아버지께 편지를 소리 내어 읽어 드렸다.

[숙어] **think aloud** 생각하면서 자신도 모르게 중얼거리다: "What did you say?" "Never mind, I was just *thinking aloud*." "뭐라고 했니?" "신경 쓰지 마, 혼자 중얼거린 거니까."

■ 유의어 **aloud**
aloud 다른 사람이 들을 수 있는 목소리로 말하는 것. **loudly** 소음, 즉 시끄럽게 라는 뜻.

alpha [ǽlfə] *n.* **1** 그리스 알파벳의 첫 자 (A, α) **2** 제일, 처음: *alpha* and omega 처음과 끝

***alphabet** [ǽlfəbèt] *n.* 알파벳: There are 26 letters in the English *alphabet*. 영어 알파벳에는 26개의 글자가 있다.

— **alphabetical, alphabetic** *adj.*

alphabetically *adv.*

alpine [ǽlpain] *adj.* 높은 산의: *alpine* plants 고산 식물

***already** [ɔːlrédi] *adv.* **1** 벌써, 이미 **2** (부정문이나 의문문에 쓰여 놀람을 나타냄) 그렇게 일찍: Are you leaving *already*? It's only 7:00 p.m. 벌써 가려고? 이제 겨우 저녁 7시인데.

alright [ɔːlráit] *adv. adj.* =all right

***also** [ɔ́ːlsou] *adv.* 게다가, 또한: Bring summer clothing and *also* some jackets to wear in the evenings. 여름 옷을 가지고 오고 또 저녁에 입을 재킷도 좀 챙겨서 와.

■ 유의어 **also**
일상 대화에서는 **too**와 **as well**을 자주 사용하며 **also**는 좀더 격식을 갖춘 문서상에 사용한다. also는 통상 동사의 앞, be동사나 조동사의 뒤에 위치하는데 가능하면 수식되는 낱말 가까이 두는 경향이 있다.: He *also* enjoys listening to music. 그 사람도 음악 듣는 것을 좋아한다. / He is *also* smart. 그는 또한 영리하기도 하다. too와 as well은 통상 구나 문장의 끝에 위치한다.: I really love this part of the movie, and I liked the first part *too* [as well]. 나는 영화의 이 부분이 정말 좋다, 그리고 처음 부분도 좋았다.

altar [ɔ́ːltər] *n.* 제단

alter [ɔ́ːltər] *v.* **1** [I,T] (모양·성질 등을) 바꾸다, 변경하다; (집을) 개조하다: I *altered* my plan. 나는 계획을 변경했다. / That *alters* the case. 그러면 이야기가 달라진다. **2** [T] (옷을) 고쳐 짓다 [만들다]: She *altered* the dress to make it shorter. 그녀는 그 옷을 좀더 짧게 고쳤다.

alteration [ɔ̀ːltəréiʃən] *n.* **1** 변경; 개조: We want to make *alterations* to the kitchen before we move in. 이사 들어가기 전에 부엌을 개조했으면 한다. **2** (기성복의) 치수 고치기: Do you do *alterations* here? 여기서 옷 수선합니까?

alternate [ɔ́ːltərnit] *adj.* **1** (규칙적으로) 번갈아 일어나는 **2** 둘 중의 하나의; 하나 걸러의: She works *alternate* days. 그녀는 격일제로 일한다.
v. [I,T] [ɔ́ːltərnèit] 번갈아 발생하다, 교체[교대]하다: Day *alternates* with night. 낮과 밤은 번갈아 온다. / He *alternated* periods of studying with periods of rest. 그는 공부하는 시간과 휴식하는 시간을 번갈아 오도록 짜 놓았다.
— **alternately** *adv.* **alternation** *n.*

alternative [ɔːltə́ːrnətiv] *adj.* (명사 앞에만 쓰임) **1** 대신의, 달리 택할: The department store is closed. We have to find an *alternative* one. 백화점이 문을 닫았으니 다른 가게를 찾아봐야겠다. **2** (기존의 것과) 다른, 새로운: an *alternative* lifestyle 새로운 생활 양식
n. (둘 또는 그 이상의 것들 중) 택일의 것, 대안, 다른 방도: There is no *alternative* but to walk. 걷는 것 외에는 다른 방법이 없다. [SYN] substitute
— **alternatively** *adv.*

****although** [ɔːlðóu] *conj.* **1** …임에도 불구하고, …이지만: *Although* it was cold, we went out together. 춥기는 했지만, 우리는 함께 외출했다. **2** 그렇지만, 그러나: I love animals, *although* I wouldn't have one of them as a pet. 나는 동물을 좋아한다. 하지만 애완용으로 키우고 싶은 생각은 없다.

altitude [ǽltətjùːd] *n.* **1** 높이, 고도: Our plane is flying at an *altitude* of 35,000 feet. 우리 비행기는 35,000피트의 고도로 비행 중이다. **2** (보통 *pl.*) 높은 곳, 고지

altogether [ɔ̀ːltəgéðər] *adv.* **1** 완전히, 아주: He quit smoking *altogether*. 그는 담배를 완전히 끊었다. [SYN] completely **2** 통틀어서, 전부: How much do I owe you *altogether*? 내가 자네한테 빚진 게 전부 얼마지? **3** 전반적으로: *Altogether*, your homework is well done. 전체적으로 볼

때 너의 과제물은 잘 되었다. [SYN] generally

■ **altogether와 all together**
all together는 '모든 것 또는 모든 이가 열외 없이 함께' 라는 뜻으로 altogether 와는 의미가 다르다.: Put your books *all together* on the desk. 책을 전부 다 책상 위로 올려 놓아라.

aluminum [əlúːmənəm] *n.* ([영] aluminium) 알루미늄 (금속 원소; 기호 Al)

alumna [əlʌ́mnə] *n.* (*pl.* alumnae [əlʌ́mniː]) [미] (대학의) 여자 졸업생, 동창생

alumnus [əlʌ́mnəs] *n.* (*pl.* alumni [əlʌ́mnai]) [미] (대학의) 남자 졸업생, 동창생: an *alumni* association 동창회

****always** [ɔ́ːlweiz] *adv.* **1** 항상, 언제나: The rich are not *always* happy. 부자라고 해서 언제나 행복한 것은 아니다. **2** 언제까지나, 영원히: I will *always* remember her. 나는 그녀를 언제까지나 잊지 않겠다.

****a.m.** [éiém] *abbr.* ante meridiem 오전: at 3:00 *a.m.* 오전 3시에 [OPP] p.m.

amass [əmǽs] *v.* [T] (많은 양을) 축적하다, 모으다: She has *amassed* a lot of information on the subject. 그녀는 그 문제에 관한 다량의 정보를 수집했다.

amateur [ǽmətʃùər] *n.* **1** 아마추어, 비전문가 **2** 경험이나 기능이 부족한 사람
adj. **1** (직업으로서가 아닌) 재미로 하는: an *amateur* photographer 아마추어 사진작가 [SYN] nonprofessional [OPP] professional **2** 미숙한, 서투른

****amaze** [əméiz] *v.* [T] 몹시 놀라게 하다: It *amazes* me that nobody could answer the question. 아무도 그 문제에 답하지 못하다니 놀랍다.
— **amazed** *adj.* 깜짝 놀란 **amazing** *adj.* 놀랄 정도의, 어처구니 없는; 굉장한 **amazement** *n.*

ambassador [æmbǽsədər] *n.* 대사, 사절 (외국에 나가 자기 나라를 대표하는 중요한 사람)

amber [ǽmbər] *n.* **1** 호박 (보석을 만드는
데 쓰임) **2** 호박색, (교통 신호의) 황색 신호:
Wait! The lights turned to *amber.* 잠
깐! 신호등이 황색으로 바뀌었잖아.
adj. **1** 호박의 **2** 호박색의, 황갈색의

ambiguous [æmbígjuəs] *adj.* 애매(모
호)한, 분명치 않은, 두 가지 뜻으로 해석되는
SYN unclear
— **ambiguously** *adv.* **ambiguity** *n.*

ambition [æmbíʃən] *n.* **1** 야심, 열망, 몹
시 이루고 싶은 것: My *ambition* is to
travel the world. 내가 꼭 해 보고 싶은 것
은 세계 여행이다. **2** (권력이나 성공에의) 야
망: He seems to lack the *ambition.* 그는
야망이 부족해 보인다.

*****ambitious** [æmbíʃəs] *adj.* **1** 대망(야심)
을 품은: Boys, be *ambitious!* 소년들이여,
야망을 품어라! **2** (명사 앞에는 쓰이지 않음)
열망하는, 야심이 있는 (of, to do): She is
ambitious to succeed. 그녀는 성공하기를
열망한다. **3** (일 · 계획 등이) 야심적인, 대규모
의: an *ambitious* plan 야심적인 계획

ambivalent [æmbívələnt] *adj.* 불확실
한, 모호한, 감정이 교차하는: I felt very
ambivalent about leaving home. 집을
떠난다는 것에 감정이 교차했다.
— **ambivalence** *n.*

*****ambulance** [ǽmbjuləns] *n.* 구급차, 병
원차

ambush [ǽmbuʃ] *n.* 매복 (공격): He
was injured in an enemy *ambush.* 그
는 적의 매복으로 부상당했다.
v. [I,T] 매복하다, 매복하여 습격하다: Rebels
ambushed and killed 10 patrolmen. 반
란군은 매복하고 있다가 10명의 순찰병들을 살
해했다.

amen [éimén] *int.* **1** 아멘 (기독교 신자들
이 기도 등의 끝에 부름) **2** 좋다, 그렇다: say
amen to …에 동의하다

amend [əménd] *v.* [T] **1** (의안 등을) 수정
하다, 개정하다: an *amended* bill 수정안 **2**
(행실 · 잘못 등을) 고치다, 바로잡다

— **amendment** *n.*

amends [əméndz] *n.* (*pl.*) 배상, 벌충
숙어 **make amends (for)** …에 대해 보
상하다: I want to *make amends for* the
mistakes I've made. 제가 실수한 것에 대
해 보상하고 싶습니다.

amenity [əménəti] *n.* (amenities) 편의
시설, 오락(문화) 시설

amiable [éimiəbəl] *adj.* 사랑스러운, 마
음씨가 고운, 상냥한
— **amiably** *adv.* **amiability** *n.*

amid [əmíd] *prep.* …의 한가운데에, …속
에 (amidst): In the garden, *amid*
flowers, stands a willow tree. 정원에,
꽃들 한가운데에, 버드나무 한 그루가 서 있
다. / He smiled *amid* adversity. 그는 역
경 속에서도 미소를 지었다.

ammonia [əmóuniə] *n.* 암모니아(기체),
암모니아수

ammunition [ǽmjuníʃən] *n.* **1** 탄약;
병기, 무기 **2** 자기 주장에 유리한 정보

Amnesty International *n.* 국제 사면
위원회 (사상범 · 정치범의 석방 운동을 위한
국제 조직)

*****among** [əmʌ́ŋ] *prep.* …의 가운데, … 중
에, … 사이에 (amongst): It is *among* the
best. 이것은 최상의 것들 중 하나이다.
숙어 **among other things** 여럿 가
운데서, 더욱이, 특히: He liked history
among other things. 그는 여러 과목 중에서
특히 역사를 좋아했다.

among the rest 그 중에서도, 그 중의 하
나: Ten have passed, myself *among*
the rest. 나 자신을 포함해서 10명이 시험에
합격했다.

■ 유의어 among
두 사람일 경우에는 **between**, 세 사람 이
상일 경우에는 **among** 또는 **amongst**를
쓴다. 단, 상호 관계를 나타낼 때는 세 사
람 이상이라도 between을 쓴다.: peace
between three nations 3국 간의 평화

***amount** [əmáunt] *n.* **1** 양(量): a large (small) *amount* of 다(소)량의
※ 수에 관해서는 a large(small) number 이를 쓴다.
2 총계, 총액: Please pay the full *amount* within 5 days. 5일 내에 총액을 지불하시기 바랍니다.
v. [I] **1** 총계가 …이 되다: His debts *amount* to 500 dollars. 그의 빚은 모두 500달러가 된다. **2** [영] …이나 매한가지다: His answer *amounts* to refusal. 그의 대답은 거절이나 같다.
숙어 **any amount of** 상당한 (양의): He did *any amount of* work. 그는 상당히 많은 일을 했다.

ampere [金mpiər] *n.* (*abbr.* amp) 암페어 (전류의 단위)

amphibious [æmfíbiəs] *adj.* **1** 양서류의: Frogs are *amphibious*. 개구리는 양서류이다. **2** 수륙 양용의; 육해공군 합동의
— **amphibian** *n.* 양서류

amphitheater, amphitheatre [金mfəθì:ətər] *n.* (옛 로마의) 원형 경기장 (극장); (극장의) 계단식 관람석

ample [金mpl] *adj.* **1** 충분한, 넉넉한: I think 500,000 won will be *ample* for the trip. 50만원이면 여행 경비로 충분할 것이다. SYN abundant **2** 큰, 넓은: There is space for *ample* cars to park. 대형 차량도 주차할 수 있는 공간이 있습니다.
— **amply** *adv.* 널리, 충분히; 상세히

amplify [金mpləfài] *v.* [T] **1** 확대(증대)하다: The megaphone *amplified* the music. 확성기가 음악을 더 크게 했다. **2** 상세히 설명하다: He *amplified* his answer to that question. 그는 그 질문에 대한 대답을 부연 설명했다. **3** (전류를) 증폭하다
— **amplifier** *n.* 앰프, 확성기 **amplification** *n.*

amputate [金mpjutèit] *v.* [T] (손·발 등을 수술로) 절단하다
— **amputation** *n.*

***amuse** [əmjú:z] *v.* [T] **1** 재미있게 하다; 웃기다: His story seemed to *amuse* his daughter. 그의 이야기가 딸을 웃게 만든 것 같았다. SYN entertain **2** 즐기다, 놀다 (oneself): They *amused* themselves with toys. 그들은 장난감을 가지고 즐거운 시간을 보냈다.

amused [əmjú:zd] *adj.* 재미있어(즐거워)하는: The audience was *amused* by the comedian. 관객들은 그 코미디언을 재미있어 했다.

amusement [əmjú:zmənt] *n.* **1** 즐거움, 재미: I play the piano for *amusement*. 나는 재미로 피아노를 친다. **2** 오락(물), 놀이: His favorite *amusement* is singing. 그가 가장 좋아하는 오락은 노래 부르기다.

amusement park *n.* [미] 유원지

amusing [əmjú:ziŋ] *adj.* 즐거운, 재미있는, 우스운: an *amusing* book 재미있는 책 / His story was very *amusing*. 그의 이야기는 아주 재미있었다.

analog, analogue [金nəlɔ̀:g] *adj.* **1** 아날로그의 (연속적으로 변화하는 물리량으로 정보를 계산하고 저장하는 전자 시스템 방식) **2** (시계) 아날로그 표시의 (12개의 숫자나 눈금 주변을 바늘이 움직여 정보를 나타내는 방식) *cf.* digital 디지털의

analogy [ənǽlədʒi] *n.* 유사(성); 유추: It's easier to explain an abstract concept by *analogy* with something concrete. 추상적인 개념은 구체적인 것에 비유하면 쉽게 설명할 수 있다. SYN comparison

analysis [ənǽləsis] *n.* (*pl.* analyses) 분석, 분해 OPP synthesis
숙어 **in the last analysis** 결국, 요컨대: We are all, *in the last analysis*, alone. 결국 우리는 혼자다.

analyst [金nəlist] *n.* **1** 분석(분해)자 **2** [미] 정신 분석가

analyze, analyse [金nəlàiz] *v.* [T] 분

석〔분해〕하다: Water samples taken from rivers are being *analyzed* in a laboratory. 강에서 채취한 물 표본이 연구실에서 분석되고 있는 중이다. / We can *analyze* water into oxygen and hydrogen. 물을 산소와 수소로 분해할 수 있다.
— **analytic, analytical** *adj.*

anarchy [ǽnərki] *n.* **1** 무정부 (상태): The nation experienced *anarchy* after the revolution. 그 나라는 혁명 후에 무정부 상태를 경험했다. **2** 무질서, 혼란
— **anarchic** *adj.* **anarchism** *n.* 무정부주의 **anarchist** *n.* 무정부주의자

anatomy [ənǽtəmi] *n.* **1** 해부, 해부학 **2** (동식물의) 해부학적 구조〔조직〕: the *anatomy* of the frog 개구리의 구조
— **anatomic, anatomical** *adj.* **anatomist** *n.* 해부학자

*__ancestor__ [ǽnsestər] *n.* 조상, 선조 OPP descendant
— **ancestral** *adj.*

ancestry [ǽnsestri] *n.* **1** (집합적) 조상, 선조 **2** 가계, 문벌

anchor [ǽŋkər] *n.* **1** 닻 **2** 앵커 (뉴스 등의 사회자)
v. **1** [I,T] 닻으로 배를 멈추다〔정박하다〕 **2** [T] (움직이지 못하도록) 단단히 고정시키다
— **anchorage** *n.* 정박지; 고정시키는 것

*__ancient__ [éinʃənt] *adj.* **1** 고대의: the ruins of an *ancient* temple 고대 사원의 유적 SYN antique OPP modern **2** 매우 나이가 많은, 아주 오래된: I don't believe he's only 25. He looks *ancient*! 그가 25살이라니 못 믿겠다. 정말 나이 들어 보이는데!

*__and__ ⇨ 아래 참조

anecdote [ǽnikdòut] *n.* 일화: Please tell us an *anecdote* about your years as a sailor. 당신이 선원이었을 때의 일화를 들려 주세요.
— **anecdotal** *adj.*

anesthetic [ǽnəsθétik] *n.* 마취제
adj. 마취의; 둔감한

anew [ənjú:] *adv.* 다시 한 번, 새로이

*__angel__ [éindʒəl] *n.* 천사 (같은 사람)

---

and

and [ænd] *conj.* **1** (낱말·구·절을 이음) …와, 및, 또, 그리고: John *and* Mary are great friends. 존과 메리는 매우 친하다. / She likes to fish *and* to play tennis. 그녀는 낚시하기와 테니스 치기를 좋아한다. / Tidy up your room. *And* don't forget to make your bed. 방 청소를 해라. 그리고 침대 정리하는 것 잊지 마라.
※ and로 밀접한 관계의 단어가 연결될 때 반복되는 a등은 생략한다.: a knife and fork, *my* father and mother
2 (명령형에 이어서 결과를 나타냄) 그렇게 하면, 그러면: Work hard, *and* you will succeed. 열심히 공부하면 성공할 것이다.
3 (come〔go, try〕 and …의 꼴로 부정사에 붙는 to를 대신함) …하러, …하기 위해: Come *and* see me. 나를 보러 오시오.

4 (반복·중복) …한 위에 또, 더욱 더, 씩 (짝을 지어): again *and* again 몇 번이고 / ever *and* ever 영원히 / They walked two *and* two. 그들은 둘씩 나란히 걸었다.
5 …에 더하여: 2 *and* 3 equals 5. 2에 3을 더하면 5다.
〔숙어〕 **and so forth〔on〕** … 따위, 등등, 기타: the rent, the wages, the profits *and so forth* 집세, 임금, 이익금 등등
and that 더욱이, 그 위에: He did it himself, *and that* very well. 그는 그것을 혼자 힘으로, 더구나 아주 잘 했다.
and the like 기타, … 따위
and yet 그런데도, 그럼에도 불구하고: She is foolish, *and yet* people like her. 그녀는 바보 같다. 그런데도 사람들은 그녀를 좋아한다. SYN and but, and still

— **angelic** *adj.*

***anger** [ǽŋgər] *n.* 노여움, 화, 분노
  v. [T] 성(화)나게 하다: The news *angered*
  him. 그 소식은 그를 분노케 했다.

■ 유의어 anger
anger 노여움을 뜻하는 보통의 말.
indignation 부정 등에 대한 깊고 정당한
분노. rage 강렬한 분노. fury rage보다
한층 강한 격노.

***angle** [ǽŋgl] *n.* **1** 각, 각도: a right
  angle 직각 / at an *angle* of 60° 60도로
  2 견지, 관점: What's your *angle* on
  this problem? 이 문제에 대한 당신의 관점
  은 어떻습니까?
  v. **1** [I,T] …을 기울이다, 굽다 **2** [T] (기사 등
  을) 특정한 관점에서 쓰다

***angry** [ǽŋgri] *adj.* (angrier-angriest) 노
  한, 화난, 성난: He was *angry* at what I
  said. 그는 내 말에 화를 냈다. / She easily
  gets *angry* with me over trifles. 그녀는
  사소한 일에도 쉽사리 나에게 화를 낸다.
  ※ angry 뒤에 사물에 대해서는 at, about,
  over를 쓰고, 사람일 경우에는 with를 쓴다.
  — **angrily** *adv.*

anguish [ǽŋgwiʃ] *n.* (심신의) 고통, 큰 고
  뇌, 고민: be in *anguish* over …으로 크게
  괴로워하다
  — **anguished** *adj.*

***animal** [ǽnəməl] *n.* **1** 동물 (인간까
  지 포함) **2** (인간 이외의) 동물, 짐승: wild
  animals 야생 동물
  adj. 동물의, 동물적인: the *animal*
  kingdom 동물계

animate [ǽnəmèit] *v.* [T] **1** 활기(생기)
  를 주다: Her kind words *animated* him
  with fresh hope. 그녀의 친절한 말에 고무
  되어 그는 새 희망을 갖게 되었다. **2** (보통 수
  동태) 움직이는 것처럼 만들다, 만화 영화로 만
  들다
  adj. [ǽnəmit] 산, 살아 있는; 활기 있는
  SYN alive OPP inanimate

animated [ǽnəmèitid] *adj.* **1** 힘찬, 활
  기찬: an *animated* discussion 활발한 토
  론 **2** 만화 영화의, 움직이는 것처럼 만든: an
  animated cartoon 만화 영화
  — **animatedly** *adv.*

animation [ǽnəméiʃən] *n.* **1** 생기, 활
  기 **2** 만화 영화 (제작)

***ankle** [ǽŋkl] *n.* 발목, 복사뼈: twist
  (sprain) one's *ankle* 발목을 삐다

annals [ǽnəlz] *n.* (*pl.*) **1** 연대기, 연대표
  2 (역사적인) 기록, 사료(史料)

annex, annexe [ənéks] *v.* [T] (국가·
  영토 등을 강제로) 합병하다, 병합하다: The
  United States *annexed* Texas in 1845.
  1845년에 미국은 텍사스를 병합했다.
  n. [ǽneks] 별관 (큰 건물에 딸린 작은 건
  물)
  — **annexable** *adj.* **annexation** *n.*

annihilate [ənáiəlèit] *v.* [T] 전멸시키다
  — **annihilation** *n.*

anniversary [ǽnəvə́:rsəri] *n.* 기념일,
  기념제: the 18th *anniversary* of my
  birth 나의 18번째 생일

***announce** [ənáuns] *v.* [T] **1** 알리다, 고
  지하다 **2** 발표하다, 방송하다: It has been
  informally *announced* that he is dead.
  그의 죽음이 비공식적으로 발표되었다. SYN
  broadcast
  — **announcement** *n.* 공고, 발표(문)
  announcer *n.* 아나운서

***annoy** [ənɔ́i] *v.* [T] 괴롭히다, 성가시게 하
  다: be (feel, get) *annoyed* with (at,
  about, by) …을 불쾌하게 느끼다, 화나다
  ※ 대상이 사물이면 at, about, by를 쓰고,
  사람이면 with를 쓴다.
  — **annoying** *adj.*

annoyance [ənɔ́iəns] *n.* **1** 성가심, 불
  쾌감, 괴로움 **2** 곤란한 것(사람), 골칫거리:
  The loud music from next door is
  an *annoyance*. 옆집의 큰 음악 소리가 골칫
  거리다.

annual [ǽnjuəl] *adj.* 매년의, 일 년에 한

번의: an *annual* income 연수입 / *annual* revenue(expenditure) 세입[세출] / *annual* rings (식물의) 나이테 SYN yearly
n. **1** 일년생 식물 **2** 연보, 연감
— **annually** *adv.*

anonymous [ənánəməs] *adj.* 작가 불명의; 익명의
— **anonymously** *adv.* **anonymity** *n.*

*****another** [ənʌ́ðər] *adj.* **1** 또 하나의, 제 2의: in *another* ten days 다시 10일이 지나면 **2** 다른: That is quite *another* story. 그것은 전혀 별개의 이야기이다.
pron. **1** (같은 종류의) 또 다른 한 개, 또 다른 사람: He ate one hamburger, then ordered *another*. 그는 햄버거를 하나 먹고 또 하나를 주문했다. **2** 다른 것[사람]: I don't like this one. Show me *another*. 이건 마음에 안 들어요. 다른 걸 보여 주세요.

*****answer** [ǽnsər] *v.* [I,T] **1** (사람 · 질문에) 답하다: I asked her whether she had any problems but she didn't *answer*. 그녀에게 무슨 문제가 있느냐고 물었지만 그녀는 대답하지 않았다. / She hasn't *answer* my letters yet. 그녀는 아직 내가 보낸 편지들에 답장을 하지 않았다. **2** (노크 · 벨 · 전화 등에) 응하다: Would you *answer* the phone for me? 저 대신 전화 좀 받아 줄래요? / I knocked on the door but nobody *answered*. 내가 문을 두드렸지만 아무도 대답하지 않았다.
n. **1** 대답 (말이나 글): They've made me an offer but I didn't give them my *answer*. 그들은 나에게 한 가지 제안을 했지만 나는 입장을 밝히지 않았다. **2** 해결책: There seems to be no easy *answers* to our problems. 우리의 문제를 해결할 수 있는 쉬운 방법은 없는 듯하다. **3** (시험 문제 등의) 답안: My *answer* to question 12 was wrong. 내가 쓴 12번 문제 답이 틀렸다. **4** (시험 문제 등의) 정답: What was the *answer* to question 6? 6번 문제 정답이 뭐였니?

숙어 **answer back 1** 항변하다 **2** 말대꾸하다

answer for 1 …의 책임을 지다: You have to *answer for* all the damage. 네가 모든 피해를 책임져야 해. **2** …의 편에 서서 말을 하다: I will *answer for* his conduct. 내가 그의 편을 들어 이야기해 줄 거야.

answer to …에 부합하다, 일치하다: His features *answer to* this description. 그의 모습은 이 인상서와 부합한다.

in answer to …에 답하여, 응하여: He rose to speak *in answer to* his name. 그는 호명되자 일어서서 발표했다.

answerable [ǽnsərəbəl] *adj.* **1** 책임이 있는 (to, for): He is *answerable* to me for his conduct. 그는 나에 대해 자신의 행위에 책임을 져야 한다. **2** (질문에) 답할 수 있는

answering machine *n.* (부재시의) 전화 자동 응답 장치 (answer-phone)

*****ant** [ænt] *n.* 개미

antagonism [æntǽgənìzəm] *n.* 증오심, 적대심 SYN hostility

antagonist [æntǽgənist] *n.* 적수, 경쟁자
— **antagonistic** *adj.*

antagonize, antagonise [æntǽgənàiz] *v.* [T] 적으로 돌리다, …의 반감을 사다

Antarctic [æntá:rktik] *adj.* 남극의: an *Antarctic* expedition 남극 탐험 OPP Arctic
n. (the Antarctic) 남극 지대

Antarctica [æntá:rktikə] *n.* 남극 대륙 SYN the Antarctic Continent

ante- *prefix* '…의 전의, …보다 앞의'의 뜻: *antecedent* / *ante* meridiem SYN before OPP post-
※ ante가 anti로 되는 경우도 있다.: *anticipate*

antecedent [æntəsí:dənt] *n.* **1** 선행하는 것 **2** (antecedents) 선조 SYN

ancestors **3** [문법] 선행사
— **antecedence** *n.*

antelope [ǽntəlòup] *n.* [동물] 영양

antenna [ænténə] *n.* **1** (*pl.* antennas) 안테나, 공중선 ([영] aerial) **2** (*pl.* antennae) 촉각, 더듬이

anthem [ǽnθəm] *n.* 성가, 찬송가; 축가: a national *anthem* 국가

anthology [ænθálədʒi] *n.* 명시 선집, 명문집

anthropology [æ̀nθrəpálədʒi] *n.* 인류학
— **anthropologist** *n.* 인류학자

anti- *prefix* '반대, 적대, 대항, 배척' 등의 뜻. [OPP] pro-

antiaircraft [æ̀ntiɛ́ərkræ̀ft] *adj.* 방공의, 대공의: an *anti-aircraft* gun 고사포

antibiotic [æ̀ntibaiátik] *n.* 항생 물질

anticipate [æntísəpèit] *v.* [T] 예상하다, 미리 짐작하다 (그리고 대비하다): I did not *anticipate* a refusal. 거절하리라고는 짐작하지 못했다. [SYN] expect
— **anticipation** *n.*

antipathy [æntípəθi] *n.* 반감, 비위에 안 맞음

antipollution [æ̀ntipəlú:ʃən] *n. adj.* 공해 반대(의)

antique [æntí:k] *adj.* 고대의, 고풍의, 구식의 [OPP] modern
n. 골동품

antiquity [æntíkwəti] *n.* **1** 낡음, 오래됨, 고색(古色) **2** 고대, 먼 옛날 **3** (보통 *pl.*) 고대 유물(유적)

antiseptic [æ̀ntəséptik] *adj.* 방부성의, 방부제를 사용한; 무균의, 살균된
n. 방부제; 살균제

antisocial [æ̀ntisóuʃəl] *adj.* **1** 사회를 어지럽히는, 반사회적인: Increasingly, smoking in public is regarded *antisocial*. 점점 더, 공공연히 담배를 피우는 것은 남을 배려할 줄 모르는 행위로 간주된다. **2** 사교를 싫어하는

antivirus [æ̀ntiváiərəs] *n.* **1** 항바이러스 **2** 안티바이러스 (컴퓨터 하드디스크의 파괴를 막는 프로그램): *antivirus* software (program) 안티바이러스 프로그램

antonym [ǽntənim] *n.* [문법] 반의어 [OPP] synonym

anxiety [æŋzáiəti] *n.* **1** 걱정, 불안; 걱정거리: He is all *anxiety*. 그는 몹시 걱정하고 있다. [SYN] concern **2** 갈망

****anxious** [ǽŋkʃəs] *adj.* **1** 걱정하는, 불안스러운: He was *anxious* lest he (should) be late. 그는 지각하지 않을까 걱정했다. [SYN] concerned **2** 갈망하는, 매우 …하고 싶어하는 (for, to do): I'm *anxious* to get home to open my presents. 나는 선물을 풀어보기 위해 빨리 집으로 가고 싶다.
— **anxiously** *adv.*

****any** ⇨ p. 40

anybody [énibàdi] (또는 anyone) *pron.* **1** (의문문·조건절에서) 누군가, 누가, 누구라도: Is *anybody* absent today? 오늘 누가 결석했나요? **2** (부정문에서) 누구도, 아무도: I haven't seen *anybody*. 나는 아무도 못 만났다. **3** (긍정문에서) 누구든지, 아무라도: *Anybody* can do that. 아무라도 그런 일은 할 수 있다.

anyhow [énihàu] *adv.* **1** (부정문에서) 아무리 해도: I could not get in *anyhow*. 나는 아무리 해도 들어갈 수 없었다. **2** (긍정문에서) 어떻게든지: *Anyhow* you may do it. 어떻게 하든 괜찮다. **3** 여하튼, 어쨌든: *Anyhow*, let's begin. 여하튼 시작하자. **4** 아무렇게나: She did her work *anyhow*. 그녀는 일을 적당히 해 놓았다.

anymore [ènimɔ́:r] *adv.* (부정문·의문문에서) 이제는, 최근에는: She doesn't work here *anymore*. 그녀는 더 이상 여기서 일하지 않는다.

anyone [éniwʌ̀n] (또는 anybody) *pron.* **1** (부정문에서) 누구도, 아무도: I don't think *anyone* was at home. 아무도 집에 없었다고 생각된다. **2** (의문문·조건절에서)

any

any [éni] *adj.* **1** (의문문 · 조건절에서) 무언가의, 누군가의, 얼마간의: If *any* one calls, tell him to wait. 만일 누가 찾아오면 기다리라고 해 줘. / If you have *any* pens, will you lend me one? 혹시 펜을 가지고 있으면 하나 빌려 주겠니? / Are there *any* books to read? 읽을 만한 책이 있나요? / Do you have *any* questions? 질문이 있습니까?
2 (부정문에서) 아무것도, 아무도, 조금도: I don't have *any* money. 나는 돈이 하나도 없다. / I don't have *any* brother. 나는 형제가 하나도 없다.
3 (긍정문에서) 무엇이든지, 누구든지, 얼마든지: Take *any* book you want. 네가 원하는 책 아무거나 가져. / He will rush in *any* minute now. 그는 당장이라도 뛰어 들어올 것이다.
pron. **1** (의문문 · 조건절에서) 어느 것인가, 무언가, 누군가, 얼마쯤, 다소: Does *any* of you know? 너희들 중 누가 알고 있니? / If *any* of you know, tell me. 너희들 중 누가 알고 있으면 말해 줘.
2 (부정문에서) 아무것도, 아무도, 조금도: I don't want *any*. 아무것도 필요 없다. / I can't find *any* of them. 그들 중 아무도 찾

을 수 없다. / "Is there *any* more soup?" "No, I'm afraid there isn't *any* left." "수프가 더 있나요?" "아니, 조금도 안 남았는데."
3 (긍정문에서) 어느 것이라도, 무엇이든, 누구라도, 얼마든지: Take *any* you want. 어느 것이든 원하는 것을 가져. / *Any* of you can do it. 너희들 중 누구라도 그것을 할 수 있다.
※ 종종 any of의 구문으로, 또는 이미 나온 명사를 생략할 때 쓴다.
adv. **1** (의문문에서) 조금은, 좀: Are you *any* better today? 오늘은 좀 좋아졌는가?
2 (조건절에서) 조금이라도: if he has become *any* wiser 그가 조금이라도 현명해진다면
3 (부정문에서) 조금도: No, I don't have *any*. 아니, 하나도 없어요.
※ 의문문 · 조건절에서는 주로 비교급과 함께 쓰인다.
[숙어] **any longer** (주로 의문문 · 부정문 · 조건절에서) 더 이상: You are not a child *any longer*. 너는 더 이상 어린애가 아니다.
any more 이 이상은: I don't do yoga *any more*. 나는 더 이상 요가를 하지 않는다.
in any case 어떻든, 어떤 경우든

누군가: Has *anyone* heard of it? 그것에 대해서 누군가 들었느냐? **3** (긍정문에서) 누구라도, 누구든지: You may invite *anyone* you like. 네가 좋아하는 사람은 누구든지 초대해도 좋다.
anything [éniθiŋ] *pron.* **1** (의문문 · 조건절에서) 무언가: Is there *anything* you'd like to talk about? 무언가 하고 싶은 얘기가 있습니까? **2** (부정문에서) 아무것도: I could not see *anything*. 나는 아무것도 볼 수 없었다. **3** (긍정문에서) 무엇이든: He can do *anything*. 그는 무엇이든 할 수 있다.
[숙어] **anything but 1** …이외에는 무엇이든: You may drink *anything but* that.

그것 이외에는 무엇이든 마셔도 된다. **2** 결코 …은 아니다: He is *anything but* a smart boy. 그는 결코 영리한 소년은 아니다.
anything of (의문문 · 조건절에서) 조금은, (부정문에서) 조금도: Is he *anything of* a gentleman? 그에게 신사다운 데가 좀 있니? / I have not seen *anything of* Mr. Smith lately. 요즘 스미스 씨를 통 못 만났다.
for anything (부정문에서) 무엇을 다 준대도, 결코: I won't go there *for anything*. 나는 결코 거기에 가지 않겠다.
anyway [éniwèi] *adv.* **1** 어쨌든, 하여튼; 어떻게 해서든: *Anyway*, it's not fair. 어쨌든 옳지 않다. **2** 적당히, 아무렇게나: Don't

do it just *anyway*. 아무렇게나 하지 마라.

anywhere [énihwɛ̀ər] *adv.* **1** (부정문에서) 어디에도: Don't go *anywhere*. 아무 데도 가지 마라. **2** (의문문·조건절에서) 어디엔가: Did you go *anywhere* yesterday? 어제 어딘가 갔었니? **3** (긍정문에서) 어디에나: Put it *anywhere*. 아무 데나 놓아라. **4** 조금이라도

[숙어] **get[go] anywhere** (주로 부정문에서) 잘 되다, 성공하다: You'll never *get anywhere* with that attitude. 그런 태도로 넌 결코 성공하지 못할 것이다.

***apart** [əpá:rt] *adv.* 떨어져서, 따로: He set some money *apart* for the vacation. 그는 휴가 때 쓰려고 약간의 돈을 따로 마련해 두었다. [OPP] together

[숙어] **apart from** …은 별도로 하고, …은 그만두고: *apart from* joking 농담은 그만두고 / *Apart from* the question of expense, the project is impracticable. 비용 문제는 별도로 하더라도 그 사업은 실현성이 없다.

take apart …을 분해하다, 풀어 헤치다: He *took* the machine *apart*. 그는 기계를 분해했다.

tell apart 구별하다: The twins were so alike that I couldn't *tell* them *apart*. 쌍둥이가 너무 똑같아서 구별할 수 없었다.

apartheid [əpá:rthèit] *n.* 인종 차별 (정책) (과거 남아프리카의 정치·사회 제도로 백인들만이 완전한 참정권을 행사하고 다른 민족들 특히, 흑인들은 격리된 학교에 다니고 격리된 지역에서 생활하도록 강요당했음.)

***apartment** [əpá:rtmənt] *n.* ([영] flat) 아파트

※ 영국에서는 휴가 때 빌리는 건물을 apartment라고 한다.

apathy [ǽpəθi] *n.* 무감동, 냉담

ape [eip] *n.* (주로 꼬리 없는(짧은)) 원숭이 *v.* [T] 흉내내다 [SYN] imitate

apiece [əpí:s] *adv.* 각각: He and I scored a goal *apiece*. 그와 내가 각각 1점씩 득점했다. [SYN] each

apologize [əpálədʒàiz] *v.* [I] 사과하다: I must *apologize* to you for my rudeness. 제가 무례하게 대한 점을 사과드립니다.
— **apologetic** *adj.* **apologetically** *adv.*

***apology** [əpálədʒi] *n.* 사과, 사죄; 변명: The woman accepted his *apology* for spilling coffee on her dress. 그녀는 드레스에 커피를 흘린 남자의 사과를 받아들였다.

apostle [əpásl] *n.* 사도 (예수의 12제자의 한 사람)

apostrophe [əpástrəfi] *n.* [문법] 아포스트로피 (')

■ **용법** apostrophe

1 생략 부호: can't, wouldn't **2** 소유격 부호: children's book, citizens' rights **3** 복수 부호 (문자나 숫자의 경우): two c's, three 7's

appall, appal [əpɔ́:l] *v.* [T] 몹시 놀라게 하다: I was *appalled* at the sight. 나는 그것을 보고 소스라쳐 놀랐다.
— **appalling** *adj.*

apparatus [æ̀pəréitəs] *n.* (한 벌의) 기구, 기계, 장치, 장비 [SYN] equipment

***apparent** [əpǽrənt] *adj.* **1** (명사 앞에는 쓰이지 않음) 외견(만)의, 외관상 …같은: He was the *apparent* winner of the election. 그는 보기에 선거에 이길 것 같았다. **2** 명백한: The solution to the problem was *apparent* to all. 문제의 해결 방법은 누가 봐도 명백했다. [SYN] obvious
— **apparently** *adv.*

***appeal** [əpí:l] *v.* [I] **1** 간청하다, 강력히 요청하다: Rescue workers are *appealing* for more supplies. 구조 대원들은 구호 물자들을 더 보내 줄 것을 간청하고 있다. **2** 매력이 있다, 관심을 끌다: Jazz *appeals* to young people. 재즈는 젊은이들이 좋아한

다. **3** 호소하다: We're trying to *appeal* to people's generosity. 우리는 사람들의 관대함에 호소하고 있다. **4** [스포츠] (심판에게) 항의하다: The player *appealed* against the referee's decision. 한 선수가 심판의 결정에 항의했다. **5** [법] 상소하다 *n.* **1** 간청: make an *appeal* for …을 간청하다 **2** 호소 **3** 상소, 항소 **4** 매력
— **appealing** *adj.* 매력적인; 호소하는 듯한

*****appear** [əpíər] *v.* [I] **1** 나타나다, 보이게 하다: The sun suddenly *appeared* from behind a big cloud. 커다란 구름 뒤에서 갑자기 해가 나타났다. [OPP] disappear **2** …처럼 보이다, …인 듯하다: The report *appears* (to be) true. 그 보고는 사실인 것 같다. [SYN] seem **3** 출연하다, (회합 등에) 출석하다: My favorite actor will *appear* on television tonight. 내가 가장 좋아하는 배우가 오늘밤 텔레비전에 출연할 것이다. **4** 출판되다, (신문·잡지 등에) 실리다: The article *appeared* in this evening's paper. 그 기사는 오늘 저녁 신문에 실렸다.

appearance [əpíərəns] *n.* **1** 외관: A haircut could completely change your *appearance*. 머리를 깎으면 넌 아주 달라 보일 수도 있어. **2** 출현: the *appearance* of computer 컴퓨터의 출현 **3** 출연; 출판
[숙어] **to(by) all appearance(s)** 어느 모로 보나: To all *appearance* he is healthy. 어느 모로 보나 그는 건강하다.

appease [əpíːz] *v.* [T] **1** (사람을) 달래다, (격한 감정을) 가라앉히다 **2** (전쟁을 피하기 위해) 요구하는 바를 들어주다; 유화하다
— **appeasement** *n.*

appendix [əpéndiks] *n.* **1** (*pl.* appendixes) 맹장 **2** (*pl.* appendices) (책의) 부록

appetite [æpitàit] *n.* 식욕; 강한 욕구: have a good *appetite* 식욕이 왕성하다 / *appetite* for reading 독서에 대한 욕구
— **appetizing** *adj.* 식욕을 돋우는

appetizer *n.* 식욕을 돋우는 것, 전채 요리

applaud [əplɔ́ːd] *v.* **1** [I,T] …에게 박수갈채하다: We *applauded* the actor. 우리는 그 배우에게 박수갈채를 보냈다. **2** [T] (주로 수동태) 승인을 표하다: The final decision was *applauded* by everybody. 마지막 결정에 모두들 동의했다.

applause [əplɔ́ːz] *n.* 박수갈채: The band got a big round of *applause* at the end of the concert. 그 밴드는 콘서트 끝에 큰 박수갈채를 받았다.

*****apple** [ǽpl] *n.* 사과

appliance [əpláiəns] *n.* (특히 가정용의) 전기 제품, 기계, 설비

applicable [ǽplikəbəl] *adj.* 적용(응용)될 수 있는, 적절한: Is the rule *applicable* to this case? 그 규칙이 이 경우에 적용될까?
— **applicably** *adv.*

applicant [ǽplikənt] *n.* 지원자, 후보자: an *applicant* for admission to a school 입학 지원자 [SYN] candidate

application [æplikéiʃən] *n.* **1** 지원서: Fill in the *application* form. 지원서 내용을 기입하세요. **2** 적용 **3** 전념 **4** [컴퓨터] 특정 업무를 하도록 고안된 프로그램

*****apply** [əplái] *v.* **1** [I] (서면으로) 신청하다: *apply* for a job 일자리를 신청하다 **2** [I,T] 적용되다, 적합하다, 적용시키다: This rule *applies* to all of you. 이 규칙은 여러분 모두에게 적용됩니다. / New technology will be *applied* to solve problems. 문제 해결을 위해 새로운 기술이 적용될 것이다. **3** [T] (도료·약 등을) 바르다: *apply* paint to a house 집에 페인트를 칠하다 **4** [T] 전념하다: *apply* oneself to one's work 일에 전념하다
— **applied** *adj.* 적용(응용)된

*****appoint** [əpɔ́int] *v.* [T] **1** 임명하다: They *appointed* him (to be) president. 그들은 그를 학장으로 임명했다. **2** (시간·장소를) 지정하다: I met him at the *appointed* place. 나는 그를 약속된 장소에서

만났다.

appointment [əpɔ́intmənt] *n.* **1** (회합·방문의) 약속, 예약: I have an *appointment* with the doctor this afternoon. 오늘 오후에 진료 예약이 있다. **2** 지위, 관직: a temporary(permanent) *appointment* 임시(정규)직 **3** 임명, 지명: the *appointment* of a teacher 교사의 임명

appreciable [əprí:ʃiəbl] *adj.* 평가할 수 있는; 분명한, 상당한 정도의: There is no *appreciable* difference. 별반 차이는 없다.

*****appreciate** [əprí:ʃièit] *v.* **1** [T] 감상하다, 가치를 이해하다(즐기다): He *appreciates* modern arts. 그는 현대 미술을 감상한다. **2** [T] (문제점·상황 등을) 이해하다: Now I can *appreciate* your problems. 이제야 당신의 문제점들을 이해하겠습니다. **3** [T] 감사하다: Your kindness is deeply *appreciated*. 당신의 친절에 깊이 감사 드립니다. **4** [I] 가격이(시세가) 오르다
— **appreciation** *n.*

appreciative [əprí:ʃətiv] *adj.* **1** 감상할 줄 아는, 눈이 높은 (of) **2** 감사하고 있는 (of): She was *appreciative* of my efforts. 그녀는 나의 노고에 감사했다.

apprehend [æprihénd] *v.* [T] 붙잡다, 체포하다: The police have not *apprehended* the bank robbers. 경찰은 은행 강도들을 잡지 못했다. [SYN] arrest

apprehensive [æprihénsiv] *adj.* 염려(우려)하는, 걱정(근심)하는: I'm *apprehensive* about tomorrow's exam. 나는 내일 시험이 걱정된다.
— **apprehension** *n.*

apprentice [əpréntis] *n.* 견습생, 수습 (공): Most of the work was done by *apprentices*. 대부분의 작업이 견습생들에 의해 이루어졌다.
— **apprenticeship** *n.* 견습 기간(생활)

*****approach** [əpróutʃ] *v.* **1** [I,T] 접근하다, 다가가다: When you *approach* the village you will see a big tree on your left. 그 마을에 가까이 가면 당신 왼편으로 큰 나무 한 그루를 볼 수 있을 겁니다. **2** [T] (문제·일 등에) 착수하다: How do we *approach* this problem? 이 문제를 어떻게 다루지? **3** [T] (요청하기 위해) 이야기를 꺼내다, 교섭하다: I *approached* the manager for a job. 나는 일자리를 구하려고 지배인과 만났다.

n. **1** (사람·문제 등을) 다루는 법, 해결 방법: They didn't know what *approach* to take with their teenage child. 그들은 사춘기 아이를 다루는 데 어떤 방법을 택해야 할지 몰랐다. **2** 가까워짐, 다가옴: the *approach* of winter 겨울철이 다가옴 **3** 요청, 요구: make an *approach* for financial assistance 재정적 협조를 요청하다 **4** (접근하는) 길, 입구 (to): the *approach* to an airport 공항에의 진입로
— **approachable** *adj.*

*****appropriate** [əpróuprièit] *v.* [T] 불법으로 사용하다, 횡령(착복)하다, 훔치다: Don't *appropriate* others' ideas. 남의 아이디어를 도용해서는 안 된다.

adj. [əpróupriit] 적합한, 적당한: I don't think this book is *appropriate* for children. 나는 이 책이 아이들에게 적절하다고 생각하지 않는다. [SYN] suitable [OPP] inappropriate
— **appropriately** *adv.* 적당히
appropriation *n.* **appropriator** *n.* 횡령자

approval [əprú:vəl] *n.* 시인, 허가, 승인, 찬성: The project has now received *approval* from the government. 그 프로젝트는 막 정부의 승인을 얻었다.

*****approve** [əprú:v] *v.* **1** [I] (좋다고) 인정하다, 찬성하다: Her father didn't *approve* of her becoming a soccer player. 그녀의 아버지는 그녀가 축구 선수가 되는 것을 찬성하지 않으셨다. [OPP] disapprove **2** [T] (정식으로) 승인하다, 허가하다: Congress promptly *approved* the bill. 의회는 즉각

법안을 승인했다.
— **approved** *adj.* 승인된 **approving**
adj. 찬성의, 만족한
***approximate** [əpráksəmit] *adj.* 대략
의, 근사한: The *approximate* cost will be
five dollars. 대략의 비용은 5달러가 될 것이
다.
v. [I] [əpráksəmèit] (위치 · 성질 · 수량
등이) …에 가깝다, …에 근접하다: His
monthly income *approximates* to two
million won. 그의 월수입은 2백만 원 정도
이다. SYN come close
— **approximately** *adv.*
approximation *n.*
April [éiprəl] *n.* (*abbr.* Apr.) 4월
April Fools' Day *n.* 만우절 (4월 1일)
apron [éiprən] *n.* 에이프런, 앞치마
apt [æpt] *adj.* **1** …하기 쉬운: He is *apt*
to catch cold. 그는 감기에 잘 걸린다. **2** 적
합한: an *apt* example 적절한 보기 **3** 재능
이 있는: He is *apt* at languages. 그는 어
학에 재능이 있다.
aptitude [æptitùːd] *n.* **1** 경향, 습성
SYN tendency **2** 소질, 재능: He has an
aptitude for mathematics. 그는 수학
에 재능이 있다. SYN gift **3** 적성, 어울림:
aptitude test 적성 검사
aquaculture [ǽkwəkλltʃər] *n.* 양어,
양식
aquarium [əkwɛ́əriəm] *n.* (*pl.* aquari-
ums, aquaria) 수족관, 유리 수조
aquatic [əkwǽtik] *adj.* 물에 사는; 물 속
〔위〕의: *aquatic* plants 수생 식물 / *aquatic*
sports 수상 경기
arbitrary [áːrbitrèri] *adj.* (행동 · 규칙 ·
결정 등이) 임의적인, 제멋대로의: He made
an *arbitrary* decision to sell the house
without asking his wife. 그는 아내에게
물어 보지도 않고 집을 팔겠다고 마음대로 결정
했다. SYN inconsistent
— **arbitrarily** *adv.*
arbitrate [áːrbitrèit] *v.* [I,T] (분쟁을) 중

재〔조정〕하다, 중재 재판에 부치다
— **arbitration** *n.*
arc [áːrk] *n.* 호 (원의 일부분)
arcade [ɑːrkéid] *n.* 아케이드, 천장이 있
는 상점가
arch [ɑːrtʃ] *n.* **1** 아치; 아치 길; 아치형 건
조물〔문〕: a triumphal *arch* 개선문 / a
memorial *arch* 기념문 **2** 궁형(의 것)
v. [I,T] 아치를 만들다; 활모양으로 굽(히)다
— **archway** *n.* 아치 밑의 통로〔입구〕
archeology [àːrkiáːlədʒi] *n.* (〔영〕
archaeology) 고고학
— **archeological** *adj.* **archeologist**
n. 고고학자
archer [áːrtʃər] *n.* (활의) 사수, 궁술가
archery [áːrtʃəri] *n.* 궁술, 양궁
architect [áːrkitèkt] *n.* 건축가, 건축 기
사, 설계자
architecture [áːrkətèktʃər] *n.* **1** 건축
학〔술〕 **2** 건축 양식: modern *architecture*
현대 건축 양식
— **architectural** *adj.*
archive [áːrkaiv] *n.* (보통 *pl.*) **1** 기록〔공
문서〕 보관소 **2** 옛 기록, 공문서
Arctic [áːrktik] *adj.* 북극의 OPP
Antarctic
n. (the Arctic) 북극 지방: the *Arctic*
Zone 북극권 / the *Arctic* Ocean 북극해,
북빙양 / the *Arctic* Zone 북극대, 북한대
ardent [áːrdənt] *adj.* 열심인, 열렬한, 강
렬한: *ardent* feminist 열렬한 여권 주장자
— **ardently** *adv.*
***area** [ɛ́əriə] *n.* **1** 지역, 지방, 지구:
residential *area* 주택 지역 **2** 면적: The
area of the room is 10 square meters.
이 방의 면적은 10 평방 미터이다. **3** 구역, 범
위: non-smoking *area* 금연 구역 **4** (주
제 · 활동의) 범위, 분야: the whole *area* of
science 과학의 모든 분야
arena [əríːnə] *n.* **1** 경기장; (오락) 활동 무
대 SYN stadium **2** 활약 무대, …계: the
arena of politics 정계 SYN territory

argon [á:rgɑn] *n.* [화학] 아르곤 (희(稀)가 스 원소; 기호 Ar)

*argue [á:rgju:] *v.* **1** [I] 논하다, 논쟁하다: The couple are always *arguing* about money. 그 부부는 언제나 돈 문제로 싸운다. **2** [I,T] 주장하다: He *argued* against buying a new car. 그는 새 차를 사는 것에 대해 반대했다. **3** [T] 입증하다: His clothes *argue* poverty. 그의 옷차림이 그의 빈곤함을 나타낸다. [SYN] show, indicate
— **arguable** *adj.*
[숙어] **argue ... into(out of)** …을 설득 하여 …시키다(…하지 못하게 하다): He *argued* me *into* accepting his proposal. 그는 나를 설득하여 제안을 받아들이도록 했다.

argument [á:rgjəmənt] *n.* **1** 논의, 논쟁 **2** (주장하는 바의) 논거, 이유
— **argumentative** *adj.* 논쟁적인; 논쟁을 좋아하는

arid [ǽrid] *adj.* (토지·기후가) 매우 건조한

aright [əráit] *adv.* 옳게, 바르게, 틀림없이: Did I understand you *aright*? 제가 당신의 말을 제대로 이해한 건가요?

arise [əráiz] *v.* [I] (arose-arisen) **1** (문제·곤란·기회 등이) 생기다, 일어나다: The dispute *arose* from(out of) misunderstanding. 그 분쟁은 오해에서 비롯됐다. [SYN] occur **2** (태양·연기 등이) 솟아오르다; (건물 등이) 서 있다: A mist *arose*. 안개가 피어올랐다. **3** (앉은·누운·무릎 꿇은 상태에서) 일어서다

aristocracy [ǽrəstákrəsi] *n.* **1** (the aristocracy) 귀족, 귀족 사회; 상류층 [SYN] nobility, upper class **2** 귀족 정치(의 나라) **3** (집합적) (각 분야의) 일류의 사람들 (of): a *aristocracy* of wealth 손꼽히는 부호들

aristocrat [ərístəkræt] *n.* 귀족; 귀족적 인 사람
— **aristocratic** *adj.*

arithmetic [əríθmətik] *n.* 산수, 셈
— **arithmetical** *adj.* **arithmetically** *adv.*

*arm [ɑ:rm] *n.* **1** 팔 **2** (옷의) 소매: Is the shirt long enough in the *arms*? 그 셔츠는 팔 길이가 충분하니? **3** (의자의) 팔걸이 **4** (arms) 무기
v. [I,T] 무장시키다: The military *arms* its soldiers with modern weapons. 군대는 군인들을 현대식 무기로 무장시킨다.
[숙어] **arm in arm** 서로 팔을 끼고: They walked *arm in arm*. 그들은 팔짱을 끼고 걸었다.

armchair [á:rmtʃὲər] *n.* (팔걸이가 있는) 안락 의자

armistice [á:rməstis] *n.* 휴전 협정: The two nations signed an *armistice*. 두 나라는 휴전 협정에 서명했다. [SYN] truce

armor, armour [á:rmər] *n.* 갑옷

*army [á:rmi] *n.* **1** 군대; (the Army) 육군 **2** 큰 무리: an *army* of ants 개미의 큰 무리

aroma [əróumə] *n.* 방향(芳香), 향기: The *aroma* of fresh coffee 갓 내린(끓인) 커피 향
— **aromatic** *adj.* 향기로운

*around [əráund] *adv. prep.* **1** 주위에: I'm new here. Would you show me *around*? 이 곳에 처음인데 주변 구경 좀 시켜 주시겠어요? [SYN] about
2 반대쪽으로 (빙)돌아: Turn *around* and go back to school. 뒤로 돌아서 학교로 다시 가거라.
3 사방에; 빙 둘러: The lake has trees all *around*. 그 호수는 주변이 나무로 둘러싸여 있다.
4 근처에: There is a bank *around* the corner. 모퉁이 근처에 은행이 있다.
5 (사람·사물이) 있는, 활용되어: I went to the park but there was nobody *around*. 공원으로 가 보았는데 아무도 없었다.
6 약, 대략: I'll see you *around* 7:00 p.m. 오후 7시쯤에 보자. [SYN] about

arouse [əráuz] *v.* [T] **1** 깨우다: Around three o'clock, we were *aroused* from our sleep by a strange sound. 우리는

3시쯤에 이상한 소리에 잠에서 깼다. **2** …을 자극하다, 환기하다: The leader *aroused* the people to fight. 지도자는 사람들을 자극해 투쟁하도록 했다.
— **arousal** *n.* 강한 충동, 성적 충동

***arrange** [əréindʒ] *v.* **1** [T] 배열하다, 정돈하다, 가지런히 하다: She *arranged* the bottles according to size. 그녀는 병을 크기에 따라 정리했다. / *arrange* flowers 꽃꽂이하다 **2** [I,T] 준비하다, 정하다: We are *arranging* a party for our parents. 우리는 부모님을 위해 파티를 준비 중이다. / She *arranged* to meet her friend after work. 그녀는 퇴근 후 친구를 만나기로 했다.

arrangement [əréindʒmənt] *n.* **1** 배열, 배치: flower *arrangement* 꽃꽂이 **2** 정리, 정돈 **3** (보통 *pl.*) 준비, 채비: We'll make *arrangements* for his birthday party. 우리는 그의 생일 파티를 준비할 것이다. **4** 협정, 합의: come to an *arrangement* 협정이 성립되다

array [əréi] *n.* **1** (사람·물건 등의) 대군, 다량, 다수 **2** 한 줄로 죽 늘여 세운 것
v. [T] **1** (군대를) 정렬시키다, 배열하다 **2** 치장하다, 차려 입히다 (oneself)

***arrest** [ərést] *v.* [T] **1** 체포하다: The policeman *arrested* him for murder. 경찰이 살인 혐의로 그를 체포했다. [OPP] release **2** 막다, 저지하다: A bandage placed over the wound *arrested* the flow of blood. 상처에 붙인 반창고가 피가 흐르는 것을 막았다.
n. 체포, 저지
[숙어] **under arrest** 체포[수감]되어 있는: Freeze! You are *under arrest*. 꼼짝 마! 널 체포한다.

arrival [əráivəl] *n.* **1** 도착, 도달: The *arrival* of my airline flight will be at gate 10. 내가 탈 항공편은 10번 탑승구로 도착할 것이다. **2** 도착자[물]: new *arrivals* 새로 도착한 사람[물건]

***arrive** [əráiv] *v.* [I] **1** 도착하다 (at, in):

We *arrived* at the station just in time. 우리는 바로 제 시간에 역에 도착했다. [SYN] get to [OPP] depart **2** (때가) 오다, (일이) 일어나다
[숙어] **arrive at** (결론 등에) 도달하다: She thought for a while, and then seemed to *arrive at* a decision. 그녀는 잠시 생각하더니 결정을 내린 듯했다.

arrogant [ǽrəgənt] *adj.* 오만한, 거만한, 거드름 부리는
— **arrogantly** *adv.* **arrogance** *n.*

arrow [ǽrou] *n.* **1** 화살 **2** 화살표 (→)

arrowhead [ǽrouhèd] *n.* 화살촉

***art** [ɑːrt] *n.* **1** 예술 (미술, 문학 등과 같은 창작 활동이나 창작 기술) **2** 예술 작품: The gallery has an excellent collection of modern *art*. 그 화랑은 훌륭한 현대 미술 작품의 수집물을 보유하고 있다. **3** (특수한) 기술: the *art* of conversation 대화의 기술 **4** (arts) (대학의) 인문 과학

artery [ɑ́ːrtəri] *n.* 동맥: the main *artery* 대동맥 *cf.* vein 정맥

artful [ɑ́ːrtfəl] *adj.* 교활한, 교묘한
— **artfully** *adv.*

***article** [ɑ́ːrtikl] *n.* **1** (동종 물품의) 한 품목: an *article* of furniture 가구 한 점 **2** 물품: household *articles* 가정용품 **3** (신문·잡지의) 기사: a newspaper *article* 신문 기사 **4** [문법] 관사

articulate [ɑːrtíkjəlit] *adj.* 자신의 생각을 분명하게 표현하는 [OPP] inarticulate
v. [I,T] [ɑːrtíkjəlèit] (각 음절·단어를) 똑똑히 발음하다; 명료하게 표현하다

artifact, artefact [ɑ́ːrtəfæ̀kt] *n.* **1** 가공품 **2** 고기물(古器物), 문화 유물: The museum's collection includes ancient Egyptian *artifacts*. 그 박물관의 소장품으로는 고대 이집트의 유물들도 포함되어 있다.

***artificial** [ɑ̀ːrtəfíʃəl] *adj.* **1** 인공의, 모조의: *artificial* rain 인공 비 / an *artificial* satellite 인공 위성 [SYN] man-made [OPP] natural **2** 부자연스런, 꾸민, 거짓의: an

artificial smile 억지 웃음
— **artificially** *adv.*

artillery [ɑːrtíləri] *n.* **1** (집합적) 대포 **2** 포병대

artisan [ɑːrtəzən] *n.* 장인, 직공, 숙련공 [SYN] craftsman

artist [ɑːrtist] *n.* 예술가, 미술가, (특히) 화가
— **artistic** *adj.* 예술의; 예술적인

■ 접미어 **-ist**
'…하는 사람,' '…주의자,' '…가(家)의' 등의 뜻을 나타낸다.: art*ist*, novel*ist*, social*ist*

artistry [ɑːrtistri] *n.* 예술적 기교

artless [ɑːrtlis] *adj.* 꾸밈 없는, 소박한
— **artlessly** *adv.*

artwork [ɑːrtwəːrk] *n.* **1** [인쇄] (책에 쓰일) 삽화, 사진 **2** 예술 작품

***as** ⇨ p. 48

asbestos [æsbéstəs] *n.* 아스베스토, 석면

ascend [əsénd] *v.* [I,T] 올라가다, 오르다, 상승하다: *ascend* to the 18th century 18세기로 거슬러 올라가다 / The balloon *ascended* high up in the sky. 기구는 하늘 높이 올라갔다. [OPP] descend
— **ascendant** *adj.*

■ 유의어 **ascend**
ascend 높은 산이나 지위에 오르다.
climb 기어오르다. **mount** 높은 데나 말에 올라타다. **rise** 해가 점점 떠오르듯이 계속적으로 오르다.

ascent [əsént] *n.* **1** 상승: the *ascent* of smoke 연기의 솟아오름 **2** 향상, 승진 **3** 비탈, 오르막: a steep *ascent* 가파른 오르막

ascertain [æsərtéin] *v.* [T] 확인하다, 알아내다: He wanted to *ascertain* who did so. 그는 누가 그렇게 했는지 확인하고 싶어했다.

ascribe [əskráib] *v.* [T] …으로 돌리다, …의 탓[덕택]으로 하다: He *ascribes* his

success to hard work. 그는 자기가 성공한 것은 노력한 덕택이라고 보고 있다.

ash [æʃ] *n.* **1** (종종 *pl.*) 재: be burnt to *ash* 재가 되다 **2** [식물] 서양 물푸레나무

*ashamed** [əʃéimd] *adj.* (명사 앞에는 쓰이지 않음) **1** 부끄러워하는, 수줍어하는 (of): You've got nothing to be *ashamed* of. 너는 부끄러워할 것이 하나도 없다. / He was *ashamed* that he had lied. 그는 거짓말을 한 것이 부끄러웠다. **2** 부끄러워 …하지 못하여 (to do): I am *ashamed* to see her. 나는 부끄러워서 그녀를 볼 수가 없다. [OPP] proud

ashore [əʃɔːr] *adv.* 땅 위에, 물가에: Four days later we went *ashore*. 나흘 후에 우리는 상륙했다.

ashtray [æʃtrèi] *n.* 재떨이

aside [əsáid] *adv.* **1** 곁에, 옆에: He took me *aside*. 그는 나를 옆으로 데리고 갔다. **2** (어떤 목적을 위해) 따로 두고, 별도로: It's wise to lay money *aside*. 돈을 따로 모으는 것이 현명하다.
[숙어] **aside from** …은 별문제로 하고, …은 제쳐놓고: Others, *aside from* the captain, had noticed it. 선장을 제외하고 다른 사람들은 그것을 알아챘다.

*ask** [æsk] *v.* **1** [I,T] 묻다, 질문하다: I *asked* him a question. 나는 그에게 질문했다. / I need to *ask* about tickets. 표를 좀 알아봐야겠다. **2** [I,T] 요구[요청]하다: I *asked* him to come. 나는 그에게 와 달라고 청했다. **3** [I,T] 허락을 구하다: I'm sure she will let you in if you just *ask*. 부탁만 하면 그녀는 너를 들여보내 줄 게 틀림없어. **4** [T] …을 초대하다, …을 불러들이다: Shall I *ask* him in? 그를 들어오라고 할까요? **5** [T] (가격을) 부르다, 청구하다: They *asked* me 10,000 won for this watch. 그들은 이 시계에 대해 내게 10,000원을 청구했다.
[숙어] **ask after** …의 안부를 묻다, 문안하다: He *asked after* you[your health]. 그가 네 안부를 물었다.

as

as [æz] *conj.* **1** (원인·이유) …이므로, …이니까: *As* it rained, I stayed at home. 비가 와서 집에 있었다. / He fell asleep on the sofa, *as* he was so tired. 그는 매우 피곤해서 소파에서 잠이 들었다.

2 (때) …일 때, …하면서: She sang *as* she worked. 그녀는 일을 하면서 노래를 불렀다.

3 …처럼, …대로: *As* food nourishes our body, so books nourish our mind. 음식이 몸의 영양이 되는 것과 같이 책은 마음의 양식이 된다. / Do *as* you are told. 시키는 대로 해라.

4 …이지만, …이긴〔이라고는〕 하나: Angry *as* he was, he couldn't help smiling. 그는 화가 났지만 미소를 지을 수밖에 없었다. / Young *as* he is, he knows much of the world. 그는 젊지만 세상 일을 많이 알고 있다.

prep. …로서: He works *as* a business consultant. 그는 사업 고문으로 일한다. / He treats me *as* a child. 그는 나를 어린애 취급한다.

adv. (as … as ~의 꼴로 형용사·부사 앞에서) (…와) 같은 정도로, 마찬가지로: They are *as* like as two peas. 그들은 두 알의 완두콩 같다. / I am always *as* busy as now. 나는 항상 지금처럼 바쁘다.

rel. pron. (선행사에 붙은 as, such, the same과 상관하여) …(와) 같은: As many children *as* came were given some cake. 온 어린이들은 케이크를 받았다. / This is the same watch *as* I lost. 이것은 내가 잃어버린 시계와 같은 (종류의) 시계다.

〔숙어〕 **as a matter of course** 당연한 일로서, 물론: *As a matter of course*, I know nothing about the affair. 당연히 나는 그 사건에 대해 전혀 아는 바가 없다.

as a matter of fact 사실은, 사실상: It really wasn't my dog *as a matter of fact*. 사실 그것은 나의 개가 아니었다.

as a (general) rule 대체로, 일반적으로:

As a general rule, I only read detective novels. 대체로 나는 탐정 소설만 읽는다.

as … as …와 같은 정도로, …만큼: Take *as* much *as* you want. 필요한 만큼 가져라.

※ as … as의 부정은 보통 not so … as이지만 not as … as의 형식을 취할 때도 있다.

as … as any 어느 것〔누구〕에 비교해도 못하지 않다: He is *as* diligent *as any* student in his class. 그는 자기 반의 어느 학생보다도 근면하다.

as … as ever 변함 없이, 여전히: He is *as* poor *as ever*. 그는 여전히 가난하다.

as … as possible〔one can〕 될 수 있는 대로: Do it *as* quickly *as possible*. 되도록 빨리 해라.

as far as …하는 한; …까지〔만큼〕: *As far as* I know, he is an honest fellow. 내가 아는 한 그는 정직한 녀석이다. / He went *as far as* Daegu. 그는 대구까지 갔다.

※ so far as와 비슷하나 so far as는 한도·조건을, as far as는 범위를 나타낸다.

as for …에 관해서는, …로서는, …만은: *As for* that man, I hope never to see him again. 저 남자라면 다시 만나지 않았으면 좋겠다.

as if〔though〕 마치 …인 것처럼: He talks *as if* he knew everything. 그는 마치 무엇이든지 알고 있는 것처럼 말한다.

as it is 1 (문미에 있을 때) 현재 상태로, 있는 그대로: Leave it *as it is*. 그것을 있는 그대로 놔두어라. **2** (문두에 있을 때) 그러나 실정은: I thought things would get better, but, *as it is*, they are getting worse. 사태가 호전되는 줄 여겨 왔으나 실정은 악화되고 있다.

as it were 말하자면: He became, *as it were*, a man without a country. 그는 말하자면 나라 없는 사람이 되었다.

as long as …하는 동안에는, …하는 한에는: I will work hard *as long as* I live. 나는

살아 있는 동안에는 열심히 일하겠다.

as regards …에 대하여, …에 관하여: As regards its climate, Korea probably does not differ materially from the country. 기후에 관해서는 한국이 아마 그 나라와 크게 다르지 않을 것이다.

as …, so ~ …와 마찬가지로 ~이다: As the desert is like a sea, so is the camel like a ship. 사막이 바다라면 낙타는 배다.

as soon as …하자마자, 곧: I started as soon as I heard of it. 그것을 듣자마자 출발했다.

as such ⇨ such

as to …에 관하여, …에 대해서: There was some doubt as to the truth of his statement. 그가 하는 말의 진실성에 관해서는

다소 의문이 남았다.

as well 또한, 게다가: He gave me advice, and money as well. 그는 나에게 충고도 해 주었고, 또 돈도 주었다.

as well as …와 마찬가지로, …은 물론이고 또: You'd better think of saving money as well as earning it. 돈을 버는 것은 물론이고 저축하는 것도 생각해야 한다.

※ as well as 다음에 오는 말부터 해석한다. as well as로 이루어진 어구가 주어일 때, 동사는 첫 번째 나오는 명사의 인칭·수와 일치한다.: You as well as he are wrong. 그와 마찬가지로 너도 옳지 않다.

as yet 아직껏, 지금까지: The plan is working well as yet. 그 계획은 아직까지는 잘 되고 있다.

---

ask for 1 …을 찾다 **2** …을 청구하다: Why didn't you ask for a holiday? 왜 휴가를 신청하지 않았죠?

ask for trouble 화를 자초하다, 자승자박하다

*__asleep__ [əslíːp] adj. (명사 앞에는 쓰이지 않음) **1** 잠든, 자고 있는: She is fast (sound) asleep. 그녀는 깊이 잠들어 있다. **2** (손발이) 저려, 마비되어: His left hand is asleep. 그는 왼손이 저려 움직일 수 없다.

[숙어] **fall(drop) asleep** 잠들다

asparagus [əspǽrəgəs] n. [식물] 아스파라거스

*__aspect__ [ǽspekt] n. (상황·아이디어·문제 등의) 일면; 견지, 각도: diverse aspects of human life 인생의 갖가지 면 / Consider the question in all its aspects. 문제를 모든 견지에서 고찰하라.

asphalt [ǽsfɔːlt] n. 아스팔트

aspire [əspáiər] v. [I] 열망하다: The whole nation aspired after independence. 온 국민이 독립을 열망했다. [SYN] long (for)

— **aspiration** n.

aspirin [ǽspərin] n. 아스피린

ass [æs] n. **1** 당나귀 [SYN] donkey **2** 바보 [SYN] fool

assail [əséil] v. [T] **1** 습격하다, 공격하다: The fortress was assailed on all sides. 요새는 구석구석에 공격을 받았다. [SYN] attack **2** (비난·질문 등으로) 추궁하다, 몰아세우다: They assailed him with questions. 그들은 질문을 퍼부어 그를 몰아세웠다.

— **assailant** n. 공격자, 가해자

assassin [əsǽsin] n. 암살자, 자객

assassinate [əsǽsənèit] v. [T] 암살하다: President Kennedy was assassinated in 1963. 케네디 대통령은 1963년 암살당했다.

— **assassination** n.

assault [əsɔ́ːlt] n. **1** 갑작스런 습격, 맹습; (말에 의한) 격한 공격, 비난 (on): The candidate made an assault on his opponent. 그 후보자는 상대 후보를 맹렬하게 비난했다. **2** [법] 폭행; 성폭행, 강간: He was sent to prison for assault. 그는 폭행으로 투옥되었다. / sexual assault 성폭행 v. [T] **1** (사람·진지를) 습격하다 **2** 폭행하다; (여성을) 성폭행하다

assemble [əsémbəl] v. **1** [I,T] 모으다,

소집하다 **2** [T] 조립하다 [SYN] put together

■ **유의어** assemble
gather 흔히 쓰이는 말로 막연히 '모으다'
의 뜻. 그 상태가 정연할 필요는 없다.
collect 정연하게 수집되어 전체적으로 통
일을 이룬다. **assemble** 특정한 목적 또
는 정리의 준비 때문에 '모으다.'

assembly [əsémbli] *n.* **1** 집회, 회의:
an unlawful *assembly* 불법 집회 / free-
dom of *assembly* 집회의 자유 **2** (입법)
의회: the National *Assembly* 국회 /
General *Assembly* 유엔 총회 **3** (기계 부
품의) 조립; 조립품: *Assembly* of the
computer took all afternoon. 컴퓨
터 조립은 오후 내내 걸렸다.

assembly hall *n.* **1** 회의장 **2** 조립 공장

assembly line *n.* 조립 라인 (대량 생산을
위한 작업 공정)

assent [əsént] *v.* [I] 동의하다, 인정하다
(to): He may *assent* to the doctrine. 그
는 그 학설에 찬성할 것이다.
　　n. 동의, 찬성 (to): give one's *assent* to …
에 동의하다 / with one *assent* 만장일치로
[OPP] dissent

assert [əsə́:rt] *v.* [T] 주장하다, 단언하다:
He *asserted* his innocence. 그는 자신의
결백을 주장했다. [SYN] declare
　— **assertion** *n.*
　[숙어] **assert oneself** 제 고집을 세우다,
주제넘게 나서다: You need to *assert*
yourself more in the meeting. 자네는 회
의 때 좀더 자기 주장을 강하게 펼 필요가 있어.

assertive [əsə́:rtiv] *adj.* 단정적인, 독단
적인, 우기는
　— **assertively** *adj.* **assertiveness** *n.*

assess [əsés] *v.* [T] **1** 평가하다, 사정하다:
I *assessed* how much it would cost to
build a new house. 나는 새 집을 짓는 데
비용이 얼마나 드는지 계산해 보았다. **2** (세
금·벌금 등) 금액을 산정하다: Damages
were *assessed* at $ 1,000. 피해액은 1,000

달러로 산정되었다.
　— **assessment** *n.*

asset [ǽset] *n.* **1** 자산의 한 항목 **2**
(assets) (개인·회사의) 자산, 재산 **3** 유용한
자질, 이점: Sociability is a great *asset*
to a salesman. 외판원에게 사교성은 큰 강
점이다.

*****assign** [əsáin] *v.* [T] **1** 할당하다: They
assigned work to each man. 그들은 각자
에게 일을 할당했다. **2** 임무를 주다, 임명하다:
I was *assigned* to the position of
manager. 나는 지배인의 자리에 임명되었다.
3 …의 탓으로 돌리다: The incident is
assigned to several causes. 이 사건은 몇
가지의 원인에 기인한다.
　— **assignable** *adj.*

assignment [əsáinmənt] *n.* **1** 할당; 임
무, (임명된) 직, 직위: He's going to Iraq
on a special *assignment* for his news-
paper. 그는 신문사의 특별한 임무로 이라크에
갈 예정이다. **2** [미] (학생의) 숙제, 연구 과제:
Have you done your *assignment* yet?
벌써 숙제를 다 끝냈니? [SYN] homework

assimilate [əsíməlèit] *v.* **1** [I,T] 동화시
키다: The newcomers were *assimilated*
with the natives. 새로 이주해 온 사람들은
원주민들과 동화되었다. **2** [T] 이해하다, 배우
다: *assimilate* new information 새로운
정보를 받아들이다 **3** [I,T] (음식물이) 소화 흡
수되다
　— **assimilation** *n.*

*****assist** [əsíst] *v.* [I,T] 돕다, 원조하다:
assist a person with money 아무에게 돈
을 주어 원조하다 / *assist* a person in
solving(to solve) the problem 문제 해
결하는 것을 돕다 [SYN] aid, help
　— **assistance** *n.*

assistant [əsístənt] *n.* **1** 조수, 보조자
2 점원 (shop assistant; [미] clerk)

*****associate** [əsóuʃiit] *n.* (일·사업 등의)
동료, 친구: He has been my *associate*
for a long time. 그는 오래 전부터 나의 동

료였다. [SYN] colleague

v. [əsóuʃièit] **1** [I] 교제하다: Don't *associate* with dishonest people. 정직하지 않은 사람과는 교제하지 마라. **2** [T] (마음 속으로 사물이나 사람을) 연관시키다, 연상하다: It is impossible to *associate* failure with you. 자네가 실패한다는 것은 상상도 할 수 없네.

association [əsòusiéiʃən] **n.** **1** 연합, 합동, 제휴: The school is building a new library in *association* with local companies. 그 학교는 지역 회사들과 제휴하여 새 도서관을 짓고 있다. [SYN] alliance **2** 교제 **3** 협회: The Football *Association* 축구 협회 [SYN] organization **4** 연상, 연상시키는 것

assorted [əsɔ́:rtid] **adj.** 여러 종류로 된, 다채로운: *assorted* chocolates 여러 종류의 초콜릿

assortment [əsɔ́:rtmənt] **n.** 구색을 갖춘 물건, 여러 가지 물건

*__assume__** [əsjú:m] **v.** [T] **1** 추정하다, 가정하다: I *assume* his guilt. 나는 그가 유죄라고 추정한다. **2** 짐짓 가장하다, …인 체하다: *assume* a look of innocence 결백한 체하다 **3** (임무·책임·권력을) 행사하다, 떠맡다: The newly elected mayor will *assume* office tomorrow. 새로 선출된 시장은 내일부터 직무를 행할 것이다.

[숙어] **assuming** (**that**) …로 가정하면, …라면: *Assuming that* he arrives on time, we can start our meeting soon. 그가 제 시간에 도착하면 우리는 곧 회의를 시작할 수 있다. [SYN] if

assumption [əsʌ́mpʃən] **n.** **1** 가정: We made the *assumption* that people would come by car. 우리는 사람들이 차로 올 것이라고 가정했다. **2** 인수, 취임: His *assumption* of office was welcomed by everyone. 그의 취임은 모든 사람들로부터 환영을 받았다.

assure [əʃúər] **v.** [T] **1** 확신시키다, 안심시키다: I *assure* you that this place is perfectly safe. 이 곳은 정말 안전한 곳이라고 확신할 수 있어. [SYN] convince **2** 확실하게 하다, 보증하다: This *assured* the success of our work. 이로써 우리 일은 성공이 확실해졌다. [SYN] guarantee

— **assurance** **n.**

assured [əʃúərd] **adj.** **1** 보증된, 확실한 **2** 자신 있는 [SYN] confident

— **assuredly** **adv.**

asteroid [ǽstərɔ̀id] **n.** (화성과 목성 사이의) 소행성

asthma [ǽzmə] **n.** 천식

astonish [əstániʃ] **v.** [T] 깜짝 놀라게 하다: He was *astonished* to find her there. 거기에 그 여자가 있는 것을 알고 그는 깜짝 놀랐다.

— **astonishing** **adj.** 놀랄 만한, 놀라운

astonishingly **adv.**

astonishment [əstániʃmənt] **n.** 놀람, 경악: He looked at her in *astonishment*. 그는 놀라서 그녀를 쳐다보았다.

astound [əstáund] **v.** [T] 놀라게 하다, 아연실색케 하다: She sat for a moment too *astounded* for speech. 그녀는 너무 놀라 말을 잊고 잠시 멍하니 앉아 있었다.

— **astounding** **adj.** 깜짝 놀라게 할 (만한)

astray [əstréi] **adv.** 길을 잃어, 길을 잘못 들어: He went *astray*. 그는 길을 잃어버렸다.

[숙어] **lead ... astray** …을 타락시키다, 나쁜 길로 끌어들이다: He was *led astray* by bad friends. 그는 나쁜 친구들 때문에 길을 잘못 들었다.

astrology [əstrálədʒi] **n.** 점성학[술]

— **astrologer** **n.** 점성가

astronaut [ǽstrənɔ̀:t] **n.** 우주 비행사

astronomer [əstránəmər] **n.** 천문학자

astronomical [æ̀strənámikəl] **adj.** **1** 천문학(상)의 **2** (숫자·거리 등이) 천문학적인, 엄청나게 큰: an *astronomical* price 엄청난 가격

astronomy [əstrάnəmi] *n.* 천문학
— **astronomical** *adj.*

astute [əstjúːt] *adj.* 기민한; 교활한

asylum [əsáiləm] *n.* **1** 보호 시설, 수용소
2 은신처 **3** 피난, 망명, 보호: seek political
asylum 정치적 망명을 요청하다

*__at__ ⇨ 아래 참조

athlete [ǽθliːt] *n.* 운동 선수: *Athletes*
have to be careful with their diet. 운
동 선수들은 식이 요법에 주의해야 한다.

athletic [æθlétik] *adj.* **1** 체육의, 운동
경기의: an *athletic* meeting 운동회 **2** 강건
한, 체력이 있는

athletics [æθlétiks] *n.* 운동 경기, [영]

육상 경기

Atlantic [ətlǽntik] *adj.* 대서양의
n. (the Atlantic) 대서양

atlas [ǽtləs] *n.* 지도책

ATM *abbr.* automated-teller machine 자
동 현금 입출금기

*__atmosphere__ [ǽtməsfìər] *n.* **1** (the
atmosphere) 대기 **2** (특정 장소의) 공기:
The *atmosphere* in the room was so
stuffy that I could hardly breathe. 방
의 공기가 너무 답답하여 숨을 쉬기가 힘들었다.
3 (장소·상황의) 분위기: There's a very
relaxing *atmosphere* in our office. 우리
사무실은 매우 편안한 분위기이다. [SYN]

---

at

at [æt] *prep.* **1** (장소) …에서, …에: *at* a
distance 좀 떨어져서 / arrive *at* the
destination 목적지에 이르다 / *at* the
bottom of the page 페이지 아래쪽
※ 일반적으로 at은 좁은 장소, in은 넓은 장소
에 쓰이지만, 넓이에는 관계 없이 at은 지리적
인 점으로 생각할 때에, in은 그 구역의 '안에'
로 생각할 때 쓰인다.: On our trip, we
stopped *at* Chicago and stayed two
days *in* New York. 여행 도중 우리는 시카
고에 들르고 뉴욕에서 2일간 머물렀다.
2 (시간) …에; … 때에: *at* five o'clock 5시
에 / *at* the beginning (end) of the
month 월초(말)에 / work *at* night 밤에 일
하다 / *at* times 때때로
3 (종사) …에 종사하여, …을 하고 있는:
They are hard *at* it. 그들은 열심히 하고 있
다. / What are you *at*? 무엇을 하고 있니? /
He was *at* play while the rest were *at*
work. 다른 사람들이 일하는 동안 그는 놀고 있
었다.
4 (동작·상태·상황) …에, …(으)로; …하여;
…중(인): *at* a stretch (stroke) 단숨에 / *at* a
bound 한 걸음에, 일거에 / *at* a mouthful
한입에 / *at* table 식사 중 / *at* anchor 정박

중 / *at* leisure 한가하게 / *at* peace 평화롭
게 / *at* war with …와 교전 중 / *at* will 뜻대
로, 자유롭게
※ at, in, on은 '…중인'이라는 뜻을 만드는
일명 상황의 전치사다.: *at* work 작업 중
인 / *on* duty 근무 중인 / *in* flames 불타오르
고 있는
5 (기능·성질) be good (poor) *at*
painting 그림을 잘(잘 못) 그리다 / They
are quick (slow) *at* learning. 그들은 배우
는 게 빠르다(더디다).
6 (감정의 원인) …을 보고, 듣고: *at* the
sight of …을 보고 / be surprised *at* the
news 소식을 듣고 놀라다
7 (방향·목적) …을 향하여, …을 겨냥하여:
look *at* her 그녀를 쳐다보다 / guess *at* …을
알아맞혀 보다 / shoot *at* …을 겨냥하여 쏘
다 / throw a stone *at* …을 향해 돌을 던지
다 / jump *at* …을 향해 달려들다
8 (연령) …에: *at* the age of seventy 70세
에
9 (정도·비율) …의 비율로: *at* 5 dollars a
piece 한 개에 5달러로 / *at* full speed 전속
력으로 / run *at* twenty miles per hour
시속 20마일의 속도로 달리다

mood **4** 기압
atom [ǽtəm] *n.* 원자, 미분자
atomic [ətάmik] *adj.* 원자의: *atomic bomb* 원자 폭탄 / *atomic structure* 원자 구조
*****attach** [ətǽtʃ] *v.* [T] **1** 붙이다: *attach a label to a parcel* 소포에 꼬리표를 붙이다 SYN stick OPP detach **2** (보통 수동태) 부속시키다: *a high school attached to the university* 대학 부속 고등학교 **3** (중요성 등을) 부여하다: *attach significance to a gesture* 몸짓에 의미를 부여하다 **4** 애착심을 갖게 하다, 사모하게 하다: *The boy is very attached to his pets.* 그 아이는 그의 애완 동물을 아주 좋아한다.
— **attached** *adj.*
attachment [ətǽtʃmənt] *n.* **1** 부착, 접착 (to) **2** 부착물, 부속물; 연결 장치: *several attachments to the vacuum cleaner* 청소기의 몇 가지 부속물 / *He sent me his photographs as an e-mail attachment file.* 그는 내게 그의 사진들을 이메일 첨부 파일로 보냈다. **3** 애착, 사모, 집착: *She has a strong attachment to her mother.* 그녀는 어머니에 대한 애착이 크다.
*****attack** [ətǽk] *n.* **1** 공격 **2** 비난 **3** 발병 **4** (스포츠에서) 공격
v. **1** [I,T] 공격하다 SYN assault OPP defend **2** [T] 비난하다: *He was attacked by critics.* 그는 비평가들로부터 비난을 받았다. **3** [T] (병이 사람을) 침범하다: *He was attacked by fever.* 그는 열병에 걸렸다. **4** [T] (일 등을 정력적으로) 착수하다: *Let's attack this job and finish it.* 이 일에 착수해서 끝냅시다. **5** [I,T] (스포츠에서) 공격하다
attain [ətéin] *v.* [T] **1** 달성(성취)하다: *The great results are usually attained by simple means.* 가장 큰 업적은 보통 간단한 수단에 의하여 달성된다. SYN accomplish **2** (장소·나이 등에) 이르다, 도달하다: *She will soon attain the age of thirty.* 그녀는 곧 서른 살이 된다.

— **attainable** *adj.* **attainment** *n.*
*****attempt** [ətémpt] *v.* [T] 시도하다: *He attempted to escape through a window.* 그는 창문으로 탈출을 시도했다.
n. **1** 시도 **2** [법] 미수 (행위): *an attempted murder* 살인 미수

숙어 **make an attempt** 시도(기도)하다 (at, on, to do): *They made no attempt at escaping.* =*They made no attempt to escape.* 그들은 탈주를 기도하지 않았다.
*****attend** [əténd] *v.* **1** [I,T] 출석하다, 참석하다: *attend school* 학교에 다니다 **2** [I] 보살피다, 돌보다 (on, upon, to): *The nurses attended on the sick day and night.* 간호사들은 주야로 환자들을 간호했다. **3** [I] 주의하다, 경청하다 (to): *Are you attending to my words?* 내 말 듣고 있니? SYN pay attention to
attendance [əténdəns] *n.* **1** 출석: *I have a poor attendance record.* 나는 출석률이 좋지 않다. **2** 출석자(참석자) 수
attendant [əténdənt] *n.* 수행원, 안내원: *a car park attendant* 주차 관리 요원
adj. (명사 앞에만 쓰임) 수반하는, 부수의: *unemployment and all its attendant social problems* 실업과 그에 수반되는 모든 사회 문제
attention [əténʃən] *n.* **1** 주의, 주목: *Attention, please!* 주목해 주십시오! **2** 관심: *As the youngest child, she was always the center of attention.* 막내였기에 그녀는 항상 관심의 대상이었다. **3** 배려, 돌봄: *Sick children need attention.* 아픈 아이들은 간호가 필요하다. **4** [군대] 차려 자세: *Attention!* 차려!
숙어 **draw(attract) attention** 주의를 끌다: *He shouted to draw attention of the passengers.* 승객의 주의를 끌기 위해 그는 소리쳤다.
pay(give, call) attention to 주의하다: *I paid no attention to him.* 나는 그에게 전혀 신경을 쓰지 않았다.

attentive [əténtiv] *adj.* **1** 주의 깊은, 세심한; 경청하는: an *attentive* audience 경청하는 청중 OPP inattentive **2** 친절한, 정중한: He is always *attentive* to the old. 그는 노인들에게 늘 친절하다.
— **attentively** *adv.*

attest [ətést] *v.* [I,T] **1** 증명(증언)하다, 입증하다: I *attested* the truth of her statement. 나는 그녀의 진술이 사실임을 증언했다. **2** 증거가 되다: His success *attests* his diligence. 그의 성공은 그가 부지런했음의 증거이다.

attic [ǽtik] *n.* 다락방

attire [ətáiər] *n.* 의상 (격식을 차린 말)

****attitude** [ǽtitjùːd] *n.* 태도, 자세: This is his *attitude* toward life. 이것이 인생에 대한 그의 태도다.

attorney [ətə́ːrni] *n.* **1** [미] (사무) 변호사, 검사 **2** (위임장으로 정식 위임받은) 대리인

attorney general *n.* [미] (각 주의) 검찰총장; (연방 정부의) 법무 장관; [영] 법무 장관

****attract** [ətrǽkt] *v.* [T] **1** (주의를) 끌다, (사물을) 끌어당기다: A magnet *attracts* iron. 자석은 쇠를 끌어당긴다. **2** (보통 수동태) 매혹시키다: He was *attracted* by her charm. 그는 그녀의 매력에 끌렸다. SYN tempt

attraction [ətrǽkʃən] *n.* **1** 매력 **2** 인기거리, 흥미를 끄는 것: Niagara Falls is a major *attraction* for people visiting the United States. 나이아가라 폭포는 미국을 방문하는 사람들에게 크게 인기 있는 장소이다. **3** [물리] 인력: gravitational *attraction* 중력

attractive [ətrǽktiv] *adj.* 관심을 끄는; 매력적인, 애교 있는: an *attractive* woman 매력적인 여성 / an *attractive* offer 관심을 끄는 제안
— **attractively** *adv.* **attractiveness** *n.*

attribute [ətríbjuːt] *v.* [T] **1** …에 돌리다, …의 탓으로 하다: He *attributed* his success to good luck. 그는 자신의 성공을 운이 좋은 탓이라고 했다. **2** (성질·특성 등이) 있다고 생각하다: We *attribute* courage to Tom. 톰에게는 용기가 있다고 생각한다.
n. [ǽtribjuːt] 속성, 특질
— **attributable** *adj.* **attribution** *n.*

auction [ɔ́ːkʃən] *n.* 경매, 공매: sell goods at(by) *auction* 상품을 경매로 팔다 / put it up at(to, for) *auction* 상품을 경매에 붙이다
v. [T] 경매하다 (off)
— **auctioneer** *n.* 경매인

audacious [ɔːdéiʃəs] *adj.* **1** 대담한 **2** 뻔뻔스러운, 무례한
— **audaciously** *adv.*

audacity [ɔːdǽsəti] *n.* **1** 대담무쌍 **2** 뻔뻔스러움 OPP timidity

audible [ɔ́ːdəbl] *adj.* 들리는, 들을 수 있는 OPP inaudible
— **audibly** *adv.* 들리도록

****audience** [ɔ́ːdiəns] *n.* **1** 청중, 관객; (라디오·TV의) 청취자(시청자): There was a large *audience* in the hall. 홀에는 많은 청중이 있었다. **2** (공식의) 접견: give an *audience* to …을 접견하다

audio [ɔ́ːdiòu] *adj.* **1** [통신] 가청 주파의 **2** (TV·영화의) 음성 부분의

audio- *prefix* '청각·소리'의 뜻.

audiocassette [ɔ̀ːdioukæsét] *n.* 녹음 카세트, 카세트 녹음

audiotape [ɔ́ːdioutèip] *n.* 녹음 테이프

audio-visual *adj.* **1** 시청각의 **2** 시청각 교재의

audition [ɔːdíʃən] *n.* (가수·배우 등의) 음성 테스트, 오디션: The director is holding *auditions* tomorrow for the supporting parts. 감독은 내일 조연 배역을 구하기 위해 오디션을 치르려고 한다.
v. [I,T] 연기·춤·노래 테스트를 하다(받다)

auditor [ɔ́ːditər] *n.* 회계 감사관; 감사역

auditorium [ɔ̀ːditɔ́ːriəm] *n.* **1** 강당 **2** 청중석

auditory [ɔ́ːditɔ̀ːri] *adj.* 청각의

August [ɔ́:gəst] *n.* (*abbr.* Aug.) 8월

*★**aunt** [ænt] *n.* 아주머니 (백모, 숙모, 고모, 이모) *cf.* uncle 아저씨 ((외)삼촌, 백(숙)부, 이(고)모부)

aural [ɔ́:rəl] *adj.* 귀의, 청각의: an *aural* aid 보청기

auspices [ɔ́:spisiz] *n.* (*pl.*) 후원, 찬조, 보호: under the *auspices* of the government 정부의 후원으로(찬조로)

auspicious [ɔːspíʃəs] *adj.* 길조의, 경사스러운 OPP inauspicious

Aussie [ɔ́:si] *n.* 오스트레일리아(사람)

austere [ɔːstíər] *adj.* **1** 꾸미지 않은, 간소한: an *austere* room 간소한 방 **2** (사람 · 성격 등이) 엄(격)한; 금욕적인: an *austere* teacher 엄격한 선생님

— **austerely** *adv.* **austerity** *n.*

authentic [ɔːθéntik] *adj.* **1** 진짜의, 진품의: an *authentic* dinosaur fossil 진짜 공룡 화석 / The restaurant serves *authentic* Chinese food. 그 식당은 진짜 중국 음식을 제공한다. SYN genuine **2** 믿을 만한, 확실한: an *authentic* testimony 확실한 증거

— **authentically** *adv.* **authenticity** *n.*

*★**author** [ɔ́:θər] *n.* 저자, 작가: Stevenson is my favorite *author*. 스티븐슨은 내가 가장 좋아하는 작가다. SYN writer

authoritarian [əθɔ̀:rətɛ́əriən] *adj. n.* 권위(독재)주의의(자)

— **authoritarianism** *n.* 권위주의

*★**authority** [əθɔ́:riti] *n.* **1** (명령을 내리고 따르도록 할 수 있는) 권위: Parents used to have greater *authority* over(with) children. 부모님들이 예전에는 자녀들에게 훨씬 더 권위가 있었다. **2** (행할 수 있는) 권한: Who gave you *authority* to do such a thing? 누가 자네에게 그런 일을 할 권한을 주었나? **3** (종종 *pl.*) 당국: the school *authorities* 학교 당국 **4** 권위자: an *authority* on grammar 문법의 권위자

authorize [ɔ́:θəràiz] *v.* [T] **1** …에게 권한을 주다, 위임하다: The minister *authorized* her to sign letters in his absence. 장관은 자신의 부재 중에 그녀가 문서에 서명하도록 했다. SYN empower **2** 인가(허가)하다

— **authorized** *adj.* 공인된

authorization *n.* 공인

auto-, aut- *prefix* '자신의; 자동차; 자동의'의 뜻.

autobiography [ɔ̀:təbaiágrəfi] *n.* 자서전

autocracy [ɔːtákrəsi] *n.* **1** 독재(전제) 정치; 독재권 **2** 독재 국가

autocrat [ɔ́:təkræt] *n.* 독재자

— **autocratic** *adj.*

autograph [ɔ́:təgræf] *n.* **1** 자필, 친필 **2** 서명, 사인: The little boys asked the baseball player for his *autograph*. 어린 남자 아이들이 야구 선수에게 친필 사인을 부탁했다.

v. [T] 자필로 쓰다; 서명하다

— **autographic** *adj.*

※ 작가 · 예능인이 자기 저서나 사진에 하는 서명은 autograph, 편지 · 서류에 하는 서명은 signature이다.

automat [ɔ́:təmæt] *n.* **1** 자동 판매기 **2** 자동 판매식 음식점

automate [ɔ́:təmèit] *v.* [T] 자동화하다: It takes more investment to *automate* the production process. 생산 과정을 자동화하려면 좀 더 많은 투자가 필요하다.

— **automation** *n.*

automatic [ɔ̀:təmætik] *adj.* **1** (기계 · 장치 등이) 자동(적, 식)인: an *automatic* door 자동문 / an *automatic* telephone 자동 전화 **2** (행동 등이) 무의식의, 습관적인, 기계적인: Breathing and digestion are *automatic* actions. 호흡과 소화는 무의식적인 작용이다.

n. **1** 자동 기계(권총) **2** 오토매틱 자동차 (자동 변속 장치를 한 자동차): My car is an *automatic*. 내 차는 오토매틱 자동차이다.

A

— **automatically** *adv.*

automobile [ɔ́ːtəməbíːl] *n.* ([영]
motorcar) 자동차 ※ 일반적으로 car가 흔히
쓰인다.

automotive [ɔ̀ːtəmóutiv] *adj.* **1** 자동
차의 **2** 자동의

autonomy [ɔːtánəmi] *n.* **1** 자치(권) **2**
자치 단체 **3** [철학] 자율

— **autonomous** *adj.* 자치권이 있는

*****autumn** [ɔ́ːtəm] *n.* 가을 (미국에서는 보통
fall)

— **autumnal** [ɔːtʌ́mnəl] *adj.*

auxiliary [ɔːgzíljəri] *adj.* 보조의: an
auxiliary verb 조동사

avail [əvéil] *n.* 이익, 쓸모

v. [I,T] (부정·의문문에서) 쓸모가 있다, 효력
이 있다, 도움이 되다: Such arguments
will not *avail*. 그런 논쟁은 소용 없을 것이
다.

숙어 **avail oneself of** ⋯을 이용하다: I
availed myself of this opportunity to
improve my English. 나는 영어를 향상
시킬 수 있는 이 기회를 활용했다.

of little(no) avail 도움이 거의(전혀) 안
되는

to little(no) avail 무익하게, 실패하여:
We searched everywhere but all
to no avail. 우리는 전부 찾아보았지만 헛수고
였다.

*****available** [əvéiləbəl] *adj.* **1** (사물에 대
하여) 가질(구입할, 이용할) 수 있는: Is this
shirt *available* in a larger size? 이 셔츠
더 큰 사이즈로 있습니까? **2** (사람에 대하여)
자유롭게 볼(말할) 수 있는: The president
is not *available* for the interview. 대통
령은 인터뷰에 응할 수가 없습니다.

— **availability** *n.* 이용도, 유효성

숙어 **available for(to)** ⋯에 도움이 되
는, 쓸모 있는: Those books were
available to his research. 그 책들은 그의
연구에 도움이 되었다.

avalanche [ǽvəlæ̀ntʃ] *n.* **1** 눈사태 *cf.*

landslide 산사태 **2** (편지·불행·질문 등의)
쇄도 (of): an *avalanche* of questions 질
문 공세

avant-garde [əvὰːntgάːrd] *n.* (예술상
의) 전위파, 아방가르드

adj. 전위파의

avarice [ǽvəris] *n.* 탐욕 SYN greed

— **avaricious** *adj.* **avariciously** *adv.*

avenge [əvéndʒ] *v.* [T] 복수하다, ⋯의 원
수를 갚다: He wanted to *avenge* his
father's murder. 그는 아버지를 살해한 자
의 원수를 갚고자 했다.

— **avenger** *n.* 보복자

avenue [ǽvənjùː] *n.* (*abbr.* Ave.) **1** 가
로수길 **2** [미] (번화한) 큰 거리, 대로

average [ǽvəridʒ] *n.* **1** 평균, 평균치:
The *average* of 20 and 10 is 15. 20과 10
의 평균은 15이다. **2** 표준, 보통: On *average*,
I read two books a month. 나는 보통 한
달에 2권의 책을 읽는다.

adj. **1** (명사 앞에만 쓰임) 평균의: What's
the *average* age of the staff? 직원들의 평
균 연령이 몇 살이죠? **2** 보통의, 정상적인, 전
형적인: the *average* man 보통 사람

v. [T] 평균값을 얻다, 평균값만큼 ⋯하다: If
we *average* 70 kilometers an hour,
we should arrive at 9 o'clock. 평균 시
속 70킬로미터로 달리면 9시 정각에 도착할 것
이다.

숙어 **on (the) average** 평균하여, 대개:
On the average, there are twenty boys
present every day. 평균적으로 하루에 20
명의 소년들이 참석한다.

averse [əvə́ːrs] *adj.* (명사 앞에는 쓰이지
않음) 싫어하는 (to): No cat is *averse* to
fish. 생선을 싫어하는 고양이는 없다.

— **aversion** *n.* 혐오; 아주 싫어 것(사람)

avert [əvə́ːrt] *v.* [T] (좋지 않은 일을) 피하
다, 막다: The terrible accident could
have been *averted*. 그 끔찍한 사고는 막을
수도 있었다.

aviation [èiviéiʃən] *n.* 비행, 항공; 비행

술, 항공학

— **aviator** *n.* 비행사

****avoid** [əvɔ́id] *v.* [T] **1** 피하다, 막다: He was driving fast and couldn't *avoid* hitting the other car. 그는 차를 빨리 몰고 있던 중이어서 다른 차와 부딪치는 것을 피할 수 없었다. [SYN] prevent **2** (의도적으로) 멀리하다, 회피하다: Why did you *avoid* me? 왜 나를 피한 거지? [SYN] keep away from

※ avoid는 목적어로 to 부정사는 쓸 수 없고 동명사를 쓴다.

— **avoidable** *adj.* **avoidance** *n.*

avow [əváu] *v.* [I,T] 공언하다; 인정하다: avow *oneself* (to be) a patriot 자기는 애국자라고 공언하다

— **avowal** *n.*

await [əwéit] *v.* [T] **1** (사람이) 기다리다: We *await* your answer. 답(장)해 주시기 바랍니다.(우리는 당신의 답(장)을 기다립니다.) [SYN] wait for **2** (좋은 일 등이) 기다리다: A surprised *awaited* us. 깜짝 놀랄 만한 일이 우리를 기다리고 있었다.

****awake** [əwéik] *v.* [I,T] (awoke-awoken) 깨다, 깨우다: He *awoke* to find the house on fire. 그가 깨어 보니 집에 불이 나 있었다. / He *awoke* me at six. 그는 나를 6시에 깨웠다.

adj. (명사 앞에는 쓰이지 않음) 깨어 있는: I was wide *awake* all night. 나는 밤새도록 한 잠도 안 잤다. [OPP] asleep

awaken [əwéikən] *v.* **1** [I,T] 깨다, 깨우다 **2** [T] 일깨우다, (감정·마음가짐 등을) 불러일으키다: The book *awakened* memories of his childhood. 그 책은 그의 어린 시절의 추억을 떠올리게 했다.

[숙어] **awaken ... to** 깨닫게 하다, 기억하게 하다: It has *awakened* him *to* a sense of his responsibility. 그 일은 그에게 책임감을 깨닫게 했다.

awakening [əwéikəniŋ] *n.* 눈뜸, 자각, 인식: have a rude *awakening* 불쾌한 사실

을 알게 되다, 환멸을 느끼다 / a religious *awakening* 종교에 눈뜸

adj. 잠을 깨우는; 각성의

award [əwɔ́:rd] *n.* **1** 상; 상품, 상금: the Academy *Award* 아카데미상 **2** 보상금

v. [T] (상·보상으로) 수여하다: A medal will be *awarded* for good conduct. 선행에는 메달이 수여될 것이다.

****aware** [əwɛ́ər] *adj.* **1** (명사 앞에는 쓰이지 않음) 알고, 알아채고 (of, that): We are fully *aware* of the importance of the situation. 우리는 그 사태의 중요성을 충분히 알고 있다. / I was not *aware* that something was wrong. 나는 뭔가 잘못되었음을 알아채지 못하고 있었다. [OPP] unaware **2** 관심을 가지는, 의식이 있는: a politically *aware* student 정치 의식이 강한 학생

****away** [əwéi] *adv. adj.* **1** 다른 장소로; 다른 방향으로: Go *away*! 저리 꺼져버려! **2** (얼마간의 거리·시간을 두고) 떨어져: The school is 2 kilometers *away* from the sea. 학교는 바다에서 2킬로미터 떨어져 있다. / Our summer holiday is only two weeks *away*. 여름 휴가가 겨우 2주 남았다.

3 부재 중의: He is *away* on business at the moment. 그는 현재 업무상 외부에 나가 있습니다.

4 저리로 (물건이 평소에 보관되던 곳으로): Put the ice cream *away* in the freezer. 아이스크림을 냉장고에 갖다 놓아라.

5 계속해서: They were chatting *away* all day. 그들은 하루 종일 수다떨고 있었다.

6 (축구 경기 등의) 원정의: an *away* match(game) 원정 경기

7 (사라질 때까지) 점차적으로: His voice faded *away* in a whisper. 그의 목소리가 점차 조그맣게 사라져 갔다.

[숙어] **do away with** …을 제거하다, 없애다: They are planning to *do away with* the lovely old building. 그들은 오래된 그 아름다운 건축물을 없애려고 한다.

right〔straight〕 away 즉시, 지체 없이: Let me call the doctor *right away*. 내가 바로 의사 선생님한테 전화할게.

awe [ɔ:] *n.* 경외, 두려움
v. [T] …에게 두려운 마음이 들게 하다
〔숙어〕 **be in awe of** …을 두려워〔경외〕하다: She couldn't talk in her uncle's presence. She was *in awe of* him. 그녀는 삼촌 앞에서는 말도 하지 못했다. 그녀는 삼촌을 경외하고 있었다.

awesome [ɔ́:səm] *adj.* **1** 인상적인, 놀라운 **2** 최고의, 멋진, 훌륭한: You look *awesome* in that pair of pants. 너 그 바지 입으니까 멋져 보인다.

***awful** [ɔ́:fəl] *adj.* **1** 매우 안 좋은: The weather was *awful*. 날씨가 정말 안 좋았다. **2** 두려운, 끔찍한, 심각한: an *awful* earthquake 끔찍한 지진 **3** (명사 앞에만 쓰임) 정말 대단한: I have an *awful* lot of work to do this week. 이번 주에 할 일이 정말 많아.

awfully [ɔ́:fəli] *adv.* **1** 무섭게, 두렵게 **2** [ɔ́:fli] 아주, 무척, 몹시: I'm *awfully* sorry. 참으로 죄송합니다.

awhile [əhwáil] *adv.* 잠깐, 잠시

***awkward** [ɔ́:kwərd] *adj.* **1** 다루기 힘든, 어려운: an *awkward* tool to handle 다루기 힘든 도구 / an *awkward* question 대답하기 어려운〔곤란한〕 질문 **2** 불편한, 곤란한: She phoned me at an *awkward* time. 그녀는 내가 전화 받기 불편한 때에 전화를 했다. **3** 당황스러운, 어색한, 난처한: I often feel *awkward* in the crowd. 나는 많은 사람들 속에 있으면 종종 당황스러워 한다. / an *awkward* silence 어색한 침묵 **4** (사람·동작 등이) 어색한, 거북한, 서투른: He is *awkward* in his movements. 그는 움직임이 어설프다.
— **awkwardly** *adv.* **awkwardness** *n.*

***ax, axe** [æks] *n.* (*pl.* axes) 도끼
v. [T] **1** 도끼로 찍다〔다듬다〕 **2** (인원·예산 등을) 해고하다, 삭감하다

axis [ǽksis] *n.* (*pl.* axes) **1** 축(선) (사물의 중앙을 관통하는 가상의 선으로 사물은 이를 중심으로 회전): the *axis* of the earth 지축 **2** [수학] (좌표의) 축, 중심선: the horizontal〔vertical〕 *axis* 수평〔수직〕선

axle [ǽksəl] *n.* 차축 (자동차 양쪽의 바퀴를 연결하는 막대)

azalea [əzéiljə] *n.* 진달래

azure [ǽʒər] *adj.* 푸른빛의, 하늘색의: She wore an *azure* dress. 그녀는 푸른색 드레스를 입었다.
n. 하늘빛; 창공

b B

babble [bǽbəl] *v.* [I,T] **1** 옹알이 하다 **2** 빠르고 알아들을 수 없이 지껄이다: He was *babbling* like an idiot. 그는 바보처럼 알아들을 수 없는 말을 지껄이고 있었다. **3** 낮은 소리(웅성거림)를 내다, (냇물 등이) 졸졸 소리내다
n. **1** 옹알이 **2** 마구 지껄임 **3** 허튼 소리, 쓸데없는 소리 **4** 낮은 소리(웅성거림), 졸졸 흐르는 소리

babe [beib] *n.* **1** 아기 [SYN] baby **2** 매력적인 젊은 여자 **3** 애인 [SYN] sweetheart

*****baby** [béibi] *n.* **1** 갓난아이 **2** 동물이나 새의 새끼 **3** [미] 자기가 좋아하는 사람, 사랑하는 여자

baby-sit [béibisìt] *v.* [I,T] (baby-sat baby-sat; baby-sitting) (부모가 부재 중일 때 잠시) 아이를 돌봐 주다: She needs someone to *baby-sit* while she goes to her tennis class. 그녀는 테니스 강습을 받는 동안 아이를 돌봐 줄 사람이 필요하다.
— **baby-sitting** *n.*

baby-sitter [béibisìtər] *n.* 베이비 시터 (잠시 아이를 돌봐 주는 사람)

bachelor [bǽtʃ(ə)lər] *n.* **1** 미혼(독신) 남자 ※ 요즘은 '독신의'라는 뜻으로 보통 single을 쓴다. **2** 학사: a *Bachelor* of Arts 문학사 (*abbr.* B.A. 또는 A.B.) / a *Bachelor* of Science 이학사 (*abbr.* B.S. 또는 B.Sc.) / the *bachelor's* degree 학사 학위
※ '석사'는 master, '박사'는 doctor이다.

*****back** [bæk] *n.* **1** 등 (사람이나 동물의 목에서 엉덩이까지의 부분): carry a box on one's *back* 상자를 등에 지고 나르다 **2** 뒤 (앞쪽에서 가장 먼 곳): He usually sits at the *back* of the class. 그는 보통 교실의 뒷자리에 앉는다. **3** 의자의 등받이 부분

adj. (명사 앞에만 쓰임) **1** 뒤쪽의: I forgot to lock the *back* door. 뒷문 잠그는 걸 깜박했다. **2** 이전의, 과거의; (잡지 등) 지난: a *back* copy of a newspaper 지난 신문 **3** 빚진, 미납인: a *back* rent 미납된 집세

adv. **1** 본래 장소(상태)로, 되돌아와서: I'll be *back* soon. 곧 돌아옵니다. / Give the book *back* to me when you've read it. 그 책을 다 읽고 나서 나에게 돌려 줘. **2** 반대(뒤)쪽으로: Could everyone step *back* a bit, please? 모두들 뒤로 조금씩 물러서 주시겠어요? **3** 억눌러서, 숨기어: Sandbags could hold the flood waters *back* only for a short while. 모래주머니로는 범람한 물을 잠시만 지탱할 수 있을 뿐입니다. **4** 보답으로, 응답으로: She called me *back* soon. 그녀는 금세 나에게 다시 전화를 걸었다. **5** 과거로, 거슬러 올라가: *Back* then I was just a shy little girl. 과거에 난 그저 수줍은 꼬마 여자 아이였는데. / It happend about two years *back*. 그것은 약 2년 전에 일어났다.

v. **1** [I,T] 뒤로 움직이다: *back* a car 차를 후진하다 **2** [I] 뒤에 면하다: The stadium *backs* onto the lake. 그 경기장은 뒤로 호수를 면하고 있다. **3** [T] 지지하다, 돕다: There is a witness to *back* my claim. 나의 주장을 지지할 목격자가 있습니다. **4** [T] (책에) 등을 대다, …에 안을 대다: This carpet is *backed* by rubber. 이 카펫은 뒷면에 고무가 대있습니다.

[숙어] **at the back of** …의 뒤(배후)에: He must be *at the back of* this affair. 이 사건의 배후에는 그가 있음이 틀림없다.

back and forth 앞뒤로, 이리저리: He was walking *back and forth*, lost in thought. 그는 생각에 잠겨 이리저리 거닐고 있었다. [SYN] to and fro

back up 1 후원하다: I will *back* you *up* one hundred percent. 내가 전적으로 자네를 후원하겠네. [SYN] support **2** 후퇴시키다, 후퇴하다: The driver tried to *back up*, but he couldn't move at all. 운전사는 후진하려 했으나 조금도 움직일 수 없었다. / *Back up*! 물러서! **3** [컴퓨터] 백업하다

behind one's back 본인이 없는 곳에서: Don't speak ill of others *behind their backs*. 본인이 없는 데서 험담하지 마라.

look back on …을 회고(반성)하다

on one's back 반듯이 누워: Do you sleep *on your back* or on your side? 너는 반듯이 누워 자니, 아니면 옆으로 누워 자니? *cf.* on one's face 엎드려서

turn one's back (on) …에 등을 돌리다, …을 저버리다, …을 거절하다: He has always been kind to me. I cannot just *turn my back on* him now that he needs my help. 그는 항상 나에게 친절하게 대해 줬어. 이제 그가 나의 도움이 필요하니까 나는 그를 거절할 수가 없어.

backache [bǽkèik] *n.* 등의 아픔, 요통: I have a *backache*. 나는 등이 아프다.

backbite [bǽkbàit] *v.* [I,T] (backbit-backbitten, backbit-backbit; backbiting) 뒤에서 험담하다, 중상하다

backboard [bǽkbɔ̀:rd] *n.* **1** (농구의) 백보드 **2** (짐차의) 뒤판

backbone [bǽkbòun] *n.* **1** 등뼈, 척추 [SYN] spine **2** 중추

backer [bǽkər] *n.* 후원자

backfire [bǽkfàiər] *n.* (내연 기관의) 역화(逆火)
v. [I] (계획 등이) 예상을 뒤엎고 불리한 결과가 되다

background [bǽkgràund] *n.* **1** 배경 [OPP] foreground **2** 눈에 잘 띄지 않는 곳, 이면: *background* music (영화 등의) 배경음악 **3** (사건 등의) 배경, 원인, 배후 상황:

background knowledge 배경 지식 **4** (사람의) 배경 (교양·가문 등), 경력, 경험, 학력: He and I come from very different cultural *backgrounds*. 그와 나는 매우 다른 문화적 배경 출신이다.

backhand [bǽkhænd] *n.* [스포츠] 테니스 등의 백핸드 [OPP] forehand

backpack [bǽkpæk] *n.* 어깨에 매는 가방, 배낭: I'm planning to have a *backpack* trip to Europe. 나는 유럽으로 배낭 여행을 갈 계획이다. [SYN] rucksack
v. [I] 등짐을 지고 여행하다
— **backpacker** *n.* 배낭 여행자

backstage [bǽkstéidʒ] *adv.* 무대 뒤에서, 무대 뒤쪽으로
adj. 무대 뒤의, 무대 뒤에서 일어난

*****backward** [bǽkwərd] *adj.* **1** 뒤쪽의: a *backward* step 뒷걸음질 [OPP] forward **2** 진보가 늦은, 뒤진: a *backward* country 후진국 / a *backward* child 지진아
adv. **1** 뒤쪽으로: Will you take a step *backward*? 한 걸음 뒤로 물러서 줄래? **2** 거꾸로, 끝에서부터: Can you count *backward* from 10? 10부터 거꾸로 셀 수 있니? [OPP] forward

backwards [bǽkwərdz] *adv.* = backward (*adv.*)

backyard [bǽkjɑ́:rd] *n.* 뒤뜰

bacon [béikən] *n.* 베이컨 (돼지의 옆구리나 등의 살을 소금에 절이거나 훈제한 것)

bacteria [bæktíəriə] *n.* (*pl.*) 박테리아, 세균 ※ bacterium의 복수형. 단수형은 거의 쓰지 않는다.

bacteriology [bæktìəriálədʒi] *n.* 세균학

*****bad** [bæd] *adj.* (worse-worst) **1** 나쁜, 좋지 않은: They have been through a *bad* time recently. 그들은 최근에 좋지 않은 시기를 겪었다. / *bad* weather 악천후 **2** 불충분한, 수준 이하의: a *bad* crop 흉작 **3** 서투른, 미숙한: He is *bad* at English. 그는 영어가 서투르다. [SYN] poor

4 심각한, 심한: I have a *bad* headache. 나는 심한 두통이 있다.

5 (음식이) 상한: The milk has gone *bad*; it is sour. 우유가 상했다. 신맛이 난다.

6 (건강에 관련하여) 건강하지 못한, 아픈: She took the day off with a *bad* back. 그녀는 등이 아파서 하루 휴가를 냈다.

7 (사람이나 사람의 행동이) 불량한, 도덕적으로 옳지 못한: She's a really *bad* person. 그녀는 정말 나쁜 사람이다.

8 해로운: Is sugar *bad* for my teeth? 설탕이 치아에 해로운가요?

9 어려운, 적절하지 않은: This is a *bad* time for a walk. It's raining. 산책을 하기에 좋지 않은 때군. 비가 오잖아.

[축어] **go bad** (음식 등이) 상하다, 썩다

not bad 그럭저럭 괜찮은: "How did you like the food?" "Not bad." "음식 어땠어?" "그런대로 괜찮았어."

too bad 그것 참 안됐군 (이거 곤란하게 됐는데)

badge [bǽdʒ] *n.* 배지, 기장, 표지 [SYN] mark, emblem

badger [bǽdʒər] *n.* 오소리, 너구리

badly [bǽdli] *adv.* (worse-worst) **1** 나쁘게: We did *badly* in the game. 우리는 경기를 엉망으로 했다. **2** 심하게, 심각하게: The bomb *badly* damaged the town. 폭탄으로 그 마을은 심각한 피해를 입었다. **3** 대단히, 몹시: They want our help *badly*. 그들은 우리의 도움을 몹시 원하고 있다.

[축어] **be badly off** 생계가 궁핍하다 [SYN] be poor [OPP] be well off

※ be badly off의 비교급은 be worse off, 최상급은 be worst off이다. be well off의 비교급은 be better off, 최상급은 be best off이다.

***badminton** [bǽdmintən] *n.* [스포츠] 배드민턴

bad-tempered [bǽdtèmpərd] *adj.* 쉽게 화내는, 심술궂은: A dog that is owned by a *bad-tempered* person bites harder. 화를 잘 내는 사람이 키우는 개가 더 세게 문다.

baffle [bǽfl] *v.* [T] 이해할(설명할) 수 없게 만들다; 몹시 당황하게 하다: The doctor was completely *baffled* by his strange illness. 의사는 그의 희귀한 병을 전혀 이해할 수 없었다. [SYN] confuse

— **baffling** *adj.*

***bag** [bæg] *n.* **1** 봉지, 자루: a paper *bag* 종이 봉지 / a plastic *bag* 비닐 봉지 **2** 가방: a school *bag* 책가방 **3** 한 자루 분(량): a *bag* of rice 쌀 한 자루 **4** (bags) 눈 밑의 처진 살

v. (bagged-bagged) **1** [T] (자루나 봉지에) 넣다: She *bagged* groceries. 그녀는 식료품들을 봉지에 넣었다. **2** [T] (사냥감을) 잡다 **3** [I] (빈 자루처럼) 헐렁하고 축 처지다 **4** [T] (자리를) 차지하다, 맡아 놓다: Somebody's already *bagged* the seats before the stage. 누가 벌써 무대 앞의 자리를 차지했다.

— **bagful** *n.* 한 자루(에 가득한 양)

bagel [béigəl] *n.* 베이글 (도넛형의 딱딱한 빵)

***baggage** [bǽgidʒ] *n.* 수화물 (여행 시에 옷이나 물건 등을 담는 가방이나 서류 가방 등): a *baggage* claim(reclaim) (공항의) 수화물 찾는 곳 [SYN] luggage

baggy [bǽgi] *adj.* (baggier-baggiest) 자루 같은, 헐렁헐렁한: He was wearing *baggy* trousers. 그는 헐렁헐렁한 바지를 입고 있었다.

bagpipe [bǽgpàip] *n.* (bagpipes) 백파이프 (주머니에 공기를 불어 넣어 그것을 밀어냄으로써 주머니에 달린 관을 울려 소리내는 악기. 스코틀랜드가 유명함.)

bail [beil] *n.* [법] 보석, 보석금: grant a person *bail* 아무에게 보석을 허가하다 / refuse *bail* 보석을 인정치 않다

v. [T] (법정이) 보석하다; (보증인이) 보석을 받게 하다

[축어] **bail ... out 1** 보석금을 내고 풀려나

다: His parents went to the police station and *bailed* him *out*. 부모님이 경찰서로 가서 보석금을 내고 그를 빼냈다. **2** (특히 돈을 써서) 곤경에서 구해내다, (자금 지원으로) 구제하다: The government can't expect the taxpayers to *bail* this company *out*. 정부는 납세자들이 자금 지원을 하여 이 회사를 곤경에서 구제하기를 기대할 수가 없다.

bailout [béilàut] *n.* **1** (특히 재정적인) 긴급 원조, (정부에 의한) 긴급 기업 구호 자금: They were hoping for a government *bailout* to save the company. 그들은 회사를 살리기 위한 정부의 긴급 기업 구호 자금을 바라고 있었다. **2** (낙하산에 의한) 긴급 탈출

bait [beit] *n.* 미끼, 유혹: put *bait* on a hook 낚싯바늘에 미끼를 달다

***bake** [beik] *v.* [I,T] **1** 굽다 **2** 열을 가해 단단하게 만들다: The sun *baked* the land. 햇볕이 땅을 바싹 마르게 했다.

baker [béikər] *n.* **1** 빵 굽는 사람, 제빵업자 **2** (the baker's) 빵 가게
— **baker's dozen** *n.* 13개

bakery [béikəri] *n.* 빵집, 제빵소, 제과점

baking powder *n.* 베이킹 파우더 (케이크를 구울 때 부풀어 오르게 만들어 주는 혼합 가루)

***balance** [bǽləns] *n.* **1** 균형, 평균: nutritional *balance* 영양의 균형 / You need a *balance* between work and play. 너는 공부와 노는 것 사이에 균형이 필요하다. **2** 평형〔균형〕을 잡는 것: I lost my *balance* and fell off the bike. 나는 균형을 잃고 자전거에서 떨어졌다. **3** (정서의) 안정, 평정 **4** 차액, 차감 잔액: check one's bank *balance* 은행 계좌의 잔액을 확인하다 **5** 저울
v. **1** [I,T] 균형을 잡다: *balance* a book on one's head 머리 위에 책을 올려 균형을 유지하다 / She tries to *balance* home life and career. 그녀는 가정과 직업 사이에 균형

을 이루려 노력한다. **2** [I,T] (대차·수지 등을) 결산하다, (정부·계산 잔액이) 맞아 떨어지다: *balance* the budget 수지 균형을 맞추다 **3** [T] 이해 득실을 견주어 보다: *balance* A against B A와 B의 이해 득실을 견주어 보다
[축어] **in the balance** 불확실한: hang *in the balance* 위험〔불안한 상태〕에 있다
off balance 균형을 잃고, 불안정하여
on balance 모든 것을 고려하여 (보면), 결국은: The situation, *on balance*, is relatively hopeful. 모든 것을 고려해 보면 상황은 비교적 희망적이다.

balcony [bǽlkəni] *n.* **1** 발코니 **2** (극장의) 2층 좌석

***bald** [bɔːld] *adj.* **1** (머리가) 벗어진, 대머리의: He's going *bald*. 그는 머리가 벗겨지고 있다. **2** 있는 그대로의, 군더더기가 없는: a *bald* statement 있는 그대로 (사실만 나열한) 진술
— **baldly** *adv.* 노골적으로 **baldness** *n.*

***ball** [bɔːl] *n.* **1** 공: a *ball* game 야구 시합 **2** 공 모양의 것: a *ball* of wool 털실뭉치 **3** (스포츠에서) 한 번 차기, 던지기: a fast *ball* 속구 **4** 무도회: give a *ball* 무도회를 개최하다

ballad [bǽləd] *n.* 민요, 발라드

ballerina [bæ̀lərí:nə] *n.* (*pl.* ballerinas, ballerine) 발레리나, 무희

ballet [bǽlei] *n.* 발레, 무용극

ballistic [bəlístik] *adj.* **1** 탄도(학)의: *ballistic* missile 탄도탄 **2** 울컥 화를 내는: If you keep skipping school, your father will go *ballistic*. 계속 학교를 빼먹으면 너의 아버지가 몹시 화를 내실 거야.

***balloon** [bəlú:n] *n.* 풍선, 기구

ballot [bǽlət] **1** 투표: by secret *ballot* 비밀 투표로 **2** 투표 용지 (ballot paper)
v. [I,T] 투표하다: *ballot* for the chairman 의장을 투표로 뽑다

ballpark [bɔ́ːlpà:rk] *n.* 야구장

ballpoint [bɔ́ːlpɔ̀int] *n.* 볼펜 (ballpoint pen)

ballroom [bɔ́:lrù(:)m] *n.* 무도장, 댄스홀

balm [bɑ:m] *n.* **1** (일반적) 향유 **2** 크림 (건조하거나 다친 피부에 바르는 일반적인 크림): a lip *balm* 입술 크림 **3** 진통제, 위안(물) — **balmy** *adj.* 온화한, 위안이 되는; 향기로운

bamboo [bæmbú:] *n.* 대(나무): *bamboo* shoots〔sprouts〕죽순

ban [bæn] *n.* 금지: There's a *ban* on smoking here. 이 곳은 흡연이 금지되어 있다.
v. [T] (banned-banned) 금지하다: The film was *banned* in several countries. 그 영화는 몇몇 나라에서 상영이 금지되었다. / He was *banned* from driving for a year. 그는 1년간 운전이 금지되었다. [SYN] forbid

banana [bənǽnə] *n.* 바나나 (열매 또는 나무): a bunch of *bananas* 바나나 한 송이

*＊**band** [bænd] *n.* **1** 악대, 악단, 밴드: a jazz *band* 재즈 밴드 **2** 떼, 한 무리의 사람들: A *band* of thieves has been robbing the neighborhood. 한 무리의 도둑이 인근에서 도둑질을 하고 있었다. **3** 끈, 띠: a rubber *band* 고무 밴드〔줄〕 **4** (빛깔이 다른) 줄, 줄무늬 **5** 주파수대 [SYN] waveband
v. [I,T] 결합하다, 단결하다 (together): We *banded* ourselves together. 우리는 단결했다.

bandage [bǽndidʒ] *n.* 붕대: apply a *bandage* to …에 붕대를 감다
v. [T] 붕대로 감다: He has his head *bandaged*. 그는 머리에 붕대를 감고 있다.

Band-Aid [bǽndèid] *n.* (상표명) 밴드에이드 (일회용 반창고의 일종)

bandmaster [bǽndmæ̀stər] *n.* 악장

bang [bæŋ] *v.* [I,T] **1** (문 등이) 쾅하고 닫히다, 큰 소리를 내다: The door *banged* shut. 문이 쾅하고 닫혔다. **2** …을 세게 치다 〔두드리다〕, 세게 부딪치다: He *banged* his fist on the table. 그는 주먹으로 탁자를 쾅하고 쳤다. / Be careful not to *bang* your head on the ceiling. It's quite low. 천장에 머리가 부딪치지 않도록 조심해. 천장이 매우 낮아.
n. **1** 쾅하는 소리 (탕, 쾅, 쿵): The door slammed with a *bang*. 문이 쾅하고 닫혔다. **2** (큰 소리가 나는) 강타, 타격: He fell and got a nasty *bang* on the head. 그는 넘어져서 머리를 세게 부딪쳤다.
int. 쿵, 탕, 쾅: *Bang*! You're dead! 탕! 너는 이제 죽었어!

banish [bǽniʃ] *v.* [T] **1** 추방하다: They *banished* him from the country. 그들은 그를 국외로 추방했다. [SYN] deport **2** 쫓아 버리다, (근심 등을) 떨어 버리다: He has now *banished* all the things from his memory. 그는 그의 기억 속에 모든 것들을 잊기로 했다. [SYN] get rid of
— **banishment** *n.*

*＊**bank** [bæŋk] *n.* **1** 은행: I need to go to the *bank* at lunch time. 나는 점심 시간에 은행에 가야 한다. **2** 저장소: a blood *bank* 혈액 은행 **3** 둑, 제방: We walked along the river *bank*. 우리는 강둑을 따라 걸었다. **4** 비탈, 사면 **5** (둑 모양의) 퇴적 a *bank* of clouds 층운, 구름의 층
v. [I] 은행과 거래하다: Whom〔who〕do you *bank* with? 어느 은행과 거래하고 있니?
— **banker** *n.* 은행가 **banking** *n.* 은행업(무)

bank account *n.* 은행 예금 계좌

bankrupt [bǽŋkrʌpt] *adj.* 파산한: go *bankrupt* 파산하다
v. [T] 파산시키다

bankruptcy [bǽŋkrʌptsi] *n.* 파산

banner [bǽnər] *n.* **1** 기, 기치, 배너 (문구가 적힌 긴 천) **2** 홈페이지에 띠 모양으로 하는 인터넷상의 광고 **3** 신문의 톱 전단에 걸친 제목

banquet [bǽŋkwit] *n.* 연회, 향연, 축연: give〔hold〕a *banquet* 연회를 베풀다

baptism [bǽptizəm] *n.* 세례, 침례

Baptist [bǽptist] *n.* 침례교도 (세례의 의미를 이해할 수 있는 성인에게 세례를 주어야 한다고 믿는 기독교인)

baptize [bæptáiz] *v.* [T] 세례를 베풀다

*****bar** [bɑ:r] *n.* **1** 술집, 바; (카운터 앞에서 먹는) 간이 식당: I met him in a *bar* near the station. 나는 그를 역근처 술집에서 만났다. / a coffee [sandwich, snack] *bar* 커피점 [샌드위치점, 스낵바] **2** (술집 등의) 카운터, 판매대: She sat at the *bar* and chatted with the bartender. 그녀는 바에 앉아 바텐더와 잡담을 했다. **3** 막대기, 막대기 모양의 것: an iron *bar* 쇠막대 / a *bar* of soap 비누 한 개 / a candy *bar* 막대 사탕 **4** 빗장, 문살, 창살 **5** 장애, 장벽: A lack of formal education is no *bar* to becoming rich. 정규 교육의 결여가 부자가 되는 데 장애가 되지는 않는다. **6** [음악] (악보의 소절을 나누는) 세로줄, 마디, 소절: She hummed a few *bars* of the song. 그녀는 노래의 몇 소절을 흥얼거렸다.

v. [T] (barred-barred) **1** 빗장을 질러 잠그다 **2** 방해하다, (길을) 막다: Police *barred* entrance to the building. 경찰이 건물 출입을 막았다. **3** (공식적으로) 금하다: He was *barred* from playing football for six months. 그는 6개월간 축구를 할 수 없게 금지되었다.

prep. …을 제외하고: They all attended, *bar* three who were ill. 병이 난 세 명을 제외하고는 그들 모두가 참석했다. [SYN] except

barb [bɑ:rb] *n.* **1** (살촉·낚시 등의) 미늘, (철조망 등의) 가시 **2** 가시돋친 말

— **barbed** *adj.* 가시가 있는, 신랄한

barbarian [bɑ:rbɛ́əriən] *n.* 야만인

barbaric [bɑ:rbǽrik] *adj.* 미개한, 야만적인, 잔인한: a *barbaric* punishment 잔인한 처벌

— **barbarism** *n.* 야만, 포악

barbarity [bɑ:rbǽrəti] *n.* 야만, 만행; 잔인한 행위

barbarous [bɑ́:rbərəs] *adj.* 야만스러운, 미개한

barbecue [bɑ́:rbikjù:] *n.* (*abbr.* BBQ) **1** (통구이용) 불고기 틀 **2** 통구이, 바비큐 **3** 통구이가 나오는 야외 파티: Let's have a *barbecue* tomorrow. 내일 야외 파티하자.

v. [T] 직접 불에 굽다

*****barber** [bɑ́:rbər] *n.* **1** 이발사 **2** (the barber's) 이발관 ([미] barbershop)

bar chart *n.* 막대 그래프 (bar graph)

bar code *n.* 바코드 (광학 판독용의 줄무늬 기호·상품 식별 등에 쓰임)

bare [bɛər] *adj.* **1** 벌거벗은, 가리지 않은: Don't walk around outside in your *bare* feet. 맨발로 밖에 돌아다니지 마라. / have one's head *bare* 모자를 쓰지 않다 **2** 속이 빈, 텅 빈, (방 등에) 세간이 없는: This room looks very *bare*. 이 방은 너무 텅 비어 보인다. **3** 그저 [겨우] …뿐인: the *bare* necessities of life 겨우 목숨을 이어가기에 필요한 물품

bareback(ed) [bɛ́ərbæk(t)] *adj. adv.* (말에) 안장이 없는 [없이]

barefoot [bɛ́ərfùt] *adj. adv.* 맨발의 [로] (barefooted)

barehead(ed) [bɛ́ərhèd(id)] *adj. adv.* 모자를 쓰지 않은 [않고]

barely [bɛ́ərli] *adv.* 간신히, 가까스로, 겨우, 거의 …없는: He *barely* escaped death. 그는 간신히 죽음을 모면했다. / She was *barely* 11 years old when she wrote the poem. 시를 썼을 때 그녀는 겨우 11살이었다. / a *barely* furnished room 가구가 거의 없는 방

bargain [bɑ́:rgən] *n.* **1** 싸게 산 물건, 특가품: It's a good *bargain*. 그것은 싸게 잘 산 것이다. **2** 매매, 흥정, 거래

v. [I] 흥정하다: We *bargained* with him for the car. 우리는 차의 가격을 그와 흥정했다.

[숙어] **bargain for [on]** (주로 부정문에서) …을 기대 [예상]하다: That's more than I

bargained for. 그건 내가 기대한 것 이상이다.
into the bargain 게다가, 그 위에: He was short, fat, and ugly *into the bargain*. 그는 키도 작고, 뚱뚱하고, 게다가 못생겼다.

***bark** [ba:rk] *n.* **1** 개 짖는 소리 **2** 나무껍질
v. **1** [I] (개 · 여우 등이) 짖다: Your dog *barks* at me. 당신의 개가 날 보고 짖는군요.
2 [T] 소리지르며 말하다, 고함치다

barley [bá:rli] *n.* 보리

barn [ba:rn] *n.* (농가의) 헛간, 광

barometer [bərámitər] *n.* **1** 기압계, 고도계 **2** 표준, 척도, (여론 등의) 지표: This survey is considered to be a *barometer* of public opinion. 이 조사는 여론의 지표로 여겨진다.

baron [bǽrən] *n.* **1** 남작 (영국의 귀족)
cf. baroness 남작 부인 **2** 대실업가, …왕: He is an oil *baron*. 그는 석유왕이다.

baroque [bəróuk] *adj.* **1** 장식이 과다한 **2** 바로크식의: *baroque* architecture 바로크 양식의 건축물
※ 17세기에서 18세기 초까지 유행했던 유럽의 미술 · 음악 · 건축 양식이다.

barracks [bǽrəks] *n.* 막사, 병영 (군인들이 사는 곳)
※ barracks는 단수 동사로도 받고 복수 동사로도 받는다.

barrel [bǽrəl] *n.* **1** (가운데가 볼록한) 큰 통: a *barrel* of beer 맥주 한 통 **2** 기름을 재는 단위 (1배럴은 대략 159리터) **3** 총열, 포신

barren [bǽrən] *adj.* **1** (땅이) 불모의, 메마른 **2** (식물이) 열매를 못 맺는

barricade [bǽrəkèid] *n.* 바리케이드, 통행 차단물: Firefighters put up *barricades* so traffic could not drive by the burning house. 소방관들은 화재가 난 집 주변을 차량이 다니지 못하게 바리케이드를 쳤다.
v. [T] 바리케이드를 치다

barrier [bǽriər] *n.* 장벽, 장애물: The mountains are a natural *barrier* between the two countries. 산들이 두

나라 사이의 자연 장벽을 이루고 있다. / the language *barrier* 언어의 장벽 / tariff *barrier* 관세 장벽

bartender [bá:rtèndər] *n.* (술집의) 바텐더

barter [bá:rtər] *v.* [I,T] 물물 교환하다, 교역하다: They *bartered* farm products for machinery. 그들은 농작물과 기계를 물물 교환했다.
n. 물물 교환

***base** [beis] *n.* **1** (건물 · 물건 등의) 기초, 토대, 받침: the *base* of a building 건물의 토대 / the *base* of a lamp 램프 받침 **2** (지식 · 사고 · 사실 등의) 근거, 근본 원리, 바탕: Heavy industry is the *base* of a strong economy. 중공업은 튼튼한 경제의 근본이다. **3** [군대] 기지: an air *base* 공군 기지 **4** [야구] 누, 베이스: The *bases* are loaded. 만루다.
v. [T] …에 근거하다, 근거지로 삼다: a Seoul-*based* company 서울을 근거지로 하는 회사
— **baseless** *adj.* 근거 없는
[숙어] **(be) based on(upon)** …에 기초를 두다, …에 근거하다: This movie *is based on* a true story. 이 영화는 실화에 근거하고 있다.

baseball [béisbɔ̀:l] *n.* 야구: play *baseball* 야구를 하다

basement [béismənt] *n.* (건물의) 지하층, 지하실

bashful [bǽʃfəl] *adj.* 수줍어하는, 부끄럼 타는: a *bashful* girl 수줍어하는 소녀 [SYN] shy

basic [béisik] *adj.* **1** 기초적인, 기본적인, 근본의: The *basic* problem is that they have nothing in common. 그들의 근본적인 문제는 공통점이 없다는 것이다. **2** 초보적인; (별도의 것이 추가되지 않은) 기본의: My knowledge of German is pretty *basic*. 나의 독일어 수준은 아주 초보 단계이다. / a *basic* salary 기본급

B

— **basically** *adv.*

basics [béisiks] *n.* (*pl.*) 기본, 기초, 원리: I will take a weekend course on the *basics* of first aid. 나는 응급 처치 기본에 관한 주말 강좌를 들을 것이다.

basin [béisən] *n.* **1** 대야, 세면기 **2** [영] (요리시 사용하는) 보울 **3** 분지, 유역(流域): the Thames *basin* 템스 강 유역

basis [béisis] *n.* (*pl.* bases) **1** 기초, 토대: on the *basis* of …을 기초로 하여 **2** 기준, 체제: They meet on a regular *basis*. 그들은 정기적으로 만난다. / He is paid on a daily *basis*. 그는 일당으로 급료를 받는다. [SYN] foundation

*****basket** [bǽskit] *n.* **1** 바구니: a *basket* of apples 사과 한 바구니 / a shopping *basket* 시장 바구니 **2** 바구니 모양의 것, (농구의) 골의 그물; 득점

— **basketful** *n.* 한 바구니(분), 바구니 가득

basketball [bǽskitbɔ̀ːl] *n.* 농구

bass [beis] *n.* **1** [음악] 베이스, 낮은 음 **2** 남성 최저음역, 저음 가수 *cf.* tenor 테너, baritone 바리톤 **3** [악기] 더블베이스 (double bass) **4** 베이스 (기타) (bass guitar) *adj.* 저음의

bastard [bǽstərd] *n.* **1** 사생아 **2** (욕할 때) 개자식

*****bat** [bæt] *n.* **1** (야구·크리켓 등의) 배트 **2** 박쥐
v. [I,T] (batted-batted) (배트로) 공을 치다; 타석에 서다: *bat* a runner home 쳐서 주자를 홈인시키다
— **batter** *n.* 타자 **batting** *n.* 타격

batch [bætʃ] *n.* **1** (사람의) 한 무리, (사물의) 한 묶음: a *batch* of tourists 한 무리의 여행객 / a *batch* of books 한 묶음의 책 **2** [컴퓨터] 묶음, 배치 (동일 프로그램에서 일괄 처리되는 작업 단위)

*****bath** [bæθ] *n.* **1** 목욕: take(have) a *bath* 목욕하다 / I took a hot *bath* last night. 나는 어젯밤에 뜨거운 물로 목욕했다. **2** 욕조 ([미] bathtub) **3** 욕실 **4** (baths)

[영] 실내 수영장 **5** (보통 *pl.*) 공중 목욕탕
v. [I,T] 목욕하다, 목욕시키다

bathe [beið] *v.* [T] **1** 씻다, (환부를) 잠그다, 적시다: I *bathed* my foot in warm water. 나는 따뜻한 물에 발을 담갔다. **2** (바다·호수 등에서) 수영을 하다
— **bathing** *n.*

bathrobe [bǽθròub] *n.* 실내복 (목욕 전후에 입는) [SYN] dressing gown

bathroom [bǽθrùː)m] *n.* 욕실, 화장실

bathtub [bǽθtʌb] *n.* 목욕통, 욕조

baton [bətán] *n.* **1** (관직을 나타내는) 지팡이; 경찰봉 **2** [음악] 지휘봉 **3** [경기] 배턴

battalion [bətǽljən] *n.* (군대) 대대; (일반적) 대부대, 집단

batter [bǽtər] *v.* [I,T] 연타(난타)하다; 쳐 (때려)부수다: Waves *battered* against the rocks. 파도가 바위에 부딪쳐 부서졌다. / He *battered* the door down. 그는 문을 때려부수었다.
n. **1** (야구 등의) 타자 **2** (우유·달걀·밀가루 등의) 반죽

battered [bǽtərd] *adj.* 낡은, 손상된: *battered* old furniture 낡고 오래된 가구

battery [bǽtəri] *n.* **1** 전지, 배터리: I put two *batteries* in my flashlight. 나는 손전등에 두 개의 전지를 넣었다. **2** [법] 구타, 폭행 ※ 흔히 assault and battery (폭행 구타)로 쓴다.

*****battle** [bǽtl] *n.* **1** 전투: be killed in *battle* 전사하다 **2** 싸움, 경쟁, 대결 **3** 사투, 투쟁 (어려운 상황을 극복하려는 필사의 노력)
v. [I] 싸우다, 투쟁(고투)하다

battlefield [bǽtlfìːld] *n.* **1** 전쟁터 **2** 논쟁의 원인: The housing issue has become a political *battlefield* in recent years. 주택 공급 문제가 최근 몇 년 간 정치적 쟁점이 되었다. [SYN] battleground

battleship [bǽtlʃìp] *n.* 전함

bawl [bɔːl] *v.* [I,T] 고함치다, 소리치다

bay [bei] *n.* **1** 만 (육지 쪽으로 움푹 들어간 해안 지역의 일부): the *Bay* of Bengal 뱅갈

만 **2** 특수 목적의 건물〔비행기, 지역〕
bay window *n.* 퇴창, 밖으로 내민 창
bazaar [bəzáːr] *n.* **1** (중동의) 시장 **2** 자선 판매 (이익금은 자선 단체로 보냄), 바자
B.C. *abbr.* before Christ 기원전: 150 *B.C.* 기원전 150년 *cf.* A.D. 서기 …년
*be ⇨ 아래 참조

*beach [biːtʃ] *n.* 해안, 해변: We played on the *beach*. 우리는 해변에서 놀았다.
beacon [bíːkən] *n.* **1** 횃불, 봉화 **2** 수로 〔항공·교통〕 표지: an aerial *beacon* 항공 표지
bead [biːd] *n.* **1** 구슬, 염주알 **2** (beads) 목걸이 **3** (물·이슬·땀 등의) 방울: *beads* of

be

be [biː] *v.* (was-been, were-been; being) **1** (존재를 나타내어) 있다: There *are* a lot of flowers in our garden. 우리 정원에는 꽃이 많이 있다. / There *were* some people in the park. 공원에 사람들이 몇 명 있었다.
2 (존재를 나타내어) …이 일어나다: When will the wedding *be*? 결혼식은 언제 있습니까? / There *was* a car accident. 자동차 사고가 일어났다.
3 (장소·때를 나타내어) 있다: Where *is* the glue? 풀 어디 있지? / She *is* in her room. 그녀는 자기 방에 있다. / I'll *be* back at 7. 7시에 돌아올게. / "What day *is* it today?" "It *is* Thursday." "오늘이 무슨 요일이지?" "목요일이야."
4 (사람이나 사물·상태를 설명하여) …이다: This *is* Mr. Brown. 이 분은 브라운 씨입니다. / I *am* from Rome. 나는 로마 출신이다. / "How *is* your father?" "He *is* fine, thanks." "아버지는 안녕하신가?" "네, 잘 계십니다." / She *is* ill. 그녀는 앓고 있다. / Twice two *is* four. 2의 배는 4이다.
※ '주어+동사+보어'의 문형으로 동사 be는 불완전 자동사이며 보어는 명사·형용사·부사를 쓴다.
aux. **1** (수동태) …되다, 되어 있다: The doors *are* painted green. 문은 녹색으로 칠해져 있다. / He *was* injured in the accident. 그는 사고로 부상당했다.
※ 'be+타동사의 과거분사형' 꼴로 수동형이 된다.

2 (be+현재분사) ① …하고 있다, …하고 있는 중이다: The ship *is* sinking. 배가 가라앉고 있다. / I *was* reading a book. 나는 책을 읽던 중이었다. ② …할 작정이다, …할 예정이다: She *is* leaving for Denver tomorrow. 그녀는 내일 덴버로 떠날 예정이다. / He *is* coming to see us this evening. 그는 오늘 저녁 우리를 만나러 오기로 되어 있다.
3 (be to…) ① (예정) …할 예정이다: I *am* to leave at 8. 나는 8시에 떠날 예정이다. ② (의무·명령) …하여야 한다: You *are* not to talk in the library. 도서관에서는 이야기를 하면 안 된다. ③ (가능) …할 수 있다: The ring was nowhere to *be* found. 반지는 어디에서도 찾을 수 없었다. ④ (운명) …할 운명이다: He *was* never to return to his native village. 그는 두 번 다시 고향으로 돌아올 수 없는 운명이었다.
4 (가정법) …라고 한다면: If they *were* to travel in Europe, I would probably go with them. 만약 그들이 유럽 여행을 간다면 아마 나도 그들과 같이 갈 것 같아.
〔숙어〕 **be it true or not** 사실이든 아니든
be … what it may …은 어쨌든: *Be* the matter *what it may*, always speak the truth. =Whatever the matter may be, always speak the truth. 문제가 무엇이든 지 간에 항상 진실을 말하여라.
be yourself 자연스럽게〔평소대로〕 행동하라: Don't be nervous. Just go into the interview and *be yourself*. 불안해하지 마. 그냥 면접에 가서 평소대로 행동해.

sweat 땀방울

beak [biːk] *n.* (새의) 부리 [SYN] bill

beam [biːm] *n.* **1** 광선: *Beams* of light came from the car's headlights. 자동차의 전조등에서 광선이 비쳤다. **2** (대)들보: The room had exposed wooden *beams*. 그 방은 나무 대들보가 밖으로 노출되어 있었다. **3** (행복한) 미소; 환한 표정
v. **1** [I] 밝게 미소짓다 **2** [T] (라디오 · 텔레비전의) 신호를 내보내다, (프로그램을) 방송하다 **3** [I] 빛을 발하다, 비추다
— **beaming** *adj.* 빛나는; 웃음을 띤

****bean** [biːn] *n.* **1** 콩, 콩꼬투리: *bean* sprout 콩나물 **2** (콩 비슷한) 열매, 그 나무: coffee *beans* 커피콩

****bear**¹ [bɛər] *v.* (bore-borne) **1** [T] 참다: The pain was more than he could *bear*. 그가 참을 수 있는 정도보다 더한 고통이었다. / He could not *bear* to see her suffering. 그는 그녀가 괴로워하는 것을 차마 볼 수 없었다. [SYN] stand, endure
2 [T] (검사 · 비교 등에) 견디다: These figures will not *bear* close examination. 이 계산은 자세히 살펴보면 실수가 많을 것이다.
3 [T] (의무 · 책임 · 비용 등을) 지다: The landlord will *bear* the full cost of the renovation. 건물주가 보수 공사 비용 일체를 부담할 것이다.
4 [T] 마음에 지니다, (원한 · 악의를) 품다: Despite what they did, she still *bears* resentment towards them. 그들의 노력에도 불구하고 그녀는 여전히 그들에게 분노심을 품고 있다.
5 [T] (무게를) 지탱하다: The board is too thin to *bear* the weight of stones. 돌의 무게를 지탱하기에는 판자가 너무 얇다.
6 [T] (표정 · 모습 · 자취 등을) 지니다, 갖고 있다: His hands *bear* the marks of toil. 그의 손을 보면 고생했다는 것을 알 수 있다.
7 [T] (bore-born) 낳다: She *bore* him three children. 그녀는 그의 아이를 셋 낳았

다.
※ '낳다'의 뜻으로 쓸 때에는 과거분사에 born을 쓰는 것이 보통이나, 완료형(have+p.p.)이나 by를 수반하는 수동형(be+p.p.+by)에서는 borne을 쓴다.: She *has borne* him three children. 그녀는 그의 아이를 셋 낳았다. / He *was born* in America. 그는 미국에서 태어났다. / He *was borne by* an American woman. 그는 미국인 어머니에게서 태어났다. / This fact should *be borne* in mind. 이 사실은 마음에 지녀야 한다. 위 예문에서처럼 borne은 '태어난'의 의미가 아니라서 born이 못 오고 borne이 온다.

8 [I] 방향을 잡다, 향하다: When you come to the corner, *bear* right. 모퉁이에서 오른쪽으로 가세요.

[숙어] **bear fruit** ⇨ fruit

bear in mind 기억하다, 명심하다: This fact should be *borne in mind*. 이 사실을 기억해야 한다.

bear on(upon) …에 관계가 있다: The conversation *bears on* the subject. 대화는 그 주제와 관계가 있다.

bear oneself 처신(행동)하다: He *bears himself* like a gentleman. 그는 신사답게 행동한다.

bear out …을 지지하다; 확증하다: You will *bear* me *out*. 내 말을 지지하겠지.

bear the burden of …을 떠맡다, 곤란을 참다: I'll *bear the burden of* financing this enterprise. 내가 이 사업의 자금 조달을 맡겠다.

bear witness(testimony) to(against) …의 증언(반대 증언)을 하다: His friends will *bear witness to* his innocence. 그의 친구들은 그의 무죄를 증언할 것이다.

have no(some) bearing on(upon) …에 관계가 없다(있다): What you say *has no bearing upon* the question. 네가 말하는 것은 그 문제와 관계가 없다.

****bear**² [bɛər] *n.* **1** 곰: a polar *bear* 북극

곰 **2** (the Bear) 큰〔작은〕 곰자리

bearable [bέərəbəl] *adj.* 참을 수 있는
[OPP] unbearable

beard [biərd] *n.* 턱수염
— **bearded** *adj.*

■ 유의어 **beard**
beard 턱수염. **goatee** 턱에 난 염소 수염. **moustache** 콧수염. **whisker(s)** 구레나룻.

beast [bi:st] *n.* (특히 덩치가 큰) 짐승

***beat** [bi:t] *v.* (beat-beaten, beat-beat)
1 [T] 패배시키다, 이기다: He always *beats* me at table tennis. 탁구를 치면 항상 그가 이긴다. **2** [I,T] (계속해서) 치다, 두드리다: The children *beat* the dog with a stick. 아이들이 막대기로 개를 때렸다. / The rain *beats* against the window. 비가 창문을 내리친다. **3** [I,T] (심장이) 뛰다; (북 등이) 둥둥 울리다; (새가) 날개치다: My heart is *beating* fast. 가슴이 몹시 두근거린다. **4** [T] (달걀 등을) 휘저어 섞다: *Beat* the eggs and flour together. 달걀과 밀가루를 같이 섞어라.
n. **1** 두들김, (계속해서) 치기: a heart*beat* 심장의 고동 **2** 박자, 비트 (음악의 강한 리듬) **3** (경찰의) 순찰 구역

[숙어] **beat about〔around〕 the bush** 빙빙 돌려 말하다: Don't *beat around the bush!* 빙빙 돌려 말하지 마!
beat up 마구 때리다

***beautiful** [bjú:təfəl] *adj.* **1** 아름다운, 예쁜: a *beautiful* woman 아름다운 여인 [OPP] ugly **2** 훌륭한
— **beautifully** *adv.*

■ 유의어 **beautiful**
beautiful 일반적으로 여성, 여자 아이, 아기에 쓰이며 pretty보다 의미가 강하다. **handsome** 보통 잘생긴 남자에게 씀. **good-looking** 남녀에게 다같이 씀.

beauty [bjú:ti] *n.* **1** 아름다움, 미: Beauty is in the eye of the beholder. [속담] 제 눈에 안경. / Beauty is but skin-deep. [속담] 겉보다는 마음씨. (미모는 거죽만의 것.) **2** 아름다운 것, 미인: She grew up to be a *beauty*. 그녀는 성장해서 미인이 되었다. **3** 훌륭한 것: The yacht was a *beauty*. 요트는 매우 훌륭한 것이었다.

beaver [bí:vər] *n.* **1** [동물] 비버: work like a *beaver* (비버처럼) 부지런히 일하다 **2** 열심히 일하는 사람: He is such an eager *beaver*. 그는 정말 부지런히 일하는 사람이다.

***because** [bikɔ́:z] *conj.* **1** (왜냐하면) …이므로, … 때문에: He was absent *because* he was sick. 그는 병이 나서 결석했다. **2** (부정어를 수반하여) …라고 해서 ~은 아니다: Do not despise a man only *because* he is poorly dressed. 옷차림이 초라하다고 해서 그것만으로 사람을 경멸해서는 안 된다.
prep. (because of) … 때문에, …한 까닭으로: I worked late *because* of a deadline. 나는 마감 때문에 늦게까지 일했다.

■ 유의어 **because**
because 가장 뜻이 강하고 직접적인 원인·이유를 나타낸다. **since, as** 보다 가벼운 뜻으로 구어적이다. **for** 부수적인 이유를 나타내며 문어에 많이 쓰인다.

beckon [békən] *v.* [I,T] 손짓〔고갯짓, 몸짓〕으로 부르다, (머리·손 등으로) …에게 신호하다 (to): He *beckoned* me to open the window. 그는 나에게 창문을 열라고 손짓했다.

***become** [bikʌ́m] *v.* (became-become) **1** [I] …이〔으로〕 되다: He has *become* a scientist. 그는 과학자가 되었다. / They *became* friends. 그들은 친구가 되었다. / The weather is *becoming* colder. 날씨가 점점 추워지고 있다.
2 [T] …에 어울리다, …에 맞다: The dress *becomes* you very well. 그 옷은 너에게 아주 잘 어울린다. / It does not *become* you to say such a thing. 그런 말을 하다

니 너답지 않다.

[숙어] **become of** …이 (어떻게) 되다: I wonder what has *become of* him. 그가 어떻게 되었는지 궁금하다. [SYN] happen to

***bed** [bed] *n.* **1** 침대 **2** (강·바다) 바닥 **3** 모판, 화단 **4** 지층

— **bedtime** *n.* 취침 시간

[숙어] **go to bed** 잠자리에 들다, 자다: What time do you usually *go to bed*? 너는 보통 몇 시에 자니?

make the(one's) bed 잠자리를 깔다(개다): *Make your bed* after you get up. 일어나면 잠자리를 개라.

bed and breakfast *n.* (*abbr.* B&B) [영] 아침 식사를 제공하는 민박

bedding [bédiŋ] *n.* 침구 (담요·시트 등)

bedroom [bédrù:m] *n.* 침실

bedside [bédsàid] *n.* 침대 곁, 머리맡: a *bedside* table 침대 곁에 두는 탁자

***bee** [bi:] *n.* 꿀벌, (일반적) 벌: as busy as a *bee* 몹시 바쁜

beech [bi:tʃ] *n.* 너도밤나무; 그 목재

***beef** [bi:f] *n.* 쇠고기

— **beefsteak** *n.* 비프스테이크

beefy [bí:fi] *adj.* (beefier-beefiest) 건장한, 살찐

beehive [bí:hàiv] *n.* 벌집, 벌통 (hive)

beep [bi:p] *n.* (경적 등의) 삑하는 소리, 발신음

v. [I,T] 삑하고 경적을 울리다, 삑 소리를 내다: The taxi-driver *beeped* his horn at the motorcyclist. 택시 운전 기사가 오토바이 운전자를 보고 경적을 울렸다.

— **beeper** *n.* 무선 호출 장치

beer [biər] *n.* 맥주

beet [bi:t] *n.* [식물] 비트 (근대·사탕무 등)

beetle [bí:tl] *n.* 투구벌레, 딱정벌레

befall [bifɔ́:l] *v.* [T] (befell-befallen) (…의 신상에) 일어나다, 생기다: Be careful that no harm may *befall* you. 어떤 해도 네게 일어나지 않도록 조심해라.

※ befall은 '나쁜 일이 일어나다'의 뜻이다. happen은 좋은 일·나쁜 일을 가리지 않고 쓴다.

***before** ⇨ 아래 참조

---

before

before [bifɔ́:r] *prep. conj.* **1** (때·시각) 이전에, 일찍: Call me *before* 10. 10시 전에 전화해. / Finish your homework *before* dinner. 저녁 식사 전에 숙제를 끝내도록 해. / I got up *before* the sun rose. 나는 해뜨기 전에 일어났다.

2 (위치) …의 앞에; …의 앞길에, …을 기다리고: He was standing *before* the door. 그는 문 앞에 서 있었다. / The proposal was put *before* the committee. 그 제안이 위원회에 제출되었다. / The summer holidays were *before* us. 여름 방학이 우리를 기다리고 있었다. [SYN] in front of

3 …하느니 차라리: I will die *before* I give in. 항복하느니 차라리 죽겠다. [SYN] rather than

adv. 이전에, 좀 더 일찍, 앞서: I met him *before*. 나는 이전에 그를 만난 적이 있다. / My birthday was the day *before* yesterday. 내 생일은 그저께였다.

[숙어] **before court** 법정에서

before long 오래지 않아, 곧: She should be here *before long*. 그녀는 곧 이리로 올 것이다.

※ long before는 '훨씬 전에'라는 뜻이다.

before one's very eyes 바로 …의 눈앞에서; 공공연히: *Before my very eyes*, she disappeared. 바로 내 눈앞에서 그녀가 사라졌다.

put ... before ~ …보다 ~를 중요시하다: He *puts* quality *before* quantity. 그는 양보다 질을 중요시한다.

beforehand [bifɔ́ːrhæ̀nd] *adv.* 미리, 사전에: If you visit me, let me know *beforehand*. 날 만나려면 사전에 내게 알려 줘. [SYN] in advance

befriend [bifrénd] *v.* [T] …의 친구가 되다; 돕다, …을 돌봐 주다

*★**beg** [beg] *v.* [I,T] (begged-begged) **1** 간청하다: I *begged* him to stay. 나는 그에게 있어 달라고 청했다. [SYN] entreat, implore **2** 구걸하다: She had to *beg* for money and food for her children. 그녀는 아이들을 위해서 돈과 음식을 구걸해야 했다. [숙어] **I beg your pardon.** 미안합니다. **I beg your pardon?, Pardon?** 다시 한 번 말씀해 주십시오. ※ 올림조로 말한다.

beggar [bégər] *n.* 거지, 가난뱅이: *Beggars* must not be choosers(choosy). [속담] 빌어먹는 놈이 이밥 조밥 가리랴. (거지는 까다로우면 안 된다.)

*★**begin** [bigín] *v.* (began-begun; beginning) **1** [I,T] 시작하다, 착수하다: What time does the film *begin*? 영화는 몇 시에 시작됩니까? ※ '…부터 시작하다'는 from을 쓰지 않고 begin at six(on Monday, in January)처럼 쓴다. **2** [I] 일어나다, 생기다: When did life on the earth *begin*? 지구상의 생물은 언제 생겼는가? — **beginner** *n.* 초보자 [숙어] **to begin with 1** 처음에는: There were seven of us *to begin with*. Then three people left. 처음에는 7명이었는데 나중에 3명은 떠났다. **2** (의견·근거 등을 차례로 제시할 때) 우선 첫째로: *To begin with*, he is very kind. 우선 첫째로 그는 매우 친절하다.

beginning [bigíniŋ] *n.* **1** 처음, 최초, 시작 **2** 기원 [SYN] origin **3** (보통 *pl.*) 초기(단계) [숙어] **at the beginning of** …의 처음에: *at the beginning of* this term 이번 학기 초에

from beginning to end 처음부터 끝까지

in the beginning 처음에, 태초에: You will find it difficult *in the beginning*. 처음에는 너에게 그것이 어려울 것이다.

behalf [bihǽf] *n.* 측, 편, 이익 [숙어] **in behalf of** …(의 이익)을 위하여: I spoke *in behalf of* the accused. 나는 피고를 옹호하여 변론했다.

on behalf of …의 대신으로, …을 대표하여: I went there *on behalf of* him. 나는 그를 대신해서 거기에 갔다.

*★**behave** [bihéiv] *v.* **1** [I] 행동하다: They *behaved* as if nothing had happened. 그들은 아무 일도 일어나지 않았던 것처럼 행동했다. **2** [I,T] 예절바르게 행동하다: He *behaves* himself like a gentleman. 그는 신사답게 행동한다. / *Behave* yourself! 예절바르게 굴어라! [OPP] misbehave

behavior, behaviour [bihéivjər] *n.* 행동, 행실, 태도

*★**behind** [biháind] *prep. adv.* **1** (장소) 뒤에: A book fell *behind* the sofa. 소파 뒤로 책이 떨어졌다. / You go on ahead. I'll stay *behind* and tidy up. 너 먼저 가. 내가 뒤에 남아서 정돈할게. **2** 늦어서: This watch is one hour *behind*. 이 시계는 한 시간 늦다. / We're *behind* the schedule. 우리 일이 예정보다 늦어졌다. **3** …보다 못하여, (일·발달 등이) 뒤처서: She's *behind* the rest of the class in chemistry. 그녀는 화학이 같은 반 학생들보다 뒤처진다. **4** 지지하는: Remember. We're *behind* you all the way. 기억해. 우리가 항상 널 지지하고 있다는 걸. **5** 배후에, 이면에: I wonder what's *behind* his proposal. 그의 제안 이면에 뭐가 있는지 모르겠다. **6** (장소에) 두고 온: Oh, no! I've left my

umbrella *behind*. 오, 이런! 우산을 두고 왔네.

[숙어] **behind the times** 시대에 뒤떨어져서: Those who do not read newspapers are apt to be *behind the times*. 신문을 읽지 않는 사람은 시대에 뒤떨어지기 쉽다.

behind time 시간에 늦게, 지각하여: The train was twenty minutes *behind time*. 기차는 20분 연착했다.

behold [bihóuld] *v.* (beheld-beheld) **1** [T] 보다 **2** [I] (명령형) 보라: *Behold* how beautiful the sunset looks! 일몰이 얼마나 아름다운지 보라!

— **beholder** *n.* 보는 사람, 구경꾼

being [bíːiŋ] *n.* **1** 존재: absolute *being* 절대 존재 **2** 존재자, 생물: a human *being* 인간

[숙어] **come into being** 생기다: When did the company *come into being*? 그 회사는 언제 생긴 겁니까?

for the time being 당분간, 우선은

belch [beltʃ] *v.* **1** [I] 트림하다 **2** [T] (화염·연기 등을) 분출하다: The volcano *belched* forth[out, up] flame and smoke. 화산은 화염과 연기를 내뿜었다.

n. **1** 트림 (소리) **2** 폭발음; 분출

belief [bilíːf] *n.* **1** 확신, 신념, 믿음: She has the *belief* that he loves her. 그녀는 그가 자신을 사랑한다고 확신한다. / a *belief* in God 신의 존재를 믿음 **2** 신뢰, 신용: I have no great *belief* in doctors. 나는 의사를 그다지 믿지 않는다. **3** 신앙; (종교·정치상의) 신조

believable [bilíːvəbəl] *adj.* 믿을[신용할] 수 있는 [OPP] unbelievable

believe [bilíːv] *v.* **1** [T] 믿다: I *believe* what you say. 나는 네 말을 믿어. [OPP] disbelieve **2** [T] (…라고) 생각하다, 여기다: "Have they arrived yet?" "I *believe* so." "그들은 벌써 도착했을까?" "아마 그럴 거야." **3** [I] (종교적) 신념을 가지다

[숙어] **believe in 1** …이 옳다고[정당하다고] 생각하다: I don't *believe in* corporal punishment. 나는 체벌이 옳다고 생각하지 않는다. **2** …의 존재를 믿다: Do you *believe in* God? 당신은 신의 존재를 믿나요?

believe it or not 믿거나 말거나, 거짓이라고 생각하겠지만: *Believe it or not*, he's doing his homework. 믿거나 말거나 그는 숙제를 하고 있다.

make believe …인 체하다: She *made believe* not to hear me. 그녀는 내 말을 못 들은 체했다.

*__bell__ [bel] *n.* 종, 방울, 초인종: I heard the alarm *bell*. 경종 소리가 들렸다.

v. **1** [T] …에 종[방울]을 달다 **2** [I] 종을 울리다

[숙어] **bell the cat** 자진하여 어려운 일을 맡다 (이솝 우화에서; 고양이 목에 방울을 달다)

ring a bell ⇨ ring

bellow [bélou] *v.* **1** [I,T] (화나서) 소리를 지르다, 고함치다: He *bellowed* at his servant. 그는 하인에게 호통쳤다. **2** [I] (소가) 큰 소리로 울다

n. (소의) 우는 소리; 울부짖는 소리

belly [béli] *n.* 배, 복부

belly button *n.* 배꼽 (navel)

*__belong__ [bilɔ́(ː)ŋ] *v.* [I] **1** …의 것이다, …의 소유이다 (to): The blue coat *belongs* to me. 파란 코트는 내 것이다. **2** (조직·단체의) 일원이다 (to): Which club do you *belong* to? 너는 어느 클럽에 가입해 있니? **3** 제자리에 있다: The cups *belong* in the cupboard. 컵들은 본래 찬장 안에 있어야 한다.

belongings [bilɔ́(ː)ŋiŋz] *n.* (*pl.*) 소유물, 재산; 소지품: personal *belongings* 개인 소지품

beloved [bilʌ́vid] *adj.* 사랑하는: my *beloved* son 사랑하는 아들

n. (one's beloved) 가장 사랑하는 사람, 애

인

***below** [bilóu] **prep. adv.** ··· 아래에〔에서, 로〕, ···이하의〔로〕: Do not write *below* this line. 이 선 아래로는 쓰지 마시오. / His marks in English have been *below* average. 그의 영어 성적은 평균 이하였다. / The temperature has fallen *below* zero recently. 기온이 최근에 영하로 떨어졌다. OPP above

***belt** [belt] **n. 1** 허리띠 **2** (기계를 돌리거나 물건을 나르는 데 쓰는) 둥근 띠, 벨트: conveyor *belt* 컨베이어 벨트 **3** 지대: a green *belt* 녹지대

축어 **below the belt** 공정하지 못한, 잔인한: His remark was rather *below the belt*. 그의 비평은 다소 공정하지 못 했다.

bench [bentʃ] **n. 1** 벤치, 긴 의자 **2** (목수 등의) 작업대

benchmark [béntʃmɑ̀:rk] **n.** (일반적인) 기준, 척도: a *benchmark* for future pay negotiation 미래 임금 협상의 기준

***bend** [bend] **v.** (bent-bent) **1** [T] 구부리다: Does it hurt when you *bend* your knees? 무릎을 구부리면 아픕니까? **2** [I] 구부러지다: The road *bends* to the right. 길은 오른쪽으로 구부러진다. **3** [I] (몸을 앞으로) 숙이다: He *bent* down to tie up his shoelaces. 그는 신발끈을 묶기 위해 몸을 숙였다. / He is *bent* with age. 그는 나이가 많아서 허리가 구부러졌다. **4** [I] 굴복하다, 따르다: I *bent* to his will. 나는 그의 의지에 굴복했다.

n. 굽음, 굽은 곳: a sharp *bend* in the road 도로의 급커브

축어 **bend the rules** 봐주다: Can't you *bend the rules* this time? I was only a few minutes late. 이번에는 봐주면 안 돼? 단지 몇 분밖에 안 늦었잖아.

***beneath** [biní:θ] **prep. adv. 1** (위치·장소가) ···아래〔밑〕에(서), 아래(쪽)에: He hid the letter *beneath* a pile of papers. 그는 편지를 서류더미 밑에 숨겼다. / I enjoyed

feeling the warm sand *beneath* my feet. 나는 발 밑에 따뜻한 모래의 감촉을 즐겼다. / He stood on the bridge and looked down at the river *beneath*. 그는 다리에 서서 아래에 있는 강을 내려다보았다. **2** (신분·가치 등이) ···보다 낮게: She always supported those *beneath* her. 그녀는 그녀보다 신분이 낮은 사람들을 항상 후원했다. / marry *beneath* one 자기보다 신분이 낮은 사람과 결혼하다 **3** ···할 가치가 없는, ···의 품위에 어울리지 않는: He thought the job was *beneath* her. 그는 그 직업이 그녀의 품위에 어울리지 않는다고 생각했다.

benefactor [bénəfæ̀ktər] **n.** 은혜를 베푸는 사람, 후원자, 기증자

beneficial [bènəfíʃəl] **adj.** 유익한, 이익을 가져오는 (to): a *beneficial* insect 이로운 곤충 / Moderate exercise is *beneficial* to your health. 적절한 운동은 너의 건강에 유익하다.

— **beneficially adv.** 유익하게

beneficiary [bènəfíʃièri] **n.** 수익자, (연금·보험금 등의) 수령인

***benefit** [bénəfìt] **n. 1** 이익, 이득: A change in the terms of payment will be of good *benefit* to our customers. 지불 방법의 변경은 우리 고객들에게 이익이 될 것이다. **2** 자선 공연, 구제: They organized a *benefit* to raise money for poor children. 그들은 불우 어린이를 위한 성금을 모금하기 위해 자선 공연을 기획했다. **3** (환자·실업자 등에게 지급되는) 정부 보조금, 보험금, 연금: unemployment *benefit* 실업 수당

v. 1 [T] ···에게 이롭다: A gentle exercise *benefits* all the people. 가벼운 운동은 모두에게 이롭다. **2** [I] 이익을 얻다 (by, from): Many patients have *benefited* from the new treatment. 많은 환자들이 새로운 치료법으로 득을 봤다.

축어 **for one's benefit, for the benefit of** ···을 위하여, ···의 이익을 위하

여: He quit smoking *for the benefit of* his health. 그는 건강을 위해 담배를 끊었다.

benevolent [bənévələnt] *adj.* 자비심 많은, 호의적인, 친절한
— **benevolence** *n.*

benign [bináin] *adj.* **1** 친절한, 자애로운: a *benign* old lady 친절한 노부인 **2** [병리] 양성의: a *benign* tumor 양성 종양 OPP malignant
— **benignly** *adv.*

bent [bent] *v.* bend의 과거·과거 분사
adj. **1** 굽은, 뒤틀린 **2** [영] (권력자가) 부패한, 정직하지 못한
n. 좋아함, 소질, 재능: He has a natural *bent* for art. 그는 미술에 천부적인 재능이 있다.
[숙어] **bent on (-ing)** 굳게 결심한: I'm *bent on* becoming a scientist. 나는 과학자가 되기로 굳게 결심했다.

benzene [bénzi:n] *n.* [화학] 벤젠 (콜타르에서 채취함, 용제; 물감의 원료): a *benzene* ring 벤젠 고리

bequeath [bikwí:ð] *v.* [T] 유산으로 남기다: He *bequeathed* her the old house. 그는 그녀에게 낡은 집을 유산으로 남겼다.
※ bequeath보다는 보통 leave를 많이 사용한다.

bereave [birí:v] *v.* [T] (bereaved-bereaved, bereft-bereft) **1** (생명·희망 등을) 빼앗다 (of) **2** (보통 수동태) (육친 등을) 앗아가다 (of); (뒤에 헛되게) 남기다 (of): She was *bereft* of hearing. 그녀는 청력(聽力)을 상실했다. / The accident *bereaved* her of her husband. 그 사고가 그녀에게서 남편을 앗아갔다.

bereaved [birí:vd] *adj.* **1** 가족이나 친구를 여읜 **2** (the bereaved) 유가족
— **bereavement** *n.* (근친의) 여읨, 사별

bereft [biréft] *adj.* (명사 앞에는 쓰이지 않음) **1** 잃은, 빼앗긴: He's *bereft* of all happiness. 그는 모든 행복을 잃었다. **2** (상실감으로) 슬픈, 외로운: I felt completely *bereft* when he left. 그가 떠나고 나는 굉장히 외로웠다.

beret [bəréi] *n.* 베레모

berry [béri] *n.* 핵이 없고 먹을 수 있는 작은 과실 (주로 딸기류): a rasp*berry* 나무딸기 / straw*berry* 딸기

■ 접두어 be-
be는 타동사를 만들 때 쓰인다.
1 명사·형용사에 붙어서 '…으로 만들다'의 뜻을 나타낸다.: *be*friend 친구가 되다 / *be*calm 가라앉히다
2 자동사에 붙어서: *be*moan 불쌍히 여기다
3 타동사에 붙어서 '전연, 아주'의 뜻을 나타낸다.: *be*set

---

beset [bisét] *v.* [T] (beset-beset; besetting) (위험·유혹 등이) 붙어다니다, 괴롭히다: He was *beset* with financial problems. 그는 재정 문제들에 시달렸다.
— **besetting** *adj.* 끊임없이 괴롭히는

*＊**beside** [bisáid] *prep.* **1** …의 곁(옆)에, …와 나란히: He sat *beside* me. 그는 내 옆에 앉았다. **2** …와 비교하여: *Beside* him other people are mere amateurs. 그에 비하면 다른 사람들은 단지 아마추어들에 지나지 않는다.
[숙어] **beside oneself** 제정신을 잃고, 흥분하여: They were quite *beside* themselves with joy. 그들은 정신을 잃을 듯이 기뻐했다.

beside the point 요점에서 벗어난

besides [bisáidz] *prep. adv.* **1** 그 밖에, … 외에도: Many people were there *besides* me. 그 곳에 나 말고도 많은 사람들이 있었다. **2** 게다가, 또한: I don't like that color. *Besides*, it's too expensive. 난 그 색상이 맘에 안 들어. 게다가 너무 비싸. / *Besides* being a poet, he is a musician. 그는 시인일 뿐만 아니라 음악가이기도 하다.

besiege [bisí:dʒ] *v.* [T] **1** 포위 공격하다: *besiege* a city 도시를 포위 공격하다 **2** (보통

수동태) (군중이) 몰려들다, 쇄도하다: She was *besieged* by reporters. 그녀는 기자들에 둘러싸였다.

best [best] *adj.* (good의 최상급) 가장 좋은, 최선의: the *best* man for the job 그 일의 최적임자 / Who is *best* at math? 누가 수학을 제일 잘하니? / She's my *best* friend. 그녀가 나의 가장 친한 친구이다. / What's the *best* way to cook this fish? 이 생선을 요리하는 가장 좋은 방법은 무엇입니까?

adv. (well의 최상급) 가장 좋게, 가장: Which one do you like *best*? 어느 것을 제일 좋아해? / Do it as *best* as you can. 할 수 있는 한 최선을 다하라. / I work *best* in the morning. 나는 아침에 일이 제일 잘 된다.

n. (the best) 최상, 최선: It's the *best* we can do. 그게 우리가 할 수 있는 최선의 일이다. / second *best* 차선의

— **best-known** *adj.* 가장 유명한

[숙어] **at best** 기껏해야, 잘해야: Books can *at best* present only a theory. 서적이란 기껏해야 하나의 이론을 제시할 뿐이다.

at one's best 한창때에, 전성기에: He is *at his best* in this essay. 이 수필이 그의 최고의 작품이다.

do one's best 최선을 다하다: Everyone should *do his*(*her*) *best*. 각자는 최선을 다해야 한다.

make the best of …을 최대한 이용하다: It rained a lot during our vacation, but we *made the best of* it. 휴가 동안 비가 많이 왔지만 우리는 그것을 최대한 이용했다.

※ make use of → make good use of → make better use of → make the best use of, make the best of의 흐름으로 알아둔다.

to the best of …하는 한, …이 미치는 한: *To the best of* my knowledge, he is innocent. 내가 아는 한에서 그는 결백하다.

bestow [bistóu] *v.* [T] 수여(부여)하다,

(선물로) 주다 (on, upon): God *bestowed* happiness upon us. 하느님은 우리들에게 행복을 주셨다.

— **bestowal** *n.* 증여, 선물

bestseller [béstsélər] *n.* 베스트셀러 (가장 잘 팔리는 책·음반 등); 그 저자: I use the *bestseller* lists as a buying guide. 나는 구매 안내서로 베스트셀러 목록을 활용한다.

— **best-selling** *adj.*

*****bet** [bet] *v.* [I,T] (bet-bet, betted-betted; betting) **1** 돈을 걸다, 내기하다: I'll *bet* you on it. 그것에 관해서는 너와 내기라도 하겠다. / I will *bet* the horse 10 dollars. 그 말에 10달러 걸겠다. [SYN] gamble **2** 단언하다, 장담하다: I *bet* you're interested in painting, aren't you? 너 그림 그리는 데에 관심 있지, 그렇지?

n. **1** 내기: win(lose) a *bet* 내기에 이기다(지다) **2** 의견: My *bet* is that she has missed the bus. 내 생각에 그녀는 버스를 놓친 것 같아.

[숙어] **you bet** 정말이야, 틀림없어, 물론 그렇다: "Are you coming?" "*You bet* (I am)." "너 올 거지?" "당연하지."

beta [béitə] *n.* 그리스 어 알파벳의 둘째 글자 (β)

*****betray** [bitréi] *v.* [T] **1** (비밀·정보 등을) 누설하다, 밀고하다: He refused to *betray* their plans. 그는 그들의 계획을 누설하기를 거부했다. [SYN] reveal **2** 배신하다, (신뢰·기대 등을) 저버리다: *betray* one's country to the enemy 적에게 조국을 팔다 **3** (감정·약점 등을) 무심코 드러내다: His face *betrayed* his feelings. 그의 감정이 얼굴에 그대로 드러났다.

— **betrayal** *n.* 배신 **betrayer** *n.* 배신자, 매국노

better [bétər] *adj.* **1** (good의 비교급) …보다 좋은, …보다 나은: It would be *better* to take the bus. 버스를 타는 것이 나을 것이다. / That hairstyle is far *better*

than the one you had before. 그 머리 모양이 네가 전에 했던 것보다 훨씬 낫다. **2** (well의 비교급) 차도가 있는, 기분이 보다 좋은: He's getting *better*. 그는 (병세가) 좋아지고 있다. / I'm feeling much *better* today. 오늘은 기분이 훨씬 좋다.
adv. **1** (well의 비교급) 보다 좋게〔낫게〕: You'll do *better* if you practice more. 좀더 연습하면 더 잘 하겠다. **2** 더욱, 한층: the sooner, the *better* 빠르면 빠를수록 더욱 좋은
n. 보다 나은 것: The view wasn't very good. I expected *better*. 경치가 그리 좋지 못했다. 보다 좋은 것을 기대했었는데.
[숙어] **all the better for** 오히려 더 좋게, 그만큼 더욱: I like her *all the better for* it. 그래서 나는 더욱 그녀가 좋다.
(be) **better off** 더욱 부유한, 형편이 더 나은: He would *be better off* if he had worked harder. 더욱 열심히 일했더라면 그는 더 잘 살 텐데.
for the better 나은 쪽으로, 호전〔개선〕의: change *for the better* 호전되다
get the better of …에게 이기다: His curiosity *got the better of* him and he entered the room. 호기심을 억누르지 못해 그는 방 안으로 들어갔다.
had better …해야 한다, …하는 게 좋다: I *had better* be going now; it's late. 나는 지금 가는 게 좋겠다. 늦었다.
***between** [bitwíːn] *prep. adv.* **1** (공간·위치) …의 사이에: I sat *between* my parents. 나는 부모님 사이에 앉았다. / *between* Paris and Berlin 파리와 베를린 중간에
2 (시간) …의 사이에, 중간에: I'll call you *between* Monday and Wednesday. 월요일과 수요일 사이에 네게 전화할게. / I have an appointment at 9 and another at 3, but nothing in *between*. 나는 9시와 3시에 약속이 있는데 그 중간에는 (약속이) 없다.
3 (수량) …의 사이: The play will take

between 40 and 50 minutes. 연극은 40분에서 50분 정도 걸릴 것이다. / children aged *between* 4 and 7 네 살에서 일곱 살 사이의 어린이들
4 (관계·공유·협력) …의 사이에서: the war *between* France and England 프랑스와 영국 간의 전쟁 / divide earnings *between* the two 벌이를 둘이 나누다
5 (성질·종류) …의 중간인: a color *between* blue and green 청색과 녹색의 중간색 / *Between* astonishment and delight, she could not speak a word. 놀랍기도 하고 기쁘기도 하여 그녀는 한 마디도 못했다.
※ between은 두 사물의 사이란 뜻으로 쓰는 것이 보통이며, 셋 이상인 경우에는 among을 쓴다.
beverage [bévəridʒ] *n.* (보통 물 이외의) 마실 것, 음료: alcoholic *beverages* 알코올 음료
beware [biwɛ́ər] *v.* [I] 조심하다: *Beware* of the dog! 개 조심!
※ 어미 변화 없이 명령형·부정사로만 쓴다.
bewilder [biwíldər] *v.* [T] 어리둥절케 하다, 당황케 하다: His sudden change of attitude *bewildered* me. 그의 갑작스런 태도 변화는 나를 당황케 했다. [SYN] confuse
— **bewilderment** *n.*
***beyond** [bijάnd] *prep. adv.* **1** (장소) …의 저쪽에, …을 넘어서: There's nothing *beyond*. 저 쪽에는 아무 것도 없다. / *beyond* the river 강 건너에 **2** (시각·시기) …을 지나서: I want to keep working *beyond* 60. 나는 60살이 넘어서도 계속 일을 하고 싶다. **3** (정도·범위·한계) …을 넘어서, … 이상: The house was *beyond* what you could afford. 그 집은 자네가 감당할 수 있는 그 이상이야. **4** (불가능을 표현) …을 할 수 없는: The beauty of the place is *beyond* description. 그 곳의 아름다움은 이루 다 말할 수 없을 정도다. **5** 너무 멀리, 너무 앞서: The advanced course was *beyond* my ability. 고급반은 나의 능력을

훨씬 앞서가는 것이었다.

bi- *prefix* (명사나 형용사에서) '둘; 두 배; 중복'의 뜻.

bias [báiəs] *n.* 선입관 (toward, to), 편견 (for, against): He has a *bias* toward her. 그는 그녀에 대해 선입관을 갖고 있다. / Reporters must not show political *bias*. 기자들은 정치적 편견을 보여서는 안 된다.
v. [T] 편견을 갖게 하다
— **biased** *adj.* 치우친, 편견을 가진

Bible [báibəl] *n.* (the Bible) 성경

biblical [bíblikəl] *adj.* 성경의, 성경에서 인용한

■ **접두사 bi-**
명사나 형용사에 쓰여 '두 개', '두 번', '두 배'의 뜻을 갖는다.: *bi*lingual 2개 국어를 하는 / *bi*color 2색의 / *bi*ennale 격년 행사, 비엔날레
---

bicentennial [bàisenténiəl] *adj.* ([영] bicentenary) 2백년(째)의; 2백년 기념제의
n. 2백년 기념제, 2백년째

bicker [bíkər] *v.* [I] (시시한 일로) 다투다, 말다툼하다

***bicycle** [báisikəl] *n.* 자전거 (bike): I go to work by *bicycle*. 나는 자전거로 출근한다. / Can he ride a *bicycle* yet? 그가 벌써 자전거를 타니?
※ bi(=two)+cycle(=wheel)

bid [bid] *v.* [I,T] (bade-bidden; bidding) **1** (경매 등에서) 값을 매기다 (for): He *bid* ten dollars for the bicycle. 그는 자전거 값을 10달러로 매겼다. **2** 명하다: Do as I *bid* you. 네게 명하는 대로 해라. [SYN] order
n. **1** 노력, 시도 (for) **2** 매긴 값, 입찰
— **bidder** *n.* 입찰자 **bidding** *n.* 입찰, 명령

***big** [big] *adj.* (bigger-biggest) **1** 큰: Could I try these shoes in a *bigger*

size? 이 신발 더 큰 사이즈로 신어 볼 수 있나요? / a *big* salary 많은 월급 [SYN] large **2** 중요한: I have a *big* decision to make. 나는 중요한 결정을 해야 한다. **3** (명사 앞에만 쓰임) 나이가 많은: a *big* brother 형, 오빠 / a *big* sister 누나, 언니 [SYN] older
[숙어] **big deal 1** (반어적) 대단한 것, 대단한 인물 **2** (비꼬아 말할 때) 참 대단하군, 별거 아니군: "What if he is upset?" "*Big deal!*" "그가 화내면 어떻게 하지?" "그럼 어때서!"

big name 유명한 사람: some of the *big names* in Hollywood 헐리우드에서 유명한 몇몇 사람들

■ **유의어 big**
big과 **large**는 둘 다 크기와 수에 쓰인다. **large**는 사람을 묘사할 때 쓰지 않고, **big**이 더 구어적 표현으로 쓰인다. **great**는 사람이나 사물의 중요성, 특성 등을 표현할 때 쓴다.
---

big bang *n.* (the big bang, the Big Bang) 우주 생성 때의 대폭발

***bike** [baik] *n.* 자전거, 오토바이: My younger brother is learning to ride a *bike*. 내 남동생은 자전거 타는 법을 배우고 있다.

bikini [bikí:ni] *n.* 비키니 (위, 아래가 따로 떨어진 여자 수영복)

bilingual [bailíŋgwəl] *adj.* 두 나라 말을 하는, 2개 국어를 구사하는: a *bilingual* dictionary 2개 국어로 쓰여진 사전 / Our children are *bilingual* in English and Korean. 우리 아이들은 영어와 한국어 2개 국어를 한다.

***bill** [bil] *n.* **1** 계산서, 청구서: an electricity *bill* 전기 요금 청구서 **2** [영] (음식점의) 계산서 ([미] check): Can I have the *bill*, please? 계산서 좀 주시겠어요? **3** 지폐 ([영] note): a ten-dollar *bill* 10달러 짜리 지폐 **4** (의회의) 법안, 의안: The *bill* was passed. 법안이 가결되었다. **5** 전

단, 벽보; (연극·음악회 등의) 프로그램 **6** (새의) 부리 [SYN] beak

***v.** [T]* **1** 계산서에 기입하다, 목록을 만들다 **2** …에게 청구서를 보내다: You can *bill* me for the damage that I caused. 저로 인해 발생한 손해에 대한 청구서를 보내 주세요. **3** 전단으로 광고하다: He was *billed* as Hamlet. 그가 햄릿역을 한다고 광고에 나와 있었다.

— **billing** *n.* 청구서 발송, 광고

billboard [bílbɔ̀ːrd] *n.* (차도 근처의) 광고판, 게시판

billiards [bíljərdz] *n.* *(pl.)* 당구
※ billiards가 다른 명사 앞에 올 때는 's'가 빠진다.: a *billiard* table 당구대

*****billion** [bíljən] *n.* 10억
— **billionaire** *n.* 억만장자

billow [bílou] ***v.** [I]* (공기·바람에 의해) 부풀다, 하늘거리다: I opened the window and the curtains *billowed* in the breeze. 내가 문을 열자 산들바람에 커튼이 펄럭였다.

n. 큰 물결, 굽이치는 것

bimonthly [baimʌ́nθli] *adj. adv.* **1** 한 달 걸러(의), 격월로(의) **2** 월 2회(의)

bin [bin] *n.* **1** [영] 쓰레기통 [SYN] dustbin **2** 궤, (곡식·석탄 등의) 저장통

bind [baind] ***v.** [T]* (bound-bound) **1** 묶다, 동이다; 포박하다: They *bound* my arms with rope. 그들은 나의 팔을 밧줄로 묶었다. / You have to *bind* the wound firmly. 너는 상처를 (붕대로) 단단히 감아야 한다. [SYN] fasten [OPP] loose **2** (약속·의무 등으로) 속박하다: She's *bound* by a contract. 그녀는 계약에 묶여 있다. **3** 맺게 하다, 단결시키다: They are *bound* together by a close friendship. 그들은 깊은 우정으로 맺어져 있다. **4** (원고·책을) 제본하다, 장정하다

n. 묶는 것, 속박; 성가신 존재, 지리한 것(일)
[숙어] **bind oneself to** …할 것을 약속하다, 맹세하다: He has *bound himself to*

complete it in a year. 그는 그것을 1년 내에 완성하겠다고 약속했다.

binder [báindər] *n.* (서류 등을) 철하는 표지, 바인더

binding [báindiŋ] *adj.* 속박하는, 의무를 지우는
n. **1** (책의) 표지, 제본, 장정 **2** (리본 등의) 선 두르는 재료

bingo [bíŋgou] *n.* 빙고 (수를 기입한 카드의 빈 칸을 메우는 복권식 놀이)
[숙어] **Bingo!** 이겼다!, 해냈다!, 맞았다!, 놀랍구나!

binoculars [bənákjələrz] *n.* *(pl.)* 쌍안경, 쌍안 망원경

bio- *prefix* '생명'의 뜻.

■ **접두사 bio-**
'생명, 살아 있는'이라는 뜻을 갖는다. 명사, 형용사, 부사와 결합해 쓰인다.: *bio*logy 생물 / *bio*technology 생물 공학

---

biochemist [bàioukémist] *n.* 생화학자

biochemistry [bàioukéməstri] *n.* 생화학
— **biochemical** *adj.*

biodegradable [bàioudigréidəbəl] *adj.* 미생물에 의해 환경에 무해한 물질로 분해될 수 있는: These containers are made of *biodegradable* substance. 이 용기들은 미생물에 의해 분해되는 물질로 만들어졌다.

biography [baiágrəfi] *n.* 전기, 일대기, 전기 문학
— **biographer** *n.* 전기 작가
autobiography *n.* 자서전

biological [bàiəládʒikəl] *adj.* 생물학(상)의

biological warfare *n.* 생물학전, 세균전

biologist [baiálədʒist] *n.* 생물학자

biology [baiálədʒi] *n.* 생물학
※ bio(=life)+logy(=science)

biorhythm [báiouriðm] *n.* 바이오 리듬, 생체 리듬 (생체가 가지는 주기성)

biosphere [báiousfiər] *n.* [우주] 생물권 (생물이 살 수 있는 지구의 표면과 대기)

biotechnology [bàiouteknáIədʒi] *n.* 생물 공학

birch [bəːrtʃ] *n.* [식물] 자작나무

*__bird__ [bəːrd] *n.* 새: A *bird* in the hand is worth two in the bush. [속담] 숲 속의 두 마리 새보다 수중의 한 마리가 낫다. / kill two *birds* with one stone [속담] 일석이조
— **birdcage** *n.* 새장

bird of prey *n.* (독수리·매 등의) 맹금 (다른 짐승을 잡아먹는 새)

*__birth__ [bəːrθ] *n.* **1** 탄생, 출생: She asked his date of *birth*. 그녀는 그의 생년월일을 물었다. **2** 태생, 출신: She's lived in German since she was three but she's American by *birth*. 그녀는 3살 때부터 독일에 살았지만 원래 미국 태생이다. **3** 기원, 시초: the *birth* of a nation 국가의 시초
[숙어] **give birth to** 아이를 낳다: She *gave birth to* a son. 그 여자는 아들을 낳았다.

birth certificate *n.* 출생 증명서

birthday [báːrθdèi] *n.* (탄)생일

birthmark [báːrθmàːrk] *n.* (태어날 때부터 몸에 있는) 점, 모반

birthplace [báːrθplèis] *n.* **1** 출생지 **2** 발생지: Greece is the *birthplace* of the Olympic Games. 그리스는 올림픽의 발생지이다.

*__biscuit__ [bískit] *n.* ([미] cracker, cookie) [영] 비스킷

bishop [bíʃəp] *n.* (가톨릭·그리스 정교의) 주교, (신교의) 감독

*__bit__ [bit] *n.* **1** 작은 조각: The cup broke into *bits*. 컵이 산산조각으로 깨졌다. **2** (a bit) 소량, 조금: a *bit* of advice 약간의 충고 / I was a *bit* surprised. 나는 조금 놀랐다. **3** (a bit) 잠시: I was in Seoul for a *bit*. 나는 잠시 서울에 있었다. **4** [컴퓨터] 비트 (정보량의 최소 단위; 2진법에서의 0또는 1)
[숙어] **bit by bit** 조금씩, 점차로: I'm saving up the money *bit by bit*. 나는 돈을 조금씩 모으고 있다.
every bit 어디까지나, 어느 모로 보나: He is *every bit* a gentleman. 그는 어느 모로 보나 신사이다.
not a bit 조금도 …하지 않다, 별말씀을: I was *not a bit* worried. 나는 조금도 걱정되지 않았다. [SYN] not at all
quite a bit 꽤, 상당한

*__bite__ [bait] *v.* [I,T] (bit-bitten; biting) **1** 물다, 물어뜯다: The dog *bit* me in the left leg. 개가 내 왼쪽 다리를 물었다. **2** (모기·벼룩 등이) 쏘다, 물다: I've been *bitten* by mosquitoes. 나는 모기에 물렸다.
※ 벌이나 해파리 같은 경우에는 sting(쏘다)을 쓴다.
n. **1** 한 입, 한번 깨묾: Do you want a *bite*? 한 입 먹을래? **2** 물린[쏘인] 상처: mosquito *bites* 모기가 문 상처 **3** 소량의 음식, 간식: Let's have a *bite*. 간식 먹자.
[숙어] **bite one's head off** (별것 아닌 일에 굉장히 화를 내며) 시비조로 대답하다

bitter [bítər] *adj.* **1** 호된, 가차 없는: They had a *bitter* quarrel. 그들은 심한 말다툼을 했다. **2** 괴로운, 쓰라린 (about): Failing the exam was a *bitter* experience for me. 시험에서 낙제 점수를 받은 것은 나에게는 쓰라린 경험이었다. / They were *bitter* about losing the job. 그들은 일자리를 잃는 것에 대해 괴로워했다. **3** (맛이) 쓴 [OPP] sweet **4** (날씨가) 모진, 살을 에는 듯한: a *bitter* cold day 혹독하게 추운 날
— **bitterly** *adv.* **bitterness** *n.*

bizarre [bizáːr] *adj.* 기괴한, 기상천외의

*__black__ [blæk] *adj.* **1** 검은: a *black* dress 검정색 옷 **2** 흑인의 **3** (커피·차에) 우유나 크림을 넣지 않은: *Black* coffee, please. 커피 블랙으로 부탁해요. **4** 몹시 화가 난: *black*

looks 험악한 얼굴 표정 **5** (상황이) 희망이
없는, 암담한: For him, the future
looked *black*. 그에게 미래는 암담하게 보였
다. **6** (농담·문학 작품 등이) 병적인, 불유쾌
한, 그로테스크한: a *black* comedy 블랙 코
미디
n. **1** 검은색 **2** 검은 옷 **3** (종종 Black) 흑인:
North American *blacks* sometimes
prefer to be called African-
Americans. 북미의 흑인들은 종종 아프리카
계 미국인이라 불리는 걸 더 선호한다.
— **blackish** *adj.* 거무스름한
[숙어] **black and blue** 멍이 들도록: He
beat me *black and blue*. 그가 날 멍이 들도
록 때렸다.
in black and white 문서로: I want to
see our contract *in black and white*. 저
는 우리의 계약이 문서화된 것을 보고 싶습니다.
black-and-white *adj.* **1** 흑백의: a
black-and-white photograph 흑백 사진
2 (주제·상황이) 흑백논리의 (맞거나 틀리거
나, 좋거나 나쁘거나 등): That's not a
black-and-white issue for me. 그것이 나
에게는 흑백논리적인 문제가 아니다.
blackbird [blǽkbə̀:rd] *n.* [영] 지빠귀;
[미] 찌르레기
blackboard [blǽkbɔ̀:rd] *n.* 칠판
blacken [blǽkən] *v.* [T] **1** 검게 하다 **2**
(평판·명예를) 손상시키다: She *blackened*
his reputation by telling lies about
him. 그녀는 그에 대한 거짓말을 해서 그의 명
예를 실추시켰다.
black eye *n.* 얻어맞아 멍든 눈
black hole *n.* [천문] 블랙홀 (초중력에 의
해 빛·전파도 빨려든다는 우주의 가상적 구
멍)
blacklist [blǽklìst] *n.* 블랙리스트 (요시
찰인 명부)
v. [T] 블랙리스트에 올리다
blackmail [blǽkmèil] *n.* 등치기, 갈취,
공갈
v. [T] 을러[등쳐] 빼앗다, 을러서 …하게 하다

(into): You can't *blackmail* me into
helping you! 나를 협박해서 널 돕도록 할
수는 없을 거야!
— **blackmailer** *n.* 공갈협박 하는 사람
black market *n.* 암시장
blackout [blǽkàut] *n.* **1** (전시 중의) 등
화관제 **2** 의식[시각, 기억]의 일시적 상실
black sheep *n.* **1** 검은 양 **2** (한 집안의)
골칫거리, 두통거리: He is a *black sheep* in
our family. 그는 우리집의 골칫거리이다.
blacksmith [blǽksmìθ] *n.* 대장장이
bladder [blǽdər] *n.* **1** (the bladder)
방광 **2** (the bladder) (물고기의) 부레
blade [bleid] *n.* **1** (칼붙이의) 날, 칼:
a packet of razor *blades* 면도칼 한 갑 **2**
(벼과 식물의) 잎: a *blade* of grass 풀 한 잎
※ blade는 풀잎이나 벼과 식물의 가늘고 긴
잎을 말하며, 나뭇잎은 leaf, 바늘 같은 잎은
needle이라고 한다.
***blame** [bleim] *v.* [T] **1** 나무라다, 비난하
다 (for): He *blamed* me for being late.
그는 지각했다고 나를 나무랐다. **2** …의 책임
[원인]으로 돌리다 (for): They *blamed* me
for the accident. 그들은 사고에 대한 책임
을 내게 돌렸다.
n. **1** 비난, 나무람 **2** 책임, 허물
[숙어] (be) to blame (for) 책임을 져야 마
땅하다, …의 잘못이다: I *am to blame for* it.
그건 내 잘못이다.
get the blame 꾸중듣다, 비난받다: The
engineer *got the blame* for the
mistake. 그 기사는 실수에 대해서 비난을 받
았다.
put the blame on …에게 죄를 씌우다:
Don't *put the blame on* the dog. I saw
you breaking the glass. 개에게 잘못을
덮어 씌우지 마. 네가 유리잔을 깨는 거 봤어.
take the blame 책임을 지다: You
have to *take the blame* for the accident.
사고에 대한 책임은 네가 져야 한다.
— **blameless** *adj.* 비난할 점이 없는, 결백
한

blank [blæŋk] *n.* **1** 공백의, 백지의: a *blank* sheet of paper 백지 / a *blank* cassette 공테이프 **2** 멍청한, 마음 속이 텅 빈: a *blank* stare 멍한 시선 / go *blank* (마음 등이) 텅 비다, 멍해지다

n. 공백, 여백: Please fill in the *blanks* on your form. 서류 양식의 여백을 채우세요. / Put a word in each *blank* to complete the sentence. 빈 칸에 알맞은 말을 넣어 문장을 완성하시오.

***blanket** [blǽŋkit] *n.* **1** 담요 **2** 전면을 덮는 것: a *blanket* of snow 사방을 온통 덮은 눈

v. [T] (담요로 덮듯이) 온통 덮다: The snow *blanketed* the ground. 눈이 땅을 덮었다.

[숙어] **a wet blanket** ⇨ wet

blare [blɛər] *v.* [I,T] (나팔이) 울려 퍼지다, 큰 소리를 내다: Car horns *blared*. 자동차 경적 소리가 울려 퍼졌다.

n. (나팔 등의) 울림, 귀에 거슬리는 큰 소리

blasphemy [blǽsfəmi] *n.* 신에 대한 불경, 모독

— **blasphemous** *adj.*

blast [blæst] *n.* **1** 폭발, 폭파: Many people died in the *blast*. 폭발로 인해 많은 사람들이 사망했다. **2** 한바탕의 바람, 돌풍: a *blast* of hot air 한바탕의 뜨거운 바람 **3** (나팔·피리의) 한번 부는 소리: The police officer gave a *blast* on her whistle. 경찰이 호루라기를 힘껏 불었다.

v. [T] **1** 폭파하다, (폭발의 힘을 이용하여) 터널 등을 만들다: Two tunnels were *blasted* through the mountain. 폭발을 이용하여 산을 관통하는 두 개의 터널이 만들어졌다. **2** 몹시 비난하다, 질책하다

[숙어] **blast off** (로켓·미사일이) 발사되다

blaze [bleiz] *n.* **1** (확 타오르는) 불길; 화재: a *blaze* of fire 화염 **2** 번쩍거림

v. [I] **1** 타오르다 **2** 밝게 빛나다: Lights *blazed* in every window. 불빛이 창문마다 밝게 빛났다.

— **blazing** *adj.*

bleach [bli:tʃ] *v.* [T] 표백하다, 탈색하다: He had his hair *bleached*. 그는 머리를 탈색했다.

n. 표백제

bleak [bli:k] *adj.* **1** (상황이) 냉혹한, 모진, 암담한: A *bleak* future lies ahead of us. 우리의 앞에는 암담한 미래가 놓여 있다. **2** (장소가) 황폐한, 쓸쓸한: The landscape was very *bleak*. 경치는 매우 황폐했다. **3** (날씨가) 살을 에는 듯이 춥고 어두컴컴한: a *bleak* wind 몹시 찬 바람

bleed [bli:d] *v.* [I] (bled-bled) **1** 피를 흘리다: His nose is *bleeding*. 그는 코피를 흘리고 있다. / I'm worried that he is going to *bleed* to death. 저 남자가 피를 너무 많이 흘려 죽을까봐 걱정된다. **2** 마음 아파하다 (for, at): My heart *bleeds* for him. 그의 일을 생각하니 마음이 아프다.

blemish [blémiʃ] *n.* 흠, 오점, 결점: My new dress had a small *blemish* on the collar. 새 드레스의 깃에 작은 얼룩이 있었다.

v. [T] …에 흠을 내다: (명예 등을) 더럽히다

blend [blend] *v.* **1** [I,T] 섞다, 섞이다: Oil and water will not *blend*. 기름과 물은 잘 섞이지 않는다. **2** [I] 잘 조화되다: The new curtains don't *blend* with the white wall. 새 커튼은 흰 벽과 조화되지 않는다.

n. 혼합(물)

blender [bléndər] *n.* (요리용) 믹서기

***bless** [bles] *v.* [T] …에게 은총을 내리다: *Bless* this house. 이 가정을 축복하소서.

[숙어] **(be) blessed with** …의 혜택을 받은: He *is blessed with* good health. 그는 건강 하나는 타고났다.

Bless you! **1** (상대가 감기에 걸려 재채기를 했을 때) 감기 조심하세요! **2** 신의 가호가 있기를 **3** 저런, 가엾어라

blessed [blésid] *adj.* **1** 축복 받은 **2** 신성한 **3** 기쁨을 주는

blessing [blésiŋ] *n.* **1** 축복(의 말) **2** 신의 은총 **3** 찬성, 지지

***blind** [blaind] *adj.* **1** 눈 먼: a *blind*

person 장님 / go *blind* 장님이 되다
※ 눈 먼 사람을 표현할 때 blind보다 partially sighted 또는 visually impaired라는 말을 쓰기도 한다. **2** 알고자(보고자) 하지 않는: He is *blind* to his own defects. 그는 자기의 결점은 보려고 하지 않는다. **3** 맹목적인: Love is *blind*. 사랑은 맹목적인 것.
v. [T] **1** 눈멀게 하다: He had been *blinded* in an accident. 그는 사고로 눈이 멀었다. / Just for a second I was *blinded* by the lights. 빛 때문에 잠시 눈이 부셨다. **2** …의 판단력을 잃게 하다
n. 블라인드, 발, 덮어 가리는 물건
— **blindness** *n.*

속어 **as blind as a bat(mole, beetle)** 장님이나 마찬가지인
turn a blind eye to …을 보고도 못 본 체하다: She *turns a blind eye to* her children's faults. 그녀는 자기 아이들의 잘못을 보고도 못 본 체한다.

blind date *n.* (소개에 의한) 서로 모르는 남녀간의 데이트

blindly [bláindli] *adv.* 맹목적으로, 무턱대고

blink [bliŋk] *v.* **1** [I,T] 눈을 깜박이다: You *blinked* just as I took the photograph! 내가 막 사진을 찍을 때 네가 눈을 깜박였어! **2** [I] (등불·별 등이) 깜박이다
n. 깜박임

bliss [blis] *n.* 더 없는 행복, 천국의 행복
SYN **happiness**
— **blissful** *adj.* 큰 복의, 기쁨에 찬

blister [blístər] *n.* 물집, 기포: A burn caused *blisters* on her hand. 화상으로 그녀의 손에 물집이 생겼다.
v. [I,T] **1** 물집이 생기(게 하)다 **2** 부풀(리)다

blizzard [blízərd] *n.* 강한 눈보라 (풍설·혹한을 동반하는 폭풍)

*****block** [blɑk] *n.* **1** (나무·돌·금속 등의) 큰 덩이, 큰 토막 **2** [영] (한 채의) 큰 건축물: apartment *block* 아파트 한 동 / office

block 여러 회사가 모여있는 빌딩 한 채 **3** [미] (시가의 도로로 둘러싸인) 한 구획: The building occupies a whole *block*. 그 건물은 한 구획 전체를 차지하고 있다. **4** (양·시간 등의) 하나의 단위; 한 조(벌, 묶음) **5** 장애(물)
v. [T] **1** 통로를(길을) 막다: The road was *blocked* by the heavy snowfall. 폭설로 도로가 막혔다. **2** (진행·행동을) 방해하다 **3** 시야를 가리다: Could you move a little to the left? You're *blocking* the view. 왼쪽으로 조금 비켜 주실 수 있나요? 앞이 안 보여요.

blockade [blɑkéid] *n.* 봉쇄, 폐색
v. [T] 봉쇄하다, 차단하다

blockage [blákidʒ] *n.* 봉쇄, 방해(물), (파이프 등에) 막혀 있는 것
v. [T] 봉쇄하다, 방해하다

blockbuster [blákbàstər] *n.* **1** (책·영화) 초(超)대작, 대히트, 대성공: That new movie is a *blockbuster*. 저 새 영화는 대성공이다. **2** 고성능 폭탄

blond, blonde [blɑnd] *adj.* 금발의
n. 금발의 사람

*****blood** [blʌd] *n.* **1** 피: They lost a lot of *blood* in the accident. 그들은 사고로 피를 많이 흘렸다. **2** 핏줄, 혈통, 가문: *Blood* will tell. 핏줄은 어쩔 수 없다. / *Blood* is thicker than water. [속담] 피는 물보다 진하다.

blood donor *n.* 헌혈자

blood pressure *n.* 혈압: high(low) *blood pressure* 고(저)혈압

bloodshot *adj.* (눈이) 충혈된, 핏발이 선

bloodthirsty [blʌ́dθə̀:rsti] *adj.* 피에 굶주린, 잔인한

blood type *n.* 혈액형 SYN **blood group**

blood vessel *n.* 혈관

bloody [blʌ́di] *adj.* (bloodier-bloodiest) **1** 피비린내 나는, 잔인한: a *bloody* battle 피비린내 나는 싸움 **2** 피나는,

피투성이의: a *bloody* shirt 피투성이 셔츠

bloom [blu:m] *n.* **1** 꽃 **2** 개화, 꽃의 만
발 **3** 한창때, (건강 · 아름다움 등의) 전성기
v. [I,T] 꽃이 피[게 하]다: These flowers
will *bloom* all through the summer.
이 꽃은 여름 내내 필 것이다. **2** 한창때이다,
번영하다
— **blooming** *adj.*
[숙어] **in bloom** 꽃이 피어
in full bloom 만발하여

blossom [blásəm] *n.* (특히 과일 나무의)
꽃: in *blossom* 꽃이 피어
v. [I] **1** (나무가) 꽃을 피우다 **2** 번영하다, (한
창) 번성하게 되다, 발달하여 …이 되다 (into):
He has *blossomed* into a better athlete
in a very short time. 그는 매우 짧은 시간
에 보다 나은 선수로 성장했다.

blot [blɑt] *n.* **1** (잉크 등의) 얼룩 **2** (인
격 · 명성 등의) 흠, 오점 (on)
v. [T] (blotted-blotted) **1** 더럽히다, 얼룩지
게 하다 [SYN] stain **2** (천 · 종이 등을 눌러
서) 물기를 제거하다
[숙어] **blot out 1** 가리다, 감추다: A tall
building *blotted out* the view
completely. 높이 솟은 건물 하나가 경치를
완전히 가려 버렸다. **2** 지우다: He tried to
blot out the unpleasant memory. 그는
불쾌한 기억을 지우려고 노력했다.

blouse [blaus] *n.* 블라우스 (여성용)

*★**blow** [blou] *v.* (blew-blown) **1** [I,T] (바
람이) 불다: It is *blowing* hard. 바람이 세게
불고 있다. **2** [I] (바람에) 날리다: The dead
leaves *blew* away. 낙엽이 바람에 흩날렸
다. **3** [I] 숨을 내쉬다 **4** [T] (입으로 바람을)
불다, 불어대다: I *blew* the dust off my
desk. 나는 내 책상 위의 먼지를 불어 없앴다.
5 [I,T] (악기를) 불다: *blow* on the
trumpet 트럼펫을 불다 / The whistle
blew for 5 seconds. 경적이 5초간 울렸다.
6 [T] 기회를 놓치다, 망치다: You had your
chance and you *blew* it. 좋은 기회였는데
네가 다 망쳤잖아. **7** [T] 폭파하다 (up) **8**

[I,T] (퓨즈 · 진공관 · 필라멘트 등이) 끊어지다
(out): A fuse has *blown*. 퓨즈가 끊어졌다.
n. **1** 강타, 구타 [SYN] hit **2** (정신적) 타격,
충격: It was a great *blow* to us. 그것은
우리에게 큰 타격이었다. **3** 한 번 불기 **4** 불
행, 재난
[숙어] **at a[one] blow** 한 번 쳐서, 일격
에: He was knocked down *at a
blow*. 그는 일격에 쓰러졌다.
blow down 불어 쓰러뜨리다: The tree
was *blown down*. 그 나무는 바람에 쓰러졌
다.
blow off 불어 날려버리다; (증기 등을) 내
뿜다: The wind *blew* my hat *off*. 바람에
모자가 날아가 버렸다.
blow one's nose 코를 풀다
blow over 1 (폭풍 등이) 지나가다, 잠잠해
지다 **2** (위기 · 낭설 등이) 무사히 지나가다,
잊혀지다: Scandals usually *blow over* in
a few months. 스캔들은 대개 몇 개월 후에
는 잊혀진다.
blow up 1 폭파하다: Suddenly, the
airplane *blew up* in midair. 갑자기 비행
기는 공중에서 폭발했다. **2** (폭풍 등이) 더욱
세차게 불다 **3** 굉장히 화내다

*★**blue** [blu:] *adj.* **1** 푸른, 하늘빛의: blue
sky 푸르른 하늘 **2** 우울한: I feel *blue*. 나는
우울하다. **3** (영화 · 유머 · 소설 등이) 성에 관
한, 음란한, 외설적인
n. **1** 푸른색 **2** (the blues) [음악] 블루스 (느
리고 슬픈 재즈 음악의 종류) **3** (the blues)
우울함: be in[have] the *blues* 우울하다
[숙어] **once in a blue moon** 굉장히 드
물게
out of the blue 난데없이, 갑자기: She
wrote to us *out of the blue* a
couple of years later. 그녀는 2년이란 시
간이 지난 후 난데없이 우리에게 편지를 써 보
냈다.

blueberry [blú:bèri] *n.* 월귤나무; 그 열
매

blue chip *n.* [증권] 우량주, 우량 기업

adj. (또는 blue-chip) **1** [증권] 확실하고 우량한 **2** 우수한, 일류의

blue-collar *adj.* 육체 노동자의, 블루칼라의 *cf.* white-collar 사무직의

blueprint [blú:prìnt] *n.* 청사진, 설계도

bluff [blʌf] *v.* [I,T] 허세를 부리다: He seems to know a lot about music, but I think he's only *bluffing*. 그는 음악에 대해 많이 알고 있는 것처럼 보이지만 내 생각엔 허세를 부리는 것 같아.

n. **1** 허세 **2** 절벽 (특히 바다나 강가에 있는)

blunder [blʌ́ndər] *n.* 어리석은 실수

v. [I] (부주의·무지 등으로) 큰 실수를 하다

[숙어] **blunder about(around)** 어정거리다: We *blundered about* in the dark. 우리는 어둠 속에서 어정거렸다.

blunt [blʌnt] *adj.* **1** (칼·연필 등이) 무딘 [SYN] dull [OPP] sharp **2** (사람·말투 등이) 단도직입적인, 직선적인, 무뚝뚝한: She is *blunt*. She tells people exactly what she thinks. 그녀는 직선적이다. 그녀는 생각하는 것을 그대로 사람들에게 말한다.

v. [T] 무디게 하다, 날이 안 들게 하다

— **bluntly** *adv.* **bluntness** *n.*

blur [blə:r] *n.* (시력·인쇄 등의) 흐릿한 것: It was only a *blur* to my sleepy eyes. 졸린 눈으로 봐서 그건 그저 흐릿하게만 보였다.

v. [I,T] (blurred-blurred) 흐릿해지다, 흐릿하게 하다: The window *blurred* with rain. 창문이 빗물로 흐려졌다.

— **blurred** *adj.*

blush [blʌʃ] *v.* [I] (무안·죄책감 등으로 인해) 얼굴이 붉어지다: He *blushed* with shame. 그는 부끄러워 얼굴을 붉혔다.

n. 얼굴을 붉힘, 홍조

— **blusher** *n.* 볼연지

boa [bóuə] *n.* 보아 (구렁이), 왕뱀 (미국, 아프리카, 아시아에서 발견됨)

***board** [bɔ:rd] *n.* **1** 널빤지, 판자 **2** (여러 가지 용도의) 판자: a diving *board* 다이빙 보드 / an ironing *board* 다리미판 **3** 중역

(회), 위원(회): the *board* of directors 이사[중역, 임원]회 **4** (호텔 등에서 제공하는) 식사

v. [I,T] **1** 탑승하다: He *boarded* the plane bound for Africa. 그는 아프리카 행 비행기에 탑승했다. **2** 하숙하다, 기숙하다

— **boarder** *n.* 기숙생, 하숙인

[숙어] **on board** (배·비행기 등에) 탄: He got *on board* at once. 그는 즉시 탑승했다. / The ship had 300 passengers *on board*. 그 배는 300명의 승객을 태우고 있었다.

boarding school *n.* 기숙사제 학교

***boast** [boust] *v.* **1** [I] 자랑하다, 떠벌리다 (of, about): I'm tired of hearing him *boast* about his rich father. 난 그가 그의 부자 아버지에 대해 떠벌리는 것을 듣기가 진절머리나. [SYN] brag **2** [T] (장소를) 자랑거리로 가지고 있다: The town *boasts* a beautiful beach. 그 마을은 아름다운 해변이 자랑거리이다.

n. 자랑

— **boastful** *adj.* 자랑하는, 허풍 떠는

***boat** [bout] *n.* 보트, 작은 배

bob [bab] *v.* [I,T] (bobbed-bobbed) 상하좌우로 획획[깐닥깐닥, 까불까불] 움직이다: An empty bottle *bobbed* up and down on the water. 빈 병이 물 위에서 조금씩 떳다 잠겼다 했다.

bodily [bádəli] *adj.* 신체의, 육체상의

adv. 몸으로; 통째로, 몽땅

***body** [bádi] *n.* **1** 몸 (전체), 신체, 육체: A sound mind in a sound *body*. [속담] 건강한 신체에 건전한 정신이 깃든다. **2** 몸통 (머리·팔·다리 외의 부분) **3** 시체: A *body* was found in the well. 우물 속에서 시체가 발견되었다. [SYN] corpse **4** 단체, 집단: a student *body* (대학 등의) 학생 총수, 전교생 **5** 주요 부분 **6** 물체, 사물

[숙어] **body and soul** 몸과 마음을 다하여 **over my dead body** 내 눈에 흙이 들어가기 전에는 절대 …하지 못한다

bodyguard [bάdigὰːrd] *n.* 경호원, (집합적) 호위대

bog [bαg] *n.* 수렁, 습지 SYN marsh

v. [I,T] (bogged-bogged) 수렁에 빠지다[빠뜨리다], 꼼짝 못하게 하다[되다]

숙어 be[get] bogged in 궁지에 빠지다 SYN be marshed in

*** boil** [bɔil] *v.* **1** [I] 끓다: Water *boils* at 100°C. 물은 섭씨 100도에서 끓는다. / The kettle is beginning to *boil*. 주전자가 끓기 시작한다. **2** [T] 끓이다: We'd better *boil* this water before we drink it. 이 물을 마시기 전에 끓이는게 좋겠다. **3** [I,T] 삶다, 데치다, 삶아지다: I *boiled* the vegetables. 나는 야채를 데쳤다. **4** [I] 몹시 화나다: He was *boiling* with anger. 그는 몹시 화가 나 있었다.

n. **1** 끓임 **2** 부스럼, 종기

— **boiler** *n.* 보일러

숙어 boil down to 요점은 …이다: Our problem *boils down to* one thing — lack of passion. 우리 문제의 요점은 결국 한 가지, 열정이 없다는 것이다.

boiling [bɔ́iliŋ] *adj.* 끓는; 찌는 듯이 더운: It's *boiling* in here! 이 안은 찌는 듯이 덥다!

boiling point *n.* 끓는점

boisterous [bɔ́istərəs] *adj.* 떠들썩한, 활기찬: Your kids are very nice but they are a bit *boisterous* sometimes. 귀하의 자녀는 매우 좋습니다만 가끔 산만할 때가 있습니다. SYN noisy

bold [bould] *adj.* **1** 대담한: She was a *bold* explorer. 그녀는 대담한 탐험가였다. **2** 뚜렷한: the *bold* outline of the mountain 산의 뚜렷한 윤곽 **3** (선·글씨가) 굵은

n. 볼드체, 굵고 진한 서체: The important words are in *bold*. 중요한 단어는 굵고 진한 서체로 되어 있다.

— **boldly** *adv.* **boldness** *n.*

bolt [boult] *n.* **1** 볼트, 나사못 **2** 빗장, 걸쇠

v. **1** [I] (말이 놀라서) 내닫다, 달아나다: He *bolted* away with all the money. 그는 돈을 몽땅 갖고 달아났다. **2** [T] 급하게 먹다 (down) **3** [T] 볼트로 죄다 **4** [T] 문에 빗장을 걸어 잠그다

숙어 bolt upright 똑바로, 꼿꼿하게: The students sat *bolt upright* when the teacher came in. 선생님이 들어오시자 학생들은 똑바로 앉았다.

*** bomb** [bαm] *n.* **1** 폭탄 **2** (the bomb) 원자 폭탄 **3** [미] 실수, 실패 **4** (a bomb) [영] 큰 돈

v. **1** [T] 폭탄을 투하하다, 폭격하다 **2** [I] 실패하다 **3** [I] 질주하다

— **bomber** *n.* 폭격기

bombard [bαmbάːrd] *v.* [T] **1** 포격하다, 폭격하다 **2** (질문·비평 등을) 퍼붓다: The newspapers *bombarded* the politicians with criticism. 신문은 정치인들을 거세게 비난했다.

— **bombardment** *n.* 포격, 폭격

bond [bαnd] *n.* **1** 유대, 결속 (우정 등과 같이 사람 사이를 결속시켜주는 것): The experience created a very special *bond* between us. 그 경험은 우리 사이에 아주 특별한 유대를 만들어 주었다. **2** (채무) 증서, 채권 **3** [화학] 결합

bondage [bάndidʒ] *n.* **1** 농노[노예]의 신분 **2** 속박, 굴레

*** bone** [boun] *n.* 뼈: jaw *bone* 턱뼈

v. [T] 뼈를 발라 내다: She *boned* a fish for her child. 그녀는 아이를 위해 생선뼈를 발라 냈다.

— **bony** *adj.* 뼈만 앙상한 **funny bone** *n.* (팔꿈치의) 척골의 끝 (치면 짜릿한 뼈)

숙어 have a bone to pick with …에게 불평[불만]을 말할 것이 있다, …에게 (화가 나서) 할 말이 있다

bonfire [bάnfὰiər] *n.* (축하·신호를 위해 노천에 피우는) 큰 화톳불, 모닥불

bonnet [bάnit] *n.* **1** [영] 자동차 엔진 덮개 ([미] hood) **2** 보닛 (턱 밑에서 끈을 매는

여자 · 어린아이용의 챙 없는 모자)

bonus [bóunəs] *n.* **1** 상여금, 보너스 **2** 예기치 않았던 것(선물), 덤

*__book__ [buk] *n.* **1** 책, 서적: I took a *book* with me to read on the train. 나는 기차에서 읽을 책을 가지고 갔다. **2** 기록부, 기입장; (수표 · 차표 등의 떼어 쓰는) 묶음철: an address *book* 주소록 / a check*book* 수표장 **3** (books) 회계 장부

v. **1**, [I,T] 예약하다: I'm sorry, but tomorrow's performance is fully *booked*. 죄송하지만 내일 공연은 전 좌석 예약이 끝났습니다. **2** [T] (…의 혐의로) 경찰 기록에 올리다: The police *booked* him for speeding. 경찰이 과속한 혐의로 그의 이름을 기록에 올렸다.

[숙어] **by the book** 규칙대로, 정식으로

bookcase [búkkèis] *n.* 책장

bookkeeper [búkkì:pər] *n.* 부기(장부) 계원

— **bookkeeping** *n.* 부기

booklet [búklit] *n.* 소책자, 팜플릿

bookmark [búkmɑ̀:rk] *n.* **1** (읽던 곳을 표시하는) 갈피표, 책갈피 **2** [컴퓨터] 북마크 (홈페이지의 주소를 웹 브라우저에 등록 보존해 두는 기능)

bookmobile [búkmoubì:l] *n.* 이동 도서관 (자동차)

bookstore [búkstɔ̀:r] *n.* ([영] bookshop) [미] 책방, 서점

bookworm [búkwə̀:rm] *n.* 독서광

boom [bu:m] *n.* **1** 급속한 발전의 시기, 벼락 경기, 붐: There was a *boom* in the leisure industry. 여가 산업의 붐이 있었다. **2** (대포 · 북 등이) 울리는 소리 **3** 돛을 메는 장대

v. [I,T] **1** 우르루(꽝, 쿵)하다; 울리는(우렁찬) 소리로 알리다 **2** 갑자기 경기가 좋아지다: Our business is *booming* this year. 우리 사업은 올해 호경기이다.

boomerang [bú:məræ̀ŋ] *n.* 부메랑

boost [bu:st] *v.* [T] **1** (수량 · 가격 · 힘 등을) 증가시키다: We hope that the advertising campaign will *boost* sales. 우리는 광고 캠페인이 판매를 증가시켜 주기를 희망하고 있다. **2** 격려하다, (사기를) 높이다: He tried every means to *boost* her confidence. 그는 그녀의 자신감을 높이기 위해 모든 수단과 방법을 동원했다.

n. **1** 증가 **2** 격려, 후원

*__boot__ [bu:t] *n.* **1** 장화, 부츠 **2** [영] 자동차 트렁크 ([미] trunk)

v. **1** [T] 차내다, 걷어차다 **2** [I,T] [컴퓨터] 사용할 수 있게 시동하다 (운영 체제를 컴퓨터에 판독시키다; 그 조작으로 가동할 수 있는 상태로 하다)

booth [bu:θ] *n.* 작은 칸막이 공간: a telephone *booth* 공중전화 박스

*__border__ [bɔ́:rdər] *n.* **1** 국경, 경계: The suspect escaped across the *border*. 용의자가 국경을 넘어 도주했다. **2** (주로 장식용의) 테두리: a blue plate with a white *border* 흰 테두리가 있는 푸른색 접시

v. **1** [T] …에 접경하다, 접하다: Small trees *bordered* the river. 작은 나무들이 강과 접해있었다. **2** [I] 거의 …라고 말할 수 있다, 근사하다 (on): His behavior *bordered* on madness. 그의 행동은 미치광이에 가까웠다.

■ 유의어 **border**

border와 **frontier**는 두 개의 국가나 주를 나눌 때 쓴다. 보통 **border**는 강이나 절벽 같은 자연물에 의한 나누어짐을 말한다. **boundary**는 보다 작은 면적을 나눌 때 쓴다.

borderline [bɔ́:rdərlàin] *n.* (두 상황을 구분하는) 경계선; 국경선

bore¹ bear¹의 과거.

bore² [bɔ:r] *v.* **1** [T] 싫증나게 하다: His old jokes *bore* me. 그가 언제나 하는 농담에 진력이 난다. **2** [I,T] 구멍을 뚫다: He *bored* a hole in(into, through) a board. 그는 판자에 구멍을 뚫었다.

bored [bɔ:rd] *adj.* 지루한, 싫증나는: She's *bored* with her job. 그녀는 일에 싫

증이 났다.

boredom [bɔ́:rdəm] *n.* 지루함, 권태

*****boring** [bɔ́:riŋ] *adj.* 지루한, 따분한: The lecture was deadly *boring*. 강의는 몹시 지루했다.

born [bɔːrn] *v.* bear의 과거분사

※ 사람이나 동물의 탄생에 관해서 표현할 때 쓴다.: Four puppies were *born* today. 오늘 강아지 네 마리가 태어났다.

adj. **1** (명사 앞에만 쓰임) 타고난, 선천적인: He is a *born* leader. 그는 타고난 지도자이다. **2** (-born) (복합어를 이루어) …태생의: Kenyan-*born* athlete 케냐 태생의 운동 선수

숙어 **born of** …에서 태어난, … 출신의: He was *born of* German parents. 그는 독일인 부모에게서 태어났다.

*****borrow** [bɔ́(:)rou] *v.* [I,T] **1** (잠시) 빌리다: He *borrowed* a book from the library. 그는 도서관에서 책을 빌렸다. **2** 차용하다, 모방하다: This word was *borrowed* from French. 이 단어는 프랑스어로부터 차용되었다.

※ '집이나 자동차 등을 빌리다'는 rent를 사용한다.

— **borrower** *n.* 차용인

bosom [búzəm] *n.* 가슴, 품 (특히 여성의 유방): She held her child to her *bosom*. 그녀는 자신의 어린아이를 가슴에 안았다.

boss [bɔ(:)s] *n.* 두목, 우두머리, 감독자: I get on well with my *boss*. 나는 상사와 잘 지낸다.
v. [T] 명령하다, 부려먹다 (about, around)
— **bossy** *adj.* 두목 행세하는, 으스대는

botanical [bətǽnikəl] *adj.* 식물(학상)의: *botanical* garden 식물원

botany [bátəni] *n.* 식물학
— **botanist** *n.* 식물학자

*****both** [bouθ] *adj. pron. adv.* 양쪽(의), 둘다(의): *Both* women were Korean. = *Both* the women were Korean. = *Both* of the women were Korean. 두 여자는

모두 한국인이었다.

※ 부정어와 함께 써서 부분 부정을 나타낸다.: *Both* of them are not alive. 둘 다 살아 있는 것은 아니다. 이 문장은 '둘 다 죽었다', '한 쪽만 죽었다', 두 가지로 해석이 될 수 있다. 완전 부정은 다음과 같다.: *Neither* of them is alive. 그들 중 어느 쪽도 살아 있지 않다.

숙어 **both … and ~** …도 ~도, …뿐만 아니라 ~도: This is *both* cheap *and* good. 이것은 싸고도 좋다. / Exercise is good for *both* body *and* mind. 운동은 신체에뿐만 아니라 정신에도 좋다. SYN not only … but also ~

■ **both의 위치**

1 They *both* went to sleep. 그들은 둘다 자러 갔다.

2 *Both* of them went to sleep. 그들은 둘 다 자러 갔다.

3 We were *both* tired. 우리는 둘 다 피곤했다.

4 *Both* of us were tired. 우리는 둘 다 피곤했다.

5 I like them *both*. 나는 둘 다 좋아한다.

6 *Both* the writers came. 작가가 둘 다 왔다.

*****bother** [báðər] *v.* **1** [T] 괴롭히다, 성가시게 하다: I'm sorry to *bother* you, but could you direct me to the station? 번거롭게 해 죄송하지만 역으로 가는 길 좀 알려 주시겠어요? SYN trouble **2** [I] 일부러 …하다, (…을 하려고) 애쓰다: Don't *bother* to get dinner for me today. 오늘은 애써 내 저녁을 준비할 필요가 없다. **3** [I] 심히 걱정하다: Don't *bother* about the expenses. 비용 걱정은 하지 마라.

n. 성가심, 귀찮음, 어려움: I find the work a great *bother*. 이 일은 참 귀찮다.

— **bothersome** *adj.* 귀찮은

숙어 **can't be bothered to** …을 하는 데 시간[노력]을 들이고 싶지 않다: I *can't be* *bothered to* do it. I'll do it tomorrow. 오늘 그것을 하고 싶지 않아. 내일 할 거야.

■ **유의어** bother

bother 폐·걱정을 끼치거나 일 등을 방해하다. **annoy** 귀찮고 불쾌한 일로 초조하게 하다. **worry** 불안·걱정·심려 등을 끼쳐 상대를 괴롭히다.

bottle [bátl] *n.* **1** 병 **2** 한 병 분량: a *bottle* of beer 맥주 한 병
v. [T] 병에 넣다

[숙어] **bottle up** 격한 감정을 억제하다: Things will get worse if you keep your feelings *bottled up*. 계속 너의 감정을 억제하면 상황은 더욱 악화될 거야.

bottleneck [bátlnèk] *n.* **1** 교통 체증이 생기는 지점 (병목 현상이 일어나는 곳) **2** 애로, 장애

bottom [bátəm] *n.* **1** 밑, 밑바닥 (가장 낮은 곳, 가장 깊은 곳): I sat at the *bottom* of the stairs. 나는 계단의 제일 아래쪽에 앉았다. **2** 밑바닥 부분: There's the price tag on the *bottom* of the box. 상자 밑바닥에 가격표가 붙어 있습니다. **3** 엉덩이: She fell on her *bottom*. 그녀는 엉덩방아를 찧었다. **4** 말석, 최하위: He is at the *bottom* of the class. 그는 학급에서 꼴찌다.
adj. (명사 앞에만 쓰임) 최하단의: The cup is on the *bottom* shelf. 컵은 맨 아래 선반 위에 있다.

[숙어] **at bottom** 본질적으로는, 사실은: He is, *at bottom*, an honest man. 그는 사실은 정직한 사람이다.

be at the bottom of …의 주원인이다: I find that anger *is at the bottom of* the problem. 그 문제의 주원인은 분노심인 것을 알겠다.

Bottoms up! 건배!, 쭉 들이켜요!

get to the bottom of 진상을 밝히다: I'm not sure what is causing this mess, but I'll *get to the bottom of* it. 무엇이 이런 문제거리를 만들었는지 모르겠지만 진상을 밝히고야 말겠다.

bottom line *n.* **1** (the bottom line) (토론하거나 결정을 내릴 때 고려해야 할) 가장 중요한 사항, 핵심: The *bottom line* is that it's not profitable. 가장 중요한 사항은 그것이 이익이 되지 않는다는 것이다. **2** 순이익 〔손실〕 **3** 최저가

bough [bau] *n.* 큰 가지

boulder [bóuldər] *n.* 둥근 돌, 옥석

boulevard [bú(:)ləvà:rd] *n.* (*abbr.* blvd.) **1** [영] 넓은 가로수 길 **2** [미] 큰 길, 대로

bounce [bauns] *v.* **1** [I,T] (공 등이) 튀어나가다, 되튀게 하다: The ball *bounced* back from the wall. 공이 벽에 맞고 되튀어왔다. **2** [I] (위 아래로 계속) 뛰다: Stop *bouncing* on the bed! 침대에서 뛰지 마라! **3** [I,T] (수표가 잔고가 없어) 되돌아오다, 부도 처리하다
n. 되튐, 튀어오름
— **bouncy** *adj.* 탄력 있는; 활기 있는

bound [baund] *adj.* **1** 꼭〔거의 틀림없이〕…하게 되어 있는: You are *bound* to pass the exam. 넌 틀림없이 시험에 합격할 거야. **2** 법적〔도덕적〕 의무를 가진, …하지 않을 수 없는: She feels *bound* to tell them the truth. 그녀는 그들에게 진실을 밝혀야 한다고 생각하고 있다. **3** (열차·비행기 등이) …행의 (for): a plane *bound* for Greece 그리스행 비행기
v. [I] **1** 큰 보폭으로 빨리 뛰다 **2** 튀다, 바운드하다
n. **1** 도약 **2** 영역내, 영내 **3** (보통 *pl.*) 범위, 한계: It passes the *bounds* of common sense. 그것은 상식의 범위를 벗어난 것이다.

[숙어] **out of bounds** 출입 금지의 (to, for): This area is *out of bounds* for children. 이 지역은 어린이 출입 금지입니다.

boundary [báundəri] *n.* **1** 경계(선): The river forms the *boundary* between the U.S. and Mexico. 그 강은 미국과 멕시코의 국경을 이룬다. ⇨ border **2** (보통

pl.) 한계, 범위, 영역: the *boundaries* of human knowledge 인간 지식의 한계

bouquet [boukéi] *n.* 꽃다발, 부케

bourgeois [buərdʒá:] *adj.* 중산〔유산〕계급의; 자본주의의
— the **bourgeoisie** *n.* 중상〔유산, 시민, 자본가〕계급

boutique [bu:tí:k] *n.* 〔프〕부티크 (특히 값비싼 유행 여성복·액세서리 등을 파는 작은 양품점이나 백화점의 매장)

***bow**¹ [bau] *v.* **1** [I,T] (인사로서) 머리〔상체〕를 숙이다: He *bowed* to the audience. 그가 청중에게 인사했다. **2** [I] 받아들이다, 굴복하다 (to): I *bow* to your opinion. 너의 의견에 따르겠다.
n. **1** 인사: take a *bow* (갈채·소개 등에 대한 답례로) 인사하다 **2** 뱃머리 OPP stern

***bow**² [bou] *n.* **1** (운동화 끈 등을 맬 때 하는) 나비 모양 매듭; 나비 넥타이: *bow* tie 나비 넥타이 **2** (무기의) 활: *bow* and arrows 활과 화살들 **3** (악기의) 활: a violin *bow* 바이올린 활

bowel [báuəl] *n.* (보통 *pl.*) 창자, 내장: loose *bowel* 설사

***bowl** [boul] *n.* **1** 사발, 볼: a soup *bowl* 수프 사발 **2** (음식의) 한 사발 분량: a *bowl* of rice 밥 한 그릇 **3** (설거지·빨래에 사용하는) 대야: wash*bowl* 세면대
v. [I,T] 공굴리기를 하다

bowling [bóuliŋ] *n.* 볼링

***box** [baks] *n.* **1** 상자 **2** 상자와 내용물: a *box* of matches 성냥 한 갑 **3** (이름 등을 써넣는) 네모 칸: put a check in the *box* 네모 칸에 체크 표시를 하다 **4** (특정 목적의) 작은 공간: the jury *box* 배심석
v. **1** [I,T] 권투하다 **2** [T] 상자에 넣다

boxing [báksiŋ] *n.* 권투
— **boxer** *n.* 권투 선수

box office *n.* (극장 등의) 매표소

***boy** [bɔi] *n.* **1** 남자 아이, 소년, 청년 **2** 아들
— **boyish** *adj.* 소년 같은

boycott [bɔ́ikat] *v.* [T] **1** 보이콧하다, 불매 운동을 하다 **2** (회의 등의) 참가를 거부하다
n. 보이콧, 불매 운동

boyfriend [bɔ́ifrènd] *n.* 남자 친구; 애인

boyhood [bɔ́ihud] *n.* 소년기, 소년 시절

brace [breis] *n.* **1** 버팀대, 지주 **2** 치열 교정기 ([미] braces) **3** (braces) 바지 멜빵 ([미] suspenders)
v. [T] **1** 좋지 않은 일에 대비하다, 마음을 다잡다 (oneself for): They *braced* themselves for the storm. 그들은 폭풍에 대한 대비를 했다. **2** 버티다, 떠받치다

bracelet [bréislit] *n.* 팔찌

bracket [brǽkit] *n.* **1** (보통 *pl.*) 모난 괄호 (주로 [ ], 〔 〕, 드물게 ( ), 〈 〉, { }) ([미] parenthesis) **2** 버팀대
v. [T] **1** 괄호로 묶다 **2** (버팀대로) 죄다

brag [bræg] *v.* [I] (bragged-bragged) 자랑하다, 허풍떨다: He's always *bragging* about how pretty his girlfriend is. 그는 언제나 자기의 여자 친구가 예쁘다고 자랑한다.
— **braggart** *n.* 허풍선이, 자랑꾼

braid [breid] *n.* **1** (군인의 제복 등을 장식하는 데 쓰는) 여러 색상의 얇은 끈 **2** 땋은 머리카락

braille [breil] *n.* 점자(법): The instructions were written in six languages and in *braille*. 안내문은 6개국의 언어와 점자로 표기되었다.
※ 점자법은 프랑스 교육자인 Louis Braille에 의해 고안됐다.

***brain** [brein] *n.* **1** 뇌: *brain* damage 뇌 손상 **2** 지적 능력: If you've got a *brain*, you'll learn it fast. 만약 머리가 좋다면 금방 배울 것이다. **3** 명석한 사람
— **brainless** *adj.* 머리가 나쁜 **brainy** *adj.* 머리가 좋은

brainstorm [bréinstɔ̀:rm] *n.* **1** 갑자기 일어나는 정신 착란 **2** 갑자기 떠오른 묘안, 영감

v. [I,T] 브레인스토밍하다

brainstorming [bréinstɔːrmiŋ] *n.* 브레인스토밍 (회의에서 모두가 아이디어를 제출하여 그 중에서 최선책을 결정하는 방법): We need to get together and do a little *brainstorming*. 우리 모여서 아이디어 회의를 좀 해야겠다.

brainwash [bréinwàʃ] *v.* [T] 세뇌하다
— **brainwashing** *n.*

brake [breik] *n.* **1** (자동차의) 브레이크: apply(put on) the *brake* 브레이크를 걸다 / take off the *brake* 브레이크를 풀다 **2** 제동, 억제: put a *brake* on reform 개혁에 제동을 걸다

branch [bræntʃ] *n.* **1** (나무) 가지 **2** 지사, 지점: a *branch* office 지사 **3** (학문의) 분과, 부문: Pediatrics is a *branch* of medicine. 소아과는 의학의 한 분야이다.

v. [I] (길이) 갈라지다

숙어 **branch off** (차가) 지선으로(곁길로) 들다: The railroad tracks *branch off* in all directions. 철도 선로는 사방으로 갈라진다.

branch out (장사·사업 등의) 규모를 확장하다

■ 유의어 **branch**
branch 일반적인 나무 가지. **bough** 큰 가지. **twig** 작은 가지. **spray** 특히 끝이 갈라져 꽃이나 잎이 달린 작은 가지.

brand [brænd] *n.* **1** 상표, 브랜드: What *brand* of detergent do you use? 어떤 상표의 세제를 쓰세요? **2** (소유주·품종 등을 표시하는) 소인

v. [T] **1** …에 소인을 찍다 **2** (…에게) 오명을 씌우다: He was *branded* as a thief. 그는 절도범이라는 오명을 썼다.
— **brand name** *n.* 상표명

brand-new *adj.* 아주 새로운, 신품의

brandy [brǽndi] *n.* 브랜디 (와인으로 만든 독한 술)

brass [bræs] *n.* **1** 놋쇠, 황동 **2** 금관 악기

brass band *n.* (금관 악기 중심의) 취주악단

brave [breiv] *adj.* 용감한: She was very *brave* to learn to ski at fifty. 그녀는 쉰 살에 스키를 배울 만큼 용감했다. SYN courageous

v. [T] 용감히 맞서다
— **bravely** *adv.* **bravery** *n.*

bravo [brάːvou] *int.* 브라보, 잘 한다, 좋아

breach [briːtʃ] *n.* **1** (약속·법 등의) 어김, 위반 (of): a *breach* of duty 직무 태만 **2** 절교, 불화 **3** (성벽 등의) 터진 곳

v. [T] **1** (약속·법 등을) 어기다 **2** (성벽 등을) 터지게 하다, 돌파하다

bread [bred] *n.* **1** 빵: *bread* and butter 버터 바른 빵 / I baked a loaf of *bread*. 나는 빵을 한 덩어리 구웠다. **2** 생계, 식량: daily *bread* 일용할 양식

※ 빵은 셀 수 없는 명사이므로 '빵 한쪽'은 a slice of bread, '빵 한 덩어리'는 a loaf of bread라고 표현한다.

breadth [bredθ] *n.* **1** 나비, 폭 SYN width **2** (주제·지식 등의) 광범위함: I was impressed by the *breadth* of his knowledge. 나는 그의 폭넓은 지식에 감명받았다.

breadwinner [brédwìnər] *n.* (한 가정의) 생계를 책임지는 사람: When his dad died, he became the *breadwinner*. 그는 아버지가 돌아가신 후 생계를 책임지게 되었다.

break [breik] *v.* (broke-broken) **1** [I,T] 깨지다, 깨뜨리다, 부러지다, 부러뜨리다: *break* a window 유리창을 깨다 / She *broke* her arm. 그녀는 팔이 부러졌다. / The handle has *broken* off. 손잡이가 떨어졌다.

2 [I,T] 고장나다: The TV has *broken*. TV가 고장났다.

3 [T] (약속·법규 등을) 어기다, 위반하다

4 [I,T] 잠시 중단하다: Let's *break* for lunch now. 이제 잠시 쉬고 점심 식사 합시다.

5 [T] (침묵·평화 등을) 깨뜨리다: The silence was *broken* by the sound of a dog barking. 개가 짖는 소리에 정적이 깨졌다.

6 [T] (나쁜 습관·버릇 등을) 그만두다, 고치다: He finally *broke* the habit; he stopped smoking. 그가 드디어 버릇을 고쳤다. 담배를 끊었다.

7 [I] 시작되다, 일어나다: The day was *breaking* as I woke up. 내가 깼을 때 날이 밝아오고 있었다.

8 [I] (목소리가) 변하다: His voice *broke* with emotion. 감정이 북받쳐 그의 목소리가 이상하게 나왔다.

n. **1** 깨진 곳, 갈라진 틈: a *break* in the clouds 구름 사이의 틈

2 잠시의 휴식, 짧은 휴가: Let's have a *break*. 우리 잠시 쉬자.

3 중단, 끊임; 절교: She wanted to make a complete *break* with the past. 그녀는 과거와 완전히 단절하기를 원했다.

— **breakable** *adj.* 깨지기 쉬운

[숙어] **break a record** 기록을 깨다: She *broke* the 100 meters *record*. 그녀가 100 미터 달리기 기록을 깼다.

break away 도망치다, 이탈하다; (습관 등을) 갑자기 그만두다: *break away* from the conventions 전통을 깨다

break down 1 고장나다: His car *broke down*. 그의 차가 고장났다. **2** (감정을 억제하지 못하고) 울다: She *broke down* in tears when she heard the news. 그 소식을 들었을 때 그녀는 울기 시작했다.

break in (강제로) 침입하다: Burglars have *broken in*. 강도들이 침입했다.

break into 1 …에 침입하다: Thieves *broke into* his house last night. 지난 밤에 그의 집에 도둑이 들었다. **2** 별안간 …하기 시작하다: *break into* a run 갑자기 뛰기 시작하다

break loose[free] 탈출하다: One of the tigers in the zoo has *broken loose*. 동물원의 호랑이가 한 마리가 탈출했다.

break off 1 …을 꺾다: *break off* a branch of a cherry tree 벚나무 가지를 하나 꺾다 **2** (갑자기) 그만두다: The meeting was *broken off*. 회의는 중단되었다.

break one's promise 약속을 깨다: Don't you ever *break your promise* again! 또 약속을 어기기만 해봐라!

break out 1 (전쟁·화재 등이) 일어나다: The Korean War *broke out* in 1950. 한국 전쟁은 1950년에 일어났다. **2** 탈출하다 (of): Two prisoners *broke out* of prison. 두 명의 죄수가 탈옥을 했다.

break the ice (분위기를 부드럽게 하려고) 이야기를 꺼내다: To *break the ice*, he spoke of his hobbies and they soon had a conversation going. 어색함을 깨기 위해 그는 그의 취미에 대해 이야기를 했고 그들은 금방 대화를 이어나갔다.

break through 헤치고 나아가다, 돌파하다: Protesters *broke through* the police barriers. 항의자들이 경찰에 의한 저지선을 뚫고 나아갔다.

break up 1 헤어지다: They *broke up* because they didn't have much in common. 그들은 서로 공통점이 별로 없어서 헤어졌다. **2** 해체하다, 조각내다: The workmen *broke up* the pavement to repair the broken pipes lying under it. 깨진 파이프를 수리하려고 일꾼들이 보도를 조각조각 뜯어냈다. **3** (회의가) 끝나다: The meeting *broke up* in confusion. 회의는 혼란한 가운데 끝이 났다.

break with …와 관계를 끊다: It is difficult for us to *break with* bad friends and habits. 나쁜 친구와 나쁜 습관을 끊는다는 것은 어렵다.

Give me a break! 1 그만 해! **2** (한 번 더) 기회를 줘!

breakage [bréikidʒ] *n.* (보통 *pl.*) 파손물, 손상

breakdown [bréikdàun] *n.* **1** (기계·

열차 등의) 고장: We had a *breakdown* yesterday. 어제 우리 차가 고장났어. **2** 단절, 와해: a *breakdown* in relations between the two countries 양국간의 관계 단절 **3** 신경 쇠약: After his son died he had a *breakdown*. 그의 아들이 죽은 후 그는 신경 쇠약에 걸렸다. [SYN] nervous breakdown **4** (자료 등의) 분석; 명세, 내역: We need a *breakdown* of statistics into two categories. 우리는 통계를 두 개의 범주로 정리한 것이 필요하다.

*__breakfast__ [brékfəst] *n.* 조반, 아침 식사: I had coffee and toast for *breakfast*. 나는 아침 식사로 커피와 토스트를 먹었다.

※ break(깨다)+fast(단식)

■ **호텔의 breakfast 종류**
· **English breakfast** 시리얼, 계란, 베이컨, 소세지, 토마토, 토스트 등등.
· **continental breakfast** 빵, 잼, 버터, 커피, 과일 주스

---

breakneck [bréiknèk] *adj.* (명사 앞에만 쓰임) 위험하기 짝이 없는: He drove at *breakneck* speed. 그는 매우 위험천만한 속도로 차를 몰았다.

breakthrough [bréikθrù:] *n.* (과학·기술 등의) 획기적인 진전(발견): Scientists made a *breakthrough* in cancer research. 과학자들은 암 연구에 있어서 획기적인 진전을 이루어냈다.

breast [brest] *n.* **1** 가슴 (상체 중 목 아래 부분) **2** 유방

breast-feed [bréstfì:d] *v.* [I,T] 젖을 먹이다, (아기를) 모유로 키우다

breaststroke [bréststròuk] *n.* 개구리 헤엄, 평영

*__breath__ [breθ] *n.* 숨, 호흡: take(draw) a long(deep) *breath* 한숨 돌리다, 심호흡 하다

[숙어] **hold one's breath** 숨을 죽이다(멈추다)

out of breath 숨을 헐떡이며, 숨이 차서: He arrived there *out of breath*. 그는 숨을 헐떡이며 그곳에 도착했다. [SYN] breathlessly

take one's breath away 아무를 놀라게(경탄하게) 하다: This song *takes my breath away*. 이 노래는 정말 좋다.

under one's breath (아무도 듣지 못하게) 낮은 소리로: He told me the news *under his breath*. 그는 낮은 목소리로 내게 소식을 전해 주었다.

breathe [bri:ð] *v.* [I,T] 숨쉬다, 호흡하다: The doctor told me to *breathe* in and then *breathe* out again slowly. 의사는 내게 숨을 들이쉰 후 다시 숨을 천천히 내쉬라고 말했다.

[숙어] **breathe one's last** 마지막 숨을 거두다, 죽다

※ breathe one's last breath의 뜻으로 동족목적어(breath)를 생략한 형식이다.

not breathe a word 비밀을 누설하지 않다: Do*n't breathe a word* about this accident to my mother. 이 사고에 대해서 우리 어머니한테 이야기해서는 안 돼.

breathless [bréθlis] *adj.* **1** 숨찬: He was *breathless* after a long jogging. 그는 오랜 시간의 조깅으로 숨이 찼다. **2** (놀람·흥분으로) 숨도 쉴 수 없을 정도의, 숨막히는: When she got a letter from her first pen pal, she was *breathless* with excitement. 그녀가 첫 펜팔로부터 편지를 받았을 때, 그녀는 흥분해서 숨도 쉴 수 없었다.
— **breathlessly** *adv.*

breathtaking [bréθtèikiŋ] *adj.* 깜짝 놀랄 만한, 너무 아름다운: *breathtaking* scenery 너무 아름다운 풍경
— **breathtakingly** *adv.*

breed [bri:d] *v.* (bred-bred) **1** [I] (동물이) 새끼를 낳다, 번식하다 **2** [T] (품종을) 개량하다, 교배시키다 **3** [T] (동물을) 기르다, 양육하다 **4** [T] 야기시키다, 생기게 하다: War *breeds* misery. 전쟁은 불행을 낳는다.

n. 종류, 유형, 품종: a *breed* of dog 개의 품

종

— **breeder** *n.* 사육사

breeding ground *n.* **1** (동물의) 사육장, 번식지 **2** (사상 등을 키우는) 적당한 장소, 온상: a *breeding ground* for crime 범죄의 온상

breeze [bri:z] *n.* **1** 산들바람, 미풍 **2** 쉬운 일: The test was a *breeze*. 시험은 쉬웠다.

v. [I] 쓱 걸어나가다〔나아가다〕; 수월하게 진행하다: She *breezed* by me without saying a word. 그녀는 한 마디 말도 없이 내 옆을 쓱 지나갔다.

breezy [brí:zi] *adj.* (breezier-breeziest) **1** 산들바람이 부는 **2** 쾌활한, 기운찬

brevity [brévəti] *n.* 간결, (시간의) 짧음: *Brevity* is the soul of wit. 재치의 핵심은 간결한 데 있다.

brew [bru:] *v.* **1** [T] 맥주를 만들다, 양조하다 **2** [T] (뜨거운 물을 넣어) 차〔커피〕를 만들다: He *brewed* us some coffee. 그가 우리에게 커피를 만들어 주었다. **3** [I] (차가) 우러나다 **4** [I,T] (음모를) 꾸미다 **5** [I] (소동·폭풍우 등이) 일어나려고 하다

bribe [braib] *n.* 뇌물

v. [T] 뇌물을 쓰다, 매수하다: I *bribed* him to say nothing. 나는 그를 매수하여 아무 말도 못하게 했다. SYN buy off

— **bribery** *n.* 뇌물 수수

brick [brik] *n.* 벽돌

v. [T] 벽돌을 깔다〔쌓다〕, 벽돌로 막다

bricklayer [bríklèiər] *n.* 벽돌공

bride [braid] *n.* 신부

— **bridal** *adj.*

bridegroom [bráidgrù(:)m] *n.* 신랑

bridesmaid [bráidzmèid] *n.* 신부 들러리

***bridge** [bridʒ] *n.* **1** 다리, 교량: Trains go across a *bridge* over the river. 기차가 강 위에 놓인 다리를 지나간다. **2** 선교 (선장이 서는 배의 상단 부분) **3** 네 명이서 하는 카드놀이

v. [T] 다리를 놓다

***brief** [bri:f] *adj.* **1** 단시간의, 짧은: a *brief* stay in the country 시골에서의 짧은 체류 **2** 간결한: take *brief* notes 간단한 메모를 하다

n. **1** 요점, 간결한 지시: The doctor's *brief* is to cut down on meat and eat more greens. 의사의 요점은 육류를 줄이고 채소를 더 많이 먹으라는 것이다. **2** (briefs) 짧은 팬티 (shorts)

v. [T] (…에게) 정보를 주다: She *briefed* him on the market share. 그녀는 그에게 시장 점유율에 대한 브리핑을 했다.

— **briefly** *adv.*

숙어 **in brief** 간단히 말하면: *In brief*, I want some money. 간단히 말해서, 저는 돈이 좀 필요해요. SYN in short

briefcase [brí:fkèis] *n.* 서류 가방

***bright** [brait] *adj.* **1** (빛이) 밝은: a *bright* day 쾌청한 날 **2** (색깔이) 선명한: a *bright* red jumper 선명한 빨간색 점퍼 **3** 머리가 좋은, 영리한: a *bright* kid 영리한 아이 **4** 희망적인: *bright* future 밝은 미래 **5** 원기 있는, 명랑한

— **brightly** *adv.* **brightness** *n.*

숙어 **look on the bright side** 일을 낙관하다

brighten [bráitn] *v.* [I,T] **1** 밝아지다, 빛나게 하다: The clouds left and the sky *brightened*. 구름이 걷히고 하늘이 밝게 빛났다. **2** 기분이 좋아지다, 행복하게 하다: His face *brightened* at the news. 그 소식에 그의 얼굴이 환해졌다.

brilliant [bríljənt] *adj.* **1** 찬란하게 빛나는, 매우 밝은: *brilliant* light 매우 밝은 빛 **2** 매우 영리한: He's very *brilliant*. 그는 매우 영리하다. SYN clever **3** 매우 훌륭한: That's a *brilliant* idea. 그건 매우 훌륭한 생각이다.

— **brilliantly** *adv.* **brilliance** *n.*

brim [brim] *n.* **1** (컵 등의) 가장자리, 언저

리: I poured water till the glass was full to the *brim*. 나는 컵이 가장자리까지 가득 찰 때까지 물을 따랐다. SYN edge **2** (모자의) 챙
v. [I] (brimmed-brimmed) 가장자리까지 차다, 넘칠 정도로 차다: Her eyes *brimmed* with tears. 그녀의 눈은 눈물로 그득했다. / He was *brimming* with confidence. 그는 자신감이 넘쳐 흐르고 있었다.
[숙어] **brim over (with)** 넘치다: The glass was *brimming over* with beer. 유리잔에 맥주가 흘러 넘치고 있었다.

*★**bring** [briŋ] *v.* [T] (brought-brought) **1** 가지고[데리고] 오다: *Bring* me a chair. = *Bring* a chair to me. 의자를 갖다 다오. / You can *bring* your children. 아이들을 데려와도 됩니다. **2** 오게 하다: What *brings* you here today? 무슨 일로 오늘 여기 온 거니? **3** 초래하다, 일으키다: The smoke *brought* tears in my eyes. 연기 때문에 눈물이 났다. **4** …할 마음이 생기게 하다: I can't *bring* myself to do it. 아무리 해도 그것을 할 마음이 생기지 않는다.
[숙어] **bring about** (일을) 일으키다; 정신 차리게 하다: Gambling *brought about* his ruin. 도박이 그의 파산을 초래했다.
bring back 1 되돌리다; 갖고 돌아오다 **2** 상기시키다: The story *brought back* my happy days. 그 이야기는 나의 행복했던 지난날을 생각나게 했다.
bring forward 1 앞당기다: The meeting has been *brought forward* by a week. 회의가 일주일 앞당겨졌다. **2** (안건·논의 등을) 제출하다: She *brought forward* a new scheme of taxation. 그녀는 새로운 과세안을 제출했다.
bring into the world …을 낳다: He was *brought into the world* in 1975. 그는 1975년에 태어났다.
bring on 1 가져오다 **2** (일을) 야기시키다: His overwork *brought on* an illness. 그는 과로로 병이 났다.

bring out 1 생산하다, 세상에 내놓다: That company *brought out* a new, smaller cellular phone. 그 회사는 새롭고 더욱 작은 휴대폰을 생산해냈다. **2** (특성·세부 사항을) 이끌어 내다: A hardship *brings out* the best in her. 어려움은 그녀의 최대 능력을 이끌어 낸다.
bring to [around] 의식을 회복시키다: She will soon be *brought to*. 그녀는 얼마 안 있어 의식이 회복될 것이다.
bring to life 소생시키다
bring to light 공표하다, 밝히다: A new fact was *brought to light*. 새로운 사실이 밝혀졌다.
bring to mind …을 생각나게 하다: That story *brings to mind* a similar experience. 그 이야기는 비슷한 경험을 생각나게 해 준다.
bring up 1 기르다, 교육하다: She was *brought up* in America. 그녀는 미국에서 자랐다. **2** (화제 등을) 내놓다: The matter will be *brought up* again in the next meeting. 그 문제는 다음 모임에서 다시 제기될 것이다.

brink [briŋk] *n.* **1** (벼랑 등의) 가장자리 SYN edge, verge **2** 물가 **3** (…하기) 직전, 고비
[숙어] **on the brink of** … 직전의: He is *on the brink of* death. 그는 죽음 직전에 이르렀다.

brisk [brisk] *adj.* **1** 빠른, 힘찬: He walked at a *brisk* pace. 그는 빠른 걸음으로 걸었다. **2** (날씨가) 상쾌한, 쾌적한 **3** (말투 등이) 무뚝뚝한, 쌀쌀맞은: a *brisk* reply 무뚝뚝한 대답
— **briskly** *adv.* **briskness** *n.*

bristle [brísəl] *n.* 짧고 뻣뻣한 털
v. [I] **1** (털이) 곤두서다: The dog *bristled* at the sight of the cat. 개가 고양이를 보자 털을 곤두세웠다. **2** 격노하다 (with, at)
— **bristled** *adj.*
[숙어] **bristle with** …로 가득하다: The

street *bristles with* people. 거리는 사람들로 가득하다.

*__broad__ [brɔːd] *adj.* **1** 넓은: a *broad* street 넓은 도로 OPP narrow **2** 광범위한, 다양한: a *broad* range of products 다양한 제품 **3** 대략의, 전반적인: She explained the new system in *broad* terms. 그녀는 새로 도입한 시스템에 대해서 대략적으로 설명해 주었다.

숙어 in broad daylight 백주에, 대낮에

*__broadcast__ [brɔ́ːdkæ̀st] *v.* [I,T] (broadcast-broadcast) 방송(방영)하다: a *broadcasting* station 방송국 / The game is being *broadcast* live around the world. 그 경기는 전세계로 생방송되고 있다.
n. 방송, 방영

broaden [brɔ́ːdn] *v.* [I,T] 넓어지다, 넓히다: Workers *broadened* the road. 일꾼들이 길을 넓혔다. / Travel *broadens* mind. 여행은 마음을 넓혀 준다.

broadly [brɔ́ːdli] *adv.* 넓게; 대략: *Broadly* speaking, there are four types of people. 대략적으로 말하면 사람은 네 가지 타입이 있다.

broad-minded [brɔ́ːdmáindid] *adj.* 마음이 넓은 OPP narrow-minded

brochure [brouʃúər] *n.* [프] 소책자 (회사나 상품에 대한 사진과 정보가 들어 있는 얇은 책자)

broil [brɔil] *v.* [I,T] ([영] grill) [미] (고기를) 불에 굽다, 구워지다

broke [brouk] *adj.* (명사 앞에는 쓰이지 않음) 돈이 없는, 파산한: I can't go anywhere. I'm absolutely *broke*. 나는 아무데도 갈 수가 없다. 돈이 하나도 없다.

broken [bróukən] *adj.* **1** 부서진, 망가진: Watch out! There's *broken* glass on the floor. 조심해! 바닥에 깨진 유리 조각이 있어. / a *broken* camera 망가진 카메라 **2** (약속 · 맹세 등이) 깨진, 파기된: a *broken* promise 지켜지지 않은 약속 **3** 띄엄띄엄 이어지는, 단속적인: a *broken* sleep 선잠 **4**

낙담한, 비탄에 잠긴: She was a *broken* woman after her son died. 그녀는 아들이 죽은 후 비탄에 잠겼다. **5** 엉망인, 변칙적인: *broken* English 엉터리 영어

broken-hearted *adj.* 비탄에 잠긴; 실연한

broken home *n.* 결손 가정 (사망 · 이혼 등으로 한쪽 부모 또는 양친이 없는 가정)

broker [bróukər] *n.* 중개인, 브로커

bronze [branz] *n.* **1** 청동 **2** 청동제의 물건 **3** 청동색
adj. 청동으로 만든

Bronze Age *n.* (the Bronze Age) 청동기 시대

brooch [broutʃ] *n.* 브로치 (여성이 옷에 꽂는 핀이 달린 보석)

brood [bruːd] *v.* [I] **1** 곰곰이 생각하다: He *brooded* over whether or not to quit his job. 그는 일을 그만둘지 어떨지 곰곰이 생각했다. **2** 알을 품다
n. 한 배 병아리, (동물의) 한 배 새끼

brook [bruk] *n.* 시내, 개울 SYN stream

*__broom__ [bru(ː)m] *n.* 자루가 긴 비
v. [T] 비로 쓸다

broomstick [brú(ː)mstìk] *n.* 빗자루

broth [brɔ(ː)θ] *n.* 묽은 수프

*__brother__ [brʌ́ðər] *n.* **1** 형제 **2** (종교상의) 형제 **3** 동료
— **brotherly** *adj.* 형제의
※ '형'은 elder brother, '동생'은 younger brother라고 한다. 그러나 elder, younger를 특별히 명시하지 않는 경우가 많다.

brotherhood [brʌ́ðərhùd] *n.* **1** 형제의 우애 (사람들 사이의 깊은 교감) **2** (보통 종교적인 목적으로 형성된) 조직, 단체

brother-in-law *n.* (*pl.* brothers-in-law) **1** 남편이나 부인의 형제 **2** 여자 형제의 남편

brow [brau] *n.* **1** (보통 *pl.*) 눈썹 SYN eyebrow **2** 이마 SYN forehead **3** 산(언덕)마루

숙어 knit one's brows 눈살을 찌푸리다

*brown [braun] *n.* *adj.* **1** 갈색(의): *brown* sugar 갈색 설탕 **2** (살갗이) 볕에 그을린

v. [I,T] 갈색으로 물들다(만들다): *Brown* the chopped onions first. 우선 다진 양파를 갈색이 될 때까지 볶으세요.

— **brownish** *adj.* 옅은 갈색을 띤

bruise [bru:z] *n.* 타박상, 상처, 멍

v. [I,T] 타박상을 입다(입히다): Apples *bruise* easily. 사과는 흠이 생기기 쉽다. / I *bruised* my left hand. 나는 왼손에 타박상을 입었다.

brunch [brʌntʃ] *n.* 조반 겸 점심, 늦은 아침, 이른 점심: We had *brunch* on Sunday morning at 11:00 a.m. 우리는 일요일 오전 11시에 아침 겸 점심을 먹었다.

※ breakfast(아침 식사)+lunch(점심 식사)

*brush [brʌʃ] *n.* **1** 솔, 붓, 빗: a hair *brush* 머리 빗 **2** 솔질, 머리 손질: Give it another *brush*. 다시 한 번 솔질해라.

v. **1** [T] 솔질하다, 털다, 청소하다: *Brush* your teeth. 양치질 해라. / He *brushed* dust off his shoes. 그는 신발의 먼지를 (솔로) 털었다. **2** [I,T] 스치다: Her hair *brushed* his cheek. 그녀의 머리카락이 그의 볼을 스쳤다.

— **brushy** *adj.* 솔 같은, 털 많은

[숙어] **brush off**(away) **1** (브러시로) …을 털어 버리다, 청소하다: He *brushed off* the dust. 그는 먼지를 털어 버렸다. **2** 무시하다, 거절하다: He *brushed off* my question. 그는 나의 질문을 무시해 버렸다.

brush up on 다시 공부하다: I have to *brush up on* my English. 다시 영어 공부를 시작해야겠다. [SYN] review

brusque [brʌsk] *adj.* 무뚝뚝한, 퉁명스러운

— **brusquely** *adv.*

brutal [brú:tl] *adj.* 잔인한, 사나운

— **brutally** *adv.* **brutality** *n.*

*bubble [bʌ́bəl] *n.* 거품, 기포: blow *bubbles* 비눗방울을 불다 / *bubble*

economy 거품 경제

※ foam이나 froth가 거품의 집합체인데 대하여 bubble은 그 낱낱의 거품을 말한다.

v. [I] **1** 거품이 일다 **2** (흥분 등으로) 벅차오르다, 기분이 매우 좋다 (over, with)

bubble gum *n.* 풍선껌

buck [bʌk] *n.* **1** [미] 달러: Could you lend me a few *bucks*? 몇 달러만 좀 빌려 줄 수 있어? **2** 수사슴, (순록·토끼 등의) 수컷

■ 미국 돈의 별칭
penny 1센트 **nickel** 5센트
dime 10센트 **quarter** 25센트
buck 1달러 **greenback** 1달러짜리 지폐

bucket [bʌ́kit] *n.* **1** 양동이 **2** 한 양동이 가득한 양 (bucketful): We need a couple of *buckets* of water. 한 두 양동이 정도의 물이 필요하다.

buckle [bʌ́kəl] *n.* (혁대 끝 부분의) 죔쇠, 버클

v. [I,T] **1** 죔쇠로 죄다: *Buckle* up your seat belt. =Fasten your seat belt. 안전벨트를 매라. **2** (열·압력으로) 굽어지다: The railway lines *buckled* in the heat. 철로가 더위로 휘었다.

bud [bʌd] *n.* 싹, 봉오리: rose*bud* 장미꽃 봉오리

Buddha [bú:də] *n.* **1** (the Buddha) 불타, 부처 (석가모니의 존칭) **2** 불상

Buddhism [bú:dizəm] *n.* 불교

Buddhist [bú:dist] *n.* 불교도
adj. 불교의

buddy [bʌ́di] *n.* **1** 친구 (특히 남자끼리): We have been great *buddies* for years. 우리는 수년 간 절친한 친구로 지내고 있다. **2** 친구 (모르는 사이에 부르는 말): Hey, *buddy*! Is this your bike? 이봐, 친구! 이거 자네 자전거인가?

budget [bʌ́dʒit] *n.* **1** 예산: make a *budget* 예산을 편성하다 **2** (일반적) 경비

v. [I,T] 예산을 세우다: *budget* for the coming year 내년도 예산을 세우다

adj. 값이 싼: *budget* prices 특가

— **budgetary** *adj.* 예산에 관한, 예산의

buffalo [bʌ́fəlòu] *n.* 물소, [미] 아메리카들소

buffet [bəféi] *n.* **1** 뷔페 (파티나 특별한 행사 때 긴 테이블에 음식을 차려 놓고 사람들이 각자 음식을 가져다 먹는 식사): We had a *buffet* lunch at the wedding. 우리는 결혼식장에서 뷔페식 점심 식사를 했다. **2** (기차 역의) 간이 식당

v. [T] (풍파·운명 등이) …을 괴롭히다, 농락하다: The boat was *buffeted* by the waves. 배가 거친 파도에 시달렸다.

****bug** [bʌg] *n.* **1** (일반적) 작은 곤충 **2** (전염되는 사소한) 병, 병원균 **3** (기계·전산 프로그래밍 등의) 고장, 결점 **4** 소형 도청 장치 [SYN] wiretap **5** 열광자, …광; 열광, 열중: a movie *bug* 영화광

v. [T] (bugged-bugged) **1** 도청 장치를 설치하다: They were *bugging* his telephone conversations. 그들은 그의 전화 내용을 도청하고 있었다. **2** 괴롭히다: Stop *bugging* me! 나 좀 괴롭히지 마!

[숙어] **bug off!** 꺼져!

****build** [bild] *v.* (built-built) **1** [I,T] 세우다, 건축하다: They're *building* a new house by the river. 그들은 강가에 새 집을 짓고 있다. / a house *built* of wood 목조 가옥 **2** [I] …을 바탕으로 하다, 기대하다 (on): A good relationship is *built* on trust. 좋은 관계는 신뢰를 바탕으로 한다. **3** [I,T] (부·명성 등을) 쌓아 올리다, 확립하다, 증가시키다: *build* a career 경력을 쌓다 / Tension is *building* between them. 그들 사이에 긴장감이 증가하고 있다.

n. **1** 만듦새, 구조: the *build* of a car 자동차의 구조 **2** 체격: He has a very slender *build*. 그는 매우 호리호리한 체격이다.

— **builder** *n.* 건축가

[숙어] **build up** …을 쌓아 올리다, 늘다, 증가하다: *build up* one's character 인격을 쌓다 / *build up* one's health 몸을 단련하다

building [bíldiŋ] *n.* **1** 건물, 빌딩 **2** 건축(술)

bulb [bʌlb] *n.* **1** 전구 [SYN] light bulb **2** (양파 등과 같은) 둥근 뿌리, 구근: tulip *bulbs* 튤립의 구근

bulge [bʌldʒ] *n.* 부푼 것, 부풂

v. [I] **1** 부풀다, 불룩해지다: Their pockets *bulged* out with gold coins. 그들의 호주머니는 금화로 불룩했다. **2** 가득하다 (with): His bag was *bulging* with presents for his family. 그의 가방은 가족에게 줄 선물로 가득했다.

bulk [bʌlk] *n.* **1** (the bulk) 대부분, 주요한 부분: The *bulk* of the debt was paid. 빚의 대부분은 갚아졌다. **2** 크기, 부피, 용적: It is of vast *bulk*. 그것은 아주 크다.

— **bulky** *adj.* 크고 무거운

[숙어] **in bulk** 대량으로: Buying *in bulk* is more economical. 대량으로 구매하는 것이 더 경제적이다.

bull [bul] *n.* **1** 황소 **2** (코끼리·고래 같은 큰 동물의) 수컷 **3** [증권] 사는 쪽, 강세쪽

bulldog [búldɔ̀:g] *n.* 불독

bulldozer [búldòuzər] *n.* 불도저

bullet [búlit] *n.* 탄알, 소총탄

bulletin [búlətin] *n.* **1** (텔레비전·라디오의) 짧은 뉴스 보도, 뉴스 속보 **2** (모임·조직 등에서 발행하는) 짧은 신문, 회보

bulletin board *n.* 게시판

bulletproof [búlitprù:f] *adj.* 방탄의: a *bulletproof* vest 방탄 조끼

bullfight [búlfàit] *n.* (스페인의) 투우

— **bullfighter** *n.* 투우사 **bullfighting** *n.* 투우

bully [búli] *n.* 약한 자를 못살게 구는 사람

v. [T] (약한 자를) 들볶다, 위협하다: *bully* a person into(out of) doing it 아무를 위협하여 그것을 하게(못 하게) 하다

bump [bʌmp] *v.* **1** [I] 충돌하다: We *bumped* into each other. 우리는 서로 쾅하고 부딪쳤다. **2** [T] 부딪치다 (against, on): I *bumped* my knee on the chair. 나는 의자에 무릎을 부딪쳤다. **3** [I] 덜거덕거리며 나아가다 (along): The old car *bumped* along the rough road. 낡은 차가 울퉁불퉁한 길을 덜커덕거리며 나아갔다.

n. **1** 충돌, (부딪칠 때의) 쾅하는 소리 **2** (피부의) 혹 **3** 융기 (다른 곳보다 높은 곳): Drive carefully! There are many *bumps* in the road. 조심해서 운전해! 길에 튀어나온 곳이 많아.

— **bumpy** *adj.* (길 등이) 울퉁불퉁한; (차가) 덜컹거리는

숙어 **bump into** 우연히 딱 마주치다: I *bumped into* an old friend this morning. 오늘 아침 우연히 옛 친구와 마주쳤다.

bumper [bʌ́mpər] *n.* 범퍼 (자동차 앞뒤의 완충 장치)

bun [bʌn] *n.* **1** 롤빵 (건포도를 넣은 달고 둥근 빵), 둥그런 빵 (햄버거 등에 씀) **2** (빵 모양으로) 묶은 머리

bunch [bʌntʃ] *n.* **1** 다발, 묶음: a *bunch* of flowers 한 다발의 꽃 / a *bunch* of grapes 한 송이의 포도 / a *bunch* of keys 열쇠 뭉치 **2** 한 무리, 떼, 패거리: They are a weird *bunch*. 그들은 좀 별난 패거리들이다.

■ 유의어 **bunch**
bunch 같은 종류의 것을 가지런히 묶은 것. **bundle** 많은 것을 운반·저장하기 편리하게 묶은 것.

bundle [bʌ́ndl] *n.* 꾸러미: a *bundle* of letters 편지 한 묶음
v. [T] **1** 다발(꾸러미)로 하다, 묶다: He *bundled* up the old newspapers. 그는 지난 신문들을 묶었다. **2** 거칠게 내어몰다; 마구 던져 넣다: They *bundled* the children off to bed. 그들은 아이들을 잠자리로 쫓아 보냈다.

bungalow [bʌ́ŋgəlòu] *n.* 방갈로 (보통 별장식의 단층집)

bungee jumping [bʌ́ndʒidʒʌ́mpiŋ] *n.* 번지 점핑 (발목에 신축성 있는 로프를 매고 높은 곳에서 뛰어 내리는 스포츠)

bunk [bʌŋk] *n.* (배·열차 등의) 벽에 고정된 침대, 침상

bunk bed *n.* 이층 침대

bunny [bʌ́ni] *n.* 토끼 (애칭으로 사용)

buoy [búːi] *n.* 부표
v. [T] **1** (희망·용기 등을) 잃지 않게 하다, 기운을 북돋우다 (up): He was *buoyed* (up) by new hope. 새 희망이 그에게 용기를 북돋아 주었다. **2** (물 위에) 뜨게 하다

buoyancy [bɔ́iənsi] *n.* **1** 부력 **2** 호황 낌새

buoyant [bɔ́iənt] *adj.* **1** 뜨는, 부력이 있는 **2** 기쁜, 명랑한, 자신감에 차 있는: She has a *buoyant* personality. 그녀는 명랑한 성격이다. **3** 호황기의

***burden** [bə́ːrdn] *n.* **1** 무거운 짐 **2** (정신적인) 짐, 부담; 책임: Having cancer is a *burden* on both body and mind. 암에 걸렸다는 것은 신체적 정신적 부담이다.
v. [T] **1** …에게 짐을 지우다 **2** …에게 부담시키다: He is *burdened* with debts. 그는 빚을 지고 있다.

— **burdensome** *adj.* 무거운, 귀찮은

■ 유의어 **burden**
burden 사람이나 동물에 의해 운반되는 무거운 짐. **cargo** 배로 운반되는 짐을 뜻하는 일반적인 말. **freight** 영국에서는 뱃짐에만 쓰이나 미국에서는 육상이나 공중으로 수송되는 짐에도 씀. **load** 운반구로 운반되는 무거운 짐. burden과 함께 비유적으로 '부담·수고'의 뜻으로도 쓰임.

bureau [bjúərou] *n.* (*pl.* bureaux, bureaus) **1** (관청의) 국: the Federal *Bureau* of Investigation 연방 수사국 **2** (안내 등을 하는) 사무소: a *bureau* of information 안내소, 접수처

bureaucracy [bjuərɑ́krəsi] *n.* **1** (부정적으로 쓰여) 관료식의 번잡한 절차 **2** 관료

정치〔제도 · 주의〕

— **bureaucratic** *adj.* **bureaucrat** *n.*
관료적인 사람, 관료주의자

burger [bə́ːrgər] *n.* =hamburger

-burger '…을 쓴 햄버거식의 빵'이란 뜻.: a cheese*burger* 치즈버거

burglar [bə́ːrglər] *n.* (주거 침입) 강도, 빈집털이: a *burglar* alarm 도난 경보기 ⎣SYN⎦ housebreaker ⇨ thief

— **burgle** *v.*

burglary [bə́ːrgləri] *n.* 밤도둑죄, 강도질

*★**burn** [bəːrn] *v.* (burned-burned, burnt-burnt) **1** [T] 태우다: We *burned* dead leaves. 우리는 낙엽을 태웠다. / I *burned* my hand on the iron. 나는 다리미에 손을 데었다.

2 [I] 타다, (피부가) 볕에 타다: The steak is *burning*! 스테이크가 탄다! / My skin *burns* easily. 내 피부는 쉽게 볕에 탄다.

3 [T] (태워서) 구멍을 내다: I *burned* a hole in my pants. 바지를 태워서 구멍이 났다.

4 [I] 불타다: The house is *burning*. 집이 불타고 있다.

5 [T] (연료로) 때다: The heating boiler *burns* gas. 난방 보일러는 가스를 땐다.

6 [I] 빛을 내다, 빛나다: The river *burned* crimson in the setting sun. 강은 석양을 받아 진홍색으로 빛났다.

7 [I] 성나다, 불끈하다: *burn* with anger 화가 불같이 치밀다

— **burner** *n.* 버너 (요리 기구), 연소기

⎣숙어⎦ **burn down** 다 타버리다〔태워버리다〕

burn to death 불에 타 죽다

burn to the ground 완전히 타다

burning [bə́ːrniŋ] *adj.* (명사 앞에만 쓰임) **1** 불타는: a *burning* building 불타는 빌딩 **2** 매우 뜨거운: *burning* cheeks 뜨거운 빰 **3** (감정 등이) 불타는 듯한, 열렬한: a *burning* ambition 불타는 듯한 야심 **4** 매우 중요한, 긴급한: a *burning* question 중요한 문제

burp [bəːrp] *n.* 트림

v. **1** [I] 트림이 나다 **2** [T] (갓난아이에게 젖을 먹인 후) 트림을 시키다

burrow [bə́ːrou] *n.* (토끼 등의) 굴

v. [I] **1** 굴을 파다 **2** 파고들다: *burrow* into a mystery 신비를 파고들다 / *burrow* in one's pocket 호주머니를 뒤지다

burst [bəːrst] *v.* (burst-burst) **1** [I,T] 파열하다, 폭발하다, 터뜨리다: You're going to *burst* the balloon if you keep blowing it up. 계속해서 불다가 풍선을 터뜨리겠다. **2** [I] 갑작스레 움직이다: Two masked men *burst* into the shop. 복면한 두 명의 남자가 가게에 난입했다. / *burst* open the door 문을 홱 열다 **3** [I] (진행형으로) 충만하다, 가득해지다: She is *bursting* with happiness. 그녀는 행복으로 충만해 있다.

n. **1** 돌발, 분발, 갑작스러운 활동: a *burst* of applause 갑자기 터지는 갈채 / a *burst* of speed 갑자기 속도를 냄 **2** 파열, 폭발; 파열된 곳: a *burst* in the water pipe 수도관의 파열된 곳

⎣숙어⎦ **burst into** 갑자기 …하기 시작하다: *burst into* tears 갑자기 울음을 터뜨리다 / The oil lamp fell down on the floor and *burst into* flames. 오일 램프가 마룻바닥에 떨어져 순식간에 화염이 솟았다.

burst out 갑자기 …하기 시작하다: We both *burst out* laughing. 우리 둘은 갑자기 웃음을 터뜨렸다.

*★**bury** [béri] *v.* [T] **1** 매장하다, …의 장례식을 하다: He was *buried* in the cemetery. 그는 묘지에 매장되었다. / She has *buried* her husband. 그녀는 남편을 여의었다. **2** (땅 속에) 묻다: Dogs often *bury* bones in the ground. 개는 종종 뼈다귀를 땅에 묻는다. **3** (주로 수동태) 덮어서 감추다, 숨기다: The treasure was *buried* under a pile of rocks. 보물은 돌더미 아래에 숨겨져 있었다. / She *buried* her face in her hands. 그녀는 두 손으로 얼굴을 가렸다. **4** 몰두하다: She *buried* herself in her work. 그녀는

자신의 일에 몰두했다.

— **burial** *n.* 매장

bus [bʌs] *n.* (*pl.* buses) 버스

bush [buʃ] *n.* **1** 관목 **2** 수풀, 덤불: A bird in the hand is worth two in the *bush*. [속담] 잡은 새 한마리는 숲 속의 새 두 마리의 가치가 있다. **3** (보통 the bush) (특히 아프리카·오스트레일리아의) 미개간지, 오지

— **bushy** *adj.* 무성하게 자란

***business** [bíznis] *n.* **1** 장사, 상업, 실업: a man of *business* 실업가 **2** 직업, 직무: a *business* trip 사업차 떠나는 여행, 출장 **3** 경기, 거래액: How is *business* now? 요즘 경기는 어떤가요? **4** 사업장, 점포: He started his own *business*. 그는 자기의 가게를 냈다. **5** 용건, 관심사: It's none of your *business*. 네가 상관할 일이 아니다. **6** 중요한 일[문제]: We have important *business* to discuss. 우리는 논의해야 할 중요한 일이 있다. **7** (주로 안 좋은) 사건, 일

[숙어] **do business** 장사하다, 상거래를 하다: It's a pleasure to *do business* with you. 귀하와 거래를 하게 되어 기쁩니다.

get down to business (이야기의) 본론으로 들어가다, (중요한 일에) 착수하다: Let's *get down to business*. 본론으로 들어갑시다.

go out of business 폐업하다: A lot of shops *went out of business*. 많은 점포들이 폐업했다. / *going-out-of-business* sale 점포정리 세일

mind your own business 참견 말아라, 네 일이나 잘 해라

on business 사업차; 용무가 있어: He went abroad *on business*. 그는 사업차 외국에 갔다.

businesslike *adj.* (친근감 없이) 사무적인, 능률적인: He has a *businesslike* manner. 그는 사무적으로 행동한다.

businessman *n.* 실업가, 경영자

businesswoman *n.* 여성 실업가, 여성 경영자

bust [bʌst] *v.* [T] (busted-busted, bust-bust) **1** 못쓰게 만들다 **2** 체포하다

adj. (명사 앞에는 쓰이지 않음) 고장난, 작동이 안 되는

n. **1** 흉상 (머리, 어깨, 가슴까지의 조각상) **2** (여성의) 앞가슴 **3** 갑작스런 경찰의 습격: a drug *bust* 마약 단속[수색]

[숙어] **go bust** 파산하다

bustle [bʌ́sl] *v.* **1** [I] 부산떨다: He *bustled* about all day. 그는 하루종일 부산을 떨며 다녔다. **2** [T] 재촉하다: They *bustled* him out of the room. 그들은 그를 서둘러 방에서 나오게 했다. **3** [I] 북적거리다: The streets *bustled* with people. 거리는 사람들로 북적거렸다.

n. 소동, 야단법석, 혼잡

— **bustling** *adj.* 떠들썩한, 설치는

***busy** [bízi] *adj.* (busier-busiest) **1** (사람·생활이) 바쁜: The kids are *busy* with their homework. 아이들은 숙제하느라고 바쁘다. / He is *busy* studying for his exams. 그는 시험 공부하느라 바쁘다. **2** (기간이) 일로 바쁜: I had rather a *busy* Sunday. 나는 일요일에 좀 바빴다. **3** (장소가 사람·활동 등으로) 분주한, 번화한: The street was so *busy* that I could hardly move. 거리가 너무 북적거려서 이동하기가 힘들었다. **4** (전화선이) 통화 중인: The line is *busy* at the moment. I'll try again later. 지금 통화 중입니다. 나중에 다시 걸겠습니다.

v. [T] 바쁘게 하다, 할 일을 찾다: I *busied* myself with tidying up my room. 나는 방을 말끔히 치우느라 바빴다.

— **busily** *adv.* 분주하게

[숙어] **get busy** 일에 착수하다: Now, let's *get busy*. 자, 이제 일을 시작하자.

busybody [bízibàdi] *n.* 참견하기 좋아하는 사람

***but** ⇨ p. 101

butcher [bútʃər] *n.* **1** 푸주한, 정육점 주

but

but [bʌt] *conj.* **1** 그러나, 그래도: I should like to come, *but* I don't have time. 가고 싶지만 시간이 없다.

2 …이 아니고[아니라] (not … but ~): He is not a young man *but* an elderly man. 그는 청년이 아니라 중년이다. / He is not a scholar *but* a teacher. 그는 학자가 아니라 교사이다.

3 …않고는 (~안 하다), …하기만 하면 반드시 (~하다): It never rains *but* it pours. [속담] 재난은 반드시 한꺼번에 덮친다. (비가 오기만 하면 반드시 억수같이 퍼붓는다.) / I never pass there *but* I think of you. 나는 그 곳을 지날 때면 언제나 자네 생각을 하네.

4 …않을[못 할] 만큼: No man is so old *but* (that) he may learn. 배울 수 없을 정도로 나이 든 사람은 없다.

5 (미안하다는 표현과 함께) …해서: Excuse me, *but* I must be going now. 실례지만 이제 가 봐야 합니다. / I'm sorry, *but* you've got the wrong number. (전화에서) 안됐습니다만 잘못 거셨습니다.

adv. 다만, 단지: She is *but* a child. 그녀는 단지 어린애에 불과하다. / I can *but* wait. 나는 단지 기다릴 뿐이다. [SYN] only

prep. …을 제외하고는: All *but* him were present. 그를 제외하고는 모두 출석했다. / The books are all new *but* one. 한 권을 제외하고는 모두 새 책이다. [SYN] except

rel. pron. (관계대명사로서 부정문에 연결됨) …하지 않는, …이 아닌: There is no one *but* knows it. =There is no one *who* does *not* know it. 그것을 모르는 사람은 하나도 없

다. / There is no rule *but* has some exceptions. =There is no rule *that* does *not* have some exceptions. 예외 없는 규칙은 없다.

[숙어] **all but** 거의: I was *all but* drowned. 나는 거의 익사할 지경이었다. [SYN] nearly, almost

but for …이 없다면: *But for* your assistance, I should not be able to succeed. 너의 도움이 없다면 나는 성공할 수 없을 거야. [SYN] without

※ 가정법 과거 주절 앞에 But for가 있으면 가정법 과거인 'If it were not for'로 고쳐지고, 가정법 과거완료 주절 앞에 But for가 오면 If it were not for의 과거완료인 'If it had not been for'가 온다. 그래서 위의 예문을 바꾼다면 주절이 should로 가정법 과거이기 때문에 If it were not for your assistance, …로 바꿀 수 있다.

but that 만일 …이 아니면: *But that* I saw it, I could not have believed it. 그것을 보지 않았더라면 나는 그것을 믿을 수가 없었을 것이다.

※ but that은 'that 이하와 같은 사실이 없다면'의 뜻이다.

but then 그러나 그 경우; 그 반면: He was a fine young man, *but then* so had his father been. 그는 훌륭한 청년이었는데 그의 아버지 또한 그랬었다.

cannot but, cannot help but …하지 않을 수 없다: She *could not but* congratulate him. 그녀는 그를 축하하지 않을 수 없었다.

인 **2** (the butcher's) 정육점 **3** 학살자
v. [T] (사람을 잔인하게) 대량 학살하다
— **butchery** *n.* 도살, 학살
butt [bʌt] *v.* [T] (머리 · 뿔 등으로) 받다
　n. **1** (총의) 개머리, (연장 · 무기의) 굵은 쪽의 끝 부분 **2** (담배의) 꽁초 **3** [미] 엉덩이

(buttocks) **4** (조소 · 비꼼의) 대상
butter [bʌ́tər] *n.* 버터
　v. [T] 버터를 바르다
*****butterfly** [bʌ́tərflài] *n.* **1** 나비 **2** [수영] 버터플라이, 접영
*****button** [bʌ́tn] *n.* **1** (옷의) 단추: A

button on his shirt fell off. 그의 셔츠에서 단추 하나가 떨어졌다. **2** (기계 등의) 단추, 버튼: Click the left mouse *button*. 마우스의 왼쪽 버튼을 누르세요.

buttonhole [bʌ́tnhòul] *n.* **1** 단춧구멍 **2** [영] 단춧구멍에 꽂는 장식 꽃

***buy** [bai] *v.* [T] (bought-bought) 사다, 사 주다: I *bought* this book for 9,000 won. 나는 이 책을 9천 원에 샀다. / Let me *buy* you a coffee. 내가 커피 한 잔 살게.
n. 물건사기: a good *buy* 싸게 잘 산 물건
[숙어] **buy off** 매수하다; (의무 등을) 돈으로 모면하다: He *buys off* his children with expensive toys. 그는 아이들에게 비싼 장난감을 사 주어 입을 막았다.
buy out (남의 권리 등을) 돈으로 사다, …을 매점하다

buy time (…해서) 시간을 벌다: He tried to *buy time* by saying he had not attended the meeting. 그는 회의에 참석하지 않았다고 말함으로써 시간을 벌려고 했다.

buyer [báiər] *n.* **1** 사는 사람, 소비자 **2** (회사의) 구매원, 바이어

buzz [bʌz] *v.* [I] **1** (벌 등이) 윙윙거리다 **2** 와글거리다, 웅성대다: The room was *buzzing* with excitement. 그 방은 흥분으로 술렁거리고 있었다. **3** (아무를) 버저로 부르다
n. **1** (벌·기계 등의) 윙윙거리는 소리 **2** (사람들의) 웅성거림 **3** 흥분, 열광, 취한 쾌감: get a *buzz* of …을 즐기다 **4** 전화 걸기: Give me a *buzz*. 전화해 줘.
— **buzzer** *n.* 버저

***by** ⇨ 아래 참조

---

by

by [bai] *prep. adv.* **1** (위치) …의 곁에, 가까이에: There is a cherry tree *by* the gate. 문 옆에 벚나무가 있다.
2 …의 옆을, …을 지나: A car sped *by* me. 차가 내 옆을 속도를 내어 지나갔다. [SYN] past
3 (통과·경로) 경유하여: He traveled *by* Siberia. 그는 시베리아를 거쳐서 여행을 했다.
4 (기한) …까지는: He'll be home *by* 7 o'clock. 그는 7시까지는 집에 올 것이다. / Finish it *by* tomorrow morning. 그것을 내일 아침까지는 끝내라. [SYN] no later than, before
5 (기간) …동안에, …사이: *by* night and day 밤이나 낮이나 / *by* midnight 한밤중에
6 (수단·방법) …으로, …에 의해: I'll send my letter *by* air mail. 나는 편지를 항공편으로 부칠 것이다. / She went to Bangkok *by* plane. 그녀는 비행기를 타고 방콕에 갔다. / The house is heated *by* gas. 이 집은 가스로 난방이 된다.
※ 이 경우 보통 관사(a, an, the)를 붙이지 않는다.

7 (수동형을 만듦) …에 의해서, …에 의한: This novel was written *by* Hemingway. 이 소설은 헤밍웨이에 의해 씌어졌다.
8 (원인·이유) …때문에, …으로 인해: She passed the exam *by* working hard. 그녀는 열심히 공부해서 시험에 합격했다. / He died *by* poison. 그는 독으로 죽었다. / I met her *by* chance. 나는 그녀를 우연히 만났다. / I got off at the wrong stop *by* mistake. 실수로 엉뚱한 정류장에 내렸다.
9 …에 따르면, …에 관하여는: It's 3:30 *by* my watch. 내 시계로는 3시 30분이다. / He's French *by* birth. 그는 태생은 프랑스 사람이다. / He's kind *by* nature. 그는 천성이 착하다.
10 (곱하기·나누기) …로: multiply 8 *by* 2 8에 2를 곱하다 / divide 15 *by* 3 15를 3으로 나누다
11 (치수) …을 단위로, …로: sell sugar *by* the pound 설탕을 파운드당 얼마로 팔다 / The table is five feet *by* three feet.

그 식탁은 (세로) 5피트에 (가로) 3피트이다.

12 (연속) ···씩, (조금)씩: page *by* page 한 페이지씩 / step *by* step 한 걸음 한 걸음

13 (정도) ···만큼: I missed the train *by* a minute. 1분 차로 기차를 놓쳤다. / He's taller than I (am) *by* an inch. 그는 나보다 키가 1인치 더 크다.

14 (신체) 접촉하여, ···을 붙잡고: He grabbed me *by* the arm. 그는 내 팔을 꽉 붙잡았다.

[숙어] **(all) by oneself** 혼자 (힘으로), 홀로: The new machine operates *by itself*. 새 기계는 자동으로 작동한다. [SYN] without help / You can't go home *by*

yourself in the dark. 어두울 때는 너 혼자 집에 갈 수 없다. [SYN] alone

by and by 얼마 안 있어, 이윽고: *By and by* it rained hard. 얼마 안 있어 비가 몹시 쏟아졌다. [SYN] after a while, before long

by and large 전반적으로, 대체로: He made a few mistakes, but *by and large* he did a good job. 그는 몇 가지 실수를 했지만 전반적으로 잘했다. [SYN] on the whole

by the way 그런데, 그건 그렇고: *By the way*, have you seen my umbrella anywhere? 그런데, 내 우산 어디서 봤니?

***bye(-bye)** [bái(bài)] *int.* 안녕: *Bye-bye*, see you tomorrow. 안녕, 내일 보자.

by-election [báiilèkʃən] *n.* 보궐 선거

bygone [báiɡɔ̀ːn] *adj.* (명사 앞에만 쓰임) 과거의, 지나간

　n. (bygones) 지나간 일: Let *bygones* be *bygones*. [속담] 과거는 잊어버려라.

bypass [báipæ̀s] *n.* **1** 우회로 **2** [의학]

측부로, 대체 혈관 (환부를 피하고 혈액·소화액을 통하게 하는 자연 또는 인공의 대체관)

　v. [T] 우회하다; (장애 등을) 회피하다

by-product [báiprɑ̀dʌkt] *n.* **1** 부산물 **2** 부수적으로 일어나는 일

bystander [báistæ̀ndər] *n.* 구경꾼, 방관자

byte [bait] *n.* 바이트 (컴퓨터의 정보 단위로 보통 8개의 비트로 이루어짐)

C

cab [kæb] *n.* **1** 택시 ([영] taxi): take a *cab* 택시를 타다 / go by *cab* 택시로 가다 [SYN] taxicab **2** (트럭 · 버스 · 기관차 등의) 운전석

*★cabbage** [kǽbidʒ] *n.* 양배추, 캐비지: Coleslaw is a kind of salad made of finely chopped *cabbage* and mayonnaise. 코울슬로는 잘게 다진 양배추와 마요네즈로 만든 샐러드의 일종이다.

cabin [kǽbin] *n.* **1** (배 · 보트 등의) 객실 **2** 오두막 [SYN] hut

cabinet [kǽbənit] *n.* **1** (일용품을 넣는) 장, 캐비닛; (유리문) 진열장 **2** (보통 the Cabinet) [영] 내각; [미] 대통령의 고문단: reorganize(reshuffle) the *Cabinet* 내각을 개편하다

cable [kéibəl] *n.* **1** 두꺼운 철사 케이블 **2** (전기 · 신호를 전송하는) 피복 전선, 해저 전선: a telephone *cable* 전화 전선 **3** 케이블 텔레비전 (cable television)

cackle [kǽkəl] *v.* [I] **1** (암탉 등이) 꼬꼬댁 · 꽥꽥 울다 **2** (버릇없이) 낄낄 웃다
n. 꼬꼬댁 · 꽥꽥하고 우는 소리; 낄낄 대는 웃음 소리

cactus [kǽktəs] *n.* (*pl.* cactuses, cacti [kǽktai]) [식물] 선인장

CAD [kæd, si:éi:dí:] *abbr.* computer aided design 컴퓨터를 활용한 디자인(설계)

cadet [kədét] *n.* 사관 학교 생도, 사관 후보생

Caesarean, Caesarian [sizɛ́əriən]
⇨ cesarean

café, cafe [kæféi] *n.* (가벼운 식사도 할 수 있는) 커피점, 레스토랑
※ 영국의 cafe에서는 알코올 음료를 팔지 않는다. 알코올 음료는 pub이나 bar에서 마실 수 있다.

cafeteria [kæ̀fitíəriə] *n.* [미] 카페테리아 (셀프 서비스 식당); (공장 · 회사 · 학교 등의) 구내 식당

cage [keidʒ] *n.* 새장; 우리
v. [T] 새장에 넣다; 감금하다: Birds are *caged* to keep them from flying away. 새들은 날아가지 못하도록 새장에 들어 있다.

cake [keik] *n.* **1** 케이크, 양과자; 케이크 한 개: a piece of birthday *cake* 생일 케이크 한 조각 **2** 둥글넓적하게 구운 과자, 핫케이크 **3** (딱딱한) 덩어리, (고형물의) 한 개: a *cake* of soap 비누 한 개
v. [T] (보통 수동태) 두껍게 묻히다(굳히다)(in, with): My shoes were *caked* with mud. 내 구두에 진흙이 두껍게 엉겨 붙었다.
[축어] **a piece of cake** 아주 쉬운 일: The exam was *a piece of cake*. 시험이 아주 쉬웠다. [SYN] breeze

calamity [kəlǽməti] *n.* 재난, 불행; 참사, 참화

> ■ **유의어 calamity**
> **calamity** 큰 고통과 슬픔을 가져오는 재해나 불행으로 catastrophe보다 뜻은 약함. **disaster** 개인이나 사회 전반의 큰 재해로 생명 · 재산 등의 손실이 따름. **catastrophe** 비참한 결과를 가져오는 재해로, 개인의 경우에 쓰지만 특정 집단에도 씀.

calcium [kǽlsiəm] *n.* [화학] 칼슘 (금속 원소; 기호 Ca)

*★calculate** [kǽlkjəlèit] *v.* [T] **1** 계산하다, 산정하다: Oil prices are *calculated* in dollars. 유가는 달러로 산정된다. **2** (상식 · 경험으로) 추정하다, 평가(판단)하다, 예측하

다: It's difficult to *calculate* how long the trip will take. 그 여행이 얼마나 걸릴지 추정하기는 어렵다.

calculating [kǽlkjəlèitiŋ] *adj.* 타산적인: His *calculating* approach made many of his friends leave him. 그의 타산적인 태도에 많은 친구들이 그에게서 멀어졌다.

calculation [kæ̀lkjəléiʃən] *n.* **1** 계산(하기), 계산의 결과 **2** 숙고; 치밀한 계획

calculator [kǽlkjəlèitər] *n.* 소형 전자 계산기

*****calendar** [kǽlindər] *n.* **1** 달력 **2** 일정표; 연중행사표; (공문서의) 연차목록

calf [kæf] *n.* (*pl.* calves) **1** 송아지
※ 송아지로 요리한 고기는 veal이다.
2 (사슴·고래·코끼리 등의) 새끼 **3** 장딴지, 종아리

caliber, calibre [kǽləbər] *n.* **1** (원통꼴 물건의) 직경; (총포의) 구경; (탄알의) 직경 **2** (인물의) 재간; (사물의) 품질: a man of excellent *caliber* 수완가

*****call** [kɔːl] *v.* **1** [I,T] (소리내어) 부르다: 'Hello, is anybody out there?' she *called*. '거기 아무도 없나요?' 그녀는 소리내어 불렀다. / He *called* out her name, and she stepped forward. 그가 그녀의 이름을 크게 부르자 그녀가 앞으로 나왔다.
2 [I,T] 전화하다: Who's *calling*, please? 전화거시는 분이 누구시죠? / I'll *call* you later. 제가 다시 전화를 걸지요.
3 [T] …라고 부르다: They *called* the baby Semi. 그들은 그 아기를 세미라고 불렀다.
4 [T] 불러내다: We had better *call* the doctor. 의사 선생님을 모셔오는 게 좋겠다.
5 [T] (회의·선거·파업 등을) 준비하다
6 [I] 잠깐 방문하다: I *called* at his house but there was nobody. 그의 집에 잠깐 들렀는데 아무도 없었다.
7 [I] (기차·기선 등이) 정차하다, 기항하다 (at) *n.* **1** (전화의) 통화 (phone call): Give me a *call* when you get there. 도착하면 나한테 전화해라.

2 부르는 소리, 외침
3 초청; 소집; 천직, 사명
4 잠깐 들름: The doctor has several *calls* to make this afternoon. 의사는 오늘 오후에 여러 건의 왕진이 잡혀 있다.
5 요구; 필요, 수요: There was no *call* for concern. 걱정할 필요가 없었다.
[숙어] **(be) on call** (의사 등이) 부르면 곧 응할 수 있는, 언제나 준비되어 있는: The nurse *is on call* for emergency cases. 간호사는 응급 상황에 언제나 준비되어 있다.
call after …을 따라 이름짓다: He was *called* John *after* his father. 그는 아버지를 따라 존이라 이름지어졌다.
call at …에 잠깐 들르다
call back 1 도로 불러들이다, 소환하다 **2** 전화를 다시 하다 **3** (실언 등을) 취소하다: He will not *call back* his words. 그는 자기가 한 말을 취소하지 않을 것이다. **4** 재차 방문하다
call by (지나는 길에) 들르다 (at)
call for 1 …을 필요로 하다: This problem *calls for* careful thought. 이 문제는 잘 생각할 필요가 있다. **2** 가지러[데리러] 가다: I'll *call for* him at his house. 내가 그를 집까지 데리러 가겠다.
call forth 야기시키다; (용기 등을) 내다: The proposed casino has *called forth* an angry response from many people. 카지노 계획안은 많은 사람들로부터 불만을 야기시켰다.
call in 1 안으로 불러들이다; (의사 등을) 부르다 **2** (불량품·통화·대출금 등을) 회수하다 **3** (주문 등을) 전화로 하다
call it a day 하루를〔의 일을〕 마치다
call names …을 욕하다, 비난하다
call off 취소하다: At some schools even classes were *called off*. 몇몇 학교에서는 수업까지도 취소되었다.
call on〔upon〕 1 …을 방문하다: I *called on* Mr. Smith at his office. 나는 스미스 씨를 찾아 그의 사무실을 방문했다. **2** 요구하다

call out 1 큰 소리로 부르다; 불러내다 **2** (군대 등을) 출동시키다 **3** (노동자를 파업에) 몰아넣다

call the tune〔shots〕 명령〔결정〕할 수 있는 자리에 서다

call to …을 소리쳐 부르다: She *called to* her father for help. 그녀는 도와 달라고 아버지를 불렀다.

call to mind …을 상기시키다

call up 1 전화를 걸다: I will *call* you *up* this evening. 오늘 저녁 너한테 전화할게. **2** (기억 등을) 상기시키다: His music *calls up* peacefulness in us. 그의 음악은 우리 안에 있는 평화로움을 일깨워 준다. **3** 소집하다: Several reserve units were *called up*. 몇몇 예비대가 소집되었다. **4** (정보를 컴퓨터 화면에) 나타나게 하다, 불러내다

what is called, what one calls, what we〔you, they〕call 소위, 이른바: He is *what is called* a bookworm. 그는 이른바 책벌레이다.

caller [kɔ́:lər] *n.* **1** 방문자 SYN visitor **2** 호출인, 소집자 **3** [미] 전화 거는 사람

calling [kɔ́:liŋ] *n.* **1** 부름, 외침 **2** 소집; 소환 **3** 신의 부르심; 천직, 직업: I am a carpenter by *calling*. 내 직업은 목수이다. **4** (직업·활동 등에 대한) 강한 충동, 욕구 (for, to do): I have a *calling* to become a singer. 나는 가수가 되고 싶다는 강한 욕구가 있다. **5** 방문, 들름

*****calm** [kɑːm] *adj.* **1** (마음·기분 등이) 침착한, 차분한, 조용한: I took a deep breath and tried to keep *calm*. 나는 깊이 숨을 쉬고 침착하려고 애썼다. **2** (바다·날씨 등이) 잔잔한, 고요한: a *calm* sea 잔잔한 바다 OPP rough

v. [I,T] (바다·기분 등이) 조용해〔잔잔해〕지다 (down): The excited girl quickly *calmed* down. 흥분한 여자 아이가 곧 침착해졌다.

n. **1** (마음의) 평정; (사회의) 평온 SYN peacefulness **2** (풍력이) 고요함; 무풍:

After a storm comes a *calm*. 폭풍우 뒤에는 고요가 온다. / the region of *calm* (적도 부근의) 무풍 지대

— **calmly** *adv.* 고요히, 침착하게 **calmness** *n.* 평온, 침착

calorie [kǽləri] *n.* **1** 열량 (영양 단위; 1킬로칼로리에 상당하는 영양가·음식물): A glass of wine has a lot of *calories*. 한 잔의 포도주에도 칼로리가 많다. **2** [물리·화학] 칼로리 (열량 단위)

camcorder [kǽmkɔ̀:rdər] *n.* 캠코더 (비디오 카메라와 비디오 카세트 리코더를 일체화한 소형 전자기기)

camel [kǽməl] *n.* [동물] 낙타

*****camera** [kǽmərə] *n.* 사진기, 카메라

cameraman [kǽmərəmæ̀n] *n.* (*pl.* cameramen) (영화·텔레비전의) 촬영기사, 카메라맨 ※ 신문·잡지의 사진사는 photographer라고 한다.

camouflage [kǽmuflɑ̀:ʒ] *n.* **1** [군대] 카무플라주, 위장 **2** 변장 **3** 기만

v. [T] (무기 등을) 위장하다; (감정 등을) 속이다: a *camouflaged* truck 위장한 트럭

*****camp** [kæmp] *n.* **1** (군대의) 야영지, 주둔지; (포로·난민 등의) 수용소 **2** (산·해안 등의) 캠프장 **3** 캠프 (생활), 야영 **4** [정치] 진영; (주의·종교 등의) 동지, 그룹

v. [I] 야영〔캠프〕하다 (out)

※ '캠핑 가다'라는 뜻으로 보통 go camping이라는 표현을 쓴다.: We *went camping* in the mountains last week. 우린 지난 주에 산으로 캠핑 갔다.

— **camping** *n.* 캠프 생활, 야영

*****campaign** [kæmpéin] *n.* **1** 캠페인, (사회적) 운동, 유세: an election *campaign* 선거 운동 / a *campaign* against alcohol 금주 운동 **2** (일련의) 군사 행동, 전투; 출정

v. [I] (…에 반대〔찬성〕하는) 운동을 하다〔일으키다〕 (for, against)

— **campaigner** *n.* (사회·정치 등의) 운동가

camper [kǽmpər] *n.* **1** 야영자, 캠프 생

cancel

활자 **2** 캠프용 트레일러 ([영] camper van)
campsite [kǽmpsàit] *n.* ([미] camp ground) 야영지
campus [kǽmpəs] *n.* **1** (주로 대학의) 교정, 구내, 캠퍼스: The professor lives on the *campus*. 그 교수는 학교 구내에서 살고 있다. **2** 대학, 학원: *campus* life 대학 생활
*__**can**__*1 ⇨ 아래 참조
can2 [kæn] *n.* **1** (액체를 담는 금속 · 플라스틱의) 용기 **2** [미] 양철통, (통조림의) 깡통 ([영] tin)

v. [T] (canned-canned) 통조림으로 만들다
— **canned** *adj.* 통조림한
canal [kənǽl] *n.* **1** 운하, 수로 **2** (동식물의) 도관 (식도 · 기도 등)
— **canalize** *v.* 운하를 파다
canary [kənɛ́əri] *n.* 카나리아 (작고 노란 새)
*__**cancel**__* [kǽnsəl] *v.* [T] (cancel(l)ed-cancel(l)ed) **1** (계획 · 예정 등을) 중지하다: We had to *cancel* the game because of the bad weather. 날씨가 나빠서 경기를

---

can1

can [kæn, kən] *aux.* **1** (능력 · 가능) …할 수 있다: I did what I *could*. 난 할 수 있는 데까지 했다. / How long *can* you stay? 언제까지 있을 수 있니?

※ can은 부정사 · 분사 · 동명사형이 없으므로 미래 또는 완료시제 등에는 be able to로 대용한다.: He may *be able to* do it. 그는 그것을 할 수 있을 지도 모른다. / Will you *be able to* come to a meeting next week? 다음 주 모임에 올 수 있겠니?

2 (허가) …해도 좋다: You *can* go. 가도 좋다. / *Can* I have one of these cakes? 이 과자 하나 먹어도 되나요? / You *cannot* swim here. 여기서 수영을 해서는 안 된다.

※ 이 경우의 can은 모두 may로 바꿔 쓸 수 있으며 주로 구어에서 쓰인다.

3 (Can you...?로 부탁을 나타내어) …해 주(시)겠습니까: *Can* you give me a ride? 좀 태워 주시겠습니까? ※ Could you...?라고 하는 것이 더 공손한 표현이다.

4 (의문에서) …일[할] 리가 있을까, (도)대체 …일까: *Can* it be true? 도대체 그것이 사실일까? / *Can* he have done so? 과연 그가 그렇게 했을까? ※ could를 쓰면 의문 · 의외의 기분이 강조된다.

5 (부정문에서) …일 리가 없다: He *cannot* have said so. 그가 그렇게 말했을 리가 없다. / This *can't* be true. 그것은 사실일 리가

없다. OPP must

6 …이 있을 수 있다, …할[일] 때가 있다: Anybody *can* make mistakes. 누구나 실수할 수 있다.

7 (지각동사 및 remember와 함께 쓰여) …하고 있다 (진행형의 뜻이 됨): *Can* you hear that noise? 저 소리가 들리니? / I *can* remember it well. 그 일을 잘 기억하고 있다.

※ 현재 부정형 cannot, 현재 부정 축약형 can't, 과거형 could, 과거 부정형 could not, 과거 부정 축약형 couldn't이다.

숙어 **cannot but, cannot help -ing** …하지 않을 수 없다: I *could not but* laugh. =I *couldn't help* laugh*ing*. 난 웃지 않을 수가 없었다.

※ cannot but과 cannot help는 같은 뜻이다. 다만, cannot but 다음에는 동사 원형이 오고 cannot help 다음에는 동명사가 온다.

cannot ... too ~ 아무리 …하여도 지나치지 않다: We *cannot* be *too* careful in the choice of our friends. 친구의 선택에는 아무리 주의해도 지나치지 않다.

cannot ... without ~ …하면 반드시 ~하다: We *cannot* hear the story *without* thinking of the sea. 우리는 그 이야기를 들을 때마다 반드시 바다를 생각한다.

※ not 대신 seldom 및 hardly도 쓰인다.

중지해야 했다. **2** (계약·주문 등을) 취소하다,
무효로 하다: I *canceled* an order for the
book. 나는 그 책의 주문을 취소했다. SYN
call off
— **cancel(l)ation** *n.* 취소; 해제
숙어 **cancel out** 소멸시키다, 상쇄하다
cancer [kǽnsər] *n.* **1** [의학] 암:
stomach(lung, breast) *cancer* 위(폐, 유
방)암 **2** (Cancer) [천문학] 게자리 (the Crab)
— **cancerous** *adj.* 암의, 암에 걸린
candid [kǽndid] *adj.* 솔직한, 노골적인
SYN frank
— **candidly** *adv.* **candour** *n.* 정직, 솔직
candidate [kǽndədèit] *n.* 후보자; 지
원자, 지망자: a *candidate* for the
President 대통령 후보 SYN applicant
*★**candle** [kǽndl] *n.* (양)초
candlelight [kǽndllàit] *n.* 촛불
candlestick [kǽndlstìk] *n.* 촛대
*★**candy** [kǽndi] *n.* ([영] sweets) 사탕, 캔디
※ 복수형 candies는 둘 이상의 종류를 나타
낼 때 쓰고, 단지 수를 나타낼 때에는 several
pieces of candy와 같이 표현한다.
cane [kein] *n.* **1** (대나무·사탕수수 등의)
(마디 있는) 줄기 **2** (등나무로 만든) 지팡이
SYN walking stick **3** 매, 회초리: The
teacher gave him the *cane* for
fighting in school. 선생님은 학교에서 싸
움한 것으로 그를 회초리로 때리셨다.
cannibal [kǽnəbəl] *n.* 식인종
— **cannibalism** *n.* 식인 풍습
cannon [kǽnən] *n.* (*pl.* cannons, (집합
적) cannon) 대포 (지금은 gun이 보통); (특
히) 비행기 탑재용 기관포: a *cannon* ball 포
탄 SYN field gun
cannot [kǽnɑt] can not의 연결형 ⇨
can ※ 흔히 can't로 줄여 쓴다.
canoe [kənú:] *n.* 카누 (노를 젓는 폭이 좁
은 가벼운 배)
v. [I] 카누를 젓다; 카누로 가다(나르다)
canopy [kǽnəpi] *n.* **1** 닫집; 닫집 모양의
덮개 **2** 하늘 **3** [항공] (조종석의 투명한) 덮개

4 낙하산의 갓
canvas [kǽnvəs] *n.* **1** (돛·가방·텐트 등
을 만드는) 질긴 천 **2** 캔버스 (그림을 그리는
천)
canvass [kǽnvəs] *v.* [I,T] **1** 선거 운동을
하다: *canvass* a district for votes 투표를
부탁하러 선거구를 유세하다 **2** (문제 등을) 토
의(토론)하다
canyon [kǽnjən] *n.* (개울이 흐르는 깊은)
협곡: the Grand *Canyon* 그랜드 캐니언
*★**cap** [kæp] *n.* **1** (챙이 있는) 모자: a
baseball *cap* 야구 모자 **2** 특수한 모자: a
college *cap* 대학모 **3** 뚜껑; (칼)집; 마개:
Make sure that you put the *cap* back
on that pen. 펜의 뚜껑을 닫았는지 확인해
라.
v. [T] (capped-capped) **1** …에 모자를 씌
우다; (기구·병에) 마개를 하다 **2** …의 상단을
(표면을) 덮다: Snow has *capped* Mt.
Halla. 눈이 한라산을 덮었다. **3** 능가하다:
Her singing *capped* the others'. 그녀의
노래는 다른 사람들을 능가했다.
숙어 **to cap (it) all** 결국(마지막)에는
*★**capable** [kéipəbəl] *adj.* **1** (사람이) …할
능력이 있는; (사물·사정이) 가능한, …에 견
딜 수 있는: He's *capable* of passing the
exam. 그는 시험에 합격할 수 있다. / His
car is *capable* of 180 miles per hour.
그의 차는 시속 180마일로 달릴 수 있다. **2** 유
능한, 역량이 있는: He's a very *capable*
teacher. 그는 매우 유능한 교사이다. SYN
competent
OPP incapable
— **capably** *adv.* 유능하게 **capability**
n. 능력, 재능
capacity [kəpǽsəti] *n.* **1** (용기·공간 등
의) (최대) 수용량: The restaurant has a
seating *capacity* of two hundred
people. 그 식당은 200명을 수용할 수 있다.
2 용적, 용량; [물리] 열(전기) 용량 **3** 능력,
역량: Those books are beyond the
capacity of young students. 그 책들은

어린 학생들에게는 너무 어렵다. ※ 일반적으로 capacity는 '받아들이는 능력'을, ability는 '행하는 능력'을 나타낸다. **4** 자격; [법] 법적 자격: in an official *capacity* 공적인 자격으로 **5** (공장·기계 등의) (최대) 생산 능력: The factory is running at (full) *capacity*. 공장은 풀 가동 중이다.

[숙어] **to capacity** 최대한으로, 꽉 차게: The hall is filled *to capacity*. 홀은 만원이다.

cape [keip] *n.* **1** 소매 없는 외투, 어깨 망토 **2** 곶, 갑(岬): the *Cape* of Good Hope (남아프리카 공화국 남단의) 희망봉

***capital** [kǽpitl] *n.* **1** 수도 (capital city): Seoul is the *capital* of Korea. 서울은 한국의 수도이다. **2** 자본(금) **3** 대문자 (capital letter) **4** 중심지: Jejudo is the honeymoon *capital* of Korea. 제주도는 한국에서 신혼 여행의 중심지이다.

adj. **1** 매우 중요한 **2** (죄 등이) 사형에 처할 만한; 치명적인: a *capital* crime 죽을 죄 **3** 대문자의: a *capital* letter 대문자 *cf.* small letter 소문자

capitalism [kǽpətəlìzəm] *n.* 자본주의
— **capitalistic** *adj.* **capitalist** *n.*

capitalize, capitalise
[kǽpətəlàiz] *v.* [T] **1** 대문자로 쓰다〔인쇄하다〕 **2** 자본화하다; (수입·재산 등을) 자본으로 평가하다, 현시가로 계산하다 **3** …에 투자〔출자〕하다
— **capitalization, capitalisation** *n.*
[숙어] **capitalize on** 이용하다: He *capitalized on* her mistake and won the game. 그는 그녀의 실수를 이용해서 게임에 이겼다.

capital punishment *n.* 사형, 극형

Capitol [kǽpitl] *n.* (the Capitol) [미] 국회 의사당; (보통 capitol) 주의회 의사당

caprice [kəprí:s] *n.* 변덕 [SYN] whim

capricious [kəprí∫əs] *adj.* 변덕스러운: He changes his mind in a *capricious* manner. 그는 변덕스러운 태도로 그의 마음

을 바꾼다.

capsize [kǽpsaiz] *v.* [I,T] (배가) 뒤집히다, 전복하다〔시키다〕

capsule [kǽpsəl] *n.* (약·우주 로켓 등의) 캡슐

***captain** [kǽptin] *n.* **1** 선장; (항공기의) 기장: This is your *captain* speaking. We expect to be landing at London Heathrow in an hour's time. 기장이 말씀드립니다. 우리는 한 시간 후에 런던 히스로 공항에 착륙할 예정입니다. **2** 장(長), 지도자, (팀의) 주장 **3** [육·공군] 대위, [해군] 대령
v. [T] …의 주장〔지휘관〕이 되다, 통솔하다: Who will *captain* the team? 누가 팀의 주장을 맡을 텐가?

caption [kǽp∫ən] *n.* (페이지·기사 등의) 표제, 제목; (삽화 등의) 설명문; [영화] 자막

captivate [kǽptivèit] *v.* [T] …의 넋을 빼앗다, 현혹시키다: I was *captivated* by his charm and good looks. 나는 그의 매력과 잘생긴 외모에 현혹되었다. [SYN] charm
— **captivating** *adj.* 매혹적인

captive [kǽptiv] *n.* 포로
adj. **1** 포로의, 감금된; (동물이) 우리에 갇힌: a *captive* audience 싫어도 들어야 하는 청중 (스피커 등을 갖춘 버스의 승객 등) **2** (아름다움에) 매혹된
— **captivity** *n.* 감금, 사로 잡힌 몸〔기간〕
[숙어] **take〔hold〕… captive** …을 포로로 잡다

captor [kǽptər] *n.* 잡는 사람, 체포자 [OPP] captive

capture [kǽpt∫ər] *v.* [T] **1** 붙잡다, 생포하다, 점령하다: The police *captured* a criminal. 경찰이 범인을 체포했다. **2** (마음·관심을) 사로잡다: The movie *captured* the children's imagination. 그 영화는 아이들의 상상력을 사로잡았다. **3** (글·사진 등으로) 기록하다, 잘 표현해 내다: This poem *captures* the emotion of the poet. 이 시는 시인의 감정을 잘 표현해

내고 있다. **4** [컴퓨터] 데이터를 검색하여 포착하다

n. **1** 포획, 생포; 점령 **2** 포획물, 붙잡힌 사람 **3** [컴퓨터] (데이터의) 저장

***car** [ka:r] *n.* **1** 차, 자동차 ([미] automobile) **2** [영] 특수 차량, …차: a sleeping *car* 침대차 / an observation *car* 전망차 **3** 열차, 객차, 화차

※ 현재는 motorcar, automobile보다 car를 쓰는 것이 일반적이며, 보통 버스나 트럭은 car라고 하지 않는다. 철도에서는 화차·객차 구별 없이 미국에서는 car를 쓰나, 객차에는 coach를 쓰는 경우가 많다. 영국에서는 전망차·침대차·식당차에만 car를 쓰고 객차는 carriage, 공식적으로 coach, 화차는 waggon, 수화물차는 van이라고 한다.

caramel [kǽrəməl] *n.* **1** 캐러멜, 구운 설탕 (색깔·맛을 내는 데 씀) **2** 캐러멜 과자 **3** 캐러멜빛, 담갈색

caravan [kǽrəvæn] *n.* **1** (자동차로 끄는) 이동 주택, 트레일러 하우스 ([미] trailer) **2** (집합적) (사막의) 대상(隊商); (순례자 등의) 여행자단

carbon [kάːrbən] *n.* **1** [화학] 탄소 (비금속 원소; 기호 C) **2** 카본지, 복사지

carbonate [kάːrbənèit] *n.* 탄산염

v. [T] 탄산염으로 바꾸다, 탄화시키다: *carbonated* drinks 탄산 음료

— **carbonation** *n.*

card [ka:rd] *n.* **1** 판지(板紙), 마분지 **2** (정보를 담고 있는) 카드: business *card* 명함 / membership *card* 회원 카드 / identity *card* 신분증 / credit *card* 신용 카드 **3** 인사장, 초대장; 엽서: a wedding *card* 결혼 청첩장 / an invitation *card* 초대장 **4** (카드놀이의) 패, 카드 (playing card) **5** (cards) 카드 게임: He always wins at *cards*. 그는 카드 게임에서 언제나 이긴다.

숙어 **in(on) the cards** (카드점(占)에 나와 있는) 예상되는, 있을 수 있는

cardboard [kάːrdbɔ̀ːrd] *n.* 판지, 마분지

cardiac [kάːrdiæk] *adj.* [의학] 심장(병)의: My grandfather had a *cardiac* problem. 할아버지는 심장이 안 좋으셨다.

cardigan [kάːrdigən] *n.* 카디건 (앞을 단추로 채우는 스웨터)

cardinal [kάːrdənl] *n.* **1** [가톨릭] 추기경 **2** (*pl.*) 기수 (1, 2, 3 등) (cardinal number) *cf.* ordinal 서수

cardio- *prefix* '심장' 이란 뜻.

※ 모음 앞에서는 cardi-를 쓴다.

***care** [kɛər] *n.* **1** 돌봄, 보호: This hospital provides high standards of medical *care*. 이 병원은 높은 수준의 의료를 제공한다. / skin(hair) *care* products 스킨(헤어) 케어 제품 **2** 주의, 조심: Try to do your work with more *care*. 좀더 신경 써서 일을 하도록 해라. SYN attention **3** 근심, 걱정; (종종 *pl.*) 걱정거리: He was never free from *care*. 그는 걱정이 끊일 날이 없었다.

v. [I,T] 걱정(염려)하다, 관심을 갖다 (about): He doesn't *care* about money. 그는 돈에는 관심이 없다. / I don't *care* what happens now. 지금 무슨 일이 일어나든 내 알 바가 아니다.

숙어 **care for 1** …을 돌보다: Who *cared* for him while he was ill? 그가 아플 때 누가 돌봐 주었지? **2** …을 좋아하다: Would you *care for* some more coffee? 커피를 좀 더 드시고 싶으세요?

care to …하기를 희망하다: If you *care to* read it, I shall be glad to lend it to you. 읽고 싶다면 기꺼이 빌려 줄게.

couldn't care less 조금도 개의치 않다

take care 주의하다: Until then, so long and *take care*. 다시 만날 때까지 안녕, 잘 가. / *Take care* that you don't catch cold. 감기들지 않도록 조심해라.

take care of 1 …을 돌보다: *Take* good *care of* the house while I'm away. 내가 없는 동안 집안을 잘 보살펴 줘. **2** …을 처리(해결)하다: Don't worry. I'll *take care* *of* the problem tomorrow. 걱정 마라. 내가 내일 그 문제를 해결할게.

take care of oneself 몸조심하다; 제일은 제가 하다: *Take* good *care of yourself.* (아무쪼록) 몸조심하십시오.

who cares? 알게 뭐야?

with care 조심하여, 신중히: Handle *with care.* 취급 주의.

***career** [kəríər] *n.* **1** (직업상의) 경력, 이력, 생애: his outstanding political *career* 그의 눈에 띄는 정치 경력 **2** (일생의) 직업: She wants to have a *career* as a teacher. 그녀는 교사를 일생의 직업으로 삼으려 한다.

carefree [kéərfrì:] *adj.* 근심[걱정]이 없는, 태평한 [SYN] light-hearted

careful [kéərfəl] *adj.* **1** 주의 깊은, 신중한: Be *careful* not to break the glass. 컵을 깨지 않도록 주의해라. **2** 꼼꼼한, 면밀한, 정성들인: a *careful* analysis 면밀한 분석 / a *careful* piece of work 정성들인 작품

— **carefully** *adv.*

■ 접미어 **-ful**

1. '…이 많은', '…의 성질이 있는', '…하기 쉬운'의 뜻의 형용사를 만든다.: care*ful* 주의 깊은 / cheer*ful* 명랑한 / beauti*ful* 아름다운 / forget*ful* 잘 잊어버리는

2. '…에 가득 (찬 양)'의 뜻의 명사를 만든다.: mouth*ful* 한 입 가득 / hand*ful* 한 움큼

careless [kéərlis] *adj.* **1** 부주의한: a *careless* driver 부주의한 운전사 **2** 경솔한, 조심성 없는: a *careless* mistake 경솔한 실수 **3** 무관심[무심]한: a *careless* attitude 무관심한 태도

— **carelessly** *adv.* **carelessness** *n.*

caress [kərés] *v.* [T] 애무하다, 품에 안다 *n.* 애무 (키스·포옹 등)

cargo [káːrgou] *n.* (*pl.* cargo(e)s) 뱃짐, 화물 [SYN] freight

Caribbean [kæ̀rəbíːən] *adj.* 카리브 해〔사람〕의 *n.* (the Caribbean) 카리브 해; 카리브 해 제도

caricature [kǽrikətʃùər] *n.* (풍자) 만화, 풍자하는 글〔그림〕 — **caricaturist** *n.* 풍자 (만)화가

caring [kéəriŋ] *adj.* **1** 남을 배려하는: He has always a warm and *caring* attitude. 그는 언제나 따뜻하고 남을 배려하는 태도를 가지고 있다. **2** 다른 사람을 돌보는: Nursing is one of the *caring* professions. 간호 업무는 남을 돌보는 일 중의 하나이다.

carnation [kɑːrnéiʃən] *n.* [식물] 카네이션

carnival [káːrnəvəl] *n.* **1** (노래·춤·행진 등이 벌어지는) 축제, 제전: The *carnival* in Rio in Brazil is world-famous. 브라질의 리오 축제는 세계적으로 유명하다. **2** 순회 흥행; 서커스 **3** 카니발, 사육제 (가톨릭교 나라에서 사순절 직전 3일 내지 1주일간에 걸친 축제)

carnivore [káːrnəvɔ̀ːr] *n.* 육식 동물 *cf.* herbivore 초식 동물 — **carnivorous** *adj.* 육식(성)의

carol [kǽrəl] *n.* 기쁨의 노래, 축가: Christmas *carol* 크리스마스 캐럴

carp [kɑːrp] *n.* (*pl.* carps, (집합적) carp) 잉어(과의 물고기): the silver *carp* 붕어

***carpenter** [káːrpəntər] *n.* 목수, 목공

carpentry [káːrpəntri] *n.* **1** 목수직; 목수일 **2** 목공품

***carpet** [káːrpit] *n.* **1** 양탄자, 융단; 깔개 *cf.* rug (방·거실의 일부에 까는) 깔개 **2** (융단을 깔아 놓은 듯이) 온통 뒤덮임: a *carpet* of flowers 꽃으로 온통 뒤덮임 *v.* [T] **1** …에 융단을 깔다 **2** (보통 수동태) (융단을 깐 듯이) 온통 덮다 (with): The stone is *carpeted* with moss. 그 돌은 이끼로 덮여 있다.

car pool *n.* [미] (통근 때 등의) 자가용차의

합승 이용; 그 그룹

carriage [kǽridʒ] *n.* **1** (일반적) 차, 탈 것; (특히) 4륜 마차 (coach) **2** [미] 유모차 (baby carriage) **3** [영] (철도의) 객차 (coach; [미] car)

carrier [kǽriər] *n.* **1** 운송 수단 (트럭, 비 행기, 철도 등); 운송 업체 **2** 항공모함, 군 수 송차량 **3** 보균자, 전염병 매개체

*****carrot** [kǽrət] *n.* **1** [식물] 당근 **2** 설득의 수단, 미끼

*****carry** [kǽri] *v.* **1** [T] 나르다, 운반하다, 들 고(갖고, 지고, 업고) 가다: Could you *carry* this box for me? 이 상자 좀 날라 주 시겠어요?

> ■ 유의어 carry
>
> **carry** '나르다'를 뜻하는 일반적인 말.
> **bear** 운반되는 물건의 무게를 받치는 것에 중점이 있으며 비유적인 뜻으로 쓰임.
> **convey** 나른 물건을 도착지에서 상대에 게 인도하는 뜻을 내포하고 있음.
> **transport** 사람 또는 물건을 대대적으로 먼 목적지로 나르는 경우에 쓰임.

2 [T] 휴대하다, 몸에 지니다: He never *carries* much money with him. 그는 많 은 돈을 갖고 다니지 않는다.

3 [T] 수송하다, 운송하다: A train *carrying* hundreds of passengers crashed last Sunday. 지난 일요일에 수백 명의 승객을 실 은 기차가 충돌 사고를 냈다. [SYN] transport

4 [T] (소리 · 소문 등을) 전하다: He *carried* the news to everyone. 그는 그 소식을 여 러 사람에게 전했다.

5 [T] (병 등을) 옮기다: Frogs eat pests which *carry* diseases. 개구리는 병을 옮기 는 해충들을 잡아먹는다.

6 [T] (보통 수동태) (주장 등을) 관철하다, (의 안 등을) 통과시키다; (선거구의) 과반수의 표 를 얻다: The proposal was *carried* by 13 votes to 2. 그 제안은 투표 결과 13대 2로 승인되었다.

7 [I] (소리 · 총알 등이) 멀리까지 도달하다, 미

치다: You have to speak louder if you want your voice to *carry* to the outside of your room. 네 목소리가 방 바 깥까지 들리게 하려면 소리를 더 크게 내야 한다.

[숙어] **be[get] carried away** 넋을 잃다, 도취하다: I *was* rather *carried away* at the clothes sale and spent too much money. 옷 세일에 넋이 나가서 너무 많은 돈 을 썼다. / Music *carried* him *away*. 그는 음악에 도취되었다.

carry back 옛날을 상기시키다 (to): That story *carried* me *back* to the old times. 그 이야기를 들으니 옛날 생각이 났다.

carry it off, carry ... off …을 성공적 으로 수행하다: She was nervous before her speech but she *carried it off* very well. 그녀는 연설을 하기 전 긴장했지만 연설 을 매우 성공적으로 끝마쳤다.

carry on 영위하다, 계속하다: He *carried on* business for many years. 그는 여러 해 동안 사업을 했다.

carry out (의무 등을) 다하다, (임무를) 수 행하다: These orders must be *carried out* at once. 이 명령들은 즉시 이행되어야 한 다.

carry through (계획을) 완성하다; 끝까지 견디어 내게 하다, 관철하다: You must *carry* the plan *through*. 너는 그 계획을 끝 까지 밀고 나가야 한다.

carry too far[to excess] …의 도를 지나치다: You are *carrying* the joke *too far*. 농담이 지나치십니다.

carry weight 중요하다; 영향력이 있다: His opinions *carry* a lot of *weight* with me. 그의 의견은 내게 많은 영향을 끼친 다.

*****cart** [kɑːrt] *n.* 손수레; 2륜 짐마차
　　v. [T] (거추장스런 짐 등을) 애써서 운반하다

cartel [kɑːrtél] *n.* [경제] 카르텔, 기업 연 합: The oil *cartel* controls the prices of crude oil. 석유 카르텔은 원유의 가격을 관리한다.

cartography [kɑːrtágrəfi] *n.* 지도 제작(법), 제도(법)
— **cartographic** *adj.* **cartographer** *n.* 지도 제작자, 제도사

carton [káːrtən] *n.* **1** (판지로 만든) 상자 **2** 한 상자의 용량: a *carton* of milk 우유 한 통

***cartoon** [kɑːrtúːn] *n.* **1** (신문·잡지 등의) (시사) 만화; 연재 만화 **2** 만화 영화
— **cartoonist** *n.* 만화가

cartridge [káːrtridʒ] *n.* **1** 탄약통 **2** (만년필·녹음 테이프 등의) 카트리지 (다 쓰면 교체할 수 있는 밀폐된 용기); (카메라에 넣는) 필름통: Change the filter *cartridge* about once a month. 필터 통을 한 달에 한 번 정도 갈아 주세요.

cartwheel [káːrtʰwìːl] *n.* (짐마차의) 수레바퀴

carve [kɑːrv] *v.* **1** [I,T] 조각하다, 새기다, 새겨 넣다: This marble *carves* well. 이 대리석은 잘 깎인다. / He *carved* his name on the tree. 그는 나무에 자신의 이름을 새겼다. **2** [T] (고기 등을) 썰다, 베다 [SYN] slice
— **carver** *n.* 고기 써는 나이프[사람]

carving [káːrviŋ] *n.* 조각(술); 조각품

***case** [keis] *n.* **1** (특별한) 경우, 사례: In some *cases*, it is necessary to operate. 어떤 경우에는 수술이 필요하다.

2 (개인이나 그룹의) 사정, 상태, 상황: I don't let anyone in without a card, but I'll make an exception in your *case*. 우리는 카드 없이는 아무도 들여보내지 않지만 당신의 사정은 예외로 하겠습니다.

3 (the case) 진상, 사실: That is not the *case*. 실은 그렇지 않다.

4 (조사를 요하는) 사건: The police deal with hundreds of murder *cases* every year. 경찰은 해마다 수백 건의 살인 사건을 다룬다.

5 [법] 판례, 소송 (사건): a divorce *case* 이혼 소송

6 진술, 주장; 정당한 논거: They tried to make a *case* for shorter working hours. 그들은 근무 시간 단축에 대한 정당한 근거를 찾으려 애썼다.

7 (특히 복합어에 쓰여) 용기, 통: a pillow*case* 베갯잇 / a filing *case* 서류정리용 케이스

8 [문법] 격

9 [의학] 병증, 사례; 환자: forty new *cases* of flu 유행성 감기의 새 환자 40명

[숙어] **as the case may[might] be** 경우에 따라서: *As the case may be*, books do one good or harm. 책은 경우에 따라서 이롭기도 하고 해롭기도 하다.

in any case 어떤 경우에도, 어쨌든: We have to go past your house *in any case*, so we'll take you home. 어쨌든 우리는 너의 집을 지나가니까 너를 집에 데려다 줄게.

in case 만약에 대비하여: I think I'll take an umbrella just *in case*. 혹시 모르니까 우산을 가지고 가야겠다.

in case of …의 경우에는: *In case of* fire, ring the bell. 화재시에는 벨을 울려라.

in case (that) …의 경우에는: *In case* it rains, the meeting will be postponed. 비가 올 경우에 그 회합은 연기될 것이다.

in nine cases out of ten 십중팔구

in no case 결코 …은 아니다: *In no case* should you do it again. 어떤 일이 있어도 두 번 다시 그런 일을 해서는 안 된다.

in that[this] case 그런[이런] 경우에는

***cash** [kæʃ] *n.* 현금 (수표나 신용 카드가 아닌 동전이나 지폐), 돈: "Will you pay in *cash* or by credit card?" "I will pay (in) *cash*." "현금으로 지불하실 건가요, 카드로 지불하실 건가요?" "현금으로요."
v. [T] (수표 등을) 현금으로 바꾸다: I went to the bank to *cash* my traveler's check. 여행자 수표를 현금으로 바꾸려고 은행에 갔다.

[숙어] **cash in on** …에서 부당하게 이익

〔돈〕을 얻다; …을 이용하다: They have been accused of *cashing in on* her death. 그들은 그녀의 죽음을 이용해 부당한 이익을 취한 혐의로 고발되었다.

cashier [kæʃíər] *n.* (상점·은행·호텔 등의) 출납원, 회계원

cash register *n.* 금전 등록기

casino [kəsí:nou] *n.* (*pl.* casinos) 카지노 (연예·댄스 등을 하는 도박장을 겸한 오락장)

cask [kæsk] *n.* 통; 한 통(의 양): a *cask* of beer 맥주 한 통

casket [kǽskit] *n.* 1 (보석 등을 넣는) 작은 상자 2 [미] 관 [SYN] coffin

*****cassette** [kəsét] *n.* 1 (녹음·녹화용의) 카세트 (테이프); 카세트 플레이어〔리코더〕 [SYN] tape 2 (사진기의) 필름 통

cast [kæst] *v.* (cast-cast) 1 [T] (종종 수동태) 배역을 맡기다: He is always *cast* in the same sort of role. 그는 늘 같은 배역을 맡는다. 2 [I,T] (낚싯줄·그물을) 던지다 3 [T] (거푸집에다) 뜨다, 주조하다: The statue is *cast* in bronze. 그 상은 청동으로 뜬 것이다.

n. 1 깁스: wear a *cast* 깁스를 하다 2 배역, 출연 배우들: The show was very amusing and the entire *cast* was 〔were〕 excellent. 공연은 재미있었고 배우들도 모두 훌륭했다.

[숙어] **cast a shadow across〔over〕** (비유적으로 자주 쓰임) …에 그늘을 드리우다: The sad news *cast a shadow over* the rest of the holiday. 슬픈 소식은 남은 휴가 기간에 그늘을 드리웠다.

cast a (one's) vote 투표하다

cast an eye over …을 흘끗 보다

cast around〔about〕 for …을 찾으려 애쓰다: They *cast around* desperately *for* a solution to the problem. 그들은 문제의 해결책을 찾으려 필사적으로 노력했다.

cast doubt on …에 의혹을 던지다: The incident *cast doubt on* his reliability. 그 사건으로 그의 신뢰성에 의혹이 제기되었다.

cast light on …의 해결에 도움을 주다: Would you *cast* any *light on* the problem? 문제를 해결하는 데 도움 좀 주시겠어요?

cast one's mind back 회고하다 (to): He *cast his mind back* to his childhood. 그는 유년 시절을 회고했다.

caste [kæst] *n.* 카스트 (인도의 세습적인 계급)

castle [kǽsl] *n.* 1 성, 성곽 2 [체스] 성장 (장기의 차에 해당함)

[숙어] **build a castle in the air〔in Spain〕** 공중 누각을 쌓다, 공상에 잠기다

*****casual** [kǽʒuəl] *adj.* 1 우연한, 뜻밖의: a *casual* meeting 뜻밖의 만남 2 무심결의, 되는 대로의; 태평한: I don't like your *casual* attitude to your work. 난 자네의 태평한 업무 태도가 마음에 들지 않아. 3 (옷이) 약식의, 평상시에 입는: You can wear *casual* clothes—it's not a formal party. 격식을 차리는 파티가 아니니까 평상복을 입으면 돼. 4 임시의: The work was done by *casual* laborers. 그 일은 임시직 노동자들이 했다.

— **casually** *adv.*

casualty [kǽʒuəlti] *n.* (전쟁·사고 등의) 사상자, 부상자, 희생자

*****cat** [kæt] *n.* 1 고양이 2 고양이과의 동물 (lion, tiger 등)

※ 새끼 고양이는 kitten, 수고양이는 tom이라고 한다. 기분 좋은 듯이 목을 가르랑거리는 것은 purr, 울음 소리 야옹은 mew, meow라고 한다.

[숙어] **rain cats and dogs** 비가 심하게 퍼붓다

catalog, catalogue [kǽtəlɔ̀:g] *n.* 1 목록, 카탈로그, 일람표; (도서관의) 색인 목록 2 [미] 대학 요강〔편람〕 (〔영〕 calendar) *v.* [T] 목록을 만들다, 분류하다

catalyst [kǽtəlist] *n.* 1 촉매 작용을 하는 사람〔것, 사건〕 2 촉매, 기폭제

— **catalytic** *adj.*

catapult [kǽtəpʌlt] *n.* 투석기; [영] (장난감) 새총 ([미] slingshot)

v. [T] …을 세게 내던지다, 발사하다, 발진시키다

cataract [kǽtərækt] *n.* **1** [의학] 백내장 **2** 큰 폭포 **3** 큰 비, 호우, 홍수

catastrophe [kətǽstrəfi] *n.* **1** 큰 재해: major *catastrophes* such as floods and earthquakes 홍수나 지진 같은 주요한 큰 재해 [SYN] disaster **2** 대실패, 파멸 [SYN] misfortune **3** (희곡의) 대단원; (비극의) 파국

— **catastrophic** *adj.*

*****catch** [kætʃ] *v.* (caught-caught) **1** [T] 붙들다, 쥐다: The dog *caught* the stick in its mouth. 개가 막대기를 입에 물었다.

2 [T] 쫓아가서 잡다: The policeman ran after the thief and *caught* him at the corner of the ally. 경찰이 도둑을 쫓아가 골목 모퉁이에서 그를 잡았다. [SYN] capture

3 [T] (현장을) 목격하다: I *caught* him cheating in the exam. 나는 그가 시험 볼 때 부정 행위 하는 것을 목격했다.

4 [T] (버스·기차 등을 제 시간에) 잡아 타다: I *caught* the train to Busan. 나는 부산행 기차를 탔다. [OPP] miss

5 [T] (연극·텔레비전 등을) 보다, 듣다: I arrived just in time to *catch* the beginning of the show. 나는 공연의 첫 부분을 볼 수 있는 시간에 겨우 도착했다.

6 [I,T] (못 등에) …을 걸리게 하다, …에 걸리다, 얽히게 하다: Hurry! I don't want to get *caught* in the traffic. 서둘러! 난 교통 정체에 걸리고 싶지 않다고. / Her sweater *caught* on a nail. 그녀의 스웨터가 못에 걸렸다.

7 [T] (낙하물 등이) …에 맞다, 때리다, 치다: The branch *caught* him on the forehead. 나뭇가지가 그의 이마를 쳤다. / I *caught* him another blow on the nose. 나는 그의 코에 펀치를 한 대 더 먹였다.

8 [T] (병에) 걸리다: *catch* a cold 감기에 걸리다

9 [T] 알아듣다, 이해하다: I don't quite *catch* what you say. 네가 하는 말을 잘 모르겠다. [SYN] understand

n. **1** 잡음, 포착 **2** 어획량 **3** 걸쇠, (문)고리, 잠금쇠 **4** 함정

[숙어] **be(get) caught up in** …에 휘말리다: He has *got caught up in* a rather complicated situation. 그는 좀 복잡한 상황에 휘말렸다.

catch at (물건을) 잡으려고 하다; 덤벼들다: A drowning man will *catch at* a straw. [속담] 물에 빠진 사람은 지푸라기라도 붙잡는다.

catch fire 불붙다

catch red-handed 현행범으로 붙잡다

catch on 1 인기를 얻다, 유행하다: The style has never really *caught on* in this country. 그 스타일은 이 나라에서는 전혀 유행하지 않았다. **2** 이해하다: He is slow to *catch on*. 그는 이해가 더디다.

catch one's breath (놀라서) 숨을 죽이다, 헐떡거리다

catch one's death of cold 독한 감기에 걸리다

catch sight(a glimpse) of …을 찾아내다

catch the sun 1 햇빛으로 밝게 빛나다 **2** 햇볕에 타다

catch up (with) 따라잡다: Helen had to work hard in order to *catch up with* the rest of the class. 헬렌은 반 아이들을 따라잡기 위해 열심히 공부해야 했다.

catch up on (일·공부 등의) 뒤진 진도를 만회하다: I have to *catch up on* my lesson tonight, so I can't come out. 오늘밤 학과의 진도를 만회해야 하므로 나갈 수 없다.

catcher [kǽtʃər] *n.* **1** 잡는 사람(도구) **2** [야구] 포수

catching [kǽtʃiŋ] *adj.* (명사 앞에는 쓰이지 않음) 전염성의

※ infectious가 좀더 격식을 차린 표현이다.

catchphrase [kǽtʃfrèiz] *n.* 사람의 주의를 끄는 글귀, 표어

categorize, categorise [kǽtigəràiz] *v.* [T] 분류하다, 유별하다
— **categorization** *n.*

category [kǽtəgɔ̀:ri] *n.* **1** 종류, 부류, 부문 **2** [논리학] 범주, 카테고리

cater [kéitər] *v.* [I] **1** 요구에 응하다, 만족을 주다: The store *caters* to young people. 그 상점은 젊은이들을 대상으로 하고 있다. **2** 음식물을 장만하다: *cater* for a feast 연회용 요리를 장만하다
— **caterer** *n.* 요리 조달자; (호텔 등의) 연회 주선 담당자

catering [kéitəriŋ] *n.* 케이터링 (여객기 등의 음식 제공 업무)

caterpillar [kǽtərpìlər] *n.* 모충, 풀쐐기 (나비 · 나방 등의 유충)

catharsis [kəθá:rsis] *n.* (*pl.* catharses [kəθá:rsiz]) **1** [문학] 카타르시스 (예술에 의한 정화 작용) **2** [의학] 배변 **3** [정신의학] (정신 요법의) 정화(법)
— **cathartic** *adj.*

cathedral [kəθí:drəl] *n.* 대성당, 큰 예배당

cathode [kǽθoud] *n.* **1** [전자] (전해조 · 전자관의) 음극 **2** (축전지 등의) 양극 [OPP] anode

cathode ray *n.* 음극선

Catholic [kǽθəlik] *adj.* **1** (로마) 가톨릭교의, 천주교의 **2** (catholic) (관심 · 흥미 · 취미 등이) 광범위한, 보편적인, 관대한
n. (로마) 가톨릭교도, 구교도
— **catholicism** *n.* 가톨릭교(의 교의 · 신앙 · 제도), 천주교

cattle [kǽtl] *n.* (집합적; 복수 취급) **1** 소, 축우 (cows and bulls): Are all the *cattle* in? 소는 모두 들여놓았느냐? / a herd of *cattle* 소 떼 **2** 가축 [SYN] livestock
※ 복수 취급하며 마리 수는 30 (head of) cattle과 같이 쓴다.

causal [kɔ́:zəl] *adj.* 원인이 되는, 인과의

causative [kɔ́:zətiv] *adj.* **1** 원인이 되는 **2** [문법] 사역의: *causative* verbs 사역 동사
n. 사역 동사, 사역형

***cause** [kɔːz] *n.* **1** 원인: The police are still trying to find out the *cause* of the accident. 경찰은 아직도 사고의 원인을 찾으려 애쓰고 있다. [OPP] effect **2** 이유; 근거, 동기 (for): a *cause* for a crime 범죄의 동기 **3** (사회적으로 중요한) 주의, 원칙, 대의, … 운동: They are fighting for a *cause*— the liberation of their people. 그들은 국민의 해방이라는 대의를 위해 싸우고 있다.
v. [T] 야기시키다, 원인이 되다: It *caused* me much worry. 나는 그것 때문에 몹시 걱정했다.
— **causeless** *adj.*

[숙어] **in the cause of** …을 위해: We are fighting *in the cause of* justice. 우리는 정의를 위해 싸우고 있다.

caution [kɔ́:ʃən] *n.* **1** 조심, 신중: Please use *caution* when riding a bike on busy streets. 번화한 길에서 자전거를 탈 때는 조심해라. **2** 경고, 주의
v. [I,T] 조심시키다, 경고하다: The street sign *cautions* people to be careful when crossing the street. 도로 표지판은 사람들이 길을 건널 때 조심하도록 한다. [SYN] warn

cautious [kɔ́:ʃəs] *adj.* 주의 깊은, 조심하는: He's a *cautious* driver. 그는 조심스러운 운전자다.
— **cautiously** *adv.* **cautiousness** *n.*

cavalier [kæ̀vəlíər] *n.* **1** 기사 [SYN] knight **2** 예절바른 신사

cavalry [kǽvəlri] *n.* (집합적) **1** 기병(대), 기갑 부대 **2** 말 탄 사람들

cave [keiv] *n.* 동굴
v. [I] **1** 꺼지다, 함몰하다 (in): After the long rain the road *caved* in. 오랜 장마 끝에 도로가 내려 앉았다. **2** 양보하다, 항복하다 (in): He finally *caved* in and agreed

to the plan. 그는 마침내 양보하고 그 계획에 동의했다.

caveman [kéivmæn] *n.* (*pl.* cavemen) **1** (석기 시대의) 동굴 주거인, 원시인 **2** (여성에 대해) 난폭한 사람

cavern [kǽvərn] *n.* (큰) 동굴

cavity [kǽvəti] *n.* **1** (사람의 신체·고체 물질의) 구멍: the mouth(oral) *cavity* 구강 **2** (이빨의) 구멍; 충치: I have three *cavities*. 나는 충치가 3개 있다.

CD [síːdíː] *abbr.* Compact Disk 시디, 콤팩트 디스크

CD burner *n.* 시디 버너 (음악, 이미지, 정보를 CD에 저장하는 컴퓨터 주변 기기)

CD-ROM [síːdìːrám] *abbr.* Compact Disc Read Only Memory 콤팩트 디스크형 판독 전용 메모리

****cease** [siːs] *v.* [I,T] 멈추다, 중지하다, 끝내다: The music has *ceased*. 음악이 끝났다. / He *ceased* writing in 1990. 그는 1990년에 작가 활동에 종지부를 찍었다. SYN stop

n. 중지, 정지: without *cease* 끊임없이

ceasefire [síːsfáiər] *n.* 휴전 (협정) SYN truce

ceaseless [síːslis] *adj.* 끊임없는, 부단한 SYN endless

— **ceaselessly** *adv.* **ceaselessness** *n.*

****ceiling** [síːliŋ] *n.* **1** 천장 **2** 상한, 한계: set(impose, fix) a *ceiling* on …에 최고 한계를 정하다 SYN limit

숙어 **hit the ceiling 1** (가격이) 최고에 달하다 **2** 몹시 화를 내다

celadon [sélədàn] *n. adj.* **1** 청자(의) **2** 청자색(의)

****celebrate** [séləbrèit] *v.* [I,T] **1** (식을 올려) 경축하다: We *celebrated* Christmas with trees and presents. 나무를 장식하고 선물을 하면서 크리스마스를 축하했다. **2** (용사·훈공 등을) 찬양하다, 기리다: People *celebrated* him for his glorious victory. 사람들은 그의 영광스러운 승리를 찬

양했다.

— **celebratory** *adj.* **celebration** *n.*

celebrated [séləbrèitid] *adj.* 유명한: a *celebrated* painter 유명한 화가 SYN famous

celebrity [səlébrəti] *n.* 유명인, 명사

celery [séləri] *n.* [식물] 셀러리

celestial [siléstʃəl] *adj.* **1** 하늘의, 천체의 **2** 천국의; 거룩한

****cell** [sel] *n.* **1** [생물] 세포 **2** (교도소의) 독방 **3** [전기] 전지 ※ cell이 모여서 battery를 이룬다.

cellar [sélər] *n.* 지하실, 지하 저장실 (식료품 특히 포도주 저장소)

cello [tʃélou] *n.* (*pl.* cellos) 첼로

— **cellist** *n.*

Cellophane [séləfèin] *n.* 셀로판 (상표)

cellphone [sélfòun] *n.* (셀 방식의) 휴대 전화 (cellular phone) SYN mobile phone

cellular [séljələr] *adj.* **1** 세포로 된, 세포질의 **2** [통신] 셀 방식의 (기하학적으로 분할한 도시의 각 셀 중심에 중계국을 설치하는 방식)

cellular phone(telephone) *n.* (셀 방식의) 휴대 전화

celluloid [séljəlɔ̀id] *n.* **1** 셀룰로이드 (플라스틱의 일종; 원래 상표명) **2** 영화(의 필름)

Celsius [sélsiəs] *adj.* (*abbr.* C) 섭씨의 SYN centigrade *cf.* Fahrenheit 화씨의

Celt, Kelt [selt, kelt] *n.* 켈트 사람; (the kelts) 켈트족 (아리아 인종의 한 분파)

cement [simént] *n.* 시멘트

v. [T] **1** 시멘트로 접합하다 **2** (우정 등을) 굳게 하다

cemetery [sémətèri] *n.* (교회에 부속되지 않은) 묘지, 공동 묘지

censor [sénsər] *v.* [T] (출판물·영화 등을) 검열하다, 검열하여 삭제하다: The book was heavily *censored* when first published. 그 책은 처음 출판되었을 때 심하게 검열받았다.

n. 검열관

censorship [sénsərʃip] *n.* **1** 검열 (계획,

제도) **2** 검열관의 직[직권, 임기]

censure [sénʃər] *v.* [T] 비난하다, 나무라
다 [SYN] blame
n. 비난, 견책

census [sénsəs] *n.* 인구 조사, 국세(國勢)
조사

*****cent** [sent] *n.* (*abbr.* c, ct) 센트 (미국·캐
나다 등의 화폐 단위; 1달러의 100분의 1); 1센
트짜리 동전

centenary [séntənèri] *n.* 100년간, 100
년제, 100주년 기념일 ([미] centennial
[sénténiəl])

center, centre [séntər] *n.* **1** 한가운데,
중앙: in the *center* of a room 방 중앙에 **2**
중심지; 종합 시설, 센터: an urban *center*
도심(지) / a sports[health, shopping]
center 스포츠[헬스, 쇼핑] 센터 **3** (사건·흥
미 등의) 중심, 중심 인물: He's the *center*
of the project. 그는 그 계획의 중심 인물이
다. **4** [구기] 중견(수), 센터; 센터로 보내는 타
구[공] **5** (the center) [정치] 중도파, 온건파
v. [I,T] **1** 중앙에 두다: Please *center* the
vase on the table. 꽃병을 테이블 중앙에
놓아 주세요. **2** …에 중심을 두다, 집중시키다:
She *centered* her attention on the
problem. 그녀는 그 문제에 주의를 집중시켰
다.
— **centered** *adj.*

centigrade [séntəgrèid] *adj.* 100분도
의, 섭씨의 [SYN] Celsius *cf.* Fahrenheit 화
씨
n. 백분도[섭씨] 온도계

centimeter, centimetre
[séntəmì:tər] *n.* (*abbr.* cm) 센티미터 (1
미터의 100분의 1)

centipede [séntəpì:d] *n.* [동물] 지네

*****central** [séntrəl] *adj.* **1** 중심(부)의, 중앙
(부)의: the *central* area of the city 도시의
중심부 **2** 중심적인, 주요한: the *central*
idea 중심 사상 **3** 집중 방식의, 중앙 통제의:
central heating 중앙 난방 (장치)
— **centrally** *adv.*

centralism [séntrəlizm] *n.* 중앙 집권주
의[제도]

centralize, centralise [séntrəlàiz]
v. [T] (보통 수동태) (국가·조직 등의 통제권
을) 한 곳에 집중시키다
— **centralization, centralisation** *n.*

-centric *suffix* '…중심의', '…에 집중한'의
뜻.

*****century** [séntʃuri] *n.* **1** 세기: We live
in the 21st *century*. 우리는 21세기에 살고
있다. **2** 백 년: People have been making
wine for *centuries*. 사람들은 수백 년 동안
포도주를 만들어 왔다.

CEO, C.E.O *abbr.* Chief Executive
Officer 최고 경영자

ceramic [sərǽmik] *n. adj.* 도기(의), 요업
제품(의): the *ceramic* industry 요업

cereal [síəriəl] *n.* **1** (보통 *pl.*) 곡물, 곡초
류 **2** (아침 식사용의) 곡물 식품

cerebral [sérəbrəl] *adj.* [해부] 대뇌의
— **cerebrum** *n.* 대뇌

ceremonial [sèrəmóuniəl] *adj.* 의식
의, 격식을 차린, 공식의: a *ceremonial*
occasion 관혼상제(冠婚喪祭) / *ceremonial*
dress 예복
— **ceremonially** *adv.*

ceremonious [sèrəmóuniəs] *adj.* 예
의바른, 격식을 차리는
— **ceremoniously** *adv.*

*****ceremony** [sérəmòuni] *n.* **1** (공식적·
종교적) 행사, 의식: a marriage *ceremony*
결혼식 **2** 의례, 예법, (사교상의) 형식

*****certain** [sə́:rtən] *adj.* **1** (명사 앞에는 쓰
이지 않음) 확신하는, 자신하는 (of, that):
I'm *certain* of his honesty. 그의 정직함
을 확신하고 있다. / I feel *certain* (that)
you're doing the right thing. 네가 옳은
일을 하고 있다고 확신한다.
2 (일이) 확실한, 반드시 일어나는: It is
certain that unemployment will
increase next year. 내년에는 틀림없이 실
업률이 증가할 것이다.

3 (어느) 일정한, 확정된: at a *certain* place 일정한 곳에서

4 (명사 앞에만 쓰임) 막연히 어떤: There are *certain* reasons why I'd like to meet him again. 내가 그를 다시 만나고자 하는 데에는 어떤 이유가 있다.

5 (명사 앞에만 쓰임) 약간의: I felt a *certain* anxiety. 나는 어딘지 모르게 불안을 느꼈다.

6 어떤, 분명하지만 설명하기 어려운: There was a *certain* feeling of winter in the air. 공기 중에는 겨울의 어떤 기운이 있었다.

7 (사람 이름 앞에 쓰여) …라는: I received a letter from a *certain* Mr. Hornby. 혼 비라는 사람한테서 편지를 받았다.

[축어] **for certain** 확실히: I don't know *for certain*. 나도 확실히 아는 것은 아니다. [SYN] for sure

make certain (that) **1** 확실하게 …하다: I'll *make certain that* they meet you at the station. 그들이 너를 역에서 마중하도록 조치하겠다. **2** 확인하다: *Make certain* where he is now. 그가 지금 어디에 있는지 확인해라.

certainly [sə́:rtənli] *adv.* **1** 확실히, 꼭; 틀림없이 **2** (대답으로) 물론이죠, 그렇고 말고 요: "Will you help me?" "*Certainly.*" "절 도와 주시겠어요?" "물론이죠."

[축어] **certainly not** 안 됩니다, 물론 그렇 지 않습니다: "Had you forgotten?" "*Certainly not.*" "잊었었니?" "천만에."

certainty [sə́:rtənti] *n.* **1** 확신: I can say with *certainty* what my plans are. 나는 나의 계획이 무엇인지 확실히 말할 수 있다. [OPP] uncertainty **2** 확실한 것 (일): It's now almost a *certainty* that this horse will win the race. 이 말이 경주에서 이길 거라는 것은 이제 거의 확실하다.

certificate [sərtífəkit] *n.* 증명서, 면허 증, (학위 없는 과정의) 수료(이수) 증명서: a marriage *certificate* 혼인 증명서 / a teacher's *certificate* 교사 자격증 / a

medical *certificate* 진단서

v. [T] [sərtífəkèit] …에게 증명서를 주다; 증명(인증)하다

— **certification** *n.* 증명, 보증

certify [sə́:rtəfài] *v.* [T] **1** (사실 등을) 증명(보증)하다: The accounts were *certified* as correct. 그 회계는 정확하다고 증명되었다. **2** 증명서를(면허증을) 교부하다

— **certified** *adj.* 증명(보증)된; [미] (회계 사 등이) 공인의

certitude [sə́:rtətjù:d] *n.* 확신(감), 확실 (성) [SYN] certainty

cesarean [sizέəriən] *n.* ([영] caesarean, caesarian) 제왕절개

cf. [sí:éf, kəmpέər, kənfə́:r] *abbr.* confer, compare 비교하라, …을 참조하라

***chain** [tʃein] *n.* **1** 사슬 **2** 연쇄, 일련: a *chain* of events 연달아 일어나는 사건 **3** (연 쇄 경영의 은행 · 극장 · 호텔 등의) 체인(점), 연쇄점: She has built up a *chain* of 50 fast food stores across the country. 그녀는 전국에 50개의 패스트 푸드 체인점을 지 었다.

v. [T] 사슬로 매다, 속박하다: *Chain* up the dog. 개를 사슬로 매둬라.

***chair** [tʃεər] *n.* **1** (1인용의) 의자 **2** 의장 **3** 권위 있는 지위; 대학 교수의 직

v. [T] …의 의장직을 맡다

chairman [tʃέərmən] *n.* (*pl.* chairmen) **1** 의장; 사회자; 회장, 총재; 사장, 은행장 **2** (대학 학부의) 학과장, 주임 교수

— **chairmanship** *n.* 의장 등의 직(소질)

chairperson [tʃέərpə̀:rsn] *n.* 의장, 사 회자 (남녀를 모두 포함하여 차별 없이 지칭)

***chalk** [tʃɔ:k] *n.* **1** 백악(白堊) (회백색 연토질 의 석회암) **2** 분필; (크레용 그림용의) 색분필

v. [I,T] 분필로 쓰다(그리다)

[축어] **chalk up** (득점 · 승리 등을) 얻다, 거 두다: The team has *chalked up* another victory. 그 팀은 또 승리를 거두었다.

challenge [tʃǽlindʒ] *n.* **1** 해 볼 만한 일 (문제), (보람 있는) 힘든 일; 문제: The

company will have to face many *challenges* in the coming years. 앞으로 그 회사는 많은 힘든 일을 겪어야 할 것이다. **2** 도전(장), 결투〔시합〕의 신청: accept a *challenge* 도전에 응하다
v. [T] **1** 도전하다; (싸움·경기·논전 등을) 신청하다: They *challenged* me to fight. 그들은 내게 싸움을 걸어왔다. **2** (정당성·사실·능력 등을) 의심하다, 이의를 제기하다: They *challenged* him about the fairness of his remarks. 그들은 그의 말의 공정성에 이의를 제기했다.

— **challenger** *n.* 도전자

challenging [tʃǽlindʒiŋ] *adj.* **1** 해볼 만한, 많은 노력을 요하는: a *challenging* job 노력을 요하는 직업 **2** 도전적인: She gave him a *challenging* look. 그녀는 그에게 도전적인 시선을 던졌다.

chamber [tʃéimbər] *n.* **1** (궁정·왕궁의) 공무 집행실; (공관 등의) 응접실; (종종 *pl.*) 판사실 **2** 회관; (입법·사법 기관의) 회의소 **3** (the chamber) 의원: Lower〔Upper〕 *Chamber* 하원〔상원〕 **4** (동물 체내의) 소실, 방: The heart has four *chambers*. 심장에는 4개의 심방〔심실〕이 있다. **5** (특정 목적의) 칸막이 공간; 처형실, 냉동실

chambermaid [tʃéimbərmèid] *n.* (호텔 등의) 객실 담당 여종업원

chameleon [kəmí:liən] *n.* **1** (동물) 카멜레온 **2** 변덕쟁이

*∗**champion** [tʃǽmpiən] *n.* **1** (경기의) 선수권 보유자, 챔피언, 우승자; (품평회의) 최우수품 [SYN] winner **2** (단체·사상 등을 위해 싸우는) 투사, 옹호자 [SYN] defender
v. [T] 투사〔옹호자〕로서 활동하다, (단체·사상 등을) 옹호하다 [SYN] fight for

championship [tʃǽmpiənʃip] *n.* **1** (보통 *pl.*) 선수권 대회 **2** 선수권; 우승, 우승자의 명예: the *championship* flag〔cup〕 우승기〔컵〕

chance [tʃæns] *n.* **1** 가능성, 승산: The *chances* are in favor of him. 그에게 승산

이 있다. [SYN] possibility **2** 기회: Give me a *chance* to explain. 나에게 설명할 기회를 줘. [SYN] opportunity **3** 위험, 모험: You may lose a lot of money but you'll just have to take that *chance*. 너는 많은 돈을 잃을 수도 있지만 모험을 해야만 할 거야. [SYN] risk **4** 우연, 운: Don't leave anything to *chance*. 아무것도 운에 맡기지 마라. [SYN] luck
v. **1** [T] 해보다, 운에 맡기고 하다 (종종 it을 수반함): I'll have to *chance* it whatever the outcome. 결과가 어찌되든 해봐야겠다. [SYN] risk **2** [I] 어쩌다가〔우연히〕 …하다 (to do): He *chanced* to be out then. 마침 그는 그때 외출 중이었다.

[숙어] **by any chance** (정중히 부탁할 때) 만일, 혹시: Do you have a spare stamp *by any chance*? 혹시 여분의 우표가 있니?

by chance 우연히: I met him *by chance* on the train. 나는 우연히 열차에서 그를 만났다.

chance on〔upon〕 우연히 만나다〔발견하다〕: I *chanced upon* the scene. 나는 우연히 그 광경을 보았다.

no chance 그럴 리가 없다

the chances are (that) 아마 …일 것이다: The chances are that you will find him there. 아마 너는 그를 거기에서 보게 될 것이다.

chancellor [tʃǽnsələr] *n.* **1** (독일 등의) 수상 **2** [영] 재무장관 (Chancellor of the Exchequer)

chandelier [ʃæ̀ndəlíər] *n.* 샹들리에 (천장에서 내리 드리운 호화로운 장식 등)

*∗**change** [tʃeindʒ] *v.* **1** [I,T] 바꾸다, 변화화다: The lottery win has not *changed* his life at all. 복권 당첨은 그의 삶을 전혀 변화시키지 못했다. / You've *changed* a lot. 너 많이 변했다. [SYN] alter
2 [I,T] 변경하다, …을 다른 형태로 만들다 (to, into): He *changed* the spare room into a study. 그는 남는 방을 서재로 만들었

다. / The traffic lights *changed* from red to green. 신호등이 적색에서 녹색으로 바뀌었다.

3 [T] 다른 것으로 바꾸다, 다른 것을 사용하다 (for): Could I *change* these pants for a larger size? 이 바지를 큰 사이즈로 바꿀 수 있을까요?

4 [T] (복수 명사와 쓰여) 교환하다 (with): The two people *changed* seats with each other. 두 사람은 서로 자리를 바꾸었다. [SYN] exchange, switch

5 [I,T] (옷을) 갈아입다: She's *changed* her shirt. 그녀는 셔츠를 갈아입었다. / She *changed* before going out. 그녀는 외출 전에 옷을 갈아입었다.

6 [T] (깨끗한 것으로) 갈다: *change* the bed 침대 시트를 새 것으로 갈다

7 [T] 환전하다, 잔돈으로 바꾸다 (for, into): I'd like to *change* this ten-dollar bill for two fives. 이 10달러짜리 지폐를 5달러짜리 두 장으로 바꾸고 싶은데요.

8 [I,T] (탈것을) 갈아타다: Can we get to Seoul direct or do we have to *change* buses? 서울로 바로 갈 수 있나요, 아니면 버스를 갈아타야 하나요? / You have to *change* at Seoul Station. 서울역에서 갈아타야 합니다.

n. **1** 변화 **2** (a change) 교체, 바뀐 것 (of): a *change* of clothes 갈아입을 옷 / Notify the bank of your *change* of address. 바뀐 주소를 은행에 알려라. **3** 거스름 돈 **4** 잔돈, 동전

[숙어] **change for the better**[**worse**] (병·날씨 등이) 좋아지다[악화되다]

change hands (재산 등이) 임자가 바뀌다
change one's mind 생각을[마음을] 바꾸다: I'll take the red one. No, I've *changed my mind*. I want the green one. 빨간색으로 할게요. 아니, 마음이 바뀌었어요. 녹색이 좋겠어요.

change one's tune 태도를[생각을] 완전히 바꾸다: He was against the idea to start with, but he soon *changed his tune*. 그는 처음에는 그 아이디어에 반대하더니 갑자기 태도를 바꿨다.

change one's ways (생활 수준·습관 등을) 개선하다

change over (…에서 ~으로) 바꾸다, 변경하다 (from, to): We've *changed over* from gas central heating to electric. 우리는 가스 중앙 난방에서 전기 중앙 난방으로 바꾸었다.

for a change 기분 전환 삼아서: I usually cycle to work, but today I walked *for a change*. 나는 보통 자전거를 타고 출근하지만 오늘은 기분 전환 삼아 걸어서 갔다.

make a change (평소와는) 좀 다르다: "The train arrived on time today." "That *makes a change*!" "열차가 오늘은 제 시간에 도착했어." "평소와는 다르네!"

■ 유의어 **change**

change '바꾸다'의 가장 일반적인 말로, 일부분 또는 전체를 본질적으로 바꾸다.
alter 일부를 외면적으로 변경할 때 쓴다.: *alter* a suit 옷을 몸에 맞게 고치다
transform 모양·성질·기능 등을 변화시키다.: A caterpillar is *transformed* into a butterfly. 쐐기벌레가 나비가 된다. **convert** 어떤 목적에 들어맞게 바꾸다.: *convert* one's bank notes into gold 은행권을 금으로 바꾸다 **vary** 불규칙하고 다양하게 변하다.: His mood *varies* from hour to hour. 그의 기분은 시시각각 변한다. **modify** 수정을 위한 변경을 하다.: *modify* the language of a report 보고서의 말을 수정하다

changeable [tʃéindʒəbəl] *adj.* **1** (날씨·가격 등이) 변하기 쉬운; (성격 등이) 변덕스러운 **2** (계약 조항 등이) 가변성의
— **changeably** *adv.* **changeability** *n.*
changeless [tʃéindʒlis] *adj.* 변화 없는, 일정한 [SYN] constant

changeover [tʃéindʒòuvər] *n.* (사람·
정책·시스템·기계 등의) 변경, 전환, 개조

channel [tʃǽnl] *n.* **1** (라디오·텔레비전
등의) 채널, 주파수대: We watch the
news on *Channel* 4 every evening. 우
리는 매일 저녁 채널 4에서 뉴스를 본다. **2** (보
도·무역 등의) 경로 **3** 수로, 운하 **4** 해협:
the (English) *Channel* 영국 해협
v. [T] (channel(l)ed-channel(l)ed) (물 등
을) 수로로 나르다, (관심·노력 등을) 일정 방
향으로 돌리다, 쏟다: Water is *channeled*
from the stream to the fields. 물은 개
울에서 밭으로 흘러 들어간다.

chant [tʃǽnt] *n.* **1** 노래, 멜로디 **2** 성가 **3**
자주 반복되는 문구(슬로건)
v. [I,T] **1** (노래·성가를) 부르다 **2** (슬로건을)
반복하여 외치다

chaos [kéias] *n.* **1** (천지 창조 이전의) 혼돈
2 무질서, 대혼란: After the earthquake,
the area was in *chaos*. 지진이 일어난 후에
그 지역은 대혼란에 빠졌다.
— **chaotic** *adj.*

chap [tʃǽp] *n.* 놈, 녀석, 사나이

chapel [tʃǽpəl] *n.* (학교·병원·교도소 등
의) 예배당, (교회의) 부속 예배당

chaplain [tʃǽplin] *n.* (병원·학교·교도
소 등의) 예배당 목사

chapter [tʃǽptər] *n.* **1** 장 (책·논문 등의
구분 단위) **2** (역사상·인생 등의) 한 시기, 중
요 사건

*****character** [kǽriktər] *n.* **1** 특성, 개성: a
face without any *character* 특징이 없는
얼굴 **2** 인격, 성격, 성품: the *character* of
the Americans 미국인의 국민성 **3** 명성, 평
판: get a good *character* 좋은 평판을 얻다
4 인물, 사람; 기인, 괴짜: He's quite a
character. 그는 정말 괴짜이다. **5** (소설 등의)
등장 인물, (연극의) 역: leading *character*
주인공 **6** 문자: a Chinese *character* 한자
7 기호, 부호: a musical *character* 악보 기
호
숙어 **in(out of) character** 그 사람답

게(답지 않게), 격에 맞는(맞지 않는)

characteristic [kæ̀riktərístik] *adj.*
특색을 이루는, 독자적인: The violent
temper was *characteristic* of him. 과격
한 기질은 그의 특징이었다. OPP uncharac-
teristic
n. 특질, 특색, 특성
— **characteristically** *adv.*

characterization, characterisation
[kæ̀riktəraizéiʃən] *n.* **1** (등장 인물에의)
특징 부여 **2** 성격 묘사

characterize, characterise
[kǽriktəràiz] *v.* [T] **1** (종종 수동태) …의
특색을 이루다, 특징짓다: Her style is
characterized by simplicity. 간결함이 그
녀의 스타일의 특징이다. **2** (사람·사물의) 특
징을 묘사하다: She *characterized* him as
a coward. 그녀는 그를 겁쟁이로 묘사했다.
SYN describe

charcoal [tʃá:rkòul] *n.* **1** 숯, 목탄 **2** 목
탄화 (charcoal drawing)

*****charge** [tʃɑ:rdʒ] *n.* **1** 요금: No *charge*
is made for the service. 서비스료는 받지
않습니다. / There's an admission *charge*
of $5. 입장료는 5달러입니다. **2** 비난, 고소,
죄과: He is wanted on a *charge* of
burglary. 그는 강도 혐의로 수배 중이다. **3**
책임, 의무; 보호, 관리: Who will be in
charge of the department when she
leaves? 그녀가 없는 동안 누가 부서를 관리할
겁니까? **4** [군대] 돌격, 진격 **5** 충전; (총의)
장전
v. **1** [I,T] 요금을 부과하다: They *charged*
me five dollars for the book. 그들은 책
값으로 나에게 5달러를 청구했다. **2** [T] 고소하
다: *charge* a person with a crime 범죄
혐의로 …를 고발하다 **3** [I,T] (적을 향하여) 돌
격하다, 공격하다 (at, on): We *charged* at
the enemy. 우리는 적을 향해 돌진했다. **4**
[T] 충전하다; (총을) 장전하다: *charge* a gun
with powder 총포에 탄약을 장전하다
숙어 **be charged with 1** …의 임무를

띠다: He *was charged with* an important duty. 그는 중대한 임무를 맡았다. **2** …로 고발되다: He *was charged with* murder. 그는 살인죄로 고발되었다.

in charge (**of**) …을 맡고 있는: He was *in charge of* the supplies for his regiment. 그는 연대의 보급 책임자였다.

on a(**the**) **charge of, on charges of** …의 혐의로: He was arrested *on a charge of* murder. 그는 살인죄로 체포되었다.

take charge of …을 맡다, 담당하다: My father *took charge of* one of her children. 아버지께서 그 여자의 아이 하나를 맡았다.

chargeable [tʃáːrdʒəbəl] *adj.* **1** (세금이) 부과되어야 할, (부담 · 비용 등이) 지워져야 할 **2** 고발되어야 할

charger [tʃáːrdʒər] *n.* **1** 돌격자 **2** 충전기; 탄약 장전기

chariot [tʃǽriət] *n.* (고대의 전투 · 개선 · 경주용의) 2륜 전차

charisma [kərízmə] *n.* 카리스마적 자질 〔매력〕
— **charismatic** *adj.*

charitable [tʃǽrətəbəl] *adj.* **1** 자비로운, 관대한 **2** 자선의
— **charitably** *adv.*

*****charity** [tʃǽrəti] *n.* **1** 자애, 자비, 동정 **2** 자선 (행위) **3** (charities) 자선 사업: He devoted his entire fortune to *charities.* 그는 전 재산을 자선 사업에 바쳤다. **4** 자선 단체

*****charm** [tʃɑːrm] *n.* **1** 매력, 아름다운 점, (여자의) 요염함: She is a woman with a great deal of *charm.* 그녀는 매력이 넘치는 여성이다. **2** 마력, 마법 **3** 부적, (행운을 부른다고 믿는) 작은 장식물
v. [T] **1** 매혹하다, 황홀하게 하다: I was *charmed* with the music. 나는 그 음악에 매혹되었다. **2** …을 마력으로 지키다〔보호하다〕

— **charmer** *n.* 마법사; 요염한 여자

charming [tʃáːrmiŋ] *adj.* **1** 매력적인, 아름다운 SYN attractive **2** 즐거운 SYN delightful
— **charmingly** *adv.*

chart [tʃɑːrt] *n.* **1** 도표: a weather *chart* 일기도 / bar *chart* 막대 그래프 / flow *chart* 흐름도 / pie *chart* 파이 도표 (원을 반지름으로 쪼개어 구분함) **2** 해도; (항공용) 차트 **3** (the charts) 잘 팔리는 음반의 리스트; (베스트셀러의) 월간 · 주간 순위표
v. [T] **1** (자료를) 도표로 만들다 **2** (해역 · 수로 등을) 해도에 기입하다

charter [tʃáːrtər] *n.* **1** 헌장, (목적 · 강령 등의) 선언서 **2** (버스 · 비행기 등의) 대차 계약(서), 전세, (선박의) 용선 계약
v. [T] (비행기 · 버스 · 선박 등을) 전세 내다

*****chase** [tʃeis] *v.* **1** [I,T] 쫓다, 추적하다: The police *chased* a man who had stolen a bag. 경찰은 가방을 훔친 남자를 쫓아갔다. SYN run after **2** [I] 뛰어다니다: The kids are *chasing* around the park. 아이들이 공원에서 뛰어다니고 있다.
n. 추적, 추격
— **chaser** *n.* 쫓는 사람, 추적자
숙어 **give chase** 추적〔추격〕하다: The thief ran off and the policeman *gave chase.* 도둑이 달아나자 경찰이 추적했다.

chasm [kǽzəm] *n.* **1** (지면 · 바위 등의) 깊게 갈라진 틈 **2** (감정 · 관심 분야 등의) 큰 간격

chaste [tʃeist] *n.* 정숙한, 순결한
— **chastely** *adv.* **chastity** *n.*

*****chat** [tʃæt] *v.* [I] (chatted-chatted) 담소〔잡담〕하다: We were *chatting* about the accident. 우리는 그 사고에 관해서 이야기하고 있었다.
n. 잡담, 담소, 수다: have a *chat* with …와 잡담하다
SYN gossip
— **chatty** *adj.* 수다스러운

chat room *n.* [인터넷] 채팅방

chatter [tʃǽtər] v. [I] **1** (사소한 이야기를) 빠르게 말하다, 재잘거리다: At the party, people *chattered* about the weather and movies. 파티에서 사람들은 날씨나 영화에 대해 이야기를 나누었다. **2** (새가) 지저귀다; (원숭이가) 캑캑 울다 **3** 이를 딱딱 맞부딪치다
n. **1** 지껄임 **2** 지저귐; 캑캑 우는 소리 **3** 이를 딱딱 맞부딪치는 소리
— **chatterbox** n. 수다쟁이

chauffeur [ʃóufər] n. (주로 자가용차의) 운전사
v. [T] …의 운전사로서 일하다

chauvinism [ʃóuvənìzəm] n. **1** 맹목적 애국주의 **2** 남성우월주의 (male chauvinism)
— **chauvinist** adj. n.

***cheap** [tʃi:p] adj. **1** (값이) 싼: Apples are *cheap* at the moment. 지금은 사과가 싸다. [SYN] inexpensive [OPP] expensive **2** 싸게 파는: a very *cheap* store 값이 아주 싼 가게 **3** 싸구려의, 시시한: The goods in that shop look *cheap*. 저 가게의 물건들은 싸구려처럼 보인다.

> ■ 유의어 cheap
> **cheap** 값이 싸고 이득이 되어서 가치가 있는 경우도 있지만, 값은 싸나 품질이 떨어져 싸구려인 경우도 있음. **inexpensive** cheap의 뜻 중 '싸구려'의 뜻을 피하기 위해 사용하며 cheap보다 자주 쓰임. **low-priced** 사무적, 객관적으로 가격이 낮음을 뜻함.

adv. 싸게: buy a thing *cheap* 물건을 싸게 사다
— **cheaply** adv. **cheapness** n.
[숙어] **dirt cheap** ⇨ dirt

cheapen [tʃí:pən] v. [T] **1** 얕보다 [SYN] degrade **2** 싸게 하다 **3** 조잡하게 하다

cheat [tʃi:t] v. **1** [I,T] 속이다, 속여서 …하게 하다 (into): She *cheated* me into accepting the story. 그녀는 나를 속여서 그 이야기를 믿게 했다. **2** [I] 속임수를 쓰다, 부정 행위를 하다 (at, in, on): *cheat* in an examination 시험에서 부정 행위를 하다 **3** [I] 바람 피우다 (on): His wife was *cheating* on him while he was away. 그의 아내는 그가 없는 동안에 바람을 피우고 있었다.
n. 사기꾼
— **cheater** n. 사기꾼, 협잡꾼
[숙어] **cheat ... (out) of** …을 속여 ~을 빼앗다: He *cheated* me *out of* my money. 그는 나를 속여서 돈을 사취했다.

***check** [tʃek] v. **1** [I,T] 검사하다, 점검하다: *Check* your report for mistakes before you hand it in. 제출하기 전에 리포트에 실수가 있는지 점검해라. **2** [I,T] 확인하다: You'd better phone and *check* what time the bus leaves. 전화해서 버스가 언제 떠나는지 확인해 보는 게 좋겠다. **3** [T] 대조 표시(V)를 하다 ([영] tick) **4** [T] 저지하다, 방해하다, 억제하다: *check* one's laugh 웃음을 참다 **5** [T] (속도 등을) 줄이다: She walked on but *checked* herself at the corner. 그녀는 계속 걸어갔으나 모퉁이에서 속도를 줄였다.
n. **1** 수표 ([영] cheque): pay by *check* 수표로 지불하다 **2** (a check) 점검, 검사, 확인 **3** 청구서 ([영] bill): Can I have the *check*, please? 영수증 좀 주시겠어요? **4** 대조 표시, 꺾자 (check mark(V); [영] tick) **5** 체크 무늬(의 천) **6** (a check) 저지, 억제: The enemy met with a *check*. 적은 저지당했다. **7** [체스] 장군
[숙어] **check in (at), check into** (호텔·공항 등에서) 기장하고 투숙하다, 탑승 수속을 하다: You must *check in* when you arrive at a hotel. 호텔에 도착하면 숙박부에 기장하고 투숙해야 한다.
check off 대조 표시를 하다
check out 1 (호텔 등에서) 계산하고 나오다, 체크 아웃하다 (of, from): We *checked out* of the hotel at 11 a.m. 오전 11시에 호텔을 나왔다. **2** 조사하다, 확인하다: We'll

need to *check out* her story. 그녀의 이야기를 확인해 봐야겠다. **3** 가서 보다: We're going to *check out* that new restaurant. 우리는 그 새로 생긴 식당에 가서 어떤지 볼 것이다. **4** (도서관에서 책 등을) 대출하다

check up on (사람·사실 관계·진위 등을) 살펴 보다, 검토[대조]하다

checkbook *n.* 수표장

checked [tʃekt] *adj.* 체크 무늬의

checker [tʃékər] *n.* **1** 바둑판[체크] 무늬 **2** (checkers) 서양 장기 ([영] draughts)

checkpoint [tʃékpɔint] *n.* 검문소

checkroom [tʃékrù(:)m] *n.* (호텔·극장 등의) 휴대품 보관소

*****cheek** [tʃiːk] *n.* **1** 뺨, 볼, (cheeks) 양볼 **2** 뻔뻔스러움, 건방진 말[행위, 태도]

[숙어] (with) **tongue in cheek** ⇨ tongue

cheekbone [tʃíːkbòun] *n.* 광대뼈

cheeky [tʃíːki] *adj.* (cheekier-cheekiest) 건방진, 뻔뻔스러운

— **cheekily** *adv.*

*****cheer** [tʃiər] *v.* **1** [I,T] 환성을 지르다, 응원하다: The crowd *cheered* when their team scored. 관중은 그들의 팀이 득점하자 환성을 질렀다. / He was *cheering* for the other side. 그는 상대방을 응원하고 있었다. **2** [T] 격려하다, 기쁘게 하다: We were all *cheered* by the good news. 우리는 좋은 소식에 모두 기뻤다.

n. **1** 환호, 갈채, 응원 **2** 격려: speak words of *cheer* 격려의 말을 하다

— **cheerer** *n.*

[숙어] **cheer on** …을 성원하다, 소리 질러 격려하다: As the runner started the last lap, the crowd *cheered* him *on*. 그 주자가 마지막 바퀴에 접어들자 관중들은 크게 응원해 주었다.

cheer up 1 격려하다, 기운이 나다: The news *cheered* him *up* a bit. 그 소식이 그를 조금은 격려해 주었다. **2** (명령형) 기운 내라, 이겨라: *Cheer up*! Things are getting

better. 기운 내! 상황이 좋아지고 있잖아.

cheerful [tʃíərfəl] *adj.* 기분 좋은 [SYN] cheery

— **cheerfully** *adv.* **cheerfulness** *n.*

cheery [tʃíəri] *adj.* (cheerier-cheeriest) 기분이 좋은, (보기에) 원기 있는 [SYN] cheerful

※ cheerful은 기분에 대하여, cheery는 외견에 대하여 쓰일 때가 많다.

— **cheerily** *adv.* **cheeriness** *n.*

cheese [tʃiːz] *n.* 치즈

cheetah [tʃíːtə] *n.* 치타 (몸에 검은 점이 있는 표범 비슷한 동물)

chef [ʃef] *n.* 전문 요리사, (호텔·레스토랑의) 주방장

chemical [kémikəl] *adj.* 화학의, 화학적인: a *chemical* reaction 화학 반응 *n.* 화학 제품[약품]

— **chemically** *adv.*

chemist [kémist] *n.* **1** [영] 약사, 약제사, 약종상 ([미] druggist) [SYN] pharmacist **2** [영] (the chemist's) 약국 (약, 비누, 카메라 필름 등을 파는 곳) ([미] drugstore) **3** 화학자

chemistry [kémistri] *n.* **1** 화학 **2** 화학적 성질, 화학 작용

cheque [tʃek] *n.* ([미] check) [영] 수표

cherish [tʃériʃ] *v.* [T] **1** 소중히 하다, 귀여워 하다, 소중히 기르다: He *cherished* the boy as his own. 그는 그 소년을 자식처럼 소중하게 길렀다. **2** (추억·희망 등을) 소중히 간직하다, 품다: He *cherished* the hope that his father might be alive. 그는 아버지가 생존해 있을지도 모른다는 희망을 간직하고 있었다.

cherry [tʃéri] *n.* **1** 버찌 **2** 벚나무 (cherry tree)

*****chess** [tʃes] *n.* 체스, 서양 장기

*****chest** [tʃest] *n.* **1** 가슴, 흉부 [SYN] breast **2** (뚜껑 달린) 대형 상자, 궤: a carpenter's *chest* 목수의 연장통

[숙어] **get off one's chest** 속을 털어놓

고 마음의 부담을 덜다

chestnut [tʃésnʌt] *n.* **1** 밤 **2** 밤나무 (chestnut tree)

*****chew** [tʃuː] *v.* [I,T] 씹다

chewing gum *n.* 껌 (gum)

chewy [tʃúːi] *adj.* (chewier-chewiest) 잘 씹어지지 않는: The meat was too *chewy*. 고기가 너무 질겼다. [SYN] tough

chick [tʃik] *n.* 병아리; 새새끼

*****chicken** [tʃíkin] *n.* **1** 닭 **2** 닭고기 **3** 새 새끼; 병아리
※ 수탉은 rooster ([영] cock), 암탉은 hen 이라고 한다.
v. [I] 겁을 먹고 (…에서) 물러서다[손을 떼다] (out)
— **chicken pox** *n.* 수두, 작은 마마
[숙어] **chicken feed 1** 닭 또는 새의 모이 **2** 푼돈; 하찮은 것

*****chief** [tʃiːf] *n.* **1** 장, 우두머리: the *chief* of police 경찰서장 **2** 추장, 족장
adj. (명사 앞에만 쓰임) **1** 주요한, 주된 **2** 최고의, 우두머리의: *chief* nurse 수간호사

chiefly [tʃíːfli] *adv.* 특히, 주로: We are *chiefly* concerned for children's safety. 우리는 특히 아이들의 안전을 염려합 니다. / She traveled a lot, *chiefly* in Africa. 그녀는 여행을 많이 했는데 주로 아프 리카를 여행했다. [SYN] mainly

*****child** [tʃaild] *n.* (*pl.* children) **1** 아이, 아 동: He has been delicate from a *child*. 그는 어릴 때부터 허약했다. **2** 자식 (연령에 관 계 없이): He has three *children*. 그에겐 자식이 셋 있다.

childbirth [tʃáildbə̀ːrθ] *n.* **1** 분만, 해산 **2** 출산율

childhood [tʃáildhùd] *n.* 어린 시절, 유 년 시절: in one's *childhood* 어릴 적에

childish [tʃáildiʃ] *adj.* 어린애 같은, 유치 한; 어리석은: a *childish* idea 유치한 생각
— **childishly** *adv.* **childishness** *n.*

childless [tʃáildlis] *adj.* 아이가 없는
— **childlessness** *n.*

childlike [tʃáildlàik] *adj.* (좋은 뜻으로) 어린애 같은, 귀여운

chili, chilli [tʃíli] *n.* (*pl.* chilies, chillies) 칠레 고추 (열대 아메리카 원산); 그것으로 만 든 향신료

chill [tʃil] *n.* **1** 냉기, 한기: There's a *chill* in the air. 쌀쌀한 기운이다. **2** 으스스 함, 오싹함: have[catch] a *chill* 오한이 나 다, 감기에 걸리다
v. [I,T] **1** 식히다, 냉각하다: *Chill* the wine before serving. 포도주를 내오기 전에 차게 해 두세요. **2** 마음을 가라앉히다
— **chilly** *adj.* **chilliness** *n.*
[숙어] **chill out** 침착해지다, 마음을 가라앉 히다: Usually I *chill out* on Sundays. 나는 일요일에는 주로 푹 쉰다.

chime [tʃaim] *v.* [I,T] (종·시계가) 울리다 *n.* (조율을 한) 한 벌의 종, 차임
[숙어] **chime in** (**with**) 대화에 (찬성의 의 견을 가지고) 끼어들다: He will *chime in*. 그는 맞장구를 칠 것이다.

chimney [tʃímni] *n.* (집·기관차·공장 등의) 굴뚝

*****chimpanzee** [tʃìmpænzíː] *n.* [동물] 침 팬지 (chimp)

*****chin** [tʃin] *n.* 턱; 턱끝 *cf.* jaw 턱 (위턱· 아래턱)

china [tʃáinə] *n.* **1** (China) 중국: the People's Republic of *China* 중화 인민 공화국, 중국 **2** (도자기를 만드는 양질의) 점 토 **3** (집합적) 도자기: a *china* shop 도자기 가게 [SYN] porcelain

chip [tʃip] *n.* **1** (도자기 등의) 이 빠진 자국, 흠 **2** (돌·유리·나무 등의) 조각, 부스러기 **3** (보통 *pl.*) [영] 가늘게 썬 감자 튀김 ([미] French fry) **4** (보통 *pl.*) 얇게 썬 감자 튀김 (potato chip; [영] crisp) **5** [컴퓨터] 칩; 집 적 회로 (micro chip) **6** (게임에서 돈 대용 의) 칩
v. [I,T] (chipped-chipped) (도끼·끌 등으 로) 깎다, 자르다; (테·모서리 등에서) 이가 빠 지게 하다; (페인트 등이) 벗겨지게 하다:

This china *chips* easily. 이 사기 그릇은 이가 잘 **빠진다**. / The old paint was *chipped* off. 낡은 페인트가 벗겨져 나갔다.

[숙어] **chip in (with) 1** (논쟁·이야기에) 말참견하다, 끼어들다 **2** 돈을 (제각기) 내다, 기부하다: We all *chipped in* for her present. 그녀의 선물을 사기 위해 각자 돈을 냈다.

have a chip on one's shoulder (about) 원한(불만)을 지니다

chirp [tʃəːrp] *v.* [I] 짹짹 울다(지저귀다)

chisel [tʃízəl] *n.* 끌, 조각칼

chivalry [ʃívəlri] *n.* 기사도, 기사도적 정신 — **chivalrous** *adj.*

chlorine [klɔ́ːriːn] *n.* [화학] 염소 (비금속 원소; 기호 Cl)

***chocolate** [tʃɔ́ːkəlit] *n.* **1** 초콜릿: a box of *chocolates* 초콜릿 한 상자 **2** 초콜릿 과자 **3** 초콜릿 음료 **4** 초콜릿빛(색)

choice [tʃɔis] *n.* **1** 선택(하기): The *choice* is yours. 선택은 네가 하는 거야. **2** 선택권, 선택의 기회: Let him have the first *choice*. 그가 먼저 선택하게 합시다. [SYN] option **3** 선택의 폭, 선택의 풍부함: a wide *choice* of candidates 다양한 후보자들 **4** 선택된 것(사람): Which is your *choice*? 어느 것으로 하겠습니까?

adj. **1** (말 등이) 고르고 고른, 정선한: in *choice* words 적절한 말로 **2** (음식 등이) 특상의, 우량(품)의; [미] (쇠고기가) 상등의: *choice* beef 특상 쇠고기

[숙어] **by choice** 좋아서, 스스로 택하여: I live here *by choice*. 나는 좋아서 이 곳에 살고 있다.

from(out of) choice (자기가) 좋아서, 자진하여

have no choice but to …할 수밖에 없다: She *had no choice but to* walk the three or four miles. 그녀는 3, 4마일 정도를 걸어서 가는 수밖에 없었다.

make a choice 선택하다: You've *made a* good *choice*. 잘 골랐네.

choir [kwáiər] *n.* (집합적) 합창단, (특히) 성가대: He has been singing in his church *choir* since he was seven. 그는 7살 때부터 교회 성가대에서 노래를 하고 있다.

choke [tʃouk] *v.* **1** [I,T] 질식시키다: Peanuts can *choke* a small child. 땅콩이 어린 아이를 질식시킬 수 있다. **2** [T] (보통 수동태) (공간·통로 등을) 막다: The drainpipe was *choked* up with rubbish. 하수관이 쓰레기로 막혔다.

n. **1** [기계] 초크 (엔진의 공기 흡입을 조절하는 장치) **2** 질식

[숙어] **choke back** (감정 등을) 억제하다, 참다: I *choked back* my tears. 나는 눈물을 참았다.

choking [tʃoukiŋ] *adj.* **1** 숨막히는 **2** (감동으로) 목이 메는 듯한 — **chokingly** *adv.*

cholera [kálərə] *n.* 콜레라

cholesterol [kəléstəròul] *n.* [생화학] 콜레스테롤 (동물의 지방·담즙·혈액 및 노른자위 등에 존재함): Too much *cholesterol* can block the blood vessels and cause a heart attack. 과다한 콜레스테롤은 혈관을 막아 심장 마비를 일으킬 수 있다.

***choose** [tʃuːz] *v.* [I,T] (chose-chosen) **1** 선택하다, 선정하다: *choose* death before dishonor 불명예보다는 죽음을 택하다 **2** …을 하고자 결정하다, …하기를 선호하다: He *chose* to run for the election. 그는 선거에 출마하기로 결정했다. / You can leave whenever you *choose*. 당신은 원하면 언제든지 떠날 수 있습니다.

— **chooser** *n.* 선택자; 선거인

[숙어] **cannot choose but** …하지 않을 수 없다, …할 수밖에 없다: I *cannot choose but* do so. 난 그렇게 할 수밖에 없다.

pick and choose ⇨ pick

choosy [tʃúːzi] *adj.* (choosier-choosiest) 가리는, 까다로운: She's very *choosy* about what she eats. 그녀는 먹는 것에 아주 까다롭다.

chop [tʃɑp] v. [T] (chopped-chopped) **1** (도끼·식칼 등으로) 팍팍 찍다, 자르다, 패다: He *chopped* a branch off the tree. 그는 나무에서 가지를 잘라 냈다. **2** (고기·야채 등을) 저미다, 썰다 (up): *Chop* up the onions and fry them in the oil. 양파를 썰어서 기름에 볶아라.
n. **1** 잘라 낸 조각; (뼈가 붙은) 두껍게 베어 낸 고깃점 **2** 절단, 찍어내기 **3** [권투] 짧고 예리한 타격
[숙어] chop off (away) 잘라(베어) 내다

chopper [tʃɑpər] n. **1** 자르는 도구 **2** 헬리콥터 [SYN] helicopter

chopping block (board) n. 도마

*****chopstick** [tʃɑpstìk] n. (보통 pl.) 젓가락

chord [kɔːrd] n. **1** [음악] 화음 **2** [수학] 현 (원의 두 점을 만나는 직선)

chore [tʃɔːr] n. **1** (chores) (가정의) 허드렛일, 잡일: household *chores* 집안일 **2** 지루한(싫은) 일

choreograph [kɔ́ːriəgræf] v. [T] (시·음악 등에) 안무하다
— **choreographer** n. 안무가, 무용가

chorus [kɔ́ːrəs] n. **1** [음악] 합창 **2** (노래의) 합창 부분, 후렴 [SYN] refrain **3** 합창곡 **4** (집합적) 합창단 **5** (뮤지컬의) 합창 무용단, 코러스 **6** 제창; 일제히 내는 소리: a *chorus* of protest 일제히 일어나는 반대
v. [T] **1** 합창하다 **2** 이구동성으로(일제히) 말하다
[숙어] in chorus 일제히, 이구동성으로: "Mom, we want to watch TV," the children cried *in chorus*. "엄마, 우리 TV 볼래요" 아이들은 일제히 소리쳤다. [SYN] in unison

Christ [kraist] n. 그리스도 (Jesus, Jesus Christ)

christen [krísn] v. [T] **1** 세례를 주다 [SYN] baptize **2** 세례를 주고 이름을 붙여 주다: The baby was *christened* Luke. 그 아기는 누가라는 세례명을 받았다. **3** (배·동물·종 등에) 이름을 붙이다, 명명하다: The

ship was *christened* the Queen Mary. 그 배는 퀸 메리호라고 명명되었다.

Christian [krístʃən] n. 기독교인
adj. 그리스도의, 기독교의; 기독교적인
— **Christianity** n. 기독교; 기독교적 정신 (주의)

Christian name n. ([미] given name) 세례명

Christmas [krísməs] n. (abbr. Xmas) 크리스마스, 성탄절 (Christmas Day)

chromosome [króuməsòum] n. [생물] 염색체 (생물의 성별·성격·모양 등을 결정하는 세포의 일부)

chronic [krɑ́nik] adj. **1** [의학] 만성의, 고질의: a *chronic* disease 만성병 [OPP] acute 급성의 **2** 오래 끄는, 만성적인: *chronic* depression 만성적 불황 **3** 상습적인, 버릇이 된 [SYN] habitual
— **chronically** adv.

chronicle [krɑ́nikl] n. (종종 pl.) 연대기
— **chronicler** n. 연대기 편자; (사건의) 기록자

chronology [krənɑ́lədʒi] n. **1** (사건의) 연대순 배열 **2** 연대기, 연표 **3** 연대학
— **chronological** adj. 연대순의

chrysanthemum [krisǽnθəməm] n. [식물] 국화

chubby [tʃʌ́bi] adj. (chubbier-chubbiest) 토실토실 살찐, 오동통한

chuck [tʃʌk] v. [T] **1** 휙 던지다, 팽개치다: *Chuck* me the ball. 그 공을 내게 던져라. **2** (일 등을) 포기하다, 그만두다 (up): *chuck* up one's job 사직하다 **3** (회의장·방 등에서) 끌어내다, 쫓아내다 (out of): He'd been *chucked* out of a pub for fighting. 그는 싸움으로 술집에서 쫓겨났다. **4** (턱밑을 장난으로) 가볍게 치다

chuckle [tʃʌ́kl] v. [I] 낄낄 웃다, 조용히 웃다 [SYN] giggle
n. 낄낄 웃음, 미소

chunk [tʃʌŋk] n. (치즈·빵·고기·나무 등의) 큰 덩어리: a *chunk* of cheese 큰 치즈

덩어리
chunky [tʃʌ́ŋki] *adj.* (chunkier-chunkiest)
1 (보석·옷 등이) 무겁고 두터운: a *chunky* sweater 두툼한 스웨터 **2** 땅딸막하고 단단한: a *chunky* man 땅딸막한 사람 **3** (음식물 등이) 덩어리가 든
***church** [tʃəːrtʃ] *n.* **1** 교회, 성당: I go to *church* every Sunday. 나는 일요일마다 교회에 간다. ※ go to church는 '예배 보러 가다'의 뜻으로 이 때 관사는 붙이지 않는다. **2** 예배: *church* time 예배 시간 **3** (the church; 집합적) 기독교도 **4** (the Church, Church) (조직체로서의) 교회: the *Church* and the State 교권과 국권 **5** (the Church) 성직: be brought up for the *Church* 목사가 되기 위하여 교육받다
churchgoer [tʃə́ːrtʃgòuər] *n.* (정기적으로) 교회에 다니는 사람
churchyard [tʃə́ːrtʃjɑ̀ːrd] *n.* **1** 교회 부속 뜰 **2** (교회 부속의) 묘지 *cf.* cemetery 공동 묘지, graveyard 묘지
churn [tʃəːrn] *v.* **1** [I,T] (물·진흙 등을) 거세게 휘젓다 **2** [I] (속이) 울렁거리다 **3** [T] (우유·크림을) 휘저어 버터를 만들다
[숙어] **churn out** (제품 등을) 대량 생산하다
cider [sáidər] *n.* **1** [영] 사과술 **2** [미] 사과즙
※ 알코올성 음료로서 사과즙을 발효시킨 것은 hard cider(술), 발효시키지 않은 것은 sweet cider(주스), 한국의 cider는 탄산수 (soda pop)이다.
cigar [sigɑ́ːr] *n.* 시가, 여송연
cigarette [sìgərét] *n.* 궐련, (종이로 만) 담배: a pack of *cigarettes* 담배 한 갑
***cinema** [sínəmə] *n.* **1** [영] 영화관 (cinema theater; [미] movie theater): What's on at the *cinema* this week? 이번 주에 극장에서 어떤 영화를 상영하지? **2** (the cinema; 집합적) 영화 ([미] movies) **3** (the cinema) 영화 제작(산업)
cinemagoer [sínəməgòuər] *n.* 영화 팬 [SYN] moviegoer

cinematize [sínəmətàiz] *v.* [T] 영화화하다
cinnamon [sínəmən] *n.* **1** 육계피, 계피 **2** [식물] 육계나무 **3** 육계색, 황갈색
cipher [sáifər] *n.* **1** (기호의) 영, 0 **2** 아라비아 숫자, 자리수: a number of 5 *ciphers* 다섯 자리의 수 **3** 암호(문), 부호 [SYN] code **4** 하찮은 사람
***circle** [sə́ːrkl] *n.* **1** 원, 원주: The student drew a *circle* on the blackboard. 학생은 칠판에 원을 그렸다. **2** 원형의 것, 고리; (철도의) 순환선; (주택가의) 순환 도로; [미] 로터리 **3** (동일한 이해·직업 등의) 집단, 서클, …계: business(political) *circles* 실업계 (정계) **4** (교제·활동·세력 등의) 범위: He has a large *circle* of friends. 그는 교제의 범위가 넓다. **5** (the circle, the dress circle) 극장의 특등석 (2층 정면석) ([미] balcony)
v. **1** [I,T] …의 둘레를 돌다, 선회하다: The airplane *circled* over the landing strip. 비행기는 활주로 상공을 선회했다. **2** [T] 동그라미를 치다: *Circle* the correct answer. 맞는 답에 동그라미를 쳐라.
[숙어] **a vicious circle** ⇨ vicious
circuit [sə́ːrkit] *n.* **1** 순회, 회전; 순회 여행 **2** (원형 모양의) 주위, 범위 **3** [전기] 회로, 회선 **4** [스포츠] 리그, (축구·야구 등의) 연맹
circuitous [səːrkjúːitəs] *adj.* **1** 우회(로)의 **2** (말 등이) 완곡한
— **circuitously** *adv.*
circular [sə́ːrkjələr] *adj.* **1** 원형의, 둥근: a *circular* building 원형 건물 **2** 순환적인; 한 바퀴 도는: a *circular* number 순환수 / a *circular* tour(ticket) 회유 여행(차표) **3** (메모 등이) 회람되는: a *circular* letter 회람장
n. 회람장; 안내장, 광고 전단
— **circularly** *adv.*
circulate [sə́ːrkjəlèit] *v.* [I,T] **1** (피·공기 등이) 돌다, 순환하다: Blood *circulates* through the body. 피는 체내를 순환한다.

2 (특히 모임 등에서) 부지런히 돌아다니다: She *circulated* at the party, talking to many people. 그녀는 파티에서 여러 사람들과 이야기하며 부지런히 돌아다녔다. **3** (소문 등이) 퍼지다: The story *circulated* among the people. 그 이야기는 사람들 사이에 퍼졌다. **4** (신문·책 등이) 배부〔판매〕되다; (통화 등이) 유통되다

circulation [sə̀:rkjəléiʃən] *n.* **1** 순환: the *circulation* of the blood 혈액의 순환 **2** (화폐 등의) 유통; (풍설 등의) 유포 **3** (서적·잡지 등의) 발행 부수: The paper has a large *circulation*. 그 신문은 발행 부수가 많다.

circumference [sərkʌ́mfərəns] *n.* **1** 원주; 주변, 주위: This circle is five meters in *circumference*. 이 원의 둘레는 5미터이다. **2** 경계선; 영역, 범위

*****circumstance** [sə́:rkəmstæns] *n.* **1** (보통 *pl.*) 상황, 주위의 사정: Tell me every *circumstance* of what happened. 자초지종을 모두 말해 주시오. **2** (circumstances) (경제적인) 처지, 생활 형편
숙어 in〔under〕no circumstances 어떠한 일이 있더라도 (…않다), 결코 …아니다 in〔under〕the circumstances 그러한 〔이러한〕사정으로(는): My mother was ill at that time, so *under the circumstances* I decided not to go on holiday. 그 때는 어머니께서 편찮으셨다. 그러한 사정으로 난 휴가를 가지 않기로 했다.

circumstantial [sə̀:rkəmstǽnʃəl] *adj.* (증거 등이) 상황에 의한, 추정상의: *circumstantial* evidence 상황〔간접〕 증거 (법률 용어)

circus [sə́:rkəs] *n.* 서커스; 곡마단

citadel [sítədl] *n.* (도시를 지키는) 성채, 요새

cite [sait] *v.* [T] **1** 인용하다, 예증하다 SYN quote **2** [법] (법정에) 소환하다; 소환장을 주고 석방하다 **3** …에 언급하다, 표창하다: He *cited* his gratitude to her. 그는 그녀에게 감사의 뜻을 말했다.
— **citation** *n.*

*****citizen** [sítəzən] *n.* **1** (출생·귀화로 시민권을 가진) 공민, 국민: He was born in Japan, but became an American *citizen*. 그는 일본에서 태어났지만 미국 시민이 되었다. **2** (도시의) 시민, 거주자, 주민: the *citizens* of Seoul 서울 시민

citizenship [sítəzənʃip] *n.* 시민권; 국적: acquire〔lose〕*citizenship* 시민권을 얻다〔잃다〕

*****city** [síti] *n.* **1** (town보다 큰) 도시, 시(市): Many of the world's *cities* have populations of more than 5 million. 세계의 많은 도시들은 인구가 5백만 이상이다. **2** (the city) 도시의 업무·상업·쇼핑 중심 지역: I live in a suburb and commute to the *city* every day. 나는 도시 근교에 살면서 도심으로 매일 출퇴근한다.

cityscape [sítiskèip] *n.* 도시 풍경

civic [sívik] *adj.* **1** 시의, 도시의; *civic* life 도시 생활 SYN municipal **2** 시민의, 공민의: *civic* duties 시민의 의무 / *civic* rights 시민〔공민〕권 SYN public

*****civil** [sívəl] *adj.* **1** (명사 앞에만 쓰임) 시민의, 공민의, 공민으로서의: *civil* life 시민〔사회〕 생활 / *civil* rights 인권, 시민권 **2** (명사 앞에만 쓰임) (군인·공무원에 대해) 민간인의, 일반인의; (성직자에 대해) 속인의: *civil* administration 민정 **3** (명사 앞에만 쓰임) [법] 민사의: a *civil* case 민사 사건 / *civil* law 민법 **4** 국가〔국내〕의, 내정의: a *civil* war 내란, 내전 **5** 정중한, 예의바른
— **civilly** *adv.* **civility** *n.* 정중함, 공손함

civilian [sivíljən] *n.* (군인·성직자가 아닌) 일반인, 민간인

civilization, civilisation [sìvəlizéiʃən] *n.* **1** 문명, 문화: Western *civilization* 서양 문명 **2** 문명화, 교화, 개화 **3** (집합적) 문명국(민): All *civilization* was horrified by the event. 국민 모두가 그

사건에 경악했다.

civilize, civilise [sívəlàiz] *v.* [T] 개화 〔교화, 문명화〕하다

civilized, civilised [sívəlàizd] *adj.* **1** 문명화〔개화〕된: a *civilized* nation 문화 국민 **2** 예의바른, 교양이 높은: a *civilized* person 예의바른 사람

*****claim** [kleim] *v.* **1** [I,T] (권리 · 사실을) 주장하다, 요구하다: I *claim* to be the rightful heir. 내가 정당한 상속인임을 주장한다. **2** [T] (유실물을) 되찾다, (기탁물을) 찾다: After the airplane landed, I *claimed* my luggage. 비행기가 착륙한 후 나는 짐을 찾았다. **3** [T] (병 · 재해 등이 인명을) 빼앗다: Death *claimed* him. 그는 죽었다.

n. **1** (소유권 · 사실 등의) 주장 **2** (요구할) 권리, 자격: He has no *claim* to scholarship. 그는 학자라고 할 자격이 없다. **3** (권리로서의) 요구, 청구, (배상 · 보험금 등의) 지급 요구, 청구액: a *claim* for damages 손해 배상 (청구)

— **claimable** *adj.*

〔숙어〕 **lay〔make〕claim to** …에 대한 권리를〔소유권을〕 주장하다: Why don't you *lay claim to* the land? 당신은 왜 그 토지 소유권을 주장하지 않습니까?

stake out a〔one's〕claim (…의) 소유권을 주장하다 ⇨ stake

claimant [kléimənt] *n.* 요구〔청구〕자, 신청인

claim check *n.* 보관증, 번호표 (같은 번호가 있는 표를 하나는 물건에 붙이고 하나는 주인이 보관함)

clam [klæm] *n.* 대합조개

v. [I] (clammed-clammed) (상대의 질문에 대해) 입을 다물고 있다, 침묵을 지키다 (up)

clamber [klǽmbər] *v.* [I] (사지를 이용해) 기어오르다〔내려가다〕 (up, down, over)

clamor, clamour [klǽmər] *v.* [I] 극성스럽게 요구하다, 시끄럽게 굴다: *clamor* against a bill 법안에 반대하여 시끄럽게 떠들다

n. 떠들썩함; 소리 높은 불평〔항의〕

— **clamorous** *adj.*

clang [klæŋ] *v.* [I,T] 쨍그렁〔뗑그렁〕 울리다

n. 쨍그렁, 뗑그렁 (소리)

*****clap** [klæp] *v.* (clapped-clapped) **1** [I, T] (손뼉을) 치다; 박수갈채 하다 **2** [T] (우정 · 칭찬의 표시로 손바닥으로) 가볍게 치다 〔두드리다〕: I *clapped* him on the shoulder. 나는 그의 어깨를 툭 쳤다. **3** [T] 쾅하고 닫다, 잽싸게 놓다: He *clapped* the door to shut. 그는 문을 쾅 닫았다. **4** [I] 재빨리 움직이다〔행동하다〕: His hand *clapped* over my mouth. 그의 손이 재빨리 나의 입을 막았다.

n. **1** 찰싹, 쾅, 짝짝 (천둥 · 문 닫는 소리 · 박수 소리 등) **2** 찰싹〔툭〕 치기

clarify [klǽrəfài] *v.* [T] **1** (의미 · 견해 등을) 분명하게 하다, 해명하다: Could you *clarify* the idea, please? 그 생각을 좀 분명하게 설명해 주시겠습니까? **2** (공기 · 액체 등을) 맑게 하다, 정화하다

— **clarification** *n.*

clarity [klǽrəti] *n.* **1** (사상 · 표현 등의) 명쾌함 **2** (액체 등의) 투명(도); (음색의) 맑고 깨끗함

clash [klæʃ] *v.* **1** [I] 충돌하다, 부딪히다: The car *clashed* into the wall. 자동차가 벽에 부딪혔다. **2** [I] (의견 · 이해 등이) 충돌하다: My opinions *clash* with his. 내 의견은 그의 의견과 맞지 않는다. 〔SYN〕 quarrel **3** [I] (행사 · 시간 등이) 겹치다: On Tuesday the two meetings *clash*. 화요일에는 두 모임이 겹친다. **4** [I] (색상이) 어울리지 않다: This color *clashes* with that. 이 색깔은 저 색깔과 맞지 않다. 〔OPP〕 match **5** [I,T] (소리를 내어) 부딪히다: The swords *clashed*. 칼이 쨍그렁 소리를 냈다.

n. **1** (의견 · 이해 등의) 불일치, 충돌: a *clash* of views 의견의 충돌 / border *clashes* 국경 분쟁 **2** 쨍그렁 부딪치는 소리

clasp [klæsp] *n.* 걸쇠, 버클 〔SYN〕 buckle

v. [T] **1** 걸쇠로 걸다(잠그다) [SYN] clutch **2** (손 등을) 꽉 쥐다, 악수하다; 끌어안다: The mother *clasped* her baby hard in her arms. 어머니는 아기를 팔에 꼭 껴안았다.

*★**class** [klæs] *n.* **1** (공통 성질의) 종류, 부류: an inferior *class* of novels 저급한 소설류 **2** (집합적) 학급, 반의 학생: He and I are in the same *class* at school. 그와 나는 학교에서 같은 반이다. / The whole *class* is [are] going to the park today. 오늘 반 전체가 공원에 갈 것이다.

3 학습 시간, 수업: We have no *class* today. 오늘은 수업이 없다.

4 (집합적) [미] 동기(졸업)생(학급); (군대의) 동기병: the *class* of 1990 1990년도 졸업생 **5** (사회의) 계급: the upper[middle, lower, working] *class* 상류[중류, 하류, 노동] 계급

6 [생물] (동식물 분류상의) 강(綱)

7 고급, 우수, 기품: She's a good performer, but she lacks *class*. 그녀는 연주는 잘 하지만 일류라고는 할 수 없다.

8 (품질·정도에 의한) 등급: a first *class* restaurant 일류 레스토랑 / a business [economy] *class* (여객기의) 일등석[일반석]

9 [영] 우등 시험의 합격 등급

v. [T] 분류하다, 등급을 정하다: This book is *classed* as a detective story. 이 책은 탐정 소설로 분류된다.

class-conscious *adj.* 계급 의식이 있는 [강한]

classic [klǽsik] *adj.* **1** (예술품 등이) 일류의, 걸작의: a *classic* movie 걸작 영화 **2** (학문 연구·연구서 등이) 권위 있는 **3** 전형적인: a *classic* method 대표적인 방법 **4** 고전의, 그리스·로마 문예의; 고전적인: *classic* myths 그리스·로마 신화 **5** 전통적인, 유서 깊은: *classic* Oxford 옛 문화의 도시 옥스퍼드 **6** (복장 등이) 전통적인 (스타일의), 유행에 매이지 않는: a simple *classic* suit 깔끔하고 전통적인 스타일의 정장
n. **1** (특히 고대 그리스·로마의) 고전 (작품);

명작, 걸작: "Hamlet" is a *classic*. "햄릿"은 고전이다. **2** (the classics) 고전 문학, 고전어

classical [klǽsikəl] *adj.* **1** (문학·예술에서) 고전적인, 고전주의(풍)의; (건축이) 고전 양식의 **2** 고전 음악의, 클래식의: I prefer *classical* music to pop. 나는 대중 음악보다는 클래식이 더 좋다. **3** 고대 그리스·라틴 문화(문학, 예술)의, 고전의: the *classical* languages 고전어
— **classically** *adv.*

classicism [klǽsəsìzəm] *n.* 고전주의

classification [klæ̀səfikéiʃən] *n.* **1** 분류(법), 종별 **2** 등급(급수)별, 등급 매기기 **3** [생물] (동식물의) 분류 **4** [미] (공문서의) 기밀 종별

classified [klǽsəfàid] *adj.* **1** 분류한; (광고 등이) 항목별의 **2** (군사 정보·문서 등이) 기밀 취급의, 비밀의: *classified* information 비밀 정보 *cf.* confidential 기밀의, top secret 1급 기밀의

classified advertisement *n.* ([영] classified ad, small ad) (구인·구직·임대·분실물 등의) 항목별 소(小) 광고(란)

*★**classify** [klǽsəfài] *v.* [T] **1** 분류하다, 유별하다: *classify* books by subjects 책을 항목별로 분류하다 [SYN] categorize **2** 공문서를 기밀 취급으로 하다

classless [klǽslis] *adj.* **1** (사회가) 계급 차별이 없는 **2** (개인 등이) 어느 계급에도 속하지 않는

classmate [klǽsmèit] *n.* 동급생, 급우

classroom [klǽsrù(:)m] *n.* 교실

classwork [klǽswə̀ːrk] *n.* 교실 학습 *cf.* homework 숙제

clatter [klǽtər] *v.* [I,T] 덜걱덜걱 소리를 내다: The horse turned and *clattered* down the street. 말이 뒤로 돌더니 덜걱덜걱 소리를 내며 길을 따라 걸었다.
n. 덜걱거리는 소리

clause [klɔːz] *n.* **1** (조약·법률 등의) 조목, 조항 **2** [문법] 절 *cf.* phrase 구

claw [klɔ:] *n.* **1** (고양이·매 등의) 발톱 **2** (게·새우 등의) 집게발

v. [I,T] (손톱·발톱 등으로) 할퀴다〔찢다, 파다〕

※ 사람의 손톱·발톱은 nail, 독수리 등의 발톱은 talon, 소·말의 발굽은 hoof라고 한다.

clay [klei] *n.* 찰흙, 점토

****clean** [kli:n] *adj.* **1** 깨끗한, 더러움이 없는: a *clean* shirt 깨끗한 셔츠 [OPP] dirty **2** (농담이) 외설적이지 않은, 건전한: *clean* jokes 건전한 농담 [OPP] dirty **3** 위법 기록이 없는, 결백한: a *clean* record 전과 없는 이력 **4** 아무것도 씌어 있지 않은: Please get me a *clean* piece of paper to write on. 나에게 쓸 백지 한 장만 주세요.

■ 유의어 clean

clean 옷·방 등이 '깨끗한'. **cleanly** '깨끗함을 좋아하는, 청결한'의 뜻으로 습관·경향에 대해 말함. **neat** '산뜻한, 깔끔한'의 뜻으로 청결함을 내포함. **tidy** '말쑥한, 정돈된'의 뜻.: a *tidy* desk 말쑥하게 정리된 책상

---

adv. 아주, 전혀, 완전히: I *clean* forgot about it. 그것을 완전히 잊고 있었다.

v. [I,T] 깨끗하게 하다, 청소하다: *Clean* off the table. 식탁을 깨끗이 닦아라. / Don't forget to *clean* your teeth! 이 닦는 것을 잊지 마라!

※ '청소하다'라는 뜻으로 clean 대신 do the cleaning을 자주 쓴다.: I *do the cleaning* very often. 나는 매우 자주 청소를 한다.

[숙어] **a clean sweep** 일소, 완승: Our baseball team made *a clean sweep* of the games this season. 우리 야구팀은 이번 시즌에 완승했다.

clean out (…의 속을) 깨끗이 청소하다: She *cleaned out* all the cupboards. 그녀는 모든 찬장 안을 깨끗이 청소했다.

clean up 깨끗이 청소하다, 정돈하다; (먼지 등을) 제거하다, 털어 내다: You've spilt milk on the new carpet! *Clean* it *up*,

now! 새 카펫에 우유를 엎질렀구나! 지금 당장 깨끗이 치워!

come clean 자백〔실토〕하다: Why don't you *come clean* about what you'd been doing? 네가 한 짓에 대해 실토하지 그러니? [SYN] confess

cleaner [klí:nər] *n.* **1** 청소부 **2** 진공 청소기 (vacuum cleaner) **3** 세제 [SYN] cleanser **4** 세탁소 주인 **5** ((the) cleaners, cleaner's) 세탁소: I took my suit to the *cleaner's* to be cleaned and pressed. 정장 한 벌을 세탁하고 다림질하려고 세탁소에 맡겼다.

cleaning [klí:niŋ] *n.* 청소; (의복 등의) 손질, 세탁: general *cleaning* 대청소

cleanly [klí:nli] *adv.* 솜씨 있게, 멋지게; 정확히: The plate broke *cleanly* in half. 접시는 정확히 두 쪽으로 조각났다.

cleanse [klenz] *v.* [T] (피부·상처를) 청결하게 하다, 씻다

— **cleanser** *n.* 청정제; 세척제

cleanup *adj.* **1** 대청소 **2** (부정 등의) 일소, 정화 (운동)

****clear** [kliər] *adj.* **1** (모양·윤곽 등이) 분명한, 뚜렷한: a *clear* outline 뚜렷한 윤곽

2 확신을 가진 (on, about): I am *clear* on this point. 난 이 점에 대해서 확신한다.

3 (사실·의미·진실 등이) 명백한: a *clear* case of bribery 명백한 뇌물 사건 [SYN] evident

4 맑은, 투명한: *clear* water 맑은 물

5 (방해·지장 등이) 전혀 없는: The road is *clear*. 도로가 한산하다.

6 (얼룩·티끌 없이) 깨끗한: a *clear* sky 구름 한 점 없는 하늘

7 결백한: a *clear* conscience 결백한 양심

adv. **1** 분명히, 뚜렷하게: speak loud and *clear* 큰 소리로 분명히 말하다

2 떨어져서, 닿지 않고: jump three inches *clear* of the bar 막대보다 3인치 더 높이 뛰어넘다

v. **1** [T] 제거하다: *clear* pavement of

snow 길의 눈을 치우다
2 [I] (연기·안개 등이) 사라지다: The fog slowly *cleared*. 안개가 서서히 사라졌다.
3 [I,T] (액체 등이) 맑아지다; (하늘·날씨가) 개다
4 [T] 밝히다, 해명하다: *clear* oneself of a charge 자기의 결백을 입증하다
5 [T] (장애물 등을) 거뜬히 뛰어넘다: *clear* a fence 울타리를 뛰어넘다
6 [T] (선박의) 출입항을 허가하다, (비행기의) 이착륙을 허가하다: KAL flight 007 has been *cleared* to take off. 대한항공 007편은 이륙 허가를 받았다.
7 [I,T] (법안이) 의회를 통과하다; (계획·제안 등을 위원회 등에서) 승인(인정)하다: We *cleared* the plan with the council. 그 계획은 의회의 승인을 받았다.
8 [I] (수표·어음을 어음 교환소에서) 교환 청산하다
— **clearly** *adv.* **clearness** *n.*
[숙어] **clear away 1** (장애물 등을) 제거하다 **2** (식후에 식탁 위의 것을) 치우다: *Clear away* the plates and the leftovers. 식기와 먹다 남은 음식들을 치우거라.
clear off 1 물러가다, 떠나다 **2** (날씨가) 개다: The fog has *cleared off*. 안개가 걷혔다. **3** (장애물을) 제거하다, 치우다: Let's *clear off* the table so we can use it to work on. 공부하는 데 쓸 수 있도록 식탁 위의 것을 치우자. **4** (빚을) 갚다, 청산하다
clear one's throat 목을 가다듬다, 목소리를 또렷하게 하다: He *cleared his throat* before he began to speak. 그는 말을 시작하기 전에 목을 가다듬었다.
clear out (불필요한 것·장애물 등을) 제거하다, 버리다
clear the air 의혹(걱정)을 일소하다
clear up 1 (날씨·병세가) 좋아지다: The weather has *cleared up*. 날씨가 개었다. **2** 깨끗이 하다: Please *clear up* properly before you leave. 떠나기 전에 제대로 정리 좀 해 줘. **3** (문제·의문·오해를) 해결하다:

There have been some problems, but we've *cleared* it *up* now. 문제가 좀 있었는데 해결했다.
keep(stay, steer) clear (of) …에 가까이 하지 않다, …을 피하고 있다: His parents warned him to *keep clear of* trouble. 부모님은 그에게 말썽을 피하라고 주의시켰다.
make oneself clear, make ... clear (plain) (to) 자기 생각을 남에게 이해시키다: Do I *make myself clear*? 내 말을 알겠습니까?

clearance [klíərəns] *n.* **1** 제거, 정리, 재고 정리: a *clearance* sale 재고 정리 판매 **2** 여유 공간 (굴·다리 밑을 지나가는 선박·차량과 그 구조물과의 공간) **3** 출항(출국) 허가, 통관 절차, (항공기의) 착륙(이륙) 허가: The airport gave the airplane *clearance* to land. 공항은 그 항공기의 착륙을 허가했다.

clearing [klíəriŋ] *n.* (산림을 벌채해 만든) 개간지, 개척지

cleavage [klí:vidʒ] *n.* **1** 분열 **2** 갈라진 틈

cleave [kli:v] *v.* (cleaved-cleaved, clove-cloven, cleft-cleft) **1** [I,T] 쪼개다, 쪼개지다, 찢다; 분열시키다: The wooden door had been *cleft* in two. 나무 문이 두 동강이 났다. **2** [I,T] (길을) 헤치며 나아가다, 길을 트다: We *clove* a path through the jungle. 우리는 밀림 속을 헤치며 나아갔다. **3** [I,T] (공기·물 등을) 가르고 나아가다 **4** [I] (cleaved-cleaved) (주의·주장 등을) 고수하다, 집착하다 (to): They still *cleave* to their old traditions. 그들은 여전히 오래된 전통을 고수하고 있다.

cleft [kleft] *n.* **1** 터진 금, 갈라진 틈 **2** (V형의) 오목한 곳

clench [klentʃ] *v.* [T] (주먹·물건을) 꽉 쥐다, (이를) 악물다: *clench* one's fist 주먹을 꽉 쥐다 / *clench* one's teeth 이를 악물다

clergy [klə́:rdʒi] *n.* (집합적) 목사, 성직자들 ※ 목사·신부·랍비 등, 영국에서는 영국 국교회의 목사. 한 사람의 경우에는 clergyman을 쓴다.

clergyman [klə́:rdʒimən] *n.* (*pl.* clergymen) 목사, 성직자

***clerk** [klə:rk] *n.* **1** 서기, 사무원 **2** 점원 ([영] shop assistant) [SYN] sales clerk

***clever** [klévər] *adj.* **1** 영리한, 똑똑한: a *clever* student 영리한 학생 / He is *clever* at English. 그는 영어를 잘 한다. [SYN] intelligent **2** 솜씨 있는, 재주 있는: My mother is very *clever* with her hands. 어머니는 손재주가 참 좋으시다.
— **cleverly** *adv.* **cleverness** *n.*

■ 유의어 **clever**
clever 손재주가 있고 머리가 잘 돌아 눈치 빠른, 영리한. **bright** 이해가 빠르고 머리가 명석한: He was a *bright* child, always asking questions. 그는 항상 질문을 하는 머리가 좋은 아이였다. **adroit** 일·직무 등을 하는 데 솜씨 있는, 빈틈없는: She was *adroit* at dealing with difficult questions. 그녀는 어려운 문제들을 다루는 데 솜씨가 있었다. **smart** 머리가 매우 좋아 실무에 빈틈이 없는: His son is a very *smart* boy; he is the first in his class. 그의 아들은 매우 똑똑해 반에서 일등이다.

cliché [kli(:)ʃéi] *n.* 진부한 표현, 상투적인 문구: It is a *cliché* to say that honesty is the best policy. 정직이 최선의 방책이라고 말하는 것은 진부한 표현이다.

click [klik] *v.* **1** [I,T] 딸깍〔찰깍〕 소리나다: The door *clicked* shut. 문이 딸깍하고 닫혔다. **2** [I,T] (컴퓨터의) 마우스 단추를 누르다 **3** [I] 마음이 맞다, 의기 상통하다 **4** [I] (문제점 등이) 갑자기 이해되다: What he meant has just *clicked* with me. 그가 말했던 것이 퍼뜩 떠올랐다.
n. **1** 딸깍〔찰깍〕(하는 소리) **2** [컴퓨터] 클릭

***client** [kláiənt] *n.* **1** 소송 의뢰인 **2** 고객, 단골 손님: She has been a *client* of this firm for many years. 그녀는 수년간 이 회사의 단골 고객이다. ※ 상점이나 레스토랑의 고객에는 customer를 쓴다. **3** [컴퓨터] 클라이언트 (공유 정보를 저장하는 특정 서버 컴퓨터에 연결된 수많은 컴퓨터 중의 하나)

cliff [klif] *n.* (특히 해안의) 낭떠러지, 절벽

climactic [klaimǽktik] *adj.* 절정의, 최고조의

climate [kláimit] *n.* **1** (특정 지역의) 기후: a dry〔humid, mild〕 *climate* 건조한〔습한, 온화한〕기후 **2** (어느 지역·시대의) 풍조, 사조: a *climate* of opinion 여론
— **climatic** *adj.* **climatically** *adv.*

■ 유의어 **climate**
climate 한 지방의 연간에 걸친 평균적 기상 상태. **weather** 특정한 때·장소에서의 기상 상태를 말함.

climax [kláimæks] *n.* (사건·극 등의) 최고조, 절정: reach a *climax* 절정에 달하다 [SYN] high point
v. [I] 정점에 달하다: The play *climaxed* gradually. 연극은 점차로 클라이맥스에 달했다.

***climb** [klaim] *v.* **1** [I,T] (나무·로프 등을) 기어오르다: *climb* a mountain 등산하다 / *climb* (up) a ladder 사다리를 오르다 **2** [I] (힘들여) 오르다〔움직이다〕: He managed to *climb* out of the window. 그는 가까스로 창문을 빠져 나왔다. **3** [I] (비행기가) 솟다, 상승하다; (물가 등이) 뛰다, 오르다; (도로 등이) 오르막이 되다: The plane slowly began to *climb*. 비행기가 천천히 상승하기 시작했다.
※ climb down은 '기어서 내려오다'의 뜻.: *climb down* from a tree 나무에서 기어 내려오다
n. 오름, 기어오름; 등반
— **climber** *n.* 등산가

climbing [kláimiŋ] *n.* **1** 기어오름 **2** 등

반: rock *climbing* 암벽 등반

cling [kliŋ] *v.* [I] (clung-clung) **1** 매달리다, 붙들고 늘어지다 (to): The children *clung* to each other in the dark. 아이들은 어둠 속에서 서로 꼭 붙어 있었다. **2** (생각·습관 등에) 집착하다, 고수하다 (to): She *clung* to the hope that her son would succeed. 그녀는 아들이 성공하리라는 희망을 버리지 않았다. **3** 착 들러붙다 (to): The wet clothes *clung* to my skin. 젖은 옷이 살에 달라붙었다.
  — **clinging** *adj.*

clingy [klíŋi] *adj.* (clingier-clingiest) **1** 남에게 의존하는[매달리는]: a *clingy* child 부모 곁을 떠나려 하지 않는 아이 **2** (옷 등이) 몸에 달라붙는, 끈적이는 [SYN] clinging

***clinic** [klínik] *n.* **1** (병원·의대 부속의) 진료소, 진찰실, 개인[전문] 병원: He is being treated at a private *clinic*. 그는 개인 병원에서 진료받고 있다. **2** (의사의) 진료, 상담 **3** (의학의) 임상 강의[실습]

clinical [klínikəl] *adj.* **1** 임상 (강의)의: *clinical* medicine 임상 의학 / The drug has undergone a number of *clinical* trials. 그 약은 많은 임상 실험을 거쳤다. **2** 병상의: a *clinical* diary 병상 일지 **3** (태도·판단 등이) 냉정한, 분석적인
  — **clinically** *adv.*

***clip** [klip] *n.* **1** 클립, 서류 집게 **2** (영화의) 일부 장면: I've seen a *clip* from the film. 나는 그 영화의 일부 장면을 보았다. **3** (손으로) 살짝 때리기 **4** 잘라내기; (머리털·양털 등을) 깎음
  v. (clipped-clipped) **1** [I,T] 클립으로 고정시키다, 꼭 집다: *clip* two sheets of paper 종이 두 장을 클립으로 철하다 **2** [T] 잘라 내다, 오려 내다: *clip* out a photo 사진을 오려 내다 **3** [T] 탁 치다
  — **clipping** *n.*

clipper [klípər] *n.* **1** 가위질하는 사람 **2** (clippers) 작은 가위, 손톱깎이

cloak [klouk] *n.* **1** (소매가 없는) 외투, 망토 **2** 덮는 것, 은폐하는 수단: under a *cloak* of …에 덮여서 [SYN] blanket

cloakroom [klóukrù(:)m] *n.* (호텔·극장 등의 휴대품) 보관소: Check your coat in the *cloakroom*. 코트는 의류 보관소에 맡기세요.

***clock** [klɑk] *n.* **1** 시계 **2** (자동차의) 속도계 ※ clock은 괘종·탁상 시계 등을 뜻하며 휴대하지 않는 점에서 watch와 구별된다.
  [숙어] **against the clock** 시간을 다투어: They are working *against the clock* to get the building finished on time. 그들은 건축 공사를 제때에 끝내려고 시간을 다투어 일하고 있다.
  around[round] the clock 24시간 내내, 주야로, 쉬지 않고: Doctors worked *round the clock* to help the patients in the train crash. 의사들은 열차 사고의 환자들을 치료하기 위해 주야로 일했다.

clockwise [klɑ́kwàiz] *adj. adv.* 시계 방향의[으로] [OPP] [미] counterclockwise, [영] anticlockwise

clockwork [klɑ́kwə̀:rk] *n.* 시계 장치, 태엽 장치

clog [klɑg] *n.* **1** 막힘 **2** 나막신
  v. [I,T] (clogged-clogged) 막다, 막히다, 방해하다 (up): The bathtub drain *clogged* up with hair. 욕조의 배수관이 머리카락으로 막혔다. [SYN] block

cloister [klɔ́istər] *n.* (보통 *pl.*) **1** 수도원 **2** (수도원의 안뜰을 에우는) 회랑
  — **cloistered** *adj.*

clone [kloun] *n.* **1** 복제 생물 (다른 동물이나 식물의 세포로부터 인공적으로 복제된 동물이나 식물) **2** 꼭 닮은 것[사람]
  v. [I,T] 복제하다, 꼭 닮게 만들다

***close¹** [klouz] *v.* [I,T] **1** 닫히다, 닫다, (눈을) 감다: *close* the window 창문을 닫다 / Suddenly the door *closed*. 갑자기 문이 닫혔다. / *Close* your eyes! 눈을 감아라! **2** (가게 등을) 닫다; (길을) 폐쇄하다: The school *closed* for the summer. 학교는

여름 방학에 들어갔다. / *close* the wood to picnickers 소풍객들에게 산림 출입을 금지하다 **3** 끝마치다, 종결하다: *close* a speech 연설을 끝마치다

n. 끝, 종결

축어 **close down** (공장 등을) 폐쇄하다

close in (어둠·안개·적 등이) 다가오다: The enemy *closed* them *in*. 적이 그들을 포위했다.

close off (사람들의 접근을) 금지하다: The police *closed off* the airport because of a bomb alert. 경찰은 폭탄 경보로 사람들의 공항 출입을 금지했다.

***close²** [klous] *adj.* (closer-closest) **1** (명사 앞에는 쓰이지 않음) (거리·시간이) 근처의, 가까운: *close* to the house 바로 집 근처에 / It's *close* to 9:00. 9시가 다되었다. **2** (친구 등이) 친한, 가깝게 지내는: They invited only *close* friends to the wedding. 그들은 결혼식에 가까운 친구들만 초대했다. **3** 가까운 친척의: *close* relatives 근친 **4** (시합 등에서) 근소한 차이의: a *close* game 접전 **5** 면밀한, 정밀한; 세심한: a *close* attention 세심한 주의 **6** (날씨 등이) 답답한, 숨이 막힐 듯한, 무더운: a hot and *close* room 덥고 답답한 방

adv. **1** 밀접하여, 곁에 **2** 딱들어 맞게, 꼭 **3** 촘촘히 **4** 면밀히

— **closely** *adv.* **closeness** *n.*

축어 **close by** …의 가까이에: She thought she heard a voice somewhere *close by*. 그녀는 근처 어딘가에서 소리가 났다고 생각했다.

close on 거의: It is *close on* ten o'clock. 거의 10시이다.

close up (to) …에 매우 가까이

come close (to) 거의 …하다: I didn't win but I *came close*. 난 이기지는 못했지만 거의 우승 문턱까지는 갔다.

closed [klouzd] *adj.* 닫힌, 폐쇄한 OPP open

close-knit [klóusnít] *adj.* 긴밀하게 맺

어진, 굳게 단결한

closet [klάzit] *n.* **1** 찬장, 벽장 **2** 작은 방, 서재

close-up [klóusʌ̀p] *n.* 근접 촬영, 클로즈업

clot [klɑt] *n.* (피 등의) 엉긴 덩어리: a *clot* of blood 핏덩어리

v. [I,T] (clotted-clotted) 응고하다[시키다]

cloth [klɔ(:)θ] *n.* **1** 천, 헝겊, 직물: This coat is made of woolen *cloth*. 이 코트는 모직으로 만들어졌다. **2** (cloths) 특정 목적의 천: a table*cloth* 식탁보

※ 단순히 '천'의 뜻일 때는 복수형이 없지만 천의 종류나 천으로 된 제품 등을 뜻할 때는 복수형을 쓴다.

clothe [klouð] *v.* [T] …에게 옷을 주다: Parents feed and *clothe* their children. 부모님은 아이들을 먹이고 입힌다.

***clothes** [klouðz] *n.* (*pl.*) 옷, 의복: He was wearing new *clothes*. 그는 새 옷을 입고 있었다.

※ 직접 수사를 붙여 쓸 수 없다.: two suits of *clothes* 옷 두 벌

clothing [klóuðiŋ] *n.* (집합적) 의복, 의류: Food and *clothing* are basic necessities. 음식과 의복은 기본 필수품이다.

※ clothing은 clothes보다 형식적인 말이다.

■ **유의어 clothes**

clothes '의복'을 뜻하는 일반적인 말로, 상의·하의 등을 가리킴. 개개의 의류가 집합한 것. **clothing** 몸에 걸치는 모든 것을 뜻하는 '의류'로 각종 clothes의 총칭. **dress** 보통 겉에 입는 의복으로 예복이나 사교 장소 등에 입고 나가는 것. 또 보통명사로서는 '여성복·아동복'을 뜻하며 좋은 옷이나 허름한 옷이나 다 쓰임. **suit** '갖춘 옷'으로 jacket, trousers, skirt, 때론 vest까지 구성된 한 가지 재질로 만들어진 한 벌의 의미로 쓰임.

***cloud** [klaud] *n.* **1** 구름: The sky is full of gray *clouds*. 하늘은 먹구름으로 가득 차

있다. **2** (자욱한) 먼지〔연기〕: a *cloud* of dust 자욱한 먼지

v. **1** [I,T] (하늘·마음이) 흐려지다, (…을) 흐리게 하다: Her eyes *clouded* with tears. 그녀는 눈물이 앞을 가렸다. **2** [T] (문제 등을) 애매하게 하다 **3** [T] 우울하게 하다, 망치다: Illness has *clouded* the rest of his life. 병으로 그는 여생을 힘들게 보냈다.

cloudless [kláudlis] *adj.* 구름 없는, 밝은

cloudy [kláudi] *adj.* (cloudier-cloudiest) **1** 흐린 **2** 탁한
— **cloudily** *adv.* **cloudiness** *n.*

clout [klaut] *n.* **1** (손에 의한) 강타, 타격 **2** 강한 영향력, 정치적 영향력

clover [klóuvər] *n.* 클로버, 토끼풀

*★**clown** [klaun] *n.* 어릿광대
v. [I] **1** 어릿광대 노릇을 하다: Stop *clowning* around and get to work! 어릿광대 노릇 그만하고 가서 일해! **2** 익살부리다

*★**club** [klʌb] *n.* **1** (사교 등의) 클럽, 동호회: I joined the local tennis *club*. 나는 지역 테니스 클럽에 가입했다. **2** 나이트클럽, 카바레 (nightclub) **3** 곤봉 **4** 골프채 **5** (카드놀이의) 클럽 (♠)
v. (clubbed-clubbed) **1** [T] 곤봉으로 치다, 때리다 **2** [I] (춤추고 술 마시러) 나이트클럽에 가다: She and her friends go *clubbing* every Saturday. 그녀와 친구들은 토요일마다 나이트클럽에 놀러 간다.
〔숙어〕 **club together** 비용을 분담하다: We *clubbed together* to buy her a birthday present. 우리는 그녀의 생일 선물을 사는 데 비용을 분담했다.

cluck [klʌk] *n.* 꼬꼬 우는 소리
v. [I] (암탉이) 꼬꼬 울다

*★**clue** [klu:] *n.* 실마리, 단서: Police are looking for *clues* at the scene of a crime. 경찰이 범죄 현장에서 단서를 찾고 있다. 〔SYN〕 hint
〔숙어〕 **not have a clue** (…에 대해) 아무것도 모르다: "Who invented comput-ers?" "I *haven't a clue*." "누가 컴퓨터를 발명했지?" "전혀 모르겠는데."

clump [klʌmp] *n.* 수풀, 덤불

clumsy [klʌ́mzi] *adj.* (clumsier-clumsiest) **1** 솜씨 없는, 서투른: a *clumsy* dancer 춤이 서투른 사람 **2** 재치 없는 **3** 세련되지 않은: a *clumsy* piece of furniture 구식의 가구 한 점
— **clumsily** *adv.* **clumsiness** *n.*

cluster [klʌ́stər] *n.* **1** (과실·꽃 등의) 송이, 다발: a *cluster* of grapes 포도 한 송이 **2** (같은 종류의 물건·사람의) 떼, 집단: a *cluster* of stars 성군(星群), 성단(星團)
v. [I,T] 떼를 이루다, 모여들다 (around)

clutch [klʌtʃ] *v.* [T] 꽉 잡다: She *clutched* her mother's hand. 그녀는 어머니의 손을 꽉 잡았다.
n. **1** 〔자동차〕 클러치 **2** (clutches) 지배, 손아귀: He fell into the *clutches* of the enemy. 그는 적의 손아귀에 붙잡혔다. 〔SYN〕 grasp

clutter [klʌ́tər] *n.* 어지럽게 흩어져 있는 것, 난장판
v. [T] 어수선하게 하다, 흩뜨리다 〔SYN〕 litter

Co. *abbr.* **1** company **2** county

c/o *abbr.* care of: *c/o* Mr. Kim 김씨 댁 〔방〕 (편지 겉봉에 씀)

co- *prefix* (형용사·부사·명사·동사에 붙여) '공동, 공통, 상호, 동등'의 뜻.

coach [koutʃ] *n.* **1** 〔경기〕 코치, 지도원 **2** 〔영〕 장거리 버스 **3** 〔영〕 객차 (〔미〕 car) **4** 대형의 4륜 마차
v. [I,T] **1** 코치하다, 훈련시키다 **2** (가정 교사가) 수험 지도를 하다: I *coached* him for the examination. 나는 그의 시험 공부를 지도했다.

*★**coal** [koul] *n.* 석탄: That stove burns *coal*. 저 난로는 석탄을 땐다.

coal mine *n.* 탄광 (coal pit)

coarse [kɔ:rs] *adj.* **1** 조잡한, 열등한 **2** (천·그물 등이) 거친, 올이 성긴, (알·가루 등이) 굵은: *coarse* sand 굵은 모래 〔OPP〕 fine

3 야비한, 상스러운: a *coarse* joke 저속한 농담
— **coarsely** *adv.* **coarseness** *n.*

coarsen [kɔ́:rsən] *v.* [I,T] 조잡해지다, 거칠어지다

***coast** [koust] *n.* 해안: We spent a week on the *coast*. 우리는 해안에서 일주일을 보냈다.
v. [I] **1** (힘들이지 않고) 썰매 · 자동차 · 자전거 등을 타고 내리막길을 달리다 **2** 별 노력 없이 손에 넣다
— **coastal** *adj.*

coaster [kóustər] *n.* **1** 연안 무역선 **2** (유원지의) 코스터 ([미] roller coaster) **3** (술잔 · 접시 등의) 받침 접시

coastline [kóustlàin] *n.* 해안선

coat [kout] *n.* **1** 웃옷, 코트: Put on your *coat*. 코트를 입어라. **2** (짐승의) 외피 [모피, 털, 깃털] **3** 가죽, 껍질; (먼지 등의) 층: a thick *coat* of dust 두껍게 쌓인 먼지
v. [T] **1** (…의) 표면을 덮다, 입히다: Dust *coated* the piano. 먼지가 피아노 위에 잔뜩 쌓였다. **2** …에 칠하다
— **coating** *n.* 덮음, 입힘

coax [kouks] *v.* [T] 살살 구슬리다, 달래다: She *coaxed* him out of his plan. 그녀는 그를 잘 구슬려서 그의 계획을 그만두게 했다.

cobbler [káblər] *n.* 구두 수선공

cobra [kóubrə] *n.* 코브라

cobweb [kábwèb] *n.* 거미집[줄]
— **cobwebbed** *adj.*

cock [kɑk] *n.* **1** [영] 수탉 ([미] rooster) **2** 새의 수컷
v. [T] **1** (신체의 일부를) 위로 쳐들다 **2** (귀 · 꼬리를) 쫑긋 세우다

cock-a-doodle-doo
[kákədù:dldú:] *n.* 꼬끼오 (수탉의 울음 소리)

cockpit [kákpìt] *n.* (비행기 · 우주선 등의) 조종실

cockroach [kákròutʃ] *n.* ([미] roach) 바퀴벌레

cocktail [káktèil] *n.* **1** 칵테일 (과일 주스와 술을 섞어 만든 음료) **2** 프루츠칵테일 **3** (종류가 잡다한 것의) 혼합물

cocoa [kóukou] *n.* **1** 코코아 (가루) **2** 코코아 (음료)

coconut [kóukənʌ̀t] *n.* 코코야자 열매, 코코넛

cocoon [kəkú:n] *n.* **1** 고치 **2** (보호 · 밀폐를 위한) 덮개: The baby is asleep in its *cocoon* of blankets. 아기가 돌돌만 담요 속에 잠들어 있다.
v. [T] 감싸서 보호하다

code [koud] *n.* **1** 암호, 약호: a telegraphic *code* 전신 부호[약호] **2** (어떤 계급 · 사회 · 동업자 등의) 규약, 규칙: moral *code* 도덕률 **3** [컴퓨터] 코드, 부호
v. [T] **1** 암호화하다 (encode) [OPP] decode **2** [컴퓨터] 프로그램을 코드[부호]화하다

codfish [kádfìʃ] *n.* [어류] 대구

coeducational [kòuedʒukéiʃənəl] *adj.* (*abbr.* coed) 남녀 공학의 [SYN] mixed
— **coeducation** *n.*

coerce [kouə́:rs] *v.* [T] 강요하여 …하게 하다, 강요하다: *coerce* a person to drink [into drinking] …에게 억지로 술을 마시게 하다
— **coercive** *adj.* **coercion** *n.*

coexist [kòuigzíst] *v.* [I] 공존하다, 양립하다
— **coexistence** *n.*

coffee [kɔ́:fi, káfi] *n.* **1** 커피 (나무 · 열매 · 음료) **2** 한 잔의 커피: Two *coffees*, please. 커피 두 잔이요.

coffee shop *n.* 다방, 커피와 간단한 음식을 파는 음식점

coffin [kɔ́:fin] *n.* 관

cofounder [kɔfáundər] *n.* 공동 창립자

cohere [kouhíər] *v.* [I] **1** 밀착하다 **2** (문체 · 이론 등이) 조리가 서다, 시종 일관하다
— **coherent** *adj.* **coherently** *adv.* **coherence** *n.*

cohesion [kouhí:ʒən] *n.* **1** 점착, 결합 **2**

[물리] 응집(력)

cohesive [kouhí:siv] *adj.* **1** 점착력이 있는 **2** 결합하는: a *cohesive* organization 단결력 있는 조직
— **cohesiveness** *n.*

coil [kɔil] *v.* [I,T] 사리를 틀다, 똘똘 말다: He *coiled* a wire around a stick. 그는 막대기에 철사를 칭칭 감았다.
n. (철사·밧줄 등의) 감은 것; 그 한 사리

***coin** [kɔin] *n.* 화폐
v. [T] **1** 화폐를 주조하다 **2** (신어를) 만들다

coinage [kɔ́inidʒ] *n.* **1** 화폐 주조 **2** 주조 화폐 **3** 신조어

coincide [kòuinsáid] *v.* [I] **1** 동시에 일어나다: I timed my vacation to *coincide* with the children's school vacation. 나는 휴가를 아이들의 방학과 시기를 맞추었다. **2** (의견·취미·행동 등이) 일치하다: His views *coincide* with mine. 그의 견해는 내 견해와 일치한다.
— **coincidence** *n.*

coincidental [kouìnsədéntl] *adj.* (우연의) 일치에 의한; 동시에 일어나는: Our meeting in Busan was *coincidental*. 우리가 부산에서 만난 것은 우연의 일치였다.
— **coincidentally** *adv.*

coke [kouk] *n.* **1** 코크스 (석탄에서 나오는 고체 연료) **2** 마약 [SYN] cocaine **3** (Coke) 코카콜라

cola [kóulə] *n.* **1** [식물] 콜라 **2** 콜라 음료

***cold** [kould] *adj.* **1** 차가운, 추운: Many people don't like *cold* weather. 많은 사람들이 추운 날씨를 싫어한다. **2** (음식이) 데우지 않은, 식은: Have your coffee before it gets *cold*. 식기 전에 커피를 마셔라. **3** 냉정한, 냉담한: a *cold* manner 냉담한 태도
n. **1** 추움, 한랭 **2** 감기: I have a bad *cold*. 나는 심한 감기에 걸려 있다.
— **coldly** *adv.* **coldness** *n.*
[숙어] **catch (a) cold** 감기 들다: She *caught* cold yesterday. 그녀는 어제 감기에 걸렸다.

■ 유의어 **cold**
cold '추운, 차가운'의 뜻의 일반적인 말. **cool** '서늘한, 적당히 추운'. **chilly** 쌀쌀하고 아주 추운. **freezing** 얼어붙도록 차가운, 몹시 추운.

cold-blooded *adj.* **1** 냉혈의: a *cold-blooded* animal 냉혈 동물 [OPP] warm-blooded **2** 냉혹한, 냉담한

cold-hearted *adj.* 냉담한, 무정한

coliseum [kàləsí:əm] *n.* **1** 체육관, 경기장 **2** (Coliseum) 콜로세움 [SYN] Colosseum

collaborate [kəlǽbərèit] *v.* [I] **1** 공동으로 일하다, 합작하다: Two companies *collaborated* on this project. 두 회사가 이 프로젝트에 합작했다. **2** (자기편을 배반하고) 적에게 협력하다
— **collaboration** *n.*

collage [kəlá:ʒ] *n.* [미술] 콜라주 (종이·천·사진 조각 등을 표면에 붙여 만든 작품)

collapse [kəlǽps] *v.* **1** [I] (건물·지붕 등이) 부서지다, 붕괴하다: The building *collapsed* in the earthquake. 그 건물은 지진으로 붕괴되었다. **2** [I] (과로·병 등으로) 쓰러지다, 실신하다: The runner *collapsed* at the finish line. 주자는 결승선에서 쓰러졌다. **3** [I] (사업·계획 등이) 무산되다, 실패하다: The negotiations have *collapsed*. 교섭은 결렬되었다. **4** [I,T] 수축하다, (의자·기구 등이) 접어지다, 접다: *collapse* an umbrella 우산을 접다
n. **1** (사업·계획 등의) 실패, 좌절 **2** (건물의) 붕괴 **3** (건강의) 쇠약, 의기 소침

collapsible [kəlǽpsəbəl] *adj.* 접는[조립] 식의: a *collapsible* chair 접의자

collar [kálər] *n.* **1** 칼라, 깃 **2** (개·고양이) 목걸이

colleague [káli:g] *n.* 동료: This is Sam, a *colleague* of mine. 이 사람은 내 동료 샘이야.

collect [kəlékt] *v.* **1** [I,T] 모이다, 모으다: Can you *collect* all the books? 책을 모

두 모아 주겠니? [SYN] gather **2** [T] (취미로) 수집하다: *collect* stamps 우표를 수집하다 **3** [I,T] 수금하다, …의 대금을 징수하다, (기부금을) 모금하다 **4** [T] 데리러[가지러] 가다 **5** [T] (마음을) 가라앉히다 (oneself), 기력을 회복하다, (생각을) 집중하다: He *collected* himself before getting up onto the platform. 그는 연단에 오르기 전에 마음을 가라앉혔다.

adj. adv. [미] 수신인 지불인[로]: a *collect* call 요금 수신인 지급 통화

— **collector** *n.* 수집가; 수금원

collected [kəléktid] *adj.* **1** 모은, 모인: the *collected* edition (한 작가의) 전집 **2** 침착한, 냉정한

collection [kəlékʃən] *n.* **1** 수집, 채집: a *collection* of coins 동전 수집 **2** 소장품, 수집물 **3** 수금, 모금: A *collection* will be made for the fund. 그 자금을 위해 기부금이 모금될 것이다. **4** (물·먼지·종이 등의) 퇴적, 쌓인 것 **5** (고급 의류점의) 신작 발표회, 컬렉션

collective [kəléktiv] *adj.* **1** 집합적 **2** 집단적, 공동적: *collective* property 공유 재산

n. 집단, 공동체

— **collectively** *adv.*

***college** [kálidʒ] *n.* **1** [미] (주로 학부 과정을 가르치는) 칼리지, (University의 일부로서의) 단과 대학 **2** [영] (Oxford, Cambridge 등의 대학교(University)의 자치 조직이며 전통적 특색을 가진) 칼리지 **3** [영] 일부 사립 중등 학교 (public school) **4** 특수 전문 학교

■ **용법** college

college나 **university**에 다니는 경우는 the 없이 쓴다.: I plan to go to *college* next year. 나는 내년에 대학에 갈 계획이다. 다른 볼일로 그 곳에 가는 경우는 the를 붙여 쓴다.: I went to a concert at *the college* last night. 나는 어젯밤에 대학에서 열린 콘서트에 갔다.

collide [kəláid] *v.* [I] **1** 충돌하다: The boat *collided* with a rock. 보트는 바위와 충돌했다. **2** (의견·이해 등이) 일치하지 않다: We *collided* with each other over politics. 우리는 정치에 대한 견해가 서로 달랐다.

— **collision** *n.*

colloquial [kəlóukwiəl] *adj.* 구어(체)의, 일상 회화의

— **colloquially** *adv.*

colloquialism [kəlóukwiəlìzəm] *n.* 구어체, 회화체

colon [kóulən] *n.* **1** 콜론 (:) **2** [해부] 결장

colonel [kə́:rnəl] *n.* (육군·공군·해병대의) 대령; 연대장

colonial [kəlóuniəl] *adj.* 식민지의

— **colonialist** *n.* 식민주의자

colonialism [kəlóuniəlìzəm] *n.* **1** 식민 정책 **2** 식민지풍 기질

colonist [kálənist] *n.* 식민지 사람, 해외 이주민, 식민지 개척자

colonize, colonise [kálənàiz] *v.* [T] 식민지로 만들다, 식민시키다: Peru was *colonized* by the Spanish in the sixteenth century. 페루는 16세기에 스페인 사람들에 의해 식민지가 되었다.

— **colonization, colonisation** *n.*

colony [káləni] *n.* **1** 식민지 **2** (집합적) 재류 외국인, 거류민, 거류지: the Italian *colony* in New York 뉴욕의 이탈리아인 거류지 **3** [생물] 군체; (새·개미·꿀벌 등의) 집단, 군생

***color, colour** [kʌ́lər] *n.* **1** 색, 빛깔: Are the photos in *color* or black and white? 그 사진들은 컬러야 흑백이야? **2** 안색, 혈색: have no *color* 핏기가 없다 **3** 특색, 개성: local *color* 지방색

v. [T] **1** …에 채색하다, 물들이다: The area *colored* blue on the map is river. 지도에서 푸른색으로 칠해진 부분이 강이다. **2** …에 영향을 끼치다: Love of nature *colored* all of the author's writing. 자연에 대한 사랑이 그 작가의 전 작품에 영향을 끼쳤다. SYN affect

color-blind *adj.* 색맹의

colored [kʌ́lərd] *adj.* **1** 착색한, 채색된 **2** …색의: cream-*colored* 크림색의 **3** 유색 인의

colorful [kʌ́lərful] *adj.* **1** 색채가 풍부한, 다채로운 **2** 흥미로운: He told me about his *colorful* past. 그는 나에게 그의 흥미로 운 지난 얘기를 해주었다.

colorless [kʌ́lərlis] *adj.* **1** 무색의 **2** 특색이 없는, 재미 없는 SYN dull

colossal [kəlásəl] *adj.* 거대한, (수량 등이) 엄청난 SYN enormous

colt [koult] *n.* 망아지

column [káləm] *n.* **1** 기둥, 원주, 지주 **2** 기둥 모양의 것: a *column* of smoke 한 줄 기의 연기 **3** [인쇄] 단, 세로줄 **4** [신문] 칼럼, 난, 특별 기고란: ad *columns* 광고란 **5** [수학] (행렬식의) 열 **6** [군대] 종대, (함선의) 종렬

— **columnist** *n.* (신문의) 특별 기고가

com- *prefix* '함께, 전혀'의 뜻.

***comb** [koum] *n.* **1** 빗 **2** 빗질: Give your hair a *comb* before you go out. 나가기 전에 머리 한 번 빗고 나가거라.
v. [T] **1** 빗질하다: He *combed* his hair straight back. 그는 머리칼을 뒤로 곧장 빗어 넘겼다. **2** 철저히 수색하다: She *combed* the files for the missing letter. 그녀는 없어진 편지를 찾느라고 서류철을 샅샅이 뒤졌다. SYN search

combat [kámbæt] *n.* **1** 전투 **2** 격투, 결투, 싸움: a single *combat* 일대일 싸움
v. [T] [kəmbǽt, kámbæt] …와 싸우다, …을 상대로 항쟁하다 SYN fight

combatant [kəmbǽtənt] *n.* 싸우는 사람; 전투원

combative [kəmbǽtiv] *adj.* 싸움을 좋아하는, 호전적인

— **combatively** *adv.*

***combine** [kəmbáin] *v.* **1** [I,T] …을 결합시키다, 연합시키다: Rain and freezing temperatures *combine* to make snow. 비와 영하의 온도가 결합해 눈을 만든다. SYN unite **2** [T] …을 겸하다, 겸비하다: She *combines* marriage and a career very well. 그녀는 가정 생활과 직장 생활을 둘 다 잘 꾸려가고 있다.

— **combined** *adj.* **combination** *n.*

combustion [kəmbʌ́stʃən] *n.* 연소, (유기체의) 산화: an internal-*combustion* engine 내연 기관

***come** ⇨ p. 143

comeback [kʌ́mbæk] *n.* (원래의 지위·신분으로) 되돌아감

comedian [kəmíːdiən] *n.* 희극 배우, 코미디언 SYN comic

comedown [kʌ́mdaun] *n.* (지위·명예의) 하락, 실추

comedy [kámədi] *n.* 희극, 코미디

comely [kʌ́mli] *adj.* (특히 여자가) 잘 생긴, 아름다운 SYN pretty

comer [kʌ́mər] *n.* 오는 사람, 새로 온 사람: Open to all *comers*. 참가 자유.

comet [kámit] *n.* 혜성

comfort [kʌ́mfərt] *n.* **1** 안락, 편함: live in *comfort* 안락하게 살다 **2** (a comfort) 위안이 되는 것(사람): She's a great *comfort* to her parents. 그녀는 부모에게 큰 위안이 된다. **3** 위로, 위안: Nurses give *comfort* to sick people. 간호사들은 환자를 위로해 준다.
v. [T] 위로하다, 위문하다: They *comforted* me for my failure. 그들은 나의 실패를 위로해 주었다. SYN console

— **comfortless** *adj.* **comforter** *n.*

***comfortable** [kʌ́mfərtəbəl] *adj.* **1** 기분 좋은, 편한: Sit down and make yourself *comfortable*. 앉아서 편히 쉬거라. **2** (수입이) 충분한: He is not a millionaire but he is quite *comfortable*. 그는 백

come

come [kʌm] *v.* [I] (came-come) **1** 오다; (상대방에게 또는 상대방이 가는 쪽으로) 가다: I'm *coming* in a minute. 지금 바로 갈게요. / *Come* this way, please. 이쪽으로 오십시오.
2 도착하다, 도달하다: The train is *coming* in now. 열차가 지금 들어오고 있다. / We *came* to a crossroads. 우리는 네거리에 이르렀다. / *come* home 귀가하다 [SYN] arrive
3 (시기·계절 등이) 도래하다, 돌아오다, 다가오다: Winter has *come*. 겨울이 왔다.
4 손에 들어오다; 공급되다: Toothpaste *comes* in a tube. 치약은 튜브에 넣어 판다. [SYN] be available
5 생기다, 발생하다: A chicken *comes* from an egg. 알에서 병아리가 깬다.
6 열리다, 풀리다: Your hair has *come* untied. 너 머리가 풀렸다.
7 …하게 되다, …하기에 이르다: How did you *come* to know that? 어떻게 그것을 알게 된 거야?
8 …의 상태로 되다, …에 이르다: *come* into sight 보이기 시작하다 / *come* to a conclusion 결론에 이르다
[숙어] **come about** 생기다, 일어나다: How did the accident *come about*? 사고가 어떻게 일어난 거죠? [SYN] happen
come across …을 우연히 만나다, 우연히 발견하다: Yesterday I *came across* her at the market. 어제 시장에서 우연히 그녀를 만났다. / He *came across* a rare book. 그는 우연히 진귀한 책을 찾아냈다. [SYN] come over
come along 1 도착하다, 나타나다 **2** 진전이 있다 [SYN] come on **3** 서둘러라 [SYN] come on
come at 1 …에 이르다 **2** …을 얻다 **3** …을 파악하다
come back 1 돌아오다: He *came back* from abroad. 그는 해외에서 돌아왔다. **2** 다시 인기를 얻다: Miniskirts are *coming back*, apparently. 분명히 미니스커트가 다시 유행할 것이다.
come by 1 …을 손에 넣다: I'd like to know how you *came by* the cheap organic vegetables. 어떻게 값싼 유기농 야채를 구하셨는지 알고 싶네요. **2** 들르다: He *came by* for a visit. 그가 방문 차 들렀다.
come down 1 떨어지다 **2** (비행기·우주선 등이) 착륙하다 **3** (가격이) 하락하다
come down with 병에 걸리다: He *came down with* influenza. 그는 독감에 걸렸다.
come from 1 …에서 나오다: War *comes from* ignorance. 전쟁은 무지에서 야기된다. **2** …의 출신이다: Where do you *come from*? 너는 어디 출신이니?
come in 1 들어오다 **2** 밀물이 들다 **3** 유행하다: The style *came in* ten years ago. 그 스타일은 10년 전에 유행했다. **4** (뉴스·정보가) 입수되다
come in handy [useful] 쓸모 있게 되다: This knife may *come in handy*. 이 칼은 소용이 있을지도 모른다.
come into 1 …에 들어가다, …의 상태가 되다 **2** …을 물려받다: He will *come into* a large sum of money. 그는 많은 돈을 물려받을 것이다. **3** 참가하다
come near (to) 거의 …할 뻔하다: The child *came near* being drowned. 그 아이는 하마터면 익사할 뻔했다.
come of 1 …의 태생이다: He *comes of* a good family. 그는 좋은 집안의 태생이다. **2** …의 결과이다: Did anything *come of* all those job applications? 취업 신청한 모든 곳에서 어떤 결과가 있었니?
come off 1 …에서 떨어지다: He *came off* a horse. 그는 말에서 떨어졌다. **2** 성공적이다: The deal doesn't seem to *come off*. 그 거래는 성사될 것 같지가 않다. **3** (결혼식 등이) 행해지다; 실현되다: The game will *come*

off next week. 경기는 다음 주에 거행된다. **4** (결과적으로) …이 되다: *come off* a victor 승리자가 되다

come on〔upon〕 1 (배우가) 등장하다; (축구 등에서 선수가) 도중에 교체하여 출장하다 **2** 진전이 있다: My picture is *coming on.* 내 그림은 잘 진척되고 있다. SYN come along **3** 서둘러라 (재촉할 때): *Come on,* let's play. 자, 게임을 시작합시다. SYN come along **4** 시작되다: It *came on* to rain. 비가 내리기 시작했다.

come out 1 나타나다; (책이) 출판되다: After the sudden rain the sun *came out.* 갑작스레 비가 내린 후 해가 나타났다. **2** 알려지다: It *came out* that he had a criminal record. 그에게 전과가 있다는 사실이 드러났다. **3** (사진 등이) 잘 나오다: The picture *came out* well. 사진이 잘 나왔다. **4** (결과가) …이 되다: How did the game *come out*? 시합의 결과는 어떻게 되었지?

come out (of) 지워지다, 제거되다: Ink stains don't *come out* easily. 잉크 얼룩은 잘 지워지지 않는다.

come over 1 (사람·사물이) (…라는) 인상이다, 느낌이 들다 SYN come across **2** (감정 등이) 엄습하다: A feeling of dispair *came over* us. 절망감이 우리를 엄습했다.

come over to〔from〕 멀리서 찾아오다: Won't you *come over to* Korea? 한국에 오지 않을래?

come round 1 (규칙적인 행사 등이) 돌아오다, 일어나다: The baseball season is *coming around.* 야구 시즌이 다가온다. **2** 제정신이 들다 SYN come to OPP pass out

come round (to) 1 (가까운 곳에) 방문하다 **2** 의견을 바꾸다

come through 1 (통신 등이) 다다르다: The baseball results are just *coming*

through. 야구 경기 결과가 이제 막 도착하고 있다. **2** (병·위기 등을) 헤쳐 나가다, 견뎌 내다

come to 제 정신이 들다 SYN come round

come to … 1 액수가 …에 달하다: How much does the amount *come to*? 계산이 얼마가 됩니까? **2** 결국 …에 이르다 (좋지 않은 상황): We might lose all we have, but I hope it won't *come to* that. 우리는 가진 것 모두를 잃을 수도 있다. 하지만 난 그런 상황에는 이르지 않기를 바란다.

come together 만나다, 모이다: They *came* at last *together* and he took her in his arms. 마침내 그들은 만났고, 그는 그 여자를 포옹했다.

come true 실현되다: Your dream will *come true.* 네 꿈은 실현될 것이다.

come under …의 부분 항목에 들다

come up 1 (일이) 생기다: Something has *come up* at work so I won't be home early. 직장에서 일이 생겨서 집에 일찍 들어가지 못할 것 같다. **2** 거론되다: What points *came up* at the meeting? 모임에서 어떤 점이 거론되었니? **3** (해·달이) 뜨다 **4** (씨·풀 등이) 싹을 내다

come up against (곤란·반대 등에) 직면하다

come up to …에 달하다, …에 부응하다: Your service does not *come up to* my expectations. 너의 일솜씨는 나의 기대에 차지 못한다.

come up with (해답·묘안 등을) 생각해 내다: She *came up with* a useful suggestion. 그녀는 유용한 제안을 생각해 내었다.

how come …? 왜, 어떻게: *How come* you're back so late? 어쩌다가 이렇게 늦게 돌아왔니?

만장자는 아니지만 그런대로 넉넉하다. **3** 편안함을 주는: a *comfortable* sofa 편안한 소파 / *comfortable* shoes 편한 신발

OPP uncomfortable
— **comfortably** *adv.*
comic [kámik] *adj.* **1** 희극의, 희극풍의 **2**

익살스러운, 우스운

n. **1** 희극 배우 SYN comedian **2** 만화책〔잡
지〕 SYN comic book

comical [kámikəl] *adj.* 우스꽝스러운, 웃
기는, 익살스러운

— **comically** *adv.*

coming [kʌ́miŋ] *adj.* (다가)오는, 다음의:
the *coming* generation 다음 세대

n. 도래

comma [kámə] *n.* 쉼표, 콤마 (,)

***command** [kəmǽnd] *n.* **1** 명령, 지령,
분부: I have his *command* to do so. 저는
그렇게 하라는 그의 명령을 받았습니다. SYN
instruction **2** [컴퓨터] 명령, 지시 **3** 지휘
(권), 지배(권), 통제: He was in *command*
of the expeditionary force. 그는 그 원
정군의 지휘를 맡고 있었다. SYN charge **4**
지배력, 통어력, (언어의) 구사력: She has a
good *command* of English. 그녀는 영어
를 유창하게 구사한다. SYN grasp

v. **1** [I,T] 명령하다: He *commanded* his
men to attack. 그는 부하들에게 공격하라고
명령했다. SYN order **2** [T] 지휘하다, 통솔하
다: *command* the air 제공권을 장악하다
SYN rule **3** [T] (존경·동의 등을) 받다〔받을
만하다〕: The leader *commanded* great
respect. 그 지도자는 매우 존경을 받았다.

숙어 **at〔by〕a〔one's〕command** ⋯의
명령에 의해

at one's command 마음대로 쓸 수 있
는, 마음대로 되는: He has little money
at his command. 그는 자유로이 쓸 수 있는
돈이 거의 없다.

have a command of ⋯을 마음대로 쓸
수 있다

take command of ⋯을 지휘하다, ⋯의
지휘관이 되다: Admiral Yi was ordered
to *take command of* the naval forces.
이 장군은 해군을 지휘하라는 명을 받았다.

commandant [kámərdæ̀nt] *n.* 지휘
관, 사령관

commander [kəmǽndər] *n.* **1** 지휘관,

사령관 **2** (해군의) 중령

commander in chief *n.* 최고 사령관

commanding [kəmǽndiŋ] *adj.* **1** 지휘
하는 **2** 위풍당당한 **3** 전망이 좋은; 유리한 장
소를 차지한: Our team has a *command-
ing* lead of 5 to 1. 우리 팀은 5대 1로 유리
한 위치를 차지하고 있다.

commandment [kəmǽndmənt] *n.* **1**
율법, 명령(권) **2** (Commandment) 모세의
십계 중 하나

commemorate [kəmémərèit] *v.* [T]
⋯을 기념하다, ⋯을 축하하다: a parade to
commemorate the town's centennial
도시의 100주년 기념일을 축하하는 퍼레이드

commemoration [kəmèməréiʃən]
n. **1** 기념, 축하 **2** 기념식〔축제〕

숙어 **in commemoration of** ⋯을 기념
하여: *In commemoration of* this day, a
solemn ceremony was performed. 이
날을 기념하여 엄숙한 식이 거행됐다.

commence [kəméns] *v.* [I,T] 시작하다,
개시하다: The performance will
commence soon. 연주는 곧 시작될 것이다.

commencement [kəménsmənt] *n.*
1 시작, 개시 **2** 졸업식 ([영] graduation)

commend [kəménd] *v.* [T] **1** (공식적으
로) 칭찬하다: His work has been highly
commended. 그의 작품은 격찬받고 있다. **2**
추천하다: *commend* a person to one's
friends 아무를 친구에게 추천하다 SYN
recommend

— **commendation** *n.*

commendable [kəméndəbəl] *adj.* 칭
찬할 만한, 훌륭한

— **commendably** *adv.*

***comment** [kámənt] *n.* (시사 문제 등의)
논평, 비평, 의견: My teacher made
some useful *comments* about my
work. 선생님께서 나의 공부에 대해 몇 가지
유용한 의견을 주셨다.

v. [I,T] 비평〔논평〕하다, 의견을 말하다: My
mom always *comments* on what I'm

wearing. 엄마는 내가 옷 입는 것에 대해 항상 이러쿵저러쿵 말씀하신다. [SYN] mention
[숙어] **no comment** (아무것도) 할 말 없음: "Mr. President, how do you feel about these latest projects?" "*No comment.*" "대통령 각하, 최근의 프로젝트를 어떻게 생각하십니까?" "할 말 없습니다."

commentary [káməntèri] *n.* **1** (라디오·TV 등의) 해설, 실황 방송 **2** 주석서, 설명서

commentate [káməntèit] *v.* [I] …의 해설[논평]을 하다: He *commentated* on the contemporary political situation. 그는 현대의 정세에 대해서 논평했다.
— **commentator** *n.* (시사) 해설자, 실황 방송인

commerce [kámə:rs] *n.* 상업, 무역 [SYN] trade

*★**commercial** [kəmə́:rʃəl] *adj.* **1** 상업[무역]의: *commercial* law 상법 / *commercial* flights 민간 항공편 **2** 영리적인, 돈벌이가 되는: a *commercial* company 영리 회사 / The film was a huge *commercial* success. 그 영화는 막대한 상업적 성공을 거두었다. **3** 대량 생산의 **4** (라디오·TV 등의) 민간 방송의, 광고용의
n. (TV·라디오의) 광고
— **commercially** *adv.*

commercialism [kəmə́:rʃəlìzəm] *n.* 상업주의, 영리주의

commercialize, commercialise [kəmə́:rʃəlàiz] *v.* [T] 상업[영리]화하다
— **commercialization, commercialisation** *n.*

commission [kəmíʃən] *n.* **1** (종종 Commission) (집합적) 위원회, 최고 권위자 집단: a *commission* of inquiry 조사 위원회 **2** 중개(료), 수수료, 대리(권): He gets a 10% *commission* on every machine he sells. 그는 자기가 판매하는 모든 기계에 10%의 수수료를 받는다. **3** (은행 등의 서비스에 대한) 수수료 **4** (임무·직권의) 위임, 위탁: He

received a *commission* to take pictures during the festival. 그는 축제 기간 동안 사진을 찍으라는 임무를 받았다. [SYN] duty
v. [T] **1** …에게 위탁[위임]하다: *commission* an artist to paint a portrait 화가에게 초상화를 그리라고 의뢰하다 **2** …에게 위임장을 주다, …을 장교에 임명하다: He was *commissioned* a major. 그는 소령으로 임관되었다.

commissioner [kəmíʃənər] *n.* **1** (정부가 임명한) 위원, 이사 **2** 국장, 장관

*★**commit** [kəmít] *v.* [T] (committed-committed) **1** (죄·과실 등을) 범하다, 저지르다: *commit* suicide[murder] 자살[살인]하다 **2** (약속·단언 등으로) 의무를 지우다, 약속하다: He *committed* himself to make a fresh start in life. 그는 새 출발할 것을 맹세했다. **3** (돈·시간 등을) 특별한 목적으로 사용하다 (to): A large amount of money has been *committed* to this project. 막대한 돈이 이 프로젝트에 사용되었다. **4** 입장을[태도를] 분명히 하다: He refused to *commit* himself on the subject. 그는 그 문제에 대하여 태도를 분명히 하려 하지 않았다. **5** (정신병원·감옥 등에) …을 보내다: The man was *committed* to prison. 그 남자는 투옥되었다.

commitment [kəmítmənt] *n.* **1** 몰두, 헌신: I admire his *commitment* to protecting the environment. 나는 그가 환경을 보호하기 위한 그의 헌신을 존경한다. **2** 공약, 의무, 책임: I have too many *commitments* at the moment for the class. 난 지금 수업 준비 때문에 할 일이 너무 많다. [SYN] duty

committee [kəmíti] *n.* (집합적) 위원회: The *committee* meets[meet] once a week. 위원회는 일주일에 한 번 모인다.

commodity [kəmádəti] *n.* **1** 상품, 일용품, 필수품: Salt was once a very valuable *commodity.* 소금은 한때 매우 값

비싼 상품이었다. **2** 유용한(쓸모 있는) 것

*__common__ [kámən] *adj.* **1** 보통의, 평범한, 흔히 있는: a *common* event 흔히 있는 사건 / The surname 'Kim' is very *common* in Korea. '김'이라는 성은 한국에서 매우 흔하다. [OPP] uncommon **2** 공통의, 공동의: *common* ownership 공유권 / We became friends because of our *common* interest. 우리는 공통의 관심사 때문에 친구가 되었다. **3** (명사 앞에만 쓰임) 일반의, 보통의: The *common* people go to work and raise families. 보통 사람들은 직장에 다녀서 가족을 부양한다. **4** 비속한, 품위 없는: *common* manners 예의 없는 태도
n. (마을 등의) 공유지, 공용지
— **commonly** *adv.* **commonness** *n.*

■ 유의어 **common**

common 거의 모든 사람이나 물건에 공통적으로 흔히 볼 수 있는 것. 때로 평범·조악을 뜻함.: *common* interest 모두가 가지는 흥미 **general** 개인을 떠난 전반적인, 전체로서의: a *general* belief 사람들이 일반적으로 믿고 있는 것 **ordinary** 일반의 기준·습관과 일치하여 유별나게 눈에 띄지 않음을 뜻함.: an *ordinary* reader 일반 독자 **normal** 기준에 합치하여 이상이 없는 것. **usual** 흔히 보고 들어서 신기하게 여겨지지 않는 것.

[숙어] **be common to** …에 공통되다: That kind of behavior *is common to* most children. 아이들 대부분이 그런 행동을 한다.

have in common (**with**) …을 공유하다: I *have* nothing *in common with* her. 나는 그녀와 공통 관심사가 전혀 없다.

in common 공통으로, 공동으로: The two have hobbies *in common*. 두 사람은 공통된 취미를 가지고 있다.

in common with …와 같게, 공통으로: *In common with* many other people, he thought it was true. 다른 많은 사람들과 마찬가지로 그도 그것이 진실이라고 생각했다.

commonplace [kámənpleis] *adj.* 평범한, 흔한 [SYN] ordinary
n. 평범한 일, 상투어 [SYN] cliché

commons [kámənz] *n.* (the Commons) (영국의) 하원 의원 [SYN] the House of Commons

common sense *n.* 상식, 분별력

commonwealth [kámənwelθ] *n.* **1** (공통의 목적·이익으로 맺어진) 단체, 사회: the *commonwealth* of writers 문학계 **2** (the Commonwealth) 영국 연방

commotion [kəmóuʃən] *n.* 동요, 소동, 폭동 [SYN] disturbance

communal [kəmjúːnəl] *adj.* 공공의: *communal* property 공동 재산

communicable [kəmjúːnikəbəl] *adj.* **1** 전할 수 있는 **2** 전염성의: a *communicable* disease 전염병

*__communicate__ [kəmjúːnəkèit] *v.* **1** [I,T] (사상·감정·정보 등을) 전달하다, 통보하다: He is good at *communicating* his ideas to the team. 그는 팀원들에게 의사를 전달하는 데에 능하다. / Parents often have difficulty *communicating* with their children. 부모는 종종 자녀들과 대화를 하는 데 어려움을 겪는다. **2** [I,T] 연락하다, 통신하다; 서로 이해하다: People can *communicate* by telephone easily. 사람들은 전화로 쉽게 연락할 수 있다. **3** [T] (병을) 감염시키다: *communicate* a disease to another 남에게 병을 옮기다 **4** [I] (길·방 등이) 통해 있다, 이어지다: The lake *communicates* with the sea by a canal. 호수는 운하로 바다와 연결되어 있다.

communication [kəmjùːnəkéiʃən] *n.* **1** 전달, 통신 **2** (communications) 교통 수단, 통신 수단 **3** 통신문, 소식: receive a *communication* 통신문을 받다

communicative [kəmjúːnəkèitiv] *adj.* **1** 터놓고 얘기하는, 수다스러운 [SYN] open **2** 통신의, 전달의

C

communicator [kəmjú:nəkèitər] *n.*
1 전달자, 통보자 **2** (전신의) 발신기

communion [kəmjú:njən] *n.* **1** 함께
함, 친교, (영적) 교섭 **2** (Communion) [교회]
성찬식

communism [kámjənìzəm] *n.* 공산주
의

communist, Communist
[kámjənist] *n.* 공산주의자, 공산당원
adj. 공산주의(자)의, 공산당의

*★**community** [kəmjú:nəti] *n.* **1** 사회, 공
동 사회, 공동체 **2** (큰 사회 속에 공통의 특징
을 가진) 집단, 사회: the Jewish *commu-
nity* 유대인 사회 **3** 공통성, 친교, 친목:
There is a strong sense of *community*
in this village. 이 마을에는 친밀한 유대감
이 있다.

commute [kəmjú:t] *v.* [I] 통근(통학)하
다: Most office workers *commute*
from the suburbs. 대부분의 회사원들은
교외에서 통근한다.
— **commuter** *n.* (교외) 통근자

compact [kəmpǽkt] *adj.* **1** 빽빽하게
찬, 밀집한 [SYN] compressed **2** (체격이) 꽉
짜인 **3** 소형인, 아담한: a *compact* car 소형
차

companion [kəmpǽnjən] *n.* **1** 동료,
상대, 친구: a *companion* in arms 전우 **2**
동행, (우연한) 길동무: a traveling
companion 여행의 길동무
— **companionable** *adj.*

■ **유의어** companion

companion 일·생활·운명 등을 같이
하는 사람.: a faithful *companion* of
fifty years 50년간의 충실한 반려자
associate 사업 등의 협력자, 파트너.
comrade companion보다 정신적인 유대
가 강하며, 같은 단체 등에 소속하는 경우
가 있음, 동지. **colleague** 변호사·교수
등 지적인 직업을 같이하는 사람, 동료.

---

companionship [kəmpǽnjənʃìp] *n.*

동무 사귀기, 교우 관계 [SYN] friendship

*★**company** [kámpəni] *n.* **1** (집합적) 회사,
상사: The *company* is (are) planning to
build another factory. 그 회사는 공장을
하나 더 세우려고 한다.
※ 회사명에 company는 대문자 (*abbr.* Co.)
로 쓴다.: the Walt Disney *Company* /
Milton & *Co.*
2 (집합적) (배우·가수 등의) 일행, 극단: a
company of players 배우 일행 **3** 사귐, 동
석: Will you favor me with your
company at dinner? 함께 저녁 식사를 해
주시지 않겠습니까? **4** (한 사람 또는 두 사람
이상의) 손님, 방문객: We are having
company for this weekend. 이번 주말에
손님이 온다.

[숙어] **for company** 교제상, 동무하기 위
해서: I invited a person *for company*.
난 함께 있어 줄 사람이 필요해서 한 명을 초대
했다.

in company 사람들 틈에서, 사람들 앞에
서: I don't like to be seen *in company*.
나는 사람들 앞에 나서기가 싫다.

in company with …와 함께, …와 더불
어: She's traveling in Africa *in
company with* him. 그녀는 그와 함께 아프
리카를 여행하고 있다.

keep company with 1 …와 교제하다,
…와 어울려 다니다: He *keeps company
with* all sorts of lazy fellows. 그는 온갖
게으른 녀석들하고 어울려 다닌다. **2** …와 동
행하다: I'll *keep company with* you as
far as Seoul Station. 내가 서울역까지 같
이 가 줄게.

keep one company (달래 주기 위해) …
와 같이 있어 주다: I'll *keep you company*
till the bus comes. 버스가 올 때까지 내가
같이 있어 줄게.

comparable [kámpərəbəl] *adj.* 비교되
는, 필적하는
— **comparably** *adv.*

comparative [kəmpǽrətiv] *adj.* **1**

(같은 종류의 것에 대한) 비교의, 비교에 의한: *comparative* analysis 비교 분석 **2** (다른 것과) 비교적인, 비교상의: *comparative* merits 딴 것과 비교해 나은 점 **3** [문법] 비교(급)의
n. [문법] 비교급
— **comparatively** *adv.*

***compare** [kəmpɛ́ər] *v.* **1** [T] 비교하다, 대조하다: *compare* two documents 문서 2통을 대조하다 **2** [T] …에 비유하다 (to): Life is *compared* to a voyage. 인생은 항해에 비유된다. **3** [I] 비교되다, 필적하다: No book can *compare* with the Bible. 성서에 필적하는 책은 없다.
[숙어] compare ... with ~ …을 ~와 비교하다: I hate *comparing* myself *with* them. 나는 나 자신을 그들과 비교하고 싶지 않다.
compared with …와 비교하면: I have done very little *compared with* what I did last month. 지난 달에 한 것과 비교하면 거의 아무것도 하지 않은 것이다.

comparison [kəmpǽrisən] *n.* **1** 비교, 대조 **2** 유사, 필적 **3** [문법] 비교, 비교 변화
[숙어] by (in) comparison with …와 비교하면: Korea is a small country *in comparison with* the United States. 한국은 미국에 비하면 작은 나라이다.

compartment [kəmpáːrtmənt] *n.* **1** 구획, 구분 **2** 칸막이; (칸막이 한) 작은 방

compass [kʌ́mpəs] *n.* **1** 나침반 **2** (compasses) (제도용) 컴퍼스 **3** (비유적으로) 한계, 범위: beyond the *compass* of imagination 상상의 한계를 뛰어넘어

compassion [kəmpǽʃən] *n.* 연민, 동정: *compassion* for the poor and sick 가난하고 병든 자들에 대한 동정

compassionate [kəmpǽʃənit] *adj.* 자비로운, 동정심이 있는
— **compassionately** *adv.*

compatible [kəmpǽtəbəl] *adj.* **1** 양립하는, 모순되지 않는: Liberty is not *compatible* with monarchy. 자유는 군주 정치와 양립할 수 없다. **2** [컴퓨터] 호환성 있는
[SYN] harmonious [OPP] incompatible
— **compatibility** *n.*

compel [kəmpél] *v.* [T] (compelled-compelled) 강제하다, 억지로 …시키다: No one can *compel* obedience. 누구도 남에게 복종을 강요할 수는 없다. [SYN] force
— **compelling** *adj.*

compensate [kámpənsèit] *v.* **1** [I] 보충하다, 벌충되다: Industry and loyalty sometimes *compensate* for lack of ability. 근면과 충실함이 때로는 재능의 부족함을 메워 준다. **2** [I,T] 보상하다: I will *compensate* you for your loss. 너의 손실은 보상하겠다.

compensation [kàmpənséiʃən] *n.* **1** 보상(배상)금 [SYN] damages **2** 배상, 변상, 벌충

compensatory [kəmpénsətɔ̀ːri] *adj.* 보상의, 보충의

***compete** [kəmpíːt] *v.* [I] 겨루다, 경쟁하다: *compete* against other countries in trade 무역에서 다른 나라와 겨루다 / How many runners will be *competing* in the marathon? 마라톤에서 얼마나 많은 주자들이 겨루니?

competent [kámpətənt] *adj.* **1** 유능한, 적임의: a *competent* player 유능한 선수 **2** 적당한, 충분한, 요구에 맞는: a *competent* knowledge of English 충분한 영어 지식
— **competently** *adv.* **competence** *n.*

competition [kàmpətíʃən] *n.* **1** 경기, 시합, 경쟁 시험; enter a *competition* 경기에 참가하다 **2** 경쟁, 겨루기: There's a lot of *competition* between computer companies. 컴퓨터 회사간에는 경쟁이 심하다. / be in *competition* with …와 경쟁하다 **3** (the competition) 경쟁자, 경쟁 상대

competitive [kəmpétətiv] *adj.* **1** 경쟁의, (시장이) 자유 경쟁인: *competitive*

sports 경기 **2** 경쟁력이 있는: *competitive prices* 경쟁 가격 **3** 승부욕이 강한
— **competitively** *adv.* **competitiveness** *n.*

competitor [kəmpétətər] *n.* 경쟁자, 경쟁 상대 SYN rival

compilation [kàmpəléiʃən] *n.* **1** (음악·문학 작품·영화 등의) 편집물 SYN collection **2** 편집, 편찬: the *compilation* of a dictionary 사전의 편찬

compile [kəmpáil] *v.* [T] **1** (자료 등을) 수집하다; 집계하다; 편찬하다, 편집하다 **2** [컴퓨터] 다른 부호(컴퓨터 언어)로 번역하다
— **compiler** *n.*

complacent [kəmpléisənt] *adj.* 자기 만족의, 자만한 SYN self-satisfied
— **complacently** *adv.* **complacency** *n.*

*****complain** [kəmpléin] *v.* [I] **1** 불평하다, 한탄하다: Some people are always *complaining*. 항상 불평만 하는 사람들이 있다. / He *complained* to his mother that his allowance was too small. 그는 어머니에게 용돈이 너무 적다고 투덜거렸다. **2** (병고·고통을) 호소하다 (of): *complain* of a headache 두통을 호소하다 **3** 하소연하다, (경찰에) 고발하다: The neighbors *complained* to the police about the noise. 이웃 사람들이 소음에 대해 경찰에 고발했다.

complainant [kəmpléinənt] *n.* [법] 원고, 고소인

complaint [kəmpléint] *n.* **1** 불평, 불만: We made a *complaint* to the hotel manager about the dirty rooms. 우리는 불결한 방에 대해 호텔 지배인에게 불평을 했다. / a letter of *complaint* 항의 편지 **2** 불평거리, 고충 **3** 병: a heart(stomach) *complaint* 심장병(위장병)

complement [kámpləmənt] *n.* **1** 보충물, 보완하는 것: Love and justice are *complements* each of the other. 사랑과

정의는 서로 더불어야 완전해진다. **2** (필요한) 전수, 전량: a full *complement* of workers (공장의) 전체 노동자 **3** [문법] 보어
v. [T] [kámpləmènt] …의 보충(보완)이 되다
— **complementary** *adj.*

*****complete** [kəmplíːt] *adj.* **1** 전부의, 전부 갖춘: the *complete* works of Shakespeare 셰익스피어 전집 **2** (명사 앞에는 쓰이지 않음) 완성된, 끝난: The repair work will be *complete* by Wednesday. 수리 공사는 수요일까지는 끝날 것이다. SYN finished **3** 완전한, 철저한, 전적인: It was a *complete* waste of time. 완전한 시간 낭비였다. / a *complete* failure 완패
v. [T] **1** 완전한 것으로 만들다, 전부 갖추다; (수·양을) 채우다: We need two more players to *complete* the team. 우리는 팀을 완전히 갖추기 위해 두 명의 선수가 더 필요하다. **2** 완성하다, 끝마치다: When will the new building be *completed*? 새 건물은 언제 완성됩니까? / She didn't *complete* her studies. 그녀는 학업을 끝마치지 못했다.
— **completely** *adv.* **completeness** *n.*

completion [kəmplíːʃən] *n.* 성취, 완성, 완결

*****complex** [kəmpléks, kámpleks] *adj.* **1** 복합체의, 합성의 **2** 복잡한, 이해하기 힘든: a *complex* problem 복잡한 문제 SYN complicated OPP simple
n. [kámpleks] **1** 복합체, (건물 등의) 복합(집합)체: an apartment *complex* 아파트 단지 / a leisure *complex* 종합 위락 시설 **2** (a complex) 강박 관념, 콤플렉스; 고정 관념, 과도한 혐오(공포): an inferiority *complex* 열등감
— **complexity** *n.* 복잡성

complexion [kəmplékʃən] *n.* **1** 안색, 피부색 **2** (사태의) 외관, 형편, 양상: That puts a new *complexion* on the matter. 그렇게 되면 문제의 양상이 또 달라진다.

compliance [kəmpláiəns] *n.* **1** 승낙

2 고분고분함, 순종: *Compliance* with the law is expected of all citizens. 법을 준수하는 것은 모든 시민이 해야 하는 일이다.
— **compliant** *adj.*

complicate [kámpləkèit] *v.* [T] 복잡하게 하다, 까다롭게 하다: *complicate* matters 일을 복잡하게 만들다
— **complication** *n.*

*****complicated** [kámpləkèitid] *adj.* 복잡한, 까다로운, 풀기(이해하기) 어려운: a *complicated* machine 복잡한 기계 / The instructions are too *complicated*. 사용 설명서가 너무 어렵다.

compliment [kámpləmənt] *n.* **1** 경의, 칭찬: She paid him a *compliment* on his speech. 그녀는 그에게 그의 연설에 대해 칭찬했다. **2** (compliments) 치하, 축사, (의례적인) 인사: the *compliments* of the season 계절의 (문안) 인사
v. [T] [kámpləmènt] 칭찬하다, 경의를 표하다, 축하하다: They *complimented* her on her cooking. 그들은 그녀의 요리 솜씨를 칭찬했다.

complimentary [kàmpləméntəri] *adj.* **1** 칭찬의, 찬사의: a *complimentary* address 축사, 찬사 **2** 무료의, 우대의: a *complimentary* ticket 우대권, 초대권
SYN free, on the house

comply [kəmplái] *v.* [I] (명령 · 요구 · 규율에) 따르다, 응하다, 좇다: They asked him to leave and he *complied*. 그들이 그에게 떠나라고 해서 그는 떠났다. / *comply* with the rules 규칙에 따르다

component [kəmpóunənt] *n.* (기계 · 스테레오 등의) 구성 부분; 부품; 성분, 구성 요소: the *components* of a machine 기계의 부품들
adj. 구성하고 있는, 성분을 이루는

*****compose** [kəmpóuz] *v.* **1** [T] 조립하다, 조직하다, 구성하다: The troop was *composed* entirely of American soldiers. 그 부대는 전부 미국 병사로 구성되어 있었다. **2** [I,T] 작곡하다: *compose* an opera 오페라를 작곡하다 **3** [T] (시 · 글을) 만들다, 짓다, 작문하다: *compose* a poem 시를 짓다 **4** [T] (감정 등을) 가라앉히다
축어 **be composed of** …으로 이루어지다: Water *is composed of* hydrogen and oxygen. 물은 수소와 산소로 이루어진다. SYN consist of

composed [kəmpóuzd] *adj.* **1** (…으로) 이루어진 **2** (마음이) 가라앉은, 침착한: a *composed* face 태연한 얼굴
— **composedly** *adv.*

composer [kəmpóuzər] *n.* 작곡가

composite [kəmpázit] *adj.* 여러 가지의 요소를 함유하는, 혼성(합성)의
n. 합성(복합, 혼합)물

composition [kàmpəzíʃən] *n.* **1** 구성, 조립, 조직; 합성, 혼합: the *composition* of the atom 원자의 구조 **2** (음악 · 미술 · 시의) 작품, 악곡: a *composition* for piano 피아노를 위한 악곡 **3** 작곡(법), 작문(법) **4** (한 편의) 작문, 문장: a 400-word *composition* about Autumn 가을에 대한 400자 작문

compost [kámpoust] *n.* 혼합 비료, 퇴비

composure [kəmpóuʒər] *n.* 침착, 평정 SYN calmness

compound [kámpaund] *n.* **1** 합성(혼합)물; 화합물 **2** [문법] 복합어 **3** 구내(構內)
v. [T] [kəmpáund] **1** (문제 등을) 악화시키다: Our difficulties were *compounded* by the language barrier. 우리의 어려움은 언어의 장벽으로 더 악화되었다. **2** (요소 · 성분을) 혼합하다, 합성하다: The new plastic has been *compounded* of unknown materials. 새로운 플라스틱은 알려지지 않은 재료를 혼합해 만든 것이다.

*****comprehend** [kàmprihénd] *v.* [T] (완전히) 이해하다, 파악하다: I cannot *comprehend* what you are talking about. 나는 네가 무슨 말을 하는지 정확히 모르겠다. SYN understand

— **comprehension** *n.*

comprehensible [kàmprihénsəbəl]
adj. 이해하기 쉬운, 알기 쉬운
OPP incomprehensible
— **comprehensibly** *adv.* **comprehensibility** *n.*

comprehensive [kàmprihénsiv]
adj. **1** 포괄적인, 범위가 넓은: This guide book gives you *comprehensive* information on the area. 이 안내서에는 그 지역에 대한 포괄적인 정보가 실려 있다. SYN complete OPP partial **2** [영] (학교가) 종합 과정의
n. [영] 종합 (중등) 학교 (여러 가지 과정이 있음)
— **comprehensively** *adv.* **comprehensiveness** *n.*

compress [kəmprés] *v.* [T] **1** 압축하다, 축소하다; (말·사상 등을) 요약하다 (into): *compressed* air 압축 공기 / I managed to *compress* ten pages of notes into four paragraphs. 나는 10쪽의 원고를 4단락으로 그럭저럭 요약했다. **2** [컴퓨터] 파일 등을 압축하다 OPP decompress
— **compressible** *adj.* **compression** *n.*

compressive [kəmprésiv] *adj.* 압축력이 있는, 압축을 가하는

compressor [kəmprésər] *n.* 압축기(펌프)

comprise [kəmpráiz] *v.* [T] **1** 포함하다, …으로 이루어져 있다: The house *comprises* ten rooms. 그 집은 10개의 방으로 이루어져 있다. SYN contain **2** …의 전체를 형성하다: Fifty states *comprise* the US. 50개의 주가 미국을 이룬다. SYN form

compromise [kámprəmàiz] *n.* 타협, 화해, 양보: Finally, both sides reached a *compromise*. 마침내, 양측은 타협을 보았다.
v. **1** [I] 타협하다, 절충하다, 양보하다: We never *compromise* on the quality of our products. 저희는 제품의 품질에서만큼

은 절대 양보하지 않습니다. SYN meet halfway **2** [T] (명예·신용 등을) 더럽히다, 손상하다; 위태롭게 하다: She *compromised* herself by taking money that they offered. 그녀는 그들이 제시한 돈을 받음으로써 자신의 신용을 떨어뜨렸다. SYN dishonor

compromising [kámprəmàiziŋ] *adj.* 명예를 손상시키는, 의심을 초래하는: in a *compromising* situation 의심을 받아도 어쩔 수 없는 상황에 빠져

compulsion [kəmpʌ́lʃən] *n.* **1** 강요, 강제 **2** 충동, 누르기 어려운 욕망 SYN urge

compulsive [kəmpʌ́lsiv] *adj.* **1** (나쁜 습관에 대해) 충동적인, 억제하지 못하는: She has *compulsive* eating problems. 그녀는 음식 먹는 것을 억제하지 못하는 병이 있다. **2** (사람에 대해) 나쁜 습관을 가진, 상습적인: He is a *compulsive* gambler. 그는 상습적 도박꾼이다. **3** 너무 재미있어 멈출 수 없는: Her latest book makes *compulsive* reading. 이번에 나온 그녀의 책은 정말 재미있어 계속 읽게 만든다.
— **compulsively** *adv.*

compulsory [kəmpʌ́lsəri] *adj.* 강제된, 강제적인, 의무적인, 필수의: *compulsory* execution 강제 집행 / *compulsory* education 의무 교육 / a *compulsory* subject 필수 과목 SYN obligatory OPP optional

compute [kəmpjú:t] *v.* [T] (컴퓨터로) 계산(측정)하다, 평가하다, 어림잡다
— **computation** *n.*

computer [kəmpjú:tər] *n.* 컴퓨터; 계산기

computerize, computerise
[kəmpjú:təràiz] *v.* [T] 컴퓨터로 처리(관리, 자동화)하다

comrade [kámræd] *n.* **1** 동지, 전우 **2** (공산당원끼리 부르는 말로) 동무

comradeship [kámrædʃìp] *n.* 동지애

concave [kɑnkéiv] *adj.* 오목한: a *concave* lens 오목 렌즈 SYN hollow OPP convex 볼록한

— **concavity** *n.*

conceal [kənsíːl] *v.* [T] 숨기다, 비밀로 하다: He *concealed* the fugitive. 그는 도망자를 숨겨 주었다. / I *conceal* nothing from you. 너에게는 아무것도 비밀로 하는 것이 없다. [SYN] hide [OPP] reveal
— **concealed** *adj.* **concealment** *n.*

concede [kənsíːd] *v.* [T] **1** 인정하다, 시인하다: *concede* defeat 패배를 인정하다 **2** (권리 · 특권 등을) 부여하다: After they lost the war they had to *concede* territory to their enemy. 전쟁에서 패한 후 그들은 영토를 적에게 내주어야 했다.

conceit [kənsíːt] *n.* (지나친) 자부심, 자만: His *conceit* about being so intelligent annoys everyone. 지적인 것에 대한 그의 자만심이 모두를 화나게 한다.

conceited [kənsíːtid] *adj.* 자만심이 강한, 우쭐한
— **conceitedly** *adv.*

conceive [kənsíːv] *v.* **1** [T] (계획 등을) 착상하다, 고안하다: *conceive* a plan 입안하다 **2** [I,T] …라고 생각하다, 상상하다: I think my uncle still *conceives* of me as a child. 삼촌은 나를 아직도 어린 아이로 생각하는 것 같다. / I can't *conceive* how he could behave so cruelly. 그가 어쩌면 그렇게도 잔인하게 행동할 수 있었는지 상상도 못하겠다. **3** [I,T] 임신하다: *conceive* a child 아이를 임신하다
— **conceivable** *adj.* **conceivably** *adv.*

*concentrate [kánsəntrèit] *v.* [I,T] **1** (온 힘을) 집중하다 (on): They are *concentrating* on passing this exam. 그들은 이번 시험에 합격하려고 열심히 공부하고 있다. / I need to *concentrate* my thoughts on the problem. 그 문제에 대해 곰곰이 생각해 봐야겠어. **2** 모이다, 모으다: Population tends to *concentrate* in large cities. 인구는 대도시에 집중하는 경향이 있다. / *concentrate* troops at one place 군대를 한 곳에 집결시키다 **3** 농축하다, 응집하다

— **concentration** *n.*

concentrated [kánsəntrèitid] *adj.* **1** 집중한: He made a *concentrated* effort to improve his health. 그는 자신의 건강을 증진시키기 위해 전심전력을 다했다. **2** 농축된: *concentrated* orange juice 농축 오렌지 주스

concentration [kànsəntréiʃən] *n.* **1** (노력 · 정신 등의) 집중, 전념: The noise outside made *concentration* difficult. 밖에서 나는 소음이 집중을 어렵게 만들었다. **2** 집결, 집중 (of): There is a high *concentration* of good schools in the district. 그 지역에 좋은 학교들이 매우 집중되어 있다. **3** [화학] 농축, (액체의) 농도

concentration camp *n.* 강제 수용소, 포로 수용소

concept [kánsept] *n.* 개념, 구상, 발상: It's difficult to grasp the *concept* of eternity. 영원의 개념을 이해하기는 어렵다.

conception [kənsépʃən] *n.* **1** 개념, 파악, 이해: You have no *conception* of what conditions are like. 너는 상황이 어떤지 파악하지 못하고 있다. **2** 구상, 착상, 고안: a grand *conception* 웅대한 구상 **3** 임신, 수태

conceptive [kənséptiv] *adj.* **1** 개념 작용의 **2** 생각하는 힘이 있는 **3** 임신할 수 있는

conceptual [kənséptʃuəl] *adj.* 개념상의

*concern [kənsə́ːrn] *v.* [T] **1** …에 관계하다, …에 중요하다, 영향을 주다: The problem does not *concern* us. 그 문제는 우리하고는 상관 없다. **2** …에 관계가 있다, 관여하다: The main problem *concerns* the huge cost of the plan. 가장 중요한 점은 그 계획에 들어갈 막대한 비용이다. **3** 걱정시키다, 염려케 하다: What *concerns* me is that we don't have any plan. 내가 걱정하는 것은 우리는 아무런 계획도 없다는 것이다.
n. **1** 근심, 걱정거리: He showed deep *concern* at the news. 그는 그 뉴스에 깊은

우려를 나타냈다. **2** 관심사, 용건: It's none of my *concern*. 그건 내가 알 바 아니다. **3** 회사, 상회

— **concernment** *n.* 중요성; 걱정

축어 **be concerned in** …와 관계가 있다, …에 개입되어 있다: They have *been concerned in* that affair. 그들은 그 사건에 개입되어 있다.

be concerned with …에 관한 것이다: Tonight's program *is concerned with* the bad effects of smoking. 오늘밤 프로그램은 흡연의 나쁜 영향에 관한 것이다.

concern oneself with …에 관심을 가지다, 관계하다: He does not *concern himself with* the matter. 그는 그 일에는 관심이 없다.

concerned [kənsə́:rnd] *adj.* **1** 걱정하는, 염려하는: She is very *concerned* about your safety. 그녀는 너의 안전에 대해 몹시 걱정하고 있다. OPP unconcerned **2** 관계하고 있는

concerning [kənsə́:rniŋ] *prep.* …에 관하여: He answered questions *concerning* his private life. 그는 그의 사생활에 관한 질문에 대답해 주었다.

*****concert** [kánsə(:)rt] *n.* 음악회, 콘서트: I went to a jazz *concert* last night. 나는 어젯밤에 재즈 콘서트에 갔다.

축어 **in concert with** 일제히, 제휴하여

concerted [kənsə́:rtid] *adj.* 협력한

concertgoer *n.* 음악회에 자주 가는 사람

concerto [kəntʃértou] *n.* (*pl.* concertos, concerti) 콘체르토 (관현악 반주의 독주곡)

concession [kənséʃən] *n.* **1** 양보, 용인: We will never make any *concessions* to terrorists. 우리는 테러리스트들에게 어떠한 양보도 하지 않을 것이다. **2** 용인된 것; (정부에서 받는) 허가, 면허, 특허, 이권

concessive [kənsésiv] *adj.* 양보의; [문법] 양보를 나타내는: a *concessive* clause 양보절

— **concessively** *adv.*

conciliate [kənsílièit] *v.* [T] **1** 달래다, 무마(회유)하다: His duty was to *conciliate* the people, not to provoke them. 그의 임무는 사람들을 화나게 하는 것이 아니라 달래는 것이었다. **2** 화해시키다

— **conciliation** *n.*

conciliator [kənsílièitər] *n.* 회유(조정)자

conciliatory [kənsíliətɔ̀:ri] *adj.* 달래는, 회유적인, 타협적인

concise [kənsáis] *adj.* 간결한, 간명한: a *concise* statement 간결한 진술 SYN brief

— **concisely** *adv.* **conciseness** *n.*

*****conclude** [kənklú:d] *v.* **1** [T] 결론을 내리다, …라고 추정하다: From what you say, I *conclude* that you want to stay here. 네 말로 미루어 볼 때 넌 여기 머물고 싶은 거구나. **2** [I,T] 마치다, 끝내다: *conclude* an argument 논쟁을 마치다 / The concert *concluded* with a firework display. 음악회는 불꽃놀이로 끝났다. **3** [T] (협약 등을) 체결하다, 맺다: *conclude* an agreement with …와 계약을 체결하다

conclusion [kənklú:ʒən] *n.* **1** (the conclusion) 결론: come to the *conclusion* 결론에 도달하다 **2** 결말, 종결, 끝(맺음): The peace talk reached a successful *conclusion*. 평화 회담은 성공리에 끝났다. **3** (조약 등의) 체결

축어 **in conclusion** (논의·진술을) 마침에 즈음하여, 결론적으로

conclusive [kənklú:siv] *adj.* 결정적인, 확실한: *conclusive* evidence 확실한 증거 OPP inconclusive

— **conclusively** *adv.* **conclusiveness** *n.*

concord [kánkɔːrd] *n.* **1** (의견·이해의) 일치; 화합, 조화 SYN harmony **2** [문법] (성·수·인칭 등의) 일치, 호응

concordance [kankɔ́ːrdəns] *n.* **1** 일치, 조화 **2** 용어 색인

concourse [kánkɔːrs] *n.* (역·공항 등

의) 중앙 홀

concrete [kánkri:t] *adj.* 유형의, 구체적인, 실재하는: Give me a *concrete* example of what you mean. 네가 의미하는 것의 구체적인 예를 들어 줘. [OPP] abstract 추상적인

n. 콘크리트: reinforced *concrete* 철근 콘크리트

v. [T] 콘크리트를 바르다

— **concretely** *adv.*

concur [kənkə́:r] *v.* [I] (concurred-concurred) **1** 일치하다; 동의하다: Two doctors *concurred* that the patient needs a heart operation. 두 의사는 그 환자가 심장 수술을 해야 한다는 것에 동의했다. [SYN] agree **2** 동시에 일어나다, 일시에 발생하다

— **concurrent** *adj.* **concurrence** *n.*

condemn [kəndém] *v.* [T] **1** 비난하다, 나무라다: *condemn* a person's behavior 아무의 행동을 꾸짖다 **2** …에게 유죄 판결을 내리다, …에게 형을 선고하다: He was *condemned* to death. 그는 사형 선고를 받았다. **3** (물품 등을) 불량품으로 결정하다, 폐기 처분하다

— **condemned** *adj.* **condemnation** *n.*

condense [kəndéns] *v.* **1** [I,T] 응축하다, 농축하다 (to, into): *condense* a gas to a liquid 기체를 액체로 응축하다 **2** [T] 압축하다, 요약하다 (into): *condense* an answer into a few words 답을 몇 마디로 요약하다

— **condensable** *adj.* **condensation** *n.*

condenser [kəndénsər] *n.* **1** 응결기, 응축기 **2** (자동차 엔진 등의) 축전기

condescend [kàndisénd] *v.* [I] **1** (우월감을 의식하면서) 짐짓 친절〔겸손〕하게 굴다, 생색을 내다: He always *condescends* to his inferiors. 그는 늘 아랫사람들에게 생색을 낸다. **2** (부정적으로 쓰여) 자신을 낮추고 …하다, 부끄럼을 무릅쓰고 …하다: I wonder if that guy will *condescend* to visit us. 나는 그녀석이 우리 집에 왕림해 주실까 의심스러워.

— **condescension** *n.* 겸손; 생색을 내는 행동

condescending [kàndiséndiŋ] *adj.* 생색을 부리는, 짐짓 겸손하게 구는

— **condescendingly** *adv.*

*****condition** [kəndíʃən] *n.* **1** 상태; 건강 상태: My car is still in good *condition.* 내 차는 아직도 상태가 좋다. / I'm not in a *condition* to drive home. 몸이 안 좋아서 집에 운전해서 못 가겠다. **2** 조건, 필요 조건, 제약: the *condition* of all success 모든 성공의 필수 요건 **3** (conditions) 주위의 상황, 사정, 형편: under difficult *conditions* 어려운 상황 하에서 / living〔working〕 *conditions* 생활 사정〔작업 환경〕 **4** 병, 질환: have a heart *condition* 심장병이 있다

v. [T] (사물이) …의 조건을 이루다; (사정 등이) …을 결정하다, 좌우하다: Fear *conditioned* the boy to behave in such a way. 공포 때문에 소년은 그러한 행동을 하게 되었다.

[축어] **in〔out of〕 condition** 건강〔건강하지 못〕하여

on condition that …이라는 조건으로, 만약 …이라면: I will consent to it *on condition that* you bear the expenses. 네가 비용을 부담한다면 동의하겠다.

on no condition 어떤 조건에서도〔일이 있어도〕 …가 아니다: This equipment should *on no condition* be used by untrained staff. 이 장비는 어떤 일이 있어도 미숙련 직원들에 의해 사용되면 안 된다.

conditional [kəndíʃənəl] *adj.* **1** 조건부의, …을 조건으로 하는: It is *conditional* on your ability. 그것은 너의 능력 여하에 달렸다. **2** [문법] 조건을 나타내는

— **conditionally** *adv.*

conditioned [kəndíʃənd] *adj.* 조건부의, 조건 지워진

conditioner [kəndíʃənər] *n.* (머리 감은 뒤의) 정발용 크림; (세탁용) 유연제

condominium [kàndəmíniəm] *n.* 콘

도미니엄, 분양 아파트 [SYN] condo

condone [kəndóun] *v.* [T] 용서하다, 묵과하다

*****conduct** [kəndʌ́kt] *v.* [T] **1** (연구·조사 등의 일을) 처리(실시)하다: *conduct* tests 시험을 실시하다 **2** (악단을) 지휘하다: He *conducts* the London Philharmonic Orchestra. 그는 런던 필하모닉 오케스트라를 지휘한다. **3** 인도하다, 안내하다 **4** (열·전기 등을) 전도하다 **5** 행동하다, 처신하다 (oneself): He always *conducts* himself well. 그는 항상 훌륭하게 처신한다.

n. [kándʌkt] **1** 행위, 품행: a prize for good *conduct* 선행상 **2** 경영, 관리: the *conduct* of state affairs 국사의 운영

conduction [kəndʌ́kʃən] *n.* [물리] 전도

conductive [kəndʌ́ktiv] *adj.* 전도성의, 전도력이 있는
— **conductivity** *n.*

conductor [kəndʌ́ktər] *n.* **1** 안내자, 지도자 **2** 관리인, 경영자 **3** (전차·버스 등의) 차장 ([영] guard) **4** 지휘자 **5** [물리] 전도체, 도체

cone [koun] *n.* **1** 원뿔꼴(의 것) **2** [식물] 방울 열매, 구과, 솔방울 **3** (아이스크림을 담는) 원뿔 모양의 비스킷
— **conic** *adj.*

confederacy [kənfédərəsi] *n.* 동맹, 연합

confederate [kənfédərit] *n.* 공모자
adj. 동맹한, 연합한

confederation [kənfèdəréiʃən] *n.* **1** 동맹, 연합: A *confederation* of workers formed a labor union. 근로자들의 동맹은 노동 조합을 결성했다. **2** 동맹국, 연합국

confer [kənfə́:r] *v.* (conferred-conferred) **1** [I] 의논하다, 협의하다: He *conferred* with his lawyer. 그는 변호사와 상담했다. **2** [T] 수여하다: *confer* a title [degree, honor] (…에게) 칭호[학위, 영예]를 주다

conference [kánfərəns] *n.* 회담, 협의, 의논, 회의: hold a press *conference* 기자회견을 열다

confess [kənfés] *v.* [I,T] 자백[고백]하다, 실토하다, 털어놓다; 인정[자인]하다: He *confessed* to the crime. 그는 죄를 인정했다[자백했다]. / He *confessed* to me that he had broken the vase. 그는 자신이 꽃병을 깨뜨렸다고 자백했다.

confession [kənféʃən] *n.* **1** 고백, 실토, 자백: The criminal gave a *confession* of guilt. 범인은 죄를 자백했다. **2** 신앙 고백
— **confessional** *adj.*

confessor [kənfésər] *n.* **1** 고해 신부 **2** 고백자, 참회자

confide [kənfáid] *v.* [T] **1** (비밀 등을) 털어놓다: He *confided* his secret to me. 그는 비밀을 나에게 털어놓았다. **2** 신탁[위탁]하다, 맡기다: I will *confide* my whole property to his care. 나의 전 재산을 그의 손에 맡기겠다.

confidence [kánfidəns] *n.* **1** 신용, 신뢰, 신임: I have every *confidence* in your ability. 나는 너의 능력을 전적으로 신뢰한다. **2** 자신, 확신: be full of *confidence* 자신만만하다 / She answered the questions with *confidence*. 그녀는 자신을 갖고 질문들에 대답했다. **3** 비밀, (비밀을 지킨다는) 신뢰: They exchanged *confidences* like old friends. 그들은 오래된 친구들처럼 서로 비밀을 털어놓았다.

[숙어] **in (strict) confidence** (절대) 비밀로: I'm telling you this *in confidence*. 너에게 이것을 비밀로 말하는 것이다.

*****confident** [kánfidənt] *adj.* **1** 확신하는: I am *confident* of his success. 나는 그의 성공을 확신한다. **2** 자신이 있는, 자신만만한: She seems very *confident* about her exam. 그녀는 시험에 대해 매우 자신이 있어 보인다.
— **confidently** *adv.*

confidential [kánfidénʃəl] *adj.* 기밀

의, 은밀한, 비밀의: All information will
be treated as strictly *confidential*. 모든
정보는 완전히 기밀로 다루어질 것이다.
— **confidentially** *adv.* **confidential-
ity** *n.*

confine [kənfáin] *v.* [T] **1** 제한하다, …
에 국한하다: Please *confine* your
questions to the topic we are
discussing. 우리가 토론하고 있는 주제로 질
문을 제한해 주십시오. / This disease is
not just *confined* to old people. 이 병은
나이 든 사람들에게만 국한된 것이 아니다. **2**
가둬 넣다, 감금하다: Prisoners are
confined to their cells. 죄수들은 감방에
감금되어 있다.
— **confinement** *n.*

⬚숙어⬚ **confine oneself to** …에 틀어박혀
있다; …에 국한하다: I have *confined
myself to* my study today. 오늘 나는 서
재에 틀어박혀 있었다.

confirm [kənfə́:rm] *v.* [T] **1** (사실임을)
확실히 하다, 확증하다, …이 옳음을 증명하다:
This report *confirms* my suspicions.
이 보고서를 보니 내가 의심했던 바가 사실임을
알겠다. **2** 확인하다: *confirm* a reservation
예약을 확인하다 **3** [가톨릭] …에게 견진 성사
(堅振 聖事)를 베풀다
— **confirmable** *adj.* **confirmation** *n.*

confirmed [kənfə́:rmd] *adj.* 고정된, 만
성의

confiscate [kánfiskèit] *v.* [T] 몰수(압
수)하다: The teacher *confiscated* my
comics. 선생님이 나의 만화책을 압수하셨다.
— **confiscation** *n.*

conflagration [kὰnfləgréiʃən] *n.* 대
화재 ⬚SYN⬚ blaze

conflict [kánflikt] *n.* **1** 싸움, 분쟁, 전
투: a *conflict* between two countries
두 나라 사이의 싸움 **2** (사상·이해 등의) 충
돌, 대립, 불일치: She has to cope with
the *conflict* between her career and
her family. 그녀는 직업과 가족 사이의 마찰

을 해결해야만 한다. ⬚SYN⬚ clash
v. [I] [kənflíkt] 충돌하다, 모순되다: His
testimony *conflicts* with yours. 그의 증
언은 당신의 증언과 일치하지 않는다.
— **conflicting** *adj.*

⬚숙어⬚ **in conflict with** …와 상충하여:
His opinion is *in conflict with* mine.
그의 의견은 나의 의견과는 상충된다.

conform [kənfɔ́:rm] *v.* [I] **1** (규칙·법규
등에) 적합하다, 따르다, 일치하다 (to): This
building does not *conform* to fire
regulations. 이 건물은 소방 규제에 어긋난
다. ⬚SYN⬚ obey **2** (규범·관습 등에) 순응하
다: At school, we are under a lot of
pressure to *conform*. 학교에서 우리는 순
응하도록 억압받는다. ⬚SYN⬚ harmonize
— **conformity** *n.*

conformable [kənfɔ́:rməbəl] *adj.* **1**
적합한, 일치된; 비슷한 **2** 유순한, 순종하는
— **conformably** *adv.*

confound [kənfáund] *v.* [T] **1** 혼동하
다: Don't *confound* means with end.
수단과 목적을 혼동하지 마라. **2** 당황케[혼란
케] 하다: He was *confounded* at the
news. 그는 그 소식을 듣고 당황했다.

confounded [kənfáundid] *adj.* **1** 괘씸
한, 엄청난, 터무니없는 **2** 혼란한, 당황한
— **confoundedly** *adv.*

confront [kənfrʌ́nt] *v.* [T] **1** 직면하다,
(서로) 마주 대하다: His house *confronts*
mine. 그의 집은 우리 집과 마주 보고 있다. **2**
대항하다, …와 맞서다 **3** (증거를) 들이대다:
When the police *confronted* him with
the evidence, he confessed. 경찰이 증
거를 들이대자 그는 자백했다.
— **confrontation** *n.*

⬚숙어⬚ **be confronted with** (by) (위험·
난관 등에) 직면하다: I *am confronted with*
many difficulties. 나는 많은 난관에 직면
해 있다.

Confucian [kənfjúːʃən] *adj.* 공자의; 유
교의

— **Confucianism** *n.* 유교

Confucius [kənfjú:ʃəs] *n.* 공자 (552–479 B.C.)

****confuse** [kənfjú:z] *v.* [T] **1** (보통 수동태) 어리둥절케 하다, 당황케 하다: The teacher's question *confused* him. 선생님의 질문이 그를 당황하게 했다. **2** 혼동하다, 잘못 알다: I always *confuse* you with your sister. 나는 항상 너와 너의 여동생을 혼동한다. **3** (순서·질서 등을) 어지럽히다, 혼란시키다

confused [kənfjú:zd] *adj.* **1** 당황한, 어리둥절한: Things were happening too quickly and I was *confused*. 일들이 너무 빨리 진행되어 나는 어리둥절했다. [SYN] bewildered **2** 혼란스러운, 헷갈리는: a *confused* explanation 뜻이 애매한 설명 — **confusedly** *adv.*

confusing [kənfjú:ziŋ] *adj.* 혼란시키는; 당황케 하는: The instructions are terribly *confusing*. 사용 설명서가 굉장히 이해하기 어렵다.

confusion [kənfjú:ʒən] *n.* **1** 혼동: To avoid *confusion*, the twins never wore the same clothes. 혼동을 피하기 위해 그 쌍둥이는 절대 똑같은 옷을 입지 않았다. **2** 혼란 (상태), 혼잡, 뒤죽박죽: In the *confusion*, I lost my wallet. 혼잡 속에서 나는 지갑을 잃어버렸다. **3** 당황, 얼떨떨함 [숙어] **be in confusion** 당황하다, 혼란스럽다: Everything *was in confusion*. 모든 것이 혼란스러웠다.

congeal [kəndʒí:l] *v.* [I,T] 얼다, 응결시키다; 굳히다

congenial [kəndʒí:njəl] *adj.* 마음이 맞는, 기분 좋은: We spent an evening with *congenial* friends. 우리는 뜻이 맞는 친구들과 저녁을 보냈다.

congest [kəndʒést] *v.* [T] **1** 혼잡하게 하다, 정체시키다: The traffic is *congested*. 교통이 혼잡하다. **2** [의학] 충혈(울혈)시키다 — **congested** *adj.* **congestion** *n.*

****congratulate** [kəngrǽtʃəlèit] *v.* [T] **1** 축하하다, …에 축하의 말을 하다 (on): We *congratulated* him on passing his driving test. 우리는 그가 운전면허 시험에 합격한 것을 축하해 주었다. **2** …을 기뻐하다 (oneself)

congratulations [kəngrǽtʃəléiʃənz] *n.* (*pl.*) 축사 (축하해 줄 때 쓰는 표현): *Congratulations* on your success! 성공을 축하합니다!

congregate [kɑ́ŋgrigèit] *v.* [I] 모이다, 집합하다: Crowds began to *congregate* to hear the candidate's speech. 후보자의 연설을 듣기 위해서 군중이 모이기 시작했다. [SYN] come together

congregation [kɑ̀ŋgrigéiʃən] *n.* (집합적) 모임, 회합; (종교적인) 집회, 회중 — **congregational** *adj.*

congress [kɑ́ŋgris] *n.* (집합적) **1** 회의, 회합 **2** 대의원회, 학술 대회 **3** (Congress) 의회, 국회 ※ 미국의 의회는 the Senate(상원)와 the House of Representatives(하원)로 구성된다. — **congressional** *adj.*

Congressman [kɑ́ŋgrismən] *n.* [미] 국회 의원 (특히 하원 의원)

conjecture [kəndʒéktʃər] *v.* [I,T] 추측(억측)하다, 짐작으로 말하다: I cannot *conjecture* what his plans are. 나는 그의 계획이 무엇인지 추측할 수 없다. [SYN] guess

conjugate [kɑ́ndʒəgèit] *v.* [T] [문법] (동사를) 활용시키다, 변화시키다 — **conjugation** *n.*

conjunction [kəndʒʌ́ŋkʃən] *n.* **1** 결합, 연결 **2** [문법] 접속사 — **conjunctive** *adj.* [숙어] **in conjunction with** …와 함께; …에 관련하여

conjure [kɑ́ndʒər] *v.* [I] 마법(요술)을 쓰다

— **conjuring** *n.*

[숙어] **conjure ... up 1** 상상으로 …을 떠올리게 하다: His music *conjures up* images of moonlight and rivers. 그의 음악을 들으면 달빛과 강의 모습이 떠오른다. **2** 갑자기 …이 나타나게 하다: She *conjured up* a meal out of almost nothing. 그녀는 아무것도 없었는데 순식간에 음식을 차려 왔다.

conjurer, conjuror [kándʒərər] *n.* 마법사, 요술쟁이

***connect** [kənékt] *v.* **1** [I,T] 잇다, 이어지다, 연결하다: Connect the printer to your computer. 프린터기를 네 컴퓨터에 연결해라. / You are *connected*. [전화] (상대가) 나왔습니다. / My room *connects* with his. 나의 방은 그의 방에 이어져 있다. **2** [T] …와 관계시키다, …에 개입하다: He *connects* himself with the firm. 그는 그 회사에 관계하고 있다. **3** [I] (갈아탈 버스·기차·비행기 등이) (…와) 연결[접속]되다: The bus line *connects* with the trains at the railroad station. 버스 노선이 기차역에서 기차와 연결된다.

connection [kənékʃən] *n.* **1** 연결, 결합; (인과적) 관계: There is a *connection* between crime and poverty. 범죄와 빈곤 사이에는 관계가 있다. **2** (기계·도관 등의) 연접(부) **3** (열차·비행기 등의) 연락, 접속; 연결편: If the flight is late, we'll miss our *connection*. 비행기가 늦으면 우리는 연결편을 놓치게 된다.

[숙어] **in connection with** …와 관련하여

connotation [kànoutéiʃən] *n.* 함축, 내포된 의미: The word has so many negative *connotations*. 그 단어에는 아주 많은 부정적인 의미가 내포되어 있다.

conquer [káŋkər] *v.* [T] **1** (무력으로) 정복하다: The Normans *conquered* England in 1066. 노르만 사람들이 1066년에 영국을 정복했다. [SYN] defeat **2** (역경·

병·나쁜 습관 등을) 이겨내다, 극복하다: *conquer* a bad habit 나쁜 버릇을 타파하다 [SYN] overcome

— **conquerable** *adj.* **conqueror** *n.* 정복자; 승리자

conquest [káŋkwest] *n.* **1** 정복 **2** 정복하여 얻은 것, 점령지, 정복지

conscience [kánʃəns] *n.* 양심, 도의심: a clear[guilty] *conscience* 떳떳한[떳떳치 못한] 마음 [SYN] moral sense

— **conscientious** *adj.* **conscientiously** *adv.*

[숙어] **have ... on one's conscience** …을 꺼림칙해 하다

conscious [kánʃəs] *adj.* **1** 지각[의식] 있는, 제정신의: He has been seriously injured but he is still *conscious*. 그는 심하게 부상을 당했지만 아직 의식이 있다. / become *conscious* 제정신이 들다 [OPP] unconscious **2** 인식하고 있는, 알고 있는: He is *conscious* of his own faults. 그는 자신의 결점을 알고 있다. [SYN] aware **3** 의식적인: We made a *conscious* effort to treat the children equally. 우린 아이들을 공평하게 대하려고 의식적으로 노력했다. [SYN] deliberate

— **consciously** *adv.*

consciousness [kánʃəsnis] *n.* **1** 의식, 지각: He lost *consciousness* for several minutes. 그는 몇 분 동안 의식을 잃었다. / regain *consciousness* 의식을 회복하다 **2** 자각, 의식: race *consciousness* 민족 의식

conscript [kənskrípt] *v.* [T] 군인으로 뽑다, 징집하다

n. [kánscript] 징집병

— **conscription** *n.*

consecrate [kánsikrèit] *v.* [T] 봉헌(奉獻)하다; 바치다: He *consecrated* his life to church. 그는 교회를 위해 일생을 바쳤다.

— **consecrated** *adj.* **consecration** *n.*

consecutive [kənsékjətiv] *adj.* 연속적인, 잇따른: This is the team's fifth

consecutive win. 이번이 그 팀의 5연승 째다.
— **consecutively** *adv.*
consecutiveness *n.*
consensus [kənsénsəs] *n.* (대중의) 의
견 일치, 합의, 여론: There is no
consensus among scientists about the
causes of global warming. 과학자들 사
이에서 대기 온난화의 원인에 대한 일치된 의견
은 없다. / reach a *consensus* 합의에 이르다
consent [kənsént] *v.* [I] 동의하다, 찬성
하다; 승인하다, 허락하다: *consent* to a
plan 계획에 동의하다 [SYN] agree, approve
n. 동의, 허가, 승낙: Silence gives
consent. [속담] 침묵은 승낙의 표시.
consequence [kánsikwèns] *n.* **1** 결
과, 결말 [SYN] result **2** 중대성, 중요함:
Your opinion is of no *consequence* to
me. 너의 의견은 나에게 전혀 중요하지 않다.
[SYN] importance
[숙어] **in**(**as a**) **consequence of** …의
결과: He changed his opinion *in
consequence of* an argument. 그는 논의
이후 생각을 바꾸었다.
consequent [kánsikwènt] *adj.* 결과로
서 일어나는 (on); (논리상) 필연의, 당연한:
This increase of the unemployed is
consequent on the business
depression. 실업자의 이러한 증가는 불경기
의 당연한 결과이다.
— **consequently** *adv.* 따라서, 그 결과로
conservation [kànsə:rvéiʃən] *n.* **1**
(자연·자원의) 보호, 관리: wildlife *conser-
vation* 야생 생물 보호 **2** 보존, 유지:
conservation of energy 에너지의 보존
— **conservationist** *n.* (자연·자원) 보호
론자
conservatism [kənsə́:rvətìzəm] *n.* **1**
보수주의 **2** (보통 Conservatism) 보수당의
주의(강령)
conservative [kənsə́:rvətiv] *adj.* **1** 보
수적인, 전통적인: a *conservative* attitude
to education 교육에 대한 보수적인 태도 **2**

(Conservative) 영국 보수당의 **3** 조심스러
운, 신중한; (옷차림이) 수수한: a very
conservative suit 매우 수수한 옷차림 **4** (가
격 등을) 줄잡아, 낮게 잡아: a *conservative*
estimate 줄잡은 어림
— **conservatively** *adv.*
conservatory [kənsə́:rvətɔ̀:ri] *n.* **1**
(집에 붙어 있는) 온실 **2** 음악 학교
conserve [kənsə́:rv] *v.* [T] **1** 보호하다:
We must *conserve* our woodlands for
future generations. 우리는 후손들을 위해
삼림 지대를 보호해야 한다. **2** 보존하다:
conserve one's strength 체력을 유지하다
— **conservation** *n.*
*****consider** [kənsídər] *v.* [T] **1** 숙고하다,
고려하다: You must *consider* whether it
will be worthwhile. 너는 그게 그만한 가
치가 있는지를 숙고해 봐야 한다. **2** …이라고
생각하다, 간주하다 (to be): He *considers*
this to be the best book on the
subject. 그는 이것이 그 주제에 대한 최고의
책이라고 생각한다. **3** …에 주의를 기울이다,
…을 염려하다: He never *considers*
others. 그는 남을 전혀 배려하지 않는다.
considerable [kənsídərəbəl] *adj.* **1**
꽤 많은: a *considerable* number of
students 상당수의 학생들 **2** (숫자·크기 등
이) 상당한
— **considerably** *adv.*
considerate [kənsídərit] *adj.* 인정이
있는, 동정심 많은 [SYN] thoughtful [OPP]
inconsiderate
— **considerately** *adv.*
consideration [kənsìdəréiʃən] *n.* **1**
고려, 숙고: After long *consideration*, I
decided to sell the house. 오랜 숙고 끝
에 나는 집을 팔기로 결심했다. **2** 고려의 대상:
Time is another important
consideration. 시간은 또 다른 중요한 고려의
대상이다. **3** (타인에 대한) 헤아림, 참작: I
thank you for your kindness and
consideration. 당신의 친절과 헤아림에 감사

드립니다.

[숙어] **in consideration of** …을 고려하여 : You should pardon him *in consideration of* his youth. 나이 어린 점을 고려해서 그를 용서해 주셔야 합니다.

take into consideration 고려에 넣다, …을 참작하다

considering [kənsídəriŋ] *prep.* …을 고려하면, …을 생각하면: She looks very young *considering* her age. 그녀는 나이에 비해서는 퍽 젊어 보인다.

***consist** [kənsíst] *v.* [I] **1** (…으로) 이루어져 있다, (…으로) 되다 (of) **2** (…에) 존재하다, (…에) 있다 (in)

[숙어] **consist in** …에 존재하다: Happiness *consists in* contentment. 행복은 만족에 있다.

consist of …으로 이루어지다: Human life *consists of* a succession of small events. 인생은 사소한 사건의 연속으로 이루어져 있다. [SYN] be made up of

consistency [kənsístənsi] *n.* **1** 일관성, 언행 일치: Your work lacks *consistency*. 너의 일솜씨는 일관성이 부족하다. **2** 농도, 밀도: She added a little water to mix the dough to the right *consistency*. 그녀는 반죽의 농도를 알맞게 하려고 물을 좀 부었다.

consistent [kənsístənt] *adj.* **1** (주의·방침·언행 등이) 시종일관된: Her work is sometimes good, but the problem is she's not *consistent*. 그녀의 일처리는 가끔 훌륭하지만 문제는 시종일관 훌륭하지 않다는 것이다. **2** (의견·행동 등이) (…와) 일치하는: Your statement is not *consistent* with what the other witnesses said. 당신의 진술은 다른 목격자들이 말하는 것과 일치하지 않습니다. [OPP] inconsistent

— **consistently** *adv.*

consolation [kànsəléi∫ən] *n.* **1** 위로, 위안: It was some *consolation* to me to know that I wasn't the only one who

had missed the bus. 버스를 놓친 사람이 나 혼자만이 아니라는 것이 좀 위안이 되었다. [SYN] comfort **2** 위안이 되는 것〔사람〕

console¹ [kənsóul] *v.* [T] 위로하다, 달래주다: I tried to *console* her, but in vain. 나는 그녀를 위로하려 했지만 허사였다. [SYN] comfort

— **consolatory** *adj.* **consolation** *n.*

console² [kánsoul] *n.* **1** 조종대 (기계의 모든 제어 장치가 설치된 곳) **2** 콘솔

consolidate [kənsáládèit] *v.* [I,T] **1** 결합하다, 합병하다: *consolidate* two companies into one 두 회사를 하나로 합병하다 **2** 굳게 하다, 강화하다

— **consolidation** *n.*

consonant [kánsənənt] *n.* 자음; 자음글자 (a, e, i, o, u 외의 글자) *cf.* vowel 모음 (a, e, i, o, u)

consortium [kənsɔ́:r∫iəm, kənsɔ́:rtiəm] (*pl.* consortiums, consortia [kənsɔ́:r∫iə]) *n.* 협회, 조합; (국제) 차관단

conspicuous [kənspíkjuəs] *adj.* 눈에 띄는, 똑똑히 보이는: a *conspicuous* error 분명한 착오 [OPP] inconspicuous

— **conspicuously** *adv.* **conspicuousness** *n.*

conspiracy [kənspírəsi] *n.* 공모, 음모: There was a *conspiracy* to kill the king. 왕을 암살하려는 음모가 있었다. [SYN] plot

conspirator [kənspírətər] *n.* 공모자, 음모자

conspire [kənspáiər] *v.* [I] **1** 공모하다, 음모를 꾸미다: They *conspired* to drive him out of the country. 그들은 그를 국외로 추방하려고 공모했다. [SYN] plot **2** (어떤 결과를 초래하도록 사정이) 서로 겹치다, 일시에 일어나다: Events *conspired* to bring about his ruin. 여러 사건들이 어우러져 그의 파멸을 가져왔다. [SYN] combine

constant [kánstənt] *adj.* **1** 항구적인, 부

단한: The *constant* noise distracted his mind. 끊임없는 소음에 그는 집중력을 잃었다. [SYN] continual **2** 변치 않는, 일정한: If you want to use less petrol, drive at a *constant* speed. 기름을 적게 소모하려면 차를 일정한 속도로 몰아라.
— **constantly** *adv.* **constancy** *n.*

constellation [kὰnstəléiʃən] *n.* 성좌, 별자리

constituency [kənstítʃuənsi] *n.* **1** (한 지구의) 선거인, 유권자 **2** 선거구

constituent [kənstítʃuənt] *n.* **1** 요소, 성분, 구성물: Long ago, the *constituents* of gunpowder was kept secret. 오래 전에는 탄약의 성분은 비밀에 부쳐졌었다. **2** 선거구 주민, 유권자
adj. **1** 구성하는, …의 성분을 이루는 **2** 선거권 [지명권]을 갖는

constitute [kάnstətjùːt] *v.* [T] **1** 구성하다, …의 구성 요소가 되다: Five players *constitute* a basketball team. 농구 팀은 다섯 명의 선수들로 구성된다. [SYN] make up **2** (단체 등을) 설립하다: The President *constituted* a committee to study juvenile crime. 대통령은 청소년 범죄를 연구하기 위한 위원회를 설립했다.
※ 진행형으로는 쓰지 않는다.

constitution [kὰnstətjúːʃən] *n.* **1** (국가 조직을 규정하는) 헌법: The *constitution* guarantees that the people have certain rights. 헌법은 국민이 일정한 권리를 갖는 것을 보장한다. **2** (단체·회사 등의) 설립 규약 **3** 구성, 조성, 구조: the *constitution* of DNA DNA 구조 **4** 체질, 체격: have a cold *constitution* 냉한 체질이다

constitutional [kὰnstətjúːʃənəl] *adj.* **1** 헌법의, 합헌의: *constitutional* rights 헌법상의 권리 [OPP] unconstitutional **2** 체질상의, 타고난: a *constitutional* weakness 타고난 허약함 **3** 구조상의, 조직의
— **constitutionally** *adv.*

constrain [kənstréin] *v.* [T] **1** 강제하다, 강요하다: *constrain* obedience 복종을 강요하다 [SYN] force **2** 제한하다, 억제하다: Many women feel *constrained* by their roles as wife and mother. 많은 여자들이 자신의 역할을 아내와 어머니로 제한되는 것으로 느낀다. [SYN] restrict, limit
— **constraint** *n.*

construct [kənstrʌ́kt] *v.* [T] **1** 건축하다, 만들다: *construct* a factory 공장을 건조하다 **2** (글·아이디어 등을) 구성하다: a well *constructed* novel 구성이 잘 된 소설
— **constructor** *n.* 건설자[회사]

construction [kənstrʌ́kʃən] *n.* **1** 건설, 건축 **2** 건축물, 건조물 **3** 구조, 구성
— **constructional** *adj.*

[축어] **under construction** 공사 중, 건설 중: We have a stadium *under construction*. 우리는 육상 경기장을 건설하는 중이다.

constructive [kənstrʌ́ktiv] *adj.* **1** 건설적인, 적극적인: She welcomes *constructive* criticism. 그녀는 건설적인 비평을 환영한다. **2** 유용한, 쓸모 있는: The teacher wrote some *constructive* comments on his essay. 선생님은 그의 에세이에 유용한 설명을 적어 주셨다.
— **constructively** *adv.*

consul [kάnsəl] *n.* 영사 *cf.* ambassador 대사
— **consular** *adj.*

consulate [kάnsəlit] *n.* 영사관 *cf.* embassy 대사관

consult [kənsʌ́lt] *v.* **1** [T] …의 의견을 듣다, …의 충고를 구하다: If this medicine doesn't work, *consult* your doctor. 이 약이 듣지 않으면 의사의 진찰을 받아라. **2** [I] 의논하다, 협의하다: He *consulted* with his lawyer about the matter. 그는 그 문제에 대해서 변호사와 상의했다. **3** [T] (사전·서적 등을) 참고하다, 찾다
— **consulting** *adj.* **consultation** *n.*

consultant [kənsʌ́ltənt] *n.* 의논 상대, 컨설턴트

consume [kənsú:m] *v.* [T] **1** (연료·시간 등을) 소모하다, 소비하다: The cleaning *consumed* most of the day. 청소로 거의 하루를 소모했다. **2** 먹다, 마시다 **3** (불이) 태워 버리다, 없애 버리다: The flames *consumed* the whole building. 화염으로 건물 전체가 소실되었다.
— **consuming** *adj.*
[숙어] **(be) consumed with** (감정이) 마음을 빼앗다, 사로잡다: He *was consumed with* jealousy. 그는 질투심에 사로잡혔다.

consumer [kənsú:mər] *n.* 소비자, 수요자

consumer(s') goods *n.* (*pl.*) 소비재

consumption [kənsʌ́mpʃən] *n.* **1** 소비, 소비액: The average daily *consumption* of fruit and vegetables is around 200 grams. 과일과 야채의 평균 1일 소비량은 200그램 정도이다. **2** 소모, 소진

consumptive [kənsʌ́mptiv] *adj.* 소비의, 소모성의

***contact** [kántækt] *n.* **1** 연락, 연결, 교제: Let's keep in *contact*. 계속 연락하자. **2** 접촉, 서로 닿음: a *contact* point 접촉점 **3** 유력한 지인(知人): He has many *contacts*. 그는 인맥이 넓다. **4** [전기] 접촉, 혼선
v. [T] [kántækt, kəntǽkt] …와 연락하다: I'll *contact* you by e-mail or telephone. 전자 우편이나 전화로 연락할게.
[SYN] get in touch with
※ con(=together)+tact(=touch)

contagious [kəntéidʒəs] *adj.* 전염성의, 전파되는: a *contagious* disease 전염병
— **contagion** *n.* 접촉 전염

***contain** [kəntéin] *v.* [T] **1** 내포하다, (속에) 담고 있다: The rock *contains* a high percentage of iron. 이 광석은 철의 함유량이 높다. **2** 안으로 억누르다, 억제하다: I cannot *contain* my anger. 나는 화가 나

서 견딜 수가 없다. **3** (화재·범죄 등을) 진압하다: More firemen were sent to *contain* the fire at the plant. 공장의 화재를 진압하기 위해서 소방대원들이 더 보내졌다. [SYN] control
※ 진행형으로는 쓰지 않는다.
— **container** *n.* 그릇, 용기; 컨테이너

■ **유의어** contain
contain 어떤 사물이 그 안에 다른 것(들)을 담고 있을 때 쓴다.: This glass *contains* oil. 이 컵에는 기름이 들어 있다.
include 사람·사물이 전체의 일부분을 이루거나 일원이 될 때 쓴다.: The band consists of six people *including* two guitarists and a drummer. 그 밴드는 두 명의 기타리스트와 한 명의 드러머를 포함하여 6명이다.

contaminate [kəntǽmənèit] *v.* [T] (접촉하여) 더럽히다, 오염하다: Smog *contaminates* the air. 스모그가 대기를 오염시킨다. [SYN] pollute
— **contamination** *n.*

contemplate [kántəmplèit] *v.* [T] **1** 잘 생각하다, 심사숙고하다: He has never *contemplated* retiring. 그는 은퇴에 대해서 깊이 생각해 본 적이 없다. **2** 계획하다, 기대하다, …하려고 생각하다: I *contemplate* visiting France. 나는 프랑스로 여행갈까 생각하고 있다. **3** 찬찬히 보다, 관찰하다
— **contemplative** *adj.* **contemplatively** *adv.* **contemplation** *n.*

contemporaneous [kəntèmpəréiniəs] *adj.* **1** 동시 존재(발생)의 **2** …와 동시대의

contemporary [kəntémpərèri] *adj.* **1** …과 동시대의, 당시의: Byron was *contemporary* with Wordsworth. 바이런과 워즈워스는 동시대인이었다. **2** (우리와 동시대인) 현대의, 최신의: *contemporary* music(art, society) 현대 음악(미술, 사회)
n. 동시대(연대)의 사람

contempt [kəntémpt] *n.* 경멸, 모욕
[OPP] respect
[숙어] **in contempt** 경멸하여: We call
him a fool *in contempt.* 우리는 그를 경멸
하여 바보라고 부른다.

contemptible [kəntémptəbəl] *adj.*
멸시할 만한, 비열한: You are a
contemptible worm! 넌 비열한 벌레 같은
놈이야!

contemptuous [kəntémptʃuəs] *adj.*
모욕적인, 남을 얕보는: a *contemptuous*
smile 남을 얕보는 듯한 웃음
— **contemptuously** *adv.*

contend [kənténd] *v.* **1** [I] (적·곤란 등
과) 싸우다 (with, against): I have a lot of
problems to *contend* with. 난 해결해야
할 문제들이 많다. **2** [T] (강력히) 주장하다: I
contend that honesty is always
worthwhile. 나는 정직은 항상 그만한 가치
가 있다고 주장하는 바이다. **3** [I] (…을 차지하
려고) 경쟁하다 (for): The players are
contending for first place. 선수들이 우승
을 차지하려고 경쟁하고 있다.

*****content**¹** [kántent] *n.* **1** (contents) 내
용, 알맹이, 목차: the *contents* of a box 상
자 속의 내용물 **2** 취지, 요지, (형식에 대하여)
내용: *Content* determines form. 내용이
형식을 결정한다. **3** 함유량, 산출량: moisture
content of a gas 기체의 습도 함유량

*****content**²** [kəntént] *adj.* (명사 앞에는 쓰
이지 않음) (…에) 만족하는: Let us rest
content with a small success. 작은 성공
으로 만족해 두자.
v. [T] (주로 oneself와 쓰여) …에 그럭저럭
만족하다: He *contents* himself with
small success. 그는 작은 성공에 그럭저럭
만족하고 있다.
n. 만족

contented [kənténtid] *adj.* 만족하고
있는
— **contentedly** *adv.*

contention [kənténʃən] *n.* **1** 말다툼,

논쟁, 불일치 **2** 주장
— **contentious** *adj.* 논쟁하기 좋아하는

contentment [kənténtmənt] *n.* 만족
(하기): *Contentment* is better than
riches. [속담] 족함을 아는 것은 부보다 낫다.

*****contest** [kántest] *n.* 경기, 경연, 콘테스
트: a speech *contest* 웅변 대회
v. [T] [kəntést] **1** 겨루다, 경쟁하다:
contest a victory with a person …와 승
리를 다투다 **2** 이의를 제기하다, 의문시하다:
They *contested* the decision, saying
that the referee was not fair. 그들은 심판
이 공정하지 못했다며 판정에 이의를 제기했다.
— **contestant** *n.* 경쟁자

context [kántekst] *n.* **1** (사건 등에 대
한) 상황, 배경, 환경: In what *context* did
he say that? 어떤 상황에서 그가 그렇게 말
했는가? **2** (글의) 전후 관계, 문맥: I found
the meaning of the word from its
context. 나는 문맥에서 그 단어의 의미를 알아
냈다.

continent [kántənənt] **1** 대륙, 육지 **2**
(the Continent) 유럽 대륙 (영국 제도와 구
별하여)
— **continental** *adj.*

continual [kəntínjuəl] *adj.* 잇따른, 계
속되는: a week of *continual* sunshine
일주일간 계속 좋은 날씨
— **continually** *adv.*

■ 유의어 continual

continual 끊었다가도 곧 계속되는:
continual misunderstanding
between nations 국가 간의 끊임없는
오해 **continuous** 끊이지 않는, 중단 없이
계속되는: a *continuous* rain 줄기차게
내리는 비 **constant** 언제나 같은 상태로
일어나며, 같은 결과를 낳는: *constant*
repetition of the same mistakes 똑
같은 실수의 변함 없는 반복

continuation [kəntìnjuéiʃən] *n.* 계속,
연속

*continue [kəntínjuː] *v.* **1** [I] 연속하다, 계속되다: If the rain *continues*, we'll have to put off tonight's plans. 비가 계속 내리면 오늘밤의 계획을 연기해야 할 것이다. **2** [I,T] (하던 일을) 계속하다: They ignored me and *continued* their conversation. 그들은 나를 무시하고는 그들의 대화를 계속했다. **3** [I,T] (한 번 정지한 뒤) 다시 계속하다: The program *continued* after an intermission. 휴식 후 프로그램은 계속되었다. **4** [I,T] (같은 방향으로) 나아가다: The next day we *continued* our journey. 다음 날 우리는 여행을 계속했다.
— **continued** *adj.* **continuance** *n.*

continuity [kὰntənjúːəti] *n.* **1** 연속성, 연속 상태, 계속 OPP discontinuity **2** 촬영〔방송〕 대본, 콘티; (프로 사이에 넣는 방송자의) 연락 말〔부분〕

continuous [kəntínjuəs] *adj.* (시간·공간적으로) 연속적인, 끊이지 않는: The brain needs a *continuous* supply of blood. 뇌는 끊임없는 혈액의 공급을 필요로 한다.
— **continuously** *adv.*

contour [kὰntuər] *n.* 윤곽, 외형: the *contour* of her face 그녀의 얼굴 윤곽

contra- *prefix* '반대, 역, 대응' 등의 뜻.

contract [kὰntrækt] *n.* **1** 계약, 약정 **2** 계약서: Read the *contract* carefully before you sign it. 서명하기 전에 계약서를 주의하여 읽어라.
v. [kəntrǽkt] **1** [I,T] 수축시키다, 죄다, 축소하다: *contract* one's eyebrows 눈살을 찌푸리다 OPP expand **2** [T] (병에) 걸리다: I have *contracted* a bad cold. 난 독감에 걸렸다. **3** [I,T] [kὰntrækt] 계약하다, 도급〔청부〕맡다: He *contracted* to have the construction finished by summer. 그는 여름까지는 공사를 끝내기로 계약을 했다.
— **contracted** *adj.* 수축된; 계약한

contraction [kəntrǽkʃən] *n.* **1** 수축 **2** (출산시 자궁의) 수축 **3** 단축형, 단축어

contractor [kὰntrǽktər] *n.* 계약자

contradict [kὰntrədíkt] *v.* [T] **1** (진술·보도 등을) 부정하다, 반박하다: She dared not *contradict* him. 그녀는 감히 그에게 반박하지 못했다. **2** …와 모순되다: The reports *contradict* each other. 보고가 서로 어긋난다.
— **contradictory** *adj.* **contradiction** *n.*

contrary [kὰntreri] *adj.* **1** (명사 앞에만 쓰임) 완전히 다른, 반대의: I thought it was not possible, but she took the *contrary* view. 나는 불가능하리라 생각했지만 그녀는 나와 반대의 관점이었다. SYN opposite **2** …와는 반대로, 거꾸로 (to): *Contrary* to my expectations, all went well. 내 예상과는 달리 다 잘 되어 갔다.
n. 정반대, 모순
[숙어] **on the contrary** 이에 반하여, 오히려: John is not stupid. *On the contrary*, he is very intelligent. 존은 어리석지 않다. 오히려 매우 영리하다.
to the contrary 그와 반대로: I know nothing *to the contrary*. 나는 그 반대의 것은 하나도 모른다.

*contrast [kὰntræst] *n.* **1** 대조, 대비: the *contrast* between light and shade 명암의 대조 **2** 현저한 차이 **3** 대조가 되는 것, 정반대의 물건〔사람〕: She is a great *contrast* to her sister. 그녀는 그녀의 여동생과 아주 딴판이다.
v. [kəntrǽst] **1** [T] 대조〔대비〕시키다: *contrast* light and shade 명암을 대조하다 **2** [I] 뚜렷한 차이를 보이다: This color *contrasts* well with green. 이 색은 녹색과 뚜렷한 대조를 이룬다.
[숙어] **in contrast to〔with〕** …와는 대조적으로: *In contrast with* that problem, this one is easy. 그 문제와는 대조적으로 이 문제는 쉽다.

*contribute [kəntríbjut] *v.* **1** [I,T] 기부
하다: He *contributed* $200 to the
earthquake fund. 그는 지진(피해) 모금에
200달러를 기부했다. [SYN] donate **2** [I] 기
여(공헌)하다, …의 한 원인이 되다:
Immigrants have *contributed* to
American culture in many ways. 이민
자들은 미국 문화에 여러 방면으로 기여했다. **3**
[I,T] 기고(투고)하다: She *contributes*
regularly to a newspaper. 그녀는 정기
적으로 신문에 기고한다.
— **contributory** *adj.* **contributor** *n.*

contribution [kὰntrəbjúːʃən] *n.* **1** 기
부, 기부금 **2** 기여, 공헌: Einstein was
awarded the Nobel Prize for his
contribution to Quantum Theory. 아인
슈타인은 양자 이론에 대한 공헌으로 노벨상을
수상했다.
[숙어] **make a contribution to**
(**toward**) …에 기부(공헌)하다

contrivance [kəntráivəns] *n.* **1** 고안,
발명 **2** 고안품, 장치 **3** 계획, 책략

contrive [kəntráiv] *v.* [T] **1** 용케 …하
다, 가까스로 …해내다: He *contrived* his
escape. 그는 용케 도망쳤다. **2** 고안하다, 발
명하다: She *contrived* a smoke
detector. 그녀는 연기 감지기를 고안해 냈다.
3 계획하다, 궁리하다: As a kinder-
garten teacher, she *contrives* many
ways to amuse the children. 유치원 선
생님인 그녀는 아이들을 즐겁게 할 여러 방법을
궁리한다. [SYN] manage
— **contriver** *n.* 고안자; 계략가

*control [kəntróul] *n.* **1** 지배(력), 관리,
통제, 감독(권): gain *control* of(over) the
armed forces 군의 지휘권을 잡다 / Some
teachers have more *control* over
pupils than their parents have. 어떤
교사들은 학생들에 대해 부모보다 더 많은 통제
력을 발휘한다. [SYN] power **2** 억제, 제어:
birth *control* 산아 제한 / She got upset
but kept her anger in *control*. 그녀는 당

황했지만 화를 참았다. **3** (기계의) 조종 장치 **4**
제어실, 관제실(탑)
v. [T] (controlled-controlled) **1** 지배하다,
통제하다 **2** 제한하다, 억제하다
— **controllable** *adj.* **controller** *n.*
[숙어] **beyond one's control** …의 힘으
로는 제어하기 힘든, 힘에 부치는: The fire
was *beyond our control*. 그 화재는 우리
힘으로 진화하기 힘들었다.
**bring(get, have, keep) … under
control** …을 억제(제어)하다: It took
three hours to *bring* the fire *under
control*. 화재를 진화하는 데 세 시간이 걸렸
다. / You'd better *keep* your dog *under
control*. 네 개를 좀 (날뛰지 못하게) 제지하는
게 좋을 것 같다.
under control 지배(관리) 하에 있는: It
is *under* the direct *control* of the
Ministry of Education. 그것은 교육부 직
접 관할 하에 있다.

controversial [kὰntrəvə́ːrʃəl] *adj.* 논
의의 여지가 있는, 논쟁의 대상인, 물의를 일으
키는: Religion and politics are very
personal and *controversial* subjects.
종교와 정치는 매우 개인적이고 논쟁의 대상이
되는 주제이다.

controversy [kάntrəvə̀ːrsi] *n.* 논쟁,
논의

controvert [kάntrəvə̀ːrt] *v.* [I,T] **1** 논
의하다, 논쟁하다 **2** 부정하다

convene [kənvíːn] *v.* [I,T] 모이다, 소집
하다: The student body *convenes*
every month. 학생회는 매달 한 번 모인다.

convenience [kənvíːnjəns] *n.* **1** 편리,
편의: It is a great *convenience* to keep
some good reference books in your
study. 서재에 좋은 참고 서적을 비치하면 매
우 편리하다. **2** 편리한 것(도구), 문명의 이기
(利器): The house has all the modern
conveniences. 그 집은 현대적인 설비를 모두
갖추고 있다. **3** [영] 공중 화장실
[숙어] **at one's convenience** 형편 닿는

대로, 편리한 때에: We can meet *at your convenience* any time next week. 다음 주에 네가 편한 때 언제든지 만나자.

convenience store *n.* (24시간 영업하는) 편의점

*****convenient** [kənví:njənt] *adj.* **1** (물건이) 편리한, 사용하기 알맞은 **2** (시간 등이) … 하기에 괜찮은: When will it be *convenient* for you to go there? 언제 거기에 가는 게 괜찮겠니? [OPP] inconvenient **2** …에 가까운 (그래서 편리한): My house is *convenient* for the station. 우리 집은 역 근처에 있다.

— **conveniently** *adv.*

convent [kάnvənt] *n.* 수도원, 수녀원 *cf.* monastery (남자의) 수도원

convention [kənvénʃən] *n.* **1** 풍습, 관례, 인습: social *convention* 사회적 관습 **2** (종교·교육 단체 등의) 총회: a *convention* hall (호텔 등의) 회의장 [SYN] conference **3** 협정, 협약, 합의: the Geneva *Convention* 제네바 협정

conventional [kənvénʃənəl] *adj.* **1** 전통적인, 관습적인 **2** 형식적인, 진부한, 상투적인: Her opinions are rather narrow and *conventional*. 그녀의 의견은 편협하고 진부하다.

[OPP] unconventional

— **conventionally** *adv.*

*****conversation** [kὰnvərséiʃən] *n.* 회화, 대담, 대화 [SYN] chat, discussion

[숙어] **change the conversation** 화제를 바꾸다

have(hold) a conversation with … 와 담화(회담)하다

make a conversation 잡담하다, 이야기 꽃을 피우다

conversational [kὰnvərséiʃənəl] *adj.* **1** 회화체의 **2** 이야기하기 좋아하는

— **conversationally** *adv.* **conversationalist** *n.* 이야기하기 좋아하는 사람, 좌담가

converse¹ [kənvə́:rs] *v.* [I] 담화하다, 서로 이야기하다 [SYN] talk

n. 담화 [SYN] talk, conversation

converse² [kənvə́:rs] *adj.* 역의, 거꾸로의: I hold the *converse* opinion. 나는 반대 의견을 가지고 있다.

n. [kάnvərs] 역, 반대, 전환

conversely [kənvə́:rsli] *adv.* 거꾸로, 반대로: You can add milk to the flour, or, *conversely*, the flour to milk. 밀가루에 우유를 넣거나 또는 반대로 우유에 밀가루를 넣어도 된다.

conversion [kənvə́:rʒən] *n.* **1** 변환, 전환 **2** (건물 등의) 용도 변경, 개조 **3** 개종

convert [kənvə́:rt] *v.* [I,T] **1** 다른 형태로 전환하다: *convert* sugar into alcohol (화학 변화에 의해) 설탕을 알코올로 변화시키다 **2** 용도를 변경하다: *convert* a study into a nursery 서재를 육아실로 개조하다 **3** 개심(개종)하다: When he was young he *converted* to Islam. 그는 어렸을 때 이슬람교로 개종했다.

n. [kάnvərt] 개심자, 개종자

convertible [kənvə́:rtəbəl] *adj.* **1** 바꿀 수 있는, 개조할 수 있는 **2** 개종할 수 있는 **3** 교환할 수 있는

n. 접는 포장이 달린 자동차

convex [kɑnvéks] *adj.* 볼록한: a *convex* lens 볼록 렌즈 [OPP] concave 오목한

convey [kənvéi] *v.* [T] **1** (의미·사상·감정 등을) 전하다: No words can *convey* my feelings. 어떤 말로도 내 감정을 전할 수 없다. [SYN] communicate **2** 나르다, 운반하다: *convey* goods by truck 트럭으로 물품을 운반하다 [SYN] transport

— **conveyance** *n.*

conveyer, conveyor [kənvéiər] *n.* **1** 컨베이어 (운반 장치) **2** 운송업자, 운반인

— **conveyer belt** *n.* 컨베이어 벨트

convict [kənvíkt] *v.* [T] 유죄를 선언하다: He was *convicted* of having committed theft. 그는 절도죄로 유죄 선고를 받았다. [OPP] acquit 무죄로 하다

n. [kánvikt] 죄인, 죄수, 기결수

conviction [kənvíkʃən] *n.* **1** 유죄의 판결(선고) **2** 신념, 확신: hold a strong *conviction* 강한 확신을 품다 [OPP] doubt

convince [kənvíns] *v.* [T] **1** …에게 납득시키다, …에게 확신시키다: He tried to *convince* me of his innocence. 그는 자기의 무죄를 나에게 납득시키려 했다. **2** 설득하여 …하게 하다: We *convinced* her to go with us. 우리는 그녀를 함께 가자고 설득했다. [SYN] persuade

convinced [kənvínst] *adj.* 확신을 가진, 신념이 있는: I am *convinced* of her innocence. 나는 그녀가 무죄라고 확신한다. [OPP] unconvinced

convincing [kənvínsiŋ] *adj.* 설득력 있는, 납득이 가게 하는: a *convincing* argument 설득력 있는 논지

— **convincingly** *adv.*

convoy [kánvɔi] *n.* **1** 호위대, 호위선 **2** 호송, 호위

v. [T] 호위하다, 호송하다

***cook** [kuk] *v.* [I,T] 요리(조리)하다, 음식을 만들다: Mom *cooks* dinner for us every evening. 엄마는 매일 저녁 우리에게 저녁을 해 주신다. / He *cooked* her some sausages. 그는 그녀에게 소시지를 요리해 주었다.

■ **유의어** cook

cook '삶다, 찌다, 끓이다, 굽다, 지지다, 볶다, 튀기다'처럼 열을 이용하는 요리에 한한다. **bake** 빵·과자 등을 오븐에 굽다. **broil** ([영] grill) 고기를 석쇠 등을 이용해 불에 쬐어 굽다. **fry** 기름에 튀기거나 볶다. **boil** 뜨거운 물에 삶다. **stew** 약한 불로 천천히 끓이다. **steam** 증기로 찌다.

---

n. 요리사: Too many *cooks* spoil the broth. [속담] 사공이 많으면 배가 산으로 오른다.(요리사가 많으면 국물을 망친다.)

[숙어] **cook up** (거짓말 등을) 지어내다: He *cooked up* an excuse for not arriving earlier. 그는 좀더 일찍 오지 못한 핑계를 둘러댔다.

cookbook [kúkbùk] *n.* ([영] cookery book) 요리책

cooker [kúkər] *n.* 요리(조리) 기구

cookery [kúkəri] *n.* 요리(법)

***cookie** [kúki] *n.* **1** (비스킷 류의) 쿠키 ([미] biscuit) **2** [컴퓨터] 쿠키 (사용자가 네트워크나 인터넷을 사용할 때마다 중앙 서버로 전달되는 컴퓨터 정보 파일)

cooking [kúkiŋ] *n.* **1** 요리(법): She studied *cooking* in Paris. 그녀는 파리에서 요리를 공부했다. **2** (요리된) 음식

cookware [kúkwɛ̀ər] *n.* 취사 도구, 조리용 기구

***cool** [ku:l] *adj.* **1** 서늘한, 시원한: a *cool* drink 시원한 음료 **2** 침착한, 태연한: stay *cool* in the face of disaster 재해를 만나도 침착하다 **3** 냉정한, 냉담한: He gave me a *cool* reply. 그는 내게 차갑게 대답했다. **4** 훌륭한, 근사한: a *cool* guy 근사한 녀석

v. **1** [I,T] 차지다, 차게 하다: She blew on the tea to *cool* it. 그녀는 차를 식히기 위해 (입으로 후후하고) 불었다. **2** [I] (감정이) 가라앉다, 냉정해지다

n. (the cool) 서늘한 기온(장소), 서늘함: I love the *cool* of the early morning. 나는 이른 아침의 서늘함을 좋아한다.

— **cooling** *adj.* **coolly** *adv.* **coolness** *n.*

[숙어] **cool down(off) 1** 시원하게 하다, 땀을 식히다 **2** (감정을) 가라앉히다

keep(lose) one's cool 침착(흥분)하다

coolant [kú:lənt] *n.* 냉각제, 냉각수

cooler [kú:lər] *n.* **1** 냉각기, 냉장고 **2** 청량 음료

cool-headed [kú:lhédid] *adj.* 침착한, 차분한

cooling-off period *n.* (결정을) 재고할 수 있는 시간

coop [kú:p] *n.* 새장
　v. [T] (좁은 곳에) 가두다
***cooperate, co-operate**
　[kouάpərèit] *v.* [I] **1** 협력하다, 협동하다:
　Our company is *cooperating* with
　another firm on this project. 우리 회사
　는 이번 프로젝트를 다른 회사와 협력해서 수행
　하고 있다. **2** (지시에) 따르다, 협조하다: If
　everyone *cooperates* by the instruc-
　tions, there will be no problem. 여러분
　들이 지시대로 따라 준다면 별 문제 없을 것입
　니다.
　— **co(-)operation** *n.*
cooperative, co-operative
　[kouάpərətiv] *adj.* **1** 협력적인, 협조적인:
　He was most *cooperative* when I had
　troubles. 내가 곤란할 때에 그가 가장 협조적
　이었다. **2** 협동의, 협동〔소비〕 조합의:
　cooperative store 협동 조합의 매점
　n. **1** 협동 조합 **2** [미] 조합식 (공동) 아파트
　(거주자가 건물을 공유 관리 운영함)
　— **co(-)operativeness** *n.*
cooperator [kouάpərèitər] *n.* **1** 협력
　자 **2** 협동 조합원
coordinate, co-ordinate
　[kouɔ́:rdənèit] *v.* [T] 조정하다, 조화시키
　다: As a new manager, her job is to
　coordinate the teams. 새로운 매니저로서
　그녀의 할 일은 팀들을 조정하는 것이다.
　n. [kouɔ́:rdənit] [수학] 좌표
　— **co(-)ordination** *n.*
coordinator, co-ordinator
　[kouɔ́:rdənèitər] *n.* **1** 조정자〔물〕 **2** 제작
　진행계
cop [kαp] *n.* 순경
　v. [T] (copped-copped) **1** 훔치다 **2** (상을)
　획득하다
　[숙어] **cop out** (싫은 일·약속 등에서) 손을
　떼다: She was going to help me with
　my homework but she *copped out* at
　the last minute. 그녀는 나의 숙제를 도와
　주려고 하다가 마지막 순간에 손을 뗐다.

cope [koup] *v.* [T] 대처하다, 극복하다
　(with): He *coped* with the difficulty. 그
　는 곤란을 잘 극복했다.
copier [kάpiər] *n.* 복사기 [SYN] photo-
　copier
copious [kóupiəs] *adj.* 매우 많은, 풍부
　한 [SYN] plentiful, abundant
　— **copiously** *adv.*
copper [kάpər] *n.* **1** 구리, 동 (금속 원소;
　기호 Cu) **2** [영] 동전
***copy** [kάpi] *n.* **1** 사본: Make three
　copies of this. 이것을 3장 복사해라. **2** (대량
　인쇄된 책·신문 등의) 한 권(부): a *copy* of
　'Life' magazine '라이프' 지 한 권 **3** 원고,
　초고
　v. **1** [T] 베껴 적다 **2** [T] 복사하다 [SYN]
　photocopy **3** [T] 모방하다, 흉내내다 **4** [I]
　(시험에서 남의 답안을) 몰래 베끼다
copyright [kάpiràit] *n.* 판권, 저작권:
　Copyright reserved. 저작권 소유.
copywriter [kάpiràitər] *n.* 광고문안
　작성자, 카피라이터
coral [kɔ́:rəl] *n.* 산호
coral reef *n.* 산호초
cord [kɔ:rd] *n.* **1** 새끼, 끈 ※ rope보다 가
　늘고 string보다 굵다.
　2 [전기] 코드 **3** (cords) 코르덴 바지
cordial [kɔ́:rdʒəl] *adj.* 따뜻한, 친절한: a
　cordial welcome 따뜻한 환대
　— **cordially** *adv.* **cordiality** *n.*
core [kɔ:r] *n.* **1** 과일의 응어리, 속 **2** 핵심
　3 (지구의) 중심핵
　[숙어] **to the core** 속속들이, 철두철미하게:
　The news shook him *to the core*. 그 소
　식은 그를 완전히 혼란에 빠뜨렸다.
cork [kɔ:rk] *n.* **1** 코르크 (나무 껍질의 내면
　조직) **2** 코르크 마개
　v. [T] 코르크 마개를 하다
　— **corked** *adj.*
corkscrew [kɔ́:rkskrù:] *n.* 코르크 마개
　뽑이, 타래송곳
***corn** [kɔ:rn] *n.* **1** 곡초 (옥수수·밀·보리

등) **2** 낟알 **3** 곡물, 곡식 **4** (발가락의) 못, 티눈
*corner [kɔ́:rnər] *n*. **1** 모퉁이, 길모퉁이:
He stopped at the *corner* of Main St.
and 3rd Ave. to buy a newspaper. 그
는 신문을 사려고 Main가와 3번 가의 모퉁이
에서 멈추었다. **2** (방·상자 등의) 구석, 귀퉁
이: put a child in the *corner* (벌로서) 아
이를 방 구석에 세우다 **3** 장소: He still
remembers every *corner* of his
hometown. 그는 그의 고향 구석구석을 여전
히 기억한다. **4** 궁지 **5** [스포츠] 코너킥
v. [T] **1** 구석에 몰아넣다: They finally
cornered the thief. 그들은 드디어 도둑을
구석에 몰아넣었다. **2** 궁지에 빠뜨리다 **3** 사
재기[매점]하다: *corner* the market (시장
의) 상품을 매점하다

cornerstone [kɔ́:rnərstòun] *n*. **1** 초
석, 귓돌 **2** 토대, 기초: Science is the
cornerstone of modern civilization. 과
학은 근대 문명의 토대이다.

cornflakes *n*. (*pl*.) 콘플레이크스 (옥수수
알갱이를 으깨어 말린 것으로 우유에 섞어 아
침 식사 대용으로 먹는 음식)

corona [kəróunə] *n*. [천문] 코로나 (태양
의 개기식 때 그 둘레에 보이는 광관)

coronation [kɔ̀:rənèiʃən] *n*. 대관식, 즉
위식

corporal [kɔ́:rpərəl] *adj*. 육체의, 신체
의: *corporal* punishment 체형

corporate [kɔ́:rpərit] *adj*. **1** 법인(회사)
의 **2** 단체의, 공동의: *corporate*
responsibility 공동 책임

corporation [kɔ̀:rpəréiʃən] *n*. **1** 유한
회사, 주식 회사 **2** (자치) 단체, 조합 **3** 법인

corpse [kɔ:rps] *n*. 시체

*correct [kərékt] *adj*. **1** 옳은, 정확한:
That's *correct*. 맞아. / the *correct*
answer 정답 **2** (행동·복장 등이) 예절에 맞
는, 온당한, 적당한: the *correct* behavior
예절에 맞는 행동 [OPP] incorrect
v. [T] **1** 바로잡다, 고치다: *Correct* errors,
if any. 잘못이 있으면 고쳐라. **2** …의 잘못을

지적하다
— **corrective** *adj*. **correctly** *adv*.

correction [kərékʃən] *n*. **1** 정정, 수정,
교정: She made all her *corrections*
with a red pen. 그녀는 빨간 펜으로 모든
수정을 했다. **2** 조정: The ship made a
correction in its course. 그 배는 항로를
조정했다.

correlate [kɔ́:rəlèit] *v*. [I,T] 서로 관련하
다, 상관하다: Her research *correlates*
with his. 그녀의 연구는 그의 연구와 관련이
있다.
— **correlative** *adj*. **correlation** *n*.,

*correspond [kɔ̀:rəspánd] *v*. [I] **1** 같
다, 상당하다: The name on the envelope
corresponds with the name inside the
letter. 봉투의 이름은 편지에 있는 이름과 일
치한다. [SYN] match **2** 교신하다, 서신 교환
을 하다: We have *corresponded* but
never met. 우리는 서신 교환은 있었으나 만
난 적은 없다.
[숙어] **correspond to** …에 부합하다, …에
해당하다: The broad lines on the map
correspond to roads. 지도상의 굵은 선은
도로에 해당한다.
correspond with 1 …와 서신 교환을 하
다: They have *corresponded with* each
other for several years. 그들은 수년 동안
서로 서신 교환을 하고 있다. **2** …에 일치하다:
His words *correspond with* his
actions. 그의 언행은 일치한다.

correspondence [kɔ̀:rəspándəns]
n. **1** 일치, 부합: the *correspondence* of
one's words with one's actions 언행
일치 **2** 통신, 교신, 서신 왕래: be in
correspondence with …와 서신 왕래를 하
고 있다

correspondent [kɔ̀:rəspándənt] *n*.
1 (신문·방송 등의) 특파원, 통신원 **2** 통신자:
He is a good *correspondent*. 그는 편지를
자주 쓰는 사람이다.

corresponding [kɔ̀:rəspándiŋ] *adj*.

(명사 앞에만 쓰임) 상응하는, 유사한: Sales are up 20% compared with the *corresponding* period last year. 매출은 지난 해 같은 시기와 비교하여 20% 증가했다.
— **correspondingly** *adv.*

corridor [kɔ́:ridər] *n.* 복도

corrode [kəróud] *v.* [I,T] (금속에 대해) 부식하다(부식시키다): The kitchen pipes will start to *corrode* within a few months. 두세 달 안으로 부엌의 배관들이 부식하기 시작할 것이다.

corrosion [kəróuʒən] *n.* 부식 (작용), 침식
— **corrosive** *adj.*

corrupt [kərʌ́pt] *adj.* **1** 부정한, 타락한, 뇌물이 통하는: a *corrupt* politician 타락한 정치인 **2** [컴퓨터] (텍스트 등이) 깨진, 원형이 훼손된
v. **1** [T] 타락시키다, (품성을) 더럽히다 **2** [I,T] (컴퓨터 파일 등을) 손상시키다
— **corruptible** *adj.*

corruption [kərʌ́pʃən] *n.* 타락, 퇴폐, 부패(행위)

cosmetic [kɑzmétik] *n.* (보통 *pl.*) 화장품
adj. **1** 미용의: *cosmetic*(plastic) surgery (미용) 성형 수술 **2** 화장용의 **3** 표면적인: a *cosmetic* compromise 표면상의 타협

cosmic [kɑ́zmik] *adj.* **1** 우주의 **2** 광대 무변한

cosmology [kɑzmɑ́lədʒi] *n.* **1** 우주 철학 **2** 우주론

cosmopolitan [kɑ̀zməpɑ́lətən] *adj.* **1** 전 세계인이 거주하는: a *cosmopolitan* city 다국적인 도시 **2** 외국 문화의 영향을 받은 **3** 세계주의의: a *cosmopolitan* outlook 세계주의적 견해
n. 세계인, 국제인, 세계주의자
— **cosmopolitanism** *n.* 세계주의

cosmos [kɑ́zməs] *n.* **1** (*pl.* cosmoses) [식물] 코스모스 **2** (the cosmos) 우주 SYN the universe

— **cosmic** *adj.* **cosmically** *adv.*

*****cost** [kɔ:st] *n.* **1** 비용, 지출, 경비: the *cost* of distribution 유통 경비 **2** (돈·시간·노력 등의) 소비, 희생, 손실 **3** (costs) [법] 소송 비용
v. [T] (cost-cost) **1** …의 비용이 들다: It will *cost* five dollars. (비용이) 5달러 들 것이다. **2** (귀중한 것을) 희생시키다, 잃게 하다: It may *cost* him his life. 그것으로 그는 목숨을 잃을 지도 모른다.

숙어 **at a cost of** …의 비용으로: They set up a Village Hall *at a cost of* two million won. 그들은 2백만 원을 들여 마을 회관을 세웠다.

at all costs, at any cost 어떻게 해서라도, 어떠한 희생을 치르더라도: Security must be maintained *at all costs*. 어떻게 해서라도 보안이 유지되어야 한다.

at the cost of …을 희생하여: It is rather foolish to study *at the cost of* your health. 건강을 희생하면서까지 공부를 하는 것은 어리석은 짓이다.

to one's cost 쓰라린 경험을 통하여: Life can be lonely at university, as I found out *to my cost*. 내가 경험으로 알아낸 건데 대학 생활은 외로울 지도 몰라.

costume [kɑ́stju:m] *n.* **1** (특정 국가·시대의) 복장: 16th century *costume* 16세기 복장 **2** (배우들의) 의상: stage *costume* 무대 의상
SYN outfit, attire

cot [kɑt] *n.* **1** [미] 간이 침대 SYN camp bed **2** [영] 어린이용 침대 (사방이 막혀 있음)

cottage [kɑ́tidʒ] *n.* **1** 시골집, 작은 집 **2** (양치기·사냥꾼 등의) 오두막

cotton [kɑ́tn] *n.* **1** 솜, 면화: *cotton* in the seed 씨 빼지 않은 목화 **2** [식물] 목화 **3** 무명실, 목면사 **4** 무명, 면직물: *cotton* goods 면제품

cotton wool *n.* 원면, 솜

couch [kautʃ] *n.* **1** (환자용의) 침상 **2** 소파, 긴 의자 SYN sofa *v.* [T] (보통 수동태) 말로 표현하다: His refusal was *couched* in polite terms. 그는 정중한 말로 거절했다.

*cough [kɔ(ː)f] *v.* **1** [I] 기침을 하다 **2** [T] 기침을 하여 …을 뱉어내다

n. **1** 기침, 헛기침 **2** 기침나는 병

[숙어] **cough up 1** 기침하며 …을 토하다: When he started *coughing up* blood, I called the doctor. 그가 피를 토해내기 시작했을 때 내가 의사를 불렀다. **2** (돈·정보 등을) 마지못해 건네주다: Hey, *cough up* what you owe me! 이봐, 나한테 빚진 것 갚으라고!

could [kud] *aux.* **1** (능력·가능의 의미로 can의 과거형) …할 수 있었다: I *could* run faster in those days. 당시에는 더 빨리 달릴 수 있었다.

2 (시제의 일치를 위해 종속절의 can이 과거형으로 되어) …할 수 있다, …해도 되다: I thought he *could* drive a car. 나는 그가 차 운전을 할 수 있는 줄로 알았었다.

3 (과거의 가능성·추측) …하였을 것이다: She *could* sometimes be annoying as a child. 어렸을 때 그녀는 가끔 속을 썩였을 것이다.

4 (과거의 허가) …할 수 있었다, …하는 것이 허락되어 있었다: When she was 15, she *could* only stay out until 9 o'clock. 15살 때, 그녀는 외출이 9시까지만 허락되었다.

5 (가정법) …할 수 있다면, …할 수 있을 텐데: If he *could* come, I should be glad. 그가 올 수 있다면 나는 기쁠 텐데. / I *could* do it if I tried. 하면 할 수 있을 텐데.

※ could의 부정형은 could not이고 could not의 축약형은 couldn't이다.

council [káunsəl] *n.* (집합적) **1** 지방 의회 **2** 협의회, 심의회: the Council of Economic Advisers (미국 대통령의) 경제 자문 위원회 **3** 회의: a *council* of war 작전 회의

counsel [káunsəl] *v.* [T] (counsel(l)ed- counsel(l)ed) **1** (전문가로서) 조언해 주다 **2**

권하다, 충고하다: He *counseled* acting at once. 그는 즉시 행동에 옮길 것을 권했다.

n. **1** 충고, 조언 **2** 변호사

counseling, counselling [káunsəliŋ] *n.* 카운슬링 (학교·직장 등에서의 개인 지도·상담)

counselor, counsellor [káunsələr] *n.* **1** 상담역, 카운슬러 **2** 법정 변호사

*count [kaunt] *v.* **1** [I] (수를) 세다: Can you *count*? 너 수를 셀 수 있니? **2** [T] 세다, 계산하다: I *counted* how many guests I have to invite. 나는 초대해야 할 손님들 수를 계산했다. **3** [T] 셈에 넣다, 포함시키다: There were twelve people on the bus, *counting* the driver. 버스에는 운전사를 포함해서 12명이 있었다. **4** [I] 중요성을 지니다, 가치가 있다: He does not *count* for much. 그는 중요한 사람이 아니다. **5** [I] 유효하다: A dunk shot *counts* for two points. 덩크슛은 2점으로 친다. **6** [I,T] …으로 보다(간주되다): I *count* it an honor to serve you. 당신을 도울 수 있음을 영광으로 생각합니다.

n. **1** 계산, 셈, 집계: A *count* of hands showed 5 in favor and 4 opposed. 거수 결과는 찬성 5, 반대 4였다. **2** (토론·논쟁 등에서의) 의견, 주장 **3** 백작 *cf.* countess 백작 부인

— **countable** *adj.*

[숙어] **count down** 수를 거꾸로 0까지 세다, 초읽기를 하다

count for nothing 대수롭지 않다, 중요치 않다: To him money *counts for nothing*. 그에게는 돈이 중요치 않다.

count on〔upon〕 1 …을 믿다: I'll *count on* your coming. 오시리라고 믿겠습니다. **2** 기대하다: Don't *count on* others for help. 남에게 도움을 기대하지 마라.

count out 1 하나하나 천천히 세다: He slowly *counted out* the money into my hand. 그는 천천히 돈을 세어 내 손에 쥐어 주었다. **2** 제외하다: *Count* me out. (게

임 등에서) 나는 빼 주시오.

countdown [káuntdàun] *n.* 카운트다운 (수를 거꾸로 0까지 셈)

countenance [káuntənəns] *n.* **1** 안색, 표정: a sad *countenance* 슬픈 표정 **2** 생김새, 용모

counter¹ [káuntər] *n.* **1** 계산대, 카운터: pay at the *counter* 카운터에서 돈을 치르다 **2** 판매대 **3** (식당 등의) 카운터, 스탠드

counter² [káuntər] *v.* [I,T] **1** …에 반대하다, …에 거스르다: "That's not what I heard," she *countered*. "그것은 내가 들은 것과는 틀린데요." 라고 그녀가 반박했다. **2** …에 반격하다

adv. 반대로, 거꾸로: The result of this examination runs *counter* to previous findings. 이번 조사 결과는 이전에 발견된 것들과는 반대의 결과를 보인다.

counter- *prefix* '적대, 보복, 역, 대응'의 뜻.

counteract [kàuntərǽkt] *v.* [T] …와 반대로 행동하다, (영향을) 없애다: This drug *counteracts* the poison. 이 약은 해독 작용을 한다.
— **counteraction** *n.*

counterattack [káuntərətæk] *n.* 반격, 역습

counterbalance [kàuntərbǽləns] *v.* [T] 균형을 맞추다 [SYN] offset
n. **1** 평형추 **2** 평형(균형)을 이루는 세력

counterclockwise [kàuntərklɑ́kwaiz] *adv.* 반 시계 방향으로 [OPP] clockwise

counterfeit [káuntərfìt] *adj.* 모조의, 가짜의: a *counterfeit* note 위조 지폐

counterpart [káuntərpɑ̀ːrt] *n.* **1** 짝의 한 쪽: This spoon is the *counterpart* to those chopsticks. 이 숟가락은 저 젓가락과 한 벌이다. **2** 상대물, 대응자, 동(同)자격자: The Korean foreign minister met his German *counterpart*. 한국 외무 장관이 독일 외무 장관과 만났다.

counterproductive *adj.* **1** 역효과의 **2** 비생산적인

countless [káuntlis] *adj.* 너무 많아 셀 수 없는, 무수한 [SYN] innumerous

***country** [kʌ́ntri] *n.* **1** 나라, 국가, 국토: So many *countries*, so many customs. [속담] 나라마다 풍속이 다르다. **2** (the country) 국민, 민중: The *country* was against war. 국민은 전쟁에 반대했다. **3** (the country) 시골: Does she live in a town or in the *country*? 그녀는 도시에 사니 시골에 사니?

countryman [kʌ́ntrimən] *n.* (*pl.* countrymen) 동국인, 동포, 동향인

countryside [kʌ́ntrisàid] *n.* 시골

county [káunti] *n.* [미] 군(郡) (state 밑의 행정 구역)

coup [kuː] *n.* (*pl.* coups) **1** 쿠데타, 무력 정변 **2** (사업 등의) 대히트, 대성공

***couple** [kʌ́pəl] *n.* (집합적) **1** 한 쌍, 둘, 두 개〔사람〕 **2** 부부: a newly wedded *couple* 신혼 부부
v. [T] (보통 수동태) 잇다, 연결하다
[숙어] **a couple of 1** 두 사람의, 두 개의: I bought *a couple of* pencils. 연필 두 자루를 샀다. **2** 몇몇의, 두셋의: I last saw her *a couple of* years ago. 나는 그녀를 2, 3년 전에 마지막으로 보았다.

coupon [kjúːpɑn] *n.* **1** (광고 · 상품 등에 첨부된) 우대권, 경품권 **2** (신문 · 잡지 등에 인쇄된) 신청서, 주문서

***courage** [kə́ːridʒ] *n.* 용기, 담력, 배짱: It takes *courage* to admit that you are wrong. 네가 틀렸다는 것을 인정하려면 용기가 필요하다. [SYN] bravery
※ courage는 정신력을, bravery는 대담한 행위를 강조한다.

courageous [kəréidʒəs] *adj.* 용기 있는, 씩씩한
— **courageously** *adv.*

courier [kúriər] *n.* **1** 급사, 특사, 밀사 **2** 여행 안내인

***course** [kɔːrs] *n.* **1** 강의, 교육 과정: a

business *course* 경영 교육 과정 **2** 진로, 행로: the *course* of a river 강의 줄기 **3** (행동의) 방침, 방향: In that situation, resignation was the only *course* open to her. 그런 상황에서 그녀가 취할 수 있는 유일한 방침은 사임하는 것이었다. **4** 진행, 진전, 추이: the *course* of events 사건의 진전 **5** [요리] 코스: We had chicken for the second *course*. 우리는 두 번째 코스로 닭 요리를 먹었다. **6** (골프 등의) 경기장

[숙어] **in due course** 당연한 추세로

in the course of … 동안에: In the *course* of his long life Dr. Schweitzer worked for Africans. 슈바이처 박사는 그의 긴 생애 동안 아프리카 사람들을 위해 일했다.

in the course of time 시간이 경과함에 따라: The problem will solve itself *in the course of time*. 때가 되면 그 문제는 저절로 해결될 것이다.

of course 물론, 당연히: "You don't like it, do you?" "*Of course* not." "당신은 그것을 좋아하지 않지요?" "물론 좋아하지 않습니다."

***court**¹ [kɔːrt] *n.* **1** 법정: a civil (criminal) *court* 민사(형사) 법원 **2** (the court) 법관 (법정의 판사 · 배심원 등을 함께 이르는 말) **3** (테니스 · 농구 등의) 코트 **4** 궁전, 왕실

court² [kɔːrt] *v.* **1** [T] …의 환심을 사다 **2** [I,T] 구혼하다: He *courted* her for two years before she agreed to marry him. 그는 그녀가 그와 결혼한다고 승낙하기 전까지 2년 동안 구혼했다. **3** [T] (화를) 자초하다

courtesy [kɔ́ːrtəsi] *n.* **1** 예의바름, 공손함 **2** 정중(친절)한 말(행위)
— **courteous** *adj.*

court-martial [kɔ́ːrtmɑ́ːrʃəl] *n.* (*pl.* courts-martial(s)) 군법 회의

courtyard [kɔ́ːrtjɑ̀ːrd] *n.* 안뜰, 안마당

***cousin** [kʌ́zn] *n.* **1** 사촌 **2** 친척

***cover** [kʌ́vər] *v.* [T] **1** 덮다, 씌우다, 싸다: Snow *covered* the highway. 간선 도로는

눈으로 덮였다.

2 덮어 가리다, 감추다: He *covered* his feelings with a smile. 그는 미소로 그의 감정을 숨겼다.

3 감싸다, 보호하다: The cave *covered* him from the snow. 그는 동굴에서 눈을 피했다.

4 포함하다, 망라하다, 다루다: All the papers *covered* the accident in depth. 모든 신문이 그 사건을 심도 있게 다루었다.

5 (어느 거리까지) 가다, (어느 지역을) 여행하다: We *covered* about 300 kilometers that day. 우리는 그 날 300킬로미터 가량 여행했다.

6 (경비를) 부담하다, …하기에 충분하다: $100 will be enough to *cover* my expense. 100달러면 내 지출을 처리하기에 충분하다.

7 보험에 들다, 보험에서 처리하다 (against, for): Are you *covered* for fire? 너 화재 보험에 들었니?

8 (담당자가 부재 중에) 대신 처리하다: I'm *covering* for Mary while she's on vacation. 메리가 휴가 중인 동안 내가 그녀의 일을 대신하고 있다.

n. **1** 덮개, 뚜껑 **2** (책의) 표지: the front (back) *cover* 책의 앞(뒷)표지 **3** 보험 **4** 은신처, 잠복처 [SYN] shelter **5** (the covers) 침구, 이불 **6** (a cover) 숨김, 은폐물 **7** (담당자 부재 중의) 업무 대행

[숙어] **cover up** (형적 · 과오 · 감정 등을) 숨기다

from cover to cover 처음부터 끝까지: I read the book *from cover to cover*. 나는 그 책을 처음부터 끝까지 다 읽었다.

take cover 숨다, 피신하다

under cover 1 몰래, 숨어서 **2** …의 엄호(보호) 아래 (of), …을 틈타: They escaped *under cover* of darkness. 그들은 어둠을 틈타 탈출했다.

coverage [kʌ́vəridʒ] *n.* **1** (신문 · 텔레비전의) 보도 범위 **2** (책 등의) 내용

covered [kʌ́vərd] *adj.* **1** 덮인, 감춰진 **2** 지붕(뚜껑)이 있는

covering [kʌ́vəriŋ] *n.* **1** 덮개 **2** 지붕

cover letter *n.* 첨부장, 설명서; 서류의 내용을 좀 더 설명하기 위해 함께 보내는 편지: I sent a *cover letter* with my resume to apply for a job. 나는 구직 신청을 하기 위해 이력서와 커버 레터(자기 소개서)를 함께 보냈다.

covert [kʌ́vəːrt] *adj.* 비밀의, 암암리의 ⎡OPP⎤ overt
— **covertly** *adv.*

*****cow** [kau] *n.* **1** 암소, 젖소 *cf.* bull 황소 **2** (코끼리·물개·고래 등의) 암컷

coward [káuərd] *n.* 겁쟁이, 비겁한 자
— **cowardly** *adj.* **cowardice** *n.*

cowboy [káubɔi] *n.* 카우보이, 목동

co-worker [kóuwəːrkər] *n.* 협력자, 동료 ⎡SYN⎤ colleague

cozy, cosy [kóuzi] *adj.* (cozier-coziest) 아늑한, 포근한: a *cozy* little house 아늑하고 아담한 집
— **coziness** *n.*

CPU *abbr.* central processing unit [컴퓨터] 중앙 처리 장치

crab [kræb] *n.* **1** 게: *Crabs* move sideways. 게는 옆으로 걷는다. **2** 게의 살

crack [kræk] *v.* **1** [I,T] 금가게 하다: The baseball *cracked* the window. 야구공이 창문에 금이 가게 했다.
2 [T] (계란·호두 등을) 까다: He *cracked* the walnut with nutcrackers. 그는 호두까기로 호두를 깠다.
3 [I,T] 우두둑 소리를 내다
4 [T] 부딪치다, (아무를) 치다: She *cracked* her knee against the table. 그녀는 식탁에 무릎을 부딪쳤다.
5 [I] 맥을 못추다, 항복하다: *crack* under a strain 과로로 지쳐버리다
6 [I] (목소리가) 갈라지다, 쉬다, 변성하다
7 [T] (문제·사건·수수께끼·암호 등을) 해결하다, 풀다

8 [T] (농담을) 지껄이다: Stop *cracking* jokes and do your work! 농담 그만하고 일이나 해라!
n. **1** 갈라진 금, 균열: This cup has a *crack* in it. 이 컵에는 금이 가 있다. **2** (작은) 틈: She opened the door a *crack*. 그녀는 문을 조금 열었다. **3** (돌연한) 날카로운 소리: a *crack* of thunder 천둥 소리 **4** (찰싹하고) 치기, 타격 **5** 농담, 경구 **6** 마약, 환각제
adj. (군인·운동 선수 등이) 일류의, 가장 뛰어난

cracker [krǽkər] *n.* **1** 크래커 (얇고 바삭바삭한 비스킷) **2** 폭죽, 크래커 봉봉 (당기면 폭발하며 포장 안에 과자·작은 선물이 들어 있음) (Christmas cracker)

crackle [krǽkəl] *v.* [I] 딱딱 소리를 내다
n. 딱딱(바삭바삭)하는 소리
— **crackling** *n.*

cradle [kréidl] *n.* 요람, 소아용 침대: from the *cradle* to the grave 요람에서 무덤까지
v. [T] 살며시 안다

craft [kræft] *n.* **1** 수공업, 공예 **2** 기술을 요하는 일(직업): He regards teaching as a *craft*. 그는 가르치는 일은 기술을 요하는 직업이라고 생각한다. **3** (보통 단수·복수 동형) 선박, 항공기, 우주선

craftsman [krǽftsmən] (*pl.* craftsmen) *n.* 장인(匠人), 기공(技工) ⎡SYN⎤ artisan

craftsmanship [krǽftsmənʃip] *n.* 장인의 솜씨, 기능, 숙련

crafty [krǽfti] *adj.* (craftier-craftiest) 교활한
— **craftily** *adv.* **craftiness** *n.*

cram [kræm] *v.* (crammed-crammed)
1 [T] (좁은 장소에) 억지로 채워 넣다: *cram* books into a bag 책을 가방 속에 채워 넣다
2 [I] (좁은 장소로) 밀려들다: The room was small but they all managed to *cram* in. 방이 작았는데 모두들 빽빽이 들어갔다. **3** [I] 벼락공부하다: He *crammed* all

night for the exam the next day. 그는 다음 날 시험을 준비하느라 밤새워 벼락공부를 했다.

— **crammed** *adj.* 가득한, 넘치는

crane [krein] *n.* **1** 기중기, 크레인 **2** 두루미, 학

v. [I,T] 목을 길게 빼다: A little boy *craned* his neck to get a better view. 어린 소년은 좀 더 잘 보려고 목을 길게 뺐다.

crash [kræʃ] *v.* **1** [I,T] (자동차·비행기 등이) 충돌[추락]하다: The car *crashed* into a tree. 자동차가 나무와 충돌했다. **2** [I] (요란한 소리를 내며) 부딪치다, 박살나다: The tree came *crashing* through the window. 나무가 유리창을 와장창 깨고 들어왔다. **3** [I] (장사 등이) 실패하다, 파산하다 **4** [I,T] (컴퓨터가) 기능을 멈추다: My computer *crashed* and I lost the data. 컴퓨터가 갑자기 멈춰서 데이터를 잃었다.

n. **1** (갑자기 나는) 요란한 소리: a *crash* of artillery 포성 **2** (자동차·비행기 등의) 사고: a car(plane) *crash* 자동차[비행기] 사고 **3** (주식 시장·사업 등의) 폭락, 파산: the stock market *crash* of 1929 1929년 주식 시장의 폭락 **4** (컴퓨터·기계 등의 갑작스런) 고장

crash-land [kræʃlǽnd] *v.* [I] 동체 착륙하다, 불시착하다

— **crash-landing** *n.*

crater [kréitər] *n.* **1** (지상의 큰) 구덩이 **2** 분화구: Can you see the *craters* on the moon? 달 표면의 분화구 보여?

crave [kreiv] *v.* [I,T] 열망[갈망]하다: A thirsty man *craves* for water. 목마른 사람이 물을 찾는다.

※ wish, desire, long for보다 뜻이 강하다.

— **craving** *n.*

crawl [krɔːl] *v.* [I] **1** 네발로 기다, 포복하다 **2** (자동차 등이) 서행하다, (시간이) 천천히 흐르다: The work *crawled*. 일이 지지부진했다. **3** 비굴하게 굴다, 굽실거리다: *crawl* to one's superiors 상사에게 굽실거리다

n. **1** 기어가기, 느릿느릿 가기 **2** (종종 the crawl) 크롤 수영법

crayon [kréiən] *n.* 크레용

v. [I,T] 크레용으로 그리다

craze [kreiz] *n.* **1** (일시적인) 열광 **2** 대유행: Digital cameras are the latest *craze* among teenagers. 디지털 카메라가 최근 십대들에게 큰 인기이다.

*****crazy** [kréizi] *adj.* (crazier-craziest) **1** 미친, 미치광이의 **2** 얼빠진, 어리석은: a *crazy* scheme 무모한 계획 **3** 격분한, 매우 화난: He easily goes *crazy* when people criticize him. 그는 사람들이 자신을 험담하면 걷잡을 수 없이 화를 낸다. **4** …에 관심이 많은: He has always been *crazy* about cars. 그는 자동차에 홀딱 빠져 있다. **5** 열광하는: The fans went *crazy* when the player scored the first goal. 그 선수가 첫 번째 골을 넣자 팬들은 열광했다.

— **crazily** *adv.* **craziness** *n.*

creak [kriːk] *v.* [I] 삐걱삐걱 소리를 내다

n. 삐걱거리는 소리

— **creaky** *adj.*

*****cream** [kriːm] *n.* **1** 크림 (우유에서 뽑아낸 지방질) **2** (화장용) 크림 **3** (the cream) 최고의 부분(사람) **4** 크림색

adj. 크림(색)의

v. **1** [T] 크림을 넣다 **2** [I] 거품이 일다

[숙어] **the cream of the crop** 최상의 것(사람들): *the cream of the crop* of high school students 최우수 고등 학생들

*****create** [kriːéit] *v.* [T] (새로운 것을) 만들어내다, 창조하다: All men are *created* equal. 모든 인간은 평등하게 창조되었다. / The artist *created* great paintings. 그 화가는 위대한 작품들을 창조해 냈다.

creation [kriːéiʃən] *n.* **1** 창작, 창설: the *creation* of a new company 새 회사의 설립 **2** (보통 the Creation) 천지 창조 **3** 창작품, 고안물

creative [kriːéitiv] *adj.* **1** 창조적인, 독창적인: Obviously, she has *creative*

talents. 분명 그녀는 창조적인 재능을 가지고 있다. **2** 창작적인, 창작의: His *creative* desire went on until he was over 70. 그의 창작 욕구는 70세가 넘어서까지 계속되었다.
— **creatively** *adv.* **creativeness** *n.*

creativity [krìːeitívəti] *n.* **1** 창조성, 독창력 **2** 창조의 재능

creator [kriéitər] *n.* **1** 창조자, 창설가 **2** (the Creator) 조물주, 신

creature [kríːtʃər] *n.* **1** (신의) 창조물, 피조물 **2** 생물 (식물을 제외한 동물, 새, 물고기, 곤충 등을 가리킴)

credentials [kridénʃəlz] *n.* (*pl.*) **1** (대사 등에게 주는) 신임장 **2** 자격 증명서, 성적 증명서

*****credible** [krédəbəl] *adj.* 믿음이 가는, 믿을 수 있는: a *credible* witness 믿을 만한 목격자 [SYN] convincing [OPP] incredible

> ■ 접미사 **-ible**
> '…할 수 있는', '…될 수 있는'의 뜻을 나타내는 형용사 어미로 **able**과 같다.:
> cred*ible* 믿을 수 있는 / vis*ible* 보이는

*****credit** [krédit] *n.* **1** 외상 거래, 신용 거래: I bought the computer on *credit*. 나는 컴퓨터를 신용 거래로 샀다. **2** 예금 **3** 칭찬: I can't take any *credit*. I made it by chance. 저는 어떤 칭찬도 받을 수 없어요. 우연히 해낸 일인걸요. **4** 영예, 자랑거리: He is a *credit* to the school. 그는 학교의 자랑거리이다. **5** (the credits) 크레디트 (영화·텔레비전 프로그램 등을 만든 사람들의 명단) **6** 공적
v. [T] **1** 입금하다 **2** (공적·명예 등을) …에게 돌리다, …의 소유자[공로자, 행위자]로 생각하다: Their success can be *credited* to her—a hidden helper. 그들의 성공은 숨은 조력자인 그녀의 공로이다. **3** (부정문·의문문에서) 믿다: I simply cannot *credit* that you have made the same mistake again! 네가 같은 실수를 다시 하다

니 정말 믿을 수 없다!

[숙어] **give credit to 1** 믿다, 신뢰하다: I don't *give* much *credit to* what they say. 나는 그들이 하는 말을 그리 신뢰하지 않는다. **2** 칭찬하다: The teacher *gave credit to* the students for doing well in the exam. 선생님은 시험을 잘 봤다고 학생들을 칭찬했다.

to one's credit …의 명예가 되도록: Greatly *to his credit*, he passed the examination first on the list. 대단히 명예스럽게도 그는 1등으로 합격했다.

creditable [kréditəbəl] *adj.* **1** 명예로운 **2** 칭찬할 만한 **3** 신용할 수 있는
— **creditably** *adv.*

credit card *n.* 신용 카드, 크레디트 카드

creditor [kréditər] *n.* 채권자

credulous [krédʒələs] *adj.* (남을) 쉽사리 믿는

creed [kriːd] *n.* **1** 교의 **2** 신조, 신념

creek [kriːk] *n.* **1** 시내, 작은 강 **2** [영] 샛강 (바닷물이 육지로 흐르는 좁은 물줄기)

creep [kriːp] *v.* [I] (crept-crept) **1** 살금살금 걷다, 몰래 다가서다: He *crept* into the room so as not to wake her up. 그는 그녀가 깨지 않도록 살금살금 방으로 들어갔다. **2** 느릿느릿 나아가다: The traffic was *creeping* along. 차들이 느릿느릿 움직였다. **3** 기다, 포복하다
n. **1** 느린 움직임 **2** (야비한) 녀석

creeper [kríːpər] *n.* **1** 덩굴 식물 **2** 기는 동물

creepy [kríːpi] *adj.* (creepier-creepiest) **1** 근지러운, (벌레가 몸 위에 기어 다니는 듯이) 스멀스멀한 **2** 오싹하는

cremate [kríːmeit] *v.* [T] **1** 소각하다 **2** 화장하다: My grandfather wanted to be *cremated* after his death. 할아버지께서는 돌아가신 후 화장하기를 원하셨다.
— **cremation** *n.*

crematory [kríːmətɔ̀ːri] *n.* 화장터

crescent [krésənt] *n.* **1** 초승달 **2** 초승달

모양[의 것]

crest [krest] *n.* **1** (새 · 짐승의) 볏 **2** 문장 (紋章): the school *crest* 학교 문장 **3** …의 꼭대기: a mountain *crest* 산꼭대기 / the *crest* of a wave 파도 위

crevasse [krivǽs] *n.* (특히 빙하의) 깊은 균열, 갈라진 틈

crevice [krévis] *n.* (바위 · 벽 등의) 좁은 균열

crew [kru:] *n.* (집합적) **1** (배 · 비행기 등의) 탑승원, 승무원: These planes carry over 300 passengers and *crew*. 이 비행기들은 300명 이상의 승객과 승무원을 실어 나른다. **2** (공동의 작업을 하는) 일단의 사람들

crib [krib] *n.* **1** (소아용) 테두리 난간이 있는 침대 SYN cot **2** 구유

cricket [kríkit] *n.* **1** 귀뚜라미 **2** 크리켓 (영국의 스포츠; 쌍방 11명씩 하는 구기)
— **cricketer** *n.* 크리켓 경기자

*****crime** [kraim] *n.* **1** (법률상의) 죄, 범죄: commit a *crime* 죄를 범하다 **2** 범죄 행위: Car *crimes* are increasing recently. 최근에 자동차 범죄가 증가하고 있다. **3** (보통 a crime) 반도덕적 행위, (일반적) 죄악

criminal [krímənl] *n.* 범인, 범죄자
adj. **1** (명사 앞에만 쓰임) 범죄의, 죄가 되는: Stealing is a *criminal* act. 도둑질은 범죄 행위이다. **2** 형사상의, 범죄에 관한: *criminal* law 형사법 *cf.* civil 민사의

criminology [krìmənálədʒi] *n.* 범죄학, 형사학
— **criminologist** *n.* 범죄학자

crimson [krímzən] *n.* 심홍색, 진한 빨강
adj. 심홍색의

cripple [krípəl] *v.* [T] **1** (보통 수동태) 불구[절름발이]가 되게 하다: She was *crippled* by polio. 그녀는 소아 마비로 불구가 되었다. SYN disable **2** 심각한 타격을 입히다: The recession has *crippled* the automobile industry. 경기 침체가 자동차 산업에 큰 타격을 주었다.
n. 불구자, 장애자

※ cripple이란 표현 보다는 disabled person이라는 완곡한 표현을 쓰는 것이 좋다.
— **crippled** *adj.* **crippling** *adj.*

*****crisis** [kráisis] *n.* (*pl.* crises) **1** 위기: a financial *crisis* 재정 위기 **2** (흥망의) 갈림길 **3** (병의) 고비: The *crisis* came that night. 그 날 밤에 고비가 찾아왔다.

crisp [krisp] *adj.* **1** 파삭파삭한: Bake the potatoes until they're *crisp*. 감자를 바삭바삭해질 때까지 구워라. **2** (야채 · 과일 등이) 신선한: a *crisp* apple 신선한 사과 **3** (날씨 · 공기 등이) 상쾌한, 서늘한: a *crisp* autumn day 상쾌한 가을날 **4** (어투가) 딱 부러지는: a *crisp* reply 딱부러지는 대꾸
n. 포테이토 칩 ([미] chip, potato chip)
— **crisply** *adv.* **crispness** *n.*

criss-cross [krískrɔ̀:s] *adj.* (명사 앞에만 쓰임) 교차된, 엇갈린
v. [I,T] 교차하다

criterion [kraitíəriən] *n.* (*pl.* criteria, criterions) (비판 · 판단의) 기준: What are your *criteria* for judging a good book? 좋은 책을 판단하는 기준이 무엇입니까? SYN standard

critic [krítik] *n.* **1** 비평가, 평론가: a movie *critic* 영화 평론가 **2** 혹평가, 흠잡는 사람

critical [krítikəl] *adj.* **1** 흠잡는, 혹평하는: The report was very *critical* of safety standards on the highways. 그 보도는 도로의 안전 기준을 집중적으로 꼬집었다. **2** (명사 앞에만 쓰임) 비평의, 평론의 **3** 위기의, 위험기의, 위독한: The patients are in a *critical* condition. 환자들은 위독한 상태에 있다. **4** 중대한, 운명의 갈림길의: a *critical* situation 중대한 국면
— **critically** *adv.*

criticism [krítisìzəm] *n.* **1** 비평, 비판, 평론 **2** 흠잡기, 비난

*****criticize, criticise** [krítisàiz] *v.* [I,T] **1** 비평[비판]하다: The newspaper's movie critic *criticized* the new movie as dull. 신문의 영화 비평가는 새 영화가 지루하다고 비평했다. **2** …의 흠을 찾다, 비난하다: He *criticizes* everything I do. 그는 내가 하는 모든 일의 흠을 잡는다.

croak [krouk] *v.* [I] **1** 개골개골〔깍깍〕 울다 **2** 목쉰 소리를 내다

n. **1** 개골개골〔깍깍〕 우는 소리 **2** 쉰 소리

crocodile [krákədàil] *n.* (아프리카 · 아메리카 · 아시아산의 대형) 악어 *cf.* alligator
※ crocodile은 alligator보다 주둥이가 길고 뾰족하다.

crook [kruk] *n.* **1** 부도덕한 사람, 사기꾼 SYN criminal **2** 굴곡(부), 만곡: a *crook* in the road 도로의 굴곡 **3** 굽은 것, 갈고리

crooked [krúkid] *adj.* **1** 꼬부라진, 비뚤어진 OPP straight **2** 부정직한: a *crooked* business deal 부정직한 상거래

*****crop** [krɑp] *n.* **1** 수확 (곡물 · 과실 · 채소 등): We had a good *crop* of wheat. 밀이 풍작이었다. **2** (보통 *pl.*) 농작물 **3** (일시에 모이는 물건 · 사람 등의) 한 때, 다수: a *crop* of troubles 속출하는 난문제

v. [T] (cropped-cropped) **1** …의 윗부분을 자르다: The goat *croppd* the grass. 염소가 풀의 윗부분을 뜯어 먹었다. **2** 머리를 짧게 자르다

축어 **crop up** 갑자기 출현하다: I should have finished homework already but some problems *cropped up*. 이미 숙제를 마쳤어야 했지만 갑자기 문제가 생겼다.

■ 유의어 **crop**

crop 가장 일반적으로 쓴다. 재배하는 작물이나 거둬들인 뒤의 작물을 나타낸다.
harvest 수확을 주로 나타내며, 그 작황을 나타내는 일이 많다.: a good *harvest* 풍작 **yield** 원래 수확량이나 생산량을 나타낸다.: a large *yield* 풍작

*****cross** [krɔːs] *n.* **1** ×표시: I drew a *cross* on the map to show where our school is. 나는 지도에 ×표를 해서 우리 학교의 위치를 표시했다. **2** 십자가, 십자형: die

on the *cross* 십자가에 못박혀 죽다 **3** 잡종, 혼혈 **4** (축구 등에서 골대를 가로지르는) 킥

v. **1** [I,T] 가로지르다, 건너다: *Cross* at the intersection. 교차로를 건너가시오. **2** [I] 교차하다, 엇갈리다: They *crossed* each other on the road. 그들은 길에서 서로 엇갈렸다. **3** [T] 교차시키다, (손 · 발 등을) 엇걸다: *cross* one's arms 팔짱을 끼다 **4** [T] …에 반대하여 화나게 하다: Don't you dare *cross* the doorkeeper. 감히 수위 아저씨를 화나게 하지 마.

cross-armed *adj.* 팔짱을 낀

cross-country *adj. adv.* **1** (도로가 아닌) 들을 횡단하는 **2** 전국적인 **3** 크로스컨트리 경기의: a *cross-country* race 크로스컨트리 경기

cross-examine *v.* [T] [법] 반대 신문하다; 힐문하다

— **cross-examination** *n.*

crossing [krɔ́ːsiŋ] *adj.* **1** 건널목, 횡단보도 **2** (도로의) 교차점 ([영] level crossing) **3** 횡단, 도항(渡航): the Channel *crossing* 영국 해협 횡단

cross-legged [krɔ́ːsléɡid] *adj. adv.* 다리를 포갠, 책상다리를 한

crossover [krɔ́ːsòuvər] *n.* **1** (입체) 교차로, 육교 **2** 크로스오버 (음악 · 패션 등에서 서로 다른 스타일의 혼합)

crossroads [krɔ́ːsròudz] *n.* (*pl.* crossroads) 십자로, 네거리

crosswalk [krɔ́ːswɔ̀ːk] *n.* 횡단보도

crossword [krɔ́ːswə̀rd] *n.* 십자말풀이 (crossword puzzle): do a *crossword* puzzle 십자말풀이를 하다

crouch [krautʃ] *v.* [I] 쭈그리다, 웅크리다: The cat *crouched* and leaped forward. 고양이가 몸을 웅크리더니 앞쪽으로 뛰어올랐다.

crow [krou] *n.* 까마귀

v. [I] **1** 수탉이 울다 **2** 자랑하다 (about, over): Now, stop *crowing* over your victory. 이제 네가 이긴 것에 대한 자랑 좀 그만 해라. SYN boast

*crowd [kraud] *n.* **1** (집합적) 군중, 많은 사람: The *crowd* was〔were〕 very noisy. 군중이 매우 시끌벅적했다. **2** (the crowd) 일반인, 대중 **3** 패거리, 한 동아리
v. **1** [I] 떼지어 모이다, 붐비다: They *crowded* around the woman. 그들은 그녀 주위에 몰려들었다. **2** [T] 빽빽이 들어차다: Furniture *crowded* the small room. 작은 방에 가구가 꽉 찼다.
— **crowded** *adj.*
〔숙어〕 **a crowd of** 많은: I saw *a crowd of* people in front of the building. 건물 앞에 많은 사람들이 보였다.
(be) crowded with …으로 붐비다: The hotels *are crowded with* tourists. 호텔들이 여행자들로 붐빈다.
crown [kraun] *n.* **1** 왕관 **2** (the Crown) 제왕〔여왕〕의 자리: succeed to the *Crown* 왕위를 잇다 **3** 꼭대기, (산의) 정상
v. [T] **1** …에게 왕관을 씌우다, 왕위에 앉히다: The people *crowned* him king. 국민들이 그를 왕위에 앉혔다. **2** (종종 수동태) …의 꼭대기에 얹다: The mountain was *crowned* with snow. 산꼭대기가 눈으로 덮여 있었다. **3** (비유적으로 쓰여) 보답하다: His efforts were *crowned* with success. 그의 노력은 성공으로 보답 받았다.
crucial [krúːʃəl] *adj.* 결정적인, 중대한: He made a *crucial* decision. 그는 매우 중요한 결정을 내렸다. 〔SYN〕 critical
crucifix [krúːsəfìks] *n.* 십자가에 못박힌 예수상
crucifixion [krùːsəfíkʃən] *n.* 십자가에 못박음: the *Crucifixion* of Christ 예수를 십자가에 못박음
crucify [krúːsəfài] *v.* [T] 십자가에 못박다
crude [kruːd] *adj.* **1** 가공하지 않은, 천연 그대로의: *crude* material 원료 **2** 단순한, 투박한: The method was *crude* but effective. 그 방식은 단순했지만 효과적이었다.
— **crudely** *adv.* **crudeness** *n.*

*cruel [krúːəl] *adj.* 잔혹한, 잔인한, 무자비한: It's *cruel* to keep animals in cages. 동물을 우리에 가두는 것은 잔인하다.
— **cruelly** *adv.* **cruelty** *n.*
cruise [kruːz] *v.* [I] **1** (휴가 차 배를 타고) 바다 위를 떠돌아다니다, 순항하다 **2** (자동차·비행기 등이) 같은 속도를 유지하다
n. 선박 여행: We took a *cruise* in the Caribbean. 우리는 카리브 해를 선박 여행했다.
cruiser [krúːzər] *n.* **1** (군사용) 대형 선박 **2** 대형 모터보트 〔SYN〕 cabin cruiser
crumb [krʌm] *n.* (빵 등의) 부스러기
crumble [krʌ́mbl] *v.* [I,T] 부서지다, 가루가 되다: The temples *crumbled* into ruin. 신전은 무너져서 폐허가 되었다.
— **crumbly** *adj.*
crumple [krʌ́mpl] *v.* [I,T] 구기다, 찌부러뜨리다: He *crumpled* up a letter into a ball. 그는 편지를 구깃구깃 뭉쳤다.
crunch [krʌntʃ] *v.* **1** [T] …을 우두둑〔아작, 어썩〕 깨물다: *crunch* an apple 사과를 어썩 깨물다 **2** [I] 우두둑 소리를 내다, (얼어붙은 눈 위 등을) 저벅저벅 걷다: I *crunched* through the snow. 나는 눈길을 저벅저벅 걸었다.
— **crunchy** *adj.*
crusade [kruːséid] *n.* **1** 강력한 개혁〔박멸〕 운동: a *crusade* against drinking 금주 운동 **2** (Crusade) 〔역사〕 십자군, 성전(聖戰)
crusader [kruːséidər] *n.* **1** 십자군 전사 **2** 개혁 운동가
crush [krʌʃ] *v.* [T] **1** 으깨다, 눌러서 뭉개다: My hat was *crushed* flat. 모자가 납작하게 짜부라졌다. **2** (갈아서) 가루로 만들다, 분쇄하다; 짜다, 압착하다: *crush* nuts for oil 호두를 압착해서 기름을 짜다 **3** 진압하다, 격파하다: *crush* a rebellion 반란을 진압하다
n. **1** 붐빔: There was a *crush* of people in the subway. 지하철이 사람들로 매우 붐

볐다. **2** (일시적으로) 홀딱 반함: He has a *crush* on her. 그는 그녀에게 반했다.

crust [krʌst] *n.* **1** (빵 · 파이 등의 껍질의) 단단한 부분 **2** 딱딱한 외피[표면] **3** [지질] 지각: *crust* movement 지각 운동
— **crusty** *adj.*

***cry** [krai] *v.* **1** [I] (소리내어) 울다, 훌쩍거리며 울다: The baby *cried* for her mother. 아기는 엄마를 찾으며 울었다. / It is no use *crying* over spilt milk. [속담] 엎지른 물은 다시 주워 담지 못한다. **2** [I,T] 소리치다, 외치다: He *cried* to us for help. 그는 우리에게 도와 달라고 외쳤다.
n. **1** 고함, 환성: let out a sudden *cry* 갑자기 고함치다 **2** 울음 소리, 흐느껴 움: After a good *cry* I felt much better. 한바탕 울고 나니 한결 기분이 좋아졌다.
— **crying** *adj.*
[숙어] **cry (out) for 1** 간청하다, 탄원하다 **2** 매우 필요로 하다: The school is *crying out for* good teachers. 그 학교는 훌륭한 선생님들을 매우 필요로 한다.
cry one's eyes out 오랫동안 몹시 울다
cry out 큰 소리로 말하다, 소리치다: He *cried out* a good night. 그는 큰 소리로 잘 자라고 했다.

crystal [krístl] *n.* **1** 결정, 결정체: *crystals* of snow 눈의 결정 **2** 수정 **3** 크리스털 유리

crystal clear *adj.* **1** (물 · 유리 등이) 투명한 **2** 아주 명료한, 이해하기 쉬운: The meaning was *crystal clear*. 그 의미는 매우 명백했다.

crystallize, crystallise [krístəlàiz] *v.* [I,T] **1** (사상 · 계획 등을) 구체화하다: Her vague plan began to *crystallize*. 그녀의 막연한 계획이 구체화되기 시작했다. **2** 결정화시키다, 결정(結晶)하다: Water *crystallizes* to form snow. 물이 결정하여 눈이 된다.
— **crystallization, crystallisation** *n.*

cub [kʌb] *n.* **1** (곰 · 호랑이 등 야수의) 새끼 **2** 애송이, 젊은이

cube [kju:b] *n.* **1** 입방체, 정6면체 **2** [수학] 세제곱: The *cube* of 3 is 27. 3의 세제곱은 27이다.
v. [T] (보통 수동태) [수학] 세제곱하다: Four *cubed* is 64. 4의 세제곱은 64이다.
— **cubic** *adj.*

cubism [kjú:bizəm] *n.* [미술] 입체파, 큐비즘
— **cubist** *n.* 입체파 화가 *adj.* 입체파의

cuckoo [kú(:)ku:] *n.* (*pl.* cuckoos) **1** 뻐꾸기 **2** 뻐꾹 (뻐꾸기 울음 소리)

***cucumber** [kjú:kəmbər] *n.* 오이
[숙어] **as cool as a cucumber** 매우 침착한: He was *as cool as a cucumber*, as if nothing had happened. 그는 아무 일도 없었던 것처럼 매우 침착했다.

cue [kju:] *n.* **1** (연극 · 영화에서 다음 동작을 알리는) 신호, 큐: The actors started acting on *cue* from the director. 배우들은 감독의 신호에 맞춰 연기를 시작했다. **2** 단서 **3** [당구] 큐

cuff [kʌf] *n.* **1** 소매, 커프스 **2** 바지의 접어 젖힌 아랫단 **3** 수갑 (handcuffs)

cuisine [kwizí:n] *n.* (특정 국가나 레스토랑의) 요리, 요리 스타일: an Italian *cuisine* 이탈리아식 요리

culminate [kʌ́lmənèit] *v.* [I] 정점에 이르다, 최고점에 달하다: His efforts *culminated* in success. 그의 노력은 마침내 성공에 이르렀다.
— **culmination** *n.*

culprit [kʌ́lprit] *n.* 죄인, 범죄자

cult [kʌlt] *n.* **1** (종교상의) 예식, 예배 **2** 특정 사람들에게만 매우 인기 있는 영화[음악, 인물 등] **3** 유행, …열(熱)

cultivate [kʌ́ltəvèit] *v.* [T] **1** (땅을) 갈다, 경작하다: *cultivate* a field 밭을 갈다 [SYN] farm, till **2** 재배하다: My grandmother *cultivates* cucumbers in the garden. 우리 할머니는 정원에 오이를

기르신다. [SYN] grow **3** (재능 · 습관 등을)
신장하다, 수련하다: *cultivate* the moral
sense 도의심을 기르다
— **cultivated** *adj.* **cultivation** *n.*
cultural [kʌ́ltʃərəl] *adj.* **1** 문화의 (관습 ·
사상 · 종교적 신념 등): The country's
cultural diversity is a result of taking
in immigrants from all over the
world. 그 나라의 문화적 다양성은 세계 각 나
라의 이민자들을 받아들인 데에 있다. **2** 문화의
(미술 · 음악 · 문학 등): We can enjoy a
rich *cultural* life in this city, with
many theaters, concert halls, and art
galleries. 이 도시에는 극장, 콘서트장 그리고
화랑이 많아 풍요로운 문화 생활을 즐길 수 있다.
— **culturally** *adv.*
*****culture** [kʌ́ltʃər] *n.* **1** 문화, 정신 문명:
Greek *culture* 그리스 문화 / Western
culture 서양 문화 / youth *culture* 젊은이
들의 문화 **2** (세균 등의) 배양
cultured [kʌ́ltʃərd] *adj.* **1** 잘 교육받은 **2**
교양 있는, 세련된
culture shock *n.* 문화 쇼크 (다른 문화를
처음 접했을 때 받는 충격)
cunning [kʌ́niŋ] *adj.* 교활한: She was
as *cunning* as a fox. 그녀는 여우처럼 교활
했다.
n. 교활함, 교묘함
— **cunningly** *adv.*
cup [kʌp] *n.* **1** 찻잔, 컵: a *cup* and
saucer 접시에 받친 찻잔 **2** [스포츠] 우승컵:
win the *cup* 우승컵을 타다 **3** 찻잔 모양의
물건
[숙어] **not one's cup of tea** …가 좋아
하는 타입의 것(사람)이 아닌: Classical
music isn't really *my cup of tea*—I
prefer pop music. 클래식 음악은 내가 좋
아하는 타입이 아니다. 난 대중 음악이 더 좋다.
cupboard [kʌ́bərd] *n.* **1** 찬장 **2** 작은
장, 벽장
cupful [kʌ́pfùl] *n.* 찻잔으로 하나 가득:
two *cupfuls* of milk 두 잔 가득한 우유

curable [kjúərəbəl] *adj.* 치료할 수 있
는, 고칠 수 있는: Measles is a *curable*
disease. 홍역은 고칠 수 있는 병이다. [OPP]
incurable
curator [kjuəréitər] *n.* (특히 도서관 · 박
물관 등의) 관리자
curb [kəːrb] *v.* [T] 억제하다, 구속하다: I
need to learn to *curb* my anger. 나는
화를 참는 법을 배워야 한다. [SYN] restrain
n. **1** (말의) 재갈, 고삐 **2** 구속, 억제 **3** 보도
블럭, 보도의 연석 (차도와 인도가 경계가 되게
늘어놓은 돌)
*****cure** [kjuər] *v.* [T] **1** (건강을) 회복시키다:
The treatment *cured* her of cancer. 그
녀는 치료를 받고 암에서 회복했다. **2** (병을)
치료하다, 제거하다: It is still impossible
to *cure* the common cold. 감기를 치료하
는 것은 여전히 불가능하다. **3** (건조 · 절임 등
으로 음식의) 보존 기한을 연장하다
n. **1** 치료법(제): a *cure* for headache 두통
약 **2** 치유, 회복
cure-all *n.* 만병 통치약
curfew [kə́ːrfjuː] *n.* **1** (계엄령 시행 중의
야간) 통행 금지 **2** (아이들의 저녁) 귀가 시간:
He has a nine o'clock *curfew*. 그는 저녁
9시까지는 귀가해야 한다.
curiosity [kjùəriásəti] *n.* **1** 호기심:
Curiosity killed the cat. [속담] 호기심이
신세를 망친다. **2** 진기한 물건, 골동품: The
attic was full of *curiosities*. 다락방은 진
기한 물건들로 차 있었다.
*****curious** [kjúəriəs] *adj.* **1** 호기심 있는: I
am *curious* to know who he is. 나는 그
가 누구인지 알고 싶다. [SYN] inquisitive **2**
진기한, 별난: a *curious* fellow 특이한 녀석
[SYN] strange
— **curiously** *adv.*
curl [kəːrl] *v.* **1** [I,T] 곱슬곱슬하게 하다, 꼬
다: He has his mustaches *curled* up.
그는 콧수염을 모두 꼬아 올렸다. **2** [I] 비틀리
다, 뒤틀리다: Smoke *curled* out of the
chimney. 굴뚝에서 연기가 소용돌이치며 올

라갔다.

n. **1** 곱슬머리, 컬 **2** 나선형의 것, 굽이침
— **curly** *adj.*

[숙어] **curl up** (팔 · 다리 · 머리를) 바짝 웅크
리다: The dog *curled up* in front of the
stream. 개가 시냇물 앞에 바짝 웅크리고 앉
아 있었다.

currency [kə́:rənsi] *n.* **1** 통화, 화폐:
The *currency* in the USA is made up
of dollar bills and coins. 미국의 화폐는
달러 지폐와 동전으로 이루어져 있다. **2** (사
상 · 소문 등의) 유포, 통용: The new ideas
will soon gain *currency*. 새로운 사상은
곧 널리 퍼질 것이다.

*****current** [kə́:rənt] *adj.* **1** 지금의, 현재의:
the *current* year 금년 **2** 통용하고 있는, 현
행의: *current* English 현대(시사) 영어

n. **1** (강의) 흐름, 해류, 조류, 기류; [전기] 전
류 **2** (여론 · 사상 등의) 경향, 추세: the
current of public opinion 여론의 추세
— **currently** *adv.*

curriculum [kəríkjələm] *n.* (*pl.*
curriculums, curricula) 커리큘럼, 교육(교
과) 과정

curry [kə́:ri] *n.* 카레 (가루); 카레 요리:
curry and (with) rice 카레라이스

curse [kə:rs] *n.* **1** 저주, 악담 **2** 욕설 **3** 재
해, 화, 불행: the *curse* of drink 음주의 해
(害)

v. **1** [I,T] 욕설을 퍼붓다: He *cursed* the
taxi driver for overcharging him. 그
는 택시 기사가 터무니없는 요금을 요구하자 그
에게 욕을 했다. [SYN] swear **2** [T] 저주하다
— **cursed** *adj.*

curtail [kə:rtéil] *v.* [T] 생략하다, 줄이다:
After his heart attack, he *curtailed* all
his activities. 심장 발작이 일어난 후 그는
모든 활동을 줄였다.
— **curtailment** *n.*

*****curtain** [kə́:rtən] *n.* **1** 커튼 [SYN] drape
2 (극장의) 막

curtsy, curtsey [kə́:rtsi] *n.* (*pl.*

curtsies, curtseys) (여성이 무릎을 굽히고
한 발을 뒤로 빼면서 하는) 인사

*****curve** [kə:rv] *n.* 곡선

v. [I,T] 구부리다, 구부러지다: The road
curves round the gas station. 도로가 그
주유소의 둘레를 돌아서 나 있다.
— **curved** *adj.*

cushion [kúʃən] *n.* **1** 쿠션, 방석
※ 침대의 cushion은 pillow(베개)이다.
2 쿠션 모양의 것 **3** 쿠션 역할을 하는 것

custody [kʌ́stədi] *n.* **1** 보관, 관리 **2** (이
혼 · 별거에서) 자녀 양육권: *custody* battle
자녀 양육권 다툼 **3** 구금, 구류: keep in
custody 수감(구치)하고 있다

*****custom** [kʌ́stəm] *n.* **1** 관습, 풍습, 관행:
social *customs* 사회적 관례 **2** (개인의) 습
관: It's my *custom* to drink coffee in
the afternoon. 나는 오후에 커피를 마시는
습관이 있다. **3** (customs) 관세 **4** (customs;
단수 취급) 세관: He walked through
customs. 그는 세관을 통과했다.

adj. (기성품에 대해) 맞춘, 주문한: *custom*
clothes 맞춤옷

[숙어] **make a custom of -ing** 항상 …
하기로 하고 있다: I *make a custom of*
get*ting* up early. 나는 항상 일찍 일어나기
로 하고 있다.

customary [kʌ́stəmèri] *adj.* 습관적인,
통례의: It is *customary* to tip a waiter
or waitress in the States. 미국에서는 남
자나 여자 급사에게 팁을 주는 것이 통례이다.
— **customarily** *adv.*

customer [kʌ́stəmər] *n.* **1** (상점 · 음식
점 등에의) 고객, 단골: Next *customer*
please! 다음 고객님! / the *customer*
complaints department 고객 불만 처리
부서 **2** (특정 형용사와 어울려) …놈, …녀석:
a tough *customer* 거친 녀석 / an
awkward *customer* 요상한 놈

customize, customise
[kʌ́stəmàiz] *v.* [T] 개인의 취향에 맞추다

*****cut** [kʌt] *v.* (cut-cut) **1** [I,T] (칼 · 가위 등

으로) 베다, 절개하다: *cut* one's finger 손가락을 베다 **2** [T] 잘라 내다: *Cut* a slice of bread for me. 빵 한 조각을 잘라 주세요. **3** [I,T] 삭감하다, (비용을) 줄이다: Automation will *cut* production costs. 자동화하면 생산비가 줄어들 것이다. [SYN] reduce **4** [I] 지름길로 가다, 가로지르다: *cut* across a yard 마당을 질러가다 **5** [T] 멈추다: *Cut* the chat and get on with your homework. 그만 떠들고 숙제 좀 해라. **6** [T] 감정을 상하게 하다, 상처를 주다: Your cruel remarks *cut* her deeply. 당신의 심한 말이 그녀에게 몹시 상처를 주었습니다.

n. **1** 베인 상처 **2** 절단, 삭제 **3** (a cut) 삭감, 할인, 임금 인하 **4** (고기의) 한 점, 베어 낸 살점 **5** (이익 · 약탈품의) 배당, 몫 [SYN] share

[숙어] **cut a figure** 두각을 나타내다: She *cut a* poor *figure* among her friends. 그녀는 친구들 사이에서 초라한 존재였다.

cut down (비용을) 삭감하다: They had to *cut down* expenses. 그들은 경비를 삭감해야 했다.

cut in 1 끼어들다, 새치기하다: The driver *cut in*. 운전사는 차 사이로 끼어들었다. **2** 말참견하다: Don't *cut in* with your remarks. 말참견 마라.

cut off 1 베어 내다 **2** (공급을) 중단하다: *cut off* the supply of gas 가스의 공급을 중단하다 **3** (도로 등을) 차단하다: They lived on the island, *cut off* from the world. 그들은 세상과 차단된 섬에서 살았다.

cut out …을 오려내다, 재단하다: He *cut out* my trousers very well. 그는 내 바지를 아주 훌륭하게 재단했다.

cut short 1 (남의 말 등을) 가로막다: He *cut* me *short*. 그는 나의 말을 가로막았다. **2** 짧게 하다: This medicine will *cut* your cold *short*. 이 약을 쓰면 너의 감기는 곧 나을 것이다.

cut up 1 난도질하다 **2** …을 혹평하다: My composition was *cut up* by the teacher. 나의 작문은 선생님으로부터 혹평을

받았다.

*****cute** [kju:t] *adj.* 귀여운, 예쁜

cutlet [kʌ́tlit] *n.* (소 · 양 · 돼지의) 얇게 저민 고기

cutoff [kʌ́tɔ̀:f] *n.* **1** 지름길 **2** 절단, 차단 **3** (증기 · 물 등의 흐름을 막는) 컷오프 **4** 마감: Don't miss the *cutoff* date. 마감 날짜를 넘기지 마세요.

cutters [kʌ́tərz] *n.* (*pl.*) 절단기

cuttlefish [kʌ́tlfiʃ] *n.* 오징어

cyber- *prefix* '전자 통신망과 가상 현실의' 란 뜻.

cyberspace [sáibərspèis] *n.* 사이버스페이스 (컴퓨터 네트워크가 둘러진 가상 공간)

cyborg [sáibɔ:rg] *n.* 사이보그 (우주 공간처럼 특수한 공간에서도 살 수 있게 신체 기관의 일부가 기계로 대치된 인간 · 생물체)

cycle [sáikl] *n.* **1** 순환 **2** 주기: move in a *cycle* 주기적으로 순환하다 **3** 자전거, 오토바이

v. [I] 자전거를 타다: She usually *cycles* to school. 그녀는 보통 자전거를 타고 통학한다. ※ 여가로 '자전거를 탄다'는 'go cycling' 이라고 한다.: We *go cycling* on weekends. 우리는 주말마다 자전거를 타러 간다.

— **cyclic** *adj.* **cycling** *n.*

cyclist [sáiklist] *n.* 자전거 타는 사람(선수)

cylinder [sílindər] *n.* **1** 원통, [수학] 원기둥 **2** 실린더, 기통

cymbal [símbəl] *n.* (보통 *pl.*) [악기] 심벌즈

cynical [sínikəl] *adj.* **1** 냉소적인: You're just so *cynical*. Don't you believe in anything? 너는 참 냉소적이구나. 아무것도 믿지 않는다는 거니? **2** 비꼬는

— **cynically** *adv.*

cynicism [sínəsìzəm] *n.* **1** 냉소 **2** 비꼬는 버릇

czar [zɑ:r] *n.* (러시아) 황제

dD

***dad** [dæd] *n.* 아빠, 아버지: She's living with her *dad*. 그녀는 아버지와 함께 살고 있다. [SYN] father

***daddy** [dǽdi] *n.* (*pl.* daddies) 아빠 (아이들 용어) *cf.* mummy 엄마

daffodil [dǽfədil] *n.* [식물] 나팔수선화

dagger [dǽgər] *n.* 단도, 단검, 비수

dahlia [dǽljə] *n.* 달리아, 달리아의 꽃

daily [déili] *adj. adv.* 매일(의): *daily* life 일상 생활 / Our airline flies to Canada *daily*. 저희 캐나다행 비행편은 매일 출발합니다. [SYN] every day
n. 일간 신문

daily essentials *n.* (*pl.*) 생활 필수품

dainty [déinti] *adj.* (daintier-daintiest) **1** (작고) 예쁜, 섬세한: She gave us some *dainty* little cakes. 그녀는 우리에게 조그맣고 예쁜 과자를 주었다. **2** (행동이) 조심스러운, 고상한: She took a *dainty* bite of the pizza. 그녀는 조심스레 피자를 한 입 베어 물었다. **3** (기호가) 까다로운; 음식을 가리는
— **daintily** *adv.*

***dairy** [dɛ́əri] *n.* **1** 낙농장, 착유실 **2** 낙농업 (dairy farming) **3** 우유 판매점, 유제품 판매소 *adj.* (명사 앞에만 쓰임) 낙농(업)의, 유제품의: a *dairy* cattle 젖소 / *dairy* products 유제품 (버터, 치즈 등)

daisy [déizi] *n.* (*pl.* daisies) [식물] 데이지

***dam** [dæm] *n.* 댐, 둑
v. [T] (dammed-dammed) **1** 둑으로 막다 **2** (감정 등을) 억누르다

***damage** [dǽmidʒ] *n.* **1** 피해, 손상: Last night's earthquake caused terrible *damage* in that area. 어젯밤의 지진은 그 지역에 엄청난 피해를 입혔다. **2** (damages)

손해액, 배상금 [SYN] compensation
v. [T] **1** 손해[피해]를 입히다: The door was *damaged* by the storm. 폭풍 때문에 문이 파손되었다. **2** (명성·체면 등을) 손상시키다
[SYN] harm
※ damage는 '물건'의 손상을, injure는 '사람·동물'의 손상을 나타낸다.
— **damaging** *adj.*

damn¹ [dæm] *v.* [I,T] **1** 비난하다, 저주하다 **2** (감탄사적) 제기랄, 젠장: *Damn* it! I've left my car keys behind. 제기랄! 차 열쇠를 두고 왔네.

damn² [dæm] *adj. adv.* **1** (강조의 뜻으로) 정말, 대단히: *damn* cold 지독히 추운 **2** 염병할, 빌어먹을
[SYN] damned

***damp** [dæmp] *adj.* 축축한, 습기찬: This shirt still feels a bit *damp*. 이 셔츠는 아직도 좀 축축하다. / It was a cold, *damp* morning. 춥고 습기찬 아침이었다. [SYN] moist, wet
n. 습기, 습도
v. [T] **1** (불을) 약하게 하다, 끄다 **2** (기세 등을) 꺾다, 감소시키다: *damp* down an agitation 소동을 가라앉히다
— **dampness** *n.*

dampen [dǽmpən] *v.* [T] **1** (기세 등을) 꺾다, 감소시키다: Even the bad weather couldn't *dampen* their enthusiasm for the trip. 궂은 날씨도 여행에 대한 그들의 열정을 꺾지 못했다. [SYN] discourage **2** 축이다, 살짝 적시다: He *dampened* his hair to stop it sticking up. 그는 머리카락이 삐죽삐죽 서지 않도록 머리에 물을 적셨다. [SYN] moisten

D

*dance [dæns] *n.* **1** 댄스, 춤, 무용 **2** 댄스 파티, 무도회: The couple met at a *dance*. 그 커플은 댄스 파티에서 만났다.

v. **1** [I,T] 춤추다: I *danced* with her to the piano music. 피아노 곡에 맞춰 그녀와 춤추었다. / Can you *dance* the tango? 너는 탱고를 출 수 있니? **2** [I] 뛰어 돌아다니다, (기뻐) 날뛰다: The children *danced* with glee. 아이들은 기뻐 날뛰었다. **3** [I] (파도·그림자·나뭇잎 등이) 흔들리다: The leaves were *dancing* in the breeze. 나뭇잎이 산들바람에 흔들리고 있었다.

— **dancer** *n.* 춤추는 사람, 무용가

danceable [dǽnsəbəl] *adj.* (곡 등이) 춤에 적합한, 댄스용의

dandelion [dǽndəlàiən] *n.* [식물] 민들레

dandy [dǽndi] *n.* **1** 멋쟁이 **2** 훌륭한 물건 *adj.* (dandier-dandiest) 굉장한, 일류의

*danger [déindʒər] *n.* **1** 위험 (상태): She is in *danger*. 그녀는 위험에 빠져 있다. [SYN] jeopardy [OPP] safety **2** (a danger) 위험을 초래하는 것(사람): Icy roads are a *danger* to drivers. 빙판길은 운전자들에게는 위험한 것이다. [SYN] threat

[숙어] (be) in danger of …의 위험에 처해 있다: He *is in danger of* losing his life. 그는 생명을 잃을 위험에 처해 있다.

dangerous [déindʒərəs] *adj.* 위험한, 위태로운: It's *dangerous* to ride a motorcycle without a helmet. 헬멧 없이 오토바이를 타는 것은 위험하다.

— **dangerously** *adv.*

dangle [dǽŋɡəl] *v.* [I,T] (달랑달랑) 매달리다, 매달다: A spider *dangled* from the ceiling. 거미가 천장에 대롱대롱 매달려 있었다.

*dare [dɛər] *v.* **1** [I] (보통 부정문에 쓰여) 감히 …하다: I met him, but I *dared* not tell him the truth. 그를 만났지만 나는 차마 사실을 말할 수 없었다. **2** [T] …의 용기를 시험하다, 할 수 있으면 …해 보라고 하다: I

dare you to jump from this wall. 이 담에서 뛰어내릴 수 있으면 뛰어내려 봐.

※ dare의 부정형은 dare not인데 보통 daren't로 쓴다. 또는 do not dare (don't dare)로도 쓴다. 과거 부정형은 did not dare (didn't dare)이다.

n. 용기를 보여주기 위한 행위, 도전

[숙어] **don't you dare** 절대 …하지 마라: *Don't you dare* tell my father about this! 우리 아버지한테는 이 일을 절대로 말하지 마!

how dare you (화가 나서서) 감히 네가 어떻게: *How dare you* say such a thing? 감히 네가 어떻게 그런 말을 하는 거지?

I dare say 아마 …일 것이다: *I dare say* that your teacher would give a clear answer to that. 너의 선생님이 그에 대한 명확한 답을 주실 수 있을 것 같은데.

daredevil [déərdèvl] *n.* 위험을 즐기는 사람, 무모한 사람

daring [déəriŋ] *adj.* **1** 대담한, 용감한 **2** 앞뒤를 가리지 않는

n. 대담 무쌍

*dark [dɑ́ːrk] *adj.* **1** 어두운, 암흑의: It's getting *dark*. 점점 어두워진다. [OPP] light **2** 색이 진한: *dark* blue 진한 청색 [OPP] light, pale **3** 거무스름한, (피부·머리털·눈이) 검은 **4** (명사 앞에만 쓰임) 사악한, 음험한: There is a *dark* side to his character. 그에게는 음험한 면이 있다. **5** 음울한, 음산한: the *dark* days of the war 전시하의 음울한 나날들

n. **1** (the dark) 어둠, 암흑: She was sitting alone in the *dark*. 그녀는 어둠 속에 혼자 앉아 있었다. **2** 땅거미, 밤: He came home after *dark*. 그는 해가 진 후에 집에 왔다.

— **darkly** *adv.* **darkness** *n.*

Dark Ages *n.* (*pl.*) (the Dark Ages) 유럽의 중세 암흑 시대

darken [dɑ́ːrkən] *v.* [I,T] 어둡게 하다, 어두워지다: Suddenly, the sky *darkened*.

갑자기 하늘이 어두워졌다.

dark horse *n.* 다크 호스 (경마·경기·선거 등에서 뜻밖의 유력한 경쟁 상대)

darkroom [dá:rkrù(:)m] *n.* 암실

*★**darling** [dá:rliŋ] *n.* 가장 사랑하는 사람, 귀여운 사람 (부부·연인끼리 또는 자식에 대한 애칭)

dart [da:rt] *n.* **1** 다트 (쏘거나 던지는 작은 화살 모양의 것) **2** (darts) 다트 게임
v. **1** [I] (화살처럼) 돌진하다, 휙 날아가다: A bird *darted* through the air. 새가 공중을 휙 날아갔다. **2** [T] (창·시선 등을) 던지다: She *darted* an angry look at me. 그녀는 화가 난 표정으로 나를 힐끗 보았다.

dash [dæʃ] *n.* **1** 돌진, 돌격, 급습: Suddenly he made a *dash* for the door. 갑자기 그는 문 쪽으로 달려갔다. **2** (가미하는) 소량: red with a *dash* of purple 약간 보랏빛을 띤 빨강 **3** (부가 설명을 할 때 쓰는) 대시 (—)
v. **1** [I] 돌진하다, 급히 가다 (off): I must *dash* off to London. 나는 런던에 급히 가야 한다. **2** [I,T] 부딪치다, 충돌하다 (against, into): The waves *dashed* against the rocks. 파도가 바위에 부딪쳐 부서졌다. / He *dashed* his head against the door. 그는 머리를 문에 쾅 받았다.

dashboard [dǽʃbɔ̀:rd] *n.* (운전석 앞의) 계기판

data [déitə, dá:tə] *n.* (*pl.*) 자료, 데이터; (관찰·실험에 의해 얻어진) 지식, 정보
※ 단수형은 datum이다.

database [déitəbèis, dǽ:təbèis] *n.* 데이터 베이스 (쉽게 사용하거나 추가할 수 있는 컴퓨터에 저장된 다량의 자료): Put the list of hospitals on the *database*. 병원 목록을 데이터 베이스에 올려라.

*★**date** [deit] *n.* **1** 날짜: What's the *date* today? 오늘이 며칠인가요? / the *date* of birth 생년 월일
※ 요일을 물을 때는 day를 쓴다.: What *day* is it? 무슨 요일인가요?
2 기일(期日), (특정한) 시간, 시일: We'll deal with this problem at a later *date*. 우리는 나중에 이 문제를 처리할 것이다. **3** 면회 약속, 데이트 (특히 이성과 만나는 약속): I've got a *date* with my girlfriend on Sunday. 난 일요일날 여자 친구와 약속이 있다.
v. **1** [T] 오래된 정도를 알아내다, 연대를 추측하다: The antique has been *dated* at about 2000 BC. 그 골동품은 기원전 2천년 경의 것으로 밝혀졌다. **2** [T] 날짜를 적다: The letter is *dated* May 2. 그 편지는 5월 2일자로 되어 있다. **3** [I,T] 낡아빠지다, 오래되어 보이게 하다: You'd better choose a simple style so that it wouldn't *date* as quickly. 단순한 스타일을 골라야 금세 낡아 보이게 되지 않을 거야.

[숙어] **date back to** …로 거슬러 올라가다: The temple *dates back to* 1173. 그 절은 1173년에 건립되었다.

out of date 1 시대에 뒤떨어진, 구식의: That Walkman looks so *out of date*. 그 워크맨은 아주 구식으로 보인다. **2** (유효 기간이) 만료된: My passport is *out of date*. 내 여권은 유효 기간이 다됐다.

to date 지금까지: This is his best book *to date*. 이것은 지금까지 그가 쓴 책 중에서 최상의 것이다. [SYN] so far

up to date 1 최신 정보를 다룬 **2** (가장) 현대적인

date line *n.* (the date line) = the International Date Line 날짜 변경선

daub [dɔ:b] *v.* [T] (페인트·진흙 등을) 덕지덕지 바르다: The kid *daubed* butter all over his face. 아이가 온 얼굴에 버터를 덕지덕지 발랐다.

*★**daughter** [dɔ́:tər] *n.* 딸 *cf.* son 아들

daughter-in-law *n.* (*pl.* daughters-in-law) 며느리, 의붓딸

daunt [dɔ:nt] *v.* [T] (보통 수동태) 으르다, …의 기세를 꺾다: She was a brave woman. She was never *daunted* by such threats. 그녀는 용감한 여성이었다. 그

녀는 그러한 위협에도 기가 꺾이지 않았다.
SYN intimidate
— **daunting** *adj.*
dauntless [dɔ́:ntlis] *adj.* 불굴의, 용감한
*****dawn** [dɔ:n] *n.* **1** 새벽, 동틀녘: at *dawn*
새벽녘에 SYN sunrise **2** 발단, 시작: since
the *dawn* of history 유사 이래
v. [I] **1** 날이 새다, 밝아지다: Day is
dawning. 날이 밝아오고 있다. **2** (비유적으
로) 시작하다: A new era is *dawning*. 새
로운 시대가 열리고 있다. **3** (일이) 점점 분명
해지다, (생각이) 떠오르다 (on, upon): The
truth began to *dawn* on me. 나는 진실
을 알기 시작했다. / It gradually *dawned*
on me that I had caught the wrong
bus. 내가 버스를 잘못 탔다는 생각이 점차 떠
올랐다. SYN strike, occur
*****day** [dei] *n.* **1** 하루, 요일: What *day* is it
today? 오늘이 무슨 요일인가요? **2** 낮, 주간:
It rained all *day*. 온종일 비가 내렸다. /
Most people work by *day* and sleep
at night. 대부분의 사람들은 낮에는 일하고
밤에는 잠을 잔다. OPP night **3** (근무 시간으
로서의) 하루: He works a seven-hour
day. 그는 하루 7시간 일한다. **4** (종종 *pl.*) 시
대, 시기: in those *days* 그 당시에 / in my
school *days* 나의 학창 시절에

숙어 **day after day** 매일: They are
facing the same problems *day after
day*. 그들은 매일 같은 문제들에 직면하고 있
다.

day and night 주야로, 끊임없이: I can
hear the traffic from my room *day
and night*. 내 방에는 자동차 소음이 밤낮으로
들린다.

day by day 매일매일; 나날이: He was
getting a little bit stronger *day by
day*. 그는 나날이 조금씩 강해졌다.

day in, day out (지루한 일에 대하여) 날
이면 날마다, 변함 없이: She has been
doing the same jobs *day in, day out*.
그녀는 같은 일을 매일매일 해 오고 있다.

from day to day 나날이; 그날 그날:
The patient's condition changes *from
day to day*. 환자의 상태가 금세 오락가락한
다.

in one's day 한창때에는: She must
have been a beauty *in her day*. 그 여자
는 한창때에 틀림없이 미인이었을 것이다.

one day (과거나 미래의) 언젠가: I'd like
to go to Paris again *one day*. 언젠가 파
리에 다시 한 번 가고 싶다.

one's day 1 …의 전성 시대: Every dog
has *his day*. [속담] 쥐구멍에도 볕들 날이 있
다. (모든 개에게도 전성기가 있다.) **2** (one's
days) 수명, 일생

some day (보통 미래의) 언젠가
the day after tomorrow 모레
the day before yesterday 그저께
the other day 며칠 전에, 최근에: Haven't
we met in the post office *the other
day*? 우리 며칠 전에 우체국에서 만나지 않았
던가요?

daybreak [déibrèik] *n.* 새벽녘, 동틀녘
SYN dawn

day care *n.* 데이 케어 (미취학 어린이나 노
인 또는 몸이 불편한 사람을 전문적 훈련을 받
은 직원이 가족 대신 주간에 돌보는 일)

day-care center *n.* 탁아소

daydream [déidrì:m] *n.* 백일몽, 공상,
몽상: She was smiling quietly, lost in
a *daydream*. 그녀는 공상에 잠겨서 조용히 미
소짓고 있었다.
v. [I] 공상에 잠기다
— **daydreamer** *n.* 공상가

daylight [déilàit] *n.* **1** 일광; 낮: The
scenery looks very different in
daylight. 일광을 받은 경치는 매우 달라 보
인다. **2** 새벽; 낮

숙어 **in broad daylight** 백주에, 대낮에:
The robbery happened *in broad
daylight*. 대낮에 강도 사건이 발생했다.

daytime [déitàim] *n.* (the daytime) 주
간: in the *daytime* 주간에, 낮에 OPP

nighttime

daze [deiz] *n.* 현혹, 멍한 상태: in a *daze* 멍하니

v. [T] **1** 현혹시키다 **2** (종종 수동태) 멍하게 하다: I was *dazed* by the news of her death. 그녀의 죽음에 관한 소식을 듣고 난 멍했다.

dazzle [dǽzəl] *v.* [T] **1** (강한 빛 등이) … 의 눈을 부시게 하다: I was *dazzled* by the car's headlights. 자동차의 헤드라이트 때문에 눈이 부셨다. **2** (화려함 등으로) 현혹시키다, 압도하다
— **dazzling** *adj.*

de- *prefix* **1** '(…에서) 분리, 제거'의 뜻. **2** '비(非), 반대'의 뜻.

***dead** [ded] *adj.* **1** 죽은: He has been *dead* for five years. 그가 죽은 지 5년이 되었다. / *Dead* men tell no tales. [속담] 죽은 자는 말이 없다.

2 (법률·언어 등이) 폐기된, 없어진: a *dead* language 사어(死語) [OPP] living

3 (명사 앞에는 쓰이지 않음) 감각이 없는, 마비된: My foot's gone *dead*. 발에 감각이 없어졌다.

4 (명사 앞에는 쓰이지 않음) (기계 등이) 작동하지 않는: I answered the phone and the line went *dead*. 전화를 받았는데 신호가 끊겼다. / a *dead* battery 다된 배터리

5 활기 없는, 잠잠한: This town is completely *dead* at night. 이 도시는 밤에는 전혀 활기가 없다.

6 (명사 앞에만 쓰임) 완전한, 절대적인: The train came to a *dead* stop. 열차가 완전히 멈췄다. / We stood and waited in *dead* silence. 우리는 서서 쥐 죽은 듯 조용히 기다렸다.

7 (the dead) 죽은 사람들: A church service was held in memory of the *dead*. 고인들을 기리는 예배가 거행되었다.

adv. **1** 완전히, 전적으로, 아주: After a hard day's work, I was *dead* tired. 힘들게 일한 후에 나는 기진맥진했다. **2** 정확히,

곧바로; 갑자기: The bank is *dead* ahead. 은행은 바로 앞에 있다. / As the door opened, converstation stopped *dead*. 문이 열리자 대화가 갑자기 멈췄다.

deaden [dédn] *v.* [T] 누그러뜨리다, 둔화하다

dead end *n.* **1** 막다른 길 **2** 어찌할 수 없는 상황, 궁지
— **dead-end** *adj.*

deadline [dédlàin] *n.* 마감 시간, 최종 기한: We are not able to meet the *deadline* because of delayed manufacturing. 저희는 제품 생산이 늦어져서 최종 기한을 맞출 수 없습니다.

deadlock [dédlàk] *n.* (교섭 등의) 막다른 상태, 교착: come to a *deadlock* 교착 상태에 빠지다

deadly [dédli] *adj.* (deadlier-deadliest) **1** 죽음의, 치명적인: a *deadly* poison 맹독 [SYN] fatal, poisonous **2** 앙심 깊은, 죽이고야 말: a *deadly* enemy 불구대천의 원수 **3** 격렬한, 죽음에 이르게 할 만한: a *deadly* combat 격렬한 전투

adv. 대단히, 극도로, 전적으로: He was *deadly* serious about that problem. 그는 그 문제에 관해서 대단히 심각했다.

***deaf** [def] *adj.* **1** 귀머거리의, 귀먹은: He is *deaf* of one ear. 그는 한쪽 귀가 안 들린다. **2** (the deaf) 귀가 먼 사람들 **3** 귀를 기울이지 않는, 무관심한 (to): He is *deaf* to all advice. 그는 어떤 충고도 들으려 하지 않는다.
— **deafness** *n.*

deafen [défən] *v.* [T] (보통 수동태) 들리지 않게 하다, 귀를 먹먹하게 하다: I was *deafened* by the loud music. 나는 시끄러운 음악 소리 때문에 귀가 먹먹했다.
— **deafening** *adj.* 귀청이 터질 것 같은

***deal** [di:l] *v.* (dealt-dealt) **1** [I] 다루다, 관계하다: Astronomy *deals* with stars. 천문학은 별을 다룬다. **2** [I] (사람에 대하여) 행동하다, 다루다, 상대하다: Let me *deal* with him. 내가 그를 상대할게. **3** [T] 장사하

D

다, 거래하다: He *deals* in toys. 그는 장난감
장사를 한다. **4** [I,T] (카드를) 돌리다: It is
my turn to *deal*. 내가 카드를 돌릴 차례다.
5 [I,T] 불법 마약 거래를 하다
n. **1** (상업상의) 거래; 타협, 담합: open a
deal 거래를 트다 / do〔make, strike〕 a
deal 거래하다, 협정하다 **2** 취급, 대우: The
new law will enable the prisoners
to get a fair *deal*. 새 법안은 죄수들이 공정
한 대우를 받게 해 줄 것이다. **3** [카드] 패 돌리
기: It's your *deal*. 네가 카드패를 돌릴 차례
야.
숙어 **a great〔good〕 deal of** 상당히
많은 양의: *A great deal of* rain has
fallen. 아주 많은 비가 내렸다.
deal out 분배하다, 나누어 주다: The
profits were *dealt out* among us. 이익
이 우리들에게 분배되었다.
deal with 1 (아무를) 대하다: He is a
difficult man. I don't know how to
deal with him. 그는 까다로운 사람이다. 나
는 그를 어떻게 대해야 하는지 모르겠다. **2** (문
제 · 상황 등에) 대처하다: The question is
not whether our society is imperfect,
but how to *deal with* it. 문제는 우리의 사
회가 불완전한가 아닌가가 아니라 그것에 어떻
게 대처하느냐에 있다. **3** …을 주제로 다루다:
The next chapter *deals with* letter
writing. 다음 장은 편지 작성에 대해 다룬다.
dealer [díːlər] *n.* **1** 상인 **2** 카드를 돌리는
사람
dealing [díːliŋ] *n.* **1** (dealings) (거래상
의) 관계: We don't have any *dealings*
with that firm. 우리는 그 회사와는 거래가
없다. **2** 거래, 장사
dean [diːn] *n.* **1** (대학의) 학장 **2** 수석 사제
***dear** [diər] *adj.* **1** (편지의 서두에 쓰여) 친
애하는 … **2** (…에게) 소중한, (…이) 아끼는:
He's my *dearest* friend. 그는 나의 가장
소중한 친구이다. **3** 비싼, 고가의 SYN
expensive OPP cheap
int. **1** 어머나, 아이고, 저런 (놀라움 · 슬픔 · 근

심 등을 나타냄) **2** 얘야, 이 사람아 (잘 아는
사람에게 말을 걸 때 씀)
dearly [díərli] *adv.* **1** 끔찍이, 대단히: I'd
dearly like to meet him again. 나는 정
말 그를 다시 만나고 싶다. **2** (희생 · 대가가)
막대한: He has already paid *dearly* for
that mistake. 그는 그 실수에 대해서 이미
막대한 대가를 치렀다.
death [deθ] *n.* **1** 죽음, 사망: shoot a
person to *death* …를 쏴 죽이다 / He was
burned to *death* in the fire. 그는 그 화재
에서 타 죽었다. **2** 끝, 종말: the *death* of
communism 공산주의의 종말
숙어 **put to death** …을 죽이다: The
prisoners were all *put to death*. 죄수들
은 모두 사형당했다.
to death 몹시, 아주, 극도로: The movie
bored me *to death*. 그 영화는 아주 지겨웠
다.
deathbed [déθbèd] *n.* 임종
deathless [déθlis] *adj.* 불사의, 불멸의
SYN immortal
deathlike [déθlàik] *adj.* 죽은 듯한
deathly [déθli] *adj. adv.* **1** 죽음과도 같
은: There was a *deathly* silence. 죽음 같
은 정적이 흘렀다. **2** 몹시, 극도로: It was
deathly hot. 지독하게 더웠다.
death rate *n.* 사망률
debase [dibéis] *v.* [T] (보통 수동태) (품
질 · 가치 등을) 떨어뜨리다, 저하시키다
***debate** [dibéit] *n.* 토론, 논쟁
v. **1** [I,T] 토론〔논쟁〕하다: The question of
the origin of life is still hotly *debated*
by scientists. 생명의 기원에 관한 의문은 과
학자들 사이에서 여전히 뜨겁게 논의되고 있다.
2 [T] 숙고하다, 검토하다: I am just
debating whether to go or stay. 나는 갈
까 머무를까 생각 중이다.
— **debatable** *adj.* **debater** *n.* 토론자
debit [débit] *n.* 차변, 출금 (은행 계좌에서
지불된 돈): *debit* card 직불 카드 OPP
credit

v. [T] **1** 차변(借邊)에 기입하다 **2** (통장에서) 출금하다

debris [dəbríː] *n.* 파편, 부스러기: There might be some survivors under the *debris*. 잔해 속에 몇 명의 생존자들이 있을 지도 모른다.

***debt** [det] *n.* **1** 빚, 부채, 채무: a *debt* of five dollars 5달러의 빚 / I managed to pay off my *debts* in two years. 나는 2년 후에 빚을 이럭저럭 다 갚았다. / He was still $500 in *debt*. 그는 여전히 500달러의 빚이 있었다. **2** (남에게) 신세짐, 은혜: I'm greatly in *debt* to you. 너에게 신세를 많이 졌다.

[숙어] **run(get) into debt** 빚지다, 빚을 얻다

debtor [détər] *n.* 채무자

debut, début [de(i)bjúː] *n.* 첫무대(출연), 데뷔: He made his *debut* in New York in 1972. 그는 1972년 뉴욕에서 데뷔했다.

dec(a)- *prefix* '10, 10가지의' 의 뜻.

decade [dékeid] *n.* 10년간

decadence [dékədəns] *n.* **1** 타락, 퇴폐 **2** (문예상의) 데카당 운동

decadent [dékədənt] *adj.* **1** 쇠퇴기에 접어든; 퇴폐적인 **2** 데카당파의
n. 데카당파의 예술가 (특히 19세기 말 프랑스의)

decay [dikéi] *v.* [I,T] **1** 썩다, 부식하다: *Decayed* leaves make rich soil. 썩은 낙엽은 땅을 기름지게 한다. [SYN] rot **2** 쇠하다, 쇠퇴하다
n. **1** 부패, 부식: tooth *decay* 충치 **2** 쇠퇴, 노후화: the *decay* of civilization 문명의 쇠퇴

decease [disíːs] *n.* 사망

deceased [disíːst] *adj.* **1** 죽은, 고(故)…: the *deceased* father 선친 [SYN] dead **2** (the deceased) 고인: the family of the *deceased* 유가족

deceit [disíːt] *n.* 속임, 사기

deceitful [disítfəl] *adj.* 사람을 속이는, 거짓의 [SYN] misleading
— **deceitfully** *adv.* **deceitfulness** *n.*

***deceive** [disíːv] *v.* [T] **1** 속이다, 속여서 …시키다 (into doing): He was *deceived* into buying such a thing. 그는 속아서 그런 물건을 샀다. **2** 잘못 생각하다, 오해하다 (oneself): He thinks she loves him, but he is *deceiving* himself. 그는 그녀가 자기를 사랑하는 줄 알고 있지만, 그는 잘못 생각하고 있는 것이다.
— **deceiver** *n.* 사기꾼

December [disémbər] *n.* (*abbr.* Dec.) 12월

decent [díːsənt] *adj.* **1** (수입 · 직장 · 복장 등이) 버젓한, 그리 나쁘지 않은: All I want is a *decent* job with *decent* wages. 내가 원하는 것은 괜찮은 수입의 버젓한 직장을 갖는 것뿐이다. **2** 예의바른, 도덕성을 갖춘: *decent* manners 예의바른 태도 **3** (사람 앞에 나설 정도로) 복장을 갖춘: I'm opening the door. Are you *decent*? 문 열 거야. 옷 입었니?
— **decently** *adv.* **decency** *n.*

deception [disépʃən] *n.* **1** 사기, 기만 **2** 속임수, 현혹시키는 것 [SYN] deceit

deceptive [diséptiv] *adj.* (사람을) 현혹시키는, 거짓의, 사기의: Appearance can be *deceptive*. 겉모양은 믿을 게 못된다. (겉다르고 속다르다.) [SYN] deceitful

***decide** [disáid] *v.* **1** [I,T] 결정하다, 결심하다: We've *decided* not to invite him. 우리는 그를 초대하지 않기로 결정했다. / I can't *decide* what to do. 나는 무엇을 할지 결정하지 못하겠다. **2** [T] …을 결심시키다: His advice *decided* me to carry out my plan. 나는 그의 충고를 듣고 계획을 실천하기로 결심했다.
— **decision** *n.*

[숙어] **decide on** …(하기)로 결정하다: We have *decided on* a date for our wedding. 우리는 결혼식 날짜를 정했다.

D

decided [disáidid] *adj.* 분명한, 명확한: a *decided* change in the weather 분명한 날씨의 변화 [SYN] definite
— **decidedly** *adv.*

decimate [désəmèit] *v.* [T] **1** (보통 수동태) (전쟁·질병 등으로 사람·동물·식물 등을) 대량으로 죽이다 **2** 큰 해를 입히다, (조직체 등의 규모를) 대폭 줄이다

decipher [disáifər] *v.* [T] **1** (암호문 등을) 해독하다 [SYN] decode **2** (분명치 않은 것을) 판독하다: Can you *decipher* what is written on the paper? 종이에 쓰여 있는 것이 무슨 뜻인지 알겠니? [SYN] figure out

decision [disíʒən] *n.* **1** 결심, 결의 **2** 결정: *decision* by majority 다수결 / make a *decision* 결정하다 **3** 판결: give a *decision* of not being guilty 무죄 판결을 내리다 **4** 결단력

decision making *n.* (정책 등의) 의사 결정
— **decision-making** *adj.* **decision maker** *n.* 의사 결정자

decisive [disáisiv] *adj.* **1** 결정적인: *decisive* evidence 결정적인 증거 **2** 단호한, 결단력 있는: take *decisive* action on drug smuggling 마약 밀수입에 대해 단호한 조처를 취하다 / You need to be more *decisive*. 너는 좀더 결단력이 필요하다. [OPP] indecisive
— **decisively** *adv.* **decisiveness** *n.*

deck [dek] *n.* **1** (배의) 갑판 **2** (전차·버스 등의) 바닥 **3** 카드의 한 벌 ([영] pack)

declaim [dikléim] *v.* [I,T] 변론하다, 연설하다
— **declamation** *n.*

declaration [dèkləréiʃən] *n.* **1** 선언(서), 공표: the *Declaration* of Human Rights 세계 인권 선언 (1948년 12월 유엔 제3차 총회에서 채택) **2** (세관·세무서에의) 신고(서)

***declare** [dikléər] *v.* [T] **1** 선언하다, 발표하다: The government has *declared* war on AIDS. 정부는 에이즈에 대한 선전 포고를 했다. **2** (세관·세무서에서 과세품·소득액을) 신고하다: Do you have anything to *declare*? 신고할 과세품을 가지고 계십니까?

decline [dikláin] *v.* **1** [I] (세력·건강 등이) 쇠하다, 감퇴하다: He has *declined* in health. 그는 건강이 쇠약해졌다. **2** [I] (인기·물가 등이) 떨어지다: Demand for this software has *declined*. 이 소프트웨어의 수요가 하락했다. **3** [I,T] (정중히) 사절하다, 사양하다: *decline* an offer 제의를 정중히 거절하다 **4** [I,T] 기울다, 기울이다, 내리막이 되다: The road *declines* sharply. 길이 가파르게 내리막이다.
n. **1** 경사, 내리막: a gentle *decline* in the road 도로의 완만한 내리막길 **2** 쇠퇴, 감퇴; 하락: *decline* in the power of Europe 유럽 세력의 쇠퇴 / a *decline* in sales 판매의 하락

decode [di:kóud] *v.* [T] (암호문을) 해독하다 [SYN] decipher [OPP] encode

decompose [dì:kəmpóuz] *v.* [I,T] (성분·요소로) 분해하다, 분해시키다: The body was *decomposed* so badly that we couldn't identify it. 시체가 너무 심하게 부패하여 우리는 그 신원을 밝힐 수가 없었다.
— **decomposition** *n.*

***decorate** [dékərèit] *v.* **1** [T] 꾸미다, 장식하다: Paintings *decorated* the walls. 그림이 벽을 장식하고 있었다. / She *decorated* the table with flowers and candles. 그녀는 탁자를 꽃과 양초로 장식했다. **2** [I,T] (천장·벽 등에) 칠을 하다, 도배하다
— **decorator** *n.* 장식자; 실내 장식가

decoration [dèkəréiʃən] *n.* **1** 장식물 **2** 장식(법)

decorative [dékərèitiv] *adj.* 장식(용)의, 장식적인, 화려한

***decrease** [di:krí:s] *v.* [I,T] 줄다, 감소하다: His influence slowly *decreased*. 그

의 영향력은 서서히 줄었다. OPP increase
n. [díːkriːs, dikríːs] **1** 감소, 축소 **2** 감소량〔액〕
— **decreasing** *adj.* **decreasingly** *adv.*

decree [dekríː] *n.* 법령, 포고, 명령: issue a *decree* 법령을 발포하다
v. [T] (법령으로서) 포고하다

dedicate [dédikèit] *v.* [T] **1** (시간·생애 등을) 바치다: She *dedicates* her spare time to her children. 그녀는 여가 시간을 그녀의 아이들에게 바친다. **2** (저서·작곡 등을) 헌정(獻呈)하다: This book is *dedicated* to my parents. 이 책을 나의 부모님께 바칩니다.
— **dedication** *n.* 헌신; 헌정의 말

dedicated [dédikèitid] *adj.* **1** (이상·주의 등에) 일신을 바친, 헌신적인: He has been a *dedicated* doctor all his life. 그는 일생 동안 헌신적인 의사였다. SYN committed **2** (장치 등이) 특정 목적을 위한, 전용의

dedicator [dédikèitər] *n.* 봉납자, 헌신자

deduce [didjúːs] *v.* [T] 추론하다, 연역하다: From his remarks we *deduced* that he didn't agree with us. 그의 말에서 그가 우리들과 의견이 같지 않음을 알아냈다. SYN infer
※ 연역: 일반적인 원리로부터 논리의 절차를 밟아서 낱낱의 사실이나 명제를 이끌어 냄.

deduct [didʌ́kt] *v.* [T] (세금 등을) 공제하다, 빼다: The tax will be *deducted* from your salary. 세금은 너의 월급에서 공제될 것이다.

deduction [didʌ́kʃən] *n.* **1** 추론; 연역(법) **2** 공제(액)

deductive [didʌ́ktiv] *adj.* 추리의, 연역적인: *deductive* method 연역법 / *deductive* reasoning 연역적 추리 OPP inductive

deed [diːd] *n.* **1** 행위, 행동: *Deeds*, not words, are needed. 말이 아니라 행동이

필요하다. **2** [법] (서명 날인한) 증서, 권리증

deem [diːm] *v.* [T] (…으로) 생각하다: We *deem* it our duty to do so. 그렇게 하는 것이 우리의 의무라 생각한다. SYN consider

***deep** [diːp] *adj.* **1** (아래로) 깊은: a *deep* hole 깊은 구덩이 OPP shallow **2** (안으로) 깊은, 깊숙한: a *deep* shelf 깊숙한 선반 OPP shallow **3** 깊이〔길이〕가 …인: This pond is ten feet *deep*. 이 연못은 깊이가 10피트이다. **4** (음성이) 낮고 굵은 **5** (색상이) 짙은 OPP pale **6** (감정이) 깊은, 마음으로부터의: *deep* sorrow 깊은 슬픔 **7** (잠이) 깊은: I was in a *deep* sleep and didn't hear the phone ringing. 나는 깊이 잠들어서 전화벨 소리를 못 들었다. **8** (주제 등이) 심오한, 철저한: This book shows a *deep* understanding of human nature. 이 책은 인간 본성에 대한 심오한 통찰력을 보여 준다. SYN profound **9** (the deep) 한가운데: in the *deep* of winter 한겨울에
adv. 깊이, 깊게: Still waters run *deep*. [속담] 조용히 흐르는 물이 깊다.
— **deeply** *adv.* **depth** *n.*

축어 **deep down** 마음 깊은 곳에는, 내심은: We knew *deep down* that there was no hope. 우리는 희망이 없음을 내심 알고 있었다.

deepen [díːpn] *v.* [I,T] 깊어지다, 깊게 하다

***deer** [diər] *n.* (*pl.* deer(s)) 사슴

defame [diféim] *v.* [T] 비방하다, 명예를 훼손하다: He complained that the article *defamed* him. 그는 그 기사가 자신의 명예를 훼손했다고 불평했다.
— **defamation** *n.*

***defeat** [difíːt] *v.* [T] **1** (경기·선거 등에서) 이기다, (상대를) 물리치다: She *defeated* her brother at tennis. 그녀는 테니스에서 오빠를 이겼다. SYN beat **2** (계획·희망 등을) 좌절시키다: *defeat* a person's hopes 아무의 희망을 좌절시키다
n. **1** 패배 **2** 실패, 좌절

defect¹ [difékt, dífekt] *n.* 결점, 단점, 약점: *defect* in one's character 성격상의 결함
— **defective** *adj.* 결함(결점)이 있는

defect² [difékt] *v.* [I] (주의 · 당 등을) 이탈하다, 변절하다, 망명하다: *defect* from the party 탈당하다
— **defection** *n.* **defector** *n.* 이탈자, 망명자

defence [diféns] *n.* = [미] defense

*****defend** [difénd] *v.* **1** [T] (위험으로부터) 지키다, 방어하다: We *defended* our country from(against) the enemy. 우리는 적으로부터 나라를 지켰다. / She picked a baseball bat up to *defend* herself. 그녀는 자기 자신을 지키기 위해 야구방망이를 집어 들었다. **2** [T] 지지하다, 변호하다: The minister has *defended* the government's policy. 장관은 정부의 정책을 지지했다. **3** [T] [법] 항변하다, 답변하다: He has hired a lawyer to *defend* him in court. 그는 법정에서 그를 변호할 변호사를 고용했다. **4** [I,T] [스포츠] 방어전을 하다: *defend* a title 타이틀을 방어하다
— **defender** *n.* 방어(옹호)자; 선수권 보유자; 피고인

defendant [diféndənt] *n.* [법] 피고
[SYN] the accused

defense [diféns] *n.* ([영] defence) **1** 방위, 방어: legal *defense* 정당방위 **2** 방어물 **3** [군대] 방어 시설, 병력: We need to reduce spending on *defense*. 국방비를 줄일 필요가 있다. **4** [법] 변호, 답변; 옹호 **5** (the defense) (집합적) 피고측 (피고와 그의 변호사): The *defense* claims(claim) that the witnesses were lying. 피고측은 증인들이 거짓 진술을 했다고 주장한다. **6** [스포츠] 수비, 수비 선수(팀)

defenseless [difénslis] *adj.* 무방비의, 방어할 수 없는

defensive [difénsiv] *adj.* 방어의, 방비용의: *defensive* war 방어전 [OPP] offensive

n. 수세, 방어의 자세: stand on the *defensive* 수세를 취하다

defer [difə́:r] *v.* (deferred-deferred) **1** [T] 늦추다, 연기하다: He *deferred* the decision for a few days. 그는 결정을 며칠 후로 미루었다. **2** [I] 경의를 표하다, (의견 · 판단 등을) 양보하다, 따르다 (to): I will *defer* to whatever he decides. 나는 그가 어떤 결정을 하든지 (그에 대한 존경심으로) 따르겠다.
— **deference** *n.* 복종, 존경

defiance [difáiəns] *n.* 도전, 저항
[숙어] **in defiance of** …을 무시하여, …에 상관치 않고: He went his own way *in defiance of* public opinion. 그는 여론을 무시하고 제멋대로 했다.

defiant [difáiənt] *adj.* 도전적인, 반항적인
— **defiantly** *adv.* **defy** *v.*

deficiency [difíʃənsi] *n.* **1** 결핍, 부족: a vitamin *deficiency* 비타민 결핍 **2** 결함

deficient [difíʃənt] *adj.* **1** (…이) 모자라는, 부족한: He's *deficient* in common sense. 그는 상식이 부족하다. **2** 불완전한, 결함이 있는

deficit [défəsit] *n.* 부족(액), 적자: a trade *deficit* 무역 적자 *cf.* surplus 흑자

define [difáin] *v.* [T] **1** 정의를 내리다, 뜻을 밝히다: How would you *define* 'friendship?' 당신은 '우정'이란 말을 어떻게 정의하시겠습니까? **2** (성격 · 내용 등을) 규정짓다, 한정하다

*****definite** [défənit] *adj.* **1** (윤곽 · 한계가) 뚜렷한, 확실한: a *definite* answer 확답 **2** 한정된, 일정한: a *definite* period of time 일정 기간 **3** [문법] 한정하는: the *definite* article 정관사 (the)
[OPP] indefinite
— **definitely** *adv.*

definition [dèfəníʃən] *n.* **1** (윤곽 · 한계 등의) 한정 **2** 정의 **3** (TV · 렌즈 등의) 선명도

definitive [difínətiv] *adj.* **1** 결정적인,

최후적인: a *definitive* statement 최후 진술
2 완성된: a *definitive* edition 결정판(版)

deflate [difléit] *v.* **1** [I,T] 공기가 빠지다,
공기를 빼다 [OPP] inflate **2** [T] (자신 · 희망
등을) 꺾다 **3** [T] [경제] 통화를 수축시키다
[OPP] inflate
— **deflation** *n.*

defog [difɔ́:g] *v.* [T] (defogged-
defogged) (자동차 유리의) 김(물방울)을 제
거하다

deforest [di:fɔ́:rist] *v.* [T] 산림을 벌채하
다, 수목을 베어내다
— **deforestation** *n.*

deform [difɔ́:rm] *v.* [T] **1** 흉하게 하다,
불구로 하다 **2** [물리] 변형시키다
— **deformed** *adj.* 볼품 없는, 불구의, 기형
의

deformity [difɔ́:rməti] *n.* 기형, 불구

defrost [di:frɔ́:st] *v.* **1** [T] 얼음을 제거하
다 **2** [I,T] (냉동 식품을) 녹이다

deft [deft] *adj.* (동작이) 능란한, 능숙한
— **deftly** *adv.* **deftness** *n.*

defy [difái] *v.* [T] **1** (권위 등에) 반항하다:
She *defied* her parents and continued
seeing him. 그녀는 부모님의 뜻을 거스르고
그를 계속 만났다. **2** …을 허용하지 않다: The
beauty of the scene *defies* descrip-
tion. 풍경의 아름다움은 묘사가 불가능하
다. / The window *defies* all efforts to
open it. 창문은 어떠한 노력에도 불구하고 열
리지 않는다. **3** (보통 불가능한 일에) 도전하게
하다: I *defy* you to prove me wrong.
내가 틀렸다는 것을 증명할 수 있으면 해 봐.
— **defiant** *adj.* **defiance** *n.*

degenerate [didʒénərèit] *v.* [I] **1** 나빠
지다, 퇴보하다: The debate *degenerated*
into a squabble. 토론회는 말싸움으로 전
락했다. **2** 타락하다
— **degeneration** *n.*

degrade [digréid] *v.* [T] …의 지위를
낮추다, 격하하다: I think the movie
degrades women. 그 영화는 여성을 비하시

키는 것 같다.
— **degraded** *adj.* **degradation** *n.*

*****degree** [digríː] *n.* **1** (온도 · 각도 등의) 도
(度) (부호 °): The thermometer stands
at 20 *degrees*. 온도계는 20도를 가리키고 있
다. **2** 정도, 등급, 단계: a high *degree* of
technique 고도의 기술 **3** 학위: take the
doctor's(master's, bachelor's) *degree*
박사(석사, 학사) 학위를 받다

[숙어] **to a(some) degree** 어느 정도는:
It is all right *to a degree*. 어느 정도까지는
괜찮다.

dehumanize, dehumanise
[di:hjúːmənàiz] *v.* [T] 인간의 품성을
잃게 만들다: In a way, information
technology tends to *dehumanize*
people unless it is used with careful
consideration. 한편으로 정보 기술은 신중
하게 사용되지 않을 때는 인간성을 앗아가는 경
향이 있다.
— **dehumanization, dehumanisa-
tion** *n.*

deify [díːəfài] *v.* [T] 신으로 삼다, 신격화하
다

deity [díːəti] *n.* 신 [SYN] god

deject [didʒékt] *v.* [T] 기를 죽이다, 낙담
시키다
— **dejected** *adj.* **dejection** *n.*

*****delay** [diléi] *v.* **1** [T] …을 늦추다, 지체하
게 하다: The train was *delayed* by
heavy snow. 열차는 폭설로 인하여 연착되
었다. **2** [I,T] 미루다, 연기하다: You'd
better *delay* your departure. 너는 출발
을 연기하는 것이 좋겠다.
n. 지연, 지체: This must be done
without *delay*. 이것은 지체없이 끝나야 한
다.

delegate [déligit] *n.* 대표자, 대리인, 대
의원
v. [I,T] [déligèit] **1** 대리(대표)로 파견하다,
대리로 내세우다 **2** (권한 등을) 위임하다:
delegate authority to a person 아무에게

권한을 위임하다

delegation [dèligéiʃən] *n.* **1** (집합적) 대표단, 파견 위원단 **2** 대표 파견, (직권 등의) 위임

delete [dilíːt] *v.* [T] 삭제하다, 지우다

***deliberate** [dilíbərit] *adj.* **1** 계획적인, 고의의: That was no accident; it was *deliberate*. 그건 사고가 아니었어. 계획적이었어. [SYN] planned **2** 신중한, 침착한: Her movements were *deliberate*. 그녀의 태도는 침착했다.
v. [I,T] [dilíbərèit] 잘 생각하다, 숙고하다: She is *deliberating* what to do. 그녀는 무엇을 해야 할지 숙고하고 있다.
— **deliberately** *adv.* **deliberation** *n.*

delicacy [délikəsi] *n.* **1** 은은함: the *delicacy* of a perfume 향수의 은은함 **2** 깨지기 쉬운 아름다움, 섬세(함) **3** 미묘함, 주의를 요함: a situation of great *delicacy* 매우 미묘한 정세 **4** 맛있는 것, 진미: Snails are considered a *delicacy* in France. 프랑스에서 달팽이 요리는 진미로 여겨진다.

***delicate** [délikət] *adj.* **1** 손상되기 쉬운: *delicate* skin 민감성 피부 / a *delicate* child 허약한 아이 / *delicate* china 깨지기 쉬운 도자기 **2** 섬세한, 우아한 **3** 미세한: a *delicate* difference 미세한 차이 **4** (색 · 향 등이) 은은한, 부드러운: a *delicate* hue 은은한 빛깔 **5** (취급에) 신중을 요하는: a *delicate* operation (세심한 주의를 요하는) 어려운 수술

delicately [délikətli] *adv.* 조심스럽게; 우아하게, 섬세하게: He stepped *delicately* over the broken glass. 그는 깨어진 유리가 있는 곳을 조심스럽게 (밟지 않고) 건너 갔다.

***delicious** [dilíʃəs] *adj.* 맛있는, 향기로운: a *delicious* cake 맛있는 케이크
— **deliciously** *adv.*

***delight** [diláit] *n.* **1** 기쁨, 즐거움: The children unwrapped the presents with *delight*. 아이들은 기뻐하며 선물의 포장을 풀었다. **2** 기쁨을 주는 것, 즐거운 것: The

cute little puppy is a *delight* to them. 그 귀엽고 작은 강아지는 그들에게 기쁨을 주는 것이다.
v. [T] 매우 기쁘게 하다, (눈 · 귀를) 즐겁게 하다
— **delightful** *adj.*
[숙어] **delight in** 매우 기뻐하다, 즐기다
take delight in …을 기뻐하다, …을 즐기다: She *takes* much *delight in* her studies. 그녀는 공부하는 것을 즐긴다.

delighted [diláitid] *adj.* 매우 기뻐하는: He was much *delighted* with this idea. 그는 이 아이디어에 무척 기뻐했다.
— **delightedly** *adv.*

delinquent [dilíŋkwənt] *adj.* (보통 청소년에 대해) 비행의, 죄를 범한
n. **1** 직무 태만자 **2** 비행자: a juvenile *delinquent* 비행 청소년
— **delinquently** *adv.* **delinquency** *n.*

deliver [dilívər] *v.* **1** [I,T] (편지 · 물품 등을) 배달하다, 송달하다: We had pizza *delivered*. 우리는 피자를 배달시켰다. **2** [T] 넘겨 주다, 인도하다, 교부하다: *deliver* the criminal to the police 범인을 경찰에 넘겨 주다 **3** [I,T] 분만하다, 분만을 돕다: She *delivered* a baby girl. 그녀는 여자 아기를 분만했다. / The doctor *delivered* twins yesterday. 의사는 어제 쌍둥이를 받았다. **4** [T] (의견을) 말하다, 연설을 하다: *deliver* a speech 연설하다 **5** [I] (약속한 바를) 이행하다 (on)

deliverance [dilívərəns] *n.* **1** 구출, 구조 **2** (공식) 의견, 진술

delivery [dilívəri] *n.* **1** 인도, 교부, 출하 **2** 배달, 전달; 배달물: These goods must be paid on *delivery*. 이 상품은 배달시에 대금을 지불해야 한다. **3** 이야기투, 강연(투): a good *delivery* 능란한 연설 **4** 구출, 해방 **5** 분만, 해산: an easy *delivery* 순산

delta [déltə] *n.* **1** 부채꼴(삼각형)의 것 **2** 삼각주 **3** 그리스 알파벳의 넷째 글자 (Δ, δ)

delude [dilúːd] *v.* [T] **1** 미혹시키다, 속이

다: Don't be *deluded* into thinking that we are safe now. 이제 우리가 안전하다는 생각에 속지 마라. **2** 잘못 생각하다 (oneself): You're *deluding* yourself if you think it's going to be easy. 그 일이 쉬울 거라고 생각한다면 착각이다.
[SYN] deceive, mislead
— **delusion** *n.*

deluge [délju:dʒ] *n.* **1** 대홍수, 호우: The rain turned to a *deluge*. 비는 호우로 변했다. [SYN] flood **2** (a deluge) (편지·방문객 등의) 쇄도: a *deluge* of mail 쇄도하는 우편물
v. [T] **1** 범람하다, 침수시키다 **2** (보통 수동태) …에 쇄도하다: be *deluged* with applications 신청이 쇄도하다

deluxe, de luxe [dəlúks] *adj.* 호화로운: The *deluxe* model of the car has a navigation system. 그 차의 최고급형은 방향 지시 시스템을 갖추고 있다. [SYN] luxurious

***demand** [dimǽnd] *n.* **1** 요구, 청구: a *demand* for higher wages 임금 인상 요구 **2** (demands) 요구 사항, 필요 사항: This work makes great *demands* on my time. 이 일은 나의 시간을 너무 많이 빼앗는다. **3** [경제] 수요: laws of supply and *demand* 수요 공급의 법칙 [OPP] supply
v. [T] **1** 요구하다, 청구하다: He *demanded* an explanation. 그는 해명을 요구했다. / I *demand* to see the manager. 나는 지배인을 만나고 싶다. / He *demanded* that I (should) help him. 그는 나에게 도와 달라고 요구했다.
※ demand는 사람을 목적어로 삼지 않는다. 따라서 위의 예문에서 that절 대신 He demanded me to help him.이라고는 쓰지 않는다.
2 (사물이) …을 요하다, 필요로 하다: This work *demands* a great care. 이 일은 극히 주의를 요한다.
[숙어] **in demand** 수요가 있는: Nylon is

in great *demand*. 나일론은 수요가 많다.

demanding [dimǽndiŋ] *adj.* (사람이) 너무 많은(지나친) 요구를 하는; (일이) 힘든, 벅찬: a *demanding* job 힘든 일

demerit [di:mérit] *n.* 결점, 결함, 단점: the merits and *demerits* 장점과 단점 [OPP] merit

demilitarize, demilitarise [di:mílətəràiz] *v.* [T] 비군사화하다, 비무장화하다: a *demilitarized* zone 비무장 지대 (*abbr.* D.M.Z.)

democracy [dimάkrəsi] *n.* **1** 민주주의, 민주정치 **2** 민주국가(사회) **3** (조직 내에서의) 평등권, 참여권

democrat [déməkrӕt] *n.* **1** 민주주의자 **2** (Democrat) (미) 민주당원 *cf.* Republican 공화당원

democratic [dèməkrǽtik] *adj.* **1** 민주주의의, 민주정체의 **2** 민주적인, 사회적 평등의 [OPP] undemocratic
— **democratically** *adv.*

demolish [dimάliʃ] *v.* [T] **1** (건물 등을) 부수다, 헐다: The old factory was *demolished* and a supermarket was built in its place. 오래된 공장이 헐리고 대신에 슈퍼마켓이 세워졌다. **2** (계획·제도·지론 등을) 뒤엎다, 분쇄하다: He completely *demolished* my argument. 그는 나의 주장을 완전히 뒤집었다.
— **demolition** *n.*

demon [dí:mən] *n.* 악마, 귀신
— **demonic** *adj.*

demonstrate [démənstrèit] *v.* **1** [T] 증명하다: How can you *demonstrate* that the earth is round? 지구가 둥글다는 것을 어떻게 증명할 수 있는가? **2** [I,T] (모형·실험에 의해) 설명하다: He *demonstrated* how the computer worked. 그는 컴퓨터가 어떻게 작동하는가를 실제로 조작해 보였다. **3** [I] 시위 운동을 하다, 데모를 하다 (against, for): They *demonstrated* against the government's nuclear

policy. 그들은 정부의 핵정책에 반대하여 시
위를 했다.

demonstration [dèmənstéiʃən] *n.* **1**
증명, 논증, 증거: This accident is a
clear *demonstration* of the system's
faults. 이 사고는 시스템 결함의 명백한 증거
다. **2** 실물 교수(설명), 시범, 실연: He gave
a *demonstration* of how the camera
works. 그는 카메라가 어떻게 작동하는지 실
연해 보였다. **3** 데모, 시위 운동: Thousands
of people took part in the
demonstration against the war. 수많은
사람들이 전쟁에 반대하는 데모에 참여했다.

demonstrative [dimánstrətiv] *adj.*
1 감정을 노골적으로 나타내는, 심정을 토로
하는 **2** [문법] 지시의: a *demonstrative*
pronoun 지시대명사

demonstrator [démənstrèitər] *n.* **1**
(실기·실험 과목의) 시범 교수자(조수) **2** 시
위 운동자, 데모 참가자

demoralize, demoralise
[dimɔ́ːrəlàiz] *v.* [T] 사기를 저하시키다:
Constant criticism *demoralizes* any-
body. 끝없는 비판에는 그 어느 누구라도 기
가 죽는다.

den [den] *n.* **1** (야수의) 굴 **2** (불법이 행해
지는) 밀실: a gambling *den* 도박굴

denial [dináiəl] *n.* **1** 부인, 부정: He
repeated *denials* of the charges
against him. 그는 그에게 부과된 혐의를 계
속해서 부인했다. **2** 거절, 거부: She's angry
at my *denial* of her request. 그녀는 내가
그녀의 청을 거절한 것에 화가 나 있다. **3** (권리
등을) 인정 안 함, 부정: *denial* of human
rights 인권의 부정

denote [dinóut] *v.* [T] 의미하다, …의 표
시이다: In algebra the sign ÷ *denotes*
division. 대수학에서 기호 ÷는 나눗셈을 의
미한다.

denounce [dináuns] *v.* [T] (공공연히) 비
난하다, 매도하다: He was *denounced* as a
coward. 그는 비겁한 자라고 비난받았다.

— **denunciation** *n.*

dense [dens] *adj.* **1** 빽빽한, (인구가) 조밀
한: The garden was *dense* with grass.
정원에는 풀이 무성했다. / a *dense* forest 밀
림 **2** 짙은, 농후한: a *dense* fog 짙은 안개 **3**
아둔한, 어리석은: *dense* ignorance 지독한
무식 (일자 무식)

— **densely** *adv.* **density** *n.* 밀도

dent [dent] *n.* 움푹 팬 곳, 눌린 자국: a
dent in a helmet 헬멧의 패인 자국

v. [T] 움푹 들어가게 하다; 손상시키다, 악화시
키다

dental [déntl] *adj.* **1** 이의; 치과(용)의: a
dental college 치과 대학

*★**dentist** [déntist] *n.* **1** 치과 의사 **2** (the
dentist's) 치과, 치과 병원: I have to go to
the *dentist's* tomorrow. 나는 내일 치과에
가 봐야 한다.

dentistry [déntistri] *n.* **1** 치과학 **2** 치과
의술

*★**deny** [dinái] *v.* [T] **1** 부정하다, 부인하다:
The accused man *denies* ever having
met her. 그 피고인은 그녀를 만난 적이 있다
는 사실을 부인하고 있다. OPP admit **2** (권
리·요구 등을) 인정하지 않다, 거부하다: *deny*
a request 부탁을 들어주지 않다

— **deniable** *adj.* **denial** *n.*

deodorant [di:óudərənt] *n.* 탈취(방취)
제

depart [dipáːrt] *v.* [I] (열차 등이) 떠나다,
출발하다: The train *departs* at 7:15. 기차
는 7시 15분에 출발한다.

departed [dipáːrtid] *adj.* **1** (최근) 죽은;
지나간, 과거의 **2** (the departed) 고인; 죽은
사람들

*★**department** [dipáːrtmənt] *n.* (*abbr.*
dept.) **1** (정부·공공 기관·회사 등의) 부, 부
문: the export *department* 수출부 **2** (대학
의) 학부, 과

department store *n.* 백화점

*★**departure** [dipáːrtʃər] *n.* **1** 출발, 떠남:
departure card 출국 신고서 **2** (a

departure) (방침 등의) 새로운 출발, 새로운 시도: a new *departure* for company 기업의 새로운 출발

*****depend** [dipénd] *v.* [I] **1** …나름이다, (…에) 달려 있다 (on, upon): His success here *depends* upon effort and ability. 그가 여기서 성공하느냐 못 하느냐는 노력과 능력 여하에 달려 있다. **2** (…에) 의지하다, 의존하다 (on, upon): I have no one but you to *depend* on. 나는 너밖에 의지할 사람이 없다. **3** 믿다, 신뢰하다 (on, upon): I *depend* on you to do it. 나는 네가 그것을 해 주리라고 믿는다.

　[숙어] it (all) **depends, that depends** 그건 때와 형편에 달렸다, 사정 나름이다: "Can you lend me some money?" "*That depends*. How much do you want?" "돈 좀 빌려 줄 수 있어?" "사정 나름이지. 얼마나 필요한데?"

dependable [dipéndəbl] *adj.* 신뢰할 〔믿을〕수 있는 [SYN] reliable

dependence [dipéndəns] *n.* ([영] dependance) **1** 종속(관계·상태) **2** 의지함, 의존(관계·상태) **3** 믿음, 신뢰

dependency [dipéndənsi] *n.* ([영] dependancy) **1** 속국, 보호령 **2** 의존 (상태), 의존물; 종속물 **3** 마약의 의존성, 중독(증)

dependent [dipéndənt] *adj.* ([영] dependant) **1** 의지하고 있는, 도움을 받고 있는: He is *dependent* on his wife's earnings. 그는 아내의 수입에 의존하고 있다. **2** 예속적인, …에 달려 있는: Crops are *dependent* upon weather. 수확은 날씨에 좌우된다. [OPP] independent

n. 의존하고 있는 사람, 부양 가족

depict [dipíkt] *v.* [T] **1** (그림·영상으로) 표현하다, 묘사하다 **2** (언어로) 표현하다, 서술하다

— **depiction** *n.*

deplete [diplí:t] *v.* [T] 고갈시키다: Natural resources will soon be *depleted*. 자원은 곧 고갈될 것이다.

— **depletion** *n.* (부대의) 배치

deplore [diplɔ́:r] *v.* [T] (죽음·과실 등을) 한탄하다, 애도하다

— **deplorable** *adj.* 통탄할, 비참한

deploy [diplɔ́i] *v.* [T] **1** (부대·장비를) 배치하다 **2** …을 효율적으로 사용하다

— **deployment** *n.* (부대의) 배치

deposit [dipázit] *v.* [T] **1** 내려놓다, 두다: He *deposited* his bag on the chair. 그는 가방을 의자 위에 놓았다. **2** 침전시키다, 퇴적시키다: The flood *deposited* a layer of mud on the farm. 홍수로 농장에 진흙 층이 퇴적했다. **3** 예금하다: *deposit* money in a bank 은행에 예금하다 **4** (귀중품 등을) 맡기다: *deposit* valuables with a person 아무에게 귀중품을 맡기다

n. **1** (a deposit) 보증금, 계약금, 착수금: We paid a *deposit* on a house last week. 우리는 지난 주에 집의 계약금을 치렀다. **2** (은행) 예금 **3** 퇴적물, 침전물; 매장물: oil *deposits* 석유 매장량

deposition [dèpəzíʃən] *n.* **1** [법] 선서 증언〔증서〕, 증언〔진술〕조서 **2** 면직, 파면, 폐위 **3** 퇴적〔침전〕물

depreciate [diprí:ʃièit] *v.* **1** [I] 가치가〔가격이〕 떨어지다, 하락하다: A car *depreciates* with age. 시간이 지나면 차의 가치는 떨어진다. **2** [T] 경시하다, 얕보다: Stop *depreciating* yourself. 자기 비하는 그만 해.

— **depreciation** *n.*

depress [diprés] *v.* [T] **1** 풀이 죽게 하다, 우울하게 하다: Her death *depressed* him. 그녀의 죽음으로 그는 풀이 죽었다. **2** 불경기로 만들다: Trade is *depressed*. 시황(市況)은 부진하다. **3** (버튼 등을) 누르다, 내리누르다

*****depressed** [diprést] *adj.* **1** 우울한, 풀이 죽은, 의기소침한: feel *depressed* 마음이 울적하다 **2** 불경기의, 불황의

depressing [diprésiŋ] *adj.* 억누르는; 울적해지는, 침울한: *depressing* news 우울한 뉴스

D

depression [dipréʃən] *n.* **1** 의기소침, 우울; 우울증: If you suffer from *depression*, it's best to get professional help. 네가 우울증에 걸렸다면 전문가의 도움을 받는 게 가장 좋다. **2** 불경기, 불황 **3** 움푹 패인 곳, (지반의) 함몰

deprive [dipráiv] *v.* [T] …에게서 빼앗다, 박탈하다 (of): His failure almost *deprived* him of hope. 그의 실패는 그에게서 모든 희망을 앗아 갔다.
— **deprivation** *n.*

deprived [dipráivd] *adj.* 혜택받지 못한, 가난한, 불우한: He had a *deprived* childhood. 그는 불우한 어린 시절을 보냈다.

dept. *abbr.* department 분과, 학부, 과

depth [depθ] *n.* **1** 깊이, 심도: The well is 30 feet in *depth*. 우물의 깊이는 30피트이다. **2** (집이나 땅의) 앞쪽에서 뒤쪽까지의 거리 **3** (학문의) 심원함; (감정의) 심각성: I was impressed by his *depth* of knowledge. 나는 그의 해박한 지식에 감명받았다. **4** (보통 *pl.*) 한복판, 한창때: in the *depths* of winter 한겨울에
[숙어] **in depth** 철저히, 심층적으로: The accident will be investigated *in depth*. 그 사고는 철저하게 조사될 것이다.

deputy [dépjəti] *n.* 대리인, 대리역: a *deputy* chairman 부의장 / a *deputy* prime minister 부총리 [SYN] vice

derail [diréil] *v.* [T] (기차를) 탈선시키다
— **derailment** *n.*

derive [diráiv] *v.* **1** [T] (감정·이득 등을) …로부터 얻다, 끌어내다: I *derive* great satisfaction from reading books. 나는 책을 읽음으로써 큰 만족감을 얻는다. **2** [I,T] (단어·이름 등이) …에서 유래하다, 파생시켜서 만들다: These words are *derived* from German. 이 단어들은 독일어에서 파생된 것이다.
— **derivation** *n.*

*∗**descend** [disénd] *v.* [I,T] **1** 하강하다, 내리다, 내려가다: The plane started to *descend*. 비행기가 하강하기 시작했다. / She *descended* from the train slowly. 그녀는 기차에서 천천히 내렸다. [OPP] ascend **2** …의 자손이다, 계통을 잇다; (토지·재산·성질 등이) 전해지다: This farm has *descended* from father to son. 이 농장은 아버지로부터 아들에게 물려졌다.
— **descending** *adj.*

descendant [diséndənt] *n.* 자손, 후예 [OPP] ancestor

descent [disént] *n.* **1** 하강, 내리기 [OPP] ascent **2** 내리막길 **3** 가계, 혈통, 출신: an American of Irish *descent* 아일랜드계 미국인

*∗**describe** [diskráib] *v.* [T] (사물·상황을) 기술하다, (말로) 묘사하다: Can you *describe* the man to me? 그 남자의 모습을 나에게 이야기해 주겠니? / He *described* exactly what had happened. 그는 무슨 일이 일어났는지 정확히 기술했다.

description [diskrípʃən] *n.* **1** 기술, 묘사, 서술: give a *description* of …을 기술하다 **2** 종류, 등급: books of every *description* 모든 종류의 책들
— **descriptive** *adj.*

*∗**desert**[1] [dézərt] *n.* 사막, 황무지

*∗**desert**[2] [dizə́ːrt] *v.* **1** [T] 버리다, 유기하다, 돌보지 않다: He *deserted* his wife and children. 그는 아내와 자식들을 버렸다. [SYN] abandon **2** [I,T] (병사·선원 등이) 탈영(탈주)하다
— **desertion** *n.* **deserter** *n.* 탈영병

deserted [dizə́ːrtid] *adj.* 사람이 살지 않는, 황폐한: a *deserted* house 사람이 살지 않는 집

*∗**deserve** [dizə́ːrv] *v.* [T] …할 만하다, 받을 가치가 있다: He has done a lot of work and he *deserves* a break. 그는 일을 많이 했으니 휴식을 취할 만하다. / They *deserve* to be punished severely for such a crime. 그들은 그러한 범죄에 대해서 가혹한 벌을 받아 마땅하다.

— **deserving** *adj.*

deserved [dizə́:rvd] *adj.* (상·벌·보상 등이) 당연한, 정당한: a well-*deserved* punishment 당연히 받아야 할 벌
— **deservedly** *adv.*

***design** [dizáin] *n.* **1** 설계(도), 계획: machine *design* 기계 설계 / The architect showed us a *design* for a bridge. 건축기사는 우리에게 다리의 설계도를 보여 주었다. **2** 디자인, 도안, 밑그림 **3** 무늬, 본: a vase with a *design* of roses on it 장미 무늬가 있는 꽃병 SYN pattern
v. **1** [I,T] 설계하다, 설계도를 작성하다 **2** [T] 고안하다, …하려고 생각하다: It's not *designed* for anyone under age eighteen. 그것은 18세 이하용으로 고안된 것이 아니다.
— **designer** *n.* 디자이너

designate [dézignèit] *v.* [T] **1** …라고 부르다, 명명하다: Trees, moss, and ferns are *designated* as plants. 수목, 이끼, 양치류는 식물이라고 불린다. **2** 지명하다, 임명하다: He *designated* me to work under for him. 그는 나를 그의 부하로서 일하도록 지명했다. / *designated* hitter [야구] 지명 타자 **3** 가리키다, 표시하다, 나타내다: On this map red lines *designate* main roads. 이 지도에서 붉은 선은 주요 도로를 나타낸다.
— **designation** *n.*

desirable [dizáiərəbəl] *adj.* **1** 바람직한, 갖고 싶은: *desirable* surroundings 바람직한 환경 **2** 호감이 가는, 매력 있는: *desirable* companions 마음에 드는 친구 OPP undesirable
— **desirably** *adv.*

***desire** [dizáiər] *n.* **1** 욕구, 욕망: His *desire* to succeed was strong. 그의 출세욕은 강했다. **2** 식욕; 성욕: sexual *desire* 성욕 **3** 소망하는 것
v. [T] 바라다, 원하다: Everybody *desires* to be happy. 누구나 행복해지기를 원한다.

desirous [dizáiərəs] *adj.* 원하는, 열망하는: I am *desirous* to know further details. 나는 좀 더 자세한 사항을 알고 싶다.

***desk** [desk] *n.* **1** 책상 **2** (신문사의) 편집부 **3** (호텔 등의) 접수원

desktop [désktàp] *n.* **1** 책상의 작업면 **2** (프로그램을 나타내는 아이콘들이 떠 있는) 컴퓨터 스크린 **3** 탁상용 컴퓨터 (desktop computer) *cf.* laptop 랩탑 컴퓨터, palmtop 팜탑 (손바닥만한) 컴퓨터

desolate [désəlit] *adj.* **1** 황폐한, 황량한 **2** 쓸쓸한, 고독한
— **desolately** *adv.* **desolation** *n.*

despair [dispέər] *n.* 절망, 자포자기: He fell into the depths of *despair* when he couldn't find a job. 그는 일자리를 구하지 못하자 자포자기했다.
v. [I] 절망하다, 단념하다: She *despaired* of ever going back to her hometown. 그녀는 고향에 돌아가는 것을 단념했다.
— **despairing** *adj.*

desperate [déspərit] *adj.* **1** 자포자기의, 무모한 **2** 필사적인: I was *desperate* to get a job. 나는 취직하는 데 필사적이었다. **3** 끔찍한, 매우 심각한: There was a *desperate* shortage of skilled workers. 숙련된 일꾼이 너무도 부족했다.
— **desperately** *adv.* **desperation** *n.*

despicable [déspikəbəl] *adj.* 야비한, 비열한

despise [dispáiz] *v.* [T] 경멸하다, 몹시 싫어하다: I *despise* liars. 나는 거짓말쟁이를 경멸한다.

despite [dispáit] *prep.* …에도 불구하고: He is very strong *despite* his age. 그는 노령임에도 불구하고 매우 정정하다. SYN in spite of

***dessert** [dizə́:rt] *n.* 디저트, 후식: I would like to have ice cream for *dessert*. 저는 디저트로 아이스크림을 먹을래요.

destination [dèstənéiʃən] *n.* (여행 등의) 목적지, 행선지

destine [déstin] *v.* [T] **1** (어떤 목적·용도로) 예정하다: *destine* the day for a reception 그 날을 환영회 날로 정해 두다 **2** (보통 수동태) 운명으로 정해지다

destined [déstind] *adj.* **1** 운명으로 정해진: They were *destined* never to meet again. 그들은 두 번 다시 못 만날 운명이었다. [SYN] fated **2** …행의: a ship *destined* for Hong Kong 홍콩행의 배 [SYN] bound for

destiny [déstəni] *n.* 운명, 숙명 [SYN] fate

destitute [déstətjù:t] *adj.* **1** 빈곤한 **2** (…이) 결핍한, 없는 (of): He is a man *destitute* of passion. 그는 열정이라고는 없는 사람이다.
— **destitution** *n.*

*****destroy** [distrɔ́i] *v.* [T] **1** 파괴하다, 부수다: The invaders *destroyed* the whole city. 침입군은 도시 전체를 파괴했다. **2** (위험하거나 부상당한 동물을) 죽이다 **3** (계획·희망 등을) 망치다, 무효로 만들다

destroyer [distrɔ́ier] *n.* **1** [군대] 구축함 **2** 파괴자; 파괴하는 것

destruction [distrʌ́kʃən] *n.* 파괴, 멸망: the *destruction* of the environment 환경 파괴 / weapons of mass *destruction* 대량 살상 무기
— **destructive** *adj.*

detach [ditǽtʃ] *v.* [T] **1** 떼어내다, 분리하다 (from): You can *detach* the hood from the coat. 코트에서 모자를 떼어낼 수 있다. [OPP] attach **2** (군대·군함 등을) 파견하다: Soldiers were *detached* to guard the visiting princess. 병사들은 내방한 왕녀를 경호하기 위해 파견되었다.
— **detachable** *adj.*

detached [ditǽtʃt] *adj.* **1** 떨어진, 분리한: a *detached* house 독립 가옥 **2** 초연한, 편견이 없는: take a *detached* view of things 사물을 공평히 보다 [SYN] impartial

detachment [ditǽtʃmənt] *n.* **1** (세속·이해 등으로부터) 초연함, 공평 **2** [군대] 파견대 **3** 분리, 이탈

*****detail** [dí:teil] *n.* **1** 세부, 세목: Tell me the main points first, and then the *detail*. 우선 내게 요점을 말해 준 다음 세부적인 사항을 말해 줘. **2** (details) 상세한 정보: For further *details*, please call 02-2077-5657. 보다 상세한 정보를 원하시면 02-2077-5657로 전화 주십시오.
v. [T] 상술하다, 열거하다: *detail* a plan to a person 아무에게 계획을 상세히 설명하다
— **detailed** *adj.*
[숙어] in detail 상세히, 자세히: He told us the matter *in detail*. 그는 그 일을 우리에게 자세히 이야기했다.

detain [ditéin] *v.* [T] **1** 억류〔유치, 구류〕하다: The police *detained* him as a suspect. 경찰은 그를 용의자로 구금했다. **2** 붙들어 두다, 기다리게 하다: I won't *detain* you more than five minutes. 5분 이상 붙들어 두지는 않겠네.
— **detention** *n.*

detect [ditékt] *v.* [T] 간파하다, …임을 알아내다: I *detected* a change in her attitude. 나는 그녀의 태도에 변화가 생겼음을 알아냈다.
— **detectable** *adj.* **detection** *n.*

detective [ditéktiv] *n.* 탐정, 형사: a private *detective* 사립 탐정 / a *detective* story〔novel〕 추리 소설, 탐정 소설

detector [ditéktər] *n.* 감지기, 탐지기: a lie *detector* 거짓말 탐지기

détente, detente [deitá:nt] *n.* (국가 간의) 긴장 완화, 데탕트

detention [diténʃən] *n.* **1** 구류, 구금: under *detention* 구류되어 **2** (벌로서) 방과 후 잡아 두기
— **detain** *v.*

deter [ditə́:r] *v.* [T] (deterred-deterred) 만류하다, 단념시키다, 방해하다 (from doing): Nothing can *deter* him from doing his duty. 어떤 일도 그의 직무 수행을 막을

수는 없다.

detergent [ditə́:rdʒənt] *n.* 합성 세제

deteriorate [ditíəriərèit] *v.* [I,T] 나쁘게 하다, 저하시키다; 저하하다: The weather conditions *deteriorated*. 날씨가 나빠졌다.
— **deterioration** *n.*

determination [ditə̀:rmənéiʃən] *n.* **1** 결심, 결의: his *determination* to master English 영어를 철저히 습득하려는 그의 결의 **2** 결정, 확정: the *determination* of the boundary between the two countries 양국 간의 국경 확정

***determine** [ditə́:rmin] *v.* [T] **1** 결심하다 **2** (조사하여) 밝혀내다: We need to *determine* what really happened. 우리는 진상을 밝혀내야 한다. [SYN] find out **3** 결정하다, 조건짓다: Hair color is genetically *determined*. 머리색은 유전자에 의해 결정된다. **4** (날짜 · 조건 등을) 정하다, 예정하다: We have not yet *determined* what to do. 우리는 무엇을 할 것인가를 아직 정하지 않았다.

determined [ditə́:rmind] *adj.* (단단히) 결심한, 결의가 굳은, 단호한: I am *determined* to go. 나는 기어코 갈 작정이다.

detest [ditést] *v.* [T] 몹시 싫어하다, 혐오하다: I *detest* dishonest people. 나는 부정직한 사람들을 몹시 싫어한다. [SYN] hate
— **detestable** *adj.*

detestation [dì:testéiʃən] *n.* **1** 증오, 혐오 **2** 몹시 싫은 사람[것]

dethrone [diθróun] *v.* [T] **1** 폐위시키다 **2** (권위 있는 지위에서) 쫓아내다
— **dethronement** *n.*

detract [ditrǽkt] *v.* [I,T] (가치 · 명성 등을) 떨어뜨리다, 손상시키다: This will *detract* much from his fame. 이것으로 그의 명성은 크게 떨어질 것이다.

devastate [dévəstèit] *v.* [T] **1** (국토 · 토지 등을) 황폐시키다: The country had been *devastated* by the long war. 그 나라는 오랜 전쟁으로 황폐화되었다. **2** (사람을) 망연자실하게 하다, 놀라게 하다
— **devastation** *n.*

***develop** [divéləp] *v.* **1** [I,T] 발전하다, 발육하다, 진화하다: The situation *developed* rapidly. 사태가 급속히 전개되었다. / Rain and sun *develops* plants. 비와 태양은 식물을 발육시킨다. **2** [I,T] (병에) 걸리다, (증상이) 나타나다: Symptoms of cancer *developed*. 암 증상이 나타났다. **3** [T] (이야기 · 생각 등을) 진전시키다 **4** [T] (필름을) 현상하다: print the *developed* films 현상된 필름을 인화하다 **5** [T] (자원 · 기술 · 토지 등을) 개발하다, (택지를) 조성하다

developed [divéləpt] *adj.* 고도로 발전한, 진보된: a highly *developed* industry 고도로 발달된 산업 / *developed* countries 선진국들

development [divéləpmənt] *n.* **1** 발달, 발전; 발육, 성장: economic *development* 경제 발전 / intellectual *development* 지능의 발달 **2** (자원 · 기술 등의) 개발; (재능 등의) 계발: research and *development* (기업 등의) 연구 개발 **3** 새로운 사실[사태]: Have there been any political *developments* since last week? 지난 주 이후로 새로운 정치 뉴스가 좀 있습니까? **4** (택지의) 조성, 개발; 단지: a new housing *development* 새로운 주택 단지

deviate [dí:vièit] *v.* [I] (규칙 · 원칙 등에서) 벗어나다, 빗나가다
— **deviation** *n.*

device [diváis] *n.* **1** 장치, 설비, 고안물: a safety *device* 안전 장치 **2** 계획, 방책, 고안

***devil** [dévl] *n.* **1** (the Devil) 마왕, 사탄 **2** 악마, 악귀, 악령: Talk[Speak] of the *devil*, and he will appear. [속담] 호랑이도 제 말하면 온다. (악마에 대해 이야기하면 악마가 나타난다.) **3** (불쌍한) 놈: The poor *devil* has been ill for months. 그 불쌍한 녀석은 몇 달 동안 아팠다.

D

devilish [dévliʃ] *adj.* 악마 같은, 극악무도한

***devise** [diváiz] *v.* [T] 궁리하다, 고안하다
— **deviser** *n.* 고안자, 계획자

devoid [divɔ́id] *adj.* …이 전혀 없는, …이 결여된 (of): a book *devoid* of interest 전혀 흥미를 끌지 못하는 책

***devote** [divóut] *v.* [T] (노력·돈·시간 등을) 바치다 (to): She *devoted* her whole life to ballet. 그녀는 발레에 일생을 바쳤다. 숙어 **devote oneself to** …에 헌신하다, …에 전념하다: He *devoted* himself to the study of science. 그는 과학 연구에 전념했다.

devoted [divóutid] *adj.* 충실한, 헌신적인: a *devoted* father 헌신적인 아버지
— **devotedly** *adv.*

devotee [dèvoutí:] *n.* 열성가: *devotees* of science fiction 공상 과학 소설을 매우 좋아하는 사람들

devotion [divóuʃən] *n.* **1** 헌신적인 애정, 열애: a mother's *devotion* to her child 자식에 대한 어머니의 헌신적인 애정 **2** 헌신, 전념 **3** 귀의(歸依), 신앙심

devour [diváuər] *v.* [T] **1** 게걸스럽게 먹다 **2** (질병·화재 등이) 멸망시키다

devout [diváut] *adj.* 독실한, 경건한
— **devoutly** *adv.*

dew [dju:] *n.* 이슬

dewdrop [djú:drɑ̀p] *n.* 이슬 (방울)

dewy [djú:i] *adj.* (dewier-dewiest) 이슬에 젖은, 이슬을 머금은

dexterity [dekstérəti] *n.* 솜씨 좋음, 기민함

dexterous [dékstərəs] *adj.* 솜씨 좋은, 능란한: a *dexterous* pianist 능란한 피아니스트
— **dexterously** *adv.*

diabetes [dàiəbí:tis] *n.* 당뇨병

diagnose [dáiəgnòus] *v.* [T] **1** 진단하다: The doctor *diagnosed* her case as tuberculosis. 의사는 그녀의 병을 결핵으로 진단했다. ※ 사람을 목적어로 쓰지 않는다. **2** (문제 등의) 원인을 규명하다

diagnosis [dàiəgnóusis] *n.* (*pl.* diagnoses) [의학] 진단

diagonal [daiǽgənəl] *n. adj.* 대각선(의), 사선(의)
— **diagonally** *adv.*

diagram [dáiəgræm] *n.* 도형, 도표

***dial** [dáiəl] *n.* **1** (시계·기계 등의) 눈금판 **2** (라디오 등의) 지침반 **3** (구식 전화기의) 숫자반
v. [I,T] (dial(l)ed-dial(l)ed) (다이얼을 돌리거나 번호를 눌러) 전화를 걸다: *Dial* me at home. 집으로 전화하세요.

dialect [dáiəlèkt] *n.* 방언, 지방 사투리
— **dialectic** *adj.*

dialog, dialogue [dáiəlɔ̀:g] *n.* **1** 대화 **2** 토론, 회담

diameter [daiǽmitər] *n.* 직경, 지름

***diamond** [dáiəmənd] *n.* **1** 다이아몬드 **2** 다이아몬드 모양 **3** [카드] 다이아몬드 패

diaper [dáiəpər] *n.* ([영] nappy) 기저귀

***diary** [dáiəri] *n.* **1** 일기 **2** 일기장: I keep a *diary*. 나는 일기를 쓴다.

dice [dais] *n.* (*pl.*) 주사위 ※ 단수는 die 또는 dice라고 한다. 이 두 단어의 복수형은 dice이다.

dictate [díkteit] *v.* [I,T] **1** 받아쓰게 하다: He *dictated* a letter to the secretary. 그는 비서가 편지를 받아쓰도록 했다. **2** 명령하다, 지시하다: Do what your conscience *dictates*. 네 양심이 명하는 대로 따르라.

***dictation** [diktéiʃən] *n.* 받아쓰기

dictator [díkteitər] *n.* 독재자, 절대 권력자

dictatorial [dìktətɔ́:riəl] *adj.* **1** 독재자의, 전제적인 **2** 명령적인, 오만한

dictatorship [díkteitərʃìp] *n.* 독재 (권); 독재 정권[정부, 국가]

***dictionary** [díkʃənèri] *n.* 사전, 옥편: Look it up in the *dictionary*. 그것을 사전

에서 찾아보아라.

*die [dai] *v.* (died-died; dying) **1** [I,T] 죽
다: She *died* young. 그녀는 젊은 나이에 죽
었다. **2** [I] 사라지다: This memory will
never *die*. 이 기억은 결코 잊혀지지 않을 것
이다.

— **dying** *adj.*

축어 **be dying for**(**to**) …을(하기를)
간절히 바라다: I'm *dying for* a cup of
tea. 차 한 잔 생각이 간절한데. / He *is
dying to* see his son again. 그는 아들을
다시 만나기를 고대하고 있다.

die away (바람 · 소리 등이) 잠잠해지다:
The music softly *died away*. 음악은 서서
히 잠잠해졌다.

die from(**of**) …으로 죽다

※ 보통 from은 '부상 · 사고 · 부주의' 등의
비교적 간접적인 원인에, 어는 '병 · 배고픔 ·
노쇠' 등의 직접적인 원인에 사용한다.: *die
from* a wound 부상으로 인하여 죽다 / *die
of* lung cancer 폐암으로 죽다

die hard (습관 · 신앙 등이) 좀처럼 사라지
지 않다: Old habits *die hard*. 오래된 습관
은 고치기 힘들다.

die laughing 포복절도하다

die out 사멸하다, 소멸하다: Many old
customs are gradually *dying out*. 많은
낡은 관습들이 차츰 소멸해 간다.

diehard [dáihὰːrd] *n.* 완강한 저항자

diesel [díːzəl] *n.* **1** 디젤 (중유의 일종):
My car runs on *diesel*. 내 차는 디젤을 땐
다. **2** 디젤 엔진의 차: My old car was a
diesel. 내가 전에 사용하던 차는 디젤 엔진의
자동차였다.

*diet [dáiət] *n.* **1** (일상의) 식품, 음식물: In
Asia, rice is a basic food in the *diet*.
아시아에서는 쌀이 식품 중에서 기본 먹거리이
다. **2** (치료 · 체중 조절을 위한) 규정식, 식이
요법: take a *diet* 규정식을 먹다

v. [I] (특히 체중 감량을 위해) 식이 요법을 하
다

축어 **be**(**go**) **on a diet** 규정식을 먹다,

식이 요법을 하다: I have *been on a diet*
for six weeks. 나는 6주 동안 다이어트 중이
다.

differ [dífər] *v.* [I] **1** 다르다, 틀리다: The
two regions *differ* in religion and
culture. 두 지역은 종교와 문화가 다르
다. **2** 의견이 다르다: He *differs* with me
entirely. 그는 나와 의견이 전혀 다르다.

축어 **differ from** …와 다르다: French
differs from English in many points.
프랑스 어는 많은 점에서 영어와 다르다.

difference [dífərəns] *n.* **1** 다름, 차이:
What's the *difference* between this
book and that cheaper one? 이 책과 저
기 좀 더 싼 책의 차이점은 무엇인가요? OPP
similarity **2** 의견의 차이, 불화: *differences*
of opinion 의견의 차이 **3** (수 · 양의) 차:
The *difference* between 9 and 6 is 3. 9
와 6의 차는 3이다.

축어 **make a difference** 차이를 낳다,
영향을 미치다: One false step will *make
a great difference*. 한 걸음 실수가 큰 차이
를 낳는다.

make no difference 차이가 없다, 중요
치 않다: Success or failure *makes no
difference* to us. 우리에게 성패는 중요치 않
다.

*different [dífərənt] *adj.* **1** 다른, 상이한:
Man is *different* from other animals.
인간은 다른 동물과 다르다. OPP similar **2**
각각의, 별개의: It's a *different* matter. 그
것은 별개의 문제다.

— **differently** *adv.*

differential [dìfərénʃəl] *n.* **1** (동일 기
업 내의 숙련도에 의한) 임금차 **2** 차동(差動)
톱니바퀴 (differential gear)

adj. (명사 앞에만 쓰임) 차별의, 차별적인

differentiate [dìfərénʃièit] *v.* **1** [I,T]
구별하다, 식별하다: For color-blind
people, it's difficult to *differentiate*
between red and green. 색맹인 사람들
에게 붉은색과 초록색을 구별하는 것은 어렵다.

SYN distinguish **2** [T] 차별화하다: The male's body color *differentiates* it from the female. 숫컷의 몸 색깔이 숫컷을 암컷과 차별화해 준다. SYN distinguish **3** [I] 차별 대우하다: This company does not *differentiate* between men and women. 이 회사는 남성과 여성을 차별하지 않는다. SYN discriminate
— **differentiation** *n.*

****difficult** [dífikʌlt] *adj.* **1** 어려운, 곤란한, 난해한: This problem is *difficult* to solve. 이 문제는 풀기 어렵다. **2** (사람이) 까다로운, 완고한: He is a *difficult* person to get on with. 그는 사귀기 어려운 사람이다.

difficulty [dífikʌlti] *n.* **1** 어려움: These exercises are arranged in order of their *difficulty*. 이 연습 문제들은 어려운 순서대로 배열되어 있다. **2** 역경, 곤경, 어려운 일: He overcame many *difficulties*. 그는 많은 역경을 이겨냈다. **3** 곤란함, 어려움, 장애: Did you have *difficulty* in doing your homework? 숙제하는 데 뭐 어려운 것은 없었니?

[숙어] **have difficulty in -ing** …하는 데 고생하다: He *has difficulty in* hearing. 그는 난청이다.

diffuse [difjúːz] *v.* **1** [T] (빛 · 열 등을) 발산하다 **2** [I,T] (기체 · 액체를) 확산(擴散)시키다 **3** [I,T] 흩뜨리다, 퍼뜨리다: His fame is *diffused* throughout the city. 그의 명성은 온 도시에 널리 퍼져 있다.
adj. [difjúːs] 흩어진, 널리 퍼진
— **diffusion** *n.*

diffusive [difjúːsiv] *adj.* 널리 퍼지는, 확산성의

****dig** [dig] *v.* (dug-dug; digging) **1** [I,T] (땅을) 파다, 파헤치다: The kids are busy *digging* in the sand. 아이들이 모래를 파헤치느라 분주하다. / *dig* a well 우물을 파다 **2** [T] 캐다: *dig* potatoes 감자를 캐다 **3** [I] (사물 · 정보 등을) 찾다, 찾아내다: *dig* for gold 금을 찾아 땅을 파다

n. **1** 발굴 작업[지] **2** 찌르기, 쿡 찌름: give a person a *dig* in the ribs 아무의 옆구리를 쿡 찌르다 **3** 빈정거림, 빗댐: That's a *dig* at me. 그것은 나를 비꼬는 거다.

[숙어] **dig in 1** 열심히 …하기 시작하다: She *dug in* and got high marks in the test. 그녀는 열심히 공부해서 시험에서 높은 점수를 받았다. **2** 먹기 시작하다

digest [daidʒést] *v.* **1** [I,T] 소화하다: I can't *digest* meat easily. 나는 고기는 소화가 잘 안 된다. **2** [T] …의 뜻을 음미하다, 이해하다: This book is so difficult to *digest*—I have to read it again later. 이 책은 이해하기 너무 어렵다. 나중에 다시 읽어 봐야겠다.
n. [dáidʒest] 요약, 개요; 요약판
— **digestion** *n.* 소화 (작용)

digestible [daidʒéstəbəl] *adj.* 소화하기 쉬운 OPP indigestible

digestive [daidʒéstiv] *adj.* 소화의, 소화력이 있는: the *digestive* system 소화기 계통

digger [dígər] *n.* **1** 구멍 파는 기계 **2** 파는 사람[동물]

digit [dídʒit] *n.* 아라비아 숫자 (0에서 9중의 하나): an eight-*digit* telephone number 8자리의 전화 번호

digital [dídʒitl] *adj.* **1** 숫자의, 숫자를 사용하는 **2** [전자] 디지털 방식의: a *digital* transmission system (정보의) 디지털 전송 방식

digitize, digitise [dídʒitàiz] *v.* [T] (컴퓨터가 쉽게 읽고 작업할 수 있도록 자료를) 디지털화하다

dignify [dígnəfài] *v.* [T] 위엄을 갖추다
— **dignified** *adj.*

dignitary [dígnətèri] *n.* **1** 고귀한 사람 **2** (정부의) 고관

dignity [dígnəti] *n.* **1** (태도 등이) 무게 있음, 위엄: a man of *dignity* 위엄 있는 사람 **2** 존엄, 존엄성: the *dignity* of labor 노동의 존엄성

dilemma [dílémə] *n.* 진퇴양난, 궁지, 딜레마: I'm in a *dilemma* about whether I should go or not. 가야 할지 가지 말아야 할지 진퇴양난이다.

*****diligent** [díləd3ənt] *adj.* 근면한, 부지런한
— **diligently** *adv.* **diligence** *n.*

dim [dim] *adj.* (dimmer-dimmest) **1** 어둑한, 어스레한: a *dim* room 어둑한 방 **2** (이해력·청력이) 둔한 **3** 가망성이 희박한: His chances of survival are *dim*. 그의 생존 가능성은 희박하다.
v. [I,T] (dimmed-dimmed) 어둑해지다, 흐리게 하다: The lights *dimmed*. 불빛이 침침해졌다.
— **dimly** *adv.*

dime [daim] *n.* 다임 (미국·캐나다에서 사용하는 10센트 니켈 동전)

dimension [dimén∫ən] *n.* **1** 차원(次元): A diagram represents things in two *dimensions*. 도형은 2차원으로 물체를 표현한다. / fourth *dimension* 4차원 **2** (dimensions) (길이·폭·두께의) 치수, 용적, 면적: What are the room's *dimensions*? 방의 치수는 얼마나 됩니까? **3** (dimensions) 크기; 중요도, 심각성: a building of vast *dimensions* 굉장히 큰 건물 **4** 일면, 양상: His retirement has added a new *dimension* to their lives. 그의 퇴직은 그들의 삶에 새로운 양상을 더했다.
— **dimensional** *adj.* …차원의

diminish [dəmíni∫] *v.* [I,T] (수량·크기·중요성 등을) 줄이다, 감소시키다: The country has *diminished* in population. 그 나라는 인구가 감소했다. / Illness had seriously *diminished* his strength. 병으로 그의 힘은 몹시 쇠약해졌다. OPP increase

diminution [dìmənjú:∫ən] *n.* 감소, 축소

diminutive [dimínjətiv] *adj.* 소형의, 작은
n. **1** 축소형, 애칭 **2** 작은 사람(물건)

dimple [dímpəl] *n.* 보조개

din [din] *n.* 떠듦, 소음: make a *din* 쾅쾅 소리를 내다

dine [dain] *v.* [I] 정찬을 들다, (특히) 저녁 식사를 하다
※ 보통 have dinner라고 한다.
축어 **dine out** (레스토랑에서) 외식하다: We frequently *dine out* these days. 우리는 요즘 자주 외식한다.

diner [dáinər] *n.* **1** 식사하는 사람 **2** = dining car

dining car *n.* 식당차

dining room *n.* (가정·호텔의 정식 식사를 하는) 식당

dining table *n.* 식탁

*****dinner** [dínər] *n.* **1** 정찬 (하루 중 제일 주요한 식사): ask a person to *dinner* 아무를 정찬에 초대하다 **2** 공식 만찬(회)

dinosaur [dáinəsɔ̀:r] *n.* 공룡

dint [dint] *n.* **1** 힘, 폭력 **2** 맞은 자국, 움푹 팬 곳
축어 **by dint of** …의 힘으로, …에 의하여: He succeeded *by dint of* hard work. 그는 열심히 일했기 때문에 성공했다. SYN by means of

dioxide [daiáksaid] *n.* [화학] 이산화물(二酸化物)

dip [dip] *v.* (dipped-dipped) **1** [T] 살짝 담그다, 적시다: He *dipped* the bread into the milk. 그는 빵을 우유에 적셨다. **2** [I,T] 내려가다, 내리다: The road suddenly *dipped* down to the lake. 길이 갑자기 호수 쪽으로 내리막이 되었다.
n. **1** (가격 등의 일시적인) 하락 **2** (도로의) 경사, 침하 **3** 잠깐의 멱감기: She had a *dip* in the sea. 그녀는 잠깐 해수욕을 했다. **4** (비스킷 등을 찍어 먹는) 소스

diploma [diplóumə] *n.* (대학의) 졸업 증서, 학위 수여증

diplomacy [diplóuməsi] *n.* **1** 외교 **2** 외교적 수완, 절충의 재능

diplomat [dípləmæ̀t] *n.* 외교관

diplomatic [dìpləmǽtik] *adj.* **1** 외교

의: break off *diplomatic* relations 외교 관계를 단절하다 **2** 외교 수완이 있는, 요령이 좋은: a *diplomatic* answer 요령 있는 대답
— **diplomatically** *adv.*

dipper [dípər] *n.* **1** 국자, 퍼내는 도구 **2** (the Dipper) 북두칠성

*****direct** [dirékt, dairékt] *adj. adv.* **1** 직접의; 직접(적)으로: There is a *direct* link between smoking and lung cancer. 흡연과 폐암 사이에는 직접적인 관련이 있다. / I'm in *direct* contact with them. 나는 그들과 직접 접촉하고 있다. / *direct* sunlight 태양의 직사 광선 **2** (중간에 정차하지 않는) 직행의[으로]: a *direct* train 직행 열차 **3** 솔직한, 명백한: Would you give me a *direct* answer to my questions? 나의 질문들에 솔직하게 대답해 줄 수 있겠니? **4** (명사 앞에만 쓰임) 정면의, 절대의: What he did was in *direct* opposition to my orders. 그는 내가 시킨 일을 정반대로 했다.
v. [T] **1** (주의·발걸음·시선 등을 어떤 방향으로) 돌리다, 향하게 하다: He *directed* his steps toward home. 그는 발걸음을 집으로 돌렸다. **2** 관리하다, 감독하다: A policeman is in the middle of the road, *directing* the traffic. 경찰이 교통 정리를 하면서 도로 한복판에 서 있다. **3** …에게 길을 가리켜 주다: Can you *direct* me to the station? 역으로 가는 길을 가리켜 줄 수 있습니까? **4** 지시하다, 명령하다: He *directed* his son to clean the window. 그는 아들에게 창문을 닦으라고 지시했다. **5** (영화·연극 등을) 감독[연출]하다

direction [dirékʃən] *n.* **1** 방향, 방면: a sense of *direction* 방향 감각 / in the *direction* of …의 방향으로 / We shook hands and walked off in opposite *directions*. 우리는 악수를 하고 반대 방향으로 급히 떠났다. **2** (보통 *pl.*) 지시, 지시서, 사용법: *directions* for use 사용법 **3** 지도, 지휘, 감독: The badminton team is under the *direction* of Mr. Lee. 배드민

턴 팀은 이 선생님의 지도 아래에 있다. **4** (행동·사상 등의) 경향, 방침; 목적, 목표
[숙어] **in all directions** 사방으로: They fled *in all directions*. 그들은 사방으로 도망쳤다.

directly [diréktli] *adv.* **1** 똑바로, 직접: The path leads *directly* to the lake. 오솔길은 곧장 호수로 통하고 있다. **2** 솔직하게, 숨김없이: She always answers questions *directly*. 그녀는 언제나 질문에 솔직하게 답한다. **3** 곧, 즉시: Do that *directly*. 즉시 그것을 해라. **4** 바로: *directly* below 바로 아래에

director [diréktər] *n.* **1** (회사의) 중역, 이사: the board of *directors* 이사회 **2** 지도자, 관리자, …장 **3** [영화] 감독, [연극] 연출가

directory [diréktəri] *n.* **1** 인명부, 주소 성명록: a telephone *directory* 전화 번호부 **2** [컴퓨터] 디렉터리

dirt [dəːrt] *n.* **1** 먼지, 진흙, 오물 **2** 흙 [SYN] earth, soil **3** 욕, 뒷공론

*****dirty** [də́ːrti] *adj.* (dirtier-dirtiest) **1** 더러운, 흙투성이의: *dirty* fingernails 더러운 손톱 [SYN] clean **2** 외설적인, 음란한: a *dirty* joke 외설적인 농담 / a *dirty* word 외설스런 말, 금구 **3** 공정하지 못한, 교활한: *dirty* trick 비겁한 수법[짓]
v. [I,T] 더러워지다, 더럽히다: Don't *dirty* your new shirt. 새 셔츠를 더럽히지 마라.
— **dirtily** *adv.* **dirtiness** *n.*

dis- *prefix* '비(非)…, 무…, 반대, 분리, 제거' 등의 뜻.

disability [dìsəbíləti] *n.* **1** 무력, 무능 **2** 불구, 장애

disable [diséibəl] *v.* [T] (종종 수동태) 불구로 만들다: He was *disabled* in the war. 그는 전쟁으로 불구가 되었다.

disabled [diséibəld] *adj.* **1** 불구가 된: a *disabled* list 부상 선수 명단 / a *disabled* soldier 상이병 **2** (the disabled) 신체 장애자들

disadvantage [dìsədvǽntidʒ] *n.* **1**

불리, 불이익, 단점: It is sometimes a *disadvantage* to be small. 몸집이 작으면 불리할 때도 있다. OPP advantage **2** 손해, 손실

— **disadvantageous** *adj*

숙어 **be at a disadvantage** 불리한 입장에 서다: I *was at a disadvantage* because I didn't speak English. 영어를 쓰지 않았기 때문에 불리한 입장에 놓였다.

to one's disadvantage …에게 불리한

disadvantaged [dìsədvǽntidʒd] *adj.* 불리한 조건에 놓인, 불우한

disagree [dìsəgríː] *v.* [I] **1** 의견이 다르다, 다투다: He *disagreed* with me on every topic. 그는 어떤 문제에서나 나와 의견이 달랐다. **2** 일치하지 않다, 다르다: Your theory *disagrees* with the facts. 당신의 이론은 사실과 일치하지 않습니다. **3** (기후·음식 등이) 적합하지 않다, 해가 되다 (with): Seafood *disagrees* with me. 해산물은 내 체질에 잘 맞지 않는다.

OPP agree

— **disagreement** *n.*

disagreeable [dìsəgríːəbəl] *adj.* 불유쾌한, 마음에 들지 않는 OPP agreeable

disappear [dìsəpíər] *v.* [I] **1** (모습이) 사라지다, 보이지 않게 되다: She *disappeared* in the crowd. 그녀는 군중 속으로 사라졌다. **2** (존재가) 사라지다, 소멸되다: Wild animals are *disappearing* at an alarming rate. 야생 동물들이 놀라운 속도로 사라지고 있다.

OPP appear

— **disappearance** *n.*

disappoint [dìsəpɔ́int] *v.* [T] 실망시키다, 낙담시키다: I'm sorry to *disappoint* you but I have to cancel the date. 실망시켜서 미안하지만 데이트를 취소해야겠어.

*****disappointed** [dìsəpɔ́intid] *adj.* 실망한, 낙담한: I am *disappointed* in you. 너한테 실망했다.

disappointing [dìsəpɔ́intiŋ] *adj.* 실망

시키는, 기대에 어긋나는

— **disappointingly** *adv.*

disappointment [dìsəpɔ́intmənt] *n.* **1** 실망: To my *disappointment*, the picnic was canceled. 실망스럽게도, 소풍은 취소되었다. **2** 실망시키는 것, 생각보다 시시한 일〔것, 사람〕: The movie was a *disappointment*. 영화는 실망을 안겨 주었다.

disapproval [dìsəprúːvəl] *n.* **1** 안 된다고 하기, 불찬성, 반대 의견: He shook his head in *disapproval*. 그는 안 된다는 뜻으로 머리를 가로저었다. **2** 불만, 비난: She looked at my dirty clothes with *disapproval*. 그녀는 내 더러워진 옷을 비난하는 눈초리로 바라보았다.

OPP approval

disapprove [dìsəprúːv] *v.* **1** [I] 불만을 표시하다: Her mother *disapproves* of every boyfriend her daughter brings home. 그녀의 어머니는 그녀가 집으로 데려오는 남자 친구들마다 불만스러워하신다. **2** [I] 비난하다: The teachers *disapprove* of the government's new educational program. 교사들은 정부의 새로운 교육 계획을 비난한다. **3** [T] …을 안 된다고 하다, 찬성하지 않다: I *disapproved* his request. 나는 그의 요구를 거절했다.

— **disapproving** *adj.* **disapprovingly** *adv.*

disarm [disɑ́ːrm] *v.* **1** [T] …의 무기를 거두다, 무장 해제시키다 **2** [I] 군비를 축소하다 **3** [T] (노여움을) 진정시키다, 가라앉히다: Her smile *disarmed* him. 그녀의 미소가 그의 노여움을 진정시켰다.

— **disarmament** *n.* 무장 해제; 군비 축소

disarming [disɑ́ːrmiŋ] *adj.* (상대방의) 경계심을 풀게 하는, 천진한: a *disarming* smile 붙임성 있는 상냥한 웃음

*****disaster** [dizǽstər] *n.* **1** 천재, 재난, 참사: A nuclear war would be a *disaster*. 핵전쟁은 참사를 불러올 것이다. **2** 큰 실패: The party was a *disaster*. 파티는 실패작

이었다.

disastrous [dizǽstrəs] *adj.* 비참한, 재난의, 손해가 큰
— **disastrously** *adv.*

disbelieve [dìsbilíːv] *v.* [T] 믿지 않다, 의심하다 [OPP] believe
— **disbelief** *n.*

disc [disk] *n.* =disk

discard [diskάːrd] *v.* [T] (불필요한 것을) 버리다, 처분하다: Read the guidelines before *discarding* the box. 상자를 버리기 전에 설명서를 읽어 보세요.

discern [disə́ːrn] *v.* [T] 분별하다, 알아내다: I *discerned* that he was plotting something. 나는 그가 뭔가 꾸미고 있음을 알았다.
— **discernible** *adj.* **discernment** *n.*

discharge [distʃάːrdʒ] *v.* [T] **1** (물·연기 등을) 방출하다, 뿜어내다: The chimney *discharges* smoke. 굴뚝이 연기를 뿜어낸다. **2** 제대시키다; (환자를) 퇴원시키다: He was *discharged* from hospital. 그는 퇴원했다. **3** 해고하다 **4** (책임·약속 등을) 이행하다: *discharge* one's official duties 공무를 수행하다
n. **1** 방출, 유출 **2** 제대; 퇴원; 해고 **3** (종기 등의) 고름: a *discharge* from the ears 귀 고름

disciple [disáipəl] *n.* **1** 제자, 문하생; 신봉자 **2** 그리스도 12사도의 한 사람

*****discipline** [dísəplin] *n.* **1** 훈련, 단련: military *discipline* 군기 **2** 자제, 극기, 수양 [SYN] self-control **3** (학문의) 분야, 학과: scholars from various *disciplines* 여러 학문 분야의 학자들 [SYN] area, field
v. [T] **1** 훈련(단련)하다 **2** 징계하다, 징벌하다: The child was *disciplined* for bad behavior. 아이는 버릇없는 행동으로 벌을 받았다.
— **disciplinary** *adj.*

disc jockey *n.* (*abbr.* DJ) 디스크 자키

disclaim [diskléim] *v.* [T] (책임 등을) 부인하다 [SYN] deny

disclose [disklóuz] *v.* [T] 털어놓다, 폭로하다: He *disclosed* the secret to his friend. 그는 친구에게 비밀을 털어놓았다.
[SYN] reveal
— **disclosure** *n.*

disco [dískou] *n.* (*pl.* discos) **1** 디스코 파티 **2** 디스코 장 **3** 디스코 음악(춤)

discomfort [diskʌ́mfərt] *n.* **1** (약간의) 통증, 불편 [SYN] pain **2** 불쾌, 불안 [SYN] uneasiness

disconcert [dìskənsə́ːrt] *v.* [T] (보통 수동태) …을 당황케 하다, 쩔쩔매게 하다: She was *disconcerted* by the sudden change in plans. 그녀는 계획의 갑작스런 변경에 당황했다.

disconnect [dìskənékt] *v.* [T] **1** (수도·가스·전기 등의 공급을) 중단하다 **2** 분리시키다: *Disconnect* the cables before you move the computer. 컴퓨터를 옮기기 전에 케이블을 뽑아라.
— **disconnection** *n.*

disconsolate [diskάnsəlit] *adj.* 쓸쓸한, 위안이 없는

discontent [dìskəntént] *n.* 불만, 불평 (discontentment)

discontented [dìskənténtid] *adj.* 불만스러운, 불평스러운: He was *discontented* with his position. 그는 자신의 지위에 불만이었다.

discontinue [dìskəntínjuː] *v.* [T] **1** 그만두다, 중지하다: I decided to *discontinue* a subscription to the ABC magazine. 나는 ABC 잡지의 구독을 중단하기로 했다. **2** (생산을) 중단하다
— **discontinuance** *n.*

discord [dískɔːrd] *n.* 불화, 불일치

discordant [diskɔ́ːrdənt] *adj.* 조화(일치)하지 않는
— **discordantly** *adv.* **discordance** *n.*

discount [dískaunt] *n.* 할인: Students receive a 10% *discount*. 학생은 10% 할인

을 받는다.

v. [T] [dískaunt, diskáunt] **1** 신용하지
않다, 무시하다: You must *discount* what
he tells you. 그의 말을 귀담아 듣지 마라. **2**
할인하다

discourage [diskə́:ridʒ] *v.* [T] **1** 단념시
키다, 저지하다: We should *discourage*
him from making the trip. 우리는 그가
여행을 가지 않도록 설득해야 한다. **2** 용기를
잃게 하다, 낙담시키다
[OPP] encourage
— **discouraged** *adj.* 낙담한 **discour-
aging** *adj.* 낙담시키는 **discouragement**
n. 낙담, 낙심

****discover** [diskʌ́vər] *v.* [T] **1** (최초로) 발
견하다: Who *discovered* America? 누가
미국을 발견했는가? **2** 알아내다, 밝혀내다: I
never *discovered* where he had died.
나는 그가 어디서 죽었는지 끝내 알아내지 못했
다.
— **discoverer** *n.* 발견자

discovery [diskʌ́vəri] *n.* **1** 발견 **2** 발견
물

discredit [diskrédit] *n.* **1** 불신 **2** 불명
예, 수치
v. [T] **1** 신용을 떨어뜨리다; 평판을 나쁘게 하
다 **2** 믿지 않다, 의심하다

discreet [diskrí:t] *adj.* 분별 있는, 신중한
[SYN] careful [OPP] indiscreet
— **discreetly** *adv.*

discretion [diskréʃən] *n.* **1** 판단(선택,
행동)의 자유, 결정권: Punishment is at
the *discretion* of his teacher. 벌은 그의
선생님의 재량에 달려 있다. **2** 신중, 사려, 분
별

discriminate [diskrímənèit] *v.* **1** [I]
차별 대우하다: It is illegal to *discriminate*
against women employees. 여사원을
차별 대우하는 것은 위법이다. **2** [I,T] 구별하
다: He *discriminated* good books from
poor ones. 그는 좋은 책과 그렇지 못한 책들
을 구별했다.

— **discriminating** *adj.*

discrimination [diskrìmənéiʃən] *n.*
1 차별, 차별 대우: racial(sex) *discrimi-
nation* 인종(성) 차별 **2** 구별, 식별

discus [dískəs] *n.* **1** 원반 **2** (the discus)
[스포츠] 원반던지기

****discuss** [diskʌ́s] *v.* [T] **1** 토론(논의)하다:
I *discussed* politics with them. 나는 그
들과 정치에 대해 토론했다. **2** 의논하다, 상의
하다: We *discussed* what to buy. 우리는
무엇을 살까 상의했다.

discussion [diskʌ́ʃən] *n.* 토론; 심의, 검
토: We had a long *discussion* about
politics. 우리는 정치에 대해 오랫동안 토론했
다. / under *discussion* 심의 중인

disdain [disdéin] *n.* 경멸; 오만
v. [T] **1** 경멸하다, 멸시하다 **2** …할 가치가 없
다고 생각하다
— **disdainful** *adj.* **disdainfully** *adv.*

****disease** [dizí:z] *n.* 병, 질병: Rats
spread *disease*. 쥐가 질병을 퍼뜨린다. /
My father suffers from heart *disease*.
아버지는 심장병을 앓고 계신다. / infectious
disease 전염병
— **diseased** *adj.* 병에 걸린, 병적인

■ 유의어 disease
disease 특정 증상을 가진 병명에 사용된
다. **illness** 몸 상태가 좋지 않은 상태를
포괄적으로 일컫는다.

disembark [dìsembá:rk] *v.* [I] (배·비
행기 등에서) 내리다, 상륙하다 [OPP] embark
— **disembarkation** *n.*

disengage [dìsengéidʒ] *v.* **1** [I,T] (기계
등의) 연결을 풀다; 풀다, 떼다 **2** [T] (의무·
속박 등에서) 해방하다, 자유롭게 하다

disengaged [dìsengéidʒd] *adj.* 약속이
없는, 한가한

disfigure [disfígjər] *v.* [T] …의 모양을
손상하다, 추하게 하다: A scar on his
forehead *disfigures* his face. 이마에 있
는 흉터가 그의 얼굴 생김을 망친다.

disgrace [disgréis] *n.* **1** 불명예, 창피, 치욕: He is in *disgrace* for cheating on the test. 그는 시험 중에 컨닝을 해서 창피를 당했다. **2** 망신거리: You are a *disgrace* to our family! 너는 우리 집안의 수치야!
v. [T] …을 망신시키다: I would rather die than *disgrace* myself. 치욕을 당하느니 차라리 죽겠다.

disgraceful [disgréisfəl] *adj.* 수치스러운, 불명예스러운
— **disgracefully** *adv.*

disguise [disgáiz] *v.* [T] 변장(가장)하다: He *disguised* himself as a beggar. 그는 걸인으로 변장했다.
n. 변장, 가장; (변장할 때 사용하는) 분장, 가장복, 가면: in *disguise* 변장한

disgust [disgʌ́st] *n.* 혐오, 역겨움: in *disgust* 싫어져서
v. [T] 싫어지게 하다, 넌더리나게 하다, 메스껍게 하다: The smell of garbage *disgusts* me. 쓰레기 냄새가 나를 메스껍게 만든다.

disgusted [disgʌ́stid] *adj.* 정떨어진, 싫증난; 분개한

***disgusting** [disgʌ́stiŋ] *adj.* 구역질나는, 정말 싫은: What's that *disgusting* smell? 이 구역질나는 냄새는 뭐지?
— **disgustingly** *adv.*

***dish** [diʃ] *n.* **1** (깊은) 접시 **2** 요리, 음식물: a cold *dish* 차게 한 요리 **3** (the dishes) 식기류 **4** [통신] 위성수신 안테나 [SYN] satellite dish

dishearten [dishá:rtn] *v.* [T] 낙담시키다: I am worried if this defeat would *dishearten* him. 이번 실패로 그가 낙담할까 봐 걱정된다.
— **disheartening** *adj.*

dishonest [disánist] *adj.* 부정직한, 불성실한: It is *dishonest* of you not to say so. 그렇게 말하지 않다니 자네는 정직하지 못하군. [OPP] honest
— **dishonestly** *adv.* **dishonesty** *n.*

dishonor, dishonour [disánər] *n.* 불명예, 치욕: There is no *dishonor* in losing if you do your best. 최선을 다하면 진다고 해서 불명예가 되지는 않는다. **2** 불명예스러운 일, 망신거리: He was a *dishonor* to the family. 그는 집안의 망신거리였다.
v. [T] **1** …의 이름을 더럽히다 **2** (약속 등을) 어기다

dishonorable, dishonourable [disánərəbəl] *adj.* 불명예스러운, 수치스러운
— **dishonorably, dishonourably** *adv.*

dishwasher [díʃwàʃər] *n.* 접시 닦는 사람(기계)

disillusion [dìsilú:ʒən] *v.* [T] …에게 환멸을 느끼게 하다, 각성시키다: His lying *disillusioned* many people who liked him. 그의 거짓말이 그에게 호감을 갖고 있던 많은 사람들에게 환멸을 느끼게 했다.
n. 환멸 (disillusionment)

disincline [dìsinkláin] *v.* [I,T] …할 마음이 내키지 않다, 싫증나게 하다

disintegrate [disíntigrèit] *v.* [I,T] 분해하다, 허물어지다: The plane exploded and *disintegrated* in midair. 비행기가 폭발해서 공중 분해 되었다.
— **disintegration** *n.*

disinterest [disíntərist] *n.* **1** 무관심 **2** 이해 관계가 없음, 공평 무사
v. [T] …에 무관심하게 하다
— **disinterested** *adj.* 사심 없는, 공평한

disk, disc [disk] *n.* **1** 평원반 (모양의 것) **2** (보통 disc) 레코드, 디스크 **3** [컴퓨터] (자료를 저장하는) 디스크 **4** [해부] 추간 연골

diskette [diskét] *n.* 디스켓 (컴퓨터의 자료 및 프로그램을 저장하는 소형 자성 디스크) [SYN] floppy disk

dislike [disláik] *v.* [T] 싫어하다, 미워하다: I really *dislike* drinking. 나는 술 마시는 게 정말 싫다. [OPP] like
n. 싫음, 반감

dislodge [disládʒ] *v.* [T] **1** (어떤 장소에

서) 제거하다, 떼어내다 (from): The heavy rain *dislodged* some tiles from the roof. 비가 세차게 내려 지붕의 기왓장들이 떨어져 나갔다. **2** 몰아내다, 쫓아내다 (from): They *dislodged* the enemy from the hill. 그들은 적을 언덕에서 퇴각시켰다.

disloyal [dislɔ́iəl] *adj.* 불성실한, 불신의 OPP loyal
— **disloyally** *adv.* **disloyalty** *n.*

dismal [dízməl] *adj.* 음울한, 황량한, 우울한: a *dismal* song 우울한 노래 / *dismal* weather 음산한 날씨

dismay [disméi] *n.* 당황, 낙담
v. [T] (보통 수동태) 당황케 하다, 실망시키다: He was *dismayed* to learn the truth. 그는 진상을 알고는 당황했다.

dismiss [dismís] *v.* [T] **1** (생각 등을) 염두에서 사라지게 하다, 버리다: He *dismissed* the idea from his mind. 그는 마음 속에서 그 생각을 없애 버렸다. **2** 해고하다: She was *dismissed* for refusing to obey orders. 그녀는 지시를 따르지 않아 해고당했다. **3** 해산시키다: After the lesson the teacher *dismissed* the class. 수업이 끝나고 교사는 학생들을 해산시켰다. **4** [법] 기각하다: The case was *dismissed*. 그 건은 기각되었다.
— **dismissal** *n.*

dismount [dismáunt] *v.* [I] (말·자전거 등에서) 내리다 OPP mount

disobedience [dìsəbí:diəns] *n.* 불순종, 불복종; (규칙) 위반

disobedient [dìsəbí:diənt] *adj.* 순종치 않는; 위반하는

disobey [dìsəbéi] *v.* [I,T] 말을 듣지 않다; (규칙 등을) 어기다 OPP obey

disorder [disɔ́:rdər] *n.* **1** 무질서, 혼란: The room was in wild *disorder*. 방은 난잡하게 어질러져 있었다. OPP order **2** 소동, 폭동: *Disorders* broke out on the street. 거리에 폭동이 일어났다. **3** (심신의) 장애, 질환: : mental *disorder* 정신 질환

— **disordered** *adj.*

disorderly [disɔ́:rdərli] *adj.* **1** (행동이) 난폭한, 무법의 **2** 어수선한, 무질서한: a *disorderly* room 어질러진 방
OPP orderly

disorganize [disɔ́:rgənaiz] *v.* [T] …의 조직을 파괴하다, 혼란시키다 OPP organize
— **disorganized** *adj.* 무질서한
disorganization *n.* 해체, 혼란

disorient, disorientate [disɔ́:riənt, disɔ́:riəntèit] *v.* [T] **1** …에게 방향을 잃게 하다: The darkness *disoriented* her. 어둠이 그녀가 방향을 잃게 했다. **2** 혼란시키다, 분별을 잃게 하다

dispatch, despatch [dispǽtʃ] *v.* [T] **1** (편지·소포 등을) 급송하다, (군대·특사 등을) 급히 파견하다: The police were *dispatched* to an emergency. 경찰들은 비상 사태에 급히 파견되었다. **2** (일 등을) 급히 해치우다, 신속히 처리하다
n. **1** 급파, 급송 **2** 재빠른 처리: with *dispatch* 신속히 **3** 급송 공문서

dispel [dispél] *v.* [T] (dispelled-dispelled) 쫓아버리다, (근심 등을) 없애다: *dispel* fear 공포심을 떨쳐 버리다

dispensable [dispénsəbəl] *adj.* 없어도 좋은, 중요치 않은 OPP indispensable

dispense [dispéns] *v.* [T] 분배하다, 나누어 주다: *dispense* food and clothing to the poor 빈민에게 식량과 의복을 분배하다
숙어 **dispense with** …을 필요없게 하다, …할 수고를 덜다: The new method *dispenses with* much labor. 새 방식으로 일손이 크게 덜어진다.

dispenser [dispénsər] *n.* 디스펜서 (종이컵·휴지 등을 필요량만큼 내는 장치)

disperse [dispɔ́:rs] *v.* [I,T] 흩어지다, 흩뜨리다: After the meeting they *dispersed*. 모임이 끝난 후 그들은 흩어졌다.
SYN scatter
— **dispersal** *n.*

dispersion [dispɔ́:rʒən] *n.* **1** 분산:

population *dispersion* 인구 분산 [SYN] dispersal **2** [전자] 분광, (빛의) 산란

dispirit [dispírit] *v.* [T] …의 기력을 꺾다, 낙담시키다

— **dispirited** *adj.* 기가 죽은, 의기소침한

displace [displéis] *v.* [T] **1** …에 대신 들어서다: Coal is to be *displaced* by natural gas. 석탄은 천연 가스로 대체될 것이다. [SYN] replace **2** 제거하다, 쫓아내다: The building of a new dam will *displace* many people who live in that area. 새 댐의 건설은 그 지역의 주민들을 다른 곳으로 몰아낼 것이다.

— **displacement** *n.*

***display** [displéi] *v.* [T] **1** 전시하다, 진열하다: *display* goods for sale 판매용 상품을 전시하다 [SYN] exhibit **2** (감정·능력 등을) 보이다, 나타내다: He doesn't *display* much emotion in public. 그는 사람들 앞에서 감정을 잘 드러내지 않는다. [SYN] show
n. **1** 진열, 전시 **2** (감정 등의) 표현: a *display* of courage 용기의 발휘 **3** [컴퓨터] 화면 표시기: Error messages appeared on the *display*. 오류 메시지가 스크린에 떴다. [SYN] screen
[숙어] **on display** 진열되어: Various books were *on display*. 여러 종류의 책이 진열되어 있었다.

displease [displí:z] *v.* [T] 불쾌하게 하다, 화나게 하다: He was *displeased* with me. 그는 나에게 화가 나 있었다.

— **displeased** *adj.* **displeasure** *n.*

disposable [dispóuzəbəl] *adj.* 사용 후 버릴 수 있는: a *disposable* razor 일회용 면도기

disposal [dispóuzəl] *n.* 처리, 처분: the *disposal* of nuclear waste 핵 폐기물 처리
[숙어] **at one's disposal** …의 뜻대로 되는: I am completely *at your disposal*. 전적으로 당신 뜻에 따르겠습니다.

dispose [dispóuz] *v.* [I,T] **1** 배열하다: She *disposed* the chairs in a circle. 그

녀는 의자들을 원형으로 배열했다. **2** 처분하다, 형세를 정하다: Man proposes, God *disposes*. [속담] 일은 사람이 꾸미고, 성패는 하늘에 달렸다.
[숙어] **dispose of 1** …을 처분[해결]하다: He *disposed of* his old house. 그는 헌 집을 처분했다. **2** …을 먹어 치우다: He rapidly *disposed of* two glasses of wine. 그는 포도주 두 잔을 재빠르게 마셔 버렸다.

disposition [dìspəzíʃən] *n.* **1** 성질, 기질: a man of a social *disposition* 사교성이 있는 사람 **2** 배열, 배치: the *disposition* of troops 군대의 배치 **3** (재산의) 처분, 양도

disprove [disprú:v] *v.* [T] …의 반증을 들다, …의 그릇됨을 증명하다

disputable [dispjú:təbəl] *adj.* 의문의 여지가 있는, 진위가 의심스러운

***dispute** [dispjú:t] *n.* 논쟁, 말다툼
v. [T] **1** 논쟁하다, 논의하다: We *disputed* the government's plan. 우리는 정부의 계획에 대해 논쟁했다. **2** 논박하다, 반론하다 **3** 의문시하다, 문제삼다: The fact cannot be *disputed*. 그 사실은 의심할 여지가 없다. **4** 말다툼하다
[숙어] **in dispute** 논의 중인: All the matters are *in dispute* and it is not for me to decide them. 모든 문제들이 논의 중에 있으며 저는 그것들에 대한 결정 권한이 없습니다.

disqualify [diskwáləfài] *v.* [T] …의 자격을 박탈하다, 실격시키다: be *disqualified* for …의 자격이 없다

— **disqualification** *n.*

disquiet [diskwáiət] *v.* [T] 불안하게 하다, 걱정시키다
n. 불안, 동요 [SYN] uneasiness

disregard [dìsrigá:rd] *v.* [T] 무시하다, 경시하다: He went there *disregarding* my advice. 그는 내 충고를 무시하고 그 곳에 갔다. [SYN] ignore
n. 무시, 경시: have a *disregard* for …을

무시하다

disrepute [dìsripjúːt] *n.* 악평, 불명예: bring ... into *disrepute* …의 평판을 떨어뜨리다

disrespect [dìsrispékt] *n.* 실례, 무례 [SYN] rudeness, impoliteness [OPP] respect
— **disrespectful** *adj.* **disrespectful-ly** *adv.*

disrupt [disrʌ́pt] *v.* [T] **1** (교통 · 통신 등을) 일시 불통케 하다 **2** 중단시키다: Protesters succeeded in *disrupting* the meeting. 시위자들은 회의를 중지시키는 데 성공했다.
— **disruptive** *adj.* **disruption** *n.*

dissatisfaction [dissæ̀tisfǽkʃən] *n.* **1** 불만(족), 불평 **2** 불만의 원인

dissatisfied [dissǽtisfàid] *adj.* 불만스런, 마음에 차지 않는: You can return the product for a refund if you are *dissatisfied* with it. 제품이 마음에 들지 않으면 물건을 반납하고 환불받을 수 있습니다. [SYN] discontented [OPP] satisfied

dissatisfy [dissǽtisfài] *v.* [T] 만족시키지 않다, 불만을 느끼게 하다: His work *dissatisfied* the teacher. 그가 한 과제물은 선생님을 만족시키지 못했다.

dissect [disékt, daisékt] *v.* [T] **1** 해부〔절개〕하다 **2** 분석하다, 자세히 조사하다
— **dissection** *n.*

dissent [disént] *n.* 불찬성, 이의: He made a gesture of *dissent*. 그는 반대한다는 몸짓을 했다.
v. [I] 의견을 달리하다, 이의를 말하다: Only one of them *dissented*. 그들 중 한 명만 반대했다. [OPP] assent

dissimilar [dissímələr] *adj.* 닮지 않은, 다른 [OPP] similar

dissipate [dísəpèit] *v.* [I,T] **1** (안개 · 구름 등을) 흩뜨리다, (군중 등을) 쫓아 흩어버리다: The wind will *dissipate* the clouds. 바람이 구름을 흩어 놓을 것이다. **2** (슬픔 · 공포 등을) 일소하다: Sorrow will *dissipate* soon. 슬픔은 곧 없어질 것이다.
— **dissipation** *n.*

dissolve [dizálv] *v.* [I,T] 녹이다, 용해시키다; 녹다: Salt *dissolves* in water. 소금은 물에 녹는다.

dissuade [diswéid] *v.* [T] …을 (설득하여) 단념시키다 (from): We should *dissuade* him from running such a risk. 우리는 그가 그와 같은 위험을 무릅쓰는 것을 단념케 해야 한다. [OPP] persuade
— **dissuasion** *n.*

***distance** [dístəns] *n.* **1** 거리, 간격: They live in a walking *distance* of each other. 그들은 서로 걸어서 갈 수 있는 곳에 살고 있다. **2** 원거리, 먼 데: The swallow flew away into the *distance*. 제비는 멀리 날아가 버렸다.
v. [T] 멀리하다: *distance* oneself from … 에서 멀어지다
[숙어] **at a distance** 좀 떨어져서: Oil paintings look better *at a distance*. 유화는 좀 떨어져서 보는 편이 좋다.
in the distance 아주 먼 곳에, 멀리: The valley was seen *in the distance*. 멀리 계곡이 보였다.

distant [dístənt] *adj.* **1** (공간상으로) 먼, 떨어진: a *distant* view 원경 **2** (시간상으로) 먼: a *distant* memory 먼 옛날의 기억 **3** 먼 친척의: a *distant* relative of mine 나의 먼 친척 **4** (태도 등이) 쌀쌀한, 냉정한: a *distant* air 냉랭한 태도 **5** (표정이) 생각에 잠긴 듯한

distaste [distéist] *n.* 싫음, 혐오: He has a *distaste* for hard work. 그는 힘든 일을 싫어한다.
— **distasteful** *adj.*

distill, distil [distíl] *v.* [T] 증류하다
— **distillation** *n.*

distiller [distílər] *n.* **1** 증류자 **2** 증류기
— **distillery** *n.* 증류소; 증류주 제조장

distinct [distíŋkt] *adj.* **1** 뚜렷한, 명백한: *distinct* pronunciation 똑똑한 발음 **2** 별

개의, 다른, 독특한: Mules are *distinct* from donkeys. 노새는 당나귀하고는 다르다. [OPP] indistinct

— **distinctly** *adv.* 명료〔뚜렷〕하게

distinction [distíŋkʃən] *n.* **1** 구별, 차별: without *distinction* of race or religion 인종이나 종교의 차별 없이 / The teacher drew a *distinction* between the transportation of the past and present. 선생님은 과거와 현재의 교통 수단을 구별했다. **2** 탁월성, 우수성: a writer of *distinction* 저명한 작가 **3** (시험 성적의) 최고급, 우등

distinctive [distíŋktiv] *adj.* 확연히 다른, 독특한: Her voice was very *distinctive*. 그녀의 목소리는 매우 독특했다.

— **distinctively** *adv.* **distinctiveness** *n.*

***distinguish** [distíŋgwiʃ] *v.* **1** [I,T] 구별하다, 식별하다: I can *distinguish* them by their uniforms. 나는 제복을 보고 그들을 구별할 수 있다. [SYN] differentiate **2** [T] …을 특징짓다, …의 차이를 나타내다: It is his Italian accent that *distinguishes* him. 그의 특징은 이탈리아 억양이다. **3** [T] 눈에 띄게 하다, 두드러지게 하다 (oneself): He *distinguished* himself as a novelist. 그는 소설가로서 이름을 떨쳤다. / He *distinguished* himself in the exams. 그는 시험에서 성적이 두드러졌다.

[숙어] **distinguish between ... and ~** …와 ~을 구별하다: Death does not *distinguish between* the rich *and* the poor. 죽음은 부자와 가난한 자를 구별하지 않는다.

distinguish ... from ~ …와 ~을 구별하다, 분간하다: The twins were so much alike that it was impossible to *distinguish* one *from* the other. 그 쌍둥이는 너무나 닮아서 구별할 수 없었다.

distinguishable [distíŋgwiʃəbəl] *adj.* **1** 구별이 되는 **2** 알아 볼〔들을〕수 있는

[OPP] indistinguishable

distinguished [distíŋgwiʃt] *adj.* 유명한, 고귀한: a *distinguished* poet 유명한 시인

distort [distɔ́:rt] *v.* [T] **1** 비틀다, 찡그리다: *distort* one's face 얼굴을 찡그리다 **2** (사실을) 왜곡하다

— **distortion** *n.*

distract [distrǽkt] *v.* [T] (마음·주의 등을) 빗가게 하다, 흩뜨리다 (from): Reading *distracts* the mind from grief. 독서는 슬픔을 잊게 해 준다. / Children are *distracting* me from my work. 아이들 때문에 일에 집중할 수가 없다.

— **distracted** *adj.* **distraction** *n.*

distress [distrés] *n.* **1** 고통, 고민, 비탄: She was in such *distress* that I couldn't leave her on her own. 그녀가 너무 비탄에 잠겨 있어서 그녀를 혼자 내버려 둘 수가 없었다. [SYN] suffering **2** 재난, (배·비행기의) 조난: a ship in *distress* 조난선 *v.* [T] 괴롭히다, 고민케 하다: Don't *distress* yourself. 걱정하지 마라.

distressed [distrést] *adj.* 고뇌에 지친

distressing [distrésiŋ] *adj.* 괴롭히는, 비참한

***distribute** [distríbju:t] *v.* [T] **1** 분배하다, 배급하다: *distribute* clothes to the sufferers 이재민에게 의류를 배급하다 **2** (제품 등을) 공급하다: Which company *distributes* this product in your country? 당신네 나라에서는 어느 회사가 이 제품을 공급하지요? **3** (골고루) 퍼뜨리다: *distribute* ashes over a field 재를 온 밭에 뿌리다

distribution [dìstrəbjú:ʃən] *n.* **1** 분배, 배포, 배급: the *distribution* of wealth 부의 분배 **2** 분포: This map shows the *distribution* of zebras in Africa. 이 지도는 아프리카에서의 얼룩말의 분포를 보여 준다.

distributor [distríbjətər] *n.* **1** 분배〔배급〕자, 배급업자 **2** 도매상인; 판매 대리점

district [dístrikt] *n.* **1** 지역, (행정·사법·선거·교육 등을 위해 나눈) 지구: a school *district* 학군 **2** (관청 등의) 국, 부

distrust [distrʌ́st] *n.* 불신
v. [T] 믿지 않다, 신용하지 않다: I *distrust* the weather forecasts. 나는 일기 예보를 신뢰하지 않는다.
— **distrustful** *adj.*

***disturb** [distə́:rb] *v.* [T] **1** (휴식·수면 등을) 방해하다, …에게 폐를 끼치다: I hope I'm not *disturbing* you. 제가 방해가 안 되면 좋겠는데요. **2** …를 불안하게 하다, 마음을 불편하게 하다: What *disturbs* me most is his health. 나를 가장 걱정시키는 것은 그의 건강이다. **3** 휘저어 놓다, 어지럽히다: *disturb* the water 물을 휘젓다 / *disturb* the peace 평화를 깨뜨리다
— **disturbance** *n.* 소란, 소동; 방해

disturbed [distə́:rbd] *adj.* 정서[정신] 장애의, 불안한

disturbing [distə́:rbiŋ] *adj.* 불안하게 하는, 교란시키는

disuse [disjú:s] *n.* 쓰이지 않음, 폐지: fall into *disuse* 버려지다
— **disused** *adj.*

ditch [ditʃ] *n.* 도랑, 배수구
v. **1** [I,T] …에 도랑을 파다 **2** [I,T] (탈것을) 도랑에 빠뜨리다; (비행기를) 불시 착수시키다 **3** [T] (동료 등을) 저버리다 **4** [T] 버리고 가다: *ditch* a stolen car 훔친 차를 버리고 가다

***dive** [daiv] *v.* [I] (dived-dived, dove-dived) **1** 다이빙하다: *dive* into a river 강에 뛰어들다 **2** 잠수하다 **3** 급강하하다 **4** 돌진하다: *dive* into a doorway 출입구로 돌진하다
n. **1** 다이빙 **2** 급강하
— **diving** *n.* 잠수, 다이빙

diver [dáivər] *n.* **1** 물에 뛰어드는 사람, 다이빙 선수 **2** 잠수부, 잠수업자, 해녀

diverge [divə́:rdʒ] *v.* [I] **1** (길 등이) 갈리다 **2** (의견 등이) 다르다, 갈라지다
— **divergent** *adj.* **divergence** *n.*

diverse [divə́:rs, daivə́:rs] *adj.* 다양한, 가지각색의
— **diversity** *n.* 변화, 다양성

diversify [divə́:rsəfài, daivə́:rsəfài] *v.* [I,T] 다양화하다, (사업을) 다각화하다
— **diversification** *n.*

divert [divə́:rt, daivə́:rt] *v.* [T] **1** (방향을) 바꾸다, 전환하다: *divert* a river from its course 강의 흐름을 바꾸다 **2** …의 기분을 풀다, 위로하다: He *diverted* himself in music. 그는 음악으로 기분을 풀었다. **3** (주의·비판 등을) 돌리다
— **diverting** *adj.* **diversion** *n.*

***divide** [diváid] *v.* **1** [I,T] 분할하다, 나뉘다: The students *divided* into small groups. 학생들은 작은 그룹으로 나뉘었다. **2** [T] 분배하다, (아무와) 나누다: *divide* profits with workmen 이익을 노동자와 분배하다 **3** [T] 양분하다, 가르다 **4** [T] (의견·관계 등을) 분열시키다: A small matter *divided* the friends. 사소한 일로 친구들 사이가 나빠졌다. **5** [T] [수학] 나누다: 8 *divided* by 2 is 4. 8을 2로 나누면 4이다. [OPP] multiply 곱하다
n. 분할점, 경계선

dividend [dívidènd] *n.* 배당금, 이익 배당

divine [diváin] *adj.* 신의, 신성의: the *divine* Being 신, 하느님
— **divinely** *adv.* **divineness** *n.*

division [divíʒən] *n.* **1** 분할, 분배, 분열: the *division* of labor 분업 **2** [수학] 나눗셈: multiplication and *division* 곱셈과 나눗셈 **3** 불일치, 불화, (의견의) 분열 **4** (회사·관청 등의) …부, …과: sales *division* 영업부 **5** 경계선, 칸막이

divorce [divɔ́:rs] *n.* 이혼: get a *divorce* 이혼하다
v. [T] **1** 이혼하다: She *divorced* her husband. 그녀는 남편과 이혼했다. **2** 분리하다 (from): *divorce* education from religion 교육과 종교를 분리하다
— **divorced** *adj.*

divulge [diváldʒ] *v.* [T] (비밀을) 누설하다, 밝히다

DIY *abbr.* do-it-yourself 손수함, 손수하는

dizzy [dízi] *adj.* (dizzier-dizziest) 현기증 나는, 핑핑 도는: I felt *dizzy* in the hot sun. 뜨거운 태양에 현기증이 났다.
— **dizziness** *n.*

DJ *abbr.* disc jockey

DNA *n.* 디옥시리보 핵산, 디엔에이 (동물이나 식물 세포 속의 유전 정보를 지닌 화학 성분)

*do ⇨ 아래 참조

docile [dásəl] *adj.* 유순한, 다루기 쉬운
— **docilely** *adv.* **docility** *n.*

dock [dɑk] *n.* **1** 선창, 선착장, 부두 **2** (보통 *pl.*) 조선소 **3** (트럭 · 화차 등의) 짐 부리는 장소
v. [I,T] **1** 선창에 넣다〔들어가다〕 **2** 두 우주선이 결합하다
— **docker** *n.* 부두 노동자

do

do [du:] *aux.* (did-done; doing) **1** (의문문): *Do* you know him? 그를 알고 있니?
2 (부정문): They *didn't* keep their promise. 그들은 약속을 지키지 않았다.
3 (강조) 정말, 확실히: *Do* come. 꼭 오너라. / They *did* come. 그들이 정말로 왔다.
※ 'do+동사원형'의 형식으로 긍정문에서 강조를 나타낸다.
4 (동사의 반복을 피함): He's feeling much better than he *did* yesterday. 그는 어제보다 몸 상태가 한결 좋아졌다.
v. **1** [T] 하다, 수행하다: I have nothing to *do*. 나는 아무 할 일이 없다. / What do you *do*? 무슨 일을 하십니까?
2 [T] (이익 · 손해 등을) 주다, 가져오다: Too much drinking will *do* you harm. 과음은 몸에 해롭다.
3 [I] (생활 · 건강 · 상태 등이) (…한) 상태이다, …하다, (일이 잘, 잘 안) 되다: How's your mom *doing* these days? 자네 어머니는 요즘 잘 지내시나? / He is *doing* very well in business. 그는 사업을 잘 해 가고 있다.
4 [T] …을 구경하다: *do* the sights of Seoul 서울 구경을 하다
5 [T] (보통 have done, be done의 형식으로) 완성하다, 끝내다: I have *done* reading. 다 읽었다.
6 [T] (일 · 계산 · 문제 등을) 처리하다, …을 번역하다: *do* a sum 계산을 하다 / *do* Korean

into English 국문을 영역하다
7 [T] (고기 등을) 요리하다: I like my meat well *done*. 잘 구워진 고기로 주세요.
8 [I,T] …에 알맞다, 충분하다: That will *do* me very well. 저는 그거면 충분해요.
n. (*pl.* dos, do's) **1** 축연, 파티 **2** (do, do's) 해야 할 일, 명령 사항
[숙어] **do away with** …을 없애다: We should *do away with* these old rules. 우리는 이 낡은 규칙들을 폐지해야 한다.
do by (아무를) 대우해 주다: He *does* well *by* his friends. 그는 친구들에게 잘 한다.
do for 1 …의 대용이 되다: This rock will *do for* a hammer. 이 돌은 망치의 대용이 된다. **2** …를 위해 살림을 돌보다: She *does for* her father and brother. 그녀는 아버지와 남동생을 위해 살림을 돌본다.
dos and don'ts 해야 할 일과 하지 말아야 할 일: Please advise me on the *dos and don'ts* of mountain climbing. 산에 오를 때 해야 할 일과 하지 말아야 할 일에 대해서 조언 좀 해 주세요.
do with 1 …을 처치하다: What did you *do with* my bag? 제 가방을 어떻게 하셨죠? **2** …을 다루다, 상대하다: I don't know what to *do with* her. 그녀를 어떻게 상대해야 할지 모르겠다.
do without …없이 지내다: Man cannot *do without* water. 사람은 물 없이 살 수 없다.

dockyard [dákjà:rd] *n.* 조선소

***doctor** [dáktər] *n.* (*abbr.* Dr, Dr.) **1** 의사 **2** (the doctor's) 진료소, 병원: I have to go to the *doctor's* today. 나는 오늘 병원에 가 봐야 한다. **3** 박사, 의학 박사: a *Doctor* of Law 법학 박사

v. [T] **1** (문서 등을) 조작하다 **2** (음식물에) 알코올을〔마취제를〕넣다 **3** 진료하다, 치료하다 **4** 손을 보다, 고치다: *doctor* an old clock 낡은 시계를 수리하다

doctorate [dáktərit] *n.* 박사 학위

doctrine [dáktrin] *n.* **1** 교의, 교리: Christian *doctrine* 기독교 교의 **2** (정치·종교상의) 주의, 신조, 학설

***document** [dákjəmənt] *n.* **1** 문서, 서류 **2** 증서 **3** [컴퓨터] 문서

documentary [dàkjəméntəri] *n.* 기록영화, 다큐멘터리 (사실 기록의 영화·TV 프로그램 등)

dodge [dɑdʒ] *v.* **1** [I,T] 날쌔게 피하다: You have to *dodge* the ball when you play a dodge ball. 피구를 할 때는 공을 날쌔게 피해야 한다. **2** [T] (책임 등을) 회피하다: Don't *dodge* your responsibilities! 책임을 회피하지 마라!

n. **1** 살짝 몸을 피하기 **2** 속임수; 부정한 돈벌이: tax *dodge* 탈세

***dog** [dɔ(:)g] *n.* **1** 개 **2** 수캐, 수컷: a *dog* wolf 수이리

v. [T] (dogged-dogged) **1** 미행하다 **2** (재앙·불운 등이) 어디까지나 따라다니다: Bad luck has *dogged* his career from the start. 그가 일을 시작했을 때부터 불운이 쫓아다녔다.

dog-eared [dɔ́(:)gìərd] *adj.* (책·신문 등의) 모서리가 접힌, 너덜너덜한

dogged [dɔ́(:)gid] *adj.* 완강한, 집요한, 끈질긴: *dogged* effort 끈질긴 노력
— **doggedly** *adv.*

dogma [dɔ́(:)gmə] *n.* 교의, 교리, 정설

dogmatic [dɔ(:)gmǽtik] *adj.* 독단적인, 고압적인

— **dogmatically** *adv.*

do-it-yourself *n.* (*abbr.* DIY) (조립·수리 등을) 손수함
adj. 손수하는

***doll** [dɑl] *n.* 인형

dollar [dálər] *n.* **1** 달러 (미국·캐나다 등의 화폐 단위; 100센트; 기호 $) **2** 1달러짜리 지폐〔동전〕

***dolphin** [dálfin] *n.* 돌고래

domain [douméin] *n.* **1** (지식·활동 등의) 범위, 영역: be out of one's *domain* 아무의 영역 밖이다 **2** [컴퓨터] 도메인 (인터넷에서 호스트 시스템이나 망의 일부를 식별하기 위한 인터넷 주소의 지정 단위) **3** 영토, 영역

dome [doum] *n.* 둥근 천장, 둥근 지붕
v. [I,T] …에 둥근 지붕을 올리다, 반구형으로 하다
— **domed** *adj.*

domestic [douméstik] *adj.* **1** 국내의, 자국의: a *domestic* airline 국내 항공사 **2** (명사 앞에만 쓰임) 가정의, 가사상의: *domestic* chores 가사 / *domestic* violence 가정내 폭력 **3** (동물이) 사육되어 길든: *domestic* animals 가축 **4** 가사에 충실한, 가정적인

domesticate [douméstəkèit] *v.* [T] **1** (동물 등을) 길들이다 **2** 가정에 익숙하게 만들다, 가정적으로 되게 하다
— **domesticated** *adj.* **domestication** *n.*

dominant [dámənənt] *adj.* **1** 지배적인, 유력한: Unemployment is still a *dominant* issue. 실업이 여전히 가장 큰 문제거리이다. **2** [생물] 우성의: a *dominant* gene 우성 유전자 OPP recessive 열성의
— **dominantly** *adv.* **dominance** *n.*

dominate [dámənèit] *v.* **1** [I,T] 지배하다, 위압하다, 주도하다: He always tends to *dominate* the conversation. 그는 언제나 대화를 주도하려 한다. **2** [T] (건물 등이) 우뚝 솟다, …을 내려다보다
— **domination** *n.*

dominion [dəmínjən] *n.* **1** 지배권, 통치

권: exercise *dominion* over …에 통치권
을 행사하다 **2** (개인 · 국가의) 영지, 영토

domino [dámənòu] *n.* (*pl.* domino(e)s)
1 도미노 놀이 **2** 도미노 놀이에 쓰는 패

domino effect *n.* 도미노 효과 (하나의 사
건이 다른 일련의 사건을 야기시키는 연쇄적
효과)

donate [dóuneit] *v.* [T] (자선 사업 등에)
기증(기부)하다: He *donated* his library
to his university. 그는 그가 다니던 대학에
장서를 기증했다.
— **donor, donator** *n.* 기증자, 기부자

donation [dounéiʃən] *n.* 기부금, 기증품

done [dʌn] *adj.* (명사 앞에는 쓰이지 않음)
1 (일을) 끝낸, 마친: When you are *done*,
we will go out. 네 일이 끝나면 나가자. **2**
(음식이) 익은, 구워진: half-*done* 설익
은 / over-*done* 너무 익은 **3** (대개 부정문에
서) 관례(예의)에 맞는: It isn't *done*. 그것은
관례에 맞지 않는다.

*donkey [dáŋki] *n.* (*pl.* donkeys) **1** 당나
귀 (ass) **2** 바보, 얼뜨기, 고집쟁이

donut [dóunʌt] *n.* =doughnut

doom [du:m] *n.* (보통 나쁜) 운명, 파멸
v. [T] (보통 나쁘게) 운명짓다: The plan
was *doomed* to fail. 그 계획은 애초부터 실
패하게 되어 있었다.
— **doomed** *adj.* 불운의

*door [dɔ:r] *n.* 문, (출)입구
[숙어] **(from) door to door** 집집마다,
가가호호: He went begging *from door
to door*. 그는 가가호호 구걸하며 돌아다녔다.
next door (to) (…의) 옆집(옆방)에
out of doors 집 밖에서, 옥외에서

doorbell [dɔ́:rbèl] *n.* 현관 벨, 초인종

doorknob [dɔ́:rnàb] *n.* 문 손잡이

doorman [dɔ́:rmən] *n.* (*pl.* doormen)
(호텔 · 백화점 등의) 문 열어 주는 사람, 문지기

doormat [dɔ́:rmæt] *n.* (현관의) 매트, 신
발 흙털개

doorstep [dɔ́:rstèp] *n.* 현관의 계단

doorway [dɔ́:rwèi] *n.* 문간, 출입구

dope [doup] *n.* **1** 마약 **2** 멍청이: What a
dope! 바보 같은 놈!
v. [T] …에 마약을 먹이다

dormant [dɔ́:rmənt] *adj.* **1** 잠자는, 동면
의 **2** 정지한, 부동의: a *dormant* volcano
휴화산 [OPP] active

dormitory [dɔ́:rmətɔ̀:ri] *n.* (대학 등의)
기숙사 (dorm)

dosage [dóusidʒ] *n.* (약의 1회분) 복용량:
The recommended *dosage* of this
medicine is three tablets a day. 이 약
의 권장 복용량은 하루 세 알이다.

dose [dous] *n.* (약의) 1회분(량), 한 첩:
Take one *dose* of the medicine at
bedtime. 취침 시에 이 약 1회분을 복용하시
오.
v. [T] 투약하다, 복용시키다: The doctor
dosed the girl with antibiotics. 의사는
소녀에게 항생제를 투약했다.

dot [dɑt] *n.* **1** (작고 둥근) 점: The letter
'i' has a *dot* above it. 글자 'i' 상단에는
점이 있다. **2** 소량, 점 같은 것: I watched
until the bird was just a *dot* in the
sky. 나는 새가 하늘로 날아가 조그만 점이 될
때까지 바라보았다.
v. [T] (dotted-dotted) …에 점을 찍다, 점점
으로 표시하다
[숙어] **be dotted about(around)** 여기
저기 점점이 흩어져 있다: There *are*
churches *dotted about* all over the
town. 마을 여기저기에 교회들이 흩어져 있
다.
be dotted with 점점이 산재되어 있다:
The sea *is dotted with* islands. 그 바다
는 섬으로 점점이 산재되어 있다.
on the dot 정각에: He went to the
station at five right *on the dot*. 그는 5시
정각에 역으로 갔다.

*double [dʌ́bəl] *adj.* **1** 두 배의, 갑절의: I
am *double* your age. 난 네 나이의 두 배이
다. **2** 이중의, 쌍의, 복식의: My phone
number is three two *double* four. 내 전

화 번호는 3244이다. **3** 2인용의

adv. 두 배로, 이중으로: see *double* (취하거나 해서) 둘로 보이다

n. **1** 두 배 **2** 꼭 닮은 사람〔물건〕 **3** [영화] 대역 [SYN] substitute **4** (호텔 등의) 2인용 방 **5** (doubles) [스포츠] 복식 경기

v. **1** [I,T] 두 배로 하다, 배로 늘다: The price has *doubled*. 가격이 두 배가 되었다. **2** [I] 겸용하다: The living room *doubles* as a dining area. 거실이 식사하는 장소를 겸하고 있다.

double-decker [dʌ́bəldékər] *n.* 이층 버스

***doubt** [daut] *n.* 의심, 불신: There is some *doubt* whether he will be elected. 그가 당선될지 좀 의문이다.

v. [T] 의심하다: I don't *doubt* that he will pass. 나는 그가 꼭 합격하리라고 믿어 의심치 않는다.

— **doubtful** *adj.* **doubtfully** *adv.*

[숙어] **in doubt** 마음을 정하지 못하고, 망설여: I'm *in doubt* what to do. 나는 무엇을 해야 할지 망설이고 있다.

no doubt 1 의심할 여지 없이, 확실히: He will *no doubt* succeed. 그는 틀림없이 성공할 것이다. [SYN] surely **2** 아마도: *No doubt* he'll call us soon. 아마 곧 그가 우리를 부를 거야. [SYN] probably

doubtless [dáutlis] *adv.* **1** 의심할 바 없이, 틀림없이: *Doubtless* he'll be late! 그는 틀림없이 늦을 거야! **2** 아마도, 필시: I shall *doubtless* see you tomorrow. 아마 내일 만나 뵐 수 있겠지요.

dough [dou] *n.* **1** 가루 반죽, 반죽 덩어리 **2** 돈, 현금

doughnut [dounət] *n.* 도넛 (뜨거운 기름에 튀겨낸 둥글거나 반지 모양의 빵 종류)
※ 미국에서는 donut을 주로 사용한다.

dove [dʌv] *n.* 비둘기: a *dove* of peace 평화의 (상징으로서의) 비둘기

***down¹** ⇨ p. 222

down² [daun] *n.* 솜털, 깃털

— **downy** *adj.* 솜털 같은, 부드러운

downfall [dáunfɔ̀:l] *n.* **1** 몰락, 멸망 **2** 몰락의 원인: Greed was his *downfall*. 탐욕이 그의 몰락의 원인이었다.

downhill [dáunhìl] *adj. adv.* 내리막의, 아래쪽으로 [OPP] uphill

[숙어] **go downhill** (상태·관계 등이) 악화되다: Suddenly their relationship *went downhill*. 갑자기 그들의 관계는 악화되었다.

download [dáunlòud] *v.* [T] [컴퓨터] 다운로드하다 (상위의 컴퓨터에서 하위의 컴퓨터로 데이터를 복사하다)

n. [컴퓨터] **1** 다운로드 **2** 다운로드한 파일

downpour [dáunpɔ̀:r] *n.* 억수, 호우

downright [dáunràit] *adj. adv.* 명백한, 솔직한; 그야말로, 완전히: a *downright* lie 새빨간 거짓말

downsize [dáunsàiz] *v.* [I,T] 축소하다, 소형화하다, (인원을) 감축하다

— **downsizing** *n.*

downstairs [dáunstɛ́ərz] *adv.* 아래층에〔으로, 에서〕: He's *downstairs* in the kitchen. 그는 아래층 부엌에 있다.

adj. [dáunstɛ̀ərz] 아래층의: a *downstairs* toilet 아래층의 화장실

[OPP] upstairs

downstream [dáunstrí:m] *adj. adv.* 하류의〔로〕, 강 아래로: They were rowing *downstream*. 그들은 강 아래로 노를 저어 갔다. [OPP] upstream

down-to-earth *adj.* 현실적인, 철저한: His first plan was too fancy, but the second was more *down-to-earth*. 그의 첫 번째 계획은 너무 터무니없었는데 두 번째 계획은 좀 더 현실적이었다.

downtown [dáuntáun] *adj.* 도심지의, 중심가의

adv. 도심지에, 중심가에: We have to go *downtown* at six. 우리는 6시에 시내 중심가로 가야 한다.

n. 도심지, 중심지, 상가: We have to be in *downtown* in a hurry. 우리는 빨리 시내

down¹

down [daun] *adv. prep.* **1** (높은 곳에서) 아래쪽으로, 아래에: Would you get the box *down* from the top shelf? 맨 윗층 선반에 있는 상자를 아래로 내려 주시겠어요? / He's *down* in the basement. 그는 아래 지하실에 있어요.

2 (어떤 지점에서) …을 따라: They sailed *down* the river towards the sea. 그들은 강물을 따라 바다로 항해해 갔다. / Go *down* this street and take the first turning on the right. 이 길을 따라 내려가다가 첫 번째 오른쪽 길로 가세요.

※ down은 반드시 '아래'의 뜻으로 쓰이는 것은 아니다. 언급된 장소로부터 멀어질 때에도 쓰인다.

3 남쪽으로, 남쪽에: go *down* to London from Edinburgh 에든버러에서 런던으로 내려가다

4 (수량·정도·세력 등이) 줄어, 약해져: Prices are *down*. 물가가 내렸다. / The wind died *down*. 바람이 가라앉았다.

5 (종이·문서 등에) 적어: I have it *down* somewhere. 그건 내가 어딘가에 메모해 두었다. / Put their names *down* in your diary. 그들의 이름을 수첩에 적어 두어라.

6 …까지: We had everything planned *down* to the last detail. 우리는 마지막 세부 사항까지도 계획을 세워 놓았다.

v. [T] **1** (…을) 내려놓다, 내리다 **2** (아무를) 쓰러뜨리다, 굴복시키다: The boxer *downed* his opponent in the third round. 그 복서는 3라운드에서 상대를 쓰러뜨렸다. **3** …을 쭉 들이켜다, 마시다: He *downed* the medicine at one swallow. 그는 약을 단숨에 들이켰다.

adj. **1** 우울한, 풀죽은: You look *down*. 너 기운 없어 보인다. **2** (전보다) 내려간, 떨어진: Employment figures are *down* again this month. 취업률이 이번 달에 또 떨어졌다. **3** (컴퓨터가) 멈춘, 작동하지 않는: This computer has been *down* all morning. 이 컴퓨터가 오전 내내 작동이 안 된다.

n. **1** 내림, 하강 **2** (downs) 쇠퇴, 쇠운: the ups and *downs* of life 인생의 부침(浮沈)

[숙어] **(be) down to 1** …의 책임이 되다: When my father died, it *was down to* me to look after the family. 아버지가 돌아가시자 가족을 돌보는 것은 내 책임이 되었다. **2** …의 마지막에 이르다: I need to do some washing. I'm *down to* my last pants. 세탁 좀 해야겠다. 마지막 바지만 남았다.

down under 오스트레일리아(뉴질랜드)(에서)

downward [dáunwərd] *adj.* 내려가는, 아래쪽으로의: a *downward* slope 내리막 비탈

adv. 아래쪽으로, 아래를 향하여: She put the picture face *downward* on the table. 그녀는 그림의 앞을 아래로 향하게 하여 탁자 위에 내려놓았다. [OPP] upward

downwards [dáunwərdz] *adv.* = downward (*adv.*)

doze [douz] *v.* [I] 꾸벅꾸벅 졸다, 겉잠 들다 (off): The child *dozed* off while I was reading to him. 내가 책을 읽어 주는 동안 그 아이는 꾸벅꾸벅 졸았다.

n. 졸기, 겉잠

— **dozy** *adj.* 졸리는

***dozen** [dázn] *n.* (*abbr.* doz.; *pl.* dozen(s)) **1** 1다스, 1타(打), 12(개): A *dozen* eggs, please. 계란 1타만 주세요.

[숙어] **dozens of** 수십의, 많은: There were *dozens of* people in the town square. 마을 광장에는 수십 명의 사람들이 있었다.

draft [dræft] *n.* ([영] draught) **1** 도안, 밑

그림, 설계도: Can I see a *draft* for a new building? 새 건물의 도안을 좀 볼 수 있습니까? **2** 초안, 초고: First, let's make a rough *draft* of a speech. 우선, 연설문의 대략적인 초안을 만들어 보자. **3** (은행 앞으로 보내는) 지급 명령서: a *draft* on demand 요구불 환어음 **4** (the draft) [군대] 징병 **5** [스포츠] 신인 선수 선택 제도, 드래프트제

v. [T] **1** (책·연설문 등의) 초안을 작성하다 **2** [미] (보통 수동태) 징병[징집]하다: He was *drafted* into the army. 그는 육군에 징집되었다.

draftsman [drǽftsmən] *n.* (*pl.* draftsmen) ([영] draughtsman) 제도가[공], 도안가; 기초[입안]자

drag [dræg] *v.* (dragged-dragged) **1** [T] (무거운 것을) 끌다, 끌어당기다: If the box is too heavy to lift, just *drag* it over here. 상자가 무거워서 들 수 없으면 이 쪽으로 그냥 끌고 와라. **2** [T] (사람을) 끌어내다, 데리고 가다: She's always trying to *drag* me along to parties. 그녀는 언제나 나를 파티에 데려 가려고 한다. **3** [I] 느릿느릿 진행되다, (행사 등이) 질질 끌다: The speeches *dragged* on for hours. 연설은 몇 시간이나 질질 끌었다. **4** [T] [컴퓨터] (마우스로) 드래그하다, 끌다

n. **1** 싫증나는 것[사람] **2** 지체 **3** 담배 한 모금: He took a long *drag* on his cigarette. 그는 담배를 한 모금 길게 빨았다.

dragon [drǽgən] *n.* 용
dragonfly [drǽgənflài] *n.* 잠자리
drain [drein] *n.* 배수관, 배수도랑, 하수구
v. **1** [I,T] 마르다, 물기를 빼다: This field *drains* quickly. 이 땅은 금새 마른다. **2** [I,T] 배수하다: That ditch *drains* water from the swamp. 그 도랑으로 늪의 물이 빠진다. **3** [T] (잔을) 쭉 들이켜다, 비우다: He *drained* his glass in one gulp. 그는 단숨에 잔을 비웠다. **4** [T] (자산·체력 등을) 다 써 버리다, 고갈시키다: Hard work *drained*

all my energy. 고된 일이 내 에너지를 고갈시켰다.

drainage [dréinidʒ] *n.* 배수 방법[시설]: *drainage* work 배수 공사

***drama** [drάːmə] *n.* **1** (연극 무대·TV 등의) 극, 연극: a historical *drama* 사극 **2** 희곡, 각본 **3** 극적 사건

dramatic [drəmǽtik] *adj.* **1** 주목할 만한, (갑작스럽고) 놀라운: a *dramatic* change 놀라운 변화 **2** 극적인, 인상적인, 흥미로운 **3** 극의, 희곡의: a *dramatic* piece 한 편의 희곡 **4** (행동이) 과장된: Calm down. You don't need to be so *dramatic*. 진정해. 그렇게 과장된 행동을 할 필요는 없잖아. — **dramatically** *adv.*

dramatist [drǽmətist] *n.* 극작가
dramatize, dramatise [drǽmətàiz] *v.* **1** [T] 극화[각색]하다 **2** [I,T] 과장하다 — **dramatization, dramatisation** *n.*

drape [dreip] *v.* **1** [I,T] 주름을 잡아 예쁘게 덮다[꾸미다], (옷 등을) 우아하게 걸치다 **2** [T] (천 등을) 아무렇게나 걸쳐 두다, 축 늘어뜨리다: He *draped* his jacket over the back of his chair. 그는 재킷을 의자 등받이에 걸쳐 놓았다. **3** [T] (보통 수동태) (천 등으로) 싸다 (in): The furniture was *draped* in dust sheets. 가구는 먼지 방지용 천에 싸여 있었다.

n. (종종 *pl.*) 커튼 [SYN] curtain — **draper** *n.* 포목상, 직물상

drapery [dréipəri] *n.* **1** (종종 *pl.*) 부드러운 직물의 우아한 주름 **2** 주름이 진 휘장[옷 등] **3** [미] 두툼한 천의 커튼류 **4** [영] 피륙, 포목류

drastic [drǽstik] *adj.* **1** (치료·변화 등이) 격렬한, 급격한: There has been a *drastic* fall in crime in the area. 그 지역의 범죄율이 급격히 떨어졌다. **2** (수단 등이) 철저한, 과감한: The government took *drastic* measures to fight crime. 정부는 범죄와 싸우기 위해 강력한 조치를 취했다.

— **drastically** *adv.*

draught ⇨ draft

***draw** [drɔ:] *v.* (drew-drawn) **1** [I,T] (연
필·펜 등으로) 그리다: I'm good at
painting but I can't *draw*. 나는 채색은 잘
하는데 밑그림은 못 그린다.

2 [I] 접근하다, (때가) 가까워지다:
Christmas is *drawing* near. 크리스마스
가 다가온다.

3 [I] 끌어당기다: She *drew* the letter out
of her bag and handed it to me. 그녀
는 가방에서 편지를 꺼내 나에게 주었다.

4 [T] (연구·경험 등에서) 결론을 내다, …을
얻다: *draw* a conclusion from …으로부
터 결론을 내다

5 [T] (사람의 마음을) 끌다, 끌어들이다:
draw interest 흥미를 끌다

6 [I,T] (경기가) 비기다, 비기게 하다: The
game was *drawn*. 그 경기는 비겼다.

n. **1** 무승부: end in a *draw* 무승부로 끝나다
2 제비, 추첨

[숙어] **draw back** 물러서다, 주춤하다: He
drew back from what he had
promised. 그는 자신이 약속했던 일에서 물
러섰다.

draw in 1 (겨울에) 일찍 어두워지다: The
days are *drawing in*. 낮이 짧아진다. **2** 빨
아들이다, 끌어들이다: The gangsters
drew in the boys. 갱들은 그 소년들을 끌어
들였다.

draw on 1 (근원을) …에 의존하다: His
novels *draw* heavily on his
childhood. 그의 소설들은 거의가 그의 어린
시절을 배경으로 한다. [SYN] rely on **2** (장
갑·양말 등을) 끼다, 신다: She *drew on*
her white gloves. 그녀는 자신의 하얀 장
갑을 꼈다. **3** 가까워지다, 다가오다: Spring
is *drawing on*. 봄이 다가오고 있다.

draw out 1 …을 끄집어 내다, …에게서 알
아내다: I *drew* him *out* in the end. 나는
마침내 그가 말문을 열게 했다. **2** (이야기·낮
등이) 길어지다: The days are *drawing*

out. 낮이 길어진다.

draw to …에 다가가다: His school life
drew to a close. 그의 학교 생활은 끝나갔다.

draw up 1 (자동차 등이) …가까이에 멈추
다: The carriage *drew up* at the castle
entrance. 마차는 성 입구에서 멈췄다. **2** (문
서를) 작성하다: Our lawyer is going to
draw up the contract. 우리 변호사가 계약
서를 작성할 것입니다.

drawback [drɔ́:bæ̀k] *n.* 결점, 약점

drawbridge [drɔ́:brìdʒ] *n.* 도개교(跳開
橋)

***drawer** [drɔ́:r] *n.* 서랍

drawing [drɔ́:iŋ] *n.* (연필·펜 등으로 그
린) 그림, 스케치, 데생

dread [dred] *v.* [T] **1** (대단히) 두려워하다,
무서워하다: She *dreads* going out at
night. 그녀는 밤에 외출하는 것을 무서워한
다. **2** 걱정하다, 염려하다: They *dreaded*
that the volcano might erupt again.
그들은 화산이 다시 폭발하지 않을까 걱정했다.

n. 공포, 불안: They live in daily *dread*
of earthquakes. 그들은 매일 지진을 두려워
하며 살고 있다.

dreadful [drédfəl] *adj.* **1** 무서운, 무시
무시한 **2** 몹시 불쾌한, 아주 지독한: I made
a *dreadful* mistake. 나는 끔찍한 실수를 저
질렀다.

— **dreadfully** *adv.* 몹시, 지독하게

***dream** [dri:m] *v.* (dreamed-dreamed,
dreamt-dreamt) **1** [I,T] (잠들어) 꿈꾸다: I
dreamed about the village that I
lived in as a child. 나는 내가 어릴 때 살
던 마을 꿈을 꾸었다. **2** [I] 희망하다: He
always *dreams* that he will be a
statesman. 그는 언제나 정치가가 되기를 꿈
꾸고 있다. **3** [T] (부정문에 과거형으로) …을
꿈에도 생각지 않다: I never *dreamed* that
I should have offended her. 내가 그녀
의 감정을 상하게 했으리라고는 전혀 생각지 못
했다.

n. **1** 꿈: I had a strange *dream* last

night. 나는 어젯밤에 이상한 꿈을 꾸었다. **2**
희망: My *dream* is to give up my job
and live in the country. 내가 간절히 원
하는 것은 일을 그만두고 시골에서 사는 것이
다. **3** 몽상, 환상: You've been in a
dream all morning! 너 오전 내내 몽상에
빠져 있구나!
— **dreamer** *n.* 몽상가
축어 **dream up** (기발한 물건·계획 등을)
퍼뜩 생각해 내다

dreamy [drí:mi] *adj.* (dreamier-
dreamiest) 꿈꾸는 듯한, 공상에 잠긴: a
dreamy expression 명한 표정
— **dreamily** *adv.*

dreary [dríəri] *adj.* (drearier-dreariest)
1 황량한, 처량한 **2** 따분한, 지루한
— **drearily** *adv.* **dreariness** *n.*

dredge [dredʒ] *v.* [T] 저인망으로 진흙·
오물 등을 훑다, 물 밑을 훑다
축어 **dredge up** (과거 일을) 들추어 내다,
상기시키다: The article *dredged up*
details of his unhappy childhood. 그
기사는 그의 불행했던 어린 시절의 일들을 들추
어 냈다.

drench [drentʃ] *v.* [T] (보통 수동태) 흠뻑
적시다: I was completely *drenched*. 나는
완전히 흠뻑 젖었다. SYN soak, wet
축어 (be) **drenched to the skin** 흠뻑
젖다: He *was drenched to the skin* with
rain. 그는 비에 흠뻑 젖었다.

*****dress** [dres] *n.* **1** (원피스의) 여성복 드레스
2 의복, 복장 **3** 정장, 예복
v. **1** [I,T] 옷을 입다, …에 옷을 입히다: She
dressed quickly and left the house. 그
녀는 급히 옷을 입고 집을 나섰다. / My
husband usually *dresses* the children
for school. 대개 남편이 학교 가는 아이들에
게 옷을 입힌다. **2** [I] …으로 (차려)입다:
dress well 잘 차려입다 / *dress* casually
평상복으로 입다 **3** [T] (상처를 깨끗한 천 등으
로) 감싸다, 치료하다
축어 **be dressed in** …을 입고 있다: The

people at the funeral *were* all *dressed
in* black. 장례식장에 모인 사람들은 모두 검
은 옷을 입고 있었다.

dress up 1 특수 복장을 하다: The kids
dressed up as pirates. 아이들이 해적 복장
을 했다. **2** 정장하다: You have to *dress
up* for the party. 그 파티에는 정장을 입어
야 한다.

dresser [drésər] *n.* 화장대, 경대

dressing [drésiŋ] *n.* **1** (치료용의) 붕대,
의약 재료 **2** 드레싱 (샐러드 등에 치는 소스)

dressing room *n.* **1** (배우들의) 분장실 **2**
옷 갈아 입는 방

dressmaker [drésmèikər] *n.* 양재사
(여자·아이들의 옷을 만듦) *cf.* tailor 재단사

dressy [drési] *adj.* (dressier-dressiest)
옷치장을 좋아하는, 맵시 있는

dribble [dríbəl] *v.* **1** [I,T] (액체가) 똑똑
떨어지다: Water *dribbled* from the
ceiling. 천정에서 물이 똑똑 떨어졌다. **2** [I]
침을 흘리다: Little kids *dribble*. 꼬마 아이
들은 침을 흘린다. **3** [I] [스포츠] (공을) 드리블
하다

drift [drift] *v.* [I] **1** 표류하다, 떠내려가다:
The boat *drifted* out to sea. 보트가 바다
로까지 떠내려갔다. **2** (정처 없이) 떠돌다, 헤
매다: He was *drifting* into the political
current. 그는 정치의 소용돌이 속에 휩쓸려
들어갔다. **3** 바람에 날려[밀려] 쌓이다: The
snow *drifted* over two meters deep
in some places. 몇몇 지역에서는 눈이 바
람에 날려 2미터 이상 쌓였다.
n. **1** 표류, 떠내려감 **2** (눈·토사 등이) 바람에
밀려 쌓인 것 **3** 흐름, 대세

drill [dril] *n.* **1** 송곳, 천공기, 드릴 **2** [군대]
교련, 훈련: soldiers at *drill* 훈련 중인 병사
들 **3** (엄격한) 훈련, 반복 연습: a pronunci-
ation *drill* 발음 연습 **4** (응급 상황) 대처 훈
련: a fire *drill* 소방 훈련
v. **1** [I,T] (송곳 등으로) 꿰뚫다, 구멍을 뚫다:
drill a hole in a board 판자에 구멍을 뚫
다 **2** [T] 훈련시키다, 반복하여 가르치다: He

D

drilled the students in multiplication. 그는 학생들에게 곱셈을 반복하여 가르쳤다.

***drink** [driŋk] *v.* [I,T] (drank-drunk) **1** (물·음료 등을) 마시다: Would you like anything to *drink*? 뭐 마실 것 좀 드릴까요? **2** (술을) 마시다: My father *drinks* heavily. 나의 아버지는 폭음하신다.

n. **1** 마실 것, 음료: Can I have a *drink* of water? 물 한 잔 마실 수 있을까요? / soft *drink* 청량 음료, 비알코올성 음료 **2** 술, 주류 — **drinker** *n.* 술꾼

[숙어] **drink to** …을 위해 축배하다: We *drank to* the future of the bride and groom. 우리는 신부와 신랑의 미래를 위해 축배했다.

drink up 다 마셔버리다: *Drink up* your tea. It's getting cold. 차를 어서 드세요. 다 식겠어요.

drinkable [dríŋkəbəl] *adj.* 마실 수 있는, 마셔도 좋은

drink-driver *n.* ([미] drunk driver) [영] 음주 운전자 — **drink-driving** *n.* 음주 운전

drinking [dríŋkiŋ] *n.* **1** 마시기 **2** 음주

drinking water *n.* 마셔도 되는 물, 음료수

drip [drip] *v.* (dripped-dripped) **1** [I] (액체가) 듣다, 똑똑 떨어지다: Dew *dripped* from the trees. 이슬이 나무에서 똑똑 떨어졌다. **2** [I,T] (물방울·피 등을) 떨어뜨리다: The tap is *dripping*. 수도꼭지에서 물이 똑똑 떨어지고 있다. / His finger was *dripping* blood. 그의 손가락에서 피가 똑똑 떨어지고 있었다.

n. **1** 방울져 떨어짐 **2** 똑똑 떨어지는 소리 **3** (듣는) 물방울

***drive** [draiv] *v.* (drove-driven) **1** [I,T] (자동차 등을) 운전하다: Can you *drive*? 운전할 줄 아세요? / *drive* a taxi 택시를 몰다 **2** [I,T] 차로 가다[보내다]: They *drove* the injured people to the hospital. 그들은 부상자들을 병원까지 차로 호송했다.

3 [T] …로 몰다, 쫓다: *drive* cattle to pasture 소를 목초지로 몰아넣다

4 [T] (말뚝 등을) 쳐박다: *drive* a nail into wood 못을 나무에 박다

5 [T] (아무를) …한 상태로 만들다, …하도록 만들다: That noise is *driving* me crazy. 저 소음이 나를 미치게 만든다. / Poverty and hunger *drove* them to steal. 가난과 굶주림 때문에 그들은 도둑질을 하게 되었다.

6 [T] (아무를) 마구 부리다, 혹사하다: My boss *drives* me night and day. 내 상사는 밤낮으로 나를 혹사시킨다.

7 [T] (동력 등이 기계를) 가동시키다: an engine *driven* by steam 증기로 움직이는 기관

n. **1** 차를 모는 일, 드라이브: Let's go for a *drive*. 드라이브 가자.

2 (자동차 등으로 가는) 노정(路程): The hospital is only a ten-minute *drive* away. 병원은 차로 10분이면 닿는 곳에 있다.

3 도로에서 집 현관에 이르는 차도 [SYN] driveway

4 대선전, (기부·모집 등의) 운동

5 박력, 추진력: His *drive* made him a success. 그의 추진력이 그를 성공케 했다.

6 충동, 본능적 욕구

7 [스포츠] 드라이브 (길고 강한 타법)

8 [컴퓨터] 드라이브 (정보를 읽고 저장하는 장치)

9 (자동차의) 구동 장치: This car has front-wheel *drive*. 이 차는 전륜(前輪) 구동이다.

[숙어] **drive at** …을 의도하다: What are you *driving at*? 네 의도가 뭐냐? **2** …을 겨누어 세차게 치다: The golfer *drove* *at* the ball. 골퍼는 공을 세게 쳤다.

drive away 쫓아 버리다: *Drive* the dog *away*. 개를 쫓아 버려라.

drive-in *n.* 드라이브인 (차를 탄 채로 들어가게 된 식당·영화관 등): a *drive-in* theater 자동차 전용 극장

driver [dráivər] *n.* (자동차·전차·버스

등의) 운전사: driver's *license* 운전 면허(증)

drive-through *n.* 차를 탄 채로 서비스를 받는 음식점·은행 등

driveway [dráivwèi] *n.* ([영] drive) 도로에서 집 현관에 이르는 차도

driving [dráiviŋ] *n.* (자동차 등의) 운전, 조종: *driving* test 운전 면허 시험

drizzle [drízl] *n.* 이슬비, 보슬비

　v. [I] 이슬비가 내리다

*****drop** [drɑp] *v.* (dropped-dropped) **1** [T] (물건을) 떨어뜨리다: I *dropped* my handkerchief. 나는 손수건을 떨어뜨렸다.

　2 [I] 떨어지다: Ripe fruit *drops* from the trees. 익은 과일은 나무에서 떨어진다.

　3 [I] 쓰러지다: *drop* with fatigue 피로로 쓰러지다

　4 [I,T] (가격·온도 등을) 내리다, 떨어뜨리다: The temperature *dropped*. 기온이 내려갔다. / He *dropped* his voice. 그는 목소리를 낮췄다.

　5 [T] …을 차에서 내리다: *Drop* me before the shop. 가게 앞에서 내려 주세요.

　6 [T] 해고[퇴학·제명]시키다: He will be *dropped* from the club. 그는 그 모임에서 제명될 것이다.

　7 [T] 그만두다, 정지하다: I *dropped* the idea of going abroad. 나는 해외 여행의 생각을 떨쳐 버렸다.

　n. **1** (액체의) 방울, 한 방울: a *drop* of rain 빗방울

　2 (액체의) 소량: drink a *drop* of tea 홍차를 조금 마시다

　3 (온도 등의) 강하; (가격 등의) 하락: a *drop* in price of coffee 커피 가격의 하락

　4 낙차: a *drop* of 30 meters 30미터의 낙차

　5 (drops) 점안약(點眼藥)

　[숙어] **drop ... a line** …에게 편지를 쓰다: Please *drop* me *a line.* 내게 편지 써 보내.

　drop by[in] …에 잠시 들르다: He *dropped by* my office yesterday. 그는 어제 내 사무실에 잠시 들렀다.

droplet [dráplit] *n.* 작은 물방울

droppings [drápiŋz] *n.* (*pl.*) (작은 동물·새 등의) 배설물

drought [draut] *n.* 가뭄, 한발

　— **droughty** *adj.*

drown [draun] *v.* **1** [I,T] 익사하다, 익사시키다: A *drowning* man will catch at a straw. [속담] 물에 빠진 자는 지푸라기라도 잡는다. **2** [T] (소리를) 안 들리게 하다: The roar of the wind *drowned* his voice. 윙윙거리는 바람 소리에 그의 목소리는 들리지 않았다.

drowse [drauz] *v.* [I] 꾸벅꾸벅 졸다, 살짝 잠들다

drowsy [dráuzi] *adj.* (drowsier-drowsiest) 졸음이 오는, 졸리는 [SYN] sleepy

　— **drowsily** *adv.* **drowsiness** *n.*

*****drug** [drʌg] *n.* **1** 마약, 마취약: I don't do *drugs.* 나는 마약을 하지 않는다. **2** 약, 약품, 약제: Some *drugs* have side effects. 어떤 약품은 부작용을 일으킨다.

　v. [T] (drugged-drugged) **1** …을 마취[마비]시키다 **2** (음식물에) 독물을[마취제를] 타다[넣다]

druggist [drʌ́gist] *n.* ([영] chemist) 약제사 [SYN] pharmacist

drugstore [drʌ́gstɔ̀ːr] *n.* 약방

　※ 영국에서는 chemist's shop에서 약만을 취급한다. 미국에서는 약품 외에도 일용 잡화, 화장품, 담배, 잡지, 문구류와 소다수, 커피 등을 팔았는데 지금은 슈퍼마켓이나 패스트푸드점에 밀려 전과 같지는 않다.

*****drum** [drʌm] *n.* **1** 북, 드럼 **2** 원통형의 용기, 드럼통

　v. (drummed-drummed) **1** [I] 북[드럼]을 치다 **2** [I,T] 둥둥 두드리다, 쿵쿵 치다: He *drummed* his fingers nervously on the desk. 그는 신경질적으로 손가락으로 책상을 톡톡 쳤다.

　— **drummer** *n.* 고수(鼓手), 드럼 주자

drunk [drʌŋk] *adj.* (명사 앞에는 쓰이지

D

않음) 술취한: I got *drunk* and couldn't stand up. 나는 술에 취해 일어설 수가 없었다.

n. 술 취한 사람, 주정뱅이: There are two *drunks* in the alley. 골목길에 술 취한 사람 두 명이 있다.

— **drunk(drunken) driving** *n.* 음주 운전

drunkard [drʌ́ŋkərd] *n.* 술고래

drunk driver *n.* [미] 음주 운전자

drunken [drʌ́ŋkən] *adj.* (명사 앞에만 쓰임) **1** 술취한: a *drunken* man 술취한 남자 **2** 술기운의: a *drunken* quarrel 술취한 끝에 하는 싸움

— **drunkenly** *adv.* **drunkenness** *n.*

*****dry** [drai] *adj.* (drier-driest) **1** 마른, 물기가 없는: The paint is *dry* now. 페인트가 이제 말랐다. OPP wet **2** 비가 안 오는, 가뭄이 계속되는: a *dry* climate 건조한 기후 OPP wet **3** (머리카락 · 피부 등이) 건성의 **4** (술이) 단맛이 없는, 씁쓸한 **5** 지루한, 딱딱한: *dry* legal document 딱딱한 법률 문서 **6** 술이 없는, 금주법 실시의: a *dry* state 금주법 시행주(州)

v. [I,T] 마르다, 말리다, 건조시키다: *Dry* your hands on this towel. 이 수건으로 손을 닦으시오.

— **dryness** *n.*

축어 **dry out** 바싹 마르다: The wet clothes will soon *dry out*. 젖은 옷은 곧 바싹 마를 것이다.

dry up 1 (강물 등이) 말라붙다: The lake *dried up*. 호수가 바싹 말라 붙었다. **2** 고갈되다, 바닥나다: Because of the recession a lot of work has *dried up*. 경기 침체로 일자리가 바닥났다. **3** 이야기를 그치다, 입을 다물다

dry-clean [dráiklì:n] *v.* [T] 드라이 클리닝하다

dry-cleaner [dráiklì:nər] *n.* **1** 드라이 클리닝업자 **2** 드라이 클리닝 약품

dry-cleaner's *n.* 세탁소 SYN cleaner's

dry cleaning *n.* **1** 드라이 클리닝 **2** 드라이 클리닝을 한(할) 세탁물

dryer [dráiər] *n.* 드라이어, 건조기

dry ice *n.* 드라이 아이스 (냉각제; 고형 이산화탄소)

dual [djú:əl] *adj.* (명사 앞에만 쓰임) 둘의, 이중의: He has *dual* nationality. 그는 이중 국적을 가지고 있다.

dub [dʌb] *v.* [T] (dubbed-dubbed) **1** (새 이름 · 별명 등을) 붙이다, …라고 칭하다: He was *dubbed* "Pimple Tom." 그는 "여드름투성이 톰"이라는 별명이 붙었다. **2** (필름에) 새로이 녹음하다, 음향 효과를 넣다 **3** 다른 나라 말로 재녹음하다 **4** (복수의 사운드 트랙을) 합성하다

— **dubbing** *n.* (영화 · TV 등의) 더빙 재녹음

dubious [djú:biəs] *adj.* **1** 미덥지 않은, 모호한, 분명치 않은: She gave us a *dubious* excuse for her absence. 그녀는 결석한 것에 대해 우리에게 미덥지 못한 변명을 했다. **2** (도덕적으로) 의심스러운, 수상한: He is a *dubious* character. 그는 수상한 성격의 소유자다.

— **dubiously** *adv.*

*****duck** [dʌk] *n.* (*pl.* duck(s)) **1** (암)오리, (집)오리

※ 오리의 수컷은 drake, 새끼 오리는 duckling, 오리가 우는 소리는 quack이다.

2 오리의 고기

v. **1** [I,T] 휙 머리를(몸을) 숙이다: The kids *ducked* out of sight behind a hedge. 아이들이 울타리 뒤로 잽싸게 몸을 숨겼다. **2** [I,T] (책임 · 위험 등을) 피하다 **3** [T] (아무의 머리를) 물 속에 처박다, 무자맥질하다

*****due** [dju:] *adj.* **1** (명사 앞에는 쓰이지 않음) …할 예정인, …하기로 되어 있는: They are *due* to arrive here soon. 그들은 곧 여기에 오기로 되어 있다. / When is the baby *due*? 아기의 출산 예정일이 언제입니까? **2** (명사 앞에는 쓰이지 않음) 지급 기일이 된, 만기가 된: This bill is *due*. 이 어음은 만기가 되

었다. **3** (보수·혜택 등이) …에게 응당한 (to): He claimed all the benefits that were *due* to him. 그는 그가 당연히 받아야 할 혜택을 모두 청구했다. **4** …으로 인하여, … 때문에 (to): The event was canceled *due* to bad weather. 그 행사는 악천후로 인하여 취소되었다. **5** …의 자격이 있는 (for): I think that he's *due* for a pay raise. 나는 그가 급여 인상을 받을 만한 자격이 있다고 생각한다.

adv. (방위가) 정(正)…, 바로: a *due* north wind 정북풍

n. **1** 마땅히 받아야 할 것, 당연한 권리 **2** (보통 *pl.*) 회비, 요금, 수수료

[숙어] **(be) due to** …하기로 되어 있다: He *was due to* go to Seoul the next morning. 그는 다음 날 아침 서울에 가기로 되어 있었다.

in due course 머지않아, 곧: All applicants will be informed of our decision *in due course.* 모든 지원자들은 머지않아 우리의 결정 사항을 통보받을 것입니다.

duel [djúːəl] *n.* 결투: fight a *duel* with a person 아무와 결투하다

duet [djuét] *n.* 이중창, 이중주(곡) [SYN] duo

duke, Duke [djuːk] *n.* [영] 공작: a royal *duke* 왕족의 공작 *cf.* duchess 공작부인

*⋆**dull** [dʌl] *adj.* **1** 지루한, 따분한 [SYN] boring **2** (날씨가) 흐린; (색·빛·음성 등이) 또렷하지 않은 **3** (아픔 등이) 무지근한: a *dull* pain 둔통 [OPP] sharp **4** 우둔한, 둔감한: a *dull* pupil 둔한 학생
— **dully** *adv.* **dullness** *n.*

duly [djúːli] *adv.* 정확히, 예정대로: We all *duly* assembled at 8:00. 우리는 모두 예정대로 8시 정각에 모였다.

*⋆**dumb** [dʌm] *adj.* **1** 벙어리의, 말을 못하는: deaf and *dumb* 농아자 **2** (놀람 등으로) 한동안 말이 없는, 말을 못하는: She was struck *dumb* with fear. 그녀는 겁에 질려

말을 못했다. **2** 우둔한: What a *dumb* thing to do! 그게 무슨 바보 같은 짓이냐!
— **dumbly** *adv.* **dumbness** *n.*
dumber *n.* 바보

dumbfound [dʌ̀mfáund] *v.* [T] 아연케하다, 몹시 놀라게 하다
— **dumbfounded** *adj.*

dummy [dʌ́mi] *n.* **1** 마네킹 **2** 바보, 멍청이 **3** (젖먹이의) 고무 젖꼭지 ([미] pacifier) **4** 모조품, 가짜

dump [dʌmp] *v.* [T] **1** (쓰레기 등을) 내버리다: Nuclear waste should not be *dumped* in the sea. 핵 폐기물을 바다에 버려서는 안 된다. **2** 털썩 내려놓다, 쿵하고 떨구다: The child *dumped* his bag in the room and ran off to play. 아이가 가방을 방에 털썩 던져 놓고 놀러 나갔다. **3** (남자 친구·여자 친구를) 버리다, 헤어지다

n. **1** 쓰레기 버리는 곳 **2** 초라한〔지저분한〕 집〔건물〕
— **dumping** *n.*

dump truck *n.* ([영] dumper truck) 덤프트럭

dune [djuːn] *n.* (해변의) 모래 언덕 (sand dune)

dung [dʌŋ] *n.* (몸집이 큰 동물의) 똥, 배설물

dungeon [dʌ́ndʒən] *n.* (성안의) 지하 감옥

dunk [dʌŋk] *v.* [T] **1** (빵 등을 음료에) 적시다 (in, into): She always *dunks* her biscuit in her coffee. 그녀는 언제나 커피에 비스킷을 적셔 먹는다. **2** (일반적) 담그다 **3** [스포츠] 덩크 샷하다

duo [djúːou] *n.* (*pl.* duos) **1** 2중창, 2중주(곡) [SYN] duet **2** (연예인의) 2인조, 콤비

duplicate [djúːpləkèit] *v.* [T] **1** 복사하다: I'll *duplicate* the draft and give it to you. 내가 도안을 복사해서 네게 줄게. **2** 같은 일을 하다, 되풀이하다: This robot can *duplicate* human movements. 이 로봇은 인간의 움직임을 그대로 따라 할 수 있다.

n. [djúːpləkit] **1** (동일물의) 둘 중 하나 **2** 등본, 사본

adj. [djúːpləkit] (명사 앞에만 쓰임) 이중의, 한 쌍의, 복사의: a *duplicate* key 여벌 열쇠

— **duplication** *n.* 이중, 중복; 복제, 복사

[숙어] **in duplicate** 정부(正副) 두 통으로: The contract must be *in duplicate*. 계약서는 정부 두 통으로 작성되어야 한다.

durable [djúərəbəl] *adj.* 오래 견디는, 내구력이 있는

— **durably** *adv.* **durability** *n.*

duration [djuəréiʃən] *n.* 지속, 계속; 계속(지속) 기간: I hope that the rainy season will be of short *duration*. 우기가 짧았으면 좋겠다.

[숙어] **for the duration of** …의 기간 중에

*****during** [djúəriŋ] *prep.* **1** …동안 (내내): He kept talking *during* the lesson. 그는 수업 시간 내내 이야기를 했다. **2** …사이에, …중에: My grandmother died *during* the night. 할머니는 밤중에 돌아가셨다.

■ 유의어 **during**

during 두 가지 사건이 있어서 한 가지 사건이 일어나는 동안 다른 사건이 발생한 때를 나타낼 때 쓴다.: I took a walk *during* my lunch break. 나는 점심 시간에 산보를 했다.

for 사건이(행위가) 얼마나 오래 지속되었는지를 나타낼 때 쓰며 for 다음에 수사를 동반한 명사가 흔히 온다.: I was out *for* about 25 minutes. 나는 대략 25분 정도 외부에 나가 있었다.

---

dusk [dʌsk] *n.* 어둑어둑함, 땅거미, 황혼: at *dusk* 해질 무렵에 [OPP] dawn

— **dusky** *adj.*

dust [dʌst] *n.* **1** 먼지, 티끌: a cloud of *dust* 자욱한 먼지 **2** 가루, 분말: gold *dust* 사금

v. [I,T] (먼지를) 닦다, 청소하다: *dust* a

table 탁자의 먼지를 닦다

— **dusty** *adj.* 먼지투성이의

dustbin [dʌ́stbìn] *n.* ([미] garbage can, trash can) (큰) 쓰레기통

duster [dʌ́stər] *n.* 먼지떨이

dustpan [dʌ́stpæ̀n] *n.* 쓰레받기

*****duty** [djúːti] *n.* **1** 의무, 본분: It is the *duty* of every citizen to vote. 투표를 하는 것은 모든 시민의 의무이다. **2** 임무, 직무: hours of *duty* 근무 시간 **3** 조세, 관세: export(import) *duties* 수출(수입)세

— **dutiful** *adj.*

[숙어] **on(off) duty** (의사·경찰 등이) 근무하는(근무하지 않는): Are you *on duty* tonight? 오늘 밤 근무하시나요?

duty-free *adj.* *adv.* 세금 없는(없이), 면세의: an airport *duty-free* shop 공항의 면세점

DVD *abbr.* digital video disc 또는 digital versatile disc (음악·영화 등을 기록하는 디스크로 CD보다 용량이 훨씬 큼)

dwarf [dwɔːrf] *n.* (*pl.* dwarfs, dwarves) **1** 왜소한 사람(동물, 식물) **2** (동화 속의) 난쟁이

v. [T] (상대적으로) 작아 보이게 하다: The skyscraper *dwarfs* all the other buildings around. 그 고층 건물은 주변의 다른 건물들을 작아 보이게 한다.

— **dwarfish** *adj.* 난쟁이 같은, 자그마한

dwell [dwel] *v.* [I] (dwelt-dwelt, dwelled-dwelled) 살다, 거주하다: The president *dwells* in the Blue House. 대통령은 청와대에 거주한다.

— **dweller** *n.* 거주자

[숙어] **dwell on(upon)** **1** (잊어야 할 것을) 깊이 생각하다: She *dwells* too much *upon* her past. 그녀는 자신의 과거를 너무 깊이 생각한다. **2** …을 강조하다: The prime minister *dwelt upon* the state of India in his speech. 수상은 연설 가운데서 인도의 상황에 대하여 상세히 말했다.

dwelling [dwéliŋ] *n.* 집, 주거

[SYN] house

dwindle [dwíndl] *v.* [I] 줄다, 작아지다: The airplane *dwindled* to a speck. 비행기는 점점 작아져서 하나의 점으로 되었다.

dye [dai] *v.* [T] (dyed-dyed; dyeing) 물들이다, 염색하다: Did you *dye* your hair? 너 머리 염색했니?

n. 물감, 염료

※ die의 현재진행형인 dying과 혼동하지 않도록 주의한다.

dynamic [dainǽmik] *adj.* **1** 활기 있는, 활동적인: a *dynamic* person 활동적인 사람 [SYN] energetic **2** 동력의, 동적인 [OPP] static

dynamics [dainǽmiks] *n.* **1** (복수 취급) 원동력, 힘 **2** (단수 취급) [물리] 역학, 동역학

dynamite [dáinəmàit] *n.* **1** 다이너마이트 (폭약명) **2** 큰 충격·흥분을 야기하는 사람 〔사물〕

dynamo [dáinəmòu] *n.* (*pl.* dynamos) 발전기: an alternating〔direct〕*dynamo* 교류〔직류〕발전기

dynasty [dáinəsti] *n.* 왕조, 왕가

D

E

*each [i:tʃ] *adj.* (단수 명사를 수식하여) 각각의, 각자의: The teacher gave three books to *each* boy. 선생님은 각 소년들에게 책을 세 권씩 주셨다.
pron. (단수 취급) 각각, 각자: *Each* of us has his(her) opinion. 우리는 제각기 자신의 의견이 있다.
adv. 각기, 각각, 한 개에 대해: They cost 500 won *each*. 그것들은 한 개에 500원이다.
〔숙어〕 **each other** 서로, 상호간에: They hated *each other*. 그들은 서로를 싫어했다.

*eager [í:gər] *adj.* 열망하는, 간절히 바라는 (to do, for): She was *eager* to show her drawing. 그녀는 자신이 그린 그림을 굉장히 보여 주고 싶어했다. / She is *eager* for success. 그녀는 성공을 간절히 바란다.

*eagle [í:gəl] *n.* 독수리

*ear [iər] *n.* **1** 귀 **2** 청각, 음감, 언어 감각 (for): She has an *ear* for languages. 그녀는 언어 감각이 있다. **3** (냄비 등의) 손잡이 **4** (보리 등의) 이삭, (옥수수 등의) 열매: an *ear* of corn 옥수수
〔숙어〕 **be all ears** 열심히 귀 기울이다: My friend *was all ears* when I told her about my new boyfriend. 내가 새 남자 친구 이야기를 할 때면 내 친구는 열심히 귀 기울여 들어 주었다.
go in one ear and out the other 한쪽 귀로 듣고 한쪽 귀로 흘려버리다, 주의해서 듣지 않다: Father scolded him, but it *went in one ear and out the other*. 아버지가 그를 꾸짖었지만 (그는 꾸지람을) 한쪽 귀로 듣고 한쪽 귀로 흘려버렸다.

earache [íərèik] *n.* 귀앓이

*early [ə́:rli] *adj.* (earlier-earliest) 이른, 빠른: It is *early* summer but it is very hot already. 초여름이지만 벌써 굉장히 덥다. 〔OPP〕 late
adv. 일찍이, 초기에: I have to get up *early* on Mondays. 나는 월요일마다 일찍 일어나야 한다. 〔OPP〕 late

*earn [ə́:rn] *v.* [T] **1** 일하여 벌다: He *earns* 30,000 won a day. 그는 하루에 삼만 원을 번다. **2** 받을 만하다: I think she *earns* respect. 나는 그녀가 존경받을 만하다고 생각한다.
— **earnings** *n.* (*pl.*) 소득, 벌이
〔숙어〕 **earn a(one's) living** 생활비를 벌다: I *earn my living* from painting. 나는 그림을 그려 생활비를 번다.

earnest [ə́:rnist] *adj.* 성실한, 진지한: They had an *earnest* discussion about love and sex. 그들은 사랑과 성에 관해 진지한 토론을 했다.
— **earnestly** *adv.* **earnestness** *n.*
〔숙어〕 **in earnest 1** 진지하게, 진심으로: I think he was *in earnest* when he said he would drop out. 그가 자퇴하겠다고 한 것은 진심이었던 것 같다. **2** 본격적으로: We began to work *in earnest* on the project since last week. 우리는 지난 주부터 본격적으로 프로젝트에 착수했다.

earphone [íərfòun] *n.* 이어폰

earring [íərìŋ] *n.* 귀고리

earshot [íərʃàt] *n.* (부르면) 들리는 거리
〔숙어〕 **within(out of) earshot** (불러서) 들리는(안 들리는) 거리에: Wait until she gets *out of earshot* before you say bad things about her. 그녀에 대해 나쁜 말을 하려거든 그녀에게 안 들릴 정도의 거리가 됐을 때 해.

*earth [ə:rθ] *n.* **1** (보통 the Earth) 지구 **2** 땅, 흙 SYN soil **3** 속세 OPP heaven
　　숙어 **how〔why,where,who〕on earth** 도대체, 세상에: *Why on earth did you do it?* 도대체 왜 그런 짓을 했니?

earthenware [ə́:rθənwɛ̀ər] *n.* 흙으로 만든 그릇, 질그릇, 도기

earthling [ə́:rθliŋ] *n.* **1** 인간, 지구인 **2** 속인

earthquake [ə́:rθkwèik] *n.* 지진

earwax [íərwæ̀ks] *n.* 귀지

ease [i:z] *n.* **1** 안락, 편함: *a life of ease* 안락한 생활 **2** 쉬움, 용이
　　v. [I,T] **1** (아픔 등을) 덜다, 완화하다: *This painkiller will ease the pain.* 이 진통제가 아픔을 덜어 줄 것이다. **2** 편하게 하다, 편해지다
　　숙어 **at ease** 마음 놓고, 편안히: *Mr. and Mrs. Brown were so kind that I felt completely at ease.* 브라운 씨 부부는 너무 친절해서 나는 정말 마음이 편했다. OPP ill at ease
　　with ease 쉽게, 용이하게: *He solved the problem with ease.* 그는 쉽게 문제를 풀었다. SYN easily

easel [í:zəl] *n.* 이젤, 화판

easily [í:zəli] *adv.* **1** 쉽게, 어려움 없이: *Thin wire is easily bent.* 가는 철사는 쉽게 구부러진다. **2** (could/can/might와 함께) 아무래도 …할 것 같은: *He may easily change his mind.* 아무래도 그가 생각을 바꿀 것 같다.

*east [i:st] *n.* **1** 동쪽: *Which way is east?* 어느 쪽이 동쪽이야? **2** (the east) 어떤 지역의 동부: *Gangwon-do is in the east of Korea.* 강원도는 한국의 동부에 있다. **3** (the East) 동양, 아시아; [미] 동부 지방
　　adj. adv. 동쪽의, 동쪽에: *an east wind* 동풍 / *The second window faces east.* 두 번째 창문은 동쪽을 향하고 있다.

Easter [í:stər] *n.* 부활절 (그리스도의 부활을 기념하는 날; 3월 21일 이후 최초의 보름달 다음의 일요일)

eastern [í:stərn] *adj.* **1** 동쪽의: *an eastern country* 동쪽에 있는 나라 **2** (Eastern) 동양의, 동양풍의: *Eastern music* 동양풍의 음악

eastward [í:stwərd] *adj.* 동쪽의
　　adv. 동쪽으로, 동쪽으로부터

eastwards [í:stwərdz] *adv.* = eastward (*adv.*)

*easy [í:zi] *adj.* (easier-easiest) **1** 쉬운 OPP difficult **2** 편안한: *He has an easy life with few worries.* 그는 걱정이 별로 없이 편안한 생활을 한다. SYN comfortable
　　adv. **1** 수월하게 **2** 편히
　　숙어 **easier said than done** 행하는 것보다 말하는 것이 더 쉽다
　　take it easy 진정해라, 걱정〔화내지〕 마라: *Take it easy and tell us what happened.* 진정하고 우리에게 무슨 일이 일어났는지 말해 봐.
　　take it〔things〕easy 편히 쉬다: *After work, I watch TV and take it easy.* 나는 일을 마친 후에 TV를 보며 편히 쉰다.

easygoing, easy-going [í:zigóuiŋ] *adj.* **1** 별로 걱정하지 않는 **2** 신경 안 쓰는 **3** 안이한, 태만한

*eat [i:t] *v.* [I,T] (ate-eaten) **1** 먹다: *He eats anything put in front of him.* 그는 앞에 놓여 있는 아무거나 주워 먹는다. **2** 식사를 하다: *Let's go out to eat.* 식사하러 나가자.
　　숙어 **eat out** 외식하다

ebb [eb] *n.* 썰물
　　v. [I] **1** 조수가 빠지다 **2** (감정 등이) 점차 사라지다, 누그러지다 **3** 쇠퇴하다

■ 접두어 **e-, E-, e**
'electronic(전자의)'의 줄임말. 다른 단어 앞에 붙여서 인터넷과 관련된 것임을 나타낸다. email과 같이 많이 쓰이는 단어의 경우 하이픈을 잘 사용하지 않는다.

e-book [í:buk] *n.* electronic book 전

자책 (종이에 인쇄되지 않고 컴퓨터 스크린 또는 휴대용 단말기로 그 내용을 읽고 보고 들을 수 있는 도서)

e-business [í:biznis] *n.* electronic business 컴퓨터와 인터넷을 사용하여 상품을 사고 파는 등의 상업 활동

eccentric [ikséntrik] *adj.* 정도를 벗어난, 별난 SYN peculiar
n. 이상한 사람, 기인
— **eccentricity** *n.*

echo [ékou] *v.* [I,T] 반향(反響)하다, 메아리치다
n. 메아리

eclipse [iklíps] *n.* 일[월]식: a solar (lunar) *eclipse* 일[월]식 / a total (partial) *eclipse* 개기(부분)식

■ 접두어 **eco-**
'환경, 생태(학)'의 뜻을 가진 결합사. 모음 앞에 올 때는 보통 ec-가 된다.

---

eco-friendly *adj.* (지구) 친환경적인: *eco-friendly* products 친환경적인 제품들

ecologist [i:kálədʒist] *n.* 생태학자

ecology [i:kálədʒi] *n.* 생태학 (생물과 환경과의 상호 작용을 연구하는 생물학의 한 분야)
— **ecological** *adj.*

economic [ì:kənámik] *adj.* **1** 경제의: Recently, the *economic* growth has slowed down. 최근 경제 성장이 둔화되었다. **2** 경제학의 **3** 이윤이 남는: That store was closed because it was not *economic*. 저 가게는 이윤이 남지 않아 문을 닫았다. SYN profitable OPP uneconomic
— **economically** *adv.*

economical [ì:kənámikəl] *adj.* 경제적인, 절약하는: This new heating system is very *economical*. 이 새로운 난방 시스템은 매우 경제적이다. SYN frugal OPP uneconomical
— **economically** *adv.*

economics [ì:kənámiks] *n.* (*pl.*) (단수 취급) 경제학

economist [ikánəmist] *n.* 경제학자

*****economy** [ikánəmi] *n.* **1** (종종 the economy) 경제: the world *economy* 세계 경제 **2** (한 지방·국가 등의) 경제 기구 **3** 절약, 효율적 사용: *economy* of time and labor 시간과 노력의 절약

economy class *n.* 여객기의 일반석

ecosystem [í:kousìstəm, ékousistəm] *n.* 생태계

ecotourism [ékoutùərisəm] *n.* 환경 (보호) 지향의 관광

ecstasy [ékstəsi] *n.* 황홀, 무아의 경지
— **ecstatic** *adj.*

*****edge** [edʒ] *n.* **1** 가장자리, 끝, 가: She put her purse on the *edge* of the table. 그녀는 지갑을 식탁 가장자리에 놓았다. **2** (칼) 날, 날카로움: Be careful! That knife has sharp *edge*. 조심해! 그 칼은 날이 날카로워.
v. **1** [T] 날을 세우다, 날카롭게 하다 **2** [T] 테를 달다: *edge* a skirt with lace 스커트 자락에 레이스를 두르다 **3** [I,T] 천천히 움직이다
축어 **(be) on edge** 초조하여, 불안하여: I am a bit *on edge* today because I have an important interview. 중요한 면접이 있어서 오늘 나는 좀 초조하다.
on the edge of 1 …의 가장자리에, 끝 부분에 **2** 막 …하려고 하는: be *on the edge of* leaving 막 떠나려 하다

edible [édəbəl] *adj.* 식용에 적합한, 먹을 수 있는 SYN eatable OPP inedible

edifice [édəfis] *n.* 큰 건물, 대 건축물

edit [édit] *v.* [T] 편집하다: This is *edited* from the original text. 이것은 원문에서 편집된 것입니다.
— **editor** *n.* 편집자

edition [edíʃən] *n.* **1** 판(版), 간행: a first *edition* 초판 **2** (제본 양식·체재의) 판: a revised *edition* 개정판 / a paperback *edition* 종이 표지판

*****educate** [édʒukèit] *v.* [T] **1** 교육하다: He was *educated* at a private school. 그는 사립 학교에서 교육받았다. **2** 훈련하다

SYN train

educated [édʒukèitid] *adj.* **1** 교육받은: a Harvard-*educated* doctor 하버드대에서 공부한 의사 **2** 교양 있는: an *educated* woman 교양 있는 여성

education [èdʒukéiʃən] *n.* **1** 교육: It's important for children to get a good *education*. 어린이들에게는 좋은 교육이 중요하다. **2** 교육학, 교수법: She is majoring in *education* at the teacher's college. 그녀는 교육 대학에서 교육학을 전공하고 있다.

eel [i:l] *n.* 뱀장어

efface [iféis] *v.* [T] 지우다, 지워 없애다
SYN rub off

* **effect** [ifékt] *n.* **1** 결과: cause and *effect* 원인과 결과 SYN result **2** 영향, 효과: I'm suffering from the *effects* of too little sleep. 잠을 거의 못 잔 영향으로 지금 힘들다. SYN influence **3** 효과 (장치): special *effects* 특수 효과
v. [T] (변화 등을) 가져오다, 초래하다
— **effective** *adj.* **effectively** *adv.* **effectiveness** *n.*
숙어 **come into effect** (특히 법 · 규칙 · 제도 등이) 효력을 내다, 실시되다: The new regulation will *come into effect* from June. 새로운 법규는 6월부터 실시될 것이다.
have an effect on …에 영향을 미치다, …에 효과가 있다: The event *had* a profound *effect on* his attitude toward life. 그 사건은 그의 인생에 대한 태도에 깊은 영향을 미쳤다. SYN have an influence on
put into effect 실행하다, 실시하다: The plans will be *put into effect*. 계획은 실행될 것이다.
take effect 1 효과가 있다: Steroid *takes effect* immediately. 스테로이드는 즉시 효과가 나타난다. **2** (법률 등이) 효력을 발생하다

* **efficient** [ifíʃənt] *adj.* **1** 효율적인, 능률적인: You have to find an *efficient*

way of organizing your work. 너는 일을 계획하는 효율적인 방법을 찾아야 한다. **2** 유능한
— **efficiently** *adv.* **efficiency** *n.*

* **effort** [éfərt] *n.* **1** 노력: It takes a lot of *effort* to get an A in the exam. 시험에서 A를 받으려면 많은 노력을 해야 한다. **2** 노력의 결과: The painting is one of his finest *efforts*. 그 그림은 그의 걸작 중의 하나이다. SYN achievement
숙어 **in an effort to** …하려고 노력하여: A computer was invented *in an effort to* save time. 시간을 절약하고자 컴퓨터가 발명되었다.
make an effort 노력하다, 애쓰다: He is *making an effort* to stay awake. 그는 깨어 있으려고 애쓰고 있다.

effortless [éfərtlis] *adj.* 힘들지 않는, 쉬운
— **effortlessly** *adv.*

* **egg** [eg] *n.* 알, 달걀
v. [T] 부추기다, 선동하다 (on)
※ 흰자위는 white, 노른자위는 yolk, 껍질은 shell 또는 eggshell이라 한다.

eggplant [égplæ̀nt] *n.* [식물] 가지(나무)

eggshell [égʃèl] *n.* 달걀 껍데기

ego [í:gou] *n.* (*pl.* egos) **1** 자아 **2** 자만, 자존심

egoism [í:gouìzəm] *n.* 이기주의, 자기 중심적인 성향

egoist [í:gouist] *n.* 이기주의자, 자기 본위의 사람
— **egoistic, egoistical** *adj.*

eight [eit] *n. adj. pron.* 8(의), 여덟(의); 여덟 개〔사람〕 ▷ six 참조

eighteen [éití:n] *n. adj. pron.* 18(의), 열여덟(의); 열여덟 개〔사람〕 ▷ six 참조

eighteenth [éití:nθ] *n. adj. pron. adv.* 18th ▷ sixth 참조

eighth [eitθ] *n. adj. pron. adv.* 8th ▷ sixth 참조

eightieth [éitiiθ] *n. adj. pron. adv.*

E

80th ⇨ sixtieth 참조

eighty [éiti] *n. adj. pron.* 80(의), 여든 (의); 여든 개〔사람〕 ⇨ sixty 참조

***either** [íːðər] *adj* **1** (둘 중의) 어느 한쪽의: You can choose *either* cream soup or onion soup. 크림 수프나 양파 수프 중 하나를 선택하실 수 있습니다. **2** 둘〔두 개〕다: There are antique shops on *either* side of the road. 길 양쪽으로 골동품 가게들이 있다. SYN both

pron. **1** (긍정문에서) (둘 중의) 어느 한쪽: *Either* of the shirts will fit you. 어느 셔츠든지 네게 맞을 것이다. **2** (부정문에서) 둘 다 (아니다): I will not buy *either* of them. 그 둘 중 어느 것도 사지 않을 것이다.

adv. (두 개의 부정적 언급 뒤) 어느 쪽도 아니다: I don't like carrots and I don't like spinach *either*. 나는 당근도 시금치도 좋아하지 않는다. / "I can't sing." "I can't *either*." "난 노래를 못해." "나도 못해."

conj. (either ... or ~) …든가 또는 ~든가 (어느 하나): *Either* John *or* Mary knows the secret passageway. 존이나 메리 둘 중 한 명이 비밀 통로를 알고 있다.

eject [idʒékt] *v.* **1** [T] 추방하다 SYN expel **2** [I,T] (기계로부터 테이프·디스크 등을) 꺼내다: To *eject* the CD, press this button. CD를 꺼내려면 이 버튼을 누르시오.
— **ejection** *n.*

elaborate [ilǽbərit] *adj.* **1** 정교한 **2** 애써서 만든: She made *elaborate* preparations for the party. 그녀는 정성 어린 파티 준비를 했다.
OPP simple
— **elaborately** *adv.* **elaboration** *n.*

elapse [ilǽps] *v.* [I] (시간이) 경과하다: Three years *elapsed* before we met again. 우리가 다시 만나기까지 3년이 경과했다. SYN pass

elastic [ilǽstik] *adj.* **1** 탄력 있는: *elastic* band 고무줄 **2** 융통성 있는, 변하는: Our rules are *elastic*. 우리의 규칙은 융통성이 있습니다.

— **elastically** *adv.* **elasticity** *n.*

***elbow** [élbou] *n.* 팔꿈치

v. [T] 팔꿈치로 밀다, 밀고 나아가다: He *elbowed* his way through the crowd. 그는 많은 사람 사이를 팔꿈치로 밀며 나아갔다.

elder [éldər] *adj.* (old-elder-eldest) 손위의: an *elder* sister〔brother〕 누나, 언니 〔형, 오빠〕

n. 연장자, 선배

■ 용법 **elder**
old의 비교급에 **elder**와 older가 있다. elder는 주로 형제 관계의 연상을 나타낼 경우나 elder stateman(원로 정치가)와 같은 성구에만 쓰인다.

elderly [éldərli] *adj.* **1** 중년을 지난, 나이가 지긋한 (공손한 표현) **2** (the elderly) 노인들

eldest [éldist] *adj.* (old-elder-eldest) 가장 나이가 많은, 제일 손위의

***elect** [ilékt] *v.* [T] **1** 선출하다, 뽑다 (to, as): He was *elected* president. 그는 대통령으로 선출되었다. / We *elected* her as our representative. 우리는 그녀를 우리의 대표로 뽑았다. **2** (…하기로) 정하다, 결심하다 (to do)

election [ilékʃən] *n.* 선거

***electric** [iléktrik] *adj.* 전기의, 전기를 띤, 전기로 움직이는: an *electric* guitar 전기 기타 / an *electric* kettle 전기 주전자

electrical [iléktrikəl] *adj.* 전기의, 전기에 관한: *electrical* resistance 전기 저항

■ **electric**과 **electrical**
electric 전기로 작동하는 기계 이름 앞에 쓴다.: an *electric* light 전등 **electrical** 전기를 사용하는 기계나 이를 수리하는 것을 직업으로 가진 사람을 가리킬 때 쓴다.: an *electrical* engineer 전기 기술자

electrician [ilèktríʃən] *n.* 전기학자, 전기 기사

electricity [ilèktrísəti] *n.* 전기

electric shock *n.* 감전, 전기 쇼크

electron [iléktrɑn] *n.* [물리] 전자(電子): *electron* orbit 전자 궤도

electronics [ilèktrániks] *n.* (*pl.*) (단수 취급) 전자 공학
— **electronic** *adj.*

elegant [éləgənt] *adj.* 기품 있는, 우아한 [SYN] graceful
— **elegance** *n.*

element [éləmənt] *n.* **1** (중요한) 요소: Economy of time was the key *element* in my decision. 시간 절약이 내 결정의 중요한 요소였다. **2** [화학] 원소, 다소의 …, …의 기미: There is always an *element* of risk in this sort of investment. 이런 종류의 투자에는 항상 다소의 위험 요소가 있다.
— **elemental** *adj.*

****elementary** [èləméntəri] *adj.* **1** 초등 교육(학교)의 **2** 기본의, 초보의: an *elementary* course in Spanish 스페인 어 초급 과정

elementary school *n.* 초등 학교

****elephant** [éləfənt] *n.* 코끼리

elevate [éləvèit] *v.* [T] **1** 승진시키다: He was later *elevated* to a higher position. 그는 후에 더 높은 자리로 승진했다. [SYN] promote **2** (들어)올리다, 높이다 [SYN] lift
— **elevation** *n.*

****elevator** [éləvèitər] *n.* 엘리베이터: We took the *elevator* to the tenth floor. 우리는 엘리베이터를 타고 10층으로 갔다. [SYN] lift

eleven [ilévən] *n. adj. pron.* 11(의), 열하나(의); 열한 개[사람] ⇨ six 참조

eleventh [ilévənθ] *n. adj. pron. adv.* 11th ⇨ sixth 참조

eligible [élidʒəbəl] *adj.* 적격의, 자격이 있는 (for, to do): If you are eighteen, you are *eligible* to get a driver's license. 네가 열여덟 살이라면 운전 면허증을 딸 수 있는 자격이 된다. [OPP] ineligible

eliminate [ilímənèit] *v.* [T] 제거하다, 삭제하다: To write a better composition, *eliminate* unnecessary words. 보다 나은 작문을 하려면 불필요한 단어들을 삭제해라. [SYN] remove
— **elimination** *n.*

elite [ilí:t, eilí:t] *n.* **1** 엘리트 **2** 선발된 사람

elm [elm] *n.* 느릅나무

eloquence [éləkwəns] *n.* **1** 웅변, 능변 **2** 웅변술, 수사법

eloquent [éləkwənt] *adj.* **1** 웅변의, 능변의 **2** 설득력 있는, 감동적인: an *eloquent* speaker 설득력 있는 연사

****else** [els] *adv.* 그 밖에, 그 외에: Who *else* went there? 그 밖에 누가 거기에 갔었니? / What *else* did he say about me? 그 밖에 나에 대해 그가 뭐라고 말했니?

[숙어] **anything else?** 그 밖에 또 (살 것이, 질문할 것이, 말할 것이…) 있는가?: "Two ballpoint pens, please." "*Anything else*?" "볼펜 두 자루 주세요." "그 밖에 필요하신 거 있으세요?"

or else 그렇지 않으면: You must start at once *or else* you will miss the bus. 곧 출발해야 해. 그렇지 않으면 버스를 놓칠 거야. [SYN] otherwise

elsewhere [élshwɛ̀ər] *adv.* (어딘가) 다른 곳에(서): If the book is not in your room, look *elsewhere*. 만약 그 책이 네 방에 없으면 다른 곳에서 찾아 봐.

elude [ilú:d] *v.* [T] **1** (추적 · 벌 · 책임 등을) 교묘히 피하다: The criminal *eluded* the police by fleeing. 범죄자는 도망쳐서 경찰을 교묘히 피했다. **2** (이해 · 기억 등에서) 빠져 나오다: The meaning *eludes* me. 뜻이 잘 이해되지 않는다.
— **elusive** *adj.* **elusion** *n.*

emancipate [imǽnsəpèit] *v.* [T] 해방하다: Slaves were *emancipated* in 1863 in the United States. 미국에서 노예들은 1863년에 해방되었다. / This new machine

will *emancipate* us from all the hard work we once had to do. 이 새로운 기계는 우리가 옛날에 해야만 했던 힘든 일에서 우리를 해방시켜 줄 것이다.
— **emancipation** *n.*

email, e-mail, E-mail *n.* electronic mail 전자 우편
v. [T] 전자 우편을 보내다

embark [embá:rk] *v.* [I] **1** 배를 타다, 비행기에 탑승하다, 출항하다 (for): We *embarked* at Liverpool for New York. 우리는 리버풀에서 뉴욕으로 출항했다. [OPP] disembark **2** 새롭게 시작하다
— **embarkation** *n.*

*****embarrass** [imbǽrəs] *v.* [T] 당혹[당황]하게 하다, 난처하게 하다
— **embarrassment** *n.*

■ 유의어 **embarrass**
embarrass 수줍음이 많거나 겸손하거나 또는 실수 때문에 느끼는 창피한 감정을 의미한다. **humiliate** 사람들 앞에서 바보 같아 보였을 때 느끼는 고통스러운 감정, 수치심을 의미한다.

embarrassed [imbǽrəst] *adj.* 거북한, 난처한, 무안한, 당혹[당황]스러운: I felt *embarrassed* about my test result. 나는 시험 점수 때문에 난처했다.

embarrassing [imbǽrəsiŋ] *adj.* 난처한, 귀찮은: an *embarrassing* question 난처한 질문

embassy [émbəsi] *n.* **1** 대사관 **2** 사절 일행

embed [imbéd] *v.* [T] (embedded-embedded) **1** (물건을 단단히) 끼워 넣다: A thorn is *embedded* in my finger. 가시가 내 손가락에 박혀 있다. **2** (마음·기억 등에) 깊이 새겨 두다: The incident is deeply *embedded* in his memory. 그 사건은 그의 기억에 깊이 새겨져 있다.

emblem [émbləm] *n.* **1** 상징, 표상: The national *emblem* of the United States

is an eagle. 미국 국가의 상징은 독수리이다. [SYN] symbol **2** 기장(記章), 문장

embody [embádi] *v.* [T] **1** 구체적으로 표현하다, 구체화하다: The constitution *embodies* the ideals of equality and freedom. 헌법은 평등과 자유의 이상을 구체적으로 제시한다. **2** 포함하다: The latest model *embodies* many new functions. 최신 모델은 많은 새로운 기능을 포함한다.

embrace [embréis] *v.* [T] **1** 얼싸안다, 포옹하다: She *embraced* her son tenderly. 그녀는 아들을 부드럽게 포옹했다. **2** 포함하다 [SYN] include [OPP] exclude

embroider [embrɔ́idər] *v.* [I,T] **1** 수놓다: She *embroidered* her initials on the handkerchief. 그녀는 손수건에 자기 이름의 머리글자를 수놓았다. **2** (이야기 등을) 윤색하다
— **embroidery** *n.* 자수(품)

embryo [émbriòu] *n.* (*pl.* embryos) **1** (사람의 경우 보통 임신 8주까지의) 태아 **2** 배(胚)

emerald [émərəld] *n. adj.* 에메랄드(색)(의)

emerge [imə́:rdʒ] *v.* [I] 나타나다: The moon *emerged* from behind the clouds. 달이 구름 뒤에서 나타났다. [SYN] appear [OPP] submerge
— **emergence** *n.* 출현

emergency [imə́:rdʒənsi] *n.* 비상 사태, 위급

emergency room *n.* (*abbr.* ER) 병원의 응급 치료실

emigrant [émigrənt] *n.* (타국으로의) 이주민 *cf.* immigrant (타국에서의) 이주자

emigrate [émigrèit] *v.* [I] (타국으로) 이주하다
— **emigration** *n.*

■ 유의어 **emigrate**
emigrate 사람이 타국으로 이주하다, 이민가다.: They *emigrated* from Korea

to Hawaii. 그들은 한국에서 하와이로 이민갔다. **immigrate** 사람이 타국에서 이주하다, 이민오다.: Many people *immigrated* into Korea. 많은 사람들이 한국으로 이민왔다. **migrate** 사람·동물이 한 지방에서 다른 지방으로 이주하다. Many birds *migrate* south for the winter. 많은 새들이 겨울을 나기 위해 남쪽으로 이동한다.

eminent [émənənt] *adj.* 1 저명한, 유명한: Einstein is an *eminent* scientist. 아인슈타인은 저명한 과학자이다. [SYN] famous, distinguished 2 뛰어난, 탁월한

eminently [émənəntli] *adv.* 현저하게, 뛰어나게: She is *eminently* qualified for the job. 그녀는 그 일에 매우 적임이다.

emit [imít] *v.* [T] (emitted-emitted) (빛·열·소리·냄새 등을) 내다, 방출하다: A volcano *emits* masses of smoke and ashes. 화산은 대량의 연기와 재를 방출한다.
— **emission** *n.*

e-money [í:mʌni] *n.* electronic money 전자 화폐 (인터넷 상에서 물품 구입에 사용할 수 있는 돈으로 실제 화폐의 형태가 있거나, 한 나라에 속하지는 않는다.) [SYN] e-cash

emoticon [imóutikɔn] *n.* 이모티콘 (전자 우편 등에서 감정을 표현하는 데 사용하는, 문자를 조합하여 만든 사람 표정의 그림)
※ emotion(감정)+icon(아이콘)

*emotion [imóuʃən] *n.* 1 감동, 감격: I was filled with *emotion* when I saw my baby. 내 아기를 보는 순간 나는 감동에 휩싸였다. 2 감정: He showed no *emotion*. 그는 감정을 드러내지 않았다. [SYN] feeling

emotional [imóuʃənəl] *adj.* 1 감정의, 정서의, 희로애락의 2 감정적인

emperor [émpərər] *n.* 황제, 제왕: the *Emperor* Gojong 고종 황제 *cf.* empress 황후

emphasis [émfəsis] *n.* (*pl.* emphases) 1 강조, 중요시 2 강세

[SYN] stress
[축어] **put(place, lay) emphasis on** …을 강조하다: My teacher *put* a greater *emphasis on* science. 선생님께서는 과학을 특히 중요시하셨다.

*emphasize [émfəsàiz] *v.* [T] 1 강조하다 2 강세를 두다
— **emphatic** *adj.*

empire [émpaiər] *n.* 1 제국: the Roman *Empire* 로마 제국 2 재벌 기업

*employ [emplɔ́i] *v.* [T] 고용하다: He was *employed* as a security guard. 그는 경비원으로 고용되었다. [SYN] hire [OPP] fire
— **employment** *n.*

employee [emplɔ́ii:] *n.* 피고용인, 종업원

employer [emplɔ́iər] *n.* 고용주

empress [émpris] *n.* 황후 *cf.* emperor 황제

*empty [émpti] *adj.* (emptier-emptiest) 1 빈: an *empty* box 빈 상자 [SYN] vacant [OPP] full 2 헛된, 무의미한, 공허한: an *empty* life 공허한 인생
v. [I,T] 비우다, 비다: I *emptied* out the wastebasket. 나는 휴지통을 싹 비웠다.
— **emptiness** *n.*

empty-handed *adj.* 빈손[맨손]의: My father went to the supermarket but came home *empty-handed*. 아버지께서 슈퍼마켓에 가셨는데 빈손으로 집에 오셨다.

*enable [enéibəl] *v.* [T] …할 수 있게 하다, 가능하게 하다 (to do): Airplanes *enable* us to travel much faster. 비행기는 우리가 훨씬 더 빠르게 이동하는 것을 가능하게 해 준다. [OPP] disable

enact [enǽkt] *v.* [T] (법률을) 제정하다, 법령[법제]화하다

enchant [entʃǽnt] *v.* [T] 1 마법을 걸다 2 매혹하다, 황홀케 하다
— **enchantment** *n.*

enchanted [entʃǽntid] *adj.* 1 요술에

걸린 **2** 황홀한

enchanting [entʃǽntiŋ] *adj.* 매혹적인, 황홀케 하는, 혼을 빼앗는: an *enchanting* smile 매혹적인 미소

enclose [enklóuz] *v.* [T] **1** 둘러싸다, 에워싸다: The house is *enclosed* with a high wall. 그 집은 높은 담으로 둘러싸여 있다. [SYN] surround **2** (편지 등에) 동봉하다: I will *enclose* a letter with the parcel. 나는 소포에 편지를 동봉할 것이다.
— **enclosure** *n.*

encode [enkóud] *v.* [T] **1** 암호화하다 **2** [컴퓨터] (컴퓨터 언어로) 부호화하다 [OPP] decode

encore [áŋkɔːr] *n.* [프] 재청, 앙코르

encounter [enkáuntər] *v.* [T] **1** (곤란 · 반대 · 위험 등에) 부닥치다: He *encountered* a serious opposition. 그는 거센 반대에 부닥쳤다. [SYN] face, meet with **2** (우연히) 만나다, 마주치다: I *encountered* him at the subway station. 나는 전철역에서 우연히 그를 만났다. [SYN] come across **3** 맞서다, 대항하다: *encounter* an enemy force 적군과 맞서다
n. 우연히 만남

*****encourage** [enkə́ːridʒ] *v.* [T] 용기를 북돋우다, 격려하다, 고무하다: This program will *encourage* students to study by themselves. 이 프로그램은 학생들이 스스로 공부하도록 고무할 것입니다. [OPP] discourage
— **encouraging** *adj.* **encouragement** *n.*

encyclopedia, encyclopaedia [ensàikloupíːdiə] *n.* 백과 사전

*****end** [end] *n.* **1** (시간 · 활동 · 책 · 영화 등의) 끝, 결말: Well, this is the *end* of the story. 음, 이게 이야기의 끝이야. / I get an allowance at the *end* of the month. 나는 월말에 용돈을 타. **2** (가장 멀리 떨어져 있는) 끝 부분: A drugstore is at the *end* of the street. 길 끝에 약국이 있다. **3** 최후,

죽음 **4** 목적 [SYN] aim
v. [I,T] 끝내다, 끝나다: The film *ends* at 4:00. 영화는 4시에 끝난다. [SYN] finish
[숙어] **be at an end** 끝나다: The long term-end examination *is* at last *at an end.* 긴 기말 시험이 드디어 끝났다.

bring ... to an end, put an end to …을 끝내다, 마치다: They *brought* the meeting *to an end.* 그들은 회의를 마쳤다. / Atomic weapons *put an end to* World War II. 핵무기는 제 2 차 세계 대전을 끝나게 했다.
※ bring과 put이 타동사이므로 end를 '끝내다(끝나게 하다)'라는 타동사로 해석한다.

come to an end 끝나다, 마치다: The war *came to an end.* 전쟁이 끝났다.
※ come이 자동사이므로 end를 '끝나다'라는 자동사로 해석한다.

end up 끝나다, 결국에는 …이 되다: She wanted to be a teacher but *ended up* as a writer. 그녀는 선생님이 되고 싶어했지만 결국에는 작가가 되었다.

in the end 마침내, 결국: He gave up *in the end.* 마침내 그는 포기했다. [SYN] at last

make (both) ends meet 수지를 맞추다, 빚 안 지고 살아가다: With this low income, I can hardly *make ends meet.* 이런 적은 수입으로 나는 겨우 수지를 맞춰 산다.

endanger [endéindʒər] *v.* [T] 위태롭게 하다, 위험에 빠뜨리다: If unemployment continues to rise, social stability may be *endangered.* 실업이 계속 증가하면 사회 안정이 위태로워질 수 있다.
— **endangerment** *n.*

endangered [endéindʒərd] *adj.* (동식물이) 멸종 위기에 처한: The swallow-tail butterfly has become an *endangered* species. 산호랑나비는 멸종 위기에 처한 종(種)이 되었다.

endeavor, endeavour [endévər] *v.* [I,T] 노력하다, 애쓰다: He *endeavored* to solve the mystery of the pyramid. 그

는 피라미드의 수수께끼를 풀려고 애썼다. SYN strive

n. **1** 노력 SYN effort **2** 시도 SYN attempt

ending [éndiŋ] *n.* **1** 결말, 종료: a happy *ending* 행복한 결말 **2** [문법] 어미: plural *endings* 복수 어미

endless [éndlis] *adj.* 한없는, 끝없는

endorphin [endɔ́:rfin] *n.* 엔도르핀 (내 인성(內因性)의 모르핀 같은 펩티드; 진통 작용이 있음)

endorse [endɔ́:rs] *v.* [T] **1** 지지하다: The committee has *endorsed* our proposals. 위원회는 우리의 제안을 지지했다. **2** (수표 등의 뒷면에) 사인하다

— **endorsement** *n.*

endow [endáu] *v.* [T] **1** 기금을 기부하다 **2** (능력 · 자질 등을) …에게 주다, …에게 부여하다 (with): Nature has *endowed* him with great ability. 그에게는 위대한 천부적 재능이 있다. / She is *endowed* with wit. 그녀는 타고난 재치가 있다.

endowment [endáumənt] *n.* **1** 기증, 기부금 **2** (보통 *pl.*) 타고난 재능

endure [endjúər] *v.* **1** [T] 견디다, 참다: We had to *endure* a eight-hour delay at the airport. 우리는 공항에서 8시간이나 지연되는 것을 참아야 했다. SYN tolerate **2** [I] 지탱하다, 지속하다: His fame will *endure* forever. 그의 명성은 길이 남을 것이다. SYN last

— **endurable** *adj.* 참을 수 있는 **enduring** *adj.* **endurance** *n.*

*****enemy** [énəmi] *n.* 적, 적군 SYN foe

*****energy** [énərdʒi] *n.* **1** 정력, 활기, 힘 **2** [물리] 에너지

— **energetic** *adj* **energetically** *adv.*

enforce [enfɔ́:rs] *v.* [T] **1** (법률 등을) 실시하다, 집행하다: Governments make laws and the police *enforce* them. 정부가 법을 제정하고 경찰이 법을 집행한다. **2** 강요하다, 강제하다

— **enforcement** *n.*

engage [engéidʒ] *v.* [T] **1** 흥미 · 주의를 끌다: A bright red toy *engaged* children's attention. 선명한 붉은색의 장난감이 아이들의 주의를 끌었다. **2** 종사하다, 고용하다: He *engaged* her as a teacher. 그는 그녀를 교사로 고용했다. **3** 예약하다, 약속하다: *engage* a hotel room 호텔 방을 예약하다 SYN book **4** 약혼시키다

— **engagement** *n.*

engaged [engéidʒd] *adj.* **1** 약혼 중인: I'm *engaged* to her. 나는 그녀와 약혼한 상태이다. **2** 예정이 있는, 바쁜 **3** 종사하는, 관계된

숙어 **be engaged in 1** …에 종사하다: He *is engaged in* foreign trade. 그는 해외 무역에 종사하고 있다. **2** …에 착수하다: She *is engaged in* writing a new novel. 그녀는 새 소설을 쓰기 시작했다.

*****engine** [éndʒən] *n.* **1** 엔진, 발동기 **2** 기관차, 소방차: fire *engine* 소방차

engineer [èndʒəníər] *n.* **1** 기사, 기술자 **2** (철도) 기관사

v. [T] **1** (기사로서 공사를) 감독하다 **2** 교묘히 계획하다

engineering [èndʒəníəriŋ] *n.* 공학, 기술: civil *engineering* 토목 공학 / electrical *engineering* 전기 공학

engrave [engréiv] *v.* [T] 조각하다, 새기다: His name is *engraved* on the watch. 시계에 그의 이름이 새겨져 있다. SYN carve

engross [engróus] *v.* [T] 열중시키다, 몰두시키다: He was completely *engrossed* in his research. 그는 연구에 몰두해 있었다.

— **engrossed** *adj.* 열중한, 몰두한

enhance [enhǽns] *v.* [T] (가치 · 능력 등을) 높이다: Beautiful illustrations *enhanced* the quality of the book. 예쁜 삽화들이 책의 질을 높여 주었다.

*****enjoy** [endʒɔ́i] *v.* [T] **1** 즐기다, 향유하다, 누리다: He *enjoys* music. 그는 음악을 즐긴다. / She *enjoys* good health; she is

very healthy. 그녀는 건강이 좋다. 매우 건강하다. **2** 즐거운 시간을 보내다 (oneself): I *enjoyed* myself at the party. 나는 파티에서 즐거운 시간을 보냈다. [SYN] have a good time
— **enjoyment** *n.*

enlarge [enláːrdʒ] *v.* [I,T] 커지다, 크게 하다, 확대하다, 넓히다: I'm going to have this picture *enlarged*. 나는 이 사진을 확대할 것이다. / *Enlarge* your English vocabulary. 너의 영어 어휘력을 넓혀라.
— **enlargement** *n.*

enlighten [enláitn] *v.* [T] 계몽하다, 계발하다, …에게 가르치다: *Enlighten* the people generally, and ... (Thomas Jefferson) 널리 민족을 계몽해라, 그러면 … (토머스 제퍼슨)

enlightened [enláitnd] *adj.* 계발된, 계몽된, 훤히 알고 있는

enlightenment [enláitnmənt] *n.* **1** 계발, 계몽 **2** (the Enlightenment) 계몽 운동 (18세기 유럽의 합리주의 운동)

enmity [énməti] *n.* 증오, 적의: There is a historic *enmity* between the two countries. 그 두 나라 사이에는 역사적인 증오가 있다.

enormous [inɔ́ːrməs] *adj.* 거대한, 막대한, 매우 큰: an *enormous* building 거대한 빌딩 / an *enormous* amount of money 큰 돈 [SYN] huge [OPP] small
— **enormously** *adv.*

***enough** [inʌ́f] *adj.* 충분한, …하기에 족한: We have *enough* money to buy a car. 우리는 자동차를 사기에 충분한 돈이 있다. [SYN] sufficient
adv. 충분히: Is this bag big *enough*? 이 가방이면 충분히 큰가요?
pron. 충분한 수량[분량]: "Would you like some more?" "No, thank you. I had *enough*." "좀 더 드실래요?" "아니오. 충분히 먹었어요."
[숙어] **enough to** …하기에 충분히: He is

rich *enough to* buy a big house. 그는 큰 집을 살 만큼 아주[충분히] 부자이다.

■ **enough의 위치**
• 명사의 앞 또는 뒤에 올 수 있다(형용사): food *enough* for ten people = *enough* food for ten people
• 형용사 또는 부사의 뒤에 온다(부사): He is tall *enough*. / I don't know him well *enough*.
• 전환 구문: He is too young to go to school. =He is not old *enough* to go to school.

enrich [enrítʃ] *v.* [T] **1** (내용·빛깔·맛 등을) 높이다, 진하게 하다: *enriched* soil 비옥한 땅 / Art *enriches* one's life. 예술은 삶을 윤택하게 해 준다. **2** 부유하게 하다, 유복하게 하다
— **enrichment** *n.*

enroll, enrol [enróul] *v.* [T] 명부에 올리다, 회원으로 등록하다: They *enrolled* 200 new students last year. 그들은 작년에 200명의 신입생을 학적에 올렸다.
— **enrollment** *n.*

ensure [enʃúər] *v.* [T] ([미] insure) **1** 책임지다, 보장[보증]하다: I cannot *ensure* that he will be here today. 그가 오늘 여기 올지는 보증 못 한다. **2** 확실하게 하다: *Ensure* that you lock the door. 확실하게 문을 잠가라.

entail [entéil] *v.* [T] **1** (필연적 결과로서) 일으키다, 수반하다: The Internet has *entailed* great changes. 인터넷은 큰 변화를 일으켰다. **2** 필요로 하다: Success *entails* hard work. 성공에는 노력이 필요하다.

entangle [entǽŋgl] *v.* [T] **1** 엉클어지게 하다, 얽히게 하다: get *entangled* in bushes 덤불에 걸리다 **2** (함정·곤란 등에) 빠뜨리다 (in, with): be *entangled* in an affair 사건에 말려들다
— **entanglement** *n.*

***enter** [éntər] *v.* **1** [I,T] …에 들어가다:

Silence fell as the teacher *entered* the classroom. 선생님이 교실에 들어가시자 조용해졌다. ⟨SYN⟩ go into **2** 가입하다, 입학하다: I will *enter* college next year. 나는 내년에 단과 대학에 입학할 것이다. **3** 기입하다, 입력하다: Please *enter* your password. 패스워드를 입력하세요.

enterprise [éntərpràiz] *n.* **1** 기업 **2** (모험적인) 계획, 사업: It's a very exciting new *enterprise*. 그것은 매우 흥분되는 새로운 사업이다. **3** 진취적인 정신
— **enterpriser** *n.* 기업가

enterprising [éntərpràiziŋ] *adj.* 진취적인, 모험적인

***entertain** [èntərtéin] *v.* **1** [T] 즐겁게 하다: He *entertained* us with funny and exotic stories. 그는 재미있고 이국적인 이야기로 우리를 즐겁게 했다. **2** [I,T] (특히 집에서) 대접하다, 식사를 대접하다: Mr. and Mrs. Johns do a lot of *entertaining*. 존스 씨 부부는 식사 대접을 많이 한다.

entertainer [èntərtéinər] *n.* **1** 환대하는 사람 **2** (흥을 돋우는) 연예인

entertaining [èntərtéiniŋ] *adj.* 유쾌한, 재미있는

entertainment [èntərtéinmənt] *n.* **1** 오락 **2** (영화·공연·TV 등의) 연예 **3** 대접, 환대 **4** 연회

***enthusiasm** [enθú:ziæzəm] *n.* 열심, 열중, 의욕, 열의 (for, about): Although she was not a good tennis player, she played with great *enthusiasm*. 비록 그녀는 테니스를 잘 치지는 못했지만 굉장한 열의를 가지고 쳤다.

enthusiast [enθú:ziæst] *n.* …광(狂), 팬, 열광자

enthusiastic [enθù:ziǽstik] *adj.* **1** 열심인 (for): She is very *enthusiastic* for learning French. 그녀는 프랑스 어를 배우는데 열심이다. **2** 열광적인 (about, over): an *enthusiastic* baseball fan 열광적인 야구팬

— **enthusiastically** *adv.*

entice [entáis] *v.* [T] 꾀다, 유혹하다: Low prices *entice* people into buying more than they need. 저렴한 가격은 사람들로 하여금 필요 이상을 구매하게 유혹한다.
— **enticing** *adj.* **enticement** *n.*

***entire** [entáiər] *adj.* **1** 전체의, 전부의: the *entire* city 시 전체 / an *entire* day 꼬박 하루 **2** 완전한: *entire* freedom 완전한 자유 ⟨SYN⟩ complete ⟨OPP⟩ partial
※ entire는 whole보다 뜻이 강하다.
— **entirety** *n.*

entirely [entáiərli] *adv.* 전적으로, 완전히: It was *entirely* my fault. 그것은 전적으로 내 잘못이었다. / I was thinking about something *entirely* different. 나는 무언가 완전히 다른 것을 생각하고 있었다.

entitle [entáitl] *v.* [T] **1** 권리를[자격을] 주다: Now you are *entitled* to run your own store. 이제 너는 네 가게를 운영할 자격이 있다. ⟨SYN⟩ empower **2** …라고 칭하다, …라고 이름 붙이다

entity [éntiti] *n.* **1** 실재, 존재 **2** (an entity) 실재물, 존재물

entrance [éntrəns] *n.* **1** 입구, 출입구: We walked through the *entrance* to the museum. 우리는 박물관 입구를 걸어 들어갔다. **2** 들어감 ⟨SYN⟩ entry ⟨OPP⟩ exit

entrée, entree [á:ntrei] *n.* [프] **1** 앙트레 ([영] 생선이 나온 다음 구운 고기가 나오기 전에 나오는 요리; [미] 구운 고기 이외의 주요 요리) **2** 입장, 입장권

entrust [entrÁst] *v.* [T] 위임하다, 맡기다 (to)
⟨숙어⟩ **entrust A with B, entrust B to A** A에게 B를 맡기다: I *entrusted* him *with* a task. =I *entrusted* a task *to* him. 나는 그에게 임무를 맡겼다.

entry [éntri] *n.* **1** 들어감, 입장: No *Entry*. 출입 금지. / He forced an *entry* into the house. 그는 무력으로 집 안에 들어갔다. ⟨SYN⟩ entrance **2** 참가, 가입: a developing nation's *entry* into the UN 개발 도상국의 UN 가입 **3** 기입, 기재 **4** (경기 등의) 참가, 출전

envelop [envéləp] *v.* [T] **1** 싸다, 덮다: be *enveloped* in mystery 수수께끼에 싸여 있다 **2** 포위하다

*****envelope** [énvəlòup] *n.* 봉투, 편지 봉투

*****environment** [inváiərənmənt] *n.* **1** (자연) 환경 **2** 주위를 에워싸는 것(사정, 정황) SYN surroundings
— **environmental** *adj.*

environmentalist [invàiərənméntlist] *n.* 환경 운동가

environmentally friendly *adj.* 환경 친화적인 SYN enviroment friendly

envision [invíʒən] *v.* [T] **1** (미래의 일을) 상상하다, 마음 속에 그리다: It should be quite simple; I don't *envision* any difficulty. 그것은 아주 단순한 것임이 확실할 것이다. 나는 어떤 난관도 상상하지 않는다. SYN imagine

envoy [énvɔi] *n.* (외교) 사절, 특사: a peace *envoy* 평화 사절

*****envy** [énvi] *n.* 질투, 부러움, 시기 *v.* [T] 부러워하다, 질투하다 (for): I *envy* you. 나는 네가 부러워.
— **enviable** *adj.* **envious** *adj.*
enviously *adv.*

epic [épik] *n.* 서사시 (국가나 민족의 역사적 사건에 얽힌 신화나 전설 또는 영웅의 사적 등을 서사적으로 읊은 긴 시)
adj. 서사시적인 *cf.* lyric 서정(시)적인

epidemic [èpədémik] *n. adj.* 유행병(의), 전염병(의)

epilog, epilogue [épilɔ̀ːg] *n.* 에필로그 (시가 · 소설 · 연주 등의 끝 부분에 덧붙이는 것) OPP prologue

episode [épəsòud] *n.* (소설 · 극 등에서) 이야기나 사건 등의 줄거리 사이에 끼워 넣는 짧은 이야기, 에피소드

epitaph [épətæ̀f] *n.* 비문, 묘비명

epoch [épək] *n.* (중요한 사건이 일어났던)

시대 SYN period

EQ *abbr.* **1** educational quotient 교육 지수 **2** emotional quotient 감성 지수

*****equal** [íːkwəl] *adj.* **1** 같은 (to), 동등한 (with): My friend and I are of *equal* height. 내 친구와 나는 키가 같다. / One meter is *equal* to 100 centimeters. 1미터는 100센티미터와 같다. OPP unequal **2** 평등한: All men are *equal*. 모든 사람은 평등하다.
v. [T] **1** …와 같다: Three times two *equals* six. 삼 곱하기 이는 육이다. **2** …에 필적하다: Nobody *equals* him in strength. 힘으로 그에게 필적하는 사람은 없다.
n. 대등한 사람, 대등한 것: Adults should treat children as *equals*. 어른은 어린이를 대등한 사람으로 대해야 한다.
— **equally** *adv.*

equality [i(ː)kwáləti] *n.* 같음, 동등, 대등, 평등 OPP inequality

equalize, equalise [íːkwəlàiz] *v.* **1** [T] 같게 하다 **2** [I] 동점이 되다

equator [ikwéitər] *n.* (the equator, the Equator) 적도(赤道)

*****equip** [ikwíp] *v.* [T] (equipped-equipped) (…에 필요물을) 갖추다, …에 설비하다 (with): The government is planning to *equip* all schools with computers. 정부는 모든 학교에 컴퓨터를 설치할 계획이다.

equipment [ikwípmənt] *n.* 장비, 설비, 비품: office *equipment* 사무용품 / sports *equipment* 스포츠 장비

■ **용법** equipment
equipment는 셀 수 없는 명사이다. 그래서 단수로 표현하고자 할 때는 'a piece of equipment' 라고 해야 한다. 이와 같은 명사에는 furniture, information 등이 있다.

equivalent [ikwívələnt] *adj.* **1** …와 같은: The two computers are *equivalent* in speed. 이 두 컴퓨터는 속도면에서 같다. **2** (말·표현 등이) 같은 뜻의 (to): Chuseok is *equivalent* to Thanksgiving in America. 추석은 미국의 추수감사절과 같은 뜻이다.

n. **1** 동등한 것 **2** …에 해당하는 단어

era [íərə] *n.* (주요한 사건이나 두드러진 특징이 있는) 시대, 연대, 기원: We are living in the Internet *era*. 우리는 인터넷 시대에 살고 있다.

eradicate [irǽdəkèit] *v.* [T] 뿌리째 뽑다, 박멸하다: Would you recommend a pesticide that can *eradicate* cockroaches? 바퀴벌레를 박멸할 수 있는 살충제 좀 추천해 주시겠어요? [SYN] exterminate

— **eradication** *n.*

*****erase** [iréis] *v.* [T] (쓴 글자·기억 등을) 지우다, 삭제하다: *Erase* unnecessary files from the computer. 컴퓨터에서 불필요한 파일들을 삭제해라.

eraser [iréisər] *n.* ([영] rubber) 지우개

erect [irékt] *adj.* 똑바로 선: stand *erect* 똑바로 서다 [SYN] upright

v. [T] **1** 똑바로 세우다 **2** 건설하다, 건립하다: *erect* a monument in the park 공원에 기념비를 건립하다 [SYN] build

— **erection** *n.*

erode [iróud] *v.* [I,T] **1** 부식하다, 침식하다: The river has *eroded* the rocks. 강이 바위를 침식했다. **2** 쇠퇴하다, 감퇴하다: My confidence is *eroded*. 자신감이 없어졌다.

— **erosion** *n.*

err [ə:r] *v.* [I] 잘못하다, 실수하다, 틀리다: To *err* is human, to forgive divine. 잘못은 인지상사요, 용서는 신의 본성이다.(영국 시인 A. Pope의 말)

— **error** *n.*

*****errand** [érənd] *n.* 심부름

[숙어] **go on an errand** 심부름 가다

*****error** [érər] *n.* 잘못, 과실: I have made too many spelling *errors* in my

composition. 작문에서 너무 많은 철자를 틀렸다.

— **err** *v.*

■ 유의어 **error**
error 정확하지 않거나 사실이 아니거나 틀린 말, 행동 또는 믿음에 대해 일반적으로 쓰는 단어. **mistake** 잘못 이해하거나 부주의에 의해 저지른 잘못.

erupt [irʌ́pt] *v.* [I,T] **1** (화산 등이) 분출하다, (용암·화산재 등을) 내뿜다: Mount Vesuvius has not *erupted* for many years. 베수비오스산은 여러 해 동안 분출하지 않았다. **2** (갑자기) 발발하다 **3** (화·노여움을) 폭발시키다 (with), 와락 터뜨리다

— **eruption** *n.*

*****escalator** [éskəlèitər] *n.* 에스컬레이터, 자동식 계단

— **escalate** *v.* 단계적으로 상승하다

*****escape** [iskéip] *v.* [I,T] **1** 달아나다, 탈출하다 (from, out of): *escape* from (a) prison 탈옥하다 **2** (위험·병 등에서) 벗어나다

n. 탈출, 도망 (from, out of): a narrow *escape* 구사일생 / an *escape* from reality 현실 도피

escort [iskɔ́:rt] *v.* [T] 호위하다, 바래다 주다: I will *escort* her to the table. 내가 그녀를 식탁으로 안내하겠다.

n. [éskɔ:rt] 호위, 호송

ESL *abbr.* English as a Second Language 제 2 언어로서의 영어

*****especially** [ispéʃəli] *adv.* **1** 특히: I love dogs, *especially* bulldogs. 나는 개를 매우 좋아하는데 특히 불독을 좋아한다. **2** 각별히, 특별히: I made it *especially* for you. 특별히 너를 위해 만들었어.

Esperanto [èspərǽntou] *n.* 에스페란토 (폴란드의 언어학자 L. L. Zamenhof가 창안한 국제 보조어)

essay [ései] *n.* 수필, 글짓기 (on, about): For your homework, write an *essay*

E

on environment. 숙제로 환경에 관한 글짓
기를 해 오세요.
— **essayist** *n.* 수필가

essence [ésəns] *n.* **1** 본질, 핵심: the
essence of democracy 민주주의의 본질 **2**
정유(精油), 에센스 (식물성 정유의 알코올 용
액): *essence* of lavender 라벤더 정유

essential [isénʃəl] *adj.* **1** 필수의, 가
장 중요한 (for, to): If you are going
swimming in the sea, a life jacket is
essential. 바다에 수영하러 간다면 구명 조끼
는 필수이다. **2** 본질적인: What is the
essential difference between man and
apes? 인간과 유인원의 본질적인 차이는 무엇
인가?

establish [istǽbliʃ] *v.* [T] **1** (학교 · 회사
등을) 설립하다: The university was
established in 1880. 그 대학교는 1880년에
설립되었다. **2** (관계 등을) 확립하다 (with,
between): *establish* friendly relations
with other countries 다른 나라들과 우호
관계를 확립하다
— **establishment** *n.*

estate [istéit] *n.* **1** 토지, 사유지: real
estate 부동산 / personal *estate* 동산 **2** 재
산, 유산: His *estate* was left to his
daughter. 그의 재산은 그의 딸에게 남겨졌
다.

esteem [istí:m] *v.* [T] (종종 수동태) 존경
하다: He is highly *esteemed* in busi-
ness circles. 그는 실업계에서 높이 존경받고
있다. SYN respect
n. **1** 존중, 존경: I hold her in (high)
esteem. 나는 그녀를 (매우) 존경한다. **2** 의견,
판단: in my *esteem* 내 생각으로는

estimate [éstəmèit] *v.* [T] **1** 어림잡다,
추정하다: It is *estimated* that about
5,000 people were at the concert. 대략
5천 명 정도의 사람들이 콘서트를 보러 왔다고
추정된다. **2** 평가하다, 판단하다
n. [éstəmit] **1** 견적 **2** 판단, 의견

estimation [èstəméiʃən] *n.* 의견, 판단,
평가

estrange [istréindʒ] *v.* [T] 사이를 나쁘
게 하다, 멀리하다: The dispute *estranged*
him from his friend. 말다툼으로 그는 친
구와 사이가 나빠졌다.
— **estrangement** *n.*

etc, etc. [etsétərə] *abbr.* [라틴어] et
cetera 기타, 등등, … 따위: a coat, hat,
sweater, *etc*. 코트, 모자, 스웨터 등등
※ 보통 글 가운데서는 and so forth로 읽는
다. etc 자체가 and의 뜻을 포함하므로 and
etc라고 쓰는 것은 잘못이다.

eternal [itə́:rnəl] *adj.* 영원한, 불후의:
Egyptians believed in *eternal* life. 이
집트인들은 영생을 믿었다. SYN everlasting
OPP temporary
— **eternally** *adv.*

eternity [itə́:rnəti] *n.* **1** 영원, 불멸 **2** (사
후의) 내세 **3** (끝이 없게 느껴지는) 긴 시간

ethical [éθikəl] *adj.* **1** 도덕상의, 윤리적인
2 윤리학의
— **ethically** *adv.*

ethics [éθiks] *n.* (*pl.*) 윤리(학)

ethnic [éθnik] *adj.* **1** 인종의, 민족의, 민
족 특유의 **2** 이국풍의

> ■ **ethnic과 racial**
> **ethnic** 언어 · 습관에 관한 경우에 씀.:
> Hispanic 라틴 아메리카 사람, Japanese
> 일본 사람, Korean 한국 사람 **racial** 피
> 부나 눈의 빛깔 · 골격 등에 관한 경우에
> 씀.: a non-white 유색인, a white 백
> 인, a black 흑인

ethos [í:θas] *n.* **1** 민족 정신, 사회 사조,
윤리성 **2** 기풍, 풍조

etiquette [étikèt] *n.* 예의 범절, 예법

etymology [ètəmálədʒi] *n.* 어원; 어원
학

EU *abbr.* European Union 유럽 연합

euro [júərou] *n.* 유로화 (유럽 연합(EU)의
통합 화폐 단위)

Euro- *prefix* '유럽의, EU의' 의 뜻.

Europe [júərəp] *n.* 유럽

European [jùərəpí:ən] *adj.* 유럽의, 유럽 사람의
n. 유럽 사람

evacuate [ivǽkjuèit] *v.* [T] **1** 피난시키다 (from, to): The police *evacuated* people from the theater because of a fire. 화재 때문에 경찰은 사람들을 극장에서 피난시켰다. **2** (내용물을) 빼다, 배출하다 (of)
— **evacuation** *n.*

evade [ivéid] *v.* [T] 피하다, 회피하다: *evade* responsibility 책임을 회피하다 / *evade* the question 질문을 피하다 [SYN] avoid
— **evasive** *adj.*

evaluate [ivǽljuèit] *v.* [T] 평가하다: The school inspectors *evaluate* the quality of teaching. 장학사들은 수업의 질을 평가한다.
— **evaluation** *n.*

evaporate [ivǽpərèit] *v.* **1** [I,T] 증발하다: When it is hot, the water *evaporates* quickly. 날씨가 더우면 물은 빨리 증발한다. **2** (사람이) 자취를 감추다
— **evaporated** *adj.* **evaporation** *n.*

evasion [ivéiʒən] *n.* 도피, 회피

eve [i:v] *n.* (축제일의) 전야(前夜), 전날: Christmas *Eve* 크리스마스 전날 밤 / New Year's *Eve* 섣달 그믐날

***even** [í:vən] *adv.* **1** ···조차(도), ···라도, ···까지: *Even* my father dyed his hair. 우리 아버지조차도 머리 염색을 하셨다. / He is very kind and *even* good-looking! 그는 친절한데다가 잘생기기까지! **2** (비교급을 강조하여) 한층 (더), 더욱: Jesus, English test is *even* more difficult than math test! 맙소사, 영어 시험이 수학 시험보다 훨씬 더 어렵잖아!
adj. **1** (행동·동작이) 규칙바른, 한결같은: I was driving at an *even* speed. 나는 일정한 속도로 차를 몰고 있었다. / an *even* temper 침착한 기질 **2** 평평한, 고른: an *even* surface 평평한 표면 [SYN] flat **3** 동등한, 대등한: an *even* game 대등한 게임 / We are *even* now. (앙갚음 등을 하고 난 뒤) 이제 우리는 피차 비긴 셈이다. **4** 짝수의: an *even* number 짝수 [OPP] odd
[숙어] **be(get) even (with)** ···에게 앙갚음하다: I'll *get even with* you, someday. 언젠가 앙갚음해 줄 거야.

even if, even though 비록 ···할지라도, 비록 ··· 하더라도: *Even if* I were in your place, I couldn't do such a thing. 비록 내가 네 입장이라 하더라도 나는 그런 일은 할 수 없다.

even so 그렇지 하더라도: She is very good at math, but *even so*, she always gets nervous before taking a test. 그녀는 수학을 매우 잘 하지만 항상 시험 보기 전에는 초조해한다.

***evening** [í:vniŋ] *n.* 저녁, 밤, 해질녘: in the *evening* 저녁에

***event** [ivént] *n.* **1** 사건, 대사건 **2** 이벤트, (파티·스포츠 경기 등) 계획된 사건
[숙어] **at all events, in any event** 좌우간, 여하튼 간에: I'll see you on Monday, but *in any event* I'll call you on Sunday. 월요일에 만나겠지만, 여하튼 간에 일요일에 전화할게.

in the event of ···일 경우에는: In the *event of* rain, a field trip will be canceled. 비가 오는 경우에는 견학은 취소됩니다.

eventful [ivéntfəl] *adj.* 사건이 많은

***eventual** [ivéntʃuəl] *adj.* 종국의, 결과로서 일어나는

eventually [ivéntʃuəli] *adv.* 결국, 드디어, 마침내: She *eventually* succeeded to expand her business. 그녀는 마침내 자신의 사업을 확장하는 데 성공했다. [SYN] finally

***ever** [évər] *adv.* **1** (의문문·부정문·비교문·if와 함께) 이제까지, 이전에, 언젠가: This is the best hamburger I have *ever* had. 이제까지 내가 먹어 본 햄버거 중에

서 제일 맛있다. / Come and see me if you're *ever* in Seoul. 언제 서울에 오면 나를 찾아와. / Today is colder than *ever*. 오늘은 지금까지보다 더욱 춥다. / Have you *ever* been to Paris? 파리에 가 본 적 있니? **2** (긍정문) 언제나, 늘: He is diligent as *ever*. 그는 언제나 근면하다. / *ever* since she was a baby 그녀가 아기일 때부터 쭉 / *ever* after … 이래로 쭉 [SYN] always **3** (의문문에서 when, where, who, how 등과 함께 써서 놀라움을 표현) 도대체: How *ever* did you do it? 도대체 그것을 어떻게 했니? / Why *ever* don't you work? 도대체 너는 왜 일을 안 하니? [SYN] in the world

[숙어] **ever since** 이래, 그 후 내내: They have been happy *ever since*. 그들은 그 후 내내 행복했다.

for ever 영원히: I would like to live with you *for ever*. 영원히 너와 함께 살고 싶다.

evergreen [évərgrì:n] *adj.* 상록의
n. 상록수

everlasting [èvərlǽstiŋ] *adj.* 영구한, 불후의: *everlasting* glory 불후의 영광

***every** [évri:] *adj.* **1** 모든, 누구나 다, 어느 것이나 다: "Do you know *every* student in your class?" "Yes, I know *every* one of them." "너는 너의 반 학생들을 다 아니?" "응, 난 모든 학생들을 알아." **2** 가능한 한의, 온갖 …: He showed me *every* kindness. 그는 내게 여러 가지로 친절을 베풀어 주었다. **3** …마다: *every* week 매주 / *every* few years 몇 해마다

[숙어] **every now and then** 가끔, 때때로: *Every now and then* I chat with her. 가끔 나는 그녀와 수다를 떤다. [SYN] sometimes

every other day 하루 걸러, 격일로: It rained almost *every other day*. 거의 격일로 비가 내렸다. [SYN] every two days

every time …할 때마다: *Every time* he comes, he brings flowers. 그는 올 때마

다 꽃을 가지고 온다. [SYN] whenever

everybody [évribὰdi] *pron.* 누구나 다
※ everybody는 항상 단수로 취급한다.

everyday [évridèi] *adj.* 날마다의, 매일의: *everyday* life 매일의 생활, 일상

■ **everyday와 every day**
everyday는 형용사로 명사 앞에 온다. **every day**는 두 개의 단어로 되어 있지만 부사로 쓰인다. 참고로 everydays란 표현은 쓰지 않는다.: *everyday* routine 일상의 일 / I swim *every day*. 나는 매일 수영을 한다.

everyone [évriwʌn] *pron.* 모든 사람, 누구나, 모두: *Everyone* but Julie came to the party. 파티에 줄리를 제외하고 모두 참석했다.

■ **everyone과 every one**
everyone은 사람에 대해서만 쓰이며 of 와 함께 사용하지 않는다. **every one**은 '개개인 또는 각각의 물건(each person or thing)'을 의미하며 종종 of와 함께 쓴다.

everything [évriθiŋ] *pron.* (단수 취급) 무엇이든지, 모두
n. 가장 중요한 것: Money is not *everything*. 돈이 가장 중요한 것은 아니다.

***evidence** [évidəns] *n.* 증거, 증거물 (of, for): look for *evidence* 증거를 찾다
v. [T] 증명하다, …의 증거가 되다

evident [évidənt] *adj.* 분명한, 명백한, 뚜렷한: It is *evident* that he is guilty; his fingerprints were found at the crime scene. 그가 유죄라는 것이 명백하다. 범죄 현장에서 그의 지문이 발견되었다.
— **evidently** *adv.*

***evil** [í:vəl] *adj.* 나쁜, 사악한: He is an *evil* man. 그는 굉장히 나쁜 사람이다. [SYN] bad [OPP] good
n. **1** 악: good and *evil* 선과 악 **2** 해악: a social *evil* 사회악

evocative [ivάkətiv] *adj.* …을 생각 나게 하는, 환기시키는 (of): This wine is *evocative* of the bright sun of France. 이 포도주는 프랑스의 밝은 햇빛을 생각나게 한다.

evoke [ivóuk] *v.* [T] (기억·감정을) 불러 일으키다, 환기시키다: The poetry *evoked* a feeling of love in the reader. 그 시는 독자에게 사랑의 감정을 불러일으켰다. SYN recall

evolution [èvəlú:ʃən] *n.* [생물] 진화, 발전: the theory of *evolution* 진화론 OPP devolution

evolve [ivάlv] *v.* [I,T] 1 [생물] 진화하다 2 서서히 발전하다

***exact** [igzǽkt] *adj.* 1 정확한: the *exact* date and time 정확한 일시 SYN accurate OPP inexact 2 꼼꼼한 3 정밀한: *exact* science 정밀 과학 SYN precise
— **exactness** *n.*
축어 **to be exact** 엄밀히 말하면, 정확히 말하면: He died last year — in June *to be exact*. 그는 작년에 죽었다. 정확히 말하면 6월에.

exaggerate [igzǽdʒərèit] *v.* [I,T] 과장 하다: "My dog is as big as a lion." "Don't *exaggerate*." "내 개는 사자만큼 커." "과장하지 마."
— **exaggeration** *n.*

***exam** [igzǽm] *n.* (examination의 축약형) 시험: I have to take a science *exam* tomorrow. 나는 내일 과학 시험이 있다.

examination [igzæmənéiʃən] *n.* 1 시험 2 (사건·사고 등의) 조사, 검사 3 [의학] 검사, 진찰: a physical *examination* 신체 검사 4 [법] 심문

***examine** [igzǽmin] *v.* [T] 1 시험하다 (in, on): The teacher will *examine* students on history. 선생님은 학생들에게 역사 시험을 보게 할 것이다. SYN test 2 조사하다, 검사하다: *examine* old records 오래된 기록을 조사하다 3 [의학] 진찰하다, 검진

하다 4 [법] 심문하다: *examine* a witness 증인을 심문하다

***example** [igzǽmpəl] *n.* 1 보기, 예: This house is an *example* of Gothic architecture. 이 집은 고딕 건축 양식의 한 예이다. 2 견본, 표본: Could you send me some *examples* of your products? 당신 회사 제품의 견본을 몇 개 보내 주실 수 있습니까? SYN sample 3 모범, 본보기 SYN model
축어 **for example** 예를 들면: In some countries, *for example*, in India, men wear skirts. 몇 나라에서는, 예를 들면, 인도 에서는 남자들이 치마를 입는다. SYN for instance

give an example of …의 예를 들다: Would you *give* us an *example of* the difference between American food and French food? 미국 음식과 프랑스 음 식의 차이에 대해 한 예를 들어 주시겠어요?

exasperate [igzǽspərèit] *v.* [T] (종종 수동태) 노하게 하다: She was *exasperated* by his remark. 그녀는 그의 말에 격분했다.
— **exasperating** *adj.* **exasperation** *n.*

excavate [ékskəvèit] *v.* [I,T] 1 파다 SYN dig 2 발굴하다: Archeologists *excavated* ancient ruins in Egypt. 고고 학자들이 이집트 고대 유적지를 발굴했다.
— **excavation** *n.*

exceed [iksí:d] *v.* [T] 초과하다, 넘다: The weight of the baggage cannot *exceed* 20 kilos. 여행용 짐의 무게는 20킬로 를 초과하지 못 한다.

excel [iksél] *v.* (excelled-excelled) 1 [T] (남을) 능가하다, …보다 낫다 (in, at): He *excels* others in speaking English. 그 는 다른 사람들보다 영어 회화가 낫다. SYN surpass 2 [I] 뛰어나다 (in, at): *excel* at sports 스포츠에 뛰어나다

***excellent** [éksələnt] *adj.* 뛰어난, 훌륭 한, 우수한: That was an *excellent* film. 훌륭한 영화였어.

— **excellence** *n.* (**His/Her/Your**) **Excellency** *n.* 각하

*****except** [iksépt] *prep. conj.* ···을 제외하고, ··· 외에는: We are open every day *except* on Sunday. 일요일을 제외하고 매일 문을 엽니다. / I know nothing about the accident *except* what I heard. 들은 것 외에는 그 사고에 대해서 나는 아는 바가 없다. [SYN] but

v. [T] 제외하다, ···을 빼다 (from): No, you can't be *excepted* from doing chores. 안 돼, 집 안 청소하는 데 널 빼 줄 수 없어. [SYN] exclude

[숙어] **except for(that)** ···을 제외하고: All students were present *except for* Hani. 하니를 제외하고 다른 학생들은 모두 출석했다. / The school facility is very good *except that* it has no cafeteria. 간이 식당이 없다는 점만 빼고는 학교 시설은 매우 좋다.

exception [iksépʃən] *n.* 예외, 제외: There's no *exception*. You, too, have to take the test. 예외는 없어. 너도 시험을 봐야 해.

[숙어] **with the exception of** ···을 제외하고는, ··· 이외에는

exceptional [iksépʃənəl] *adj.* **1** 이례적인: an *exceptional* case 이례적인 경우 [SYN] very unusual **2** 특별히 뛰어난: an *exceptional* student 특히 뛰어난 학생 [SYN] unusually good

— **exceptionally** *adv.*

excerpt [éksə:rpt] *n.* 발췌, 인용(구) [SYN] quotation

v. [T] [iksɔ́:rpt] 발췌하다, 인용하다 (from) [SYN] quote

excess [iksés] *n.* **1** 과다, 과잉: *excess* of fat 지방 과다 **2** 초과: an *excess* of 5 kilograms 5킬로그램 초과 **3** 월권, 지나침: the *excess* of liberty 지나친 자유 [SYN] more than enough

adj. 제한 초과의, 여분의

excessive [iksésiv] *adj.* 과도한, 지나친: *Excessive* dieting will harm your health. 지나친 다이어트를 하는 것은 건강을 해칠 것이다.

— **excessively** *adv.*

*****exchange** [ikstʃéindʒ] *n.* **1** 교환, 주고받기: an *exchange* of information 정보 교환 **2** 환전: What's the *exchange* rate for dollars? 달러의 환율이 어떻게 됩니까?

v. [T] 교환하다: They *exchanged* cell phone numbers. 그들은 휴대 전화 번호를 교환했다.

[숙어] **exchange ... for ~** ···를 ~와 교환하다: I *exchanged* my MC Sniper CD *for* Ricky Martin CD. 나는 내 엠씨 스나이퍼 시디를 리키 마틴 시디와 교환했다.

in exchange (for) ··· 대신, ···와 교환으로: I'll offer free accommodation *in exchange for* your helping my son's study. 내 아들의 공부를 봐 주는 대신 숙박비를 안 받겠네.

*****excite** [iksáit] *v.* [T] **1** 흥분시키다, 자극하다: Don't get *excited*. 흥분하지 마. / He is very *excited* at the thought of spending holidays in Italy. 그는 이태리에서 휴가를 보낼 생각으로 굉장히 흥분되어 있다. [SYN] stir up **2** (감정을) 일으키다: The news of a genius boy has *excited* a lot of public interest. 천재 소년에 관한 뉴스는 사람들의 많은 관심을 불러일으켰다. [SYN] arouse

excited [iksáitid] *adj.* 흥분한, 들뜬 상태의: *Excited* fans waited for the singer to arrive. 흥분한 팬들은 가수가 도착하기를 기다렸다. / She's really *excited* about her summer vacation. 그녀는 (다가올) 여름 휴가로 정말 들떠 있는 상태다.

— **excitedly** *adv.*

excitement [iksáitmənt] *n.* **1** 흥분 (상태), 자극받음: flushed with *excitement* 흥분으로 얼굴이 상기되어 **2** 소동, 동요: cause great *excitement* 큰 소동을 일으키다

exciting [iksáitiŋ] *adj.* 흥분시키는, 자극적인: The soccer game between Korea and Germany was *exciting*. 한국과 독일과의 축구 경기는 흥미진진했다.
※ 축구 경기가 우리를 흥분시키니까 능동인 현재분사가 왔다.

exclaim [ikskléim] *v.* [I,T] (놀라움·흥분·화 등으로) 외치다, 소리치다: "What a lovely baby!" she *exclaimed*. "정말 예쁜 아기네요!"하며 그녀는 외쳤다. / He *exclaimed* that he would rather die. 그는 차라리 죽어 버리겠다고 소리쳤다. [SYN] shout [OPP] whisper

exclamation [èkskləméiʃən] *n.* **1** 외침 **2** 감탄 **3** [문법] 감탄사 [SYN] interjection
— **exclamatory** *adj.*

exclude [iksklú:d] *v.* [T] **1** 배척하다, 제외하다, 못 들어오게 하다: This diet *excludes* pork, lamb, and eggs. 이 식이요법은 돼지고기, 양고기, 그리고 계란을 뺀 것이다. **2** 고려하지 않다, 배제하다: The police *excluded* the possibility of kidnapping. 경찰은 유괴 가능성을 배제했다. [SYN] count out [OPP] include
— **exclusion** *n.*

exclusive [iksklúsiv] **1** 배타적인 [OPP] inclusive **2** 독점적인: an *exclusive* story 특종 기사 / an *exclusive* right 독점권 **3** …을 제외하고 (of): There are 30 or 31 days in a month *exclusive* of February. 2월을 제외하고 한 달은 30 또는 31일이다.
n. 특종, 독점 기사

exclusively [iksklú:sivli] *adv.* 오로지: The car is *exclusively* for her use. 그 차는 그녀 전용이다. [SYN] only

*****excuse** [ikskjú:z] *v.* [T] **1** 용서하다: *Excuse* me for being late. 늦어서 죄송합니다.(용서해 주세요.) [SYN] forgive [OPP] accuse **2** 면제하다: She was *excused* from attendance because she had a cold. 감기에 걸려서 그녀는 출석을 면제받았다. [SYN] free **3** 변명하다: Nothing can *excuse* your behavior. 어떤 것도 너의 행동을 변명해 주지 못 한다.
n. [ikskjú:s] 변명: All right, let me hear your *excuses*. 좋아, 너의 변명을 들어 보자.
[숙어] **Excuse me. 1** 실례합니다., 실례했습니다. (모르는 사람에게 말을 걸 때, 사람 앞을 통과할 때, 자리를 뜰 때 등) **2** (발을 밟거나 하여) 미안합니다.
※ Forgive me., Pardon me.도 같은 뜻이다.
Excuse me? 다시 한 번 말씀해 주세요.
※ Forgive me?, pardon me?도 같은 뜻이다.

execute [éksikjù:t] *v.* [T] **1** (계획 등을) 실행하다: They *executed* a plan to reduce water consumption. 그들은 물 소비를 줄이는 계획을 실행했다. [SYN] carry out **2** 사형을 집행하다, 처형하다
— **execution** *n.*

executive [igzékjətiv] *n.* **1** (사장·중역·지배인 등) 간부, 경영진, 회사 중역 **2** 행정부; 집행 위원회
adj. **1** 수행의, 집행의 **2** 집행권을 갖는 **3** 중역(이사, 임원)의 **4** 행정상의

exemplary [igzémpləri] *adj.* 모범적인, 훌륭한, 본보기가 될 만한: *exemplary* behavior 본보기가 될 만한 (훌륭한) 행동

exempt [igzémpt] *v.* [T] 면제하다 (from): *exempt* ... from taxes …의 조세를 면제하다
adj. 면제된: Children under 8 are *exempt* from bus fare. 8세 미만의 어린이들은 버스 요금이 면제된다.
— **exemption** *n.*

*****exercise** [éksərsàiz] *n.* **1** 운동: You should take more *exercise*. 너는 운동을 더 해야 한다. **2** 연습 (문제), 훈련: Do *Exercise* 5 on page 11 for homework. 숙제로 11쪽에 있는 5번 연습 문제를 풀어 오세요. [SYN] practice **3** (주의력·의지력·능력 등의) 행사, 발휘: *exercise* an influence on …에 영향력을 행사하다

v. 1 [I,T] 운동하다, 연습하다: I try to *exercise* each morning. 나는 매일 운동하려고 노력한다. **2** [T] (능력 등을) 발휘하다, (권력 등을) 행사하다 **3** [T] (의무를) 수행하다

exert [igzɔ́:rt] **v.** [T] **1** (힘·영향력 등을) 발휘하다, 쓰다: I *exerted* all my strength to move the box. 나는 그 상자를 옮기기 위해 있는 힘을 다 썼다. [SYN] use **2** 노력하다 (oneself for) [SYN] strive

exhale [eksʰéil] **v.** [I] (숨을) 내쉬다, (가스 등을) 내뿜다: Now, *exhale* slowly. 이제 천천히 숨을 내쉬세요. / Chimneys are *exhaling* dense smoke. 굴뚝이 진한 연기를 내뿜고 있다. [OPP] inhale
— **exhalation** *n.*

exhaust [igzɔ́:st] **v.** [T] **1** 지치게 하다: The long journey *exhausted* him. 긴 여행이 그를 지치게 했다. [SYN] tire out [OPP] energize **2** 다 써버리다: Our drinking water is *exhausted*. 우리의 식수가 고갈됐다. [SYN] use up
n. (엔진의) 배기 가스, 배출, 배기 (장치)
— **exhausted** *adj.* 다 써버린, 고갈된
exhaustive *adj.* 총망라한, 철저한
exhaustion *n.* 다 써버림, 고갈

exhibit [igzíbit] **v.** [T] **1** 전시하다, 출품하다 (at, in): I'm going to *exhibit* my dog, Bobos, at the dog show. 나는 내 개 보보스를 개 품평회에 출품할 것이다. [SYN] display **2** (징후·감정을) 나타내다, 보이다: His lips were smiling but his eyes *exhibited* anger. 그의 입술은 미소를 지었지만 그의 눈은 노기를 띠고 있었다. [SYN] reveal
n. 출품, 진열품
[숙어] **on exhibit** [**exhibition**] 전시되어 (있는)

exhibition [èksəbíʃən] **n.** **1** 전시, 진열 **2** 전시회, 박람회 **3** 전시품

exile [égzail] **n.** **1** 망명: go into *exile* 망명하다 / live in *exile* 망명 생활을 하다 **2** 추방 **3** 망명자, 유랑자

v. [T] (주로 수동태) 추방하다, 귀양 보내다: Yun Seondo was *exiled* twice in his life. 윤선도는 그의 일생에 두 번 귀양 보내졌다.

*exist [igzíst] **v.** [I] **1** 존재하다: Such custom still *exists* today. 그러한 관습이 오늘날에도 여전히 존재한다. [SYN] be **2** 생존하다, 살아 있다: Fish cannot *exist* on land. 물고기는 땅에서 살 수 없다. [SYN] live
— **existing** *adj.*
[숙어] **exist on** …으로 살다: He *existed* on bread and water in prison. 그는 감옥에서 빵과 물만으로 살았다.

existence [igzístəns] **n.** **1** 존재, 실재 **2** [철학] 실존 **3** 생활
[숙어] **come into existence** 생기다, 태어나다: A new fashion has *come into existence*. 새 유행이 생겨났다.

*exit [égzit, éksit] **n.** **1** 출구 [OPP] entrance **2** 나감, 출국: an illegal *exit* 불법 출국
v. [I,T] **1** 나가다: We *exited* the movie theater before the movie had ended. 우리는 영화가 끝나기 전에 영화관을 빠져 나왔다. **2** [컴퓨터] (시스템·프로그램에서) 나가다 [OPP] enter

exotic [igzátik] **adj.** **1** 이국적인: Namiko is an *exotic* name. I guess the name Namiko is Japanese. 나미코는 이국적인 이름이다. 내 생각에 나미코란 이름은 일본식인 것 같다. **2** 외국의

expand [ikspǽnd] **v.** [I,T] **1** (크기·숫자·양 등이) 커지다, 팽창하다: Metals *expand* as they are heated. 금속은 가열됨에 따라 팽창한다. / The population of Seoul has *expanded* by 20%. 서울의 인구 수는 20% 증가했다. [OPP] contract **2** (범위 등을) 펴다, 넓히다: *expand* interests 호기심(의 영역)을 넓히다 [SYN] spread out **3** (사업을) 확장하다: *expand* business 사업을 확장하다

expansion [ikspǽnʃən] **n.** **1** 팽창, 신장

2 확대, 확장

****expect** [ikspékt] *v.* [T] **1** 예상하다: I *expected* him to come. 나는 그가 오리라고 생각했다. **2** 기대하다: I *expect* all of you will take part in the parade. 나는 여러분 모두가 퍼레이드에 참여할 것으로 기대합니다. **3** (수동태) 예정되어 있다: A new edition is *expected* to come out next month. 신간이 다음 달에 나올 예정이다.

expectancy [iklspéktənsi] *n.* **1** 기다림, 기대: They waited for him in happy *expectancy*. 그들은 행복한 기대 속에서 그를 기다렸다. **2** 예상되는 것, 예측: a life *expectancy* of 80 years 예상 수명 80세, 평균 기대 수명 80세

expectant [ikspéktənt] *adj.* **1** (좋은 일이 일어나기를) 기대하는, 예상하는: *expectant* fans 기대에 가득 찬 팬들 **2** 임신한: *Expectant* mothers need good nutrition. 임산부들은 충분한 영양 섭취를 필요로 한다.

— **expectantly** *adv.*

expectation [èkspektéiʃən] *n.* **1** (종종 *pl.*) 예상 **2** 기대 **3** (종종 *pl.*) 예상되는 일, 예상되는 유산 상속

[숙어] **against(contrary to) (all) expectation(s)** 기대한 바와는 달리: *Against all expectations*, he failed the test. 기대한 바와는 달리 그는 시험에 떨어졌다.

in expectation of …을 기대하고, 내다보고: We put on our coats *in expectation of* snow. 우리는 눈이 올 것 같아 코트를 입었다.

meet(come up to) one's expectations …의 기대(예상)대로 되다: The movie didn't *meet our expectations*. 그 영화는 우리의 기대에 못 미쳤다.

expedition [èkspədíʃən] *n.* **1** 탐험, 원정: Scott died while he was on an *expedition* to the Antarctic in 1912. 스콧은 1912년 남극 탐험 중에 죽었다. **2** 탐험대,

원정대

— **expeditionary** *adj.*

expel [ikspél] *v.* [T] (expelled-expelled) **1** 쫓아내다, 물리치다: *expel* an invader from a country 침입자를 국외로 내쫓다 [SYN] drive out **2** 추방하다 (from): He was *expelled* from school for cheating. 그는 부정 행위를 했기 때문에 퇴학당했다. **3** 분출하다: The volcano *expels* smoke. 화산이 연기를 분출한다.

— **expulsion** *n.*

expense [ikspéns] *n.* **1** 비용, 지출: at an *expense* of $55 55달러의 비용으로 [OPP] income **2** (expenses) 지출금: He and I share boarding *expenses*. 그와 나는 기숙사비를 같이 낸다. / living *expenses* 생활비

[숙어] **at any expense** 아무리 비용이 들더라도, 어떤 희생을 치르더라도 [SYN] at any cost

at the expense of, at one's expense 1 …의 비용으로 **2** …을 희생하여: The drug dealers increase their income *at the expense of* other's health. 마약 거래자들은 다른 사람들의 건강을 희생하여 자신들의 수입을 늘린다.

****expensive** [ikspénsiv] *adj.* 돈이 드는, 값비싼 [OPP] inexpensive, cheap

****experience** [ikspíəriəns] *n.* **1** 경험, 견문: The new teacher has a lot of *experience*. 새로 오신 선생님은 경험이 많으시다. / I gained a valuable *experience* from traveling abroad. 나는 해외 여행을 통해 귀중한 경험을 했다. **2** (experiences) 경험담: "Grandpa, tell me your *experiences* in Africa." "할아버지, 아프리카에 갔던 경험담을 이야기해 주세요."

v. [T] **1** 경험하다, 체험하다: We all *experience* confusion at the age of puberty. 우리 모두는 사춘기 나이에 혼란스러움을 경험한다. **2** (위험 등에) 부닥치다

[숙어] **by(from) experience** 경험으로, 경험해서: I know this *from experience*.

E

나는 이것을 경험으로 안다.

experienced [ikspíəriənst] *adj.* 경험 있는, 경험 많은, 노련한: a man *experienced* in teaching 교직 경험이 있는 사람 / have an *experienced* eye 안목이 있다

*__experiment__ [ikspérəmənt] *n.* **1** 실험: a chemical *experiment* 화학 실험 **2** 시험, 시도: a new *experiment* in education 교육상의 새로운 시도

v. [I] [ikspérəmènt] 실험하다, 시험하다 (on, with, in): A new remedy will be *experimented* on animals. 새로운 치료법은 (그 효과나 부작용을 알기 위해) 동물에게 실험될 것이다.

— **experimental** *adj.* **experimentally** *adv.* **experimentation** *n.*

expert [ékspəːrt] *n.* 숙련가, 전문가 (at, in, on): She's an *expert* in geology. 그녀는 지질학 전문가이다.

adj. [ikspə́ːrt, ékspəːrt] **1** 숙달된, 노련한, 교묘한 (at, in, on, with): He's an *expert* tailor. 그는 숙달된 재봉사이다. **2** 전문가의, 전문적인: We have to ask for *expert* advice on this problem. 이 문제에 관해서 전문가의 조언을 구해야 한다.

■ 유의어 **expert**

expert 훈련과 경험으로 아주 숙달된 능력을 갖고 있는 경우에 쓰임. **skilled** 실습에 의하여 세밀한 점까지 정통해 있다는 뜻으로 기예 등에 잘 쓰임. **skillful** 지식이 있고 숙련된 경우에 쓰임.

---

expertise [èkspəːrtíːz] *n.* **1** 전문가의 의견(감정)서 **2** 전문적 기술(지식)

expiration [èkspəréiʃən] *n.* ([영] expiry) (기간의) 만료, 만기

expire [ikspáiər] *v.* [I] (기간이) 끝나다, 만기가 되다: My passport *expires* next month. 다음 달이면 내 여권이 만기가 된다.

*__explain__ [ikspléin] *v.* [T] **1** 설명하다: He *explained* the situation to me. 그는 나에게 상황을 설명해 주었다. [SYN] account for

2 이유를 말하다: He *explained* why he was late. 그는 왜 늦었는지 이유를 말했다.

explanation [èksplənéiʃən] *n.* 설명, 해설

— **explanatory** *adj.*

explicit [iksplísit] *adj.* **1** 명백한, 분명한: Her plan was simple and *explicit*. 그녀의 계획은 간단하고 분명했다. [SYN] clear [OPP] implicit **2** 노골적인, 숨김없는

— **explicitly** *adv.* **explicitness** *n.*

*__explode__ [iksplóud] *v.* [I,T] **1** 폭발하다, 폭발시키다: Sometimes a mine *explodes* in DMZ. 가끔 비무장 지대에서 지뢰가 폭발하기도 한다. **2** 굉장히 화를 내다: My mother *exploded* when I told her I lost her pearl necklace. 내가 엄마의 진주 목걸이를 잃어버렸다고 말하자 엄마는 굉장히 화를 내셨다. **3** (폭발적으로) 불어나다: The population *exploded* over the last ten years. 지난 10년간 인구가 폭발적으로 증가했다.

exploit [iksplɔ́it] *v.* [T] **1** (이기적인 목적으로) 이용하다, 착취하다: Children working in factories were *exploited*. 공장에서 일하는 어린 아이들은 착취당했다. **2** (자원 등을) 개발하다: *exploit* solar energy 태양 에너지를 개발하다

— **exploitation** *n.*

exploration [èkspləréiʃən] *n.* 탐험, 탐사

— **explorative, exploratory** *adj.*

explore [iksplɔ́ːr] *v.* [I,T] 탐험하다, 답사하다: *explore* the Antartic Continent 남극 대륙을 탐험하다 / *explore* the town 시내를 답사하다

explorer [iksplɔ́ːrər] *n.* **1** 탐험가 **2** (Explorer) 익스플로러 (미국 초기의 과학 위성)

explosion [iksplóuʒən] *n.* **1** 폭발, 폭파 **2** 급격한(폭발적) 증가: There has been an *explosion* of growth in the computer industry. 컴퓨터 산업의 급격

한 성장이 있었다. **3** (노여움의) 폭발

explosive [iksplóusiv] *adj.* 폭발성의:
an *explosive* substance 폭발성 물질
n. 폭약: a high *explosive* 고성능 폭약
— **explosiveness** *n.*

*****export** [ikspɔ́:rt] *v.* [I,T] 수출하다:
French cheeses are *exported* to many
countries. 프랑스 치즈는 여러 나라로 수출
된다. [OPP] import
n. [ékspɔ:rt] **1** 수출 [OPP] import **2** 수출
품: an *export* of Korea 한국의 수출품
[OPP] import **3** [컴퓨터] (정보를 한 프로그
램에서 다른 프로그램으로) 보내기

exporter [ikspɔ́:rtər] *n.* 수출업자 [OPP]
importer

expose [ikspóuz] *v.* [T] **1** (햇볕 · 비 · 바
람 등에) 쐬다, 노출시키다: Avoid *exposing*
your skin to the sun for too long. 햇
볕에 피부를 너무 오래 노출시키는 것을 피해
라. [SYN] uncover **2** (죄 · 비밀 등을) 폭로하
다: Your crime will be *exposed* soon.
머지않아 네가 저지른 범죄는 폭로될 것이다.
[SYN] reveal
— **exposed** *adj.*

exposure [ikspóuʒər] *n.* **1** 노출 **2** 탄로,
폭로

*****express** [iksprés] *v.* [T] **1** 표현하다, (감정
을) 나타내다: I'm not good at *express-
ing* my feelings. 나는 감정을 표현하는 데
서툴다. **2** 표시하다: Water is *expressed* as
H₂O. 물은 H₂O라고 표시한다. / The police
officer's frown *expresses* suspicion. 경
찰관이 얼굴을 찌푸리는 것은 의심의 표시다.
adj. **1** 급행의: an *express* bus 급행 버스 **2**
명백한: My father left an *express* will
to give all his wealth to the poor. 나
의 아버지는 가난한 사람들에게 그의 모든 재산
을 주라는 명백한 유언을 남기셨다. [SYN] clear
n. (기차 · 버스 등의) 급행편, 속달

expression [ikspréʃən] *n.* **1** 표현, 표시
2 말씨, 어법: an idiomatic *expression* 관
용적인 표현 **3** 표정: a face that lacks

expression 표정이 없는 얼굴
— **expressive** *adj.* **expressively** *adv.*

expressway [ikspréswèi] *n.* [미] (인터
체인지가 완비된) 고속 도로

expulsion [ikspʌ́lʃən] *n.* 배제, 제명,
제적

exquisite [ikskwízit] *adj.* 정교한, 섬세
하고 아름다운: an *exquisite* bracelet 정교
하고 아름다운 팔찌
— **exquisitely** *adv.*

*****extend** [iksténd] *v.* [I,T] **1** 미치다, …에
이르다: The path in the park *extends* to
the forest. 공원 안에 있는 오솔길은 숲까지
이른다. **2** 뻗다, 늘이다, 연장하다: Can you
extend your injured leg now? 너 이
제 다친 다리를 쭉 뻗을 수 있어? / We're
extending our vacation from two to
three weeks. 우리는 휴가를 2주에서 3주로
연장할 것이다.

extension [iksténʃən] *n.* **1** 연장, 늘임;
확대 **2** 증축 **3** [전화] 내선(內線): Call the
main number and ask for my office
extension, 123. 대표 전화로 건 다음 내 사무
실 내선 번호 123을 대달라고 하세요.

extensive [iksténsiv] *adj.* **1** 광대한, 넓
은: The university stands in *extensive*
grounds. 대학교는 넓은 대지 위에 세워져 있
다. / an *extensive* research 광범위한 연구
2 해박한: Her knowledge of art is
extensive. 미술에 대한 그녀의 지식은 해박하
다.
— **extensively** *adv.*

extent [ikstént] *n.* **1** 넓이, 크기: You
can see the full *extent* of the field
from the mountain top. 산꼭대기에서 밭
의 전체 넓이를 볼 수 있다. **2** 범위, 정도:
Well, it's true to some *extent*. 글쎄요,
어느 정도는 맞는데요. [SYN] range

[숙어] **to a certain(some) extent** 어
느 정도까지: I agree with you *to a
certain extent*. 어느 정도까지는 나도 너와
같은 의견이다.

E

exterior [ikstíəriər] *adj.* 외부의, 바깥쪽
의: The *exterior* walls are painted
white. 바깥 벽은 하얗게 칠해져 있다. OPP
interior
n. 외부, 외관: The *exterior* of the
building is damaged by the acid
rain. 건물의 외부가 산성비에 의해 손상을 입
었다.

exterminate [ikstə́:rmənèit] *v.* [T] 근
절하다, 전멸시키다, 몰살하다
— **extermination** *n.*

exterminator [ikstə́:rmənèitər] *n.* **1**
박멸하는 사람[것] **2** 해충약

external [ikstə́:rnəl] *adj.* **1** 외부의, 밖
의: the *external* walls of the house 집의
외벽 / For *external* use only. (약 등의) 외
용(外用). 먹으면 안 됨. OPP internal **2** 대외
적인: *external* policy 대외 정책
— **externally** *adv.*

extinct [ikstíŋkt] *adj.* **1** (인종·동식물 등
이) 멸종한: Tigers will soon become
extinct. 머지않아 호랑이는 멸종할 것이다. **2**
(불이) 꺼진, (화산이) 활동을 그친: The
volcano in Jejudo is an *extinct* one. 제
주도에 있는 화산은 활동을 그친 사화산이다.
OPP active
※ active volcano(활화산)는 현재 분화(噴
火)가 진행되고 있는 화산, dormant
volcano(휴화산)는 한때 분화한 일이 있으나
지금은 활동하지 않는 화산, 그리고 extinct
volcano(사화산)는 구조나 암질(岩質)로 보아
화산임이 인정되지만, 유사(有史) 이래로 화산
활동의 기록이 없는 화산을 말한다.
— **extinction** *n.*

extinguish [ikstíŋgwiʃ] *v.* [T] (불 등을)
끄다, (화재를) 진화하다: The firefighters
extinguished a fire. 소방대원들이 화재를
진화했다. SYN put out

extinguisher [ikstíŋgwiʃər] *n.* 소화기
⇨ fire extinguisher

*****extra** [ékstrə] *adj. adv.* **1** 여분의: I need
some *extra* money to buy a CD. 나는

시디를 사기 위해 여분의 돈이 필요하다. SYN
additional **2** 추가 요금으로의, 별도 계정에
의한: Dinner costs $5, and wine is
extra. 식사 5달러에 포도주는 별도 계산입니
다. **3** 특별히: *extra* large 특대의 / *extra*
fine 특별히 좋은
n. **1** 여분의 것 **2** (extras) 추가 요금 **3** (영화
의) 보조 출연자

extra- *prefix* '… 외의, 범위 밖에, 특히' 의
뜻.: *extra*terrestrial being 우주인 /
*extra*thin 특히 얇은

extract [ikstrǽkt] *v.* [T] **1** 뽑아내다:
have a wisdom tooth *extracted* 사랑니
를 뽑다 SYN pull out, take out **2** 추출하
다: *extract* oil from soybeans 콩으로부
터 기름을 추출하다
n. [ékstrækt] **1** 추출물: vanilla *extract*
바닐라 추출물 **2** 발췌, 인용 SYN abstract,
excerpt
— **extraction** *n.* 뽑아냄, 적출, 추출

extraordinary [ikstrɔ́:rdənèri] *adj.*
1 대단한, 비상한, 보통이 아닌: a man of
extraordinary talent 비상한 재주를 가진 사
람 **2** 터무니없는, 이상한: He was an
extraordinary boy. 그는 괴짜 소년이었다.
OPP ordinary
— **extraordinarily** *adv.*

extravagant [ikstrǽvəgənt] *adj.* **1**
낭비벽이 있는, 사치한: an *extravagant*
lifestyle 사치스러운 생활 양식 **2** 과장된, 지
나친
— **extravagantly** *adv.* **extrava-**
gance *n.*

*****extreme** [ikstrí:m] *adj.* **1** 극도의, 심한:
extreme cold 극도의 추위 / *extreme*
poverty 극도의 빈곤 **2** 극단적인: the
extreme Left 극좌 **3** 맨끝의: in the
extreme north of …의 최북단에
n. 극단: *Extremes* meet. [속담] 양극단은 일
치한다.

extremely [ikstrí:mli] *adv.* 아주, 대단
히, 몹시: I'm *extremely* sorry. 대단히 죄송

합니다. / This is *extremely* important.
이것은 몹시 중요하다.

extricate [ékstrəkèit] *v.* [T] (위험·곤경에서) 구해내다, 해방하다 (from)

extrovert [ékstrouvə̀:rt] *n.* 사교적인 사람, [심리학] 외향적인 사람: She is a real *extrovert,* a cheerleader and president of her class. 치어리더 겸 학급 회장인 그녀는 아주 외향적인 사람이다. [OPP] introvert

***eye** [ai] *n.* **1** 눈, 눈동자 **2** 시력 **3** 관찰력, 보는 눈: She has an *eye* for art. 그녀는 예술을 보는 눈이 있다. **4** [기상] 태풍의 눈, 중심
v. [T] (eyed-eyed; eyeing, eying) 보다, 주시하다: The guard *eyed* me with suspicion. 경비원이 의심스러운 눈초리로 나를 보았다.

[숙어] **an eye for an eye** 눈에는 눈으로 (같은 방법에 의한 보복)

before one's very eyes 바로 눈앞에, 드러내 놓고

catch one's eye …의 눈을 끌다: Something moving in the corner *caught his eyes.* 구석에서 움직이는 것이 그

의 눈을 끌었다. ⇨ eye-catcher

cry one's eyes out 몹시 울다, 하염없이 울다

have an(a good) eye for …에 대한 안목이 있다: She *has an eye for* color. 그녀는 색에 대한 안목이 있다.

keep an eye on …을 감시하다, 주의하여 보다: Can you *keep an eye on* my dog for a while? 잠시 동안 내 개를 봐 줄래?

keep one's eyes open(peeled) 방심않고 경계하고 있다

look straight(right) in the eye 똑바로 바라보다

***eyebrow** [áibràu] *n.* 눈썹

eye-catcher *n.* **1** 눈이 휘둥그레지게 하는 것, 놀랄 만한 일 **2** 매력적인 여자

eye doctor *n.* 안과 의사

eyelash [áilæ̀ʃ] *n.* 속눈썹

eyelid [áilìd] *n.* 눈꺼풀

eye-opener *n.* =eye-catcher

eyesight [áisàit] *n.* 시력, 시각: He has very good *eyesight.* 그는 시력이 매우 좋다.

e-zine [íːziːn] *n.* electronic magazine 돈을 지불하면 컴퓨터 상에서 볼 수 있는 잡지

f F

***fable** [féibəl] *n.* **1** 우화, 교훈적 이야기: Aesop's *Fables* 이솝 이야기 **2** 꾸며낸 이야기

fabric [fǽbrik] *n.* **1** 직물, 천: cotton (silk, woolen) *fabrics* 면(견, 모)직물 **2** 구조, 조직: the social *fabric* 사회 구조

fabulous [fǽbjələs] *adj.* **1** 매우 멋진, 굉장한: It was a *fabulous* vacation. 매우 멋진 휴가였어. **2** 터무니없는, 믿을 수 없는

***face** [feis] *n.* **1** 얼굴, 얼굴 표정: Wash your *face*, John. 존, 세수해라. / His *face* lit up when he received a letter. 편지를 받자 그의 얼굴이 밝아졌다. **2** 면, 표면: A cube has six *faces*. 정육면체는 6면이다. / the north *face* of the building 건물의 북면

v. [T] **1** …에 면하다, …을 향하다: The park *faces* south. 공원은 남향이다. / Face the front, please. 앞쪽을 향해 주세요. **2** (주로 수동태) 용감하게 맞서다, 직면하다: He *faced* death bravely. 그는 용감하게 죽음과 맞섰다. / We are *faced* with a few problems. 우리는 몇 가지 문제에 직면했다.

[숙어] **face down(up)** 아래(위)를 향하게 하고: Put the cards *face down* on the table. 식탁 위에 카드를 아래로 향하게 놓아라.

face to face (with) (…와) 정면으로 마주 보고: She was sitting *face to face with* the boy. 그녀는 소년과 마주 보고 앉아 있었다.

lose face 체면을 잃다: I don't want to break the law and *lose* my *face*. 나는 법을 어겨 체면을 잃고 싶지 않다.

make(pull) faces(a face) 묘한 표정을 짓다, 얼굴을 찌푸리다

save face 체면을 지키다: Instead of firing him, the company let him quit to *save face*. 그를 해고하는 대신 회사는 그의 체면을 지켜주기 위해 그가 스스로 그만두게 했다.

facet [fǽsit] *n.* **1** (보석의) 깎은 면 **2** (일의) 양상, 국면

facial [féiʃəl] *adj.* **1** 얼굴의: *facial* expression (얼굴) 표정 **2** 표면상의

facility [fəsíləti] *n.* **1** (facilities) 설비, 시설: Our town has very good daycare *facilities*. 우리 구는 탁아소 시설이 잘 되어 있다. **2** 기능: Does this phone have a memory *facility*, too? 이 전화기는 녹음 기능도 있나요?

***facsimile** [fæksíməli] *n.* **1** 복사, 모사 **2** 팩시밀리, 복사 전송 장치 ⇨ fax

***fact** [fækt] *n.* **1** 사실 **2** 실제의 일: a novel based on *fact* 실제에 바탕을 둔 소설

[숙어] **as a matter of fact, in fact 1** 사실은, 사실상: *As a matter of fact*, I have been studying computer design since last year. 실은 나는 작년부터 컴퓨터 디자인을 공부했다. / *As a matter of fact*, it's cheaper to fly than to take the train. 사실상 비행기로 가는 것이 기차로 가는 것보다 싸다. **2** (앞의 말을 정정하여) 실제는, 실은: I thought she came from Canada, but *in fact* she's an Egyptian. 나는 그녀가 캐나다 사람이라고 생각했다. 그런데 실은 그녀는 이집트 사람이다. / "Is he your friend?" "No, *as a matter of fact* I've only met him yesterday." "그가 네 친구니?" "아니, 실은 어제 처음 만났어."

facts and figures 정확한 정보, 상세함

faction [fǽkʃən] *n.* 도당, 당파, 파벌, 내분
— **factional** *adj.* **factionalism** *n.* 파벌주의, 파벌 싸움

factor [fǽktər] *n.* **1** 요소, 요인 (of, in): a *factor* of happiness 행복의 요인 SYN element **2** [수학] 인수, 약수: a common *factor* 공통 인수, 공약수

*****factory** [fǽktəri] *n.* 공장: a carpet *factory* 카펫 공장 / a *factory* worker 공장 근로자

factual [fǽktʃuəl] *adj.* 사실의, 사실에 관한, 사실에 입각한: a *factual* account 사실에 입각한 설명
— **factually** *adv.*

faculty [fǽkəlti] *n.* **1** 능력, 재능 (for, of): the *faculty* of speech 언어 능력 / reasoning *faculty* 추리력 **2** (종종 Faculty) 학부: the *Faculty* of Law 법학부 **3** (학부의) 교수단: high school *faculty* 고등 학교 교사진 / the medical *faculty* 의료진

fad [fæd] *n.* 일시적 유행(흥미 등): go in *fads* (일시적으로) 유행하다

fade [feid] *v.* **1** [I,T] (빛·소리·색이) 바래다, 흐릿해지다: Jeans *fade* if they are washed. 청바지는 세탁하면 색이 흐려진다. SYN lose color **2** [I] 서서히 약해지다, 사라지다 (away): The shouting of the children *faded* away. 아이들의 외침이 점차 약해졌다. / Hopes of peace began to *fade* away. 평화의 희망이 점차 사라지기 시작했다.
— **faded** *adj.*

Fahrenheit [fǽrənhàit] *n. adj.* (*abbr.* F., Fah., Fahr.) 화씨(온도계)(의) *cf.* Celsius 섭씨의

*****fail** [feil] *v.* **1** [I,T] 실패하다 **2** [I] …을 하지 못하다: He *failed* to appear. 그는 나타나지 않았다. **3** [I,T] 낙제하다, 낙제시키다: I passed in English but *failed* in physics. 나는 영어 시험은 통과했는데 물리에서 낙제를 했다. OPP pass **4** [I] (건강이) 나빠지다 **5** [I] (기계 등이) 멈추다: The brakes on the car *failed*. 자동차 브레이크가 멈췄다.
n. **1** 실패 SYN failure **2** 낙제
— **failing** *n.* 실패, 결점
숙어 **without fail** 틀림없이, 반드시: She practices singing every Friday *without fail*. 그녀는 금요일이면 반드시 노래 연습을 한다.

failure [féiljər] *n.* **1** 실패 **2** 부족, 결핍 **3** 쇠약

*****faint** [feint] *adj.* **1** 희미한, 어렴풋한: a *faint* sound(noise, smell) 희미한 소리(잡음, 냄새) / a *faint* smile 희미한 미소 / There's still a *faint* hope that he might return. 아직은 그가 돌아올지도 모른다는 실낱 같은 희망이 있다. **2** (피로 등으로) 기절할 것 같은: feel *faint* 어지럽다
v. [I] 기절하다: I *fainted* from the heat. 나는 더위 때문에 기절했다.
— **faint-hearted** *adj.* 용기 없는
faintly *adv.* 희미하게, 힘없이
숙어 **not have the faintest idea** 전혀 모르다: I do *not have the faintest idea* where it is! 그것이 어디 있는지 나는 전혀 모른다!

*****fair**¹ [fɛər] *adj. adv.* **1** 정당한, 적정한: That's a *fair* price for a bicycle. 자전거 가격으로는 적정한 가격이다. OPP unfair **2** 공평한, 공정한: a *fair* game 공정한 시합 OPP unfair **3** 꽤 많은, 좋은: a *fair* income 꽤 많은 수입 / a *fair* chance of winning 승리할 수 있는 좋은 기회 **4** 살이 흰, 금발의: She has blue eyes and *fair* hair. 그녀는 푸른 눈에 금발이다. **5** (날씨가) 맑은 SYN clear **6** 아름다운 SYN beautiful
— **fairness** *n.*

*****fair**² [fɛər] *n.* (정기적으로 열리는) 장, 박람회

fairly [fɛ́ərli] *adv.* **1** 공평히, 정정당당히

2 꽤, 어지간히: He's *fairly* tall. 그는 키가 꽤 큰 편이다.

fairy [fέəri] *n.* 요정
adj. 선녀의, 요정 같은
— **fairy tale** *n.* 동화

***faith** [feiθ] *n.* **1** 신념, 신뢰, 신용: have *faith* in one's own future 자신의 장래를 확신하다 / I have lost *faith* in you. 나는 너를 신뢰하지 못하겠다. ⎡SYN⎤ belief **2** 신앙 **3** 종교: the Jewish *faith* 유대교

faithful [fέiθfəl] *adj.* **1** 충실한, 믿을 수 있는: a *faithful* friend 믿을 수 있는 친구 ⎡SYN⎤ loyal ⎡OPP⎤ unfaithful **2** 정확한, (사실·원본 등에) 충실한: a *faithful* copy 원본에 충실한 사본
— **faithfully** *adv.* **faithfulness** *n.*
⎡숙어⎤ **Yours faithfully** 공식적인 편지의 마무리로 쓴다.

fake [feik] *n.* 위조품
adj. 가짜의, 위조의: *fake* money 위조 지폐
v. [T] **1** 위조하다 ⎡SYN⎤ counterfeit **2** …을 가장하다: I *faked* illness. 나는 꾀병을 부렸다.

falcon [fǽlkən] *n.* 매
— **falconer** *n.* 매를 부리는 사람

***fall** [fɔ:l] *v.* [I] (fell-fallen) **1** 떨어지다: She *fell* off the roof. 그녀는 지붕에서 떨어졌다. **2** 넘어지다, 쓰러지다: The old man stumbled and *fell.* 노인이 비틀거리다 넘어졌다. **3** (물가 등이) 내리다, 떨어지다: The price of a CD player is *falling.* CD 플레이어의 가격이 내려가고 있다. / The temperature *fell* 5°. 온도가 5도 내려갔다. ⎡OPP⎤ rise **4** (어떤 상태에) 빠지다, …이 되다: *fall* asleep 잠들다 / *fall* in love 사랑에 빠지다 ⎡SYN⎤ become **5** (국가·정부가) 무너지다, 붕괴하다, 함락하다: The city *fell* to the enemy. 도시는 적에 의해 함락됐다.
n. **1** 낙하 **2** 하강, 하락 **3** 폭포: the Niagara *Falls* 나이아가라 폭포 **4** 함락, 멸망: the rise and *fall* of the Roman Empire 로마 제국의 흥망 **5** 가을 ([영] autumn)

⎡숙어⎤ **fall apart**〔to pieces〕산산조각이 나다, 깨어지다: I accidentally dropped the vase and it *fell to pieces.* 내가 실수로 꽃병을 떨어뜨려서 산산조각이 났다.

fall back on …을〔에〕의지하다, 사용하다: If my mother stops giving me allowance, I'll have to *fall back on* my savings. 만약 어머니가 용돈을 안 주시면 내 저금을 써야 한다.

fall behind 1 뒤떨어지다: She was absent for three weeks and *fell behind* with her schoolwork. 그녀는 3주간 결석을 해서 학교 공부가 뒤떨어졌다. **2** (일·지불 등이) 늦어지다: I *fell behind* with cell phone payment. 나는 휴대폰 사용료를 체납했다.

fall flat 1 벌렁 넘어지다 **2** (농담·기획 등이) 완전히 실패로 끝나다

fall for …에 반하다

fall on〔upon〕**1** 서둘러 …을 시작하다, …을 (게걸스레) 먹기 시작하다 **2** …와 마주치다, …을 우연히 발견하다 **3** (축제일 등이) 바로 …날이다: The holiday *falls on* Sunday. 그 축제일은 바로 일요일이다.

fall out (with) …와 다투다, (사이가) 틀어지다: Those sisters are always *falling out* with each other. 저 자매들은 항상 서로 다툰다.

fall over 1 벌렁 나자빠지다 **2** …의 위에 떨어지다

fall short (of) 부족하다, 미달이다

fall under〔within〕…에 해당하다, (주목·영향 등을) 받다

fallacy [fǽləsi] *n.* **1** 잘못된 생각 **2** [논리학] 오류: a popular *fallacy* 흔한 오류

***false** [fɔ:ls] *adj.* **1** 그릇된, 부정확한: *false* judgment 그릇된 판단 **2** 거짓의: *false* information 거짓 정보 ⎡OPP⎤ true **3** 잘못된, 틀린: The first president was Lee Seungman. Is it true or *false*? 초대 대통령은 이승만이다. 맞니, 틀리니? ⎡SYN⎤ wrong **4** 인공의: *false* teeth 의치 ⎡OPP⎤ real, natural

falter [fɔ́:ltər] *v.* **1** [I] 비틀거리다 **2** [I,T] 말을 더듬다 **3** [I] 머뭇거리다, (활동 등이) 약해지다

fame [feim] *n.* **1** 명성 **2** 평판

familiar [fəmíljər] *adj.* **1** 잘 알고 있는, 익숙한 (with): Are you *familiar* with this computer software? 너 이 컴퓨터 소프트웨어를 잘 아니? **2** 잘 알려진 (to): Indian food is not *familiar* to us. 인도 음식은 우리에게 잘 알려져 있지 않다.
OPP unfamiliar

familiarity [fəmiljǽrəti] *n.* **1** 익히 앎, 정통 (with): Her *familiarity* with computers would be an advantage. 그녀가 컴퓨터에 대해 잘 안다는 것이 이점이 될 것이다. **2** 친밀, 친숙

family [fǽməli] *n.* **1** 가족, 가구 **2** 집안, 가문: a *family* tree 계보, 족보 **3** [생물] 과(科); [화학] 족(族)

※ **1** 집합 명사이므로 하나의 통합된 단위로 생각하여 a family, three families처럼 보통 명사와 같이 취급할 수 있다.

2 집합 명사로서 단수 취급한다.: I have a large *family*. 우리는 대가족이다.

3 구성원 개인을 말할 때는 복수 취급한다.: His *family* are all early risers. 그의 집안 식구는 모두 일찍 일어난다.

family name *n.* 성씨 (surname)

famine [fǽmin] *n.* 기근, 기아, 굶주림
SYN starvation

famous [féiməs] *adj.* 유명한, 이름난: a *famous* golfer 유명한 골퍼 / London was once *famous* for its fogs. 런던은 이전에 안개로 유명했다. SYN well-known, noted *cf.* infamous, notorious 악명 높은 OPP unknown

fan [fæn] *n.* **1** 부채, 선풍기 **2** (영화·스포츠·특정 취미의) 팬, 열렬한 애호가, …광(狂)
v. [T] (fanned-fanned) **1** 부채로 부치다: I *fanned* myself with the notebook. 나는 공책으로 부채질했다. **2** 선동하다, 부추기다

fanatic [fənǽtik] *n.* 광신자, 열광자: I'm a baseball *fanatic*. 나는 야구광이다. SYN freak
— **fanatical** *adj.* **fanatically** *adv.*
fanaticism *n.* 열광; 열광적 행위

fancy [fǽnsi] *v.* [T] **1** [영] 좋아하다: I don't *fancy* watching TV. 나는 텔레비전 보는 것을 좋아하지 않는다. SYN like **2** 공상〔상상〕하다: *Fancy* a life without music. 음악이 없는 생활을 상상해 봐. SYN imagine
adj. (fancier-fanciest) **1** 화려한, 장식적인: I want a pair of gray socks — nothing *fancy*. 나는 회색 양말을 원해. 요란한 것 말고. SYN decortive OPP plain **2** 공상의
n. **1** 좋아함, 기호 **2** 공상, 일시적인 생각
— **fanciful** *adj.* 공상에 잠긴, 공상적인

fanfare [fǽnfɛər] *n.* 팡파르

fang [fæŋ] *n.* (육식 동물의) 엄니, 견치

fantastic [fæntǽstik] *adj.* **1** 굉장한, 멋진: She's a *fantastic* designer. 그녀는 굉장한 디자이너이다. SYN very good, excellent **2** 환상적인, 몽환적인 **3** 터무니없는, 엄청난: a *fantastic* sum of money 엄청나게 큰 돈
— **fantastically** *adv.*

fantasy [fǽntəsi] *n.* **1** 공상, 환상 **2** 공상적 이야기 **3** [음악] 환상곡 SYN fantasia
— **fantastic** *adj.*

far [fɑːr] (거리: farther-farthest; 정도: further-furthest) *adj.* (거리·시간적으로) 멀리 떨어진, 먼: The library isn't *far*. Let's walk. 도서관은 멀지 않다. 우리 걸어가자. / the *far* side of the room 방의 저쪽 끝
adv. **1** (장소·거리·시간) 멀리(에), 이슥토록: Incheon is too *far* away from my home. 인천은 우리 집에서 너무 멀리 떨어져 있다. / How *far* is it to your school? 네 학교까지 얼마나 머니? / *far* into the night 밤이 이슥하도록, 밤이 깊도록 OPP near **2** (정도) 훨씬, 매우: It's *far* too cold to go swimming. 수영하기에는 날씨가 너무 춥다. SYN very much

[숙어] **as far as I know** 내가 아는 한에서는: *As far as I know*, he was a decent man. 내가 아는 한에서는 그는 점잖은 사람이었다.

by far 훨씬, 단연, 아주: This song is *by far* the best of all. 이 노래가 모든 것 중에서 단연 최고다.

far from -ing …하기는 커녕: *Far from* read*ing* the letter, he did not open it. 그는 편지를 읽기는 커녕, 봉투도 뜯어보지 않았다.

go too far 지나치다, 너무하다: I knew he was a troublemaker, but this time he *went too far*. 그가 말썽꾸러기인 것은 알고 있었지만 이번에는 도가 너무 지나쳤다.

so far 지금까지는: You can only trust him *so far*. 지금까지는 그를 그냥 믿을 수 있을 따름이다.

so far so good 지금까지는 잘 되어 가는: I was worried that my math course was going to be difficult, but *so far, so good*. 수학 과정이 어려워져 걱정했는데, 지금까지는 잘 되어 간다.

faraway [fά:rəwèi] *adj.* **1** 먼, 멀리의: a *faraway* cousin 먼 친척 **2** (얼굴 표정·눈길 등이) 꿈꾸는 듯한, 멍한: a *faraway* look 멍한 표정

*****fare** [fεər] *n.* 요금, 운임: Children pay half *fare*. 어린이들은 요금의 반액만 낸다.

v. [I] (일이) 되어 가다: How did you *fare* in the exam? 시험은 어떻게 되었니? *cf.* welfare 복지, 행복

farewell [fὲərwél] *n.* 작별: a *farewell* party 송별회

far-fetched [fά:rfétʃt] *adj.* 에두른, 부자연스러운, 억지의, 믿기 어려운: a *far-fetched* story 억지스러운 이야기

*****farm** [fɑ:rm] *n.* **1** 농장, 농지 **2** 양식장, 사육장: a *fish* farm 양어장

v. [I,T] 경작하다, 소작하다

— **farming** *n.* *adj.* 농업(의)

farmer [fά:rmər] *n.* 농부, 농민, 농장주

farther [fά:rðər] *adj. adv.* 더 먼(멀리), 더 앞의(으로), 저 쪽(의) ⇨ further

— **farthest** *adj. adv.* 가장 먼(멀리)

fascinate [fǽsənèit] *v.* [T] 황홀케 하다, 매혹시키다 [SYN] charm

fascinating [fǽsənèitiŋ] *adj.* 황홀케 하는, 매혹적인

fascination [fὲsənéiʃən] *n.* 매혹, 매력

fascism [fǽʃizəm] *n.* (Fascism) 파시즘 (2차 대전 전의 이탈리아 국수당의 주의; 광범위한 독재적 국가주의) *cf.* Nazism 나치주의

— **fascist** *n.* 파시즘 신봉자

*****fashion** [fǽʃən] *n.* **1** 유행, 패션: the latest *fashion* 최신 유행 **2** 하는 식(투), 방식: I always do things in my own *fashion*. 나는 언제나 내 방식대로 한다. [SYN] way, method

[숙어] **be in fashion** 유행하다: Short skirts *are in fashion* now. 지금은 짧은 치마가 유행이다.

be(go) out of fashion 유행하지 않다, 한물 가다: That hat *went out of fashion*. 저 모자는 한물 갔다.

fashionable [fǽʃənəbəl] *adj.* **1** 유행의, 유행을 따른 [OPP] unfashionable, oldfashioned **2** 사교계의, 상류의, 상류 인사가 애호하는: *fashionable* society 상류 사회

— **fashionably** *adv.*

*****fast¹** [fǽst] *adj.* **1** 빠른, 고속의: a *fast* runner 빠른 주자 **2** (시계가) 더 가는: My watch is three minutes *fast*. 내 손목 시계는 3분 더 빨리 간다. [OPP] slow

adv. 빨리: She speaks *fast*. 그녀는 말을 빨리 한다.

[숙어] **be fast asleep** 깊이 잠들어 있다 [SYN] be deep asleep, be sound asleep

fast² [fǽst] *v.* [I] 단식하다

n. 단식: go on a *fast* 단식하다

*****fasten** [fǽsn] *v.* **1** [I,T] 묶다, 붙들어매다: *Fasten* your seat belts, please. 안전 벨트를 매십시오. / *Fasten* the mirror to the wall. 거울을 벽에 달아라. **2** [T] 잠그다:

Make sure you *fasten* all the doors.
모든 문을 확실하게 잠가라.
— **fastener** *n.* 죔쇠
fast food *n.* 패스트 푸드, 간이(즉석) 식품
*****fat** [fæt] *adj.* (fatter-fattest) **1** 살찐, 뚱뚱
한: a *fat* man 뚱뚱한 남자 **2** 두꺼운: a *fat*
book 두꺼운 책 [SYN] thick
n. **1** 지방 **2** (요리용) 기름
— **fatty** *adj.* **fatten** *v.*

■ **용법** fat, overweight, large
사람에게 **fat**라고 하는 것은 예의바른 표현
이 아니다. 보통 **overweight** 또는 **large**
라고 표현하는 것이 좋다.

fatal [féitl] *adj.* **1** (생명에 관계되어) 치명
적인 (to): a *fatal* accident 치명적인 사고
[SYN] lethal, deadly **2** (잘못 등을) 돌이킬
수 없는, 엄청난: a *fatal* mistake 돌이킬 수
없는 잘못
fate [feit] *n.* 운명, 숙명 [SYN] fortune
*****father** [fá:ðər] *n.* **1** 아버지 **2** 선조, 조상
[SYN] forefather **3** (the Father) 하느님 아
버지 **4** [종교] 신부: *Father* Brown 브라운
신부
v. [T] 아버지가 되다: He *fathered* three
children. 그는 세 아이의 아버지가 되었다.
— **fatherhood** *n.* 부권, 아버지임
fatherly *adj.* 아버지다운
father-in-law *n.* (*pl.* fathers-in-law) 시
아버지, 장인
fathom [fæðəm] *n.* 길 (물 속 깊이를 재
는 단위; 1m 83cm 또는 6피트)
v. [T] **1** 깊이 헤아리다, 깊이 생각하여 이해하
다, 완벽하게 이해하다: I still can't *fathom*
out what it means. 그게 뭘 의미하는지 난
아직도 이해하지 못하겠다. **2** …의 깊이를 재
다
fatigue [fətí:g] *n.* 피로: He was
suffering from *fatigue* and stress. 그는
피로와 스트레스로 인해 고통받고 있었다.
fatten [fætn] *v.* [T] **1** 살찌우다 **2** (땅을) 기
름지게 하다

*****faucet** [fɔ́:sit] *n.* ([영] tap) (수도)꼭지,
(가스)밸브: I turned off the *faucet* after
washing my hands. 나는 손을 씻은 후 수
도꼭지를 잠갔다.
*****fault** [fɔːlt] *n.* **1** 과실, 잘못, 결함, (과실의)
책임, 죄: It's my *fault*. 그것은 내 탓이다.
2 (성격의) 결점 *cf.* mistake 실수
— **faulty** *adj.* 결점 있는
[숙어] **be at fault** 틀리다, 잘못하다: You
are at fault—you threw his wallet
away. 네가 잘못이야. 네가 그의 지갑을 던져
버렸잖아.
find fault with …의 흠을 잡다, 나무라
다: Stop *finding fault with* everything
I do. 내가 하는 일마다 흠 잡는 거 이제 그만
둬.
Fauvism [fóuvizəm] *n.* [미술] 야수파
*****favor, favour** [féivər] *n.* **1** 호의, 친절:
Did you do it as a *favor*? 호의로 그런 거
니? **2** 친절한 행위, 부탁
[숙어] **ask a favor** 부탁하다: Tom, can I
ask a favor? 톰, 내 부탁 좀 들어줄래?
be in favor of …에 찬성하다: I *am in
favor of* the reform. 나는 개혁에 찬성입니
다.
do a favor 부탁을 들어주다: Would you
do me *a favor* and lend me your
book? 부탁인데 네 책 좀 빌려 줄 수 있니?
in one's favor …에게 유리하게: The
decision turned out to be *in our favor*.
결정이 우리에게 유리하게 되었다.
favorable, favourable [féivərəbəl]
adj. **1** 호의를 보이는, 찬성의: a *favorable*
answer 호의적인 대답 **2** 유리한: a *favor-
able* opportunity 좋은 기회
— **favorably** *adv.*
favorite, favourite [féivərit] *n.* 마
음에 드는 것(사람), 좋아하는 것: Rock
music is my *favorite*. 록 음악이 내가 좋아
하는 거야.
adj. 마음에 드는, 좋아하는: What is your
favorite food? 네가 좋아하는 음식은 무엇이

니?

*__fax__ [fæks] __n.__ 팩시밀리, 모사 전송(기)
(facsimile, fax machine): send a *fax* 팩
스를 보내다
__v.__ [T] 팩시밀리로 보내다: *fax* a document
문서를 팩스로 보내다

*__fear__ [fiər] __n.__ **1** 공포, 두려움, 무서움: He
has a *fear* of dogs. 그는 개를 무서워한다.
2 근심, 불안: She was full of *fear* for
her kid's safety. 그녀는 아이의 안전 때문
에 굉장히 불안해했다. [SYN] anxiety
__v.__ [T] **1** 두려워하다: We all *fear* wild
animals. 우리는 모두 맹수를 두려워한다. **2**
걱정하다: I *fear* that he will not come.
나는 그가 오지 않을까 걱정이다.
[숙어] __be in fear of__ …을 무서워하다: He
was in fear of his mother. 그는 그의 어머
니를 무서워했다.
__for fear of__(that) …을 두려워하여: I
didn't move *for fear of* waking my
baby. 아기가 깰까봐 두려워서 나는 움직이지
않았다.
__with fear__ 공포로, 두려워서: He
trembled *with fear*. 그는 공포로 몸을 떨
었다.

__fearful__ [fíərfəl] __adj.__ **1** 무서운, 무시무시한
2 두려워, 걱정하여: I'm *fearful* of failure.
나는 실패할까봐 두렵다.
— __fearfully__ *adv.* __fearfulness__ *n.*

__feasible__ [fí:zəbəl] __adj.__ 실행할 수 있는,
가능한: a *feasible* plan 실행 가능한 계획
— __feasibility__ *n.*

*__feast__ [fi:st] __n.__ **1** 축제 **2** 성찬, 잔치, 향연 **3**
대접
__v.__ [T] **1** 성찬을 대접하다, 잔치를 베풀다 **2**
(눈·귀를) 즐겁게 하다: *feast* one's eyes
on beautiful pictures 아름다운 그림을 보
고 즐기다

__feat__ [fi:t] __n.__ **1** 위업, 공적: That new
bridge is a remarkable *feat* of engi-
neering. 저 새 다리는 공학 기술의 주목할
만한 위업이다. **2** 훌륭한 재주, 묘기

*__feather__ [féðər] __n.__ 깃털, 깃: Fine
feathers make fine birds. [속담] 옷이
날개. (아름다운 깃털이 아름다운 새를 만든
다.) / Birds of a *feather* flock together.
[속담] 유유상종. (같은 깃털을 가진 새끼리 모
인다.)

*__feature__ [fí:tʃər] __n.__ **1** 특징, 특색: What
is the *feature* of his writing? 그의 글의
특징은 무엇입니까? **2** (신문·잡지 등의) 특집
기사 **3** 얼굴의 생김새, 용모: a man of fine
features 잘생긴 남자
__v.__ **1** [T] (사건 등을) 크게 다루다: a news-
paper *featuring* plane crash 비행기 추락
을 크게 다룬 신문 **2** [I] …의 특징을 이루다: It
seems that death *features* in all his
films. 그의 모든 영화는 죽음을 특징으로 하
는 것 같다.
— __featureless__ *adj.* 특색 없는

__February__ [fébruèri] __n.__ (*abbr.* Feb.) 2월

__federal__ [fédərəl] __adj.__ **1** (국가 간의) 동맹
의, 연방(정부)의 **2** [미] 연방(정부)의, 합중국
의: the *Federal* Bureau of Investi-
gation 연방 수사국 (*abbr.* FBI, F.B.I.)
— __federalist__ *n. adj.* 연방주의자(의)
__federalism__ *n.* 연방주의(제도)

__federation__ [fèdəréiʃən] __n.__ **1** 동맹, 연합
2 연방제, 연방 정부
— __federate__ *adj. v.*

*__fee__ [fi:] __n.__ **1** (의사·변호사 등에 대한) 수임
금, 진찰료, 수업료 **2** 요금, 수수료: an
entrance *fee* 입회금

__feeble__ [fí:bəl] __adj.__ (feebler-feeblest) 약
한, 기력이 없는

*__feed__ [fi:d] __v.__ [T] (fed-fed) **1** 음식을(먹이
를) 주다: Farmers *feed* oats to their
horses. 농부들은 말에게 귀리를 먹인다. **2**
(가족을) 부양하다, (가축을) 기르다: He *feeds*
a large family. 그는 대가족을 부양한다. **3**
공급하다: *feed* a computer with data 컴
퓨터에 데이터를 입력하다 [SYN] supply
__n.__ 먹이, 사료, 음식
[숙어] __be fed into__ (연료 등이 기계에) 들어

가다: Papers *were fed into* the fax machine. 종이가 팩스기에 들어갔다.
(**be**) **fed up with** …에 진저리 나다: I *am fed up with* you. 난 네가 진저리 난다.
feed on (동물이) …을 먹고 살다: Frogs *feed on* insects. 개구리는 벌레를 먹고 산다.
※ 사람의 경우는 live on을 쓴다.

feedback [fíːdæk] *n.* (정보·질문·서비스 등을 받는 측의) 반응, 의견, 감상: The teacher always gives us *feedback* on our homework. 선생님께서는 우리가 한 숙제에 대한 의견을 늘 말씀해 주신다.

*****feel** [fiːl] *v.* (felt-felt) **1** [T] 만지다: The doctor *felt* my pulse. 의사는 내 맥을 짚어 보았다. **2** [T] 느끼다: *Feel* this scarf. Is it silk? 이 스카프 한 번 느껴 봐 (만져 봐). 실크인가? / *feel* pain 통증을 느끼다 **3** [T] …라고 생각하다: I *felt* that the plan was unwise. 나는 그 계획이 현명한 것이 못 된다고 생각했다. / How do you *feel* about all the changes? 그런 모든 변화에 대해 어떻게 생각해? **4** [I] 손으로 더듬다, 찾다 (after, for): I *felt* around for the key in the dark. 나는 어두운 곳에서 열쇠를 더듬어 찾았다. **5** [I] 감각[느낌]이 있다: Stones don't *feel*. 돌은 감각이 없다. **6** [I] (아무가) …한 생각이 들다, …하게 느끼다: *feel* hungry[cold, happy] 배고프게[춥게, 행복하게] 느끼다 / "How are you *feeling*?" "Not too bad." "기분이 어때?" "아주 나쁘진 않아."
n. 느낌, 감촉, 촉감
숙어 **feel at ease** 안심하다
feel for 1 동정하다: I don't *feel* any sympathy *for* him at all. 나는 그에게 전혀 동정심이 안 생긴다. **2** 더듬어 찾다: I *felt* in my pocket *for* the ticket. 나는 주머니를 더듬어 표를 찾았다.
feel free 마음대로 해도 좋다: "Can I use your pen?" "*Feel free*." "네 펜을 써도 돼?" "마음대로 해." / Please *feel free* to say anything. 마음 편하게 하고 싶은 말을

하세요.
feel like 1 아무래도 …같다: It *feels like* rain. 아무래도 비가 올 것 같다. **2** …을 하고 싶다: I *feel like* a cup of coffee. 커피를 한 잔 마시고 싶다.
feel like -ing …을 하고 싶다: I don't *feel like* stay*ing* indoors on such a beautiful day. 나는 이렇게 좋은 날씨에 집 안에 있고 싶지 않다.

feeler [fíːlər] *n.* 더듬이, 촉각 SYN antenna

feeling [fíːliŋ] *n.* **1** 감정, 기분, 느낌: It's hard to hide my *feelings* when I'm angry. 화가 나면 내 감정을 숨기기가 힘들다. / I had a good *feeling* about it. 그것에 대해 느낌이 좋았다. **2** 의견, 생각: I get the *feeling* that he's lying to me. 그가 내게 거짓말을 하고 있다는 생각이 들어. / What are your *feelings* about the movie? 그 영화에 대한 너의 의견은 뭐야? **3** 감각, 지각: I have no *feeling* in my left arm. 내 왼팔에 감각이 없다. SYN sense

■ 유의어 **feeling**
feeling 감각에 대해서 마음이 받아들이는 느낌. **emotion** 마음 전체를 지배하는 강렬한 feeling으로 육체적 변화 (눈물·땀 등)까지 수반하는 경우가 있다.

*****fellow** [félou] *n.* **1** 동무, 친구 **2** 동료, 동배: *fellow* workers 같이 일하는 동료들 **3** 놈, 녀석: a stupid *fellow* 바보 같은 녀석 **4** 사람, 사내: a good *fellow* 재미있는 사내

fellowship [félouʃ̀ip] *n.* **1** 친구[동료, 동아리]임 SYN companionship **2** 우정, 친교 **3** (이해 등을) 같이하기, 제휴, 협력

*****female** [fíːmeil] *n. adj.* **1** 여성(의), 여자(의) **2** 암(컷·놈)(의) *cf.* male 남성(의), 수컷(의)

feminine [fémənin] *adj.* **1** 여자 같은, 여성스러운 **2** 여자의 **3** [문법] 여성(형)의 *cf.* masculine 남자 같은, 남자다운; [문법] 남성

(형)의
— **femininity** n.

feminism [fémənìzəm] n. 여권주의, 여
권 신장론
— **feminist** n. adj.

*__fence__ [fens] n. 울타리, 담
v. 1 [I] 검술을 하다 2 [T] 울타리를 치다 3 [T]
방어하다

fencing [fénsiŋ] n. 펜싱, 검술

fend [fend] v. [T] 막아내다, 방어하다
— **fender** n. 방호물, (자동차) 바퀴 덮개
숙어 **fend for oneself** 혼자 힘으로 꾸려
나가다: The children had to *fend for
themselves* after their parents died. 부
모님이 돌아가신 후 아이들은 혼자 힘으로 살아
야 했다.
fend off …을 피하다, 막다

ferment [fə:rmént] v. [I,T] 발효시키다
[하다]: Kimchi is a *fermented* national
dish of Korea. 김치는 한국의 대표적 발효
식품이다.
n. [fə́:rment] 1 효소 2 발효 3 들끓는 소
란, 동요, 흥분
— **fermentation** n. 발효, 소동

ferocious [fəróuʃəs] adj. 사나운, 잔인한
SYN fierce, cruel
— **ferociously** adv. **ferocity** n.

ferry [féri] n. 나룻배, 연락선
v. [T] 배로 건네다[나르다]: A small boat
ferries people across the river. 작은 보
트가 강 건너로 사람들을 나른다.

fertile [fə́:rtl, fə́:rtail] adj. 1 비옥한, 기
름진 (in, of): *fertile* soil 비옥한 땅 2 다산의
3 (상상력 등이) 풍부한: a *fertile* imagina-
tion 풍부한 상상력
OPP infertile, sterile

fertility [fə:rtíləti] n. 비옥, 다산, 풍부

fertilize, fertilise [fə́:rtəlàiz] v. [T]
1 [생물] 수정시키다 2 기름지게 하다, 비료를
주다
— **fertilization** n.

fertilizer [fə́:rtəlàizər] n. 거름, 비료

fervent [fə́:rvənt] adj. 열심인, 열렬한: a
fervent supporter 열렬한 지지자

fervor, fervour [fə́:rvər] n. 열심, 열정

*__festival__ [féstəvəl] n. 축제, 축제일: the
Cannes Film *Festival* 깐느 영화제

festive [féstiv] adj. 1 축제의, 명절 기분
의: the *festive* season 축제 계절 (크리스마
스) 2 즐거운
— **festivity** n.

fetch [fetʃ] v. [T] 가서 가져오다: Shall I
fetch your jacket for you? 네 재킷 갖다
줄까? / *fetch* a doctor 가서 의사를 데려오다

■ 용법 **fetch**
fetch '가서 가져오다'라는 뜻으로 갔다
온다는 왕복의 뜻이 강함. **bring** 가져오다,
데려오다. **take** '손에 가지다'와 '가져가
다'의 두 뜻이 있음. 따라서 '손에 가지다'
의 경우에도 가져간다는 목적이 내포되어
있는 일이 많음.

fetus [fíːtəs] n. (임신 3개월 후의) 태아

feud [fjuːd] n. 1 (여러 대에 걸친 유혈의)
불화 2 싸움, 분쟁 3 (봉건 시대의) 영지, 봉토

feudal [fjúːdl] adj. 봉건 (제도)의, 영지[봉
토]의

feudalism [fjúːdəlìzəm] n. 봉건 제도

*__fever__ [fíːvər] n. 1 열, 열병: have a high
fever 고열이 있다 ※ 열이 있음을 표현할 때는
주로 have a temperature라고 한다. 2 (a
fever of) 열광, 흥분 SYN excitement

feverish [fíːvəriʃ] adj. 1 열이 있는 2 열
광한
— **feverishly** adv.

*__few__ [fjuː] adj. n. pron. (fewer-fewest) 조
금(밖에 없는), 소수(의), 약간(의): There are
few passengers on the bus. 버스에 승객
이 조금밖에 없다. OPP many
숙어 **a few** 약간의, 몇몇의: *a few* people
몇 명의 사람들 SYN a small number of,
some
quite a few 꽤 많은 수의, 상당수의: He
has *quite a few* books. 그는 꽤 많은 책을

F

갖고 있다.

■ **용법** *few*

few는 수에, **little**은 양·정도에 쓴다. few와 little은 '거의 없다'로 부정의 뜻이 강하다.: I have *few* books. 나는 책이 거의 없다. **a few**와 **a little**은 '조금 있다' 로 긍정의 뜻이 강하다.: I have *a few* books. 나는 책이 몇 권 있다. few와 a few는 말하는 사람의 기분상의 차이이며 실제 수의 많고 적음에 따라 구별되는 것이 아님에 주의한다.

---

fiancé [fiɑ:nséi, fiɑ́:nsei] *n.* [프] 약혼 자 *cf.* fiancée 약혼녀

fiber, fibre [fáibər] *n.* **1** 섬유, 실: Cotton and wool are natural *fibers*. 면 과 양모는 천연 섬유이다. / man-made [synthetic] *fiber* 인조 섬유 **2** 섬유 조직, 섬유질: *Fiber* is good for health. 섬유질 은 건강에 좋다.

fiction [fíkʃən] *n.* 소설, 꾸며낸 이야기: Fact is stranger than *fiction*. 사실은 소 설보다 더 기이하다. [SYN] novel [OPP] non-fiction
— **fictional** *adj.*

fiddle [fídl] *n.* 바이올린
v. [I] **1** 바이올린을 켜다 **2** 만지작거리다 (with): *fiddle* with a knife 칼을 만지작거 리다

***field** [fi:ld] *n.* **1** 들, 벌판, 밭, 논, 목초지: a rice *field* 논 / oil *fields* 유전 **2** (공부·연 구·활동) 분야, 방면: He's an expert in the *field* of mathematics. 그는 수학 분야 의 전문가이다. **3** 경기장: a baseball *field* 야구장 **4** 싸움터

fierce [fiərs] *adj.* (fiercer-fiercest) **1** 몹 시 사나운, 흉포한: a *fierce* lion 사나운 사 자 / *fierce* looks 사나운 표정 **2** 맹렬한, 격심 한: a *fierce* competition 격심한 경쟁
— **fiercely** *adv.* **fierceness** *n.*

fiery [fáiəri] *adj.* (fierier-fieriest) **1** 불같 은: *fiery* red hair 불타는 듯한 빨강 머리 **2**

(성질이) 격하기 쉬운: a *fiery* temper 불같 은 성미

FIFA [fí:fə] *abbr.* Federation of International Football Association 국제 축구 연맹

fifteen [fíftí:n] *n. adj. pron.* 15(의), 열다 섯(의); 열다섯 개[사람] ⇨ six 참조

fifteenth [fíftí:nθ] *n. adj. pron. adv.* 15th ⇨ sixth 참조

fifth [fifθ] *n. adj. pron. adv.* 5th ⇨ sixth 참조

fiftieth [fíftiiθ] *n. adj. pron. adv.* 50th ⇨ sixtieth 참조

fifty [fífti] *n. adj. pron.* **1** 50(의), 쉰(의); 쉰 개[명] **2** (fifties) 50대, 50년대 ⇨ sixty 참조

fig [fig] *n.* 무화과

***fight** [fait] *v.* (fought-fought) **1** [I,T] 싸우 다, 전투하다: My two younger brothers are always *fighting*. 내 남동생 둘은 항상 싸운다. / *fight* an enemy 적군과 싸우다 **2** [I,T] …에 반하여 싸우다 (against): *fight* (against) crime 범죄에 맞서 싸우다 **3** [I] 노력하다 (for): She's *fighting* hard to get all A's. 그녀는 올 A를 받기 위해 노력하 고 있다. **4** [I] 논쟁하다, 격론하다 (about, over)
n. **1** 싸움, 전투, 격투: I had a *fight* with him. 나는 그와 싸웠다. **2** 투쟁 (for, against): a *fight* for higher wages 임금인상 투 쟁
— **fighter** *n.* 전투기, 싸우는 사람
fighting *n.* 싸움

[숙어] **fight against** …에 반하여 싸우다: *fight against* disease 병에 맞서 싸우다, 투 병하다

fight for …을 위하여 싸우다, 노력하다: They *fought for* independence. 그들은 독립을 위해 싸웠다.

fight off 1 물리치다, 이겨 내다: He is healthy enough to *fight off* a cold. 그 는 건강하여 감기 정도는 이겨 낼 수 있다. **2**

figure 268

격퇴하다, 퇴치하다: She *fought off* the burglar. 그녀가 강도를 퇴치했다.

***figure** [fígjər] *n.* **1** 숫자, 합계, 값: The employment *figures* are higher this year. 올해는 취업 수가 좀 더 높다. / a three-*figure* number 세 자리 숫자 / sell goods at a high *figure* 상품을 비싼 값에 팔다 **2** 사람의 모습: A tall *figure* stood there. 키 큰 사람이 거기 서 있었다. **3** 모양, 형태, 형상: round in *figure* 모양이 둥근 **4** 인물, 거물: a political *figure* 정계 인사

v. **1** [I,T] 계산하다: Can you *figure* the numbers on page 5? 5쪽에 있는 숫자들을 계산할 수 있니? **2** [T] …라고 생각하다, 판단하다: I *figured* that he had a temperature and should stay home. 나는 그가 열이 있어서 집에 있어야 한다고 판단했다. **3** [I] (어떤 인물로) 나타나다, 역을 연기하다, 두드러지다 (in)

숙어 **figure out 1** 이해하다: I can't *figure out* why she got so angry. 나는 그녀가 왜 그렇게 화가 났는지 이해가 안 된다. **2** (문제를) 풀다, 해결하다: It took me hours to *figure* physics problems *out*. 물리 문제를 푸는 데 몇 시간이나 걸렸다.

file [fail] *n.* **1** 서류꽂이, 서류철 **2** (정리된) 자료 **3** [컴퓨터] 파일 (한 단위로서 취급되는 관련 기록) **4** (쇠붙이·손톱 가는) 줄

v. **1** [T] 철하다, (철하여) 보관하다 **2** [T] 정리하다 **3** [I] 등록하다, 신청하다: *file* for a job 구직 신청하다 **4** [I] 줄지어 나아가다: *file in* (out) 줄지어 들어가다(나가다) **5** [T] …을 줄질하다, 갈다: *file* a saw 줄로 톱날을 갈다

***fill** [fil] *v.* [I,T] 가득하게 하다, 채우다, 가득차다: She *filled* the kettle with water. 그녀가 주전자에 물을 채웠다. / The news *filled* him with joy. 그 소식은 그를 기쁨으로 가득하게 했다. / The smell of freshly baked bread *filled* the room. 갓 구운 빵 냄새가 방 안을 가득 채웠다.

숙어 **fill in**(out) **1** (서류·빈 칸 등에) 써 넣다: You have to *fill in* your name and address. 이름과 주소를 쓰셔야 합니다. **2** (구멍·틈을) 메우다: *Fill in* the cracks in the wall. 벽의 틈을 메워라.

fill up 가득 채우다: He *filled up* my glass with coke. 그가 내 잔에 콜라를 가득 채웠다. / The room started to *fill up* with people. 방에 사람들이 가득 차기 시작했다. / *Fill* it *up*, please. (주유소에서) 가득이요. (가득 넣어 주세요.)

***film** [film] *n.* **1** 영화 SYN movie **2** (사진) 필름, 감광막 **3** 얇은 막

v. [I,T] 촬영하다

— **filmmaker** *n.* 영화 제작자

filter [fíltər] *n.* 여과기, 필터: a coffee *filter* 커피 여과기

v. [I,T] 여과하다(되다), 거르다, 스며들다: Is this water *filtered*? 이거 여과된 물이니? / Water *filtered* through the sand. 물이 모래땅에 스며들었다. / American influence soon began to *filter* into Korea. 미국의 영향이 곧 한국에 스며들기 시작했다.

— **filter paper** *n.* 여과지

filth [filθ] *n.* 오물, 더러움

— **filthy** *adj.*

fin [fin] *n.* 지느러미

***final** [fáinəl] *adj.* **1** 마지막의, 최후의: the *final* episode (드라마 등의) 마지막회 SYN last **2** 확정적인, 최종적인: the *final* decision 최종 결정

n. **1** (finals) 결승전: the 2002 World Cup *finals* 2002년 월드컵 결승전 **2** (finals) 학기 말 시험

※ 결승전 final 또는 play off, 준결승전(4강전) semi final, 준준결승전(8강전) quarter final

finally [fáinəli] *adv.* **1** 마침내, 결국: I *finally* got home past midnight. 마침내 자정이 넘어서야 나는 집에 도착했다. SYN eventually **2** (순서의) 마지막으로: *Finally*, add some water and let it cook. 마지막으로 물을 좀 넣고 익히세요. SYN lastly

finance [fáinæns] *n.* **1** 재정, 재무: the minister of *finance* 재무 장관 / public *finance* 국가 재정 **2** (finances) 재원, 자금, 자금 조달: We need to raise *finances* for our excursion to Gyeongju. 경주로 수학 여행을 갈 자금을 모아야 한다. **3** 재정학 *v.* [T] 자금을 공급하다, 자금을 조달하다: The concert is *financed* by AA Company. 이 콘서트는 AA 회사로부터 비용을 협찬받았다.
— **financier** *n.* 재정가, 금융업자

***financial** [fainǽnʃəl] *adj.* 재정상의, 재무의, 금융상의: be in *financial* difficulties 재정상 어려움에 처하다
— **financially** *adv.*

■ 유의어 **financial**
financial 일반적으로 '금융·재정'에 관한 것. **fiscal** 정부·공공 시설·단체 등의 '재정 자금', 특히 '세금'에 관한 것. **monetary** '금전에 관한' 것.

***find** [faind] *v.* [T] (found-found) **1** 찾아 내다: Did you *find* the book you lost? 잃어버린 책을 찾았니? **2** (우연히) 발견하다: We went into the cave and *found* a treasure. 우리는 동굴 안으로 들어갔다가 보물을 발견했다. **3** 알다, 깨닫다: I *find* him very funny. 나는 그가 매우 재미있다고 생각한다. / They *found* the book easy to understand. 그들은 그 책이 이해하기 쉽다는 것을 알았다. / I *found* myself lying in my bedroom. 깨어보니 내 침실에 누워 있었다. **4** (볼 수) 있다; (수동태) 있다, 존재하다: You can *find* rabbits around here. 이 부근에서 토끼를 볼 수 있다. / Bears are *found* in these woods. 이 부근의 숲에는 곰이 있다. **5** 자연히 …하게 되다: Rivers *find* their way to the sea. 강물은 바다로 흘러든다.
n. 발견, 우연히 발견한 물건
— **finding** *n.* 발견, 습득물, 조사〔연구〕 결과
[숙어] **find fault with** ⇨ fault

find out (조사하여) 알아 내다, (사실을) 발견하다: Have you *found out* how long it takes to Busan? 부산까지 시간이 얼마나 걸리는지 알아봤니? / I later *found out* that my missing shoe has been in a doghouse. 나중에 없어진 내 신발이 개집 안에 있는 것을 발견했다.

***fine¹** [fain] *adj.* (finer-finest) **1** 훌륭한, 좋은: a *fine* view 훌륭한 전망 / a *fine* idea 좋은 생각 **2** 가는, 얇은: *fine* hair 가는 머리카락 / a *fine* thread 가는 실 [OPP] thick **3** 미세한, 자디잔: *fine* sand 고운 모래 [OPP] coarse **4** 괜찮은: "Do you want some more rice?" "No, that's *fine*." "밥을 좀 더 줄까?" "아니오, 괜찮아요." / "I've only got a sandwich." "That's *fine*." "샌드위치밖에 없는데." "그러면 됐어." **5** 건강한, 기분이 좋은: feel *fine* 기분이 좋은 / "How are you?" "*Fine*, thank you." "안녕하세요." "예, 덕분에 건강하게 잘 지냅니다." **6** (날씨 등이) 갠, 맑은, 구름 없는: *fine* weather 맑은 날씨

***fine²** [fain] *n.* 벌금: a parking *fine* 주차 위반료
v. [T] 벌금을 과하다: The police *fined* him 50,000 won for speeding. 경찰은 속도 위반으로 그에게 벌금 5만원을 부과했다.

***finger** [fíŋgər] *n.* 손가락
v. [T] 손가락으로 만지다
[숙어] **keep one's fingers crossed, cross one's fingers** 행운을 빌다 (가운 뎃손가락을 집게손가락 위에 포갠 모습): I'll *keep my fingers crossed* for you. 너의 행운을 빌어 줄게.

■ 명칭 **finger**
a thumb 엄지, an index finger 집게손가락, a middle finger 가운뎃손가락, a ring finger 약손가락, a little finger〔pinkie〕 새끼손가락

fingernail [fíŋgərnèil] *n.* 손톱
fingerprint [fíŋgərprìnt] *n.* 지문

F

***finish** [fíniʃ] *v.* **1** [T] 끝내다, 마치다, 완료하다: I will *finish* my homework tomorrow. 나는 내일 숙제를 끝낼 것이다. SYN complete **2** [I] 끝나다: What time did the movie *finish*? 영화가 몇 시에 끝났어? SYN end **3** [T] (물건을) 다 쓰다, (음식 등을) 다 먹어 버리다: Who *finished* pizza? 누가 피자를 다 먹었어?

n. **1** 끝, 마지막 **2** 마무리, 끝손질

숙어 **finish off 1** 끝내다: *Finish off* your homework before you go out. 외출하기 전에 숙제를 다 끝내 놓아라. **2** 다 쓰다, 다 먹어 버리다: We have *finished off* the last of our fuel oil. 우리는 마지막 남은 연료 기름을 다 써 버렸다.

finish with 1 마치다, 쓸모없어지다: Can I borrow that magazine when you're *finished with* it? 너 그 잡지 다 본 후에 내가 빌려가도 될까? **2** 절교하다: Sally *finished with* him yesterday. 어제 샐리는 그와 절교했다.

finite [fáinait] *adj.* **1** 한정되어 있는, 제한되어 있는 OPP infinite **2** [문법] (동사가) 정형(定形)의

fiord, fjord [fjɔːrd] *n.* [지리] 피오르드 (노르웨이 해안가에 있는 높은 절벽 사이의 좁은 바다), 협만

***fire** [faiər] *n.* **1** 불 **2** 화재: *Fire*! 불이야! / There are many forest *fires* in dry season. 건조한 계절에는 산불이 많이 일어난다. **3** 사격, 발포: gun*fire* 포격

v. **1** [I,T] 발사하다, 사격하다: She *fired* a shot at him. 그녀는 그를 겨냥해서 한 방 쏘았다. **2** [T] 해고하다: He was *fired*. 그는 해고당했다.

숙어 **be on fire** 타다, 불이 붙다: My God! The oven *is on fire*! 맙소사! 오븐에 불이 붙었잖아!

catch fire 불이 붙다: Dry leaves *catch fire* easily. 마른 잎들은 불이 잘 붙는다.

light a fire (성냥·난로 등을) 켜다

put out the fire 불을 끄다, 화재를 진압하다

set fire to …에 불을 지르다

fire alarm *n.* 화재 경보기

fire engine *n.* 소방차

fire extinguisher *n.* 소화기

fire fighter *n.* 소방관 SYN fireman

firefly [fáiərflài] *n.* [곤충] 개똥벌레

fireplace [fáiərplèis] *n.* 벽난로

fire station *n.* 소방서

firework [fáiərwə̀ːrk] *n.* (보통 *pl.*) 불꽃(놀이)

***firm¹** [fəːrm] *adj.* **1** 굳은, 단단한, 견고한: a *firm* mattress 단단한 매트리스 / *firm* ground 굳은 지면 **2** (신념·주의 등이) 변치 않는, 단호한: a *firm* decision 단호한 결정 / be *firm* with …에게 단호한 태도를 취하다

— **firmly** *adv.* **firmness** *n.* 견고, 확고

***firm²** [fəːrm] *n.* 상사, 상회, 회사: a law *firm* 법률 사무소

first [fəːrst] *adj.* **1** 첫 번째의, 최초의: The *first* month of the year is January. 한 해의 첫 달은 1월이다. / the *first* man to arrive 맨 먼저 도착한 사람 / King George the *First* 조지 1세 **2** 으뜸의, 최고의, 제1의: I won *first* prize. 내가 1등 했다. / the *first* scholar of the day 당대 최고 학자

adv. **1** 최초로, 맨 먼저: She arrived *first* at school. 그녀가 학교에 제일 먼저 도착했다. **2** 우선 (…하다): If you want to use my computer, ask me *first*. 내 컴퓨터를 사용하고 싶으면 우선 나한테 물어보도록 해. **3** 처음으로: Where did you *first* meet her? 어디서 그녀를 처음 만났어?

n. **1** 제1, 첫째(의 것, 사람) **2** 최초, 처음

숙어 **at first** 처음에는: I didn't like green tea *at first*, but now I drink it everyday. 나는 처음에는 녹차를 좋아하지 않았지만 지금은 매일 마신다. SYN in the begin-ning

at first sight(**glance**) **1** 첫눈에: It was love *at first sight*. 첫눈에 반한 사랑이었다.

2 언뜻 본 바로는: It seemed impossible *at first sight*. 언뜻 본 바로는 불가능한 것처럼 보였다.

come first 1 경기 등에서 1등을 하다 **2** 제일 중요하다: For me, family *comes first*. 나에게는 가족이 제일 중요해.

First come, first served. 선착순.

first of all 첫째로, 무엇보다 먼저: *First of all*, let's decide what subjects we will study today. 무엇보다 먼저 오늘 우리가 어떤 과목을 공부할 것인지를 정하자.

in the first place 애당초, 처음부터: Why didn't you tell me *in the first place*? 왜 애당초 내게 말하지 않았어?

first aid *n.* 응급 치료, 응급 처치

first-class *adj. adv.* **1** 제1급(으로), 최고급(으로) **2** (기차·배 등의) 1등의[으로]
— **first class** *n.*

first-hand *adj. adv.* 직접(의): I heard the news *first-hand* from her. 나는 그녀로부터 직접 소식을 들었다. / *first-hand* experience 직접적인 경험

first lady *n.* (the First Lady) 영부인

first name *n.* 이름 *cf.* last name 성(姓)

fiscal [fískəl] *adj.* 국고의, 재정상의, 회계의: a *fiscal* law 회계법 / *fiscal* year 회계 연도

*fish [fiʃ] *n.* (*pl.* fish(es)) **1** 물고기 **2** 생선 요리
v. [I,T] 낚다, 고기잡이하다
※ 복수형으로도 fish를 사용하나 물고기의 종류를 말할 때는 fishes를 쓴다.

fisherman [fíʃərmən] *n.* (*pl.* fishermen) 어부, 낚시꾼

fishery [fíʃəri] *n.* **1** 어업, 수산업 **2** 어장, 양어장: a pearl *fishery* 진주 양식장

fishing [fíʃiŋ] *n.* 낚시질, 어업
— **fishing pole** *n.* 낚싯대 **fishing rod** *n.* (릴용) 낚싯대

fishy [fíʃi] *adj.* (fishier-fishiest) **1** 비린내 나는 **2** 의심스러운, 수상한: It smells *fishy*. 수상한데.

*fist [fist] *n.* 주먹: clench one's *fist* 주먹을 꽉 쥐다

*fit¹ [fit] *v.* **1** [I,T] (fit-fit, fitted-fitted; fitting) (크기·모양 등이) (꼭)맞다, 적당하다: This coat *fits* you perfectly. 이 코트가 네게 꼭 맞는다. **2** [T] (공간에 맞추어 물건 등을) 넣다, 들어가다: I managed to *fit* all my books onto the shelf. 선반 위에 간신히 내 책을 다 꽂았다. / Can you *fit* one more kid in your car? 네 차에 아이 한 명 더 태울 수 있어? / I can't *fit* into this skirt anymore. 더 이상 이 치마가 맞지 않는다. **3** [T] 설비하다, 달다, 조립하다: *fit* a door with a new handle 문에 새 손잡이를 달다
※ 수동태로 쓰인 경우는 과거 fitted, 과거분사 fitted로 표기한다.

adj. (fitter-fittest) **1** 알맞은, 적당한: be *fit* for use 사용하기 적당하다 **2** 적임의, …할 수 있는: I'm sure he's *fit* for the job. 나는 그가 그 일에 적임이라고 확신한다. **3** 건강이 좋은, 튼튼한: Running keeps me *fit*. 달리기가 나의 건강을 유지시켜 준다. OPP unfit

*fit² [fit] *n.* **1** (병의) 발작 **2** (감정의) 폭발: in a *fit* of anger 홧김에
— **fitful** *adj.* 발작적인, 변덕스런

숙어 **fit in (with)** (다른 사람들과) 잘 어울리다, 섞이다: When I was young, I didn't *fit in with* the other kids. 어렸을 때 나는 다른 아이들과 잘 어울리지 못했다.

■ 유의어 **fit**
fit 목적·요구 등에 적합하다, 치수·모양 따위가 꼭 들어맞는다는 포괄적인 의미를 갖는다. **suitable** 어떤 특수한 목적·요구·지위 등에 적합하다는 뜻을 갖는다.

fitness [fítnis] *n.* **1** 적당, 적합성 **2** 건강, 체력: a *fitness* center 헬스 클럽

five [faiv] *n. adj. pron.* 5(의), 다섯(의); 다섯 개[사람] ⇨ six 참조

*fix [fiks] *v.* [T] **1** 고정시키다, 달다: *fix* a

poster to the wall 벽에 포스터를 붙이다 /
Try to *fix* your mind on the problem.
그 문제에 정신을 집중해 봐. **2** 고치다, 수리하
다: *fix* a radio 라디오를 수리하다 [SYN]
repair **3** 정하다, 결정하다: Let's *fix* the
date for a blind date. 소개팅을 할 날짜를
정하자. **4** (식사를) 준비하다, 만들다: Mom's
fixing dinner right now. 어머니께서는 지
금 저녁 식사를 준비하고 계신다. [SYN] cook

fjord [fjɔːrd] ⇨ fiord

*__flag__ [flæg] *n.* 기: a national *flag* 국기
v. [T] (flagged-flagged) 기로 신호하다:
flag down a train 열차를 신호로 정지
시키다
— **flagman** *n.* 신호 기수, 건널목지기
flagpole *n.* 깃대

flake [fleik] *n.* 얇은 조각: snow*flake* 눈
송이 / *flakes* of stone 돌의 파편들
v. [I,T] 벗겨져 떨어지다, (눈 등이) 펄펄 날리
다: The old paint is beginning to *flake*
(off). 오래된 페인트 칠이 벗겨지기 시작했다.

*__flame__ [fleim] *n.* **1** (종종 *pl.*) 불길, 불
꽃: in *flames* 불붙어, 불길에 싸여 **2** 불 같은
색채
v. [I,T] 타오르다

flammable [flǽməbəl] *adj.* 타기 쉬운
[SYN] inflammable [OPP] nonflammable

flap [flæp] *v.* [I,T] (flapped-flapped) (날
개 등을) 퍼덕이다, 펄럭이다: The curtains
were *flapping* in the breeze. 커튼이 산
들바람에 펄럭이고 있었다.
n. **1** 펄럭임, 찰싹 때리기 **2** 축 늘어진 것, (호
주머니의) 뚜껑, (봉투의) 접어 젖힌 부분

flare [flɛər] *v.* [I,T] 확 타오르게 하다, 확
불붙다
n. **1** 확 타오름, 너울거리는 불길 **2** (스커트 등
이 나팔꽃 모양으로) 벌어짐 **3** 조명탄

*__flash__ [flæʃ] *v.* **1** [I,T] 번쩍이다, 빛나다: His
eyes *flashed* with anger. 그의 눈은 노여
움으로 번쩍였다. **2** [I] 휙 지나가다 (by,
past): A swallow *flashed* by. 제비가 휙
날아갔다. **3** [I] 번개처럼 스치다, 문득 떠오르

다: The idea *flashed* across his mind.
생각이 퍼뜩 그의 뇌리를 스쳤다. **4** [T] (무언가
를) 빠르게 보여 주다: She *flashed* a smile
at him. 그녀는 그에게 살짝 미소를 보냈다. **5**
[T] 방송하다: The news of the uprise
was *flashed* across the world. 폭동에 관
한 뉴스가 전 세계로 방송되었다.
n. **1** 섬광, 번쩍임: a *flash* of lightning 번
갯불의 번쩍임 **2** 순간, 흘끗 봄, 생각남: a
flash of hope 한순간의 희망 / a *flash* of
inspiration 번뜩 떠오르는 영감 **3** [신문·라
디오] (뉴스) 속보
— **flashy** *adj.*
[숙어] **in a flash** 눈 깜짝할 사이에, 순식간
에: He solved the question *in a flash*.
그는 순식간에 그 문제를 풀었다.

flashback [flǽʃbæk] *n.* 플래시백 (과거
의 회상 장면으로의 전환)

flash card *n.* 플래시 카드 (단어·숫자·그
림 등을 순간적으로 보여 주는 순간 파악 연습
용의 카드)

flashlight [flǽʃlàit] *n.* 회중 전등

flask [flæsk] *n.* 플라스크, 병

*__flat__ [flæt] *adj.* (flatter-flattest) **1** 편평한,
평탄한: *flat* land 평지 [SYN] level **2** 얕은,
낮은, 납작한: a *flat* dish 얕은 접시 / *flat*
shoes 굽이 낮은 구두 **3** (타이어·공 등이) 바
람이 빠진: a *flat* tire 바람 빠진 타이어 **4** 단
조로운, 무미 건조한 [SYN] dull **5** (음료수가)
김빠진: This coke has gone *flat*. 이 콜라
는 김이 빠졌다. **6** 단호한, 쌀쌀한: a *flat*
refusal 단호한 거절 **7** (값 등이) 일률적인,
균일의: We charged a *flat* fee of $30. 우
리는 30달러의 균일 요금을 청구했다. **8** [음악]
반음 내림의
n. [영] 플랫식 주택 (각층에 1가구가 살게 만든
아파트): I'm trying to rent a *flat* near
school. 나는 학교 근처에 방을 하나 세 얻으
려고 한다. ※ flat은 영국 영어이고 이에 해당
하는 미국 영어는 우리가 흔히 알고 있는
apartment (아파트)이다.
adv. **1** 편평하게, 납작하게 **2** 딱 잘라, 단호히

fall flat 1 벌렁 넘어지다 **2** (농담 등이) 실패로 끝나다: He made several jokes but all of them *fell flat*. 그가 농담을 몇 가지 했는데 모두 실패했다.

flatly [flǽtli] *adv.* 딱 잘라, 단호히: refuse *flatly* 단호하게 거절하다

flatten [flǽtn] *v.* [I,T] 평평하게 하다, 고르다, 평평해지다

flatter [flǽtər] *v.* [T] 아첨하다, 치켜세우다: You're *flattering* me. 너무 추어올리시네요.

— **flatterer** *n.* 아첨꾼

be (feel) flattered 기뻐하다, 우쭐해지다: I'm *flattered* by your invitation. 초청을 받아 영광으로 생각합니다.

flatter oneself 우쭐거리다, 자부하다: She *flatters herself* that she's good at math. 그녀는 수학을 잘 한다고 우쭐거린다.

flattering [flǽtəriŋ] *adj.* 아부하는, 기쁘게 하는

flattery [flǽtəri] *n.* 아첨, 치렛말

*****flavor, flavour** [fléivər] *n.* **1** 풍미, 독특한 맛: ice cream with a pineapple *flavor* 파인애플 맛 아이스크림 [SYN] taste **2** 정취, 운치: a strong *flavor* of the Orient 강한 동양풍

v. [T] 맛을 내다, 양념하다: Mom *flavored* soup with garlic. 어머니는 수프를 마늘로 맛을 내셨다.

flaw [flɔ:] *n.* **1** (물건 등의) 흠집, 결점: a *flaw* in a jewel 보석에 난 흠집 **2** (성격 등의) 결함

— **flawless** *adj.* 흠 없는, 완전한

flea [fli:] *n.* 벼룩

flea market *n.* 벼룩 시장

fleck [flek] *n.* **1** 반점, 주근깨 **2** 얼룩
v. [T] 반점을 찍다

flee [fli:] *v.* (fled-fled) **1** [I,T] 도망하다, 달아나다: The robbers *fled* when they saw the police. 경찰을 보자 도둑들은 달아났다. [SYN] run away **2** [I] 떠나다: The Dalai Lama had to *flee* to India. 달라 이 라마는 인도로 떠나야 했다.

fleece [fli:s] *n.* 양털
v. [T] **1** 양털을 깎다 **2** 탈취하다 (of)

— **fleecy** *adj.* 양털로 덮인, 양털 같은, 폭신폭신한 **fleeciness** *n.*

fleet [fli:t] *n.* **1** 함대, 선대 **2** (택시 회사 등이 소유하는) 전차량
v. [I] (시간·세월이) 지나가다 (by), 빨리 지나가 버리다 (away)

— **fleeting** *adj.* 쏜살같은, 덧없는

*****flesh** [fleʃ] *n.* **1** (뼈·가죽에 대한) 살, 육체 **2** (식물의) 과육

flesh and blood 육체, 산 사람

※ 사람이 먹는 동물의 살은 meat라고 한다.

flexibility [flèksəbíləti] *n.* **1** 유연성 **2** 융통성

flexible [fléksəbəl] *adj.* **1** 구부리기 쉬운, 유연한: a *flexible* wire 구부리기 쉬운 철사줄 **2** 적응성이 있는, 융통성이 있는: a man of *flexible* nature 융통성이 있는 사람 [OPP] inflexible

flicker [flíkər] *v.* [I] **1** 깜박이다, 명멸하다: The candle *flickered* in the breeze. 촛불이 미풍에 깜박거렸다. **2** (감정·생각 등이) 짧은 순간 나타나다: A smile *flickered* across his face. 그의 얼굴에 미소가 스쳐 지나갔다. **3** (위·아래로) 빨리 움직이다, 깜박거리다: His eyelids *flickered* for a moment. 잠시 그의 눈꺼풀이 깜박였다.
n. **1** 깜박임, 명멸 **2** 급한 마음의 움직임: a *flicker* of hope 희망의 서광

flier, flyer [fláiər] *n.* **1** (새·곤충 등) 나는 것 **2** 비행사, 비행기 **3** [미] 급행 열차, 급행 버스 **4** [미] 광고 쪽지, 전단

*****flight** [flait] *n.* **1** 날기, 비행: a night *flight* 야간 비행 **2** 비행기: *flight* 477 from London to Seoul 런던을 떠나 서울에 도착하는 477번 비행기 **3** (철새의) 이동 **4** (층계의) 한 번 오르기: a *flight* of stairs 일련의 계단 **5** 도주, 탈출: The suspect took *flight*. 용의자가 도주했다.

flimsy [flímzi] *adj.* (flimsier-flimsiest)

1 약한, 취약한: A *flimsy* cloth is easily torn. 약한 천은 잘 찢어진다. **2** (근거·논리가) 박약한: a *flimsy* excuse 빤히 들여다보이는 변명

— **flimsily** *adv.* **flimsiness** *n.*

fling [fliŋ] *v.* [T] (flung-flung) 냅다 던지다, (무언가를 온 힘을 다해) 갑자기 움직이다: *fling* a coat on the floor 바닥에 코트를 내팽개치다 / *fling* a window open 창을 거칠게 열다

n. (단시간의) 방종, (일시적인) 외도

flint [flint] *n.* 부싯돌, 라이터 돌

flip [flip] *v.* (flipped-flipped) **1** [I,T] 훌훌 넘기다: *flip* a book 책장을 훌훌 넘기다 **2** [T] 홱 던지다, 톡 치다

flip side *n.* **1** (레코드의) 뒷면, B면 (보통 앞면보다 덜 인기 있는 곡들을 모아둔 면) **2** 이면, 반대 급부, 부정적인 면: The *flip side* of a rapidly expanding economy is beginning to emerge. 고속으로 팽창하는 경제의 부정적인 면이 나타나기 시작하고 있다.

flipper [flípər] *n.* 물갈퀴; 잠수용 고무 물갈퀴, 오리발

*****float** [flout] *v.* [I] **1** (액체 위에) 뜨다, 띄우다: Wood *floats* in water. 나무는 물에 뜬다. / The paper boat *floated* on the river. 종이배가 강 위에 떠 있었다. [OPP] sink **2** (공기 중이나 물 위에) 떠다니다: The smell of coffee *floated* in the room. 방 안에 커피 향이 떠돌았다. / A feather *floated* to the ground. 깃털 하나가 땅으로 천천히 떨어졌다.

n. **1** 행사시 거리 행진용 차량 **2** (낚싯줄·어망 등의) 찌 **3** 구명대, 구명구 **4** 뗏목 [SYN] raft

flock [flɑk] *n.* **1** (동물의) 무리, 떼: a *flock* of sea gulls 갈매기 떼 **2** (사람의) 떼: People came in *flocks* to see the new building. 새로 지은 건물을 보려고 사람들이 떼를 지어 왔다. [SYN] crowd

v. [I] (사람이) 무리짓다, (떼지어) 몰려들다: Pilgrims *flock* to Mecca every year. 매년 순례자들이 메카에 떼지어 몰려든다.

■ **유의어** flock

flock 양·염소·새의 무리. **herd** 가축의 떼, 특히 소·돼지 떼. **drove** 소·양·돼지가 이동하는 무리. **flight** 날고 있는 것의 무리. **pack** 사냥개·이리와 같이 공격 또는 방어하기 위해 뭉친 무리. **school** 물고기·고래·돌고래 무리. **shoal** 큰 물고기 무리. **swarm** 곤충의 무리. **crowd** 사람의 무리.

*****flood** [flʌd] *v.* **1** [I,T] (물이) 넘치게 하다, 넘쳐 흐르다: The heavy rain *flooded* the basement. 폭우 때문에 지하실에 물이 찼다. / In the past, the Nile *flooded* the field every year. 과거에 나일 강은 해마다 밭을 범람했다. **2** [I] 몰려[밀려]들다, 쇄도하다 (in, into, to): The refugees *flooded* into the station. 피난민들이 역으로 몰려들었다. / Phone calls *flooded* in. 전화가 쇄도했다.

n. **1** 홍수, 범람 **2** (a flood of) 쇄도, 다량: a *flood* of letters 쇄도하는 편지

*****floor** [flɔ:r] *n.* **1** 마루, 바닥: Don't leave your clothes on the *floor*! 바닥에 네 옷 좀 벗어 놓지 마! **2** (건물의) 층 [SYN] story **3** 밑바닥: ocean *floor* 해저

■ **용법** floor

미국에서는 1층을 first floor, 2층을 second floor라고 하고 영국에서는 1층을 ground floor, 2층을 first floor라고 한다. floor가 특정한 층을 말하는데 반해 story는 '몇 층 집'과 같이 건물의 층수를 말한다.: a four-*storied* house 4층짜리 집

flop [flɑp] *v.* [I,T] (flopped-flopped) 쾅 넘어뜨리다, 픽 쓰러지다, 퍼덕거리다: He *flopped* down on the sofa. 그는 소파에 털썩 앉았다.

adv. 털썩, 쾅: fall *flop* 쿵 쓰러지다

n. 실패

floppy disk *n.* [컴퓨터] 플로피디스크 (외부 기억용의 플라스틱 자기 디스크)

floral [flɔ́:rəl] *adj.* 꽃의, 식물(상)의

*★**flour** [flauər] *n.* 밀가루, 가루, 분말: grind wheat into *flour* 밀을 빻아서 가루를 내다
v. [T] **1** [요리] …에 가루를 뿌리다 **2** 가루를 내다

flourish [flɔ́:riʃ] *v.* **1** [I] 번영〔번성〕하다: a *flourishing* business 번창하는 사업 [SYN] thrive **2** [I] (동·식물이) 잘 자라다: This plant *flourishes* in the shade. 이 식물은 응달에서 잘 자란다. [SYN] thrive **3** [T] 휘두르다, 흔들다
n. **1** 과장된 몸짓: with a *flourish* 화려하게, 과장된 몸짓으로 **2** 화려함

*★**flow** [flou] *n.* **1** (물·차량 등의) 흐름, 유동: The gates in the dam control the *flow* of the water. 댐에 있는 수문들이 물의 흐름을 조절한다. / a *flow* of conversation 거침없는 대화 / the *flow* of blood 혈액의 흐름 **2** 밀물 [OPP] ebb
v. [I] **1** 흐르다: The water is *flowing* out. 물이 흘러나오고 있다. **2** (머리·옷 등이) 늘어지다: Her long hair *flowed* down her back. 그녀의 긴 머리가 등 뒤로 늘어졌다.

*★**flower** [fláuər] *n.* 꽃: artificial *flowers* 조화 / *flower* arrangement 꽃꽂이
v. [I] **1** 꽃이 피다 **2** 번영하다

flu [flu:] *n.* (influenza의 축약형) 인플루엔자, 유행성 감기

fluctuate [flʌ́ktʃuèit] *v.* [I] 오르내리다: Her weight *fluctuates* wildly. 그녀의 몸무게는 크게 오르내린다. / My income *fluctuates* between ₩1,000,000 and ₩2,000,000 a month. 내 한 달 수입은 100만원에서 200백만원 사이를 오르내린다.
— **fluctuation** *n.*

fluent [flú:ənt] *adj.* 유창한, 거침없는: He is *fluent* in English. 그는 영어를 유창하게 한다. / She speaks *fluent* German. 그녀는 독일어를 잘 한다.
— **fluently** *adv.* **fluency** *n.*

fluff [flʌf] *n.* 보풀, 솜털

v. [I,T] 보풀이 일게 하다, 부풀다: He *fluffed* his pillow. 그는 그의 베개를 부풀렸다.
— **fluffy** *adj.*

fluid [flú:id] *n.* **1** 유동체, 액체: The doctor told me to drink a lot of *fluid* every day. 의사가 나에게 매일 물 종류를 많이 마시라고 했다. **2** (동물·식물의) 분비액
— **fluidity** *n.* 유동성

fluorescent [fluərésnt] *adj.* 형광을 발하는, 형광성의: *fluorescent* lamp 형광등

flush [flʌʃ] *v.* **1** [T] (물 등이) 왈칵 흐르다, 넘치다 (over) **2** [T] (변기의) 물을 내리다: After using his toilet, he *flushed* it. 변기를 사용한 후에 그는 변기의 물을 내렸다. **3** [I] (얼굴이) 붉어지다, 홍조를 띠다: The young man *flushed* with embarrassment. 당황하여 그 젊은 남자는 얼굴이 붉어졌다. [SYN] blush **4** [T] 물로 씻어 내리다
n. **1** 홍조 **2** (변기의) 물 내림

flute [flu:t] *n.* 피리, 플루트
v. [I,T] 피리를 불다

flutter [flʌ́tər] *v.* **1** [I,T] 날개 치다, 펄럭이다: The bird *fluttered* its wings in the cage. 새가 새장에서 날개 쳤다. **2** [I] (심장 등이) 두근거리다, (공포·흥분으로) 떨다
n. 날개 치기, 퍼덕거림

*★**fly** [flai] *v.* (flew-flown) **1** [I,T] 비행기로 가다: She *flew* to California. 그녀는 캘리포니아에 비행기를 타고 갔다.
2 [I] (새·비행기 등이) 날다: Penguins and ostriches are birds, but they can't *fly*. 펭귄과 타조는 새이지만 날지 못한다.
3 [I,T] (비행기를) 조종하다: Can you *fly* this type of plane? 이런 종류의 비행기를 조종할 수 있어?
4 [I] (시간·돈이) 나는 듯이 없어지다: Time *flies* like an arrow. [속담] 시간이 쏜살같이 흐른다. (세월은 화살과 같다.)
5 [I] 갑자기 빨리 움직이다: He *flew* upstairs. 그가 이층으로 뛰어올라갔다. / The door *flew* open. 문이 갑자기 홱 열렸다.

6 [I] 도망치다, 피하다: *fly* from the heat of the town 도시의 더위를 피하다 [SYN] run away

7 [I,T] (깃발 등이) 휘날리다: *fly* a kite 연을 띄우다

n. 파리: A *fly* buzzed over my head. 파리 한 마리가 내 머리 위에서 윙윙거렸다.

flyer [fláiər] ⇨ flier

flying [fláiiŋ] *n.* 비행, 비행기 여행, 비행기 조종

adj. **1** 나는, 날 수 있는 **2** 몹시 급한: a *flying* visit 황급한 방문

foam [foum] *n.* 거품

v. [I] 거품이 일다: a *foaming* glass of beer 거품 이는 한 잔의 맥주

— **foamy** *adj.*

*focus [fóukəs] *v.* [I,T] **1** 집중하다: In this lesson, we will *focus* on idioms. 이 과에서는 숙어에 집중할 것이다. [SYN] concentrate **2** 초점을 맞추다, 초점에 모이다: *focus* a camera 카메라 초점을 맞추다

n. **1** (흥미·주의 등의) 중심 **2** 초점 (focal point)

— **focal** *adj.* 초점의

[숙어] **in focus** 초점이 잘 맞은

out of focus 초점이 잘 맞지 않은

foe [fou] *n.* 적 [SYN] enemy

*fog [fɔ(:)g] *n.* 안개: The *fog* has cleared (off). 안개가 걷혔다.

v. [I,T] (fogged-fogged) 안개가 끼다, 부옇게 되다: The steam *fogged* my glasses. 김 때문에 안경이 부옇게 됐다.

foggy [fɔ́(:)gi] *adj.* (foggier-foggiest) 안개가 낀

foil [fɔil] *n.* 박, 금속 박편, (식품·담배 등을 싸는) 포일: gold *foil* 금박 / aluminum *foil* 알루미늄 포일

v. [T] **1** …에 박을 입히다 **2** 좌절시키다: His attempt to run away from home was *foiled* by his sister. 그의 가출 계획은 누이 때문에 좌절되었다.

*fold [fould] *v.* **1** [T] 접어서 겹치다, 접다:

He *folded* the paper into three. 그는 종이를 3등분으로 접었다. [OPP] unfold **2** [T] 팔짱을 끼다: He sat with his arms *folded*. 그는 팔짱을 낀채 앉아 있었다. **3** [I] (사업·흥행 등이) 실패하다, 망하다

n. 접음, 접은 자리, 주름

-fold *suffix* '…배, …겹'의 뜻.: three*fold* 세 배, 세 겹

folder [fóuldər] *n.* **1** 종이 끼우개 **2** [컴퓨터] 폴더 (컴퓨터의 저장 장치인 하드디스크나 플로피디스크의 공간을 하나 혹은 여러 개의 방으로 나누어서 파일을 저장하는 경우에 사용되는 방)

foliage [fóuliidʒ] *n.* (집합적) 잎 [SYN] leaves

*folk [fouk] *adj.* 서민의, 민속의, 민간의: *folk* dance 포크 댄스, 민속춤

n. **1** (folks) 사람들: Good morning, *folks*! 안녕하십니까, 여러분! [SYN] people

※ 오늘날에는 보통 people을 쓰나, 미국에서는 허물없는 사이의 표현으로 흔히 쓴다.

2 (folks) 가족, 친척: How are your *folks*? 부모님은 안녕하시지?

folktale, folk tale [fóuktèil] *n.* 민간 설화, 전설

*follow [fálou] *v.* **1** [I,T] 따라가다, 좇다: The dog *followed* me to the house. 그 개는 나를 따라 집에까지 왔다. **2** [T] …의 뒤에 오다, 결과로서 일어나다: May *follows* April. 5월은 4월 뒤에 온다. / Usually, flood *follows* heavy rain. 대개 폭우가 온 후에는 홍수가 뒤따른다. **3** [T] (길을) 따라가다: *follow* the path 길을 따라 가다 **4** [T] (가르침·충고 등을) 따르다, 지키다: *Follow* the instructions carefully. 지시를 잘 따르십시오. **5** [I,T] 이해하다: I do not quite *follow* you. 아무리 해도 당신이 하신 말씀을 잘 모르겠습니다.

[숙어] **as follows** 다음과 같은: His words were *as follows*. 그가 한 말은 다음과 같았다. / It is *as follows*. 그것은 다음과 같다. ※ 주어의 단수·복수에 관계 없이 항상

as follows라고 쓴다.

follow one's footsteps …의 예를 본받다, (흔히 친척 등의 직업을) 그대로 따르다: She *followed her father's footsteps* and studied chemistry. 그녀는 아버지를 따라 화학을 공부했다.

follow suit 방금 다른 사람이 한 것을 그대로 따라 하다: If one airline increases its prices, the rest will *follow suit*. 한 항공 회사가 요금을 올리면 다른 항공 회사들도 그대로 따라 할 것이다.

follow-up [fάlouλp] *adj.* 뒤쫓는, 뒤따르는, 계속하는: *follow-up* survey 추적 조사 / a *follow-up* story (신문 등의) 추적 기사 *n.* **1** 뒤쫓음, 뒤따름: This meeting is a *follow-up* to the one we had yesterday. 이 회의는 어제한 회의의 연속입니다. **2** (신문) 속보

folly [fάli] *n.* **1** 어리석음 SYN foolishness **2** 어리석은 짓

***fond** [fαnd] *adj.* **1** 좋아하는 **2** 애정 있는, 다정한, 좋은: a *fond* mother 다정한 어머니 / I have *fond* memories of my trip to Egypt. 나는 이집트 여행에 대한 즐거운 추억이 있다.

— **fondness** *n.*

숙어 **be fond of** …을 좋아하다: I *am* very *fond of* dogs. 나는 개를 아주 좋아한다.

font [fαnt] *n.* [인쇄] 동일형 활자의 한 벌, [컴퓨터] 글자체, 폰트

***food** [fu:d] *n.* 식품, 식량, 음식, 먹을 것: *food* and drink 음식물 / *food*, clothing, and shelter 의식주

※ 음식물의 종류 또는 특수한 가공 식품을 가리키는 이외에는 a food, foods의 형태를 쓰지 않는다.

***fool** [fu:l] *n.* **1** 바보, 어리석은 사람: Stop behaving like a *fool*. 바보처럼 굴지 마. **2** 어릿광대 SYN clown

v. **1** [T] 속이다: Are you trying to *fool* me? 너 지금 날 속이려는 거야? **2** [I] 바보짓

을 하다, 장난치다, 농담하다: I was only *fooling*. 나는 농담을 했을 뿐이다. **3** [T] (시간·돈·건강 등을) 헛되이 쓰다, 허비하다 (away): Don't *fool* away your time. 시간을 헛되이 보내지 마라.

숙어 **April Fool** 만우절 (4월 1일)

fool around(about) 1 빈둥거리다, 시간을 허비하다: I have an exam tomorrow and I spent the whole day *fooling around*. 내일 시험이 있는데 빈둥거리면서 하루를 다 보냈다. **2** (기계·칼 등을) 만지작거리다, 장난하다: Stop *fooling around* with that knife! 그 칼 갖고 장난하지 마!

make a fool of oneself 웃음거리가 되다, 창피를 당하다: He got drunk and *made a fool of himself*. 그는 술에 취해 (실수하는 바람에) 남의 웃음거리가 되었다.

foolish [fú:liʃ] *adj.* 어리석은, 미련한

— **foolishly** *adv.*

***foot** [fut] *n.* (*pl.* feet) **1** 발 **2** (테이블 등의) 다리 **3** (사물의) 밑부분, 기슭 SYN bottom OPP top **4** 피트 (약 30cm)

v. [I,T] **1** 걷다 SYN walk **2** …의 비용을 지불하다

숙어 **at the foot of** …의 발치에, 기슭에: There's a small house *at the foot of* the mountain. 산기슭에 작은 집이 한 채 있다.

foot the bill 지불하다

get(jump) to one's feet (앉았다가) (벌떡) 일어나다: She *got to her feet* when the teacher came in. 선생님께서 들어오시자 그녀는 자리에서 일어났다.

on foot 도보로, 걸어서: I go to school *on foot*. 나는 걸어서 학교에 간다.

on one's feet 1 일어서서 **2** (병후에) 원기를 회복하고: He was *on his feet* again. 그는 다시 건강을 회복했다.

set foot in(on) …에 들어가다(도착하다): He never *set foot in* his house. 그는 영원히 그의 집에 들어가지 않았다.

football [fútbɔ:l] *n.* 풋볼 (미국에서는 미

식 축구, 영국에서는 주로 축구 또는 럭비)

footbridge [fútbrìdʒ] *n.* 인도교, 육교

foothill [fúthìl] *n.* (보통 *pl.*) 산기슭의 작은 언덕

footnote [fútnòut] *n.* 각주

footpath [fútpæ̀θ] *n.* (보행자용) 작은 길

footprint [fútprìnt] *n.* 발자국 cf. fingerprint 지문

footstep [fútstèp] *n.* 발소리: Quiet! I hear *footsteps*. 조용히! 발소리가 들려.

*****for** ⇨ p. 279

*****forbid** [fərbíd] *v.* [T] (forbade-forbidden; forbidding) **1** 금하다, 허락하지 않다: Fishing is *forbidden*. 낚시 금지. / I *forbid* you to enter my house. 너에게 내 집 출입을 금한다. SYN prohibit OPP allow **2** 방해하다: A river *forbade* the approach of the army. 강이 군대의 접근을 막았다. SYN prevent

> **■ 유의어 forbid**
> **forbid** 개인적으로 금하다. **prohibit** 법률 또는 공적인 명령으로 금하다.

forbidden [fərbídn] *adj.* 금지된, 금단의

forbidding [fərbídiŋ] *adj.* 무서운, 싫은

*****force** [fɔːrs] *n.* **1** 힘, 에너지: the *force* of nature 자연의 힘 / the *force* of gravity 중력 SYN power **2** 폭력, 완력: He took money from them by *force*. 그는 완력으로 그들에게서 돈을 빼앗았다. SYN violence **3** (주로 *pl.*) 군대, 부대: the air *force* 공군 / the police *force* 경찰 **4** 영향(력), 효과, (법률상의) 효력: the *force* of public opinion 여론의 힘 SYN effect

v. [T] **1** 강제로 …시키다, 강요하다, 억지로 하다: We *forced* him to sign the paper. 우리는 그에게 억지로 그 서류에 서명하게 했다. SYN compel **2** (힘·우격으로) 하다, 빼앗다: The door was *forced* open. 문이 강제로 열렸다. / I *forced* the gun from his hand. 나는 그의 손에서 총을 빼앗았

다. / *force* one's way into 밀고 들어가다

숙어 a *forced* smile (laugh) 억지 미소 (웃음)

be in force, come into force (법률·규정 등이) 실시되다, 유효해지다: The new rules *came into force* last month. 새로운 규정은 지난 달부터 실시됐다.

join forces with …와 협력하다

forceful [fɔ́ːrsfəl] *adj.* 힘이 있는, 힘이 든 **2** 설득력 있는: a *forceful* speech 설득력 있는 연설

forcible [fɔ́ːrsəbəl] *adj.* **1** 억지로 시키는, 강제적인 **2** 힘찬, 설득력이 있는

— **forcibly** *adv.* **forcibleness** *n.* **forcibility** *n.*

fore [fɔːr] *n.* 전면 SYN front *adj. adv.* 앞의 (에), 전방의 (에)

숙어 **come to the fore 1** 지도적 위치에 서다, 두각을 나타내다: The study of the Korean classics has *come to the fore* these years. 근래 한국 고전에 대한 연구가 두드러졌다. **2** (문제 등이) 표면화하다: Many hidden problems have *come to the fore*. 숨어 있던 많은 문제점들이 표면화됐다.

fore- *prefix* '먼저, 앞, 전, 미리'의 뜻.

forearm [fɔ́ːrɑ̀ːrm] *n.* 팔뚝, 팔의 앞 부분

foreboding [fɔːrbóudiŋ] *n.* (불길한) 예감, 전조, 조짐, 육감 *adj.* 전조가 되는, 불길한

*****forecast** [fɔ́ːrkæ̀st] *n.* **1** 예상, 예측: a business *forecast* 경기(景氣) 예측 **2** 예보: weather *forecast* 일기 예보 *v.* [T] (forecast-forecast, forecasted-forecasted) **1** 예상하다 **2** (날씨를) 예보하다 — **forecaster** *n.* 일기 예보관

forefather [fɔ́ːrfɑ̀ːðər] *n.* 조상, 선조 SYN ancestor

forefinger [fɔ́ːrfìŋgər] *n.* 집게손가락 SYN index finger ⇨ finger

forefront [fɔ́ːrfrʌ̀nt] *n.* (the forefront) 최전부, 최전선: the *forefront* of techno-logical development 기술 개발의 최전선

for

for [fɔːr] *prep.* **1** (받을 사람·보낼 곳) … 에게 주기 위해(위한), … 앞으로의: I need a book *for* children. 나는 어린이들에게 줄 책이 필요하다. / Here's a letter *for* you. 네 앞으로 온 편지 여기 있어. / She made a doll *for* her daughter. 그녀는 딸을 위해 인형을 만들었다.

2 (목적·목표·의향) …을 위해(위한), …을 목표로 하여: I learn English *for* my job. 나는 내 직업에 필요하기에 영어를 배운다. / dress *for* dinner 저녁 만찬을 위해 정장을 하다 / I need some money *for* a trip. 나는 여행을 하기 위한 돈이 좀 필요하다.

3 (도움을 주기 위해) …을 위해: I opened the door *for* a child. 어린 아이를 위해 문을 열어 주었다. / He did a few little jobs *for* her. 그는 그녀를 위해 몇 가지 자질구레한 일들을 해 주었다.

4 (찬성·지지) …에 찬성하여, …을 지지하여: stand up *for* women's rights 여성의 권리를 옹호하다 / Are you *for* or against the proposal? 그 제안에 찬성인가 아니면 반대인가?

5 (대리·대표) … 대신, …을 대표하여, …을 나타내는: speak *for* another 남을 대신하여 말하다, 대변하다 / He plays soccer *for* Korea. 그는 한국을 대표하여 축구를 합니다. / What is the 'S' *for* in 'KBS'? 'KBS'에서 'S'는 무엇을 나타내는 것입니까?

6 (방향·목적지) …을 향하여, …행의: Is this the train *for* Busan? 이 기차가 부산으로 갑니까? ※ for는 장소에 대해서 쓰면 '행선지'를 가리키며, to는 '도착 지점'을 나타내므로 start, depart, leave 등에는 for를 쓴다.

7 (이유·원인) … 때문에, …으로 인하여: *for* fear of …을 두려워하여 / a city known *for* its beauty 그 아름다움으로 알려져 있는 도시 / He was sent to prison *for* robbery. 그는 절도죄로 감옥에 갔다.

8 (금액) …의 값으로: I paid $50 *for* the camera. 나는 카메라 값으로 50달러를 지불했다.

9 (시간·거리) …동안 (죽), …간(間): *for* the last three years 지난 3년 동안 / I waited for him *for* hours. 나는 몇 시간 동안이나 그를 기다렸다. / The forest stretches *for* a long way. 숲이 죽 뻗쳐 있다. / The road runs *for* a mile. 길은 1마일이 뻗쳐 있다.

> **■ 유의어 for**
> 시간에 대해 말할 때 **for** 'how long(얼마나 오래)?'이라는 질문에 답을 해 준다. 그러므로 흔히 for 다음에는 수사(數詞)를 동반한 명사가 온다.: I stayed in London *for* a week. 나는 일주일간 런던에 머물렀다. **during** 특정한 기간 동안에 관하여 쓴다. during 다음에는 때를 나타내는 명사가 온다.: I stayed in London *during* a week. 나는 일주일 동안 런던에 머물렀다.

10 (대비) …치고는, …에 비해서는: He is tall *for* his age. 그는 나이에 비해 키가 크다. / It's too warm *for* April. 4월 치고는 너무 따뜻하다.

—*conj.* 왜냐하면 …하니까, …한 걸 보니: The book must be very fun, *for* she is laughing reading it. 그녀가 웃으면서 읽는 것을 보니 그 책은 재미있는 게 틀림없다. SYN because

축어 **as for** ⇨ as

for all …에도 불구하고: *For all* his wealth, he is not happy. 그는 돈이 많은데도 불구하고 행복하지 않다. SYN in spite of

for long 오래, 한참 동안: Are you going to stay there *for long*? 그 곳에서 오랫동안 머무를 생각이십니까? SYN for a long time

for oneself 스스로, 혼자 힘으로: He is old enough to live *for himself*. 그는 이제 혼자 힘으로 살아도 좋을 나이다. SYN without other's help

foreground [fɔ́ːrgràund] *n.* **1** (그림의) 전경(前景) OPP background **2** [컴퓨터] 다중 프로그래밍 · 프로세서 등과 같이 동시에 몇 개의 프로그램이 실행될 때 높은 우선도의 프로그램이 실행되는 상태〔환경〕

forehead [fɔ́rhèd, fɔ́(ː)rid] *n.* 이마

***foreign** [fɔ́(ː)rin] *adj.* **1** 외국의, 외래의, 외국산의: a *foreign* country 외국 / *foreign* goods 외래품 OPP domestic **2** 외국과의, 대외적: *foreign* trade 대외 무역 / *foreign* policy 대외 정책 **3** 관계 없는, 낯선: *foreign* matter in the eye 눈에 들어간 이물 / Lying is *foreign* to his nature. 거짓말하는 것은 그의 성미에 맞지 않는다.

foreigner [fɔ́(ː)rinər] *n.* 외국인

foremost [fɔ́ːrmòust] *adj.* 제일 유명한, 중요한, 최고의: He's one of the *foremost* authorities on lung cancer. 그는 폐암 분야의 최고 권위자 중 한 명이다.

foresee [fɔːrsíː] *v.* [T] (foresaw-foreseen) 예견하다, 미리 알다: Those problems could have been *foreseen*. 그런 문제점들은 미리 예상할 수 있었을 텐데.

— **foreseeable** *adj.* 예측할 수 있는

foresight [fɔ́ːrsàit] *n.* **1** 선견, 예지 **2** 선견지명, 조심 OPP aftersight, hindsight

— **foresighted** *adj.* 선견지명이 있는, 조심성 있는

***forest** [fɔ́(ː)rist] *n.* 숲, 산림, 삼림

— **forester** *n.* 산림 관리인

■ **유의어** forest

forest wood보다 큰 숲을 가리킨다.
jungle 지구의 열대 지방에 있는 forest.

---

foretell [fɔːrtél] *v.* [T] (foretold-foretold) 예언하다, 예고하다

forever [fərévər] *adv.* 영원히, 영구히 축어 **take forever** (시간이) 굉장히 오래 걸리다: It's going to *take forever* to clean your room! 네 방을 청소하려면 몇 날 며칠이 걸리겠다!

foreword [fɔ́ːrwɜ̀ːrd] *n.* 머리말, 서문

forfeit [fɔ́ːrfit] *v.* [T] (죄 · 과실 등에 의하여 지위 · 재산 · 권리를) 상실하다, 몰수당하다: *forfeit* one's property 재산을 몰수당하다 *n.* **1** 벌금, 추징금 **2** 상실, 박탈

forge [fɔːrdʒ] *v.* **1** [I,T] 위조하다: Somebody has *forged* my signature! 누군가 내 사인을 위조했어! SYN counterfeit **2** [T] (쇠를) 불리다, 단련하다 *n.* **1** 용광로 **2** 제철소, 대장간

— **forger** *n.* 위조범 **forgery** *n.* 위조, 위조품

***forget** [fərgét] *v.* (forgot-forgotten) **1** [T] 잊다, 망각하다, 생각이 안 나다: I will not *forget* seeing you here. 나는 여기서 너를 만난 것을 잊지 못할 것이다. / I've *forgotten* her name. 나는 그녀의 이름이 생각 안 난다. **2** [I,T] (…하는 것을) 잊다, 깜박 잊다: Don't *forget* to feed the dog. 개한테 먹이 주는 것을 잊지 마. / I *forgot* to post the letter. 나는 편지 부치는 것을 잊었다. **3** [T] (소지품 등을) 놓아두고 잊다, 잊고 오다〔가다〕: I've *forgotten* my purse. 나는 지갑을 두고 왔다. **4** [I,T] …을 (의식적으로) 잊다, 무시하다, 마음에 두지 않다: *Forget* about your exams and enjoy yourself! 시험에 대해서는 잊고 즐겨라! / "I'm sorry I am late." "*Forget* it." "늦어서 미안해요." "괜찮아요."

— **forget-me-not** *n.* 물망초

■ **용법** forget

무언가를 깜박하고 놓아 둔 '장소'에 대해 이야기 할 때는 **forget**이 아니고 **leave**를 쓴다. 예를 들면 'I *forgot* my English book.' '내 영어 책을 깜박 했어.' 라고 말할 수는 있으나 'I *forgot* my English book at home.'이라고는 할 수 없다. '집에 영어 책을 깜박하고 두고 왔어.' 라고 말하고 싶으면 'I *left* my English book at home.'이라고 해야 한다.

---

forgetful [fərgétfəl] *adj.* 잘 잊는, 잊어버리는 SYN absent-minded

***forgive** [fərgív] *v.* [T] (forgave-forgiven) 용서하다: I will never *forgive* you for lying to me. 내게 거짓말한 당신을 결코 용서하지 않겠어. [SYN] pardon, excuse

— **forgiveness** *n.*

[축어] **forgive me** (공손한 표현) 죄송합니다, 실례합니다: *Forgive me* for saying so, but I don't think it's important. 이렇게 말하는 것은 실례지만, 저는 그것이 중요하다고 생각하지 않습니다. ⇨ excuse me

fork [fɔːrk] *n.* **1** 포크 **2** 갈퀴, 쇠스랑 **3** (강 · 길 등의) 분기(점), 갈림길

v. [I] 분기하다, 갈라지다, (갈림길에서 어떤 방향으로) 가다: *fork* left 갈림길에서 왼쪽으로 가다

forked [fɔːrkt] *adj.* 갈래진: Snakes have *forked* tongues. 뱀은 혀가 갈라져 있다.

forlorn [fərlɔ́ːrn] *adj.* **1** 고독한, 쓸쓸한 [SYN] lonely **2** 버려진, 버림받은 [SYN] abandoned, neglected

— **forlornly** *adv.*

***form** [fɔːrm] *n.* **1** 모양, 형상: in the *form* of …의 형태로 **2** (존재) 형식, 형태: Her articles will be published in book *form*. 그녀가 쓴 기사들이 책 형태로 출판될 것이다. **3** 서식 (견본), (기입) 용지: fill in the *form* 서식에 기입하다 **4** [문법] 형태, 어형 **5** 외관, (단순한) 형식

v. **1** [I,T] 형태를 이루다, 형성하다: Ice is beginning to *form*. 얼음이 형성되기 시작한다. [SYN] make **2** [T] 구성하다, 조직하다: Einstein's theory *forms* the basis of modern physics. 아인슈타인의 이론이 현대 물리학의 기초를 구성한다. / *form* a committee 위원회를 조직하다 **3** [T] (의견 · 사상 등을) 형성하다: *Form* good habits while young. 어릴 때 좋은 습관을 길러라.

— **formative** *adj.* **formation** *n.*

formal [fɔ́ːrməl] *adj.* **1** 공식의, 의례상의: a *formal* announcement 공식적인 발표 /

Do you have *formal* qualifications? 공식적인 자격 증명서를 갖고 있습니까? **2** 정식의, 형식에 맞는: *formal* dress 정장 **3** 형식적인, 표면적인: I am the *formal* leader of the team but every matter is decided by vote. 내가 이 팀의 형식적인 장이지만 모든 안건은 투표에 의해 결정된다. / *formal* obedience 표면적인 복종 **4** 형식에 치우친, 딱딱한: *formal* expression 딱딱한[격식적인] 표현 [OPP] informal

— **formally** *adv.*

formality [fɔːrmǽləti] *n.* **1** (보통 *pl.*) 정식 절차: legal *formalities* 법률상의 정식 절차 **2** 형식에 구애됨, 격식을 차림

format [fɔ́ːrmæt] *n.* **1** 체제, 형(型), 전체 구성 **2** [컴퓨터] 포맷, 틀잡기, 형식, 서식

v. [T] (formatted-formatted) **1** 형식에 따라 배열하다 **2** [컴퓨터] 포맷에 넣다

***former** [fɔ́ːrmər] *adj.* **1** (시간적으로) 전의, 앞의: in *former* times(days) 옛날엔 **2** 이전의: a *former* president 전직 대통령 [SYN] previous **3** (the former) 전자(의), 먼저의: in the *former* case 전자의 경우는 [OPP] the latter

※ former는 명사 앞에 온다. '전자'의 뜻으로는 the former의 형태로 단수 · 복수 둘 다 쓰인다.

formerly [fɔ́ːrmərli] *adv.* 이전에는, 옛날에는: This toy shop was *formerly* a house. 이 장난감 가게는 이전에는 가정집이었다.

※ was formerly 보다는 일반적으로 used to be를 많이 쓴다.: This toy shop *used to be* a house.

formidable [fɔ́ːrmədəbl] *adj.* **1** 무서운, 만만치 않은: a *formidable* enemy 강적 / a *formidable* danger 가공할 위험 **2** 매우 어려운, 감당할 수 없는: a *formidable* task 아주 힘든 과제

— **formidably** *adv.* **formidableness** *n.*

formula [fɔ́ːrmjələ] *n.* (*pl.* formulas, formulae) **1** 식, [수학] 공식, [화학] 식: a molecular *formula* 분자식 **2** (일정한) 방식 **3** 제조법, (약 등의) 처방전: a *formula* for making soap 비누 제조법

formulate [fɔ́:rmjəlèit] *v.* [T] **1** 공식화하다 **2** …을 명확하게 나타내다(말하다)
— **formulation** *n.*

forsake [fərséik] *v.* [T] (forsook-forsaken) **1** 버리고 돌보지 않다: He pitilessly *forsook* his child. 그는 무정하게도 자기 자식을 버렸다. [SYN] desert **2** (습관·신앙 등을) 버리다: *forsake* bad habits 나쁜 습관을 버리다 [SYN] abandon

fort [fɔ:rt] *n.* 성채, 보루, 요새

forth [fɔ:rθ] *adv.* **1** 앞으로: stretch *forth* one's hand 손을 내밀다 [SYN] forward **2** (시간적으로) 이후: from this time *forth* 지금 이후 [SYN] onward

[숙어] **and so forth** … 등등, … 운운: She told me about her childhood, boyfriends, *and so forth.* 그녀는 내게 그녀의 어린 시절, 남자 친구들 등등에 관해 이야기해 주었다. [SYN] and so on

back and forth 앞뒤로 ⇨ back

forthcoming [fɔ̀:rθkʌ́miŋ] *adj.* **1** 곧 나오려고 하는, 다가오는: the *forthcoming* holidays 다가오는 휴가 **2** 소용에 닿는, 도와 주는

fortieth [fɔ́:rtiiθ] *n. adj. pron. adv.* 40th ⇨ sixtieth 참조

fortification [fɔ̀:rtəfikéiʃən] *n.* **1** 요새화 **2** (보통 *pl.*) 방어 공사

fortify [fɔ́:rtəfài] *v.* [T] **1** 요새화하다: *fortify* a city against the enemy 적의 공격에 대비하여 도시를 요새화하다 **2** 강하게 하다
— **fortification** *n.*

fortress [fɔ́:rtris] *n.* 요새, 성채, 안전한 곳

fortunate [fɔ́:rtʃənit] *adj.* 운이 좋은, 행운의 [SYN] lucky [OPP] unfortunate
— **fortunately** *adv.*

*****fortune** [fɔ́:rtʃən] *n.* **1** 재산, 부, (종종 *pl.*) 큰 재산: a man of *fortune* 재산가 **2** 운,

행운: by good *fortune* 운 좋게도 [SYN] fate **3** 운명: Today's game will change the team's *fortune.* 오늘 경기가 팀의 운명을 바꿀 것이다. / Let me see your hand. I'll tell your *fortune.* 네 손을 보여 줘. 네 점 좀 쳐 줄게. ※ 운명을 말해 주는 사람, 즉 점쟁이를 fortune teller라고 한다. 그러므로 위의 예문도 '운명을 말해 주다' 보다는 '점을 쳐 주다'로 해석하는 것이 더 자연스럽다. [SYN] destiny, fate **4** (Fortune) 운명의 여신
— **fortune cookie** *n.* 점괘 과자 (과자 안에 한 해의 운세를 적은 쪽지가 들어 있다.)

[숙어] **make a fortune** 부자가 되다, 재산을 모으다

■ 유의어 **fortune**

fortune 우연을 지배하는 힘에 의해 만나게 되는 '운'. luck보다 좀 격식을 차린 말이다. 선악 양쪽으로 쓰인다. **luck** 우연히 다가오는 '운'을 뜻하는 구어. 선악 양쪽으로 쓰인다. **lot** 제비로 정하는 등의 우연한 '운'으로서, 자기 생애에 주어진 (할당된) 운명이란 뜻이 내포되어 있다. **fate** 인력으로는 피할 수 없는 숙명을 뜻하며 주로 죽음·파멸 등의 뜻이 있다.

---

fortune teller *n.* 점쟁이

forty [fɔ́:rti] *n. adj. pron.* **1** 40(의), 마흔(의); 마흔 개(명) **2** (forties) 40대, 40년대 ⇨ sixty 참조

forum [fɔ́:rəm] *n.* **1** 공개 토론회: a radio *forum* 라디오 토론회 **2** (고대 로마의) 공회용 광장

*****forward** [fɔ́:rwərd] *adv.* (또는 forwards) **1** 앞쪽에, 앞으로, 앞서서: run *forward* 앞으로 달리다 [OPP] back, backward(s) **2** (예정·기일 등을) 앞당겨, 앞서; 진보하여: The new form of treatment is a big step *forward* in the fight against cancer. 그 새로운 치료법은 암 치료에 있어 획기적인 진보이다.
adj. **1** 전방의, 앞부분의, 미래의: *forward* planning 미리 짠 계획 **2** 진보적인: a

forward opinion 진보적인 의견 **3** 주제넘은, 건방진: Do you think it was *forward* of me to ask him such questions? 내가 그에게 그런 질문을 한 게 좀 주제넘다고 생각해?

v. [T] **1** (편지 등을) 회송하다, (짐을) 발송하다 **2** 나아가게 하다, 촉진하다: *forward* a plan 계획을 진척시키다

n. [스포츠] 전위, 포워드

숙어 **bring forward** 제출하다, 꺼내다

look forward to (-ing) 1 (…을 즐거움으로) 기대하다: I'm really *looking forward to* my holiday. 나는 휴가가 너무 기대된다. **2** (공식 서한의 끝부분에 쓰여) …을 고대하다: I *look forward to* hear*ing* from you. 귀하의 소식을 기다리겠습니다.

forwards [fɔ́:rwərdz] *adv.* =forward (*adv.*)

fossil [fásl] *n.* 화석

fossil fuel *n.* 화석 연료 (석탄 · 석유 · 천연가스 등)

foster [fɔ́(:)stər] *v.* [T] **1** (수양 부모로서) 기르다, 돌보다 **2** (감정 · 사상 등을) 조장하다, 촉진하다

adj. 양육하는, 기르는, 수양…: a *foster* mother 수양 어머니

foul [faul] *adj.* **1** 더러운, 불결한, 냄새 나는: *foul* smell 악취 / This water tastes *foul*! 이 물 맛이 이상해! **2** [영] 불쾌한, 매우 나쁜: I'm in a *foul* mood. 나는 기분이 몹시 안 좋다. / *foul* weather 사나운 날씨, 악천후 **3** (말씨 등이) 품위 없는, 상스러운: *foul* language 욕설 **4** 부정한, 반칙적인: play a *foul* game 반칙 게임을 하다 OPP fair

v. **1** [I,T] 반칙으로 방해하다 **2** [T] 더럽히다

n. (경기 등에서의) 반칙

found¹ [faund] *v.* find의 과거 · 과거분사

found² [faund] *v.* [T] **1** 설립하다, 창설하다: This hospital was *founded* in the 1970s. 이 병원은 1970년대에 세워졌다. **2** 기초를 세우다, …을 토대로 삼다: *found* a house on a rock 반석 위에 집을 짓다 **3** (…

에) 근거하다, 기초를 두다: His arguments are *founded* on facts. 그의 주장은 사실에 입각한 것이다.

※ found-founded-founded로 활용한다. find의 과거 및 과거분사와 혼동하지 말 것.

***foundation** [faundéiʃən] *n.* **1** (주로 *pl.*) (건물의) 토대, 기초 SYN base **2** (사상 · 원리 · 사실 등의) 기초, 근거: Reading and writing are the *foundations* of learning. 읽기와 쓰기는 학습의 기본이다. / a rumor without *foundation* 근거 없는 소문 **3** 재단, 협회: the Carnegie *Foundation* 카네기 재단 **4** 창설, 창립

founder [fáundər] *n.* 설립자, 창시자

***fountain** [fáuntin] *n.* **1** 분수 **2** 샘, 수원 (水源)

fountain pen *n.* 만년필

four [fɔ:r] *n. adj. pron.* 4(의), 넷(의); 네 개 〔사람〕 ⇨ six 참조

숙어 **on all fours** 네 발로 기어서: Babies crawl around *on all fours*. 아기들은 네 발로 기어다닌다.

fourteen [fɔ́:rtí:n] *n. adj. pron.* 14(의), 열넷(의); 열네 개〔사람〕 ⇨ six 참조

fourteenth [fɔ́:rtí:nθ] *n. adj. pron. adv.* 14th ⇨ sixth 참조

fourth [fɔ:rθ] *n. adj. pron. adv.* 4th ⇨ sixth 참조

fowl [faul] *n.* **1** 닭 **2** 닭고기, 새고기

***fox** [faks] *n.* **1** 여우 **2** 교활한 사람

fraction [frǽkʃən] *n.* **1** 아주 조금: For a *fraction* of a second I thought about running away. 순간적으로 나는 도망갈 생각을 했다. **2** [수학] 분수 **3** 파편, 단편: The building crumbled into *fractions*. 빌딩이 무너져서 산산조각이 났다.

— **fractional** *adj.*

fracture [frǽktʃər] *v.* [I,T] **1** 부수다, (뼈 등을) 부러뜨리다: He fell and *fractured* his arm. 그는 넘어져서 팔을 부러뜨렸다. **2** 금가게 하다

n. **1** 부서짐 **2** [의학] 골절 **3** 갈라진 금 SYN

crack

fragile [frǽdʒəl, frǽdʒail] *adj.* **1** 망가지기 쉬운, 무른 [SYN] breakable, delicate **2** 허약한 [SYN] weak

fragment [frǽgmənt] *n.* 파편, 조각, 단편: I found *fragments* of ancient pottery while digging a hole in the ground. 나는 땅에 구덩이를 파다가 아주 오래된 도자기 조각들을 발견했다.

v. [I,T] [frægmént] 파편이 되다[되게 하다], 분해하다

— **fragmentary** *adj.* **fragmentation** *n.*

fragrance [fréigrəns] *n.* 향기, 방향 [SYN] pleasant smell

fragrant [fréigrənt] *adj.* **1** 냄새 좋은, 향기로운 **2** 유쾌한: *fragrant* memories 유쾌한 추억

frail [freil] *adj.* 약한, 부서지기 쉬운: He was a very old and *frail* man. 그는 매우 나이 들고 허약한 남자였다. [SYN] weak

— **frailly** *adv.* **frailness** *n.*

frailty [fréilti] *n.* **1** 약함: physical *frailty* 육체적 약함 (건강이 안 좋음) **2** 약점, 단점: human *frailties* — ignorance and greed 인간의 약점 — 무지와 탐욕

***frame** [freim] *n.* **1** 틀, 테: picture *frame* 액자 / window *frame* 창틀 **2** 뼈대, 구조: The *frame* of this clay doll is a wire. 이 찰흙 인형의 뼈대는 철사이다. / the *frame* of government 정치 구조 **3** (주로 *pl.*) 안경테 **4** 체격, 골격: She has a large *frame*. 그녀는 체격이 크다.

v. [T] **1** 테를 씌우다, 틀에 넣다: *frame* a picture 그림을 액자에 넣다 **2** …의 뼈대를 만들다, 건설하다 **3** (사람에게) 누명을 씌우다, 함정에 빠뜨리다 **4** (이야기·사건 등을) 날조하다, 조작하다

framework [fréimwə̀ːrk] *n.* 뼈대, 하부 구조, 골조

franc [fræŋk] *n.* 프랑 (프랑스·벨기에·스위스 등지의 화폐), 1프랑 화폐

frank [fræŋk] *adj.* 솔직한, 숨김없는: To be *frank* with you, I feel no pity. 솔직히 말하면 가엾은 생각이 전혀 안 든다. [SYN] candid

— **frankly** *adv.* **frankness** *n.*

[숙어] **frankly speaking** 솔직히 말하면

frantic [frǽntik] *adj.* 미친 듯 날뛰는, 광란의, 필사적인

— **frantically** *adv.*

fraternal [frətə́ːrnəl] *adj.* 형제의, 형제 같은, 우애의: *fraternal* love 형제애 / *fraternal* twins 이란성 쌍둥이 (일란성 쌍둥이는 identical twins)

fraternity [frətə́ːrnəti] *n.* **1** 형제임, 형제 사이의 정 **2** 우애[종교] 단체

fraud [frɔːd] *n.* **1** 사기, 사기 행위 **2** 사기꾼

freak [friːk] *n.* **1** 열중한 사람, …광(狂): a soccer *freak* 축구광 [SYN] fanatic **2** 변덕, 기형, 변종

v. [I,T] 격분하다, 격분시키다, 굉장히 두려워하다, 굉장히 두렵게 하다 (out): The movie 'Phone' really *freaked* me out. '폰'이라는 영화는 정말 무서웠다.

freckle [frékl] *n.* 주근깨, 반점, 기미

v. [I,T] 주근깨가 생기게 하다

***free** [friː] *adj.* **1** (freer-freest) (감옥·새장 등에 갇히지 않은) 자유의 **2** 자유로운, 속박 없는: *free* speech 자유로운 언론, 언론의 자유 / We had a *free* and open discussion about politics. 우리는 정치에 대해 자유롭고 개방적인 토론을 했다. **3** 무료의, 세금이 없는: Children under 7 are *free* of charge. 7세 미만의 어린이들은 무료입니다. **4** 선약이 없는, 한가한: Are you *free* this evening? 오늘 저녁 시간 있어요? **5** (사람들의) 마음대로의 행동이 허용된: You are *free* to stay as long as you want. 원한다면 언제까지고 마음대로 있어도 좋아.

v. [T] **1** 자유롭게 하다, 해방하다, 석방하다: She *freed* the bird from the cage. 그녀는 새장에서 새를 자유롭게 풀어 주었다. / Five trusties were *freed* yesterday. 어제 다섯 명의 모범수들이 석방되었다. **2** 면하게

하다, 제거하다 (of): The court *freed* him of responsibility for the accident. 법원은 사고에 대한 책임을 그로부터 면제해 주었다.

[숙어] **be free from(of)** …이 없다: These are organic apples. They *are free from* chemicals. 이것들은 유기농 사과입니다. 농약 성분이 없습니다.

feel free ⇨ feel

set free 해방하다, 석방하다: *set* a slave *free* 노예를 해방시키다 / Finally Nelson Mandela was *set free* in 1989. 마침내 넬슨 만델라는 1989년에 석방되었다.

-free *suffix* '…로부터 자유로운, …을 면한, …이 없는'의 뜻.: salt-*free* 소금기가 없는 / duty-*free* 면세

freedom [frí:dəm] *n.* **1** 자유: *freedom* of speech 언론〔출판〕의 자유 **2** 해방: *freedom* from fear 공포로부터의 해방 **3** 스스럼 없음: I have the *freedom* to do as I wish. 내게는 내가 하고 싶은 대로 할 자유가 있다.

freelance, free-lance [frí:læns] *adj. adv.* 자유 계약의, 자유 계약으로 *n.* 자유 작가, 자유 기고가 (freelancer) *v.* [I] 자유로운 입장에서 활동하다

freestyle [frí:stàil] *n. adj.* (수영·스키 등에서) 자유형(의)

freeway [frí:wèi] *n.* ([영] motorway) [미] 입체교차이며 출입 제한이 된 다차선식 고속 도로; 무료 간선 도로

free will *n.* 자유 의지

*freeze [frí:z] *v.* (froze-frozen) **1** [I,T] 얼다, 얼게 하다 [OPP] melt **2** [I] 얼 듯이 추워지다: It is *freezing* tonight. 오늘 밤은 굉장히 춥다. **3** [I,T] 얼어 죽다, 얼려 죽이다: My violets *froze* last night. 내 제비꽃이 어젯밤에 얼어 죽었다. / He was *frozen* to death. 그는 얼어 죽었다. **4** [I] 그 자리에서 꼼짝 못하게 되다: *Freeze!* You're under arrest. 꼼짝 마! 너희를 체포한다.

freezer [frí:zər] *n.* 냉동 장치, 냉동기

freezing [frí:ziŋ] *adj.* **1** 어는, 몹시 추운: I'm *freezing*. 어이 추워. **2** 냉동용의 *n.* **1** 결빙, 냉동 **2** 빙점 (freezing point)

freight [freit] *n.* **1** 화물 **2** 화물 운송: by *freight* 보통 화물편으로 **3** 운송료 **4** 화물 열차 (a freight train)

French fries *n.* (*pl.*) 감자 튀김

frenzy [frénzi] *n.* **1** 격앙, 광포: In a *frenzy* of anger she hit him. 격분하여 그녀는 그를 쳤다. **2** 열광

frequency [frí:kwənsi] *n.* **1** 자주 일어남, 빈번 **2** 횟수, 빈도(수) **3** 진동수, 주파수: high *frequency* 고주파

*frequent [frí:kwənt] *adj.* **1** 빈번한, 자주 일어나는 [OPP] infrequent **2** 상습적인, 언제나의: a *frequent* customer 단골 손님 *v.* [T] [frikwént] 자주 방문하다, 늘 출입하다: Tourists *frequent* this place. 관광객들은 이 곳을 자주 찾는다. — **frequently** *adv.*

fresco [fréskou] *n.* 프레스코 화법 (갓 바른 회벽 위에 수채로 그리는 화법)

*fresh [freʃ] *adj.* **1** (얼리거나 가공하지 않은) 싱싱한, 갓 만들어진, 신선한: *fresh* bread 갓 구운 빵 / *fresh* fruit 금방 딴 싱싱한 과일 **2** 생생한, 새로운: *fresh* footprints 생생한 발자국 / *fresh* memory 생생한 기억 / *fresh* news 새로운 뉴스 / a young man *fresh* from school 학교를 갓 나온 젊은이 **3** 소금기가 없는: *fresh* water 맹물, 담수 **4** 신선한, 맑은, 상쾌한: *fresh* air 맑은 공기 **5** 생기 있는, 기운찬 — **freshen** *v.* **freshly** *adv.* **freshness** *n.* [숙어] **make a fresh start** 새 출발하다

freshman [fréʃmən] *n.* (*pl.* freshmen) **1** (고등 학교, 대학교) 1학년생, 신입생 **2** 신입자, 신입 사원 ※ sophomore 2학년생, junior 3학년생, senior 4학년생

fret [fret] *v.* [I,T] (fretted-fretted) **1** 초조하다, 초조하게 하다, 안달나게 하다, 괴로워하다 (about): Don't *fret* over trifles. 사

소한 일로 초조해 마라. **2** 부식하다

fretful [frétfəl] *adj.* 초조한, 성마른
— **fretfully** *adv.* **fretfulness** *n.*

friction [fríkʃən] *n.* **1** 마찰 **2** 알력, 불화: political *friction* between the two countries 두 나라 사이의 정치적 알력
— **frictional** *adj.*

Friday [fráidei] *n.* (*abbr.* Fri.) 금요일

fridge [fridʒ] *n.* =refrigerator

*****friend** [frend] *n.* **1** 친구, 동무, 벗: She's a good *friend* of mine. 그녀는 나의 절친한 친구다. **2** 지지자, 후원자: We'd like to invite you to become a *friend* of the orchestra. 당신을 오케스트라의 후원자로 초대하고 싶습니다.
[숙어] **make(be) friends with** …와 친해지다, 친구가 되다: I *made friends with* a new boy in my neighborhood. 나는 동네에 새로운 남자 아이와 친구가 됐다.

friendly [fréndli] *adj.* (friendlier-friendliest) **1** 친절한, 호의적인: She has been very *friendly* to us. 그녀는 우리에게 매우 호의적이다. [OPP] unfriendly **2** 친한, 우호적인, 친선의: a *friendly* match 친선 경기 / be on *friendly* terms with …와 사이가 좋다 [OPP] unfriendly **3** (-friendly) (복합어를 이루어) …에 적합한, 사용하기 편한: eco*friendly* 환경 친화적인 / a user-*friendly* computer 사용자 중심의 컴퓨터
— **friendliness** *n.*

friendship [fréndʃip] *n.* 우정, 교우 관계

fright [frait] *n.* 놀람, (심한) 공포: He seemed to be in a great *fright*. 그는 매우 놀란 모양이었다.
— **frightful** *adj.* **frightfully** *adv.*

*****frighten** [fráitn] *v.* [T] **1** 두려워하게 하다, 놀라게 하다: Stop it! You're *frightening* me. 그만 해! 놀랐잖아. **2** 위협해서 내쫓다 (away, off): A cat *frightened* the mice away. 고양이가 쥐들을 놀래켜 내쫓았다.

frightening [fráitniŋ] *adj.* 무서운, 굉장한, 놀라운
— **frighteningly** *adv.*

frigid [frídʒid] *adj.* **1** 몹시 추운: the *frigid* zone 한대 **2** 차가운, 쌀쌀한: a *frigid* look 쌀쌀한 표정

frill [fril] *n.* **1** 주름 달린 가두리 장식, 주름 장식 **2** (새·짐승의) 목털
— **frilled** *adj.*

fringe [frindʒ] *n.* **1** 술, 술 장식 **2** 가장자리, 가
v. [T] 테를 두르다, 술을 달다
— **fringe benefit** *n.* 본봉 이외의 각종 수당

frivolous [frívələs] *adj.* 경박한, 하찮은, 바보 같은 [SYN] foolish

fro [frou] *adv.* 저쪽으로
[숙어] **to and fro** 앞뒤로, 이리저리: Kids are running *to and fro* in the living room. 아이들이 거실에서 이리저리 뛰어다니고 있다. [SYN] backwards and forwards

*****frog** [frɔːg] *n.* 개구리

*****from** ⇨ p. 287

*****front** [frʌnt] *n.* **1** (the front) 앞, 정면, 앞면: the *front* of a building 건물의 정면 / I sat in the *front* of the car and the children sat in the back. 나는 자동차 앞자리에 앉고, 아이들은 뒤에 앉았다. **2** [군대] 전선
adj. 정면의: a *front* wheel 앞바퀴
— **front-page** *adj.* (신문의) 제1면에 적합한, 중요한
[숙어] **in front of** …의 앞에: The bus stops right *in front of* the school. 버스는 학교 바로 앞에 선다. [OPP] at the back of

*****frontier** [frʌntíər] *n.* **1** 국경 [SYN] border **2** 변경 (개척지와 미개척지와의 경계 지방) **3** (지식·학문 등의) 미개척 영역

*****frost** [frɔːst] *n.* **1** 서리 **2** 얼어붙는 추위
v. **1** [I,T] 서리가 내리다, 얼게 하다 **2** [T] (케이크에) 희게 설탕을 입히다
— **frosty** *adj.*

from

from [frʌm] *prep.* ···에서, ···로부터

1 (출발 · 행동 · 이동): He jumped *from* the wall. 그가 담에서 뛰어내렸다. / *from* Seoul to New York 서울에서 뉴욕까지 / The supermarket is open *from* 7 a.m. 슈퍼마켓은 오전 7시부터 문을 연다.

2 (보내(오)는 사람, 발송인): a letter *from* John 존으로부터 온 편지 / a phone call *from* my mother 어머니로부터의 전화

3 (출처 · 기원 · 유래): "Where are you *from*?" "I'm *from* Gwangju." "어디 출신입니까?" "광주 출신입니다." / wine *from* France 프랑스산 포도주 / rock samples *from* the moon 달에서 채집한 암석 표본

4 (원료 · 재료): This dressing is made *from* yoghurt and cream. 이 드레싱(소스)은 요구르트와 크림으로 만들어졌다.

■ **용법** made from, made of
made from 재료가 그 형태나 재질이 바뀌어 제품으로 된 것. 완성된 제품에서 재료의 모습을 볼 수 없다.: Butter is *made from* milk. 버터는 우유로 만들어졌다. (버터에서 우유의 모습을 볼 수 없음.) **made of** 재료가 그대로의 형태로 제품 중에 쓰인 것. 완성된 제품에서 재료의 모습을 볼 수 있다.: The table is *made of* wood. 식탁은 나무로 만들어졌다. (식탁에서 나무를 볼 수 있음.) 그러나 보통의 경우 엄격하게 구별해서 사용하지 않는다.

5 (떨어져 있음 · 없음 · 쉼): The town is ten miles *from* the coast. 그 시는 해안에서 10마일 떨어져 있다. / He's away *from* home. 그는 집에 없다.

6 (수량 · 가격 · 종류): We have cheese *from* $3 per pound. 치즈는 파운드당 3달러인 것부터 있습니다. / Can you count *from* 1 to 10? 1부터 10까지 셀 수 있니?

7 (분리 · 제거 · 방어 · 방지 · 제지): He took the book *from* the shelf. 그는 선반에서 책을 꺼냈다. / She saved a child *from* drowning. 그녀가 물에 빠진 아이를 구했다. / He took the knife *from* the boy. 그는 소년에게서 칼을 뺐었다.

8 (원인 · 이유 · 동기): He shivered *from* cold. 그는 추위로 떨었다. / act *from* a sense of duty 의무감에서 행동하다 / I got sick *from* tiredness. 나는 피로로 인해 병이 났다. / My grandfather died *from* cancer. 할아버지는 암으로 돌아가셨다.

9 (구별 · 차이): tell right *from* wrong 옳고 그름을 판별하다 / Is Chinese different *from* Japanese? 중국 사람과 일본 사람이 차이가 있니?

[축어] **from ... on** ···부터 죽[계속]: *From* that day *on* I was determined not to trust him again. 그날 이후로는 나는 그를 신뢰하지 않기로 결심했다. / *From* now *on* you will not watch TV after 8. 이제부터 너는 8시 이후에는 텔레비전을 보지 않아야 한다.

---

frostbite [frɔ́:stbàit] *n.* 동상: Every winter I suffer from *frostbite*. 나는 겨울이면 동상으로 고생한다.
— **frostbitten** *adj.*

frown [fraun] *v.* [I] 눈살을 찌푸리다, 얼굴을 찡그리다: She *frowned* at me. 그녀가 나를 보고 눈살을 찌푸렸다.
n. 찡그린 얼굴
[축어] **frown on(upon)** ···에 불찬성의 뜻을 나타내다: He *frowned upon* gambling. 그는 도박에는 반대했다.

frozen [fróuzən] *v.* freeze의 과거분사
adj. **1** 냉동의, 냉동된: *frozen* meat 냉동 고기 **2** 매우 차가운: My hands are *frozen*! 손이 꽁꽁 얼었어! [SYN] freezing **3** (물이) 얼다: The lake is *frozen*. 호수가 얼었다.

frugal [frú:gəl] *adj.* 검약한, 소박한: a *frugal* life 절약하는 생활 / a *frugal* meal

F

간소한 식사 SYN economical, thrifty
— **frugally** *adv.* **frugality** *n.*

***fruit** [fru:t] *n.* **1** 과일 **2** (the fruits) 좋은 결과, 성과 SYN result

■ 용법 fruit
fruit 셀 수 있는 명사로도 셀 수 없는 명사로도 쓰인다. **1** 과일의 종류를 말할 때는 셀 수 있는 명사: I like all sorts of *fruits*. 나는 과일 종류는 다 좋다. **2** 집합적인 뜻으로 그냥 과일을 뜻할 때는 셀 수 없는 명사: Would you like some *fruit*? 과일 좀 먹을래?

축어 **bear fruit 1** 열매를 맺다 **2** 효과를 낳다: At last, her efforts *bore fruit* and found radium. 마침내 그녀의 노력이 결실을 맺어 라듐을 발견했다.

fruitful [frú:tfəl] *adj.* **1** 열매가 많이 열리는, 다산의, 비옥한 **2** 결실이 풍부한, 효과적인
— **fruitfulness** *n.*

fruition [fru:íʃən] *n.* 결실, 성취, 성과
축어 **come to fruition** (계획 등이) 열매를 맺다

frustrate [frʌ́streit] *v.* [T] **1** (사람을) 실망시키다: It's the lack of students' interest that really *frustrates* him. 그를 정말로 실망시키는 것은 학생들의 무관심이다. **2** (계획 등이) 실패하게 하다
— **frustration** *n.*

frustrated [frʌ́streitid] *adj.* 실망한, 좌절된: I felt so *frustrated* because my Chinese isn't getting any better. 내 중국어 실력이 전혀 늘지 않아 나는 심히 좌절했다.

frustrating [frʌ́streitiŋ] *adj.* 실망스러운: It's so *frustrating*! 정말 실망스러워!

***fry** [frai] *v.* [I,T] 튀기다, (기름에) 볶다
n. 튀김

frying pan, fry pan *n.* 프라이팬
축어 **leap(jump) out of the frying pan into the fire** 작은 난을 피하여 큰 재난에 빠지다, 갈수록 태산 (프라이팬에서 뛰쳐나와 불 속에 들어가다)

***fuel** [fjú:əl] *n.* 연료
v. (fuel(l)ed-fuel(l)ed) **1** [T] 연료를 공급하다, 연료를 보급받다, (배·비행기 등이) 연료를 적재하다: Our heating system is *fueled* by natural gas. 우리 난방 시스템은 천연 가스를 연료로 한다. **2** [T] (감정 등을) 부추기다
축어 **add fuel to the fire(flames)** 상태가 더 나빠지게 하다, 불난 집에 부채질하다 (불에 기름을 붓다)

fugitive [fjú:dʒətiv] *n.* 도망자, 탈주자
adj. **1** 도망치는, 탈주한 **2** 일시적인

-**ful** *suffix* **1** 명사에 붙어서 '…의 성질을 가지는, …을 내포하는, …이 많은'이란 뜻의 형용사를 만듦.: beauti*ful*, care*ful* **2** 동사·형용사에 붙어서 '…하기 쉬운'이란 뜻의 형용사를 만듦.: forget*ful* **3** 명사에 붙어서 '…에 가득(찬 양)'이란 뜻의 명사를 만듦.: cup*ful*, hand*ful*, mouth*ful*

fulfill, fulfil [fulfíl] *v.* [T] **1** (희망·기대 등을) 이루다, 충족시키다: He *fulfilled* his ambition of becoming a world famous painter. 그는 세계적인 화가가 되겠다는 그의 야망을 이루었다. **2** (약속·의무 등을) 이행하다, 다하다: *fulfill* a duty 의무를 다하다 / I'm sorry but you failed to *fulfill* your promise. 유감이지만 너는 약속한 바를 이행하지 못했다. **3** (조건에) 적합하다, 맞다: This tool *fulfills* safety requirements. 이 공구는 안전 수칙에 잘 맞는다. **4** (예언 등을) 실현시키다
— **fulfillment** *n.*

***full** [ful] *adj.* **1** 찬, 가득한: a glass *full* of water 물이 가득 담긴 컵 / a room *full* of people 사람으로 꽉 찬 방 **2** 배부른: No more rice, thank you, I'm *full*. 밥 더 이상 주지 마세요. 배불러요. **3** (명사 앞에만 쓰임) 충분한, 완전한: a *full* supply 충분한 공급 / a *full* report 완벽한 보고서 / Write your *full* name. 이름과 성을 다 쓰세요. SYN complete **4** (명사 앞에만 쓰임) 최고의, 최대한의: He was driving at *full* speed. 그는 최고 속도로 달리고 있었다. / I got *full* marks in math. 나는 수학에서 만점을 받았다. / *full* responsibility 총책임

adv. **1** 충분히, 완전히 **2** 직접, 똑바로: She hit him *full* on the nose. 그녀는 그의 코를 정통으로 쳤다.

[숙어] **be full of 1** …으로 가득 차다 **2** …으로 머릿속이 꽉 차다, 열중하다: She *was full of* her plans for traveling in Europe. 그녀는 유럽 여행 계획으로 머릿속이 꽉 차 있었다. [SYN] be filled with

full of oneself 자신만 생각하는: a man *full of himself* 자기 일만 생각하는 사람

in full view 환히 다 보이는 곳에, 전체가 보이는

to the full 마음껏, 철저히: Enjoy life *to the full*. 마음껏 인생을 즐겨라. [SYN] as much as possible

full moon *n.* 만월, 보름달

full-time *adj.* 전시간의, 상근의, 전임의: a *full-time* teacher 전임 교사 *cf.* part-time 비상근의

fully [fúli] *adv.* **1** 충분히, 완전히: She has *fully* recovered from illness. 그녀는 병에서 완전히 회복됐다. **2** (수사 앞에서) 꼬박 …: for *fully* three days 꼬박 3일간

fume [fju:m] *n.* **1** (보통 *pl.*) 증기, 가스, 향기 **2** 노여움

v. **1** [T] 그을리다, 향을 피우다 **2** [I] 연기가 나다, 증발하다 **3** [I] 노발대발하다

*****fun** [fʌn] *n.* 즐거움, 장난, 재미: It was *fun*! 재미있었어!, 즐거웠어!

adj. 재미있는, 즐거운: have a *fun* time 즐거운 시간을 갖다

— **funny** *adj.*

[숙어] **for fun, for the fun of it** 농담으로, 반 장난으로: I'm learning cooking, just *for fun*. 나는 재미삼아 요리를 배우고 있다.

have fun 재미있게 놀다: Did you *have fun* at the Disneyland? 디즈니랜드에서 재미있게 놀았니?

make fun of …을 놀려대다: I used to *make fun of* him. 나는 곧잘 그를 놀리곤 했다.

*****function** [fʌ́ŋkʃən] *n.* **1** 기능, 작용, 효용: The *function* of this button is to turn on and off the computer. 이 버튼의 기능은 컴퓨터를 켜고 끄는 것이다. **2** 직무, 임무, 역할: What do you think your *function* in this society is? 이 사회에서 너의 역할이 무엇이라고 생각하니? **3** 의식, 행사 **4** [수학] 함수, [문법] 기능, [컴퓨터] 기능 (컴퓨터의 기본적 조작)

v. [I] **1** 작용하다: This machine has stopped *functioning*. 이 기계는 작동을 멈췄다. [SYN] operate, work **2** 역할을 다하다: The word 'frame' *functions* as noun and verb. 'frame'이란 단어는 명사와 동사 역할을 한다.

functional [fʌ́ŋkʃənəl] *adj.* **1** 기능의, 직무(상)의 **2** 기능[실용] 본위의: *functional* furniture (실제로 써서 편리한) 기능성 가구

fund [fʌnd] *n.* **1** 자금, 기금: a scholarship *fund* 장학 기금 **2** (funds) 재원, 소지금: public *funds* 공금

v. [T] 투자하다

— **fund-raising** *n. adj.* 자금 조달(의)

[숙어] **raise funds** 기금을 모으다: The teachers are *raising funds* for a playground. 선생님들이 놀이터를 위한 기금을 모으고 있다.

fundamental [fʌ̀ndəméntl] *adj.* 기초의, 기본의, 근본적인: *fundamental* human rights 기본적 인권 / *fundamental* colors 원색 / There's a *fundamental* difference between A and B. A와 B 사이에는 근본적인 차이가 있다. [SYN] basic

n. (보통 *pl.*) 원리, 원칙, 기본, 기초

— **fundamentally** *adv.*

funeral [fjú:nərəl] *n.* 장례식, 장례

adj. 장례식의: a *funeral* ceremony [service] 장례식

fungus [fʌ́ŋgəs] *n.* (*pl.* fungi) 균류, 버섯

F

funk [fʌŋk] *n.* [음악] 소박한 블루스풍의 재즈

funnel [fʌnl] *n.* **1** 깔때기 **2** (기선·기관차의) 굴뚝
v. (funnel(l)ed-funnel(l)ed) **1** [I,T] (깔때기 모양의 것으로 액체를) 붓다, 따르다: If you *funnel* water into the bottle, you are less likely to spill it. 물을 깔때기를 이용해 병에 따르면 흘릴 가능성이 적다. **2** [T] (정력·자금·정보 등을) 집중하다: Who has been *funneling* weapons to the terrorists? 누가 테레리스트들에게 무기를 쏟아부어 주었는가? **3** [I,T] 좁은 통로로 흐르(게 하)다: The wind *funnels* down the narrow streets. 좁은 길로 바람이 분다.

funny [fʌni] *adj.* (funnier-funniest) **1** 재미있는, 우스운 **2** 기묘한, 별스러운, 수상: It's *funny* that she didn't come. 그녀가 오지 않다니 이상한데. / a *funny* fellow 별스러운 놈
[숙어] **that's funny** 이상하다, 묘하다: *That's funny*—how come nobody heard the noise? 그거 이상한데—어떻게 아무도 소리를 못 들었을까?

funny bone *n.* 팔꿈치

*★**fur** [fə:r] *n.* **1** 털 **2** 모피: a *fur* coat 모피 코트
— **furry** *adj.*

furious [fjúəriəs] *adj.* **1** 성난, 격노한 **2** (바람·폭풍우 등이) 사납게 몰아치는, 격렬한: a *furious* wind 사나운 바람 **3** (속도·활동 등이) 맹렬한, 왕성한
— **furiously** *adv.* **furiousness** *n.*

furnace [fə́:rnis] *n.* 화로, 용광로

furnish [fə́:rniʃ] *v.* [T] **1** (필수품, 특히 가구를) 비치하다: This house is well *furnished*. 이 집은 가구가 잘 갖추어져 있다. [SYN] equip **2** 공급하다, 제공하다, 주다: He *furnished* me with the information I needed for my trip. 그가 내게 여행에 필요한 정보를 주었다. [SYN] provide, supply

furnished [fə́:rniʃt] *adj.* 가구가 있는: I would like to rent a *furnished* room. 가구가 비치된 방을 세얻고 싶은데요.

furnishings [fə́:rniʃiŋz] *n.* (*pl.*) **1** 비품, 가구 **2** 가구의 비치

*★**furniture** [fə́:rnitʃər] *n.* 가구, 비품: They do not have much *furniture*. 그들은 가구를 많이 갖고 있지는 않다.
※ furniture는 셀 수 없는 명사이다. 그러므로 단수로 쓸 때는 a piece of furniture, 복수로 쓸 때는 two pieces of furniture, some furniture, much furniture 등으로 표현한다.

furrow [fə́:rou] *n.* **1** 밭고랑, 보습 자리 **2** (얼굴의) 깊은 주름살 [SYN] wrinkle
v. [T] **1** 갈다, 밭고랑을 내다, 이랑을 짓다 **2** 주름살을 짓다

further [fə́:rðər] *adv.* **1** 게다가, 더욱이, 그 위에 또: We need to inquire *further* into the problem. 우리는 더 깊이 문제를 조사할 필요가 있습니다. / until you hear *further* from me 추후 알려드릴 때까지는 **2** 더욱 멀리(앞으로) (farther): I can't go any *further*. 난 더 이상 못 가겠다.
adj. 그 위의, 그 이상의: Do you have *further* questions? 더 이상 질문 있습니까? / for *further* details 그 이상 상세한 것은
v. [T] 진전시키다, 조장하다

furthermore [fə́:rðərmɔ́:r] *adv.* 더군다나, 그 위에, 더구나 [SYN] also, in addition

fury [fjúəri] *n.* **1** 격노, 격분: in a *fury* 격노하여 [SYN] great anger **2** 격정 **3** (병·날씨·전쟁 등의) 격심함
— **furious** *adj.*

fuse¹ [fju:z] *n.* **1** [전기] 퓨즈 **2** 도화선

fuse² [fju:z] *v.* [I,T] **1** 융합하다(시키다) **2** 녹이다, 녹다

fusion [fjú:ʒən] *n.* **1** 용해, 융해 **2** 합동, 연합 **3** [물리] 핵융합 **4** [음악] 퓨전 (재즈에 록 등이 섞인 음악)

fuss [fʌs] *n.* 공연한 소동, 야단법석: What's all this *fuss* about? 대체 무슨 일로 이리 소란한 거니?

v. [I,T] 공연히 떠들다, 소란케 하다, 시끄럽게 하다
— **fussy** *adj.*
박어 **make a great fuss (over)** 떠들썩하게 칭찬하다

futile [fjú:tl] *adj.* 쓸데없는, 소용 없는: a *futile* attempt 무익한 시도 SYN useless, vain
— **futility** *n.*

***future** [fjú:tʃər] *n.* **1** 미래, 장래: in the near *future* 가까운 미래에 **2** 장래성, 전도, 앞날: He has no *future*. 그는 장래성이 없다.
adj. 미래의, 장래의 OPP past

futurism [fjú:tʃərìzəm] *n.* 미래파 (인습을 타파하고 새로운 국면을 개척하려고 1910년경 이탈리아에서 일어난 미술·음악·문학의 유파)
— **futuristic** *adj.* **futurist** *n.* 미래파 화가〔예술가〕; 미래학자

fuzzy [fʌ́zi] *adj.* (fuzzier-fuzziest) **1** 보풀 같은, 솜털로 덮인 **2** 희미한, 분명치 않은
— **fuzzily** *adv.* **fuzziness** *n.*

F

gG

gadget [gǽdʒit] *n.* (기계의) 간단한 장치, 도구, 부속품
— **gadgetry** *n.* (집합적) 기계 장치

gag [gæg] *n.* **1** 입마개, 재갈 **2** 개그, 농담 SYN joke
v. [T] (gagged-gagged) **1** 재갈을 물리다 **2** 속이다

*gain [gein] *v.* **1** [T] 얻다, 쟁취하다: The Green Party has *gained* a lot of support from people. 녹색당은 사람들로부터 많은 지지를 얻었다. / gain independence 독립을 쟁취하다 **2** [T] 점차로 늘리다: The train was *gaining* speed. 기차가 점차 속도를 내고 있었다. / gain weight 체중이 늘다 / gain confidence 점차 자신감이 생기다 OPP lose **3** [I,T] 이익을 얻다, 득을 보다: I think I have nothing to *gain* by doing business with him. 그와 사업을 해서 내가 득을 볼 게 없을 것 같아.
n. **1** 이익, 이득 SYN advantage, profit **2** 증가: a *gain* in weight 체중 증가 SYN increase **3** 벌이
명언 **There are no gains without pains.** -Benjamin Franklin 수고 없이는 결실도 없다. – 벤자민 프랭클린

gala [géilə, gǽlə] *n.* 축제; [영] (운동의) 대회: Stars from all over the world sang at the *gala* last night. 전 세계에서 온 스타들이 어젯밤 축제에서 노래를 불렀다.

galaxy [gǽləksi] *n.* **1** 은하, 은하계 **2** (the Galaxy) 은하수 SYN the Milky Way

gale [geil] *n.* 강풍 SYN strong wind OPP breeze 산들바람, 미풍

gall [gɔːl] *n.* **1** 담즙, 쓸개즙 **2** 뻔뻔스러움: She had the *gall* to put the blame on me. 그녀는 잘못을 내게 뒤집어 씌우는 뻔뻔스러움이 있었다. **3** 증오, 원한 SYN resentment
v. [T] 성나게 하다 SYN irritate

gallant [gǽlənt] *adj.* **1** 용감한, 씩씩한 SYN brave **2** (특히 여성에게) 정중한, 친절한

gallery [gǽləri] *n.* **1** 화랑, 미술관 **2** 방청석, 관람석 **3** (골프 경기 등의) 관중, 방청인

gallon [gǽlən] *n.* 갤런 (용량의 단위; 미국 갤런 =3.7853리터, 영국 갤런 =4.546리터)

gallop [gǽləp] *v.* [I,T] 달리다, 질주하다
n. 갤럽 (말 등의 최대 속도의 구보), 질주
※ walk, amble, trot, canter, gallop의 차례로 빨라진다.

gallows [gǽlouz] *n.* (*pl.* gallows) **1** 교수대 **2** 교수형

gamble [gǽmbəl] *v.* [I,T] 도박하다, 내기하다 (at, on): *gamble* on a horse race 경마에 돈을 걸다 SYN bet
n. **1** 도박, 노름 **2** 모험
— **gambler** *n.* 도박꾼, 노름꾼 **gambling** *n.* 도박, 내기

game [geim] *n.* **1** 경기, 시합 **2** 놀이, 유희, 오락 **3** (games) (조직적인) 스포츠 대회: the Olympic *Games* 올림픽 대회 **4** 속임수, 계략: You'd better stop playing *games* with me. 날 속이는 걸 그만두는 게 좋을 거야.
v. [I,T] 승부를 겨루다, 도박하다, 내기에서 잃다 (away)

gamma [gǽmə] *n.* **1** 그리스 어 알파벳의 세 번째 글자 (Γ, γ; 로마자의 G, g에 해당) **2** 세 번째의 것 **3** [물리] 감마 (100만분의 1 그램) **4** 감마선 양자

gander [gǽndər] *n.* 거위·기러기의 수컷 OPP goose

gang [gæŋ] *n.* **1** (악한 등의) 일당, 갱단 **2** 비행 소년 그룹 **3** (어린이들의) 놀이 친구
v. [I] **1** 집단으로 행동하다, 한패가 되다: We

ganged up with them. 우리는 그들과 한데 뭉쳤다. **2** 집단으로 습격하다[괴롭히다]

gangster [ɡǽŋstər] *n.* 갱의 한 사람

gangway [ɡǽŋwèi] *n.* **1** (배·비행기의) 출입구 **2** [영] (극장·버스 등 좌석 사이의) 통로

****gap** [ɡæp] *n.* **1** 갈라진 틈, 금: a *gap* in the fence 울타리의 갈라진 틈 **2** 틈, 짬: a long *gap* of time 오랜 기간의 간격 **3** (의견 등의) 차이, 격차: the generation *gap* 세대 차이 **4** 빈 곳, 빠진 부분: Fill in the *gaps* in the following sentences. 다음 문장의 빠진 부분을 채워 넣어라.

— **gappy** *adj.*

gape [ɡeip] *v.* [I] **1** (멍청히) 입을 벌리고 바라보다 (at), 입을 크게 벌리다: What are you *gaping* at? 뭘 그렇게 입 벌리고 보고 있어? **2** 하품하다 SYN yawn **3** 벌어지다, 갈라지다: Her pants *gaped* at the seams. 그녀의 바지 솔기가 (터져) 벌어졌다.

n. **1** 입을 크게 벌림 **2** 하품 **3** 갈라진 틈

garage [ɡərɑ́:ʒ] *n.* **1** 차고 **2** 자동차 수리소, 정비 공장

garage sale *n.* (이사하거나 할 때 보통 자기 집 차고에서 하는) 정리품 염가 판매

garbage [ɡɑ́:rbidʒ] *n.* ([영] rubbish) **1** 쓰레기: Can you take the *garbage* out? 쓰레기 좀 밖에 내다 놓을래? **2** 잡동사니, 너절한 것

garbage can *n.* ([영] dustbin) 쓰레기통

****garden** [ɡɑ́:rdn] *n.* ([미] yard) 뜰, 마당, 정원, 채소밭

v. [I] 뜰을 만들다, 원예를 하다

■ **유의어** garden

garden 집 주변에 있는 꽃 등이 가꾸어진 뜰. **yard** 집 주위나 건물을 둘러싼 공지. **court** 건물에 둘러싸인 안뜰로 포장되어 있는 것이 많음.

gardener [ɡɑ́:rdnər] *n.* 정원사

gardening [ɡɑ́:rdniŋ] *n.* 뜰 가꾸기, 원예: I'm going to do some *gardening*

tomorrow. 내일은 뜰을 좀 손질해야겠다.

gargle [ɡɑ́:rɡəl] *v.* [I] 양치질하다

garland [ɡɑ́:rlənd] *n.* 화환, 화관 SYN wreath

****garlic** [ɡɑ́:rlik] *n.* 마늘: For this soup, you need two cloves of *garlic*. 이 수프에는 마늘 두 쪽이 필요합니다.

garment [ɡɑ́:rmənt] *n.* 의복 (특히 긴 웃옷·외투 등), 옷, 의류

garnish [ɡɑ́:rniʃ] *v.* [T] 장식하다, (요리에) 고명을 얹다: The cook *garnished* the dish with parsley before serving. 요리사는 음식을 내놓기 전에 파슬리를 얹어 장식했다.

n. **1** 장식, 미사 여구 **2** (요리의) 고명

garrison [ɡǽrəsən] *n.* [군대] **1** 수비대, 주둔군 **2** 요새, 주둔지

v. [T] …에 수비대를 두다, 주둔시키다

****gas** [ɡæs] *n.* **1** 가스, 기체 **2** (난방·취사용) 가스: turn off the *gas* 가스를 잠그다 **3** [미] 가솔린 (gasoline)

v. [T] (gassed-gassed) 가스로 중독시키다: Many people were *gassed* in the coal mine. 많은 사람들이 탄광에서 가스에 중독되었다.

gasoline, gasolene [ɡæsəlí:n] *n.* ([영] petrol) 가솔린, 휘발유

gasp [ɡæsp] *v.* [I] **1** (놀람 등으로) 숨이 막히다, 숨을 죽이다: She *gasped* in surprise. 그녀는 놀라서 숨을 죽였다. **2** 헐떡거리다, 숨이 차다: He *gasped* for breath after running. 그는 달린 후에 숨이 차서 헐떡거렸다.

n. **1** (충격·놀람 등으로 인해) 숨이 멎음, 숨을 죽임 **2** 헐떡거림, 숨막힘

gas station *n.* 주유소

****gate** [ɡeit] *n.* **1** 문, 출입문 **2** (공항의) 탑승구

gateway [ɡéitwèi] *n.* **1** (담·울타리 등의) 문, 출입구 **2** 국제선의 발착지(發着地)가 되는 현관 공항(도시): Now, Incheon has become the *gateway* to the world. 이

G

제 인천은 세계로 가는 관문이 되었다.

*gather [gǽðər] *v.* **1** [T] 모으다 (together, up, in): Would you *gather* up books and put them on the desk? 책을 모아서 책상 위에 갖다 놓아 줄래? / A rolling stone *gathers* no moss. [속담] 구르는 돌에는 이 끼가 안 낀다., 직업을 자주 바꾸면 이롭지 못하 다. / Let's *gather* some ideas for the project. 프로젝트에 관한 아이디어를 모아 봅 시다. **2** [T] (열매 · 꽃 등을) 따다, 수확하다, 채집하다: I *gathered* some strawberries. 나는 딸기를 땄다. SYN pick **3** [I,T] 모이다, 집결하다: We *gathered* around a campfire. 우리는 캠프파이어 둘레에 모였다. **4** [T] 점차 늘리다: *gather* speed 속도를 올 리다

gathering [gǽðəriŋ] *n.* **1** 모임, 회합, 집 회 **2** 채집, 수집, 채집품

GATT [gæt] *abbr.* General Agreement on Tariffs and Trade 관세 및 무역에 관한 일반 협정

gaudy [gɔ́:di] *adj.* (gaudier-gaudiest) 번 지르르한, 야한, 현란한 SYN showy

gauge, gage [geidʒ] *n.* **1** 표준 치수 (규 격) **2** 계(량)기 **3** 판단의 척도, 표준
v. [T] **1** 평가하다, 판단하다 **2** 재다, 측정하다

gauze [gɔ:z] *n.* 성기고 얇은 천, 거즈: Cotton *guaze* is used for bandages. 면으로 된 거즈는 붕대로 쓰인다.

gay [gei] *adj.* (gayer-gayest) **1** 동성애의 SYN homosexual **2** 명랑한
n. 동성애자 *cf.* lesbian 여자 동성애자

gaze [geiz] *v.* [I] 지켜보다, 응시하다 (at, on, upon, into): She *gazed* into the space. 그녀는 허공을 응시했다.
n. 응시, 주시

■ 유의어 **gaze**
gaze 흥미 · 기쁨을 가지고 바라볼 때 쓴 다. **stare** 호기심 · 놀람 · 경멸 등의 표정 으로 응시할 때 주로 쓴다.

GDP *abbr.* gross domestic product 국내

총생산 *cf.* GNP 국민 총생산

gear [giər] *n.* **1** [기계] 톱니바퀴, 전동 장치: a car with four *gears* 4단 변속의 자동차 **2** 의복: swimming *gear* 수영복 **3** 도구: fishing *gear* 낚시 도구
v. **1** [I,T] (기어가) 맞물리다, …에 기어를 넣 다: *gear* up(down) 기어를 고속으로(저속 으로) 넣다 **2** [T] (장치 · 도구 등을) 설치하다 **3** [T] (계획 · 요구 등에) 맞게 하다, 조정하다: This special course is *geared* towards the advanced learner. 이 특강은 상급 수 강생들용이다.
숙어 **gear up** …에 대비하다: I'm *gearing* myself *up* for tomorrow's exam. 나는 내일 시험을 준비하고 있다.
in gear 기어가 걸려: He put the truck *in gear* and drove on. 그는 트럭에 기어를 넣고 운전해 갔다.
out of gear 기어가 풀려, 원활치 못하여: This watch got *out of gear*. 이 시계는 잘 안 간다.

gee [dʒi:] *int.* 아이고, 깜짝이야

geese [gi:s] *n.* goose의 복수

gel [dʒel] *n.* 겔, 젤라틴 (고체와 액체의 중간 상태의 물질): hair *gel* 머리에 바르는 겔 / shower *gel* 샤워용 겔

gem [dʒem] *n.* **1** 보석 SYN precious stone **2** 귀중품; 보석과 같은 사람
v. [T] (gemmed-gemmed) 보석으로 장식 하다

gender [dʒéndər] *n.* **1** 성, 성별 SYN sex **2** [문법] 성 ※ feminine 여성, masculine 남성, neuter 중성

gene [dʒi:n] *n.* 유전자, 유전 인자 ⇨ genetics

*general [dʒénərəl] *adj.* **1** 일반의, 보통 의, 특수하지 않은: Cell phones were once a luxury but now they are in *general* use. 한때 휴대 전화는 사치품이었지 만 요즘은 일반적으로 다 사용한다. / the *general* public 일반 대중 **2** (명사 앞에만 쓰 임) 대체적인, 총괄적인, 개략의: Can you give us a *general* idea of your plan? 당신 계획에 대한 개략적인 개념을 말해 줄 수 있어요? / a *general* impression 대체적인 인상 **3** (한 부분에 국한되지 않고) 전반에 걸치는, 총체적인, 전체적인: a *general* hospital 종합 병원 / *general* education (전문 교육에 대하여) 일반 교육 **4** (관직명 뒤에서) 총…, 장관의: the Secretary *General* of the United Nations 유엔 사무총장 *n.* **1** (군대) 육군 대장, 공군 대장, 장관, 장군 **2** (the general) 일반 대중, 일반, 총체, 일반 원칙

[숙어] **in general** 일반적으로, 대체로: *In general*, children are fond of candy. 대체로 아이들은 사탕을 좋아한다.

[SYN] generally

generalization [dʒènərəlizéiʃən] *n.* **1** 일반화, 보편화 **2** 귀납적 결과, 통칙

generalize, generalise [dʒénərəlàiz] *v.* [I,T] **1** 일반화하다 **2** 개괄하다, 총괄하다

generally [dʒénərəli] *adv.* **1** 일반적으로, 널리: It's *generally* believed that vitamin C is good for a cold. 일반적으로 비타민 C가 감기에 좋다고 여긴다. **2** 보통, 대개: He *generally* comes at noon. 그는 대개 정오에 온다. [SYN] usually

[숙어] **generally speaking** 일반적으로 (말하면): *Generally speaking*, the Germans are taller than the French. 일반적으로 (말하면) 독일 사람이 프랑스 사람보다 키가 크다.

generate [dʒénərèit] *v.* [T] **1** 낳다, 산출하다 **2** (전기·열 등을) 발생시키다 [SYN] produce

— **generator** *n.* 발전기

*****generation** [dʒènəréiʃən] *n.* **1** 세대, 대(代) (대개 부모와 자식의 나이 차에 상당하는 기간, 약 30년): *generation* gap 세대차, 세대간의 단절 / a *generation* ago 약 30년 전에 **2** 동시대의 사람들: the younger *generation* 젊은 세대

[숙어] **from generation to generation, generation after generation** 대대로: The unique tradition has been passed on *generation after generation*. 독특한 전통이 대대로 전해 내려왔다.

generic [dʒənérik] *adj.* **1** [생물] 속 (genus)의, 속(屬)이 공통으로 갖는 **2** 일반적인, 포괄적인, [문법] 총칭적인: the *generic* person 총칭적 인칭 (we, you, they 등) **3** (특히 의약품에 대해) 상표 등록이 되어 있지 않은

generosity [dʒènərásəti] *n.* **1** 후함 **2** 관대, 아량 **3** 관대한 행위

*****generous** [dʒénərəs] *adj.* **1** (돈·시간·도움 등이) 후한, 아낌없는: It was really *generous* of him to let us use his cottage for summer. 그는 인심이 후하게도 우리가 여름 동안 그의 별장을 사용할 수 있게 해 주었다. **2** 관대한, 아량 있는: She has always been very *generous* to me. 그녀는 항상 내게 관대했다. **3** 풍부한, 푸짐한: We offer a *generous* salary. 우리는 월급을 많이 지불합니다. [SYN] plentiful

— **generously** *adv.*

genesis [dʒénəsis] *n.* **1** 발생, 기원 [SYN] origin **2** (the Genesis) [성서] 창세기

genetic [dʒinétik] *adj.* 발생의, 유전의, 유전학적인: a *genetic* disorder 유전병 / *genetic* engineering 유전 공학 / *genetic* engineer 유전 공학자

— **genetically** *adv.*

genetically modified *adj.* (*abbr.* GM) 유전자 조작된, 유전자 조작의: *genetically modified* tomatoes 유전자 조작된 토마토

genetics [dʒinétiks] *n.* (*pl.*) **1** (단수 취급) 유전학 **2** (복수 취급) 유전적 특질

— **geneticist** *n.* 유전학자

genial [dʒíːnjəl] *adj.* 다정한, 친절한

— **genially** *adv.*

genie [dʒíːni] *n.* 지니 (아라비안 나이트에 나오는 병이나 램프 속의 마력을 가진 요정)

genius [dʒíːnjəs] *n.* **1** 천재: a *genius* in

G

mathematics 수학의 천재 **2** (a genius) 특수한 재능: Edison had a *genius* for invention. 에디슨은 발명에 천부적인 재능을 갖고 있었다.

genocide [dʒénəsàid] *n.* (민족·국민 등 에 대한) 계획적 대량 학살, 민족(종족) 근절

genome [dʒí:noum] *n.* [생물] 게놈 (생물 의 생존에 필요한 최소한의 염색체로서, 각각 의 생물체가 가진 염색체의 한 조)

genre [ʒɑ́:nrə] *n.* [프] 유형, 양식, 장르

*gentle [dʒéntl] *adj.* (gentler-gentlest) **1** (기질·성격·음성이) 온화한, 점잖은 **2** 부드 러운, 순한, 완만한: a *gentle* breeze 부드러 운 바람 / a *gentle* slope 완만한 비탈
— **gently** *adv.* **gentleness** *n.*

*gentleman [dʒéntlmən] *n.* (*pl.* gentlemen) **1** 신사 **2** (gentlemen) (호칭) 여러분, 제군

*genuine [dʒénjuin] *adj.* **1** 진짜의: a *genuine* diamond 진짜 다이아몬드 [SYN] real **2** 성실한, 거짓 없는: a *genuine* person 진실한 사람
— **genuinely** *adv.*

genus [dʒí:nəs] *n.* 종류; [생물] 속 ('과'와 '종'의 중간)
※ 종 species, 속 genus, 과 family, 목 order, 강 class, 문 phylum, 계 kingdom

geo- *prefix* '지구, 토지'의 뜻.

geographer [dʒi:ágrəfər] *n.* 지리학자

geographic, geographical [dʒì:əgrǽfik, dʒì:əgrǽfikəl] *adj.* 지리 학의, 지리적인
— **geographically** *adv.*

geography [dʒi:ágrəfi] *n.* **1** 지리, 지세, 지형 **2** 지리학

geologist [dʒi:álədʒist] *n.* 지질학자

geology [dʒi:álədʒi] *n.* 지질학
— **geologic, geological** *adj.*

geometric, geometrical [dʒì:əmétrik, dʒì:əmétrikəl] *adj.* 기 하학(상)의, 기하학적 도형의
— **geometrically** *adv.*

geometry [dʒi:ámətri] *n.* 기하학

geophysics [dʒì:oufíziks] *n.* (*pl.*) (단 수 취급) 지구 물리학

geranium [dʒəréiniəm] *n.* [식물] 제라 늄, 양아욱

germ [dʒə:rm] *n.* **1** 미생물, 병균: a *germ* carrier 보균자 **2** 근원, 기원, 싹틈: the *germ* of an idea 어떤 생각의 싹틈
— **germfree** *adj.* 무균의 **germicide** *n.* 살균제

germinate [dʒə́:rmənèit] *v.* [I,T] 싹트 다, 싹트게 하다 [SYN] sprout

gerund [dʒérənd] *n.* [문법] 동명사

gesticulate [dʒestíkjəlèit] *v.* [I,T] 몸 짓(손짓)으로 이야기하다
— **gesticulation** *n.*

*gesture [dʒéstʃər] *n.* **1** 몸짓, 손짓, 동작 **2** 태도, 의사 표시: Sending her flowers was his *gesture* of love. 그녀에게 꽃을 보 내는 것이 그로서는 사랑의 표현이었다.
v. [I,T] 손짓(몸짓)을 하다, 손짓(몸짓)으로 신 호하다: I *gestured* him to come near. 나 는 그에게 좀 더 가까이 오라고 손짓을 했다.

*get ⇨ p. 297

ghastly [gǽstli] *adj.* (ghastlier-ghastliest) 무서운, 무시무시한

ghetto [gétou] *n.* 유대인 강제 거주 구역, (특정 사회 집단의) 거주지

ghost [goust] *n.* **1** 유령, 망령 **2** (영)혼
— **ghostly** *adj.*

*giant [dʒáiənt] *n.* **1** 거인 [OPP] dwarf **2** 거장, 거대 기업
adj. 거대한

giddy [gídi] *adj.* (giddier-giddiest) 현기 증이 나는, 어지러운: I feel *giddy*. 어지럽다.
[SYN] dizzy

*gift [gift] *n.* **1** 선물 [SYN] present **2** 재능 [SYN] natural ability
v. [T] **1** 주다 **2** (재능·성격 등을) 부여하다 (with): We are all *gifted* with conscience. 우리 모두에게는 타고난 양심이 있다.

gifted [gíftid] *adj.* 타고난 재능이 있는: a

get

get [get] *v.* (got-gotten; getting) **1** [T] (선물 · 편지 · 돈 · 허가 등을) 받다, 갖게 되다: I *got* two emails this morning. 오늘 아침에 이메일 두 통을 받았다. / He *got* many presents for his birthday. 그는 생일에 선물을 많이 받았다. / *get* permission 허가를 얻다 [SYN] receive

2 [T] 사다, 얻다, 가지고 있다: Where did you *get* your sneakers? 너 어디서 그 운동화를 샀니? / You can *get* them at the department store. 백화점에 가면 살 수 있어. / My sister *got* a new job. 언니가 새로운 직장을 얻었어. / I would like to *get* some help with my homework. 숙제를 하는 데 도움을 받았으면 좋겠습니다. / My father *got* me a computer. 아버지께서 내게 컴퓨터를 사 주셨다.

3 [T] 가서 가져오다: I will *get* some juice for you. 네게 주스를 갖다 줄게. / My dog *gets* me newspapers every morning. 내 개는 매일 아침 내게 신문을 물어다 준다. / Go and *get* your brother. 가서 동생 좀 데려와라. [SYN] fetch

4 [T] 시키다, 하게 하다: I need to *get* my hair cut. 머리를 잘라야겠네. / *Get* your homework done before dinner. 저녁 먹기 전에 숙제를 끝내거라. / I *got* him to do the cleaning. 나는 그에게 청소를 시켰다. / My mother *got* me to do the dishes. 어머니께서 내게 설거지를 시키셨다.

5 [I] (변화 · 추이) …이 되다: She *got* really angry. 그녀는 정말 화가 났다. / Your English is *getting* better. 당신의 영어 실력이 갈수록 나아지는군요. / It *gets* very hot in the afternoon. 오후가 되면 매우 더워진다. / He is *getting* old. 그는 늙어가고 있다. / They *got* hurt. 그들은 부상을 당했다. / I *got* anxious. 나는 걱정이 되었다.

6 [I] 이르다, 도착하다: He will *get* there at about four. 그는 그 곳에 4시쯤 도착할 것이다. / They *got* to the hotel after sightseeing. 그들은 관광 후에 호텔에 도착했다. / Call me when you *get* home. 집에 도착하면 내게 전화해.

7 [I,T] 움직이다, 움직이게 하다: Can you *get* that picture down? 저 그림을 내릴 수 있겠어? / I have to *get* my bags out of the car. 차에서 내 가방들을 꺼내야 해. / Hurry and *get* into the car. We're late. 서둘러 차에 타. 우리 늦었어.

[숙어] **get about**(**around**) **1** 돌아다니다: A car makes it easier to *get about*. 차가 있으면 돌아다니기 편하다. **2** (소식 · 소문 등이) 퍼지다: The rumor *got about* soon. 그 소문은 바로 퍼졌다.

get along 1 가다, 떠나다: It's time for me to be *getting along*. 이젠 가 봐야겠습니다. **2** 지내다: How are you *getting along* these days? 요새 어떻게 지내십니까?

get along with 1 진행시키다: How are you *getting along with* your French? 프랑스 어 공부는 잘 돼 가니? **2** 사이좋게 해 나가다: How is he *getting along with* his friends? 그는 친구들과 잘 지내니?

get away (장소 · 사람을) 떠나다, 달아나다: I *got away* from the noise of the city. 나는 도시의 소음에서 벗어났다. / One of the prisoners *got away*. 죄수 한 명이 달아났다. [SYN] leave

get back 돌아오다, 돌아가다: I'll call you as soon as I *get back*. 돌아오는 대로 네게 전화할게. / We just *got back* from our trip. 우리는 방금 여행에서 돌아왔다.

get better 1 좋아지다, 나아지다: Her Japanese is *getting better*. 그녀의 일본어 실력이 좋아지고 있다. **2** (병이) 회복되다: Are you *getting* any *better*? 좀 나아졌습니까?

get down to …에 착수하다: Let's *get down to* work. 자, 일하자.

get hold of …을 잡다: *get hold of* the

rope 줄을 잡다

get in touch with …와 연락하다: You can *get in touch with* him on the phone. 너는 전화로 그와 연락할 수 있어.

get it 이해하다: Oh, I *got it*. 오, 알겠어. / Do you *get it*? 이해가 가니?

get off 1 (버스 · 기차 · 비행기 등에서) 내리다: *Get off* at the next station. 다음 정거장에서 내리시오. **2** 떠나다, 출발하다: We *got off* before daybreak. 우리는 날이 새기 전에 떠났다.

get on 1 (버스 · 기차 · 비행기 등을) 타다: *Get on* the bus. 버스를 타. **2** (어떻게) 살다, 지내다: How are you *getting on*? 어떻게 지내?

get on with 1 진척시키다: How is he *getting on with* his work? 그는 일을 잘 진척시키고 있습니까? **2** 의좋게 지내다: He is hard to *get on with*. 그는 사귀기가 힘들다.

get out 1 떠나다, 이동하다: How did the bird *get out* of the cage? 새가 어떻게 새장을 빠져 나왔을까? / *Get out* of the way! 저

리 비켜! **2** (탈 것에서) 내리다: *get out* of the car 차에서 내리다

get over 1 넘다: *get over* the fence 울타리를 넘다 **2** (장애 · 곤란 등을) 이겨 내다

get over with (귀찮은 일을) 끝내 버리다

get set! (경주에서) 준비!: On our marks, *get set*, go! 제 자리에, 준비, 탕!

get through 1 (전화 등으로) 연결하다: I tried to phone her but couldn't *get through*. 그녀에게 전화를 걸었지만 통화할 수 없었다. **2** (시험에) 합격하다: She *got through* her final exam easily. 그녀는 최종 시험에 쉽게 합격했다. **3** 다 써 버리다, 끝내다: I *got through* a lot of money at the weekend. 주말에 많은 돈을 다 써 버렸다. **4** (어려운 때를) 타개해 나가다 **5** 이해시키다

get together 모이다, 만나다

get up 1 일어나다, 기상하다: What time do you *get up*? 너는 몇 시에 일어나니? [SYN] rise **2** 일어서다: She *got up* and walked away. 그녀는 일어서더니 가 버렸다. [SYN] stand up

---

G

gifted child 천재아 [SYN] talented

gift-wrap [gíftræp] *v.* [T] (gift-wrapped - gift-wrapped) (선물에 리본 등으로) 예쁘게 포장하다

giga- *prefix* '10억, 무수'의 뜻.: *giga*hertz 10억 헤르츠 / *giga*meter 10억 미터

gigabyte [gígəbàit] *n.* [컴퓨터] 기가바이트 (10억 바이트 상당의 정보 단위)

gigantic [dʒaigǽntik] *adj.* 거인 같은, 거대한, 엄청나게 큰: *gigantic* creatures 거대한 생물

giggle [gígəl] *v.* [I] 낄낄 웃다
  n. 낄낄 웃음: give a *giggle* 낄낄 웃다

gill [gil] *n.* (보통 *pl.*) (물고기의) 아가미

gilt [gilt] *n.* 금박, 겉치장

gin [dʒin] *n.* 진 (술의 한 종류)

ginger [dʒíndʒər] *n.* [식물] 생강
  adj. **1** 생강 맛의 **2** 황적갈색의: *ginger* hair 황적갈색 머리

— **ginger ale** *n.* 생강이 든 청량 음료
  gingerbread *n.* 생강빵

ginseng [dʒínseŋ] *n.* [식물] 인삼

gipsy, gypsy [dʒípsi] *n.* 집시

giraffe [dʒəræf] *n.* 기린

***girl** [gəːrl] *n.* **1** 소녀 **2** 딸: They have two boys and a *girl*. 그들은 아들 둘과 딸 하나가 있다. **3** 젊은 여자

— **girlfriend** *n.* 여자 친구

girlish [gə́ːrliʃ] *adj.* 소녀다운, 소녀 같은

— **girlishly** *adv.* **girlishness** *n.*

***give** ⇨ p. 299

glacier [gléiʃər] *n.* 빙하: *Glacier* is a large mass of ice and snow that moves slowly down a mountain. 빙하는 천천히 산을 따라 아래로 움직이는 얼음과 눈으로 된 거대한 덩어리이다.

— **glacial** *adj.*

***glad** [glæd] *adj.* (gladder-gladdest) **1** 기

give

give [giv] *v.* [T] (gave-given) **1** 주다: *Give* me some water, please. 물 좀 주세요. / *Give* me a chance once more. 한 번만 더 기회를 줘. / A nurse *gave* me an injection. 간호사가 내게 주사를 놓았다. / He *gave* some money to the child. 그는 아이에게 돈을 좀 주었다.

※ 목적어의 위치에 주의한다. He gave me the book. 또는 He gave the book to me. 와 같은 형태로 쓴다.

2 …하다: I'll *give* you a call later. 나중에 전화할게. / *give* a speech 연설하다 / *give* advice 충고하다 / *give* a push 누르다 / *give* a kick 차다 / *give* help 도움을 주다 / *give* a party 파티를 열다 / *give* permission 허락하다

3 …로 하여금 ~을 하도록 하다: I told him to *give* me some time to think about it. 나는 그에게 생각할 시간을 달라고 말했다. / That smell *gives* me a headache. 그 냄새 때문에 머리가 아프다. / The judge *gave* her two years in prison. 판사는 그녀에게 2년 형을 언도했다.

4 말하다: Please *give* me your name and address. 성함과 주소를 말씀하세요. / You'd better *give* the doctor as much information about how you feel as possible. 의사에게 네 몸 상태가 어떤지 될 수 있는 한 많이 이야기해 주는 게 좋을 거야.

[숙어] **give away 1** 거저 주다: He *gave* his books *away*. 그는 그의 책을 남에게 주었다. / The radio station is *giving away* free CDs. 라디오 방송국에서 공짜 CD를 주고 있다. **2** 누설하다: She never *gives away* her real feelings. 그녀는 결코 자신의 진심을 드러내지 않는다.

give back 돌려주다: Has she *given* you those books *back* yet? 그녀가 아직도 그 책들을 네게 돌려주지 않았니?

give in 1 제출하다: *Give in* your papers. 보고서를 제출하세요. **2** 굴복하다, 포기하다: "I cannot guess the answer." "Do you *give in*?" "답을 모르겠다." "포기하는 거야?"

give off (냄새·빛 등을) 내다, 방출하다: Cheap perfume *gives off* unpleasant odor. 싼 향수는 불쾌한 냄새를 발한다.

give oneself up to …에 몰두하다, 빠지다: He *gave* himself *up to* despair. 그는 절망에 빠졌다.

give out 1 배포하다, 나누어 주다: The teacher *gave out* the examination papers. 선생님은 시험지를 나누어 주셨다. **2** 다하다, 작동을 멈추다: He swam until his strength *gave out*. 그는 기진맥진해질 때까지 수영을 했다. / The food *gave out*. 양식이 떨어졌다.

give up 1 포기하다, 단념하다: I had to *give up* basketball because I hurt my knee. 무릎을 다쳐서 나는 농구를 포기해야만 했다. **2** 그만두다: He *gave up* smoking. 그는 담배를 끊었다.

■ **give와 함께 많이 쓰이는 표현**
give a speech 연설하다
give help 도와 주다
give ... a lift …를 차에 태워 주다
give ... advice …에게 충고를 하다
give ... a kiss …에게 키스하다
give ... a chance …에게 기회를 주다
give ... permission …에게 허락하다
give an explanation 설명하다
give information 정보를 주다

쁜, 반가운: I was *glad* at the news. 그 소식을 듣고 기뻤다. / I'm *glad* (that) he's feeling better. 그가 몸이 많이 좋아졌다니 기쁘다. **2** 기꺼이 (…하다): I will be *glad* to help you. 기꺼이 도와 드리지요. ⇨ gladly **— gladness** *n.*

G

■ 유의어 glad

glad, pleased 어떤 특정한 사건이나 상황에 대해 느끼는 감정을 표현할 때 쓴다. glad와 pleased는 명사 앞에 올 수 없다. **happy** 일반적인 감정 상태를 의미하며, 명사 앞에 올 수 있다.: a *happy* girl

gladiator [ɡlǽdièitər] *n.* 검투사; 논쟁자

gladly [ɡlǽdli] *adv.* 즐거이, 기꺼이: "Could you help me?" "Gladly." "저 좀 도와 주실 수 있어요?" "기꺼이 도와 드리죠."

glamor, glamour [ɡlǽmər] *n.* **1** 신비한 매력 **2** 마력, 마법
— **glamorous** *adj.* 매혹적인

glance [ɡlæns] *v.* [I] 힐끗 보다, 언뜻 보다, 대강 훑어보다: He *glanced* at the watch while he was talking. 그는 이야기를 하면서 시계를 힐끗 보았다. / *glance* at morning headlines 조간 신문의 표제를 훑어보다 / *glance* over a letter 편지를 대충 훑어보다
n. 힐끗 봄, 한번 봄
[숙어] **at a glance** 한눈에: I could tell it was Judy *at a glance.* 나는 한눈에 그게 주디임을 알 수 있었다.
at first glance ⇨ first

glare [ɡlɛər] *v.* [I] **1** 노려보다: He *glared* at me with anger. 그는 화가 나서 나를 노려보았다. **2** 번쩍번쩍 빛나다, 눈부시게 빛나다
n. **1** (보통 the glare) 번쩍이는 빛, 섬광: the *glare* of a car's headlights 자동차 전조등의 빛 **2** 날카로운 눈매, 노려봄

glaring [ɡlɛ́əriŋ] *adj.* **1** 명백한, 빤한: a *glaring* error (아무나 알 수 있는) 역력한 실책 **2** 번쩍번쩍 빛나는, 눈부신 **3** 노려보는 듯한
— **glaringly** *adv.*

*★**glass** [ɡlæs] *n.* **1** 유리 **2** 유리컵, 유리잔
— **glassful** *n. adj.* 컵 한 잔 분량(의)
glassware *n.* 유리 제품
※ 물질로서 유리는 셀 수 없는 명사이다. 그러나 컵, 잔 등의 제품은 셀 수 있는 명사이다.

glasses [ɡlǽsiːz] *n.* (*pl.*) 안경 [SYN] spectacles
※ glasses 자체가 복수이므로 '안경 하나'라고 할 때는 a pair of glasses라고 한다.

glassy [ɡlǽsi] *adj.* **1** (glassier-glassiest) 유리질의, 투명한 **2** (수면 등이) 거울처럼 반반한 **3** 생기 없는

glaze [ɡleiz] *v.* [T] **1** 유리를 끼우다: *glaze* a window 창문에 유리를 끼우다 **2** 유약을 바르다, 윤을 내다: He *glazed* potteries. 그는 도자기에 유약을 발랐다. / *glazed* fruit (윤을 내서) 겉이 번지르르한 과일 **3** (겉에) 설탕 시럽을 바르다: a *glazed* doughnut 설탕 시럽이 발라진 도넛
n. 유약칠; 유약

gleam [ɡliːm] *n.* **1** 어렴풋한 빛, (새벽 등의) 미광 **2** (감정·희망 등의) 번득임: a *gleam* of intelligence 지성의 번득임 / a *gleam* of hope 한 가닥 희망
v. [I] **1** 번쩍이다, 잠깐 보이다: The ring *gleamed* in the light. 불빛을 받아 반지가 반짝였다. **2** (생각·희망 등이) 번득이다, 어렴풋이 나타나다: His eyes *gleamed* with amusement. 그의 눈이 유쾌함으로 빛났다.
— **gleamy** *adj.*

glee [ɡliː] *n.* **1** 기쁨, 즐거움: She couldn't hide her *glee* when she opened her presents. 선물을 열어 봤을 때 그녀는 기쁨을 감추지 못했다. **2** 무반주 합창곡 (주로 남성 합창곡)
— **gleeful** *adj.* **gleefully** *adv.*

glide [ɡlaid] *v.* [I] **1** 미끄러지듯 나아가다, 미끄러지다 [SYN] slide **2** 글라이더를 타다: go *gliding* 글라이더 타러 가다 **3** (시간이) 흘러가다: The years *glided* by. 세월이 어느덧 지나갔다.

glider [ɡláidər] *n.* 글라이더 (엔진 없이 바람의 힘으로 나는 경비행기)

gliding [ɡláidiŋ] *adj.* 미끄러지는 (듯한)
n. [스포츠] 활공, 활주, 글라이더 경기

glimmer [ɡlímər] *n.* 희미한 빛, 가물거리는 빛: a *glimmer* of light in the distance

저 멀리 희미한 불빛
v. [I] 희미하게 빛나다, 깜빡이다
— **glimmering** *adj. n.*

glimpse [glimps] *n.* 흘끗 봄, 언뜻 봄
SYN glance
v. [T] 흘끗 보다
숙어 **catch〔get, have〕a glimpse of**
…을 흘끗 보다

glint [glint] *v.* [I] 반짝이다, 빛나다
n. 반짝임, 광택

glisten [glísn] *v.* [I] (젖은 표면이) 반짝이
다, 빛나다: Tears *glistened* in her eyes.
그녀의 눈에 눈물이 반짝였다.

glitter [glítər] *n.* **1** 반짝임, 빛남 **2** 광채,
반짝이는 작은 장식품: All is not gold
that *glitters*. [속담] 번쩍이는 것이 다 금은
아니다.
v. [I] 반짝반짝하다, 빛나다

global [glóubəl] *adj.* **1** 공 모양의 **2** 지구의,
세계적인: Pollution is a *global* problem.
오염은 세계적인 문제이다. **3** 전체적인 모양,
총체적인
— **globally** *adv.*

globalize, globalise [glóubəlàiz]
v. [I,T] 세계화하다, 전 세계에 퍼뜨리다〔미치
게 하다〕
— **globalization, globalisation** *n.*

Global Positioning System *n.*
(*abbr.* GPS) 전 지구 위치 파악 시스템

global village *n.* 지구촌 (통신의 발달로
일체화한 세계)

global warming *n.* 지구 온난화: *Global
warming* is an increase in the average
temperature of the earth's atmosphere,
caused by carbon dioxide. 지구 온난화
란 이산화탄소에 의해 지구 대기의 평균 온도가
올라가는 것을 말한다. *cf.* greenhouse
effect 온실 효과

globe [gloub] *n.* **1** (the globe) 지구:
70% of our *globe's* surface is water. 지
구 표면의 70%는 물이다. **2** 지구의 **3** 구(球),
공 SYN ball

gloomy [glú:mi] *adj.* (gloomier-
gloomiest) **1** 어둑어둑한, 어두운 SYN
dark **2** 울적한, 우울한: Don't be so
gloomy — cheer up! 너무 우울해하지 마.
힘내!
— **gloomily** *adv.* **gloominess** *n.*

glorify [glɔ́:rəfài] *v.* [T] **1** 찬미하다 **2** 칭
찬하다 **3** 미화하다: Many modern movies
glorify war and violence. 많은 현대 영화
들은 전쟁과 폭력을 미화하고 있다.

glorious [glɔ́:riəs] *adj.* **1** 영광스러운, 명
예로운 **2** 멋진, 훌륭한
— **gloriously** *adv.*

***glory** [glɔ́:ri] *n.* **1** 영광, 명예, 칭찬 **2** 장관,
미관: the *glory* of the sunrise 해돋이의
장관

gloss [glɔ:s] *n.* 윤, 광택; 광택나는 면
— **glossy** *adj.*

glossary [glásəri] *n.* 용어 풀이, 어휘

***glove** [glʌv] *n.* (보통 *pl.*) (손가락이 갈라진)
장갑, (야구·권투용) 글러브: a pair of
gloves 장갑 한 켤레 *cf.* mitten 벙어리 장갑

glow [glou] *v.* [I] **1** (불꽃 없이) 타다, 빨갛
게 타다: woods *glowing* with autumn
tints 가을의 단풍으로 불타고 있는 것 같은 숲
2 (볼이) 붉어지다, (어떠한 감정에 의해) 마음
이 타오르다, (자랑으로) 빛나다: Her face
glowed with joy. 그녀의 얼굴은 기쁨으로
홍조를 띠었다.
n. **1** 백열(광), 붉은 빛: the evening *glow*
저녁놀 **2** (몸·얼굴의) 달아오름

***glue** [glu:] *n.* 아교, 풀, 접착제
v. [T] 풀로 붙이다, 꼭 붙이다

GM *abbr.* ⇨ genetically modified

GNP *abbr.* gross national product 국민
총생산

GPS *abbr.* Global Positioning System 전
지구 위치 파악 시스템

***go** ⇨ p. 302

***goal** [goul] *n.* **1** 골, 결승점 **2** 골 (공을 넣
어 얻은 점), 득점 **3** 목적, 목표
— **goalkeeper** *n.* 골키퍼 **goalpost** *n.*

G

go

go [gou] *v.* [I] (went-gone) **1** 가다, 향하
다, 떠나다: go home 집으로 가다 / Is he
gone? 그가 떠났니? / go abroad 해외로 가
다 / This road goes to London. 이 길은 런
던 쪽으로 향하고 있다.

■ **용법 gone**
been 어느 곳에 갔다가 돌아온 경우에 go
의 과거분사형으로 쓰인다.: I've been to
Canada. I got back this afternoon.
나는 캐나다에 갔었다. 오늘 오후에 귀국했
다. **gone** 어느 곳에 갔는데 아직 돌아오지
않은 경우에 쓴다.: He's gone to
Europe. He'll be back soon. 그는 유
럽으로 떠났다. 곧 돌아올 것이다.

2 (어떤 목적으로) 가다: go for a walk
(drive, swim) 산책(드라이브, 수영)하러 가
다 / go shopping 장보러 가다 / go to bed
잠자리에 들다 / go to school (공부하러) 학교
에 가다 / go to church (예배보러) 교회에 가
다 ※ 건물이 본래의 목적으로 쓰이면 예문에서
처럼 관사를 붙이지 않는다. 그러나 친구가 나
를 찾으러 교회에 오면 He went to the
church.가 된다.
3 …한 상태가 되다: go deaf 귀가 멀다 / go
blind 소경이 되다 / go bad 나빠지다, 썩
다 / Her hair went white. 그녀의 머리가 하
얗게 됐다. / I'm going bald! 내가 대머리가
되고 있다니! / His complaints went
unnoticed. 그의 불만은 무시되었다.
4 (일이 …하게) 진행되다: How is it going?
=How are things going? 어떻게 지내십니
까? / Everything went well. 만사가 잘 되
었습니다. / What went wrong? 뭐가 잘못
된 거니? / "How did the game go?"
"We lost." "시합은 어떻게 됐어?" "우리가 졌
어."
5 (어떤 장소에) 놓이다, 들어가다: This book
goes on the top shelf. 이 책은 책꽂이 맨 위
에 꽂힌다. / The toys go in the toy box.

장난감들은 장난감 상자에 넣는다.
6 (상·재산·명예 등이) 주어지다, 넘겨지다:
The prize went to his rival. 상은 그의 상
대편에게 돌아갔다. / The property went to
his family after his death. 그가 죽은 후
재산은 그의 가족에게 넘어갔다.
7 (기계 등이) 작동하다, 움직이다: My watch
doesn't go. 내 손목시계가 가지 않는다.
n. **1** 차례 [SYN] turn **2** (a go) 한 번 시도
[숙어] **go after 1** …의 뒤를 쫓다: The
police went after the thief. 경찰은 도둑을
쫓았다. **2** …을 얻으려고 하다: Are you
going after the job? 너 그 직업을 얻으려고
하니?
go against 반항하다, 거스르다: Telling a
lie goes against my conscience. 거짓말을
하는 것은 내 양심에 거리낀다.
go ahead ⇨ ahead
go along 나아가다, (일 등을) 계속하다: It
gets easier as you go along. 점차 (진도가)
나아감에 따라 더 쉬워진다. [SYN] continue,
progress
go along with 찬성하다: I can't go
along with you. 네게 찬성할 수 없어.
go away 1 사라지다, 떠나다: Go away
and leave me alone! 꺼져. 날 좀 내버려
둬! / I took the painkiller but
toothache won't go away. 진통제를 먹었
는데도 치통이 사라지지 않는다. **2** (살던 곳을)
떠나다: I will be going away for a
while. 한동안 집을 떠나 있을 거야.
go back (to) 1 되돌아가다 **2** 거슬러 올라가
다: Their relationship goes back to when
they were at university together. 그들의
관계는 함께 대학에 다니던 시절까지 거슬러 올
라간다.
go by 1 (시간이) 경과하다, 흐르다: as time
goes by 시간이 지남에 따라 **2** …의 옆을 지나
다: I watched people go by. 나는 지나가는
행인들을 바라보았다. **3** …에 따라 행동하다:

go by the rules 규칙대로 행동하다

go down 1 (배 등이) 가라앉다 **2** 해가 지다: The sun *goes down* around 10 in summer in France. 프랑스에서는 여름에 10시경이 돼야 해가 진다. **3** (물가 · 가격 등이) 내리다

go for 1 공격하다 [SYN] attack **2** …도 해당되다: "John, you'd better study hard." "The same thing *goes for* you, too, Bill." "존, 너 좀 더 열심히 공부해야겠다." "너도 마찬가지야, 빌." **3** 선택하다: When you offer him candy, he always *goes for* the biggest one. 그에게 사탕을 권하면 그는 항상 제일 큰 것을 선택한다.

go off 1 폭발하다: A bomb had *gone off*. 폭탄이 폭발했다. **2** (경보 등이) 울리다: The alarm clock *went off* at 6 a.m. 자명종이 오전 6시에 울렸다. **3** (가스 · 수도 등이) 끊기다, 못쓰게 되다: Suddenly the lights *went off*. 갑자기 등이 나갔다. **4** 음식이 상하다

go on 1 (불이) 켜지다, (수도 등이) 나오다: The light *went on* after an hour. 한 시간 후에 불이 들어왔다. **2** (시간이) 지나다: As time *went on*, he became taller. 시간이 지남에 따라 그는 키가 커졌다. **3** (사건이) 일어나다: What's *going on* here? 여긴 대체 무슨 일입니까? **4** 계속하다: The meeting *went on* for hours. 회의는 몇 시간 동안 계속되었다. / *Go on.* What did you do next? 계속 말해 봐. 다음엔 무얼 했지?

go out 1 외출하다: Let's *go out* for dinner. 저녁은 나가서 외식하자. **2** (불이) 꺼지다: The light in the living room *went out*. 거실에 있는 등이 꺼졌다.

go over 1 (…을) 건너다, 넘다: The horse *went over* a fence. 말이 울타리를 넘었다. **2** 복습하다, (설명 등을) 되풀이하다: Could you *go over* the main points? 요점을 다시 설명해 주시겠습니까? **3** 면밀히 조사하다: I *went over* the contract, then signed it. 계약서를 잘 검토한 다음 서명했다. **4** (다른 파 · 적 측으로) 옮기다, 전향(개종)하다: She's *gone over* to the Democrats. 그녀는 민주당원으로 이적했다.

go through 1 통과하다: The needle *goes through* the cloth easily. 바늘은 천을 쉽게 통과한다. **2** (힘든 일을) 경험하다: He *went through* a difficult time after his wife died. 그는 부인이 죽은 후 힘든 시간을 보냈다. **3** (서류 · 문제 등을) 잘 조사하다 **4** 되짚어 보다, 복습하다

go up 오르다, 올라가다

it goes without saying that ... …은 물론이다, 말할 것도 없다: *It goes without saying that* it was a success. 그것이 성공이었던 것은 말할 것도 없다.

the story goes like this 이야기는 이러하다

골대

goat [gout] *n.* 염소

— **goatee** *n.* (사람의 턱에 난) 염소 수염

gobble [gάbəl] *v.* [I,T] 게걸스레 먹다

goblet [gάblit] *n.* 받침 달린 잔: Harry Potter and the *Goblet* of Fire 해리 포터와 불의 잔

goblin [gάblin] *n.* 악귀, 도깨비

god [gɑd] *n.* (God) 신, 하느님 *cf.* goddess 여신

[숙어] **for God's sake** 제발: *For God's sake*, stop it! 제발 좀 그만두지 못 해!

oh my God 맙소사, 이런, 세상에: *Oh, my God*! I got an A! 세상에! 내가 A를 받았어!

thank God 아아, 고마워라, 참 다행이야: *Thank God* you're all right. 무사하다니 정말 다행이야.

godfather [gάdfὰ:ðər] *n.* **1** [가톨릭] 대부 **2** 후원 육성자 *cf.* godmother 대모

goggles [gάgəlz] *n.* (*pl.*) (물 · 바람 · 먼지 등으로부터 눈을 보호하는) 보안경, 고글: ski *goggles* 스키 안경

gold [gould] *n.* **1** 금, 황금 **2** 부

adj. 금의, 금색의, 금으로 만든

golden [góuldən] *adj.* **1** 금빛의 **2** 귀중한, (기회 등이) 절호의

goldfish [góuldfiʃ] *n.* 금붕어

***golf** [gɑlf, gɔ(:)lf] *n.* 골프
— **golfer** *n.* 골퍼 (골프 치는 사람)

***good** [gud] *adj.* (better-best) **1** 좋은, 훌륭한: a *good* book 좋은 책 / a *good* movie 좋은 영화

2 즐거운, 유쾌한: It's *good* to be home again. 집에 다시 돌아오니 즐겁다. / Have a *good* time! 즐거운 시간을 보내! / *good* news 유쾌한 뉴스 [SYN] enjoyable, pleasant

3 유능한, 잘 하는: She's *good* with children. 그녀는 아이들을 잘 다룬다. / Are you *good* at science? 너 과학 과목을 잘 하니?

4 쓸모 있는, 적절한: a *good* idea 좋은 생각 / a *good* answer 적절한 대답 / a *good* day for fishing 낚시하기에 좋은 날 [SYN] useful, suitable

5 선량한, 착한, 품행이 좋은: He is a *good* man. 그는 착한 사람이다.

6 (건강·어떠한 상태에) 좋은, 효과가 있는: Fruit and vegetables are *good* for you. 과일과 야채는 당신의 건강에 좋습니다. / This cream is *good* for mosquito bites. 이 연고는 모기 물린 데 좋아.

7 친절한, 인정 있는: My neighbors were very *good* to me when my mother died. 어머니가 돌아가셨을 때, 이웃들이 내게 매우 따뜻하게 대해 주었다.

n. **1** 선(善), 미덕 **2** 이익, 이로움: public *good* 공익 **3** (*pl.*) ⇨ goods

[숙어] **a good(great) many** 매우 많은 ⇨ many

as good as (사실상) …나 매한가지인: Well, my homework is *as good as* finished. 글쎄, 내 숙제는 다 한 거나 매한가지야.

be(do) no good 아무 쓸모 없다, 소용 없

다: I tried to help her but it *was no good*. She wouldn't listen to me. 그녀를 도와 주려고 했지만 소용 없었다. 내 말을 들으려고 하지 않았다. / It *is no good* trying. 애써 본들 소용 없다.

be good at (-ing) …에 능숙하다, …을 잘하다: She *is good at* cooking. 그녀는 요리를 잘 한다. [OPP] be poor at

do … good …에게 이롭다, 도움이 되다: Smoking will not *do* you any *good*. 흡연은 몸에 좋지 않을 겁니다.

for good 영구히, 이를 마지막으로: Did you quit smoking *for good*? 담배를 영원히 끊은 거니? [SYN] for ever

for the good of … …(의 이익)을 위해서: He did it *for the good of* his family. 그는 그의 가족을 위해 그 일을 했다.

good for … 동안 유효(한): a license *good for* one year 1년간 유효한 면허증

good for you(him, her, etc) 잘 했다, 거 잘 됐다: "I got an A on my math test." "*Good for you!*" "수학 시험에서 A 받았어요." "잘 했구나!"

How good of you! 친절도 하셔라!

so far so good ⇨ far

What's the good of … ?, What good is it … ? 무슨 소용이 있는가?: *What's the good of* buying notebooks if you're not going to use them? 쓰지도 않을 공책을 사면 무슨 소용이 있니?

goodbye, good-bye, good-by [gùdbái] *int.* 안녕, 안녕히 가십시오, 안녕히 계십시오
n. 작별 인사: I waved *goodbye* to them. 나는 손을 흔들어 그들에게 작별을 고했다.

good-humored *adj.* 기분 좋은, 명랑한, 상냥한

good-looking *adj.* 잘생긴, 미모의

good-natured *adj.* (마음씨가) 착한, 고운

goodness [gúdnis] *n.* **1** 선량, 미덕 [SYN] virtue **2** 장점 **3** (감탄사적으로) 어이구, 저런: My *goodness!* 저런!

G

■ 용법 goodness

Goodness!, My goodness! '저런, 맙소사'의 뜻으로 놀라움을 표현한다.
Thank goodness! '고마워라, 잘 됐다'의 뜻으로 기쁨이나 안도감을 나타낸다.
For goodness' sake ... '제발 ···해라'는 의미로 누군가에 무엇인가를 하도록 시키거나 부탁할 때 상황이 급박하거나 시키는 사람이 매우 화가 났음을 나타낸다.

goods [gudz] *n.* (*pl.*) (단수형으로는 쓰이지 않음) **1** 물건, 물품, 상품 **2** 재산, 재화: Money can be exchanged for *goods* and services. 돈은 재화와 용역으로 교환될 수 있다.

goodwill, good will [gúdwíl] *n.* **1** 호의, 친절 **2** 친선: a *goodwill* visit to Korea 한국 친선 방문

goose [gu:s] *n.* (*pl.* geese) **1** 거위 **2** 바보 ※ 수거위는 gander, 새끼 거위는 gosling이라고 한다.

gooseberry [gú:sbèri] *n.* 구즈베리(의 열매)

goose bumps *n.* (추위·공포로 인한) 소름, 소름 돋은 피부: get *goose bumps* 소름 돋다 [SYN] goose flesh

gorgeous [gɔ́:rdʒəs] *adj.* **1** 호화로운, 찬란한, 눈부신 **2** 매력적인, 멋진: a *gorgeous* actress 매력적인 여배우
— **gorgeously** *adv.* **gorgeousness** *n.*

gorilla [gərílə] *n.* 고릴라

gosh [gɑʃ] *int.* 아이쿠, 큰일 났군

gospel [gɑ́spəl] *n.* **1** (예수가 가르친) 복음, 기독교의 교의 **2** (Gospel) 복음서 (Matthew, Mark, Luke, John의 네 권) **3** 진리, 사실: Don't take his every word as *gospel*. 그의 모든 말을 진실로 받아들이지 마라.

gossip [gɑ́sip] *n.* **1** 한담, 잡담, 남의 소문 이야기, 험담 **2** 수다쟁이
v. [I] 잡담하다, (남의 일을) 수군거리다: She's always *gossiping* with her friends about her neighbors. 그녀는 늘 친구들과 이웃 사람들 이야기로 수다떤다.

Gothic [gɑ́θik] *adj.* 고딕 양식의

gourd [guərd] *n.* 호리병박, 조롱박

*****govern** [gʌ́vərn] *v.* **1** [I,T] (국가·국민 등을) 통치하다, 다스리다: The country is now being *governed* by the Labor Party. 그 나라는 이제 노동당에 의해 통치된다. [SYN] rule **2** [T] (보통 수동태) 좌우하다: Prices are *governed* by supply and demand. 물가는 수요와 공급에 의해 좌우된다.

government [gʌ́vərnmənt] *n.* (*abbr.* govt. Govt.) **1** (보통 the Government) 정부 **2** 통치(권), 행정(권)
— **governmental** *adj.*

governor [gʌ́vərnər] *n.* **1** 통치자, 지배자 **2** [미] 주지사; (협회·은행 등의) 총재; 원장

gown [gaun] *n.* **1** 긴 웃옷, 가운, 야회용 드레스 **2** (판사·의사 등이 입는) 옷

grab [græb] *v.* (grabbed-grabbed) **1** [I,T] 움켜잡다, 잡아채다: He *grabbed* me by the arm. 그는 내 팔을 붙잡았다. **2** [T] 서둘러서 잡다: *grab* a taxi 급히 택시를 잡다 **3** [I] 덮치다 (at), 손을 쑥 뻗다 (for): *grab* at a chance 기회를 잡다
n. 움켜쥐기: She made a *grab* for the falling cup but missed. 그녀는 떨어지는 컵을 잡으려고 했으나 놓쳤다.

grace [greis] *n.* **1** 우아, 품위 **2** 감사 기도: say *grace* 식전의 기도를 드리다 **3** (Grace) 각하, 각하 부인 (His, Her, Your 등을 붙여 사용)
— **graceful** *adj.* **gracefully** *adv.*
[숙어] **fall from grace 1** (잘 하다가) 갑자기 주춤하다, (인기 등이) 갑자기 떨어지다: All went well at first, but now I *fell from grace*. 처음에는 모든 것이 순조로웠는데 지금은 갑자기 주춤하고 있다. **2** 몰락, 실추: We're not sure about the reasons for his apparent *fall from grace*. 우리는 그가 완전히 몰락해 버린 이유를 모른다.

with (a) good grace 쾌히, 자진하여: They accepted their defeat *with good grace.* 그들은 패배를 깨끗이 인정했다. OPP with (a) bad grace

gracious [gréiʃəs] *adj.* **1** 호의적인, 친절한, 정중한, 자비로운 **2** (부유한 사람들의 생활) 품위 있는, 우아한: *gracious* living 우아한 생활
— **graciously** *adv.* **graciousness** *n.*

*****grade** [greid] *n.* **1** 등급: I bought *grade* A beef. 나는 A등급 쇠고기를 샀다. **2** 성적 **3** 학년: I'm in sixth *grade.* 나는 6학년이야.
v. [T] 등급으로 나누다

grader [gréidər] *n.* …학년생: a fifth *grader* 5학년생

*****gradual** [grǽdʒuəl] *adj.* **1** 단계적인, 점차적인: the *gradual* increase of living cost 생활비의 점진적인 증가 **2** (경사가) 완만한
— **gradually** *adv.*

*****graduate** [grǽdʒuèit] *v.* **1** [I] 졸업하다 (from): She *graduated* in medicine from Edinburgh. 그녀는 에든버러 대학의 의학부를 졸업했다.
※ from 다음에는 학교명, in 다음에는 학과명을 쓴다.
2 [T] 졸업시키다, 배출하다: The university *graduates* 1,000 students every year. 그 대학은 매년 1천 명의 졸업생을 배출한다.
n. [grǽdʒuit] 졸업생: a high school *graduate* 고등학교 졸업생
adj. [grǽdʒuit] 졸업생의, 대학원의: *graduate* school 대학원

graduation [grædʒuéiʃən] *n.* 졸업, 학위 취득, 졸업식

graffiti [grəfíːtiː] *n.* (공공 도로나 건축물·공중 화장실 벽 등의) 낙서

*****grain** [grein] *n.* **1** 낟알, 곡물 **2** 극히 조금: There is not a *grain* of truth in his words. 그의 말에는 진실이라고는 조금도 없다.

*****gram, gramme** [græm] *n.* (*abbr.* g, gm) 그램

*****grammar** [grǽmər] *n.* **1** 문법 **2** (개인의) 말투, (문법에 맞는) 어법

grammatical [grəmǽtikəl] *adj.* 문법의, 문법에 맞는: *grammatical* error 문법상의 오류
— **grammatically** *adv.*

gramophone [grǽməfòun] *n.* ([미] phonograph) [영] 축음기
※ 현재는 record player가 더 일반적으로 쓰인다.

grand [grænd] *adj.* **1** 웅대한, 장대한 **2** 호화로운, 성대한: a *grand* house 호화로운 집

■ **접두사 grand-**
'일촌(一寸)의 차이가 있는'이란 뜻의 결합사: *grand*child 손주, *grand*dad 할아버지 (주로 어린이가 씀), *grand*daughter 손녀 *grand*father 할아버지, *grand*ma 할머니 (주로 어린이가 씀), *grand*mother 할머니, *grand*parents 조부모, *grand*son 손자

---

grandeur [grǽndʒər] *n.* **1** 웅대, 장엄, 장관 **2** 위대, 위엄, 위풍

grandiose [grǽndiòus] *adj.* **1** 웅장한 **2** 과장한, 과대한

granite [grǽnit] *n.* 화강암, 쑥돌

*****grant** [grænt] *v.* [T] **1** 주다, 수여하다: She was *granted* a pension. 그녀에게 연금이 주어졌다. **2** 승낙하다, 허가하다: The king *granted* that the prisoner should be freed. 왕은 죄수의 석방을 허락했다. / *grant* his wishes 그의 소원을 들어주다 **3** 인정하다: I *grant* that he is honest. 그가 정직하다는 것은 인정한다.
n. **1** 허가, 인가, 교부 **2** 하사금, 보조금
숙어 **granting(granted) that** 가령 …이라 할지라도: *Granting that* it is true, it does not concern me. 설사 그것이 사실이라도 나와는 아무 상관 없다.
take … for granted …이 당연하다고 생각하다, …을 승인된 것으로 여기다: He *took* it *for granted* all that his parents

did for him. 그는 그의 부모가 베풀어 준 모든 것을 당연한 것이라고 생각했다.

granule [ɡrǽnjuːl] *n.* 작은 알갱이, 과립: coffee *granule* 커피 분말
— **granulate** *v.*

***grape** [ɡreip] *n.* 포도
— **grape sugar** *n.* 포도당

grapefruit [ɡréipfrùːt] *n.* 그레이프프루트, 자몽

graph [ɡræf] *n.* 그래프, 도식, 도표

graphic [ɡrǽfik] *adj.* 1 그림의 2 그려 놓은 듯한 3 생생한: a *graphic* description of the car accident 자동차 사고에 대한 생생한 서술 4 도표로 표시된, 도표의
n. 1 시각 예술의 작품, 삽화 2 [컴퓨터] (화면의) 그림, 문자, 숫자, 도해, 도표
— **graphically** *adv.* **graphic design** *n.* 상업 디자인

grasp [ɡræsp] *v.* [T] 1 꽉 쥐다, 움켜잡다: He *grasped* me by the arm. 그는 내 팔을 움켜잡았다. / *Grasp* all, lose all. [속담] 욕심을 부리면 다 잃는다. 2 납득하다, 이해하다: I cannot *grasp* what you mean. 나는 네가 무슨 말을 하는지 이해할 수가 없다. SYN understand
n. 1 꽉 잡음 2 통제, 지배 3 이해

***grass** [ɡræs] *n.* 1 풀 2 목초, 풀밭 SYN meadow 3 잔디: Keep off the *grass*. 잔디밭에 들어가지 마시오.
— **grassy** *adj.* 풀이 무성한

grasshopper [ɡrǽshàpər] *n.* 메뚜기, 여치

grassland [ɡrǽslænd] *n.* 목초지, 초지, 초원

grate [ɡreit] *v.* 1 [T] (강판에) 갈다: Do you want some *grated* cheese on your spaghetti? 네 스파게티에 간 치즈 뿌릴래? 2 [I] 삐걱거리다: His chair *grated* as he sat on it. 그가 앉을 때 의자가 삐걱거렸다.
n. 1 (난로 등의) 쇠살대 2 쇠창살 3 벽난로
— **grater** *n.* 강판

***grateful** [ɡréitfəl] *adj.* 감사하고 있는, 고마워하는: He was *grateful* to me for what I had done for him. 그는 내가 그를 위해 한 일에 대해서 내게 고마워했다. OPP ungrateful
— **gratefully** *adv.*

■ 유의어 **grateful**
grateful 남의 호의에 감사하는 경우에 쓴다. **thankful** 행운에 대하여 신 등에게 감사하는 경우에 쓴다.

gratify [ɡrǽtəfài] *v.* [T] 1 기쁘게 하다: Beauty *gratifies* the eye. 아름다움은 눈을 즐겁게 한다. 2 (욕망 등을) 만족시키다: a *gratifying* result 만족스러운 결과
— **gratification** *n.*

gratitude [ɡrǽtətjùːd] *n.* 감사, 보은의 마음: He showed his *gratitude* to his teacher. 그는 선생님께 감사를 표했다.

grave [ɡreiv] *n.* 무덤 SYN tomb
adj. 1 (문제 · 사태 등이) 중대한, 예사롭지 않은: a *grave* situation 심각한 상황 OPP trivial 2 근심스러운 3 (표정이) 엄한, 진지한
— **gravely** *adv.*

숙어 **dig one's own grave** 파멸(위험)을 자초하다: He *dug his own grave* by making fun of the boss. 그는 사장을 놀려 위험을 자초했다.

gravel [ɡrǽvəl] *n.* 자갈
v. [T] 자갈을 깔다

gravestone [ɡréivstòun] *n.* 묘석, 비석

graveyard [ɡréivjàːrd] *n.* 묘지

gravitate [ɡrǽvətèit] *v.* [I,T] 1 중력(인력)에 끌리다, 끌어당기다: The earth *gravitates* toward the sun. 지구는 태양에 끌린다. 2 가라앉다

gravitation [ɡrævətéiʃən] *n.* 1 인력(작용), 중력: universal *gravitation* 만유인력 2 하강

gravity [ɡrǽvəti] *n.* 1 중력 2 중대함, 심상치 않음: You don't know the *gravity* of the situation. 너는 이 상황의 중요성을 몰라.

G

***gray, grey** [grei] *adj.* **1** 회색의, 잿빛의 **2** 백발이 성성한 **3** (날씨가) 흐린
n. 회색

graze [greiz] *v.* **1** [I] 풀을 뜯어 먹다: Goats were *grazing* on the field. 들판에서 염소들이 풀을 뜯어 먹고 있었다. **2** [T] 가볍게 스치며 지나가다 **3** [T] (살갗이) 스쳐서 벗겨지다: I fell off and *grazed* my knees. 넘어져서 무릎이 벗겨졌다.
n. **1** 방목, 목축 **2** 찰과상

grease [gri:s] *n.* **1** 기름기, 지방 **2** 윤활유
v. [T] 기름을 바르다
— **greasy** *adj.*

***great** [greit] *adj.* **1** 대단한, 고도의, 극도의: a *great* pain 극도의 고통 / The picnic was *great* fun. 소풍은 굉장히 재미있었다. / He began to learn Spanish with *great* enthusiasm. 그는 대단한 열의를 갖고 스페인 어를 배우기 시작했다. **2** 멋진, 근사한, 즐거운: It's *great* to be home. 집에 돌아오니 좋구나. / We had a *great* time at the amusement park. 우리는 놀이 공원에서 즐거운 시간을 보냈다. / That's *great*! 멋진데! **3** 중대한, 중요한: *great* issues 중요한 문제 **4** 위대한, 탁월한: a *great* man 위대한 사람 **5** 큰, 거대한: a *great* fire 큰 불 / a *great* city 대도시 **6** (the Great) … 대왕: Alexander the *Great* 알렉산더 대왕
— **greatness** *n.*

■ 접두사 **great-**
일대(一代)가 먼 촌수를 나타냄.: *great-aunt* 어머니(아버지)의 고모(종조모, 대고모), *great*-grandparents 할아버지(할머니)의 부모(증조부모), *great-great-*grandfather 할아버지의 할아버지(고조부)

greatly [gréitli] *adv.* 대단히, 매우, (비교의 표현과 함께) 훨씬: Her tennis skill has improved *greatly*. 그녀의 테니스 실력이 매우 좋아졌다.

greed [gri:d] *n.* 탐욕, 지나친 욕심

greedy [grí:di] *adj.* (greedier-greediest) 욕심 많은, 탐욕스러운 (for, of): a man *greedy* of money 돈을 몹시 탐하는 남자
— **greedily** *adv.* **greediness** *n.*

***green** [gri:n] *adj.* **1** 녹색의, 초록빛의 **2** 풀이나 나무 등으로 덮인: the *green* hills 푸른 언덕 **3** 야채의: a *green* salad 야채 샐러드
n. **1** 녹색 **2** 초원, 풀밭, 잔디밭 **3** (greens) 야채, 푸성귀
— **greenish** *adj.* 녹색을 띤 **green light** *n.* 파란 불 **green tea** *n.* 녹차

greenhouse [grí:nhàus] *n.* 온실

greenhouse effect *n.* 온실 효과: We began to experience global warming due to the enhanced *greenhouse effect*. 우리는 높아진 온실 효과 때문에 지구 온난화를 경험하기 시작했다. *cf.* global warming 지구 온난화

Greenpeace [grí:npì:s] *n.* 그린피스 (핵무기 반대·야생 동물 보호 등 환경 보호를 주장하는 국제적인 단체; 1969년 결성)

***greet** [gri:t] *v.* [T] **1** 인사하다 SYN say hello **2** 맞이하다, 환영하다: The news was *greeted* with a loud cheer. 커다란 환호로 그 소식을 접했다. SYN welcome

greeting [grí:tiŋ] *n.* **1** 인사: They exchanged *greetings*. 그들은 서로 인사를 나누었다. **2** (보통 *pl.*) 인사말, 인사장: Christmas *greetings* 크리스마스 축하 인사
— **greeting card** *n.* 축하장, 인사장

grenade [grənéid] *n.* 수류탄

greyhound [gréihàund] *n.* **1** 그레이하운드 (몸이 길고 날쌘 사냥개) **2** (Greyhound) 그레이하운드 (미국 최대 장거리 버스 회사; 상표명)

grid [grid] *n.* **1** 그리드, (지도의) 모눈, 격자 **2** 고압 송전선망; 도로망

grief [gri:f] *n.* (깊은) 슬픔, 비탄: Her *grief* at her cousin's death was deep. 사촌의 죽음에 대한 그녀의 슬픔은 깊었다. SYN sorrow

— **grief-stricken** *adj.* 슬픔에 젖은, 비탄에 잠긴

숙어 **come to grief 1** 재난을 만나다, 다치다: He *came to grief* on the icy road. 얼어붙은 도로에서 그가 사고를 당했다. **2** (계획이) 실패하다: All her plans for being a singer *came to grief*. 가수가 되고자 하는 그녀의 모든 계획이 실패했다.

grievance [grí:vəns] *n.* 불만, 불평의 씨: He has a *grievance* against his employer. 그는 고용주에게 불만이 있다.

grieve [gri:v] *v.* **1** [I] 몹시 슬퍼하다, 마음 아파하다 (at, about, for, over): *grieve* at bad news 슬픈 소식에 마음 아파하다 **2** [T] 슬프게 하다: It *grieved* me to see her unhappy. 그녀가 불행한 것을 보고 마음이 아팠다.

— **grievous** *adj.*

grill [gril] *n.* ([미] broiler) 석쇠, 그릴 *v.* [I,T] ([미] broil) 굽다, 구워지다: *grilled* chicken 구운 닭고기

grim [grim] *adj.* (grimmer-grimmest) **1** (얼굴 표정이) 매우 심각한, 매우 어두운: The prisoner has a *grim* look on his face. 죄수는 매우 어두운 얼굴을 하고 있다. **2** (사태·소식 등이) 냉혹한, 걱정되는 **3** (장소가) 그다지 매력적이지 않은

— **grimly** *adv.*

grimace [gríməs] *n.* 찡그린 얼굴: She made a *grimace* of pain. 그녀는 아파서 얼굴을 찡그렸다.

v. [I] 얼굴을 찡그리다

grin [grin] *v.* [I] (grinned-grinned) (이를 드러내고) 씩 웃다

n. 씩 웃음

grind [graind] *v.* [T] (ground-ground) **1** 빻다, 갈다, 가루로 만들다: *grind* wheat into flour 밀을 빻아서 밀가루를 만들다 **2** (칼 등을) 갈다 **3** 내리누르다, 문지르다: *grind* a cigarette into the ashtray 담배를 재떨이에 눌러 끄다 **4** 이를 갈다: *grind* one's teeth 이를 갈다

n. **1** 힘드는 일, 고역, 따분하고 고된 공부: the daily *grind* 지겹지만 매일 해야 하는 일 **2** 공부벌레

grinder [gráindər] *n.* 분쇄기: a coffee *grinder* 커피 분쇄기

grip [grip] *v.* [I,T] (gripped-gripped) **1** 꽉 쥐다, 꼭 잡다: He *gripped* my arm. 그는 내 팔을 꽉 잡았다. **2** (마음·주의·관심 등을) 끌다: The play *gripped* the audience. 그 연극은 관객을 사로잡았다.

n. **1** 꽉 쥠, 꽉 잡음 **2** (a grip) 파악, 이해 (on): I have a good *grip* on the situation. 나는 상황을 잘 파악하고 있다.

숙어 **take(get, keep) a grip (on)** 자제하다, 마음을 가라앉히다 OPP lose one's grip

grizzly [grízli] *adj.* (grizzlier-grizzliest) 회색의, 회색을 띤

n. 큰 회색 곰 (북아메리카 서부산) (grizzly bear)

groan [groun] *v.* [I] 신음하다, 괴로워하다: *groan* with pain 고통으로 신음하다

n. **1** 신음 (소리) **2** 불평(불만)의 소리

***grocery** [gróusəri] *n.* **1** (보통 *pl.*) 식료품류, 잡화류 **2** 식품점

— **grocer** *n.* 식료품 상인

groom [gru(:)m] *n.* **1** 신랑 (bridegroom) **2** 마부

v. [T] 손질하다, 돌보다: *groom* a horse 말을 손질하다

groove [gru:v] *n.* 가늘고 긴 홈

grope [group] *v.* [I] 손으로 더듬다, 더듬어 찾다: *grope* for a switch 스위치를 더듬어 찾다

gross [grous] *adj.* **1** (세금 등을 제하기 전) 총계의, 총액의: *gross* income 총수입 OPP net **2** (잘못·부정 등이) 큰, 엄청난, 심한: a *gross* mistake 큰 잘못 **3** 막돼먹은, 거친 **4** 뚱뚱한, 큰

— **grossly** *adv.*

gross domestic product ⇨GDP
gross national product ⇨GNP

G

grotesque [groutésk] *adj.* 괴상한, 기괴한, 그로테스크한

***ground** [graund] *n.* **1** (the ground) 지면, 땅, 토지: We sat on the *ground* and watched the ants. 우리는 땅바닥에 앉아서 개미들을 지켜보았다. **2** (특수 목적을 위한) 장소, 용지: baseball *grounds* 야구장 / a play*ground* 운동장, 놀이터 **3** (종종 *pl.*) 건물에 딸린 뜰, 마당 **4** (연구의) 분야 **5** (종종 *pl.*) 기초, 근거: on religious *grounds* 종교적인 이유로
v. [T] **1** …에 기초를 두다: His argument was *grounded* in fact. 그의 주장은 사실에 근거한 것이었다. **2** (항공기 등을) 이륙할 수 없게 하다: All the planes were *grounded* because of the snowstorm. 모든 항공편이 눈보라 때문에 이륙이 금지되었다. **3** (아이를) 외출 금지시키다: My parents *grounded* me for a week. 부모님은 나에게 일주일간 외출을 금지시키셨다. **4** [전기] 접지하다 ([영] earth)
— **groundless** *adj.* 근거 없는 **ground crew** *n.* (비행장의) 지상 정비원
[숙어] **on the ground that** …이라는 이유로: She bought a computer *on the ground that* it will save her more time. 그녀는 시간을 더 많이 절약한다는 이유로 컴퓨터를 한 대 샀다.

■ 유의어 ground
the Earth 우리가 살고 있는 지구. **land** 바다의 반대말로 때로는 사거나 팔 수 있는 육지. **the ground** 집·건물 등의 밖에 있을 때 발이 닿는 표면.: Don't sit on *the ground*. It's wet. 땅바닥에 앉지 마라, 젖어있다. **the floor** 실내의 바닥.: Don't sit on *the floor*. I'll get another chair. 바닥에 앉지 마세요. 의자를 더 가져올게요. **earth, soil** 식물이 자라는 토양.

---

ground floor *n.* ([미] first floor) [영] 1층 ⇨ floor

groundwork *n.* **1** 토대, 기초 **2** 기본 원리, 원칙 **3** (그림 등의) 바탕

group [gru:p] *n.* **1** 떼, 그룹, 집단, 무리: Students were standing in *groups* waiting for the bus. 학생들은 무리지어 서서 버스를 기다렸다. **2** 기업 그룹
v. [I,T] **1** 모이다, 모으다: Children *grouped* around the piano. 아이들이 피아노 주위로 모였다. **2** 분류하다: These flowers can be *grouped* according to their colors. 이 꽃들은 색에 따라 분류될 수 있다.
— **group-mind** *n.* 집단 심리, 군중 심리

grouping [grú:piŋ] *n.* **1** (이해·성격·목표 등이 서로 같아서) 모인 무리, 모인 사람들 **2** 모이는[모으는] 일, 무리를 이룸

grove [grouv] *n.* 작은 숲; (감귤류의) 과수원

***grow** [grou] *v.* (grew-grown) **1** [I] (크기·수량·길이 등이) 커지다, 늘어나다, 발전하다: The city is *growing* every year. 그 도시는 매년 발전하고 있다.
2 [I] 성장하다: a *growing* child 성장하는 아이 / Puppies soon *grow* into dogs. 강아지는 금방 개로 성장한다.
3 [I] 차차 …이 되다, …으로 변하다: *grow* tall 키가 자라다 / It *grew* darker and darker. 점점 더 어두워졌다. / He is *growing* to like me. 그는 나를 좋아하기 시작했다. [SYN] become
4 [T] (머리·수염 등을) 기르다: *grow* a moustache 콧수염을 기르다 / He has *grown* his hair long. 그는 머리를 길게 길렀다.
5 [I,T] (식물이) 자라다, 기르다: Some plants *grow* well in the shade. 어떤 식물들은 응달에서 잘 자란다. / I *grow* carrots in the garden. 나는 마당에 당근을 기른다.
[숙어] **grow into 1** (성장하여) …이 되다 **2** …할 만큼 커지다: She's *grown into* her new bicycle. 그녀는 새 자전거를 탈 수 있을 만큼 자랐다.

grow up 1 성인이 되다: I want to be an architect when I *grow up.* 나는 커서 건축가가 되고 싶다. **2** (감정 등이) 생기다: Secret settlements *grew up* between us. 우리 사이에 비밀스런 타협이 생겨났다.

growl [graul] *v.* [I,T] 으르렁거리다, 고함치다: The dog *growled* at me. 개는 나를 향해 으르렁거렸다.

　n. 으르렁거리는 소리

grown-up *n.* 성인, 어른 [SYN] adult

　adj. 성장한, 어른스런, 성숙한 [SYN] mature

growth [grouθ] *n.* **1** 성장, 발육, 발달: Calcium is important for children's *growth.* 칼슘은 아이들의 성장에 중요하다. / industrial *growth* 산업의 발달 **2** 증대, 증가: population *growth* 인구 증가

grudge [grʌdʒ] *n.* 원한, 악의: She has a *grudge* against him ever since he refused her favor. 그녀는 그가 그녀의 부탁을 거절한 이래로 그에게 원한을 품고 있다.

　v. [T] **1** …하기를 싫어하다 **2** 아까워하다: He *grudges* having to pay tax. 그는 세금 내는 것을 아까워한다. **3** 시기하다: Don't *grudge* another's success. 남의 성공을 시기하지 마라.

gruesome [grúːsəm] *adj.* 무시무시한, 섬뜩한

grumble [grʌ́mbəl] *v.* [I] **1** 불평하다, 툴툴대다: *grumble* at the food 음식에 대하여 불평하다 **2** (낮은 소리로) 꿍꿍거리다

grunt [grʌnt] *v.* [I,T] **1** 투덜투덜 불평하다, 으르렁거리며 말하다 **2** (돼지 등이) 꿀꿀거리다

　n. **1** 불평 소리 **2** 꿀꿀거리는 소리

guarantee [gæ̀rəntíː] *v.* [T] **1** 확언하다, 장담하다, 보장하다: Sunny Travel Agency *guarantees* the top-quality service. 써니 여행사는 최고의 서비스를 보장합니다. **2** 보증하다: This digital camera is *guaranteed* for a year. 이 디지털 카메라는 1년간 보증됩니다.

　n. 보증, 보증서

****guard** [gɑːrd] *n.* **1** 경호인, 수위: a prison *guard* 간수 **2** 경계, 망보기, 감시: Be on your *guard*—there are many pickpockets in this area. 주의해, 이 부근에는 소매치기가 많아.

　v. **1** [T] 지키다, 보호하다 **2** [I,T] 망보다, 감시하다

　[숙어] **keep guard** 파수 보다

　off guard 1 비번으로 **2** 방심하여

　on guard 1 당번으로 **2** 경계하여, 주의하여

guardian [gɑ́ːrdiən] *n.* **1** 감시인, 보호자 **2** [법] 후견인

　— **guardianship** *n.*

guerilla, guerrilla [gərílə] *n.* 게릴라, 비정규병

****guess** [ges] *v.* **1** [I,T] 추측하다, 짐작으로 말하다: I *guess* that he is about 40. 추측컨대 그는 40세 정도인 것 같다. **2** [I,T] 알아맞히다, 옳게 추측하다: *Guess* what I have in my hand. 내 손 안에 뭐가 있는지 맞혀 봐. **3** [T] …라고 생각하다: I *guess* I can get there in time. 시간에 맞춰 그 곳에 도착할 수 있을 겁니다. [SYN] suppose

　n. 추측, 억측

****guest** [gest] *n.* **1** 손님 **2** 숙박인

　[숙어] **be my guest** (간단한 청에 대한 승락으로서) 그러세요, 좋으실 대로: "Can I try out your MP3?" "*Be my guest.*" "네 MP3 한번 들어 봐도 돼?" "그래."

****guide** [gaid] *n.* **1** 길잡이, 입문서, 안내서 (guidebook) **2** 안내자, 가이드: a tour *guide* 관광 가이드

　v. [T] **1** 안내하다, 인도하다: A light in the distance *guided* him to the village. 멀리 보이는 불빛이 그를 마을로 인도했다. **2** 지도하다: Teachers *guide* students in their studies. 선생님들은 학생들의 공부를 지도한다.

　— **guidance** *n.*

guideline [gáidlàin] *n.* (보통 *pl.*) (장래 정책 등을 위한) 지침, 가이드라인

guild [gild] *n.* **1** (중세 유럽의) 장인·상인의 동업 조합, 길드 **2** 동업 조합

G

guilt [gilt] *n.* **1** 죄의식, 죄책감: I have a sense of *guilt* about not studying harder. 나는 더 열심히 공부를 하지 않는 것에 대해 죄책감이 든다. **2** 죄, 유죄: He confessed his *guilt*. 그는 자신의 죄를 고백했다. OPP innocence

*★**guilty** [gílti] *adj.* (guiltier-guiltiest) **1** 유죄의, 죄를 범한: *guilty* of murder 살인을 범한 / He pleaded *guilty*. 그는 유죄를 인정했다. OPP innocent **2** 떳떳하지 못한, 죄를 느끼고 있는: I felt so *guilty* about forgetting my mother's birthday. 나는 어머니의 생신을 잊어버려서 상당히 죄책감이 든다.
— **guiltily** *adv.*

Guinness [gínəs] *n.* **1** (the Guinness Book of Records) 기네스북 (영국의 맥주 회사인 Guinness가 매년 발행하는 세계 기록집) **2** 아일랜드산 흑맥주 (상표명)

guise [gaiz] *n.* 가장, 변장: The man in the *guise* of a beggar is actually a police officer. 거지를 가장한 저 남자는 실은 경찰관이다.

*★**guitar** [gitá:r] *n.* 기타: play the *guitar* 기타를 치다
— **guitarist** *n.* 기타 연주자

gulf [gʌlf] *n.* **1** 만: the *Gulf* of Mexico 멕시코만 **2** (the Gulf) 페르시아만: *Gulf* War 걸프 전쟁 (이라크의 쿠웨이트 침공에 대해 1991년에 미국이 주도한 다국적군이 이라크와 벌였던 전쟁) **3** (넘을 수 없는) 큰 간격: the *gulf* between theory and practice 이론과 실제의 차
v. [T] (집어) 삼키다
※ gulf는 bay보다도 큰 만을 말한다.: the *Bay* of Asan 아산만

gull [gʌl] *n.* **1** 갈매기 **2** 쉽게 속는 사람

gulp [gʌlp] *v.* **1** [I,T] 꿀꺽꿀꺽 마시다, 벌컥벌컥 마시다: She *gulped* water and ran outside. 그녀는 물을 벌컥벌컥 마시고는 밖으로 달려나갔다. **2** [T] 억제하다, 참다: He *gulped* down tears. 그는 눈물을 꾹 참았

다. **3** [I] (긴장하여 마른 침을) 꿀꺽 삼키다
n. **1** 꿀꺽꿀꺽 마심 **2** 한 모금

gum [gum] *n.* **1** 잇몸 **2** 고무풀, 풀 **3** 껌 (chewing gum) **4** 고무질 **5** 고무나무
v. [T] (gummed-gummed) 고무로 붙이다
— **gummy** *adj.* 고무(성)의, 접착성의

*★**gun** [gʌn] *n.* 총, 대포
v. [T] (gunned-gunned) 총으로 쏘다: The guards *gunned* down the fleeing convict. 간수가 도망치는 죄수를 사살했다.

gunfire [gʌ́nfàiər] *n.* 발포, 포격

gunman [gʌ́nmən] *n.* (*pl.* gunmen) 무장 경비원; 총기를 가진 악한

gunpowder [gʌ́npàudər] *n.* 화약

gunshot [gʌ́nʃàt] *n.* **1** 사격, 포격 **2** 착탄 거리

gurgle [gə́:rgəl] *v.* [I] (물 등이) 콸콸 흐르다, 콸콸 소리내다

gush [gʌʃ] *v.* **1** [I] 분출하다, 세차게 흘러나오다: Blood *gushed* from his nose. 그의 코에서 피가 마구 흘러나왔다. **2** [T] (액체를) 용솟음쳐 나오게 하다: The broken pipe *gushed* oil. 부서진 파이프에서 기름이 솟아나왔다.

gust [gʌst] *n.* 돌풍, 한바탕 갑자기 부는 바람
v. [I] (바람이) 갑자기 강하게 불다
— **gusty** *adj.*

gut [gʌt] *n.* **1** (guts) 내장, 창자 **2** (guts) 용기, 배짱: He has *guts*. 그는 배짱이 있다.
축어 **work(sweat) one's guts out** 고생을 마다하지 않고 (열심히) 일하다

gutter [gʌ́tər] *n.* **1** (처마의) 낙수홈통 **2** 수도, 배수구 **3** (the gutter) 빈민굴
v. [I] (불꽃 등이) 가냘프게 하늘거리다

guy [gai] *n.* **1** 사나이, 녀석: He is a nice *guy*; he always helps me with my homework. 그는 좋은 녀석이다. 항상 내 숙제를 도와 준다. SYN fellow **2** (guys) (성별 불문) 사람들: What do you *guys* want to have for dinner? 너희들 저녁으로 뭘 먹을래?

***gym** [dʒim] *n.* **1** 체육관 (gymnasium):
The *gym* has seats for 10,000
spectators. 그 체육관은 10,000명의 관람객
을 수용한다. **2** 체조 (gymnastics)

***gymnasium** [dʒimnéiziəm] *n.* (*pl.*
gymnasiums, gymnasia) ⇨ gym

gymnastics [dʒimnǽstiks] *n.* (실내에
서 하는) 체조, 체육 ⇨ gym

gypsy ⇨ gipsy

gyroscope [dʒáiərəskòup] *n.* 자이로스
코프, 회전 운동을 하는 물체 (gyro)

G

h H

ha [hɑ:] (또는 hah) *int.* **1** 허어, 어마 (놀람·기쁨·의심·주저·뽐냄 등을 나타내는 발성) **2** 하하 (웃음소리)

***habit** [hǽbit] *n.* 습관, 버릇: Habit is second nature. [속담] 제 버릇 개 못 준다. (습관은 제2의 천성.) / Old *habits* die hard. [속담] 세 살 버릇 여든까지 간다. (오래된 버릇은 고치기 힘들다.)

[속어] **be in the habit of -ing** …하는 버릇이 있다: She *is in the habit of* drink*ing* coffee in the morning. 그녀는 아침에 커피를 마시는 버릇이 있다.

break the habit 버릇을 고치다, 습관을 깨다: You should *break the* smoking *habit*. 너는 담배 피는 습관을 버려야 한다.

get(fall) into the habit of -ing …하는 버릇이 들다: He *got into the habit of* gett*ing* up very early. 그는 매우 일찍 일어나는 버릇이 생겼다.

make it a habit to do, make a habit of -ing …하는 것을 습관으로 하다, 습관적으로 …하다: She *made it a habit to* brush her teeth three times a day. 그녀는 매일 세 번 양치질을 하는 것을 습관으로 했다.

out of habit 습관적으로: I scratch my head *out of habit* when I'm nervous. 나는 불안하면 습관적으로 머리를 긁는다.

■ **유의어 habit**

habit 개인적인 습관, 버릇. **custom** 단체·지역 사회 또는 한 나라의 습관·관습.

---

habitat [hǽbətæt] *n.* **1** [생태] 서식 장소, 서식지: A lot of wildlife is losing its natural *habitat* nowadays. 요즈음 많은 야생 생물의 서식지가 줄어들고 있다. **2** 거주지, 주소

habitual [həbítʃuəl] *adj.* **1** 습관적인, 상습적인: a *habitual* liar 습관적인 거짓말쟁이 / a *habitual* smoker 상습적 흡연자 **2** 평소의, 여느 때와 같은: My grandfather took his *habitual* walk after dinner. 저녁 식사 후 할아버지는 평소처럼 산책을 하셨다.

— **habitually** *adv.*

hack [hæk] *v.* [I,T] **1** (도끼·칼 등으로) 거칠게 자르다, 난도질하다 (away, at): He *hacked* at the branch of the tree. 그는 나뭇가지를 쳐냈다. **2** [컴퓨터] (컴퓨터 시스템·데이터 등에) 불법 침입하다 (into)

— **hacking** *n.* 광적인 컴퓨터 조작, 해킹

hacker [hǽkər] *n.* 해커 (다른 사람의 컴퓨터 시스템에 불법으로 침입하는 사람)

had [hæd] *v.* have의 과거·과거분사

[속어] **had better (do)** …하는 편이 좋다: You *had better* hold your tongue. 너는 입을 다물고 있는 편이 좋다.

※ 부정은 had better not do.

had it not been for, if it had not been for …이 없었더라면: *Had it not been for* your advice, I should have been in trouble. 네 충고가 없었더라면 나는 곤란한 처지에 처했을 것이다.

※ 가정법 과거완료인 것에 주의한다. 가정법 과거는 were it not for이다.

had rather ... than …하는 편이 낫다, 차라리 …하고 싶다: I *had rather* be first here *than* second there. 거기서 둘째를 하기보다는 차라리 여기서 첫째를 하고 싶다.

haggard [hǽgərd] *adj.* 수척해진, 말라빠진, 야윈

hail [heil] *v.* **1** [T] 환호하여 맞이하다, …이

라고 부르며 맞이하다 (as): His paintings were *hailed* as masterpieces. 그의 그림들은 걸작이라고 찬양을 받았다. / *Hail* the King! 국왕 만세! **2** [T] …을 큰소리로 부르다: *hail* a taxi 택시를 소리쳐 부르다 **3** [I] 우박(싸락눈)이 내리다

n. **1** 우박, 싸락눈 **2** (우박처럼) 쏟아지는 것: a *hail* of bullets 빗발치듯 쏟아지는 총알

hailstone [héilstòun] *n.* 싸락눈, 우박

*★**hair** [hɛər] *n.* **1** 머리카락: She wears a long *hair*. 그녀는 긴 머리를 하고 있다. **2** (사람·짐승의) 털: There are cat *hairs* all over the place. Is she shedding *hairs*? 고양이 털이 사방에 묻어 있다. 털갈이하는 건가? **3** (-haired *adj.*) (복합어를 이루어) …한 머리카락(털)의: a red-*haired* man 붉은색 머리 남자 / a short-*haired* girl 짧은 머리 소녀 **4** (식물의) 털 (잎·줄기 표면의 잔털)

[숙어] **make one's hair stand on end** 머리를 쭈뼛하게 하다, 등골이 오싹하게 하다

hairbrush [hέərbrʌ̀ʃ] *n.* 머리 빗는 솔

haircut [hέərkʌ̀t] *n.* **1** 이발: I need a *haircut*. 나는 머리를 잘라야 겠다. **2** 머리형, 헤어스타일: How do you like my new *haircut*? 내 새 헤어스타일 어때?

hairdresser [hέərdrèsər] *n.* 미용사

※ 이발사는 barber라고 한다.

hair-raising [hέərrèiziŋ] *adj.* 소름이 끼치는, 머리가 쭈뼛해지는

hairstyle [hέərstàil] *n.* 헤어스타일

*★**half** [hæf] *n.* (*pl.* halves) 절반: The first *half* of the book was more interesting. 이 책의 초반부가 더 재미있었다. / "What time is it?" "It's *half* past two." "몇 시야?" "두 시 반이야." / Cut the apple in *half*. 사과를 반으로 쪼개라.

adv. 절반, 반쯤: The bottle is *half* empty. 병은 반쯤 비어 있다. / *half* cooked 반쯤 익힌

[숙어] **not do things by halves** (대충하지 않고) 완벽하게 처리하다

go halves (비용을) 평등하게 분담하다

■ **용법 half**

1 'half of + 명사'의 of는 종종 생략된다.: *half* (of) an apple 사과 반쪽 **2** 'half of' 다음에 대명사가 오면 생략되지 않는다.: *Half of* it is rotten. 그것의 반은 썩었다. **3** 'half of'가 주어일 경우 동사는 명사에 의해 결정된다.: *Half of* the banana is rotten. 바나나(한 개)의 반이 썩었다. / *Half of* the bananas are rotten. 바나나들 중의 반 정도가 썩었다.

half-hearted [hǽfhάːrtid] *adj.* 할 마음이 없는, 열의가 없는
— **half-heartedly** *adv.*

half-moon *n.* 반달; 반달 모양(의 것)

halftime [hǽftàim] *n.* [스포츠] 전반전과 후반전 사이의 중간 휴식

halfway [hǽfwèi] *adj. adv.* 도중의, 중간의; 도중에, 거의: We're almost *halfway* there. 우리는 거의 중간쯤에 왔어. / He went *halfway* up the stairs. 그는 계단 중간 부분까지 올라갔다. [SYN] midway

*★**hall** [hɔːl] *n.* **1** 홀, 집회장 **2** (종종 Hall) 공회당, (조합·협회 등의) 본부: a city *hall* 시청, 시의회 의사당 **3** 현관, 복도 [SYN] hallway

Halloween [hæ̀ləwíːn] *n.* 10월 31일 밤 (모든 성인(聖人)의 날 전야. 가장한 어린이들이 집집마다 다니며 "Trick or treat!"을 외치고 초콜릿과 캔디를 얻어 간다.)

halo [héilou] *n.* (*pl.* halo(e)s) **1** 후광 (그림에서 성인의 머리 위쪽에 나타내는 광륜) **2** (해·달의) 무리

halt [hɔːlt] *v.* [I,T] (짧은 시간 동안) 멈춰 서다, 멈추다, 정지하다: A bus *halted* at the bus stop. 버스가 버스 정류장에 멈춰 섰다. [SYN] stop

n. (멈추어) 섬, 정지, 휴지

[숙어] **come to a halt** 멈추다, 멈춰 서다: The concert *came to a halt* when the electricity went out. 전기가 나가서 음악

H

회를 중단했다.

ham [hæm] *n.* 햄

hamburger [hǽmbəːrgər] *n.* 햄버거

*****hammer** [hǽmər] *n.* 망치, 해머

v. **1** [I,T] 망치로 두드리다 (in, into): She *hammered* the nail into the wall. 그녀는 벽에 못을 두드려 박았다. **2** [I] 탕탕 두들기다

hammock [hǽmək] *n.* 해먹, 달아맨 그물 침대

hamper [hǽmpər] *v.* [T] 방해하다, 곤란하게 하다: Wind *hampered* our efforts to put out the fire. 바람이 불을 끄려는 우리의 노력을 방해했다.

n. (식료품·의복 등을 담는) 바구니, (보통 뚜껑 달린) 바스켓

hamster [hǽmstər] *n.* 햄스터

*****hand** [hænd] *n.* **1** 손 **2** (a hand) 조력, 도움: Give me a *hand*, will you? I can't carry them all. 나 좀 도와 줘. 나 혼자서는 다 나르지 못하겠어. **3** 시계 바늘: the hour (minute, second) *hand* 시(분, 초)침 **4** 일꾼: farm*hands* 농장 노동자 **5** (-handed *adj.*) (복합어를 이루어) …의 손을 가진, …(쪽)으로 도는: heavy-*handed* 솜씨 없는, 서툰 / right(left)-*handed* 오른손(왼손)잡이인

v. [T] 건네주다, 넘겨주다, 주다: *Hand* me the salt, please. 소금 좀 건네주세요.

[숙어] (at) **first hand** 직접: Did you hear this news *first hand*? 이 뉴스를 직접 들은 거니? ⇨ second-hand

(**close, near**) **at** (**on**) **hand 1** 바로 가까이에: I always have my dictionary *at hand*. 나는 항상 사전을 가까이에 둔다. **2** 장래에, 곧

from hand to mouth 하루 벌어 하루 사는

get (**lay**) **one's hand on** …을 손에 넣다, …을 붙잡다: They all want to *get their hands on* the answer sheet. 그들 모두가 답안지를 얻고 싶어한다.

give a big hand 박수갈채하다

give (**lend**) **a hand** 도움을 주다

hand down 1 (후세에) 전하다: The ring had been *handed down* from her grandmother. 그 반지는 그녀의 할머니에게서 물려받은 것이었다. **2** (판결을) 내리다, 언도하다; 공표하다: The judge *handed down* heavy sentences to him. 판사는 그에게 중형을 내렸다.

hand in 제출하다: *Hand* your homework *in*, please. 숙제를 내세요.

hand in hand 1 손잡고: They were walking *hand in hand*. 그들은 손을 잡고 걸어가고 있었다. **2** 동시에 일어나는, 깊은 연관이 있는: Flood and disease often go *hand in hand*. 홍수와 질병은 종종 연관이 있다.

hand out 나눠 주다: She *handed out* the books to us. 그녀는 우리에게 책을 나눠 주었다.

hand over 넘겨주다, 양도하다

hands up 1 손을 들다: *Hands up*, who would like to have sandwiches? 샌드위치 먹을 사람 손 들어. **2** (총을 든 사람이 다른 사람에게) 손 들어

hold hands 서로 손을 잡다

in hand 제어하고, 지배하에: The situation is *in hand*. 상황은 잘 통제되고 있다. [SYN] under control [OPP] out of hand

on the other hand 또 (다른) 한편으로는, 이와 반대로: Cars are very useful, but *on the other hand* they cause too much air pollution. 자동차는 매우 편리하지만 다른 한편으로는 심한 공기 오염의 원인이기도 하다.

shake hands 악수하다

handbag [hǽndbæg] *n.* ([미] purse) 핸드백, 손가방

handball [hǽndbɔ̀ːl] *n.* [스포츠] 핸드볼

handbook [hǽndbùk] *n.* 안내서, 편람

handcuffs [hǽndkʌ̀fs] *n.* (*pl.*) 수갑

handful [hǽndfùl] *n.* **1** 한 움큼, 한 줌: a

handful of salt 소금 한 줌 **2** 소량, 소수: Only a *handful* of people came to the meeting. 소수 인원만이 회의에 참석했다.

handicap [hǽndikæp] *n.* **1** 불이익, 불리한 조건: Not speaking English is a *handicap* in this country. 이 나라에서 영어를 못 한다는 것은 불리한 일이다. **2** [경기] 핸디캡: The runner has a *handicap* of 100 meters. 그 선수는 100미터 뒤에서 출발해야 하는 핸디캡이 있다. **3** 신체 장애 ※ 종종 무례한 표현으로 사용되니 가급적 이 표현은 삼간다.
v. [T] (handicapped-handicapped) 불리한 입장에 두다, 방해하다

handicapped [hǽndikæpt] *adj.* 신체 〔정신〕적 장애가 있는, 불구의

handicraft [hǽndikræft] *n.* (보통 *pl.*) 수공예, 수공예품

*__**handkerchief** [hǽŋkərtʃif] *n.* (*pl.* handkerchiefs, handkerchieves) 손수건

*__**handle** [hǽndl] *v.* [T] **1** …에 손을 대다: Wash your hands before you *handle* food. 음식을 만지기 전에 손을 씻어라. **2** 처리하다, 취급하다; (사람을) 대우하다: Do you think you can *handle* the job? 그 일을 잘 처리할 수 있다고 생각하십니까? / He really knows how to *handle* people. 그는 사람들을 어떻게 다뤄야 하는지 잘 안다.
n. 핸들, 손잡이

handmade [hǽndméid] *adj.* 손으로 만든

handout [hǽndàut] **1** 배포 인쇄물, 유인물 **2** 거지에게 주는 물건 (돈 · 음식 · 의복 등)

handshake [hǽndʃèik] *n.* 악수

*__**handsome** [hǽnsəm] *adj.* **1** (남자가) 잘생긴, 풍채 좋은, 단정한 **2** 꽤 큰, 상당한 (금액 · 재산 등): a *handsome* fortune 상당한 재산
— **handsomely** *adv.* 훌륭하게, 당당히

handwriting [hǽndràitiŋ] *n.* 손으로 씀, 필적

handwritten [hǽndrìtn] *adj.* 손으로 쓴

handy [hǽndi] *adj.* (handier-handiest) **1** 다루기 쉽고 편리한: a *handy* machine 다루기 쉬운 기계 **2** 가까이 있는, 곧 소용에 닿는: Keep a pen and paper *handy*. 펜이랑 종이를 가까이에 둬라. **3** 능숙한, 솜씨 좋은: He's *handy* with a computer. 그는 컴퓨터를 능숙하게 다룬다.
— **handyman** *n.* 손재주가 있는 남자, 잡역부
[숙어] **come in handy** 쓸모 있다, 곧 쓸 수 있다: Don't throw them away. They might *come in handy*. 그것들을 버리지 마. 쓸 데가 있을 수도 있어.

*__**hang** [hæŋ] *v.* (hung-hung) **1** [I,T] 매달다, 걸다, 매달리다: *Hang* your coat on the hanger. 옷걸이에 네 코트를 걸도록 해. / He is looking at the picture *hanging* above. 그는 머리 위에 걸려 있는 그림을 보고 있다. **2** [T] (hanged-hanged) 목매달다, 교수형에 처하다: *hang* oneself 목매달아 자살하다 / He was *hanged* for murder. 그는 살인죄로 교수형에 처해졌다. **3** [I] 허공에 뜨다, 공중에 떠돌다 (above, over): Fog *hung* over the city. 안개가 도시 상공에 자욱이 끼어 있었다. / It seemed to *hang* in the air. 그것은 공중에 떠 있는 것처럼 보였다.
[숙어] **hang about** 〔around〕 어슬렁〔꾸물〕거리다, 배회하다; 근방에 있다: I *hung about* for an hour but she didn't come. 한 시간 동안 배회했으나 그녀는 오지 않았다. / Don't *hang about*, we have a train to catch! 꾸물거리지 마라, 기차 타야 하니깐!

hang on 1 잠시 기다리다: "May I speak to Alice?" "*Hang on*." "앨리스 좀 바꿔 주세요." "잠시만요." / *Hang on*, I'm coming. 잠깐만 기다려, 갈게. **2** 꼭 붙잡다, 매달리다: *Hang on* to the rope! 밧줄을 꼭 붙잡아!

hang over (불안 등이) 괴롭히다: The test results are still *hanging over* me. 시험 점수가 여전히 날 괴롭힌다.

hang up 1 (물건을) 걸다, 매달다: *Hang up* your coat, please. 코트를 걸어 주세요. **2** 전화 수화기를 놓다, 전화를 끊다: Let me speak to Mary before you *hang up*. 전화를 끊기 전에 메리와 통화 좀 하자.

hanger [hǽŋər] *n.* **1** 옷걸이 (coat (clothes) hanger) **2** (옷·칼 등을 거는) 고리, 갈고리

hang gliding *n.* 행글라이딩

hangman [hǽŋmən] *n.* **1** 교수형 집행인 **2** (게임) 사람이 교수형에 처해지는 그림이 완성되기 전에 단어를 맞추는 게임

haphazard [hæphǽzərd] *adj. adv.* 우연한(히); 되는대로(의)
— **haphazardly** *adv.*

***happen** [hǽpən] *v.* [I] **1** 일어나다, 생기다: Tell me what *happended*. 무슨 일이 일어났는지 말해 줘. **2** 마침(공교롭게) …하다, 우연히 …하다 (to): I *happened* to meet her in the library. 나는 도서관에서 우연히 그녀를 만났다.

■ **유의어** happen
happen, occur 대개의 경우 계획되지 않은 사건을 말함. occur는 happen보다 격식을 차린 말. **take place** 사건이나 일어난 일 등이 사전에 계획된 것일 때 사용함.: The wedding *took place* on May 5th. 결혼식은 5월 5일에 있었다.

---

happening [hǽpəniŋ] *n.* (종종 *pl.*) 사건, 사고

***happy** [hǽpi] *adj.* (happier-happiest) **1** 행복한, 즐거운, 기쁜: *Happy* are those who are contented. 만족하고 있는 사람들은 행복하다. [OPP] unhappy, sad **2** 만족: I'm not very *happy* with your test results. I expected more from you. 나는 네 시험 점수에 만족할 수가 없어. 너에게 이 이상을 기대했었는데. **3** (축복·축하의 말) … 축하합니다: *Happy* Birthday! 생일 축하합니다! **4** 행운의, 운 좋은: I met her by a *happy* accident. 운 좋게 그녀를 만났다.

[SYN] lucky [OPP] unhappy
— **happily** *adv.* **happiness** *n.*

harass [hǽrəs] *v.* [T] 괴롭히다, 애먹이다
— **harassment** *n.*

harassed [hǽrəst] *adj.* 매우 지친, (고민 등으로) 몹시 시달린

***harbor, harbour** [hɑ́ːrbər] *n.* **1** 항구, 배가 닿는 곳 **2** 피난처, 은신처
※ harbor는 항구의 수면을, port는 도시를 중요시한 표현이다.
v. **1** [T] 피난처를 제공하다, (죄인 등을) 숨기다 **2** [T] (악의 등을) 품다 **3** [I] 항구에 정박하다

***hard** [hɑːrd] *adj.* **1** 굳은, 단단한: These nuts are too *hard* to crack. 이 호두는 너무 딱딱해서 깰 수 없다. [OPP] soft **2** 곤란한, 어려운, 하기 힘든: *hard* work 힘이 드는 일 / He finds it *hard* to give up smoking. 담배를 끊는 것이 그에게는 어렵다. / This book is *hard* to understand. 이 책은 이해하기 어렵다. / have a *hard* time 고생하다 [OPP] easy **3** 열심인, 근면한: a *hard* worker 근면한 사람, 노력가 **4** (기질·성격·행위 등이) 엄한, 무정한: a *hard* greedy landlord 냉정하고 탐욕스런 집주인 / a *hard* look 냉엄한 표정 **5** (사실·증거 등이) 엄연한, 확실한: *hard* facts 엄연한 사실 **6** (날씨가) 거친, 험악한: a *hard* winter 엄동 / a *hard* frost 심한 서리 [OPP] mild **7** (물이) 경질(硬質)인 (비누가 잘 안 풀리는), 염분을 포함하는: *hard* water 경수(硬水) [OPP] soft
adv. **1** 열심히, 애써서: work *hard* 열심히 일 (공부)하다 / hold on *hard* 단단히 붙들고 놓지 않다 **2** 몹시, 심하게: It rained *hard*. 비가 몹시 왔다. / She hit him *hard*. 그녀가 그를 세게 때렸다.

[숙어] **be hard on** …에게 심하게 굴다: Don't *be* too *hard on* her—she's new to the job. 그녀에게 너무 심하게 굴지 마. 그녀는 이 일이 처음이잖아.

give ... a hard time …를 힘들게 하다,

시련을 주다

the hard way 1 고생하면서 **2** (쓰라린) 경험에 의해

hardboard [háːrdbɔ̀ːrd] *n.* (목재 대용의) 하드보드

hard-boiled [háːrdbɔ́ild] *adj.* (달걀 등을) 단단하게 삶은 **2** 무정한, 냉철한 **3** [문학] 비정한, 하드보일드의 (감상적인 데 없이 순객관적으로 표현하며 도덕적 비판을 가하지 않음)

hard core *n.* **1** (정당 등의) 핵심, 중핵 **2** (사회·조직의) 비타협 분자, 강경파 **3** 하드코어 록(음악)

hard-core *adj.* (포르노 영화·소설 등) 성 묘사가 노골적인

hardcover [háːrdkʌ́vər] *adj. n.* 두꺼운 표지의 (책)

hard disk *n.* **1** [컴퓨터] 하드 디스크 (자성체를 코팅한 금속 원판으로 된 자기 디스크 장치) *cf.* floppy disk **2** 하드 디스크 장치 (hard disk drive)

harden [háːrdn] *v.* **1** [I,T] 굳히다, 딱딱하게 하다, 딱딱해지다: Chocolate *hardens* as it cools. 초콜릿은 식으면서 단단해진다. / *harden* one's attitude 입장을 굳히다 **2** [T] (주로 수동태) (마음을 …에 대해) 무정하게 하다, 무감각하게 하다 (to): He's *hardened* to poverty. 그는 가난에 무감각해졌다. **3** [I] (얼굴·목소리 등이) 굳어지다, 심각해지다

*hardly [háːrdli] *adv.* 거의 …아니다: I *hardly* know her. 그녀와는 거의 안면이 없다. / There's *hardly* any milk left. 우유가 거의 없다. / He *hardly* ever goes to bed before midnight. 그가 자정 전에 잠자리에 드는 일이란 좀처럼 없다. [SYN] barely, scarcely

[숙어] **hardly ... when(before)** …하기가 무섭게, …하자마자: The man had *hardly* seen the police *before* he ran away. =*Hardly* had the man seen the police *before* he ran away. 그 남자는 경

찰을 보자마자 도망쳤다.

※ hardly는 준부정어이므로 문장의 첫머리에 오면 주어와 동사가 도치된다.

hardship [háːrdʃip] *n.* 고난, 고초, 곤경: economic *hardship* 경제적인 어려움

hardware [háːrdwèər] *n.* **1** 철물, 금속 제품; (일에 필요한) 기계 설비, 기기 **2** (일반적) 병기, 무기 (전차·총포·항공기·미사일 등) *cf.* software **3** (컴퓨터·로켓 등의 전자 기기의 총칭) 하드웨어 *cf.* software 소프트웨어

hard-working [háːrdwə̀ːrkiŋ] *adj.* 근면한, 열심히 일(공부)하는

hardy [háːrdi] *adj.* (hardier-hardiest) **1** 내구력이 있는, 고통에 견디는, 튼튼한 **2** [원예] 내한성의

hare [hɛər] *n.* 산토끼

harem [hɛ́ərəm] *n.* (회교국의) 후궁, 후궁들이 사는 건물

*harm [haːrm] *n.* 해, 상해, 손해: There is no *harm* in doing so. 그렇게 해도 해는 없다. / He meant you no *harm*. 그가 너를 해하려고 했던 것은 아니었다.

v. [T] 해치다, 상처를 입히다

[숙어] **come to harm** 다치다, 불행(고생)을 겪다: Make sure the children don't *come to* any *harm*. 아이들이 다치지 않도록 확실히 해라.

do ... harm, do harm to ... …를 해치다, …에게 해를 끼치다: These herbs will *do* you no *harm*. 이 풀들은 해를 끼치지는 않을 것이다.

do more harm than good 유해무익하다, 득보다는 해가 된다

no harm done 전혀 이상 없는, 피해 무(無): "I'm sorry." "It's all right. *No harm done.*" "미안해." "괜찮아. 아무렇지도 않아."

harmful [háːrmfəl] *adj.* 해로운, 해가 되는 (to): Smoking is *harmful* to your health. 흡연은 건강에 해롭다.

harmless [háːrmlis] *adj.* 해가 없는, 무

해한; 악의 없는: *harmless* insects 무해한 곤충
— **harmlessly** *adv.*

harmonic [ha:rmánik] *adj.* **1** 조화된 **2** [음악] 화성의

harmonica [ha:rmánikə] *n.* 하모니카

harmonious [ha:rmóuniəs] *adj.* **1** 조화된, 균형 잡힌 **2** 화목한, 사이가 좋은: a *harmonious* family 화목한 가정 **3** [음악] 가락이 맞는, 듣기 좋은
— **harmoniously** *adv.*

harmony [há:rməni] *n.* **1** 조화, 화합: *harmony* between labor and management 노사 간의 화합 **2** [음악] 화성
— **harmonize** *v.*

속어 **in harmony (with)** 조화되어, 사이 좋게: Your writing is not *in harmony with* the subject. 너의 작문은 주제와 맞지 않는다.

harness [há:rnis] *n.* (마차용) 마구
v. [T] **1** (말에) 마구를 채우다 **2** (자연력을) 동력으로 이용하다

harp [ha:rp] *n.* 하프
— **harpist** *n.* 하프 연주자

harpoon [ha:rpún] *n.* (고래잡이용) 작살
v. [T] 작살로 잡다

***harsh** [ha:rʃ] *adj.* **1** 호된, 모진, 가혹한 (with, to): a *harsh* winter 모진 겨울 / a *harsh* punishment 엄벌 / She was *harsh* to her maid. 그녀는 하녀에게 엄했다. SYN severe **2** (소리·음이) 사나운, 귀에 거슬리는 **3** (빛깔 등이) 야한, 난한
— **harshly** *adv.* **harshness** *n.*

***harvest** [há:rvist] *n.* **1** 수확, 추수: We had a good *harvest* last year. 작년에는 풍작이었다. SYN crop **2** 수확기 **3** 수확물 (량): a good (rich) *harvest* 풍작 / a bad (poor) *harvest* 흉작
v. [I,T] 수확하다
— **harvester** *n.* 벌채 기계; 수확자

***haste** [heist] *n.* 급함, 서두름: It is obvious that she dressed in *haste*. 그

녀가 급히 옷을 입었다는 것이 명백하다. SYN hurry

속어 **make haste** 서두르다

hasten [héisn] *v.* **1** [I] 서둘러 행하다: He *hastened* upstairs. 그는 급히 2층으로 올라갔다. / I *hastened* to apologize. 나는 서둘러 사과했다. **2** [T] 서두르다, 빠르게 하다, 재촉하다: She *hastened* her departure. 그녀는 출발을 앞당겼다.

hasty [héisti] *adj.* (hastier-hastiest) **1** 급한, 바쁜 서두는: I had a *hasty* breakfast. 나는 급히 아침을 먹었다. **2** 경솔한: a *hasty* decision 경솔한 결정
— **hastily** *adv.* **hastiness** *n.*

*****hat** [hæt] *n.* (테가 있는) 모자 *cf.* cap (테 없는) 모자

속어 **I'll eat my hat if ...** 만일 …한다면 손에 장을 지지겠다, …같은 일은 절대 없다

pass(send) (round) the hat, go round with the hat (모자를 돌려) 기부금을 걷다(모으다)

take one's hat off to …에게 경의를 표하다

hatch [hætʃ] *v.* **1** [I,T] (알·병아리가) 부화하다(시키다) (out): Seven chicks *hatched* today. 오늘 병아리 일곱 마리가 부화했다. / Don't count your chickens before they are *hatched*. [속담] 떡 줄 놈은 생각도 않는데 김칫국부터 마신다. (부화하기도 전에 병아리 수를 세지 마라.) **2** [T] (음모 등을) 꾸미다, (계획을) 비밀리에 세우다: They *hatched* a plot to rob a bank. 그들은 은행을 털 음모를 꾸몄다.
n. **1** (갑판의) 승강구; [항공] 출입(비상)구 (항공기·우주선의 출입문·비상구) **2** (마루·지붕·천장 등에 만든 출입구의) 뚜껑

hatchet [hætʃit] *n.* 자귀, 손도끼
속어 **bury the hatchet** 화해하다

*****hate** [heit] *v.* [T] **1** 몹시 싫어하다, 증오하다: I *hate* spinach. 나는 시금치를 싫어한다. / He *hates* to tell lies. 그는 거짓말하는

것을 몹시 싫어한다. **2** 유감으로 여기다: I *hate* to bother you, but could you show me how to solve question 5? 귀찮게 해서 미안한데 5번 문제를 어떻게 푸는지 알려 줄 수 있겠니?

n. 혐오, 증오

hateful [héitfəl] *adj.* 미운, 지겨운, 싫은 SYN horrible

hatred [héitrid] *n.* 증오, 원한, 혐오, 몹시 싫음 (for, of): She felt *hatred* for her mother for the first time. 처음으로 그녀는 어머니에 대해 증오를 느꼈다.

hat-trick *n.* 혼자 3골 획득 (아이스하키, 축구 등)

haughty [hɔ́:ti] *adj.* (haughtier-haughtiest) 오만한, 건방진
— **haughtily** *adv.* **haughtiness** *n.*

haul [hɔ:l] *v.* [T] **1** 세게 잡아 끌다, 끌어당기다 **2** (차로) 운반하다
n. **1** 세게 끌기, 견인, 운반(거리) **2** 훔치거나 잡거나 모은 것: a good *haul* of fish 풍어, 많은 어획량

haunt [hɔ:nt] *v.* [T] **1** (유령 등이) 나오다: That house is *haunted*. Never go in there. 저 집은 유령이 나와. 절대로 들어가서는 안 돼. **2** (수동태) (생각 등이) 늘 붙어 따라다니다: He was *haunted* by the fear that he will fail the exam. 시험에 낙제하리라는 두려움이 그를 항상 따라다녔다.
n. 자주 드나드는 곳: This park is a favorite *haunt* of mine. 이 공원은 내가 좋아서 자주 가는 장소 중 하나이다.
— **haunting** *adj.* 잊혀지지 않는

haunted [hɔ́:ntid] *adj.* 유령이 나오는: a *haunted* house 유령이 나오는 집

*****have** ⇨ p. 322

haven [héivən] *n.* **1** 안식처, 피난처 **2** 항구, 정박소

havoc [hǽvək] *n.* **1** 대혼란, 대혼잡: The failure of the bank's computer system caused *havoc*. 은행의 컴퓨터 시스템이 고장나서 큰 혼란을 빚었다. SYN

confusion **2** 대황폐

hawk [hɔ:k] *n.* 매
v. [T] 행상하다
— **hawker** *n.* 행상인; 매부리, 매사냥꾼

hay [hei] *n.* 건초: Make *hay* while the sun shines. [속담] 호기를 놓치지 마라. (해가 있을 때 풀을 말려라.)
숙어 **hit the hay** 잠자다 SYN go to bed

haystack [héistæk] *n.* 건초더미

hazard [hǽzərd] *n.* 위험, 위험 요소: health *hazard* 건강을 해치는 위험 요소 / fire *hazard* 화재 요인
v. [T] **1** 알아맞혀 보다: Can you *hazard* a guess as to how old she is? 그녀가 몇 살인지 알아맞혀 볼래? **2** 운에 맡기고 해보다, 모험하다

hazardous [hǽzərdəs] *adj.* 위험한, 모험적인 SYN risky

haze¹ [heiz] *n.* **1** 아지랑이, 안개 SYN mist **2** (투명한 액체·고체 등의) 흐림, 탁함 **3** 정신이 몽롱함

■ 유의어 **haze**
fog는 **mist**보다 더 짙다. **haze**는 열에 의해, **smog**는 공해에 의해 발생하는 것이다.

haze² [heiz] *v.* [T] [미] (신입생·신참자 등을) 신고식시키다, 골탕먹이다

hazel [héizəl] *n. adj.* 개암(나무)(의); 담갈색(의)

hazelnut [héizəlnʌt] *n.* 개암

H-bomb *n.* hydrogen bomb 수소 폭탄

*****head** [hed] *n.* **1** 머리 **2** (heads) 동전의 앞면: *Heads* I win, tails I lose. 앞면이면 내가 이기고, 뒷면이면 네가 이긴다. OPP tails **3** 두뇌, 지능: Use your *head*! 생각을 좀 해! **4** 정상, 상부: the *head* of the line 줄의 앞쪽 / the *head* of a nail 못 대가리 **5** 우두머리, 장: the *head* of state 원수(元首)
v. **1** [I] 향하다: Where are you *heading*? 어디로 가는 길이야? **2** [T] 지휘하다, 이끌다

H

have

have [hæv] *v.* [T] (had-had) **1** 소유하다, 가지고 있다, 있다: I *have* a camera. 나는 카메라가 있다. / He *has* brown eyes. 그는 갈색 눈이다. / Do you *have* time to go to the movies? 영화 보러 갈 시간 있니? / I *have* a sister. 나는 여동생이 있다. / *Have* patience. 참을성을 길러.
2 (여러 명사와 함께 사용하여) …하다: What time do you *have* breakfast? 너는 아침을 몇 시에 먹니? / *have* some coffee 커피를 마시다 / *have* an argument(talk) 논쟁(대화)하다 / *have* a sleep 자다
3 경험하다, 겪다: *have* fun 즐거운 시간을 보내다 / *have* difficulties 어려움을 겪다 / *have* an accident 사고를 당하다 / He *had* his wallet stolen. 그는 지갑을 도둑맞았다.
4 병에 걸리다: I *have* a cold. 나 감기 걸렸어. / She *has* cancer. 그녀는 암에 걸렸다.
5 …하게 하다: We *had* our TV repaired. 우리는 텔레비전 수리를 받았다. / You should *have* your eyesight tested. 너는 시력 검사를 해 봐야 한다.
6 (감정·생각 등을) 갖다: Do you *have* a question? 질문 있니? / *have* fear 두려워하다 / *have* an idea 생각이 있다
7 …한 상태에 두다: *have* the door open 문을 열어 놓다 / *have* one's eyes closed 눈을 감은 채로 있다
[축어] **have got** 갖고 있다: *Have* you *got* a pen? 너 펜 갖고 있니?
※ 일반적으로 미국에서는 have를, 영국에서는 have got을 많이 쓴다. 위의 예문도 Do you have a pen?과 같다.

have (got) to …을 하지 않으면 안 되다: I *have to* work now. 난 이제 일을 해야만 해. / You've *got to* have piano lesson. 너 피아노 레슨을 받아야 하잖아.

have had it 1 넌더리나다, 질리다 (with): Now, I've *had it*! 이젠 지겨워! **2** 고물이 다 되었다, 쓸모없게 되다: This vacuum cleaner *has had it*. 이 진공 청소기는 고물이 다 되었다.

have nothing to do with …와는 전혀 관계가 없다: I *have nothing to do with* him. 나는 그와 아무 관계도 없다.

have ... on …을 입고 있다: She *has* a yellow T-shirt *on*. 그녀는 노란색 티셔츠를 입고 있다.

have only to …하기만 하면 된다: You *have only to* push the green button. = All you have to do is to push the green button. 초록색 버튼을 누르기만 하면 된다.

■ **have와 잘 어울리는 명사들**
have a problem 문제가 있다
have trouble 곤경을 겪다
have lunch 점심을 먹다
have a meeting 회의를 하다
have a holiday 휴가 가다
have dinner 저녁을 먹다
have a drink 마시다
have a dream 꿈을 꾸다
have a discussion 토론하다
have a party 파티를 열다

3 [T] …의 맨 앞에 있다 **4** [T] (종종 수동태) 표제를 붙이다: The article was *headed* 'Animation Boom.' 기사는 '애니메이션 붐'이라는 표제가 붙어 있었다. **5** [T] [축구] 헤딩하다
[축어] **by a head** 머리 하나만큼: John is taller than me *by a head*. 존은 나보다 머리 하나만큼 크다.

head for …로 향하다: He *headed* the ship *for* the channel. 그는 배를 해협으로 향하게 했다.

keep one's head 침착하다, 냉정을 유지

하다

keep one's head above water (빚 안 지고) 자기 수입으로 생활하다

keep one's head down 자중하다

laugh(scream) one's head off 큰 소리로 웃다(소리지르다)

put one's heads together 이마를 맞대고 의논하다

headache [hédèik] *n.* **1** 두통 **2** 골칫거리, 걱정거리

headhunter [hédhʌ̀ntər] *n.* 인재 스카우트 담당자

— **headhunt** *v.*

heading [hédiŋ] *n.* 표제, 제목

headlight [hédlàit] *n.* (종종 *pl.*) (자동차 등의) 전조등, 헤드라이트 (headlamp)

headline [hédlàin] *n.* **1** (신문 기사 등의) 표제, 제1면의 큰 표제 **2** (the headlines) 방송 뉴스의 주요 제목

headlong [hédlɔ́:ŋ] *adj. adv.* **1** 곤두박이로(의), 거꾸로: He dived *headlong* into the water. 그는 곤두박이로 물 속으로 다이빙을 했다. **2** 앞뒤를 가리지 않고, 무모하게: She rushed *headlong* into buying stocks. 그녀는 무모하게 주식을 마구 사들였다.

head office *n.* 본사, 본점 OPP branch

head-on *adj. adv.* 정면의(으로): a *head-on* collision 정면 충돌

headphone [hédfòun] *n.* (보통 a pair of headphones) 헤드폰

headquarters [hédkwɔ̀:rtərz] *n.* (*abbr.* HQ) 본부, 사령부, 본사; 사령부원, 본부원

heal [hi:l] *v.* **1** [I,T] (병·상처 등을) 고치다, 낫다: Don't worry. The wound will *heal* up soon. 걱정하지 마. 상처는 곧 나을 거야. SYN cure **2** [T] (불화를) 화해시키다: They tried to *heal* the rift between them. 그들은 그들 사이의 감정적인 거리를 메꿔 화해하려고 했다.

— **healer** *n.* 치료자

*health [helθ] *n.* **1** 건강 (상태): She's in good(poor) *health*. 그녀는 건강하다(건강이 좋지 않다). **2** 위생, 보건: public *health* 공중 위생

— **healthful** *adj.* 건강에 좋은

healthy [hélθi] *adj.* (healthier-healthiest) **1** 건강한, 튼튼한: a *healthy* child 튼튼한 아이 **2** (정신·태도 등이) 건전한: a *healthy* mind 건전한 정신 **3** 건강상 좋은: a *healthy* climate(diet) 건강에 좋은 기후(식사)

— **healthily** *adv.*

■ **유의어** healthy

healthy 심신의 건강을 나타내는 일반적인 말. **wholesome** 물건·음식이 심신의 건강에 좋은, 건전한. 사람에게 쓰일 때는 정신의 건강이 강조됨. **sound** 심신에 고장이 없는. **well** 튼튼한, 건강이 좋은.

heap [hi:p] *n.* **1** 쌓아올린 것, 퇴적, 더미: a *heap* of books 책 더미 **2** (a heap of, heaps of) 많음, 다수, 다량: I have a *heap* of work to do. 할 일이 산더미처럼 많다. / There's *heaps* of time. 시간이 많다.

v. [T] **1** 쌓아올리다 (up): He *heaped* all the fallen leaves up. 그는 낙엽을 전부 쌓아놓았다. **2** 듬뿍 주다, (접시 등에) …을 수북이 담다 (with): She *heaped* a plate with strawberries. 그녀는 접시에 딸기를 수북이 담았다.

*hear [hiər] *v.* (heard-heard) **1** [I,T] 듣다, 들리다: I *hear* her laughing. 그녀가 웃는 소리가 들린다.

※ I am hearing.이라고 쓰지 않고 I hear. 또는 I can hear.라고 쓴다. 그러나 자주 듣는 경우에는 I can hear.라고 표현하지 않는다. 또한 Are you hearing?으로 쓰지 않고 Do you hear?, Can you hear?라고 쓴다.

2 [T] 들어서 알다, 전하여 듣다: Have you *heard* what has happened? 무슨 일이 일어났는지 들었니? **3** [T] [법] …의 진술을 듣다, 신문하다, 심리하다: The case will be *heard* on May 12. 그 사건은 5월 12일에 심

리될 것이다.

[숙어] **hear from** 연락[편지, 전화]을 받다: Have you *heard from* him lately? 최근에 그로부터 소식이 있었니?

hear of 전해 듣다, 소문[소식]을 듣다: "Have you *heard of* a 'salamander'?" "No, I've never *heard of* it." "너 '살라만더' 라고 들어 본 적 있어?" "아니, 전혀 들어 본 바가 없는데."

■ 유의어 **hear**

hear 들으려는 노력을 하지 않는 상태에서 소리가 귀에 들려오는 것. **listen** 의식적으로 또는 적극적으로 무언가를 들으려고 하는 것. hear는 listen to와 같은 의미로 사용될 수도 있다.: Let's *hear* what you have to say. 네 말을 들어 보자.

---

hearing [híəriŋ] *n.* **1** 청각, 청력: Louder, please. My *hearing* is not good. 좀 더 크게 말씀하세요. 제 귀가 잘 안 들리거든요. **2** (외국어 등의) 청취력 **3** (의견·발언 등을) 들려줌, 들어줌; 발언의[들려줄] 기회: All I want is for my views to get a fair *hearing*. 내가 원하는 것은 내 의견에 대한 공평한 발언의 기회를 얻는 것뿐이다. **4** 들리는 거리[범위]: Don't talk about it in his *hearing*. 그가 들을 수 있는 곳에서 그것에 대해 이야기하지 마라. **5** 신문, 공판; 청문회: a public *hearing* 공청회

[숙어] **hard of hearing** 귀가 잘 안 들리는: She is *hard of hearing*. 그녀는 귀가 잘 안 들린다.

hearing aid *n.* 보청기

***heart** [hɑ:rt] *n.* **1** 심장: My *heart* was beating fast. 내 심장은 빠르게 뛰고 있었다. **2** 마음, 심정, 감정: He has a kind *heart*. 그는 마음씨가 착하다.

3 중심, (문제 등의) 핵심: The *heart* of the matter lies in the power struggle. 문제의 핵심은 권력 투쟁에 있다.

4 중심부: The parade marched through the *heart* of the city. 퍼레이드는 도시 중심부를 행진했다.

5 하트 모양의 것

6 [카드] 하트

7 (-hearted *adj.*) (복합어를 이루어) …의 마음을 지닌, 마음이 …한: warm-*hearted* 마음이 따뜻한

[숙어] **at heart** 마음 속은, 내심은, 실제로는: He seems cold but he is a very warm man *at heart*. 그는 차가운 사람처럼 보이지만 마음 속은 굉장히 따뜻한 사람이다.

break one's heart 비탄에 젖게 하다, 몹시 실망시키다

by heart 외워서, 암기하여: Learn ten words *by heart* every day. 매일 10단어씩 외워라.

heart and soul 몸과 마음을 다하여, 열심히

in one's heart (of hearts) 마음 속에서(는), 실제로는: *In your heart*, you know it is not right. 그것이 옳지 않다는 것을 너는 마음 속으로 알고 있다.

take ... to heart **1** 마음에 새기다, 명심하다: *Take* this lesson *to heart*. 이 교훈을 마음에 새겨라. **2** 몹시 슬퍼하다: She *took* her brother's death *to heart*. 그녀는 남동생의 죽음을 몹시 슬퍼했다.

to one's heart's content 마음껏, 만족할 때까지

with all one's heart, from (the bottom of) one's heart 진심으로: I hope *with all my heart* that you will pass the exam. 네가 시험에 합격하기를 진심으로 바란다.

heartache [hɑ́:rtèik] *n.* 마음의 아픔, 비탄

heart attack *n.* 심장 마비, 심장 발작

[SYN] heart failure

heartbeat [hɑ́:rtbì:t] *n.* 심장 박동

heartbreak [hɑ́:rtbrèik] *n.* 비통, 비탄, 애끊는 마음 (주로 실연 때문에)

— **heartbreaking** *adj.* **heartbreaker** *n.* 무정한 사람

heartbroken [háːrtbròukən] *adj.* 비탄에 잠긴, 비통한 생각의: He was *heartbroken* when she left him. 그녀가 떠나자 그는 비탄에 잠겼다. [SYN] broken-hearted

hearten [háːrtn] *v.* [T] (보통 수동태) 용기를 북돋우다, 격려하다: I was *heartened* by the news that he is coming back. 나는 그가 돌아온다는 소식에 용기가 났다. [OPP] dishearten
— **heartening** *adj.* 격려가 되는, 믿음직한 **hearteningly** *adv.*

hearth [hɑːrθ] *n.* 난로, 난롯가

heartily [háːrtili] *adv.* **1** 마음으로부터, 열의를 갖고, 진심으로: I *heartily* thank you. 진심으로 감사드립니다. **2** 많이, 철저히: laugh *heartily* 실컷 웃다

heartland [háːrtlænd] *n.* (the heartland) (세계의) 심장(중핵) 지대 (군사적으로 견고하고 경제적으로 자립하고 있는 지역)

heartless [háːrtlis] *adj.* 무정한, 냉혹한
— **heartlessly** *adv.* **heartlessness** *n.*

hearty [háːrti] *adj.* (heartier-heartiest) **1** 마음으로부터의, 따뜻한: a *hearty* welcome 마음에서 우러나는 환영 **2** 기운찬, 열렬한, (식욕이) 왕성한: a *hearty* laugh 호탕한 웃음 / *hearty* support 열렬한 지지 / a *hearty* appetite 왕성한 식욕

*****heat** [hiːt] *n.* **1** 열, 열기: The *heat* from the sun warms the earth. 태양열이 지구를 데운다. **2** (주로 the heat) 더위: I can't stand the *heat*. 도저히 더위를 못 참겠다. **3** 난방 시스템 ([영] heating)
v. [I,T] 가열하다, 뜨거워지다 (up): I will *heat* up pizza. 내가 피자를 데워 올게.
— **heater** *n.* 전열기, 가열기, 난방 장치

heated [híːtid] *adj.* **1** 가열한, 뜨거워진 **2** 격앙한, 흥분한: a *heated* discussion 격론

heath [hiːθ] *n.* **1** [식물] 히스 (황야에 번성하는 관목) **2** 히스가 무성한 황야

heating [híːtiŋ] *n.* **1** 난방(장치) **2** 가열

heatstroke [híːtstròuk] *n.* 일사병

heat wave *n.* **1** 장기간에 걸친 혹서 **2** [기상] 열파, 열기 [SYN] hot wave

heave [hiːv] *v.* [I,T] (무거운 것을) 들어올리다, 당기다, 던지다: We *heaved* a heavy box up the stairs. 우리는 무거운 상자를 계단 위로 들어올렸다. **2** [I] 오르내리다: His chest was *heaving* with exhaustion. 그는 기진맥진해서 가슴이 (숨을 고르느라) 오르내렸다. **3** [I] 속이 느글거리다, 토하다 (up): The smell of rotting fish is making my stomach *heave*. 썩는 생선 냄새 때문에 속이 느글거린다.
n. **1** 들어올림 **2** 융기, 기복
[숙어] **heave a sigh** 한숨을 쉬다: She *heaved a sigh* of relief when she heard that her child was not hurt. 그녀는 그녀의 아이가 다치지 않았다는 것을 듣고 안도의 한숨을 쉬었다.

*****heaven** [hévən] *n.* **1** 천국, 극락 **2** 매우 행복한 상태: It would be *heaven* if I could stay in bed all day. 하루 종일 침대에 누워 있을 수 있다면 진짜 행복할 거야. **3** (the heavens) 하늘 [SYN] the sky

heavenly [hévənli] *adj.* (heavenlier-heavenliest) (명사 앞에만 쓰임) **1** 하늘의: the *heavenly* bodies 천체 [OPP] earthly **2** 천국과 같은, 신성한 [OPP] earthly **3** 멋진, 훌륭한: What *heavenly* weather! 정말 좋은 날씨야!

*****heavy** [hévi] *adj.* (heavier-heaviest) **1** 무거운: This bag is too *heavy* for me to carry. 이 가방은 내가 들고 가기에 너무 무겁다. **2** (무게를 물을 때): How *heavy* is your baggage? 당신 짐의 무게가 얼마입니까? **3** (보통 이상으로) 강한, 많은: *heavy* rain 폭우 / *heavy* traffic 교통 체증 / a *heavy* smoker 골초 / a *heavy* meal 느끼하고 소화가 잘 안 되는 식사 **4** 심각한, 괴로운, 재미 없는: Can you recommend something to read on holiday? You know, nothing too *heavy*. 휴가 때 읽을거리를 좀 추천해 줄 수 있어? 알지, 심각한 책

말고. **5** 과중한, 굉장히 바쁜: a *heavy* day 굉장히 바쁜 하루 / a *heavy* schedule 빡빡한 일정

OPP light

— **heavily** *adv.* **heaviness** *n.*

축어 **make heavy weather of** 일을 스스로 어렵게 만들다

heavy industry *n.* 중공업

hectare [héktɛər] *n.* (*abbr.* ha) 헥타르 (면적의 단위; 1만m², 100아르)

hectic [héktik] *adj.* (사람이) 매우 흥분한, 열광적인; 매우 바쁜: I had a *hectic* day at the office today. 오늘 사무실에서 매우 바쁜 하루를 보냈다.

— **hectically** *adv.*

hedge [hedʒ] *n.* 산울타리

v. **1** [T] 산울타리로 두르다 **2** [I] 애매한 대답을 하다: Stop *hedging* — did you do it? 애매한 답은 그만 늘어놔. 네가 했어?

hedgehog [hédʒhàg] *n.* 고슴도치

heed [hi:d] *v.* [T] 주의하다, 조심하다

n. 주의, 유의, 조심

— **heedless** *adj.* 부주의한

축어 **take heed of, pay heed to** …에 조심〔유념〕하다: She *took* no *heed of* the doctor's advice. 그녀는 의사의 충고를 유념하지 않았다.

*****heel** [hi:l] *n.* **1** 뒤꿈치 **2** (신발·양말 등의) 뒤축 **3** (heels) 하이힐 **4** (-heeled *adj.*) (복합어를 이루어) 뒷굽이 …한: high-*heeled* shoes 굽이 높은 신발

v. [T] (신발 등에) 뒤축을 대다

축어 **be at〔on〕one's heels** …의 바로 뒤를 따르다 (잡거나 공격을 하기 위해): The police *were at his heels*. 경찰이 바로 그의 뒤를 따라갔다.

take to one's heels 부리나케 달아나다: As soon as he saw the police he *took to his heels*. 그는 경찰을 보자마자 부리나케 달아났다.

hegemony [hidʒéməni] *n.* 패권, 지도권, 주도권, 헤게모니

— **hegemonic** *adj.*

*****height** [hait] *n.* **1** 높이, 키: What's your *height*? 키가 얼마나 되니? / The *height* of the wall is 2 meters. 담장의 높이는 2미터이다. **2** 해발, 고도: Soon the plane will lose *height*. 곧 비행기 고도를 낮출 것이다. **3** (보통 *pl.*) 고지, 산, 높은 장소: the Golan *Heights* 골란 고원 / He's afraid of *heights*. 그는 높은 곳을 무서워한다. **4** 절정, 극치, 한창때: Miniskirts are the *height* of fashion now. 현재 미니스커트가 대유행이다.

heighten [háitn] *v.* [I,T] **1** 높게 하다, 높이다 **2** 강화시키다

heir [ɛər] *n.* **1** (법정) 상속인 **2** 후계자

※ 여자 상속인의 경우 heiress라고 표현하기도 한다.

*****helicopter** [hélikàptər] *n.* 헬리콥터

helium [hí:liəm] *n.* [화학] 헬륨 (비활성 기체 원소; 기호 He)

*****hell** [hel] *n.* **1** 지옥, 저승 **2** 고통, 곤경 **3** (저주·강조어) 염병할, 제기랄, 빌어먹을

축어 **a〔one〕hell of** 대단한, 굉장한, 심한: a *hell of* a lot of money 매우 많은 돈 / a *hell of* a fight 심한 싸움

Go to hell! 뒈져라!

like hell 마구, 필사적으로: He's studying *like hell*. 그는 필사적으로 공부하고 있다.

*****hello** [helóu] *int.* **1** 여보, 이봐 **2** (전화) 여보세요 **3** 안녕, 안녕하세요 (가벼운 인사)

helm [helm] *n.* **1** [선박] 키(자루), 조타 장치 **2** (the helm) 지배적인 지위, 지배(권)

축어 **be at the helm 1** 실권을 쥐다 **2** 키를 잡다

*****helmet** [hélmit] *n.* **1** (군인·소방수·노동자 등의) 헬멧, 안전모 **2** 투구

*****help** [help] *v.* **1** [I,T] 돕다, 거들다: Could you *help* me with my homework? 제 숙제를 좀 도와 주실 수 있으세요? / I *helped* him (to) find his things. 나는 그가 물건을 찾는 데 거들었다. **2** [I,T] 도움이 되다〔되게

하다): If you tell him the truth, it might *help*. 네가 그에게 진실을 말한다면 (상황이) 좀더 쉬워질 텐데. / This medicine should *help* your toothache. 이 약이 당신의 치통을 덜어 줄 것이다. **3** [T] 식사 시중을 들다, 권하다 (to): May I *help* you to some more coffee? 커피 좀더 드릴까요? *n.* **1** 도움, 원조: This guide book is not much *help*. 이 안내서는 별 도움이 되지 못한다. **2** 도움되는 사람(것) (to): You've been a great *help*. 네가 큰 도움이 되었다.

[숙어] **cannot help but, cannot help -ing** …하지 않을 수 없다, …하는 것을 피할 수 없다: I *couldn't help but* laugh. =I *couldn't help* laugh*ing*. 나는 웃지 않을 수 없었다.

help oneself to 1 마음대로 먹다: *Help yourself to* the fruit. 과일을 마음대로 드십시오. **2** 착복하다, 횡령하다, 마음대로 취하다

with the help of …의 도움으로: She recovered soon *with the help of* her family. 그녀는 가족의 도움으로 곧 (병이) 회복됐다.

helper [hélpər] *n.* 조력자, 조수

helpful [hélpfəl] *adj.* 도움이 되는, 유용한: Thank you for *helpful* advice. 유용한 충고 고마워.

— **helpfully** *adv.* **helpfulness** *n.*

helping [hélpiŋ] *n.* (음식물의) 한 그릇: I had two *helpings* of spaghetti. 나는 스파게티를 두 접시 먹었다.

helpless [hélplis] *adj.* 스스로 어떻게도 할 수 없는, 무력한, 도움이 없는: a *helpless* child 자기 일을 스스로 할 수 없는 아이 / The government is *helpless* against terrorism. 정부는 테러에 무력하다.

— **helplessly** *adv.* 어찌할 도리 없이 **helplessness** *n.*

hem [hem] *n.* (천·옷 등의) 가두리, 감침질 *v.* [T] (hemmed-hemmed) …의 가장자리를 감치다

hemisphere [hémisfiər] *n.* **1** (지구·천

체의) 반구: the eastern *hemisphere* 동반구 **2** 반구체

hemlock [hémlɑk] *n.* **1** [미] 북아메리카산 솔송나무 **2** [영] 독당근, 그 열매에서 채취한 독약 (강한 진정제)

***hen** [hen] *n.* **1** 암탉 *cf.* cock 수탉 **2** 일반적인 새의 암컷

hence [hens] *adv.* **1** 그러므로; (동사를 생략하여) 이 사실에서 …이 유래하다: His father was Korean. *Hence* (came) his last name—Lee. 그의 아버지는 한국인이었다. 그래서 그의 성이 Lee이다. **2** 지금부터, 금후: fifty years *hence* 지금부터 50년 후

henceforth, henceforward [hènsfɔ́:rθ, hènsfɔ́:rwərd] *adv.* 이제부터는, 금후 SYN from now on, in future

herald [hérəld] *v.* [T] 알리다, 포고하다; 예고하다

n. **1** 선구자, (왕의) 사자 **2** 고지자, 통보자, 보도자 ※ 종종 신문의 이름에 쓰인다.: The New York *Herald* 뉴욕 헤럴드지

herb [həːrb] *n.* **1** (뿌리와 구별하여) 풀잎 **2** 식용(약용, 향료)식물 (바질, 타임, 쑥 등)

— **herbal** *adj.* 약초의(로 만든)

herd [həːrd] *n.* 짐승의 떼: a *herd* of cattle(elephants) 소(코끼리) 떼 ⇨ flock *v.* [T] (사람을) 모으다, (짐승을) 무리짓게 하다: A shepherd *herded* his flock together. 양치기가 그의 양 떼를 불러 모았다.

***here** [hiər] *adv.* **1** 여기에(서): Come *here*. 이리로 와. / Please sign your name *here*. 여기에 당신의 이름을 서명해 주세요. OPP there **2** (문장의 시작에 써서 주의를 끌 때): *Here* is news for you. 네게 들려줄 소식이 있어. / *Here* comes the train. 기차가 온다. / *Here* we are. 다 왔다. **3** (명사를 수식하여) 여기 있는 …: My friend *here* is the winner. 여기 있는 내 친구가 우승자야. / I think this blender *here* will be useful. 여기 있는 이 믹서기는 쓰임이 많은 것 같다. **4** (무언가를 주거나 보여 줄 때) 여기: "Where are my glasses?" "*Here* they

H

are." "내 안경이 어디 있지?" "여기 있어." /
Here you are. 여기 있습니다. **5** 이 때에:
Here the speaker stopped and looked
around. 이 때에〔여기서〕 연사는 말을 멈추고
주위를 둘러보았다.
※ 자동사 다음에 오는 부사가 문장의 첫머리
로 도치될 때, 주어가 대명사이면 〈부사+주어
+동사〉, 주어가 명사이면 〈부사+동사+주어〉순
이다.: They are *here*. =*Here* they are. /
The boys are *here*. =*Here* are the
boys.
n. 여기, 이 점, 이 세상
〔숙어〕 **here and now** 지금 바로, 곧
here and there 여기저기에
here goes 자 시작한다, 자 간다
Here we go! =here goes
Here we go again. (지겹게도) 또 시작
이야.
hereditary [hərédətèri] *adj.* 세습의,
유전의: a *hereditary* disease 유전병
heredity [hərédəti] *n.* 유전, 형질 유전
heresy [hérəsi] *n.* 이교, 이단
heretic [hérətik] *n.* 이교도, 이단자 〔OPP〕
orthodox
— **heretical** *adj.*
heritage [héritidʒ] *n.* **1** (대대로) 물려
받은 것, (문화적) 전통, 유산: Bulguksa
and Seokguram have been desig-
nated as World *Heritage*. 불국사와
석굴암은 세계 유산으로 지정되었다. **2** 상속
재산
hermit [hə́:rmit] *n.* 은자, 속세를 버린 사
람
***hero** [hí:rou] *n.* (*pl.* heroes) **1** 영웅, 위
인 **2** (극·소설 등의) 남자 주인공
— **heroic** *adj.* 영웅적인, 용감한
heroine [hérouin] *n.* **1** 여걸, 여장부 **2**
(극·시·소설 등의) 여주인공
heron [hérən] *n.* 왜가리, (일반적) 백로과
새의 총칭
herring [hériŋ] *n.* 청어
hertz [hə́:rts] *n.* (*abbr.* Hz) 헤르츠 (진동

수·주파수의 단위)
hesitant [hézətənt] *adj.* 머뭇거리는, 주
저하는: He was *hesitant* to tell the
police where he was last night. 그는
경찰에게 어젯밤 그가 어디 있었는지 말하기를
주저했다.
— **hesitantly** *adv.* **hesitancy** *n.*
***hesitate** [hézətèit] *v.* [I] 주저하다, 망설
이다: I'm still *hesitating* over whether
or not to tell him. 그에게 말해야 할지 말
아야 할지 난 아직도 망설이고 있다. / If you
have any questions, don't *hesitate* to
ask me. 만약 질문이 있다면 망설이지 말고
저에게 물으세요.
— **hesitation** *n.*
hetero- *prefix* '딴, 다른'의 뜻.: *hetero-*
geneous 이질적인 〔OPP〕 homo-, iso-
※ 모음 앞에서는 heter-.
hexagon [héksəgàn] *n.* 6변〔각〕형
— **hexagonal** *adj.*
hey [hei] *int.* **1** 이봐, 어이 (호칭) **2** 어 (놀
람), 야아 (기쁨)
***hi** [hai] *int.* 안녕 (잘 아는 사람에게 인사할
때)
hibernate [háibərnèit] *v.* [I] 동면하다:
Bears *hibernate* during the winter. 곰
들은 겨울에 동면한다.
— **hibernation** *n.*
hiccup, hiccough [híkʌp] *n.* **1** 딸꾹
질 **2** ((the) hiccups) 계속되는 딸꾹질: If
you have the *hiccups*, drink warm
water. 만약 딸꾹질이 계속 나오면 미지근한
물을 마셔 봐.
v. [I] 딸꾹질하다, 딸꾹질하며 말하다
***hide**¹ [haid] *v.* (hid-hidden, hid-hid) **1**
[I,T] 숨다, 숨기다: He must be *hiding*
behind the door. 그는 아마 문 뒤에
숨어 있을 것이다. / I *hid* money in a
cupboard. 나는 찬장에 돈을 숨겼다. **2** [T]
감추다, 비밀로 하다: *hide* one's feelings
감정을 드러내지 않다
hide² [haid] *n.* **1** (특히 큰) 짐승의 가죽: a

black *hide* bag 검정색 가죽 가방 [SYN] skin

2 [영] (야생 동물을 포획·촬영하기 위한) 잠복 장소

hide-and-seek *n.* 숨바꼭질

hideous [hídiəs] *adj.* 무시무시한, 소름끼치는: What a *hideous* sight! 정말 소름끼치는 광경이야!

— **hideously** *adv.*

hierarchy [háiərɑ̀:rki] *n.* 계급 제도

— **hierarchical** *adj.*

hi-fi [háifái] *n.* high fidelity 하이파이 장치 (레코드 플레이어·스테레오 등과 같이 녹음된 음악을 좋은 음질로 재생하는 장치)

*★**high** [hái] *adj.* **1** (밑에서부터 위까지 거리가 많이 떨어진) 높은: What is the *highest* mountain in Korea? 한국에서 제일 높은 산은 무엇입니까? / *high* cliffs 높은 절벽 / The house has a *high* wall. 그 집 담은 높다. [OPP] low

2 (밑에서부터 위까지 거리) 높이가 …인: How *high* is the 63 Building? 63 빌딩의 높이는 얼마나 되나? / The river was waist-*high*. 강은 허리 높이였다.

3 높은 곳에 있는: a *high* window 높은 곳에 있는 창문 / a *high* flight 고공 비행 [OPP] low

4 평균보다 높은: a *high* price 높은 물가 / at *high* speed 고속으로 / *high*-quality goods 고품질의 물건 / I have a *high* opinion of you. 나는 너를 높게 평가하고 있다. / Chocolate is *high* in calories. 초콜릿은 칼로리가 높다. [OPP] low

5 (신분·지위 등이) 높은: The case was referred to a *higher* court. 그 사건은 고등 법원에 회부되었다. / You know, I have many friends in *high* places. 잘 알겠지만, 난 고위직에 친구들이 많아. [OPP] low

6 고결한, 숭고한: a *high* ideal 숭고한 이상

7 (소리가) 높은, 날카로운: That note is too *high* for children. 그 키는 아이들에겐 너무 높다. [OPP] low

adv. **1** 높이, 높게: How *high* can you

jump? 얼마나 높이 뛸 수 있어? **2** 높은 가락으로 [OPP] low

n. **1** 높은 곳(것); 높은 시세, 최고 기록: an all-time *high* 사상 최고 **2** 고기압권 **3** 기쁨 **4** (술·마약에 의한) 기분 좋은 상태, 황홀감 [OPP] low

[숙어] **get high** (술·마약 등에) 취하다

high and low 모든 곳을, 샅샅이: I've searched *high and low* for my wallet. 나는 지갑을 찾으려고 샅샅이 뒤져 보았다. [SYN] everywhere

run high (감정이) 격해지다

high-definition *adj.* 고화질의: a *high-definition* TV 고화질 텔레비전 (HDTV)

high-five *n.* 하이파이브 (우정·승리의 기쁨 등을 나누기 위해 손을 들어 상대의 손바닥을 마주치는 행동)

v. [I,T] 하이파이브하다

highlight [háilàit] *v.* [T] **1** 강조하다 **2** 형광펜으로 표시하다 **3** (머리에) 브리지를 넣다 *n.* 가장 중요한 부분, (뉴스 중의) 주요 사건(장면)

highlighter [háilàitər] *n.* **1** 형광펜 **2** 하이라이트 (얼굴에 입체감을 주는 화장품)

highly [háili] *adv.* **1** 높이, 대단히: Diamond is *highly* valuable. 다이아몬드는 매우 값어치가 있다. **2** 격찬하여: She speaks *highly* of him. 그녀는 그를 격찬한다.

highness [háinis] *n.* (Your/His/Her Highness) 전하 (왕족 등에 대한 경칭)

high school *n.* 고등 학교 (14, 15세에서 18세까지의 아이들이 다니는 학교)

high-tech [háiték] *adj.* 하이테크의 (최첨단의 기술과 기계, 특히 전자 공학적인 것을 이용하는): *high-tech* industries 하이테크 산업 / *high-tech* buildings 하이테크 건물들

highway [háiwèi] *n.* 간선 도로, 큰길

hijack, highjack [háidʒæk] *v.* [T] (배·비행기를) 공중(해상) 납치하다: The plane was *hijacked* by unidentified

H

armed men. 신원 불명의 무장한 남자들에 의해 비행기가 납치됐다.

n. 공중〔해상〕 납치

— **hijacker** *n.* 하이잭 범인 **hijacking** *n.* 공중〔해상〕 납치하기

hike [haik] *n.* **1** 하이킹, 도보 여행 **2** (임금·가격) 인상

v. [I] 하이킹 하다, 도보 여행하다: go *hiking* 하이킹 가다

— **hiker** *n.* 하이커

hilarious [hilέəriəs] *adj.* 굉장히 웃기는: Did you see that program last night? It was *hilarious*. 너 어젯밤에 그 프로 봤니? 굉장히 웃겼어.

— **hilariously** *adv.*

***hill** [hil] *n.* **1** 언덕, 작은 산 **2** 흙더미: an ant-*hill* 개미탑 **3** 고개, (도로의) 경사

— **hilly** *adj.* 산이 많은, 구릉성의

hillside [hílsàid] *n.* 언덕의 중턱

hilltop [híltàp] *n.* 언덕 꼭대기

hind [haind] *adj.* 후부의, 후방의: *hind* legs (짐승의) 뒷다리

※ hind legs 대신 back legs라고도 한다. 앞다리는 forelegs 또는 front legs라고 한다.

hinder [híndər] *v.* [I,T] **1** 방해가 되다, 방해하다, 지체케 하다: Higher interest rates have *hindered* economic growth. 높아진 이자율이 경제 성장을 막았다. / Heavy rains *hindered* the hikers on their hiking. 폭우로 인해 하이커들은 도보 여행을 지체했다.

— **hindrance** *n.* 장애물, 방해자

Hinduism [híndu:ìzəm] *n.* 힌두교

— **Hindu** *n. adj.* 힌두 사람(의), 힌두교도(의)

hinge [hindʒ] *n.* 돌쩌귀, 경첩

v. [I,T] **1** 돌쩌귀를 달다, 돌쩌귀로 움직이다 **2** …에 의해 정하다〔정해지다〕 (on): Everything *hinges* on his decision. 만사는 그의 결단에 달려 있다.

hint [hint] *n.* **1** 힌트, 암시, 넌지시 알림: She gave a *hint* that she wanted a gold necklace for her birthday. 그녀는 생일에 금목걸이를 받고 싶다는 암시를 주었다. **2** 미약한 징후, 낌새: There was a *hint* of anger in his voice. 그의 목소리에는 약간의 분노가 들어 있었다. **3** 미량 (of): a *hint* of pepper in the stew 스튜에 들어 있는 미량의 후추 **4** 조언, 정보: This book gives useful *hints* on saving money. 이 책은 돈을 저축하는 방법에 대한 유용한 정보를 제공한다.

v. [I,T] 넌지시 말하다, 암시하다: She *hinted* that she might be late. 그녀는 늦을지도 모른다고 넌지시 말했다.

〔숙어〕 **take a〔the〕 hint** 알아차리다, 눈치채다

***hip** [hip] *n.* **1** 엉덩이, 히프 **2** [건축] 추녀 마루, 귀마루

hip-hop *n.* 힙합 (1980년대 미국에서 유행하기 시작한 새로운 감각의 춤과 음악)

hippie, hippy [hípi] *n.* 히피(족) (기성의 제도나 가치관 등을 부정하고 직접 인간과 자연과의 접촉을 추구하는 사람들. 1960년대 미국의 젊은이들 사이에서 생겨났는데, 장발과 특이한 옷차림, 기발한 행동 등이 특징임)

hippo [hípou] *n.* (*pl.* hippos) 하마

※ hippopotamus의 줄임말.

***hire** [haiər] *v.* [T] **1** 고용하다: He *hired* workmen to repair the fence. 그는 담을 수리하기 위해 일꾼들을 고용했다. 〔SYN〕 employ **2** (세를 내고) 빌려 오다; (세를 받고) 빌려 주다 (〔미〕 rent): We *hired* a motorboat. 우리는 모터보트를 빌렸다.

n. **1** 고용; 임차 **2** 세, 사용료

〔숙어〕 **for〔on〕 hire** 임대용의: Are these bikes *for hire*? 이 자전거들은 빌려 주는 것인가요?

hiss [his] *v.* **1** [I] (뱀·증기 등이) 쉿 하는 소리를 내다 **2** [I,T] (경멸·비난의 뜻으로) 쉿 하는 소리를 내다, 쉿 하고 욕하다〔야유하다, 제지하다〕: The spectators *hissed* at the umpire. 관중들은 심판에게 불만의 표시로 우우하고 야유했다.

n. 쉿 하는 소리

historic [histɔ́(:)rik] *adj.* **1** 역사적으로 유명한(중요한): a *historic* peace talks 역사적으로 중요한 평화 회담 **2** 역사(상)의

historical [histɔ́(:)rikəl] *adj.* 역사(상)의, 역사에 기인하는: *historical* background 역사적 배경 / *historical* facts [events] 역사적 사실(사건)

— **historically** *adv.*

***history** [hístəri] *n.* **1** 역사: ancient *history* 고대사 **2** (역)사학 **3** 경력, 이력, 병력(病歷): personal *history* 이력서

[숙어] **go down in history** 역사에 남다: Your name will *go down in history*. 당신의 이름은 역사에 남을 것입니다.

make history 역사에 남을 만한 일을 하다, 후세에 이름을 남기다

***hit** [hit] *v.* [T] (hit-hit; hitting) **1** 때리다, 치다: I *hit* him on the head. 난 그의 머리를 때렸다. / *hit* a ball with a bat 배트로 공을 치다 **2** …에 부딪치다: She *hit* her forehead on the door. 그녀는 이마를 문에 부딪쳤다. / The bus *hit* the guardrail. 버스가 난간을 들이받았다. **3** 타격을 주다, 상처를 주다: We were *hit* by the depression. 우리는 불경기로 타격을 입었다. **4** (장소·수준에) 도달하다: You'll *hit* the highway if you keep going that way. 저 길로 계속 가면 큰길이 나옵니다. **5** (생각이) 떠오르다: An idea *hit* me. 한 가지 생각이 내게 떠올랐다.

n. **1** 타격, 충돌 **2** 성공, 히트; 인기인, 히트 작품(곡): The movie was a great *hit*. 그 영화는 크게 히트했다.

[숙어] **hit on** 우연히 발견하다: I finally *hit on* a solution to the problem. 마침내 문제에 대한 답을 우연히 발견했다.

hit out (at) 맹렬히 공격(비난)하다: He *hit out at* racism in our country. 그는 우리 나라에 존재하는 인종 차별을 비난했다.

hit the ceiling 몹시 화가 나다

hit the hay ⇨ hay

hit the road 여행을 떠나다

hit-and-run *adj.* **1** 뺑소니치는: a *hit-and-run* driver 뺑소니 운전사 **2** [야구] 히트앤드런의

hitchhike [hítʃhàik] *v.* [I] 지나가는 차에 거저 편승하여 여행하다, 히치하이크를 하다

— **hitchhiker** *n.* 히치하이크를 하는 사람

hither [hiðər] *adv.* 여기에, 이쪽으로 [OPP] thither

[숙어] **hither and thither** 여기저기에

HIV *abbr.* human immunodeficiency virus 인체 면역 결핍 바이러스, AIDS 바이러스

hive [haiv] *n.* 벌집 [SYN] beehive **2** 한 꿀벌통의 꿀벌 떼 **3** 와글와글하는 군중(장소); (활동의) 중심지

hm [hm, mm] *int.* 음, 흠 (주저·의심·당혹을 나타냄)

hoard [hɔ:rd] *n.* 저장물, 축적; 사재기: a *hoard* of acorns 모아 놓은 도토리

v. [I,T] (몰래) 저장하다, 축적하다 (up): A miser *hoards* money. 구두쇠는 돈을 모아 놓는다.

— **hoarder** *n.*

hoarse [hɔ:rs] *adj.* 목쉰, 귀에 거슬리는: She shouted herself *hoarse*. 그녀는 목이 쉬도록 소리를 질렀다.

— **hoarsely** *adv.*

***hobby** [hábi] *n.* 취미: My *hobby* is gardening. 내 취미는 정원 가꾸기이다. [SYN] pastime

***hockey** [háki] *n.* **1** [영] (필드)하키 (field hockey) **2** [미] 아이스하키 (ice hockey)

hoe [hou] *n.* (자루가 긴) 괭이

hoist [hɔist] *v.* [T] (기중기·도르래·끈을 이용해) 끌어올리다: Containers were *hoisted* by crane. 기중기에 의해 컨테이너들이 끌어올려졌다.

***hold** ⇨ p. 332

***hole** [houl] *n.* **1** 구멍: There's a *hole* in the knees of your pants. 네 바지 무릎에 구멍이 났다. **2** (짐승의) 굴: a mouse *hole*

H

hold

hold [hould] *v.* [T] (held-held) **1** (손·품에) 갖고 있다, 붙들다: Hold my *hand*. 내 손을 잡아. / She *held* a baby in her arms. 그녀는 팔로 아기를 안았다.
2 (어떤 상태·위치로) 유지하다: *Hold* your head up. 고개를 들고 계세요. / He was *held* in jail. 그는 감옥에 갇혔다. / There was nothing to *hold* my attention. 내 주의를 끌 만한 것이 없었다.
3 지탱하다: This hook won't *hold* such a heavy clock. 이 고리로는 그렇게 무거운 시계를 지탱할 수 없을 것이다.
4 (모임 등을) 열다: The World Cup is *held* every four years. 월드컵은 4년에 한 번 열린다.
5 수용하다: This bottle *holds* a liter. 이 병은 1리터짜리다. / This room can *hold* thirty people. 이 방은 30명을 수용할 수 있다.
6 (지위·직책 등을) 차지하다: She *holds* the office of mayor. 그녀는 시장직을 맡고 있다.
7 …라고 생각하다, 주장하다: The parents are *held* responsible for their children's behavior. 아이들의 행동거지는 부모의 책임이라고 생각된다. / He *holds* that he's innocent. 그는 자신이 결백하다고 주장한다.
8 멈추게 하다, 제지하다: *Hold* your temper. 성질 좀 죽여. / You had better *hold* your decision. 결정을 보류하는 것이 좋을 것이다.
9 (식당에서) …을 빼고 주시오: One hamburger, please, and *hold* the onions. 햄버거 하나 주세요. 양파는 빼고요.
n. **1** 움켜쥠 **2** 영향력, 장악: She has a great *hold* over her students. 그녀는 그녀의 학생들에게 큰 영향력을 행사한다.
— **holder** *n.* 소유자; 버티는 것, 받침, 용기
[숙어] **catch(get, grab, take) hold of** …을 붙잡다, 꽉 잡다(쥐다): He *caught* hold *of* my arm. 그는 내 팔을 꽉 잡았다.

get hold of 1 (사람) …을 찾다, …와 연락하다: I tried to *get* hold *of* her all morning. 나는 오전 내내 그녀와 연락을 하려 했다. **2** 물건을 손에 넣다: How did you *get* hold *of* the gun? 그 총을 어떻게 손에 넣은 거야?

hold back 1 제지하다: The police were unable to *hold back* the angry crowd. 경찰은 성난 군중을 제지할 수 없었다. **2** (발전·진행을) 방해하다: What's *holding back* our project? 무엇 때문에 우리 프로젝트가 진전이 없는 거지? **3** 비밀로 하다: I think he's *holding back* important information from me. 그가 중요한 정보를 나한테 숨기고 있는 것 같아. **4** (감정을) 억누르다: She *held back* her anger. 그녀는 화를 참았다.

hold good 유효하다, 적용되다: The ticket *holds good* for three days. 그 표는 3일간 유효하다.

Hold it! 멈춰!, 움직이지 마!, 잠깐 기다려!

hold on 1 (전화를) 끊지 않고 기다리다 **2** 그만두다, 잠깐 기다리다: *Hold on* a second while I get changed. 옷 갈아입는 동안 잠시 기다려. / *Hold on*! We've got the wrong prescription. 잠깐 멈춰봐! 엉뚱한 처방전인데.

hold out 1 (손 등을) 내밀다: She *held out* the keys and I took them. 그녀가 열쇠를 내밀었고 내가 받았다. **2** (물품 등이) 오래 가다: The supplies will *hold out* for a month. 보급품들은 한 달 정도 갈 것이다. **3** 계속 저항하다: The rebels are still *holding out*. 반란군은 여전히 저항 중이다.

hold up 1 (시간에) 늦어지게 하다, 방해하다: An accident *held up* traffic. 사고가 나서 교통 체증이 있었다. / Am I *holding* you *up*? 저 때문에 늦으시는 건 아닌가요? **2** (가게·은행 등을) 털다: Masked men *held up* a bank yesterday. 어제 복면을 한 남자들이 은행을 털었다.

쥐구멍 **3** [골프] 구멍, 홀

***holiday** [hálədèi] **1** 휴일, 축제일: The 4th of July is a national *holiday* in US. 미국에서 7월 4일은 국경일이다. / a public *holiday* 공휴일 **2** [영] 휴가 ([미] vacation): summer *holidays* 여름 휴가 / take (a) *holiday* 휴가를 얻다, 쉬다

[숙어] **on holiday** 휴가를 얻어, 휴가 중으로: He's away *on holiday*. 그는 휴가 중이라 (이 곳에) 없다.

***hollow** [hálou] *adj.* **1** 속이 빈: The tree was *hollow* inside. 그 나무는 속이 비었다. **2** (얼굴에 대해) 움푹 꺼진: *hollow* cheeks 움푹 들어간[야윈] 볼 **3** 허울만의, 무의미한: *hollow* words 빈말 **4** (소리가) 힘 없는, 분명치 않은: a *hollow* voice 힘 없는 목소리

v. [I,T] 속이 비다, 도려 내다 (out)

n. 우묵한 곳; 계곡, 분지

holly [háli] *n.* 호랑가시나무 (크리스마스 장식용)

holocaust [háləkɔ̀:st] *n.* **1** 대학살 **2** (the Holocaust) 나치스의 유대인 대학살

hologram [háləgræm] *n.* 홀로그램 (평평한 표면에 빛이 닿으면 입체로 보이는 이미지나 사진, 그림; holography에 의해 기록됨)

holography [həlágrəfi] *n.* 입체 영상, 레이저 사진술

***holy** [hóuli] *adj.* (holier-holiest) **1** 신성한, 거룩한: a *holy* place 성소, 성지 **2** 신에게 몸을 바친; 성자 같은, 경건한: a *holy* man 성자 / a *holy* life 신앙 생활

— **holiness** *n.*

homage [hámidʒ] *n.* **1** 존경 **2** (봉건 시대의) 충성, 신하로서의 예

[숙어] **pay(do) homage to** …에게 경의를 표하다: Many people came to the National Cemetery to *pay homage to* the dead soldiers. 많은 사람들이 전사자에게 경의를 표하기 위해 국립 묘지에 왔다.

***home** [houm] *n.* **1** 가옥, 집: She's not at *home* now. 그녀는 지금 집에 없다. [SYN] house **2** 가정: a *home* broken by divorce 이혼으로 인해 깨어진 가정 **3** 고향, 본국 **4** 요양소, 양로원, 고아원 **5** (the home) 원산지, 서식지: Australia is the *home* of the kangaroo. 호주는 캥거루의 서식지이다. / Paris is the *home* of fashion. 파리는 패션의 본고장이다.

adj. **1** 가정(용)의, 제 집의: What is your *home* address? 너의 집주소는 어떻게 되니? **2** 고향의, 본국의, 국내의: *home* market 국내 시장 **3** (스포츠 팀의) 홈 그라운드의, 본고장의: a *home* team 본고장 팀 / a *home* game 홈 경기 [OPP] away

adv. **1** 자기 집으로[에]: It's time to go *home*. 집에 갈 시간이다. **2** 자국[고국]으로 [에]

[숙어] **at home 1** 집에 있는: You weren't *at home* yesterday, were you? 너 어제 집에 없었지, 그렇지? **2** 마음 편히: Please make yourself *at home*. 자편히 하십시오. **3** [스포츠] 홈경기로: The team are playing *at home* on Sunday. 그 팀은 일요일에 홈경기를 갖는다.

homecoming [hóumkʌ̀miŋ] *n.* **1** 귀향, 귀가, 귀국 **2** [미] 동창회

homeland [hóumlænd] *n.* 고국, 조국: Bush released strategic plan for *Homeland* Security after 9.11. 부시 대통령은 9.11 이후 조국 안보를 위한 전략적인 계획을 발표했다.

homeless [hóumlis] *adj.* **1** 집 없는 **2** (the homeless) 집이 없어 오갈 데 없는 사람들, 노숙자들

— **homelessness** *n.*

homemade [hóumméid] *adj.* 집에서 만든: *homemade* cake 집에서 만든 케이크

home page *n.* 홈페이지 (인터넷의 월드 와이드 웹 서비스에 접속했을 때에 처음으로 나타나는 화면; 흔히 회사 소개, 책의 표지 또는 차례에 해당하는 내용으로 꾸며져 있음)

homesick [hóumsìk] *adj.* 향수병에 걸린

— **homesickness** *n.*

H

hometown [hóumtàun] *n.* 고향, 출생지; 주된 거주지

homework [hóumwə̀:rk] *n.* **1** 숙제 **2** (회의 등을 위한) 사전 준비

homicide [hάməsàid] *n.* 살인(죄); 살인 행위
— **homicidal** *adj.*

■ 유의어 homicide

homicide 일반적으로 쓰이는 말로 정당방위나 범죄를 구성하는 경우의 살인을 말함. **murder** 중죄에 해당하는 살의를 지닌 범죄. **manslaughter** 살의 없이 사람을 죽이거나 과실 치사를 구성할 만한 범죄. **genocide** 인종·국민에 대한 계획적이고 조직적인 학살.

homo- *prefix* '같은, 동일한, 동류의'의 뜻. OPP hetero-

homosexual [hòuməsékʃuəl] *adj. n.* 동성애의 (사람)
— **homosexuality** *n.* 동성애

***honest** [άnist] *adj.* **1** 정직한: an *honest* person 정직한 사람 **2** (이야기·보고 등이) 거짓 없는, 진실한, 솔직한: an *honest* opinion 솔직한 의견 OPP dishonest
— **honesty** *n.*

honestly [άnistli] *adv.* **1** 정직하게, 거짓없이: Did you earn the money *honestly*? 너 그 돈을 정직하게 번 거니? **2** (진실을 말하고 있다는 강조의 의미) 정말로, 진짜로: *Honestly*, I didn't know. 정말로 난 몰랐어. / Do you *honestly* expect me to believe it? 너 진짜로 내가 그걸 믿을 거라고 생각하는 거야? **3** (불신·혐오·곤혹 등을 나타내어) 정말, 참말로: *Honestly*! What will you be when you grow up? 정말! 너 커서 뭐가 되려고 그래?

***honey** [hάni] *n.* **1** 벌꿀 **2** 사랑스런 사람 (부부·애인·아이에게 부르는 호칭)

honeycomb [hάnikòum] *n.* 벌집

honeymoon [hάnimù:n] *n.* **1** 신혼 여

행 **2** (상대측이 공격하지 않는) 단기간의 협조적 관계

honk [hɔ:ŋk] *n.* **1** 기러기의 울음 소리 **2** 자동차 경적 소리
v. [I,T] 경적을 울리다

***honor, honour** [άnər] *n.* **1** 명예, 영예 **2** 명예로운 것: It's a great *honor* to be invited. 초대해 주셔서 영광입니다. **3** 우등: the *honor* roll 우등생 명단 **4** 경의, 존경: in *honor* of …에 경의를 표하여, …을 축하하여 **5** (His / Her / Your Honor) 각하 (영국에서는 시장·지방 판사, 미국에서는 법관의 경칭): Objection, your *Honor*. 재판장님, 이의 있습니다.
v. [T] **1** 존경(존중)하다 **2** …에 명예를[영광을] 주다, 수여하다 (with): We *honored* him with the leadership award. 우리는 그에게 지도자 상을 수여했다. **3** (약속 등을) 지키다, 수행하다: Please *honor* your contract. 계약을 지켜 주시오.

honorable [άnərəbl] *adj.* **1** 명예 있는, 명예로운 **2** 존경할 만한, 훌륭한 **3** (the Honorable) 사람의 이름에 붙이는 경칭 (*abbr.* the Hon.)
— **honorably** *adv.*

hood [hud] *n.* **1** 두건 **2** 두건 모양의 물건 **3** (자동차) 엔진 뚜껑 ([영] bonnet)

hoof [hu:f] *n.* (*pl.* hoofs, hooves) 발굽

***hook** [huk] *n.* **1** 갈고리, 훅: Put your cap on the *hook*. 네 모자는 고리에 걸어 놓아라. **2** 낚시바늘 **3** [권투] 한 방 (팔을 굽힌 채로 때리기)
v. [I,T] **1** 갈고리[훅으로] 걸다, 채우다: *hook* up a skirt 스커트의 훅을 채우다 **2** (갈고리처럼) 구부리다, 굽다
숙어 **off the hook 1** 책임[위기, 곤란]을 벗어나 **2** (수화기가) 제 자리에 안 놓여

hooked [hukt] *adj.* **1** 갈고리 모양의: a *hooked* nose 매부리코 **2** (명사 앞에는 쓰이지 않음) 마약 중독증의, 중독된: She's *hooked* on computer games. 그녀는 컴퓨터 게임에 중독됐다. SYN addicted

hooligan [húːligən] *n.* **1** 무뢰한, 깡패 **2** [영] 축구장 난동꾼

hoop [huːp] *n.* 테

***hop** [hɑp] *v.* [I] (hopped-hopped) **1** (사람이) 한 발로 뛰다 **2** (새·짐승이) 발을 모으고 깡충 뛰다

n. **1** 도약, 토끼뜀 **2** [식물] 홉 **3** (hops) 홉 열매 (맥주를 만드는 데 쓰임)

***hope** [houp] *v.* [I,T] 바라다, 기대하다, 희망하다: I *hope* (that) you will come soon. 네가 곧 오기를 바란다. / We *hope* for a good crop. 우리는 풍작을 기대한다. / "Do you think it's going to rain?" "I *hope* not." "비가 올 거라 생각하니?" "그렇지 않기를 바래." / "Is he coming?" "I *hope* so." "그가 올까?" "그러기를 바래."

n. **1** 희망, 기대: Don't give up *hope*. 희망을 잃지 마라. / There's no *hope* of seeing her again. 그녀를 다시 볼 수 있는 가망은 없다. **2** 기대를 받고 있는 사람〔물건〕: You know, this is my last *hope*. 너도 알겠지만 이게 내 마지막 희망이야.

숙어 **in the hope of〔that〕** …을 기대하여: I woke up early *in the hope of* seeing the sunrise. 나는 일출 보기를 기대하여 일찍 일어났다.

※ 보통 실현 가능성이 적은 경우에 쓰인다.

hopeful [hóupfəl] *adj.* **1** 희망이 있는, 전망이 밝은 **2** 희망에 차 있는, 기대에 부푼: He was *hopeful* about the success of the business. 그는 사업의 성공을 기대했다. / I am *hopeful* that we can reach a compromise. 나는 우리가 타협에 도달할 수 있을 거라 생각한다.

— **hopefulness** *n.*

hopefully [hóupfəli] *adv.* **1** 바라건대, 아마: We'll leave early in the morning, *hopefully* before six o'clock. 우리는 아침 일찍 떠날 거야. 바라건대 6시 전이면 좋겠어. **2** 희망을 걸고: "Do you have something to eat?" he asked *hopefully*. "뭐 먹을 거 있어?"라고 그가 희망을 건 소리로 물었다.

hopeless [hóuplis] *adj.* **1** 희망 없는, 가망 없는: The condition is *hopeless*. We can do nothing about it. 상태는 가망 없어. 우리가 할 수 있는 건 없어. **2** [영] …을 너무 못하는 (at): I'm *hopeless* at math. 난 수학을 너무 못 해.

— **hopelessly** *adv.* **hopelessness** *n.*

horde [hɔːrd] *n.* **1** 대집단, 군중: a *horde* of tourists 여행자의 무리 **2** (동물의) 이동군(群): a *horde* of wolves 이리 떼

***horizon** [həráizən] *n.* 수평선, 지평선: A small light looked like a star on the *horizon*. 작은 불빛이 수평선 위에서는 별처럼 보였다. **2** (horizons) (사고·지식 등의) 범위, 한계, 시야: She went to France to broaden her *horizons*. 그녀는 시야를 넓히기 위해 프랑스에 갔다.

horizontal [hɔ̀ːrəzántl] *adj.* 수평의, 가로의 OPP vertical 수직의, 세로의

— **horizontally** *adv.*

hormone [hɔ́ːrmoun] *n.* 호르몬

***horn** [hɔːrn] *n.* **1** 뿔: A rhinoceros has either one or two *horns* on its nose. 코뿔소는 코에 한 개 또는 두 개의 뿔이 있다. **2** (자동차 등의) 경적: Don't honk your *horn* unnecessarily. 쓸데없이 경적을 울리지 마라. **3** [음악] 호른, 뿔피리

— **horny** *adj.* 뿔의, 뿔 모양의

horoscope [hɔ́ːrəskòup] *n.* **1** 탄생시의 별의 위치, 별자리표의 일종, 12궁도 **2** 점성술, 별점

***horrible** [hɔ́ːrəbəl] *adj.* **1** 오싹하도록 싫은, 끔찍하게 나쁜: This soup tastes *horrible*! 이 수프 맛이 끔찍해! **2** 무서운, 소름끼치는: I had a *horrible* nightmare. 정말 무시무시한 악몽을 꿨어.

— **horribly** *adv.*

horrid [hɔ́ːrid] *adj.* **1** 무서운: a *horrid* monster 무시무시한 괴물 **2** 매우 불쾌한, 지겨운: *horrid* weather 지긋지긋한 날씨

horror [hɔ́ːrər] *n.* **1** 공포, 전율 **2** 참사: the *horrors* of war 전쟁의 참사 **3** 혐오:

She has a *horror* of spiders. 그녀는 거미라면 질색한다. **4** 소름이 끼치도록 싫은 것
숙어 **in horror** 놀라서, 기겁을 하여: I fled *in horror*. 나는 놀라서 도망쳤다.

***horse** [hɔ:rs] *n.* 말
※ 수말은 stallion, 암말은 mare, 망아지는 foal이라고 한다.
— **horseman, horsewoman** *n.* 기수
숙어 **a horse of another(a different) color** 전혀 별개의 사항
on horseback 말을 타고

horsepower [hɔ́:rspàuər] *n.* (*abbr.* HP, hp) 마력 (1초에 75kg을 1m 높이로 올리는 작업률의 단위)

***hose** [houz] *n.* **1** (*pl.* hoses) 호스 (hosepipe) **2** (*pl.* hose) (집합적) 긴 양말, 스타킹 (stockings): two pairs of *hose* 긴 양말 2켤레 / panty *hose* 팬티 스타킹
v. [T] (호스로) …에 물을 뿌리다

hospice [hɑ́spis] *n.* 호스피스 (말기 환자와 가족의 고통을 덜기 위한 시설 또는 지원 활동)

hospitable [hɑ́spitəbəl] *adj.* 호의로써 맞이하는, 붙임성 있는: Americans are known to be very *hospitable* people. 미국인들은 아주 친절한 국민으로 알려져 있다.
숙어 friendly, kind 반의 inhospitable

***hospital** [hɑ́spitl] *n.* 병원: He's in the *hospital* now. 그는 지금 입원 중이다.
※ 병원 건물을 뜻하지 않고 '치료'를 뜻하는 경우에도 미국에서는 the를 붙이나 영국에서는 the를 붙이지 않는다.

hospitality [hɑ̀spitǽləti] *n.* 환대, 후한 대접

hospitalize [hɑ́spitəlàiz] *v.* [T] 입원시키다, 병원 치료를 하다
— **hospitalization** *n.* 입원 치료(기간)

***host** [houst] *n.* **1** (연회 등의) 주인 **2** (라디오·TV의) 사회자: show *host* 쇼 진행자 **3** [생물] (기생 동식물의) 숙주 반의 parasite **4** [컴퓨터] 호스트 컴퓨터 (host computer) (대형 컴퓨터의 주연산 장치인 CPU가 있는 부

분) **5** (a host) 많은 사람, 다수 (of): a *host* of friends 많은 친구들
v. [T] **1** 접대하다, 주최하다: Seoul *hosted* the World Cup in 2002. 서울에서 2002년 월드컵을 주최했다. **2** 사회를 보다: a talk show *hosted* by Tim Evans 팀 에반스가 사회를 보는 토크 쇼

hostage [hɑ́stidʒ] *n.* 볼모(의 처지), 인질, 저당물: take … *hostage* …를 인질로 하다

hostel [hɑ́stəl] *n.* 호스텔, 숙박소 (도보·자전거 여행 중인 청년 남녀용): a youth *hostel* 유스 호스텔

hostess [hóustis] *n.* **1** (연회 등의) 여주인 **2** (식전·토론회 등의) 여성 사회자 **3** (비행기의) 스튜어디스 (air hostess)

***hostile** [hɑ́stil] *adj.* **1** 적의 있는, 적개심에 불타는: I don't know why she's so *hostile* towards her parents. 그녀가 왜 그녀의 부모에게 적개심을 갖고 있는 건지 난 모르겠다. **2** 강하게 반대하는, 반발하는: He was openly *hostile* to our proposals. 그는 우리의 안건에 드러내 놓고 심하게 반대했다.

hostility [hɑstíləti] *n.* **1** 적의, 적개심 (to, towards): He didn't say anything but I could feel his *hostility*. 그는 아무 말도 하지 않았지만 나는 그의 적개심을 느낄 수 있었다. **2** (hostilities) 전쟁 행위, 교전

***hot** [hɑt] *adj.* (hotter-hottest) **1** 더운, 뜨거운: a *hot* day 더운 날 / a *hot* drink 뜨거운 음료 **2** 매운, 자극성이 있는: This curry is too *hot*. 이 카레는 너무 맵다. 숙어 spicy **3** (의론·싸움 등이) 격렬한, 열띤: a *hot* issue 뜨거운 논쟁점 **4** (뉴스 등이) 새로운, 최신의: *hot* news 최신 뉴스 **5** (상품 등이) 인기 있는, 유행하는: *hot* items 잘 팔리는 상품

hot dog *n.* 핫도그 (길쭉한 빵 사이에 소세지를 끼운 것)

hotel [houtél] *n.* 호텔, 여관
— **hotelier** *n.* 호텔 경영자(지배인)

H

■ **관련 단어** hotel

book(make) a reservation 예약하다
single (room) 1인용 객실 **double (room)** 2인용 객실 (한 개의 더블 침대가 있음) **twin-bedded (room)** 2인용 객실 (두 개의 single bed가 있음) **check in (register)** 체크인하다 **check out** 체크 아웃하다

hot line *n.* 긴급용 직통 전화

hotly [hátli] *adv.* **1** 매우 성을 내어: "I told you I didn't do it!" she said *hotly.* "내가 한 게 아니라고 했잖아!"라고 그녀는 매우 화를 내며 말했다. **2** 격렬하게, 열을 띠고: a *hotly* debated issue 뜨겁게 논의되고 있는 논쟁점

hound [haund] *n.* 사냥개 (말머리에 blood-, deer-, fox-를 붙이는 일이 많음): blood*hound* 블러드하운드 (영국산 경찰견) / deer*hound* 사슴 사냥개 / fox*hound* 여우 사냥개

v. [T] 맹렬하게, 추적하다, 집요하게 괴롭히다: The boy is *hounding* his parents for a new bike. 그 애는 새 자전거를 사 달라고 부모님을 괴롭히고 있다.

*＊**hour** [áuər] *n.* **1** 한 시간: He'll be back in an *hour.* 그는 한 시간 후에 올 거야. / It took two *hours* and a half to write an essay. 글짓기 하나 하는 데 두 시간 반이 걸렸다. **2** 한 시간의 노정(거리): It's two *hours* away from my home. 그 곳은 우리 집에서 두 시간 거리이다. **3** 시각: the early *hours* of the morning 아침 이른 시각 **4** (hours) (…을 하는) 시간: office(business) *hours* 근무(영업) 시간 / school *hours* 수업 시간 **5** (the hour) 정시: The clock is striking the *hour.* 시계가 정시를 알리고 있다. **6** (hours) 오랜 시간: She went on talking for *hours.* 그녀는 쉼 없이 오랫동안 수다를 떨었다.

[숙어] **happy hour** 술집 등에서 서비스로 술값을 할인해 주는 이른 저녁 시간

rush hour 출·퇴근 시간의 교통 혼잡, 러시 아워

hourglass [áuərglæs] *n.* 모래시계, 물시계 [SYN] sandglass

hourly [áuərli] *adj. adv.* 한 시간마다(의): *hourly* pay 시급 / The news is broadcast *hourly.* 뉴스는 매시간마다 방송된다.

*＊**house** [haus] *n.* (*pl.* houses [háuziz]) **1** 집, 주택: An Englishman's *house* is his castle. [속담] 자신의 사생활에 남의 간섭을 용납 안 한다. (영국 사람의 집은 곧 성(城)이다.) **2** 가정, 일가, 가족 **3** (특별한 목적을 위한) 건물: a ware*house* 창고 / the court*house* 법원 청사 **4** (하나의 특정 메뉴만을 하는) 식당: a steak*house* 스테이크 식당 / a coffee *house* 커피 전문점 **5** (the House) 의회, [영] 상하원, [미] 하원: the *Houses* of Parliament [영] 국회 의사당 / the *House* of Lords [영] 상원 ([미] the Senate) / the *House* of Commons [영] 하원 ([미] the *House* of Representatives) **6** 관중, 청중; 극장, 연주회장: There was a poor *house* for the movie. 그 영화의 관객은 한산했다. **7** 상사, 상점: a publishing *house* 출판사

v. [T] [hauz] **1** 거처할 곳을 주다, 숙박시키다 **2** (물건을) 간수하다, 수용(수납)하다

[숙어] **on the house** (비용을) 술집(주최자) 부담으로, 무료의: Soft drinks are *on the house* if you order a large pizza. 큰 피자를 시키면 청량 음료가 무료이다.

household [háushòuld] *n.* 가족, 세대: two *households* 2가구
— **householder** *n.* 세대주, 호주; 주택 보유자

housekeeper [háuskì:pər] *n.* 가정부
— **housekeeping** *n.* 가사, 가계비, (회사) 경영

housewarming [háuswɔ̀:rmiŋ] *n.* 집들이

housewife [háuswàif] *n.* (*pl.* housewives) 주부

※ 남자가 직장에 나가지 않고 집안 살림을 하는 경우는 house husband라고 한다.

housework [háuswə̀ːrk] *n.* 집안일, 가사

housing [háuziŋ] *n.* **1** (집합적) 주택 **2** 주택 공급, 주택 건설 **3** 덮개

hover [hʌ́vər] *v.* [I] **1** (곤충·새·헬리콥터 등이) 하늘에 멈춰 떠 있다: Clouds of smoke *hovered* over the building. 구름 같은 연기가 빌딩 상공에 멈춰 떠 있었다. **2** (…곁을) 맴돌다: I wish you'd stop *hovering* (round) and let me alone! 네가 내 주위를 그만 맴돌고 나를 내버려 뒀으면 좋겠다!

*****how** ⇨ 아래 참조

*****however** [hauévər] *conj.* **1** 그러나, 그렇지만: He was very tired. *However*, he went to work. 그는 굉장히 피곤했지만 일하러 갔다. ※ 문장 앞·중간·뒤에 올 수 있다. but보다 뜻이 약하다. **2** 어떠한 방식으로라도: You may do *however* you like. 너 좋을 대로 해라.

adv. **1** (정도) 아무리 …할지라도: He wouldn't wear shorts, *however* hot it is. 아무리 더워도 그는 반바지를 입으려 하지 않는다. **2** (의문사 how의 강조형) 도대체 어떻게: *However* did you find us? 도대체 어떻게 우리를 찾아냈지?

※ how ever와 같이 두 단어로 쓰는 것이 정식.

howl [haul] *v.* [I] **1** (개·이리 등이) 짖다: The wolf *howled* at the moon. 늑대가 달을 향해 짖었다. **2** 바람이 윙윙거리다: The wind *howled* around the house. 바람이 집 주위를 윙윙거렸다. **3** (사람이) 울부짖다, 악쓰다, 아우성치다: They are *howling* for equal conditions. 그들은 평등한 조건을 부르짖고 있다. **4** 크게 웃다: We all *howled* with laughter. 우리 모두는 배를 움켜쥐고 크게 웃었다.

n. **1** 짖는 소리 **2** 신음 소리, 아우성 소리 **3** 큰 웃음

HTML *abbr.* [컴퓨터] Hypertext Markup Language (www에서 웹페이지를 작성하기 위해 사용되는 언어의 이름)

HTTP *abbr.* [컴퓨터] Hypertext Transfer

---

how

how [hau] *adv.* **1** (주로 의문문에서) 어떤 방법으로, 어떻게: "*How* can I get there?" "By bus." "그 곳에 어떻게 가지?" "버스를 타." / I know *how* to make a lemonade. 나는 레몬주스 만드는 법을 안다.
2 (상태·형편) 어떤 상태로[형편에]: *How* is your mother? 어머니는 어떠시니? / *How* are you? 어떻게 지내?
3 (상대의 의도·의견을 물어) 어떻게, 어떤 뜻으로: *How* did it go? (일이) 어떻게 됐니? / *How* was your trip? 여행 어땠어?
4 (정도) 얼마만큼, 얼마나 (바로 뒤에 형용사·부사가 와서): *How* long did he live? 그는 얼마나 오래 살았는가? / *How* much is it? 얼마입니까? / *How* often do you go to the library? 도서관에는 얼마나 자주 가시나요?

5 (감탄문) 얼마나 …, 정말 …: *How* beautiful! 정말 아름답구나! / I was impressed at *how* well the little girl spelled difficult words. 나는 어린 여자 아이가 어려운 단어의 철자를 얼마나 잘 쓰던지 감명받았다.

conj. …한 경위: That is *how* it happened. 그렇게 그 일이 일어났어.

[축어] **how about** ⇨ about
how come? ⇨ come
how could[can] you …? (불쾌·놀람) 네가 어떻게 …할 수가 있어?: *How could you* do this to me? 나에게 어떻게 이러실 수가 있어요? / *How can you* say such a thing! 그딴 소리를 하다니!
How do you do? 처음 뵙겠습니다.

H

Protocol (인터넷에서 하이퍼 텍스트 문서를 교환하기 위하여 사용하는 통신 규약)

huddle [hʌ́dl] *v.* [I] **1** 가까이 모이다: They *huddled* around the fire to keep warm. 그들은 몸을 따뜻하게 하기 위해 불 주위로 모여들었다. **2** (추워서) 몸을 움츠리다
n. **1** 혼잡, 빽빽이 모인 무리(물건): all in a *huddle* 뒤죽박죽으로 **2** [미식축구] 작전 회의, 선수들의 집합 (다음 작전을 결정하기 위한)

hue [hju:] *n.* 색조, 빛깔, 색상: a garment of a violent *hue* 현란한 색조의 옷 ※ color, tint보다 문어적인 말이다.

hug [hʌg] *v.* [T] (hugged-hugged) 꼭 껴안다: She *hugged* a teddy bear before she went to sleep. 그녀는 자기 전에 곰 인형을 꼭 껴안았다.
n. 포옹, 껴안음: She gave me a *hug*. 그녀가 나를 꼭 안아 주었다.

***huge** [hju:dʒ] *adj.* 거대한; 엄청난, 대단한 a *huge* rock 거대한 바위 / a *huge* success 큰 성공 / a *huge* problem 큰 문제
— **hugely** *adv.* **hugeness** *n.*

huh [hʌ] *int.* **1** 질문 뒤에: Let's eat out, *huh*? 외식하자, 응? **2** 화·놀람·반대의 뜻으로: "This is good." "Huh! Too much sugar." "이거 맛있는데." "흥! 설탕이 너무 많이 들어갔어." **3** 잘 못 들었을 때: "Are you OK?" "Huh?" "너 괜찮니?" "응?"

hum [hʌm] *v.* (hummed-hummed) **1** [I] (벌·기계 등이) 윙윙거리다 **2** [I,T] 허밍하다, 콧노래 부르다
n. 윙윙 (소리)

***human** [hjúːmən] *adj.* **1** 인간의, 사람의: *human* resources 인적 자원 **2** 인간적인, 인간다운: *human* errors 사람에게 따르기 마련인 과실
n. 인간 (human being)
— **humanly** *adv.* 인간답게, 인력으로

humane [hjuːméin] *adj.* 자비로운, 인도적인: Prisoners claimed more *humane* treatment. 죄수들은 좀 더 인도적인 대우를 요청했다. OPP inhumane

— **humanely** *adv.*

humanism [hjúːmənìzəm] *n.* **1** 인도주의 **2** 인문(인본)주의
— **humanist** *n.* 인도주의자, 인문(인본)주의자

humanitarian [hjuːmænətέəriən] *adj.* 인도주의의, 박애(주의)의
n. 인도주의자, 박애가

humanity [hjuːmǽnəti] *n.* **1** 인류 SYN the human race **2** 인간애, 박애 OPP inhumanity **3** 인간성; (humanities) 인간의 속성, 인간다움 **4** (the humanities) (그리스·라틴의) 고전 문학, 인문학(철학·문학 등)

human nature *n.* 인성, 인간성

human rights *n.* (*pl.*) (기본적) 인권

humble [hʌ́mbəl] *adj.* **1** 겸손한, 겸허한: Be *humble* and learn from your mistakes. 겸허하게 너의 실수로부터 교훈을 배워라. **2** (신분 등이) 천한, 비천한 **3** 초라한, 시시한: a *humble* house 초라한 집
v. [T] 겸허하게 하다, 콧대를 꺾다
— **humbly** *adv.*

humid [hjúːmid] *adj.* 습기 있는, 눅눅한: Seoul is very *humid* in August. 8월에 서울은 날씨가 매우 습하다.
— **humidity** *n.* 습기, 습도

humiliate [hjuːmílièit] *v.* [T] 창피를 주다, 굴욕을 주다: He felt utterly *humiliated*. 그는 몹시 창피했다.
— **humiliating** *adj.* **humiliation** *n.* **humility** *n.* 겸손, 비하

***humor, humour** [hjúːmər] *n.* **1** 유머, 해학 **2** 유머를 이해할 수 있는 능력: a sense of *humor* 유머 감각 **3** (-humored *adj.*) (복합어를 이루어) 기분이 …한: good-*humored* 기분이 좋은 / ill-*humored* 기분이 언짢은
v. [T] 비위를 맞추다

humorous [hjúːmərəs] *adj.* 유머러스한, 익살스러운; 유머를 이해하는: a *humorous* gesture 재미있는 몸짓
— **humorously** *adv.*

hump [hʌmp] *n.* (낙타 등의) 혹

humpback [hʌ́mpbæ̀k] *n.* 꼽추, 곱사등 (이) SYN hunchback

hundred [hʌ́ndrəd] *n. adj. pron.* 100(의), 백(의); 백 개〔사람〕 ⇨ sixty 참조 ※ 수사나 수를 나타내는 형용사를 동반할 때 복수형의 -s를 붙이지 않음. 미국 구어에서는 100자리 다음의 and를 생략하기도 함.: 1,520 one thousand five hundred (*and*) twenty

숙어 **hundreds of** 수백의, 많은: There were *hundreds of* butterflies. 나비 수백 마리가 있었다.

hundredth [hʌ́ndrədθ] *n. adj. pron. adv.* 100th ⇨ sixtieth 참조

hunger [hʌ́ŋgər] *n.* **1** 기아, 기근: die of *hunger* 굶어 죽다 **2** 배고픔: Babies cry from *hunger*. 아기들은 배가 고프면 운다. **3** (a hunger) 갈망, 열망 (for): a *hunger* for fame 명성에 대한 갈망
v. [T] 갈망하다 (for, after)

hunger strike *n.* 단식 투쟁: go〔be〕 on (a) *hunger strike* 단식 투쟁을 하다〔하고 있다〕

*★**hungry** [hʌ́ŋgri] *adj.* (hungrier-hungriest) **1** 배고픈: I'm *hungry*. 배고프다. / go *hungry* 굶주리다 **2** 갈망하는, 몹시 원하는: He's *hungry* for knowledge. 그는 지식을 갈망한다.
— **hungrily** *adv.*

hunt [hʌnt] *v.* [I,T] **1** 사냥하다 **2** 찾다 (for): I'm *hunting* for my contact lens. I dropped it on the floor. 콘택트 렌즈를 찾고 있어. 바닥에 떨어뜨렸거든.
n. **1** 사냥, 수렵: a bear-*hunt* 곰 사냥 **2** 추적, 수색
— **hunter** *n.* 사냥꾼; 사냥개, 사냥말
hunting *n.* 사냥

hurdle [hə́:rdl] *n.* **1** 장애물, 허들 **2** (hurdles) 장애물 경주 **3** 장애, 곤란
v. [I,T] (허들을) 뛰어넘다

hurl [hə:rl] *v.* [T] 세게 내던지다 (at): I *hurled* the ball at the wall. 나는 공을 벽에 세게 던졌다.

hurray [huréi] *int.* 만세 (hooray, hurrah): *Hurray* for the King! 국왕 만세!

hurricane [hə́:rəkèin] *n.* 태풍, 허리케인 ⇨ storm

hurried [hə́:rid] *adj.* 매우 급한, 재촉받은: a *hurried* letter 황급히 쓴 편지
— **hurriedly** *adv.*

*★**hurry** [hə́:ri] *n.* 매우 급함, 서두름: There's no *hurry*. 서두를 필요 없어. / What's the *hurry*? 왜 그렇게 서두르지? (서두르지 마.)
v. **1** [I] 서두르다, 조급하게 굴다: I *hurried* to school. 나는 서둘러 학교에 갔다. **2** [T] 서두르게 하다, 재촉하다: I don't want to *hurry* you but you've got only ten minutes left. 당신을 재촉하고 싶진 않지만 10분밖에 안 남았습니다.
숙어 **hurry up** 서두르다, 서두르게 하다: *Hurry up*, or you'll be late for school. 서둘러라, 그렇지 않으면 학교에 늦는다.
in a hurry 급히, 서둘러: They got on the train *in a hurry*. 그들은 서둘러 기차에 탔다. SYN in haste

*★**hurt** [hə:rt] *v.* (hurt-hurt) **1** [I,T] 고통을 주다, 상처내다, 다치게 하다: He's badly *hurt*. 그는 중상을 입었다. / He *hurt* himself in a fight. 그는 싸움에서 상처를 입었다. **2** [I] 아프다: My stomach *hurts*. 배가 아프다. / Where does it *hurt*? 어디가 아프니? **3** [T] (감정을) 상하게 하다, 불쾌하게 하다: I didn't mean to *hurt* your feelings. 너의 감정을 상하게 하려고 했던게 아니었는데. / It's going to *hurt* your reputation. 그건 네 명성을 손상시킬 것이다.
adj. **1** 다친: Is anyone *hurt*? 다친 사람 있어요? OPP unhurt **2** (감정이) 상한, 다친: She was deeply *hurt* by what he said. 그녀는 그가 한 말로 인해 크게 상처를 입었다.
n. **1** (정신적) 고통 **2** 부상, 상처: a slight

hurt 경상
— **hurtful** *adj.* (육체적 · 정신적으로) 상처 주는

[숙어] **it wouldn't hurt** …좀 해: *It wouldn't hurt* you to finish your homework now. 지금 숙제 좀 해. / *It wouldn't hurt* to exercise. 운동 좀 해.

■ 유의어 **hurt**
wounded 주로 싸우다가 칼, 검, 총, 등에 의해 다치거나 입은 상처에 대해서 씀. **injured** 사고를 당해 다침. **hurt**와 injured는 의미는 비슷하나 상처가 가벼운 경우 hurt가 주로 많이 쓰임.

***husband** [hʌ́zbənd] *n.* 남편
hush [hʌʃ] *int.* 쉿, 조용히
v. [I] 조용해지다: *Hush,* now. I'm trying to get some sleep. 이제 조용히 좀 해. 나 자려고 한단 말이야.
n. 침묵, 조용함
husky¹ [hʌ́ski] *adj.* (huskier-huskiest) (목소리가) 허스키한, 쉰 목소리의
husky² [hʌ́ski] *n.* 에스키모 개, 허스키
hustle [hʌ́səl] *v.* [T] 거칠게 밀치다: She *hustled* through the crowd. 그녀는 사람들을 밀치며 나아갔다.
hut [hʌt] *n.* 오두막
hyacinth [háiəsìnθ] *n.* [식물] 히아신스
hybrid [háibrid] *n.* 잡종, 튀기, 혼혈아: A mule is a *hybrid* of a male donkey and a female horse. 노새는 수나귀와 암말과의 잡종이다.
adj. 잡종의, 혼혈의
hydrogen [háidrədʒən] *n.* [화학] 수소 (기호 H)
hydrogen bomb *n.* 수소 폭탄 (H-bomb)
hygiene [háidʒi:n] *n.* **1** 위생학 **2** 위생 (상태); 위생[건강]법 [SYN] hygienics
hygienic [hàidʒiénik] *adj.* 위생(상)의,

보건상의; 위생학의: *hygienic* storage [packing] 위생적인 저장[포장] / *hygienic* band [pad] 생리대
— **hygienically** *adv.*
hymn [him] *n.* 찬송가, 성가
hyper- *prefix* '위쪽, 초과, 과도, 비상한, 3차원을 넘는 (공간의)'란 뜻.
hyperlinks *n.* [컴퓨터] 하이퍼링크스 (문서 · 비디오 · 그래픽스 · 소리 등을 짜 맞추어 다각적인 정보로 제시하기 위해 연결하는 links나 threads)
hyphen [háifən] *n.* 하이픈, 연자 부호 (-)
— **hyphenate** *v.* 하이픈으로 연결하다
hyphenated *adj.* 하이픈을 넣은
hypnosis [hipnóusis] *n.* 최면 (상태), 최면술
hypnotize, hypnotise [hípnətàiz] *v.* [T] 최면술을 걸다
— **hypnotic** *adj.* **hypnotism** *n.* **hypnotist** *n.* 최면술사
hypo-, hyp- *prefix* '밑에, 이하, 가볍게'란 뜻.
hypocrite [hípəkrìt] *n.* 위선자
— **hypocritical** *adj.* **hypocritically** *adv.* **hypocrisy** *n.* 위선 (행위)
hypothesis [haipáθəsis] *n.* (*pl.* hypotheses) 가설, 가정: a *hypothesis* about extraterrestrial 외계인에 대한 가설
— **hypothetical** *adj.* **hypothetically** *adv.*
hysteria [histíəriə] *n.* [의학] 히스테리, 병적 흥분: There was public *hysteria* about AIDS. 에이즈에 대한 대중적인 히스테리가 있었다.
hysterical [histérikəl] *adj.* **1** 히스테리(성)의, 병적으로 흥분한, 이성을 잃은: She was *hysterical* with grief. 그녀는 큰 슬픔으로 이성을 잃었다. **2** 매우 우스꽝스러운
— **hysterically** *adv.*
Hz *abbr.* hertz 헤르츠

H

i

*I [ai] *pron.* 내가, 나는: I am hungry. 나는 배가 고프다. / I'm not late, am I? 나 늦지 않았지, 그렇지?

※ I는 인칭대명사 제 1인칭 단수 주격, 소유격 은 my, 목적격은 me, 소유대명사는 mine, 재 귀대명사는 myself, 복수는 we이다. 인칭대명 사 중 I만은 항상 대문자로 표기한다.

*ice [ais] *n.* 얼음: I want ice in my coke. 콜라에 얼음 좀 넣어 주세요.

v. **1** [I] 얼음으로 덮다, 얼어붙다 (over, up): The window has iced up. 창유리가 얼어 붙었다. **2** [T] (과자 등에) 당의를 입히다 ([미] frost; 설탕, 물, 우유, 버터 등을 섞어 만든 것 으로 과자나 케이크를 장식하는 데 씀)

[숙어] **crack(break) the ice** (파티 · 회 의 등의 분위기를 부드럽게 하려고) 이야기를 꺼내다, 긴장을 풀다, 썰렁한 분위기를 깨다

cut no ice (with) (…에 대해) 효과가[영 향이] 없다

on ice 1 (와인 등을) 얼음으로 차게 보관한 **2** (일 등을) 보류하여

iceberg [áisbə:rg] *n.* 빙산

[숙어] **the tip of the iceberg** 빙산의 일 각

ice cream *n.* 아이스크림

iced [aist] *adj.* **1** (음료에 대해) 얼음으로 차 게 한: iced coffee 냉커피 **2** 얼음으로 뒤덮 인 **3** 당의를 입힌

ice hockey *n.* ([미] hockey) [경기] 아이 스하키

ice skate *n.* (빙상) 스케이트 구두(의 날)

ice skating *n.* 빙상 스케이트

— **ice-skate** *v.* 스케이트를 타다

icicle [áisikəl] *n.* 고드름

icing [áisiŋ] *n.* ([미] frosting) (과자 · 케이 크 등의) 당의

icon [áikɑn] *n.* **1** [컴퓨터] 아이콘, 쪽그림 (컴퓨터의 각종 기능 · 메시지를 나타낸 그림 문자): To save your file, click on the icon at the top of the screen. 파일을 저 장하려면 위쪽에 있는 아이콘을 클릭해라. **2** 우 상, …을 대표하는 사람(것) **3** [그리스정교] (예수 · 성인 등의) 성상(聖像) (ikon)

icy [áisi] *adj.* (icier-iciest) **1** 몹시 차가운: My hands are icy cold. 내 손은 몹시 차 다. **2** 얼음으로 뒤덮인: icy road 얼음으로 덮 인 도로 **3** 쌀쌀한, 냉담한: an icy look 쌀쌀 맞은 표정

ID *abbr.* identification 신분 증명, 신원 확 인: an ID card 신분증

*idea [aidí:ə] *n.* **1** 생각, 관념: a general idea 개념 / an abstract idea 추상 관념 **2** 착상, 고안, 계획: That's a good idea! 정말 좋은 생각이야! / He's a man of ideas. 그는 아이디어가 풍부한 사람이다. **3** 이해, 짐작, 어 림: You don't have the slightest idea where she hid it. 그녀가 그것을 어디에 숨 겼는지 너는 전혀 짐작할 수 없다. / I need to have an idea of the situation. 상황에 대 해 어림짐작이라도 하고 있는 게 필요하다. **4** 의견, 견해: He has some strange ideas about women. 그는 여자들에 대해 이상한 견해를 갖고 있다. **5** (the idea) 의도, 목적: The idea is to help students manage their stress. 목적은 학생들이 스트레스를 다 스리는 것을 도와 주는 데 있다.

ideal [aidí:əl] *adj.* 이상적인, 더할 나위 없 는 (for): The weather is ideal for a picnic. 날씨는 소풍 가기에 이상적이다. [SYN] perfect

n. **1** 이상, 이념: Everyone tries to live up to his(her) ideals. 모든 사람은 자신의

이상에 맞추어 살려고 한다. **2** 이상적인 것(사람), 전형

idealism [aidí:əlìzəm] *n.* **1** 이상주의 **2** [철학] 관념론 OPP materialism **3** [예술] 관념주의 OPP realism
— **idealistic** *adj.* **idealist** *n.* 이상가, 관념론자

idealize, idealise [aidí:əlàiz] *v.* [T] 이상화하다

ideally [aidí:əli] *adv.* **1** 더할 나위 없이, 완벽하게: *ideally* suited 완벽하게 어울리는 **2** (문장 전체를 수식하여) 이상적으로, 이상적으로 말하면: *Ideally*, I have to finish the job by next week. 이상적으로는 다음 주까지 그 일을 끝내야 한다.

identical [aidéntikəl] *adj.* **1** (상이한 것에 대해) 같은, 일치하는 (to, with): Your shoes are *identical* to mine. 네 신발은 내 것과 똑같다. **2** (the identical) (명사 앞에만 쓰임) 동일한: This is the *identical* pen I lost. 이건 내가 잃어버린 바로 그 펜이다. SYN the same
— **identically** *adv.*

identical twin *n.* 일란성 쌍둥이 중의 한 명 *cf.* fraternal twin 이란성 쌍둥이 중의 한 명

identification [aidèntəfikéiʃən] *n.* **1** 신원(정체)의 확인, 신분 증명 **2** 신분증 (*abbr.* ID) **3** 동일시 (with): *identification* with the heroine in the movie 영화 속 여주인공과의 동일시

identify [aidéntəfài] *v.* [T] 확인하다, 신원을 밝히다: Can you *identify* the body? 사체의 신원을 아시겠습니까?
숙어 **identify ... with ~** …와 ~을 동일한 것으로 간주하다: Nationalism should not be *identified with* patriotism. 국수주의가 애국심과 동일한 것으로 간주되어서는 안 된다.

identify with (…와) 동일시하다: *identify with* the hero of a novel (자신을) 소설의 주인공과 동일시하다

***identity** [aidéntəti] *n.* **1** 정체, 신원: The *identity* of the killer is still not known. 살인자의 신원은 여전히 밝혀지지 않고 있다. **2** 본인임, 주체성: Most children go through *identity* crisis at the age of puberty. 많은 아이들이 사춘기 때 주체성 혼란을 겪는다.

identity card *n.* 신분 증명서 (ID card)

ideology [àidiálədʒi] *n.* **1** 관념학, 관념론 **2** [사회] (사회상·정치상의) 이데올로기
— **ideological** *adj.*

idiom [ídiəm] *n.* 숙어, 관용구
— **idiomatic** *adj.* 관용구적인, 관용구가 많은

idiot [ídiət] *n.* 천치, 바보
— **idiotic** *adj.* **idiotically** *adv.*

idiot box *n.* 바보 상자 (텔레비전의 속칭)

***idle** [áidl] *adj.* (idler-idlest) **1** 게으름뱅이의: He's an *idle* student. 그는 게으른 학생이다. **2** 한가한, 할 일이 없는: I just can't bear to be *idle*. 난 한가하게 있는 것을 도대체 견디지 못하겠어. **3** (기계·공장 등이) 쓰이고 있지 않은, 놀고 있는: The factories stood *idle* while the workers were on strike. 노동자들이 파업을 하는 동안 공장은 돌아가지 않고 있었다. **4** (명사 앞에만 쓰임) 무익한, 헛된: *idle* curiosity 쓸데없는 호기심
v. [I,T] 게으름 피우고 있다, (시간을) 빈둥거리며 보내다
— **idly** *adv.* **idleness** *n.*
숙어 **idle away** 게으름 피우며 (시간을) 허송하다: He *idles* his time *away*. 그는 빈둥거리며 세월을 허송하고 있다.

idol [áidl] *n.* **1** 숭배되는 사람(것): She was my *idol* since I was a child. 그녀는 어릴 적부터 나의 우상이었다. **2** 우상, 신상(神像)
— **idolize, idolise** *v.*

i.e. *abbr.* id est [라틴어] 즉, 말하자면: a carnivore, *i.e.* an animal that eats flesh 육식 동물, 즉 고기를 먹는 동물 SYN that is ※ i.e.을 보통 that is라고 읽는다.

*if [if] *conj.* **1** (가정·조건) 만약 …이면(하면): *If* I were you, I wouldn't go. 내가 너라면 가지 않을 거야. / Come *if* you like. 원한다면 오도록 해. **2** (인과 관계) …하면 (언제나): *If* I drink coffee, I can't go to sleep at night. 나는 커피를 마시면 밤에 잠이 안 온다. / My dog taps her bowl *if* she's hungry. 내 개는 배가 고프면 밥그릇을 툭툭 친다. **3** (양보) 설사(비록) …라 하더라도(일지라도): I will go out even *if* it rains. 설사 비가 와도 외출하겠다. **4** (간접의문문) …인지 어떤지: I wonder *if* he's at home. 그가 집에 있을까. / He asked me *if* I liked Chinese food. 그가 내게 중국 음식을 좋아하는지 어떤지 물었다. ⸤SYN⸥ whether

⸤숙어⸥ **as if** ⇨ as

even if ⇨ even

if it were(was) not for 만약 …이 없다면: *If it were not for* the sun, no living thing could exist. 만약 태양이 없다면 생물은 하나도 생존할 수 없을 것이다.

※ if it were not for는 현재 사실의 반대를 나타낸다. 과거 사실의 반대는 if it had not been for 또는 had it not been for를 쓴다.

if only …하기만 하면 (좋으련마는): *If only* she arrives in time. 그녀가 그저 제 시간에 와 주기만 한다면. (좋겠다)

igloo [íglu:] *n.* (*pl.* igloos) 이글루 (주로 눈덩이로 만든 에스키모의 집)

ignorance [ígnərəns] *n.* 무지, 무학 (of, about): *Ignorance* of the law is no excuse. 법을 몰랐다는 것은 변명이 되지 않는다. / *Ignorance* is bliss. [속담] 모르는 것이 약. (무지가 행복이다.)

ignorant [ígnərənt] *adj.* **1** 무지한, 무학의: an *ignorant* person 무학자 **2** (명사 앞에는 쓰이지 않음) 모르는 (of, about, that): He's *ignorant* of what's going on now. 그는 지금 어떤 일이 일어나고 있는지 모르고 있다. **3** 예의를 모르는, 실례되는: *ignorant* behavior 무례한 행동

*ignore [ignɔ́:r] *v.* [T] (의식적으로) 무시하다, 모른 체하다: Some drivers *ignore* traffic lights. 어떤 운전자들은 교통 신호등을 무시한다.

ikon *n.* =icon 3

*ill [il] *adj.* (worse-worst) **1** (명사 앞에는 쓰이지 않음) 병든, 건강(기분)이 나쁜 ([미] sick): She fell *ill* last week. 그녀는 지난주에 병이 났다. / I feel *ill.* 기분(몸)이 안 좋다. **2** (명사 앞에만 쓰임) 나쁜, 유해한: *ill* deeds 악행 / *Ill* weeds grow apace(are sure to thrive). [속담] 미움 받는 자가 오히려 활개친다. (잡초는 빨리 자란다.)

adv. (worse-worst) **1** 나쁘게: behave *ill* 행실이 나쁘다 / *Ill* got, *ill* spent. [속담] 부정하게 번 돈은 오래가지 않는다. **2** 불완전하게, 불충분하게; 부적당하게: I was *ill-* prepared for the test. 나는 시험 준비를 제대로 하지 않았다. / *ill-*treated 부당한 대우를 받은 **3** (흔히 주동사 앞에서) 할 수 없어, 어려워, 거의 …않아: He can *ill* afford to spend more money. 그는 더 이상 돈을 쓸 수 없다.

— **illness** *n.*

⸤숙어⸥ **ill at ease** 불안한, 불편한, 신경 쓰이는: She seemed *ill at ease* in the presence of headmaster. 그녀는 교장 선생님 앞이라 불편해 하는 것 같았다.

speak ill of …에 대해 나쁘게 말하다

■ **용법** ill
영국에서는 '아프다'는 의미로 보통 ill을 쓰며, sick는 구토나 메스꺼움의 의미가 있음. 미국에서는 그런 뜻의 구별이 없고 ill 보다는 sick가 더 일반적으로 쓰임. 영국, 미국 공통으로 **1** 명사 앞에서는 sick만 씀.: a *sick* person 환자 (an *ill* person 이라고 하지 않음.) **2** (the *sick*; 집합적) 환자들: a home for *the sick* 요양소 **3** 숙어에서도 sick와 ill을 병용하지 않음.: *sick* at heart 마음이 울적하여, 괴로워서 (*ill* at heart라고 하지 않음.)

illegal [ilí:gəl] *adj.* 불법의, 위법의:

Drunk driving is *illegal*. 음주 운전은 위법이다. [SYN] unlawful [OPP] legal
— **illegally** *adv.*

illegality [ìli:gǽləti] *n.* **1** 불법, 위법 **2** 불법 행위, 부정

illegible [iléʤəbəl] *adj.* 읽기 어려운: Your handwriting is *illegible*. I can't read it. 네가 쓴 것은 읽기가 어려워. 난 못 읽겠어. [OPP] legible
— **illegibly** *adv.* **illegibility** *n.*

ill-fated *adj.* 운이 나쁜, 불행한

illiteracy [ilítərəsi] *n.* **1** 문맹; 무식, 무교양: *illiteracy* rate 문맹률 **2** (illiteracies) (무식해서) 틀리게 씀(말함)

illiterate [ilítərit] *adj.* **1** 문맹의 [OPP] literate **2** (언어·문학 등의) 교양이 없는, 교양 없음이 드러난 **3** (특정 분야에 대해) 아는 것이 없는: computer *illiterate* 컴맹의
n. 문맹자, 무식자

illness [ílnis] *n.* 병: Because of his *illness*, he missed two days of school. 그는 병 때문에 학교를 이틀 결석했다.

illogical [ilɑ́ʤikəl] *adj.* 비논리적인, 불합리한 [OPP] logical
— **illogically** *adv.* **illogicality** *n.*

ill-treat *v.* [T] 냉대하다, 학대하다
— **ill-treatment** *n.*

illuminate [ilú:mənèit] *v.* [T] **1** 조명하다, 밝게 비추다: The street was *illuminated* by street lights. 거리는 가로등으로 밝게 비추어졌다. **2** (문제 등을) 설명하다, 명료하게 하다
— **illuminating** *adj.* **illumination** *n.*

illusion [ilú:ʒən] *n.* **1** 환영, 환각: an optical *illusion* 착시 **2** 착각, 잘못 생각함, 환상: I have no *illusions* about my talent for singing. 나는 노래에 대한 나의 재능에 아무런 환상이 없다. / He's under the *illusion* that he's the best looking guy. 그는 자기가 제일 잘 생겼다고 착각하고 있다.
— **illusional, illusionary** *adj.*

illusory [ilú:səri] *adj.* **1** 착각을 일으키는, 사람 눈을 속이는 **2** 가공의, 실체가 없는

illustrate [íləstrèit] *v.* [T] **1** (실례·도해 등으로) 설명하다: To *illustrate* the point, she drew a graph. 요점을 설명하기 위해 그녀는 그래프를 그렸다. **2** 삽화를 넣다: Children's books are *illustrated* with beautiful pictures. 어린이 책에는 아름다운 삽화가 들어 있다.
— **illustrated** *adj.* 삽화가 든, 그림[사진]이 든

illustration [ìləstréiʃən] *n.* **1** 삽화, 도해 **2** 실례, 예증 **3** 도해하기

illustrator [íləstrèitər] *n.* 삽화가

ILO *abbr.* International Labor Organization 국제 노동 기구

*__image__ [ímiʤ] *n.* **1** 일반적인 인상, 이미지: corporate *image* 기업 이미지 **2** (심중의) 영상, 잔상 **3** (책·영화 등에 나타나는) 사진, 그림, 설명 **4** (거울·망막상의) 영상 **5** 꼭 닮음: She's the *image* of her mother. 그녀는 제 어머니를 빼닮았다.

imaginable [imǽʤənəbəl] *adj.* 상상할 수 있는: Try every means *imaginable*. 상상할 수 있는 모든 방법을 다 시도해 봐.

imaginary [imǽʤənèri] *adj.* 상상의, 가상의: All the characters in this movie are *imaginary*. 이 영화의 모든 캐릭터들은 가상(인물)이다. [OPP] real

imagination [imæ̀ʤənéiʃən] *n.* **1** 상상(력), 창작력: Children are full of *imagination*. 아이들은 상상력이 풍부하다. **2** 상상의 산물: "Did you hear that?" "No. It's just your *imagination*." "저 소리 들었니?" "아니. 그건 네 상상일 뿐이야."

imaginative [imǽʤənətiv] *adj.* 상상력이 풍부한: You need to be more *imaginative* if you want to attract more customers. 더 많은 손님을 끌고 싶으면 상상력이 더욱 풍부해야 한다. [SYN] inventive [OPP] unimaginative
— **imaginatively** *adv.*

***imagine** [imǽdʒin] *v.* [T] **1** 상상하다, 마음에 그리다: *Imagine* yourself (to be) a teacher. 네가 선생님이라고 상상해 보아라. **2** 생각하다, 추측하다, 짐작하다: I can't *imagine* what he's up to. 나는 그가 무슨 일을 꾸미는지 짐작이 안 간다. [SYN] suppose, assume

IMF *abbr.* International Monetary Fund 국제 통화 기금

imitate [ímitèit] *v.* [T] **1** (귀감으로 여기고) 모방하다, 본받다, 따르다: Children often *imitate* their parents. 어린이들은 종종 부모를 모방한다. **2** (남을 웃기려는 목적으로) 흉내내다: Can you *imitate* a gorilla? 고릴라 흉내낼 수 있어? [SYN] mimic

imitation [ìmitéiʃən] *n.* **1** 모조품, 가짜: These flowers are *imitations*. 이 꽃들은 모조품이다. **2** 모방: Children learn a lot by *imitation*. 어린이들은 모방을 통해 많은 것을 배운다. **3** 흉내: She can do good *imitations* of her mother. 그녀는 그녀의 어머니 흉내를 잘 낸다.

immature [ìmətʃúər] *adj.* **1** 미숙한, 미완성의, 미성년의: *immature* fruit 덜 익은 과일 **2** 성숙하지 못한: *immature* behavior 어른스럽지 못한 행동 [OPP] mature
— **immaturity** *n.*

immeasurable [iméʒərəbəl] *adj.* 헤아릴 수 없는, 광대한: Stress causes *immeasurable* harm. 스트레스는 헤아릴 수 없는 큰 해를 끼친다. [OPP] measurable
— **immeasurably** *adv.*

***immediate** [imíːdiit] *adj.* **1** 즉시의, 즉석의: I got an *immediate* response from the company. 나는 그 회사로부터 즉각적인 응답을 받았다. **2** (명사 앞에만 쓰임) 당면한: Our *immediate* concern is to rebuild the fallen bridge. 우리가 당면한 과제는 무너진 다리를 재건하는 것이다. **3** (명사 앞에만 쓰임) 곧 일어나는: I don't expect any changes in the *immediate* future. 나는 가까운 미래에 어떤 변화도 없을 것이라

생각한다. **4** (명사 앞에만 쓰임) (관계) 직접의: *immediate* family 직계 가족 (나의 부모, 자식, 형제, 자매) / The *immediate* cause of his death is cancer. 그의 죽음의 직접적인 원인은 암이다. **5** 바로 이웃의, 인접한: an *immediate* neighbor 바로 옆집 사람

immediately [imíːdiitli] *adv.* **1** 곧, 바로, 즉시 [SYN] at once **2** 직접(으로): He was *immediately* involved in the crime. 그는 그 범죄와 직접 연루되어 있다.
conj. [영] …하자마자: *Immediately* he got home, he went to bed. 그는 귀가하자마자 곧 잠자리에 들었다. [SYN] as soon as

immense [iméns] *adj.* 막대한, 무한한, 거대한: It will bring *immense* profits. 그것은 막대한 이윤을 가져올 것이다. [SYN] enormous
— **immensely** *adv.* **immenseness, immensity** *n.*

immerse [imɔ́ːrs] *v.* [T] **1** 담그다, 가라앉히다 (in): He *immersed* his foot in hot water. 그는 뜨거운 물에 발을 담갔다. **2** (immerse oneself 또는 수동태) 빠져들게 하다, 몰두하게 하다 (in): She *immersed* herself in her study. 그녀는 연구에 몰두했다. **3** [교회] 침례를 베풀다
— **immersion** *n.*

immigrant [ímigrənt] *n.* **1** (타국에서의) 이주자, 이민 **2** [영] 이주 10년 미만의 외국인 **3** 귀화 식물[동물]

immigrate [ímigrèit] *v.* [I] (영주할 목적으로 타국에서) 이주해 오다, 이주하다
※ immigrate 이주해 들어오다, emigrate 이주해 나가다, migrate 사람·동물이 다른 지방으로 이주하다

immigration [ìmigréiʃən] *n.* **1** (입국) 이주 **2** (집합적) 이민자 **3** (공항·항구 등에서의) (출)입국 관리, 입국 심사 (immigration control)

imminent [ímənənt] *adj.* (나쁜 일이) 절박한, 급박한: A storm seems *imminent*. 폭풍우가 곧 닥쳐올 것 같다.

— **imminently** *adv.*

immoral [imɔ́(ː)rəl] *adj.* 부도덕한: Slavery is condemned as *immoral*. 노예 제도는 부도덕하다고 비난을 받는다. OPP moral

— **immorally** *adv.* **immorality** *n.*

immortal [imɔ́ːrtl] *adj.* 죽지 않는, 불멸의: The soul is *immortal*. 영혼은 불멸이다. / an *immortal* work of art 불멸의 예술 작품 OPP mortal

— **immortality** *n.* **immortalize, immortalise** *v.*

immune [imjúːn] *adj.* **1** (병 등에) 면역성의 (to): If you are vaccinated against measles, you are *immune* to it. 홍역 예방 주사를 맞았다면 홍역에 대한 면역성이 있다. / acquired *immune* deficiency syndrome 후천성 면역 결핍증 (*abbr.* AIDS) **2** 면역이 된, 별 영향을 받지 않는 (to): I'm *immune* to my mother's scoldings. 난 어머니의 잔소리에 면역이 되어 있다. **3** (과세·공격 등에서) 면죄된, 면한 (from): You too are not *immune* from criticism. 너 역시 비난을 면할 수 없어.

immunity [imjúːnəti] *n.* **1** 면역(성) **2** (책임·의무의) 면제

immunize, immunise [ímjənàiz] *v.* [T] 면역이 되게 하다, 면역성을 주다 (against) SYN vaccinate

— **immunization, immunisation** *n.*

impact [ímpækt] *n.* **1** (an impact) 영향 (력) (on, upon): A new movement will have an *impact* on the younger generation. 새로운 운동은 젊은 세대에 영향을 줄 것이다. **2** 충돌, 충격: The *impact* crashed the car. 충돌로 자동차가 찌그러졌다.

impair [impέər] *v.* [T] 해치다, 상하게 하다: *impaired* hearing 약해진 청력

impairment [impέərmənt] *n.* **1** 손상, 해침 **2** [의학] 결함, 장애

impartial [impáːrʃəl] *adj.* 공평한, 편견

없는 SYN neutral OPP partial

— **impartially** *adv.* **impartiality** *n.*

impassive [impǽsiv] *adj.* (사람이) 감정이 없는, 냉담한, 무감각한

— **impassively** *adv.*

impatient [impéiʃənt] *adj.* **1** 참을 수 없는, 성급한 (at, with): An *impatient* driver behind me sounded his horn. 내 뒤의 성급한 운전자가 경적을 울렸다. / Don't be *impatient* with the children. 아이들에게 짜증내지 마라. OPP patient **2** 몹시 …하고 싶어하는 (for, to do): I was *impatient* to leave. 나는 몹시 자리를 뜨고 싶었다.

— **impatiently** *adv.* **impatience** *n.*

impel [impél] *v.* [T] (impelled-impelled) **1** 재촉하다, 강제하다 (to do): What *impelled* you to lie? 무엇이 너로 하여금 거짓말을 하게 했니? **2** 추진시키다, 앞으로 나아가게 하다: The strong wind *impelled* their boat to shore. 강풍이 그들의 보트를 해안 쪽으로 나아가게 했다.

— **impellent** *n. adj.* 추진력; 추진하는

impending [impéndiŋ] *adj.* (명사 앞에만 쓰임) 절박한: an *impending* crisis 임박한 위기

imperative [impérətiv] *adj.* **1** 명령적인: in an *imperative* tone 명령적인 어조로 **2** 피할 수 없는, 긴급한, 꼭 해야 할: an *imperative* duty 피할 수 없는 의무 / It is *imperative* that you call home immediately, because your mother is ill. 지금 즉시 집에 전화를 꼭 해야 해. 왜냐하면 너의 어머니께서 편찮으셔. **3** [문법] 명령법의: the *imperative* mood 명령법

imperceptible [ìmpərséptəbəl] *adj.* 감지할 수 없는, 미세한: an *imperceptible* difference 미세한 차이 OPP perceptible

— **imperceptibly** *adv.*

imperfect [impɔ́ːrfikt] *adj.* **1** 불완전한, 불충분한: an *imperfect* knowledge of Portuguese 포르투갈 어에 대한 불충분

한 지식 OPP perfect **2** 결함이 있는: an *imperfect* crystal 흠집이 있는 수정 OPP perfect **3** [문법] 미완료(시제)의
— **imperfectly** *adv.* **imperfectness** *n.*

imperfection [ìmpərfékʃən] *n.* **1** 불완전(성) **2** 결함, 결점

imperial [impíəriəl] *adj.* **1** 제국(帝國)의 **2** 황제[황후]의

imperialism [impíəriəlìzəm] *n.* 제국주의, 영토 확장주의
— **imperialist** *n.* 제국주의자

impersonal [impə́:rsənəl] *adj.* **1** 인격을 갖지 않은, 비인간적인: *impersonal* forces 인간 외적인 힘 (자연력·운명 등) **2** (특정한) 개인에 관계가 없는, 일반적인: Her remarks about cheating were *impersonal*. 부정 행위에 대한 그녀의 의견은 특정인에 관한 것은 아니었다. **3** 인간미가 없는: His letter was cold and *impersonal*. 그의 편지는 냉담하고 인간미가 없었다. **4** [문법] 비인칭의: an *impersonal* verb 비인칭 동사

impersonate [impə́:rsənèit] *v.* [T] **1** (남의 음성 등을) 흉내내다, (배우가) …으로 분장하다: He *impersonates* all the famous singers. 그는 유명한 가수들을 모두 흉내낸다. **2** 인격화하다
— **impersonation** *n.* **impersonator** *n.* 배우; 성대 모사자

impertinent [impə́:rtənənt] *adj.* **1** 건방진, 버릇없는: It's *impertinent* of him to break in when I'm talking. 내가 이야기하는 도중에 끼어들다니 그 사람 버릇없다. OPP polite, respectful **2** 무관계한, 적절하지 않은
— **impertinently** *adv.* **impertinence**, **impertinency** *n.*

impetuous [impétʃuəs] *adj.* 성급한, 충동적인: an *impetuous* decision 성급한 결정 SYN impulsive
— **impetuously** *adv.*

implant [implǽnt] *v.* [T] **1** [의학] 이식하다: *implant* an artificial heart 인공 심장

을 이식하다 **2** (마음에) 심다, 주입하다
n. [ímplænt] 이식 조직

implement [ímpləmənt] *n.* 도구, 기구: kitchen *implements* 부엌 세간 SYN tool
v. [T] [ímpləmènt] 이행하다, 실행하다: A new program for the alcoholics will be *implemented*. 알코올 중독자들을 위한 새로운 프로그램이 실행될 것이다.
— **implementation** *n.*

implicate [ímpləkèit] *v.* [T] **1** 관련시키다 (in): The evidence shows that he's *implicated* in a crime. 증거물이 그가 범죄에 관련되었음을 보여 준다. **2** 함축하다

implication [ìmpləkéiʃən] *n.* **1** (보통 *pl.*) 영향, (예상되는) 결과 (for, of): What are the *implications* of the newly developed bombs? 새로이 개발된 폭탄들이 가져올 결과는 무엇인가? **2** 암시, 함축: He didn't tell us what he wanted but made it known by *implication*. 그는 우리에게 무엇을 원하는지 말은 하지 않았지만 암시로 알 수 있게 했다. **3** 연루, 관련 (in): the *implication* of the sales manager in fraud 판매 부장이 사기에 연루됨

implicit [implísit] *adj.* **1** 은연중의, 암시적인: an *implicit* agreement to avoid touchy subject 민감한 주제는 피하자는 암묵적인 합의 OPP explicit **2** 맹목적인, 절대적인: *implicit* trust 절대적인 신임
— **implicitly** *adv.*

implore [implɔ́:r] *v.* [T] 애원하다, 간청하다: I *implored* him for help. 나는 그에게 도움을 간청했다. SYN beg

imply [implái] *v.* [T] **1** 함축하다, 암시하다: Her tone *implied* disappointment. 그녀의 음색은 실망을 함축하고 있었다. **2** 의미하다: Silence often *implies* consent. 침묵은 대개 동의를 의미한다.
— **implication** *n.*

impolite [ìmpəláit] *adj.* 무례한, 버릇없는 OPP polite
— **impolitely** *adv.*

***import** [ímpɔ:rt] *n.* **1** (보통 *pl.*) 수입품: Drinking water is one of the major *imports* of the Middle East. 마시는 물은 중동 지역의 주요 수입품 중의 하나이다. OPP export **2** 수입 (importation)
v. [I,T] [impɔ́:rt] **1** 수입하다 (from): Korea *imports* much of its oil. 한국은 소비하는 석유의 대부분을 수입한다. OPP export **2** [컴퓨터] 한 프로그램의 정보를 다른 프로그램으로 가져오다
— **importer** *n.* 수입자

importance [impɔ́:rtəns] *n.* 중요성, 중대함 (of): The doctor stressed the *importance* of eating healthy food. 의사는 건강에 좋은 음식을 섭취하는 것의 중요성을 강조했다. / a matter of *importance* 중요한 일

***important** [impɔ́:rtənt] *adj.* **1** 중요한: It's *important* to sleep well. 잠을 잘 자는 것은 중요하다. **2** (사람이) 영향력 있는, 유력한: She's one of the most *important* politicians. 그녀는 가장 영향력 있는 정치가들 중의 한 명이다.
— **importantly** *adv.*

importation [ìmpɔ:rtéiʃən] *n.* = import (*n.*)

impose [impóuz] *v.* **1** [T] (의무·세금·벌 등을) 지우다 (on, upon): The government *imposed* a ban on selling medicine without a doctor's prescription. 정부는 의사의 처방전 없이 약을 판매하는 것을 금지했다. **2** [T] 강요하다 (on, upon): Don't *impose* your own moral values on the others. 다른 사람들에게 네 자신의 도덕적 가치관을 강요하지 마라. **3** [I] (남에게) 성가시게 굴다 (on): I don't want to *impose* on you, but can you give me a ride? 성가시게 굴고 싶지는 않지만 나를 좀 태워다 줄 수 있겠니?
— **imposing** *adj.* 인상적인, 당당한
imposition *n.*

impossible [impásəbəl] *adj.* **1** 불가능한: I found it *impossible* to lift the box by myself. 나 혼자서 그 상자를 들어올리는 것이 불가능하다는 것을 알았다. / That's *impossible*! 믿을 수 없어!
※ impossible에 계속되는 to 부정사에는 수동태를 쓸 수 없다.: The job was impossible to be done. (X) 이는 It was impossible to do the job. 또는 The job could not be done.으로 써야 한다.
2 (사람·상황 등이) 참을 수 없는, 몹시 싫은: His lie has put me in an *impossible* position. 그의 거짓말이 나를 곤란하게 했다. / an *impossible* person 몹시 싫은 사람 **3** (the impossible) (단수 취급) 불가능한 일: attempt the *impossible* 불가능한 일을 시도하다
— **impossibility** *n.*

impossibly [impásəbəli] *adv.* 극도로: *impossibly* difficult 극도로 어려운

impotent [ímpətənt] *adj.* 무력한; (…할) 능력이 없는 (to do): *impotent* feeling 무력감 / He's *impotent* to help her. 그는 그녀를 도울 능력이 없었다.
— **impotence** *n.*

impoverish [impávəriʃ] *v.* [T] **1** 가난하게 하다: Gambling had *impoverished* him. 도박이 그를 가난하게 했다. **2** (질·능력 등을) 저하시키다, 떨어뜨리다: If you plant the same crops every year, it will *impoverish* the soil. 매년 같은 작물을 심는다면 토양의 질을 떨어뜨릴 것이다.
OPP enrich

impractical [impræktikəl] *adj.* **1** (생각·계획 등이) 비현실적인, 비실용적인: It proved to be *impractical* to spend so much money on project A. A 프로젝트에 많은 비용을 들이는 것은 비실용적이라고 판명됐다. **2** (사람이) 실용적이 아닌, 실천력이 없는 OPP practical

imprecise [ìmprəsáis] *adj.* 부정확한: *imprecise* information 부정확한 정보
OPP precise

— **imprecision** *n.*

*****impress** [imprés] *v.* [T] **1** 감명을 주다, 감동시키다 (with, that): It *impressed* me that you remembered my name. 저의 이름을 기억하고 있다니 감동했습니다. **2** 인상 지우다, 명심하게 하다, 인식시키다 (on, upon): He *impressed* on us the need for innovation. 그는 기술 혁신의 필요성을 우리에게 인식시켰다.

impression [impréʃən] *n.* **1** 인상, 감명: First *impressions* can be deceptive. 첫 인상에 속을 수도 있다. **2** (막연한) 느낌, 기분: I got the *impression* that something's not right. 나는 무언가가 옳지 않다는 느낌을 받았다. **3** 영향, 효과: His threat made no *impression* on children. 그의 위협은 아이들에게 별 효과가 없었다. **4** 압인, (눌러서 생긴) 자국: *impression* of fingerprints 지문 자국 **5** (유명인의) 흉내, 성대 모사: He can do an *impression* of the President. 그는 대통령의 흉내를 낼 수 있다. [SYN] immitation

[숙어] **be under the impression that** …하다고 생각하고 있다 (그러나 틀림): I *was under the impression that* she was happy. 나는 그녀가 행복하다고 생각했었다. (그러나 실은 그렇지 않았다.)

impressionable [impréʃənəbəl] *adj.* 감수성이 예민한

impressionism [impréʃənìzəm] *n.* [예술] 인상파[주의]
— **impressionist** *n.* 인상파 예술가

impressive [imprésiv] *adj.* 인상에 남는, 인상적인, 감동을 주는: an *impressive* article on education 교육에 관한 인상적인 글
— **impressively** *adv.*

imprint [ímprint] *n.* **1** 누른[찍은] 자국, 흔적: the *imprint* of a foot 발자국 **2** 인상, 모습

imprison [imprízən] *v.* [T] (종종 수동태) 투옥하다, 감금하다: They were *imprisoned*

for smuggling. 그들은 밀수입을 한 죄로 감금되었다.
— **imprisonment** *n.*

improbable [imprábəbəl] *adj.* 있을 법하지 않은: It's an *improbable* story. 그건 있을 법하지 않은 이야기다. [SYN] unlikely
[OPP] probable
— **improbably** *adv.* **improbability** *n.*

improper [imprápər] *adj.* **1** (사실 등에) 맞지 않는, 틀린: You gave me an *improper* address. 너는 나에게 틀린 주소를 가르쳐 주었다. **2** (경우·목적 등에) 부적당한, 부적절한: High heels are *improper* shoes for a long walk. 하이힐은 오랫동안 걷기엔 부적당한 신발이다. **3** 부도덕한, 음란한, 무례한: *improper* remarks 무례한 말
[OPP] proper
— **improperly** *adv.*

*****improve** [imprúːv] *v.* [I,T] 좋아지다, 향상되다, 개선하다: Your vocabulary has greatly *improved*. 너의 어휘력이 굉장히 많이 향상되었다. / Things are *improving*. 정세가 호전되고 있다.

[숙어] **improve on[upon]** 능가하다, 더 낫다: It will be difficult to *improve on* the world record. 세계 신기록을 능가하기란 어려울 것이다.

improvement [imprúːvmənt] *n.* 개선, 향상, 진보: an *improvement* in working conditions 노동 조건의 개선

improvise [ímprəvàiz] *v.* [I,T] (시·음악·연설 등을) 즉석에서 하다; 임시 변통으로 마련하다
— **improvisation** *n.*

impudent [ímpjədənt] *adj.* 뻔뻔스러운, 건방진
— **impudently** *adv.* **impudence** *n.*

impulse [ímpʌls] *n.* **1** 충동: I bought a bag on *impulse* but now I'm regretting it. 충동에 의해 가방을 하나 샀는데 지금은 그걸 후회한다. / *impulse* buying 충동 구매 **2** [전기] 충격 전파, 임펄스

impulsive [impʌ́lsiv] *adj.* 충동적인, 감정에 끌린

— **impulsively** *adv.* **impulsiveness** *n.*

impure [impjúər] *adj.* **1** 불순한, 불결한: *impure* gold 합금 / *impure* air 불결한 공기 **2** 부도덕한: *impure* thought 부도덕한 생각 OPP pure

impurity [impjúərəti] *n.* **1** (보통 *pl.*) 불순물 **2** 불순, 부도덕

in- *prefix* '무(無), 불(不)'의 뜻. (il-, im-, ir-로도 됨): *in*human 몰인정한 / *il*legal 불법의 / *ir*rational 불합리한

*****in** ⇨ p. 352

inability [ìnəbíləti] *n.* 무능(력); …할 수 없음 (to do) ⇨unable

inaccessible [ìnəksésəbəl] *adj.* 접근하기 어려운, 도달할 수 없는: In winter, the mountain villages are *inaccessible*. 겨울이 되면 산골 마을은 접근하기 어렵다. OPP accessible

— **inaccessibility** *n.*

inaccurate [inǽkjərit] *adj.* 부정확한, 틀린: My watch is *inaccurate*. 내 시계는 정확하지 않다. OPP accurate

— **inaccurately** *adv.* **inaccuracy** *n.*

inactive [inǽktiv] *adj.* **1** 활동치 않는, 활발하지 않은: *inactive* volcano 휴화산 **2** 게으른, 소극적인
OPP active

— **inactively** *adv.* **inactivity** *n.*

inadequate [inǽdikwit] *adj.* **1** 불충분한: *Inadequate* parking spaces in big cities are the biggest problem. 대도시의 부족한 주차 공간이 가장 큰 문제다. **2** (사람이) 부적당한, 부적절한: He's *inadequate* to〔for〕the job. 그에게는 지금의 일이 적합하지 않다. OPP adequate

— **inadequately** *adv.* **inadequacy** *n.*

inappropriate [ìnəpróupriit] *adj.* 부적당한, 온당치 않은 OPP appropriate

inattention [ìnəténʃən] *n.* 부주의, 방심, 태만 OPP attention

— **inattentive** *adj.*

inaudible [inɔ́ːdəbəl] *adj.* 들리지 않는, 알아 들을 수 없는: *inaudible* grumbling 들리지 않는 투덜거림 OPP audible

— **inaudibly** *adv.*

inaugural [inɔ́ːgjərəl] *adj.* (명사 앞에만 쓰임) 취임(식)의, 개시〔개회〕의: an *inaugural* address 취임 연설

inaugurate [inɔ́ːgjərèit] *v.* [T] **1** 취임식을 거행하다, 취임시키다: The new President will be *inaugurated* in January. 새로운 대통령은 1월에 취임할 것이다. **2** (공공시설 등의) 낙성〔제막, 개통〕식을 열다, 개관〔개통, 개업〕하다: The new library was *inaugurated* by the mayor. 새로운 도서관은 시장에 의해 개관되었다. **3** (새 시대를) 열다, 개시〔발족〕하다: *inaugurate* a new era of the Internet 인터넷의 새 시대를 열다

— **inauguration** *n.*

inborn [ínbɔ́ːrn] *adj.* 타고난, 천부의: He has an *inborn* sense of humor. 그는 타고난 유머 감각이 있다. SYN innate

Inc. *abbr.* Incorporated (기업명 뒤에) 법인 조직의, 주식 회사의 ([영] Ltd.) (inc)

incapable [inkéipəbəl] *adj.* **1** …을 할 수 없는 (of): She's *incapable* of telling a lie. 그녀는 거짓말을 못한다. OPP capable **2** 무능〔무력〕한, 쓸모 없는: He's *incapable* as a lawyer. 그는 변호사로서 무능하다. **3** 〔법〕 자격이 없는 (of)

incense [ínsens] *n.* **1** 향: burn *incense* 향을 피우다 **2** 향 냄새〔연기〕

incentive [inséntiv] *n.* **1** 동기, 자극: The chance of a higher grade gives students the *incentive* to study harder. 보다 좋은 성적을 받을 수 있는 기회가 학생들로 하여금 더 열심히 공부하게 만드는 동기가 된다. **2** (생산성 향상을 위한) 장려금

incessant [insésənt] *adj.* 끊임없는, 그칠 새 없는: an *incessant* noise 끊임없는 소음 SYN continual

in

in [in, ∂n] *adv. prep.* **1** ① (위치) …의 속
에: He's *in* the bathroom. 그는 화장실
에 있다. / Seoul is *in* Korea. 서울은 한국에
있다. / She's *in* bed. 그녀는 침대에 (누워) 있
다. ② (방향) …쪽으로, 안에: Children went
in that direction. 아이들은 저쪽 방향으로
갔다. / get *in* the car 차에 타다

2 집·사무실에 있는: Is he *in*? 그가 집[자리]
에 있나요? / He'll be *in* soon. 그는 곧 돌아
올 겁니다.

3 (때·시간) … 동안에, …에: I was born *in*
winter. 나는 겨울에 태어났다. / *in* those
days 그 당시에 / *in* the twentieth
century 20세기에

4 (시간의 경과) ① … 후에, … 지나서: I'll
call you *in* two hours. (지금부터) 두 시간
후에 전화할게. / The car will be repaired
in a week. 자동차는 일주일이면[지나면] 수리
가 다 됩니다. ② [미] 지난 … 동안(에):
November 12, 2000 was the coldest
day *in* 30 years. 2000년 11월 12일은 지난
30년 동안에 가장 추웠던 날이었다.

5 (착용·포장) …을 입고, …을 쓰고: They
were dressed *in* uniforms. 그들은 제복을
입고 있었다. / a man *in* black 검정 옷을 입
은 남자

6 (상태) …한 상태로[에]: I'm *in* love. 나는
사랑에 빠졌다. / He's *in* good health. 그는
아주 건강하다. / She's *in* her twenties. 그
녀는 이십대다.

7 (활동·종사) …하고, …에 종사하고: He's
in the navy. 그는 해군에 있다. / She's *in*
computers. 그녀는 컴퓨터 관계의 일을 하고
있다.

8 (전체·범위) ① … 중(에서): She's the
tallest girl *in* the class. 그녀가 반에서 제일
키가 크다. ② …당, 매 …에: Eggs are sold
in dozen. 계란은 한 다스(12개)씩 판다. /
One *in* ten will pass. 10명 중 한 명은 합격
할 것이다. ③ …의 범위 내에, … 안에: *in*

sight 시야 안에 / *in* my experience 내 경
험으로는 / *in* my opinion 내 생각으로는 ④
…한 점에서는: Oranges are rich *in*
vitamin C. 오렌지는 비타민 C가 풍부하다. /
ten feet *in* length 길이가 10피트인

9 (배치·형상·순서 등) …을 이루어, …이
되어: We stood *in* rows. 우리는 줄을
지어 섰다. / She arranged books *in*
alphabetical order. 그녀는 책을 알파벳 순
서로 정리했다.

10 (수단·재료·도구 등) …로: They spoke
in German. 그들은 독일어로 말했다. / I
drew a picture *in* pencil. 나는 연필로 그
림을 그렸다.

11 (이유·동기) … 때문에, …(이유)로: She
cried out *in* alarm. 그녀는 놀라서 소리를
질렀다.

12 제출되어: The assignment must be
in by Friday. 숙제는 금요일까지 제출할 것.

13 (조수가) 밀물에[이 되어]

adj. **1** 유행하는: Miniskirts are *in*. 미니스
커트가 유행이다. SYN hot, popular **2** 정권
을 잡고 있는: the *in* party 여당 **3** 들어오는:
the *in* door 들어오는 문

n. **1** (the ins) 여당, 집권당 **2** 연줄: Do you
have an *in* with the boss? 너 상사와 연줄
이 있니?

숙어 (be) **in for** (안 좋은 것을) 경험하게 되
다: You'll *be in for* a shock when you
get your report card. 너는 성적표를 보면
충격받을 걸.

be〔get〕**in on** 관여하다, 참여하다: I *was in
on* his plan. 나는 그의 계획에 참여했다.

have it in for 싫어하다, 트집을 잡다

in itself ⇨ itself

in that …이라는 점에서, …이므로: *In that*
he disobeyed, he was a traitor, too. 복
종하지 않았다는 점에서 그도 반역자였다.

the ins and outs (of) 자세한 내용, 자초
지종

— **incessantly** *adv.*

inch [intʃ] *n.* (*abbr.* in.) **1** 인치 (12분의 1 피트; 2.54cm): He's five feet six *inches* (tall). 그의 키는 5피트 6인치이다. **2** 근소한 거리; 소량, 조금: The ball missed me by *inches*. 공이 아슬아슬하게 날 비껴갔다. / She wouldn't give an *inch*. 그녀는 조금 도 양보하려고 하지 않았다.

v. [I,T] 조금씩 움직이다〔움직이게 하다〕: A caterpillar *inched* its way. 애벌레는 조 금씩 (앞으로) 나아갔다.

[숙어] **by an inch, by inches 1** 겨우, 간신히: He escaped death *by an inch*. 그는 간신히 죽음을 피했다. / The bus missed us *by inches*. 버스가 아슬아슬하게 우리를 비껴갔다. **2** 조금씩, 서서히: die *by inches* 서서히 죽다

every inch 어디까지나, 철두철미: He is *every inch* a gentleman. 그는 어느 모로 보나 신사다.

incident [ínsədənt] *n.* **1** 사건, 생긴 일; (특히) 우발적 사건: One man was injured in a shooting *incident*. 총기 난사 사건에 서 한 남자가 부상을 입었다. **2** (전쟁 · 폭동 등 의) 분쟁: a religious *incident* 종교 분쟁

incidental [ìnsədéntl] *adj.* **1** (…에) 부 수하여 일어나는, 흔히 있는: discomforts *incidental* to a journey 여행에 따르기 마 련인 불편 **2** 중요하지 않은, 부차적인 : Let's skip *incidental* details. 부차적인 세부 사 항은 건너뜁시다.

incidentally [ìnsədéntəli] *adv.* **1** 하는 김에, 덧붙여 말하자면: *Incidentally*, strawberries go well with fresh cream. 덧붙여 말하면 딸기는 (맛이) 생크림과 잘 어울립니다. [SYN] by the way

※ 보통 문장 첫머리에서 전체를 수식한다.

2 우연히, 부수적으로: Quite *incidentally*, I found an old album in the attic. 우 연찮게 다락방에서 오래된 사진첩 한 권을 발견 했다.

inclination [ìnklənéiʃən] *n.* **1** 경향, 성 향: There is an *inclination* to treat home economics as a less important subject. 가정학을 덜 중요한 과목으로 취급하 는 경향이 있다. **2** 좋아함, 의향: I have an *inclination* to go to the amusement park today, but my friend doesn't want to. 나는 오늘 놀이 공원에 가고 싶은데 나의 친구는 가길 원하지 않는다. **3** 기울기, 경사

incline [inkláin] *v.* **1** [I] 마음이 쏠리다, …하고 싶어하다 (to, towards): He *inclines* to be an accountant. 그는 회계사가 되고 싶어한다. **2** [T] (마음을) 내키게 하다, …할 마 음이 들게 하다: Her honesty *inclined* me to trust her. 그녀의 정직함이 나로 하 여금 그녀를 신뢰하도록 했다. **3** [T] (몸을) 굽 히다: *incline* one's head 머리를 숙이다 **4** [I] 기울다, 경사지다 (towards): The road *inclines* towards the river. 그 길은 강쪽 으로 경사져 있다.

n. [ínklain] 경사(면), 비탈 [SYN] slope

[숙어] **(be) inclined to 1** …하고 싶어지 다: I *was inclined to* go for a walk. 산책 하고 싶은 생각이 들었다. **2** …하는 경향이 있 다: She *is inclined to* grow fat. 그녀는 자 꾸 뚱뚱해지는 것 같다.

*include [inklúːd] *v.* [T] 포함하다, 포함시 키다, 셈에 넣다: We *included* him on the guest list. 우리는 그를 초대 손님 명단에 포 함시켰다. / There are seven people on the bus, myself *included*. 나를 포함하여 버스에는 7명의 승객이 있다. ⇨contain [OPP] exclude

— **inclusion** *n.*

including [inklúːdiŋ] *prep.* …을 포함하 여: It's 150 dollars, *including* a hat and a bag. 모자와 가방을 포함해서 150달러 입니다. [OPP] excluding

inclusive [inklúːsiv] *adj.* **1** 일체를 포함 한: This is an *inclusive* fee for a package tour. 이것은 일체의 비용을 포함한 패키지 여행 요금입니다. **2** (수사 등의 뒤에서)

포함하여: from July 1 to 31 *inclusive* 7월 1일부터 31일까지 ※ 미국에서는 from July 1 through 31라고 쓴다.

***income** [ínkʌm] *n.* 수입 (주로 정기적인), 소득

income tax *n.* 소득세

incoming [ínkʌmiŋ] *adj.* (명사 앞에만 쓰임) **1** 들어오는: the *incoming* tide 밀려드는 조수 / *incoming* profits 수익 **2** 새로운, 후임의: the *incoming* mayor 후임 시장 [OPP] outgoing

incomparable [inkámpərəbəl] *adj.* 견줄 데 없는, 비교가 되지 않는: the *incomparable* beauty of Mt. Seorak 설악산의 견줄 데 없는 아름다움

incompatible [inkəmpǽtəbəl] *adj.* (성미·생각이) 맞지 않는, 양립하지 않는 (with): Democracy and monarchy are essentially *incompatible* with each other. 민주주의와 군주제는 본질적으로 양립할 수 없다. [OPP] compatible
— **incompatibility** *n.*

incompetent [inkámpətənt] *adj.* 무능한, 부적당한: an *incompetent* doctor 무능한 의사 [OPP] competent
n. **1** 무능력자, 부적격자 **2** [법] 무자격자, 금치산자
— **incompetently** *adv.* **incompetence** *n.*

incomplete [ìnkəmplíːt] *adj.* 불완전한, 미완성의 [OPP] complete
— **incompletely** *adv.*

incomprehensible
[ìnkʌmprihénsəbəl] *adj.* 이해할 수 없는: Your explanation is *incomprehensible*. 너의 설명은 이해할 수가 없다. [OPP] comprehensible, understandable
— **incomprehension** *n.*

inconsiderate [ìnkənsídərit] *adj.* (남에 대해) 헤아림이 없는 (of); 경솔한 [SYN] thoughtless [OPP] considerate
— **inconsiderately** *adv.* **inconsid-erateness** *n.*

inconsistent [ìnkənsístənt] *adj.* **1** (진술·사실 등이) 일치하지 않는, 앞뒤가 맞지 않는, 일관성이 없는 (with): The excuse you gave me is *inconsistent* with the one you gave him. 네가 내게 한 변명은 네가 그에게 한 변명과 일치하지 않는다. **2** (사람이) 변덕스러운 [OPP] consistent
— **inconsistently** *adv.* **inconsistency** *n.*

inconvenience [ìnkənvíːnjəns] *n.* 불편(한 것), 폐(가 되는 일): It is no *inconvenience* to me. 저는 조금도 불편하지 않습니다.
v. [T] …에게 불편을 느끼게 하다, …에게 폐를 끼치다

inconvenient [ìnkənvíːnjənt] *adj.* 불편한, 형편이 나쁜: If it is not *inconvenient* for you, I shall stop by your house tomorrow. 불편하지 않다면 내가 내일 네 집에 잠깐 들를게. [OPP] convenient
— **inconveniently** *adv.*

incorporate [inkɔ́ːrpərèit] *v.* [T] **1** 합동[합체]시키다, 통합[합병, 편입]하다 (in, into, within): They *incorporated* her suggestion in the plan. 그들은 그녀의 제안을 계획에 반영했다. [SYN] include **2** 법인으로 만들다, 주식 회사로 하다
— **incorporation** *n.*

incorporated [inkɔ́ːrpərèitid] *adj.* (*abbr.* Inc.) 법인 조직의, 주식 회사의, [미] 유한 책임의: General Motors *Inc.* 제너럴 모터스 주식 회사
※ 회사 이름 뒤에 붙이며, 영국의 Ltd. (Limited)에 해당된다.

incorrect [ìnkərékt] *adj.* 부정확한, 틀린 [OPP] correct
— **incorrectly** *adv.*

***increase** [inkríːs] *v.* [I,T] **1** (수·양 등을) 늘리다: The population of Seoul has *increased* by 2%. 서울의 인구가 2% 증가했다. **2** 강화하다, 증진시키다: The two countries are *increasing* their efforts to end the dispute. 두 나라는 분쟁을 종식 시키기 위해 한층 더 노력하고 있다. OPP decrease, reduce

n. [ínkri:s] 증가, 증대 (in): an *increase* in population 인구의 증가 OPP decrease, reduction

숙어 **on the increase** 증가하여: The number of unemployed people are *on the increase.* 실업자 수가 증가하고 있다.

increasingly [inkrí:siŋli] **adv.** 점점, 더욱더, 증가하여: It's becoming *increasingly* difficult to get an A. A 점수를 받기가 점점 더 힘들어진다.

incredible [inkrédəbəl] **adj. 1** 믿을 수 없는: That's an *incredible* story. 그건 믿을 수 없는 이야기다. OPP credible ⇨ unbelievable **2** 거짓말 같은, 엄청난: The car reached *incredible* speeds. 자동차는 엄청난 스피드에 도달했다.
— **incredibly** **adv.**

incubator [ínkjəbèitər] **n. 1** 조산아 보육기, 인큐베이터 **2** 부란기
— **incubate** **v.** **incubation** **n.**

incur [inkə́:r] **v.** [T] (incurred-incurred) (좋지 않은 일에) 빠지다, (분노·비난 등을) 초래하다: He *incurred* a huge number of debts. 그는 산더미 같은 빚을 졌다.

incurable [inkjúərəbəl] **adj.** 불치의: an *incurable* disease 불치병 OPP curable
— **incurably** **adv.**

indebted [indétid] **adj. 1** 덕을 입고, 은혜를 입고 (to): I'm *indebted* to you for my success. 제가 성공한 것은 당신 덕분입니다. **2** 빚이 있는

indecent [indí:snt] **adj.** 버릇없는, 상스러운, 외설스런: *indecent* language 상소리 OPP decent
— **indecently** **adv.** **indecency** **n.**

indecision [ìndisíʒən] **n.** 우유부단, 주저 (indecisiveness)

indecisive [ìndisáisiv] **adj.** 우유부단한, 결단성이 없는 OPP decisive

— **indecisively** **adv.** **indecisivness** **n.**

*****indeed** [indí:d] **adv. 1** (강조) 정말, 실로, 참으로: "Did you have a good time?" "We did *indeed.*" "즐거웠니?" "정말 즐거웠어." / It's very cold *indeed.* 정말 몹시 춥군요. **2** (방금 한 말의 확인·보충) 실은, 게다가: I wasn't angry at all. *Indeed* I was pleased. 난 전혀 화나지 않았어. 실은 기뻤어. **3** (양보) 과연, 정말, 확실히: I may, *indeed*, be wrong. 정말 나의 잘못인지도 모른다. / There are *indeed* exceptions. 확실히 예외가 있기는 하다.
int. (관심·놀람·화 등을 표현) 저런, 설마, 그래요: "She called you names." "Did she *indeed!*" "그녀가 네 욕을 했어." "그랬단 말이지!"

indefinite [indéfənit] **adj. 1** 정해지지 않은, 불명확한: *indefinite* instructions 불명확한 지시 **2** (수량·크기 등이) 한계가 없는, (시간·기한 등이) 정해져 있지 않은: for an *indefinite* time 무기한으로 **3** [문법] 부정 (不定)의 OPP definite

indefinitely [indéfənitli] **adv.** 무기한으로, 언제까지나

indent [indént] **v.** [I,T] **1** [인쇄] (패러그래프 첫 행의 시작 등을) 약간 안으로 들여서 짜다 **2** 움푹 들어가게 하다

independence [ìndipéndəns] **n. 1** 독립, 자립 (from): declare one's *independence* 독립을 선언하다 **2** 독립심, 자립심

Independence Day **n.** [미] 독립 기념일 (7월 4일)
※ the Fourth of July라고도 한다.

*****independent** [ìndipéndənt] **adj. 1** 독립한, 자주의 (of, from): an *independent* country 독립국 **2** 자력의, 자립의 (of, from): I need a job to be financially *independent* from my parents. 부모님에게서 경제적으로 자립하기 위해 직업이 필요하다. OPP dependent **3** 독립적인, 독자적인, 영향을 받지 않는: an *independent* organization 독립 조직

— **independently** *adv.*

indescribable [ìndiskráibəbəl] *adj.*
(너무 좋거나 나빠서) 형언할 수 없는
— **indescribably** *adv.*

***index** [índeks] *n.* (*pl.* indexes, indices)
1 색인, 찾아보기; [영] 카드식 색인 (card
index) **2** 표시, 표시하는 것: High wages
may be an *index* of economic growth.
높은 임금은 경제 성장의 표시가 될 수도 있다.
3 (*pl.* indices) [수학] 지수, (대수의) 지표,
율 **4** (*pl.* indexes, indices) [통계] 지수
(index number): a price *index* 물가 지수
v. [T] 색인을 붙이다, 색인에 넣다

index card *n.* 색인 카드

index finger *n.* 집게손가락 SYN
forefinger

Indian summer *n.* (늦가을의) 봄날 같은
화창한 날씨

***indicate** [índikèit] *v.* **1** [T] 보이다, 나타내
다: Recent findings *indicate* that there
once existed very small dinosaurs. 최
근의 발견물은 한때 굉장히 작은 공룡들이 생존
했음을 나타낸다. **2** [T] (몸짓 등으로) 암시하
다; 간단히 말하다: He *indicated* to me to
be quiet. 그는 내게 아무 말을 하지 말라고
암시했다. **3** [T] 가리키다, 지적하다: She
indicated a place on the map. 그녀는 지
도상의 한 지점을 가리켰다. **4** [I,T] (진행 방향
을) 방향 지시기로 가리키다, 방향 지시등을 깜
박이다: She's *indicating* right. 그녀는 오
른쪽의 방향 지시등을 깜박이고 있다.

indication [ìndikéiʃən] *n.* **1** 지시, 표시
2 징조, 징후

indicative [indíkətiv] *adj.* **1** …을 나
타내는, …의 표시인 **2** [문법] 직설법의

indicator [índikèitər] *n.* **1** (신호) 표시
기, 인디케이터 (계기 · 문자판 · 바늘 등) **2**
[영] (자동차의) 방향 지시기 ([미] turn signal)

indifference [indífərəns] *n.* **1** 무관심,
냉담: He treated us with *indifference*.
그는 우리를 무관심으로 대했다. **2** 중요하지
않음, 사소함: It's a matter of *indifference*

to me. 그것은 내게는 중요하지 않은 일이다.

indifferent [indífərənt] *adj.* **1** 무관심
한, 냉담한 (to): She was *indifferent* to
my pleas for help. 그녀는 도와 달라는 내
청에 냉담했다. **2** 평범한, 좋지도 나쁘지도 않
은: He's an *indifferent* teacher. 그는 그
저 그런 선생님이다.
※ different의 반대말이 아님에 주의한다.
— **indifferently** *adv.*

indigestion [ìndidʒéstʃən,
ìndaidʒéstʃən] *n.* 소화 불량
— **indigestible** *adj.* 소화되지 않는

indignant [indígnənt] *adj.* 분개한, 성
난: He was *indignant* at the insult. 그
는 모욕을 당하자 몹시 분개했다.
— **indignantly** *adv.*

indignation [ìndignéiʃən] *n.* 분개, 분노:
righteous *indignation* at an injustice
부당함에 대한 의분 / in *indignation* 분개하
여
※ 사람에 대해서는 with, against, 행위에 대
해서는 at, about, over와 함께 쓴다.

indignity [indígnəti] *n.* 모욕, 경멸; 모욕
적 언동, 냉대 SYN humiliation

indigo [índigòu] *n. adj.* 남색(의), 쪽빛
(의)

indirect [ìndirékt, ìndairékt] *adj.* **1**
간접적인, 2차적인, 부차적인: an *indirect*
cause 간접적인 원인 **2** 에두른, 우회적인: It
was an *indirect* way of saying no. 그것
은 거절을 우회적으로 말한 것이었다. **3** (길 등
이) 멀리 도는, 우회하는: They took an
indirect route, avoiding the traffic
jam. 그들은 교통 체증을 피해 멀리 돌아서 오
는 길을 택했다. OPP direct
— **indirectly** *adv.* **indirectness** *n.*

indiscreet [ìndiskríːt] *adj.* 무분별한,
지각 없는, 경솔한: It was very *indiscreet*
of her to say his secret to the others.
다른 사람들에게 그의 비밀을 말하다니 그녀가
너무 경솔했다. OPP discreet
— **indiscreetly** *adv.*

indiscretion [ìndiskréʃən] *n.* **1** 무분
별, 경솔, 무심코 비밀을 누설함 **2** (the
indiscretion) 무분별〔경솔〕한 짓

indiscriminate [ìndiskrímənit] *adj.*
무차별의, 닥치는 대로의: She's an
indiscriminate reader. 그녀는 아무거나 가
리지 않고 읽는다.
— **indiscriminately** *adv.*

indispensable [ìndispénsəbəl] *adj.*
없어서는 안 될, 절대 필요한 (to, for): A
good dictionary is *indispensable* for
learning foreign language. 좋은 사전은
외국어를 배우는 데 절대 필요하다. [SYN]
essential [OPP] dispensable

indisputable [ìndispjú:təbəl] *adj.* 논
의의 여지가 없는, 명백한

indistinct [ìndistíŋkt] *adj.* (형체·소리
등이) 불분명한, 희미한 [OPP] distinct
— **indistinctly** *adv.*

indistinguishable
[ìndistíŋgwiʃəbəl] *adj.* 구별할 수 없는
(from): The twins are *indistinguishable*.
쌍둥이는 구별하기 어렵다. [OPP] distinguish-
able

*****individual** [ìndəvídʒuəl] *adj.* **1** (명사
앞에만 쓰임) 개개의, 각각의: We inter-
viewed each *individual* applicant. 우
리는 개개의 지원자를 면접했다. **2** 일개인의,
개인적인; 1인용의: an *individual* room 독
방 / an *individual* opinion 개인의 의견 **3**
독특한, 특유의: in one's *individual* way
독자적인 방법으로 [SYN] original
n. **1** 개인: the rights of the *individual*
개인의 권리 **2** 사람: He's a strange
individual. 그는 이상한 사람이다.

individualism [ìndəvídʒuəlìzəm] *n.*
1 개성, 개인의 특이성, 독자성 **2** 개인주의, 이
기주의

individualist [ìndəvídʒuəlist] *n.* **1**
개성적인 사람 **2** 개인주의자, 이기주의자
— **individualistic** *adj.*

individuality [ìndəvìdʒuǽləti] *n.* 개성

individually [ìndəvídʒuəli] *adv.* 개별
적으로, 하나하나; 개인적으로: I spoke to
them *individually*. 나는 그들 한명 한명에
게 이야기했다.

*****indoor** [índɔ:r] *adj.* (명사 앞에만 쓰임)
실내의: *indoor* sports 실내 운동 [OPP]
outdoor

indoors [ìndɔ́:rz] *adv.* 실내에〔에서, 로〕
[OPP] outdoor, out of doors

induce [indjú:s] *v.* [T] **1** 꾀다, 설득하여
…하게 하다: I couldn't *induce* him to
go out with us tonight. 나는 오늘밤 우리
와 함께 놀러 나가자고 그를 꾀지 못 했다. **2**
야기하다, 유발하다: This drug may
induce drowsiness. 이 약은 졸음을 유발할
수도 있다. **3** [의학] (인공적으로) 분만시키다
4 [논리] 귀납하다 [OPP] deduce
— **inducement** *n.*

induction [indʌ́kʃən] *n.* **1** 끌어들임, 유
도 **2** [논리] 귀납법 [OPP] deduction **3** [전
기] 유도, 감응 **4** (특히 성직의) 취임식 **5** (비
결 등의) 전수, 초보를 가르침: an *induction*
course (신입 사원 등의) 연수
— **inductive** *adj.*

indulge [indʌ́ldʒ] *v.* **1** [I,T] (욕망·정열
등을) 만족시키다, (취미·욕망 등에) 빠지다, 탐
닉하〔게 하〕다 (in): He *indulged* himself
in sports. 그는 스포츠에 빠져들었다. **2** [T]
(떠받들어) 버릇을 잘못 들이다, 제멋대로 하게
두다: You *indulge* your children too
much. 너는 애들 버릇을 잘못 들인다.

indulgence [indʌ́ldʒəns] *n.* **1** 방자, 탐
닉, 빠짐 **2** 응석을 받음, 관대 [SYN] patience
3 도락, 좋아하는 것: Smoking is his only
indulgence. 담배는 그의 유일한 도락이다.

indulgent [indʌ́ldʒənt] *adj.* 멋대로 하
게 하는, 관대한: an *indulgent* mother 엄
하지 않은 어머니
— **indulgently** *adv.*

industrial [indʌ́striəl] *adj.* (명사 앞에
만 쓰임) 공업〔산업〕(상)의, 공업〔산업〕용의:
Industrial Revolution 산업 혁명

industrialist [indʌ́striəlist] *n.* (대)생
산 회사의 경영자, 실업가, 제조(생산)업자

industrialize, industrialise
[indʌ́striəlàiz] *v.* [I,T] 산업(공업)화하다
— **industrialization, industriali-**
sation *n.*

industrious [indʌ́striəs] *adj.* 근면한,
부지런한
— **industriously** *adv.* **industrious-**
ness *n.*

*★**industry** [índəstri] *n.* **1** (제조) 공업, 산
업; …업: heavy *industry* 중공업 / the
tourist *industry* 관광 산업 **2** (집합적) 경영
자측, 산업계: Leaders of *industry* will
meet in Seoul. 산업계의 선도자들이 서울에
서 만날 것이다. / both sides of *industry*
노사 쌍방 (경영자측과 조합측)

inedible [inédəbəl] *adj.* 식용에 적합치
않은, 못 먹는 OPP edible

ineffective [ìniféktiv] *adj.* 효과 없는,
쓸모 없는 OPP effective

inefficient [ìnifíʃ(ə)nt] *adj.* 능률이 오르
지 않는: *inefficient* postal service 비능률
적인 우편 사무 OPP efficient
— **ineffeciently** *adv.* **inefficiency** *n.*

inept [inépt] *adj.* 서투른: She's an *inept*
driver. 그녀는 서투른 운전사이다. OPP
adept

inequality [ìnikwáləti] *n.* 불평등, 불공
평, 불균형: sexual *inequality* 남녀 불평
등 / *inequality* in wealth 부의 불균형
OPP equality

inert [iná:rt] *adj.* **1** (육체적·정신적으로)
활발하지 못한, 생기가 없는 **2** [화학] 비활성
의: an *inert* gas 비활성 기체

inescapable [ìneskéipəbəl] *adj.* 달아
날(피할) 수 없는, 불가피한

inevitable [inévitəbəl] *adj.* **1** 피할
수 없는, 부득이한: The accident was
inevitable. 그 사고는 피할 수 없는 것이었다.
2 (the inevitable *n.*) 피할 수 없는 일, 필연
의 운명

— **inevitably** *adv.* **inevitability** *n.*

inexhaustible [ìnigzɔ́:stəbəl] *adj.* **1**
무진장한, 다 써버릴 수 없는: Natural
resources are not *inexhaustible*. 천연 자
원은 무진장한 것이 아니다. **2** 지칠 줄 모르
는, 끈기 있는

inexpensive [ìnikspénsiv] *adj.* 비용이
들지 않는, 값싼 SYN cheap OPP expensive
— **inexpensively** *adv.*

inexperience [ìnikspíəriəns] *n.* 무경
험, 미숙, 서투름 OPP experience

inexperienced [ìnikspíəriənst] *adj.*
경험이 없는, 미숙한: You're too young
and *inexperienced* to travel alone. 너는
혼자 여행하기엔 너무 어리고 경험이 없다.

inexplicable [inéksplikəbəl] *adj.* 불가
해한, 설명할 수 없는: For some *inexplicable*
reason he left school. 설명할 수 없는 이
유로 그는 학교를 떠났다. OPP explicable
— **inexplicably** *adv.*

infamous [ínfəməs] *adj.* 악명 높은, 평
판이 나쁜 (for): Scrooge was *infamous*
for his stinginess. 스크루지는 인색하기로
악명 높았다. SYN notorious ⇨famous

infancy [ínfənsi] *n.* **1** 유년기 **2** 초기:
The study in genetic engineering is
still in its *infancy*. 유전자 공학의 연구는 아
직 초기 단계에 있다.

infant [ínfənt] *n.* (7세 미만의) 유아; [법]
미성년자
※ 구어체나 회화체에서는 baby, toddler,
child가 더 많이 쓰인다.
— **infantile** *adj.* 아이다운, 유치한

infantry [ínfəntri] *n.* (집합적) 보병, 보
병대

infect [infékt] *v.* [T] **1** (보통 수동태) …에
감염시키다: He was *infected* with virus.
그는 바이러스에 감염됐다. **2** …에 영향을 미
치다, 감화하다: Her enthusiasm *infected*
the whole class. 그녀의 열의가 반 전체를
감화시켰다.

infection [infékʃən] *n.* **1** 전염, 감염 **2**

전염병 **3** 나쁜 영향

infectious [infékʃəs] *adj.* **1** 전염성의: an *infectious* disease 전염성 질병 **2** (영향이) 옮기 쉬운: Laughter is *infectious*. 웃음은 (다른 사람에게) 옮기 쉽다.

■ **유의어 infectious**
infectious 질병이 우리가 숨쉬는 공기에 의해 전염되는 것을 의미. **contagious** 질병이 접촉에 의해 사람으로부터 사람에게 전염된다는 의미.

infer [infə́:r] *v.* [T] (inferred-inferred) **1** 추리하다, 추론하다 (from): What can you *infer* from these facts? 이러한 사실로부터 무엇을 추론할 수 있습니까? **2** (결론으로서) 나타내다, 의미〔암시〕하다: Your silence *infers* consent. 너의 침묵은 동의를 의미한다.
— **inference** *n.*

*****inferior** [infíəriər] *adj.* **1** (품질 등이) 떨어지는, 열등한: This machine is *inferior* to that one. 이 기계는 저 기계보다 품질이 떨어진다. **2** 하위〔하급〕의: *inferior* court 하급법원 **OPP** superior
n. 손아랫사람, 하급자, 열등한 사람〔것〕
— **inferiority** *n.*

infertile [infə́:rtəl, infə́:rtail] *adj.* **1** (사람·짐승이) 생식력이 없는, 불임의 **2** (토지가) 비옥하지 않은, 불모의 **OPP** fertile
— **infertility** *n.*

infinite [ínfənit] *adj.* **1** 막대한, 매우 큰〔많은〕: *infinite* wealth 막대한 재산 **2** 무한한, 끝이 없는: The universe is *infinite*. 우주는 무한하다. **OPP** finite **3** [문법] 부정(不定)의 (인칭·수 등의 제한을 안 받는 부정사·동명사·분사의 형태)

infinitely [ínfənətli] *adv.* 대단히, 극히: Computers are *infinitely* convenient than typewriters. 컴퓨터가 타자기보다 훨씬 더 편리하다.

inflame [infléim] *v.* [I,T] **1** 불을 붙이다 **2** 흥분하다, 성내다 **3** [의학] 염증을 일으키다, 빨갛게 부어오르다
— **inflamed** *adj.* 염증이 생긴, 충혈된

inflammable [inflǽməbəl] *adj.* 타기 쉬운 ⇨ flammable **OPP** non-flammable

inflammation [ìnfləméiʃən] *n.* **1** [의학] 염증: *inflammation* of the lungs 폐렴 **2** 점화, 발화, 연소 **3** (감정 등의) 격노

inflate [infléit] *v.* [I,T] (공기·가스 등으로) 부풀리다 **SYN** blow up **OPP** deflate

inflation [infléiʃən] *n.* **1** 부풀림, 팽창 **2** [경제] 인플레(이션), 통화 팽창, (물가·주가의) 폭등 **OPP** deflation **3** 물가 상승률

inflexible [infléksəbəl] *adj.* **1** 완고한, 확고한, 불변의: an *inflexible* will 확고한 의지 / an *inflexible* rule 불변의 법칙 **2** 구부러지지 않는: *inflexible* steel rods 구부러지지 않는 쇠막대기들 **OPP** flexible
— **inflexibly** *adv.* **inflexibility** *n.*

inflict [inflíkt] *v.* [T] (타격·상처·고통 등을) 주다, 가하다 (on, upon): Inflation *inflicted* suffering on many people. 인플레이션이 많은 사람들에게 고통을 주었다.
— **infliction** *n.*

*****influence** [ínfluəns] *n.* **1** 영향(력): Violence on TV has a bad *influence* on children. TV에 나오는 폭력은 아이들에게 나쁜 영향을 미친다. **2** 영향력이 있는 사람〔것〕, 세력가: He's a good *influence* on the children. 그는 아이들에게 좋은 영향을 주는 사람이다.
v. [T] …에게 영향을 미치다, 감화하다; 좌우하다, 움직이다: Her theory has *influenced* young scientists. 그녀의 이론은 젊은 과학자들에게 영향을 미쳤다.

〔숙어〕 **have influence on〔upon〕** …에 영향을 미치다: Does a volcano eruption *have* any *influence on* the climate? 화산 폭발이 기후에 영향을 미치는가?

under the influence of …의 영향을 받아: He came *under the influence of* a false religion. 그는 사이비 종교의 영향을 받았다.

■ 유의어 **influence**

influence 의견, 생각, 태도에 변화를 초래하는 것.: The book about Africa *influenced* my attitude towards black people. 아프리카에 관한 그 책은 흑인에 대한 나의 태도에 영향을 끼쳤다.

affect 주로 물리적인 것이나 신체에 변화를 일으키는 것.: Drinking can *affect* your ability to think. 음주는 사고력에 영향을 미친다.

influential [ìnfluénʃəl] *adj.* **1** 영향을 미치는 (in): Those facts were *influential* in gaining her support. 그런 사실들이 그녀의 지지를 얻는 데 영향을 미쳤다. **2** 세력 있는: an *influential* writer 유력한 작가

influenza [ìnfluénzə] *n.* =flu

influx [ínflʌks] *n.* **1** 유입 **2** (사람·사물의) 도래, 쇄도: an *influx* of visitors 방문객의 쇄도 **3** (지류에서 본류에의) 합류점, 하구

*****inform** [infɔ́:rm] *v.* [T] 알리다, 보고(통지)하다 (about, of): Please *inform* me of any changes of plan. 계획 변경이 있으면 내게 알려 주세요.

속어 **inform on** …를 고발하다, 밀고하다: One of the thieves *informed on* the others. 도둑들 중 한 명이 나머지 동료들을 밀고했다.

*****informal** [infɔ́:rməl] *adj.* **1** 비공식의, 약식의: an *informal* visit 비공식 방문 **2** 격식을 차리지 않는: an *informal* dinner 격식을 차리지 않는 저녁 식사 **3** (말이) 회화(구어)체의 **4** (의복 등이) 평상(복)의 OPP formal
— **informally** *adv.* **informality** *n.*

information [ìnfərméiʃən] *n.* 정보, 지식 (info)(on, about): I'm gathering some *information* about studying abroad. 나는 유학에 관한 정보를 모으고 있다.

※ information은 셀 수 없는 명사이다. 따라서 'I need an information.'이라고 쓸 수 없다. 대신 'a bit of information' 또는 'a piece of information'이라고 쓴다.

informative [infɔ́:rmətiv] *adj.* 지식 (정보)을 주는, 유익한

infrequent [infrí:kwənt] *adj.* 희귀한, 드문 OPP frequent
— **infrequently** *adv.*

infuriate [infjúərièit] *v.* [T] 격분시키다: His indifferent attitude *infuriates* me. 그의 무관심한 태도가 나를 매우 화나게 한다.
— **infuriating** *adj.* **infuriatingly** *adv.*

ingenious [indʒí:njəs] *adj.* **1** (발명품·장치·안 등이) 교묘한, 독창적인: an *ingenious* theory 독창적인 이론 **2** 발명의 재능이 풍부한, 창의력이 풍부한: an *ingenious* designer 창의력이 풍부한 디자이너
— **ingeniously** *adv.*

ingenuity [ìndʒənjú:əti] *n.* 발명의 재주, 창의력, 재간 SYN cleverness

ingratitude [ingrǽtətjù:d] *n.* 배은망덕, 은혜를 모름 OPP gratitude

※ 보다 구어적인 표현은 ungratefulness이다.

ingredient [ingrí:diənt] *n.* **1** (요리의) 재료: Get all the *ingredients* ready. 모든 재료를 준비해 놓거라. **2** (성공하기 위해 필요한) 구성 요소, 요인: Hard working is an *ingredient* of success. 열심히 하는 것이 성공의 요인이다.

inhabit [inhǽbit] *v.* [T] 살다, 거주(서식)하다: The small island is *inhabited* only by plants and animals. 그 작은 섬에는 식물과 동물들만이 산다.

※ live와는 달리 타동사로 쓰이며 통상 개인에게는 쓰지 않고 집단에 쓴다.

inhabitant [inhǽbətənt] *n.* (보통 *pl.*) **1** 주민, 거주자 **2** 서식 동물

inhale [inhéil] *v.* [I,T] (공기 등을) 빨아들이다, 흡입하다: She *inhaled* the fresh air. 그녀는 신선한 공기를 들이마셨다. OPP exhale
— **inhalation** *n.*

inhaler [inhéilər] *n.* **1** 흡입자, 흡입기 **2** 호흡용 마스크, 공기 여과기

inherent [inhíərənt] *adj.* 본래부터 가지고 있는, 고유의, 선천적인 (in): His *inherent* gaiety makes him popular among girls. 그는 선천적인 명랑함 때문에 여자 아이들 사이에서 인기가 많다.
— **inherently** *adv.*

inherit [inhérit] *v.* [T] **1** (재산 등을) 상속받다, 물려받다: She *inherited* 8,000 dollars from her father. 그녀는 아버지로부터 8천 달러를 물려받았다. **2** (체격·성질 등을) 이어받다, 유전하다: He *inherited* his temper from his grandfather. 그는 그의 기질을 할아버지로부터 이어받았다.

inheritance [inhéritəns] *n.* **1** 상속 **2** 상속 재산, 유산

inhibit [inhíbit] *v.* [T] **1** 방해하다, 억제하다: *inhibit* the growth of the economy 경제 성장을 억제하다 **2** (감정·충동·욕망 등을) 억누르다, 억제하다 **3** 금하다, (⋯을) 시키지 않다 (from): The doctor *inhibited* him from drinking. 의사는 그에게 술 마시는 것을 금했다.
— **inhibited** *adj.* 억제된; 내성적인
inhibition *n.* 금지, 억제

inhospitable [inháspitəbəl] *adj.* **1** (장소가) 비바람을 피할 데가 없는, 황량한 **2** (사람이) 대접이 나쁜, 무뚝뚝한, 불친절한 OPP hospitable

inhuman [inhjú:mən] *adj.* **1** 인정 없는, 잔인한: an *inhuman* tyrant 잔인한 폭군 **2** 사람 같지 않은, 인간과 다른, 초인적인

inhumane [ìnhju:méin] *adj.* 잔인한, 비인도적인 OPP humane

inhumanity [ìnhju:mǽnəti] *n.* **1** 몰인정, 잔인 **2** 잔학 행위 OPP humanity

initial [iníʃəl] *adj.* (명사 앞에만 쓰임) 처음의, 최초의: the *initial* stage 초기 단계
n. (보통 *pl.*) (이름·명칭의) 머리글자: George Bernard Shaw's *initials* are G.B.S. 조지 버나드 쇼의 머리글자는 G.B.S.이다.
v. [T] (initial(l)ed-initial(l)ed) 머리글자로

서명하다
— **initially** *adv.*

initiate [iníʃièit] *v.* [T] **1** 시작하다: The government will *initiate* an educational reform. 정부는 교육 개혁을 시작할 것이다. **2** 입문시키다, ⋯에게 초보를 가르치다 (into): Last year, she *initiated* students into tennis. 작년에 그녀는 학생들에게 테니스의 초보를 가르쳤다. **3** 가입시키다 (into): He was *initiated* into a secret club. 그는 비밀 클럽에 가입되었다.

initiation [inìʃiéiʃən] *n.* **1** 개시, 착수 **2** 초보 지도; 비결[비방] 전수 **3** 가입, 입회 **4** 입회식, 성년식: an *initiation* ceremony 입회식

initiative [iníʃiətiv] *n.* **1** 창시, 솔선; 주도(권) **2** 진취적 기상, 독창력: He has (lacks) *initiative*. 그는 독창력이 있다[없다].
숙어 **on one's own initiative** 자발적으로, 자진하여: He didn't listen to his mother. He acted *on his own initiative*. 그는 어머니 말씀을 듣지 않았다. 자기 의사로 행동했다.
take the initiative 솔선해서 하다, 주도권을 잡다: She *took the initiative* in forming our group. 그녀는 우리 모임을 결성하는 데 주도적이었다.

inject [indʒékt] *v.* [T] **1** 주사하다: *inject* a vaccine 백신을 주사하다 **2** 삽입하다, 끼우다, 짜 넣다 (into): *inject* humor into a serious speech 엄숙한 연설에 유머를 끼워 넣다

injection [indʒékʃən] *n.* **1** 주사: A nurse gave me an *injection*. 간호사가 내게 주사를 놓았다. **2** (자금 등의) 투입 **3** (기계·항공) 분사: fuel *injection* 연료 분사

*injure [índʒər] *v.* [T] 상처를 입히다, 다치게 하다: Two people were *injured* in the accident. 사고로 두 사람이 다쳤다. ⇨ hurt

injured [índʒərd] *adj.* **1** (신체가) 상처

입은, 부상한, 다친: an *injured* arm 다친 팔 **2** (the injured) 부상자들: the dead and the *injured* 사상자들 **3** 감정이 상한, 명예가 손상된: *injured* pride 손상된 자존심

injury [índʒəri] *n.* (사고 등에 의한) 상해, 부상: a minor *injury* 경상

injustice [indʒΛstis] *n.* **1** 불법, 부정, 불공평: racial *injustice* 인종 차별 **2** 부정〔불법〕 행위

숙어 **do ... an injustice** …에게 부정한 짓을 하다〔부당하게 대우하다〕, …을 오해하다

ink [iŋk] *n.* 잉크, 먹: write in *ink* 잉크로 쓰다

— **inky** *adj.* 잉크가 묻어 검게 된; 새까만, 어두운

inland [ínlənd] *adj. adv.* 내륙의〔으로〕, 해안〔국경〕에서 먼: The Black Sea is an *inland* sea. 흑해는 내륙에 있는 바다(內海)이다. / The explorer led his team *inland*. 탐험가는 그의 팀을 오지로 안내했다.

in-laws *n.* (*pl.*) 남편 또는 아내의 부모나 인척들

inmate [ínmèit] *n.* (병원·교도소 등의) 입원자, 피수용자, 재소자

inmost [ínmòust] *adj.* =innermost

*★**inn** [in] *n.* 여인숙, 여관 (보통 hotel보다 작고 구식인 것)

innate [inéit] *adj.* 타고난, 선천적인: *innate* goodness 타고난 선량함

inner [ínər] *adj.* (명사 앞에만 쓰임) **1** 안의, 내부의: There's a tall maple in an *inner* court. 안뜰에 키 큰 단풍나무가 한 그루 있다. 반의 outer **2** 내적인, 정신적인: *inner* peace 내적인 평안 **3** 보다 친한, 내밀〔비밀〕의

innermost [ínərmòust] *adj.* (명사 앞에만 쓰임) **1** 마음 속에 품은: *innermost* thoughts 마음 속 깊이 품은 생각들 **2** 맨 안쪽의: the *innermost* room 가장 안쪽에 있는 방

inning [íniŋ] *n.* (야구·크리켓 등의) 이닝, (공을) 칠 차례, 회(回)

※ 영국에서는 단수·복수 양쪽 다 innings라고 쓴다.

innocence [ínəsns] *n.* **1** 결백, 무죄 OPP guilt **2** 순진, 천진난만: the *innocence* of childhood 어린 시절의 천진난만함

innocent [ínəsnt] *adj.* **1** (법률적으로) 결백한, 무죄의 (of): He's *innocent* of murder. 그는 살인을 저지르지 않았다. SYN blameless OPP guilty **2** (명사 앞에만 쓰임) 무고한: *innocent* victims 무고한 피해자들 **3** 악의 없는, 해롭지 않은: an *innocent* question 악의 없는 질문 **4** 순진한: I was young and *innocent* then to believe whatever he said. 그 당시 난 그가 무슨 말을 하든지 다 믿을 정도로 어리고 순진했다. SYN naive

— **innocently** *adv.*

innovate [ínouvèit] *v.* [I] 쇄신하다, 혁신하다

— **innovative** *adj.* **innovation** *n.* **innovator** *n.* 혁신자, 개혁자

innumerable [injúːmərəbl] *adj.* 셀 수 없이 많은, 무수한

inoffensive [ìnəfénsiv] *adj.* 해가 되지 않는, 불쾌감을 주지 않는 OPP offensive

input [ínpùt] *n.* **1** (성공하기 위해 아이디어·충고·자본·노력을) 투입 **2** [컴퓨터] 입력 ⇨ output

v. [I,T] (input-input, inputted-inputted; inputting) [컴퓨터] 입력하다

inquire [inkwáiər] *v.* [I,T] 묻다, 문의하다: She *inquired* when the shop would open. 그녀는 언제 가게 문을 여는지 물었다.

— **inquiring** *adj.* 조회하는; 캐묻기 좋아하는 **inquirer** *n.* 묻는 사람; 탐구자, 조사자

숙어 **inquire after** …의 안부를 묻다: He *inquired after* my father. 그는 내 아버지의 안부를 물었다.

inquire into (사건 등을) 조사하다: The police *inquired into* the cause of the accident. 경찰은 사고의 원인을 조사했다.

inquiry [inkwáiəri] *n.* **1** 질문, 문의, 조회: a letter of *inquiry* 문의서 **2** (사건 등의) 조사: make *inquiries* into the air crash 공중 추락 사건을 조사하다 **3** 연구, 탐구: scientific *inquiry* 과학 연구

inquisition [ìnkwəzíʃən] *n.* **1** (the Inquisition) 종교 재판소, 이교도 심문소 **2** (엄중한) 조사, 심문

inquisitive [inkwízətiv] *adj.* **1** 캐묻기를 좋아하는: She's so *inquisitive* about other people's affairs that they don't like her. 그녀는 남의 일을 캐묻기를 너무 좋아해서 사람들은 그녀를 좋아하지 않는다. **2** 호기심이 많은, 탐구적인: He's an *inquisitive* young boy. He'll make a good scientist. 그는 호기심이 많은 어린 소년이다. 그는 훌륭한 과학자가 될 것이다.
— **inquisitively** *adv.* **inquisitiveness** *n.*

insane [inséin] *adj.* **1** 미친, 광기의: He went *insane*. 그는 미쳤다. **2** 미친 것 같은, 어리석은: I must have been *insane* to buy such an expensive dress. 이렇게 비싼 옷을 사다니 내가 미쳤었나 보다. OPP sane ⇨ mad
— **insanely** *adv.* **insanity** *n.*

insanitary [insǽnətèri] *adj.* 비위생적인, 건강에 나쁜

insatiable [inséiʃəbəl] *adj.* 만족을 모르는, 탐욕스러운: an *insatiable* curiosity 만족을 모르는 호기심

inscribe [inskráib] *v.* [T] (문자·기호 등을 비석·금속판·종이 등에) 적다, 새기다, 파다: The jeweler *inscribes* the names of the lovers on rings. 보석 세공인은 반지에 연인들의 이름을 새겨 준다.
※ inscribe ... on(in) ~, inscribe ... with ~ 형태로 쓴다.

inscription [inskrípʃən] *n.* **1** 비문(碑文) **2** (책의) 서명(書名)

*****insect** [ínsekt] *n.* 곤충; (일반적) 벌레
— **insecticide** *n.* 살충(제) **insectifuge** *n.* 구충제

insecure [ìnsikjúər] *adj.* **1** 불안한, 자신이 없는 (about): I still feel *insecure* in my new job. 나는 새 직업에 대해 여전히 자신감이 없다. **2** 불안정(불안전)한, 위험에 처한: As a freelancer, I'm financially *insecure*. 프리랜서라서 나는 경제적으로 불안정하다. OPP secure
— **insecurely** *adv.* **insecurity** *n.*

insensitive [insénsətiv] *adj.* **1** 무신경한, 남의 기분을 고려하지 않는 (to): It's *insensitive* of you to ask about her dead mother. 돌아가신 그녀의 어머니에 대해 묻다니 너도 참 무신경하다. **2** 무감각한, 영향을 받지 않는 (to): He seems *insensitive* to criticism. 그는 비판에 대해 무감각한 것처럼 보인다. / *insensitive* to cold 추위에 무감각한 OPP sensitive
— **insensitively** *adv.* **insensitivity** *n.*

inseparable [insépərəbəl] *adj.* 분리할 수 없는, 떨어질 수 없는 OPP separable

insert [insə́:rt] *v.* [T] 삽입하다, 끼워 넣다: *insert* a coin 동전을 넣다 / She *inserted* a few sentences. 그녀는 몇 줄을 더 적어 넣었다.
— **insertion** *n.*

*****inside** [ìnsáid] *prep. adj. adv.* **1** 안쪽의, 내부에: What's *inside* the box? 상자 안에 뭐가 있니? / Stay *inside* until I tell you to come out. 내가 나오라고 할 때까지 안에 있어. **2** (시간이) …이내에: *inside* an hour 한 시간 내에 **3** 내밀한, 공표되지 않은: *inside* information 내부 정보
n. [ínsàid] **1** 안쪽, 내부: You'll find an instruction manual in the *inside*. 안쪽에 사용 설명서가 있습니다. OPP outside **2** (insides) 배, 뱃속
숙어 **inside out 1** 뒤집어: You've got your T-shirt *inside out*. 네 티셔츠가 뒤집어졌다. **2** 구석까지 샅샅이, 완전히: She knows us *inside out*. 그녀는 우리를 속속들이 잘 알고 있다.

insight [ínsàit] *n.* 통찰(력) (into): Her

lecture gives us an *insight* into the mental state of the teenagers. 그녀의 강의는 십대들의 심리 상태에 대한 통찰력을 길러 준다.

insignificant [ìnsignífikənt] *adj.* 하찮은, 무의미한: Skip over the *insignificant* details. 별로 중요하지 않은 항목은 건너뛰어라.
— **insignificantly** *adv.* **insignificance** *n.*

*****insist** [insíst] *v.* [I] **1** 우기다, 고집하다 (on, doing, that): He *insisted* that I should come to the party. 그는 내가 파티에 꼭 와야 한다고 고집을 부렸다. **2** (사실임을) 주장하다 (on, that): She *insisted* on her innocence. 그녀는 자신의 결백을 주장했다.
— **insistence** *n.*

insistent [insístənt] *adj.* **1** 주장하는, 고집 세우는 (on, doing, that): They were *insistent* on going out. 그들은 나가겠다고 고집을 부렸다. **2** 계속되는: an *insistent* pounding of drums 끝없는 북치는 소리
— **insistently** *adv.*

insolent [ínsələnt] *adj.* 거만한, 무례한
— **insolently** *adv.* **insolence** *n.*

insomnia [insάmniə] *n.* [의학] 불면증: suffer (from) *insomnia* 불면증에 시달리다

inspect [inspékt] *v.* [T] **1** (세밀히) 조사하다, 검사하다: She carefully *inspected* the glass for cracks. 그녀는 조심스럽게 유리잔에 금이 없는가 검사했다. **2** 감사(점검)하다, 시찰하다: Schools should be *inspected* regulary by the fire-safety officer. 학교는 정기적으로 화재 안전 관리사에게 점검받아야 한다.

inspection [inspékʃən] *n.* **1** 검사, 조사 **2** 점검, 시찰, 검열

inspector [inspéktər] *n.* **1** 검사자 **2** 검열관, 장학사 **3** [영] 경감 (police inspector)

inspiration [ìnspəréiʃən] *n.* **1** 인스피레이션, 영감 **2** (갑자기 떠오른) 생각, 명안 **3**

고취, 고무, 격려 **4** 격려가 되는 사람[것]

inspire [inspáiər] *v.* [T] **1** 고무하다, 격려하다: His bravery *inspired* us. 그의 용감한 행동은 우리를 고무했다. **2** (사상·감정 등을) 일어나게 하다, 불어 넣다: Ahn Changho *inspired* respect even among the Japanese. 안창호(의사)는 일본인들에게 조차 존경을 받았다. **3** 영감을 주다: The story was *inspired* by my dream. 그 이야기는 내 꿈에서 영감을 얻었다.

install [instɔ́:l] *v.* [T] **1** 설치하다: We *installed* a gas stove yesterday. 우리는 어제 가스렌지를 설치했다. SYN put in **2** 취임시키다, 임명하다 (as): She was *installed* as chairman. 그녀가 의장에 임명됐다.

installation [ìnstəléiʃən] *n.* **1** 설치, 설비 **2** (보통 *pl.*) 설치된 장치 **3** 임명, 취임(식)

installment, instalment [instɔ́:lmənt] *n.* **1** 할부; 분할 불입금: sell on *installment* 할부로 팔다 **2** (전집·연속 간행물 등의) 1회분: a serial in three *installments* 3회의 연재물

instance [ínstəns] *n.* 실례, 사례, 경우 (of): There is no known *instance* of side effects yet. 알려진 부작용 사례는 아직 없다.
[축어] **for instance** 예를 들면 SYN for example

*****instant** [ínstənt] *adj.* **1** 즉시의, 즉각의, 당장의: *instant* death 즉사 **2** 즉석(요리용)의: *instant* soup 인스턴트 수프
n. **1** 순간, 찰나: She looked at me for an *instant*. 그녀는 일순간 나를 쳐다 보았다. **2** 지금 당장, 바로 그때 (this, that 뒤에서 부사적으로 쓰임): Come here this *instant*. 당장 이리 와. / The door opened at that *instant*. 바로 그때 문이 열렸다.
— **instantly** *adv.* 당장에, 즉각

*****instead** [instéd] *adv. prep.* 그 대신에, 그보다도: I didn't go to the movies. *Instead* I stayed home and watched TV. 나는 영화를 보러 가지 않았다. 그 대신에

집에서 텔레비전을 보았다.

[숙어] **instead of** …의 대신으로: Can I have ice cream *instead of* juice? 주스 대신 아이스크림을 먹어도 돼요?

instinct [ínstiŋkt] *n.* **1** 본능, 직관: Birds have *instinct* for building nests. 새들은 둥지를 만드는 본능이 있다. **2** 천성, 타고난 재능: an *instinct* for music 음악적 재능

[숙어] **act on instinct** 본능대로 행하다

by〔from〕instinct 본능적으로, 직감적으로

instinctive [instíŋktiv] *adj.* 본능적인, 직감적인: Birds have an *instinctive* ability to fly. 새는 본능적으로 나는 능력이 있다.

— **instinctively** *adv.*

****institute** [ínstətjù:t] *n.* **1** (학술 · 미술 등의) 회(會), 협회, 학회 **2** (학회 등의) 건물, 회관 **3** 연구소, (주로 이공계의) 대학: Massachusetts *Institute* of Technology 매사추세츠 공과 대학 (**abbr.** MIT)

v. [T] (제도 · 규칙 · 정부 등을) 만들다, 설립하다; 실시하다: *institute* a new course 새 강좌를 만들다

institution [ìnstətjú:ʃən] *n.* **1** 학회, 협회: a medical *institution* 의학회 **2** (공공) 기관, (공공) 시설: an *institution* for the aged 노인 시설 **3** (확립된) 제도, 관례: the *institution* of marriage 결혼 제도 **4** (학회 등의) 설립, (법률 등의) 제정: the *institution* of a new law 새로운 법의 제정

— **institutional** *adj.*

instruct [instrʌ́kt] *v.* [T] **1** 지시하다, 명령하다: I have been *instructed* to investigate this case. 나는 이 사건을 수사하라는 지시를 받았다. **2** 가르치다: He *instructs* students in math. 그는 학생들에게 수학을 가르친다.

****instruction** [instrʌ́kʃən] *n.* **1** (instructions) (제품 등의) 사용법 설명서: I didn't follow the *instructions* and broke the machine. 사용 설명서를 따르지 않아서 기계를 고장냈다. **2** 지시, 명령 (to do): The doctor gave the patient *instructions* to come again the next day. 의사는 환자에게 다음날 또 오도록 지시했다. **3** 훈련, 교수, 교육 (in): She gives *instruction* in jazz. 그녀는 재즈 댄스를 가르친다.

instructive [instrʌ́ktiv] *adj.* 유익한, 교훈적인, 교육적인: an *instructive* book on painting 그림 그리기에 유익한 책

— **instructively** *adv.*

instructor [instrʌ́ktər] *n.* **1** 교사, 지도자 **2** [미] (대학의) 전임 강사

****instrument** [ínstrəmənt] *n.* **1** 기계, 도구: medical *instrument* 의료 기구 ⇨ tool **2** 악기: a stringed *instrument* 현악기 **3** (비행기 · 배 등의) 계기 **4** 수단, 방편

instrumental [ìnstrəméntl] *adj.* **1** (명사 앞에는 쓰이지 않음) 도움이 되는: She was *instrumental* in finding me a right book. 그녀는 내게 맞는 책을 찾는 데 도움이 되었다. **2** [음악] 악기의: *instrumental* music 기악 (악기의 소리로만 이루어진 음악)

insufficient [ìnsəfíʃənt] *adj.* 불충분한, 부족한 (for, to do): There's an *insufficient* supply of fuel. 연료 공급이 부족하다.

[OPP] sufficient

— **insufficiently** *adv.*

insulin [ínsəlin] *n.* 인슐린 (췌장에서 분비되는 단백질 호르몬; 당뇨병 치료제)

****insult** [insʌ́lt] *v.* [T] 모욕하다, 무례한 짓을 하다: I felt *insulted* when he turned down my invitation. 그가 내 초대를 거절했을 때 나는 모욕감을 느꼈다.

n. [ínsʌlt] 모욕(행위), 무례(한 짓): Stop shouting *insults* at each other! 서로에게 그만 욕해!

insulting [insʌ́ltiŋ] *adj.* 모욕적인, 무례한: What an *insulting* remark! 정말 무례한 말이군요!

insurance [inʃúərəns] *n.* **1** 보험 (계약): I took out life *insurance* since last year. 나는 작년부터 생명 보험에 들었다. **2** 보험업: She works in *insurance*. 그녀는 보험일을 한다. **3** 보험금(액); 보험료: I pay my *insurance* every month. 나는 매달 보험료를 낸다. **4** (실패 · 손실에 대한) 대비 (against): I don't make a spare key as an *insurance* against burglars. 나는 (집털이) 강도에 대한 대비로 여분의 열쇠를 만들지 않는다.

insure [inʃúər] *v.* [T] **1** 보험을 계약하다, 보험에 들다: Our house is *insured* against fire. 우리 집은 화재 보험에 들어 있다. **2** 보증하다 **3** [미] (위험 등에서) 지키다, 안전하게 하다 [SYN] ensure

intact [intǽkt] *adj.* (명사 앞에는 쓰이지 않음) 본래대로의, 손대지 않은, 완전한: Only the church remained *intact* after the war. 전쟁 뒤에 교회 건물만이 그대로 남아 있었다.

intangible [intǽndʒəbəl] *adj.* 만질 수 없는, 무형의, 파악하기 어려운: *intangible* assets 무형 자산 (특허권 · 영업권 등) [OPP] tangible

integral [íntigrəl] *adj.* **1** (전체를 구성하는 데) 중요한, 필수의: The engine is the *integral* part of an automobile. 엔진은 차의 중요한 부분이다. **2** 완전한, 빠진 것이 없는: the *integral* works 전집 **3** [수학] 정수(整數)의, 적분(積分)의

integrate [íntəgrèit] *v.* **1** [T] 통합하다: Some teachers *integrate* math lessons and computer studies. 어떤 선생님들은 수학 수업과 컴퓨터를 통합하기도 한다. **2** [I,T] 융화[조화] 하다[시키다]: Sometimes immigrants find it hard to *integrate* into new environment. 때론 이민자들이 새로운 환경에 융화하는 것이 어려울 수도 있다. **3** [I,T] (학교 · 공공 시설 등에서) 인종적 차별을 폐지하다
— **integration** *n.*

integrity [intégrəti] *n.* **1** 정직, 고결: He's a man of *integrity*. 그는 고결한 인품을 지녔다. **2** 완전무결한 상태, 본래의 모습: Don't remodel the building. It will ruin the building's architectural *integrity*. 건물을 개조하지 마. 건물의 건축학적 완성도를 망가뜨릴 거야.

intellect [íntəlèkt] *n.* **1** 지력, 지성: human *intellect* 인간의 지력 **2** (the intellect(s)) 지식인, 인텔리

intellectual [ìntəléktʃuəl] *adj.* **1** (명사 앞에만 쓰임) 지적인, 지력의: Her *intellectual* ability is improving. 그녀의 지적 능력은 향상되고 있다. **2** 지능을 요하는: Baduk is an *intellectual* game. 바둑은 지능을 요하는 게임이다. **3** 지력이 뛰어난, 총명한: the *intellectual* class 지식 계급 *n.* 지식인
— **intellectually** *adv.*

intelligence [intélədʒəns] *n.* **1** 지성, 이해력, 사고력, 지능: a man of high *intelligence* 뛰어난 지능을 가진 사람 / artificial *intelligence* (컴퓨터의) 인공 지능 **2** 정보, (특히 군사에 관한 기밀적인) 첩보 **3** (비밀) 정보부, 첩보 기관

*****intelligent** [intélədʒənt] *adj.* 지적인, 지성을 갖춘, 영리한: an *intelligent* child 영리한 아이
— **intelligently** *adv.*

*****intend** [inténd] *v.* [T] **1** …할 작정이다, …하려고 생각하다: I *intend* to go to Cambodia. 나는 캄보디아에 갈 생각이다. **2** 의도하다, 고의로 하다: I didn't *intend* to insult you at all. 당신을 모욕할 의도는 전혀 아니었습니다. **3** (보통 수동태) (어떤 목적에) 쓰려고 하다: This gift is *intended* for you. 이 선물은 네게 주려는 것이다.
— **intention** *n.*

intense [inténs] *adj.* 격렬한, 심한: She suddenly felt *intense* pain in her leg. 그녀는 갑자기 다리에 심한 통증을 느꼈다. / *intense* cold 혹한

— **intensely** *adv.* **intensity** *n.*

intensify [inténsəfài] *v.* [I,T] 격렬하게 하다, 증강하다: The conflict between the two countries have *intensified*. 두 국가 간의 대립은 격렬해졌다. / The NGO has *intensified* its campaign against nuclear weapons. 비정부 조직은 그들의 핵무기 반대 캠페인을 증강했다.
— **intensification** *n.*

intensity [inténsəti] *n.* **1** 강렬, 격렬 **2** 긴장, 집중 **3** 세기, 강도

****intensive** [inténsiv] *adj.* **1** 집중적인: an *intensive* training 집중적인 훈련 [OPP] extensive **2** [경제·농업] 집약적인: *intensive* agriculture 집약 농업 / labor-*intensive* industry 노동 집약형 산업
— **intensively** *adv.*

intent [intént] *adj.* **1** (시선·주의 등이) 집중된, 열중해 있는: *Intent* on her work, she ignored mosquitoes. 자신의 일에 집중해서 그녀는 모기에 신경도 쓰지 않았다. **2** 굳게 결심한, 단호한: He seemed *intent* on upsetting his mother. 그는 그의 어머니를 화나게 하려고 결심한 것처럼 보였다.
n. 의향, 목적, 의지: I did it with good *intent*. 나는 좋은 의도로 그런 것이었다.
— **intently** *adv.*

[숙어] **for(to) all intents and purposes** 어느 점으로 보나, 사실상: *For all intents and purposes*, he owes her 1,000 dollars. 사실상 그는 그녀에게 천 달러를 빚졌다.

intention [inténʃən] *n.* 의향, 의도, 의지: It's not my *intention* to call her. 그녀를 부른 것은 내 의향이 아니다.

[숙어] **have no intention of -ing** …할 의도가 없다: He *had no intention of* offend*ing* you. 그가 널 불쾌하게 만들 의도는 아니었어.

with the intention of -ing …할 생각으로: I visited her *with the intention of* borrow*ing* a book from her. 나는 책을 빌릴 생각으로 그녀를 방문했다.

intentional [inténʃənəl] *adj.* 계획적인, 고의의: I'm sorry to have kept you waiting—it wasn't *intentional*. 기다리게 해서 미안해. 고의는 아니었어. [SYN] deliberate [OPP] unintentional
— **intentionally** *adv.*

inter- *prefix* '사이, 중(中), 상호'의 뜻.: *inter*action 상호 작용

interact [ìntərǽkt] *v.* [I] 상호 작용하다, 서로 영향을 주다
— **interaction** *n.*

interactive [ìntərǽktiv] *adj.* 상호 작용하는, 서로 영향을 미치는 **2** [통신] 쌍방향의; [컴퓨터] 대화식의

intercept [ìntərsépt] *v.* [T] **1** 도중에서 빼앗다, 가로채다: The police *intercepted* drugs from China. 경찰이 중국에서 들어오는 마약을 도중에서 빼앗았다. **2** (통신을) 엿듣다
— **interception** *n.*

interchange [ìntərtʃéindʒ] *v.* **1** [T] 교환하다, 주고받다: *interchange* opinions freely 서로 자유로이 의견을 주고받다 **2** [I,T] 교체하(시키)다, 번갈아 일어나(게 하)다: *interchange* cares with pleasures 근심과 기쁨이 번갈아 교차하다
n. [ìntərtʃèindʒ] **1** 상호 교환 **2** 교체 **3** (고속 도로의) 입체 교차(점), 인터체인지

interchangeable
[ìntərtʃéindʒəbəl] *adj.* 교환[교체]할 수 있는: *interchangeable* parts 교체 가능한 부품들
— **interchangeably** *adv.*

interconnect [ìntərkənékt] *v.* [I,T] 서로 연결시키다, (여러 대의 전화를) 한 선에 연결하다
— **interconnection** *n.*

intercontinental
[ìntərkàntənéntl] *adj.* 대륙 간의, 대륙을 잇는: *intercontinental* ballistic missile

대륙 간 탄도탄 (*abbr.* ICBM)

interdependent [ìntərdipéndənt]
adj. 서로 의존하는, 서로 돕는
— **interdependence** *n.*

***interest** [íntərist] *n.* **1** 관심, 흥미 (in): I
have no *interest* in politics. 나는 정치에
관심이 없다. **2** (보통 *pl.*) 관심사, 취미: What
are his *interests*? 그의 취미는 무엇인가? **3**
이자: He lent me money at 5 percent
interest. 그는 나에게 5부 이자로 돈을 빌려 주
었다. / *interest*-free loans 무이자 대출 **4**
(법률상의) 권리, 이권; 주(株): My brother
and I have equal *interest* in our
family's company. 형과 나는 우리 집안
회사에 대해 동등한 이권을 가진다. **5** (종종
pl.) 이익, 득: It is in your best *interests*
to study hard. 열심히 공부하는 것이 바로
너를 위한 최선의 길이다.
　v. [T] [íntərèst] **1** 흥미를 일으키다, 관심을
끌다: That new movie *interests* me. 새
로 나온 영화가 내 관심을 끈다. **2** 관계시키다,
말려들게 하다: Can I *interest* you in
joining our club? 우리 클럽에 가입할 생각
은 없나요?
　속어 **be of interest to** …에게 흥미가
있다: The teacher thought the book
might *be of interest to* the students. 선
생님은 학생들이 그 책에 흥미가 있을 거라고
생각했다.
　in the interest(s) of …을 위하여: *In
the interest of* safety, playing with
fire is forbidden. 안전을 위해 불장난은 금
지되어 있다.
　take(**have**) **an interest in** …에 흥미
를 가지다: He took *a* great *interest in*
our conversation. 그는 우리 대화에 큰 흥
미를 보였다.

interested [íntəristid] *adj.* **1** (명사 앞
에는 쓰이지 않음) 흥미를(관심을) 가지고 있
는: All she's *interested* in is politics. 그
녀가 흥미를 가지는 것은 정치뿐이다. / I'm
very *interested* to hear your story. 나

는 너의 이야기를 듣는 것에 매우 관심이 있다.
[OPP] uninterested **2** (명사 앞에만 쓰임)
(이해) 관계가 있는, 관여하고 있는: *interested*
group 이해 관계자들, 당사자들 [OPP]
disinterested

interesting [íntəristiŋ] *adj.* 재미있는,
흥미를 일으키는: It's *interesting* that no
one remembers him. 아무도 그를 기억하
지 못하다니 재미있군.
— **interestingly** *adv.*

interfere [ìntərfíər] *v.* [I] **1** 간섭하다,
말참견하다 (in): You have no right to
interfere in my life! 너는 내 인생에 간섭할
권리가 없어! **2** 방해하다 (with): The ear-
splitting noise is *interfering* with my
work. 귀를 찢는 소음이 일에 방해가 된다. **3**
(이해 등이) 충돌〔대립〕하다 (with): Their
interests *interfered*. 그들의 이해가 충돌
했다.
— **interfering** *adj.*

interference [ìntərfíərəns] *n.* **1** 간섭,
참견, 방해 **2** [무전] 혼신 **3** [물리] (광파·음
파·전파 등의) 간섭

interior [intíəriər] *n.* **1** 안쪽, 내부:
interior decoration 실내 장식 [OPP]
exterior **2** (the interior) 내륙, 오지 **3** (the
interior) 내정, 내무: the Department of
the *Interior* (미국의) 내무부

interjection [ìntərdʒékʃən] *n.* **1** 불의
에 외치는 소리, 감탄 **2** [문법] 감탄사 (Ah!,
Eh!, Lo!, Heavens!, Wonderful! 등) [SYN]
exclamation

intermediate [ìntərmíːdiit] *adj.* **1** 중
간의: A pupa is an *intermediate* stage
between a larva and an adult insect.
번데기는 애벌레와 성충 사이의 중간 단계이다.
2 중급의: an *intermediate* course 중급
과정

intermission [ìntərmíʃən] *n.* **1** [미]
(연극·음악회 등의) 휴게 시간 **2** (수업 시간
사이의) 휴식 시간 **3** (발작 등의) 휴지기, 중지

intern[1] [intə́ːrn] *v.* [T] (주로 수동태) (위험

인물 등을) 강제 수용[격리]하다

— **internment** *n.* 억류, 수용; 억류 기간

intern² [íntəːrn] *n.* [미] 수련의, 인턴

internal [intə́ːrnl] *adj.* **1** (명사 앞에만 쓰임) 내부의, 안의: *Internal* walls were knocked down. 내부 벽이 헐렸다. / He was taken to the hospital for *internal* bleeding. 그는 내부 출혈로 병원에 실려 갔다. **2** (특정 조직) 내부의: an *internal* inquiry 내부 조사 **3** 국내의, 내국의: *internal* markets 국내 시장 [OPP] external

— **internally** *adv.* 내부에, 국내에서

*__international__ [ìntərnǽʃənəl] *adj.* 국제(상)의, 국제적인: *international* trade 국제 무역

— **internationally** *adv.*

International Date Line (또는 the date line) *n.* (*abbr.* IDL) 날짜 변경선

*__Internet__ [íntərnèt] (또는 the Net) *n.* (the Internet) 인터넷

Interpol [íntərpɔ̀(ː)l] *n.* 인터폴, 국제 경찰

interpret [intə́ːrprit] *v.* **1** [T] …의 뜻을 해석하다, 설명하다: Such phenomenon can be *interpreted* in many different ways. 그러한 현상은 다양하게 해석될 수 있다. [OPP] misinterpret **2** [I] 통역하다: He *interpreted* Spanish for me. 그는 내게 스페인 어를 통역해 주었다. **3** [T] 이해하다, 판단하다: I *interpreted* her silence as refusal. 나는 그녀의 침묵을 거절의 뜻으로 이해했다.

interpretation [intə̀ːrprətéiʃən] *n.* **1** 해석, 설명 **2** (극·음악 등의 자기 해석에 따른) 연출, 연기, 연주: His *interpretation* of 'Macbeth' was brilliant. 그의 '맥베스' 연출은 훌륭했다.

interpreter [intə́ːrprətər] *n.* **1** 통역 (자) **2** 해석자, 설명자 **3** [컴퓨터] 해석기 (지시를 기계 언어로 해석하는) ⇨translator

interrogate [intérəgèit] *v.* [T] 질문하다, 심문하다: The suspect was *interrogated*

for several hours. 용의자는 몇 시간 동안 심문을 받았다.

— **interrogation** *n.* 질문, 심문

interrogator *n.* 심문[질문]자

interrogative [ìntərágətiv] *adj.* **1** 질문의, 무엇을 묻고 싶어하는 듯한: an *interrogative* tone 무언가 묻고 싶은 듯한 어조 **2** [문법] 의문(형)의

n. [문법] 의문사 (who, what, where 등)

*__interrupt__ [ìntərʌ́pt] *v.* **1** [I,T] 방해하다, 가로막다, 저지하다: Don't *interrupt* me — I've got homework to do. 방해하지 마. 나 숙제해야 돼. / May I *interrput* you a while? 이야기하시는 데 잠깐 실례해도 괜찮겠습니까? **2** [T] (잠시 동안) 중단하다[시키다]: The traffic was *interrupted* by the flood. 홍수 때문에 교통이 두절됐다.

interruption [ìntərʌ́pʃən] *n.* **1** 방해: Let's find a place where we can talk without *interruption*. 우리가 방해 받지 않고 이야기할 수 있는 장소를 찾아보자. **2** 방해물, 가로막는 것 **3** 중지: He spoke for 30 minutes without *interruption*. 그는 쉼 없이 30분 동안 이야기했다.

intersection [ìntərsékʃən] *n.* (도로의) 교차점; 가로지름, 교차

— **intersect** *v.*

*__interval__ [íntərvəl] *n.* **1** (시간적인) 간격, 사이: a two-year *interval* 2년의 간격 **2** [영] (연극 등의) 막간, 휴게 시간 ([미] intermission) **3** (장소적인) 간격, 거리: an *interval* of two feet between trees 나무들 간 2피트의 거리

[숙어] **at intervals 1** 때때로, 이따금: Salesmen visit us *at intervals*. 외판원들이 이따금 찾아온다. **2** 군데군데에, 여기저기에: Flower pots were placed *at intervals*. 여기저기에 화분이 놓여 있다.

at regular[irregular] intervals 일정한[불규칙한] 사이를 두고: Take your medicine *at regular intervals*. 일정한 사이를 두고 약을 드세요.

intervene [ìntərvíːn] *v.* [I] **1** (사이에서) 조정(중재)하다 (in): She likes to *intervene* in disputes. 그녀는 싸움을 중재하는 것을 좋아한다. **2** (대화를) 가로막다, (대화 도중에) 끼어들다: "What about me?" he *intervened*. "나는 어떡하고?" 그가 끼어들었다. **3** (사이에 들어) 방해하다: I'll see you on Monday if nothing *intervenes*. 별 일이 없으면 월요일날 보자. **4** 사이에 들다, 사이에 끼다: A week *intervenes* between Christmas and my birthday. 크리스마스와 내 생일 사이에는 일주일이 끼어 있다.
— **intervention** *n.*

interview [íntərvjùː] *n.* **1** 면접: I have an *interview* for a job tomorrow. 나는 내일 입사 면접이 있다. **2** 인터뷰, 기자 회견, 취재 방문; (공식) 회담: An *interview* with the president is on TV now. 지금 대통령과의 회견이 텔레비전 방송 중이다. / The actor refused to give an *interview* to reporters. 그 배우는 신문 기자와의 인터뷰에 응하지 않았다. **3** 회견(방문, 탐방)기 *v.* [T] **1** …와 면접하다 **2** 회견하다, (기자가) 인터뷰하다

interviewee [ìntərvju(ː)íː] *n.* 피회견자, 피면접자

interviewer [íntərvjùːər] *n.* 회견자, 면접자; 탐방 기자

intimacy [íntəməsi] *n.* 친밀함, 절친함: The *intimacy* between friends grows over the years. 친구들 사이의 친밀함은 세월이 흐르면서 생긴다.

intimate [íntəmit] *adj.* **1** 친밀한, 친한: Sue and I are *intimate* friends. 수와 나는 친한 친구이다. **2** 사사로운, 개인적인: I think it's not polite to ask *intimate* affairs of the others. 다른 사람들의 개인적인 일에 대해 묻는 것은 예의바르지 못하다고 생각해. **3** (장소 · 분위기 등이) 푸근한, 정감 있는: I know an *intimate* restaurant in this district. 나는 이 지역에 있는 정감 있는 식당을 안다. **4** (지식이) 깊은, 자세한: I've

been to London so many times that I have an *intimate* knowledge of it. 나는 런던에 가 본 적이 많아서 런던에 대해 자세히 알고 있다.
— **intimately** *adv.*

intimation [ìntəméiʃən] *n.* 암시, 넌지시 비춤

intimidate [intímədèit] *v.* [T] 위협하다, 협박하다: A bully *intimidated* little children to give him money. 싸움 대장이 돈을 내놓으라고 어린 아이들을 협박했다.
— **intimidation** *n.*

***into** [íntu] *prep.* **1** (장소 · 방향) … 안으로; …로, …에: Let's go *into* the house. 집 안으로 들어가자. / Put beef *into* the oven. 쇠고기를 오븐에 넣어라. [OPP] out of
2 (시간의 추이) …까지: She stayed up far *into* the night. 그녀는 늦은 밤까지 깨어 있었다.
3 (충돌) …에 부딪쳐: He bumped *into* me. 그가 내게 부딪쳤다.
4 (변화 · 추이 · 결과) …으로 하다(되다): The princess turned *into* a beautiful swan. 공주님은 아름다운 백조가 되었습니다. / Please translate this English paper *into* Korean. 이 영어 서류를 한국어로 번역해 주세요.
5 …을 나눠(서): 5 *into* 20 goes 4 times. 20을 5로 나누면 4이다.
[숙어] **be into** …에 관심을 갖다, 열중하다: She *is* very much *into* jazz. 그녀는 재즈에 열중해 있다.

intolerable [intάlərəbəl] *adj.* 견딜 수 없는, 참을 수 없는: Your singing is *intolerable*! 네 노래는 도저히 참을 수가 없구나! [SYN] unbearable [OPP] tolerable
— **intolerably** *adv.*

intolerant [intάlərənt] *adj.* 참을 수 없는, 편협한, (이설 등을) 허용하지 않는: He's *intolerant* of criticism. 그는 비판을 받아들이지 않는다. [OPP] tolerant
— **intolerantly** *adv.* **intolerance** *n.*

intonation [ìntənéiʃən] *n.* 인토네이션, 억양, 어조 SYN inflection

intoxicated [intάksikèitid] *adj.* **1** (술에) 취한 **2** (행복 등에) 도취한: He is *intoxicated* by his success. 그는 성공에 취해 있다.
— **intoxicate** *v.* **intoxication** *n.*

intricate [íntrəkit] *adj.* 뒤얽힌, 복잡한: *intricate* patterns 복잡한 무늬
— **intricately** *adv.* **intricacy** *n.*

intrigue [intríːg] *v.* **1** [T] 흥미를 갖게 하다: I was *intrigued* by the fact that the old man's death is related to his religion. 노인의 죽음이 그의 종교와 연관이 있다는 사실이 나의 흥미를 끌었다. **2** [I] 음모를 꾸미다, 술책을 쓰다: *intrigue* against the government 정부에 대하여 음모를 꾸미다
n. 음모(를 꾸밈), 계략: political *intrigue* 정치적 음모
— **intriguing** *adj.* 흥미를 자아내는; 음모를 꾸미는

***introduce** [ìntrədjúːs] *v.* [T] **1** (처음으로) 수입하다, 전래시키다 (in, into): Potatoes were *introduced* into Europe from America. 감자는 미국에서 유럽으로 전해졌다. / He *introduced* a new concept in mathematics. 그는 수학에 새로운 개념을 도입했다. **2** (아무를) 소개하다 (to): Please *introduce* me to her. 나를 그녀에게 소개시켜 줘. / Allow me to *introduce* myself. 제 소개를 하겠습니다. **3** 초보를 가르치다, …에게 처음으로 경험시키다 (to): He *introduced* me to the pleasures of skiing. 그가 내게 스키 타는 재미를 가르쳐 주었다.

introduction [ìntrədΛkʃən] *n.* **1** 전래, 첫 수입(도입)(한 것): the *introduction* of Buddhism to Korea 불교의 한국 전래 **2** (보통 *pl.*) 소개: Shall I make the *introductions*? Joe, this is Mary. 제가 소개할까요? 죠, 이 쪽은 메리야. **3** 서론, 서문, 머리말 **4** 입문(서), 개론 (to): an *introduction* to electricity 전기 공학 입문서

introductory [ìntrədΛktəri] *adj.* **1** 서론의, 서문의: *introductory* remarks 머리말 **2** 초보의: He attends the *introductory* course in English. 그는 초급 영어를 수강하고 있다.

intrude [intrúːd] *v.* [I] **1** (남의 일에) 방해하다, 끼어들다: Would it be *intruding* if I bring a friend of mine? 제 친구를 데려오면 방해가 될까요? **2** 침입하다, 허락 없이 들어가다 SYN trespass
— **intrusion** *n.*

intruder [intrúːdər] *n.* **1** 침입자, 난입자 **2** 훼방꾼, 방해자

intrusion [intrúːʒən] *n.* **1** (사생활) 침해, 방해 **2** (장소에의) 침입 **3** [지질학] (마그마의) 관입
— **intrusive** *adj.*

intuition [ìntjuíʃən] *n.* 직관(력), 직감: He had an *intuition* that there was something wrong. 뭔가 잘못되었다고 그는 직감했다. / by *intuition* 직감적으로, 직관력으로
— **intuitive** *adj.* **intuitively** *adv.*

invade [invéid] *v.* **1** [I,T] 침입하다, 침공하다: The enemy *invaded* our country. 적이 우리 나라를 침공했다. **2** [T] 몰려들다, 밀어닥치다: Every summer the town is *invaded* by a crowd of tourists. 매년 여름마다 그 읍에는 많은 관광객들이 몰려든다.
— **invader** *n.* 침략자〔국〕, 침입자〔군〕

invalid[1] [ínvəlid] *adj.* **1** 실효성이 없는, (법적으로) 무효의: A check without signature is *invalid*. 사인이 없는 수표는 실효성이 없다. **2** 근거〔설득력〕 없는, 논리적으로 모순된: *invalid* claims 근거 없는 주장 **3** [컴퓨터] 컴퓨터가 인식하지 못하는: an *invalid* command 인식 불가능한 명령어 OPP valid

invalid[2] [ínvəlid] *n.* 병자, 환자

invalidate [invǽlədèit] *v.* [T] **1** 근거를

〔설득력을〕 없애다: My theory on this murder case was *invalidated* by new evidence. 이 살인 사건에 관한 내 가설은 새로운 물증에 의해 무효가 됐다. **2** 무효로 하다, 법적 효력을 없애다 OPP validate
— **invalidation** *n.*

invaluable [invǽljuəbəl] *adj.* 값을 헤아릴 수 없는, 평가할 수 없는, 매우 귀중한: Thank you for your *invaluable* information. 귀중한 정보를 주셔서 감사합니다.
※ invaluable은 valuable의 반대말이 아님에 주의한다. valuable의 반대말은 valueless 또는 worthless이다.

invariable [invέəriəbəl] *adj.* 변화하지 않는, 불변의: an *invariable* rule 불변의 법칙

invariably [invέəriəbli] *adv.* 변함 없이, 항상: *Invariably*, her answer was, "Later." 변함 없이 그녀의 대답은 "나중에"였다.

invasion [invéiʒən] *n.* **1** 침입, 침략 **2** (권리 등의) 침해, 침범: That's an *invasion* of privacy! 그건 사생활 침해야!
— **invade** *v.*

*__invent__ [invént] *v.* [T] **1** 발명하다, 고안하다: Who *invented* the cellular phone? 누가 휴대 전화를 발명했지? **2** (이야기 등을) 상상력으로 만들다, 창작하다, 꾸며 내다: They *invented* an excuse but it didn't work well. 그들은 변명거리를 하나 꾸며 냈으나 통하지 않았다.
— **inventor, inventer** *n.* 발명자, 발명가

invention [invénʃən] *n.* **1** 발명품: The dishwasher is one of the useful *inventions*. 설거지 기계는 실용적인 발명품들 중의 하나이다. **2** 발명, 고안: Necessity is the mother of *invention*. [속담] 필요는 발명의 어머니. **3** 꾸며 낸 이야기: Her story of a monster in the closet is just her *invention*. 옷장 안에 괴물이 있다는 이야기는 단지 그녀가 꾸며 낸 이야기다.

inventive [invéntiv] *adj.* 발명의 재능이 있는, 창의력이 풍부한
— **inventiveness** *n.*

inventory [ínvəntɔ̀:ri] *n.* **1** 물품 명세서, 재고품 목록 **2** [미] 재고품 조사〔명세서〕
[숙어] **make〔take〕(an) inventory of** 목록을 만들다, 재고품 조사를 하다: The manager *made a* complete *inventory of* everything in the supermarket. 지배인은 슈퍼마켓에 있는 모든 재고품 조사를 했다. (조사를 해서 목록을 만들었다.)

inverse [invə́:rs] *adj.* (명사 앞에만 쓰임) 반대의, 역의: The number 27 in *inverse* order becomes 72. 숫자 27을 역으로 하면 72가 된다. / A person's wealth is often in *inverse* proportion to their happiness. 부는 종종 행복에 반비례한다. (돈이 많을수록 덜 행복하다.)
n. (the inverse) 반대, 역
— **inversely** *adv.* **inversion** *n.*

invert [invə́:rt] *v.* [T] 거꾸로 하다, 뒤집다: When the number 6 is *inverted*, it becomes number 9. 숫자 6을 거꾸로 하면 숫자 9가 된다. / She caught the insect by *inverting* her cup over it. 그녀는 컵을 곤충 위에 뒤집어서 곤충을 잡았다.

invest [invést] *v.* [I,T] **1** 투자하다: The government *invested* heavily in water supply facilities. 정부는 상수도 시설에 막대한 투자를 했다. **2** (돈·시간·에너지 등을) 쓰다, 들이다: He *invested* all his energy in finding a cure for cancer. 그는 암에 대한 치료법을 찾는 데 온 힘을 쏟았다.
— **investor** *n.* 투자자

*__investigate__ [invéstəgèit] *v.* [I,T] **1** 수사하다, 조사하다: The police are *investigating* the possibility of murder. 경찰이 타살 가능성이 있는지 수사하고 있다. **2** 연구하다: Linguists are *investigating* the fastest ways to learn foreign language. 언어학자들은 외국어를 가장 빨리 배울 수 있는 방

법을 연구하고 있다.
— **investigator** *n.* 수사관, 연구자
investigation [invèstəgéiʃən] *n.* **1** 수사, 조사 **2** 연구
— **investigative** *adj.* 조사〔연구〕의; 연구를 좋아하는
숙어 (be) **under investigation** 조사 중이다: Everything *is* still *under investigation*. 모든 일이 아직 조사 중이다.
carry out an investigation 1 수사하다, 조사하다 **2** 연구하다
investment [invéstmənt] *n.* **1** 투자, 출자 (in): He made an *investment* of $1,000 in the stock market. 그는 주식 시장에 1,000달러를 투자했다. **2** 투자액 **3** 투자의 대상, 투자율: Antique furniture is a safe *investment*. 골동 가구는 안전한 투자물이다.
invigorate [invígərèit] *v.* [I,T] 원기〔활기〕를 돋우다: I felt *invigorated* after swimming. 수영을 하고 나니 기운이 났다.
— **invigorating** *adj.*
invincible [invínsəbəl] *adj.* 정복할 수 없는, 무적의: the *invincible* soccer team 무적의 축구팀 / an *invincible* determination 결코 변하지 않는 결심
invisible [invízəbəl] *adj.* 눈에 보이지 않는 (to): Germs are *invisible* to the naked eye. 세균은 육안으로는 안 보인다.
OPP visible
— **invisibly** *adv.* **invisibility** *n.*
invitation [ìnvətéiʃən] *n.* **1** 초대 **2** 초대장
※ 초대에 응할 때는 accept란 표현을 쓰고, 거절할 때는 turn down 또는 decline이라는 표현을 쓴다.
***invite** [inváit] *v.* [T] **1** 초청하다, 초대하다 **2** (비난·위험 등을) 초래하다: Don't hang around with those troublemakers. It'll be *inviting* trouble. 저 말썽꾸러기들 하고 같이 놀지 마. 그것이 곤란을 초래할 수도 있어.

※ invite 대신에 ask를 써도 된다.
involuntary [inváləntèri] *adj.* **1** 무심결의, 무의식적인: *involuntary* movements 무의식적〔반사적〕 동작 **2** 본의 아닌, 마지못해 하는: She gave an *involuntary* smile. 그녀는 마지못해 웃었다. OPP voluntary, deliberate
— **involuntarily** *adv.*
***involve** [inválv] *v.* [T] **1** (필연적으로) 수반하다, 필요로 하다, 포함하다: An accurate analysis *involves* intensive tests. 정확한 분석은 철저한 검사를 필요로 한다. / Teaching *involves* patience. 가르치는 것은 인내를 필요로 한다. **2** 참여하게 하다: Try to *involve* as many students as possible in the play. 연극에 가능한 많은 학생들이 참여할 수 있도록 하십시오. **3** 관련시키다, 휩쓸리게 하다 (in, with): He got *involved* in a trouble. 그가 분쟁에 말려들었다.
— **involvement** *n.*
involved [inválvd] *adj.* **1** 뒤얽힌, 복잡한: an *involved* explanation 복잡한 설명 SYN complex **2** (사건·운동 등에) 말려든, 참가한
inward [ínwərd] *adj.* **1** 안의, 안쪽의: The *inward* side of the door needs painting. 문의 안쪽 면은 페인트 칠을 해야 한다. OPP outward **2** 내적인, 정신적인: *inward* peace 마음의 평정 **3** 마음 속의, 비밀의
adv. 안으로 (inwards): The door opens *inward*. 문은 안쪽으로 열린다.
— **inwardly** *adv.* 마음 속에, 몰래 (*adv.*)
inwards [ínwərdz] *adv.* =inward (*adv.*)
IOC *abbr.* International Olympic Committee 국제 올림픽 위원회
ion [áiən] *n.* [물리] 이온
— **ionic** *adj.* 이온의 **ionize** *v.* 이온화하다
***iron** [áiərn] *n.* **1** 철 (금속 원소; 기호 Fe): Strike while the *iron* is hot. [속담] 쇠는 뜨거울 때 두드려라. **2** 다리미, 인두

v. [I,T] 다림질하다, 다림질되다: I ironed my shirt. 나는 내 셔츠를 다림질했다.

※ iron 대신에 do the ironing을 더 많이 쓴다.

[숙어] **iron out** (곤란·문제 등을) 제거하다, 해결하다

ironic, ironical [airánik, -əl] **adj. 1** 반어적인 **2** 비꼬는, 풍자적인
— **ironically** adv.

ironing [áiərniŋ] n. **1** 다림질 **2** 다림질하는 옷[천]

ironing board[table] n. 다리미판

irony [áirəni] n. **1** 풍자, 비꼬기; 비꼬는 말 **2** 반어법 (사실과 반대되는 말을 쓰는 표현법; 예컨대 '아주 지독한 날씨다'란 뜻으로 'This is a nice, pleasant sort of weather.' 라고 하는 것)

irrational [iráʃənəl] **adj.** 불합리한, 이성[분별]이 없는: She has an irrational fear of the dark. 그녀는 어둠에 대해 이해할 수 없는 두려움을 갖고 있다.
— **irrationally** adv. **irrationality** n.

■ 유의어 **irrational**

irrational 혼란스럽거나 감정 조절이 안 되서 제대로 된 사고를 할 수 없는 상태: I think it's irrational to believe that everyone's your enemy. 나는 모두가 너의 적이라고 믿는 것은 말이 안 된다고 생각한다. **unreasonable** 분명하고 논리적으로 사고를 할 수 있음에도 그렇게 하지 않는 경우: That's an unreasonable price for a book. 책값이라고 하기에 그 가격은 터무니없다. (너무 비싸다.)

---

irregular [irégjələr] **adj. 1** 불규칙한: an irregular pattern 불규칙한 도안 / Irregular meals do not do good for your health. 불규칙한 식사는 건강에 좋지 않다. [OPP] regular **2** 규범을 따르지 않은: an irregular behavior 규범을 벗어난 행동 **3** [문법] 불규칙 변화의 [OPP] regular
— **irregularly** adv. **irregularity** n.

irrelevance [irélǝvǝns] n. (관련성이 없어) 중요하지 않은 것; 부적절

irrelevant [irélǝvǝnt] **adj. 1** 관련성이 없는, 무관계한 (to): The description of your dog is completely irrelevant to the subject of 'frogs'. 네 개에 대한 묘사는 '개구리'라는 주제와는 관련성이 전혀 없다. [OPP] relevant **2** (관련성이 없어) 중요하지 않은: Age is irrelevant in this job. 이 일에 나이는 중요하지 않다.
— **irrelevantly** adv.

irreparable [irépǝrǝbǝl] **adj.** 고칠 수 없는, 돌이킬 수 없는
— **irreparably** adv.

irreplaceable [iripléisǝbǝl] **adj.** 대체할 수 없는 [OPP] replaceable

irresistible [ìrizístǝbǝl] **adj. 1** 저항할 수 없는, 억누를 수 없는: I had an irresistible urge to hug him. 나는 그를 꼬옥 안아 주고픈 억누를 수 없는 충동을 느꼈다. **2** 매력적인, 사랑스러운
— **irresistibly** adv.

irresponsible [ìrispánsǝbǝl] **adj.** 책임이 없는, 무책임한 [OPP] responsible
— **irresposibly** adv. **irresponsibility** n.

irrigate [írǝgèit] **v.** [T] (토지에) 물을 대다, 관개하다
— **irrigation** n.

irritant [írǝtǝnt] n. 자극물[제]
adj. 자극하는, 자극성의

***irritate** [írǝtèit] **v.** [T] **1** 노하게 하다, 짜증나게 하다: Your nagging irritates me. 너의 잔소리가 나를 짜증나게 한다. **2** 자극하다, …에 염증을 일으키다: This soap may irritate sensitive skin. 이 비누는 민감성 피부에 염증을 유발할 수도 있다.
— **irritation** n.

Islam [ísla:m] n. **1** 이슬람[마호메트]교, 회교 **2** (집합적) 회교도 **3** 이슬람 문화[문명]
— **Islamic** adj.

***island** [áilǝnd] n. 섬
— **islander** n. 섬 거주자

isle [ail] *n.* (작은) 섬 **2** (Isle) …섬 (고유명사로서): the British *Isle* 영국 제도

※ 고유명사로 쓰이는 경우 island보다는 isle 을 많이 쓴다.

-ism *suffix* **1** '…의 행위·상태·특성'의 뜻.: hero*ism* 영웅적인 행위 **2** '…주의, 설(設), …교(敎), …제(制), …풍'의 뜻.: social*ism* 사회주의 / modern*ism* 근대주의 **3** '…중독'의 뜻.: alcohol*ism* 알코올 중독

isolate [áisəlèit] *v.* [T] 고립시키다, 분리 [격리]하다 (from): We have to *isolate* this mentally deranged patient—he could be a danger to other patients. 우리는 이 정신병자를 격리해야 한다. 그는 다른 환자들에게 위험할 수 있다. / A line of trees, instead of a fence, *isolates* my house from the street. 울타리 대신 한 줄로 서 있는 나무들이 내 집을 도로로부터 분리해 준다.

isolated [áisəlèitid] *adj.* **1** 고립한, 격리된 (from): an *isolated* house 외딴집 **2** 일회성의, 단독의: There were a few *isolated* demonstrations. 몇 번의 일회성 (서로 연관이 없는) 데모가 있었다.

isolation [àisəléiʃən] *n.* **1** 고립(화), 격리: an *isolation* ward 격리 병동 **2** [전기] 절연

*issue [íʃuː] *n.* **1** 논(쟁)점, 문제: ethical *issues* 윤리적 논쟁점 / raise an *issue* 문제를 제기하다, 논쟁을 일으키다 **2** (신문·서적·통화·수표 등의) 발행(물); 발행 부수; …호 [판]: the May *issue* of Vogue 보그(잡지) 5월호 **3** 공급, 배급: the *issue* of relief supplies 구호 물자 공급

v. **1** [T] (지폐·책 등을) 발행하다, 출판하다: A new stamp will be *issued*. 새로운 우표가 발행될 것이다. **2** [T] (식량·의복 등을) 지급하다: Military personnel are *issued* with uniforms. 군인들은 군복을 지급받았다. **3** [T] (명령·면허증 등을) 내다, 발하다, 공포하다: He's going to *issue* a statement tomorrow. 그는 내일 성명서를 발표할 것이

다. / *issue* a visa 비자를 내다 **4** [I] 나오다, 분출하다: Dirty water *issued* from the pipe. 파이프에서 더러운 물이 나왔다.

숙어 **make an issue (out) of** …을 문제삼다

-ist *suffix* '…하는 사람, …주의자, …을 신봉하는 사람, …가(家)'의 뜻의 명사를 만듦: novel*ist* 소설가 / special*ist* 전문가

※ -ism과 달리 미국, 영국 모두 강세가 없다.

IT *abbr.* Information Technology [컴퓨터] 정보 기술

*it [it] *pron.* **1** 전에 언급한 것 (동사의 주어나 목적어 또는 전치사 후에 사용): I have a cat. *It*'s two years old. 나는 고양이 한 마리가 있다. 그것은 두 살이다. / I saw a snake and ran away from *it*. 나는 뱀을 보고 그것(뱀)에게서 달아났다.

※ it는 성별을 모르는 baby에게 쓸 수 있다.: Is *it* a girl? 여자 아기니?

2 사람을 지칭: Henry, *it*'s your mother. 헨리야, 네 어머니셔. / *It*'s me. 저예요.

3 형식 주어·목적어 (뒤에 오는 단어, 구, 절을 대표): *It* was careless of him to do that. 그런 짓을 하다니 그가 부주의했다. / Let's keep *it* secret that we ate all the cookies. 우리가 과자를 다 먹어버린 것을 비밀로 하자.

4 비인칭 동사의 주어 (형식적인 주어): *It*'s Monday today. 오늘은 월요일이다. / *It*'s nearly midnight. 거의 자정이 다 됐다. / *It* weighs about 2 kilograms. 약 2 킬로그램 정도 나간다. / *It*'s getting dark. 날이 어두워지고 있다. / *It*'s raining. 비가 온다. / *It*'s so crowded here. 이 곳은 너무 복잡하다. / How's *it* going with you? 요새 어떠니?

5 강조의 의미: *It* was you who spoiled the whole thing! 모든 걸 망쳐 놓은 건 바로 너야! / *It*'s her safety that I'm worried about. 내가 걱정하는 건 그녀의 안전이다.

숙어 **that[this] is it 1** 저게[이게] 답이

다: *That's it*! 맞습니다! **2** 이제 끝이다, 더
이상 못한다: *That's it*. I quit. 이제 끝이야.
난 그만 할래.

italic [itǽlik] *n.* 이탤릭체 글자
　adj. 이탤릭체의
　— **italicize** *v.*

itch [itʃ] *n.* 가려움
　v. [I] 가렵다, 근질근질하다: My back *itches*.
　등이 가렵다.

itchy [ítʃi] *adj.* (itchier-itchiest) 가려운:
My nose is *itchy*. 코가 간질간질하다.
　— **itchiness** *n.*

*item [áitəm] *n.* **1** 항목, 품목: There are
sixty *items* on the list. 목록에 60개의 품
목이 있다. **2** (신문 등의) 기사, 한 항목: Any
item to read? 읽을 만한 기사 있어?

itemize, itemise [áitəmàiz] *v.* [T] 항
목별로 나누다, 조목별로 쓰다

itself [itsélf] *pron.* (*pl.* themselves) **1**
그 자신을[에게], 그 자체를[에]: The hare
hid *itself*. 산토끼가 숨었다. **2** (강조) 바로
그것, …조차: The well *itself* was empty.
우물조차 말라 있었다.

[숙어] (**all**) **by itself 1** 저절로, 자연히:
The machine works *by itself*. 그 기계는
자동적으로 작동한다. **2** 단독으로, 홀로: The
house stands *by itself* on the hill. 언덕
위에 집 한 채만 있다.

in itself 본래, 본질적으로

ivory [áivəri] *n.* **1** 상아, (코끼리·하마 등
의) 엄니 **2** 상아빛

ivy [áivi] *n.* **1** 담쟁이덩굴 **2** (Ivy) 명문교
(Ivy League)

j J

jab [dʒæb] *v.* [I,T] (jabbed-jabbed) **1** (날카로운 것으로) 푹 찌르다: He *jabbed* his finger in my back. 그가 손가락으로 내 등을 찔렀다. **2** (주먹 등으로) 재빠르게 쥐어박다: She *jabbed* me in the stomach. 그녀가 내 복부에 잽싸게 일격을 가했다.
n. **1** 갑자기 찌르기: He gave me a *jab* in the ribs. 그가 내 옆구리를 갑자기 찔렀다. **2** [영] (피하) 주사, 접종 SYN injection

jack [dʒæk] *n.* **1** 밀어올리는 기계, 잭 **2** (카드의) 잭 **3** (Jack) 남자 이름 **4** (Jack) 보통 남자
v. [T] (잭으로) 밀어올리다 (up)
[축어] **Every Jack has his Jill.** 짚신도 짝이 있다. (모든 잭에게는 질이 있다.)
※ Jack과 Jill은 일반적인 남자와 여자를 가리키는 단어이다. 굳이 번역한다면 갑돌이와 갑순이 정도가 될 것이다.

jackal [dʒǽkɔ:l] *n.* [동물] 자칼 (개과의 육식 동물)

***jacket** [dʒǽkit] *n.* **1** (소매 달린 짧은) 웃옷, 재킷 **2** (책의) 커버, 재킷 **3** (레코드) 재킷

jack-of-all-trades *n.* 많은 일을 할 수 있지만 잘은 못하는 사람

jackpot [dʒǽkpàt] *n.* (the jackpot) 적립된 많은 상금
[축어] **hit the jackpot** 장땡을 잡다, 대성공하다

jade [dʒeid] *n.* **1** 비취, 옥 **2** 옥빛

jaguar [dʒǽgwɑ:r] *n.* [동물] 재규어, 아메리카 표범

***jail** [dʒeil] *n.* 교도소, 감옥: He was sent to *jail* for robbery. 그는 강도죄로 감옥에 갔다.
v. [T] 투옥하다: He was *jailed* for robbery. 그는 강도죄로 감옥에 갇혔다.

— **jailer, jailor** *n.* 교도관

***jam** [dʒæm] *n.* **1** 잼 ([미] jelly): strawberry *jam* 딸기잼 ※ 오렌지나 레몬으로 만든 잼은 marmalade라고 한다. **2** 꽉 들어참, 혼잡: a traffic *jam* 교통 혼잡 **3** 곤란, 궁지 **4** [재즈] 즉흥 재즈 연주회, 즉흥적으로 조직한 밴드의 재즈 연주
v. (jammed-jammed) **1** [T] 쑤셔 넣다, (꽉) 채워 넣다 (in, under, between): She *jammed* all her clothes in a suitcase. 그녀는 옷을 모조리 여행 가방에 쑤셔 넣었다. **2** [I,T] (기계 등이) 움직이지 않게 되다: The door *jams* easily. 그 문은 걸핏하면 열리지 않는다. **3** [T] (보통 수동태) 몰려들다, 막다 (메우다)(up)(with): The road was *jammed* with cars. 도로는 차들로 통행이 막혔다. **4** [T] [통신] (방송·신호를) 방해하다 **5** [I] (재즈 연주 중에) 즉흥적으로 연주하다
[축어] **jam on the brakes, jam the brakes on** 강하게 급브레이크를 밟다

janitor [dʒǽnətər] *n.* ([영] caretaker) (아파트·사무소·학교 등의) 청소원, 관리인, 수위

January [dʒǽnjuèri] *n.* (*abbr.* Jan.) 1월
※ '1월 16일에'를 미국에서는 January sixteenth라고 하고, 영국에서는 on January the sixteenth 또는 on the sixteenth of January라고 한다.

***jar¹** [dʒɑ:r] *n.* 병 (아가리가 넓으며 뚜껑이 있고 보통 유리로 만들어진 용기), 항아리, 단지: a *jar* of marmalade 오렌지 잼 한 병

jar² [dʒɑ:r] *v.* (jarred-jarred) **1** [T] (타격 등으로) 깜짝 놀라게 하다, …에 충격을 주다: She moved her chair backwards, and it *jarred* against the wall. 그녀는 의자를 뒤로 움직이다가 의자가 벽에 부딪혔다. **2** [I]

J

(귀·신경·감정 등에) 거슬리다 (on, upon): The sound of the alarm *jarred*. 자명종 소리가 귀에 거슬렸다.

jargon [dʒáːrgɑn] *n.* 특수 용어, 전문 용어: medical *jargon* 의학 용어

javelin [dʒǽvəlin] *n.* **1** 던지는 창 **2** (the javelin) [경기] 창던지기

jaw [dʒɔː] *n.* **1** (아래위 턱뼈·이를 포함한) 턱: the lower(upper) *jaw* 아래(위)턱 **2** (jaws) (특히 맹수의) 입, 아가리: An alligator was sunbathing with its *jaws* open. 악어가 입을 벌린채 일광욕을 하고 있었다. **3** (jaws) (집게 등의) 집는 부분

jazz [dʒæz] *n.* [음악] 재즈 (아프리카계 미국인들에 의해 창조된 음악의 한 형태로 강한 리듬이 특징)

숙어 **and all that jazz** …이라든가 하는 것, 등등: She sells dolls, toys, hair accessories *and all that jazz*. 그녀는 인형이라든가, 장난감이라든가, 머리 장식품이라든가 하는 것들을 판다.

jealous [dʒéləs] *adj.* **1** 질투심이 많은: My boyfriend gets *jealous* when I speak highly of my favorite actor. 좋아하는 남자 연기자에 대해 칭찬을 하면 내 남자 친구는 질투를 한다. **2** 시샘하는, 선망하는 (of): You're just *jealous* of her success. 넌 그저 그녀의 성공을 시샘하는 것 뿐이야.

SYN envious

— **jealously** *adv.*

jealousy [dʒéləsi] *n.* 질투, 시샘

*__jeans__ [dʒiːnz] *n.* (*pl.*) (주로 푸른색 면으로 만든) 바지: a pair of *jeans* 진바지 한 벌

jeep [dʒiːp] *n.* **1** [미] 지프 **2** (Jeep) 그 상표명

jeer [dʒiər] *v.* [I,T] 야유하다, 놀리다 (at): *jeering* spectators 야유를 퍼붓는 관중들

n. 야유, 조롱

jelly [dʒéli] *n.* **1** 젤리 (설탕과 과즙으로 만들어진 것으로 차게 해서 식사 후에 먹음) **2** [미] 과일 건더기가 들어 있지 않은 잼의 일종

숙어 **turn to jelly** (다리·무릎이) 두려움

으로 인해 갑자기 후들거리다

— **jelly bean** *n.* 콩모양의 젤리

jellyfish [dʒélifiʃ] *n.* (*pl.* jellyfish) 해파리

jeopardy [dʒépərdi] *n.* 위험

— **jeopardize** *v.* 위태롭게 하다

숙어 **in jeopardy** 위험에 처한: Sometimes, rescuers' lives are *in jeopardy*. 때때로 구조자들의 목숨이 위험에 처하기도 한다.

jerk [dʒəːrk] *v.* [I,T] 갑자기 움직이다: The truck *jerked* to a halt. 트럭이 갑자기 멈춰섰다.

n. **1** 급격한 움직임 **2** [미] 멍청이, 얼간이

— **jerky** *adj.* **jerkily** *adv.*

Jesus [dʒíːzəs] *n.* 예수, 예수 그리스도 (Jesus Christ)

*__jet__ [dʒet] *n.* **1** 제트 엔진이 장착된 항공기 **2** (가스·증기·물 등의) 분출, 분사: a water *jet* 물의 분출

jet-black *adj.* 칠흑의, 새까만: *jet-black* hair 칠흑 같은 검은 머리

jet lag *n.* 시차증: I'm still suffering from *jet lag* after my trip to Canada. 나는 캐나다 여행 후 아직도 시차증에 시달리고 있다.

— **jet-lagged** *adj.*

Jew [dʒuː] *n.* (이스라엘 조상으로부터 나온 세계 각지의) 유대인

— **Jewish** *adj.*

jewel [dʒúːəl] *n.* **1** 보석 **2** 귀중품; 소중한 사람

jeweler, jeweller [dʒúːələr] *n.* **1** 보석 세공인, 보석상 **2** (the jeweler's) 금은방

*__jewelry, jewellry__ [dʒúːəlri] *n.* (집합적) 보석류, (보석 박힌) 장신구류

jigsaw [dʒígsɔː] *n.* 조각 그림 맞추기 장난감, 퍼즐 (jigsaw puzzle)

jingle [dʒíŋgəl] *n.* **1** 짤랑짤랑, 딸랑딸랑 (방울·동전·열쇠 등의 금속이 울리는 소리): the *jingle* of bells 방울이 딸랑딸랑 울리는 소리 **2** 라디오·TV의 상업 광고에 쓰이는 경

쾌한 짧은 노래

v. [I,T] 딸랑딸랑 소리나다〔나게 하다〕: He *jingled* the keys in his pocket. 그는 주머니 안에 있는 열쇠들을 소리나게 만졌다.

jinx [dʒiŋks] *n.* 불운, 불길한 물건〔사람〕, 징크스: He has a *jinx*. 그는 징크스가 있다.

v. [T] 불행을 가져오다

***job** [dʒab] *n.* **1** 직업, 일자리: She got a *job* as a pilot. 그녀는 비행기 조종사 자리를 얻었다. / They lost their *jobs*. 그들은 실직했다. **2** 일, 볼일: Don't disturb me. I've got a *job* to do. 날 방해하지 마. 할 일이 있어. **3** 의무, 임무: It's your *job* to make sure everything goes well. 모든 일이 순조롭게 돌아가도록 하는 것이 너의 임무다.

〔숙어〕 **do a good job** 일을 잘 하다

just the job〔**ticket**〕 안성맞춤의 것〔사람〕

out of a job 실직하여 〔SYN〕 unemployed

■ 관련 표현 **job**
look for〔**find**〕 **a job** 일자리를 구하다
apply for a job 일자리에 지원하다
well〔**highly**〕 **paid** 보수가 많은
badly〔**low**〕 **paid** 보수가 낮은
full-time 전임의
part-time 시간제의
permanent 종신의
temporary 임시의

jobless [dʒablis] *adj.* **1** 실업의: *jobless* insurance 실업 보험 〔SYN〕 unemployed **2** (the jobless) 실직자들
— **joblessness** *n.*

jockey [dʒaki] *n.* 경마의 기수

jog [dʒag] *v.* (jogged-jogged) **1** [I] 천천히 달리다, 조깅하다 **2** [T] 살짝 밀다, 밀치다: A boy ran past and *jogged* my elbow. 한 남자 아이가 달리면서 지나가다가 내 팔꿈치를 살짝 밀었다.
n. **1** 조깅 **2** 슬쩍 밀기, (팔꿈치로) 찌르기
— **jogger** *n.* 조깅하는 사람
〔숙어〕 **jog one's memory** 기억을 되살리다

***join** [dʒɔin] *v.* **1** [T] 결합하다, 연결하다: Strong glue *joins* the two pieces of wood together. 강한 접착제가 두 개의 나무 조각을 붙여 준다. / A bridge *joins* the two islands. 다리가 두 개의 섬을 연결해 준다. **2** [I,T] (강·길 등이) 합류하다, 한 곳에서 만나다: This stream *joins* the Han River. 이 개울은 한강과 합류한다. / She will *join* me in Japan. 그녀는 일본에서 나와 합류할 것이다. **3** [T] …에 들다, …에 가입하다: Why don't you *join* our club? 우리 클럽에 가입하지 않을래? / He *joined* the Navy. 그는 해군에 입대했다. **4** [T] 참여하다: We *joined* the campaign to end seal-hunting. 우리는 물개 사냥 금지 캠페인에 참여했다. / I *joined* the line to buy something to drink. 나는 마실 것을 사기 위해 줄을 섰다. **5** [I,T] 함께 하다: *Join* us in collecting garbage in the playground. 우리와 함께 놀이터에 있는 쓰레기를 모으자.
n. 접합점, 합류점
〔숙어〕 **join forces** (**with**) ⇨ force
join in 참가하다: Many musicians *joined in* the charity concert. 많은 음악가들이 자선 음악회에 참가했다.
join up 입대하다

joint¹ [dʒɔint] *n.* **1** [의학] 관절: I've damaged my knee *joint*. 무릎 관절에 부상을 입었다. **2** 이음매, 접합 부분

joint² [dʒɔint] *adj.* (명사 앞에만 쓰임) 공동의, 합동의: *joint* ownership 공동 소유권 / a *joint* responsibility 연대 책임
— **jointly** *adv.*

***joke** [dʒouk] *n.* **1** 농담, 익살, 장난: He has a great sense of humor and loves to tell *jokes*. 그는 유머 감각이 뛰어나고 농담하기를 좋아한다. **2** 웃을 일: It's no *joke* being broke. 돈 한푼 없는 것은 웃을 일이 아니다.
v. [I] 농담하다: What! You won in the lottery? You must be *joking*! 뭐야! 네가

복권에 당첨됐다고? 농담하는 거겠지!

[숙어] **play a joke(trick) on** …을 놀리다, 조롱하다

see a joke 재담을 알아듣다

take a joke 놀려도 화내지 않다: Your problem is that you just can't *take a joke*. 농담을 웃으며 받아들이지 못하는 게 네 문제점이야.

joker [dʒóukər] *n.* **1** 농담하는 사람 **2** [카드] 조커

jostle [dʒásl] *v.* [I,T] (난폭하게) 떠밀다, 헤치고 나아가다: He *jostled* his way out of the bus. 그는 사람을 떠밀면서 버스에서 내렸다.

journal [dʒə́:rnəl] *n.* **1** 신문, 잡지: a college *journal* 대학 신문 **2** 일지, 일기

journalism [dʒə́:rnəlìzəm] *n.* **1** 저널리즘, 신문 잡지업 **2** 신문 (잡지)업계, 언론계

journalist [dʒə́:rnəlist] *n.* 저널리스트, 신문 잡지 기자, 신문 잡지 기고가

*__journey__ [dʒə́:rni] *n.* (보통 육상의) 여행, 여정: a *journey* around the world 세계 일주 여행 / a two days' *journey* 이틀 여정

[숙어] **(be) on a journey** 여행 중이다

*__joy__ [dʒɔi] *n.* **1** 기쁨, 환희: When I took my children to the amusement park, they jumped for *joy*. 아이들을 놀이 공원에 데리고 가자 아이들이 기뻐서 깡충깡충 뛰었다. **2** 기쁨을 주는 것, 기쁨거리: A thing of beauty is a *joy* forever. 아름다운 것은 영원한 기쁨이다. (Keats의 말)

[숙어] **one's pride and joy** ⇨ pride

joyful [dʒɔ́ifəl] *adj.* 즐거운, 기쁜: a *joyful* heart 기쁨에 넘치는 마음 [SYN] very happy [OPP] joyless

— **joyfully** *adv.* **joyfulness** *n.*

Judaism [dʒú:diìzəm] *n.* **1** 유대교 **2** 유대주의 **3** (집합적) 유대인

— **Judaist** *n.* 유대교도, 유대주의자

*__judge__ [dʒʌdʒ] *n.* **1** 재판관, 판사: The *judge* sentenced him to five years in prison. 재판관이 그에게 5년 형을 내렸다. **2**

(토의·경기 등의) 심판관, 심사원: The panel of *judges* decided that her novel was the best. 심사 위원단은 그녀의 소설이 제일 좋은 작품이었다고 결정했다. **3** (a judge) 감식력이 있는 사람, 감정가 (of): He is a good *judge* of wine. 그는 뛰어난 포도주 감정가이다.

v. **1** [I,T] …라고 생각하다, 판단하다: I *judged* that she was a spy. 나는 그녀가 스파이라고 생각했다. / It's not fair to *judge* him on his looks. 외모로 그를 판단하는 것은 공정하지 못하다. **2** [T] 심판하다, 심사하다: She was asked to *judge* the singing competition. 그녀는 노래 경연을 심사해 달라는 청을 받았다. **3** [T] 재판하다

judgment, judgement [dʒʌ́dʒmənt] *n.* **1** 판단력, 사려 분별: She has always shown good *judgment* in selecting music. 그녀는 늘 음악을 고르는 판단력이 뛰어나다. / He's a man of *judgment*. 그는 분별이 있는 사람이다. **2** 소견, 견해, 평가: It was difficult to come to a *judgment* about how many side effects the drug will cause. 약이 얼마나 많은 부작용을 일으킬지 판단하는 것은 어려웠다. / In my *judgment*, she will turn down the offer. 내 견해로는 그녀가 제안을 거절할 것 같다. **3** 판결: He couldn't believe the *judgment* just read out in court. 그는 방금 법정에서 낭독된 판결을 믿을 수가 없었다.

Judgment Day *n.* [종교] 최후 심판의 날 (the Day of Judgment, Last Judgment)

judicial [dʒu:díʃəl] *adj.* 사법의, 재판상의: *judicial* police 사법 경찰 / *judicial* power 사법권

judicious [dʒu:díʃəs] *adj.* 현명한, 사려 분별이 있는

— **judiciously** *adv.*

judo [dʒú:dou] *n.* [경기] 유도

jug [dʒʌg] *n.* ([미] pitcher) (주둥이가 넓고 손잡이가 달린) 물병, 주전자

juggle [dʒʌɡəl] *v.* [I,T] **1** (공 · 접시 · 나이프 등을 차례로 던져 올려 받는) 곡예를 하다, 재주를 부리다 **2** (두 가지 일 등을) 솜씨 있게 해내다
— **juggler** *n.* 곡예사

juice [dʒuːs] *n.* **1** (과일 · 채소 등의) 주스, 즙: Who would like to have tomato *juice*? 토마토 주스 마실 사람? **2** 육즙 (고기에서 나오는 즙) **3** 분비액: digestive *juice* 소화액

juicy [dʒúːsi] *adj.* (juicier-juiciest) **1** 즙이 많은: a *juicy* steak 육즙이 풍부한 스테이크 **2** 재미있는

July [dʒuːlái] *n.* (*abbr.* Jul.) 7월

jumble [dʒʌmbl] *v.* [T] (보통 수동태) 뒤죽박죽을 만들다, 난잡하게 하다 (up, together): He *jumbled* up all my clothes. 그가 내 옷가지들을 뒤죽박죽 섞어 놓았다.
n. **1** 혼잡, 뒤범벅: a *jumble* of thoughts 마구 엉킨 생각들 **2** [영] (벼룩 시장을 위해) 주워 모은 것

jumbo [dʒʌmbou] *n.* (*pl.* jumbos) **1** 크고 볼품 없는 사람(동물 · 물건) **2** 점보 제트기 (jumbo jet)
adj. (명사 앞에만 쓰임) 엄청나게 큰, 특대의

*****jump** [dʒʌmp] *v.* **1** [I] 깡충 뛰다, 뛰어오르다: A frog *jumped* into the pond. 개구리가 연못 속으로 뛰어들었다.
2 [I] 갑자기 빠르게 움직이다: She *jumped* to her feet. 그녀가 갑자기 벌떡 일어났다.
3 [T] 장애물을 뛰어넘다: A horse *jumped* over the fence. 말이 울타리를 뛰어넘었다.
4 [I] 움찔하다, (가슴이) 섬뜩하다: My heart *jumped* at the news. 그 소식을 듣고 가슴이 섬뜩했다.
5 [I] 급등하다, 폭등하다 (to, by): The price of green vegetables *jumped* up this month. 이 달에 채소값이 급등했다.
6 [T] 건너뛰다, 갑자기 변하다: Now, stop *jumping* from one subject to another. I can't follow your talk. 그런데 한 가지 주제에서 다른 주제로 건너뛰지 좀 마. 네 말을

이해할 수가 없어.
n. **1** 도약, 뛰어오름: high *jump* 높이 뛰기 **2** (a jump) 급등 (in) **3** (뛰어넘는) 장애(물)

[숙어] **jump at** 쾌히 응하다: He *jumped at* the chance of a free trip to Asia. 그는 아시아를 공짜로 여행할 수 있는 기회를 흔쾌히 받아 들였다.

jump the gun (스포츠에서) 스타트를 서두르다; 조급히 굴다

jump the line(queue) 새치기하다

jump to conclusions 속단하다, 지레짐작하다: Don't *jump to conclusions*. The man could be just her brother. 지레짐작하지 마. 그 남자는 그녀의 오빠일 수도 있어.

jumper [dʒʌmpər] *n.* **1** 잠바, 작업용 상의 **2** [영] (블라우스 위에 입는) 풀오버식 스웨터 **3** 뛰는 사람, 도약 선수; 장애물 경주마

jump rope *n.* 줄넘기 줄

junction [dʒʌŋkʃən] *n.* **1** 접합점, 교차점 **2** 갈아타는 역

June [dʒuːn] *n.* (*abbr.* Jun.) 6월

*****jungle** [dʒʌŋɡl] *n.* 정글, 밀림 습지(대): the law of the *jungle* 정글의 법칙 (약육강식)

junior [dʒúːnjər] *adj.* **1** 하급의 (to): a *junior* partner 하급 사원 **2** [미] (Junior; *abbr.* Jr.) 아버지와 같은 이름을 가진 아들: Martin Luther King *Jr.* 마틴 루터 킹의 아들 **3** [영] (7-11세의) 학생의
n. **1** 하급자 **2** 손아랫사람, 연소자: He is my *junior* by two years. 그는 나보다 두 살 아래이다. **3** [미] (4년제 대학 · 고교의) 3학년생, (3학년제 대학 · 고교의) 2학년생, (2학년제 대학 · 고교의) 1학년생 **4** [영] 초등 학교(junior school)의 학생
※ 미국의 4년제 대학 또는 고등 학교에서는 1학년은 freshman, 2학년은 sophomore, 3학년은 junior, 4학년은 senior라고 한다.

junk [dʒʌŋk] *n.* 쓰레기, 잡동사니, 폐물: *junk* shop 고물상

junk food *n.* 정크 푸드 (칼로리는 높으나 영양가가 낮은 인스턴트 식품 등)

junk mail *n.* 대량 선전·광고 우편물

Jupiter [dʒúːpətər] *n.* **1** [신화] 주피터 (고대 로마 최고의 신으로 하늘의 지배자; 그리스의 Zeus에 해당) **2** [천체] 목성

jurisdiction [dʒùərisdíkʃən] *n.* **1** 재판권, 사법권 **2** 관할 구역 **3** 권한, 지배

juror [dʒúərər] *n.* 배심원

jury [dʒúəri] *n.* (집합적) **1** 배심(원단) (법정에서 사실의 심리·평결을 하고 재판장에 답신함) **2** (콘테스트 등의) 심사 위원

*★***just¹** [dʒʌst] *adv.* **1** 이제 방금, 막: He has *just* left. 그는 방금 떠났다. / I was *just* going to leave when she arrived. 내가 막 떠나려고 했을 때 그녀가 도착했다.
2 정확히, 틀림없이, 꼭: They look *just* like each other. 그들은 서로 꼭 닮았다. / It's *just* 200 grams. 정확히 200그램이다.
3 다만, 단지: He's *just* an ordinary man. 그는 단지 보통 사람일 뿐이다. / It will *just* take a few minutes. 다만 몇 분이면 될 겁니다. / "How many are you?" "*Just* one." "몇 분이세요?" "혼자요."
4 겨우, 간신히: I was *just* in time for school. 나는 간신히 학교 시간에 대어 갔다.
5 (명령형과 함께) 좀, 조금, 제발: *Just* leave me alone! 날 좀 내버려 둬!
6 (might, may, could와 함께 약간의 가능성을 표현): This *just* might be the trap. 이건 함정일 수도 있어.
7 정말, 완전히: It was *just* awful! 정말 지독했다! [SYN] really, absolutely
[숙어] **just (all) the same** ⇨ same
just as (much) ... as ~ ~와 꼭 마찬가지로 …한: Reading a good novel is *just as* entertaining *as* seeing a good movie. 좋은 소설을 읽는 것은 좋은 영화를 보는 것과 마찬가지로 즐겁다.
just in case 만일의 경우를 대비하여: Take your umbrella *just in case*. 만일의 경우를 대비해서 우산을 가지고 가라.
just now 1 (과거형과 함께) 이제 막, 방금: He came *just now*. 그가 방금 왔다. **2** (현

재형과 함께) 바로 지금: She's in the bath *just now*—can she call you back? 그녀는 지금 목욕 중인데 전화하라고 할까요?
just so 1 말끔히 치워져 **2** 바로 그대로

*★***just²** [dʒʌst] *adj.* 올바른, 공정한: She's fair and *just* in judgment. 그녀의 판단은 공정하다.
— justly *adv.*

justice [dʒʌstis] *n.* **1** 공정, 정의: She has been fighting for rights and *justice* for foreign workers. 그녀는 외국인 근로자들을 위한 권리와 정의를 위해 싸워 왔다. [OPP] injustice **2** 정당(성), 옳음, 타당: I think no one can deny the *justice* of their demands. 누구도 그들의 요구의 타당성을 부인하지는 못 할 거라고 생각한다. **3** 사법, 재판: the *Justice* Department (미국의) 법무부 **4** [미] (연방 및 몇몇 주의) 최고재판소 판사, [영] 대법원 판사
[숙어] **do justice to ..., do ... justice** …을 정당하게 다루다(평가하다): You cannot *do justice to* the subject in just a few words. 단지 몇 마디의 말로는 그 주제를 정당하게 다룰 수가 없다.

justification [dʒʌstəfikéiʃən] *n.* (행위의) 정당화, 타당한 해명: There is no *justification* for treating people so badly. 사람들을 부당하게 대우하는 것은 정당화될 수 없다.

justify [dʒʌstəfài] *v.* [T] 옳다고 하다, 정당화하다, …의 정당한 이유가 되다: Can you *justify* your absence from school? 학교를 결석한 것에 대해 정당한 이유를 댈 수 있니?

jut [dʒʌt] *v.* [I] (jutted-jutted) 돌출하다, 튀어나오다: A few small chimneys *jutted* out from the roof. 몇 개의 작은 굴뚝들이 지붕으로부터 돌출해 있었다.

juvenile [dʒúːvənəl, dʒúːvənàil] *adj.* **1** 젊은, 미성년의: *juvenile* delinquent 미성년 범죄자 **2** 철없는, 어린아이 같은: *juvenile* behavior 철없는 행동 [SYN] childish

k **K**

kabob, kebab [kéibɑb, kəbáb] *n.*
케밥 (꼬챙이에 고기와 채소 등의 조각을 꿰어
구운 요리), (동양의) 산적 요리

kaleidoscope [kəláidəskòup] *n.* **1**
만화경 (장난감의 한 가지. 안에 세 개의 거울
을 댄 원통에 잘게 오린 색종이나 색유리 따위
를 넣은 것. 그것을 돌려 가며 들여다보면 여
러 가지로 변하는 아름다운 무늬가 보임.) **2**
변화무쌍한 것

*****kangaroo** [kæ̀ŋgərú:] *n.* 캥거루

kayak, kaiak [káiæk] *n.* ([영] canoe)
카약 (에스키모 인이 사용하는 가죽배)

keen [ki:n] *adj.* **1** 날카로운, 예리한: a
keen edge 예리한 날 [SYN] sharp **2** 열심인,
…하고 싶어하는 (on, to do): He's a *keen*
cook. 그는 열심히 하는 요리사이다. / He's
not very *keen* on classical music. 그는
클래식을 그리 좋아하지 않는다. [SYN] eager
3 (지력·감각·감정 등이) 예민한, 민감한:
Dogs have a very *keen* sense of
smell. 개는 매우 예민한 후각을 가지고 있다.
[OPP] dull
— **keenly** *adv.* **keenness** *n.*

*****keep** ⇨ p. 384

keeper [kí:pər] *n.* **1** 지키는 사람, 파수꾼:
a lighthouse *keeper* 등대지기 **2** 관리인,
보관자; (상점 등의) 경영자 **3** (동물의) 사육사
[관리인]: a zoo*keeper* 동물원의 관리인[사육
사] **4** [경기] 수비자, 키퍼 (goalkeeper)

keeping [kí:piŋ] *n.* **1** 보관, 보존: in safe
keeping 안전하게 보관되어 **2** 부양, 돌봄 **3**
일치, 조화 (with)

[숙어] **in (out of) keeping (with)** …와
조화[일치]하여[하지 않고]: In keeping with
the blue color of the bathroom, she
bought blue towels. 화장실의 푸른색과

조화가 되도록 그녀는 푸른색 수건을 샀다. / In
keeping with tradition, we always
have songpyeon on Chuseok. 전통에
따라 우리는 항상 추석에 송편을 먹는다.

kennel [kénəl] *n.* 개집

kernel [kə́:rnəl] *n.* **1** (과실의) 인, 심 (견
과류나 열매 등의 안쪽 부분) **2** (쌀·보리 등
의) 낟알 **3** (문제 등의) 요점, 핵심: the
kernel of a matter 사건의 핵심

kerosene, kerosine [kérəsì:n,
kèrəsí:n] *n.* ([영] paraffin oil) 등불용 석
유, 등유 [SYN] coal oil

*****kettle** [kétl] *n.* 주전자; 솥: The pot
calls the *kettle* black. [속담] 똥 묻은 개가
겨 묻은 개 나무란다. (냄비가 주전자 보고 검댕
이 묻었다고 뭐라 한다.)

*****key** [ki:] *n.* **1** 열쇠: I have a spare *key*
to the front door. 나는 현관의 예비 열쇠를
가지고 있다.

※ key는 열쇠 구멍에 끼우는 열쇠이고, lock
은 열쇠 구멍이 있는 자물쇠를 말한다.

2 (the key) (문제 해결의) 실마리, 비결:
Diligence is the *key* to success. 근면이
성공의 비결이다. [SYN] clue **3** (컴퓨터의) 글
쇠, (피아노의) 키 **4** (목소리의) 음조; [음악]
(장단의) 조: in a minor *key* 침울한 어조
로 / the *key* of C major [minor] C장조
[단조] **5** (문제의) 해답서, 자습서 **6** (지도·도
서 등의) 기호[약어]표

v. [T] [컴퓨터] (키보드를 조작하여) 데이터를
입력하다 (in): First, *key* in your name.
우선 너의 이름을 입력해라.

adj. (명사 앞에만 쓰임) 기본적인, 중요한: a
key color 기본색 / a *key* factor 중요 요
소 / Tourism is a *key* industry in Italy.
관광 산업은 이탈리아의 기간 산업이다.

keep

keep [ki:p] *v.* (kept-kept) **1** [I] …한 상태(위치)에 있다: Children can't *keep* still. 아이들은 가만 있지 못한다.

2 [T] (사람·물건을) …한 상태로 간직하다, …으로 하여 두다; 계속 …하게 하다: Please *keep* the door closed. 문을 닫아 두세요. / *Keep* your hands clean. 손을 항상 깨끗이 해라. / I'm sorry to have *kept* you waiting. 기다리게 해서 죄송합니다.

3 [T] 간직하다, 가지고 있다: Can I *keep* the book until next week? 책을 다음 주까지 가지고 있어도 되나요?

4 [T] (귀중품·식품 등을) 보관(보존)하다, 남겨두다; (자리를) 잡아 놓다: *Keep* your passport in a safe place. 여권을 안전한 곳에 보관해라. / Please *keep* this seat for me. 이 자리를 좀 잡아 놓아 주세요.

5 [T] 계속해서 …하다: I *keep* forgetting to call him. 그에게 전화하는 걸 계속 잊어버린다. / Mom! Tom *keeps* on hitting me! 엄마! 톰이 계속 절 때려요!

6 [T] (법률·약속·비밀 등을) 지키다: Can you *keep* a secret? 비밀 지킬 수 있지?

7 [T] 적다, 기입하다: *keep* a diary 일기를 쓰다 / *keep* records 기록하다

8 [I] (음식이) 신선한 상태로 있다, 썩지 않다: The milk will *keep* till tomorrow morning. 우유는 내일 아침까지는 상하지 않을 거다.

9 [T] 먹여 살리다, 부양하다: He cannot *keep* his family on his income. 그의 수입으로는 가족을 부양할 수 없다.

10 [T] (동물을) 기르다, 사육하다: My uncle *keeps* pigs. 삼촌은 돼지를 기른다.

11 [T] 가두어 놓다, 붙들어 두다: What *kept* you so long? 무엇 때문에 이렇게 오래 있었던 거니? / I won't *keep* you long. 널 오래 붙잡아 두지 않을게.

n. 생활 필수품, 식량; 생활비

[숙어] **for keeps** 언제까지나, 영구히: You may have this *for keeps*. 이것을 네게 주겠다. (돌려주지 않아도 괜찮다.)

keep at …을 계속해서 하게 하다, 열심히 하다: *Keep at* it. 꾸준히 노력해라, 포기하지 마라. / He *kept* us *at* it until nine o'clock. 그는 우리에게 9시까지 그것을 계속해서 시켰다.

keep away (**from**) (…에) 가까이 못 하게 하다, (…에) 가까이 하지 않다: *Keep* children *away from* the fire. 아이들을 불 가까이 오지 못하게 해라. / You *keep away from* my car! 내 차에서 떨어져!

keep back 1 (재채기·웃음 등을) 억제하다, 참다: I couldn't *keep back* a sneeze. 나는 재채기를 참을 수 없었다. **2** (비밀·정보 등을) 감추다: I will *keep back* nothing from you. 너에게 아무것도 숨기지 않겠다. **3** (군중·재해 등을) 제압하다, 막다: The police had to *keep* the crowd *back*. 경찰은 군중을 제지해야만 했다.

keep down 1 (소리·감정 등을) 낮추다, 억누르다: He *kept* his voice *down*. 그는 목소리를 낮추었다. / I could not *keep* my anger *down*. 나는 분노를 억제할 수 없었다. **2** (비용·수량 등을) 늘리지 않다, 억제하다: We must *keep down* expenses. 우리는 지출을 억제해야 한다.

keep ... from ~ …이 ~을 못하게 하다: The heavy rain *kept* us *from* going out. 호우로 우리는 외출을 하지 못했다. / I couldn't *keep* myself *from* saying what I thought. 나는 내가 생각한 것을 말하지 않을 수 없었다.

keep in mind 마음에 새기다, 기억하다: *Keep in mind* what I'm telling you. 내가 말하는 것을 명심해라.

keep in touch(contact) with …와 접촉(연락)을 유지하다: I'd like to *keep in touch with* you. 너와 계속 연락하며 지내고 싶다.

keep it up (곤란을 무릅쓰고) 계속하다: *Keep it up; don't stop now!* 계속해라, 그만두지 말고!

keep off 1 막다, 가까이 오지 못하게 하다: *Keep your hands off the articles.* 물품에 손대지 마라. / *Keep off the grass.* 잔디에 들어가지 마시오. **2** (음식물을) 입에 대지 못하게 하다: *The doctor kept him off cigarettes.* 의사는 그에게 금연하게 했다.

keep on 1 계속 …하다: *He kept on smoking all the time.* 그는 줄곧 담배를 피웠다. **2** 계속 지껄이다[이야기하다] (about): *He kept on about his novel.* 그는 자신의 소설에 대해 계속 이야기했다. **3** (옷 등을) 입은 채로 있다: *You can keep your shoes on.* 신을 신은 채로 있어도 좋다.

※ keep doing은 동작·상태의 계속을 나타내는 데 반해, keep on doing은 집요하게 반복되는 동작·상태를 나타낸다.

keep on at 끈덕지게 졸라대다, …에게 심하게 잔소리하다: *His son kept on at him to buy a new car.* 그의 아들은 그에게 새 차를 사달라고 끈덕지게 졸라댔다.

keep out 안에 들이지 않다: *Danger! Keep out!* 위험! 출입 금지! / *Shut the windows and keep out the cold.* 창문을 닫아서 방을 차게 하지 마라.

keep ... out (of) 1 (…을) ~안에 들이지 않다: *The fence keeps dogs out of our garden.* 울타리 덕분에 개가 정원으로 들어오지 못한다. **2** (싸움·귀찮은 일 등에) 끼어들지[관여하지] 못하게 하다: *I think you keep out of this.* 너는 이 일에 관여하지 않는 게 좋겠다.

keep to 1 (장소·길 등에서) 벗어나지 않다: *Keep to the left.* 좌측 통행. **2** (본론·화제 등에서) 이탈하지 않다 **3** (계획·약속 등을) 지키다: *We didn't keep to our original plan.* 우리는 원래 계획을 지키지 못했다. **4** …을 어느 정도로 유지하다[지키다]: *We're trying to keep costs to a minimum.* 우리는 비용을 최소한으로 유지하려고 한다.

keep ... to oneself 1 남에게 누설하지 않다: *He keeps the secret to himself.* 그는 비밀을 혼자 간직하고 있다. **2** …을 혼자 간직하다: *She kept the money to herself.* 그녀는 돈을 혼자 차지했다. **3** 남과 교제하지 않다

keep under 1 …를 억누르다, 얌전하게 만들다: *That boy needs keeping under.* 저 아이를 얌전하게 만들어야 한다. **2** (불을) 진압하다: *The fire was so big that the firemen could not keep it under.* 불길이 너무 세서 소방관들이 불을 끌 수가 없었다.

keep up 1 (사람·물건이) 넘어지지[가라앉지, 떨어지지] 않고 있다: *The shed kept up during the storm.* 헛간은 폭풍 중에도 무너지지 않았다. **2** (가격·품질·체력 등이) 떨어지지 않다, 유지하다: *I want to keep up my English.* 영어 실력이 떨어지지 않았으면 좋겠다. / *Keep up your spirit.* 기력을 잃지 마라. **3** (공격·비난·날씨 등이) 이어지다, 계속되다: *The enemy kept up their attack for three days.* 적의 공격은 3일간 계속되었다. / *Will the fine weather keep up?* 맑은 날이 계속될까요? **4** …를 밤잠 못 자게 하다: *I hope I'm not keeping you up.* 내가 너를 밤잠 못 자게 하지 않았으면 좋겠다.

keep up with …에 (뒤떨어)지지 않다: *He walked so quickly that I couldn't keep up with him.* 그가 너무 빨리 걸어서 그를 따라갈 수 없었다. / *It's hard to keep up with the changes in computer technology.* 컴퓨터 과학 기술의 변화에 뒤떨어지지 않는 것은 어렵다.

[숙어] **under lock and key** ⇨ lock

keyboard [kíːbɔ̀ːrd] *n.* **1** (피아노·타자기의) 건반, (컴퓨터의) 키보드, 자판 **2** (대중음악의) 건반 악기, 키보드

keyhole [kíːhòul] *n.* 열쇠 구멍

keynote [kíːnòut] *n.* **1** [음악] 으뜸음, 바탕음 **2** (연설·정책·행동 등의) 요지, 기본 방침: *keynote speech* 기조 연설

K

key ring *n.* 열쇠 고리 SYN key chain

keystone [kíːstòun] *n.* **1** [건축] (아치 꼭대기에 있는) 종석 **2** 요지, 근본 원리

keystroke [kíːstròuk] *n.* (컴퓨터 등의) 글쇠 누름: He can do 200 *keystrokes* a minute. 그는 1분에 200타를 친다.

key word, keyword [kíːwə̀ːrd] *n.* **1** (암호 해독 등의) 키워드 (실마리나 열쇠가 되는 말) **2** (작품의 주제를 나타내는) 중요어 **3** [컴퓨터] 핵심어

***kick** [kik] *v.* [I,T] 차다, 걷어차다: *kick* a ball 공을 차다 / He *kicked* me in the stomach. 그가 내 배를 찼다.
— *n.* **1** 차기, 걷어차기: He gave the door a *kick*. 그는 문을 발로 찼다. **2** (유쾌한) 흥분, 즐거움: She got a *kick* out of bungee jumping. 그녀는 번지 점프에서 큰 쾌감을 얻었다.
[숙어] **kick down(in)** 발로 차서 쓰러뜨리다, 부수다: We *kicked* the door *down*. 우리는 문을 차서 부셨다.
kick off 1 (축구·럭비 등을) 킥오프하다, 킥오프로 시합을 시작하다 **2** (모임·회합 등을) 시작하다: The meeting will *kick off* at 10:00. 회의는 10시에 시작될 것이다.
kick oneself 자책하다, …을 후회하다: I could have *kicked myself*. 그런 짓을 하지 않았더라면 좋았을걸.
kick out (사람·생각을) 쫓아내다; 해고하다 (of): His wife *kicked* him *out*. 아내가 그를 쫓아냈다. / He was *kicked out* of school. 그는 학교에서 쫓겨났다.
kick the habit (나쁜) 습관(버릇)을 끊다: My father was a heavy smoker but he *kicked the habit* this year. 아버지는 골초이셨으나 올해 담배를 끊으셨다.

***kid**¹ [kid] *n.* **1** 어린 아이: A bunch of *kids* are flying kites. 한 무리의 어린 아이들이 연을 날리고 있다. ※ child보다 친근한 표현으로 회화체에서 많이 쓰인다. **2** 남(여)동생 **3** 새끼 염소 SYN a young goat **4** 새끼 염소 가죽

kid² [kid] *v.* [I,T] (kidded-kidded) 놀리다, 농담하다: I'm just *kidding* you. 그냥 농담한 거야. / No *kidding*! 설마, 농담 마라; 정말이다

kidnap [kídnæp] *v.* [T] (kidnap(p)ed-kidnap(p)ed) (아이를) 유괴하다, (사람을) 납치하다: The Prime Minister was *kidnapped* by the terrorists. 수상이 테러리스트들에 의해 납치되었다. SYN abduct
— **kidnap(p)er** *n.* 유괴범, 납치범
kidnap(p)ing *n.* 유괴, 납치

kidney [kídni] *n.* **1** [해부] 신장 **2** (양·소 등의 식용) 콩팥

kidney bean *n.* 강낭콩

***kill** [kil] *v.* **1** [I,T] 죽이다, 죽다: *kill* oneself 자살하다 / He was *killed* in a traffic accident. 그는 교통 사고로 죽었다. **2** [T] (효과를) 약하게 하다, (바람·병 등의) 기세를 꺾다: The doctor gave me some tablets to *kill* the pain. 의사가 나에게 통증을 줄여 줄 알약을 몇 알 주었다. SYN quiet **3** [T] …을 몹시 괴롭히다(아프게 하다): My feet are *killing* me. 발이 아파 죽을 지경이다. **4** [T] (will kill+사람) 누구 때문에 매우 화가 났음을 표현: Mom will *kill* me if I'm late again. 또 늦으면 엄마가 날 가만 두지 않으실 거다. **5** [T] 포복절도케 하다: That comedian *kills* us. 저 코미디언이 우리를 포복절도케 했다. / We were *killing* ourselves laughing. 우리는 많이 웃었다.
— *n.* **1** (특히 사냥에서 짐승을) 죽이기, 잡기 **2** (사냥에서) 잡은 동물
[숙어] **kill off(out)** 절멸시키다: Pollution is *killing off* plant life. 공해가 식물들을 절멸시키고 있다.
kill time (시간·세월 등을) 헛되이 보내다: She *killed five years* on that study. 그녀는 그 연구에 5년이란 세월을 허송했다.
kill two birds with one stone 일석이조를 얻다, 일거양득하다
to kill 멋지게: be dressed *to kill* 멋지게 차려 입다

■ 유의어 **kill**

kill 일반적으로 쓰이는 말. **execute** 판결에 의해 사형을 집행할 때 쓰임. **murder** 계획적이고 불법적으로 잔인하게 살해함. **assassinate** 정치적인 이유로 사람을 시켜 암살함. **slaughter, massacre** 대량 학살.

killer [kílər] *n.* 죽이는 것; 살인자

killing [kíliŋ] *n.* **1** 살해, 살인; 도살: a series of brutal *killings* 잔인한 연쇄 살인 **2** 큰 벌이, (주식 등의) 대성공

adj. **1** 죽이는, 치사의: a *killing* disease 치명적인 질병 **2** 죽을 지경의, 무척 힘이 드는: This work is really *killing*. 이 일은 정말로 힘이 든다. **3** 우스워 죽을 지경인

〔숙어〕 **make a killing** 짧은 시간에 많은 이익을 얻다, 돈을 많이 벌다

kilo [kí(:)lou] *n.* (*abbr.* kg) 킬로, 1,000그램 (무게를 재는 단위)

■ 접두어 **kilo-**

1,000(thousand)을 나타낸다.: *kilo*gram, *kilo*meter, *kilo*liter

kilogram [kíləgræm] *n.* (*abbr.* kg) 킬로그램 (1,000g)

kilometer, kilometre [kilámitər, kíləmì:tər] *n.* (*abbr.* km) 킬로미터 (1,000m)

kilowatt [kíləwàt] *n.* (*abbr.* kW) 킬로와트 (전력의 단위), 1,000와트

kilt [kilt] *n.* 킬트 (스코틀랜드 지방에서 남자들이 입는 체크 무늬에 주름이 잡힌 치마)

kimchi, kimchee [kímtʃi:] *n.* 김치

kin [kin] *n.* **1** (집합적) 친척, 친족, 일가: next of *kin* 가장 가까운 친척 〔SYN〕 relatives **2** 혈통, 혈연 관계 **3** 가문 〔SYN〕 family

adj. **1** 동족인, 친척 관계의: He is *kin* to me. 그는 나의 친척이다. **2** 동질인, 유사한

*****kind**¹ [kaind] *n.* **1** 종류: This is a different *kind* of book. 이것은 다른 종류

의 책이다. / What *kind* of man is he? 그는 어떠한 사람입니까? 〔SYN〕 sort, type **2** 종족 (동·식물 등의 유(類), 종(種), 족(族), 속(屬)): the human *kind* 인류 **3** 성질, 본질

〔숙어〕 **a kind of** 일종의 …; …같은 것〔사람〕: a *kind of* essay 일종의 수필 / He is a *kind of* stockbroker. 그는 주식 중매인 같은 일을 하고 있다.

kind of 약간, 그저, 어느 정도: It's *kind of* good. 비교적 괜찮은 편이다. / I *kind of* expected it. 어느 정도는 예상하고 있었다.

of a kind 1 같은 종류의, 동일종의: Father and son are two *of a kind*; they're both generous. 아버지와 아들은 닮았다. 둘 다 관대하다. **2** 일종의, 이름뿐인: coffee *of a kind* (커피라고는 할 수 없는) 이상한 커피

*****kind**² [kaind] *adj.* 친절한, 상냥〔다정〕한, 동정심 있는: She's a very *kind* and thoughtful person. 그녀는 매우 친절하고 사려 깊은 사람이다. / It's *kind* of you to say so. 그렇게 말씀해 주시니 감사합니다. 〔OPP〕 unkind

*****kindergarten** [kíndərgà:rtn] *n.* 〔독〕 유치원

kindhearted [káidərhá:rtid] *adj.* 마음이 상냥한, 친절한, 인정 많은

kindle [kíndl] *v.* [T] **1** …에 불을 붙이다, 태우다: *kindle* a fire with a match 성냥으로 불을 피우다 **2** 밝게〔환하게〕하다, 빛내다: The rising sun *kindled* the distant peak. 아침 해가 멀리 있는 산꼭대기를 환하게 빛냈다. **3** (정열 등을) 타오르게 하다, 고무하다: Her imagination was *kindled* by the romantic stories. 그녀의 상상력은 낭만적인 이야기들로 고무되었다.

kindly [káindli] *adj.* (kindlier-kindliest) **1** 상냥한, 이해심이 많은: a *kindly* smile 상냥한 미소 **2** (기후 등이) 온화한, 쾌적한

adv. **1** 친절하게, 상냥하게 **2** (명령·요청을 할 때) 부디 (…해 주십시오): Would you *kindly* give me your address? 당신의 주소를 좀 알려 주시겠습니까? 〔SYN〕 please

K

kindness [káindnis] *n.* **1** 친절, 상냥함 **2** 친절한 행위[태도]: Thank you very much for your *kindness*. 당신의 친절함에 감사 드립니다.

kindred [kíndrid] *n.* **1** (집합적) 친족, 친척 **2** 혈연 [SYN] kin **3** (질의) 유사, 동종
adj. **1** 혈연의, 친척 관계의 **2** 유사한, 동종의: a *kindred* spirit 생각이나 느낌이 같은 사람

****king** [kiŋ] *n.* **1** 왕, 국왕: *King* George Ⅱ 국왕 조지 2세 / The lion is called the *king* of beasts. 사자는 백수의 왕이라 불린다. *cf.* queen 여왕 **2** 거물, (특정 분야·활동에서) 최고의 사람: He's the *king* of pop music. 그는 팝 음악에 있어 최고이다. **3** [카드] 킹; [체스] 왕장

kingdom [kíŋdəm] *n.* **1** (왕이나 여왕에 의해 통치되는 나라) 왕국, 왕토: the United *Kingdom* 영국 **2** (학문·예술 등의) 세계, 영역: the *kingdom* of music 음악 세계 **3** (생물) (분류상의) …계(界): the animal(plant, mineral) *kingdom* 동물(식물, 광물)계

kiosk [kí:ɑsk] *n.* 간이 건축물, (신문·사탕·담배 등을 파는) 거리의 간이 매점

****kiss** [kis] *v.* [I,T] 입맞추다, 키스하다: She *kissed* a baby on the cheek. 그녀는 아기의 볼에 키스했다. / He *kissed* her good-bye. 그는 그녀에게 작별 키스를 했다.
n. 입맞춤, 키스: Come and give me a *kiss*. 이리 와서 나에게 키스해 주세요.

kit [kit] *n.* **1** 연장통(주머니); 도구 한 벌; (여행·운동 등의) 용구 한 벌: a tool *kit* 연장통 / a first-aid *kit* 구급 상자 / a golfing *kit* 골프 용품 세트
※ 특정한 목적이나 활동에 사용되는 도구나 장치들의 세트를 의미한다.
2 조립 재료 세트: a model airplane *kit* 모형 비행기 조립 세트

****kitchen** [kítʃən] *n.* 부엌, 취사장
— **kitchen garden** *n.* (가정용) 채소밭

****kite** [kait] *n.* **1** 연: fly a *kite* 연을 날리다 **2** [조류] 솔개

kitten [kítn] *n.* 새끼 고양이 [SYN] kitty

kitty [kíti] *n.* **1** 고양이, 새끼 고양이 ※ 아이들이 주로 사용하는 말이다. **2** 공동 적립금 (특별한 목적을 위해 구성원이 모은 돈): We all put $20 a week into the *kitty* to cover the cost of food. 우리는 식비로 일주일에 20달러씩 적립한다. **3** [카드] (딴 돈에서 자릿값·팁 등으로 떼어 놓는) 적금(통); 건 돈 전부

knack [næk] *n.* 숙련된 기술, 요령 (of, for): There is a *knack* for making this salad dressing. 이 샐러드 드레싱을 만드는 데는 요령이 있다.

knapsack [nǽpsæk] *n.* 배낭 [SYN] backpack

knave [neiv] *n.* **1** 악한, 악당 **2** [카드] 잭 (jack)

****knee** [ni:] *n.* **1** 무릎 **2** (옷의) 무릎 부분
[숙어] **be(fall) on one's knees** 무릎을 꿇다
bring(beat) ... to one's knees …를 굴복시키다: The war *brought* the country *to its knees*. 그 나라는 전쟁에 패했다.
on the(one's) knees 무릎을 꿇고, 저자세로: I begged her forgiveness *on my knees*. 나는 무릎을 꿇고 그녀에게 용서를 빌었다.

knee-deep [ní:dí:p] *adj.* **1** 무릎 깊이의, 무릎까지 빠지는: The snow was *knee-deep*. 눈이 무릎 깊이까지 찼다. **2** (일·곤란 등에) 깊이 빠져, 분주한: I'm *knee-deep* in work. 나는 할 일이 많다.

kneel [ni:l] *v.* [I] (knelt-knelt, kneeled-kneeled) 무릎을 꿇다, 무릎을 구부리다 (down): She *knelt* down in prayer. 그녀는 무릎을 꿇고 기도했다.

knickerbockers, knickers
[níkərbɑ̀kərz, níkərz] *n.* (*pl.*) 니커 바지 (무릎 아래서 졸라매는 느슨한 반바지)

****knife** [naif] *n.* (*pl.* knives) 나이프, 칼; 식칼 (kitchen knife): a *knife* and fork 식사용 나이프와 포크; 식사

K

v. [T] 칼로 베다; 단도로 찌르다〔찔러 죽이다〕

knight [nait] *n.* **1** (중세의) 기사 **2** 나이트 작위 (이름 앞에 Sir이라는 칭호가 허용됨) **3** [체스] 나이트
— **knightly** *adj.* 기사의, 의협적인
knighthood *n.* 기사의 신분〔직위〕, 기사도; 나이트 작위

knit [nit] *v.* [I,T] (knit-knit, knitted-knitted; knitting) **1** 뜨다, 짜다: My mother *knitted* me a sweater. 어머니는 내게 스웨터를 짜 주셨다. **2** 밀착시키다, 접합하다: The broken bone should *knit* (together) in a few days. 부러진 뼈는 며칠 있으면 붙을 것이다. SYN join
— **knitting** *n.* 뜨개질
축어 **knit one's brows** 눈살을 찌푸리다
knitting needle *n.* 뜨개바늘

knob [nɑb] *n.* **1** (문·서랍 등의) 손잡이; (깃대 등의) 둥근 꼭지: a door *knob* 문 손잡이 **2** (라디오·텔레비전 등의) 노브, (돌리는) 스위치: Turn the volume control *knob*. 볼륨 조절 버튼을 돌려라. **3** (나무 줄기 등의) 혹, 마디, 원형의 덩이

*****knock** [nɑk] *v.* [T] **1** 치다, 두드리다 (at, on): *knock* at〔on〕the door 문을 두드리다 **2** 부딪치다, 충돌하다 (on, against, into): He *knocked* his head against the wall. 그는 머리를 벽에 부딪쳤다. **3** 쳐서 …이 되게 하다: They *knocked* him unconscious. 그들은 그를 때려 기절시켰다. **4** 비판하다, 흠 잡다
n. **1** 노크; 문 두드리는 소리: There was a *knock* at〔on〕the door. 노크 소리가 들렸다.(누군가 왔다.) / *Knock, knock.* 똑똑 SYN tap, rap **2** 구타, 타격
축어 **knock about〔around〕1** (물건·사람이) (눈에 띄지 않는 곳에) 있다, 굴러다니다 **2** 정처없이 돌아다니다
knock down 1 때려눕히다: The boxer *knocked* his opponent *down.* 그 권투 선수는 상대를 때려눕혔다. / The child was *knocked down* by a truck. 아이가 트럭에

받쳐 넘어졌다. **2** (건물 등을) 때려부수다: We will *knock down* the old theater and build a shopping mall. 우리는 오래된 극장을 부수고 쇼핑몰을 지을 것이다. SYN demolish

knock off 1 (일·활동 등을) 그만두다, 중지하다: We *knock off* at 6 o'clock. 일은 (매일) 6시에 끝난다. **2** …을 두드려 떨어버리다, 떨어뜨리다: He accidently *knocked* the vase *off.* 그는 실수로 꽃병을 (쳐서) 떨어뜨렸다. **3** (금액을 …에서) 빼다, 할인하다: The manager *knocked* $10 *off* the price. 지배인은 가격에서 10달러를 할인했다.

knock on wood ⇨ wood
knock out 1 기절시키다: An electric shock *knocked* him *out.* 감전으로 그는 기절했다. **2** (술·마약 등이) …를 잠들게 하다 **3** [권투] KO시키다 **4** (경기에서) …에게 이기다, (팀 등을) 탈락시키다: Our team were *knocked out* in the semifinal. 우리 팀은 준결승전에서 탈락했다.

knock over 1 뒤집어엎다: He *knocked* his cup *over* and spilled coffee. 그가 컵을 엎어 커피를 쏟았다. SYN upset **2** (차 등이) 치어 넘어뜨리다: He got *knocked over* by a taxi. 그는 택시에 치여 넘어졌다. SYN knock down **3** 강도질〔도둑질〕하다

knockdown [nɑ́kdàun] *adj.* **1** 때려눕히는, (일격이) 강한, 압도적인: a *knockdown* blow 큰 타격 **2** 조립식의: a *knockdown* table 조립식 식탁

knockout [nɑ́kàut] *n.* **1** [권투] 녹아웃 (*abbr.* K.O.) **2** 실격제 경기, 토너먼트

knot [nɑt] *n.* **1** 매듭: I can't undo this *knot.* 이 매듭을 풀 수가 없다. **2** [항해] 노트 (선박·조류(潮流)·항공기·바람 등의 속력을 나타내는 단위; 1시간에 1해리〔약 185km〕를 달리는 속도)
v. [T] (knotted-knotted) (끈 등을) 매다, 묶다: *knot* a parcel 소포를 싸서 묶다

knotty [nɑ́ti] *adj.* (knottier-knottiest) **1** 매듭이 있는, 마디가 많은: *knotty* wood

K

마디가 많은 나무 **2** 얽힌, 엉클어진 **3** 해결이 곤란한: a *knotty* problem 어려운 문제

*__know__ [nou] *v.* (knew-known) **1** [I,T] 알다, 알고 있다, 이해하다: I *know* a lot about computers. 나는 컴퓨터에 대해 많이 알고 있다. / Do you *know* how to drive a car? 운전할 줄 아니? **2** [T] …와 아는 사이다: I've *known* him for ten years. 나는 10년 동안 그와 알고 지내고 있다. **3** [T] …에 정통하다, 잘 알고 있다: I grew up in London so I *know* it well. 나는 런던에서 자랐기 때문에 런던에 대해 잘 안다. **4** [T] 식별할 수 있다: I *know* a gentleman when I see him. 신사는 보면 안다. [SYN] recognize **5** [I,T] 확신하다: I *know* that you'll win first prize. 나는 네가 1등 할 것을 확신한다. **6** [T] …의 경험이 있다, 체험하고 있다: We *know* what it is to be poor. 우리는 가난이 어떤 것인지를 체험해서 알고 있다. **7** [T] (완료형 또는 과거형으로) 본〔들은, 경험한〕 적이 있다: I've never *known* her wear a skirt. 나는 그녀가 치마를 입은 것을 본 적이 없다.

n. 숙지, 지식: be in the *know* (내부 사정 등을) 잘 알고 있다

[숙어] **(be) known as** …로 알려져 있다 (자격): He is *known as* a successful lawyer. 그는 성공한 변호사로 알려져 있다.

(be) known for …로 알려져 있다 (이유): She is *known for* her good humor. 그녀는 성격이 쾌활한 것으로 알려져 있다.

(be) known to …에 알려져 있다: The fact is *known to* everyone. 모두가 그 사실을 알고 있다.

God(Heaven) knows 1 아무도 모르다, …인지 모르다: *God(Heaven) knows* where he went. 그가 어디로 갔는지 아무도 모른다. **2** 틀림없이, 참으로: *God knows* that it is true. 신에게 맹세코 정말이다.

know about …에 대해서 알고 있다: She *knew about* the accident. 그녀는 그 사고에 대해 알고 있었다.

know better (than) 좀 더 분별이 있다, …할 만큼 어리석지 않다: She says she was there at the time, but I *know better*. 그녀는 그 때 거기에 있었다고 말하지만, 나는 그렇지 않음을 알고 있다. / He *knows better than* to interrupt when someone else is talking. 그는 다른 사람이 말할 때 방해할 만큼 어리석지 않다.

know ... from ~ …와 ~을 구별하다: They're twins and it's difficult to *know* one *from* the other. 그들은 쌍둥이여서 분간하기가 어렵다. / He doesn't *know* right *from* wrong. 그는 옳고 그름을 구별하지 못한다.

know of (…이 있는 것을) 알고 있다: "Is anyone else coming?" "Not that I *know of*." "더 올 사람 있니?" "내가 알기로는 없어." / Do you *know of a* good restaurant? 너는 괜찮은 식당을 알고 있니? / This is the best way I *know of*. 이것이 내가 아는 최선의 방법이다.

know what one is talking about 경험으로 …에 대해 알다: I've lived in Russia, so I *know what I'm talking about*. 나는 러시아에 살았기 때문에 러시아에 대해 잘 알고 있다.

know what's what 실정〔요령〕을 잘 알고 있다

you know 1 (문장 앞·뒤에서) …이지요, …이니까요: He's angry, *you know*. 그가 화나 있으니까요. **2** (삽입구로) 저어, 에…: She's a bit, *you know*, crazy. 그녀는, 에 뭐라고 할까, 약간 머리가 이상해. ※ 다음 말의 확인 또는 이어질 말과의 연결에 사용한다.

you never know (앞일은) 뭐라고 할 수 없다, 어쩌면, 아마도: *You never know*, he might change his mind. 그가 마음을 바꿀지도 모를 일이지.

know-how *n.* (방법에 대한) 실제적 지식: 노하우, 비결, 요령: business *know-how* 장사의 요령

knowing [nóuiŋ] *adj.* (비밀 등에 대해) 알고 있는 듯이 보이는: She gave me a *knowing* look. 그녀는 다 알고 있다는 듯이 (다 알고 있다는 표정으로) 날 바라보았다.

knowingly [nóuiŋli] *adv.* **1** 아는 체하고, 아는 듯이: He smiled *knowingly* at her. 그는 그녀를 보고 뭔가 아는 듯한 미소를 지었다. **2** 고의로, 알고서: I've never *knowingly* broken the window. 절대 고의로 창문을 깬 것이 아니다.

know-it-all, know-all *n.* (무엇이나) 아는 체하는 사람

knowledge [nɑ́lidʒ] *n.* **1** 지식: Her *knowledge* of Korean history is very extensive. 한국사에 대한 그녀의 지식은 매우 해박하다. / I have no *knowledge* of French. 나는 프랑스 어는 전혀 모른다. **2** 학식, 학문 **3** 이해, 인식

[숙어] **to one's knowledge** …가 아는 바로는, 확실히: To my *knowledge* they got married last year. 내가 아는 바로는 그들은 작년에 결혼했다.

without one's(the) knowledge …에게 알리지 않고: He left for England *without my knowledge.* 그는 나에게 알리지 않고 영국으로 떠났다.

knowledg(e)able [nɑ́lidʒəbl] *adj.* 지식이 있는, 식견이 있는: He's very *knowledgeable* about jazz. 그는 재즈에 대한 지식이 풍부하다.

— **knowledgeably** *adv.*

knuckle [nʌ́kəl] *n.* 손가락 관절(마디)

koala [kouɑ́:lə] *n.* [동물] 코알라

Korea [kərí:ə] *n.* 한국

※ 공식 명칭은 the Republic of Korea (*abbr.* ROK).

— **Korean** *n. adj.* 한국인(의), 한국말(의); 한국의

kW, kw *abbr.* kilowatt [전기] 킬로와트 (전력의 단위)

K

L

*lab [læb] *n.* 실험실, 연구실
※ laboratory의 격이 없는 표현이다.

*label [léibəl] *n.* **1** 라벨, 꼬리표: There are washing instructions on the *label*. 꼬리표에 세탁하는 법이 나와 있다. **2** (레코드 · 의류 회사 등의) 상표, 상호, 브랜드; 제조 회사: Chanel is the famous designer *label*. 샤넬은 유명 디자이너 상표이다. / record *label* 음반 회사 **3** (사람 · 단체 등의 특색을 묘사하는) 부호, 호칭, 표지
v. [T] (label(l)ed-label(l)ed) **1** (보통 수동태) …에 라벨을(딱지를) 붙이다: I *labeled* a bottle 'Danger'. 병에다 '위험'이라는 라벨을 붙였다. **2** (사람 · 사물을) 분류하다, (…을 ~이라고) 부르다: They unjustly *labeled* him a criminal. 사람들은 부당하게 그를 범인으로 낙인찍었다.

*labor, labour [léibər] *n.* **1** 노동, 근로: manual *labor* 손을 사용하는 힘든 노동 **2** (집합적) 노동자, (특히) 육체 노동자: We need skilled *labor* to complete the house. 우리는 그 집을 완성하기 위해 숙련된 노동자가 필요하다. **3** 산고, 진통, 출산: She was in *labor* for ten hours. 그녀는 10시간 진통을 했다. / a *labor* room 분만실
v. [I] **1** 일하다, 노동하다: He *labored* all day in the fields. 그는 하루종일 밭에서 일했다. **2** 애쓰다, 노력하다: She *labored* to complete the report. 그녀는 보고서를 완성하느라 애썼다. SYN struggle

*laboratory [lǽbərətɔ̀:ri] (또는 lab) *n.* **1** 실험실, 연구실: a chemical *laboratory* 화학 실험실 / a language *laboratory* 어학 실습실 **2** (수업 · 연구의) 실험, 실습 (시간)

laborer, labourer [léibərər] *n.* 노동자: a factory *laborer* 공장 노동자

laborious [ləbɔ́:riəs] *adj.* 힘드는, 고된: a *laborious* task 힘든 작업
— **laboriously** *adv.*

labor union *n.* ([영] trade union) 노동조합

labyrinth [lǽbərìnθ] *n.* 미로, 미궁: He got lost in the *labyrinth* of streets. 그는 미로처럼 얽혀 있는 도로들 사이에서 길을 잃었다. SYN maze

lace [leis] *n.* **1** 레이스: *lace* curtains 레이스 커튼 **2** (구두 등의) 끈: Your shoe *lace* is undone. 네 신발끈이 풀렸다.
v. [I,T] 끈으로 묶다(졸라매다) (up): *Lace* up your shoes. 신발끈을 묶어라.

lace-up *adj.* (구두가) 끈으로 매는
n. (보통 *pl.*) 부츠

*lack [læk] *n.* 부족, 결여, 결핍: a *lack* of water 물의 부족 / *Lack* of sleep had made her tired. 수면 부족으로 그녀는 피곤했다.
v. [T] …이 없다, 부족하다: He seems to *lack* courage. 그는 용기가 부족한 것 같다.
숙어 **(be) lacking in** …이 결핍하다, 부족하다: I feel he's *lacking in* a sense of humor. 그는 유머 감각이 부족한 것 같다.

lacquer [lǽkər] *n.* 래커, 옻, 칠

lad [læd] *n.* 젊은이, 청년: He's a nice *lad*. 그는 멋진 청년이다. *cf.* lass 젊은 여자, 아가씨

*ladder [lǽdər] *n.* **1** 사닥다리 **2** (출세의) 발판, 수단; (신분 · 지위 등의) 단계: the social *ladder* 사회 계층 **3** (스타킹의) 세로올이 풀린 곳 ([미] run)

lade [leid] *v.* [T] (laded-laden) **1** 짐을 싣다 **2** (책임 등을) 지우다; 괴롭히다

laden [léidn] *adj.* (명사 앞에는 쓰이지 않

음) (짐을) 실은, …을 많이 가지고 있는 (with): The apple trees were *laden* with fruit. 사과나무에 열매가 많이 열렸다.

*lady [léidi] *n.* 1 여성, 여자분 (woman에 대한 정중한 말) 2 (ladies) (호칭) 숙녀 여러분: *Ladies* and Gentlemen! 신사 숙녀 여러분! 3 귀부인, 숙녀
— ladylike *adj.* 귀부인다운, 정숙한

ladybird [léidibə̀ːrd] *n.* ([미] ladybug) 무당벌레

lag [læg] *v.* [I] (lagged-lagged) 꾸물거리다, 처지다 (behind): After five hours of walking, he began to *lag* behind us. 다섯 시간 걸은 후에 그는 우리 뒤로 처지기 시작했다. / She's *lagging* behind the others in the class. 그녀는 학급에서 다른 아이들에게 뒤지고 있다.
n. 지연, 늦어짐: There's a two-day *lag* between order and delivery. 주문과 배달 사이에는 이틀이 걸린다. / jet *lag* (오랜 시간 비행기를 탄 후) 시차로 인한 피로

*lake [leik] *n.* 호수, (공원 등의) 못: We went boating on the *lake* last Sunday. 우리는 지난 일요일에 호수로 배를 타러 갔다.

lama [láːmə] *n.* 라마승: the Dalai *Lama* 달라이 라마 (티벳 라마교의 지도자)
— lamaism *n.* 라마교

*lamb [læm] *n.* 1 새끼 양 2 새끼 양의 고기

lame [leim] *adj.* 1 (대개 동물에 대해) 절름발이의, 절룩거리는: The horse is *lame* after a stone has injured its foot. 말이 돌에 발을 다친 이후로 절룩거린다. 2 (설명 · 변명 등이) 불충분한, 서투른: a *lame* excuse 서투른 변명
— lameness *n.*

lament [ləmént] *v.* [I,T] 슬퍼하다, 비탄하다, 애도하다: We *lamented* for the death of a great poet. 우리를 위대한 시인의 죽음을 애도했다. / the late *lamented* 고인
n. 1 비가, 애가 2 비탄, 한탄, 슬픔: This work expresses the *lament* for lost youth. 이 작품은 잃어버린 젊음에 대한 슬픔

을 표현하고 있다.
— lamentable *adj.* lamentation *n.*

*lamp [læmp] *n.* 램프, 등불

lamppost [læmppòust] *n.* 가로등

lance [læns] *n.* 1 창 2 (물고기나 고래를 잡는) 작살
v. [T] 창으로 찌르다
— lancer *n.* 창기병

*land [lænd] *n.* 1 육지: About one-third of the earth's surface is *land*. 지구 표면의 약 3분의 1은 육지이다. OPP sea 2 소유지, 부동산: He owns 300 acres of *land* in England. 그는 영국에 300에이커의 땅이 있다. 3 땅, 토지, 토양: I want to buy good *land* for growing potatoes. 나는 감자를 재배하기 좋은 땅을 사고 싶다. / agricultural *land* 농지 / arable (barren) *land* 경작(불모)지 SYN soil 4 나라, 국토: Korea is my native *land*. 한국은 나의 고국이다.
v. 1 [I,T] 상륙하다, 착륙하다: Our flight *landed* at Incheon International Airport at 12:00. 우리 비행기는 12시에 인천 국제공항에 착륙했다. 2 [I,T] 도착하다: We *landed* in London on Monday. 우리는 월요일에 런던에 도착했다. / The ship *landed* in Singapore. 배가 싱가포르에 입항했다. 3 [I,T] (공중에서 움직이는 것이) (…에) 떨어지다: The ball *landed* in the neighbor's garden. 공이 이웃집 정원에 떨어졌다. 4 [T] …을 얻다, 성취하다 (직업 · 계약 · 상 등): He *landed* a job with the CNN. 그는 CNN에 일자리를 얻었다.
숙어 fall (land) on one's feet 1 위험을 잘 헤쳐가다 2 운이 좋다
land ... in (…를 나쁜 상태에) 빠지게 하다: That *landed* me *in* great difficulties. 나는 그것 때문에 곤란한 처지에 빠지게 되었다.
land up (in) (뜻하지 않은 장소 · 상황에) 빠지다, 처해지다: He *landed up in* a prison. 그는 감옥에 갔다.

L

land ... with (달갑지 않은 일·사람을) 떠맡게 하다: I've been *landed with* the extra work. 내게 가외의 일이 떠맡겨졌다.

landfill [lǽndfìl] *n.* **1** 쓰레기 매립지 **2** 쓰레기 매립 처리(법)

landing [lǽndiŋ] *n.* **1** (비행기의) 착륙, 도착: The plane made an emergency *landing* in Seattle. 비행기가 시애틀에 불시착했다. [OPP] take-off **2** (계단의) 층계참

landlady [lǽndlèidi] *n.* **1** (여관·하숙집의) 여주인 **2** 여자 집주인, 지주

landlord [lǽndlɔ̀:rd] *n.* **1** (여관·하숙집의) 주인 **2** 지주, 집주인

landscape [lǽndskèip] *n.* **1** 경치, 풍경, 조망: a city *landscape* 도시 풍경 **2** 풍경화 *v.* [I,T] (…에) 조경 공사를 하다, 녹화하다

landslide [lǽndslàid] *n.* **1** 산사태 **2** (선거의) 압도적 승리

lane [lein] *n.* **1** (담·울타리·집 사이의) 좁은 길, 골목길: a blind *lane* 막다른 골목길 / She lives at the end of Ivy *Lane*. 그녀는 아이비로 끝에 산다. **2** (도로의) 차선: a bus *lane* 버스 차선 / a four-*lane* highway 4차선 도로 **3** (육상·수영 경기 등의) 코스, 레인: The Korean runner is in *lane* 5. 한국 선수는 5번 레인에 있다. **4** (배·비행기의) 규정 항로

*****language** [lǽŋgwidʒ] *n.* **1** 언어, 말: spoken(written) *language* 구(문)어 **2** 국어: the Korean *language* 한국어 / He speaks four *languages*. 그는 4개 국어를 한다. **3** ① 어법, 말씨; 문체: informal *language* 구어체 ② 천한 말, 욕: bad *language* 상스러운 말 **4** 전문어, 용어: legal *language* 법률 용어 **5** (비언어적) 전달 기호(수단): sign(gesture) *language* 수화(몸짓말) **6** [컴퓨터] 언어 (컴퓨터를 작동하기 위해 사용하는 기호, 규칙 체계를 뜻함)

languid [lǽŋgwid] *adj.* **1** 나른한, 활기가 없는 **2** 흥미 없는

languish [lǽŋgwiʃ] *v.* [I] **1** 나른해지다, 쇠약해지다; (식물이) 시들다, 풀 죽다: The

grass *languished* in the heat. 잔디가 더위에 시들었다. **2** 참혹히 살다, 괴로운 생활을 하다: He has been *languishing* in jail for ten years. 그는 10년 동안 감옥에서 괴롭게 살고 있다.

— **languishing** *adj.*

lank [læŋk] *adj.* **1** 여윈, 호리호리한 **2** (머리카락·풀 등이) 얇고 곱슬곱슬하지 않은, 길고 부드러운

※ 매력적이지 않은 머리카락을 의미한다.

lanky [lǽŋki] *adj.* (lankier-lankiest) (손발·사람이) 홀쭉한, 멀대 같은

lantern [lǽntərn] *n.* 랜턴

lap¹ [læp] *n.* **1** 무릎: A kitten sat on my *lap*. 새끼 고양이가 내 무릎 위에 앉았다.

※ lap은 앉을 때 넓적 다리 윗부분을 나타낸다. 관절 부분은 knee라고 한다.

2 [경기] (경주로의) 한 바퀴, (수영 풀의) 한 바퀴: They're running on the last *lap*. 주자들이 마지막 바퀴를 달리고 있다. **3** (긴 여행의) 한 구분, 단계: the last *lap* of the trip 여정의 마지막 단계

lap² [læp] *v.* (lapped-lapped) **1** [T] (보통 동물이) 핥다, 핥아먹다 (up): The cat *lapped* (up) the milk. 고양이가 우유를 핥아먹었다. **2** [T] (경마·자동차 레이스에서) 한 바퀴 (이상) 앞서다 **3** [I] (파도가) 철썩철썩 밀려오다(소리를 내다): Waves *lapped* against the shore. 파도가 해안으로 물결쳤다. **4** [T] 싸다, 두르다, 접다: She *lapped* the baby in her shawl. 그녀는 숄로 아이를 감쌌다. / He *lapped* the coat around himself. 그는 코트로 몸을 감쌌다. [SYN] wrap

[숙어] **lap up** (주저 없이) 받아들이다, 한껏 즐기다: Everyone clapped and cheered and he was *lapping* it *up*. 모두들 박수치며 환호하는데 그는 그것을 한껏 즐겼다.

lapse [læps] *n.* **1** ① (시간의) 경과, 추이: a *lapse* of time 시간의 경과 ② (과거의 짧은) 기간, 시간 **2** (우연한) 착오, 실수, 잘못 (of):

a *lapse* of memory 기억 착오 **3** (죄악 등에) 빠짐, (일시적) 타락

v. [I] **1** 소멸하다, 끝나다: Our contract will *lapse* after 10 days. 우리의 계약은 10일 후면 끝난다. **2** 하락〔쇠퇴〕하다; 꺼지다: His enthusiasm *lapsed*. 그의 열의는 식어 버렸다.

〔숙어〕 **lapse into** 모르는 사이에 빠지다, (나쁜 길로) 빠지다, 타락하다: *lapse into* silence 침묵하다 / Following my mother's death I *lapsed into* chaos. 어머니가 돌아가신 후 나는 혼돈 상태에 빠졌다.

laptop [læptàp] *n.* [컴퓨터] (무릎에 얹어 놓을 만한 크기의) 휴대용 퍼스널 컴퓨터

lard [lɑːrd] *n.* 라드 (돼지 비계를 정제한 반고체의 기름), 돼지 기름

＊**large** [lɑːrdʒ] *adj.* (larger-largest) **1** (공간·정도·규모·범위 등이) 큰, 넓은: a *large* house 큰 집 / a *large* family 대가족 〔OPP〕 small **2** 다량의, 다수의: a *large* sum of money 거액

— **largeness** *n.*

〔숙어〕 **at large 1** 일반적으로: people *at large* 일반 국민 **2** (범인 등이) 잡히지 않고, 도망 중인: The criminal is still *at large*. 범인은 아직 잡히지 않고 있다.

by and large 전반적으로, 대체로: There are a few things that I don't like about my job, but *by and large* it's enjoyable. 나의 일에 관해 몇 가지 마음에 들지 않는 점들도 있지만, 대체로 할 만하다.

largely [lɑːrdʒli] *adv.* **1** 크게, 대규모로 **2** 주로, 대부분: My success is due *largely* to hard work. 나의 성공은 주로 열심히 노력한 탓이다. / His ideas have been *largely* ignored. 그의 아이디어는 대부분 무시되었다.

large-scale *adj.* 대규모의, 대대적인: *large-scale* production 대량 생산

lark [lɑːrk] *n.* 종달새 (skylark)

laser [léizər] *n.* 레이저 (분자 또는 원자의 고유 진동을 이용하여 전자파를 방출하는 장

치): a *laser* beam 레이저 광선 / a *laser* printer 레이저 프린터

lash [læʃ] *v.* **1** [I,T] (바람·비 등이) 세차게 몰아치다: Rain *lashed* against the window. 비가 창문에 세차게 몰아쳤다. **2** [T] 채찍질하다 **3** [T] (밧줄·끈 등으로) 묶다: The two boxes were *lashed* together with ropes. 두 개의 상자는 밧줄로 묶여져 있었다.

n. **1** 채찍질 **2** (보통 *pl.*) 속눈썹 〔SYN〕 eyelash

〔숙어〕 **lash out (at, against)** 강타하다, 폭언하다, 비난하다: She *lashed out at* me for no reason. 그녀는 이유 없이 나에게 폭언을 했다.

lass [læs] *n.* 젊은 여자, 소녀 (lassie) *cf.* lad 젊은 남자

last¹ [læst] *adj. adv.* **1** (순서·시간상) 맨 마지막의〔에〕, 최후의〔에〕: the *last* day of the vacation 휴가의 마지막 날 / He arrived *last* at the party. 그는 제일 나중에 파티에 왔다. **2** (관사 없이) 바로 전의, 요전〔지난 번(의)〕: *last* night〔week, Sunday, summer, year〕 지난 밤〔지난 주, 지난 일요일, 작년 여름, 작년〕 / I have been learning English for the *last* six months. 나는 지난 여섯 달 동안 영어를 배우고 있다. **3** 최근의〔에〕; 최신(유행)의: When did you *last* see him? 최근에 언제 그를 만났니? / the *last* thing in hats 최신 유행의 모자 **4** 마지막의: the *last* chance 〔hope〕 마지막 기회〔희망〕 **5** (명사 앞에만 쓰임) 절대로 …할 것 같지 않은, 가장 부적당한: He's the *last* man to tell a lie. 그는 결코 거짓말할 사람이 아니다.

n. pron. **1** (the last) 최후의 사람〔물건〕들: He was the *last* to leave. 그가 마지막에 떠났다. **2** (the last) 최후, 마지막 (of): Who ate the *last* of cake? 누가 마지막 남아 있던 케이크를 먹었니?

— **lastly** *adv.* 최후로, 마침내

〔숙어〕 **a last-ditch attempt** 필사적인

노력: In *a last-ditch attempt* to save the company from failing, they asked the government to lend them money. 회사가 망하지 않기 위한 필사적인 노력으로 그들은 정부에 돈을 빌려 달라고 요청했다.

at (long) last 마침내, 드디어: I've finished the report *at last*. 드디어 나는 보고서를 끝냈다.

first(last) thing ⇨ thing

have the last laugh 최후에 웃다, 결국 승자가 되다

have the last word (토론 등에서) 끝까지 양보하지 않다, 꼼짝못하게 하다; (지지 않으려고) 객쩍은 소리를 하다: He always has to *have the last word*. 그는 논쟁에서 늘 이겨야만 한다.

in the last resort, (as) a last resort 최후의 수단으로서: British police are supposed to use guns only *as a last resort*. 영국 경찰들은 최후의 수단으로만 총을 사용하도록 되어 있다.

last but not least 마지막으로 말하는 것이지만 결코 가벼이 볼 것이 아닌데; 중요한 말을 하나 빠뜨렸는데: I would like to thank my publisher, my editor, and, *last but not least*, my wife. 저희 출판사, 편집장님, 그리고 중요한 사람이 빠졌는데, 아내에게 고마움을 전하고 싶습니다.

the last but one 끝에서 둘째: He lives in *the last* house *but one* on the right. 그는 오른쪽 끝에서 두 번째 집에 산다.

the last minute(moment) 마지막(최후의) 순간: He told me at *the last minute* that he couldn't come. 마지막 순간에 그는 올 수 없다고 내게 말했다.

the last(final) straw ⇨ straw

last² [læst] *v.* **1** [I] 지속하다, 계속하다: The rain *lasted* for a week. 비가 일주일 동안 내렸다. / The lecture *lasted* about two hours. 강연은 대략 2시간 동안 계속되었다. **2** [I,T] 오래 가다(견디다): These socks will *last* long. 이 양말은 오래 신을

수 있을 것이다. / The supplies will not *last* for a month. 비축품은 한 달도 가지 못할 것이다. / He's very ill, and isn't expected to *last* the night. 그는 매우 아파서 이 밤을 넘길 것으로 생각되지 않는다. **3** [I,T] …에 충분하다: This money *lasts* me the rest of the month. 이 돈이면 이번 달 남은 동안은 충분하다.

lasting [læstiŋ] *adj.* 오래 가는, 영속적인, 영구적인: *lasting* peace 영구적인 평화

last name *n.* 성(姓) [SYN] surname, family name

latch [lætʃ] *n.* 걸쇠, 빗장
v. [T] (문·창문 등에) 걸쇠를 걸다
[숙어] **latch onto(on (to))** …을 이해하다: He soon *latched onto* how to do it. 그는 그것을 어떻게 하는지 곧 이해했다.

***late** [leit] *adj. adv.* (때·시간: later-latest / 순서: latter-last) **1** 끝에 가까운, 말기(후기)의: in the *late* nineteenth century 19세기 말에 / He's probably in his *late* teens. 그는 10대 후반일 것이다. **2** 늦은, 지각한, 더딘: I overslept and was *late* for school. 나는 늦잠을 자서 학교에 지각했다. / Summer came *late* this year. 올해는 여름이 늦게 왔다. **3** (시각이) 늦은; 해 저물 때가 가까운: It's *late*, so I'll go to bed. 늦었으니 나는 자러 갈 것이다. / The baby stayed up *late*. 아기가 밤늦게까지 자지 않고 있었다. [OPP] early **4** (명사 앞에만 쓰임) 고인이 된: the *late* Dr. Kim 고 김박사님 / She gave her *late* husband's clothes to charity. 그녀는 고인이 된 남편의 옷을 자선 단체에 기부했다.

— lateness *n.*
[숙어] **as late as** 바로 최근에: *as late as* yesterday 바로 어제 / I saw him *as late as* March. 나는 바로 지난 3월에 그를 만났다.
of late 요사이, 최근: I have been very busy *of late*. 나는 요즘 매우 바빴다. [SYN] recently

latecomer [léitkʌ̀mər] *n.* **1** 지각자 **2**

신참자, 최근에 온 사람[물건]

lately [léitli] *adv.* 요즈음, 최근에: I haven't seen him *lately*. 요즈음 그를 만나지 못했다.

latent [léitənt] *adj.* 숨어 있는, 보이지 않는, 잠재적인: a *latent* talent 숨은 재능 / *latent* period 잠복기
— **latency** *n.* 숨음, 잠복

later [léitər] *adj.* (late의 비교급) 더 늦은, 더 나중의 OPP earlier
adv. 뒤에, 나중에: I'll be back two hours *later*. 2시간 뒤에 돌아오겠다. / See you *later*. 나중에 보자, 안녕.
숙어 **later on** 그 후, 후에, 나중에: I'll tell it to you *later on*. 나중에 이야기해 줄게. SYN afterward
sooner or later ⇨ sooner

latest [léitist] *adj.* (late의 최상급) **1** 최신의, 최근의: the *latest* fashion[news] 최신 유행[뉴스] **2** 맨 뒤의, 최후의
n. (the latest) 최신의 것, 최신 유행[뉴스]
숙어 **at the latest** 늦어도: You need to hand your reports in by Monday *at the latest*. 너는 늦어도 월요일까지 보고서를 제출해야 한다.

Latin [lætin] *n. adj.* 라틴어(의), 라틴계 사람(의)

latitude [lætətjùːd] *n.* **1** 위도 *cf.* longitude 경도 **2** (견해·행동 등의) 폭, 허용 범위

latter [lætər] *adj.* (late의 비교급) (명사 앞에만 쓰임) **1** 뒤의, 후자의, 끝의: the *latter* half 후반부 **2** (the latter) (종종 대명사적) (둘 중의) 후자(의) OPP the former
※ the former(전자) … the latter(후자)와 같이 상관시켜서 쓰는 경우가 많다. 이 경우, 수는 이들이 가리키는 말의 수에 따라 결정된다.: I compared the foreign articles with their domestic counterparts, and found *the latter* were better than *the former*. 외제품과 국산품을 비교해 보니 후자(국산품)가 전자(외제품)보다 우수함을 알

게 되었다.
— **latterly** *adv.*

*****laugh** [læf] *v.* [I] 웃다: I couldn't stop *laughing*. 나는 웃음을 멈출 수 없었다. / He's so funny—he always makes me *laugh*. 그는 너무 재미있다. 항상 나를 웃게 만든다.
n. **1** 웃음; 웃음소리: He gave a little *laugh*. 그는 작게 웃음소리를 냈다. **2** 웃음거리, 농담
— **laughable** *adj.* 우스운 **laughing** *adj.* 웃는, 웃고 있는
숙어 **for a laugh** 농담으로
have the last laugh ⇨ last¹
laugh at 1 …을 보고[듣고] 웃다: He *laughed at* my joke. 그는 나의 농담을 듣고 웃었다. / His view is not to be *laughed at*. 그의 견해는 웃어 넘길 수 없다. **2** 비웃다: He *laughed at* me. 그는 나를 비웃었다.
laugh away (슬픔·걱정 등을) 웃어 풀어[떨쳐] 버리다: He *laughed* his fear *away*. 그는 웃음으로 두려움을 떨쳐 버렸다.

laughter [læftər] *n.* 웃음, 웃음소리

launch [lɔːntʃ] *v.* [T] **1** (새로 만든 배를) 진수하다, 발진시키다, (로켓·우주선 등을) 발사하다 **2** (새로운 일·사업 등에) 착수하다, (신제품을) 발매하다: We'll *launch* a new product next week. 우리는 다음 주에 신제품을 낼 것이다.
n. **1** (보통 the launch) (배의) 진수; (로켓) 발진, 발사; 진수[발사]대 **2** 모터보트

launder [lɔːndər] *v.* **1** [I,T] …을 세탁하다: This fabric *launders* well. 이 직물은 세탁이 잘 된다. **2** [T] (불법적인 돈을 외국 은행 또는 제 3자에게 이동시켜) 출처를 위장하다, 돈세탁하다

Laundromat [lɔːndrəmæt] *n.* ([영] launderette) [미] 동전을 넣어 작동시키는 전기 세탁기의 일종[상품명] 또는 이것을 설치한 곳, 빨래방

*****laundry** [lɑːndri] *n.* **1** (집합적) 세탁물 **2** 세탁소[실]

L

laureate [lɔ́ːriit] *adj.* 월계관을 쓴; 영예로운

n. **1** 영예를 받은 사람, (영예로운) 수상자: a Nobel *laureate* 노벨상 수상자 **2** 계관 시인 (poet laureate)

laurel [lɔ́ːrəl] *n.* **1** [식물] 월계수 **2** (승리의 표시로서) 월계수 잎, 월계관 **3** (laurels) 승리, 명예

— **laureled** *adj.* 월계관을 쓴, 영예를 얻은

lava [láːvə] *n.* 용암, 화산암

lavatory [lǽvətɔ̀ːri] *n.* **1** 수세식 변기 **2** 세면장, 화장실 cf. toilet 변기, 화장실

lavender [lǽvəndər] *n.* [식물] 라벤더

lavish [lǽviʃ] *adj.* **1** 아낌 없는, 관대한: He's never very *lavish* with his praise. 그는 칭찬하는 데 있어 결코 관대하지 않다. ⃞SYN generous **2** 낭비벽이 있는, 사치스런: She was always very *lavish* with clothes. 그녀는 늘 옷에 대해서는 사치스러웠다. ⃞SYN extravagant **3** 지나치게 많은, 풍부한: a *lavish* meal 풍성한 식사

v. [T] **1** (돈·애정 등을) 아낌 없이 주다 (on): My father *lavishes* money on the poor. 아버지는 가난한 사람들에게 아낌 없이 돈을 주신다. **2** 낭비하다

*★**law** [lɔː] *n.* **1** (the law) 법률, 법, (개개의) 법률, 법규: international *law* 국제법 / Everybody is equal before the *law*. 법 앞에는 만인이 평등하다. / Drunken driving is against the *law*. 음주 운전은 법에 위배된다. **2** 법학: He is majoring in *law* at the university. 그는 대학에서 법학을 전공하고 있다. **3** (과학·기술·수학의) 법칙: the *law* of gravity 중력의 법칙

— **lawgiver** *n.* 입법자, 법률 제정자

⃞숙어 **law and order** 법과 질서, 치안

law-abiding [lɔ́ːəbàidiŋ] *adj.* 법률을 지키는, 준법의: *law-abiding* citizens 준법 시민

lawful [lɔ́ːfəl] *adj.* 합법[적법]의, 정당한: We'll use only *lawful* means. 우리는 합법적인 방법만을 사용할 것이다. ⃞OPP illegal, illegitimate

■ 유의어 lawful
lawful 법률에 의해 허가·인가되어 있는, 법률에 위반되지 않는: a *lawful* enterprise 합법적인 기업 **legal** 법률에 의해 처리가 되어 있는, 법률에 관한: a *legal* holiday 법정 공휴일 **legitimate** 자격이나 권리 등이 법률·사회·통념 등에 의해 정당하다고 인정받고 있는: a *legitimate* claim 정당한 요구

lawless [lɔ́ːlis] *adj.* **1** 불법의, 비합법적인 **2** (사람이) 법률에 따르지 않는, 멋대로 구는

— **lawlessness** *n.*

lawn [lɔːn] *n.* 잔디(밭)

lawn mower [lɔ́ːnmòuər] *n.* 잔디 깎는 기계

lawsuit [lɔ́ːsùːt] *n.* 소송, 고소: bring in a *lawsuit* against …를 상대로 하여 소송을 제기하다

lawyer [lɔ́ːjər] *n.* 법률가, 변호사

lax [læks] *adj.* **1** (정신·덕성 등이) 해이한, 단정치 못한: He is *lax* in moral. 그는 품행이 단정치 못하다. **2** (규율 등이) 엄하지 않은: Security in the school seems *lax*. 교내 안전이 허술한 것 같다.

laxative [lǽksətiv] *n.* 설사약

adj. 대변을 나오게 하는

*★**lay**[1] [lei] *v.* [T] (laid-laid) **1** 눕히다: She *laid* the baby down on her bed. 그녀는 아기를 침대에 눕혔다.

2 두다, 놓다: I *laid* your book on the desk. 네 책을 책상 위에 두었다.

3 깔다, 부설(건조)하다: We'll *lay* a carpet on a corridor. 우리는 복도에 카페트를 깔 것이다. / *lay* (down) a railroad 철도를 부설하다

4 (계획 등을) 세우다, 준비하다; (식탁 등을) 차리다: *lay* plans 계획을 세우다 / Honey, please *lay* the table. 여보, 식탁을 좀 차려 줘요.

5 (알을) 낳다: Hens *lay* eggs. 암탉은 알을

낳는다.

6 (명사와 함께 쓰여 비슷한 의미로) …하다: They *laid* all the blames on her. = They blamed her. 그들은 그녀에게 모든 잘못을 전가했다. / *lay* emphasis on (= emphasize) …을 강조하다

[숙어] **lay aside 1** 옆에 두다, 떼어 두다, 저축해 두다: He *laid aside* 500 won every day. 그는 매일 500원씩 저금했다. **2** 버리다, 중지하다: They *laid aside* all hopes of rescue. 그들은 구조에 대한 모든 희망을 포기했다.

lay by 저축하다

lay down 1 (원칙을) 규정하다, 세우다: We need to *lay down* strict rules. 우리는 엄격한 규칙을 세울 필요가 있다. **2** 내려놓다 **3** 버리다: They *laid down* their arms and surrendered. 그들은 무기를 버리고 항복했다.

lay off 1 해고하다: One hundred more people were *laid off* last week. 100명이 추가로 지난 주에 해고되었다. **2** 그만두다: *Lay off* bothering me! 날 좀 그만 귀찮게 해!

lay out 1 펼치다, 진열하다: He *laid the* map *out* on the table. 그는 식탁 위에 지도를 펼쳐 놓았다. **2** 계획〔설계〕하다, 배열〔배치〕하다 [SYN] arrange **3** 돈을 쓰다: I *laid out* $500 on vacation. 나는 휴가에 500달러를 썼다. [SYN] spend

lay up 1 (병·상처로) 일하지 못하게 하다, 몸져눕게 하다: I was *laid up* with flu. 나는 독감으로 몸져누워 있었다. **2** 저축〔저장〕하다: Ants *lay up* food in summer against winter. 개미는 겨울을 대비하여 여름에 먹을 것을 저장한다. [SYN] store, deposit

lay² [lei] *adj.* (명사 앞에만 쓰임) **1** (성직자에 대해) 평신도의 **2** (특히 법률·의학에 대해) 전문이 아닌, 문외한의

layer [léiər] *n.* **1** 층, 겹: It's very cold, so I wore several *layers* of clothing.

너무 추워서 나는 옷을 여러 겹 껴입었다. **2** [지질] 단층 **3** (한 번) 칠하기, 바르기

*****lazy** [léizi] *adj.* (lazier-laziest) **1** 게으른: Don't be *lazy*. Come and help me clean up. 게으름 피우지 말고, 이리 와서 청소하는 거나 거들어라. [SYN] idle **2** 움직임이 느린: a *lazy* river 천천히 흐르는 강 **3** 활기 없는, 나른한: a *lazy* afternoon 나른한 오후 — **lazily** *adv.* **laziness** *n.*

lb. *abbr.* (*pl.* lb., lbs.) pound 파운드 (중량 단위)

※ lb.는 중량 단위 pound의 약어이고, £는 통화 단위 pound의 기호이다.

*****lead¹** [li:d] *v.* (led-led) **1** [T] 인도하다, 인솔하다, 안내하다: This road will *lead* you to the station. 이 길을 따라가면 역이 나올 것이다. / A military band is *leading* the parade. 군악대가 퍼레이드의 선두에 서 있다. [SYN] guide

2 [I] (길·문 등이) …에 이르다, 통하다: The door *leads* into the garden. 그 문은 정원으로 통한다.

3 [I] …로 이끌다, 결국 …이 되다 (to): All roads *lead* to Rome. [속담] 모든 길은 로마로 통한다. / His carelessness *led* to a traffic accident. 그의 부주의 때문에 교통사고가 났다.

4 [T] (부정사를 동반하여) 꾀다; …할 생각이 나게 하다: What *led* you to think so? 어떻게 그런 생각을 하게 되었는가?

5 [T] (생활을) 보내다: *lead* a happy life 행복하게 살다

6 [I,T] 선두에 서다, (…에서) 능가하다: He is *leading* in election. 그는 선거에서 앞서고 있다.

7 [I,T] (춤·토론 등을) (앞장 서서) 개시〔시작〕하다: The chairman *led* the discussion. 의장이 토론을 개시했다.

n. **1** (the lead) 선도, 지도, 지휘

2 (경기 등에서) 앞섬, 리드: Who is in the *lead*? 누가 선두냐?

3 (영화·연극 등에서) 주역, 주연: He plays

L

the *lead* in the new movie. 그는 새 영화에서 주역을 맡아 하고 있다.
4 (문제 해결의) 단서, 실마리: The police have several *leads*. 경찰은 몇 개의 단서를 가지고 있다.
5 (신문 기사의) 첫머리

[숙어] **lead ... astray** 잘못된 방향으로 이끌다, 미혹시키다 [SYN] mislead

lead the way 1 안내하다: The waiter *led the way* to the table. 웨이터가 식탁으로 안내했다. **2** 솔선하다, 모범을 보이다

lead up to …의 실마리가 되다; …으로 화제를 끌고 가다

lead² [led] *n.* **1** [금속] 납 (금속 원소; 기호 Pb) **2** 흑연, 연필심
— **unleaded fuel** *n.* 무연(납을 첨가하지 않은) 휘발유

leader [líːdər] *n.* **1** 지도자, 주장 **2** 선두: Our company is a *leader* in the women's clothing industry. 우리 회사는 여성 의류 산업에 있어 선두이다.

leadership [líːdərʃìp] *n.* **1** 지도, 지휘, 통솔: Who will take over the *leadership* of the meeting? 누가 모임의 지휘를 떠맡을 거지? **2** 지도력, 통솔력, 리더십 **3** 지도부, 수뇌부

leading [líːdiŋ] *adj.* **1** 주요한, 주된: He is a *leading* expert in this field. 그는 이 분야의 주요한 전문가이다. **2** 이끄는, 지도하는

***leaf** [líːf] *n.* (*pl.* leaves) **1** 잎, 나뭇잎, 풀잎 **2** (책의) 한장
v. [I] **1** 잎이 나다 **2** 책장을 급히 넘기다 (through)
— **leafy** *adj.* 잎이 많은 **leafless** *adj.* 잎이 없는

[숙어] **turn over a new leaf** 마음을 고쳐먹다, 새 생활을 시작하다: I've decided to *turn over a new leaf* and do lots of exercise from now on. 나는 마음을 고쳐먹고 지금부터 계속 많은 운동을 하기로 결심했다.

leaflet [líːflit] *n.* 리플릿 (낱장으로 된 인

쇄물), 전단 광고: They are handing out *leaflets* to passers-by. 그들은 지나가는 사람들에게 전단지를 나눠 주고 있다.

league [líːg] *n.* **1** 연맹, 동맹, 리그: the football *league* 축구 리그 **2** (집합적) 연맹 참가자(단체, 국가): the *League* of Nations 국제 연맹 **3** (품질·등급에 의한) 부류, 범주

[숙어] **in league** (with) …와 동맹(연합)하여, 결속하여

in the same league with …와 같은 우수한 부류인: She is not *in the same league with* us. 그녀는 우리와 같은 상위권이 아니다.

***leak** [líːk] *v.* **1** [I,T] 새다, 새게 하다: My shoes are *leaking*. 내 신발에 물이 새어 들어오고 있다. / The pipe seems to be *leaking* gas. 파이프에서 가스가 새는 것 같다. **2** [T] (비밀 등을) 누설하다 (to)
n. **1** 새는 곳(구멍) **2** 새는 물(증기, 가스); 누출: a gas *leak* 가스 누출 **3** (비밀의) 누설
— **leaky** *adj.*

[숙어] **leak out** (정보·비밀 등을) 누설하다

leakage [líːkidʒ] *n.* **1** 누출, 새어 나옴: A lot of water is wasted through *leakage*. 많은 물이 누수로 낭비되고 있다. **2** (비밀의) 누설

***lean¹** [líːn] *v.* (leaned-leaned, leant-leant) **1** [I,T] 상체를 굽히다, 구부리다: *Lean* your head forward a bit. 머리를 약간 앞으로 숙여라. **2** [I] 기울다, 경사지다: The old church *leans* to the right a bit. 그 오래된 교회는 약간 오른쪽으로 기울어져 있다. **3** [I,T] 기대다 (against, on): She *leaned* against the wall. 그녀는 벽에 기댔다. / I *leaned* on my mother's arms. 나는 엄마의 팔에 기댔다. **4** [I] (사상·감정 등이) 기울다, …에 치우치다: He *leans* toward nihilism. 그는 허무주의에 기울어져 있다.
n. **1** 경사 [SYN] slope **2** 치우침, 구부러짐 [SYN] bend

[숙어] **lean on** (upon) …에 기대다, 의지하다: Don't *lean* too much *on* others.

남에게 너무 의지하지 마라.

lean² [li:n] *adj.* **1** (사람·동물이) 야윈, 마른 **2** (고기가) 지방이 적은 **3** (땅이) 메마른, 수확이 적은: lean crops 흉작

leap [li:p] *v.* (leaped-leaped, leapt-leapt) **1** [I,T] 껑충 뛰다, 뛰어넘다, 도약하다: The horse leaped the hurdle. 말이 장애물을 뛰어넘었다. / I leapt out of bed. 나는 침대에서 뛰어나왔다. **2** [I] 날쌔게 움직이다: He leaped to the side to avoid a car. 그는 차를 피하려고 옆으로 날쌔게 움직였다.
n. **1** 뜀, 도약 [SYN] jump **2** 급증
[숙어] **leap at** (제안에) 기꺼이 응하다, (기회 등을) 재빠르게 포착하다: I leaped at the chance to work in Japan. 나는 일본에서 일할 수 있는 기회를 재빨리 잡았다.

***learn** [lə:rn] *v.* (learned-learned, learnt-learnt) **1** [I,T] …을 배우다, 익히다: He learns French. 그는 프랑스 어를 배운다. / I'm learning to swim. 나는 수영을 배우고 있다. **2** [I,T] (들어서) 알다, 듣다 (of, about): I learned of the accident today. 나는 오늘 그 사고에 대해 알았다. **3** [T] 암기하다, 기억하다: I should learn all those lines. 나는 모든 대사를 외워야 한다. **4** [I] 겪어 알다, 체득하다: It's important to learn from your mistakes. 실수를 통해 체득하는 것은 중요하다.
[숙어] **learn by heart** 암기하다: We should learn a poem by heart for homework. 숙제로 시를 암기해야 한다. [SYN] memorize
learn one's lesson 1 학과를 공부하다 **2** (경험으로) 교훈을 얻다, 배우다

■ **유의어 learn**

learn 경험·학습으로 지식을 얻음.
study learn보다 노력을 요하며 전문적 또는 특수한 것을 배운다는 의미로 쓰임.

---

learned [lə́:rnid] *adj.* 학문〔학식〕이 있는

learner [lə́:rnər] *n.* 학습자: advanced learners of English 고급 수준의 영어 학습

자들

learning [lə́:rniŋ] *n.* **1** 학습, 배우기 **2** 학문, 학식

lease [li:s] *n.* (토지·건물 등의) 차용 계약, 임대차 계약: The lease on the flat expires in two years. 아파트의 임대 계약은 2년 후가 만기다.
v. [T] (토지·건물 등을) 임대하다, 빌리다: We decided to lease the building. 우리는 그 건물을 임대하기로 결정했다.
— **leasable** *adj.* **leaser** *n.*

leasehold [líːshòuld] *adj.* 임차한
n. 토지 임차권

least [li:st] *adj.* (little의 최상급) **1** 가장 작은〔적은〕: the least sum 최소액 **2** (중요성·가치·지위가) 가장 적은〔낮은〕
adv. 가장 적게〔작게〕 [OPP] most
n. 최소, 최소량〔액〕
[숙어] **at (the) least 1** (보통 수사 앞에 써서) 적어도: The repairs will cost at least $100. 수리비는 적어도 100달러는 들 것이다. [OPP] at most **2** 어쨌든, 좌우간: You must at least try. 어쨌든 해 봐야 한다.
last but not least ⇨ last
least of all 가장 …이 아니다, 특히 …아니다: He liked it least of all. 그는 그것을 가장 싫어했다. / Least of all do I want to hurt you. 너에게 상처 입히고 싶은 생각은 조금도 없다.
not in the least (bit) 조금도 …하지 않은, 조금도 …이 아닌: I do not remember it in the least. 나는 그것을 전혀 기억하지 못한다. [SYN] not at all
to say the least 줄잡아 말한다 해도: He was deeply offended, to say the least. 줄잡아 말한다 해도, 그는 몹시 화가 났었다.

***leather** [léðər] *n.* **1** 가죽: a leather jacket 가죽 재킷 **2** 가죽 제품
— **leathery** *adj.* 가죽 비슷한

***leave¹** [li:v] *v.* (left-left) **1** [I,T] 떠나다, 출발하다: We'll leave Korea for

L

America tomorrow. 우리는 내일 한국을 떠나 미국으로 간다.

2 [T] …한 채로 놔두다: *Leave* the door open. 문을 열어 둬라.

3 [T] 깜박 잊고 두고 가다: I *left* my umbrella on the bus. 버스에 우산을 두고 내렸다.

4 [T] (결과 · 흔적 등을) 남기다: The wound *left* a scar. 그 부상으로 흉터가 남았다.

5 [T] (사용한 뒤에) …을 남기다, 챙겨 놓다: I *left* some cake for you. 너를 위해 케이크를 좀 남겨 두었다.

6 [T] 남기다, (편지 등을) 두고 가다: My mother *left* a note for me. 엄마는 내게 메모를 남기셨다.

7 [T] …을 사후에 남기다, 남겨 놓고 죽다: He *left* his wife $10,000 by will. 그는 부인에게 유언으로 1만 달러를 남겨 놓고 죽었다.

8 [T] 맡기다, 위임하다: *Leave* the matter to me. 그 일은 나에게 맡겨라.

9 [T] (직장 · 학교 등을) 그만두다: He had to *leave* school. 그는 학교를 그만두어야 했다.

[숙어] **leave alone** 혼자 내버려 두다, 간섭하지 않다: Please, *leave* me *alone*! 나 좀 내버려 둬!

leave behind …을 두고 가다〔오다〕, 놔둔 채 잊다: I *left* my bag *behind* on the bench. 나는 가방을 벤치에 두고 왔다. / He has *left* his beloved home *behind* him. 그는 정든 집을 뒤로 하고 떠났다.

leave ... in the lurch 곤경에 처한 사람을 못 본 체하다

leave off 1 그만두다: I *left off* my writing. 나는 작문을 그만두었다. / Has the rain *left off* yet? 비는 벌써 그쳤는가? **2** (옷을) 벗다: We *leave off* our winter underwear when the warm weather comes. 날씨가 따뜻해지면 겨울 내의를 벗는다.

leave out 빼다, 생략하다: He *left out* a word. 그는 단어 하나를 빠뜨렸다.

leave over 1 남기다: There was some food *left over*. 남은 음식이 좀 있었다. **2** 미루다, 연기하다

leave² [liːv] *n.* **1** 허가, 허락: He was absent without *leave*. 그는 무단 결근했다. [SYN] permission **2** 휴가 (기간): She's on sick *leave*. 그녀는 병가 중이다. **3** 작별 [SYN] farewell
[숙어] **on leave** 휴가로: He went *on leave* for three weeks. 그는 3주간 휴가였다.

take one's leave 작별 인사를 하고 떠나다

leavings [líːviŋz] *n.* (*pl.*) 나머지, 쓰레기, 찌꺼기

lecture [léktʃər] *n.* **1** (a lecture) 강의, 강연 (on, about): a *lecture* hall 강당 / He gives a *lecture* on Korean history. 그는 한국사를 강연한다. **2** 설교, 훈계, 잔소리
v. [I,T] **1** 강의하다, 강연하다 (on, about): She *lectures* on mass media at the University. 그녀는 대학에서 대중 매체에 대해 강의한다. **2** 설교하다, 훈계하다: He *lectured* Tom severely. 그는 톰에게 호되게 훈계했다.
— **lecturer** *n.* 강사

ledge [ledʒ] *n.* **1** (벽에서 돌출한) 선반 **2** 바위 턱, 암초

leek [liːk] *n.* [식물] 부추

*****left** [left] *adj.* 왼쪽의: the *left* hand 왼손
adv. 왼쪽에〔으로〕: Turn *left* at the corner. 모퉁이에서 왼쪽으로 돌아가라.
n. 왼쪽: Our house is on the *left*. 우리 집은 왼쪽에 있다. [OPP] right

left-hand *adj.* (명사 앞에만 쓰임) 왼손의, 왼쪽〔편〕의, 좌측의: a *left-hand* drive car 왼쪽 핸들의 차

left-handed *adj.* 왼손잡이의, 왼손용의
adv. 왼손으로, 왼손에: She writes *left-handed*. 그녀는 왼손으로 글씨를 쓴다.

— **left-handedness** *n.*

leftover [léftòuvər] *adj.* 나머지의, 먹다 남은 것의

n. (종종 *pl.*) 나머지, (먹다) 남은 음식

***leg** [leg] *n.* **1** (사람·동물·책상 등의) 다리 **2** (옷의) 다리 부분, 자락 **3** (경주의) 한 구간

※ leg는 다리 전체를 말하고, foot은 발목 (ankle) 아래 부분을 말한다.

[숙어] **pull one's leg** ⇨ pull

stretch one's legs ⇨ stretch

legacy [légəsi] *n.* 유산

***legal** [lígəl] *adj.* (명사 앞에만 쓰임) 법률 (상)의: What is the *legal* age for obtaining a driver's license? 운전 면허를 취득하기 위한 법정 연령은 몇 살인가? **2** 합법의, 정당한 [OPP] illegal

— **legally** *adv.*

legality [li:gǽləti] *n.* 적법, 합법성

legalize, legalise [lí:gəlàiz] *v.* [T] 법률상 정당하다고 인정하다, 법률〔합법〕화하다

— **legalization, legalisation** *n.*

legend [lédʒənd] *n.* **1** 전설, 전해 오는 이야기: the *legend* of King Arthur 아더왕의 전설 / ancient Chinese *legends* 고대 중국의 전설 [SYN] myth **2** 전설 문학, 고전, 신화 **3** 전설적인 인물〔사건〕: a football *legend* 축구의 전설적인 인물 **4** (지도·도표 등의) 범례

— **legendary** *adj.* 전설(상)의

■ 유의어 **legend**

legend 입으로 전해진 이야기로 역사적인 근거가 있기도 하고 없기도 함. **myth** 신에 관한 이야기. **anecdote** 유명인의 숨은 일면을 나타내는 행위나 사건을 말한 짧은 이야기.

legible [lédʒəbəl] *adj.* (글씨·인쇄가) 읽기 쉬운: Her handwriting was so small that it's barely *legible*. 그녀의 자필은 너무 작아서 거의 읽을 수 없었다. [OPP] illegible

— **legibly** *adv.* **legibility** *n.*

legion [lí:dʒən] *n.* **1** (고대 로마의) 군단 **2** 군단, 군대 [SYN] army **3** 다수

— **legionary** *adj.*

legislate [lédʒisleit] *v.* [I] 법률을 제정하다 (for, against): We need to *legislate* for the preservation of nature. 자연 보호에 관한 법률을 제정할 필요가 있다.

— **legislative** *adj.* **legislator** *n.* 입법자 **legislature** *n.* 입법부

legislation [lèdʒisléiʃən] *n.* **1** 입법, 법률 제정 **2** (집합적) 법률, 법제

legitimate [lidʒítəmit] *adj.* **1** 이치에 맞는, 합리적인: a *legitimate* excuse 이치에 맞는 변명 **2** 합법의, 정당한 **3** 정통의; 적출의: a *legitimate* child 적출자, 본처 소생 [OPP] illegitimate

— **legitimately** *adv.* **legitimacy** *n.*

***leisure** [lí:ʒər] *n.* **1** 틈, 여가: *leisure* activities 여가 활동 / How do you spend *leisure* time? 여가 시간에 뭘 하니? / I have no *leisure* for reading. 나는 느긋하게 독서할 틈이 없다. **2** 한가한 시간, 자유 시간: a life of *leisure* 한가한 생활

[숙어] **at one's leisure** 한가한 때에, 편리한 때에: Visit museums and galleries *at your leisure*. 한가한 때 박물관과 미술관에 가 봐.

leisurely [lí:ʒərli] *adj.* 느긋한, 여유 있는: He cycles at a *leisurely* pace. 그는 여유 있는 속도로 자전거를 탄다.

adv. 천천히, 유유히

***lemon** [lémən] *n.* **1** 레몬, 레몬나무 **2** 레몬색

lemonade [lèmənéid] *n.* 레몬수, 레모네이드 (레몬즙에 설탕과 물을 탄 청량 음료)

***lend** [lend] *v.* [T] (lent-lent) **1** 빌리다, 빌려 주다, 대출하다: Could you *lend* me 50 dollars? 50달러 빌려 줄 수 있나요? / He *lent* me his laptop. 그는 나에게 휴대용 컴퓨터를 빌려 주었다. [OPP] borrow **2** (힘·원조를) 주다, 제공하다 (to)

[숙어] **lend a hand** 거들다, 돕다: When

L

I moved to another house, my friends came to *lend a hand*. 내가 다른 집으로 이사할 때, 친구들이 도와 주러 왔다.

lend an ear 귀 기울여 들어 주다: He *lends an ear* to his friends' troubles. 그는 친구들의 고민거리를 귀 기울여 들어 준다.

lender [léndər] *n.* 빌려 주는 사람, 대금업자

***length** [leŋkθ] *n.* **1** 길이, 세로: It is ten feet in *length*. 길이가 10피트이다. **2** (시간의) 길이, 기간: The *length* of the course is a month. 그 과정의 기간은 한 달이다. **3** 거리, 한도, 범위

[숙어] **at length 1** 드디어, 마침내: *At length* the tall steeple of St. Mary's Church came into view. 마침내 성모 마리아 교회의 높은 뾰족탑이 보였다. **2** 오랫동안, 충분히, 자세히: We discussed the matter *at great length*. 우리는 아주 자세히 그 문제에 대해 논의했다.

at some (any) length 상당히 자세하게 〔길게〕: The matter is scarcely important enough to discuss *at any length*. 그 문제는 자세히 논의해야 할 만큼 그렇게 중요하지는 않다.

go to great lengths 어떠한 것도 서슴지 않다: He *went to great lengths* to have what he wants. 그는 원하는 것을 갖기 위해 어떠한 일도 서슴지 않았다.

the length and breadth of ⋯의 전체에 걸쳐, ⋯을 남김없이: We traveled *the length and breadth of* Europe. 우리는 유럽 전체를 여행했다.

lengthen [léŋkθən] *v.* [I,T] 길게 하다, 연장하다, 길어지다: I want to *lengthen* this skirt. 이 치마를 좀 길게 하고 싶다. / The days *lengthen* in the summer. 여름철에는 해가 길어진다.

lengthways [léŋkθwèiz] *adj. adv.* 긴 〔길게〕, 세로의〔로〕 (lengthwise): Fold the paper *lengthways*. 종이를 세로로 접어라.

lengthy [léŋkθi] *adj.* (lengthier-lengthiest) **1** (시간이) 긴 **2** (연설 등이) 장황한

lens [lenz] *n.* (*pl.* lenses) **1** 렌즈 **2** 콘택트 렌즈 (contact lens) **3** (눈의) 수정체

Lent [lent] *n.* [기독교] 사순절 (부활절 전 40일간; 단식과 참회를 행함)

leopard [lépərd] *n.* 표범

leper [lépər] *n.* 나병 환자, 문둥이

less [les] *adj.* (little의 비교급) **1** (셀 수 없는 명사와 함께) 더 적은, (양·수에 있어서) 보다 적은: Eat *less* meat but more vegetable. 고기는 더 적게 먹고 채소를 더 많이 먹어라. / *Less* noise, please! 좀 더 조용히 해 주세요! [OPP] more **2** 한층 작은, 보다 작은, (크기·무게·가치 등에 있어서) (⋯보다) 못한 [OPP] greater

adv. **1** (형용사·명사·부사를 수식) 보다〔더〕 적게, ⋯만 못하여: We go to Paris *less* frequently now. 지금은 파리에 그리 자주 가지 않는다. / He was *less* a fool than I had expected. 그는 내가 생각했던 것만큼 어리석지 않았다. [OPP] more **2** (동사를 수식) (보다) 적게: He was *less* scared than surprised. 그는 무서웠다기보다는 오히려 놀랐다.

n. 보다 적은 양〔수, 액〕: I shall see you in *less* than a week. 일주일 이내에 뵙겠습니다.

prep. ⋯만큼 감한, ⋯만큼 모자라는: I earned $100 *less* tax. 세금 제하고 100달러를 벌었다. [SYN] minus

[숙어] **in less than no time** 매우 빠르게, 곧: I'll be there *in less than no time*. 곧 그리로 갈게.

less and less 점점 더 적게

more or less ⇨ more

no less than 1 ⋯와 마찬가지인: It is *no less than* a fraud. 그것은 사기 행위나 다름없다. **2** (수·양이) ⋯만큼이나: He has *no less than* 10 children. 그는 자녀가 10명이나 있다.

L

-less *suffix* **1** 명사에 붙여서 '…이 없는, …을 모면한, 무한한, 무수의'의 뜻의 형용사를 만듦.: child*less* 아이가 없는 / home*less* 집이 없는 / end*less* 끝없는 **2** 동사에 붙여서 '…할 수 없는, …않는'의 뜻의 형용사를 만듦.: tire*less* 지칠줄 모르는 / count*less* 셀 수 없는, 무한한

lessen [lésn] *v.* [I,T] 줄이다, 작게〔적게〕 하다: His help *lessened* my work. 그의 도움이 내 일을 줄여 주었다.

*****lesson** [lésn] *n.* **1** 학과, 수업, 수업 시간: She gives violin *lessons*. 그녀는 바이올린을 가르친다. / I take *lessons* in German from my uncle. 나는 삼촌에게서 독일어를 배우고 있다. **2** 교훈, 훈계: The child learned important *lessons* from this accident. 아이는 이번 사고로 중요한 교훈을 배웠다.

〔숙어〕 **learn one's lesson** ⇨ learn

teach ... a lesson ⇨ teach

lest [lest] *conj.* **1** …하지 않도록 **2** (fear, afraid 등의 뒤에서) …하지나 않을까 하여

〔숙어〕 **lest ... should ~** …가 ~하지 않도록: Work hard *lest* you *should* fail in the entrance examination. 입학 시험에 떨어지지 않도록 열심히 공부해라.

※ unless처럼 not의 뜻을 가지고 있으므로 lest ... should not으로 쓰지 말 것. be afraid, fear 등의 뒤에서 쓸 수도 있다.: I fear *lest* he (should) die. 나는 그가 죽지나 않을까 걱정이다.

*****let** ⇨ p. 406

*****letter** [létər] *n.* **1** 편지: I write a *letter* to my parents once a month. 나는 한 달에 한 번 부모님께 편지를 쓴다. / get a *letter* 편지를 받다 **2** 문자, 글자: a capital〔small〕*letter* 대〔소〕문자 **3** (letters) 문학: man of *letters* 문학가 〔SYN〕 literature

*****lettuce** [létis] *n.* [식물] 상추, 양상추

letup [létʌp] *n.* **1** 감소, 감속 **2** (노력·강도 등의) 정지, 완화: without a *letup* 끊임없이

*****level** [lévəl] *n.* **1** 수평, 평면: the *level* of the sea 해면 **2** 동일 수준〔수평〕, (수평면의) 높이: The water *level* in the lake is lower. 호수의 물 높이가 보다 더 내려갔다. / at eye *level* 눈 높이에 **3** (지위·품질 등의) 표준, 수준: the reading *level* of the third graders 3학년 학생들의 읽기 수준 **4** 평지, 평원: a dead *level* 평탄지

adj. **1** 수평인, 평평한: Make sure the floor is *level* before you put a table. 탁자를 놓기 전에 바닥이 평평한지 확인해라. **2** …와 동등한, 같은 수준〔높이, 정도〕의 (with): The boy's head was *level* with his father's shoulder. 소년의 머리가 그의 아버지의 어깨 높이와 같았다. / The two teams are *level* on 10 points. 두 팀은 10점으로 동점이다.

v. [T] (level(l)ed-level(l)ed) **1** 평평하게 하다, 고르다 **2** (건물을) 쓰러뜨리다: Our house was *leveled* in the earthquake. 지진으로 우리 집이 무너졌다. **3** 조준하다, 겨누다 (at): The hunter *leveled* a gun at a lion. 사냥꾼은 사자에게 총을 겨누었다.

〔숙어〕 **level off 1** 평평하게 하다〔되다〕 **2** (물가 등이) 안정되다: The population seems to *level off* at 3,000,000. 인구가 3백만 선으로 안정되는 것 같다.

level up〔down〕 표준을 올리다〔내리다〕

lever [lévər] *n.* [기계] 지레, 레버

v. [T] 지레로 움직이다, (지레를 써서) 비집어 열다: He had to *lever* the door open. 그는 문을 지레로 비집어 열어야 했다.

liability [làiəbíliti] *n.* **1** 책임이 있음, 책임, 의무 (for): I can't accept *liability* for any damage. 나는 어떠한 피해에 대한 책임도 인정할 수 없다. **2** 불리한 일〔사람〕: Poor health is a *liability* in getting a job. 안 좋은 건강은 직업을 구하는 데 불리한 요소이다. **3** (보통 *pl.*) 빚, 채무 〔SYN〕 debt

liable [láiəbəl] *adj.* (명사 앞에는 쓰이지 않음) **1** (법률상 부채·손해 등에 대해) 책임을 져야 할, …할 것을 면할 수 없는 (for): You

L

let

let [let] *v.* [T] (let-let; letting) **1** (…하는 것을) 허락하다, 하게 하다, 시키다: My parents *let* me go out late at night. 부모님은 내가 밤늦게 외출하는 것을 허락해 주셨다. / He wanted to travel abroad alone, but his father wouldn't *let* him. 그는 혼자 해외 여행을 하고 싶었지만 그의 아버지는 허락하지 않으셨다.

2 (제안·요구) …시켜 달라, …해 보고 싶다: *Let* me take that bag for you. 제가 그 가방 들어 드릴게요.

3 들여보내다, 가게(통과하게, 움직이게) 하다: Open the window and *let* some fresh air in. 창문을 열어서 신선한 공기가 좀 들어오도록 해라. / She *let* the dog in the house. 그녀는 개를 집 안으로 들여보냈다.

4 (제안·권유) …하자, …해 보자: *Let's* start at once, shall we? 즉시 시작합시다., 곧 떠납시다.

5 (토지·건물 등을) 세놓다, 임대하다 (out): This office is to be *let*. 이 사무실은 세놓습니다.

■ **용법** let

1 make는 상대방의 의사에 관계 없이 '…시키다'의 뜻인데 반해 **let**은 '…하는 것을 허락하다'의 뜻이다. 사역 동사이므로 'let+목적어+원형부정사'의 형식을 취한다.: *Let* me go. 저를 가게 해 주세요.

2 Let us, Let's는 '…하자'의 뜻으로 [lets]로 발음한다. [létəs]라고 발음하면 '우리로 하여금 …하게 해 다오'의 뜻이다. *Let's* start at once. 곧 떠납시다. 부정은 Let's not. 또는 Don't let's.이다.

3 Let's로 시작되는 글의 부가 의문문에는 shall we?를 붙인다.: *Let's* go out for a walk, *shall we*? 산책 좀 할까요?

4 명령문의 수동태는 'Let+목적어+be+과거분사'의 형식이 쓰인다.: Do it in this way. → *Let* it *be* done in this way.

그것을 이런 식으로 하시오.

5 'let+목적어+부사(구)'의 형태로도 쓰인다.: *Let* him in. 그를 맞아들여라. 이 경우 목적어 다음에 come 또는 go를 보충해서 생각하면 된다.

〔숙어〕 **let alone** …은 말할 것도 없고: I don't speak French, *let alone* Russian. 나는 러시아 어는 말할 것도 없고 프랑스 어도 할 줄 모른다. 〔SYN〕 not to speak of, not to mention

let down (…을) 실망(낙담)시키다: You will be there tomorrow — you won't *let* me *down*, will you? 내일 올 거지, 나를 실망시키지 않을 거지? 〔SYN〕 disappoint

let in 들이다, 통하다: Windows *let in* light and air. 창은 빛과 공기를 들여보낸다. / Please *let* me *in* the house. 제발 저를 집 안으로 들여보내 주세요.

let … go, let go of (잡고 있던 것을) 놓다: *Let go of* my hand. 내 손을 놔라.

let me see, let's see 글쎄, 어디 보자: *Let me see* — Where did I leave my key? 그런데 내가 열쇠를 어디 두었지?

let off (벌·일 등에서) 면제하다: The policeman *let* him *off* last time. 경찰은 지난 번에는 그를 면제해 주었다.

let on 폭로하다, (비밀을) 누설하다: I didn't *let on* that I was disappointed. 나는 실망한 눈치를 보이지 않았다.

let oneself go 1 자제를 잃다, 열중(열람)하다: It's a party — *let yourself go*! 파티니까 마음껏 즐겨라! **2** 옷차림에 무관심하다

let out (소리를) 지르다: *let out* a scream 고함을 지르다

let … slip (비밀을) 무심코 누설하다

let's say 예를 들면 〔SYN〕 for example, for instance

let up 늦추다, 그치다: The wind *let up*. 바람이 그쳤다. 〔SYN〕 cease

L

are *liable* for the damage. 손해 배상의 책임은 당신에게 있다. **2** (병 등에) 걸리기 쉬운 (to): Little children are *liable* to colds. 어린 아이들은 감기에 걸리기 쉽다. **3** (까딱하면) …하기 쉬운 (to do): We're all *liable* to make mistakes. 우리 모두는 잘못을 범하기 쉽다. / This area is *liable* to floods. 이 지역은 홍수 나기 쉽다.

liar [láiər] *n.* 거짓말쟁이

liberal [líbərəl] *adj.* **1** 편견이 없는, 관대한, 개방적인: My parents are very *liberal*. 나의 부모님은 매우 개방적이시다. **2** 후한, 풍부한: be *liberal* with one's money 돈을 잘 쓰다 **3** (정치·종교상의) 자유주의의: a *liberal* attitude 자유를 존중하는 태도

n. 편견 없는 사람, 자유주의자

— **liberally** *adv.* 관대하게, 너그럽게
liberality *n.* 너그러움, 관대함
liberalism *n.* 자유주의

liberate [líbərèit] *v.* [T] 해방시키다, 자유롭게 하다: Korea was *liberated* in 1945. 한국은 1945년에 해방되었다.

— **liberation** *n.*

***liberty** [líbərti] *n.* **1** 자유 〔SYN〕 freedom **2** 해방, 석방 **3** 멋대로 함: He took the *liberty* to do so. 그는 멋대로 그렇게 했다.

〔숙어〕 **at liberty 1** 자유로, 마음대로 …해도 좋은: I feel *at liberty* to put forward a few ideas and suggestions. 나는 자유로이 몇 가지 의견이나 제안을 내놓을 수 있을 것 같다. **2** 한가해서: I am *at liberty* for a few hours. 나는 2, 3시간 한가하다.

■ **유의어** freedom

freedom 자기가 하고 싶은 대로 마음대로 할 수 있는 것으로, 가장 넓은 의미로 절대적인 자유. **liberty** freedom과 같은 뜻으로 쓰일 때도 많지만 해방된 자유, 잠재적인 속박이 있는 상대적인 자유.

librarian [laibréəriən] *n.* 도서관 직원, 사서

***library** [láibrèri] *n.* **1** 도서관 **2** 서재

lice [lais] *n.* (*pl.*) (louse의 복수) 이, 기생충

***license, licence** [láisəns] *n.* **1** 허가증, 면허증: a driver's *license* 운전 면허증 **2** 면허, 인가, 승락: under *license* 면허를 받고

v. [T] 면허를 주다: The shop has been *licensed* to sell tobacco. 그 가게는 담배 판매를 허가받았다.

※ 동사의 경우 보통 license로 쓴다.

***lick** [lik] *v.* [T] 핥다: The cat *licked* the plate clean. 고양이는 접시를 깨끗이 핥았다.

n. 핥기, 한 번 핥기

***lid** [lid] *n.* **1** 뚜껑 **2** 눈꺼풀 (eyelid)

***lie¹** [lai] *v.* [I] (lied-lied; lying) 거짓말하다, 속이다 (to, about): He *lied* to me. 그는 나에게 거짓말을 했다.

n. (고의로 속이려는) 거짓말: Don't tell a *lie*. 거짓말하지 마라. / a white〔black〕 *lie* 악의 없는〔있는〕 거짓말

***lie²** [lai] *v.* [I] (lay-lain; lying) **1** (사람·동물 등이) 눕다, (물건이) 놓여 있다: *lie* down on the grass 풀밭에 눕다 / The book *lay* open on the table. 책이 탁자 위에 펴져 있었다. **2** … 상태에 있다: Snow *lay* on the ground. 눈이 지면에 쌓여 있었다. 〔SYN〕 remain **3** (원인·이유·책임 등이) …에 있다, 존재하다: Responsibility for the disaster *lies* with the government. 재난에 대한 책임은 정부에 있다. **4** …에 있다, 위치하다: Ireland *lies* to the west of England. 아일랜드는 영국의 서쪽에 있다.

〔숙어〕 **lie about〔around〕** 어지럽게 널려두다; 빈둥빈둥 지내다, 게을러빠지다

lie behind …의 원인〔배경〕이 되다: I think that something else *lies behind* his decision to resign. 그의 사직에 대한 결심에는 뭔가 다른 이유가 있다고 생각한다.

lie down 눕다, 자다

lie down on the job 일을 태만히 하다: Don't *lie down on the job* in any case.

L

어떤 경우에도 일을 태만히 하지 마라.

lie in 1 ···에 있다: Success *lies in* constant labor. 성공은 꾸준히 노력하는 데 있다. [SYN] consist in **2** 평소보다 늦게까지 누워 있다

lie in one's way ···의 앞길에 놓여 있다: A good opportunity *lies in your way*. 좋은 기회가 너의 앞길에 놓여 있다.

lie in wait (for) ···을 잠복하여 기다리다

lie low 은신하다; 의도를 숨기다, (말없이) 때를 기다리다

lie with (책임 등이) ···에 있다, ···의 의무(권한)이다: The fault *lies with* the teacher. 잘못은 선생님한테 있다. / It *lies with* you to decide. 네가 결정할 일이다.

■ **용법 lie**

lie '눕다'는 lie-lay-lain으로 활용되며, **lie** '거짓말하다'는 lie-lied-lied로 활용된다. -ing형은 둘 다 lying으로 쓴다. **lay** '눕히다' lay-laid-laid의 활용과 혼동하지 말 것.

---

lieutenant [luːténənt] *n.* 육군 중위, 해군 대위, 부관

*****life** [laif] *n.* (*pl.* lives) **1** 생명: Many *lives* were lost in the accident. 그 사고로 많은 생명을 잃었다. **2** 생물: There seems to be no *life* on the moon. 달에는 생물이 존재하는 것 같지 않다. **3** 수명: a long(short) *life* 장수(단명) **4** 일생, 인생: I want to spend the rest of my *life* in the country. 나는 남은 일생을 시골에서 보내고 싶다. **5** 인생: That's *life*. 인생이란 그런 것이다. **6** 생활(상태): city *life* 도시 생활 / I lead a busy *life*. 나는 바쁜 생활을 하고 있다. **7** 활기, 기운: She was all *life*. 그녀는 아주 활기찼다. **8** 실물, 산 모습: I wonder what that actor's like in real *life*. 나는 그 배우의 실생활이 어떤지 궁금하다. [숙어] **all one's life (through)** 한평생: I've studied *all my life*. 나는 한평생 공부를 해 왔다.

come to life 소생하다: Everyone thought he was drowned, but he *came to life*. 모두 그가 익사했다고 생각했으나 그는 소생했다.

for life 종신(의): a pension *for life* 종신 연금 / imprisonment *for life* 무기 징역

for one's life 필사적으로: I ran *for my life*. 나는 필사적으로 도망쳤다.

for the life of one (보통 부정문에서) 아무래도: I can't understand it *for the life of me*. 아무래도 난 모르겠다.

get a life 생활 태도를 바꿔라, 정신 차려라

live(lead) a life 생활을 하다: He *lived a* very happy *life*. 그는 매우 행복한 생애를 보냈다.

take one's own life 자살하다: He *took his own life* in the woods. 그는 숲속에서 자살했다.

take the life of ···을 죽이다: You have no right to *take the life of* another. 너에게 다른 사람을 죽일 권리는 없다.

lifeboat [láifbòut] *n.* 구명 보트, 구조선

lifeguard [láifgàːrd] *n.* (수영장·해변 등의) 인명 구조원 [SYN] lifesaver

lifeless [láiflis] *adj.* **1** 생명이 없는, 죽은 **2** 활기가 없는, 맥빠진

lifelike [láiflàik] *adj.* 살아 있는 것 같은: The doll is very *lifelike*. 인형이 정말 살아 있는 것 같다.

lifelong [láiflɔ̀(ː)ŋ] *adj.* (명사 앞에만 쓰임) 생애의, 평생의: a *lifelong* friend 평생의 친구

life-size(d) [láifsáiz(d)] *adj.* 실물 크기의: a *life-sized* statue 실물 크기의 동상

lifespan [láifspæ̀n] *n.* 수명: Men have a shorter *lifespan* than women. 남자들은 여자들보다 수명이 짧다.

lifestyle [láifstàil] *n.* 생활 방식

lifetime [láiftàim] *n.* 일생

*****lift** [lift] *v.* **1** [T] 들어올리다, 올리다 (up): *lift* (up) a table 탁자를 들어올리다 **2** [T] (눈·얼굴 등을) 들다, 위로 향하게 하다: *lift* up one's eyes 올려다 보다 **3** [T] (규칙 · 법 등을) 해제하다: The government *lifted* the ban on rice imports. 정부는 쌀 수입 금지를 해제했다. **4** [I,T] (기운을) 돋우다: The news *lifted* our spirits. 그 소식에 우리는 기뻤다. **5** [I] (구름 · 안개 등이) 걷히다, (비 등이) 그치다, 개다: The fog *lifted*. 안개가 걷혔다. **6** [T] (남의 문장을) 따다, 표절하다 (from): Most of her essays were *lifted* from other works. 그녀는 수필의 대부분을 다른 작품에서 표절했다.

n. **1** 들어올리기, 오르기 **2** (정신의) 고양, (감정의) 고조: The good news gave me quite a *lift*. 나는 좋은 소식으로 크게 기운을 얻었다. **3** (자동차에) 태우기, 편승: I'll give you a *lift* to the airport. 공항까지 내가 태워다 줄게. [SYN] ride **4** [영] 승강기 ([미] elevator)

[숙어] **lift off** (비행기 · 우주선 · 로켓 등이) 이륙하다, 발진하다

***light¹** [lait] *n.* **1** 빛: *light* and shade 명암 / dim *light* 희미한 빛 **2** 등: (종종 *pl.*) 교통 신호등: Suddenly all the *lights* went out. 갑자기 모든 전등이 꺼졌다. / Stop! You've got a red *light*. 멈춰! 빨간 신호등이야. **3** (발화를 돕는) 불꽃, 점화물, 담뱃불, 성냥: Will you give me a *light*? 불 좀 빌려주시겠습니까?

v. [I,T] (lighted-lighted, lit-lit) **1** 불을 붙이다; 불이 붙다: He *lighted* a lamp. 그가 램프를 켰다. / The street began to *light* up. 거리에 불이 켜지기 시작했다. **2** 밝게 하다, 비추다; 밝아지다, 빛나다: A great many candles *lit* the room. 수많은 촛불이 방을 밝혔다. / The sky *lights* up at a sunset. 하늘은 해질녘이면 밝아진다.

[숙어] **bring to light** 폭로하다, 드러내다
cast light on ⇨ cast
come to light 밝혀지다, 드러나다
in the light of 1 …에 비추어, … (관점) 에서 보면: They are valuable *in the light of* culture. 문화면에서 보면 그것들은

가치가 있다. **2** …의 모습으로, …로서: Don't view his conduct *in the light of* a crime. 그의 행위를 범죄로 보지 마라.

light up 1 밝게 하다, 빛나다: A large chandelier *lighted up* the room. 큰 샹들리에가 방을 밝게 했다. **2** (얼굴 · 눈이) 빛나다, 명랑해지다: Her face *lighted up* with pleasure. 그녀의 얼굴이 기쁨으로 명랑해졌다. **3** (담배 · 파이프에) 불을 붙이다
set the light to …에 불을 붙이다
shed light on ⇨ shed

***light²** [lait] *adj.* **1** 가벼운: a *light* overcoat 가벼운 외투 / Carry this bag. It's quite *light*. 이 가방을 날라라. 꽤 가볍다. [OPP] heavy **2** 밝은, 빛나는: a *light* room 밝은 방 / It's still *light*. Let's go out. 아직 환하다. 우리 나가자. [OPP] dark **3** (색깔이) 엷은, 연한: a *light* blue shirt 연한 푸른색 셔츠 [OPP] dark **4** 경미한, (양 · 정도가) 적은: a *light* rain 가랑비 / a *light* meal 가벼운 식사 / The traffic is *light* today. 오늘은 교통이 혼잡하지 않다. **5** 힘들지 않은, 수월한: *light* work 수월한 일 **6** (책 · 음악 등이) 딱딱하지 않은, 오락적인: *light* reading 가벼운 읽을거리 **7** (잠이) 깨기 쉬운, 선잠인: The boy is a *light* sleeper, so the slightest noise wakes him. 그 소년은 선잠을 잘 자서 아주 작은 소리에도 깬다.

adv. 가벼운 차림으로: I always travel *light*. 나는 늘 가벼운 차림으로 여행한다.

— **lightly** *adv.* **lightness** *n.*

light bulb [láitbÃlb] *n.* 백열 전구

lighten [láitn] *v.* [I,T] **1** 가볍게 하다, 가벼워지다 **2** 밝게 하다, 비추다, 빛나다

lighter [láitər] *n.* **1** 불 붙이는 사람[것] **2** 라이터, 점등[점화]기 **3** 거룻배

light-headed *adj.* **1** (술 · 고열 등으로) 머리가 어찔어찔한 **2** 사려 없는, 경솔한

light-hearted *adj.* **1** 쾌활한, 명랑한 **2** 아무 걱정 없는, 마음 편한

lighthouse [láithàus] *n.* 등대

lightning [láitniŋ] *n.* 번개, 전광: a *lightning* rod 피뢰침 / like *lightning* 번개같이, 전광 석화처럼
adj. 급속한, 매우 빠른: a *lightning* attack 급습

lightproof [láitprùːf] *adj.* 빛을 통과시키지 않는

****like¹** [laik] *v.* [T] **1** (물건·사람을) 좋아하다, 마음에 들다: I *like* green tea. 나는 녹차를 좋아한다. / Do you *like* your new teacher? 새 선생님이 마음에 드니? [SYN] be fond of [OPP] dislike **2** (…하는 것을) 좋아하다: I *like* to play tennis. 나는 테니스 치는 것을 좋아한다. **3** 바라다, …하고 싶다: Would you *like* coffee? 커피를 드시겠습니까? / Do what you *like*. I don't care. 네가 하고 싶은 대로 해. 나는 상관 없어.
n. (보통 *pl.*) 취미, 기호: What are your *likes* and dislikes? 네가 좋아하는 것과 싫어하는 것은 무엇이니?
[숙어] **if you like** 좋다면, 그렇게 하고 싶으면: You can stay here *if you like*. 괜찮으시다면 여기 머물러도 됩니다.

> ■ **유의어 like**
> **like** 가장 일반적인 말로 감정적인 강한 기분은 나타내지 않음. **love** '사랑하다'의 뜻으로 가장 강한 말이며 구어체임.: I *love* sports. 나는 스포츠를 정말 좋아한다. **be fond of** like보다 강한 뜻이며 구어에서 잘 쓰임. **care for** 흔히 부정·의문문으로 쓰임.: Do you *care for* sweets? 사탕 좋아해요?

****like²** [laik] *prep.* **1** …와 닮은, 비슷한: She looks *like* her mother. 그녀는 엄마를 닮았다. **2** …같이(처럼), 이를테면 …같은: He always acts *like* a child. 그는 항상 아이처럼 행동한다. / I enjoy most team games *like* football and basketball. 나는 축구나 농구 같은 대부분의 단체 경기를 좋아한다. [SYN] such as **3** …의 특징을 나타내는, …다운: It was just *like* you to be late. 지각

을 한 것은 역시 너답다.
conj. 마치 …처럼: It looks *like* rain. 비가 올 것 같다. / He acted *like* he felt sick. 그는 기분이 나쁜 듯이 행동했다.
n. 비슷한 사람(것), 같은 사람(것): We shall not see his *like* again. 그와 같은 사람은 다시 없을 것이다.
[숙어] **and the like** …따위, 등등, 기타: He studies music, painting, *and the like*. 그는 음악, 그림 등등을 공부한다. [SYN] and so forth
like anything(**crazy, mad**) 몹시, 아주: He's working *like anything* at the moment. 그는 현재 아주 열심히 일하고 있다.
nothing like ⇨ nothing
something like 대략, 약: It cost *something like* 10 dollars. 10달러정도 들었다.
That's more like it. 그 쪽이 더 낫다.

likelihood [láiklihùd] *n.* 있음직한 일, 가능성: There is no *likelihood* of his coming. 그가 올 가능성은 없다.
[숙어] **in all likelihood** 아마, 십중팔구: *In all likelihood* we shall be away for a week. 아마 우리는 일주일간 집을 비우게 될 것이다.

likely [láikli] *adj.* (likelier-likeliest) **1** 있음직한, 정말 같은: a *likely* story 있음직한(그럴듯한) 이야기 **2** …할 것 같은 (to do): He is *likely* to come. 그는 올 것 같다. / Winter is *likely* to be colder this year. 금년 겨울은 더 추울 것 같다. **3** 적당한, 알맞은: a *likely* place to fish 낚시질 하기에 적당한 장소 [SYN] suitable **4** 유망한: a *likely* young man 유망한 젊은이 [SYN] promising
adv. (종종 very, most, quite와 함께) 대개, 아마 [OPP] unlikely
[숙어] **not likely** 설마, 천만의 말씀, 어림없는 소리

likeness [láiknis] *n.* **1** 유사, 닮음 **2** 닮은

L

사람〔물건〕, 초상, 사진: a good〔bad〕
likeness 꼭 닮은〔닮지 않은〕 초상〔사진〕

likewise [láikwàiz] *adv.* **1** 이와 같이,
마찬가지로: He worked hard and we
must do *likewise*. 그는 열심히 했고 우리도
마찬가지로 열심히 해야 한다. SYN similarly
2 또한, 게다가 또: She works as a
teacher; her sister *likewise*. 그녀는 선생
님이다. 그녀의 언니 또한 선생님이다.

liking [láikiŋ] *n.* **1** 좋아함 (for) SYN
fondness **2** 기호, 취미

숙어 **have a liking for** …을 좋아하다:
He *has a* great *liking for* travel. 그는 여
행을 매우 좋아한다.

lilac [láilək] *n.* **1** [식물] 라일락 **2** 연보라
색

adj. 연보라색의

lily [líli] *n.* [식물] 백합

adj. 백합 같은, 백합 같이 흰

limb [lim] *n.* **1** (사람·동물의) 수족, 손발
2 (나무의) 큰 가지 SYN bough

숙어 **out on a limb** 몹시 불리한〔위험한〕
처지에

lime [laim] *n.* **1** [과일] 라임 (레몬과 비슷한
녹색의 신맛이 나는 과일) **2** 황록색 (lime
green) **3** 석회

— **limy** *adj.* 석회질의, 끈적끈적한

limelight [láimlàit] *n.* **1** 석회광 (석회를
산수소 불꽃에 대었을 때 생기는 강렬한 백광)
2 라임라이트 (무대 조명용) **3** (the
limelight) 각광〔주목〕의 대상: He loves
being in the *limelight*. 그는 주목받는 것을
아주 좋아한다.

limestone [láimstòun] *n.* 석회석, 석회
암

***limit** [límit] *n.* **1** 제한, 한계(선): a speed
limit 속도 제한 **2** (종종 *pl.*) (나라·토지·구
역 등의) 경계, 범위, 구역

v. [T] 한정하다, 제한하다 (to): *limit*
expenditures 지출을 제한하다 / *Limit*
your answer to 25 words. 스물 다섯 단
어 이내로 답해라.

숙어 **off limits** ([영] out of bounds)
출입 금지(의)

within limits 알맞게, 적당하게

limitation [lìmətéiʃ(ə)n] *n.* **1** 제한, 한정:
the *limitation* of nuclear weapons 핵
무기의 제한 **2** (limitations) (지력·능력 등
의) 한계, 한도, 취약점: It's important to
know your own *limitations*. 자신의 한
계를 아는 것이 중요하다.

limited [límitid] *adj.* (수·양·능력 등이)
한정된, 제한된, 부족한: *limited* resources
한정된 자원 OPP unlimited

limited company *n.* (*abbr.* Ltd) [영] 유
한 (책임) 회사

※ 회사 이름 뒤에 Limited 또는 Ltd.를 붙인
다.

limitless [límitlis] *adj.* 무한의, 무기한의

limousine [líməzì:n, lìməzí:n] (또는
limo) *n.* **1** 리무진 (운전석과 객석 사이에 유
리 칸막이가 있는 대형 자동차) **2** (공항과 시
내 사이의 여객 운송용) 소형 버스

limp¹ [limp] *v.* [I] 절뚝거리다

n. 발을 절기: have a bad *limp* 발을 몹시
절다

limp² [limp] *adj.* (몸 등이) 나긋나긋한, 흐
느적거리는

***line¹** [lain] *n.* **1** ① 선, 줄: a straight
〔dotted〕 *line* 직〔점〕선 ② (인체의) 줄, 주
름; (특히) 손금: She has deep *lines* in
her face. 그녀의 얼굴에 깊은 주름이 있다.

2 (글자의) 행, 몇 자〔줄〕: Drop me a *line*.
편지라도 한 통 보내 주세요. / read between
the *lines* 행간에 숨은 뜻을 알아 내다

3 ① (시의) 한 행〔줄〕, 시구: a five-*line*
poem 5행시 ② (lines) (연극의) 대사

4 열, 줄, [미] (순번을 기다리는) 사람의 줄
([영] queue): a *line* of trees 한 줄로 늘어선
나무들 / There is a long *line* of people
waiting at the shop. 상점에서 기다리는
사람들의 줄이 길다.

5 (종종 *pl.*) 방침, 주의, 경향, 방향: go on
the wrong *lines* 방침을 그르치다

L

6 밧줄, 끈: a fishing *line* 낚시줄

7 전선, 통신선, 전화선: Please hold the *line*. (전화를) 끊지 말고 기다리세요.

8 ① 길, 선로, (기차·버스 등의) 노선: an air*line* 항공로 ② 운수(송) 회사: a steamship *line* 기선 회사

9 상품의 종류: This store carries fine *lines* of hats. 이 상점은 좋은 종류의 모자를 취급한다.

10 (전투의) 전선, 방어선; (lines) 참호: We went into the front *lines*. 우리는 전선으로 나갔다.

11 핏줄, 혈통, 계열: He comes of a good *line*. 그는 좋은 집안 출신이다.

12 방면, 분야, 직업: What *line* of business are you in? 무슨 일을 하고 계십니까?

v. **1** [T] 선(줄)을 긋다 **2** [T] (선으로) …의 윤곽을 그리다, (눈에) 아이라인을 그리다 **3** [I,T] 일렬로 (늘어) 세우다 (up): The general *lined* up his troops. 장군은 부대를 정렬시켰다. **4** [T] (벽·길가 등에) 늘어서다: Cars *line* the street. 길에 차들이 열을 지어 서 있다. / The avenue is *lined* with rows of tall trees. 거리에는 큰 나무들이 줄지어 서 있다. **5** [T] (보통 과거분사로) (얼굴에) 주름살을 짓다 (by, with): a face *lined* with care 걱정으로 주름진 얼굴

숙어 **all along the line 1** (승리 등이) 전선에 걸친 **2** 모든 점에서, 전면적으로: He was successful *all along the line*. 그는 모든 점에서 성공했다.

drop(send) ... a line(a few lines) 몇 줄 써 보내다: *Drop* me *a line* to that effect. 그런 취지로 내게 몇 줄 써 보내라.

in line for …을 얻을 가망이 있어, …에 승산이 있어: He's *in line for* the chairmanship. 그는 회장직을 맡을 가망이 있다.

line² [lain] *v.* [T] **1** (종종 수동태) (의복 등의) 안을 대다: a coat *lined* with silk 명주 안감을 댄 코트 **2** 가득 채우다: The bird *lined* its nest with feathers. 새는 깃털로 둥지를 가득 채웠다.

lineal [líniəl] *adj.* 직계의, 정통의: a *lineal* descendant 직계 자손
— **lineage** *n.* 가계, 혈통

linear [líniər] *adj.* 직선의, 선 모양의

linen [línin] *n.* **1** 리넨, 아마포 **2** (집합적) 리넨 제품 (셔츠·속옷·시트 등); (특히 흰색의) 하의

liner [láinər] *n.* **1** 정기선 (특히 대양 항해의 대형 쾌속선), 정기 항공기 **2** 라이너 (사물을 깨끗이 하거나 보호하기 위해 안에다 대는 것)

lineup, line-up *n.* **1** 사람(물건)의 열 **2** (시합 개시 때의) 정렬, (선수의) 진용, 라인업

linger [língər] *v.* [I] **1** 더 머무르다, 떠나지 못하다: The smell of roses still *lingered* days later. 며칠이 지나도 장미향이 여전히 남아 있었다. / We *lingered* for a while after the party. 우리는 파티가 끝난 뒤 잠시 동안 떠나지 않았다. **2** (겨울·눈·의심 등이) 좀처럼 없어지지 않다, (병·전쟁이) 오래 끌다: Doubt *lingers*. 좀처럼 의심이 없어지지 않는다. / Her misery *lingered* on for days. 그녀의 고통은 여러 날 계속되었다.

linguist [língwist] *n.* **1** 여러 외국어에 능통한 사람 **2** (언)어학자

linguistic [liŋgwístik] *adj.* 언어(학)의, 어학(상)의; 언어 연구의

linguistics [liŋgwístiks] *n.* (*pl.*) (단수 취급) 어학, 언어학

lining [láiniŋ] *n.* **1** 안감 **2** 안(감)대기, 안받치기

***link** [liŋk] *n.* **1** 사슬의 고리, 고리 모양의 것 **2** 연결, 관계 (between): There's a *link* between smoking and lung cancer. 흡연과 폐암은 관계가 있다. **3** [컴퓨터] 연결, 연결로: Click on this *link* to visit the homepage. 그 홈페이지를 찾아가기 위해서는 이 링크를 클릭해라.

v. [T] 연결하다, 잇다: Let's *link* this rope with another. 이 밧줄을 다른 것에 연결하자.

숙어 **link up** (**with**) …와 제휴하다: We've *linked up with* an American company. 우리는 미국 회사와 제휴했다.

***lion** [láiən] *n.* 사자 *cf.* lioness 암사자

　숙어 **the lion's share** (**of**) 최대의 몫, 가장 좋은 부분, 노른자위

***lip** [lip] *n.* **1** 입술: upper〔lower〕*lip* 윗〔아랫〕입술 **2** (-lipped *adj.*) (복합어를 이루어) 입술이 …한: thin-*lipped* 입술이 얇은 **3** (잔·구멍·오목한 곳 등의) 입술 모양의 것

　숙어 **one's lips are sealed** 비밀을 지키다, 함구하다: Don't worry. *My lips are sealed.* 걱정하지 마. 비밀 지킬게.

lipstick [lípstìk] *n.* 립스틱, 입술 연지: put on some *lipstick* 립스틱을 바르다

liquefy [líkwifài] *v.* [I,T] 녹이다, 용해시키다; 녹다, 액화하다

***liquid** [líkwid] *n.* 액체, 유(동)체 *cf.* gas 기체, solid 고체

　adj. 액체의, 유동하는: *liquid* fuel 액체 연료

　■ 유의어 **liquid**
　liquid '액체'라는 뜻의 가장 일반적인 말.
　fluid '유동체·액체'라는 과학적인 말.
　liquor '액·알코올 음료'라는 뜻.

liquor [líkər] *n.* (일반적) 알코올 음료; [미] 독한 증류주

***list** [list] *n.* 목록, 표, 명부, 일람표: a shopping *list* 쇼핑 목록 / My name is first in the *list.* 내 이름이 명부 제일 처음에 있다. / make a *list* of …을 표로 만들다

　v. [T] 목록으로 만들다, (표에) 기입하다, 기재하다: *List* all the books you have to read. 네가 읽어야 할 모든 책을 목록으로 만들어라.

***listen** [lísən] *v.* [I] **1** 듣다, 귀를 기울이다 (to): *Listen* to me. 내 말을 잘 들어라. / We *listened* to him singing. 우리는 그가 노래하는 것을 들었다. **2** 경청하다, 따르다: You should *listen* to your teacher's advice. 너는 네 선생님의 조언에 따라야 한다.

　n. 듣기, 들음: Have a *listen.* 들어 보시오.

숙어 **listen in 1** 도청하다, 엿듣다 (on): Have you been *listening in* on my phone calls? 내 전화를 도청해 왔던 거니? **2** (라디오를) 듣다 (to): I usually *listen in* to the news at noon. 나는 보통 정오에 라디오 뉴스를 듣는다.

listen (**out**) **for** …을 들으려고 귀를 기울이다: I *listen for* a foot step. 나는 발소리를 들으려고 귀를 곤두세우고 있다.

　■ 유의어 **listen**
　listen 주의해서 듣는 경우에 쓰임. **hear** 귀에 들려와서, 들으려는 의사와는 상관 없이 듣는 경우에 쓰임.

listener [lísnər] *n.* **1** 듣는 사람, 경청자: He's a good *listener.* 그는 정말 열심히 듣는 사람이다. **2** (라디오 방송) 청취자

listless [lístlis] *adj.* …할 마음이 없는, 열의 없는, 무관심한

— **listlessly** *adv.*

liter, litre [lí:tər] *n.* (*abbr.* l., lit.) [단위] 리터 (1,000cc의 용량)

literacy [lítərəsi] *n.* 읽고 쓰는 능력 OPP illiteracy

literal [lítərəl] *adj.* **1** 문자(상)의: a *literal* error 오자 **2** 글자 그대로의, (번역·해석 등이) 원문 어구에 충실한: *literal* translation 직역 / A trade war is not a war in the *literal* sense. 무역 전쟁은 문자 그대로의 전쟁이 아니다. OPP figurative

literally [lítərəli] *adv.* **1** 글자 뜻 그대로: translate *literally* 직역하다 **2** 아주, 정말로, 완전히: I was *literally* freezing. 정말로 추웠다.

literary [lítərèri] *adj.* 문학의, 문예의: *literary* works 문학 작품 / *literary* criticism 문학 평론 / *literary* property 저작권

literate [lítərit] *adj.* **1** 읽고 쓸 수 있는 OPP illiterate **2** 학식〔교양〕이 있는

***literature** [lítərətʃər] *n.* **1** 문학, 문예: English *literature* 영문학 **2** 문헌, 논문

L

(on): *literature* on the history 역사에 관한 문헌

litter [lítər] *n.* **1** 잡동사니, 쓰레기 **2** (동물의) 한 배 새끼: a *litter* of five kittens 한 배에서 난 새끼 고양이 다섯 마리

v. [T] **1** 흩뜨리다, 어지르다: The living room was *littered* with bottles and cans. 거실이 빈 병과 깡통으로 어질러져 있었다. **2** 새끼를 낳다

*★**little** ⇨ p. 415

*★**live**[1] [liv] *v.* **1** [I] 살다, 거주하다: Where do you *live*? 너 어디 사니? / I *live* with my parents. 나는 부모님과 함께 산다. / He still *lives* in Boston. 그는 여전히 보스턴에 살고 있다. **2** [I] 살아 있다, 생존하다: He *lived* to be 85. 그는 85세까지 살았다. [OPP] die **3** [I,T] …하게 살다: I want to *live* in comfort. 나는 편안히 지내고 싶다. **4** [I] 인생을 즐기다, 재미있게 지내다: Let us *live* while we may. 살아 있는 동안 즐겁게 지내자. **5** [I] 생활하다, 생계를 세우다 (on, off, by): They *lived* by hunting. 그들은 사냥을 하며 생활했다.

[숙어] **get(earn, make) a(one's) living** 생계를 세우다: He *got a living* by giving music lesson. 그는 음악을 가르쳐 생계를 세웠다.

live from hand to mouth 하루 벌어 하루 살다, 간신히 살다(지내다)

live off (…에 의존하여) 살다, 얹혀 살다: He *lives off* his earnings as an artist. 그는 예술가로서의 벌이로 생활하고 있다.

live on 1 …을 먹고 살다, 생활하다: *live on* rice 쌀을 먹고 살다 ※ 동물인 경우에는 feed on을 쓴다. / *live on* a small income 적은 수입으로 생활하다 **2** (명성 등이) 남다: Mozart is dead but his music *lives on*. 모짜르트는 죽었지만 그의 음악은 남아 있다.

live through …을 헤쳐 나가다, 버티어 내다: The patient will not *live through* the night. 그 환자는 밤을 넘기지 못할 것이

다. / He *lived through* a plane crash in an African jungle. 그는 아프리카 밀림에서 비행기 추락 사고를 겪고 살아 남았다.

live up to 1 기대에 부응하다: The movie was brilliant. It *lived up to* all our expectations. 그 영화는 훌륭했다. 우리 모두의 기대에 부응했다. **2** …에 따라 생활하다: He *lives up to* his principle. 그는 자신의 원칙에 따라 살아가고 있다.

live with 1 …와 함께 살다 [SYN] live together **2** (상황 등을) 받아들이다, 참다: You must *live with* your sorrow. 슬픔을 견뎌내며 살아가야 한다.

*★**live**[2] [laiv] *adj.* (명사 앞에만 쓰임) **1** 살아 있는: Have you ever seen a *live* snake? 너는 살아 있는 뱀을 본 적이 있니? [SYN] dead **2** 생생한, 활기 있는: a *live* person 활동가 **3** 생방송의, 실연의: a *live* broadcast 생방송 **4** (폭탄 등이) 아직 폭발하지 않은: a *live* shell 불발탄 **5** (전선·회로 등이) 전류가 통하고 있는

livelihood [láivlihùd] *n.* 생계, 살림 [SYN] living

livelong [lívlɔ̀:ŋ] *adj.* 긴, … 내내, 온…

lively [láivli] *adj.* (livelier-liveliest) 생기에 넘치는, 기운찬: a *lively* girl 발랄한 소녀

liven [láivən] *v.* [I,T] 쾌활(명랑)하게 하다(되다), 활기를 띠게 하다 (up): Once the band began to play, the party *livened* up. 밴드가 연주를 시작하자 파티는 활기를 띠었다.

liver [lívər] *n.* **1** [해부] 간장, 간 **2** (식용으로 이용하는 동물의) 간

livestock [láivstàk] *n.* (집합적) 가축

living [líviŋ] *adj.* **1** 생명이 있는, 살아 있는 **2** 현대의, 현존하는: *living* languages 현대어 [OPP] dead

n. **1** 생계, 생활비: What do you do for a *living*? 무엇을 해서 생계를 구려가고 있니? **2** 생활 방식, 생활 형편: urban *living* 도시 생

little

little [lítl] *adj.* (less-least, lesser-least)
1 (모양·규모가) 작은, (작고) 귀여운: a *little* town 작은 마을 / a *little* woman 몸집이 작은 여자 OPP big, large
2 하찮은, 변변치 않은: a *little* thing 하찮은 일 / a *little* man with a *little* mind 소견이 좁은 남자 / his *little* ways 그의 유치한 수법 OPP great
3 나이 어린: a *little* girl 소녀 / the *little* Joneses 존스 집안의 아이들
4 (시간·거리 등이) 짧은, 잠시의: He will be back in a *little* while. 그는 곧 돌아올 것이다.
adv. **1** 거의 …하지 않다: He is *little* known around here. 이 근처에서 그는 거의 알려져 있지 않다. / He slept *little* that night. 그 날 밤 그는 거의 자지 못했다. OPP much
2 (a little) 조금(은): It is a *little* cold. 조금 춥다. / He came home a *little* after six. 그는 6시 조금 지나서 집에 왔다.
n. **1** (a를 붙이지 않고 부정적으로) 조금(밖에 없다), 약간: *Little* is known of her past. 그녀의 과거에 대해 조금밖에 알려져 있지 않다.
2 (a를 붙여 긍정적으로) ① (정도·양이) 조금(은 있다): He knows a *little* of everything. 그는 무엇이나 조금씩은 알고 있다. ② (시간·거리의) 잠깐, 잠시 (부사적으로도 쓰임): Wait a *little*. 잠깐 기다려라.
숙어 **a little** 조금, 조금은 (있다): I have *a little* money. 나는 돈을 조금 갖고 있다. / He is *a little* better this morning. 그는 오늘 아침에 몸이 좀 나아졌다.
little better than …나 마찬가지의, …나 다름없는: He is *little better than* a beggar. 그는 거지나 다름없다.
little by little 조금씩, 서서히: Learn *little by little* every day. 매일 조금씩 배워라. / She seemed, *little by little*, to grow calmer. 그녀는 점점 침착해지는 것 같았다. SYN bit by bit, slowly
little less than …와 거의 같은 정도의: He has *little less than* a million won. 그는 100만 원 정도를 가지고 있다. SYN nearly
little more than …에 불과할 정도의, …나 마찬가지의: Korea was *little more than* a small farming country then. 당시 한국은 작은 농업국에 불과했다.
not a little 적지 않게, 매우: He was *not a little* surprised. 그는 적지 않게 놀랐다. / I lost *not a little* over cards. 나는 카드놀이로 큰 돈을 잃었다.

■ 용법 **little**
1 셀 수 있는 명사에 붙여 쓸 경우 '작은'의 뜻이지만, 단지 크기만을 문제로 하는 **small**에 대해서 '작고 귀엽다'라는 뜻이 있다. small은 large의 반대이며, **little**은 great의 반대이다.: a *little* boy 귀여운 소년 / a *small* boy 조그마한 소년
2 셀 수 없는 명사에 붙일 경우 **a little**은 '조금은 있다'로 긍정적, **little**은 '조금밖에 없다'로 부정적인 뜻이다.: I have *a little* money. 돈이 조금 있다. / I have *little* money. 돈이 거의 없다. / I know *a little* about it. 그것에 대해서 조금은 알고 있다. / I know *little* about it. 그것에 대해서 거의 모른다.

활 **3** 생존
living room *n.* ([영] sitting room) 거실
lizard [lízərd] *n.* 도마뱀
*****load** [loud] *n.* **1** (특히 무거운) 짐, 적재 하물: a truck carrying a *load* of wood 목재 하물을 운반 중인 트럭 **2** (보통 복합어를 이루어) 한 짐[차, 바리], 적재량: two truck-*loads* of vegetables 두 트럭분의 채소 **3** (정신적) 부담, 노고 **4** (loads of) 많은 양, 잔뜩: He has *loads* of money. 그는 많은 돈

을 가지고 있다.

v. **1** [I,T] 짐을 싣다, 지우다: We have *loaded* a cart with goods. 우리는 수레에 짐을 실었다. **2** [I,T] [컴퓨터] 로드하다 (프로그램·데이터 등을 보조 기억장치에서 주기억장치로 넣다, 올리다): The software is *loading*. 소프트웨어를 로딩 중이다. [OPP] unload **3** [T] 탄환을 넣다; (카메라에) 필름을 넣다: I need to *load* a film into a camera. 카메라에 필름을 넣어야 한다.

[숙어] **a load of, loads of** 많은, 다수: Don't hurry. There's *loads of* time. 서두르지 마라. 시간은 많이 있다.

loaded [lóudid] *adj.* **1** 짐을 실은, 잔뜩 올려놓은 (with): a *loaded* bus 만원 버스 / a table *loaded* with food 음식으로 가득한 식탁 **2** 탄환을 잰, 장전한; 필름을 넣은: a *loaded* pistol 장전된 권총 **3** (진술 등이) 한쪽에 치우진; (질문 등이) 유도적인: That is a *loaded* question. 그것은 유도적인 질문이다. **4** (명사 앞에는 쓰이지 않음) 돈이 많은: He's *loaded*. 그는 정말 부자다.

loaf[1] [louf] *n.* (*pl.* loaves) (빵의) 덩어리: a *loaf* of bread 빵 한 덩어리

loaf[2] [louf] *v.* [I,T] 빈둥거리며 지내다 (away): You are just *loafing* your time away. 너는 빈둥빈둥 시간만 보내고 있다.

— **loafer** *n.* 빈둥거리는 사람, 게으름뱅이

loan [loun] *n.* 대부, 대여; 대부금; 차관: We took out a bank *loan* to buy a house. 우리는 집을 사기 위해 은행 대출을 받았다.

v. [T] 빌려 주다, 대부하다 (to)

[숙어] **be on loan** 대여하다, 빌리다: This book *is on loan* from the library. 이 책은 도서관에서 빌렸다.

loath [louθ] *adj.* 싫어서, 마음에 내키지 않는 (to do): He is *loath* to go there. 그는 거기 가기를 싫어한다.

loathe [louð] *v.* [T] 몹시 싫어하다

— **loathsome** *adj.* 몹시 싫은, 진저리나는

loathing *n.* 혐오

***lobby** [lábi] *n.* **1** 로비, 대합실, 복도: a hotel *lobby* 호텔 로비 **2** 로비에서 청원(진정) 운동을 하는 사람들, 압력 단체

v. [I,T] (정치가·정부 등에) 압력을 가하다, 로비 운동하다

lobster [lábstər] *n.* 바닷가재 (큰 식용 새우)

***local** [lóukəl] *adj.* **1** (특정한) 지방의: a *local* newspapers 지역 신문 **2** 공간의, 장소의: a *local* name 지명 **3** (몸의) 국부(국소)적인: a *local* inflection 국부 감염

n. **1** 보통(완행) 기차(버스) (모든 정거장에 다서는) **2** (보통 *pl.*) 지방 주민: The *locals* are very friendly. 그 지방 사람들은 매우 친절하다.

— **locally** *adv.* **localism** *n.* 지방색; 지방 사투리

local color *n.* 지방색, 향토색

local government *n.* 지방 자치 (단체)

localize, localise [lóukəlàiz] *v.* [T] **1** 한 지방에 국한하다 **2** 지방화하다

local time *n.* 지방 시간, 현지 시간: We'll arrive in New York at 5:00 *local time*. 우리는 뉴욕에 현지 시간으로 5시에 도착할 것이다.

locate [loukéit] *v.* [T] **1** …의 위치(장소)를 알아 내다, 찾아 내다: *locate* the enemy 적의 소재를 알아 내다 **2** …의 위치를 정하다, …에 두다: The park is *located* in the north of the city. 그 공원은 시의 북쪽에 있다. / Where is your office *located*? 네 사무실은 어디에 있니?

location [loukéiʃən] *n.* **1** 장소, 위치: We found a good *location* for a new school. 학교 신설에 알맞은 장소를 찾았다. **2** (영화·텔레비전) 로케이션, 야외 촬영(지): The movie was filmed on *location* in New York. 영화는 뉴욕 현지에서 촬영되었다.

***lock** [lak] *v.* **1** [I,T] …에 자물쇠를 채우다, 잠그다: *lock* a door 문에 자물쇠를 채우다 [OPP] unlock **2** [T] 거두어(챙기어) 넣다, 가

두다: *Lock* this contract in a safe place. 이 계약서를 안전한 곳에 챙겨 넣어라. / He usually *locks* himself in his bedroom. 그는 대개 방에 틀어박혀 있다. **3** [I,T] (be locked in) (논쟁 등에) 말려들다; 꽉 붙들다, 끌어안다: We were *locked* in a bitter dispute. 우리는 격렬한 논쟁에 말려들었다. / She *locked* the baby in her arms. 그녀는 아기를 꼭 껴안았다.

n. **1** 자물쇠 **2** (운하 등의) 수문

축어 **lock away** 자물쇠를 채워 …을 챙겨 두다: She *locked* her jewelery *away* in a safe. 그녀는 보석류를 금고에 자물쇠를 채워 챙겨 두었다.

lock in 가두다, 감금하다

lock out 1 (자물쇠를 잠그어) …에서 내쫓다, 안에 들이지 않다: He *locked* himself *out* of the house. (열쇠를 잊은 채 문을 잠가 버려서) 그는 집에 못 들어가게 되었다. **2** (공장을) 폐쇄하다

lock up 1 (문·창에) 자물쇠를 잠그다, 문단속하다: Be sure to *lock up* when you leave. 떠날 때 자물쇠를 채웠는지 확인해라. **2** (감옥에) 감금하다, 가두다: Why were you *locked up*? 왜 수감됐니?

pick a lock ⇨ pick

under lock and key 자물쇠를 채우고, 안전하게: He keeps the document *under lock and key*. 그는 그 서류를 안전하게 보관하고 있다.

locker [lákər] *n.* 라커, (자물쇠가 달린) 장, 작은 벽장

— **locker room** *n.* (체육 시설·클럽 등의) 라커룸, 갱의실

locket [lákit] *n.* 로켓 (사진·머리털·기념품 등을 넣어 목걸이 등에 다는 금·은으로 만든 작은 곽)

locksmith [láksmìθ] *n.* 자물쇠 제조공

locomotion [lòukəmóuʃən] *n.* **1** 운동(력), 이동(력) **2** 교통 기관

locomotive [lòukəmóutiv] *n.* 기관차

SYN locomotive engine

adj. 이동(운동)하는

locust [lóukəst] *n.* **1** 메뚜기 **2** [미] 매미

*★***lodge** [ladʒ] *v.* **1** [I] 숙박하다, 묵다, 하숙하다: *lodge* at a hotel 호텔에 묵다 / I *lodged* with the Smiths when I first came to London. 나는 런던에 처음 왔을 때 스미스 씨 가족의 집에서 하숙했다. **2** [I,T] (총알 등이) 박히다, 쏘아 박다: The bullet had *lodged* in his heart. 총알이 그의 심장에 박혔다. **3** [T] (정보·반론·불평 등을) 제기(제출)하다, 신고하다 **4** [T] (돈 등을) 맡기다

SYN deposit

n. **1** (일시적인 숙박을 위한) 오두막집, (시골의) 조그만 집 **2** 호텔, 모텔 **3** 지부, 집회소

lodger [ládʒər] *n.* 숙박인, 하숙인, 세 든 사람

lodging [ládʒiŋ] *n.* **1** 숙박, 하숙: *lodging* house 하숙집 **2** (lodgings) 셋방

■ 유의어 **lodging house**

lodging house 식사 제공 없이 방만 빌려 주는 곳으로 주로 영국에서 쓰임.

boarding house 식사를 제공하는 하숙집.

---

loft [lɔːft] *n.* **1** 지붕 밑 방, 다락방 **2** (헛간의 건초 등을 저장하는) 다락 **3** (교회·강당 등의) 위층, 관람석 **4** (창고·공장 등의) 위층

lofty [lɔ́ːfti] *adj.* (loftier-loftiest) **1** 높은, 치솟은 SYN high **2** 고상한, 고결한 SYN noble **3** 거만한: in a *lofty* manner 거만한 태도로 SYN arrogant

— **loftily** *adv.* **loftiness** *n.*

log [lɔ(ː)g] *n.* **1** 통나무 **2** (항해(항공)) 일지, 기록

v. [T] (logged-logged) **1** 통나무로 자르다 **2** 기록하다; 항해(항공) 일지를 쓰다: He *logs* the distance that the ship has traveled each day. 그는 매일 항해한 거리를 기록한다.

축어 **log off(out)** [컴퓨터] 로그 오프(아웃)하다 (소정의 절차를 밟아 컴퓨터 사용을 끝내는 것)

log on(**in**) [컴퓨터] 로그 온(인)하다 (소정의 절차를 밟아 컴퓨터 사용을 시작하는 것)

logic [ládʒik] **n. 1** 논리 **2** 논리학 **3** 당연한 결과
— **logician** **n.** 논리학자

logical [ládʒikəl] **adj.** 논리적인, (논리상) 필연의: a *logical* conclusion 논리적인 결과 OPP illogical
— **logically** **adv.**

logo [lɔ́:gou] **n.** (상품명·회사명의) 로고, 의장, 문자

loin [lɔin] **n. 1** (loins) 허리: a fruit (child) of one's *loins* 자기 자식 **2** (소 등의) 허리고기

loiter [lɔ́itər] **v.** [I] 빈둥거리다, 늑장부리다
— **loiterer** **n.** 빈둥거리는 사람

lone [loun] **adj.** (명사 앞에만 쓰임) **1** 혼자의, 외로운: a *lone* traveler 외로운 나그네 / a *lone* flight 단독 비행 SYN solitary **2** 고립되어 있는, 인적이 드문: a *lone* house 외딴집 **3** 배우자가 없는, 독신의

*__lonely__ [lóunli] **adj.** (lonelier-loneliest) **1** 외로운, 고독한, 짝이 없는: a *lonely* place 쓸쓸한 곳 / I felt so sad and *lonely*. 나는 정말 슬프고 외로웠다. **2** (명사 앞에만 쓰임) 인가에서 멀리 떨어진, 외진: a *lonely* road 인적이 없는 길
— **loneliness** **n.**

lonesome [lóunsəm] **adj. 1** 쓸쓸한, 외로운, 적적한 SYN alone **2** 인적이 드문
※ lonely보다 뜻이 강하다.

*__long__¹ [lɔ:ŋ] **adj. 1** (물건 등이) 긴, (거리가) 먼: a *long* distance 먼 거리 / How *long* is the ladder? 그 사다리는 길이가 얼마니? **2** 길이가 ⋯인, ⋯길이의: be three inches *long* 길이가 3인치이다 **3** (시간적으로) 오랜, 오래 계속되는: How *long* did it take you to complete it? 그것을 완성하는 데 시간이 얼마나 오래 걸렸니? OPP short
adv. 1 오래: He didn't stay *long*. 그는 오래 머물지 않았다. / Just wait a minute—I won't be *long*. 잠깐 기다려 줘, 오래 걸

리지 않을 거야. **2** (어떤 때보다) 훨씬 (전에 또는 후에): It happened *long* ago. 그것은 훨씬 전에 일어났다. / It was not *long* before he came. 그는 얼마 있지 않아 왔다. **3** ⋯동안 줄곧: The baby didn't sleep all night *long*. 아기는 밤새도록 잠들지 않았다.
숙어 **as**(**so**) **long as 1** ⋯하다면: We'll go *as long as* the weather is good. 날씨가 좋다면 우리는 갈 것이다. / I'm going out *as long as* I finish the work. 나는 일이 끝나면 나갈 것이다. SYN if only **2** ⋯하는 한, ⋯ 동안은: So *long as* there is a demand for these medicines, pharmaceutical companies will not stop manufacturing them. 이 약들에 대한 수요가 있는 한 제약 회사들은 제조를 멈추지 않을 것이다. / You can go out to play *as long as* you stay in the yard. 마당에만 있는 다면 나가 놀아도 된다. SYN since
at (**long**) **last** ⇨ last¹
at (**the**) **longest** (기껏) 길어봤자(길어야): It will take three days *at the longest*. 그것은 길어야 3일 걸릴 것이다.
before long 오래지 않아, 곧, 이내: He will come here *before long*. 그는 곧 여기에 올 것이다.
in the long run 결국은 SYN in the end
long ago 옛날에, 훨씬 이전에: I said "I saw this man *long ago*." "나는 이 남자를 옛날에 보았다"고 말했다.
no(**not any**) **longer** 더 이상 ⋯아닌: I can wait for him *no longer*. =I can't wait for him *any longer*. 나는 그를 더 이상 기다릴 수 없다.
not long ago 요전에, 얼마 전에: It happened *not long ago*. 그 일은 얼마 전에 발생했다.

long² [lɔ:ŋ] **v.** [I] **1** 간절히 바라다, 열망하다 (for, to do): I *longed* to see my parents! 부모님을 얼마나 만나 뵙고 싶었는지! / We are *longing* for the vacation.

우리는 휴가를 고대하고 있다. **2** 동경하다
— **longing** *n. adj.* **longingly** *adv.*

long-distance [lɔ́:ŋdístəns] *adj. adv.*
먼 곳의, 장거리의: a *long-distance*
(telephone) call 장거리 전화

longevity [lɑndʒévəti] *n.* **1** 장수 **2** 수
명

longitude [lándʒətjùːd] *n.* 경도, 경선
OPP latitude 위도

long-range [lɔ́:ŋgréindʒ] *adj.* **1** 장거리
에 달하는: a *long-range* gun 장거리포 **2**
장기에 걸친, 원대한: a *long-range* plan 장
기 계획

long-sighted [lɔ́:ŋsáitid] *adj.* ([미]
far-sighted) **1** [영] 원시(遠視)의 OPP short-
sighted; [미] near-sighted **2** 선견지명의

long-standing *adj.* 오래 계속되는, 오랜

*****look** ⇨ p. 420

-looking *suffix* (보통 복합어를 이루어) …
으로 보이는: He's good-*looking*. 그는 잘
생겼다.

lookout [lúkàut] *n.* **1** 감시, 망보기, 경계
2 감시인
축어 **be on the lookout for** (계속해
서) …을 찾다: Mom *is* always *on the*
lookout for new recipes. 엄마는 항상 새로
운 요리법을 찾는다.
keep a lookout for …을 감시[경계]하
다: When you're driving, *keep a*
lookout for cyclists. 운전할 때 자전거 타는
사람들을 주의해라.

loom¹ [luːm] *n.* 베틀

loom² [luːm] *v.* [I] 어렴풋이 보이다 (up):
The ship *loomed* out of the fog. 배가 안
개 속에서 어렴풋이 보였다.

loop [luːp] *n.* (실·끈 등의) 고리
v. [I,T] 고리를 만들다, 고리를 이루다

*****loose** [luːs] *adj.* **1** 매지 않은, 풀린: Don't
let your dog *loose*. 개를 풀어 놓지 마시오.
2 헐렁한, 느슨한: These trousers are too
loose. 이 바지는 너무 헐렁하다. / a *loose*
sweater 헐렁한 스웨터 OPP tight **3** 포장하

지 않은: *loose* coffee (병에 담지 않고) 달아
서 파는 커피 **4** 고정돼 있지 않은: a *loose*
tooth 흔들리는 이 / *loose* coins 잔돈 **5** (사
람·성격이) 느슨한, 야무지지 못한 SYN
uncontrolled **6** (표현·말 등이) 치밀하지 못
한, 엉성한, 부정확한: a *loose* translation
부정확한 번역
n. 해방, 방임, 방종
— **loosely** *adv.* **looseness** *n.*
축어 **at a loose end, at loose ends**
할 일이 없이 (지루하여): I was *at a loose*
end so I decided to take a nap. 나는 너
무 할 일이 없어서 낮잠이나 자기로 했다.
be on the loose (죄수 등이) 도망치다,
자유롭다: The criminal has *been on the*
loose ever since he escaped from the
prison. 그 죄수는 탈옥한 이후로 아직 잡히지
않고 있다.

loosen [lúːsən] *v.* [I,T] **1** 풀다, 놓아주다 **2**
늦추다, 느슨하게 하다: He *loosened* his
tie. 그는 넥타이를 느슨하게 했다.
축어 **loosen up 1** (경기 전에) 근육을 풀
다: These exercises will help you to
loosen up. 이 운동은 근육을 푸는 데 도움이
될 것이다. **2** 편안히 쉬다, 마음 편히 갖다:
Try and *loosen up* a bit! 좀 마음을 편히
갖도록 해!

loot [luːt] *v.* [I,T] 약탈하다
n. 약탈물, 전리품
— **looting** *n.*

lopsided [lápsáidid] *adj.* 한쪽으로 기울
어진, 균형이 안 잡힌: *lopsided* trade 일방
무역

lord [lɔːrd] *n.* **1** 지배자, 군주, 주인 **2** (the
Lord) 하느님 SYN God **3** (the Lords)
[영] 상원(의원) ([미] senator)

lore [lɔːr] *n.* (특정 사항에 관한 전승적·일
화적) 지식, 민간 전승: the *lore* of herbs 약
초에 관한 지식

*****lorry** [lɔ́(ː)ri] *n.* ([미] truck) [영] 화물 자
동차, 트럭

*****lose** [luːz] *v.* (lost-lost) **1** [T] 잃다: I've

L

look

look [luk] *v.* **1** [I,T] 보다, 바라보다, 주시하다 (at): Don't *look* back. 뒤돌아보지 마. / What are you *looking* at? 무엇을 보고 있는 거니?

2 [I] (눈으로) 찾다 (for): We've been *looking* for you everywhere. 우리는 여기저기 너를 찾아 다녔다.

3 [I] …하게 보이다, …할 것 같다 (like): He *looks* happy. 그는 행복해 보인다. / He *looked* as if he had seen a ghost. 그는 마치 유령이라도 본 듯한 얼굴이었다. / He *looks* (like) a good man. 그는 좋은 사람일 것 같다. [SYN] seem, appear

4 [I] (주의를 끌 때 쓰는 표현): *Look*! There she goes! 이봐! 저기 그녀가 간다!

5 [I] (집 등이) …향이다, …에 면하다: The house *looks* upon the street. 그 집은 길가 쪽으로 향해 있다.

6 [I,T] 예기하다, 기대하다 (for, to do): We are *looking* for a good harvest. 우리는 풍성한 수확을 기대하고 있다.

n. **1** 봄, 얼핏 봄 (at): Can I have a *look* at this picture? 이 사진을 좀 볼 수 있을까요?

2 (보통 a look) 조사하기, 찾기: She had a *look* at that book. 그녀는 그 책을 훑어보았다.

3 (눈·얼굴) 표정, 안색

4 (종종 *pl.*) 외관, 모양: I like his *looks*. 나는 그의 외모가 마음에 든다.

■ 유의어 look

look 보려고 해서 시선을 그 쪽으로 향해서 보다 **see** 보이다 **view** 보고 조사하다 **watch** 특히 가만히 지켜보다, 주시하다, 망보다

[숙어] **by(from) the look of** …의 모습으로 판단하여, 아마도: It's going to be a fine day *by the look of* it. 아마도 화창한 날이 될 것이다.

give … a look …를 (~한 눈·표정으로) 보다: He gave us *a* cold *look*. 그는 우리를 차가운 눈으로 보았다.

have(take) a look at …을 얼핏 보다, …을 훑어보다: He picked up the newspaper and *took a look at* the headlines. 그는 신문을 집어 제목만 대강 훑어보았다.

look after …을 돌보다: He *looks after* his little sister. 그는 어린 여동생을 돌본다. / *Look after* yourself. 몸 조심해요. (헤어질 때의 인사) [SYN] take care of

look ahead 앞일을 생각하다

look around 살펴보다, 둘러보며 찾다: I went out to *look around*. 나는 근처를 살펴보려고 나갔다.

look at 1 …을 보다: *Look at* the picture. 그림을 보아라. **2** 검사하다, 연구하다: The doctor *looked at* his throat. 의사는 그의 목을 살폈다. **3** 고찰하다

look back (at, on, to) 1 뒤돌아보다 [SYN] turn about **2** 회고하다: He *looked back on* his school days. 그는 학창 시절을 돌이켜보았다.

look down on(upon) …을 경멸하다: They always *looked down on* us. 그들은 언제나 우리를 경멸했다.

look for …을 찾다: What are you *looking for*? 무엇을 찾고 있니? / He's *looking for* a job. 그는 일자리를 찾고 있다. [SYN] search for

look forward to something(-ing) …을 기대하다, 손꼽아 기다리다: We're *looking forward to* the summer vacation. 우리는 여름 방학을 손꼽아 기다리고 있다. / I'm *looking forward to* seeing you. 나는 너를 만나기를 고대하고 있다.

look … in the face (…의 눈·얼굴을) 정면으로 보다, …에 직면하다: She *looked* me *in the face*. 그녀는 정면으로 내 얼굴을 쏘아보았다.

L

look into 조사하다: I'll *look into* the matter. 내가 그 일을 조사하겠다. [SYN] examine

look on(upon) 방관하다, 구경하다: All we could do was to *look on* as the house burned. 우리가 할 수 있는 거라곤 집이 타는 것을 바라보는 것뿐이었다.

look on(upon) ... as ~ …을 ~로 간주하다, 생각하다: Do you *look on* him *as* a patriot? 당신은 그를 애국자라고 생각합니까?

look on the bright side (of) …을 낙관하다

look oneself 여느 때처럼 건강한 모습이다: You should take a break. You haven't been *looking yourself* lately. 자네 좀 쉬어야겠어. 요즘 안 좋아 보여.

look out (보통 명령형으로) 주의(조심)해라: *Look out!* There's a car coming. 조심해! 차가 온다.

look out for 1 …을 찾다 **2** …에 주의(조심)하다: If you go to that place, *look out for* trouble. 그 곳에 가면 사고 나지 않도록 주의해라.

look over 1 …너머로 보다: *look over* one's spectacles 안경 너머로 보다 **2** 대강 훑어보다, 조사하다: I'm *looking over* your papers. 지금 너의 보고서를 훑어보고 있다.

look round 1 뒤돌아보다 **2** (쇼핑 등을 하기 전에) 잘 조사하다, 보고(살피고) 다니다: We *looked round* the shops, but

couldn't buy anything. 우리는 상점들을 돌아다녔지만 아무것도 사지 못했다. **3** 구경하다, 방문하다: Would you like to *look round* a museum? 박물관을 구경해 보시겠습니까?

look straight(right) through (보고도) 못 본 체하다, 몰라보다: She *looked right through* me. 그녀는 나를 보고도 전혀 모르는 체했다.

look through 1 (서류 등을) 뒤지다, 조사하다: I've been *looking through* all my papers but I still can't find the report. 나는 서류를 몽땅 뒤져보았는데 아직도 보고서를 찾지 못했다. **2** 대충 읽다, 훑어보다: I've *looked through* some computer magazines. 나는 컴퓨터 잡지 몇 권을 훑어보았다.

look to …에 의지하다, 기대하다 (for, to do): I *look to* him for help. 나는 그의 도움을 기대하고 있다.

look up 1 올려다보다 **2** (경기 등이) 좋아지다, 상승세를 타다: Business is *looking up*. 경기가 좋아지고 있다. **3** (사전에서 단어를) 찾다 (in): *Look up* the word in the dictionary. 그 단어를 사전에서 찾아보아라. **4** 방문하다: *Look me up* when you come to Korea. 한국에 오면 나를 방문해라.

look up to …을 존경하다: The children always *looked up to* him. 아이들은 항상 그를 존경했다.

---

lost my cell phone. 나는 휴대 전화를 잃어버렸다.

2 [T] 없애다, 상실하다: He *lost* his right leg in the war. 그는 전쟁에서 오른쪽 다리를 잃었다. / He *lost* his mother last year. 작년에 그의 어머니께서 돌아가셨다.

3 [T] 줄다, 감소하다: *lose* weight(interest, patience) 체중(관심, 인내심)이 줄다 [OPP] gain

4 [I,T] (싸움·경기에서) 지다, 실패하다: We *lost* 3-1. 우리는 3대 1로 졌다. / Germany

lost to Brazil in the finals. 독일은 결승전에서 브라질에 졌다.

5 [T] (시간·노력 등을) 낭비하다; (기회 등을) 놓치다: There is no time to *lose*. 한시라도 지체할 수 없다.

6 [I,T] 손해 보다, 손해 입다: You have nothing to *lose* by telling truth. 진실을 말해 손해 보는 것은 없다.

7 [T] 이해시키지 못하다, (대화 중) 잘 못 알아듣게 말하다: I'm sorry. You've *lost* me there. Could you explain that again? 죄송합니다. 거기서 당신 말을 못 알아들었습니다. 그것을 다시 설명해 주실 수 있습니까?

8 [I,T] (시계가) 늦다, 느리다: My watch *loses* two minutes a day. 내 시계는 하루에 2분이 늦다.

9 [T] 피하다, 따돌리다: He managed to *lose* the police. 그는 간신히 경찰을 따돌렸다.

숙어 **lose face** 존경(체면)을 잃다

lose heart 용기를 잃다, 낙담하다

lose no time in (-ing) 즉시 …하다: He *lost no time in* search*ing* the house. 그는 즉시 가택 수색을 했다.

lose one's head 흥분하다

lose one's temper 화를 내다, 울화통을 터뜨리다 SYN become angry

lose oneself in …에 열중하다, 빠지다: He *lost himself in* melancholy thought. 그는 침울한 생각에 빠졌다.

lose out on(to) …에게 지다, …을 놓치다: Laura *lost out to* Tom. 로라는 톰에게 졌다. / Why is it that women always seem to *lose out on* career opportunities? 도대체 왜 여자들은 항상 일자리 기회를 놓치는 것 같나요?

lose sight of 1 …을 (시야에서) 놓치다 **2** …을 잊다

lose the day 싸움에 지다 SYN lose a battle OPP win the day

lose touch with …와 연락이 끊기다: I *lost touch with* my old friends after I moved here. 여기로 이사 온 후로 나의 옛 친구들과는 연락이 끊겼다.

loser [lúːzər] *n.* 패배자, 실패자, 손실자: a good(bad) *loser* 지고도 태연한(투덜거리는) 사람

loss [lɔ(ː)s] *n.* **1** 잃음, 분실: weight *loss* 체중 감량 / the *loss* of health 건강의 상실 **2** 손실, 손해: His death is a great *loss*. 그의 죽음은 큰 손실이다. / The company suffered great *losses* last year. 그 회사는 작년에 큰 손해를 보았다. **3** 실패, 패배

숙어 **at a loss** 어쩔 줄 모르는: I am *at a loss* what to do. 나는 어쩔 줄 모르겠다.

lost [lɔ(ː)st] *v.* lose의 과거 · 과거분사

adj. **1** 길을 잃은: We got *lost* on the way home. 우리는 집에 오는 도중에 길을 잃었다. **2** 잃은, 잃어버린: a *lost* child 미아 / My purse got *lost*. 지갑을 잃어버렸다. **3** 당황하는, 어찌할 바를 모르는: It was her first day in the office and she seemed a bit *lost*. 사무실에 출근한 첫 날이어서 그녀는 조금 당황하는 듯 보였다. **4** 몰두한, 정신이 팔린 (in): He is *lost* in his new project. 그는 새로운 프로젝트에 몰두하고 있다. **5** 허비된; 놓쳐 버린: a *lost* day 헛되이 보낸 하루 / a *lost* labor 헛된 수고

— **lost and found** *n.* 분실물 취급소

숙어 **a lost cause** 실패로 돌아간(성공할 가망이 없는) 목표(주장, 운동): Give up that idea; it's *a lost cause*. 그런 아이디어는 그만두어라. 성공할 가망이 없는 것이다.

be lost on …에(게) 효과가 없다: The advice *was lost on* him. 충고가 그에게는 효과가 없었다.

Get lost! 냉큼 꺼져버려(나가라)!

lost property *n.* 유실물

***lot** [lɑt] *n.* **1** (a lot, lots) (양 · 수의) 많음: I've got a *lot* to do today. 나는 오늘 할 일이 많다. / He earns *lots* of money. 그는 돈을 많이 번다. **2** (the lot) 전부: I ate the whole *lot*. 내가 전부 다 먹었다. **3** (상품 · 경매품 등의) 한 무더기, 한 짝(벌), 한 품목 **4** 운, 운명 **5** [미] 한 구획의 토지, 땅: a parking *lot* 주차장 / a vacant *lot* 빈터 **6** 제비, 제비뽑기, 추첨

adv. **1** (a lot, lots) (동사 · 형용사 · 부사를 수식하여) 대단히, 크게: Thanks a *lot*. 대단히 감사합니다. / a *lot* more(better) 아주 많은(좋은) **2** (a lot) 자주, 빈번히: We eat out a *lot*. 우리는 자주 외식한다.

숙어 **a lot of, lots of** 많은: He always eats *a lot of* food. 그는 언제나 많은 음식을 먹는다. / There were *a lot of* people at the party. 파티에 사람이 많았다.

lotion [lóuʃən] *n.* 로션, 화장수

lottery [lάtəri] *n.* **1** 복권 뽑기, 추첨: a *lottery* ticket 복권 **2** 운, 재수

lotus, lotos [lóutəs] *n.* **1** [신화] 로터스(의 열매) (그 열매를 먹으면 황홀경에 들어가 속세의 시름을 잊는다고 함) **2** [식물] 연(꽃)

＊**loud** [laud] *adj.* **1** (소리·목소리가) 시끄러운, 큰: Would you speak a little *louder*, please? 조금 더 크게 말해 주실래요? OPP quiet, soft **2** (색깔·의복 등이) 야한, 화려한: a *loud* dress 화려한 드레스 OPP soft

adv. **1** 큰 소리로: Don't talk so *loud*. 그렇게 큰 소리로 말하지 마라. **2** (의복·태도 등이) 야하게, 천하게

— **loudly** *adv.* **loudness** *n.*

축어 **out loud** (분명하게) 소리를 내어: I read the letter *out loud*. 나는 소리 내어 편지를 읽었다.

■ 유의어 **loud**

loud 청각에 자극을 주는 큰 소리를 의미함. **aloud** 들리도록 소리 내어 읽음을 뜻함.: Read *aloud*. 소리 내어 읽으시오. **noisy** 계속해서 귀에 거슬리는 소리를 의미함.: a *noisy* party 떠들썩한 파티

---

loudspeaker [láudspíːkər] *n.* 확성기

lounge¹ [laundʒ] *n.* (호텔·공항 등의) 라운지, 사교실, 휴게실

lounge² [laundʒ] *v.* [I] **1** 빈둥거리다 (about, around): We spent all day *lounging* around. 우리는 하루 종일 빈둥거리면서 보냈다. **2** (편한 자세로) 기대다〔눕다〕: He was *lounging* in an armchair. 그는 안락 의자에 느긋이 앉아 있었다.

louse [laus] *n.* (*pl.* lice) 이, 기생충

lovable, loveable [lʌ́vəbəl] *adj.* 사랑스러운, 애교 있는

＊**love** [lʌv] *n.* **1** 사랑, 애정: *love* for children 아이들에 대한 사랑 / *love* of one's country 나라를 사랑하는 마음, 조국애 / a *love* song 연가 **2** 좋아함, 애호, 취미 **3** 애인, 연인 (주로 여성) **4** (여자끼리 또는 여자·어린아이의 호칭에 써서) 당신, 너, 얘야 **5** [테니스] 러브, 영점, 무득점: *love* all 0대 0

v. [T] **1** 사랑하다: I still *love* her. 나는 아직도 그녀를 사랑한다. **2** 몹시 좋아하다, 애호하다: He *loves* spending his vacation in the mountains. 그는 산에서 휴가 보내기를 좋아한다. **3** (would love to) …하고 싶다, …하면 좋겠다: "Would you like to come?" "I'd *love* to!" "오시겠어요?" "네, 가고 싶어요."

축어 **fall〔be〕in love (with)** …을 사랑하다, …에게 반하다: He *fell* madly *in love with* her. 그는 그녀를 몹시 사랑했다.

fall out of love (with) 싫어지다, …와의 사랑이 식다: He *fell out of love with* the girl at the age of eighteen. 그는 18살 때 그 소녀와의 사랑이 식었다.

for the love of …을 위하여, …때문에: He went fishing *for the love of* his children. 그는 아이들 때문에 낚시하러 갔다.

for the love of God〔Heaven, Christ, mercy〕 제발 (바라건대)

give〔send〕ons's love to …에게 안부를 전하다: Tom *sends his love to* you. 톰이 너에게 안부를 전하래.

make love (to) 애정 행위를 하다, …와 자다

love affair *n.* **1** 연애 사건, 정사 **2** 열광, 열중

loveless [lʌ́vlis] *adj.* 사랑 없는: a *loveless* marriage 사랑 없는 결혼

lovely [lʌ́vli] *adj.* (lovelier-loveliest) **1** 사랑스러운, 아름다운, 매력적인: She has a *lovely* hair. 그녀의 머리는 너무 아름답다. **2** 멋진, 즐거운, 유쾌한: I had a *lovely* holiday. 나는 즐거운 휴가를 보냈다.

— **loveliness** *n.*

lover [lʌ́vər] *n.* **1** 애인, 연인 **2** 애호가: a

L

music *lover* 음악 애호가

loving [lʌ́viŋ] *adj.* **1** 애정을 품고 있는, 사랑하는, 애정이 깃든: a *loving* wife 사랑하는 아내 / Your *loving* friend 당신의 친구 로부터 (편지의 끝맺음말) **2** (-loving *adj.*) (복합어를 이루어) …을 사랑하는: a peace-*loving* people 평화를 사랑하는 국민
— **lovingly** *adv.*

***low** [lou] *adj.* **1** (높이·온도·평가 등이) 낮은: a *low* wall[ceiling] 낮은 담[천장] / *low* temperature 저온 / My test results were very *low*. 나의 시험 성적은 매우 낮았다. [OPP] high **2** (가격이) 싼, (함량이) 적은: *low* wages 저임금 / *low*-fat milk 저지방 우유 / The food is *low* in calories. 그 음식은 칼로리가 낮다. **3** (소리가) 낮은, 저음의: They are talking in *low* voices. 그들은 낮은 소리로 말하고 있다. **4** (신분·수준 등이) 낮은, 비천한: *low* social status 낮은 사회적 신분 / a *low* standard of living 낮은 생활 수준 **5** 침울한, 기운이 없는: She feels a little *low*. 그녀는 약간 기운이 없다. **6** (빛·열 등이) 약한, 낮은: We have very *low* lighting in the living room. 거실 조명이 매우 약하다. / Cook the rice on a *low* heat for 20 minutes. 약한 불에서 20분간 밥을 지어라.
adv. **1** 낮게: Turn the heating down *low*. 난방을 낮춰라. **2** 싸게, 싼 값으로 **3** 저음으로, 낮은 소리로 [OPP] loud
n. **1** 낮은 것 **2** 최저 기록[수준, 숫자, 가격]
[숙어] **high and low** ⇨ high
lie low ⇨ lie²
run low (on) …이 부족해지다: We're running *low* on coffee. 커피가 떨어져 간다.

lowbrow [lóubràu] *adj. n.* 교양[지성]이 낮은 (사람) [OPP] highbrow

lower [lóuər] *adj.* (명사 앞에만 쓰임) 낮은 쪽의, 아래 쪽의: a *lower* lip 아랫입술 [OPP] upper
v. [T] **1** 낮추다, 내리다: We *lowered* the boat into the water. 우리는 보트를 물에 내렸다. **2** (양·질 등이) 내리다, 하락하다, 줄이다: They *lowered* the price. 그들은 값을 내렸다. / Please *lower* your voice slightly. 목소리를 좀 낮춰 주세요. [OPP] raise

lowland [lóulænd] *n.* (보통 *pl.*) 저지: *lowland* areas 저지대[지방] [OPP] highland

loyal [lɔ́iəl] *adj.* (국가·우정·약속 등에) 충성스러운, 성실한: They are truly *loyal* to their country. 그들은 국가에 참으로 충성스럽다. [SYN] faithful [OPP] disloyal
— **loyally** *adv.* **loyalty** *n.* 충성, 성실

■ 유의어 **loyal**
faithful 책임·의무 등에 충실한. **loyal** faithful의 의미에 더하여 사람·제도·주의를 지키고 그를 위하여 싸우는 것을 뜻함.

lucid [lúːsid] *adj.* **1** 맑은, 투명한 **2** (말·글이) 명료한, 알기 쉬운: a *lucid* explanation 명료한 설명 **3** 두뇌가 명석한; (정신병자가) 제정신의, 의식이 명료한
— **lucidly** *adv.* **lucidity** *n.*

***luck** [lʌk] *n.* **1** 운: I had the good *luck* to find him at home. 운 좋게 그는 집에 있었다. / bad *luck* 운이 나쁜 [SYN] fortune **2** 행운, 성공: I wish you *luck* with your exams. 시험 잘 보길 빌게. / I think this necklace will bring you *luck*. 이 목걸이가 너에게 행운을 가져다 줄 거라 생각해.
[숙어] **Bad[Hard] luck.** 운이 안 좋았다.
※ 안 좋은 일을 당한 사람에게 유감의 말로 쓴다.
be in[out of] luck 운이 좋다[나쁘다]: I *was in luck* — the shop had the book I wanted. 나는 운이 좋았다. 상점에 내가 원하는 책이 있었다.
Good luck (to you)! 행운이 있기를!: *Good luck* with your exam! 시험에 행운이 있기를 빈다!

luckily [lʌ́kili] *adv.* 운 좋게, 요행히(도): I was late getting to the station, but *luckily* the train was delayed. 나는 역

에 늦게 도착했으나, 운 좋게 기차는 (출발이) 지연되고 있었다.

luckless [lʌ́klis] *adj.* 불운의, 불행한

lucky [lʌ́ki] *adj.* (luckier-luckiest) **1** 행운의, 운 좋은: Today is my *lucky* day! 오늘은 나의 행운의 날이야! **2** 행운을 가져오는, 재수 좋은: a *lucky* penny(number) 행운의 동전(숫자) [OPP] unlucky

ludicrous [lú:dəkrəs] *adj.* 익살맞은, 우스운, 바보 같은: What a *ludicrous* idea! 너무 바보 같은 생각이다!
— **ludicrously** *adv.*

luggage [lʌ́gidʒ] *n.* 수화물, 여행용 가방 [SYN] baggage
※ 집합적으로 쓰인다.: a piece of *luggage*, much *luggage*

lull [lʌl] *n.* 진정, 잠잠함, 일시적인 중지 (in): a *lull* in the wind 바람의 멎음 / a *lull* in the conversation 대화의 중지
v. [T] **1** (어린아이를) 달래다: The music *lulled* a baby to sleep. 그 음악이 아기를 (달래어) 재웠다. **2** (사람·마음을) 안심시키다 (into): They *lulled* us into thinking we still had time. 그들은 아직 시간이 있다고 생각하라며 우리를 안심시켰다. **3** (보통 수동태) (파도·폭풍우 등을) 가라앉히다

lullaby [lʌ́ləbài] *n.* 자장가

lumber¹ [lʌ́mbər] *n.* **1** 재목 (통나무·들보·판자 등) [SYN] timber **2** 잡동사니

lumber² [lʌ́mbər] *v.* **1** [I] 쿵쿵 걷다, 무겁게 움직이다 (along, past) **2** [T] (보통 수동태) (골치 아픈 책임 등을) 떠맡기다 (with): She got *lumbered* with the babysitting. 그녀는 아이 돌보는 일을 떠맡았다. **3** [I,T] (잡동사니 등으로) 메우다, 방해하다: Don't *lumber* up a room with rubbish. 잡동사니로 방을 어지르지 마라. **4** [I,T] [미] 재목을 베어내다

luminous [lú:mənəs] *adj.* 빛을 내는, 빛나는, 밝은: a *luminous* watch 야광 시계

***lump** [lʌmp] *n.* **1** 덩어리, 한 조각: a *lump* of sugar 각설탕 한 개 **2** 혹, 종기:

He got a *lump* on his head. 그는 머리에 혹이 났다.
v. [T] 한 묶음으로 하다, 한 덩어리로 만들다, 일괄하다 (together, with): Let us *lump* all the expenses. 비용을 모두 하나로 합칩시다. / They *lumped* the old thing with the new. 그들은 헌 것과 새 것을 함께 합쳤다.
[숙어] **have(feel) a lump in one's throat** (감동하여) 목이 메이다, 가슴이 벅차다

lunar [lú:nər] *adj.* 달의, 태음의: a *lunar* eclipse 월식 *cf.* solar 태양의

lunatic [lú:nətik] *adj.* 미친, 정신 이상의 *n.* 미치광이, 정신 이상자 [SYN] madman

***lunch** [lʌntʃ] *n.* **1** 점심: have(take) a *lunch* 점심을 먹다 **2** [미] 가벼운 식사: a *lunch* counter 간이 식당
v. [I] 점심을 먹다

luncheon [lʌ́ntʃən] *n.* 점심, 오찬

■ 유의어 **lunch**
lunch 보통의 점심, 가벼운 식사.
luncheon lunch와 같은 뜻으로도 사용되나 점심으로서 특별히 격식을 차린 오찬.

lunchtime [lʌ́ntʃtàim] *n.* 점심 시간

***lung** [lʌŋ] *n.* 폐, 허파: the *lungs* 양쪽 폐 / inflammation of the *lungs* 폐렴

lurch [lə:rtʃ] *n.* (배·차 등이) 갑자기 기울어짐, 비틀거림
v. [I] 갑자기 기울어지다, 비틀거리다

lure [luər] *n.* 매력, 유혹물, 미끼: the *lure* of money(adventure) 돈(모험)의 매력
v. [T] 유혹하다, 꾀내다: Don't *lure* him from his studies. 공부하는 그를 꾀어내지 마라. / Her singing *lured* him into the garden. 그 여자의 노랫소리가 그를 정원으로 끌어냈다.

lurk [lə:rk] *v.* [I] 숨다, 잠복하다, 숨어 기다리다 (about, in, under): I was *lurking* in the closet. 나는 벽장에 숨어 있었다.

lust [lʌst] *n.* **1** (강한) 욕망, 갈망 (for, of):

L

a *lust* for power 권력욕 **2** 정욕, 육욕
v. [I] **1** 갈망하다 (after, for): He has been
lusting for fame. 그는 명성을 갈망하고 있
다. **2** 색정을 일으키다〔품다〕

luster, lustre [lʌ́stər] *n.* **1** 광택 **2** 영
광, 영예: His deeds shed *luster* on his
family. 그의 행위는 그의 가문을 빛냈다.
SYN glory **3** (광을 내는) 유약
v. [T] **1** 광택을 내다 **2** 영예를 주다
— **lustrous** *adj.*

lustful [lʌ́stfəl] *adj.* 호색의, 음탕한:
lustful thoughts 음탕한 생각
— **lustfully** *adv.*

lusty [lʌ́sti] *adj.* (lustier-lustiest) 튼튼한,
건장한, 원기 왕성한
— **lustily** *adv.*

luxurious [lʌgʒúəriəs] *adj.* 사치스러운,
호화스러운: They have a very *luxurious*
apartment. 그들은 매우 호화스런 아파트를
가지고 있다.
— **luxuriously** *adv.*

luxury [lʌ́kʃəri] *n.* **1** 사치: live in *luxury*
호화〔사치〕스럽게 지내다 / She leads a life
of *luxury*. 그녀는 사치스런 생활을 하고 있
다. **2** 사치품, 고급품: necessaries and
luxuries 필수품과 사치품 **3** 쾌락, 향락, 즐거
움

lynch [lintʃ] *v.* [T] …에게 린치를 가하다,
사적 제재에 의해 죽이다
※ 법의 절차에 의하지 않고 사사로이 가하는
형벌을 뜻한다.

lyric [lírik] *adj.* 서정시의, 서정적인
n. **1** 서정시 (lyric poem) *cf.* epic 서사시 **2**
(lyrics) (유행가 등의) 가사

lyrical [lírikəl] *adj.* 서정시조의, 서정미가
있는 (lyric)

L

m M

*ma'am [məm] *n.* 마님, 아주머니, 선생님 (하녀가 안주인에게, 점원이 여자 손님에게, 학생이 여교사에 대한 호칭)

*machine [məʃíːn] *n.* **1** 기계, 기계장치: a washing *machine* 세탁기 / The goods are all packed by *machine* now. 이제 모든 제품은 기계로 포장된다. **2** 기구, 기관: the social *machine* 사회 기구 [SYN] organization

machine gun *n.* 기관총

machinery [məʃíːnəri] *n.* 기계류, 기계 장치: agricultural *machinery* 농기계
※ machine은 개개의 기계를 말하고 machinery는 기계류를 집합적으로 나타내는 말로서 셀 수 없는 명사이다.

machinist [məʃíːnist] *n.* 기계 기술자[제작자, 수리공]

mackerel [mǽkərəl] *n.* (*pl.* mackerel(s)) 고등어

*mad [mæd] *adj.* (madder-maddest) **1** 미친, 실성한: He must be *mad* to do that. 저런 짓을 하다니 그는 미친 게 틀림없다. [SYN] crazy
※ 이 뜻으로 mad나 insane은 잘 사용하지 않는다. 대신 mentally ill을 사용한다. **2** 열광적인, 열중한 (about, on): He is *mad* about baseball. 그는 야구에 열중해 있다. **3** (명사 앞에는 쓰이지 않음) 화난, 성난 (at, with): She was *mad* with me. 그녀는 내게 몹시 화를 냈다. / Don't be *mad* at me. 나한테 화내지 마라.
— **madly** *adv.*

*madam [mǽdəm] *n.* (*abbr.* ma'am) **1** 부인, …부인: May I help you, *madam*? 부인, 제가 좀 도와 드릴까요?
※ 여성을 정중하게 부르는 말로서 ma'am만

큰 쓰지는 않음. 원래 부인에 대한 존칭이었으나 지금은 미혼 여성에게도 쓴다.
2 (Madam) 알지 못하는 여성에 대한 편지의 호칭으로 씀: Dear *Madam*, …

maddening [mǽdniŋ] *adj.* 미치게 하는, 몹시 화나게 하는

madman [mǽdmən] *n.* (*pl.* madmen) 광인, 미치광이

madness [mǽdnis] *n.* **1** 광기, 정신착란 **2** 미친 짓, 바보 짓: It would be *madness* to go surfing in such rough weather. 이런 악천후에 파도를 타러 간다는 것은 미친 짓이다. **3** 열광, 격노

maestro [máistrou] *n.* (*pl.* maestros, maestri) **1** 대음악가, 대작곡가, 명지휘자 **2** (예술의) 대가, 거장

*magazine [mæ̀gəzíːn] *n.* **1** 잡지, 정기 간행물 **2** 화약고, 병기고

*magic [mǽdʒik] *n.* **1** 마법, 마술, 주술: use *magic* 마법을 부리다 / black(white) *magic* 해로운(이로운) 마술, 악마(천사)의 힘을 빌린 마술 **2** 매력, 마력, 불가사의한 힘: the *magic* of music 음악의 매력
adj. **1** 마법의: a *magic* spell 주문 / do *magic* tricks 요술을 부리다 **2** 마법과 같은, 이상한, 매력적인
[숙어] **as (if) by magic, like magic** 즉석에서, 신기하게도: He has recovered *as if by magic* from his illness. 그는 신기하게도 병이 나았다.

magical [mǽdʒikəl] *adj.* **1** 마법으로 일어난(듯한), 마법에 걸린 듯한: Diamonds were once thought to have *magical* powers. 옛날에 다이아몬드는 마법의 힘을 가진 것으로 여겨졌다. **2** 매혹적인, 매우 즐겁고 흥미있는: a *magical* night 매혹적인 밤

— **magically** *adv.*

magician [mədʒíʃən] *n.* 마법사, 마술사

magistrate [mǽdʒəstrèit] *n.* **1** (사법권을 가진) 행정 장관 **2** 치안 판사, 하급 판사

magnesium [mægníːziəm] *n.* [화학] 마그네슘 (금속 원소; 기호 Mg)

magnet [mǽgnit] *n.* **1** 자석 **2** 사람 마음을 끄는 사람(물건): a *magnet* for tourists 관광객을 끄는 것

magnetic [mægnétik] *adj.* **1** 자석의, 자기의 **2** 마음을 끄는, 매력 있는: a *magnetic* personality 매력 있는 인물 [SYN] attractive

magnetic field *n.* 자기장

magnetism [mǽgnətìzəm] *n.* **1** 자기 **2** 사람의 마음을 끄는 힘, 매력

magnificent [mægnífəsənt] *adj.* **1** 장대한, 장엄한: a *magnificent* spectacle 장관 **2** 당당한, 훌륭한: a *magnificent* art 격조 높은 예술 **3** 굉장한, 멋진: a *magnificent* opportunity 절호의 기회

— **magnificently** *adv.* **magnificence** *n.*

magnify [mǽgnəfài] *v.* [T] **1** (렌즈 등으로) 확대하다: This microscope *magnifies* objects five hundred times. 이 현미경은 물체를 500배로 확대한다. **2** 과장하다: Don't *magnify* the problem. 문제를 과장하지 마라.

— **magnification** *n.*

magnifying glass *n.* 확대경, 돋보기

magnitude [mǽgnətjùːd] *n.* **1** (길이 · 규모 · 수량) 크기, 양 **2** 중요함, 위대함

mahogany [məhágəni] *n.* **1** [식물] 마호가니 (가구를 만들 때 쓰는 열대 지역의 나무) **2** 적갈색

*****maid** [meid] *n.* **1** 소녀, 아가씨 **2** 하녀, 가정부

maiden [méidn] *n.* 소녀, 처녀, 미혼 여성 *adj.* **1** 소녀의, 처녀의 **2** (비유적으로) 처음의: *maiden* flight(voyage) 처녀 비행(항해) / *maiden* name 여성의 결혼 전의 성 [SYN] virgin

*****mail** [meil] *n.* ([영] post) **1** 우편물: I had a lot of *mail* today. 오늘은 우편물이 많이 왔다.

※ [영] 외국으로 가는 우편에만 mail을 쓰고 국내 우편은 post를 쓴다.

2 우편 제도: by *mail* 우편으로

v. [T] ([영] post) 우송하다: I *mailed* the letter to you last week. 지난 주에 너에게 편지를 부쳤다.

mailbox [méilbàks] *n.* **1** (대문 · 현관의) 개인 우편함 ([영] letter box) **2** 우체통 ([영] postbox) **3** [컴퓨터] 우편함 (전자 우편을 일시 기억해 두는 컴퓨터 내의 기억 영역)

mailman [méilmæ̀n] *n.* (*pl.* mailmen) ([영] postman) 우편물 집배원

mailing list *n.* 우편물 수취인 명부

maim [meim] *v.* [T] **1** (…를) 불구가 되게 하다: He was badly *maimed* in the accident. 그는 사고로 심한 불구가 되었다. **2** (물건을) 상처내다, 못쓰게 만들다

*****main** [mein] *adj.* (명사 앞에만 쓰임) 주요한, 주된, (제일) 중요한: a *main* road 주요 도로 / You're happy and that's the *main* thing. 네가 행복한 것, 그것이 중요한 것이다. [SYN] chief

n. (수도 · 가스 · 전기의) 본관, 본선: a water *main* 급수 본관

[숙어] **in the main** 대개는, 주로: Her friends are teachers *in the main*. 그녀의 친구들은 주로 선생님이다.

with might and main 전력을 다하여: He pulled the rope *with might and main*. 그는 전력을 다하여 줄을 끌어 당겼다.

mainland [méinlæ̀nd] *n.* 대륙, (부근의 섬 · 반도와 구별하여) 본토 [OPP] peninsula

mainly [méinli] *adv.* **1** 주로 [SYN] primarily **2** 대개, 대체로, 대부분: They were *mainly* from Europe. 그들은 대부분 유럽 출신이었다. [SYN] mostly

maintain [meintéin] *v.* [T] **1** 지속(계속)하다, 유지하다: I wanted to *maintain* my friendship with her. 나는 그녀와의

우정을 계속 유지하고 싶었다. **2** (권리·주장 등을) 옹호하다, 지지하다, 주장하다: Some scientists *maintained* the theory to be wrong. 몇몇 과학자들은 그 이론은 잘못되었다고 주장했다. **3** (보수하여) 간수하다, 보존하다: A large house is expensive to *maintain*. 큰 집은 유지하는 데 비용이 많이 든다. **4** 부양하다: He has to *maintain* his family. 그는 가족을 부양해야 한다.

maintenance [méintənəns] *n.* **1** 유지, 지속 **2** 보수 (관리), 정비: The house needs a lot of *maintenance*. 그 집은 보수가 많이 필요하다. / car *maintenance* 차량 정비 **3** [영] 부양(비), 생계, 생활비

maize [meiz] *n.* ([미] corn) 옥수수, 옥수수의 열매

majestic [mədʒéstik] *adj.* 위엄 있는, 장엄한
— **majestically** *adv.*

majesty [mǽdʒisti] *n.* **1** 위엄, 장엄 **2** (Majesty) 폐하: His(Her, Your) *Majesty* 황제(황후) 폐하

***major** [méidʒər] *adj.* **1** (명사 앞에만 쓰임) 주요한, 중요한: the *major* industries 주요 산업 [OPP] minor **2** [음악] 장조의: the key of D *major* D장조
n. **1** 육군 소령 (*abbr.* Maj.) **2** [미] (대학의) 전공 과목: What is your *major*? 네 전공은 뭐니? **3** [음악] 장조
v. [I] [미] 전공하다 (in): He is *majoring* in history. 그는 역사를 전공하고 있다. [SYN] specialize

majority [mədʒɔ́(ː)rəti] *n.* **1** (집합적) 대부분, 대다수: A *majority* of the people voted for candidate B. 국민 대다수는 B 후보에게 투표를 했다. [OPP] minority **2** (보통 a majority) (선거에서) 득표차: He was elected by a *majority* of 1,000. 그는 1,000표 차로 당선되었다. **3** [법] 성년 (보통 미국 21세, 영국 18세)
[숙어] **be in the(a) majority** 다수이다, 과반수를 차지하다: Women *were in the*

majority at the meeting. 여자들이 모임에서 과반수를 차지했다.

***make** ⇨ p. 430

make-believe *n.* 가장, 거짓

maker [méikər] *n.* **1** 제작자, 제조업자 **2** (일반적) 만드는 사람: a trouble *maker* 말썽꾸러기

makeshift [méikʃìft] *adj.* 임시 변통의, 일시적인: a *makeshift* parking area 임시 주차 구역

make-up *n.* **1** 메이크업, 화장, 분장: She wears no *make-up*. 그녀는 전혀 화장을 안 한다. **2** 조립, 구성: the *make-up* of committee 위원회의 구성 **3** 성질, 기질: a national *make-up* 국민성

malady [mǽlədi] **1** (만성적인) 병, 질병 **2** (사회의) 병폐: a social *malady* 사회 병폐

malaria [məlɛ́əriə] *n.* [의학] 말라리아

***male** [meil] *adj.* 남성의, 남자의, 수컷의
n. 남성, 남자 *cf.* female 여성(의), 여자(의)

malice [mǽlis] *n.* 악의, 해할 마음, 원한: There was no *malice* in her comments. 그녀의 논평에 악의는 없었다.
— **malicious** *adj.* **maliciously** *adv.*

malignant [məlígnənt] *adj.* **1** 악의 있는 **2** [의학] 악성의, 유해한: a *malignant* tumor 악성 종양

mall [mɔːl] *n.* 보행자 전용 상점가, 쇼핑 센터 [SYN] shopping center

malnutrition [mæ̀lnjuːtríʃən] *n.* 영양실조 [OPP] nutrition

mama, mamma [máːmə] *n.* 엄마 (아이들 용어) *cf.* papa 아빠

mammal [mǽməl] *n.* 포유동물

***man** [mæn] *n.* (*pl.* men[men]) **1** (성년) 남자, 사내, 남성 [OPP] woman **2** 사람, 인간, 인류: All *men* are equal. 모든 인간은 평등하다. / *Man* is mortal. 인간은 죽게 마련이다. **3** 남편: *man* and wife 부부 **4** 하인, 부하: officers and *men* 장교와 사병
v. [T] (manned-manned) **1** …에 사람을 배치하다: *man* a ship with sailors 배에 선

make

make [meik] *v.* (made-made) **1** [T] 만들다, 제작하다, 창조하다: Shall I *make* some tea? 차 좀 끓여 줄까? / Wine is *made* from grapes. 포도주는 포도를 원료로 하여 만든다. / This bag is *made* in Italy. 이 가방은 이탈리아산이다.

2 [T] 일으키다, 생기게 하다: *make* a mistake 잘못을 저지르다 / *make* a fire 불을 피우다 / *make* trouble 소동을〔문제를〕 일으키다 / Don't *make* a noise! 떠들지 마라!

3 [T] 손에 넣다, 획득하다, 얻다: I *make* $1,000 a month. 나는 한 달에 1,000달러를 번다. / *make* friends 친구를 만들다 [SYN] gain

4 [T] …이 되다: I don't think he will ever *make* a good lawyer. 나는 그가 훌륭한 변호사가 될 것 같지 않다.

5 [T] …을 …으로 만들다: Flowers *make* our rooms cheerful. 꽃을 두면 방이 밝아진다.

6 [T] …하게 하다, …시키다: I'll *make* him go there if she wants. 그녀가 원하면 그를 그 곳에 가도록 하겠다. / His jokes *made* us all laugh. 그의 농담은 우리 모두를 웃겼다. ※ 이 때의 make에는 강제의 뜻이 있을 때도 있음. 수동형에서는 to가 붙음.: He was *made* to do his duty. 그는 의무를 강요당했다.

7 [T] (동작 등을) 하다, 행하다: *make* an effort 노력하다 / *make* a speech 연설하다 / I've *made* an appointment to see the doctor. 난 의사에게 진료 예약을 했다.

8 [T] …에 도착하다; …시간 안에 가다, (놓치지 않고) 잡아타다: Did you *make* a train? 기차 시간 안에 갔어?

n. 제작, 제조, …제: "What *make* is your cell phone?" "It's a Motorola." "네 휴대 전화는 어디 거니?" "모토롤라 제품이야."

[숙어] **make away with 1** …을 가져가 버리다: He *made away with* public money. 그는 공금을 가지고 도망갔다. **2** …을

없애다, 제거하다, 죽이다: That's *making away with* yourself. 그런 짓을 하는 것은 자살 행위다.

make for 1 …을 향하여 나아가다: We *made for* home together. 우리는 함께 집으로 향했다. **2** (이해·행복 등에) 도움이 되다, 공헌하다: *make* much *for* world peace 세계 평화에 크게 기여하다

make good 1 보충하다, 보상하다: *make good* the loss 손해를 메우다 **2** 성취하다, 해내다

make … into ~ …을 ~으로 하다〔만들다〕: We *make* milk *into* cheese. 우유로 치즈를 만든다.

make it 1 잘 해내다, 성공하다: I *made it*! 내가 해냈어! / He'll never *make it* in business. 그는 사업에 결코 성공하지 못할 것이다. **2** (열차 시간 등에) 대다, 제시간에 도착하다: My family just *made it* in time. 우리 가족은 가까스로 시간에 댔다.

make light〔**little**〕**of** …을 소홀히 하다, 업신여기다 [SYN] disregard

make much of …을 존중하다, 중요시하다

make nothing of 1 …을 문제시하지 않다: The manager *made nothing of* my abilities in this field. 지배인은 이 분야에 있어서의 나의 재능을 대수롭지 않게 여겼다. **2** …을 전혀 알 수 없다: I can *make nothing of* his words. 그가 말하는 것을 전혀 알 수 없다.

make … of〔**from**〕~ ~으로 …을 만들다, (사람)을 …으로 만들다: We *made* a bottle *of* glass. 우리는 유리로 병을 만들었다. / She *made* a lawyer *of* her son. 그녀는 아들을 변호사로 만들었다.

make off (**with**) (…을 가지고) 달아나다: The cashier *made off with* all the money in the safe. 회계원은 금고의 돈을 전부 갖고 도망쳤다. [SYN] run away with

make out 1 이해하다: *make out* what it means 그 뜻을 이해하다 **2** (일 등을) …와 잘

해나가다: How are you *making out* with your new job? 새로운 일은 잘 해나가고 있니? **3** (결과 등이) …이 되다: How did you *make out* in your French examination? 프랑스 어 시험은 어떻게 되었니? **4** 작성하다, 써 넣다: *make out* a check 수표를 떼다 / *make out* a form 양식에 내용을 기입하다 **5** …인 체하다, 마치 …인 것처럼 말하다〔행동하다〕: He *made* himself *out* to be a millionaire. 그는 백만장자인 체했다.

make over (재산 등을) 양도하다: He has *made over* all his property to his son. 그는 전 재산을 아들에게 물려줬다.

make sure …을 확인하다, 다짐하다: I think the train starts at 8:00 p.m., but you'd better *make sure*. 기차는 오후 8시에 출발할 것으로 생각되는데, 그래도 확인하는 게 좋겠다.

make up 1 (…으로) 만들다, 구성하다, 작성하다: The committee is *made up* of six members. 위원회는 여섯 명으로 구성되어 있다. **2** 날조하다: The story is *made up*. 그 이야기는 날조된 거짓말이다. **3** 분장하다, 화장하다: I was *made up* like an old lady. 나는 노파로 분장해 있었다. **4** (보완하여) 완전하게 하다, (필요한 것을) 조달하다: We need one more person to *make up* the number. 수를 채우기 위해 한 사람이 더 필요하다. **5** (…와) 화해하다, 사이가 다시 좋아지다 (with): Why don't you *make up* with her? 그녀와 화해하면 어때?

make up for …의 보상을 하다: He must *make up for* the loss. 그가 손실을 보상해야 한다. SYN compensate for

make up one's mind 결심하다: He *made up his mind* to go to England. 그는 영국에 가기로 결심했다. SYN decide

make use of …을 이용하다: Try to *make* good *use of* your time. 너의 시간을 잘 이용하도록 해라. SYN utilize

---

원들을 배치하다 / a *manned* spaceship 유인 우주선 **2** 작동하다

-man *suffix* (*pl.* -men) **1** '…국인, …의 주민'의 뜻.: English*man* 영국인 / country-*man* 시골 사람 **2** 직업이 …인 사람: business*man* 실업가 / post*man* 우편 배달부

***manage** [mǽnidʒ] *v.* **1** [T] (사람・도구 등을) 잘 다루다, 마음대로 움직이다, 길들이다: *manage* a tool 도구를 사용하다 / He's not very good at *managing* people. 그는 사람을 잘 다루지 못한다. **2** [T] (사무를) 처리하다, 관리하다, 경영하다: He *manages* the restaurant. 그는 식당을 경영하고 있다. / *manage* a household 살림을 꾸려 나가다 **3** [I,T] …을 그럭저럭 해내다 (to do): We *managed* to get there in time. 우리는 그럭저럭 시간에 맞게 그 곳에 도착했다.

manageable [mǽnidʒəbəl] *adj.* 다루기 쉬운, 관리하기 쉬운

management [mǽnidʒmənt] *n.* **1** 관리, 경영: The company has suffered from several years of bad *management*. 회사는 부실 경영으로 몇 년 간 곤란을 겪고 있다. **2** 경영자(측): The company is under new *management*. 회사는 새로운 경영진 하에 있다.

manager [mǽnidʒər] *n.* **1** 지배인, 경영자, 관리자 **2** (가수・배우 등의) 매니저

managerial [mæ̀nədʒíəriəl] *adj.* 매니저의, 관리〔지배〕의: a *managerial* position 관리직

managing [mǽnidʒiŋ] *adj.* **1** 처리〔지배, 관리, 경영〕하는 **2** 경영을 잘 하는

mandala [mʌ́ndələ] *n.* [미술] 만다라 (기하학적 도형으로 신상 또는 신의 속성이 그려져 있음)

mandarin [mǽndərin] *n.* **1** (Mandarin) (중국의) 관화(官話), 베이징 관화 (표준 중국어) **2** 만다린 귤

mandate [mǽndeit] *n.* **1** (공식의) 명령 **2** (선거 구민이 의원에게 내는) 요구

mandatory [mǽndətɔ̀:ri] *adj.* 강제의, 의무의: Voting is not *mandatory*. 투표는 의무적이지 않다. SYN obligatory OPP optional

mandolin [mǽndəlin] *n.* 만돌린 (네쌍의 현이 있는 작은 기타 모양의 악기)

mane [mein] *n.* (말·사자 등의) 갈기

maneuver, manoeuvre [mənú:vər] *n.* 1 기술을 요하는 조작 (방법) 2 계략, 책략: basic skiing *maneuvers* 기초적인 스키타는 방법 3 (maneuvers) (군대·함대의) 기동 작전, 연습
v. [I,T] 1 연습하다 2 조정[조작]하다, (사람·물건을) 교묘하게 유도하다[움직이다]: I *maneuvered* the car into a narrow space. 나는 차를 좁은 공간으로 몰고 갔다.

manganese [mǽŋgənì:z] *n.* [화학] 망간 (금속 원소; 기호 Mn)

mango [mǽŋgou] *n.* (*pl.* mango(e)s) [식물] 망고 나무; 그 열매

manhood [mǽnhùd] *n.* 남자임, 사나이다움

mania [méiniə] *n.* 열중, 열광, …열[광]: the baseball *mania* 야구 열기

maniac [méiniæk] *n.* 미치광이, (편집광적인) 애호가: a football[fishing, car] *maniac* 축구[낚시, 자동차]광

manicure [mǽnəkjùər] *n.* 매니큐어
v. [I,T] 매니큐어를 하다, (손·손톱을) 손질하다

manifest [mǽnəfèst] *v.* [T] 명백히 하다, (감정을) 나타내다; (유령·징후가) 나타나다 (oneself): The tendency *manifested* itself in many ways. 그 경향은 여러 가지 형태로 나타났다.
adj. 명백한, 분명한: *manifest* error 명백한 잘못
— **manifestly** *adv.*

manifestation [mæ̀nəfestéiʃən] *n.* 표현, 표시, 표명

manifesto [mæ̀nəféstou] *n.* (*pl.* manifesto(e)s) (국가·정당 등의) 선언서, 성명서

manifold [mǽnəfòuld] *adj.* 다양한, 여러 가지의 SYN various, diverse

manipulate [mənípjəlèit] *v.* [T] 1 (사람·여론 등을) 조종하다, (시장·시가 등을) 조작하다: *manipulate* public opinion 여론을 교묘히 조종하다 2 (기계 등을) 능숙하게 다루다, (문제를) 솜씨있게 처리하다
— **manipulation** *n.*

mankind [mæ̀nkáind] *n.* 인류, 인간, 사람: *Mankind* has existed for thousands of years. 인류는 수천 년 동안 존재해 왔다.

manly [mǽnli] *adj.* 남자다운, 대담한, 씩씩한
— **manliness** *n.*

man-made [mǽnméid] *adj.* 인조의, 인공의, 합성의: *man-made* fibers 합성 섬유 SYN artificial

mannequin [mǽnikin] *n.* 마네킹

*****manner** [mǽnər] *n.* 1 방법, 방식: I think you should have acted in a more reasonable *manner*. 내 생각에는 네가 좀 더 이성적인 방식으로 행동했어야 했어. 2 태도: an aggressive *manner* 공격적인 태도 3 (manners) 예절, 예의: He has no *manners*. 그는 예의 범절을 모른다. 4 (manners) 풍습, 관습, 관례
— **mannerless** *adj.* 버릇 없는
[숙어] **all manner of** 모든 종류의: She's survived *all manner of* difficulties. 그녀는 모든 종류의 어려움을 이겨냈다.
in a manner of speaking 어떤 의미로는, 말하자면: I suppose you could say she's my partner *in a manner of speaking*. 어떤 의미로는 그녀가 내 파트너라고 말할 수도 있겠다.

mannerism [mǽnərìzəm] *n.* 1 매너리즘 (특히 문학·예술의 표현 수단이 틀에 박힌 것) 2 (태도·언행 등의) 독특한 버릇

manpower [mǽnpàuər] *n.* 인력, 인적 자원

mansion [mǽnʃən] *n.* 대저택

mantle [mǽntl] *n.* **1** 망토, 외투 **2** 덮개 **3** [지질] 맨틀 (지각과 중심 핵 사이의 층)

manual¹ [mǽnjuəl] *adj.* 손의, 손으로 하는: *manual* work 수공업, 육체 노동
— **manually** *adv.*

manual² [mǽnjuəl] *n.* 소책자, 편람, 입문서, 설명서

manufacture [mæ̀njəfǽktʃər] *v.* [T] **1** 제조(제작)하다, 가공하다, (재료를) 제품화하다: Our company *manufactures* furniture. 우리 회사는 가구를 제작한다. [SYN] produce **2** (말을) 꾸며내다, 날조하다
n. **1** (대규모의) 제조, 제조(공)업 **2** (manufactures) 제품
— **manufacturing** *adj.* **manufacturer** *n.* 제조(업)자

manuscript [mǽnjəskrìpt] *n.* **1** 원고 **2** 사본, 필사본

***many** [méni] *adj.* (more-most) **1** 많은, 다수의: How *many* years have you worked here? 여기서 몇 년이나 일했니? / I've got so *many* things to do this morning. 오늘 아침에 할 일이 너무 많다. **2** (many a) 여러, 수없이: I've told you *many* a time not to wake me up in the morning. 아침에 나를 깨우지 말라고 여러번 말했잖아.
※ 단수 명사(동사)와 함께 쓰인다.
n. **1** 많은 사람들: *Many* of them believe in superstition. 많은 사람들이 미신을 믿고 있다. **2** 많은 것(사람): Do you have *many* to finish? 끝내야 할 일이 많이 있니?
[숙어] **a great(good) many** 대단히(상당히) 많은: *A great many* people stayed away. 대단히 많은 사람들이 참석하지 않았다.
as many as …와 동수의 것(사람), …이나 되는: He has *as many as* 500 books. 그는 500권이나 되는 책을 가지고 있다.

***map** [mæp] *n.* 지도 *cf.* atlas 지도책
v. [T] (mapped-mapped) **1** …의 지도를 만들다: Engineers *mapped* the area for a road. 기술자들이 도로를 건설하기 위해 그 지역의 지도를 만들었다. **2** 면밀히 계획하다 (out)

maple [méipəl] *n.* 단풍나무

mapmaker *n.* 지도 제작자

marathon [mǽrəθɑ̀n] *n.* **1** 마라톤 경주 **2** 장시간에 걸친 활동

marble [mɑ́:rbəl] *n.* **1** 대리석 **2** 공깃돌 (아이들의 장난감) **3** (marbles) 공기놀이

March [mɑ:rtʃ] *n.* (*abbr.* Mar.) 3월

*** march** [mɑ:rtʃ] *n.* **1** 행진, 행군: a peace *march* 평화 행진 **2** 행진곡
v. **1** [I,T] (발맞추어) 행진하다; 행진시키다: The soldiers *marched* along the road. 군인들이 도로를 따라 행진했다. **2** [I] 당당하게 걷다: She *marched* up to the boss and demanded an apology. 그녀는 사장한테 당당히 걸어가 사과할 것을 요구했다. **3** [I] (시위하며) 행진하다: The students *marched* through the town shouting 'Stop the war!' 학생들은 '전쟁을 멈춰라!'고 소리치며 도시를 가로질러 행진했다.

mare [mɛər] *n.* 암말, (당나귀·노새 등의) 암컷

margarine [mɑ́:rdʒərin] *n.* 마가린

margin [mɑ́:rdʒin] *n.* **1** 가장자리, 변두리 **2** (페이지의) 여백 **3** 판매 수익: Last year, our company had a high profit *margin*. 작년에 우리 회사는 높은 판매 수익을 올렸다. **4** (시간·경비 등의) 여유, (활동의) 여지: a *margin* of error 잘못이 발생할 여지 **5** (득표 등의) 차, 차이: In the end we won by a decisive *margin*. 마지막에 우리는 결정적인 차로 이겼다.
— **marginal** *adj.* 가장자리의; 한계의, 최저의

marine [mərí:n] *adj.* **1** 바다의 **2** 선박의, 해상 무역의
n. **1** 해병대원; (the Marines) 해병대 **2** 선박, 해상 세력
— **mariner** *n.* 선원

marital [mǽrətl] *adj.* 결혼의, 결혼 생활의, 부부간의: *marital* problems 부부간의

문제

***mark** [mɑːrk] *n.* **1** 표, 기호, 부호: a punctuation *mark* 구두점 **2** 흔적, 자국: There's a dirty *mark* on the front of my shirt. 내 셔츠 앞부분에 더러운 얼룩이 있다. **3** (성질·감정 등을 나타내는) 표시, 특징: They spoke very softly in the cathedral as a *mark* of respect. 그들은 존경의 표시로서 대성당 안에서 매우 낮은 목소리로 이야기했다. **4** (성적의) 평점, 점수: full *marks* 만점 / She got good *marks* in English. 그녀는 영어에서 좋은 점수를 땄다. **5** (특정한) 수준, 정도, 거리: They've just passed the half-way *mark*. 그들은 중간 지점을 막 통과했다. **6** (사상·생활 등에) 영향, 감화, 인상: The experience had left its *mark* on her. 그 경험이 그녀에게 영향을 주었다. **7** 목표, 표적: hit the *mark* 적중하다, 성공하다 / miss the *mark* 빗나가다, 실패하다

v. [T] **1** …에 표를 하다, 부호(기호)를 붙이다, …에 흔적을 남기다: We *marked* the price on the bottom of the box. 상자의 바닥에 가격을 붙였다. **2** (득점 등을) 기록하다, 채점하다: The teacher has already finished *marking* the exam papers. 선생님은 이미 시험 답안 채점을 끝내셨다. **3** 구분하다, (장소 등을) 지정하다: X *marks* the spot where the treasure is buried. X 표가 보물이 묻힌 장소를 나타내고 있다. **4** 특징짓다, 눈에 띄게 하다: He was *marked* as an enemy of society. 그는 사회의 적이라는 낙인이 찍혀 있다. **5** …에 주목하다: *Mark* my words. 내 말을 주의해서 들어라. **6** (스포츠에서) 상대를 마크하다

— **marking** *n.* 표하기, 채점

[숙어] **mark down** **1** 기록하다, 표적을 하다 **2** …의 값을 내리다: Winter coats have been *marked down* by 20%. 겨울 코트 값이 20% 내렸다. [OPP] mark up

mark off (경계선 등으로) 구별(구분, 구획)하다

mark out 선을 긋다, 줄을 치다

marked [mɑːrkt] *adj.* **1** 기호(표)가 있는 **2** 명료한, 두드러진: There has been a *marked* improvement in my health in recent years. 최근 몇 년 사이 내 건강 상태가 두드러지게 좋아졌다.
— **markedly** *adv.*

marker [mɑ́ːrkər] *n.* **1** 표를 하는 도구, 매직펜 **2** [미] (시험의) 채점자 **3** 표시가 되는 것 (묘비·이정표 등)

***market** [mɑ́ːrkit] *n.* **1** 시장: My mother usually buys fruit and vegetables at the *market*. 어머니는 보통 과일과 야채를 시장에서 구입하신다. **2** (특정 상품의) 매매, 거래: the *market* in cotton 솜거래 **3** 거래선, 판로, 수요: Our main overseas *market* is USA. 우리의 주요 해외 시장은 미국이다.
v. [T] 시장에 내놓다, (시장에서) 팔다

[숙어] **on the market** 팔 것으로 나와 있는: We put our house *on the market* last spring. 우리는 지난 봄에 집을 팔려고 내놓았다.

marketable [mɑ́ːrkitəbəl] *adj.* 팔리는, 시장성이 높은

marketing [mɑ́ːrkitiŋ] *n.* **1** (시장에서의) 매매, 시장 거래 **2** [경제] 마케팅 (제조에서 광고, 판매, 서비스까지의 과정)

marmalade [mɑ́ːrməlèid] *n.* 마멜레이드 (오렌지·레몬 등의 껍질로 만든 잼)

marriage [mǽridʒ] *n.* **1** 결혼, 결혼 생활: They have a happy *marriage*. 그들은 행복한 결혼 생활을 하고 있다. **2** 결혼식 [SYN] wedding

married [mǽrid] *adj.* 결혼한, 부부의: a *married* woman 기혼 여성 / We've been *married* for ten years. 우리는 결혼한 지 10년 됐다. [OPP] unmarried, single

marrow [mǽrou] *n.* **1** [의학] 뼈골, 골수 **2** [영] 서양 호박의 일종

***marry** [mǽri] *v.* **1** [I,T] …와 결혼하다: Will you *marry* me? 나와 결혼해주겠소? / They got *married* last summer.

그들은 지난 여름에 결혼했다. **2** [T] 결혼시키다 (to): He wants to *marry* his daughter to a rich man. 그는 그의 딸을 부자와 결혼시키고 싶어한다.

Mars [mɑːrz] *n.* 화성

■ **the solar system [태양계]**
Mercury 수성 **Venus** 금성 **Earth** 지구 **Mars** 화성 **Jupiter** 목성 **Saturn** 토성 **Uranus** 천왕성 **Neptune** 해왕성 **Pluto** 명왕성

marsh [mɑːrʃ] *n.* 습지, 늪

marshal [mɑ́ːrʃəl] *n.* **1** (대규모 행사의) 지휘자 **2** [미] (연방 재판소의) 집행관, 연방 보안관, 시경찰〔소방〕서장

marshland *n.* 습지대

marshmallow [mɑ́ːrʃmèlou] *n.* 마시멜로 (녹말·젤라틴·설탕 등으로 만드는 연한 과자)

martial [mɑ́ːrʃəl] *adj.* 전쟁의, 군사의: *martial* law 계엄령

martial art *n.* (동양의) 무술, 무도 (태권도·쿵후·유도 등)

martyr [mɑ́ːrtər] *n.* 순교자, 희생자
— **martyrdom** *n.* 순교

marvel [mɑ́ːrvəl] *n.* **1** 놀라운 일, 경이: *marvel* of science 과학의 경이 **2** 놀라운 것 〔사람〕, 비범한 사람
v. [I] (marvel(l)ed-marvel(l)ed) 놀라다, … 에 감탄하다: I *marvel* at his courage. 그의 용기가 놀랍다.
— **marvel(l)ous** *adj.* **marvel(l)ously** *adv.*

mascot [mǽskət] *n.* 마스코트, 행운의 신 〔부적〕

masculine [mǽskjəlin] *adj.* **1** 남성의, 남자의: a deep, *masculine* voice 굵고 남성적인 목소리 **2** 〔문법〕 남성의 OPP feminine

mash [mæʃ] *v.* [T] 짓찧다, 짓이기다: *mashed* potatoes 삶아서 으깬 감자

mask [mæsk] *n.* 탈, 가면, 복면: under the *mask* of …의 가면을 쓰고, …을 가장하여
v. [T] **1** …에 가면을 씌우다, (얼굴을) 가면으로 가리다 **2** (감정을) 감추다: He *masked* his anger with a smile. 그는 미소로 노여움을 감췄다.
— **masked** *adj.*

mason [méisən] *n.* **1** 석공, 벽돌공 **2** (Mason) 프리메이슨 (Freemason의 축약형; 회원 상호간의 공제·우애를 목적으로 하는 비밀 결사)

masonry [méisənri] *n.* 석공술, 돌로 만든 것〔부분, 건축〕

masquerade [mæ̀skəréid] *n.* **1** 가장 〔가면〕무도회 **2** 가장, 거짓 꾸밈
v. [I] **1** …으로 가장하다, 변장하다 **2** …인 척하다 (as): The spy *masqueraded* as a banker for years. 스파이는 수년 간 은행가 행세를 했다. SYN pretend

*****mass** [mæs] *n.* **1** 덩어리: a *mass* of iron 쇳덩이 **2** 모임, 집단 **3** 다량, 다수, 많음: There was a *mass* of reports on my desk. 내 책상에 산더미 같이 보고서가 쌓여 있었다. **4** (the mass) 대부분, 주요부: the *mass* of people 태반의 사람들 **5** (the masses) 일반 대중 **6** 부피, 질량 **7** (Mass) 미사 (보통 가톨릭의 성찬의 의식)
adj. 대량의, 대규모의: *mass* murder 대량 학살
v. [I,T] 한덩어리로 만들다, 한무리로 모으다

massacre [mǽsəkər] *n.* 대량 학살
SYN holocaust, genocide
v. [T] 대량 학살하다, 몰살시키다

massage [məsɑ́ːʒ] *n.* 마사지, 안마
v. [T] 마사지〔안마〕하다: *massage* a person on the shoulders …의 어깨를 안마하다
— **massager** *n.* 안마사

mass communication *n.* 매스 커뮤니케이션, 매스컴, 대량〔대중〕 전달 (수단) (신문·라디오 등)

massive [mǽsiv] *adj.* **1** 부피가 큰, 육중한 **2** 단단한, 힘찬 **3** 대량의
— **massively** *adv.*

mass media *n.* (*pl.*) 매스 미디어, 대중 매체

mass-produce *v.* [T] 대량 생산하다
— **mass production** *n.*

mast [mæst] *n.* 돛대, 마스트

*****master** [mǽstər] *n.* **1** 주인 **2** 장 (군주·고용주·선장·교장 등) **3** 대가, 명수, 거장 **4** (Master) 석사: *Master* of Arts 문학 석사 **5** 모형, 원판, (테이프의) 마스터테이프 **6** [영] (남자) 교사, 선생
v. [T] **1** 정통하다, 습득하다, …에 숙달하다: It takes a long time to *master* a foreign language. 외국어를 숙달하는 데는 오랜 시간이 걸린다. **2** 지배[정복]하다: I finally *mastered* my fear of flying. 마침내 나는 비행 공포증을 극복했다.

masterpiece [mǽstərpìːs] *n.* 걸작

mastery [mǽstəri] *n.* **1** 지배(력) **2** 숙달, 뛰어난 기능

*****mat** [mæt] *n.* **1** 매트, 돗자리 **2** (접시·꽃병 등의) 받침

*****match** [mætʃ] *n.* **1** 성냥: strike (light) a *match* 성냥을 긋다 **2** 경기, 시합: a football *match* 축구 시합 **3** 경쟁 상대, 호적수, 필적하는 사람[것] (for): He is no *match* for me. 그는 나의 상대가 되지 못한다. **4** 결혼, 결혼의 상대: They are a perfect *match* for each other. 그들은 서로에게 완벽한 결혼 상대자이다.
v. **1** …에 필적하다: No one can *match* him. 아무도 그를 당하지 못한다. **2** [I,T] …에 어울리다, 조화하다: This necktie *matches* your jacket. 이 넥타이는 너의 웃옷과 잘 어울린다. **3** [T] …에 (적합한 사람[것]을) 찾아내다 (for): Please *match* this silk for me. 이 실크에 어울리는 것을 찾아 주세요.
[숙어] **match up 1** 동일하다: The statements of the two witnesses don't *match up*. 목격자 두 명의 진술이 일치하지 않는다. **2** 일치시키다, 맞추다 (with): *Match up* each sentence with the right picture. 각 문장을 그에 맞는 그림과 맞춰라.

match up to (예상·계산 등에) 일치하다, …의 기대대로 되다: The film didn't *match up to* my expectations. 영화는 내 기대와는 달랐다.

matchbox [mǽtʃbàks] *n.* 성냥갑

matchless [mǽtʃlis] *adj.* 무적의, 비길 데 없는

matchstick [mǽtʃstìk] *n.* 성냥개비

mate [meit] *n.* **1** 동료, 친구: class*mate* 급우 **2** 상대, 배우자 (남편이나 아내) **3** 짝(한 쌍)의 한쪽: Where is the *mate* to this sock? 이 양말 한 짝은 어디 있지? **4** 항해사
v. [I,T] 짝지어주다, 교미하다: Birds *mate* in the spring. 새는 봄철에 교미한다. [SYN] breed

*****material** [mətíəriəl] *n.* **1** 재료, 원료: raw *materials* 원료 / building *materials* 건축 자재 **2** 요소, 제재, 자료: I'm collecting *material* for a paper. 나는 보고서를 작성하기 위해 자료를 모으고 있다. **3** (의복·커튼 등의) 감: Is there enough *material* for a dress? 옷을 만들 (옷)감은 충분하니? [SYN] fabric
adj. **1** 물질의, 물질에 관한: *material* civilization 물질 문명 **2** 육체적인[상의]: *material* comforts 육체에 위안을 주는 것 (음식·의복 등) [OPP] spiritual **3** 중요한, 필수의: a *material* evidence 중요한 증거
— **materially** *adv.* 실질적으로; 물질[유형]적으로

materialism [mətíəriəlìzəm] *n.* 유물론, 유물주의, 물질주의 [OPP] idealism, spiritualism
— **materialistic** *adj.* **materialist** *n.* 유물론자

materialize [mətíəriəlàiz] *v.* [I] 실현되다, 나타나다: Her hopes of becoming a painter never *materialized*. 화가가 되겠다는 그녀의 희망은 실현되지 못했다.

maternal [mətə́ːrnl] *adj.* **1** 어머니의, 모성의: *maternal* love 모성애 [OPP] paternal **2** 어머니쪽의: my *maternal* grandmother 나의 어머니쪽 할머니

maternity [mətə́:rnəti] *adj.* 임산부의:
a *maternity* dress 임부복 / *maternity*
leave 출산 휴가
n. 어머니임, 모성(애) *cf.* paternity 아버지
임, 부성(애)
— **maternal** *adj.* 어머니의, 모성의

*****math** [mæθ] *n.* ([영] maths) 수학

mathematician [mæ̀θəmətíʃən] *n.*
수학자

*****mathematics** [mæ̀θəmǽtiks] *n.* 수학
— **mathematical** *adj.* 수학(상)의
mathematically *adv.*

■ 유의어 mathematics
arithmetic 산술 **algebra** 대수
geometry 기하 **calculus** 미적분

matron [méitrən] *n.* **1** (나이 지긋한 점잖
은) 부인, 여사 **2** 수간호사

*****matter** [mǽtər] *n.* **1** 물질: vegetable
matter 식물질 **2** 문제, 일: It's a personal
matter and I don't want to talk about
it. 개인적인 문제라 말하고 싶지 않다. **3** 내용,
제재, 주제: I don't think the subject
matter of this program is suitable for
children. 이 프로그램의 내용이 아이들에게
맞지 않는 것 같다. **4** (the matter) 지장, 장
애, 사고, 어려움: What's the *matter* with
you? 어찌된 일이냐? / Something is the
matter with me. 골치 아픈 일이 좀 있다.
v. [I] 중요하다, 문제가 되다: It doesn't
matter to me whether he comes or
not. 그가 오든지 말든지 나에게는 중요하지
않다.

축어 **a matter of 1** …의 문제: It's just
a matter of opinion. 그건 견해상의 문제일
뿐이다. **2** 약, 대충: He will arrive in *a
matter of* minutes. 그는 몇 분 있으면 도착
할 것이다.

a matter of course 당연한 일

as a matter of fact 실제로, 실은: *As a
matter of fact*, you are quite right. 사실

네가 옳다.

no matter how(when, where, which,
who, what) … **may** 비록 어떻게(언제,
어디에서, 어느 것이, 누가, 무엇이) …한다 하
더라도: It is not true, *no matter who
may* say so. 비록 누가 그렇게 말한다 해도
그것은 진실이 아니다.

matter-of-fact *adj.* 사실의, 실제의; 사
무적인, 무미 건조한: He spoke in a very
matter-of-fact way about his illness.
그는 자신의 병에 대해 매우 담담하게 말했다.

mattress [mǽtris] *n.* 침대요, 매트리스

mature [mətjúər] *adj.* **1** 익은, 다 발육
(발달)한: *mature* trees 다 자란 나무 **2** 성숙
한: She's very *mature* for her age. 그녀
는 나이에 비해 매우 성숙하다. OPP immature
v. [I] 성숙하다, 완성하다: He has *matured*
a lot since he was at college. 대학생이
된 후 그는 많이 성숙했다.
— **maturity** *n.*

maxim [mǽksim] *n.* 격언, 금언, 좌우명

maximize, maximise
[mǽksəmàiz] *v.* **1** [T] 극한까지 증가(확대,
강화)하다 **2** 최대한으로 활용하다 OPP
minimize

maximum [mǽksəməm] *n.* (*abbr.*
max; *pl.* maxima, maximums) 최대, 최대
한(도), 최고치 OPP minimum
adj. 최대의, 최고의

May [mei] *n.* 5월

May Day *n.* 5월제 (5월 1일), 노동절, 메이
데이

*****may** ⇨ p. 438

*****maybe** [méibi:] *adv.* 어쩌면, 아마: "Will
he come?" "*Maybe.*" "그가 올까?" "올지
도 모르지." / *Maybe* you'll have better
luck next time. 다음 번엔 행운이 있을 테
지. SYN perhaps

mayonnaise [mèiənéiz] *n.* 마요네즈
(소스)

mayor [méiər] *n.* 시장(市長)

maze [meiz] *n.* 미로, 미궁: a *maze* of

may

may [mei] *aux.* **1** (추측) …일지도 모른다: It *may* be true. 정말일지도 모른다. / It *may* rain. 비가 올지도 모른다.
2 (허가) …해도 좋다[괜찮다]: You *may* go now. 이제 가도 좋다. / *May* I use your phone? 전화 좀 써도 될까요? / Visitors *may* not take photographs. (박물관 등에서) 관람객께서는 사진 촬영을 삼가 주십시오.
3 (목적을 나타내는 that 절에 쓰여) …하기 위해, …할 수 있도록: A bridge has been built so that everyone *may* cross the river. 모든 사람이 그 강을 건널 수 있도록 다리가 놓여졌다.
4 (양보) …일지도 모르지만, 비록 …일지라도: However long it *may* take, you are to complete it. 아무리 오래 걸린다 하더라도, 네가 그것을 완성하지 않으면 안 된다.
5 (기원) 바라건대 …하기를: *May* you succeed! 성공을 빕니다! / Long *may* he live! 그의 장수를 빈다!
6 (불확실성을 강조하여) 도대체 (무엇, 누구, 어떻게) …일까: I wonder what *may* be the cause. 그 원인이 대체 무엇일까.
[숙어] **may as well … (as)** (~할 바에는) …하는 편이 낫다: You *may as well* take the subway. 지하철을 타는 게 낫겠다. [SYN] had better
may(might) well …하는 것도 당연하다: You *may well* say so. 그렇게 말하는 것도 당연하다. [SYN] have good reason to

---

alleys 거미줄 같이 얽힌 길 [SYN] labyrinth
meadow [médou] *n.* 풀밭, 목초지
 ※ meadow는 목초의 재배만을 하는 토지이고, pasture는 가축을 방목하는 목장이다.
meager, meagre [mí:gər] *adj.* **1** 빈약한: a *meager* income 얼마 되지 않는 수입 [SYN] poor **2** 야윈, 메마른: a *meager* face 야윈 얼굴
***meal** [mi:l] *n.* 식사: have(take, eat) a *meal* 식사하다 / eat between *meals* 간식하다
mealtime [mí:ltàim] *n.* 식사 시간
***mean¹** [mi:n] *v.* [T] (meant-meant) **1** 의미하다: What does this word *mean*? 이 말은 어떤 뜻입니까? / This sign *means* that cars must stop. 이 표지는 정차하라는 표시다. **2** …의 의중으로 말하다: I *mean* what I say. 진심으로 말한 것이다. / I don't *mean* that he is a liar. 그가 거짓말쟁이란 말은 아니다. **3** 뜻하다, 의도하다: She said 'yes' but I think she really *meant* 'no'. 그녀는 '예스'라고 말했으나 실은 '노'를 뜻한다고 생각한다. **4** …할 작정이다, …하려고 생각하다: I *meant* to go there. 나는 거기 갈 생각이었다. [SYN] intend **5** (종종 수동태) 나타낼 작정이다, (사람·물건을) 어떤 용무[용도]로 정하다: I *meant* it for a joke. 농담으로 한 것이었는데. / This warning was *meant* for you. 이 경고는 네게 하려던 것이었다. / I *meant* my son for a scientist. 나는 아들을 과학자가 되게 할 생각이었다. **6** …의 가치를 지니다, 중요성을 가지다: This job *means* a lot to me. 이 일은 나에게는 굉장히 중요하다.
mean² [mi:n] *adj.* **1** 심술궂은: Don't be so *mean* to him! 그에게 그렇게 심술궂게 굴지 마라! **2** 인색한, 비열한: He's always been *mean* with his money. 돈에 있어서 그는 항상 인색하다. **3** 중간의, 평균의: What is the *mean* annual temperature in Seoul? 서울의 연평균 기온은 얼마인가?
 — **meanly** *adv.* **meanness** *n.*
meander [miǽndər] *v.* [I] **1** (강 등이) 완만히 굽이쳐 흐르다 **2** 정처 없이 거닐다
 — **meandering** *adj.*
meaning [mí:niŋ] *n.* **1** 의미, 뜻, 취지: This word has two different *meanings*. 이 단어는 두 개의 다른 뜻이 있다. **2** 의의, 중

요성, 의도, 목적: the *meaning* of life 인생의 의의

meaningful [míːniŋfəl] *adj.* **1** 의미심장한, 뜻있는 **2** 의의 있는, 중요한: a *meaningful* relationship 의미 있는 관계
— **meaningfully** *adv.*

meaningless [míːniŋlis] *adj.* 의미 없는, 무의미한

means [miːnz] *n.* (*pl.* means) **1** (단·복수 취급) 수단, 방법: Email is becoming an important *means* of communication. 이메일은 중요한 의사 소통 수단이 되고 있다. **2** (복수 취급) 자금, 재력: I don't have *means* to buy a car. 나는 차를 살 만한 돈이 없다.

숙어 **by all means 1** 반드시, 꼭: Arrest him *by all means*. 꼭 그를 체포하라. **2** (승낙의 대답) 좋고 말고요, 그러시죠: "May I use your cellphone?" "*By all means!*" "네 휴대전화를 좀 써도 될까?" "그래라."

by means of …에 의하여, …을 써서: We carry water *by means of* a pipe. 우리는 파이프로 물을 보낸다. / We express our thoughts *by means of* words. 우리는 생각을 말로 표현한다.

by no means, not by any means 결코 …하지 않다(이 아니다): He is *by no means* wanting in courage. 그는 결코 용기가 부족한 것은 아니다. / He's *not* an expert *by any means*. 그는 결코 전문가가 아니다. SYN not at all

meantime, meanwhile [míːntàim, míːnhwàil] *n.* 그 동안
adv. 그 사이에: Mother cooked the dinner and *meanwhile* I cleaned the house. 어머니께서 저녁 식사를 준비하시는 동안 나는 집을 청소했다.

숙어 **in the meantime** 그 사이에, 이럭저럭 하는 동안에: I didn't see her for five years, and *in the meantime* she had got married. 나는 그녀를 5년간 보지 못했다. 그 사이 그녀는 결혼했다.

measles [míːzəlz] *n.* 홍역

measurable [méʒərəbəl] *adj.* **1** 잴 수 있는 **2** 적당한, 알맞은: *measurable* speed 적당한 속도

*****measure** [méʒər] *v.* **1** [I,T] 재다, 측정(측량)하다: This box *measures* ten inches by six. 이 상자는 세로 10인치 가로 6인치이다. / I *measured* the table with a ruler. 나는 자로 탁자의 치수를 쟀다. **2** [T] …을 판단하다, 평가(비교)하다: We *measure* our neighbors by our own measure. 우리는 자신의 척도로 남을 평가한다. **3** [T] …의 정도를 나타내다, …의 척도가 되다: Her sacrifices *measure* the degree of her love. 그녀가 치른 희생을 보면 애정의 깊이를 미루어 알 수 있다.

n. **1** 치수, 분량 **2** (평가·판단의) 기준, 척도 **3** 한도, 정도, 표준 **4** (보통 *pl.*) 수단, 조처: The government must take *measures* to reduce inflation. 정부는 인플레이션을 줄일 조처를 취해야 한다. **5** [음악] 박자, 가락, 소절: a triple *measure* 3박자

숙어 **beyond measure** 지나치게, 대단히: Her joy was *beyond measure*. 그녀의 기쁨은 대단했다.

for good measure 덤으로, 여분으로, 분량을 넉넉하게: She made a few extra sandwiches *for good measure*. 그녀는 넉넉하게 여분의 샌드위치를 만들었다.

made to measure 치수에 맞추어 지은, 맞춤의

measure up (to) (희망·기대·표준 등에) 들어맞다, …에 부합하다: He could never *measure up to* his parents' expectations. 그는 절대 부모님의 기대에 부합할 수 없었다.

measurement [méʒərmənt] *n.* **1** 치수, 크기, 넓이, 길이, 깊이, 두께: What are the exact *measurement* of the room? 방의 정확한 크기가 어떻게 됩니까? **2** 측량, 측정

*****meat** [miːt] *n.* (식용 짐승의) 고기

meatball [míːtbɔ̀ːl] *n.* 미트볼, 고기 완자

Mecca [mékə] *n.* **1** 메카 (사우디아라비아의 도시; 마호메트의 탄생지) **2** (mecca) 동경의 땅; (주의·신앙·학문 등의) 발상지

mechanic [məkǽnik] *n.* 기계공, 수리공, 정비사

mechanical [məkǽnikəl] *adj.* **1** 기계(상)의, 기계로 조작하는 **2** (사람의 행동이) 기계적인, 자동적인: She played the piano in a *mechanical* way. 그녀는 기계적으로 피아노를 쳤다.
— **mechanically** *adv.*

mechanics [məkǽniks] *n.* (*pl.*) **1** (단수 취급) 기계학, 역학 **2** (the mechanics; 복수 취급) 기계적인 부분, 기술, 기교

mechanism [mékənìzəm] *n.* **1** 기계 (장치), 구조: The car has an automatic locking *mechanism*. 그 차는 자동 잠금 장치가 되어 있다. **2** 기법, 과정, 절차

mechanize [mékənàiz] *v.* [T] 기계화하다: The factory has been *mechanized* the entire production process. 공장은 전 생산 과정을 기계화했다.
— **mechanization** *n.*

medal [médl] *n.* 메달, 상패, 훈장

medalist, medallist [médəlist] *n.* 메달리스트, 메달 수령자: He is a gold *medalist* in Judo. 그는 유도 금메달리스트다.

meddle [médl] *v.* [I] 쓸데없이 참견하다, 간섭하다 (in, with): Don't *meddle* in my affairs. 내 일에 참견하지 마라.
— **meddler** *n.* 오지랖 넓은 사람, 간섭자

meddlesome [médlsəm] *adj.* (진절머리날 정도로) 간섭〔참견〕하기 좋아하는, 오지랖 넓은

media [mí:diə] *n.* **1** (*pl.*) medium의 복수 **2** (the media) 매체, 매스컴: The issue has been much discussed in the *media*. 그 문제는 매스컴에서 크게 논의되어 왔다.

mediate [mí:dièit] *v.* [I,T] (분쟁 등을) 중재하다, 조정하다 (between)
— **mediation** *n.* **mediator** *n.* 조정자, 중재인

*****medical** [médikəl] *adj.* **1** 의학의, 의술〔의료〕의: a *medical* examination 건강 검진, 신체 검사 / *medical* care 치료, 의료 **2** 내과의 *cf.* surgical 외과의
n. 건강 진단
— **medically** *adv.*

medication [mèdəkéiʃən] *n.* 약물, 의약품: She's on *medication* for her heart. 그녀는 심장 때문에 약물 복용 중이다.

medicinal [medísənəl] *adj.* 의약의, 약용의, 약효 있는: *medicinal* herbs 약초 / *medicinal* substances 약물

*****medicine** [médəsən] *n.* **1** 약: take *medicine* 약을 먹다 / cough *medicine* 기침약 **2** 의학, 의술: He is studying *medicine*. 그는 의학 공부를 하고 있다.

medieval, mediaeval [mì:dií:vəl] *adj.* 중세(풍)의

mediocre [mì:dióukər] *adj.* 좋지도 나쁘지도 않은, 평범한, 보통의: The film was *mediocre*. 영화는 보통이었다.

meditate [médətèit] *v.* [I,T] 명상하다, 숙고하다 (on, upon): I *meditated* on the meaning of life. 나는 인생의 의미에 대해 깊이 생각해 보았다.
— **meditation** *n.*

Mediterranean [mèdətəréiniən] *n.* 지중해: the *Mediterranean* Sea 지중해
adj. 지중해의: a *Mediterranean* climate 지중해성 기후

*****medium** [mí:diəm] *n.* (*pl.* mediums, media) **1** 매개, 수단; (정보 전달 등의) 매체: mass *media* 매스 미디어(대중 매체) / Language is a *medium* of expression. 언어는 표현 수단이다. **2** 중간, 중위 **3** (생물 등의) 환경, 생활 조건
adj. 중간의, 보통의; (고기가) 중간 정도로 구워진: Would you like the small, *medium* or large coke? 콜라 작은 사이즈, 중간 사이즈, 큰 사이즈 중에 어느 걸 원하세요?

medley [médli] *n.* **1** 잡동사니, 뒤범벅; 잡

다한 집단 **2** [음악] 접속곡, 혼성곡

meek [miːk] *adj.* 유순한, 온순한: She's too *meek* and mild. 그녀는 매우 유순하다.
— **meekly** *adv.* **meekness** *n.*

***meet** [miːt] *v.* (met-met) **1** [I,T] …을 만나다, …와 마주치다: They first *met* at university. 그들은 대학에서 처음 만났다.
2 [I,T] (소개받아) 처음으로 만나다: "This is John." "Nice to *meet* you." "이 사람이 존이야." "만나서 반갑습니다."

3 [T] …에서 (약속하고) 만나다, 마중하다: *Meet* me in Seoul. 서울에서 만나자. / He *met* me at the airport. 그는 나를 공항까지 마중나왔다.

4 [I,T] (적·곤란 등에) 맞서다, 대항하다: These two teams *met* in last year's final. 이 두 팀이 작년 결승전에서 맞붙었었다.

5 [I,T] (길·선 등이) …에서 만나다, 하나로 합쳐지다: The two roads *meet* there. 두 길은 거기서 합쳐진다.

6 [T] …에 부딪치다, …와 충돌하다: The two cars *met* each other head-on. 자동차 두 대가 정면으로 충돌했다.

7 [T] 지급하다: The company *met* my travelling expenses. 회사가 나의 여행 경비를 지급했다.

8 [T] (요구·필요 등에) 응하다, 충족시키다: We haven't yet been able to find a house that *meets* our needs. 우리의 필요를 충족하는 집을 아직 찾지 못했다.

[숙어] **meet up (with) 1** 만나다, 모이다: Let's *meet up* after work. 일이 끝난 후에 만나자. **2** (길·도로 등이 특정 지점에서) 만나다

meet with 1 …와 우연히 만나다: I *met with* him at the party. 나는 우연히 그를 파티에서 만났다. **2** (사고 등을) 당하다, 경험하다: He *met with* an accident on his way to school. 그는 학교 가는 길에 사고를 당했다. **3** …을 받다: The plan *met with* approval. 그 계획은 찬성을 얻었다. **4** …와 회담[회견]하다: He *met with* union

leader this morning. 그는 오늘 아침에 조합 간부들과 회담했다.

meeting [míːtiŋ] *n.* **1** 모임, 회합, 집회, 회의: Mr. Kim is in a *meeting*. 김 선생님은 회의 중이시다. **2** 만남, 마주침: Do you remember your first *meeting* with your wife? 부인과의 첫 만남이 기억나세요?
[숙어] **call a meeting** 회의를 소집하다

mega- *prefix* '백만(大), 백만(배)'의 뜻.: a *mega*store 시외의 대형 상점 / a *maga*watt 메가와트, 백만 와트
※ 모음 앞에서는 meg-으로 쓴다.

megabyte [mégəbàit] *n.* (*abbr.* MB) 메가바이트 (컴퓨터의 기억용량 단위)

melancholy [mélənkàli] *n.* 우울, 우울증
adj. 우울한, 쓸쓸한, 생각에 잠긴

mellow [mélou] *adj.* **1** (과일이) 익어 달콤한, 감미로운: *mellow* wine 감미로운 포도주 **2** (빛깔·소리 등이) 부드럽고 아름다운 **3** (사람·분위기가) 긴장이 풀린, 차분한, 유쾌한: After a few drinks, he became very *mellow*. 술을 몇 잔 마신 후 그는 매우 긴장이 풀렸다. ※ 사람의 경우 술에 취했을 경우에 주로 쓰인다.
v. [I,T] 익다, 원숙해지다
— **mellowly** *adv.* **mellowness** *n.*

melody [mélədi] *n.* 멜로디, 선율, 아름다운 곡조, 가락
— **melodious** *adj.* 선율이 아름다운, 곡조가 좋은

***melon** [mélən] *n.* 멜론

***melt** [melt] *v.* **1** [I,T] 녹이다, 녹다: Heat *melts* ice. 열은 얼음을 녹인다. / First *melt* the butter in a saucepan. 우선 소스 냄비에 버터를 녹여라. **2** [I] 서서히 사라지다: The fog *melted* away. 안개가 걷혔다. **3** [I] (감정·마음이) 누그러지다: Her heart *melted* when she saw the baby. 아기를 보았을 때 그녀의 마음은 누그러졌다.
[숙어] **melt away** 점차로 사라지다: The crowd gradually *melted away*. 군중은

서서히 사라졌다. / My anger slowly *melted away.* 나의 분노는 천천히 사라졌다.

melt down (금속을) 녹이다

melting point *n.* 융해점, 녹는점

melting pot *n.* **1** 도가니 **2** 다양한 인종·문화·사상 등이 뒤섞여 있는 곳, (특히) 미국 ※ 요즈음은 미국 사회를 salad bowl이라고 한다. 여러 인종이 모여서 원래의 자기 문화를 그대로 지켜가면서 사는 사회를 가리킨다.

member [mémbər] *n.* (단체·사회 등의) 일원, 회원, 단원: She's a *member* of ski club. 그녀는 스키 동아리의 회원이다. / Every *member* of the family came to her wedding. 가족 모두가 그녀의 결혼식에 참석했다.

membership [mémbərʃìp] *n.* **1** 회원 자격(지위), 회원임: a *membership* card 회원증 **2** 회원(총)수: The club has a large *membership.* 그 클럽은 회원이 많다.

memento [miméntou] *n.* (*pl.* memento(e)s) 기념물, 기념으로 남긴 물건, 추억거리

memo [mémou] *n.* (*pl.* memos) 메모, 비망록: make a *memo* 메모하다 ※ memorandum의 줄임말이다.

memoir [mémwɑːr] *n.* **1** 전기 **2** (memoirs) 회고록, 자서전 [SYN] autobiography

memorable [mémərəbəl] *adj.* 기억할 만한, 잊지 못할: a *memorable* event 잊을 수 없는 사건

memorandum [mèmərǽndəm] *n.* (*pl.* memorandums, memoranda) 메모, 비망록

memorial [mimɔ́ːriəl] *adj.* 기념의, 추도의: a *memorial* service 추도식 *n.* 기념물, 기념비(관): a war *memorial* 전쟁 기념비

memorize, memorise [méməràiz] *v.* [T] 기억하다, 암기하다: I have to *memorize* a poem for homework. 숙제로 시를 외워야 한다.

— **memorization** *n.*

memory [méməri] *n.* **1** 기억력: have a good(bad) *memory* 기억력이 좋다(나쁘다) **2** 기억, 추억, 회상: I have very happy *memories* of my childhood. 나는 매우 행복했던 어린 시절의 추억을 가지고 있다. **3** 기념(물), 유물 **4** [컴퓨터] 기억 장치(용량), 메모리

[숙어] **from memory** 기억으로, 암기로: He recited the poem *from memory.* 그는 그 시를 암송했다.

in memory of …의 기념으로, …을 기념하여: They built a statue *in memory of* the soldiers who died. 그들은 죽은 병사들을 추모하여 상을 세웠다.

menace [ménəs] *n.* **1** 협박, 위협: Drunk drivers are a *menace* to everyone. 음주 운전자는 모든 사람에게 위협이 된다. **2** 골칫거리 *v.* [T] 위협하다, 협박하다 — **menacing** *adj.* 위협(협박)적인

mend [mend] *v.* **1** [T] 수선하다, 고치다: Can you *mend* the hole in my shirt? 내 셔츠의 구멍을 수선해 줄 수 있나요? [SYN] repair **2** [I,T] 개선하다, (결점 등을) 고치다: *mend* a fault 결점을 고치다 **3** [I,T] (병·상태가) 호전되다, 좋아지다: The patient is *mending* nicely. 그 환자는 회복이 빠르다. *n.* 수선, 개량; 수선한 부분

[숙어] **be on the mend** (병·사태 등이) 호전되고 있다: He's been ill with flu but he's *on the mend* now. 그는 독감으로 아팠는데 이제 좋아지고 있다.

■ **유의어 mend**
mend '수선하다'의 가장 일반적인 표현으로 비교적 간단한 것에 쓰임. **repair** 복잡·대규모의 것에 쓰이며 기술을 필요로 하는 경우가 많음. **restore** 원상태로 수리(복원)함. **fix** 구어로 흔히 쓰이며, '본래의 기능을 발휘하도록 잘 맞추다, 조절하다'라는 뜻.

M

***mental** [méntl] *adj.* **1** 정신의, 마음의: a *mental* health 정신적 건강 **2** 이지적인, 지능의: *mental* arithmetic(calculation) 암산 **3** 정신병의: a *mental* disorder 정신병 / a *mental* home(hospital) 정신 병원 — **mentally** *adv.*

mentality [mentǽləti] *n.* 정신력, 심적(정신적) 상태, 사고 방식: I can't understand the *mentality* of people who hunt animals for fun. 난 재미로 동물을 사냥하는 사람들의 사고 방식을 이해할 수 없다.

***mention** [ménʃən] *v.* [T] 말하다, …에 언급하다: He *mentioned* that he had been to London. 그는 런던에 다녀왔다고 말했다. / I'll *mention* your ideas to him. 내가 그에게 너의 생각을 말하겠다.
n. 진술, 언급: They made no *mention* of the problem. 그들은 그 문제에 관해서는 아무 말도 없었다.

[숙어] **Don't mention it.** 천만에요: "Thank you for all your consideration." "*Don't mention it.*" "여러 모로 신경 써 주셔서 감사합니다." "천만에요."

not to mention …은 말할 것도 없고, …은 물론: He knows French, *not to mention* English. 그는 영어는 물론 프랑스어도 안다. [SYN] not to speak of

mentor [méntər] *n.* 현명하고 경험이 많은 조언자, 좋은 지도자

***menu** [ménju:] *n.* **1** 메뉴, 식단, 차림표: What's on the *menu* tonight? 오늘 저녁 메뉴에는 무엇이 있습니까? **2** [컴퓨터] 메뉴 (프로그램의 기능 등이 일람표로 표시된 것)

merchandise [mɔ́:rtʃəndàiz] *n.* 상품, 제품: That department store has a large selection of *merchandise* for sale. 그 백화점은 많은 선별된 상품들을 판매한다.

***merchant** [mɔ́:rtʃənt] *n.* 상인

mercury [mɔ́:rkjəri] *n.* **1** [화학] 수은 (기호 Hg) **2** 온도계, 수은주 **3** (Mercury) [천

문] 수성

***mercy** [mɔ́:rsi] *n.* **1** 자비, 연민: The terrorists showed no *mercy* to the hostages. 테러리스트들은 인질들에게 자비를 베풀지 않았다. / have *mercy* on …에게 자비를 베풀다 **2** 고마운 일, 행운: It's a *mercy* that no one was hurt in the fire. 화재에 아무도 다치지 않은 것은 행운이다.
— **merciful** *adj.* 자비로운 **merciless** *adv.* 무자비한

[숙어] **at the mercy of** …의 마음대로 되어, …에 좌우되어: We are sometimes *at the mercy of* fate. 우리는 때때로 운명에 내맡겨진다.

mere [miər] *adj.* 단순한, 단지 …에 불과한: She's a *mere* child. 그녀는 단지 어린아이에 불과하다.

[숙어] **the merest** 매우 작은 양의 …에도: *The merest* little noise makes him nervous. 그야말로 아주 작은 소리에도 그는 신경이 날카로워진다.

merely [míərli] *adv.* 단지, 그저, 다만: I'm not arguing with you — I'm *merely* explaining the problem. 나는 너와 논쟁하는 것이 아니다. 단지 그 문제를 설명하고 있는 것이다.

merge [mɔ:rdʒ] *v.* **1** [I] 합병하다 (with, into): Two small companies *merged* into one. 두 개의 작은 회사가 하나로 합병했다. **2** [T] 서서히 …을 하나로 만들다

merger [mɔ́:rdʒər] *n.* (회사·기업의) (흡수) 합병: *mergers* and acquisitions 기업의 합병과 흡수 (*abbr.* M&A)

meridian [mərídiən] *n.* **1** 자오선 **2** 정점, 전성기

merit [mérit] *n.* **1** (훌륭한) 가치, 좋은 점: There is a lot of *merit* in his ideas. 그의 아이디어에는 좋은 점이 많다. **2** (보통 merits) (계획·제안 등의) 장점, 이점: We discussed the *merits* of their proposals. 우리는 그들이 제안한 것들의 이점들에 대해서 토의했다. [OPP] demerit *v.* [T] …의 가치가 있다: His suggestion *merits* careful attention. 그의 제안은 신중하게 생각해 볼 가치가 있다.

mermaid [mə́:rmèid] *n.* 인어 (여자) *cf.* merman 인어 (남자)

*****merry** [méri] *adj.* (merrier-merriest) 명랑한, 유쾌한, 즐거운: *Merry* Christmas! 즐거운 크리스마스!
— **merrily** *adv.*

merry-go-round *n.* 회전 목마

mesh [meʃ] *n.* **1** 그물눈; (meshes) 망사: a wire *mesh* fence 철망 울타리 **2** (meshes) 그물 세공, 그물 **3** (법률 등의) 망, 올가미
v. [I,T] **1** 그물로 잡다, 그물에 걸리다 **2** 톱니 바퀴를 맞물리다[가 맞물다] **3** 엉키다, 조화하다

mess [mes] *n.* **1** (장소·사람·물건 등의) 혼란, 뒤죽박죽: The bedroom is in a *mess*. 침실이 어수선하다. / He made a *mess* of the party. 그가 파티를 엉망으로 만들었다. **2** (사태·입장의) 분규, 궁지: The company is in a financial *mess*. 회사는 재정적인 궁지에 빠져 있다.
v. [T] 더럽히다, 어수선하게 흩뜨리다
[숙어] **mess around[about] 1** 빈둥거리다, 게으름 피우다: I spent Sunday *messing around* at home. 나는 집에서 빈둥거리며 일요일을 보냈다. **2** 어리석은 말[짓]을 하다: Stop *messing about* and do your homework! 어리석은 짓 그만하고 숙제해라! **3** (일 등을) 일시적 기분으로 해 보다; (물건 등을) 만지작 거리다 (with): *mess around* with a camera 심심풀이로 카메라를 갖고 놀다, 사진을 찍으며 돌아 다니다
mess up 더럽히다, 엉망으로 만들다: Who *messed up* the room? 누가 방을 어지럽혔냐? / They *messed up* the deal. 그들이 거래를 엉망으로 만들었다.
mess with 개입하다, 쓸데없이 참견하다: You shouldn't *mess with* drugs. 마약에 발을 들이지 않도록 해라. / Don't *mess with*

me now. 이제 쓸데없는 간섭은 그만둬라.

*****message** [mésidʒ] *n.* **1** 전갈, 전하는 말, 통신, 서신: He's not here. Can I take a *message*? 그는 여기 없는데요. 메시지를 전해 드릴까요? **2** (책·연설 등에서) 전하고자 하는 것, 취지, 교훈: The *message* of the film is that good always triumphs over evil. 그 영화에서 전하고자 하는 것은 선은 항상 악을 이긴다는 것이다.
v. [T] 메시지를 보내다: I will *message* you. 내가 너에게 메시지를 보낼게.
※ I will send you a message.라고 하지 않음에 주의한다.
[숙어] **get the message** (암시 등의) 의미를 파악하다, 이해하다

messenger [mésəndʒər] *n.* (메시지·문서·소포 등을) 배달하는 사람

messy [mési] *adj.* (messier-messiest) **1** 어질러진, 지저분한: a *messy* room 어질러진 방 **2** 귀찮은, (소송 등이) 까다로운: She's going through a *messy* divorce. 그녀는 복잡한 이혼 절차를 밟고 있다.

metabolism [mətǽbəlìzəm] *n.* [생물] 물질[신진] 대사
— **metabolic** *adj.*

*****metal** [métl] *n.* 금속

metallic [mətǽlik] *adj.* **1** 금속(제)의: *metallic* alloy 합금 **2** 금속성의: a *metallic* sound 금속음

metaphor [métəfɔ̀:r] *n.* 은유: 'All that glitters is not gold' is a *metaphor* for saying that things are not always what they appear to be. '반짝이는 것이 다 금은 아니다.' 라는 말은 사물이 보이는 것이 전부가 아니라는 것을 말하는 은유이다.
— **metaphorical** *adj.*

metaphysical [mètəfízikəl] *adj.* 형이상학의, 순수 철학의

metaphysics [mètəfíziks] *n.* 형이상학, 순수 철학, 추상론; 탁상 공론

meteor [mí:tiər] *n.* 유성, 별똥별, 운석
— **meteorite** *n.* 운석

*meter, metre [mí:tər] *n.* **1** 미터 (미터법에서의 길이의 단위) (*abbr.* m) **2** 계량기, (가스·수도 등의) 미터 **3** 운율 **4** [음악] 박자
— **metric** *adj.*

methane [méθein] *n.* [화학] 메탄

*method [méθəd] *n.* **1** 방법, 방식: a teaching *method* 교수법
※ way에 비해 method는 특히 조직적인 방법을 말한다.
2 순서, (생각 등의) 조리: think with *method* 조리 있게 생각하다
— **methodical** *adj.* 질서 있는, 조직적인
methodically *adv.*

metro, Metro [métrou] *n.* (파리, 몬트리올, 워싱톤 등의) 지하철

metropolis [mitrápəlis] *n.* 수도, 중심 도시, 주요 도시
— **metropolitan** *adj.*

mew [mju:] *n.* 야옹 (고양이의 울음 소리) [SYN] meow
v. [I] (고양이가) 야옹하고 울다

micro- *prefix* '지극히 작은, 초미니의'; [전기] 100만 분의 1의 뜻. [OPP] macro-

microbe [máikròub] *n.* 미생물, 세균

microbiology [màikroubaiálədʒi] *n.* 미생물학, 세균학
— **microbiologist** *n.* 미생물학자, 세균학자

microchip [máikroutʃìp] *n.* [전자] 마이크로칩, 극미 박편 (전자 회로의 구성 요소가 되는 미소한 기능 회로)

microfilm [máikrəfìlm] *n.* 마이크로필름, 축사 필름

microorganism *n.* 미생물

microphone [máikrəfòun] *n.* 마이크 (로폰), (라디오 등의) 송화기 [SYN] mike

microscope [máikrəskòup] *n.* 현미경
— **microscopic** *adj.* 현미경의; 극히 작은

microwave [máikrouwèiv] *n.* **1** 마이크로파, 극초단파 (파장이 1m~1cm의 전자기파) **2** 전자레인지 [SYN] microwave oven

mid *adj.* (명사 앞에만 쓰임) 중앙의, 중간의:

the *mid* 2000s 2000년대 중반

mid- *prefix* '중간의, 중부의' 뜻.

midair [midέər] *n.* 공중, 상공: *midair* refueling 공중 급유 / The planes collided in *midair*. 비행기가 공중에서 충돌했다.

midday [míddèi] *n.* 정오, 한낮 (낮 12시경): at *midday* 정오에 [SYN] noon

*middle [mídl] *adj.* (명사 앞에만 쓰임) 한 가운데의, 중간의: The girl is the *middle* child in her family. 그 여자 아이는 가족 중에서 가운데 아이이다.
n. **1** 한가운데, 중앙 **2** (인체) 몸통, 허리: She got a bit fat round her *middle*. 그녀는 허리 주위에 살이 좀 쪘다.
[숙어] **in the middle of 1** …의 한가운데에, …의 중앙에: *in the middle of* April 4월 중순에 / Take a sheet of paper and draw a black spot *in the middle of* it. 종이 한 장을 집어 그 가운데에 검은 점을 찍어라. **2** …을 한창 하는 도중에: Can I call you back later—I'm *in the middle of* dinner. 제가 나중에 전화 드려도 될까요? 지금 저녁 식사 중이거든요.

middle age *n.* 중년, 장년 (대개 40~60세)
— **middle-aged** *adj.*

Middle Ages *n.* (the Middle Ages) 중세

middle class *adj.* 중류〔중산〕 계급의: They're *middle class*. 그들은 중산 계급에 속한다. / a *middle-class* ideas 중산 계급적인 생각
n. (the middle class(es)) 중류〔중산〕 계급

Middle East *n.* (the Middle East) 중동

middle school *n.* 중학교 (미국에서는 보통 10~14세의 학생들이 다님)

midget [mídʒit] *n.* 난쟁이, 꼬마

*midnight [mídnàit] *n.* 한밤중, 자정: at *midnight* 한밤중에

midst [midst] *n.* **1** 중앙, 한가운데 **2** 한창
[숙어] **in the midst of 1** …의 한가운데에: *In the midst of* these mountains was a valley. 산 한가운데 계곡이 있었다. **2** 한창

··· 중에

midsummer [mídsʌ̀mər] *n.* 한여름

midterm [mídtə̀:rm] *n.* **1** (학기·임기 등의) 중간 시점 **2** [미] (종종 *pl.*) 중간 고사 *adj.* (학기·임기 등의) 중간의: *midterm* exams 중간 고사

midway [mídwèi] *adj. adv.* 중도의[에] [SYN] halfway

midwife [mídwàif] *n.* 조산사, 산파

might¹ ⇨ 아래 참조

might² [mait] *n.* 힘, 세력, 권력
— **mighty** *adj.* 강력한; 거대한, 엄청난
[숙어] **with all one's might** 전력을 다하여, 힘껏

migrant [máigrənt] *n.* **1** 이주[계절] 노동자 **2** 철따라 이동하는 동물, 철새

migrate [máigreit] *v.* [I] **1** 이주하다: He *migrated* from Ohio to Florida. 그는 오하이오에서 플로리다로 이주했다. **2** (새·물고기 등이 정기적으로) 이동하다: The birds *migrate* southward in the winter. 그 새들은 겨울철에는 남쪽으로 이동한다. **3** 계절마다 (일을 구해) 이동하다: They were forced to *migrate* to the cities to look for work. 그들은 일자리를 찾아 도시로 이동할 수밖에 없었다.

— **migration** *n.*

■ 유의어 **migrate**
migrate 사람·동물이 한 지방에서 다른 지방으로 이주함. **emigrate** 사람이 (타국으로) 이주함. **immigrate** 사람이 (타국에서) 이주해옴.

migratory [máigrətò:ri] *adj.* 이주[이동]하는: a *migratory* bird 철새

*****mild** [maild] *adj.* **1** (기후가) 온화한, 따뜻한: a *mild* climate 온화한 기후 **2** (성질·태도가) 온순한, 상냥한: He's very *mild* in disposition. 그는 성질이 매우 온순하다. **3** (음식·비누 등이) 부드러운, 자극성이 없는, 순한: a *mild* curry 순한 맛의 카레 **4** (병·걱정 등이) 가벼운: I had a *mild* case of flu. 난 가벼운 독감에 걸렸었다.
— **mildly** *adv.* **mildness** *n.*

mildew [míldjù:] *n.* [식물] 흰가루병 병균; 곰팡이

*****mile** [mail] *n.* **1** 마일 (약 1.609km) **2** (부사적) 많이, 훨씬: I'm feeling *miles* better today. 오늘은 몸 상태가 한결 좋아졌다. **3** (miles) 상당한 거리

mileage [máilidʒ] *n.* **1** (주행한) 총 마일수: This car is ten years old but it

---

might¹

might [mait] *aux.* (may의 과거) **1** (가능성·추측) ···일지도 모른다: I was afraid he *might* have failed. 그가 실패하지나 않았는지 걱정했다. **2** (허가·용인) ···해도 좋다: I asked if I *might* come in. 들어가도 괜찮은지 물었다. **3** (의문문에서 불확실의 뜻을 강조해) 대체 ···일까: I wondered what it *might* be. 그것이 대체 무엇일까 궁금히 여겼다. **4** (목적·결과의 부사절에서) ···하기 위해, ···할 수 있도록: We worked hard so that we *might* succeed. 우리는 성공하기 위해 열심히 일했다. **5** (양보) ···했을지도 모른다[모르지만], 비록 ···였다 하더라도: He *might* be rich but he was not refined. 그가 부자였는지는 모르지만 세련미가 없었다. / However hard he *might* try, he never succeeded. 그가 아무리 노력해 보아도 잘 되지 않았다. **6** (가정법) ···해도 좋다(면), ···해도 좋으련만: I would go if I *might*. 가도 된다면 가는 건데. / It *might* be better if we told him the whole story. 그에게 모든 이야기를 해 주는 게 좋을지도 모르겠는데. **7** (요청·의뢰에 있어 공손한 표현): You *might* pass me the newspaper, please. 미안하지만 신문 좀 건네 주시지 않겠습니까? / *Might* I come in? 들어가도 괜찮겠습니까?

has a low *mileage*. 이 차는 10년 되었지만 총 주행 거리는 얼마 되지 않는다. **2** 연비 (일정 연료로 달릴 수 있는 거리): Smaller cars have better *mileage*. 소형차가 연비가 좋다. **3** 마일리지 (마일당 지급하는[지급받는] 돈): If you rent this car, you get unlimited *mileage*. 이 차를 렌트하시면 주행 거리 당 요금은 무료입니다. [SYN] mileage allowance

milestone [máilstòun] *n.* **1** 이정표 [SYN] landmark **2** (인생·역사 등의) 중대시점, 획기적인 사건

militant [mílətənt] *adj.* 호전적인, 투쟁적인
n. **1** (특히 정치 활동의) 투사 **2** 전투원

militarism [mílətərìzəm] *n.* 군국주의, 군사 우선 정책

militarist [mílitərist] *n.* 군국주의자, 군사 우선주의자
— **militaristic** *adj.*

militarize [mílitəràiz] *v.* [T] 군대화하다, 무장하다: a *militarized* frontier 무장된 국경 지방

*****military** [mílitèri] *adj.* 군의, 군대의: *military* service 병역
n. 군, 군대

militia [milíʃə] *n.* 의용군, 시민군

*****milk** [milk] *n.* 젖, 우유: skimmed *milk* 탈지 우유 / low-fat *milk* 저지방 우유
v. [T] **1** …의 젖을 짜다 **2** 착취하다
— **milky** *adj.* 젖 같은

milkman [mílkmæn] *n.* (*pl.* milkmen) 우유 배달원

milkshake [mílkʃèik] *n.* 밀크 셰이크

Milky Way *n.* (the Milky Way) 은하(수) [SYN] the Galaxy

mill [mil] *n.* **1** 맷돌, 제분기, 분쇄기: a coffee *mill* 커피 분쇄기 **2** 물방앗간, 제분소: a wind*mill* 풍차 **3** 공장, 제작소: a cotton *mill* 방적 공장
v. [T] 맷돌로 갈다, 빻다, 가루로 만들다
— **miller** *n.* 방앗간 주인, 제분업자

milling *n.* **millstone** *n.* 맷돌, 분쇄기

millenium [miléniəm] (*pl.* millennia, millenniums) *n.* 천년간, 천년기

milligram [míligræm] *n.* (*abbr.* mg) 밀리그램 (1그램의 1000분의 1)

millimeter [mílimì:tər] *n.* (*abbr.* mm) 밀리미터 (1미터의 1000분의 1)

milliliter [mílilitər] *n.* (*abbr.* ml) 밀리미터 (1리터의 1000분의 1)

*****million** [míljən] *n.* **1** 백만 **2** (a million, millions) 수백만, 다수 (of): *millions* of reasons 무수한 이유
adj. **1** 백만의 **2** 무수한, 수없이
— **millionaire** *n.* 백만장자

■ 접미사 **-aire, -ar, -eer**
'사람'을 나타내는 명사 어미: million*aire* 백만장자 / schol*ar* 학자 / engin*eer* 기술자

mimic [mímik] *v.* [T] (mimicked-mimicked) 흉내내다: My brother *mimics* his friends and famous people. 내 남동생은 자기 친구들과 유명인의 흉내를 낸다.
n. 모방자, 흉내를 잘 내는 사람
adj. 흉내내는, 모방의
— **mimicry** *n.* 흉내, 모방

minaret [mìnərét] *n.* (회교 사원의) 뾰족탑, 첨탑

mince [mins] *v.* [T] (고기 등을) 다지다, 잘게 썰다
n. 잘게 썬[다진] 고기

*****mind¹** [maind] *n.* **1** 마음, 정신: *mind* and body 심신 / She's out of her *mind* with grief. 슬픔으로 그녀는 제정신이 아니다. **2** 지성, 이지: The boy has a sharp (weak) *mind*. 그 소년은 머리 회전이 빠르다(느리다). **3** 사고 방식, 견해: a scientific *mind* 과학적인 사고 방식 **4** 기억, 회상: She would not leave my *mind*. 그 여자 생각이 내 기억에서 떠나지 않을 거야. / Out of sight, out of *mind*. 눈에서 멀어지면 마음도 멀어진다.

보쿠어 **come into one's mind** 마음에 떠오르다, 생각나다: The same idea *came* often *into my mind*. 가끔 같은 생각이 떠올랐다.

have ... in mind …을 고려〔의도〕하고 있다: Do you *have* anyone *in mind* for the job? 그 일을 맡길 만한 사람을 생각해 보았나?

keep〔bear〕 ... in mind 명심하다, 유의하다: *Keep* this *in mind*. 이것을 명심해라.

lose one's mind 미치다: Have you completely *lost your mind*? 너 완전히 정신이 나갔니?

make up one's mind 결심하다

***mind²** [maind] *v.* **1** [T] …에 주의를 기울이다: *Mind* your own business. 참견 마라. (네 일이나 잘해.) **2** [I,T] (주로 부정·의문·조건문에서) 꺼리다, 싫어하다: Would you *mind* opening the window? 창문을 열어도 괜찮겠습니까? / "Do you *mind* my smoking?" "No, I don't." "담배를 피워도 될까요?" "예, 그러세요." **3** [T] …을 돌보다, 보살피다: *mind* a baby 아기를 돌보다 / Could you *mind* my bag while I go to the restroom? 내가 화장실 가는 동안 내 가방 좀 봐줄래요? **4** [T] 걱정하다, 신경 쓰다: Never *mind* what he says. 그가 하는 말에 신경 쓰지 마라.

— **mindful** *adj.* 주의 깊은 **mindless** *adj.* 부주의한

보쿠어 **mind you** 알겠지, 잘 들어둬

mind your own business ⇨ business

never mind 걱정 마라, 상관 없다

mind reading *n.* 독심술

mine¹ [main] *pron.* (I의 소유대명사) 나의 것: "Whose is this CD player?" "It's *mine*." "이 시디 플레이어는 누구 거니?" "내 거야." / a friend of *mine* 내 친구

mine² [main] *n.* **1** 광산: a gold *mine* 금광 **2** 지뢰

v. **1** [I,T] 채굴하다, 채광하다 **2** [T] 지뢰를 부설하다

— **miner** *n.* 광부

mineral [mínərəl] *n.* 광물, 광석; 무기물

mineral water *n.* 광천수

mingle [míŋgəl] *v.* [I,T] **1** 섞다, 혼합하다, 뒤섞이다: The smell of sweat and cigarette smoke *mingled* together. 땀 냄새와 담배 연기가 뒤섞였다. **2** 사귀다, 어울리다 (with): I *mingled* at the party and talked with many people. 나는 파티에서 많은 사람들과 어울려 이야기를 나눴다.

mini- *prefix* '작은, 소형의'란 뜻. OPP maxi-

miniature [míniətʃər] *n.* 모형, 축소형: society in *miniature* 사회의 축소판

adj. 소형의: a *miniature* camera 소형 카메라

minimal [mínəməl] *adj.* 최소의, 극미한, 최소 한도의

minimize, minimise [mínəmàiz] *v.* [T] **1** 최소로 하다: *minimize* friction 마찰을 최소한으로 줄이다 **2** 경시하다, 얕보다 OPP maximize

minimum [mínəməm] *n.* (*pl.* minimums, minima) 최소, 최소〔최저〕 한도: keep one's expenditure to a *minimum* 지출을 최저한으로 억제하다

adj. 최소〔최저〕 한도의, 극소의: *minimum* wage (법정·노동 협약) 최저 임금

adv. 최소〔최저〕한으로 OPP maximum

mining [máiniŋ] *n.* 채광, 광업

adj. 광업의: *mining* industry 광업

***minister** [mínistər] *n.* **1** (Minister) 장관, 각료: the Prime *Minister* 국무 총리, 총리 대신 **2** 성직자, 목사

v. [I] 섬기다, 봉사하다 (to); 보살펴 주다 (to): *minister* to the sick 환자를 돌보다

— **ministerial** *adj.* 내각의, 정부측의

ministration *n.* (성직자의) 직무; 봉사, 원조

ministry [mínistri] *n.* **1** (영국·유럽의) 내각 **2** (Ministry) (영국·일본 정부의) 부, 성: the *Ministry* of Defence 국방부

mink [miŋk] *n.* [동물] 밍크; 밍크 모피

*minor [máinər] *adj.* **1** 보다 작은, 작은 쪽의, 소수의: a *minor* party 소수당 **2** 중요치 않은, 열등한, 이류의: It's just a *minor* problem. 이것은 대단치 않은 문제다. / a *minor* poet 이류 시인 **3** [음악] 단조의: A *minor* A단조
OPP major
n. **1** 미성년자 **2** [미] (대학의) 부전공 과목

minority [minɔ́:riti] *n.* 소수, 소수파, 소수의 무리 OPP majority
[숙어] **be in a(the) minority** (두 개의 집단 중에) 소수파이다: Smokers *are* very much *in the minority* in our office. 우리 사무실에서 흡연자는 극소수이다.

mint¹ [mint] *n.* [식물] 박하; 박하 향미료

mint² [mint] *n.* 조폐국, 조폐 공사
v. [T] (화폐를) 주조하다

*minus [máinəs] *prep.* **1** [수학] 마이너스의, …을 뺀: Three *minus* one is two. 3 빼기 1은 2이다. OPP plus **2** 영하의: The temperature will fall to *minus* 5°. 기온은 영하 5도까지 떨어질 것이다. **3** …을 잃고, …없이: a book *minus* its cover 표지가 떨어져 나간 책
adj. **1** 마이너스의 OPP plus **2** [전기] 음의 OPP positive **3** (학교 성적 평가에서) 미치지 못하는, 뒤떨어진: I got B *minus* for English. 나는 영어에서 B 마이너스를 받았다. OPP plus
n. **1** 마이너스 부호 (-) **2** 부족, 손해 OPP plus

*minute¹ [mínit] *n.* **1** (시간의) 분 **2** 잠깐 동안, 잠시, 순간: in a *minute* 금세, 곧 / Wait(Just) a *minute*. 잠깐만 기다려라. **3** (the minutes) 의사록, 메모 **4** (각도의) 분
[숙어] **(at) any minute(moment) (now)** 지금 당장에라도, 언제라도: He will turn up *any minute*. 그는 언제라도 달려올 것이다.
the last minute 시간에 임박하여, 막판에 가서

this minute 지금 당장(에): Stop that *this minute* and come here! 지금 당장 그걸 그만 두고 이리 와라!

to the minute 1분도 틀리지 않고, 정각에: The train left at five o'clock *to the minute*. 열차는 5시 정각에 떠났다.

*minute² [mainjúit, mínít] *adj.* **1** 미세한: *minute* difference 근소한 차이 **2** 상세한, 정밀한: He explained the news in *minute* detail. 그는 그 소식을 매우 상세히 설명했다.

miracle [mírəkəl] *n.* 기적, 경이: work(do, perform) a *miracle* 기적을 행하다

miraculous [mirǽkjələs] *adj.* 기적적인, 불가사의한, 놀랄 만한
— **miraculously** *adv.*

mirage [mirá:ʒ] *n.* [프] 신기루, 아지랑이; 망상

mire [maiər] *n.* **1** 습지, 늪, 진창 SYN marsh **2** 궁지, 곤경

*mirror [mírər] *n.* **1** 거울: look at oneself in the *mirror* 거울로 자신의 모습을 보다 **2** 본보기, 모범
v. [T] 비추다, 반사하다, 반영시키다

mirth [mə:rθ] *n.* 명랑, 유쾌; 웃음
— **mirthful** *adj.* **mirthless** *adj.* 음울한

mis- *prefix* '잘못(하여), 그릇된, 나쁘게, 불리하게' 등의 뜻.

misbehave [mìsbihéiv] *v.* [I] 무례한 행동을 하다, 부정한 짓을 하다: He has been *misbehaving* himself at school. 그는 학교에서 행실이 좋지 않았다. OPP behave
— **misbehavior** *n.*

miscellaneous [mìsəléiniəs] *adj.* 가지가지의 잡다한, 잡동사니의: *miscellaneous* business 잡무 / *miscellaneous* expenses 잡비
— **miscellany** *n.*

mischance [mistʃǽns] *n.* 불운, 불행, 재난

mischief [místʃif] *n.* **1** 해악, 피해 **2** 장난: Kids like to get into *mischief*. 아이

들은 장난치는 것을 좋아한다.
— **mischievous** *adj.* 장난을 좋아하는

misconceive [mìskənsíːv] *v.* [I,T] 오해하다, 오인하다, 잘못 생각하다 (of)
— **misconception** *n.*

misconduct [miskándʌkt] *n.* **1** 행실이 좋지 않음 **2** (특히 전문인·공무원의) 부정행위, 직권 남용: He was dismissed from his job for gross *misconduct*. 그는 중대한 부정 행위를 저질러 해임되었다.

misdeed [mìsdíːd] *n.* 악행, 비행, 범죄

misdemeanor, misdemeanour [mìsdimíːnər] *n.* 경범죄 *cf.* felony 중죄

misdirect [mìsdirékt] *v.* [T] 그릇 지시〔지휘〕하다, (길 등을) 잘못 가르쳐 주다

miser [máizər] *n.* 구두쇠
— **miserly** *adj.* 인색한, 욕심 많은

miserable [mízərəbəl] *adj.* **1** 불쌍한, 비참한, 매우 불행한, 슬픈: You look so *miserable*. What's up? 너 매우 슬퍼 보여. 무슨 일이야? **2** 불쾌한, 괴로운: *miserable* weather 고약한 날씨 [SYN] dismal
— **miserably** *adv.*

misery [mízəri] *n.* 불행, 고통, 고뇌: the *miseries* of human life 인생의 고난

misfortune [misfɔ́ːrtʃən] *n.* 불운, 불행, 재난: He had the *misfortune* to break his leg. 불행하게도 그는 다리가 부러졌다. [OPP] fortune

misguide [misgáid] *v.* [T] 잘못 지도하다
— **misguided** *adj.* 오도된, 잘못 안

mishap [míshæp] *n.* 불운한 일, (가벼운) 재난, 사고: He had a *mishap* with his car during his vacation. 그는 휴가 중에 차 사고가 있었다.

misinform [mìsinfɔ́ːrm] *v.* [T] 잘못 전하다, 잘못 알고 있다: I think you've been *misinformed* about the accident. 너는 그 사고에 대해 잘못 알고 있는 것 같다.

misinterpret [mìsintə́ːrprit] *v.* [T] 잘못 해석〔설명〕하다, 오해하다 [OPP] interpret
— **misinterpretation** *n.*

misjudge [misdʒʌ́dʒ] *v.* [T] **1** 잘못 판단하다: The government has completely *misjudged* the public mood. 정부는 국민 정서를 완전히 잘못 판단하고 있다. **2** (시간·거리·양 등을) 잘못 추측하다: I *misjudged* the turn and hit the sidewalk. 나는 (차의) 회전을 잘못해서 인도를 들이받았다.
— **misjudg(e)ment** *n.*

mislay [misléi] *v.* [T] (mislaid-mislaid) **1** 잘못 두다〔놓다〕, 두고 잊다 **2** (시야에서) 놓치다, 잃다

mislead [mislíːd] *v.* [T] (misled-misled) **1** 잘못 인도〔안내〕하다 **2** 오해하게 하다, 현혹시키다: The title of the book is apt to *mislead* people. 그 책의 제목은 자칫 사람들의 오해를 사기 쉽다.
— **misleading** *adj.*

misplace [mispléis] *v.* [T] 잘못 두다, 둔 곳을 잊다, (신용·애정 등을) 잘못된 대상에 두다
— **misplaced** *adj.*

misprint [mísprìnt] *n.* (책·신문 등에) 잘못 인쇄된 것, 오식: This book is full of *misprints*. 이 책은 잘못 인쇄된 것 투성이다.

mispronounce [mìsprənáuns] *v.* [T] 잘못 발음하다
— **mispronunciation** *n.*

misread [misríːd] *v.* [T] (misread [misréd]-misread[misréd]) **1** 틀리게 읽다 **2** 오해하다: He *misread* my silence as an acceptance. 그는 나의 침묵을 승낙의 의미로 오해했다.

*****Miss¹** [mis] *n.* 양 (미혼 여성의 성(명) 앞에 붙이는 경칭)

*****miss²** [mis] *v.* **1** [I,T] (목표를) 못 맞히다, (겨눈 것을) 놓치다: *miss* a ball 공을 놓치다 **2** [T] (기회·버스 등을) 놓치다, (학교·회합 등에) 출석하지 못하다: *miss* a train 기차를 놓치다 / I *missed* breakfast. 나는 아침을 먹지 못했다. / She *missed* a week of school because of flu. 그녀는 독감 때문에 학교를 일주일간 결석했다. **3** [T] (빠뜨리고) 보

지〔듣지〕 못하다, 이해하지 못하다: We *missed* the point of his speech. 우리는 그의 연설의 요지를 이해하지 못했다. **4** [T] ··· 이 없어서 서운해하다, 그리워하다: I will *miss* you badly. 네가 몹시 그리울 거야. **5** [T] ···이 없음을 깨닫다: When did you first *miss* your purse? 네 지갑이 없어진 것을 언제 처음 알았니? **6** [T] 면하다, 까딱하면 ···할 뻔하다: He just *missed* being killed. 그는 까딱하면 죽을 뻔했다.

n. **1** 못〔빗〕맞힘 **2** 실수, 실책

[숙어] **miss out (on)** 기회를 잃다: I *missed out* on the picnic. 나는 모처럼의 소풍을 가지 못했다.

miss ... out 생략하다, 빠뜨리다: You've *missed* your address *out* on the form. 너는 서식에서 네 주소를 빠뜨렸다.

***missile** [mísəl] *n.* 미사일: a nuclear *missile* 핵 미사일 / a guided *missile* 유도탄

missing [mísiŋ] *adj.* **1** (있어야 할 곳에) 없는, 분실한: a book with two pages *missing* 두 페이지가 없는 책 **2** 행방불명된: *missing* in action 전투 중에 행방불명된 **3** 빠드린, 포함되지 않은: Fill in the *missing* words in the sentence. 문장에서 빠진 단어들을 채워 넣어라.

mission [míʃən] *n.* **1** 임무, 사명: a sense of *mission* 사명감 / be sent on a *mission* 임무를〔사명을〕 띠고 파견되다 **2** 사절(단) **3** [군대] 특명, 비행 임무, 특무 비행 **4** 전도, 포교, 선교단

missionary [míʃənèri] *n.* 선교사, 전도사 *adj.* (외국으로 파견되는) 전도(자)의, 포교(자)의: a *missionary* meeting 전도〔포교〕 집회

misspell [misspél] *v.* [T] (misspelled-misspelled, misspelt-misspelt) ···의 철자를 잘못 쓰다

misstep [misstép] *n.* **1** 실족 **2** 과실, 실수 *v.* [I] (misstepped-misstepped) **1** 잘못 디디다 **2** 실수를 저지르다

***mist** [mist] *n.* 안개

v. [I,T] **1** 안개가 끼다 **2** (눈 등이) 흐려지다, 흐리게 하다: My glasses keep *misting* up. 계속 내 안경에 김이 서려 흐려졌다.

— **misty** *adj.* **mistily** *adv.*

***mistake** [mistéik] *v.* [T] (mistook-mistaken) **1** ···로 잘못 생각하다: I'm sorry, I *mistook* you for another person. 미안해. 내가 너를 다른 사람으로 착각했어. **2** 틀리다, 잘못 알다: He has *mistaken* my meaning. 그는 나의 뜻을 오해하고 있다.

n. 잘못, 틀림, 과실; 오해: It was a *mistake* to trust you. 너를 믿은 게 잘못이었다.

[SYN] error

— **mistaken** *adj.* **mistakenly** *adv.*

[숙어] **by mistake** 잘못하여, 실수로: I've paid the telephone bill twice *by mistake*. 실수로 전화요금을 두 번이나 냈다.

make a mistake 실수하다, 잘못 생각하다: He *made a mistake* in calculation. 그는 계산에서 실수했다. / Don't be afraid of *making mistakes*. 실수하는 것을 두려워하지 마라.

mistake ... for ~ ···을 ~로 잘못 알다, 혼동하다: I'm sorry, I *mistook* you *for* my sister. 죄송합니다. 당신을 제 여동생으로 오해했습니다. / He is often *mistaken for* a foreigner. 그는 종종 외국인으로 오인받는다.

mister [místər] *n.* (*abbr.* Mr.) (Mister) ···군, ···씨 (남자의 성·성명 또는 관직명 앞에 붙임)

mistreat [mistríːt] *v.* [T] 학대〔혹사〕하다

mistress [místris] *n.* **1** 여주인, 주부 **2** 정부, 첩

mistrust [mistrʌst] *n.* 불신(용), 의혹 *v.* [T] 신용하지 않다, 의심하다

***misunderstand** [mìsʌndərstǽnd] *v.* [I,T] (misunderstood-misunderstood) 오해하다, 잘못 생각하다: I am *misunderstood*. 나는 오해받고 있다.

— **misunderstanding** *n.*

misuse [misjú:z] *v.* [T] **1** 오용(남용)하다 **2** 학대(혹사)하다
n. [misjú:s] **1** 오용, 남용 **2** 학대, 혹사

mitigate [mítəgèit] *v.* [T] 누그러뜨리다, 완화하다, 경감하다
— **mitigation** *n.*

mitten [mítn] *n.* 벙어리장갑

*****mix** [miks] *v.* [I,T] 섞다, 혼합하다, 첨가하다: *mix* water with wine 포도주에 물을 섞다 / Oil and water will not *mix*. 기름과 물은 섞이지 않는다.
— **mixed** *adj.* **mixture** *n.* 혼합, 혼합물
[숙어] **be(get) mixed up** (좋지 않은 일·무리 등에) 관계되다, 말려들다
mix up 1 뒤섞다: Don't *mix up* those papers. 그 종이들을 뒤섞지 마라. **2** 혼란(혼동)시키다 (with): I often *mix* him *up* with his brother. 나는 종종 그와 그의 남동생을 혼동한다.

mixer [míksər] *n.* **1** 믹서 (요리 등의 혼합하는 기계) **2** 혼합하는 사람

moan [moun] *v.* [I] **1** 신음하다: He cut his thumb with a knife and *moaned* in pain. 그는 칼에 엄지 손가락을 베여 고통으로 신음소리를 냈다. **2** 불평하다
n. **1** 신음 (소리), 슬퍼함 **2** 불평

mob [mɑb] *n.* 군중, 폭도
v. [T] (mobbed-mobbed) 떼를 지어 습격(야유)하다, (… 주위에) 쇄도하다

mobile [móubəl, móubail] *adj.* **1** 움직이기 쉬운, 이동성이 있는: a *mobile* library 이동 도서관 [OPP] immobile **2** (마음·표정 등이) 변하기 쉬운
n. **1** [미술] 모빌 작품 **2** 이동 전화 [SYN] mobile phone
— **mobility** *n.*

mobilize, mobilise [móubəlàiz] *v.* **1** [T] (사람·물자 등을) 결집하다, 동원하다 **2** [I,T] (군대·함대를) 동원하다 [OPP] immobilize
— **mobilization, mobilisation** *n.*

mock [mɑk] *v.* [I,T] **1** 조롱하다, 놀리다 **2** 흉내내다, 모방하다
adj. 가짜의, 모의의: a *mock* trial 모의 재판
n. **1** 조롱, 놀림감 **2** 흉내, 가짜
— **mocking** *adj.* **mockingly** *adv.*
mockery *n.* 조롱, 놀림(감); 흉내

mode [moud] *n.* **1** 양식, 방식, 방법: a *mode* of life 생활 양식 **2** 유행 **3** [음악] 음계: major(minor) *mode* 장(단)음계

*****model** [mɑ́dl] *n.* **1** 모형 **2** (제품·자동차 등의) 형, 스타일: This car is the latest *model*. 이 차는 최신형이다. **3** 모범, 본보기 **4** (패션 쇼·잡지 사진을 위한) 모델 **5** (그림·사진·문학 작품 등의) 모델, 형
v. (model(l)ed-model(l)ed) **1** [T] 모방하다, 본뜨다: She *modeled* herself after her mother. 그녀는 어머니를 본으로 삼았다. **2** [I,T] (옷 등을) 입어 보이다, …의 모델을 하다 **3** [I,T] …의 모형을 만들다, 형을 만들다: *model* a dog in clay 찰흙으로 개를 만들다

modem [móudèm] *n.* [컴퓨터] 모뎀 (전화나 다른 통신 회선을 통하여 컴퓨터 상호의 정보 전송을 가능하게 하는 전자 장치)

moderate [mɑ́dərət] *adj.* **1** 알맞은, 적당한: a *moderate* exercise 적당한 운동 **2** 중용의, 온건한: a *moderate* politician 온건한 정치가
v. [I,T] [mɑ́dərèit] 알맞도록 하다, 완화하다, 온건하게 하다: His temper *moderated* with age. 그의 급한 성미도 나이가 들어감에 따라 온건해졌다.
n. [mɑ́dərət] 온건주의자, (정치상의) 중도파
— **moderately** *adv.* **moderation** *n.*

*****modern** [mɑ́dərn] *adj.* **1** 현대의: *modern* times 현대 / *modern* convenience 문명의 이기 **2** 현대식의, 신식의, 최신의

modernism [mɑ́dərnìzəm] *n.* **1** 현대식(의 태도) **2** 모더니즘 (1940년대에서 1960년대 유행한 기계 문명과 도회적 감각을 중시하여 현대풍을 추구하는 예술 양식)
— **modernist** *n.*

modernize, modernise

[mάdərnàiz] *v.* [I,T] 현대화하다, 현대식
으로 개조하다: Much of the building
has been *modernized.* 그 건물의 많은 부분
이 현대식으로 개조되었다.

— **modernization, modernisation** *n.*

***modest** [mάdist] *adj.* **1** 겸손한, 조심성
있는: He's always *modest* about his
achievement. 그는 항상 자기 업적에 대해
겸손하다. **2** 알맞은, 온당한: a *modest*
house 적당한 크기의 집 **3** (옷·태도 등이)
정숙한, 수수한

— **modestly** *adv.* **modesty** *n.*

modify [mάdəfài] *v.* [T] **1** 수정(변경)하
다: The plan needs to be *modified.* 그
계획은 수정될 필요가 있다. **2** [문법] 수식하
다: Adjectives *modify* nouns. 형용사는
명사를 수식한다.

— **modification** *n.* **modifier** *n.* [문
법] 수식어(구, 절)

module [mάdʒu:l] *n.* **1** (조립식 건물의)
조립 단위: The emergency building is
transported in individual *modules,*
which are put together on site. 이 비
상 건물은 조립 단위별로 운반되어 현장에서 조
립된다. **2** (특정 학과의) 학습 단위 **3** 모듈,
…선(船): a lunar landing *module* 달 착륙
선

***moist** [mɔist] *adj.* **1** 습기 있는, 축축한 **2**
눈물어린: Her eyes were *moist* with
tears. 그녀의 눈에는 눈물이 어려있었다.

— **moisten** *v.* **moistness** *n.*

moisture [mɔ́istʃər] *n.* 습기, 수분, 수증기

mold, mould [mould] *n.* **1** 틀, 주형, 거
푸집 **2** 특성, 특질, 성격 **3** 곰팡이: There's
mold on the bread. 빵에 곰팡이가 피었다.
v. [T] **1** 형상 짓다, 틀에 넣어 만들다 **2** (인격
을) 도야하다, (인물·성격을) 형성하다 **3** (옷
등이 몸에) 꼭 맞다

mole [moul] *n.* **1** 사마귀, 점 **2** 두더지 **3**
첩자, 비밀 공작원 SYN spy

molecule [mάləkjù:l] *n.* [화학] 분자

— **molecular** *adj.*

molest [məlést] *v.* [T] (짓궂게) 괴롭히다,
(성적으로) 치근거리다

— **molestation** *n.*

***mom** [mɑm] *n.* ([영] mum) 엄마

***moment** [móumənt] *n.* **1** 순간, 찰나:
for a *moment* 잠깐 동안 **2** (어느 특정한)
때, 기회, 경우: Just at that *moment,* the
phone rang. 바로 그때 전화가 울렸다. **3** 중
요성

숙어 (at) any moment(minute) ⇨
minute

at the moment 마침 그 때, 바로 지금:
I'm afraid he's not here *at the moment.*
그는 지금 여기 없는 것 같은데요. SYN now

for a moment 잠깐 동안: He thought
for a moment. 그는 잠깐 동안 생각했다.

for the moment 우선, 당장은, 마침 지금

in a moment 곧, 당장, 즉시: I'll be
back *in a moment.* 곧 돌아올게.

of moment 중요한: I hold that the
matter is *of* great *moment.* 나는 그 일이
대단히 중요하다고 생각한다.

the moment (**that**) …하자마자 곧: The
moment (*that*) he saw me, he ran
away. 그는 나를 보자마자 도망갔다.

momentary [móuməntèri] *adj.* 일시
적인, 덧없는: a *momentary* joy 찰나의 기쁨

— **momentarily** *adj.*

momentous [mouméntəs] *adj.* 중대
한: a *momentous* decision 중대한 결정

— **momentously** *adv.*

momentum [mouméntəm] (*pl.*
momentums, momenta) *n.* 운동량, 타성,
여세

monarch [mάnərk] *n.* 군주: an absolute
monarch 전제 군주

— **monarchic, monarchical** *adj.*
monarchism *n.* 군주제

monarchy [mάnərki] *n.* **1** 군주제, 군주
정치 **2** 군주국

monastery [mάnəstèri] *n.* (주로 남자)
수도원

M

※ 여자 수도원은 nunnery 또는 convent라
고 한다.

Monday [mʌ́ndei] *n.* (*abbr.* Mon.) 월요일

***money** [mʌ́ni] *n.* **1** 돈, 금전, 통화: make
(earn) *money* 돈을 벌다 / It will cost too
much *money* to buy a new car. 새 차를
사는 데 돈이 많이 들 것이다. **2** 재산, 부
— **monetary** *adj.*

[축어] **get (have) one's money's worth**
치른 돈(노력)만큼 얻다, 본전을 찾다

monitor [mɑ́nitər] **1** (TV · 컴퓨터 등의)
모니터 **2** 충고자, 권고자
v. [T] 감시하다, 검토하다: The boss *monitors*
the quality of her employees' work.
사장은 종업원들의 작업의 질을 검토한다.

monk [mʌŋk] *n.* 수사, 승려

***monkey** [mʌ́ŋki] *n.* 원숭이

mono- *prefix* '단일, 하나의'의 뜻.

monolingual [mɑ̀nəlíŋgwəl] *adj. n.* 1
개 국어를 사용하는 (사람 · 책)

monolog, monologue [mɑ́nəlɔ̀:g]
n. 모놀로그, 독백

monopoly [mənɑ́pəli] *n.* **1** 독점(권), 전
매(권) **2** 독점 사업, 전매품
— **monopolize, monopolise** *v.*

monorail [mɑ́nərèil] *n.* 단궤철도, 모노
레일

monotone [mɑ́nətòun] *n.* (색채 · 문체
의) 단조; [음악] 단조음
v. [I,T] 단조롭게 읽다(말하다, 노래하다)

monotonous [mənɑ́tənəs] *adj.* 단조로
운, 변화 없는
— **monotonously** *adv.* **monotony** *n.*

monsoon [mɑnsú:n] *n.* 몬순 (특히 인도
양에서 여름은 남서, 겨울은 북동에서 부는 계
절풍), (계절풍이 부는) 계절, 우기

monster [mɑ́nstər] *n.* 괴물
adj. 거대한, 괴물 같은
— **monstrous** *adj.* **monstrously** *adv.*
monstrosity *n.* 기형; 거대한 것 (건물 등)

montage [mɑntá:ʒ] *n.* [그림 · 사진] 합성
화법, 몽타주 (사진)

***month** [mʌnθ] *n.* (한)달, 월: this (next,
last) *month* 이번(다음, 지난) 달 / I'll stay
here for six *months*. 나는 6개월간 여기 머
물 것이다.

monthly [mʌ́nθli] *adj. adv.* 매월의, 월 1
회의: a *monthly* magazine 월간 잡지 /
I'm paid *monthly*. 나는 월급으로 받는다.
n. 월간 간행물

monument [mɑ́njəmənt] *n.* **1** 기념비,
기념 건조물 **2** (역사적) 기념물, 유적
— **monumental** *adj.*

moo [mu:] *n.* 음매 (소 울음소리)
v. [I] (소가) 음매하고 울다

***mood** [mu:d] *n.* **1** (일시적인) 기분, 마음
가짐: She's in a good (bad) *mood*. 그녀
는 기분이 좋다(좋지 않다). **2** 노여움, 짜증
[SYN] temper **3** (세상 일반의) 분위기, 풍조
4 [문법] 법: indicative (imperative,
subjunctive) *mood* 직설(명령, 가정)법
[축어] **be in no mood for (to do)** …할
마음이 내키지 않다: I *was in no mood for*
joking. 나는 농담할 기분이 아니었다.
be in the mood for (to do) …할 마음
이 내키다

moody [mú:di] *adj.* (moodier-
moodiest) 변덕스러운, 기분이 좋지 않은, 우
울한: a *moody* teenager 변덕스러운 십대
— **moodily** *adv.* **moodiness** *n.*

***moon** [mu:n] *n.* **1** (the moon) 달: a
new (half, full) *moon* 초승(반, 보름)달 **2**
(행성의) 위성: How many *moons* does
Jupiter have? 목성은 위성이 몇 개지?

moonlight [mú:nlàit] *n.* 달빛: in the
moonlight 달빛 아래(의)
adj. **1** 달빛의 **2** 달밤에 일어나는
— **moonlit** *adj.* 달빛어린

moonscape [mú:nskèip] *n.* (망원경으
로 보는) 달표면, 월면 풍경
※ landscape 경치, 풍경, seascape 바다
경치, cityscape 도시 풍경

moor[1] [muər] *n.* 황무지, 광야 (moorland)

moor[2] [muər] *v.* [I,T] (배 · 비행선 등을) 잡

아매다, 정박시키다〔하다〕

mop [map] *n.* 자루걸레, 대걸레
v. [T] (mopped-mopped) **1** 대걸레로 닦다 **2** (눈물·땀·물기 등을) 닦다: She *mopped* her face with a handkerchief. 그녀는 손수건으로 얼굴을 닦았다.

mope [moup] *v.* [I] 울적해지다, 우울하게 지내다

*****moral** [mɔ́(:)rəl] *adj.* **1** 도덕(상)의, 윤리의: *moral* standards 도덕적 기준 **2** 도덕을 지키는, 품행이 바른 [OPP] immoral
n. **1** 교훈 **2** (morals) 도덕, 윤리, 품행
— **morally** *adv.*

morale [mouræl] *n.* (군대·국민 등의) 사기: improve *morale* 사기를 돋우다

moralist [mɔ́(:)rəlist] *n.* 도덕가, 윤리사상가
— **moralistic** *adj.* 도덕심이 투철한

morality [mɔ(:)ræləti] *n.* 도덕(성), 도의(성), 윤리성, 선악 [OPP] immorality

moralize, moralise [mɔ́(:)rəlàiz] *v.* [I] 교화하다, 설교하다

morbid [mɔ́:rbid] *adj.* 병적인, 불건전한: a *morbid* interest in death 죽음에 대한 병적인 흥미
— **morbidly** *adv.* **morbidity** *n.*

more [mɔːr] *adj.* (many, much의 비교급) **1** (수·양 등이) 더 많은, 더 큰: There were *more* people than I expected. 내가 예상한 것보다 더 많은 사람들이 있었다. / He has *more* books than his brother. 그는 그의 형보다 책이 많다. **2** 이 이상의, 여분의: Give me a little *more* money. (여분으로) 돈을 좀더 주세요. / Can I have some *more* cake? 케이크를 좀더 먹을 수 있을까요?
[OPP] less, fewer
adv. (much의 비교급) 보다 많이, 더욱 …, 한층 더 …: I miss mother *more* than anybody else. 나는 그 누구보다도 어머니가 제일 그립다. / I think physics is much *more* difficult than biology. 생물보다 물

리가 훨씬 더 어려운 것 같다. / Please speak *more* slowly. 더 천천히 말씀해 주세요.
pron. 보다 많은 수〔양, 정도〕, 그 이상의 것〔일, 사람〕 [OPP] less

[축어] **more and more** 더욱 더 많은, 점점 더

more or less 다소간, 얼마간, 대체로, 거의: The plan was *more or less* a success. 그 계획은 어느 정도 성공했다. / It's an hour's journey, *more or less*. 대략 한 시간 걸리는 여행이다.

more than 더할 나위 없이, 매우: He is *more than* pleased with the result. 그는 결과에 매우 만족하고 있다.

more than ever 더욱 더, 점점

no more … than ~ …이 아닌 것은 ~이 아닌 것과 같다: I'm *no more* mad *than* you. 너와 마찬가지로 나도 미치지 않았다.

not any more 다시는 …하지 않다, 이미 … 아니다: I can*not* walk *any more*. 나는 더 이상 걸을 수 없다.

nothing more than …에 지나지 않다: He is *nothing more than* a puppet. 그는 꼭두각시에 지나지 않는다.

the more …, the more ~ …하면 할수록 더욱 더 ~하다: *The more* I know him, *the more* I like him. 그를 알면 알수록 그가 더욱 좋아진다.

what is more 그 위에, 더욱이, 게다가: He is rich, and *what is more*, he is kind. 그는 부자인데다가 친절하기까지 하다.

*****moreover** [mɔːróuvər] *adv.* 그 위에, 더욱이, 또한: It was very cold and, *moreover*, began to rain. 매우 추웠고, 게다가 비까지 내리기 시작했다.

*****morning** [mɔ́:rniŋ] *n.* 아침, 오전: this 〔yesterday, tomorrow〕 *morning* 오늘 〔어제, 내일〕 아침 / He came home at 3 o'clock in the *morning*. 그는 새벽 3시에 집에 왔다.

Morse [mɔːrs] *adj.* (종종 morse) 모스 부호의

n. 모스 부호 (Morse code)
※ 짧은 발신전류(점)와 비교적 긴 발신전류(선)를 배합하여 알파벳과 숫자를 표시하여 전신 연락에 사용한다.

morsel [mɔ́:rsəl] *n.* (음식의) 한 입, 한 조각, 조금

mortal [mɔ́:rtl] *adj.* **1** 죽을 수밖에 없는 운명의: We are all *mortal.* 우리 모두는 죽기 마련이다. OPP immortal **2** 치명적인: a *mortal* wound 치명상 **3** (몹시) 무서운, 대단한: in *mortal* fear 몹시 두려워서
n. 인간
— **mortally** *adv.*

mortality [mɔ:rtǽləti] *n.* **1** 사망자 수, 사망률 **2** 죽어야 할 운명

mortar [mɔ́:rtər] *n.* **1** 모르타르, 회반죽 (석회, 모래, 물 등의 혼합물) **2** [군대] 박격포 **3** 절구, 막자사발
v. [T] **1** 모르타르로 접합하다 **2** 박격포로 사격하다

mortgage [mɔ́:rgidʒ] *n.* (집·토지 구입을 위한) 융자, 대부금: *mortgage* loan 저당〔담보부〕 융자

mortify [mɔ́:rtəfài] *v.* [T] 분하게 생각하게 하다, (기분을) 상하게 하다
— **mortifying** *adj.* **mortification** *n.*

mosaic [mouzéiik] *n.* 모자이크

mosque [mask] *n.* 이슬람교 사원: Muslims pray in the *mosques* five times a day. 이슬람교도들은 이슬람교 사원에서 하루에 다섯 번씩 기도한다.

***mosquito** [məskí:tou] *n.* (*pl.* mosquito(e)s) 모기

moss [mɔ(:)s] *n.* 이끼: A rolling stone gathers no *moss.* [속담] 구르는 돌에는 이끼가 끼지 않는다.
— **mossy** *adj.*

most [moust] *adj.* (many, much의 최상급) **1** (양·수·정도 등이) 가장 큰(많은), 최대〔최고〕의: He won (the) *most* prizes. 그가 가장 많은 상을 탔다. OPP least, fewest **2** (관사 없이) 대개의, 대부분의: I like *most*

Italian food. 나는 대부분의 이탈리아 음식을 좋아한다.
pron. **1** 최대량〔수〕 **2** (관사 없이) 대부분의 사람들〔것들〕: He spends *most* of his time travelling. 그는 대부분의 시간을 여행으로 보낸다.
adv. **1** (다른 형용사·부사의 최상급을 만들어) 가장, 가장 많이…: She is the *most* intelligent person I know. 그녀는 내가 아는 가장 지적인 사람이다. OPP least **2** (much의 최상급) 가장: Which subject do you like *most*? 너는 어느 과목을 가장 좋아하니? OPP least **3** 대단히, 매우: It was a *most* interesting story. 대단히 재미있는 이야기였다.
숙어 **at (the) most** 많아야, 기껏해야: I can pay you five dollars *at most.* 나는 많아야 5달러밖에 낼 수 없다.
make the most of 1 …을 최대한 이용하다: He *made the most of* his opportunity. 그는 기회를 최대한 이용했다. **2** 가장 중시하다
most of all 그 중에서도, 특히

mostly [móustli] *adv.* 대개는, 대부분은: They come *mostly* from China. 그들 대부분은 중국 출신이다.

motel [moutél] *n.* 모텔 (자동차 여행자 숙박소)

moth [mɔ(:)θ] *n.* 나방

***mother** [mʌ́ðər] *n.* **1** 어머니 **2** (종종 Mother) 대모(代母), 수녀원장, 마더: *Mother* Teresa 마더 테레사 (1979년 노벨 평화상 수상)
v. [T] 어머니로서〔같이〕 돌보다〔기르다〕
— **motherly** *adj.* 어머니의〔다운〕

motherhood [mʌ́ðərhùd] *n.* 어머니임, 모성(애); 모권

mother-in-law *n.* (*pl.* mothers-in-law) 장모, 시어머니

motherland *n.* **1** 모국, 조국 SYN mother country **2** 발상지

mother tongue *n.* 모국어

motion [móuʃən] *n.* **1** 운동, 활동, (기계

의) 운전: The *motion* of the ship made
me feel sick. 배의 움직임이 나를 메스껍게
했다. **2** 동작, 몸짓 **3** 동의, 발의, 제안:
adopt〔reject〕 a *motion* 동의를 가결〔부결〕
하다
v. [I,T] …에게 몸짓으로 알리다〔지시하다〕:
He *motioned* me out. 그는 나에게 나가라
고 몸짓으로 알렸다.
— **motionless** *adj.* 움직이지 않는, 정지한
[숙어] **in motion** 움직이고 있는, 운전〔운
동〕 중의: The train was *in motion*. 기차
는 움직이고 있었다.
set〔put〕 ... in motion …을 움직이다,
운전시키다: The wind *puts* the mill *in
motion*. 바람이 풍차를 돌린다.

motion picture *n.* 영화
motivate [móutəvèit] *v.* [T] …에게 동
기를 주다, 자극하다
— **motivated** *adj.* **motivation** *n.*
motive [móutiv] *n.* **1** 동기, 동인: the
motive of a crime 범죄의 동기 **2** (예술 작
품의) 주제, 제재
***motor** [móutər] *n.* **1** 모터, 발동기 **2** [영]
자동차 (지금은 car를 더 많이 씀) **3** 원동력
adj. 움직이게 하는, 원동의, 발동의: a *motor*
vehicle 자동차 (승용차·버스·트럭 등의 총
칭)
motorbike [móutərbàik] *n.* 모터 달린
자전거, 소형 오토바이 [SYN] motorcycle
motorboat [móutərbòut] *n.* 모터보트
motorcycle [móutərsàikl] *n.* 오토바
이 [SYN] motorbike
motorist [móutərist] *n.* 자동차 운전자
[SYN] driver
motorize [móutəràiz] *v.* [T] …에 동력
을 설비하다
motto [mátou] *n.* (*pl.* motto(e)s) 표어,
좌우명, 금언
mould ⇨ mold
mound [maund] *n.* **1** 작은 언덕, 흙무더기
2 (a mound) 산더미처럼 쌓아 올린 것 (of):
a *mound* of papers 서류 더미

mount[1] [maunt] *v.* **1** [T] (전시회·항의·
공격·캠페인 등을) 준비하다, 시작하다, 개최
하다: to *mount* an exhibition 전시회를
개최하다 **2** [I] (양·강도가) 증가하다, 늘다
(up): Prices are *mounting*. 물가가 오르고
있다. **3** [I,T] (무대 등에) 올라가다, 승진하다:
He *mounted* the platform and began
to speak. 그는 연단에 올라 연설을 시작했
다. / He *mounted* to the chief of a
police station. 그는 경찰서장의 지위까지
올랐다. **4** [I,T] (말·자전거에) 타다, 태우다
[OPP] dismount **5** [T] …에 고정시키다:
The CCTV camera is *mounted* above
the front door. 감시 카메라가 현관문 위에
설치되어 있다.
mount[2] [maunt] *n.* (*abbr.* Mt., Mt) 산,
…산: *Mt.* Everest 에베레스트 산
***mountain** [máuntən] *n.* **1** 산;
(mountains) 산맥 (*abbr.* Mt., Mt) **2** (a
mountain) 다량, 다수 (of): a *mountain* of
rubbish 쓰레기 더미
mountain chain〔range〕 *n.* 산맥
mountaineer [màuntəníər] *n.* 등산가,
산악인
— **mountaineering** *n.* 등산
mountainous [máuntənəs] *adj.* **1** 산
이 많은, 산지의: a *mountainous* region 산
악 지역 **2** 산더미 같은, 거대한: *mountainous*
waves 거대한 파도 [SYN] huge
mountainside *n.* 산허리
mounted [máuntid] *adj.* **1** 말 탄: a
mounted police 기마 경관 **2** (총·대포 등
이) 발사 준비를 완료한
mounting [máuntiŋ] *adj.* (명사 앞에만
쓰임) 증가하는: *mounting* unemploy-
ment 증가하는 실업
n. (대포 등의) 설치
mourn [mɔːrn] *v.* [I,T] 슬퍼하다, 한탄하다
(for, over), (죽음을) 애도하다: She *mourned*
for her misfortune. 그녀는 자신의 불행을
한탄했다.
— **mournful** *adj.* **mournfully** *adv.*

mourner [mɔ́:rnər] *n.* 애도하는 사람, 조문객: the chief *mourner* 상주

mourning [mɔ́:rniŋ] *n.* **1** 비탄, 슬픔 **2** 상(喪), 거상 (기간) **3** 상복: be in *mourning* 상복을 입고 있다

***mouse** [maus] *n.* (*pl.* mice) **1** 생쥐 **2** (*pl.* mouses) [컴퓨터] 마우스

mousetrap *n.* 쥐덫

moustache ⇨ mustache

***mouth** [mauθ] *n.* (*pl.* mouths [mauðz]) **1** 입, 구강 **2** 강 어귀
v. [I,T] [mauð] **1** (소리내지 않고) 입만 움직여 말하다 **2** 진실성 없이 말하다, 빈 말하다
[숙어] **with one mouth** 이구 동성으로

mouthful [máuθfùl] *n.* **1** 한 입(의 양), 한 입 가득; 소량(의 음식) **2** 발음하기 어려운 긴 말: His name is a bit of a *mouthful*. 그의 이름은 약간 발음하기 어렵다.

mouthpiece [máuθpìːs] *n.* **1** (악기의) 부는 구멍, (전화기의) 송화구 **2** 대변자 **3** (권투 선수의) 마우스피스

mouth-to-mouth *adj.* (인공 호흡이) 입으로 불어넣는 식의: *mouth-to-mouth* resuscitation 입으로 불어넣는 식의 인공 호흡

***move** [muːv] *v.* **1** [I,T] 움직이다, 이동시키다: I can't *move* my arm. 나는 팔을 움직일 수 없다. / The earth *moves* round the sun. 지구는 태양 둘레를 돈다. **2** [I,T] 이사하다, 이동하다: We are *moving* to Seoul. 우리는 서울로 이사할 것이다. **3** [I] 전진하다 (on, ahead) **4** [T] 감동시키다, …할 마음이 일어나게 하다: I was deeply *moved* by his story. 나는 그의 이야기에 깊이 감동했다. / I felt *moved* to go for a drive. 나는 드라이브하러 가고 싶었다. **5** [I,T] 제안하다, 제의하다
n. **1** 움직임, 동작: make a *move* 움직이다, 행동하다 **2** 이동, 이사 **3** 행동, 조처: What's our next *move*? 우리가 취할 다음 행동은 무엇이지? / a smart *move* 현명한 조처 **4** (체스나 게임에서) 말의 움직임, 말을 쓸 차례:

It's your *move*. 네가 둘 차례야.
— **movable** *adj.*
[숙어] **get a move on** 출발하다, 급히 서두르다: Hey there, you two, *get a move on*! 이봐, 거기 두 명, 서둘러!

move away 떠나다, 이사하다

move in …로 이사하다, 들어가다: When are you *moving in* to your new apartment? 너의 새 아파트로 언제 이사하니?

move off 떠나다: Seeing us, the boy *moved off* quickly. 우리를 보고 그 소년은 급히 가 버렸다.

move on 계속 전진하다, (새로운 화제로) 옮겨가다: Let's *move on* to the next topic. 다음 화제로 넘어가자.

move out 이사해 가다

move over (along, down, up) (사람·물건을) 움직여서 빈자리를 만들다

on the move 활동하고 있는, 이동 중의, (일이) 진행 중인

movement [múːvmənt] *n.* **1** 움직임, 운동, 이동 **2** 동작, 몸짓 **3** 동향, 추세, 전진, 변화 **4** (movements) 태도, 자세, 행동, 동정: her graceful *movements* 그녀의 우아한 몸놀림 / Nothing is known of his *movements*. 그의 동정은 전혀 모른다. **5** (정치·사회적) 운동: the labor *movement* 노동 운동 **6** [음악] 악장

***movie** [múːvi] *n.* **1** 영화 ([영] film): a horror *movie* 공포 영화 **2** (종종 the movie) 영화관 ([영] cinema) **3** (the movies) 영화, 영화 산업 ([영] the cinema): Let's go to the *movies*. 영화 보러 가자.

■ **용법** movie theater와 the movies
movie theater '영화관' 건물을 뜻함: There are three *movie theaters* in this town. 이 마을에는 영화관이 세 곳 있다. **the movies** 영화관에 영화를 보러 가자고 할 때 쓰는 표현: Let's go to *the movies* this Sunday. 이번 일요일에 영화 보러 가자.

moving [múːviŋ] *adj.* **1** 감동시키는: a *moving* story 감동적인 이야기 [SYN] touching **2** 움직이는
— **movingly** *adv.* 감동적으로

mow [mou] *v.* (mowed-mowed, mowed-mown) **1** [I,T] (풀 등을) 베다, 베어내다: *mow* the lawn 잔디를 깎다 **2** [T] (군중·군대 등을 총·차로) 쓰러뜨리다, 소탕하다 (down)
— **mower** *n.* 풀 베는 기계

MP3 *abbr.* MPEG Audio Layer-3 소리 파일의 용량을 줄여서 컴퓨터의 하드 디스켓, 웹사이트, CD, 휴대용 플레이어에 저장할 수 있도록 만들어 주는 컴퓨터 파일

mph, m.p.h. *abbr.* miles per hour 시속 …마일

***Mr., Mr** [místər] *n.* …씨, …군 (남자의 성(명)·직명 앞에 붙이는 경칭)

MRI *abbr.* magnetic resonance imaging 자기 공명 영상법 (자력에 의해 발생하는 자기장을 이용하여 생체의 임의의 단층상을 얻을 수 있는 첨단 의학 기계 또는 그 기계로 만든 영상법)

***Mrs., Mrs** [mísiz] *n.* …부인 (mistress의 생략; 기혼 여성의 성 또는 그 남편의 성명 앞에 붙임)

***Ms., Ms** [miz] *n.* …씨 (미혼·기혼의 구별 없이 쓰는 여성에 대한 존칭)

Mt., Mt [maunt] *abbr.* Mount, Mountain

***much** [mʌtʃ] *adj.* (more-most) 많은, 다량의: How *much* is it? 값이 얼마입니까? / *Much* time was wasted. 많은 시간이 낭비되었다.
pron. 많은 것, 다량(의 것), 대단한 것: *Much* of it is true. 그것의 대부분은 사실이다. / *Much* has happened while I have been away. 나의 부재 중에 많은 일이 일어났다. / How *much* do you want? 얼마나 원하십니까? / This is not *much* but I hope you will like it. 대단한 것은 아니지만 네 마음에 들면 좋겠다.

adv. **1** 매우, 대단히, 퍽: I like it very *much*. 나는 그것을 몹시 좋아한다. / She talks too *much*. 그녀는 너무 말이 많다. / Thank you very *much*. 대단히 감사합니다. / You are *much* too young. 넌 아직 너무 어리다. **2** (형용사·부사의 비교급·최상급을 수식하여) 훨씬: She was *much* older than I. 그녀는 나보다 훨씬 연상이다. / I feel *much* better today. 오늘은 기분이 훨씬 좋다.

[숙어] (be) **too much for** …에게 힘겨운 [벅찬]: The boy is *too much for* me. 그 소년은 내 힘에 벅차다.

make much of …을 중시하다, 애지중지하다

much less (부정문에서) 더군다나[하물며] …은 아니다: He cannot speak English, *much less* Latin. 그는 영어를 못한다. 더군다나 라틴어를 하겠는가. (못한다.)

much more (긍정문에서) 더욱 더, 하물며, 말할 것도 없이: If you must work so hard, how *much more* must I? 너도 그렇게 공부해야 하는데 하물며 나야 말할 것이 있겠나?

much the same 거의 같은: Our situations are *much the same*. 우리 처지는 거의 같다.

not much of a 대단한 …은 아니다: She's *not much of a* musician. 그녀는 대단한 음악가는 아니다.

***mud** [mʌd] *n.* 진흙
— **muddy** *adj.* 진흙의, 진흙투성의

muddle [mʌ́dl] *v.* [T] **1** 혼합하다, 뒤섞어 놓다 (up, together, with): Don't *muddle* my books (up) with his. 내 책과 그의 책이 뒤섞이지 않도록 해라. **2** 혼란시키다 (up): I often get their names *muddled* up. 나는 종종 그들의 이름을 혼동한다.
n. 혼란, 난잡, 어리둥절함: in a *muddle* 어리둥절하여

muffin [mʌ́fin] *n.* 머핀
※ 미국에선 작고, 단 케이크의 종류를, 영국에

선 주로 버터를 발라 먹는 작고 둥근 모양의
빵 종류를 말한다.

muffle [mʌ́fəl] *v.* [T] **1** 소리를 죽이다 **2**
(따뜻하게 하거나 감추기 위해) 싸다

muffler [mʌ́flər] *n.* **1** 머플러, 목도리 **2**
(자동차·피아노 등의) 소음기(消音器) ⟨SYN⟩
silencer

mug¹ [mʌg] *n.* **1** (손잡이가 달린) 큰 컵 **2**
얼간이, 바보

mug² [mʌg] *v.* [T] (mugged-mugged) 노
상 강도짓을 하다: She was *mugged* in
broad daylight. 그녀는 대낮에 노상 강도
를 당했다.

muggy [mʌ́gi] *adj.* (muggier-muggiest)
무더운, 후텁지근한 ⟨SYN⟩ humid

mulberry [mʌ́lbèri] *n.* 뽕나무 (열매)

mule [mju:l] *n.* 노새 (수나귀와 암말과의 잡
종)

multi- *prefix* '많은, 여러 가지의, 다수'란
뜻.

multicultural [mùltikʌ́ltʃərəl] *adj.* 다
문화의, 여러 가지 다른 문화가 병존하는: a
multicultural society 다문화 사회

multimedia [mʌ̀ltimí:diə] *adj.* [컴퓨
터] 다양한 전달 수단을 갖는, 멀티미디어의
n. 다중매체, 멀티미디어 (음성·문자·그림·
동영상 등이 혼합된 다양한 매체)

multiple [mʌ́ltəpəl] *adj.* **1** 복합의, 복식
의, 다수의: She has *multiple* reasons for
not marrying him. 그녀가 그와 결혼하지
않는 데에는 몇 가지 이유가 있다. **2** [수학] 배
수의
n. [수학] 배수: 12 is a *multiple* of 6. 12는
6의 배수이다.

multiple-choice *adj.* (시험 문제가) 다지
(多肢) 선택식의: a *multiple-choice* test 다
지 선택식[객관식] 시험

*****multiply** [mʌ́ltəplài] *v.* [I,T] **1** 늘리다,
증가하다 **2** [수학·컴퓨터] 곱하다: 5
multiplied by 3 is(makes, equals) 15.
5 곱하기 3은 15이다. ⟨OPP⟩ divide
— **multiplication** *n.*

multitude [mʌ́ltitjùːd] *n.* **1** 다수: a
multitude of admirers 수많은 찬미자들 /
multitudes of laws and regulations 갖
가지 법률과 규칙 **2** 군중

mumble [mʌ́mbəl] *v.* [I,T] (입 속에서 말
등을) 중얼[웅얼]거리다
n. 작고 똑똑치 않은 말, 중얼거림

mummy [mʌ́mi] *n.* **1** [영] 엄마 ([미]
mommy) ⟨OPP⟩ daddy **2** 미라

munch [mʌntʃ] *v.* [I,T] 우적우적 먹다, 와
작와작 씹(어먹)다

mundane [mʌ́ndein] *adj.* **1** 현세의, 세
속적인 ⟨SYN⟩ earthly, worldly **2** 보통의, 평
범한: a *mundane* life(job) 평범한 생활(일)

municipal [mjuːnísəpəl] *adj.* 시의, 도
시의, 지방 자치의

munitions [mjuːníʃənz] *n.* (*pl.*) 군수품
(특히 폭탄과 총)

mural [mjúərəl] *n.* 벽화

murder [mə́ːrdər] *n.* 살인, 모살: an
attempted *murder* 살인 미수 / commit
murder 살인을 저지르다
v. [T] 살해하다
— **murderous** *adj.* **murderer** *n.* 살인자

murmur [mə́ːrmər] *v.* [I,T] **1** 속삭이다,
희미하게 소리내다 **2** 불평을 하다, 투덜대다
n. 중얼거림, 속삭임; 불평

*****muscle** [mʌ́səl] *n.* 근육, 완력: Physical
exercises develop *muscle*. 체조는 근육을
발달시킨다.
— **muscular** *adj.*

Muse [mjuːz] *n.* [신화] 뮤즈 (시·음악·학
예를 주관하는 아홉 여신 중의 하나)

muse [mjuːz] *v.* **1** [I] 명상하다, 숙고하다
(about, on, over, upon) **2** [T] 생각에 잠기
며 말하다, 사려깊게 말하다

*****museum** [mjuːzí:əm] *n.* 박물관, 미술관

mushroom [mʌ́ʃru(:)m] *n.* 버섯
v. [I] 갑자기 성장[발전]하다

*****music** [mjúːzik] *n.* **1** 음악 **2** 악보: I can
read *music*. 나는 악보를 읽을 수 있다.

musical [mjúːzikəl] *adj.* **1** 음악의: Can

you play a *musical* instrument? 너는 악기를 다룰 수 있니? **2** 음악에 재능이 있는, 음악을 좋아하는: She's very *musical*. 그녀는 음악을 매우 좋아한다. **3** 음악적인, 소리가 고운: a *musical* voice 고운 목소리

n. 뮤지컬

— **musically** *adv.*

musician [mju:zíʃən] *n.* 음악가, 작곡가

Muslim, Moslem [mʌ́zləm, mɑ́zləm] *n. adj.* 이슬람교(의), 이슬람교도(의)

***must** [mʌst] *aux.* **1** (필요 · 의무 · 명령) …해야 한다, …할 필요가 있다: Animals *must* eat to live. 동물은 생존하기 위해서는 먹어야 한다. / You *must* do it at once. 그것을 즉시 하여라. **2** (논리적 추정) …임(함)에 틀림없다: It *must* be true. 사실임에 틀림없다. / He *must* have known it. 그는 그것을 알았음에 틀림없다. / I *must* have left my purse at home. 나는 집에 지갑을 두고 왔음에 틀림없다. **3** (간청 · 요망 · 충고) …해주기 바라다: You *must* stay for dinner. 부디 저녁 식사를 하고 가세요. **4** (필연성 · 운명) 반드시 …하다: Everyone *must* die. 누구나 반드시 죽는다.

※ must의 부정형은 must not이다. must not의 축약형은 mustn't [mʌ́snt] 이다.

n. 절대 필요한 것, 필수품, 필독서: This book is a *must* for all students. 이 책은 모든 학생들의 필독서이다.

adj. 절대 필요한: a *must* book 필독서

mustache, moustache [mʌ́stæʃ] *n.* 콧수염

※ whiskers 구레나룻, beard 턱수염

mustard [mʌ́stərd] *n.* 겨자

muster [mʌ́stər] *v.* **1** [I,T] 모으다, (군인 등을) 소집하다 [SYN] summon **2** [T] (힘 · 용기 등을) 불러일으키다

n. 소집, 검열, 점호

musty [mʌ́sti] *adj.* (mustier-mustiest) 곰팡이 핀, 곰팡내 나는; 케케묵은, 진부한

mute [mju:t] *adj.* **1** 무언의, 말이 없는 **2** 벙어리의, 말을 못 하는

n. 벙어리

— **mutely** *adv.*

mutilate [mjú:təlèit] *v.* [T] (수족을) 절단하다, 불구로 만들다

— **mutilation** *n.*

mutiny [mjú:təni] *n.* (특히 선원 · 군인 등의) 폭동, 반란

v. [I] 폭동(반란)을 일으키다

— **mutinous** *adj.*

mutter [mʌ́tər] *v.* [I,T] 중얼거리다, 불평을 말하다: Everybody *muttered* about the bad food. 모두가 음식이 나쁘다고 투덜 댔다.

n. 중얼거림, 투덜거림, 불평

mutton [mʌ́tn] *n.* 양고기

mutual [mjú:tʃuəl] *adj.* **1** 서로의, 상호 관계가 있는: *mutual* respect 상호 존중 **2** 공동의, 공통의: a *mutual* friend 공통의 친구 / They showed a *mutual* interest in music. 그들은 음악에 공통된 관심을 보였다.

— **mutually** *adv.* **mutuality** *n.*

muzzle [mʌ́zəl] *n.* **1** (동물의) 입과 코 부분, 주둥이, 부리 **2** 입마개, 재갈 **3** 총구, 총부리

v. [T] **1** (주로 수동태) 재갈 물리다: Dangerous dogs must be *muzzled* in public places. 위험한 개는 공공 장소에서 재갈을 물려야 한다. **2** 말 못하게 하다, 언론의 자유를 방해하다

MVP, M.V.P. *abbr.* most valuable player [스포츠] 최우수 선수

myriad [míriəd] *n.* 만(萬), 무수: a *myriad* of stars 무수한 별들

adj. 무수한; 가지각색의: a *myriad* activity 다채로운 활동

mysterious [mistíəriəs] *adj.* 신비한, 불가사의한, 설명할 수 없는

— **mysteriously** *adv.*

***mystery** [místəri] *n.* **1** 신비, 불가사의, 비밀 **2** 괴기(탐정, 추리) 소설

mystic [místik] *adj.* =mystical

n. 신비주의자

mystical [místikəl] *adj.* 신비적인, 비법의 (mystic)

mysticism [místəsìzəm] *n.* 신비주의

mystify [místəfài] *v.* [T] 신비화하다, 어리둥절하게 하다, 미혹시키다

mystique [mistíːk] *n.* 신비한 매력〔분위기〕; 비결, 비법

myth [miθ] *n.* **1** 신화: Greek *myths* 그리스 신화 **2** 전설; 꾸며낸 이야기 **3** (근거 없는) 사회적 통념〔미신〕
— **mythical** *adj.* 신화 적인; 가공의

mythology [miθáələdʒi] *n.* 신화, 신화학: He's fascinated by the stories of classical *mythology.* 그는 고대 신화에 매료되었다.
— **mythological** *adj*

nN

nag [næg] *v.* (nagged-nagged) **1** [I,T] 성가시게 잔소리하다 (at): My mother is always *nagging* at me. 엄마는 항상 내게 잔소리를 하신다. **2** [T] (계속해서) 괴롭히다, 졸라대다
n. 잔소리(꾼)

***nail** [neil] *n.* **1** 손톱, 발톱 **2** 못
v. [T] 못을 박다, 못으로 고정하다 (on, to): *nail* a lid on a box 상자 위에 뚜껑을 못으로 고정하다
[숙어] **nail down 1** 못으로 고정시키다 **2** (약속 등에) 꼼짝 못하게 하다 (to) **3** (의향 등을) 분명히 말하게 하다

naive [nɑːíːv] *adj.* 천진난만한, 순진한: I was young and very *naive* then. 그 때 나는 너무 어리고 순진했다. [SYN] innocent
— **naively** *adv.* **naivety** *n.*

naked [néikid] *adj.* **1** 벌거벗은, 나체의: *naked* feet 맨발 [SYN] bare **2** (명사 앞에만 쓰임) 덮개가 없는, 드러난: a *naked* bulb 알전구 / a *naked* hill 초목이 없는 언덕 **3** (명사 앞에만 쓰임) 적나라한, 꾸밈없는: the *naked* truth 있는 그대로의 사실
— **nakedness** *n.*

naked eye *n.* (the naked eye) 육안: Bacteria can't be seen with the *naked eye.* 박테리아는 육안으로는 볼 수 없다.

***name** [neim] *n.* **1** 이름: Do you know the *name* of this tree? 너 이 나무의 이름 아니? / in *name* 명목상 **2** 명성, 평판: a good (bad) *name* 명성(악명) [SYN] reputation **3** 유명인, 명사: He is a big *name* in show business. 그는 연예계에서는 유명인이다.
v. [T] **1** …에(이라고) 이름을 붙이다(짓다): They *named* him Tom. 그들은 그를 톰이라고 이름지었다. **2** 지명하다, 임명하다: He

was *named* as chairman. 그는 의장으로 지명되었다. [SYN] appoint **3** …의 (올바른) 이름을 말하다: Can you *name* three American cities? 미국의 도시 이름 세 개만 말해 볼래? **4** 지정하다: You *name* the date for the meeting. 네가 만날 날을 지정하도록 해. [SYN] specify **5** (보기를) 지적하다, 들다: *Name* a few examples, please. 보기를 몇 개 들어 주세요.
— **nameless** *adj.* 이름 없는, 이름을 밝히지 않는, 익명의
[숙어] **by name** …라고 하는 이름의, 이름은: He is Ben *by name.* 그의 이름은 벤이다. / I know him *by name.* 그 사람의 이름만은 (들어서) 알고 있다.

by (of, under) the name of …라는 이름으로(의): a boy *by the name of* Nick 닉이라는 이름의 소년 / go *by the name of* Brown 브라운이라는 이름으로 통하다

call (bad) names 욕하다

in the name of, in one's name 1 …의 이름으로(권위로): I arrest you *in the name of* the law. 법의 이름으로 당신을 체포합니다. **2** …의 대신으로(대리로); …의 명의로: I am speaking *in the name of* Mr. Smith. 저는 스미스 씨 대리로서 말하고 있는 것입니다. / The house is *in my name.* 그집은 내 명의로 돼 있다.

make (win) a name (for oneself), make one's name 이름을 떨치다, 유명해지다: He *made a name for himself* as a cook. 그는 요리사로 이름을 떨쳤다.

name after (for) …의 이름을 따서 짓다: The child was *named after* his grandfather. 그 아이는 할아버지의 이름을 따서 이름지어졌다.

name-brand *adj.* 유명 브랜드의

namely [néimli] *adj.* 즉, 다시 말하자면

nanny [nǽni] *n.* [영] 유모

nano- *prefix* '10억분의 1'의 뜻.

nanometer [nǽnəmìːtər] *n.* 나노미터 (10⁻⁹미터)

nanotechnology [nǽnəteknálədʒi] *n.* 미세 공학 (나노 크기의 극소 물체를 만들거나 측정하는 반도체 등의 미세 가공 기술)

nap [næp] *n.* 낮잠, 선잠: take a *nap* 낮잠을 자다

v. [I] (napped-napped) 졸다, 낮잠 자다

*****napkin** [nǽpkin] *n.* (식탁용) 냅킨 (table napkin)

narcissus [nɑːrsísəs] *n.* (*pl.* narcissus (es), narcissi) **1** 수선화 **2** (Narcissus) [신화] 나르시스 (물에 비친 자신의 모습을 연모하다가 빠져 죽어서 수선화가 된 미소년)
— **narcissist** *n.* 자기 도취자 **narcissism, narcism** *n.* 자기애, 자기 중심주의, 자기 도취증

narcotic [nɑːrkátik] *n.* **1** 최면약, 진정제, 마취제 **2** 마약
adj. **1** 마취성의 **2** 마약의, 마약 중독의

narrate [nǽreit, nəréit] *v.* [I,T] **1** 말하다, 이야기하다, 서술하다 **2** (영화·텔레비전 등의) 내레이터를 맡다
— **narration** *n.* 서술; 이야기

narrative [nǽrətiv] *adj.* 이야기의, 이야기체[식]의
n. **1** 이야기 [SYN] story **2** 화술

narrator [nǽréitər] *n.* 이야기하는 사람, (연극·영화 등의) 해설자, 내레이터

*****narrow** [nǽrou] *adj.* **1** 폭이 좁은: a *narrow* bridge 좁은 다리 [OPP] wide, broad **2** (지역·범위가) 한정된: a *narrow* circle of friends 한정된 범위 내의 친구 교제 [SYN] limited **3** 부족한, 빠듯한, 가까스로의: have a *narrow* escape 구사일생으로 빠져 나오다 / a *narrow* victory 가까스로 이긴 승리 **4** 마음이 좁은, 편협한: *narrow* view 편협한 시각

v. [I,T] **1** 좁게 하다, 좁아지다 **2** 제한하다, 범위를 좁히다 (down): We have *narrowed* down the choice to four. 우리는 선택의 범위를 4명으로 좁혔다.
— **narrowness** *n.*

■ 유의어 narrow

narrow 폭이 좁거나 가는 **small** 방·토지 등의 면적이 좁은: a *small* room 좁은 방

narrowly [nǽrouli] *adv.* **1** 빠듯이 **2** 겨우, 간신히 **3** 좁게 **4** 주의 깊게

narrow-minded *adj.* 마음[도량]이 좁은, 편협한 [OPP] broad-minded

NASA [nǽsə] *abbr.* National Aeronautics and Space Administration 나사, 미국 항공 우주국

nasal [néizəl] *adj.* **1** 코의: the *nasal* passages 콧구멍 **2** 콧소리의; [음성] 비음의: a *nasal* voice 비음 / *nasal* vowels 비모음

nasty [nǽsti] *adj.* (nastier-nastiest) **1** (주거 등이) 몹시 불결한, 더러운 **2** (맛·냄새 등이) 역한: There is a *nasty* smell in the kitchen. 부엌에서 역한 냄새가 난다. **3** 성질이 나쁜, 심술궂은: Don't be so *nasty* to your sister. 네 여동생에게 너무 심술궂게 굴지 마라. **4** (문제 등이) 애먹이는, 난처한: *nasty* situation 난처한 상황 **5** (병 등이) 심한, 중한: a *nasty* cut 심하게 베인 상처 / a *nasty* accident 큰 사고
— **nastily** *adv.* **nastiness** *n.*

*****nation** [néiʃən] *n.* **1** (집합적) 국민 (정부 아래에 통일된 people): the voice of the *nation* 국민의 소리, 여론 **2** 국가: Western *nations* 서방 국가들

national [nǽʃənəl] *n.* **1** 국민의, 국민 특유의: a *national* character 국민성 **2** 국가의, 국가적인, 한 나라에 한정된: a *national* anthem 국가 / a *national* holiday 국경일 *cf.* international 국제적인 **3** 국유의, 국영의, 국립의: a *national* park 국립 공원 / *national* railroads 국유 철도

n. 특정 국가의 시민; (특히 외국 거주의) 동포: She is an American *national* living in Brazil. 그녀는 브라질에 사는 미국 시민이다. SYN citizen

— **nationally** *adv.*

nationalism [nǽʃənəlìzəm] *n.* 국가주의, 민족주의, 국수주의, 애국심

nationalist [nǽʃənəlist] *n.* 국가〔민족〕주의자

nationalistic [næ̀ʃənəlístik] *adj.* 민족〔국가, 국수〕주의(자)의〔적인〕

nationality [næ̀ʃənǽləti] *n.* **1** 국적: What *nationality* are you? 당신의 국적은 무엇입니까? / He has a dual *nationality*. 그는 이중 국적이다. **2** 국민, 민족

nationalize, nationalise [nǽʃənəlàiz] *v.* [T] 국유로〔국영으로〕 하다, 전국(민)화하다 *cf.* privatize 민영화하다

— **nationalization, nationalisation** *n.*

nationwide [néiʃənwàid] *adj. adv.* 전국적인〔으로〕: a *nationwide* survey 전국적인 조사 / We have 100 branches *nationwide*. 우리는 전국적으로 100개의 지점이 있다.

*****native** [néitiv] *adj.* **1** (명사 앞에만 쓰임) 출생의, 출생지의: *native* language 〔tongue〕 모국어 / He is a *native* speaker of English. 그는 영어를 모국어로 사용하는 사람이다. **2** (명사 앞에만 쓰임) 토착의, 그 지방 고유의; 원주민의: *native* art 향토 예술 / *native* customs 토착민의 풍습 **3** 타고난, 나면서부터의: *native* beauty 타고난 아름다움 **4** (동식물이) 그 지역에 특유한, 원산인: animals *native* to Africa 아프리카 원산의 동물

n. **1** ··· 태생의 사람, 토박이: He's a *native* of Ohio. 그는 오하이오 태생이다. **2** 원주민, 토착민

— **native-born** *adj.* 그 토지〔나라〕 태생의, 본토박이의

NATO [néitou] *abbr.* North Atlantic Treaty Organization 북대서양 조약 기구

natural [nǽtʃərəl] *adj.* **1** (명사 앞에만 쓰임) 자연의, 자연계의: a *natural* phenomenon 자연 현상 **2** 천연의, 자연 그대로의: *natural* resources 천연 자원 OPP artificial **3** 타고난, 천부의: a *natural* gift 천부의 재능 / Flying comes *natural* to birds. 나는 것은 새들에게 타고난 것이다. OPP acquired **4** 당연한, 자연스러운: a *natural* result 당연한 결과 / It is *natural* that they (should) think so. 그들이 그렇게 생각하는 것도 당연하다. OPP unnatural

— **naturalness** *n.*

naturalism [nǽtʃərəlìzəm] *n.* **1** [예술·문학] 자연주의 **2** [철학] 자연〔실증, 유물〕주의 **3** [신학] 자연론

naturalist [nǽtʃərəlist] *n.* **1** 박물학자 (동물학·식물학 등을 연구하는 학자) **2** (문학의) 자연주의자

naturalistic [næ̀tʃərəlístik] *adj.* 자연의, 자연주의의〔적인〕; 박물학(자)의

naturalize, naturalise [nǽtʃərəlàiz] *v.* [T] (주로 수동태) 귀화시키다: be *naturalized* in Canada 캐나다에 귀화하다

— **naturalization, naturalisation** *n.*

naturally [nǽtʃərəli] *adv.* **1** 당연히, 물론: "Will you answer his letter?" "*Naturally*!" "그에게 답장을 할 거야?" "물론이지!" **2** 태어나면서부터: Her hair is *naturally* curly. 그녀는 태어날 때부터 고수머리다. **3** 있는 그대로, 자연스럽게: Relax and just behave *naturally*. 긴장을 풀고 자연스럽게 행동해라.

*****nature** [néitʃər] *n.* **1** 자연: the laws of *nature* 자연의 법칙 **2** 천성, 본성; 성질: It is not in his *nature* to do such a thing. 그는 그런 짓을 할 천성이 못 된다. / the *nature* of iron 철의 성질 **3** (a〔the〕 nature) 종류: I'm very interested in things of that *nature*. 나는 그런 종류의 것들에 매우 관심이 많다. **4** (-natured *adj.*) (복합어를 이루어) 성질이 ···한: good-*natured* 성격이 좋

은 / ill-*natured* 성격이 나쁜
[숙어] **by nature** 날 때부터, 본래: The Koreans are diligent *by nature*. 한국인은 본래 근면하다.
in nature 사실상: It had no effect *in nature*. 그것은 사실상 효과가 없었다.
second nature 제2의 천성: Habit is *second nature*. [속담] 습관은 제2의 천성이다.

naught, nought [nɔːt] *n.* **1** 제로, 영: get a *naught* 시험에서 0점을 받다 **2** 무(無) [SYN] nothing

naughty [nɔ́ːti] *adj.* (naughtier-naughtiest) 장난의, 장난꾸러기의, 버릇없는: It's *naughty* of you to throw food on the floor. 마루에 음식을 버리다니 넌 버릇없구나.
— **naughtily** *adv.* **naughtiness** *n.*

nausea [nɔ́ːziə] *n.* 메스꺼움; 뱃멀미

naval [néivəl] *adj.* 해군의: a *naval* base 해군 기지 / a *naval* battle 해전

navigate [nǽvəgèit] *v.* [I,T] **1** 항해(비행)하다 **2** (배·비행기를) 조종하다; (차의 동승자가) 운전자의 길 안내를 하다
— **navigation** *n.* **navigator** *n.* 항해자

***navy** [néivi] *n.* (종종 Navy) 해군 *cf.* army 육군, air force 공군
— **naval** *adj.*

navy blue *n. adj.* 짙은 감색(의) (navy)
※ 형용사로 쓰일 때는 navy-blue이다.

Nazi [nɑ́ːtsi] *n. adj.* **1** 나치(의), 나치당(의) **2** (보통 nazi) 나치주의 신봉자(의)
— **Nazi(i)sm** *n.* 나치즘, 독일 국가 사회주의

***near** [niər] *adv.* **1** (공간·시간적으로) 가까이: The station is quite *near*. 역은 바로 가까이에 있다. / New Year's Day *near*. 새해가 가까왔다. [OPP] far **2** (near- *adj.*) (복합어를 이루어) 거의, 가깝게, 밀접하게: She has a *near*-native command of French. 그녀는 프랑스 어를 모국어에 가깝게 한다.
prep. …의 가까이에, …의 곁에; …할 무렵: He stood *near* the door. 그는 문 가까이에 서 있었다. / *near* the end of year 연말경에
adj. (공간·시간적으로) 가까운, 가까이의: Where's the *nearest* hospital? 가장 가까운 병원이 어디 있나요? / in the *near* future 가까운 장래에 [OPP] far
v. [I,T] …에 근접하다, 접근하다: The ship *neared* land. 배가 육지에 근접했다.
— **nearness** *n.*
[숙어] **near at hand** 곁에, 바로 가까이에; 머지않아서: The sea was *near at hand*. 바다는 바로 가까이에 있었다.

nowhere(not anywhere) near 동떨어진, 전혀 …이 아닌: I'm *nowhere near* finishing this book. 이 책을 끝내려면 멀었다.

nearby, near-by [níərbái] *adj. adv.* 가까운, 가까이의, 가까이에(서): My grandparents live in a *nearby* village. 나의 조부모님은 바로 이웃 마을에 사신다.

nearly [níərli] *adv.* 거의, 대략: I've *nearly* finished an essay. 나는 에세이(수필)를 거의 끝냈다. / The bottle is *nearly* empty. 병이 거의 비었다.
[숙어] **not nearly** 도저히(결코) …아니다: It's *not nearly* as cold as last year. 결코 작년만큼 춥지는 않다. (작년보다 훨씬 덜 춥다.) / There's *not nearly* enough food for all the people. 모두에게 돌아갈 음식이 턱없이 모자란다.

nearsighted [níərsáitid] *adj.* ([영] shortsighted) 근시(안)의 [OPP] farsighted

***neat** [niːt] *adj.* **1** 산뜻한, 깔끔한, 정연한: The room is *neat* and tidy. 방은 깔끔하고 정결하다. **2** 깔끔한 성미의; (용모가) 단정한, 말쑥한: He always looks very *neat*. 그는 항상 단정해 보인다. **3** 교묘한, 솜씨 좋은: a *neat* solution 교묘한 해결책 **4** [미] 굉장한, 멋진: The party was really *neat*. 파티는 정말 굉장했다.
— **neatly** *adv.* **neatness** *n.*

necessarily [nèsəsérəli] *adv.* **1** 필연적

으로, 반드시 **2** (not과 함께) 반드시 (…은 아니다): Cloudy skies do not *necessarily* mean rain. 흐린 하늘이라고 반드시 비가 오는 것은 아니다.

***necessary** [nésəsèri] *adj.* **1** 필요한: Exercise is *necessary* to health. 운동은 건강에 필요하다. / Take this money, if *necessary*. 필요하다면 이 돈을 가져가라. **2** 필연적인, 피하기 어려운: a *necessary* evil 필요악 (피할 수 없는 사회악) [OPP] unnecessary

n. (종종 *pl.*) 필요한 것, 필수품: daily *necessaries* 일용품

— **necessitate** *v.* 필요로 하다

necessity [nisésəti] *n.* **1** 필요(성): from (out of) *necessity* 필요해서 / There is no *necessity* of employing more staff. 직원을 더 뽑을 필요는 없다. **2** 필수품, 필요한 것: Water is an absolute *necessity*. 물은 꼭 필요한 것이다.

***neck** [nek] *n.* **1** 목 **2** (의복의) 옷깃: V-*neck* sweater 목부분이 V자 모양인 스웨터 **3** 목 모양의 부분; (그릇·악기 등의) 잘록한 부분; 해협, 지협: the *neck* of the bottle 병의 목 / a narrow *neck* of land 지협 **4** (-necked *adj.*) (복합어를 이루어) 목이 …인: short-*necked* 목이 짧은

[숙어] **neck and neck (with)** (경주에서) 나란히; (경기에서) 막상막하로

up to the (one's) neck in (분규 등에) 온통 휘말려어; (일에) 몰두하여; (빚에) 꼼짝 못하여: He's *up to his neck in* debt. 그는 빚으로 애먹고 있다.

necklace [néklis] *n.* 목걸이

necktie [néktài] *n.* 넥타이 [SYN] tie

nectar [néktər] *n.* **1** (꽃의) 꿀 **2** 감미로운 음료, 과즙

***need** [ni:d] *v.* [T] **1** 필요로 하다: Do you *need* any help? 도움이 필요합니까? / I *need* a new computer. 나는 새 컴퓨터가 필요하다. **2** (to 부정사와 함께) …할 필요가 있다, …하지 않으면 안 되다: She *needs* to

lose weight. 그녀는 체중 감량을 할 필요가 있다. **3** (사람·물건이) (…되어야 할) 필요가 있다 (doing): My watch *needs* repairing. =My watch *needs* to be repaired. 내 시계는 고칠 필요가 있다. ※ need는 원래 뒤에 to 부정사를 목적어로 가진다. 그러나 동명사가 오면 수동으로 번역한다. want, need, require도 그러하다. **4** (조동사로 쓰여) …하지 않으면 안 되다, …할 필요가 있다: "*Need* he go?" "No, he *need* not go." "그는 가야 합니까?" "아니, 가지 않아도 된다."

n. **1** 필요, 소용: There's no *need* of (for) explanation. 설명할 필요는 없다. **2** 필요한 물건: our daily *needs* 일용 필수품 **3** 결핍, 부족: Your composition shows a *need* of grammar. 네 작문에는 문법이 부족하다. (문법이 많이 틀렸다.) **4** 만일의 (어려운) 경우, 난국: A friend in *need* is a friend indeed. [속담] 어려울 때 친구가 진정한 친구다. **5** 빈곤, 궁핍: He is in *need*. 그는 곤궁에 처해 있다.

— **needful** *adj.* 필요한 **needy** *adj.* 가난한

[숙어] **(be) in need of** …을 필요로 하다: She *is in need of* help. 그녀는 도움을 필요로 한다. / This house is quite old and *is in need of* repairing extensively. 이 집은 아주 낡아서 대대적으로 수리할 필요가 있다.

■ 용법 need

• 조동사로 쓰이는 **need**에는 과거·현재분사·과거분사·부정사형이 없으며, 3인칭 단수 현재인 경우도 형태의 변화가 없다. 단, 본동사인 경우는 활용형을 가진다.: His house *needs* repairing. 그의 집은 수리가 필요하다.(본동사) / He *need* not answer. 그는 대답할 필요가 없다.(조동사)

• **need not**은 '…할 필요가 없다'로 **must**의 부정에 해당한다.: You *need not* do so. 너는 그렇게 할 필요가 없다.

*__needle__ [níːdl] *n.* **1** (바느질 · 뜨개질) 바늘: a *needle* and thread 실이 꿰어져 있는 바늘 **2** (주사 · 외과 수술용) 바늘 **3** (계기류의) 지침 **4** (침엽수의) 잎: pine *needles* 솔잎

__needless__ [níːdlis] *adj.* 필요 없는
— __needlessly__ *adv.*

⟨숙어⟩ __needless to say__ 말할 필요도 없이, 물론: *Needless to say*, I was the leader. 말할 필요도 없이 내가 대장이었지.

__needlework__ [níːdlwə̀ːrk] *n.* 바느질, 뜨개질 (기술, 작품); 자수

__negate__ [nigéit] *v.* [T] 부정(부인)하다, 취소하다, 무효로 하다
— __negation__ *n.*

*__negative__ [négətiv] *adj.* **1** 부정의: His reply was *negative*. 그의 대답은 부정적이었다. / a *negative* sentence 부정문 [OPP] affirmative **2** 거부의; 금지의, 반대의: a *negative* order(command) 금지령 **3** 소극적인: a *negative* character 소극적인 성격 **4** 쓸모 없는, 효과가 없는: *negative* criticism 쓸모 없는 비판 **5** [의학 · 과학] 음성의: The pregnancy test was *negative*. 임신 테스트 결과는 음성이었다. **6** [전기] 음전기의, 음극의; [수학] 마이너스의, 음의: a *negative* quantity 음수 [OPP] positive

n. **1** 부정(거부, 반대)의 말(견해, 회답, 동작); 부정 명제: He answered in the *negative*. 그는 '아니오'라고 대답했다. **2** [문법] 부정어 (no, not, never 등) **3** [사진] 음화, 원판
— __negatively__ *adv.*

__neglect__ [niglékt] *v.* [T] **1** 무시하다, 간과하다, 방치하다: I had *neglected* my health for years. 나는 몇 년 동안 건강에 소홀했었다. **2** (의무 · 일 등을) 게을리하다, 해야 할 것을 안 하다 (to do): He *neglected* to answer my letters. 그는 내 편지에 답장하지 않았다.

n. 태만, 부주의; 무시: *neglect* of duty 직무 태만
— __neglectful__ *adj.* 게으른; 부주의한; 무관

심한

__negligence__ [néglidʒəns] *n.* **1** 태만, 부주의; 소홀: The accident was a result of *negligence*. 사고는 부주의의 결과였다. **2** 단정치 못함: *negligence* of dress 복장의 단정치 못함

__negligent__ [néglidʒənt] *adj.* 소홀한, 태만한; 부주의한; 무관심한: She's *negligent* in carrying her duties. 그녀는 직무를 태만히 했다. / a *negligent* way of speaking 아무렇게나 하는 말투
— __negligently__ *adv.*

__negligible__ [néglidʒəbəl] *adj.* 무시해도 좋은, 하찮은, 무가치한

__negotiate__ [nigóuʃièit] *v.* **1** [I] 협상(협의)하다, 교섭하여 결정하다: We *negotiated* with the landlord about the rent. 우리는 집세에 관해 집주인과 협의했다. **2** [T] (곤란 등을) 극복하다, 뚫고 나아가다
— __negotiable__ *adj.* __negotiation__ *n.* __negotiator__ *n.* 협상자

__Negro__ [níːgrou] *n.* (*pl.* Negroes) 니그로, 흑인 *cf.* Negress Negro의 여성형
※ 무례하고 모욕적인 표현으로 생각되므로 black 또는 African-American이라고 표현하는 것이 좋다.

__neigh__ [nei] *n.* (말의) 울음
v. [I] (말이) 울다

*__neighbor, neighbour__ [néibər] *n.* **1** 이웃 (사람); (보통 *pl.*) 이웃 나라 (사람): my next-door *neighbor* 이웃집 사람 / our *neighbors* across the Channel 영국 해협 건너에 있는 우리 이웃 (영국 사람이 본 프랑스 사람) **2** 가까이 있는 사람; (같은 종류의) 서로 이웃하는 것: Don't look at what your *neighbor* is writing. 옆자리 사람이 쓰는 것을 보지 마라. / A rotten apple will soon affect its *neighbors*. [속담] 썩은 사과는 가까이 있는 사과들도 곧 썩게 한다. **3** (같은) 동료, 동포: Love thy *neighbors* as thyself. [성서] 이웃을 네 몸과 같이 사랑하라.
v. [I,T] 서로 이웃하다, 가까이 살다(있다)

neighborhood, neighbourhood

[néibərhùd] *n.* **1** 근처, 이웃: in my *neighborhood* 내가 사는 근처에(는) **2** 지구, 지역: They live in a poor *neighborhood*. 그들은 가난한 거주 지역에 살고 있다. **3** (집합적) 근처 사람들, 이웃 사람들, (어떤 지역의) 주민

[숙어] **in the neighborhood of** …의 근처에: I wouldn't like to live *in the neighborhood of* an airport. 나는 공항 근처에 살고 싶지 않습니다.

■ 접미사 **-hood**
1 명사 · 형용사에 붙여서 '지위, 성격, 성질' 등의 의미를 나타낸다.: child*hood* 어린 시절, false*hood* 허위
2 '연, 단, 사회' 등의 집합적인 의미를 나타낸다.: neighbor*hood* 이웃, priest*hood* 성직

neighboring, neighbouring

[néibəriŋ] *adj.* (명사 앞에만 쓰임) 이웃의, 인접해 있는: *neighboring* village 인접 마을

neighborly, neighbourly [néibərli]
adj. 우호적인, 친절한

***neither** [níːðər, náiðər] *adj. pron.* (둘 중의) 어느 쪽도 …아니다: *Neither* one of you has the right answer. 너희 중 어느 쪽도 옳은 답이 없다. / "Would you like tea or coffee?" "*Neither*, thanks." "차 마실래 커피 마실래?" "둘 다 안 마실래."
conj. (neither … nor ~) …도 아니고 ~도 아니다: I know *neither* English *nor* French. 나는 영어도 모르고 프랑스 어도 모른다. / *Neither* you *nor* I am to blame. 너도 나도 잘못이 없다.
adv. (부정문 뒤에서) …도 또한 않다: I can't swim, and *neither* can my sister. =I can't swim, nor can my sister. 나는 수영을 못하고 내 여동생도 수영을 못한다. / "I don't like meat." "*Neither* do I." "난 고기가 싫어." "나도 그래."

※ neither는 부정어다. 부정어가 앞으로 오면 문장의 순서가 뒤바뀐다. 그리고 neither는 접속사의 기능을 하지 못하나 nor는 접속사 기능을 하기 때문에 neither를 nor로 고치면 and가 없어지면서 첫 번째 예문의 경우 nor can my sister가 된다.

neon [níːɑn] *n.* [화학] 네온 (비활성 기체 원소; 기호 Ne): *neon* sign 네온사인

***nephew** [néfjuː] *n.* 남자 조카 *cf.* niece 여자 조카

Neptune [néptjuːn] *n.* **1** [천문] 해왕성 **2** [신화] 바다의 신 (그리스 신화의 Poseidon)

nerve [nəːrv] *n.* **1** 신경 **2** (nerves) 신경 과민 **3** 용기, 담력: He didn't have the *nerve* to tell her. 그는 그녀에게 말할 용기가 없었다. **4** 뻔뻔스러움: He has got a *nerve* to ask for more money. 그는 뻔뻔스럽게도 더 많은 돈을 요구했다.

[숙어] **get on one's nerves** …의 신경을 건드리다, 짜증나게 하다: His rude manners *got on her nerves*. 그의 교양 없는 태도는 그녀의 신경을 건드렸다.

nerve cell *n.* 신경 세포

※ 좀더 전문적인 용어로 neuron이라고 한다.

nerve-racking〔wracking〕 *adj.* 신경을 건드리는〔괴롭히는〕

***nervous** [nəːrvəs] *adj.* **1** 신경질적인, 신경 과민한; 겁많은, 불안한 (about, of): Don't be *nervous*. 불안해 하지 마. / She's very *nervous* about a job interview. 그녀는 취업 면접을 매우 걱정하고 있다. **2** 신경(성)의: a *nervous* disorder 신경병
— **nervously** *adv.* **nervousness** *n.*

nervous breakdown *n.* 신경 쇠약 (breakdown)

nervous system *n.* (the nervous system) 신경계(통)

***nest** [nest] *n.* 새둥우리, (동물 · 곤충 등의) 보금자리
v. [I] 보금자리를 짓다; 편안하게 살다

nestle [nésəl] *v.* [I,T] **1** 편히 몸을 가누다, 기분 좋게 자리잡다: The puppy *nestled* in her arms. 강아지는 그녀의 품에서 편히 몸을 가누었다. **2** (쾌적하게 깊숙이) 자리잡고 있다: The town *nestles* among the hills. 마을은 산에 둘러싸인 곳에 자리잡고 있다.

***net¹** [net] *n.* **1** 그물: a fishing *net* 어망 / a mosquito *net* 모기장 **2** 그물 모양의 것, 망상 조직 (혈관·거미줄 등) **3** 함정, 올가미: a police *net* 경찰의 수사망 **4** (테니스 등의) 네트(볼) (네트에 맞은 타구) **5** 통신망, 방송망 (network) **6** (the Net) 인터넷

v. [T] (netted-netted) **1** 그물로 잡다, 그물을 치다: How many fish did you *net*? 어망으로 고기를 얼마나 잡았니? **2** [테니스] (공을) 네트에 치다

net² [net] (또는 nett) *adj.* **1** 순, 순수한, 에누리 없는: a *net* profit 순이익 / a *net* price 정가 [OPP] gross **2** 궁극의, 최종적인: *net* conclusion 최종적 결론

v. 순이익을 올리다

netiquette [nétikèt] *n.* 네티켓 (네트워크 상에서 다른 사람에 대한 기본 예의; network+etiquette)

netizen [nétəzən] *n.* 네티즌 (인터넷 사용자; net+citizen)

network [nétwə̀:rk] *n.* **1** (도로·철도·전선·신경 등의) 망상 조직: a road[rail] *network* 도로[철도]망 **2** (상점 등의) 체인, 연락망 **3** [통신·컴퓨터] 네트워크 (컴퓨터나 단말 장치, 프린터, 음성 표시 장치, 전화 등이 통신 회선이나 통신 케이블 등으로 접속되는 시스템) **4** (TV·라디오의) 방송망

neuron, neurone [njúərɔn] *n.* [해부] 신경 단위[세포], 뉴런

neurosis [njuəróusis] *n.* (*pl.* neuroses) [의학] 신경증, 노이로제

neurotic [njuərátik] *adj.* 신경(계)의, 신경증의; 신경 과민의, 비현실적인

n. 신경증 환자

neuter [njú:tər] *adj.* **1** [문법] 중성의 **2** [식물·동물] 무성(중성)의 **3** 중립의: stand *neuter* 중립을 지키다

v. [T] (동물을) 거세하다

neutral [njú:trəl] *adj.* **1** 중립의; 불편 부당의, 공평한: a *neutral* nation 중립국 / I remained *neutral* when they argued. 그들이 말다툼을 했을 때 나는 중립적 입장을 취했다. **2** (색·성격 등이) 뚜렷치 않은, 애매한: Gray is a *neutral* color. 회색은 중간 색이다. **3** [식물·동물] 암수 구별이 없는, 무성의 **4** [화학·물리] 중성의 *cf.* acid 산성, alkaline 염기성

n. **1** (차의) 중립 기어 **2** 중립자, 중립국

— **neutrality** *n.* 중립 (상태)

neutralize, neutralise *v.*

neutron [njú:trɑn] *n.* [물리] 중성자, 뉴트론

***never** [névər] *adv.* **1** 일찍이 …(한 적이) 없다: I've *never* been abroad. 나는 한 번도 외국에 간 적이 없다.

※ 글머리에 오면 주어와 동사가 도치된다.: *Never* have I seen such a monster. 나는 그런 괴물은 본 일이 없다.

2 결코 …하지 않다: I *never* had a cent. 나는 1센트도 없었다. / *Never* mind. 괜찮아, 염려 마라. / Better late than *never*. [속담] 늦더라도 안 한 것보다는 낫다. **3** (의심·감탄·놀람을 나타내어) 설마 …은 아니겠지: *Never* tell me! 농담이시겠지요! / You're *never* eighteen! 설마 18살은 아니겠지! **4** (never the+비교급) 조금도 …않다: The patient's condition was *never* the better. 환자의 상태가 조금도 좋아지지 않았다.

[숙어] **never ... but (that)** ~ …하면 반드시 ~한다, ~하는 것 없이는 절대로 …하지 않는다: It *never* rains *but* it pours. 비만 오면 꼭 억수같이 퍼붓는다.

Never say die. 용기를 잃지 마라, 약한 소리하지 마라. (절대로 죽겠다는 소리 하지 마라.)

never-ending *adj.* 끝없는, 영원한

nevermore [nèvərmɔ́:r] *adv.* 두 번 다시 …않다

nevertheless [nèvərðəlés] *adv.* 그럼에도 불구하고: There was no news. *Nevertheless*, she went on hoping. 아무 소식도 없었다. 그럼에도 불구하고 그녀는 여전히 희망을 갖고 있었다.

*****new** [nju:] *adj.* **1** 새로운, 새로 만들어진; 새로운 발견(발명)의: a *new* book 신간 / a *new* design 새로운 디자인 OPP old **2** 신식의, 처음 보는(듣는) (to): That's *new* to me. 그것은 처음 듣는다. (금시 초문이다.) OPP old **3** 아직 안 쓴, 신품의: He sold a used computer and bought a *new* one. 그는 사용하던 컴퓨터를 팔고 새 컴퓨터를 샀다. **4** (음식 등이) 신선한, 싱싱한, 갓 나온: *new* rice 햅쌀 / *new* potatoes 햇감자 **5** 신임의, 익숙지 않은, 경험이 없는 (to): He's *new* to the job. 그는 그 일에 아직 익숙지 않다.
— **newness** *n.*

newborn [njúːbɔ̀ːrn] *adj.* (명사 앞에만 쓰임) 갓난, 신생의

newcomer [njúːkʌ̀mər] *n.* 새로 온 사람, 신인: He's a *newcomer* to politics. 그는 정계의 신인이다.

newly [njúːli] *adv.* 최근, 요즈음; 새로이, 다시: a *newly* married couple 신혼 부부 / a *newly* appointed ambassador 신임 대사 / a *newly* painted door 새로 칠한 문
※ 대개 과거분사 앞에 쓰여 복합어를 만든다.: *newly*-decorated 새로 장식한

newlywed [njúːliwèd] *n.* 신혼자; (newlyweds) 신혼 부부
adj. 신혼의

new moon *n.* 초승달 *cf.* full moon 보름달

news [njuːz] *n.* (단수 취급) **1** 소식, 기별: Have you had any *news* from him recently? 최근에 그에게서 소식이 있었니? / No *news* is good *news.* [속담] 무소식이 희소식이다. **2** (the news) (라디오 · TV 등의) 뉴스 (프로), 보도; (신문의) 기사: I usually watch the evening *news* on television. 나는 보통 텔레비전 저녁 뉴스를 본다. ※ news는 불가산 명사로 '한 건의 뉴스'라고 할 때는 a piece(a bit, an item) of news라고 한다.: She brought us two pieces of good *news.* 그녀는 우리에게 두 가지 희소식을 가져왔다.
3 새로운 사실, 흥미로운 사건(인물): That is no *news* to me. 그건 새로운 사실이 아니야. (벌써 알고 있다.) / Is there any *news*? 무슨 재미있는 일이라도 없어? **4** (News) … 신문 (신문 이름): The Daily *News* 데일리 뉴스지
[숙어] **break the news** (to) …에게 (나쁜 소식을) 알리다

newsagent [njúːzèidʒənt] *n.* ([미] newsdealer) **1** [영] 신문(잡지) 판매업자 **2** (the newsagent's) [영] 신문(잡지) 판매소

newscast [njúːzkæ̀st] *n.* 뉴스 방송
v. [I,T] (뉴스를) 방송하다
— **newscaster** *n.* ([영] newsreader) 뉴스 방송(해설)자

newsdealer [njúːzdìːlər] *n.* 신문(잡지) 판매업자

news flash *n.* [라디오 · TV] 뉴스 속보 (flash)

newsletter [njúːzlètər] *n.* (회사 · 단체 등의) 회보, 월보, 연보; 시사 해설, 시사 통신

newspaper [njúːzpèipər] *n.* **1** 신문 (paper): a daily(weekly) *newspaper* 일간(주간) 신문 **2** 신문사: I want to work for a *newspaper.* 나는 신문사에서 일하고 싶다. **3** 신문지: Wrap it up in *newspaper.* 신문지로 그것을 싸라.

newsstand [njúːzstæ̀nd] *n.* ([영] newsstall) 신문(잡지) 판매점

new year *n.* **1** (보통 the new year) 새해, 신년 **2** (보통 New Year) (집합적) 정월 초하루, 설날(과 그 뒤의 2~3일): *New Year's* gifts 새해 선물 / (I wish you) a happy *New Year!* 새해 복 많이 받으십시오!, 근하신년.

New Year's (Day) *n.* 정월 초하루, 설날

New Year's Eve *n.* 섣달 그믐날

*****next** [nekst] *adj. adv.* **1** (시간적으로) 다음의〔에〕, 이번의: Come *next* Friday. 다음 금요일에 와라. / The book will be out *next* year. 그 책은 내년에 나온다. **2** (the next) 그 다음의: the *next* week〔month, year〕 그 다음 주〔달, 해〕 **3** (공간적으로) 가장 가까운, 이웃의, 다음의: Turn to the right at the *next* corner. 다음 모퉁이에서 오른쪽으로 돌아가세요. **4** (순서·가치 등의) 그 다음 가는: the *next* best thing 차선책 / I don't know what to do *next*. 다음에 뭘 해야 할지 모르겠다.

pron. 다음 사람〔것〕, 옆의 것: *Next*, please! 다음 사람〔것〕! (순서에 따라 불러들이거나 질문 등을 재촉할 때) / He was the *next* to appear. 그가 다음에 나타났다.

〔숙어〕 **next time** 다음〔이번〕에 …할 때에: Bring your sister *next time* you come. 다음에 올 때는 네 여동생을 데리고 와라.

next to 1 …에 가장 가깝게, …의 옆에: Come and sit *next to* me. 와서 내 옆에 앉아라. **2** …에 다음 가는: *Next to* cake, my favorite dessert is ice cream. 케이크 다음으로 내가 좋아하는 디저트는 아이스크림이다. **3** (부정어 앞에서) 거의…: We know *next to* nothing about it. 우리는 그것에 대하여 거의 아무것도 모른다. / It is *next to* impossible. 그것은 거의 불가능하다.

next(-)door *adj. adv.* 이웃의: a *next-door* neighbor 옆집에 사는 이웃 사람 / Who lives *next door*? 옆집에 누가 사니? ※ 형용사로 쓰일 때는 next-door, 부사로 쓰일 때는 next door이다.

nibble [níbəl] *v.* [I,T] 조금씩 물어뜯다〔갉아 먹다〕: The child was *nibbling* bread. 아이는 빵을 조금씩 뜯어 먹고 있었다.

n. 조금씩 물어뜯기

*****nice** [nais] *adj.* (nicer-nicest) **1** 좋은, 훌륭한, 유쾌한, 흡족한: Have a *nice* day! 좋은 하루 되세요! / *Nice* to meet you. 만나서 반갑습니다. **2** 인정 많은, 다정한, 친절한: He's a really *nice* guy. 그는 정말 친절한 사람이다. / It is very *nice* of you to help us. 우리를 도와 주셔서 감사합니다. **3** 매우, 썩, 꽤: It is *nice* and cool in the wood. 숲 속은 매우 시원하다. / a *nice* long story 꽤 긴 이야기 ※ 형용사나 부사 앞에 놓여 의미의 강조나 정도를 나타낸다.

— **nicely** *adv.* **niceness** *n.*

nickel [níkəl] *n.* **1** 〔화학〕 니켈 (금속 원소; 기호 Ni) **2** 〔미〕 5센트짜리 동전

nickname [níknèim] *n.* 별명, 애칭

v. [T] 별명을 붙이다: He was *nicknamed* 'Shorty.' 그는 '꼬마'라는 별명이 붙었다.

nicotine [níkətì:n] *n.* 〔화학〕 니코틴 (담배에 들어 있는 독성 화학 물질)

*****niece** [ni:s] *n.* 여자 조카 *cf.* nephew 남자 조카

*****night** [nait] *n.* 밤, 야간, 저녁(때): I slept well last *night*. 나는 어젯밤에 잠을 잘 잤다. / Let's go out on Friday *night*. 금요일 저녁에 외출하자. ※ night는 해질녘부터 해돋이까지, evening은 일몰부터 잘 때까지를 말한다.

〔숙어〕 **a night out〔off〕** 축제의 밤; 밖에서 놀이로 새우는 밤

all night (long), all the night through 밤새도록

at〔in the〕 dead of night 한밤중에

by night 밤에는, 밤중에: They sleep by day and travel *by night*. 그들은 낮에는 자고 밤에는 여행한다.

Good night! 편히 주무십시오; 안녕 (밤에 헤어질 때의 인사)

make an early〔a late〕 night 일찍〔늦게〕 자다

night after〔by〕 night 매일밤, 밤마다

stay the night 다음 날까지 있다, 밤새다, 숙박하다

nightdress [náitdrès] *n.* (여성·어린이용) 잠옷 SYN nightgown, nightie

nightingale [náitəŋgèil] *n.* [조류] 나이팅게일 (유럽산 지빠귓과의 작은 새)

nightlong [náitlɔ̀:ŋ] *adj. adv.* 철야의, 밤새우는; 밤새워

nightly [náitli] *adj. adv.* 밤의(에), 밤에 일어나는, 밤마다(의): a *nightly* news 야간 뉴스

nightmare [náitmɛ̀ər] *n.* **1** 악몽: He still has *nightmares*. 그는 여전히 악몽을 꾼다. **2** 악몽 같은 경험; 공포〔불쾌〕감: Driving on the ice road was a real *nightmare*. 빙판길에서 운전하는 것은 정말 악몽같은 일이었다.

night school *n.* 야간 학교

nighttime [náittàim] *n. adj.* 야간(의), 밤중(의) OPP daytime 낮(의), 주간(의)

nihilism [náiəlìzəm, ní:əlìzəm] *n.* **1** [철학·논리학] 허무주의, 니힐리즘 **2** [정치] 폭력 혁명〔무정부〕주의
— **nihilistic** *adj.* **nihilist** *n.*

nimble [nímbəl] *adj.* (nimbler-nimblest) **1** 재빠른, 민첩한: a *nimble* climber 민첩한 등산가 **2** 영리한, 이해가 빠른, 재치 있는: a *nimble* answer 재치 있는 대답
— **nimbly** *adv.*

NIMBY [nímbi(:)] *abbr.* not in my backyard (주변에 꺼림칙한 건축물 설치를 반대하는 주민 운동)

nine [nain] *n. adj. pron.* 9(의), 아홉(의); 아홉 개〔사람〕 ⇨ six 참조
숙어 **nine times out of ten, in nine cases out of ten** 십중팔구, 대개
nine to five (9시부터 5시까지의) 일상적인 일〔근무〕 (시간)

nineteen [náintí:n] *n. adj. pron.* 19(의), 열아홉(의); 열아홉 개〔사람〕 ⇨ six 참조

nineteenth [náintí:nθ] *n. adj. pron. adv.* 19th ⇨ sixth 참조

ninetieth [náintiiθ] *n. adj. pron. adv.* 90th ⇨ sixtieth 참조

ninety [náinti] *n. adj. pron.* 90(의), 아흔(의); 아흔 개〔사람〕 ⇨ sixty 참조

ninth [nainθ] *n. adj. pron. adv.* 9th ⇨ sixth 참조

nip [nip] *v.* [I,T] (nipped-nipped) 꼬집다; (개 등이) 물다: She *nipped* him on the arm. 그녀는 그의 팔을 꼬집었다. / The dog *nipped* at my ankles. 개가 내 발목을 물었다.
n. 한 번 꼬집기〔자르기, 물기〕
숙어 **nip ... in the bud** 봉오리 때에 따다; 미연〔초기〕에 방지하다

nitrogen [náitrədʒən] *n.* [화학] 질소 (기체 원소; 기호 N)

No., no. [nʌ́mbər] *abbr.* (*pl.* Nos., nos.) number 제…번, 제…호, …번지: tel. *no.* 전화 번호 / No. 10 (Downing street) 영국 수상 관저 (다우닝가 10번지)
※ 미국에서는 번지의 경우 No.를 붙이지 않고 숫자만 쓴다.

*no ⇨ p. 474

nobility [noʊbíləti] *n.* **1** (the nobility) (집합적) 귀족, 귀족 계급〔사회〕 SYN aristocracy **2** 고귀(성), 숭고, 고결함, 기품

noble [nóubəl] *adj.* (nobler-noblest) **1** (계급·지위·출생 등이) 귀족의, 고귀한: a *noble* family 귀족 (가문) **2** (사상·성격 등이) 고상한, 숭고한, 훌륭한: *noble* ideals 숭고한 이상 OPP ignoble
n. 귀족
— **nobly** *adv.* **nobleness** *n.* 고귀, 고결
nobleman *n.* 귀족

*nobody [nóubὰdi] *pron.* 아무도 …않다: There was *nobody* there. 아무도 거기에 없었다. / *Nobody* knows it. 아무도 그것을 알지 못한다.
※ no one과 의미는 같지만 보다 구어적이다.
n. 보잘 것 없는 사람: He is just a *nobody*. 그는 정말 보잘 것 없는 사람이다. / somebodies and *nobodies* 유명무명의 사람들

no

no [nou] *adj.* **1** 하나도〔한 사람도, 조금도〕
…없는, 어떤〔약간의〕 …도 없는: *No* man is
without fault. 결점 없는 사람은 아무도 없
다. / I have *no* sisters. 나에게는 자매가
없다.
2 결코 …아닌〔않는〕: He is *no* fool. 그는 결
코 바보가 아니다. / I am *no* match for
him. 나는 절대 그에게 상대가 되지 못한다.
3 (게시 등에서) …금지, 사절, …반대, …없음:
No parking. 주차 금지. / *No* smoking. 금
연. / *No* Entry. 출입 금지.
adv. **1** (비교급 앞에서) 조금도 …아니다〔않다〕:
We could walk *no* farther. 우리는 더 이
상 걸을 수가 없었다. / He was *no* better
than a beggar. 그는 거지나 진배없었다. /
He stayed there *no* more than two
days and left. 그는 거기서 이틀밖에 머물지
않고 떠났다.
2 (다른 형용사 앞에 와서 그 형용사를 부정하
여) 결코 …아니다: He left his son *no*
small fortune. 그는 아들에게 막대한 재산을
남겼다. (그는 아들에게 결코 적지 않은 재산을
남겼다.)
3 (부정의 답) 아니, 아니오: "Would you
like something to eat?" "*No*, thank
you." "뭐 좀 드실래요?" "아니오." [OPP] yes
4 (… or no의 형태로) …인지 어떤지, …든 아
니든: True or *not*, it makes no
difference. 사실이든 아니든 중요하지 않다.
5 (놀라움·의문·낙담 등을 나타내어) 설마, 뭐
라고: "David had an accident." "Oh,
no!" "데이빗이 사고를 당했대." "저런!" / *No*,
I don't believe it! 설마, 믿을 수 없어!
n. (*pl.* noes, nos) '아니(no)'라고 하는 말, 부
정, 거절: His answer was a definite *no*.
그의 대답은 명백한 거절이었다. / Two *noes*
make a yes. 이중 부정은 긍정이다.
[숙어] **in no time** ⇨ time
There is no -ing …할 수 없다: *There is
no* say*ing* what may happen in the
future. 미래에 무슨 일이 일어날지 전혀 알 수
없다.

nocturne [nάktə:rn] *n.* **1** [가톨릭] 저녁
기도 **2** [음악] 야상곡
***nod** [nɑd] *v.* [I,T] (nodded-nodded) **1**
(동의·양해·인사·명령 등을 나타내어) 머리
를 끄덕이다: He *nodded* in agreement.
그는 머리를 끄덕여 동의를 표했다. **2** (꾸벅꾸
벅) 졸다; 방심하다: When she *nodded* in
class, her friend poked her. 그녀가 수업
중에 꾸벅꾸벅 졸자 친구가 그녀를 쿡 찔렀
다. / Even Homer sometimes *nods*. [속
담] 원숭이도 나무에서 떨어질 때가 있다. (호머
도 졸 때가 있다.)
n. **1** 끄덕임 **2** 졺, (졸 때의) 꾸벅임
[숙어] **nod off** 졸다: I *nodded off* after
lunch. 나는 점심 식사 후에 잠깐 졸았다.
***noise** [nɔiz] *n.* (불쾌한) 소리; 소음, 소란:
Do you hear a *noise* upstairs? 위층에서
나는 소리 들려? / Stop making a *noise*! 떠

들지 마라!
— **noiseless** *adj.* 조용한
noisemaker [nɔizmèikər] *n.* 소리를
내는 사람〔것〕 (특히 축제 등에서 사용하는 방
울, 뽈피리 등)
noisy [nɔizi] *adj.* (noisier-noisiest) 떠들
썩한, 시끄러운: They are too *noisy*. 그들
은 너무 시끄럽다. / *noisy* streets 시끄러운
거리
— **noisily** *adv.*
nominal [nάmənl] *adj.* **1** 이름의, 명의상
의, 이름뿐인: a *nominal* leader 명목상의
지도자 **2** (가격 등이) 아주 적은, 보잘것 없는:
a *nominal* fee 아주 적은 요금 **3** [문법] 명
사의, 명사적인
— **nominally** *adv.*
nominate [nάmənèit] *v.* [T] **1** (선거·임
명의 후보자로) 지명하다, 지명 추천하다 (for):

The film was *nominated* for an Academy Award. 그 영화는 아카데미상 후보로 지명되었다. **2** 임명하다: The President *nominated* him as Secretary of State. 대통령은 그를 국무 장관으로 임명했다.
— **nomination** *n.* 지명〔임명, 추천〕(권)
nominator *n.* 지명자, 임명자 **nominee** *n.* 지명〔임명, 추천〕된 사람

nominative [nάmənətiv] *n. adj.* [문법] 주격(의): the *nominative* case 주격

non- *prefix* '무, 없다, 아니다'의 뜻.

nonalcoholic [nànælkəhɔ́:lik] *adj.* 알코올을 함유하지 않은: *nonalcoholic* beer 알코올 성분이 없는 맥주

*****none** [nʌn] *pron.* **1** 아무도〔아무것도〕…않다〔없다〕: There were *none* present. 출석한 사람은 아무도 없었다. / "Is there any more cake?" "I'm sorry, there's *none* left." "케이크 좀더 있니?" "안됐지만 남은 게 하나도 없네." / He gave me a lot of information but *none* of it was correct. 그는 나에게 많은 정보를 주었지만 그 것 중에 하나도 맞는 게 없었다. **2** ('no+명사'의 명사 생략꼴) 전혀〔조금도〕…없다〔않다〕: He's *none* of my friends. 그는 내 친구도 아무것도 아니다. / You still have money but I have *none*. 너는 아직 돈이 있지만 나에겐 한 푼도 안 남았다.
adv. (the+비교급 또는 so, too를 수반하여) 조금도〔결코〕…않다: He is *none* the happier for his wealth. 그는 돈이 있어도 조금도 행복하지 않다. / The price is *none* too high. 가격은 결코 비싸지 않다.
☐숙어☐ **none other than** 다름 아닌〔바로〕 그것〔그 사람〕: He was *none other than* Albert Einstein. 그는 다름 아닌 알베르트 아인슈타인이었다.

none the less 그래도, 그럼에도 불구하고: He has faults, but I love him *none the less*. 그에게는 결점이 있지만 그래도 나는 그를 사랑한다.

■ **용법 none**
• **no**는 명사 앞에 쓰고, **none**은 명사를 대신한다.: I told him that I had *no* money left. 나는 그에게 남은 돈이 없다고 말했다. / When he asked me how much money I had left, I told him that I had *none*. 남은 돈이 얼마냐고 그가 물었을 때, 나는 남은 돈이 없다고 말했다.
• **none of** 의미에 따라 단수 또는 복수 취급한다. 복수인 경우는 셋 이상을 가리키며, 둘인 경우는 **neither**를 쓴다.

nonetheless [nʌnðəlés] *adv.* 그럼에도 불구하고, 그렇지만, 그래도 ☐SYN☐ nevertheless

nonexistence [nànigzístəns] *n.* 존재치 않음〔않는 것〕, 무(無)
— **nonexistent** *adj.*

nonfiction [nànfíkʃən] *n.* 논픽션, 사실에 의거한 산문 문학 (전기 · 역사 · 탐험 기록 등) ☐OPP☐ fiction

nongovernmental [nàngʌvərnméntl] *adj.* 비정부의: a *nongovernmental* organization 비정부 조직, 민간 공익 단체 (*abbr.* NGO)

nonmaterial [nànmətíəriəl] *adj.* 비물질적인, 정신적인; 문화적인

nonprofit [nànpráfit] *adj.* 이익이 없는, 비영리적인

nonsense [nánsens] *n.* **1** 무의미한 말, 터무니없는 생각, 넌센스: He often talks *nonsense*. 종종 그는 터무니없는 말을 한다. **2** 허튼말〔짓〕; 시시한 일: Stop your *nonsense*! 허튼짓 그만둬라!
— **nonsensical** *adj.*

nonsmoker *n.* 비(非)흡연자 ☐OPP☐ smoker

nonsmoking *adj.* 금연의: Would you like a table in the smoking or the *nonsmoking* section? 흡연석으로 하시겠습니까, 금연석으로 하시겠습니까?

nonstop *adj. adv.* **1** 직행의, 도중 무착륙의:

a *nonstop* flight from Incheon to New York 인천 · 뉴욕간 직행 항공편 **2** 연속적인 〔으로〕, 멈추지 않는〔않고〕: She talked *nonstop* for two hours. 그녀는 두 시간 동안 멈추지 않고 말했다.

nonverbal [nɑ̀nvə́:rbəl] *adj.* **1** 말에 의하지 않는, 말을 쓰지 않는, 비언어적인: *nonverbal* communication 비언어적인 의사 소통 (몸짓 · 표정 등) **2** 말이 서툰, 언어 능력이 낮은

nonviolence *n.* 비폭력(주의), 비폭력 데모
— **nonviolent** *adj.*

***noodle** [nú:dl] *n.* (보통 *pl.*) 국수, 면류

nook [nuk] *n.* (방 등의) 구석, 모퉁이; 구석진〔외진〕 곳
〔숙어〕 **every nook and corner** 〔**cranny**〕 도처, 구석구석

***noon** [nu:n] *n.* 정오, 한낮: at *noon* 정오에 / before〔after〕 *noon* 오전〔후〕에

no one, no-one *pron.* 아무도 …않다: *No one* can do it. 아무도 그것을 하지 못한다. 〔SYN〕 nobody

***nor** [nɔ:r] *conj.* **1** (neither 또는 not과 상관적으로) …도 또한 ~않다: I have neither money *nor* job. 나는 돈도 직업도 없다. **2** (앞의 부정문을 받아서 다시 부정이 계속됨) …도 ~하지 않다: "I don't like baseball." "*Nor* do I." "난 야구를 좋아하지 않는다." "나도 그렇다."

norm [nɔ:rm] *n.* (종종 the norm) 기준, 규범, 전형; 일반 수준

***normal** [nɔ́:rməl] *adj.* 정상의, 보통의, 표준적인, 정규의: *normal* working hours 표준 노동 시간 / It's quite *normal* to feel angry in a situation like this. 이런 상황에서는 화가 나는 게 지극히 정상이다. 〔OPP〕 abnormal
n. 상태; 표준, 평균: be back to *normal* 정상으로 돌아오다 / The temperature is above〔below〕 *normal* today. 오늘 기온은 평균 이상〔이하〕이다.

normalcy [nɔ́:rməlsi] *n.* (특히 국가의 경제 · 정치 · 사회 상태 등이) 정상 상태 (normality)

normalize, normalise [nɔ́:rməlàiz] *v.* [I,T] 표준화하다; (국교 등을) 정상화하다: The U.S. *normalized* relations with China. 미국은 중국과의 관계를 정상화했다.

normally [nɔ́:rməli] *adv.* **1** 평소대로, 보통은: I *normally* go to school at about 8 o'clock. 나는 보통 8시쯤 학교에 간다. **2** 정상적으로: He started breathing *normally* again. 그는 다시 정상적으로 숨쉬기 시작했다.

***north** [nɔ:rθ] *n.* **1** (the north) 북, 북방 (*abbr.* N): Which way is *north*? 어느 쪽이 북쪽입니까? **2** (the North) 북부 지방〔지역〕: I live in the *north* of Seoul. 나는 서울의 북부 지역에 살고 있다.
adj. **1** 북쪽의, 북방에 있는; 북향의: He lives in *North* Korea. 그는 북한에 살고 있다. **2** (바람 등이) 북쪽에서의: a *north* wind 북풍
adv. 북으로, 북쪽에: My house is *north*. 우리 집은 북향이다. / travel *north* 북쪽으로 여행하다

northeast [nɔ̀:rθí:st] *n.* **1** (the northeast) 북동 (*abbr.* NE) **2** (the Northeast) 북동부〔지방〕
adj. adv. 북동(에서)의, 북동에 있는, 북동으로〔에서〕

northeastern [nɔ̀:rθí:stərn] *adj.* (명사 앞에만 쓰임) **1** 북동(부)의 **2** (종종 Northeastern) 북동 지방의

northerly [nɔ́:rðərli] *adj.* **1** 북쪽의, 북쪽에 위치한 **2** (바람이) 북쪽에서 오는

northern [nɔ́:rðərn] *adj.* **1** 북쪽에 있는, 북부에 사는; 북으로부터 오는〔부는〕: *Northern* Europe 북부 유럽 **2** (Northern) 북부 지방의; [미] 북부 방언의: a *Northern* accent 북부 방언의 독특한 억양
— **northerner** *n.* 북국(북부) 사람; [미] 북부 여러 주의 사람 (Northerner)

North Pole *n.* (the North Pole, 종종 the north pole) 북극

northward [nɔ́:rθwərd] *adj.* 북쪽에, 북쪽에의, 북을 향한

adv. 북쪽으로(을 향하여) (northwards)

northwards [nɔ́:rθwərdz] *adv.* = northward (*adv.*)

northwest [nɔ̀:rθwést] *n.* **1** (the northwest) 북서 (*abbr.* NW) **2** (the Northwest) 북서 지방; (미국·캐나다의) 북서부

adj. adv. 북서(에서)의, 북서로(에서)

northwestern [nɔ̀:rθwéstərn] *adj.* (명사 앞에만 쓰임) **1** 북서의, 북서쪽에 있는, 북서로부터의 **2** (종종 Northwestern) 북서부 지방의

****nose** [nouz] *n.* **1** 코: a Roman(hawk) *nose* 매부리코 / My *nose* is running. 콧물이 흐른다. **2** 후각: Animals have a better *nose* than humans. 동물은 사람보다 냄새를 더 잘 맡는다. **3** 직감력, 육감, 낌새채는 힘: a *nose* for news 뉴스를 탐지해 내는 힘 **4** (-nosed *adj.*) (복합어를 이루어) … 코의: big-*nosed* 큰 코의 / short(flat)-*nosed* 낮은 코의 **5** 돌출부

v. [I] **1** 냄새 맡다, 냄새 맡고 다니다 (about, around): The dog kept *nosing* about the room. 개는 방 안을 킁킁거리며 냄새 맡고 돌아다녔다. **2** 찾아 내다: There were some journalists *nosing* about (around). 낌새를 알아 내려고 돌아다니는 몇몇 기자들이 있었다. **3** 파고들다, 탐색하다 (after, for) **4** 참견(간섭)하다 (about, into): Stop *nosing* into my affairs! 내 일에 참견하지 마라!

— **nosy, nosey** *adj.* 참견을 잘 하는

[숙어] **blow one's nose** 코를 풀다

follow one's nose 곧바로 앞으로 나아가다; 본능(직감)에 따라 행동하다

look down one's nose at …을 경멸하다

poke(put, stick) one's nose into 남의 일에 쓸데없이 참견하다, 부질없는 간섭을 하다

turn up one's nose at …을 경멸(멸시)하다, 코웃음치다

under one's (very) nose, under the nose of …의 코앞(면전)에서: The cat ate it up *under my nose*. 고양이가 바로 내 면전에서 그것을 먹어 치웠다.

nostalgia [nɑstǽldʒiə] *n.* 향수, 노스탤지어, 향수병; 과거를 그리워함 (for)

— **nostalgic** *adj.* 고향을(과거를) 그리는

nostalgically *adv.*

nostril [nɑ́stril] *n.* 콧구멍

****not** [nɑt] *adv.* **1** (조동사 do, will, can 등과 동사 be, have 뒤에 와서) …않다, …아니다: He will *not* go there. 그는 거기 가지 않을 거다. / I'm *not* hungry. 나는 배고프지 않다. **2** (부정하고 싶은 단어·구 또는 부정사·동명사 앞에 와서) …이 아니고, (…하지) 않다: He went to America *not* long ago. 그는 얼마 전 미국에 갔다. / I asked her *not* to go. 나는 그녀에게 가지 말라고 요청했다. **3** (all, both, every, always 등과 함께 써서 부분 부정을 나타냄) 모두가(언제나, 아주) …하다는 것은 아니다: I don't know both. 나는 둘 다는 모른다. / I can*not* quite agree with you. 네 의견에 전적으로 찬성하는 것은 아니다. **4** (부정의 문장·동사·절 등의 생략 대용어): "Do you think she likes you?" "I am afraid *not*." =I am afraid that she doesn't like me. "그녀가 너를 좋아하는 것 같니?" "(유감스럽게도) 그렇진 않은 것 같다." / "Is he coming?" "Perhaps *not*." "그는 오니?" "아마도 안 올 거야."

[숙어] **not at all** ⇨ all

not only … but (also) ~ …뿐만 아니라 ~또한: She speaks *not only* English *but also* French. 그녀는 영어뿐만 아니라 프랑스 어도 할 줄 안다.

notable [nóutəbəl] *adj.* 주목할 만한, 두드러진, 유명한 (for): This area is *notable* for its pottery. 이 지역은 도자기로 유명하다.

— **notably** *adv.*

notch [nɑtʃ] *n.* **1** 단계, 급: He is a *notch* above others. 그는 다른 사람들보다 한 급수 위다. **2** (V자 모양의) 새김눈, 벤자리

v. [T] **1** …에 금을 내다 **2** 득점하다, 획득하다 (up): He has *notched* up a total of 20 goals this season. 그는 이번 시즌에 총 20득점을 했다.

***note** [nout] *n.* **1** 메모, 기록: I'd better make a *note* of your phone number. 너의 전화 번호를 메모해 두는 게 좋겠다. **2** 짧은 편지: a thank-you *note* 감사의 뜻을 전하는 짧은 편지 / I left a *note* on the desk; 'Gone to movies—Back about 9:00.' '영화 보러 감. 9시쯤 돌아오겠음'이라고 쓴 짧은 편지를 책상 위에 남겼다. **3** 주석, 주: See *note* 2, page 45. 45쪽에 주석 2번을 보아라. **4** 지폐 (banknote) ([미] bill); 어음 **5** [음악] 음표, 음색 **6** 주목, 주의: a thing worthy of *note* 주목할 만한 일

v. [T] **1** 적어두다 (down): He *noted* down the main points of the lecture. 그는 강연의 요점을 적어두었다. **2** …에 주목(주의)하다, 알아차리다: Please *note* my words. 내 말에 주의해라. / I *noted* he left early. 나는 그가 일찍 자리를 뜬 것을 알았다. **3** 언급하다: The newspaper doesn't *note* what happened then. 신문에는 그 때 무슨 일이 일어났는지 특별히 언급한 바 없다.

숙어 **compare notes** (**with**) 의견을(정보를) 교환하다

make a note of, take notes of …을 적어두다, 필기하다: As he reads the mail, he *takes notes*. 그는 우편물을 읽을 때 메모를 한다.

take note of …에 주의(주목)하다: *Take note of* the warning. 그 경고에 주의해라. / No one *took note of* me. 아무도 나에게 주목하지 않았다.

notebook [nóutbùk] *n.* 노트, 공책, 필기장

notebook computer *n.* 책 크기 정도의 휴대하기 쉬운 컴퓨터

noted [nóutid] *adj.* 저명한, 유명한 (for): a *noted* pianist 저명한 피아니스트 / The restaurant is *noted* for the Italian food. 그 식당은 이탈리아 음식으로 유명하다.

noteworthy [nóutwə̀:rði] *adj.* 주목할 만한, 현저한: a *noteworthy* event [achievement] 주목할 만한 사건(업적)

nothing [nʌ́θiŋ] *pron.* **1** 아무것(아무 일)도 …아님(하지 않음): I have *nothing* to do. 나는 아무것도 할 것이 없다. / He said *nothing*. 그는 아무 말도 하지 않았다. **2** 무가치, 무의미

n. **1** 무(無), 존재하지 않는 것: Man returns to *nothing*. 사람은 무로 돌아간다. / It's better than *nothing*. [속담] 없는 것보다 낫다. **2** 영(零), 제로(의 기호): We won the game 8 to *nothing*. 우리는 8:0으로 시합에 이겼다. **3** (보통 *pl.*) 하찮은 사람(일, 물건): mere *nothings* 아주 하찮은 일들

adv. 조금도(결코) …이 아니다: The picture looks *nothing* like him. 그 사진은 그와 조금도 비슷하지 않다.

숙어 (**be**) **nothing to** …에게는 아무것도 아닌, …와는 비교가 안 되는: My losses are *nothing to* him. 나의 손해 따위는 그에게는 아무것도 아니다.

come to nothing 실패로 끝나다, 수포로 돌아가다

for nothing 1 무료로, 거저: I got the ticket *for nothing*. 나는 표를 거저 얻었다. **2** 무익하게, 헛되이: She spent much money *for nothing*. 그녀는 헛되이 많은 돈을 썼다.

have(be) nothing to do with …와는 아무런 관계가 없다: I had *nothing to do with* the matter. 나는 그 일과는 아무런 관계가 없었다.

nothing but 단지 …뿐, …에 불과한: He is *nothing but* a child. 그는 단지 어린애에

불과하다. / He has eaten *nothing but fruit* for two days. 그는 이틀 동안 과일만 먹었다.

nothing like 전혀 …와 닮지 않다, …와는 거리가 멀다: It was *nothing like* what we expected. 우리가 예상한 바와는 거리가 멀었다.

nothing much 매우 적은, 별것 아닌: There's *nothing much* happening this week. 이번 주에는 별 사건이 없었다.

nothing of … 전혀 …아닌: He is *nothing of* an artist. 그는 전혀 예술가다운 데가 없다.

There is nothing (else) for it but to …하는 수밖에 다른 도리가 없다

There is nothing in(to) it. 1 그건 새빨간 거짓말이다: I heard a rumor that he's leaving, but apparently *there's nothing in it*. 그가 떠난다는 소문을 들었는데 분명히 새빨간 거짓말이다. **2** 그건 대단한 일이 아니다, 간단한 일이다: Anyone can ride a bike — *there's nothing to it* really. 누구나 자전거를 탈 수 있다. 정말 간단한 일이다.

****notice** [nóutis] *n.* **1** 주의, 주목: The new building attracts my *notice*. 새 건물이 내 주의를 끈다. **2** 공고, 게시, 벽보: The *notice* on the wall says 'No smoking.' 벽보에 '금연'이라고 되어 있다. / put up a *notice* on a bulletin board 게시판에 게시하다 **3** 통지, (해고·해약의) 예고, 경고: Our teacher gave us two weeks' *notice* of the exam. 선생님은 2주 후에 시험을 볼 것이라고 예고했다.

v. [T] **1** …을 알아채다, …에 주의하다: They didn't *notice* me come in. 그들은 내가 들어간 것을 알아채지 못했다. **2** 통지하다, 예고하다: The police *noticed* him to appear. 경찰은 그에게 출두하라고 통지했다.

축어 **at a moment's notice** 그 자리에서, 즉각, 당장에

at(on) short notice 충분한 예고 없이,

급히: We have to leave for America *at short notice*. 우리는 급히 미국으로 떠나야 한다.

come to one's notice …에 알려지다: It has *come to my notice* that he has nothing to eat. 나는 그에게 먹을 것이 아무 것도 없음을 알게 되었다.

take notice of …에 주의하다, 주목하다: I warned him, but he *took* little *notice of* it. 그에게 경고했으나 그는 별로 주의하지 않았다.

until(till) further(farther) notice 추후 통지가 있을 때까지

****noticeable** [nóutisəbəl] *adj.* 눈에 띄는, 주목할 만한: There's a *noticeable* improvement in your grades. 너의 성적이 눈에 띄게 향상되었다.

— **noticeably** *adv.*

notice board *n.* ([미] bulletin board) [영] 게시판, 공고판

notify [nóutəfài] *v.* [T] …에게 통지하다, 알리다; …에 신고하다: The authorities will *notify* you when to appear in court. 당국에서 법원에 출두할 날짜를 통지해 줄 것이다. / You should immediately *notify* the police. 너는 당장 경찰에 신고해야 한다.

— **notification** *n.*

notion [nóuʃən] *n.* **1** 관념, 개념 **2** 생각, 의향: I have a *notion* to go abroad. 나는 외국에 갈 생각이 있다.

— **notional** *adj.* 관념적인, 순이론적인

notorious [noutɔ́ːriəs] *adj.* (보통 나쁜 의미로) 소문난, 악명이 높은 (for, as): The city is *notorious* for its terrible traffic jam. 그 도시는 엄청난 교통 체증으로 악명이 높다. SYN infamous *cf.* famous (좋은 의미로) 유명한

— **notoriously** *adv.* **notoriety** *n.* 악명, 악평

notwithstanding [nàtwiðstǽndiŋ] *prep.* …에도 불구하고: He is very active *notwithstanding* his age. 그는 나이에도 불구하고 매우 활동적이다. [SYN] in spite of

adv. 그럼에도 불구하고, 그래도: They must be told, *notwithstanding*. 그래도 그들에게 말해 주어야 한다. [SYN] nevertheless

nought [nɔ:t] *n.* =naught

noun [naun] *n.* [문법] 명사: a proper *noun* 고유 명사 / a *noun* clause 명사절

nourish [nə́:riʃ] *v.* [T] 1 …에 자양분을 주다, 기르다 2 (생각·감정 등을) 마음에 품(게 하)다: *nourish* a hope 희망을 품다

nourishment [nə́:riʃmənt] *n.* 1 자양물, 음식물, 영양(물): The plants get *nourishment* from the soil. 식물은 토양에서 자양물을 얻는다. 2 양육, 육성, 조장 3 영양 상태: imperfect *nourishment* 불량한 영양 상태

*novel¹ [návəl] *n.* (장편) 소설: a romantic [detective] *novel* 로맨스[추리] 소설 — **novelist** *n.* 소설가

novel² [návəl] *adj.* 신기한, 새로운, 기발한: a *novel* idea 기발한 생각

novelty [návəlti] *n.* 1 신기함, 진기함 2 새로운[색다른] 것[일, 경험] 3 새 고안물 (색다른 취향으로 제작된 작고, 저렴한 장난감이나 장식물)

November [nouvémbər] *n.* (*abbr.* Nov.) 11월

novice [návis] *n.* 신참자, 풋내기 [SYN] beginner

*now [nau] *adv.* 1 지금, 현재: I'm busy *now*. 나는 지금 바쁘다. 2 지금 곧, 바로: Do it *now*! 지금 곧 해라! / He won't be long *now*. 그는 이제 곧 올 것이다. 3 (이야기의 시작·강조·화제 전환에서) 자, 우선, 한데, 그런데, 실은: *Now*, let's go. 자, 가자. / *Now*, listen to me. 우선 내 말을 들어 봐라. 4 (just, only를 수반하고, 동사의 과거형과 함께) 이제 막, 방금: I saw him just *now* on the street. 나는 방금 길에서 그를 보았다.

conj. (종종 now that으로) …이니(까), …인 [한] 이상은: *Now* (that) everyone's

here, we can start a class. 모두 왔으니 수업을 시작할 수 있겠다.

n. (주로 전치사 뒤에 써서) 지금, 현재

[숙어] **by now** 지금쯤은 이미: They will have arrived *by now*. 지금쯤은 이미 그들이 도착해 있을 거다.

(**every**) **now and then**[**again**] 때때로, 가끔: These gypsies *now and then* foretold strange things. 이 집시들은 때때로 이상한 일을 예언했다.

from now on 지금부터: From *now on* he will work in another office. 이제부터 그는 다른 사무실에서 일할 것이다.

nowadays [náuədèiz] *adv.* 현재에는, 오늘날에는, 요즈음 [SYN] today

no way *adv.* 절대로 안 된다, 천만의 말씀이다: Lend you $1,000? No *way*! 네게 천 달러를 빌려 주라고? 절대 안 돼!

nowhere [nóuhwèər] *adv.* 아무데도 … 없다: I went *nowhere* yesterday. 나는 어제 아무데도 안 갔다.

[숙어] **from**[**out of**] **nowhere** 어디선지 모르게, 갑자기, 불시에: He came *from nowhere*. 그는 갑자기 모습을 드러냈다.

get nowhere (**with**) 성공하지 못하다, …이 잘 안 되다: It will *get nowhere without* more financial support. 더 많은 재정적 지원이 없이는 그것은 성공하지 못할 것이다.

in the middle of nowhere 인적이 드문, 외딴 [SYN] miles from nowhere

nowhere near (…와는) 거리가 먼, 여간 …이 아닌: The cinema is *nowhere near* the bus stop. 영화관은 버스 정류장에서 멀다.

nozzle [názəl] *n.* (끝이 가늘게 된) 파이프 [호스] 주둥이, 노즐

nuance [njú:ɑ:ns] *n.* 뉘앙스, 미묘한 차이 (말의 뜻·감정·빛깔·소리 등)

*nuclear [njú:kliər] *adj.* 1 [생물] (세포)핵의, 중심의 2 [물리] 원자핵의, 핵무기의: *nuclear* energy 원자력, 원자핵 에너지 / a *nuclear* power plant 원자력 발전소 / *nuclear* war〔weapons〕 핵전쟁〔무기〕 / *nuclear* waste 핵폐기물 / *nuclear* physics 핵물리학

nucleus [njúːkliəs] *n.* (*pl.* nucleuses, nuclei) *n.* **1** [물리] (원자)핵; [생물] 세포핵 **2** 핵심, 중심 (부분); 토대

nude [njuːd] *adj.* 나체의, 벌거벗은 *cf.* bare, naked

n. [미술] 나체화〔상〕

〔숙어〕 **in the nude** 나체로; 숨김없이

nudity [njúːdəti] *n.* **1** 벌거숭이, 나체 (상태); 노출: This movie contains scenes of *nudity*. 이 영화에는 노출신들이 들어 있다. **2** 벌거벗은 것; [미술] 나체화〔상〕

nuisance [njúːsəns] *n.* **1** 폐, 성가심, 귀찮음: the index number of *nuisance* 불쾌 지수 **2** 골치 아픈 것, 귀찮은 사람: I've forgotten my notebook. What a *nuisance*! 나는 공책을 잊고 두고 왔다. 정말 귀찮군! / make a *nuisance* of oneself 남에게 폐를 끼치다

nuke [njuːk] *n.* 핵무기 (nuclear weapon의 속어)

numb [nʌm] *adj.* (추위 등으로) 감각을 잃는, 마비된, 저린: My fingers were *numb* with cold. 추워서 내 손가락은 감각이 없었다. / She was *numb* with grief. 그녀는 슬픔으로 인해 멍해 있었다.

v. [T] (종종 수동태) 감각을 없애다, 마비시키다: He was *numbed* by the shock of his mother's death. 그는 어머니의 죽음으로 인한 충격으로 멍해졌다.

— **numbness** *n.*

*****number** [nʌ́mbər] *n.* **1** 수, 숫자: an odd〔even〕 *number* 홀수〔짝수〕 **2** 번호, 전화 번호, 호수, 번지: a *number* 73 bus 73번 버스 / I gave her my home *number*. 나는 그녀에게 나의 집 전화 번호를 주었다.

※ 보통 숫자 앞에서는 No., no.로 생략하거나, #의 기호로 표시한다.

3 (잡지·신문 등의) 호: He's got all the back *numbers* of the magazine. 그는 그 잡지의 묵은 호를 전부 가지고 있다. / the May *number* of the magazine 잡지의 5 월호 **4** 프로그램의 한 항목, (연주회의) 곡목

v. [T] **1** 번호〔숫자〕를 매기다: The boxes are *numbered* from 1 to 10. 상자는 1에서 10까지 번호가 매겨져 있다. **2** 총계 …이 되다: The crowd *numbered* over 10,000. 군중은 총 만 명이 넘었다.

— **numberless** *adj.* 무수한

〔숙어〕 **a good〔great, large〕 number of** 상당히〔대단히〕 많은: A good *number of* people came to the wedding. 꽤 많은 사람들이 결혼식에 왔다.

a number of 다수의, 얼마간의: A *number of* students attended the meeting. 많은 학생들이 그 모임에 참가했다.

※ the number of는 '…의 수'란 뜻으로 단수 취급한다.

any number of 꽤 많이: He has shown me *any number of* kindness. 그는 내게 여러 가지로 친절하게 해 주었다. 〔SYN〕 quite a few

in large〔small〕 numbers 다수〔소수〕로: It became possible to make automobiles *in large numbers*. 자동차의 대량 생산이 가능하게 되었다.

in numbers (잡지 등을) 분책하여, 몇 번에 나누어서: The novel came out *in numbers*. 그 소설은 몇 번에 나누어서 출간되었다.

in round numbers〔figures〕 대충, 어림셈으로

number plate *n.* ([미] license plate) [영] (자동차 등의) 번호판

numerical [njuːmérikəl] *adj.* 수의, 수를 나타내는, 숫자상의: in *numerical* order 번호순으로

— **numerically** *adv.*

numerous [njúːmərəs] *adj.* 다수의, 수 많은 〔SYN〕 many

nun [nʌn] *n.* 수녀

— **nunnery** *n.* 수녀원

***nurse** [nə:rs] *n.* 간호사

v. **1** [T] 돌보다, 간호하다: She *nursed* her husband back to health. 그녀는 남편을 간호하여 건강을 회복시켰다. **2** [T] 어르다, 끌어안다: My mother *nursed* me in her arms. 어머니는 나를 안아 주셨다. **3** [T] (원한·희망 등) 마음에 품다 **4** [I,T] 젖을 먹이다: She's *nursing* a baby. 그녀는 아기에게 젖을 먹이고 있다.

nursery [nə́:rsəri] *n.* **1** 아이 방, 육아실, 탁아소 **2** 종묘원 (묘목이나 나무를 키우고 파는 곳)

nursery rhyme [song] *n.* 전승 동요, 자장가

nursery school *n.* 보육원 (3살에서 5살 사이 아이들을 위한 학교) (playgroup, play school)

nursing [nə́:rsiŋ] *n.* (직업으로서의) 보육 (업무), 간호 (업무)

nursing home *n.* (노인·병자의) 사립 요양소

nurture [nə́:rtʃər] *v.* [T] **1** 양육하다, 기르다: plants *nurtured* in the greenhouse 온실에서 키운 식물들 **2** 양성하다, 교육하다: *nurture* musical talent 음악적인 재능을 양성하다

n. 양육, 양성, 교육; 영양(물), 음식: nature and *nurture* 선천적 자질과 생육 환경, 가문과 성장 (과정)

***nut** [nʌt] *n.* **1** 견과 (호두·밤 등) **2** [기계] 너트, 고정 나사

[숙어] **be nuts about** [on, over] …을 매우 좋아하다: He *is nuts about* her. 그는 그녀를 매우 좋아한다.

go nuts 미쳐 버리다: She will *go nuts* when she finds out I've broken her perfume bottle. 내가 그녀의 향수병을 깬 것을 알면 그녀는 미쳐 버릴 거야. (길길이 뛸 거야.)

nutrient [njú:triənt] *n.* 영양소(제): The plant absorbs *nutrients* from the soil. 식물은 흙에서 영양소를 흡수한다.

nutrition [nju:tríʃən] *n.* **1** 영양, 영양 공급(섭취) **2** 자양물, 음식물

— **nutritional** *adj.*

nutritious [nju:tríʃəs] *adj.* (음식에 사용하여) 영양분이 있는(풍부한), 영양의: In general, raw vegetables are *nutritious*. 대개 생야채는 영양분이 풍부하다.

nutshell [nʌ́tʃèl] *n.* **1** 견과의 껍질 **2** 극히 작은 그릇(집); 작은(짧은, 소수의) 것

[숙어] **in a nutshell** 아주 간결하게: To put it *in a nutshell*, you're bankrupt. 짧게 말하면, 당신은 파산했습니다. [SYN] in a word

nylon [náilɑn] *n.* **1** 나일론; 나일론 제품 **2** (nylons) 나일론으로 만든 스타킹, 타이즈 ※ 보통 우리가 말하는 팬티 스타킹은 미국 영어로 pantyhose, 영국 영어로 tights라고 한다.

nymph [nimf] *n.* [신화] 님프 (산·강·연못·숲 등에 사는 예쁜 소녀 모습의 정령(精靈)), 요정

oak [ouk] *n.* **1** [식물] 참나무 **2** 오크 재목

oar [ɔːr] *n.* (보트의) 노
v. [I,T] 노를 젓다

oasis [ouéisis] *n.* (*pl.* oases) **1** 오아시스 (사막 가운데의 물과 나무가 있는 곳) **2** 휴식처

oat [out] *n.* (보통 *pl.*) [식물] 귀리
— **oatmeal** *n.* 오트밀

oath [ouθ] *n.* **1** 맹세, 서약: keep(break) an *oath* 맹세를 지키다(깨다) **2** 저주, 욕설
[숙어] **on(under) oath** 맹세코, 확실히: *On* my *oath*, I have nothing whatever to do with it. 나는 맹세코 그것과는 아무 관계가 없다.
take(make, swear) an oath 맹세하다, 선언(선서)하다: They *took an oath* of loyalty to their king. 그들은 왕에 대한 충성을 맹세했다.

obedience [oubíːdiəns] *n.* 복종, 순종
[OPP] disobedience
[숙어] **in obedience to** …에 순종하여: Act *in obedience to* the orders. 명령에 따라 행동하라.

obedient [oubíːdiənt] *adj.* 순종하는, 고분고분한 (to): Are you *obedient* to your parents? 너는 부모님 말씀에 순종하니?
[OPP] disobedient
— **obediently** *adv.*

obese [oubíːs] *adj.* 살찐, 뚱뚱한 [SYN] very fat
— **obesity** *n.* 비만, 비대

*obey** [oubéi] *v.* [I,T] …에 복종하다, 따르다: Soldiers *obey* their commander's orders. 군인은 지휘자의 명령에 따른다.
[OPP] disobey
— **obedience** *n.*

*object**[1] [ábdʒikt] *n.* **1** 물체, 사물: It was some kind of heavy *object*. 그것은 무언가 무거운 물체였다. **2** 목적, 목표: Making money is his primary *object* in his life. 돈을 버는 게 그의 인생에 있어 첫째 목표이다. **3** (동작·감정 등의) 대상: the *object* of interest 관심의 대상 **4** [문법] 목적어

*object**[2] [əbdʒékt] *v.* [I,T] **1** 반대하다, 이의를 제기하다, 항의하다: Many people *object* to his idea. 많은 사람들이 그의 생각에 반대한다. **2** 반감을 가지다, 싫어하다: She *objects* to polka dots. 그녀는 물방울 무늬를 싫어한다.

objection [əbdʒékʃən] *n.* **1** 반대, 이의 **2** 반대 이유, 난점: Her only *objection* to (against) the plan is that it costs too much. 그 계획에 대한 그녀의 유일한 반대 이유는 비용이 너무 많이 든다는 것이다.
[숙어] **have an(no) objection to** (against) …에 이의가 있다(없다): Do you *have* any *objections* to the plan? 너는 그 계획에 이의가 있니?

objectionable [əbdʒékʃənəbəl] *adj.* **1** 반대할 만한, 이의가 있는 **2** 싫은, 못마땅한, 불쾌한: an *objectionable* manner 불쾌한 태도

objective[1] [əbdʒéktiv] *n.* **1** 목적, 목표: His main *objective* now is to improve his grades. 지금 그의 주된 목표는 성적을 올리는 것이다. **2** [문법] 목적격

objective[2] [əbdʒéktiv] *adj.* 객관적인: an *objective* opinion 객관적인 의견 [SYN] impartial [OPP] subjective
— **objectively** *adv.* **objectivity** *n.*

obligation [àbləgéiʃən] *n.* 의무, 책임:

sense of *obligation* 책임 의식 SYN duty, responsibility

속어 (**be**) **under an obligation** (**to do**) …할 의무가 있다: I *am under an obligation to* pay for it. 나는 그것을 갚아야 할 의무가 있다.

obligatory [əblígətɔ̀:ri] *adj.* 의무적인, 필수의: an *obligatory* subject 필수 과목 SYN mandatory OPP optional

oblige [əbláidʒ] *v.* [T] **1** 별〔어쩔〕 수 없이 …하게 하다, 의무를 지우다: The law *obliges* us to pay taxes. 법에 따라 세금을 내지 않으면 안 된다. **2** …에게 은혜를 베풀다, 친절하게 해 주다: *Oblige* us with your presence. 부디 참석해 주십시오. **3** (수동태) 고맙게 여기다, 은혜를 입다: I am much *obliged* to you for helping me. 도와 주셔서 정말 고맙습니다.

— **obliging** *adj.* 잘 돌봐 주는, 친절한

obliterate [əblítərèit] *v.* [T] (종종 수동태) 말살하다, 흔적을 없애다: The city was *obliterated* by bombs. 도시가 폭탄으로 파괴되었다.

oblivion [əblíviən] *n.* **1** 망각, 잊혀짐: Many old movies have fell into *oblivion*. 많은 옛날 영화들은 (세상에서) 잊혀졌다. **2** 무의식 상태, 인사불성

oblivious [əblíviəs] *adj.* (…이) 염두에 없는, 알아차리지 못하는 (to, of): I was *oblivious* to the dangers. 나는 위험을 알아차리지 못했다.

obscene [əbsí:n] *adj.* **1** 외설의, 음란한, 추잡한: *obscene* language 음탕한 말 **2** 역겨운, 꺼림칙한

— **obscenity** *n.*

obscure [əbskjúər] *adj.* **1** (말·의미 등이) 분명치 않은, 모호한: an *obscure* explanation 모호한 설명 **2** 잘 보이지 않는: an *obscure* figure in the fog 안개 속에 잘 보이지 않는 물체 **3** 무명의, 세상에 알려지지 않은: an *obscure* poet 무명 시인
v. [T] (사물을) 알기 어렵게 하다, (뜻을) 모호

하게 하다

— **obscurity** *n.*

observance [əbzə́:rvəns] *n.* (법률·규칙 등의) 준수, 지킴 (of): strict *observance* of the rules 규칙의 엄수

observant [əbzə́:rvənt] *adj.* **1** 관찰력이 예리한, 주의 깊은: She's very *observant*. 그녀는 관찰력이 매우 예리하다. **2** 준수하는: He's *observant* of the traffic rules. 그는 교통 법규를 잘 지킨다.

observation [àbzərvéiʃən] *n.* **1** 관찰, 주목, 주시: The patient is in the hospital under *observation*. 그 환자는 (의사의) 관찰 하에 입원해 있다. **2** 관찰력 **3** (an observation) (관찰에 의한) 의견, 발언: He made an *observation* about the picture. 그는 그림에 관한 의견을 말했다.

observatory [əbzə́:rvətɔ̀:ri] *n.* 천문 〔기상, 관상〕대

*****observe** [əbzə́:rv] *v.* [I,T] **1** 관찰하다, 관측하다, 주시하다: *observe* the stars 별을 관측하다 **2** (법률·시간을) 지키다, 준수하다: We should *observe* the law. 우리는 법을 준수해야 한다. **3** (소견을) 진술하다, 말하다: He *observed* that the plan would work well. 그는 계획이 잘 될 것이라고 말했다.

— **observing** *adj.*

observer [əbzə́:rvər] *n.* **1** 관찰자, 감시자: UN *observers* are monitoring the ceasefire. 유엔 감시자들이 정전(停戰)을 감시하고 있다. **2** 입회인, 참관자, 옵서버 (회의에 배석은 하나 투표권이 없는)

obsess [əbsés] *v.* [I,T] (귀신·망상 등이) 들리다, 사로잡히다, 괴롭히다: Jealousy *obsessed* her. 질투심이 그녀를 사로잡았다.

obsession [əbséʃən] *n.* (어떤 생각에) 사로잡힘, 강박관념, 망상: He has an *obsession* with death. 그는 죽음에 대한 생각에 사로잡혀 있다.

obsolete [àbsəlí:t] *adj.* 쓸모없이 된, 폐물이 된, 구식의: A record has become

obsolete now. 레코드판은 이제 구식이 됐다.
[SYN] out of date

obstacle [ábstəkəl] *n.* 장애(물), 방해(물) (to): Fear of change is a major *obstacle* to progress. 변화에 대한 두려움이 진보의 주된 장애물이다.

obstinate [ábstənit] *adj.* **1** 완고한, 고집 센 [SYN] stubborn **2** (병이) 고치기 힘든, 잘 낫지 않는: an *obstinate* cough 잘 낫지 않는 기침

— **obstinately** *adv.* **obstinacy** *n.*

obstruct [əbstrʌ́kt] *v.* [T] **1** (길 등을) 막다, 가로막다: Please move your car— you're *obstructing* the traffic. 당신 차를 좀 이동시키세요. 당신이 교통을 막고 있어요. [SYN] block **2** (일의 진행·행동 등을) 방해하다: The crowd *obstructed* the police investigation. 군중이 경찰 수사를 방해했다.

— **obstructive** *adj.* **obstruction** *n.*

*****obtain** [əbtéin] *v.* [T] **1** 얻다, 획득하다: *obtain* permission[information] 허가[정보]를 얻다 **2** (명성·지위 등을) 얻게 하다: This masterpiece *obtained* him great fame. 이 걸작이 그에게 큰 명성을 얻게 해 주었다.

obtainable [əbtéinəbəl] *adj.* 얻을 수 있는, 손에 넣을 수 있는: This information is easily *obtainable* on the Internet. 이 정보는 인터넷에서 쉽게 얻을 수 있다.

*****obvious** [ábviəs] *adj.* 명백한, 분명한, 알기[이해하기] 쉬운: For *obvious* reasons, we need to cancel the meeting. 명백한 이유로 우리는 모임을 취소해야 한다. / It is *obvious* that he likes her. 그가 그녀를 좋아하는 것은 명백하다. [SYN] plain

— **obviously** *adv.*

*****occasion** [əkéiʒən] *n.* **1** (특정한) 경우, 때: I met him on several *occasions*. 나는 그를 몇 번 만났다. **2** (…할) 기회, 호기: I had the *occasion* to visit my friend on my business trip to India. 인도로 출장 갔을 때 내 친구를 방문할 기회가 생겼다.(그래

서 방문했다.) **3** 특별한 행사, 축전: She bought a new dress for a special *occasion*. 그녀는 특별한 행사를 위해 새 옷을 샀다. **4** (직접적인) 이유, 근거: There is no *occasion* for him to get excited. 그가 흥분할 이유는 없다. / the *occasion* of quarrel 싸움의 원인

[숙어] **on occasion(s)** 때때로, 이따금: I meet him *on occasion* at the club. 그와는 이따금 클럽에서 만난다. [SYN] sometimes, occasionally

take the occasion to do …할 기회를 잡다: At last, he *took the occasion to* speak to her. 마침내 그는 그녀에게 말을 건넬 기회를 잡았다.

what's the occasion? 무슨 좋은 일이 있는가?: Hey, *what's the occasion* with you? You look fantastic today. 어이, 너 무슨 좋은 일 있어? 오늘 근사해 보이는데.

occasional [əkéiʒənəl] *adj.* 이따금씩의, 때때로의: an *occasional* visitor 가끔 오는 손님 / Expect *occasional* showers today. [기상 예보] 오늘은 때때로 소나기가 예상됩니다.

— **occasionally** *adv.*

Occident [áksədənt] *n.* (the Occident) 서양, 서구 [OPP] the Orient

occidental [àksədéntl] *adj.* 서양의: *occidental* cultures 서양 문화 [OPP] oriental

occupancy [ákjəpənsi] *n.* 점유, 점령, 거주: Our *occupancy* of the apartment lasted six months. 우리가 그 아파트에 거주한 것은 여섯 달 동안이었다.

occupant [ákjəpənt] *n.* 점유자, 거주자

*****occupation** [àkjəpéiʃən] *n.* **1** 직업, 업무, 일: Please state your name, address, and *occupation*. 이름, 주소, 그리고 직업을 말씀해 주세요. **2** 소일거리: Knitting is my favorite *occupation*. 뜨개질은 내가 좋아하는 소일거리이다. **3** (군대의) 점령 **4** 거주

■ 유의어 occupation

occupation 규칙적으로 종사하고 그것을 위해 훈련을 받는 직업. **profession** 변호사 · 의사 등의 전문적인 지식을 필요로 하는 직업. **job** 직업을 의미하는 가장 일반적인 말.

occupational [àkjəpéiʃənəl] *adj.* 직업(상)의, 직업 때문에 일어나는: an *occupational* disease 직업병

occupied [ákjəpàid] *adj.* **1** (화장실 · 방 · 좌석 등이) 사용 중인, 꽉 찬: "Occupied" "사용 중" (화장실 등에 게시) / Is this seat *occupied*? 이 자리 비었습니까? OPP vacant **2** …로 바쁜

occupy [ákjəpài] *v.* [T] **1** (시간 · 장소 등을) 차지하다: The ceremony *occupied* three hours. 식은 세 시간 걸렸다. / The couch *occupies* most of the living room. 소파가 거실 대부분을 차지하고 있다. SYN take up **2** 점령[점거]하다: U.S. forces *occupied* Iraq. 미군이 이라크를 점령했다. SYN take over, seize **3** …에 거주하다, 점유하다: The house is *occupied*. 그 집에는 사람이 살고 있다. **4** (수동태 또는 occupy oneself) 종사시키다, 전념시키다, 바쁘게 하다: He *occupied* himself with writing a report. 그는 보고서를 쓰느라고 바빴다.

***occur** [əkə́:r] *v.* [I] (occurred-occurred) **1** (사건 등이) 일어나다, 생기다: When did the accident *occur*? 사고가 언제 일어났습니까? **2** 나타나다, 존재하다: The disease *occurs* mainly in children. 그 병은 주로 어린 아이들에게 나타난다. / The plant *occurs* only in Korea. 그 식물은 한국에만 있다. **3** (생각 · 아이디어가) 떠오르다, 생각이 나다 (to): It *occurred* to me that my mother might be worried. 나는 엄마가 걱정하실 거라는 생각이 들었다.

occurrence [əkə́:rəns] *n.* (일의) 발생,

일어남: a common *occurrence* 흔한 일

***ocean** [óuʃən] *n.* **1** 대양, 해양 **2** (the Ocean) …양 (5대양의 하나): the Atlantic [Pacific, Indian] *Ocean* 대서[태평, 인도]양

oceanography [òuʃiənágrəfi] *n.* 해양학

***o'clock** [əklák] *adv.* …시: It's five *o'clock*. 다섯 시다.
※ o'clock은 '몇 시 몇 분'이라고 말할 때는 쓰지 않는다.

octagon [áktəgàn] *n.* 8각형, 8변형
— **octagonal** *adj.*

October [aktóubər] *n.* (*abbr.* Oct.) 10월

octopus [áktəpəs] *n.* 문어, 낙지

***odd** [ad] *adj.* **1** 기묘한, 이상한: It's *odd* that you don't know it. 네가 그것을 모르다니 이상하다. SYN peculiar **2** 그때 그때의, 임시의: *odd* jobs 틈틈이 하는 일, 임시 일 **3** 나머지의, 자투리의 **4** 외짝[한 짝]의: an *odd* shoe 한 짝의 구두 / *odd* socks 짝이 맞지 않는 양말 **5** 홀수[기수]의: an *odd* number 홀수 OPP even **6** (숫자 뒤에 쓰여) …남짓의, 여분의: There are thirty-*odd* kids in the class. 학급에는 30여명의 아이들이 있다.
— **oddly** *adv.* **oddness** *n.*

oddity [ádəti] *n.* 기이함; 이상[기이]한 사람

odds [adz] *n.* (*pl.*) 가망, 가능성: The *odds* are very much in our favor. 우리에게 가망이 있다. (승산이 있다.) / If you are male, the *odds* are about 1 in 20 of being bold. 만약 당신이 남성이라면 20명 중 1명꼴로 대머리가 될 가능성이 있다.

[숙어] **against all (the) odds** 역경을 딛고: She managed to achieve business success *against all odds*. 그녀는 역경을 딛고 사업에서 성공을 이루었다.

be at odds with …와 사이가 나쁘다: He *is at odds with* his boss. 그는 사장과

사이가 좋지 않다.

odds and ends 자투리

the odds are that (아마도) …할 것이다: *The odds are that* she will major in social studies. 그녀는 사회학을 전공할 것이다. [SYN] it is likely that

ode [oud] *n.* 송시 (특정 인물·사물에게 바치는 시)

odor, odour [óudər] *n.* 냄새, 향기: He noticed a strange *odor* in the room. 그는 방 안에서 이상한 냄새를 맡았다.

※ 종종 좋지 못한 냄새에 쓰인다.

— **odorous** *adj.* **odorless** *adj.* 무취의

*****of** ⇨ 아래 참조

*****off** ⇨ p. 488

off chance *n.* 만에 하나의 가능성, 도저히 있을 것 같지 않은 기회

[숙어] **on the off chance** 혹시 …할지 모른다고 생각하고: I'll go *on the off chance* of seeing her. 혹시 그녀를 만날 수 있을지도 모르니 가 봐야겠다.

*****offend** [əfénd] *v.* **1** [T] 성나게 하다, 기분을 상하게 하다: She was *offended* by his misbehavior. 그녀는 그의 무례한 행동에 화가 났다. **2** [I] (법 등을) 위반하다, 범하다

— **offender** *n.* 범죄자, 위반자

offense, offence [əféns] *n.* **1** 위반, 반칙, 죄 (against): commit an *offense* 위반하다, …을 범하다 / a criminal *offense* 범죄 / a minor *offense* 경범죄 **2** 기분을 상하

O

---

of

of [ɑv, əv] *prep.* **1** (소유·소속) …의, …에 속하는: the daughter *of* my friend 내 친구의 딸 / the leg *of* the table 탁자의 다리 **2** (동작의 행위자·작품의 저자) …가, …이, …의: the works *of* Shakespeare 셰익스피어의 작품 **3** (성질·재료·구성 요소) …의, …한, …로 만든: a man *of* courage 용기 있는 사람 / a table *of* wood 나무로 만든 탁자 **4** (동격 관계) …라는, …의: the city *of* Seoul 서울(이라는) 시 / the art *of* painting 회화라는 예술 **5** (부분) …의 (일부분), …중의: many *of* the students 학생들 중의 다수 / five *of* us 우리들 중의 다섯 *cf.* the five of us 우리 다섯 사람 **6** (거리·위치) …로부터 떨어진: twenty miles south *of* Seoul 서울로부터 남쪽으로 20마일 **7** (시간·분량 단위) …의: the 30th *of* July 7월 30일 / two kilos *of* sugar 설탕 2kg / a cup *of* tea 한 잔의 차 **8** (원인·이유) …로 인해, … 때문에: He died *of* cancer. 그는 암으로 죽었다. **9** (afraid, ashamed, aware, capable,

jealous, proud 등과 함께) …을, …에 대하여: He is proud *of* his son. 그는 아들을 자랑으로 여기고 있다. / She's jealous *of* me. 그녀는 나를 질투한다.

10 (분리·박탈·제거) …을 (하다), …로부터, …에서: He was robbed *of* his money. 그는 돈을 도둑맞았다. / I'm going to get rid *of* all the old furniture. 나는 오래 된 가구들을 없앨 것이다. / This book is free *of* charge. 이 책은 무료입니다. / You should become more independent *of* your parents. 너는 부모로부터 좀 더 독립적이 되어야 해.

11 (동작 명사 또는 동명사와 함께) …을, …의: a statement *of* the facts 사실의 진술 / the ringing *of* bells 종을 울림

※ 이 외에도 동사+of 형태로 of가 많이 쓰인다.: accuse A of B(A를 B로 인해 고발하다, 비난하다), assure A of B(A에게 B를 확신시키다), inform A of B(A에게 B를 알려 주다), remind A of B(A에게 B를 상기시키다), warn A of B(A에게 B를 경고하다) 등이 있다.

[숙어] **of oneself** 저절로, 자연히: He awoke *of himself*. 그는 저절로 잠이 깼다.

off

off [ɔːf] *adv. prep.* **1** (시간·공간적으로) 떨어져, 멀리: Christmas is still a long way *off*. 크리스마스는 아직도 멀었다. / Stand *off*! 떨어져 있어!

2 (이동·방향·출발) 저쪽으로, 떠나(버려): I'm *off* now—see you tomorrow. 나는 이제 가야 해. 내일 보자. / We'll get *off* at the next stop. 우리는 다음 정류장에서 내릴 거다. / She's *off* to Australia next week. 그녀는 다음 주에 호주로 떠난다.

3 (분리·이탈) 분리하여, 떨어져, 벗어, 잘라 내어: He fell *off* a ladder. 그는 사다리에서 떨어졌다. / Take your coat *off*. 코트를 벗어라.

4 (수도·가스·전기 등이) 끊기어, 멈추어: Turn the light *off*. 불을 꺼라. [OPP] on

5 (일·근무 등을) 쉬어, 휴가를 얻어: I'm having a day *off* next week. 나는 다음 주에 하루 휴가를 낼 것이다.

6 (계획·약속 등이) 취소되어: The meeting is *off*. 회의는 취소되었다.

7 (저하·감소) 줄어, …에서 빼어[할인하여]: Sales have been *off* this month. 이번 달에 매상이 줄었다. / If you buy more than ten, they take 10% *off*. 10개 이상 사면 10% 할인된다.

adj. **1** (음식·음료가) 상한: The milk's *off*. 우유가 상했다.

2 비번인, 쉬는: an *off* day 쉬는 날

3 철이 지난, 제철이 아닌: the *off* season 제철이 아닌 시기

[숙어] **off and on, on and off** 단속적으로, 때때로: It rained *on and off* all day. 하루 종일 비가 내리다 그치다 했다.

off limits [미] 출입이 금지된: The building has been *off limits* to the general public since last month. 그 건물은 지난 달 이래로 일반인 출입이 금지되었다.

게 하는 것, 모욕 **3** 공격 [OPP] defense
[숙어] **take offense (at)** (…에) 성내다: He is quick to *take offense*. 그는 금방 화를 낸다.

offensive [əfénsiv] *adj.* **1** 불쾌한, 싫은: an *offensive* odor 악취 [OPP] inoffensive **2** (명사 앞에만 쓰임) 공격적인: *offensive* weapons 공격용 무기 [OPP] defensive
n. 공격, 공세
— **offensively** *adv.*

***offer** [ɔ́(ː)fər] *v.* **1** [T] …을 권하다, 제공하다: She *offered* her seat on the bus to an old lady. 그녀는 버스에서 노부인에게 자리를 양보했다. / They *offered* me a job. 그들이 나에게 일자리를 제공했다. **2** [I] (…하겠다고) 말하다, 시도하다 (to do): My father has *offered* to take me to the airport. 아버지가 나를 공항에 데려다 주시겠다고 했다. **3** [T] (어떤 값으로) 팔려고 내어놓다, (값을) 부르다: I *offered* him $5,000 for the car.

나는 그에게 자동차 값으로 5,000달러를 불렀다. **4** [T] 야기하다, 생기게 하다: A good chance *offered* itself. 좋은 기회가 왔다.
n. 제의, 제안, 제공; 신청: make an *offer* 신청하다, 제의하다 / Thank you for your kind *offer* of help. 도와 주신다니 감사합니다.

offhand [ɔ́(ː)fhǽnd] *adj. adv.* 즉석의[서], 준비 없이 하는: I can't give you the exact figures *offhand*. 나는 즉석에서 정확한 숫자를 너에게 답해 줄 수는 없다.

***office** [ɔ́(ː)fis] *n.* **1** 사무실, 회사: the head *office* 본사, 본점 / Please phone again during *office* hours. 근무 시간에 다시 전화 주세요. **2** (종종 복합 명사로 쓰여) 사무소, …소: information[ticket] *office* 안내소[매표소] **3** (Office) 관청, 국: the Foreign[Home] *Office* 외무부[내무부] **4** 임무, 직무, 관직, 공직: She held *office* as Minister of Education for over ten years. 그녀는 교육부 장관으로 10년 이상 재직했다.

***officer** [ɔ́(ː)fisər] *n.* **1** 장교: an army 〔air force〕 *officer* 육군〔공군〕 장교 **2** 공무원, 관리: a customs *officer* 세관원 **3** 경관: a police *officer* 경찰

***official** [əfíʃəl] *adj.* **1** (명사 앞에만 쓰임) 공무상의, 직무상의: *official* duties 공무 **2** 공식의, 공인의: The *official* languages of Canada are English and French. 캐나다의 공식 언어는 영어와 프랑스 어이다. [OPP] unofficial

n. (정부의) 고위 관리, (단체의) 임원: a government *official* 공무원 / a local *official* 지방 공무원

— **officially** *adv.*

offline, off-line *adj. adv.* [컴퓨터] 오프라인의〔으로〕 (컴퓨터나 인터넷이 중앙 처리 장치에 직접 연결되지 않은 상태)

offshoot [ɔ́(ː)fʃùːt] *n.* 분지(分枝), 지류, 분파

offshore [ɔ́(ː)fʃɔ̀ːr] *adj.* 앞바다의: an *offshore* island 앞바다에 있는 섬

offspring [ɔ́(ː)fsprìŋ] *n.* (*pl.* offspring, offsprings) (집합적) 자식, 자손, (동물의) 새끼

***often** [ɔ́(ː)ftən] *adv.* **1** 자주, 종종: He *often* comes here. 그는 자주 여기 온다. / How *often* do you go to the movies? 너는 얼마나 자주 영화 보러 가니? **2** 대체로, 많은 경우에: Children *often* dislike carrots. 아이들은 대체로 당근을 싫어한다.

[숙어] **more often than not** 종종, 대개

***oil** [ɔil] *n.* **1** 석유 **2** 기름: vegetable *oil* 식물성 기름 / cooking *oil* 식용유

v. [T] …에 기름을 바르다〔치다〕

— **oily** *adj.*

oil field *n.* 유전(油田)

oil painting *n.* 유화

oily [ɔ́ili] *adj.* (oilier·oiliest) **1** 기름의, 기름기 많은: *oily* food 기름기가 많은 음식 / *oily* skin 지성 피부 **2** 기름 같은 **3** 느끼한

[SYN] greasy

ointment [ɔ́intmənt] *n.* 연고

***OK, O.K., okay** [òukéi] *adj. adv.* **1** (납득·승인·동의) 좋아, 알았어, 괜찮은: Is it *okay* if I bring a friend to the party? 파티에 친구를 한 명 데려와도 되겠니? / "Sorry, I'm late." "That's *okay*." "늦어서 미안해." "괜찮아." **2** 건강한, 기분이 좋은: Are you feeling *OK*? 너는 (건강·기분이) 괜찮니?

n. 승인, 동의, 허가: I couldn't get his *OK* on it. 나는 그것에 대한 그의 승인을 얻지 못했다.

v. [T] (Ok'd·Ok'd) 승인하다: Did the boss *OK* your proposal? 사장이 너의 제안을 승인했니?

***old** [ould] *adj.* **1** 오래 된, 시대에 뒤진: This church is quite *old*. 이 교회는 꽤 오래 됐다. / *old* tradition 오랜 전통 / an *old* model 구형 [OPP] new, modern **2** 나이 든, 늙은: get〔grow〕 *old* 나이를 먹다 / He was very *old* when he died. 그가 죽었을 때 그는 나이가 아주 많았다. [OPP] young **3** (기간을 나타내는 말 또는 how와 함께 써서) …세〔월, 주〕의, …년 된〔지난〕: How *old* are you? 너 몇 살이니? / Our house is 20 years *old*. 우리 집은 20년 되었다. **4** (the old) 노인들 **5** 낡은, 헌, 오래 된: *old* shoes 헌 신발 [OPP] new **6** (명사 앞에만 쓰임) 이전의, 원래의: I liked my *old* school better than this one. 나는 지금 학교보다 이전 학교가 더 좋았다. **7** (명사 앞에만 쓰임) 이전부터 친한: He is an *old* friend of mine. 그는 나의 오랜 친구이다.

old age *n.* 노년기: My grandmother is enjoying life in her *old age*. 나의 할머니는 노년에 인생을 즐겁게 보내고 계신다.

old-fashioned *adj.* 구식의, 시대〔유행〕에 뒤진: *old-fashioned* clothes 유행에 뒤진 옷 / *old-fashioned* ideas 시대에 뒤진 생각

olive [áliv] *n.* **1** [식물] 올리브 **2** 올리브 열매 **3** 올리브 색

*Olympic [əlímpik] *adj.* 올림픽의

Olympic Games *n.* (the Olympic Games) 올림픽 경기 대회 [SYN] the Olympics

omelet, omelette [áməlit] *n.* 오믈렛

omen [óumən] *n.* 전조, 징조, 조짐: a good(bad) *omen* 좋은(나쁜) 징조

ominous [ámənəs] *adj.* 불길한, 나쁜 징조의: an *ominous* silence 불길한 침묵

omit [oumít] *v.* [T] (omitted-omitted) **1** 빼다, 생략하다: This chapter may be *omitted*. 이 장은 생략해도 좋다. **2** 게을리하다, …하기를 잊다 (to do): He *omitted* to write his name. 그는 자신의 이름 쓰는 것을 잊었다.

— **omission** *n.*

omni- *prefix* '전(全), 총(總)'의 뜻.: *omni*vore 잡식성 동물

omnibus [ámnəbÀs] *n.* (보급판) 선집, 작품집 (이미 출판되어 있는 한 작가 또는 동일 주제의 작품을 한 권의 책으로 만든 것)

omnipotent [amnípətənt] *adj.* 전능한, 무엇이든 할 수 있는

— **omnipotence** *n.*

*on ⇨ p. 491

*once [wʌns] *adv.* **1** 한 번: *once* a week 일주일에 한 번 / I've only been to Japan *once*. 나는 일본에 딱 한 번 가 봤다. **2** 이전에, 일찍이, 한때: This house was *once* a school. 이 집은 한때 학교였다.

conj. 일단 …하면, …하자마자: *Once* you start, you must finish it. 일단 시작하면 끝장을 내야 한다.

n. 한 번: *Once* is enough for me. 나에게는 한 번으로 충분하다.

[숙어] **all at once 1** 갑자기: *All at once* he stood up and walked out of the room. 갑자기 그가 일어나서 방에서 걸어 나갔다. **2** 모두 동시에: You can't do everything *all at once*. You need some help. 너 혼자 모든 일을 동시에 할 수는 없어. 넌 도움이 필요해.

at once 1 즉시, 곧: Do it *at once*. 즉시 그것을 해라. **2** 동시에: They all started talking *at once*. 그들 모두가 동시에 말을 하기 시작했다.

once again(more) 다시 한 번 더: Pronounce it *once more*. 다시 한 번 발음하시오.

once and again 한 번뿐 아니라 몇 번이고

once (and) for all 단호히, 최종적으로

once in a while 이따금, 때때로: She makes a mistake *once in a while*. 그녀는 이따금 잘못을 저지른다.

once upon a time 옛날 (옛적)에: *Once upon a time* there was a beautiful princess. 옛날 옛적에 예쁜 공주가 있었다.

once-in-a-lifetime *adj.* 일생에 한 번의: It was a *once-in-a-lifetime* opportunity. 그것은 일생에 한 번밖에 없는 기회였다.

one ⇨ p. 492

oneself [wʌnsélf] *pron.* **1** (재귀적) 자기 자신을(에게): talk to *oneself* 혼잣말을 하다 / kill *oneself* 자살하다 **2** (강조적) 자신이, 스스로: One should do such things *oneself*. 그런 것은 자기 스스로 해야 한다.

※ oneself는 문맥에 맞추어 myself, yourself, himself, herself, itself, ourselves, yourselves, themselves로 쓰이나, 문장의 주어가 one일 때는 oneself가 쓰인다.

[숙어] **by oneself 1** 혼자서 [SYN] alone **2** 혼자 힘으로

one-sided [wʌnsáidid] *adj.* **1** (의견·논의에서) 한쪽으로 치우친: a *one-sided* view 편견 **2** (관계·경쟁에서) 한쪽만의, 일방적인: The match was *one-sided*—we lost 15-1. 경기는 일방적이었다. 우리가 15대 1로 졌다.

one-to-one (또는 one-on-one) *adj.* 1대 1의: *one-to-one* English lesson 1대 1 영어 수업

on

on [ɑn, ɔn] *prep.* **1** (접촉) …의 표면에, … 위에, …에: a book *on* the desk 책상 위의 책 / The answer is written *on* page 30. 정답은 30쪽에 쓰여 있다.

2 (인접) …에 접하여, …의 가에, …쪽에: Our apartment is *on* the Han River. 우리 아파트는 한강 가에 있다.

3 (방향) …을 향해, …쪽으로: *on* the way to school 학교로 가는 도중에 / *On* my right sat the movie star. 내 오른쪽에 영화 배우가 앉았다.

4 (탑승) …을 타고: I came here *on* the bus. 나는 여기에 버스를 타고 왔다.

5 (날짜 · 시간) …에, …때에: *on* Sunday 일요일에 / *on* July 1st 7월 1일에 / *on* my birthday 내 생일에

6 (상태 · 방법) …상태로[에], …하고, … 중에: *on* sale 판매 중 / *on* strike 파업 중

7 (관련) …에 관한: a book *on* war 전쟁에 관한 책 / a lecture *on* Shakespeare 셰익스피어에 관한 강의

8 (동작의 진행) …하는 중: I'm *on* the phone. 나는 전화 통화 중이다.

9 (수단 · 기구) …로: I saw it *on* television. 나는 그것을 텔레비전으로 보았다. / *on* the Internet 인터넷으로

10 (작용 · 영향) …에게: Divorce can have a bad effect *on* children. 이혼은 아이들에게 나쁜 영향을 미칠 수 있다.

11 (투약 · 음식 · 연료) …을 받고, …을 먹고, …로: He's *on* medication. 그는 약물 치료 중이다. / This car runs *on* gasoline. 이 차는 가솔린으로 달린다. / live *on* rice 쌀을 주식으로 하다

12 …의 부담[비용]으로: This meal is *on* me. 이 식사(값)는 내가 낼게.

13 (기초 · 원인 · 조건) …에 의(거)하여, …한 이유로: The movie is based *on* a true story. 그 영화는 실화에 근거했다.

14 …와 동시에, …하는 즉시: *On* arriving in Seoul, I telephoned my mother. 서울에 도착하자마자 엄마에게 전화를 했다.

adv. **1** (공간적 · 시간적으로) 앞(쪽)으로, 향하여, (시간이) 진행되어: come *on* 오다, 다가오다 / later *on* 나중에

2 (착용 · 소지) 몸에 지니고, 입고, 쓰고: Put your coat *on*. 코트를 입어라. / What did he have *on*? 그는 무엇을 입었었니?

3 (기계 등이) 작동되고, 켜져: Would you turn the TV *on*? TV 좀 켜 주시겠어요? [OPP] off

4 (동작의 계속) 계속해서, 끊이지 않고: Go *on* with your story. 네 이야기를 계속해.

5 (진행 · 예정) 진행하고, 출연하고: I have nothing *on* this evening. 나는 오늘 저녁에 아무 예정도 없다. / What's *on* at the cinema? 영화관에서 무엇이 상영되고 있니?

[숙어] **from now[then] on** 지금[그때]부터 **on and on** 계속해서, 쉬지 않고: We walked *on and on*. 우리는 계속 걸었다.

---

one-way *adj.* **1** 일방 통행의: a *one-way* street 일방 통행로 **2** (차표가) 편도의: a *one-way* ticket 편도 승차권 [SYN] single [OPP] return, round-trip

ongoing [ɑ́ngòuiŋ] *adj.* 전진하는, 진행 중인: an *ongoing* investigation 진행 중인 조사

***onion** [ʌ́njən] *n.* 양파

online, on-line [ɑ́nlàin] *adj. adv.* [컴퓨터] 온라인의, 온라인으로 (컴퓨터에서 주변 장치나 외부 장치가 중앙 처리 장치에 직접 연결되어 제어를 받는 상태. 인터넷이 연결된 상태): Have you ever bought anything *online*? 온라인으로 뭔가 구입해 본 적 있니?

onlooker [ɑ́nlùkər] *n.* 구경꾼, 방관자

***only** [óunli] *adj.* (명사 앞에만 쓰임) 유일한, 단 하나뿐인, 최상의: You're the *only* person here I know. 너는 여기서 내가 아

one

one [wʌn] **adj. 1** 하나의, 한 개의: I have *one* brother and two sisters. 나는 남동생 한 명과 여동생 두 명이 있다. / *one* dollar and a half 1달러 50센트

2 (때를 나타내는 명사를 수식하여 부사구를 이룸) 어느, 어떤: I saw him *one* day last week. 나는 지난 주 어느 날 그를 보았다. / *one* summer night 어느 여름날 밤에

3 (the one) 단 하나[한 사람]의: This is the *one* thing I wanted to see. 내가 보고 싶었던 것은 이것뿐이다. / He's the *one* person I trust. 그는 내가 신뢰하는 단 한 사람이다.

n. **1** (홀수의) 1, 하나: Turn to page *one*. 1페이지를 펴세요. **2** 한 사람[개]: *one* at a time 한 번에 한 사람[개]

pron. n. **1** (동일 명사의 반복을 피해) 그와 같은 사람[물건]: If you need a dictionary, I will lend you *one*. 사전이 필요하면 내가 빌려 줄게.

2 (one of) (특정한 사람·사물 중의) 하나, 한 개, 한 사람: *One* of the children was crying. 아이들 중에 한 명이 울고 있었다.

3 (the, this, that, which 등의 지시형용사와 더불어) (특정 또는 불특정의) 사람, 것: "Which shirt do you like?" "This *one*." "어떤 셔츠가 마음에 드니?" "이거."

4 (the other, another, other[others]와 상관되어) 한쪽의 것, 하나, 한 사람: The twins are so alike that it's hard to tell *one* from the other. 쌍둥이가 너무 닮아서 구별하기가 어렵다. / They have two sons: *one* is a doctor, and the other a teacher. 그들은 아들이 둘 있는데, 한 명은 의사이고, 다른 한 명은 교사이다.

5 (일반적인) 사람, 세상 사람, 누구든지: *One* must not neglect *one*'s duty. 사람은 자기 의무를 소홀히 해서는 안 된다.

[숙어] (all) in one 일치하여, 하나로 전부를 겸하여: It's a printer and scanner *all in one*. 이것은 프린터와 스캐너 일체형이다.

one after another (셋 이상일 때) 하나씩, 차례로, 번갈아

one after the other (둘인 경우) 하나씩, 차례로, 번갈아

one another 서로: They helped *one another*. 그들은 서로 도왔다.

one by one 하나씩, 차례로: People entered the room *one by one*. 사람들이 차례로 방에 들어왔다.

the one ... the other 전자는 … 후자는: Virtue and vice are before you; *the one* leads to happiness, *the other* to misery. 네 앞에 미덕과 악덕이 있다. 전자는 행복으로, 후자는 불행으로 이끈다.

는 유일한 사람이다. / He's an *only* child. 그는 외아들이다. / She's the *only* person for this job. 그녀는 이 일에 적합한 유일한 사람이다.

adv. **1** 겨우, 불과: I have *only* ten dollars. 나는 10달러밖에 없다. **2** 단지, 다만, 바로: *Only* she knew the truth. 그녀만이 사실을 알고 있었다. / He came *only* yesterday. 그는 바로 어제 왔을 뿐이다.

conj. **1** …이기는 하나, 그러나, 다만: I like this bag, *only* it's too expensive. 이 가방이 마음에 들기는 하지만 너무 비싸다. **2** …

을 제외하고는, …하지 않으면: I would help you with pleasure, *only* I'm busy now. 기꺼이 도와 드리고 싶지만 제가 지금은 바쁩니다.

[숙어] if only 오직 …이기만 하면 (좋으련만): *If only* I had a million dollars! 백만 달러만 있다면!

not only ... but also ⇨ not

only just 1 지금 막: I have *only just* come. 나는 지금 막 왔다. **2** 간신히, 겨우: I *only just* had enough money to pay for the meal. 나는 식사 값을 겨우 지불할

돈만 있었다.

onstage [ánstéidʒ] *adj. adv.* 무대의[에서]

onto [ántu:] *prep.* …의 위에 (on to): The cat jumped *onto* the sofa. 고양이가 소파 위로 뛰어 올랐다.

onward(s) [ánwərd(z)] *adv.* 앞으로, 전방에[으로], 전진하는: move *onward* 앞으로 이동하다 / I'm usually at home from 8 o'clock *onward*. 나는 8시 이후에는 대개 집에 있다.

oops [u(:)ps] *int.* 아이쿠, 이런, 아뿔사 (놀람, 낭패, 사죄 등을 나타냄)

OPEC [óupek] *abbr.* Organization of Petroleum Exporting Countries 석유 수출국 기구

*****open** [óupən] *adj.* **1** 열린, 열어 놓은: Don't leave the door *open*. 문을 열어두지 마라. / An *open* newspaper lay on the desk. 펼쳐진 신문이 책상 위에 놓여 있었다.

2 뚜껑이[덮개가] 없는, 지붕이 없는: an *open* car 오픈카

3 출입[사용]이 자유로운, 공개된: This library is *open* to the public. 이 도서관은 대중에게 개방되어 있다. / The competition is *open* to everyone. 경쟁은 누구에게나 열려 있다. OPP closed, shut

4 (성격·태도 등이) 터놓고 대하는, 솔직한: He was *open* with me about his plan. 그는 자기 계획을 나에게 감추지 않았다.

5 (상점·극장 등이) 열려 있는, 개점[공연, 개회] 중인: The shop is not *open* yet. 상점은 아직 열지 않았다.

6 (명사 앞에만 쓰임) (바다·평야 등이) 훤히 트인, 광활한: *open* country 광활한 땅 / *open* sea 확 트인 바다

7 (지위 등이) 비어 있는, 공석의; (시간이) 한가한: Is the job still *open*? 그 일자리는 아직 비어 있니? / I have an hour *open* on Wednesday. 나는 수요일에 한 시간 틈을 낼 수 있다.

8 미결정의, 미해결의: an *open* question 미해결의 문제 / Let's leave the details *open*. 세부 사항은 결정되지 않은 상태로 남겨 두자.

v. **1** [I,T] 열다, 풀다, 펴다: *Open* your mouth wide. 입을 크게 벌리세요. / *open* a letter 편지를 개봉하다

2 [I,T] …을 개방하다, 공개하다, (가게 등을) 열다, 열리다: The museum *opens* at 10. 박물관은 10시에 연다.

3 [I,T] …을 시작하다, 개시하다: The film *opens* next week. 영화는 다음 주에 개봉한다. / *open* an [a bank] account 계좌를 개설하다 OPP close

4 [T] [컴퓨터] (파일을) 열다 OPP close

n. 야외, 노천; 공터

[숙어] **bring [come] out into the open** 숨기지 않다, 공표하다

in the open air 야외에서: We often eat *in the open air*. 우리는 종종 야외에서 식사를 한다.

open fire (at, on) (총 등을) 쏘다, 사격하다: He ordered his men to *open fire*. 그는 부하들에게 사격하라고 명령했다.

open to …에게 열려 있는, …의 여지가 있는: There are three grammar courses *open to* us. 우리에게 열려 있는 세 가지 문법 과정이 있다.

open up 1 (문 등을) 열다 **2** (속마음을) 털어 놓다: I've never *opened up* to anybody. 나는 결코 누구에게도 마음을 털어 놓지 않았다. **3** (기회 등이) 개방되어 있다: A new life was *opening up* before me. 새로운 인생이 내 앞에 열려 있었다. **4** (사업 등을) 시작하다

(out) in the open 1 야외에서: He slept *out in the open* last night. 그는 어젯밤에 야외에서 잤다. **2** 공공연하게, 널리 알려져: I want the truth to be *out in the open*. 나는 사실이 알려지길 원한다.

with open arms 양팔을 벌리고, 진심으로 (환영하여)

with open eyes 눈을 크게 뜨고 (감시하여)

■ 용법 open
open, close는 전기, 수도, 가스에 관해서는 쓰지 않는다. 대신 turn on, turn off, switch on, switch off를 사용해서 표현한다.

open-air *adj.* 옥외의, 야외의, 노천의: an *open-air* market 노천 시장 / an *open-air* concert〔swimming pool〕야외 음악회〔수영장〕

opener [óupənər] *n.* 따는 도구, 병〔깡통〕따개

opening [óupəniŋ] *n.* **1** 열린 구멍, 통로: I managed to get through an *opening* in the fence. 나는 간신히 울타리의 구멍을 통과할 수 있었다. **2** 개시, 시작: The *opening* of the movie is very horrible. 영화의 시작이 아주 무섭다. **3** 개장, 개원, 개통: the *opening* of the new hospital 새 병원의 개원 **4** 취직 자리, 결원, 공석: There's an *opening* for a secretary. 비서직이 공석이다.
adj. (명사 앞에만 쓰임) 시작의, 개시의: the *opening* ceremony 개회식

openly [óupənli] *adv.* 공공연히, 숨김없이, 솔직하게: I talk *openly* about my feelings. 나는 나의 감정에 대해 솔직하게 말한다.

open-minded *adj.* 편견이 없는, 너그러운

openness [óupənnis] *n.* 개방성, 솔직, 관대

***opera** [ápərə] *n.* 가극, 오페라

***operate** [ápərèit] *v.* **1** [I,T] (기계가) 작동하다〔시키다〕, 움직이다: How do you *operate* this machine? 이 기계를 어떻게 작동시키니? **2** [I,T] 일하다, 경영되다 **3** [I] 작용하다, 영향을 주다: The sleeping pill *operated* at once. 수면제가 즉시 효력을 나타냈다. **4** [I] 수술을 하다 (on, for): Doctor will *operate* on her tomorrow

morning. 의사가 내일 아침에 그녀를 수술할 것이다.

operation [àpəréiʃən] **1** 수술: have an *operation* on 수술을 받다 **2** 운영, 경영 **3** 사업, 기업 **4** 가동, 작용, 작업 **5** (기계의) 조작, 운전: The *operation* of that machine is simple. 저 기계의 조작은 간단하다.

operative [ápərətiv] *adj.* **1** 작용하는, 효력 있는: The new law will become *operative* from July 1st. 새 법률은 7월 1일부터 발효될 것이다. **2** 수술의
n. 탐정, 스파이, 요원

operator [ápərèitər] *n.* **1** (기계의) 조작자, 기사 **2** 전화 교환원 **3** 중매인

***opinion** [əpínjən] *n.* 의견, 견해: What's your *opinion* on the matter? 너는 그 문제에 대해 어떻게 생각하니? / public *opinion* 여론
— **opinion poll** *n.* 여론 조사
[축어] **have a bad〔low〕opinion of** …을 나쁘게 생각하다
have a good〔high〕opinion of …을 좋게 생각하다: I *have a good opinion of* his work. 나는 그의 일을 좋게 생각한다.
in my opinion 내 생각에는: *In my opinion* you are wrong. 내 생각에는 네가 틀렸다.
in the opinion of …의 의견으로는

opium [óupiəm] *n.* 아편

opp. *abbr.* opposite

***opponent** [əpóunənt] *n.* **1** (경기·경쟁의) 적, 상대 **2** (의견·계획 등의) 반대자: a political *opponent* 정적(政敵)

opportune [àpərtjú:n] *adj.* 때에 알맞은, 적절한, 형편이 좋은: at the *opportune* time 아주 적당한 때에 [SYN] timely

***opportunity** [àpərtjú:nəti] *n.* 기회, 행운, 가망: take〔miss〕an *opportunity* 기회를 잡다〔놓치다〕
— **opportunist** *n.* 기회주의자
[축어] **have an〔the〕opportunity of**

-ing[**to do**] …할 기회가 있다: I *had an opportunity of* discuss*ing* the matter with my teacher. =I *had an opportunity to* discuss the matter with my teacher. 나는 그 문제를 선생님과 의논할 기회가 있었다.

■ 유의어 **opportunity**
opportunity 어떤 일을 하기 위하여 모든 상황이 흡족한 것을 나타냄. **chance** 의미는 opportunity와 비슷하나 자기에게 상황이 유리하면 남의 입장은 관계 없다는 적극성이 있음. **occasion** 어떤 일을 하기에 적합한 때를 나타냄.

oppose [əpóuz] *v.* [T] 반대하다, 대항하다: They *oppose* the plan to build a nuclear power station. 그들은 원자력 발전소 건설 계획에 반대했다.
— **opposed** *adj.*
축어 **be**[**stand**] **opposed to** …에 반대[대립]하다: We *are* strongly *opposed to* animal testing. 우리는 동물 실험에 강력히 반대한다.

******opposite** [ápəzit] *adj.* **1** 마주보고 있는, 맞은편의, 반대쪽의: The hospital was on the *opposite* side of the street. 병원은 거리의 맞은편에 있었다. **2** 정반대의: We turned and walked in the *opposite* direction. 우리는 돌아서서 반대 방향으로 걸어갔다. / the *opposite* sex 이성
adv. prep. …의 맞은편에, …의 반대 위치에: You sit here, and I'll sit *opposite*. 너는 여기 앉아, 나는 맞은편에 앉을게. / The bank is *opposite* the post office. 은행은 우체국 건너편에 있다.
n. 정반대의 것, 반대말: The colors, black and white are *opposites*. 검정색과 흰색은 정반대 색이다.

opposition [ὰpəzíʃən] *n.* **1** 반대, 방해 (to): There was a lot of *opposition* to the plan. 계획에 반대가 많았다. **2** (the opposition) (스포츠·사업상의) 상대방[팀],

경쟁자[팀]: The *opposition* has some good players. 상대팀은 훌륭한 선수들을 보유하고 있다. **3** (the Opposition) 반대당, 반대 세력, 야당
축어 **in opposition to** …에 반대[반항]하여

oppress [əprés] *v.* [T] **1** (주로 수동태) 압박하다, 억압하다: We had been *oppressed* by a ruthless dictator. 우리는 무자비한 독재자에게 억압을 당했었다. **2** …에 중압감을 주다, 괴롭히다: A sense of failure *oppressed* him. 좌절감이 그를 괴롭혔다.
— **oppression** *n.* **oppressor** *n.* 압제자

oppressive [əprésiv] *adj.* **1** 압제적인, 압박하는: an *oppressive* government 압제적인 정부 **2** 답답한, 숨이 막힐 듯한: *oppressive* heat 숨막히는 듯한 더위

opt [ɑpt] *v.* [I] 선택하다 (to do, for): I *opted* for a trip to India rather than a new car. 나는 새 자동차를 구입하느니보다는 인도로 여행가는 것을 선택했다.
— **option** *n.*
축어 **opt out** (**of**) (활동·단체에서) 탈퇴하다[손을 떼다]: Within any society, there are always people who decide to *opt out*. 어느 사회에서든 늘 보통 사람들의 틀을 벗어나고자 하는 사람들이 있다.

optic [áptik] *adj.* 눈의, 시력의, 시각의: the *optic* nerve 시신경

optical [áptikəl] *adj.* 시력의, 광학의: an *optical* instrument 광학기기 / *optical* illusion 착시

optician [ɑptíʃən] *n.* 안경상, 안경사

optimism [áptəmìzəm] *n.* 낙천주의, 낙관(론) OPP pessimism
— **optimist** *n.* 낙천주의자

optimistic [ὰptəmístik] *adj.* 낙관적인, 낙천적인: He's *optimistic* about the future. 그는 장래에 대하여 낙관적이다. OPP pessimistic
— **optimistically** *adv.*

optimize [áptəmàiz] *v.* **1** [I] 낙관하다
2 [T] 완벽하게(가장 효과적으로) 활용하다
option [ápʃən] *n.* 선택권, 선택의 자유:
You have the *option* of studying
abroad or not. 유학을 하고 안 하고는 너에
게 달려 있다. / I had no *option* but to go
back home. 나는 집에 돌아갈 수밖에 없었
다. [SYN] alternative, choice
※ '… 하는 수 밖에 (다른 방도가) 없었다'라
는 표현으로 have no option but, have no
choice but, have no alternative but 등
이 있다.
— **opt** *v.*
optional [ápʃənəl] *adj.* 임의의, 선택의:
an *optional* subject at school 학교에서
선택 과목 / English is compulsory for
all students, but French is *optional*. 모
든 학생들에게 영어는 필수이나 프랑스 어는 선
택이다. [OPP] compulsory, obligatory,
mandatory
or [ɔːr] *conj.* **1** 혹은, 또는, …이나: Which
do you like better, tea *or* coffee? 홍차
와 커피 중 어느 것을 더 좋아하나요? **2** 그렇지
않으면: Make haste, *or* you will be
late. 서둘러라, 그렇지 않으면 늦겠다. [SYN]
or else, otherwise **3** (부정어 뒤에) …도 아
니다(않다, 없다): I don't have a tele-
phone *or* a fax machine. 나는 전화도 팩
스도 없다. / He never smokes *or* drinks.
그는 술도 담배도 하지 않는다. **4** …이나 ~,
…정도: I've been there four *or* five
times. 나는 거기 네 번이나 다섯 번 정도 갔
다. **5** (설명·정정) 즉, 바꿔 말하면: botany,
or the study of plants 식물학, 즉 식물에
대한 연구
[숙어] **or so** …쯤, … 정도, … 내외: three
days *or so* 3일 정도
oracle [ɔ́(:)rəkəl] *n.* **1** 신탁, 신의 계시;
신탁소 **2** 예언자, 예언서
oral [ɔ́:rəl] *adj.* **1** 구두의: an *oral* test 구
술 시험 **2** 입의, 경구(용)의
n. 구술 시험

— **orally** *adv.*
orange [ɔ́(:)rindʒ] *n.* **1** 오렌지, 감귤 **2**
오렌지색
adj. 오렌지색의
orangutan, orangoutang
[ɔːrǽŋutæn] *n.* 오랑우탄
orator [ɔ́(:)rətər] *n.* 연설자, 웅변가
— **oratorical** *adj.* 연설의, 웅변의
oratory *n.* 웅변, 수사
orbit [ɔ́:rbit] *n.* 궤도
v. [I,T] 궤도에 진입하다, 궤도를 그리며 돌다:
The moon *orbits* the earth. 달은 지구의
둘레를 돈다.
— **orbital** *adj.*
orchard [ɔ́:rtʃərd] *n.* 과수원
****orchestra** [ɔ́:rkəstrə] *n.* 관현악단, 오케
스트라
— **orchestral** *adj.*
orchid [ɔ́:rkid] *n.* **1** 난초(의 꽃) **2** 연자주
색
adj. 연자주색의
ordain [ɔːrdéin] *v.* [T] **1** (신·운명 등이)
정하다, 명하다: God has *ordained* that
we (should) die. 신은 우리 인간을 죽어야
할 운명으로 정했다. **2** (주로 수동태) …에게
성직을 주다, (목사로) 임명하다: He was
ordained (as) a priest in 1990. 그는 1990
년에 사제로 임명되었다.
ordeal [ɔːrdíːəl] *n.* 호된 시련, 고된 체험
****order** [ɔ́:rdər] *n.* **1** 순서, 서열: in
alphabetical *order* 알파벳순으로 / Please
put the books back on the shelf in
the right *order*. 책을 바른 순서로 선반에 놓
으세요. / I ranked the tasks in *order* of
importance. 나는 중요한 순서대로 일을 분
류했다. **2** 정돈, 정렬 [OPP] disorder **3** 명령,
지휘, 지시: Soldiers have to obey *orders*
at all times. 군인은 항상 명령에 복종해야 한
다. / give *orders* 명령을 내리다 **4** 규칙, (사
회·정치적) 질서: public *order* 공공 질
서 / restore *order* 질서를 회복하다 **5** 주문,
수주: Can I take your *order* now? 주문

하시겠습니까? / The book I need is on *order*. 내가 필요한 책은 주문해 놓은 상태다.

v. **1** [T] 명령하다, 지시하다: I *ordered* them to wait. 나는 그들에게 기다리라고 지시했다. **2** [I,T] 주문하다: Are you ready to *order* yet? 이제 주문하시겠습니까? **3** [T] 배열하다, 정돈하다

축어 in (**good**) **order** 차례대로, 정돈되어: You should keep the papers *in order*. 서류를 정돈해서 보관해야 한다.

in order to …하기 위하여: They had to cut down on staff *in order to* cut costs. 그들은 경비 절감을 위해 직원 수를 줄여야 했다.

order ... about(**around**) …에게 마구 명령하다, 혹사하다: My brother is always *ordering* me *around*. 오빠는 항상 나에게 마구 명령한다.

out of order 1 고장이 난: This computer is *out of order*. 이 컴퓨터는 고장이다. **2** (사람의 행동이) 문란하여, 규칙을 벗어나

orderly [ɔ́ːrdərli] *adj.* **1** 순서 바른, 정돈된: an *orderly* desk 정돈된 책상 **2** 규율 있는, 예의바른: *orderly* behavior 예의바른 태도 OPP disorderly

n. (병원의) 잡역부

ordinal [ɔ́ːrdənəl] *n.* 서수 (ordinal number) *cf.* cardinal 기수

***ordinary** [ɔ́ːrdənèri] *adj.* 보통의, 통상의, 정규의: an *ordinary* dress 평상복
— **ordinarily** *adv.*

축어 **out of the ordinary** 예외적인, 보통이 아닌: There was nothing *out of the ordinary*. 보통을 벗어난 것은 아무것도 없었다.

ore [ɔːr] *n.* 광석, 원광: iron *ore* 철광석

***organ** [ɔ́ːrgən] *n.* **1** (생물의) 기관, 장기: internal *organs* 내장 **2** 오르간
— **organist** *n.* 오르간 연주자

organic [ɔːrgǽnik] *adj.* **1** 유기체(물)의, [화학] 유기의: *organic* farming 유기 농

업 / *organic* compounds 유기 화합물 **2** 유기적, 조직적 OPP inorganic
— **organically** *adv.*

organism [ɔ́ːrgənìzəm] *n.* 유기체(물), 미생물: Bacteria are very small *organisms*. 박테리아는 아주 작은 미생물이다.

organization [ɔ̀ːrgənəzéiʃən] *n.* **1** 조직체, 단체, 기구: a voluntary *organization* 자원 봉사 단체(기구) **2** 조직(화), 구성, 편성: Who's responsible for the *organization* of the conference? 누가 회의 구성에 대한 책임을 지나? OPP disorganization 해체, 분열
— **organizational** *adj.*

***organize, organise** [ɔ́ːrgənàiz] *v.* **1** [T] (계획·모임 등을) 준비하다, 정리하다: She's *organizing* a birthday party for her sister. 그녀는 여동생의 생일 파티를 준비하고 있다. **2** [I] 조직하다, 조직적으로 단결하다: Workers *organized* into labor unions to protect their rights. 노동자들은 자신들의 권리를 보호하기 위해 노동 조합을 조직했다.
— **organizer** *n.* 조직자, 주최자

orient [ɔ́ːriənt] *n.* (the Orient) 동양
v. [T] [ɔ́ːrient] ([영] orientate) **1** 바른 방향에 놓다 **2** 자기 위치를 똑바로 알다, 환경에 적응하다 (oneself): The climbers stopped to *orient* themselves. 등산가들은 자신들의 위치를 바로 알기 위해 멈춰 섰다.
— **oriental** *adj.*

orientation [ɔ̀ːrientéiʃən] *n.* **1** (건물 등의) 방위 **2** (새로운 환경 등에 대한) 적응, 오리엔테이션: The company gives a three-day *orientation* to all new employees. 그 회사는 모든 신입 사원들에게 3일간의 오리엔테이션을 실시한다. **3** (특정 활동·조직의) 방침, 관심, 태도 결정

origin [ɔ́ːrədʒin] *n.* **1** (종종 *pl.*) 기원, 발단, 유래, 원인 (of): the *origins* of language 언어의 기원 **2** (종종 *pl.*) 태생, 가문: He is of African *origin*. 그는 아프리카 태

생이다.

■ **유의어** origin

origin 발생한 최초의 형태. **source** 어떤 것을 발생시킨 근원, 원인, 출처. **beginning** 시작, 시초의 뜻으로 '시초의 부분' 이라는 뜻. **cause** 결과(effect)의 반대어로 원인 그 자체를 나타냄. **root** 눈으로 보기에는 분명치 않은 원인을 나타냄.

***original** [ərídʒənəl] *adj.* **1** (명사 앞에만 쓰임) 최초의, 본래의: Our *original* plans have been changed. 우리의 본래 계획들은 변경되었다. **2** 독창적인: What an *original* idea! 정말 독창적인 생각이다! **3** 원본의, 원형의: the *original* document (증서 등의) 원본
n. 원형, 원화, 원문: Send a copy of your medical certificate, and keep the *original.* 너의 건강 증명서 사본을 보내고 원본은 보관해라. / I read it in the *original.* 나는 그것을 원문으로 읽었다.
— **originally** *adv.*

originality [ərìdʒənǽləti:] *n.* 독창성, 창의

originate [ərídʒənèit] *v.* [I] 시작하다, 근원이 되다, 일어나다: Jazz *originated* in the US. 재즈는 미국에서 시작되었다.

***ornament** [ɔ́:rnəmənt] *n.* 꾸밈, 장식(품), 장신구: a china *ornament* 도자기로 된 장식품
v. [T] 꾸미다, 장식하다
— **ornamental** *adj.* **ornamentation** *n.* 장식

ornate [ɔ:rnéit] *adj.* 잘 꾸민, 화려하게 장식한

orphan [ɔ́:rfən] *n.* 고아
v. [T] (주로 수동태) 고아로 만들다: The boy was *orphaned* by the war. 그 소년은 전쟁으로 고아가 되었다.

orphanage [ɔ́:rfənidʒ] *n.* 고아원

orthodox [ɔ́:rθədàks] *adj.* **1** 인습적인, 전통적인: *orthodox* methods 전통적인 방법 [OPP] unorthodox **2** (종교에서) 정설의, 정통의: the Greek *Orthodox* Church 그리스 정교회
— **orthodoxy** *n.*

ostrich [ɔ́(:)stritʃ] *n.* [조류] 타조

***other** ⇨ p. 499

otherwise [ʌ́ðərwàiz] *adv.* **1** 만약 그렇지 않으면: You'll have to go now, *otherwise* you'll miss your bus. 너는 지금 가야 한다. 그렇지 않으면 버스를 놓칠 것이다. **2** 다른 방법으로, 그렇지 않게: I cannot do *otherwise.* 나는 달리 할 수가 없다. **3** 다른 점에서는: I'm tired but *otherwise* I feel fine. 나는 피곤한 거 말고는 건강하다.

***ought** [ɔ:t] *aux.* **1** (의무 · 당연 · 필요) …해야만 한다, …하는 것이 당연하다: You *ought* to have told her the truth. 너는 그녀에게 사실을 말했어야만 했다. (그러나 말하지 않았다.) ※ should+have+p.p.의 형태로 해석하면 '…했었어야 했는데 하지 않았다'라는 의미로 과거에 대한 후회를 나타내는 표현이다. / Such things *ought* not to be allowed. 그런 일이 허용되어서는 안 된다. **2** (가망 · 당연한 결과) …하기로 되어 있다, (틀림없이) …할 것이다: She *ought* to be there by now. 그녀는 지금쯤 그 곳에 도착해 있을 것이다. / He *ought* to pass the exam. 그는 틀림없이 시험에 합격할 것이다.
[SYN] should
※ 항상 to가 붙는 부정사를 수반하여 ought to의 형태로 쓰이며 부정형은 ought not to, 이의 단축형은 oughtn't to로 표기한다.

ounce [auns] *n.* (*abbr.* oz.) 온스 (중량 단위로 보통 28.35g)

***out** ⇨ p. 499

outbreak [áutbrèik] *n.* (질병 · 전쟁 등의) 발발: an *outbreak* of war 전쟁의 발발

outburst [áutbə̀:rst] *n.* (감정의) 폭발, 분출

outcome [áutkʌ̀m] *n.* 결과, 성과: the *outcome* of an election 선거의 결과

outdated [àutdéitid] *adj.* 구식의, 시대

other

other [ʌ́ðər] **adj. 1** 다른, 그 밖의: Do you have any *other* questions? 그 밖에 또 다른 질문 있나요? / I have no *other* friends but you. 나는 너 말고 다른 친구가 없다. **2** (둘 중) 다른 하나의, 다른 한 쪽의: I've found one glove. Have you seen the *other* one? 나는 장갑 한 쪽을 찾았다. 너 다른 한 쪽을 보았니? / I was waiting on the *other* side of the street. 나는 길 건너편에서 기다리고 있었다. **3** (셋 이상 중에서) 나머지, 그 밖의 (전부의): Where are the *other* children? 나머지 아이들은 어디 있지?

pron. **1** 다른 사람, 다른 것: This is broken. Do you have any *others*? 이건 부서졌다. 다른 것이 있니? **2** (둘 중에서) 다른 한 쪽, (셋 이상 중에서) 나머지 것 (전부): We have two dogs; one is white, and the *other* black. 우리 집엔 개가 두 마리 있다. 하나는 흰색이고 다른 하나는 검은색이다. / She and I arrived at 10 o'clock, but the *others* were late. 그녀와 나는 10시에 도착했다. 그러나 나머지 사람들은 늦었다.

[숙어] **every other day(week, year)** 하루(한 주, 한 해) 걸러: I work *every other day*. 나는 격일제로 근무한다. / He jogs *every other week*. 그는 격주로 조깅을 한다.

in other words 바꿔 말하면: The boss said he would have to let me go. *In other words*, he fired me. 사장은 나를 보내야 할 것 같다고 말했다. 바꿔 말하면, 날 해고했다.

other than …와는 다른, … 이외의: The form cannot be signed by anyone *other than* you. 너 이외에 다른 사람은 이 양식에 서명할 수 없다. / I've got a cold. *Other than* that, I'm fine. 나는 감기에 걸렸다. 그것 말고는 건강하다.

the other day(week) 일전에, 얼마 전에: I saw your sister *the other day*. 나는 얼마 전에 네 여동생을 보았다.

out

out [aut] **adv. perp. 1** 밖에(으로), 밖에서: She opened the box and took a ring *out*. 그녀는 상자를 열어 반지를 꺼냈다. / dine *out* 외식하다 **2** (집) 밖에 나가, 외출하고: The boss is *out* on business. 사장님은 일로 외출 중이시다. **3** (집 · 해안 등에서) 떨어져, 떠나: The current is quite strong, so don't swim too far *out*. 조류가 세니까 너무 멀리 나가서 수영하지 마라. / The tide is *out*. 조수가 빠져 있다. (썰물이다.) **4** 나타나, 출현하여, (비밀이) 드러나: The secret is *out*. 비밀이 탄로났다. / Flowers will soon be *out*. 꽃은 곧 필 것이다. **5** (책이) 출판되어, 공표되어: When is his new novel *out*? 언제 그의 새 소설이 출판되나?

6 큰 소리로: I cried *out* in pain. 나는 아파서 큰 소리로 울었다. **7** 유행하지 않게 되어, 유행이 가: That style has gone *out*. 그 스타일은 유행이 지났다. **8** 실행 불가능하여, 금지되어: Friday is *out*, so let's meet on Saturday. 금요일은 안 되니까 토요일에 만나자. **9** (게임 · 경기에서) 출장 정지가 되어 **10** (경기에서 공이) 아웃되어 **11** (본래 상태에서) 벗어나, 틀려서: I was *out* in my calculations. 내 계산이 틀려 있었다. **12** 없어져, 품절되어: My money has run *out*. 내 돈은 바닥났다. **13** (불 · 빛 등이) 꺼져: The light was *out*. 불이 나갔다.

에 뒤진 OPP updated

outdo [àutdú:] *v.* [T] (outdid-outdone)
···보다 낫다, 능가하다: They are always
trying to *outdo* each other. 그들은 서로
를 앞서려고 항상 노력한다.

※ outdo에서 접두사 out은 '비교급+than'
으로 이해한다. 즉 outrun(···보다 빨리 달리
다)은 run faster than, outgrow(···보다 커
지다)는 grow bigger than으로 생각하면 쉽
다.

outdoor [áutdɔ̀:r] *adj.* 집 밖의, 옥외의,
야외의: an *outdoor* swimming pool 야외
수영장 / *outdoor* activities 야외 활동 OPP
indoor
— **outdoors** *adv.*

outer [áutər] *adj.* (명사 앞에만 쓰임) **1** 밖
의, 외부의 **2** (중심에서) 멀리 떨어진, 변두리
의: in the *outer* suburbs 교외에 OPP
inner

outermost [áutərmòust] *adj.* (명사 앞
에만 쓰임) 가장 바깥(쪽)의, 가장 먼
OPP innermost

outfit [áutfit] *n.* **1** (특정한 경우의) 의복,
의상 한 벌: I bought a new *outfit* for
the wedding. 나는 결혼식에 입을 새 의상
한 벌을 샀다. **2** (특정한 활동을 위한) 채비,
장비: a ski *outfit* 스키 용품 한 벌

outgoing [áutgòuiŋ] *adj.* **1** 사교적인:
She is a very *outgoing* person. 그녀는
매우 사교적인 사람이다. **2** (명사 앞에만 쓰임)
나가는, 출발하는 OPP incoming **3** 떠나가
는, 은퇴하는: the *outgoing* president 퇴
직 대통령 OPP incoming

outgrow [áutgròu] *v.* [T] (outgrew-
outgrown) ···에 들어가지 못할 정도로 커지
다, 몸이 커져서 입지 못하게 되다: He's
outgrown most of his clothes he wore
last year. 그가 커져서 작년에 입었던 옷들의
대부분을 입지 못하게 되었다.

outing [áutiŋ] *n.* 소풍, 행락: We're
going on a school *outing* to the zoo.
우리는 동물원으로 학교 소풍을 갈 것이다.

outlet [áutlet] *n.* **1** (an outlet) (감정·표
현 등의) 배출구 (for): He plays racquet
ball as an *outlet* for stress. 그는 스트레
스를 푸는 배출구로 라켓볼을 친다. **2** 팔 곳,
판매 대리점: a retail *outlet* 소매(직판)점 **3**
(가스·수도 등의) 배출구, 배수구

*outline [áutlàin] *n.* **1** 개요, 개설: He
gave us a brief *outline* of what had
occurred. 그는 우리에게 사건의 개요를 간략
하게 설명했다. **2** 윤곽, 외형: I could just
see the *outline* of a castle. 나는 성의 윤
곽만을 볼 수 있었다.
v. [T] ···의 개요를 말하다, ···의 윤곽을 그리다

outlive [àutlív] *v.* [T] ···보다도 오래 살
다: She *outlived* her husband. 그녀는 그
녀의 남편보다 오래 살았다.

outlook [áutlùk] *n.* **1** (an outlook) 사고
방식, 견해 (on): I have a positive
outlook on life. 나는 긍정적인 인생관을 가
지고 있다. **2** 예측, 전망 (for): The *outlook*
for the economy is not good for this
year. 올해는 경제적 전망이 좋지 않다.

outnumber [àutnʌ́mbər] *v.* [T] (종종
수동태) ···보다 수가 많다, 수적으로 우세하다:
We were heavily *outnumbered* by the
enemy. 우리는 적에 비해 수적으로 훨씬 열
세였다. / The enemy *outnumbered* us.
적들은 우리보다 수적으로 우세했다.

out of *prep.* **1** (운동·위치) ···의 안에서 밖
으로, ···의 밖으로: She took her purse
out of her bag. 그녀는 가방에서 지갑을 꺼
냈다. / come *out of* the room 방에서 나오
다 OPP into
2 ···의 범위 밖에, ···이 미치지 않는 곳에:
out of reach 손이 미치지 않는 곳에
3 ···에서 떨어져: a few miles *out of*
Seoul 서울에서 몇 마일 떨어져
4 (동기·원인) ···에서[으로], ··· 때문에: *out
of* curiosity 호기심으로 / I did it *out of*
interest. 나는 재미로 그렇게 했다.
5 (재료) ···(으)로: The dress was made
out of silk. 드레스는 실크로 만들어졌다.

6 (어떤 수에서의 선택) …에서, … 중(에서): nine *out of* ten 십중팔구 [SYN] ten to one **7** (기원 · 출처) …에서, …로부터(의): a passage *out of* Shakespeare 셰익스피어 작품에서 인용한 구절 / I copied the recipe *out of* a book. 나는 책에서 요리법을 베꼈다. [SYN] from

8 …이 없어져[떨어져], …이 부족하여: We are *out of* coffee. 커피가 떨어졌다.

9 …(상태)에서 떠나, …을 잃고: *out of* danger 위험에서 벗어나 / *out of* date 시대에 뒤져 / He has been *out of* work for 6 months. 그는 여섯 달 동안 실직 상태이다.

[숙어] be(feel) out of it 관여하지 않다, 따돌림을 받다: She *felt out of it* as she watched the others set out on the picnic. 모두 소풍을 떠나는 것을 보고 그녀는 소외감이 들었다.

outpatient [áutpèiʃənt] *n.* (병원의) 외래 환자

output [áutpùt] *n.* **1** 산출(량), 생산(량) **2** [컴퓨터] 출력 (컴퓨터 내에서 처리된 정보를 외부 장치로 끌어냄) **3** [전기] 출력, 발전력

outrage [áutrèidʒ] *n.* **1** 격분, 분개 **2** 무례, 모욕

v. [T] 격분시키다

outrageous [autréidʒəs] *adj.* **1** 부당한, 터무니없는: an *outrageous* price 터무니없는 가격 **2** 난폭한

outright [áutráit] *adj. adv.* **1** 솔직히, 터놓고: Tell me *outright* what you think. 네가 생각하는 것을 나에게 솔직히 말해라. **2** 철저한[하게], 완전한[히]: an *outright* victory 완승 **3** 곧, 당장: They bought the car *outright*. 그들은 차를 즉석에서 구입했다.

outset [áutsèt] *n.* 착수, 시작

[숙어] at(from) the outset 최초에(부터)

*****outside** [autsáid] *adv. prep.* **1** … 밖에 [으로], 바깥쪽[외부]에: It's still dark *outside*. 밖은 아직 어둡다. / I waited for you *outside* the theater. 나는 영화관 밖에

서 너를 기다렸다. **2** …의 범위를 넘어; …이외에: I don't care what you do *outside* working hours. 근무 시간을 제외하고 네가 무엇을 하든 나는 상관 안 한다.

adj. [áutsáid] (명사 앞에만 쓰임) **1** 바깥쪽의, 외부의: an *outside* antenna 옥외 안테나 **2** 표면상의, 겉모양의 **3** 관계 없는, (단체 등에) 속하지 않은: We need *outside* help. 우리는 외부의 도움이 필요하다. **4** 극히 적은 [드문]: an *outside* chance 만에 하나의 기회

n. [áutsáid] **1** 바깥쪽, 외면: The house looks larger when you look at it from the *outside*. 그 집은 바깥쪽에서 보면 더 커 보인다. **2** 외관, 표면, 겉모양: The *outside* of the box is covered with gold. 상자의 표면은 금으로 덮여 있다. [OPP] inside

— **outsider** *n.* 외부인, 따돌림 받는 사람

outstanding [àutstǽndiŋ] *adj.* **1** 눈에 띄는, 현저한: I got *outstanding* results in my exams. 나는 시험에서 뛰어난 결과를 거두었다. **2** 미결제의, 미해결의: *outstanding* debts 미불 부채

outstretched [àutstrétʃt] *adj.* 펼쳐진, 뻗쳐진: He ran towards me with his arms *outstretched*. 그는 팔을 펼친 채로 나에게 뛰어왔다.

outward [áutwərd] *adj.* (명사 앞에만 쓰임) **1** 외관의, 표면에 나타난: There were no *outward* signs that she was injured. 그녀가 상처를 입었다는 외견상의 징후는 없었다. **2** (여행에 대해) 국외[해외]로의: an *outward* voyage 외국행의 항해 [OPP] return **3** 밖을 향한, 외부로의: *outward* movement 바깥쪽으로의 움직임 [OPP] inward

adv. 바깥쪽으로: The door opens *outward*. 그 문은 바깥쪽으로 열린다. [OPP] inward

— **outwardly** *adv.*

outwards [áutwərdz] *adv.* =outward

*oval [óuvəl] n. adj. 달걀 모양(의), 타원형
(의): the *Oval* Office(Room) (백악관의)
대통령 집무실 (방이 달걀 형태라 붙은 이름)

*oven [ávən] n. 오븐, 화덕

*over ⇨ 아래 참조

over- *prefix* 1 과도히, 너무 2 아주, 완전히
3 위의, 외부의, 밖의, 여분의 4 넘어서, 지나
서, 더하여

overall [óuvərɔ̀:l] *adj. adv.* 1 전부의, 종
합적인: My *overall* impression of his
work is good. 그의 일에 관한 나의 전반적
인 평가는 양호하다. / What's the *overall*
cost of repairs? 전체 수리 비용은 얼마입니
까? 2 전체적으로, 일반적으로: *Overall*, it's
a good hotel. 전체적으로 보아, 좋은 호텔이
다.
n. (overalls) (가슴받이가 달린) 작업 바지, 멜
빵 바지

overboard [óuvərbɔ̀:rd] *adv.* 배 밖으
로, (배에서) 물 속으로
[숙어] go overboard (on, about, for)
···에 열중하다

overcast [óuvərkæst] *adj.* (하늘이) 흐
린, 구름으로 덮인: The sky is *overcast*. 하
늘이 온통 구름으로 덮여 있다.

overcharge [òuvərtʃáːrdʒ] *v.* [I,T] 에
게 (···에 대해) 과잉 청구하다, 부당한 값을 요
구하다

overcoat [óuvərkòut] *n.* 오버(코트), 외
투

*overcome [òuvərkám] *v.* [T] (over-
came-overcome) 1 ···을 이겨 내다, 극복하
다: He tried to *overcome* his shyness.
그는 자신의 수줍음을 이겨 내려고 노력했다. 2
(보통 수동태) 압도하다: He was *overcome*
with liquor. 그는 술에 만취되었다.

---

over

over [óuvər] *adv. prep.* 1 (공간 위치) ···
위에, 위쪽에: A lamp was hanging *over*
the table. 램프가 탁자 위에 걸려 있었다.
2 (접촉 위치) ···의 위를 덮어(가리어, 걸치어):
She wore a coat *over* her sweater. 그녀
는 스웨터 위에 코트를 입고 있었다.
3 ···을 넘어, ···을 건너: He jumped *over*
the fence. 그는 울타리를 뛰어 넘었다.
4 뒤집어, 넘어져: Turn the page *over*. 페
이지를 넘겨라. / I fell *over* in the street
this morning. 나는 오늘 아침에 길에서 넘어
졌다. / He knocked the chair *over*. 그가
의자를 넘어뜨렸다.
5 위에서 아래로, 내밀어, 기대어: lean
(bend) *over* (몸을) 구부리다
6 (수량 · 정도) ···을 넘어, ···보다 많은: There
were *over* 1,000 people at the party. 파
티에 천 명 이상의 사람들이 있었다. / The
film is suitable for people of 18 and
over. 그 영화는 18세 이상에게 적합하다.
7 멀리 떨어진 곳에, 넘어서, (너머) 저쪽으로,

이쪽으로: He is *over* in France. 그는 (바다
저쪽의) 프랑스에 있다. / Come *over* here.
이쪽으로 와.
8 (all과 함께 쓰여) 온 ···에, 온통, 여기저기에:
all *over* the world 전 세계에
9 되풀이하여: I have to start all *over*
again. 나는 처음부터 다시 시작해야 한다. /
over and *over* again 몇 번이고 되풀이하여
10 (관련) ···에 관해서, ···의 일로: We
quarrelled *over* money. 우리는 돈 문제로
말다툼을 했다.
11 (기간) ··· 동안 (죽), ···에 걸쳐: We
stayed there *over* the weekend. 우리는
주말 동안 거기 머물렀다.
12 (수단) ···에 의해서, ···로: I made the
booking *over* the phone. 나는 전화로 예약
을 했다. / I heard the news *over* the
radio. 나는 라디오로 그 뉴스를 들었다.
adj. 끝난, 지나(가): Summer is *over*. 여름이
갔다. / Is the game *over* yet? 경기가 벌써
끝났니?

overconfident [òuvərkánfədənt]
adj. 자신만만한, 자부심이 강한

overcrowded [òuvərkráudid] *adj.*
초만원의, 혼잡한: an *overcrowded* city 인
구과밀 도시

overdo [òuvərdú:] *v.* [T] (overdid-
overdone) **1** …을 지나치게 하다, 과장하다
2 (음식을) 너무 익히다〔굽다〕

overdue [òuvərdjú:] *adj.* 기한이 지난,
늦은, 미불의: My library books are a
week *overdue*. 도서관 책들의 반납 기간이
일주일이나 지났다. / The baby is a week
overdue. 아기의 출산 예정일이 일주일이나 지
났다.

overestimate [òuvəréstəmeit] *v.* [T]
과대평가하다 OPP underestimate

overflow [òuvərflóu] *v.* [I,T] **1** 넘치다,
넘쳐 흐르다 (with): The river sometimes
overflows its bank. 강은 가끔 강둑을 넘쳐
흐른다. / The roads are *overflowing*
with cars. 도로가 차들로 넘쳐나고 있다. **2**
가득 차다 (into)
n. **1** 범람, 홍수 **2** 과다, 과잉

overgrown [òuvərgróun] *adj.* **1** (식
물·사람 등이) 지나치게 자란, 너무 커진 **2**
(풀 등이) 전면에 무성한〔커진〕: The field is
overgrown with weeds. 들판이 잡초로 무
성하게 덮여 있다.

overhang [òuvərhǽŋ] *v.* [I,T] (over-
hung-overhung) …의 위에 걸치다, …의 위
에 쑥 내밀다: Our trees *overhang* the
neighbors' yard. 우리 집 나무가 이웃집 뜰
위로 쑥 나와 있다.

overhead [óuvərhèd] *adj.* 머리 위의〔를
지나는〕, 고가(高架)식의, 천정에 매달린: She
turned on the *overhead* light and
looked around the room. 그녀는 천정에
매달린 전구의 불을 켜고 방을 둘러보았다.
adv. [óuvərhéd] 머리 위에, 높이, 상공에:
A plane flew *overhead*. 비행기 한 대가 상
공에서 날고 있었다.
n. [óuvərhèd] (보통 *pl.*) [상업] 간접비, 제

경비

overhear [òuvərhíər] *v.* [T]
(overheard-overheard) 어쩌다 듣다, (몰
래) 엿듣다, 도청하다

overland [óuvərlænd] *adj. adv.* 육로
〔육상〕의, 육로로: We traveled *overland*
to China. 우리는 육로로 중국을 여행했다.

overlap [òuvərlæp] *v.* [I,T]
(overlapped-overlapped) **1** 부분적으로
겹치다: Tiles are laid *overlapping* each
other. 기와는 서로 겹쳐 이어져 있다. **2** 일
부분이 일치되다, (시간 등이) 중복되다: Our
jobs *overlap* to some extent. 우리의 업
무는 어느 정도 비슷하다.
n. [영화] 오버랩 (한 장면과 다음 장면의 겹
침)

overlook [òuvərlúk] *v.* [T] **1** 바라보다,
(건물 등이) …을 내려다보는 위치에 있다:
My hotel room *overlooks* the sea. 내 호
텔 방에서는 바다가 내려다보인다. **2** 간과하다,
빠뜨리고 보다: I *overlooked* a spelling
mistake. 나는 철자가 틀린 것을 빠뜨리고 보
았다. **3** (결점 등을) 눈감아 주다: I'll
overlook your absence this time but
don't let it happen again. 이번에는 너의
결석을 눈감아 주지만 다시 이런 일이 생기지
않도록 해라.

overnight [óuvərnàit] *adj. adv.* **1** 하룻
밤 동안, 밤새껏: I stayed *overnight* at
my grandmother's house. 나는 할머니
댁에서 하룻밤 묵었다. **2** 하룻밤 사이의〔에〕,
갑자기: She became a star *overnight*. 그
녀는 하룻밤 사이에 스타가 되었다.

overpass [óuvərpæs] *n.* 육교, 고가도로

overrate [òuvəréit] *v.* [T] (종종 수동태)
과대평가하다: I think the movie is
overrated. 나는 그 영화가 과대평가 되었다고
생각한다. OPP underrate

overreact [òuvəriǽkt] *v.* [I] 과도하게
반응하다
— **overreaction** *n.*

overseas [óuvərsí:z] *adj.* (명사 앞에만

쓰임) 해외(로 부터)의, 외국의, 해외로 가는: an *overseas* broadcast 대외방송 / an *overseas* edition 해외판

adv. [òuvərsíːz] 해외로[에, 에서]: Many people travel *overseas* these days. 요즘은 많은 사람들이 해외로 여행을 간다. SYN abroad

※ 미국에서는 abroad보다는 overseas를 더 자주 쓴다.

oversee [òuvərsíː] *v.* [T] (oversaw-overseen) 내려다보다, (작업 등을) 감독하다: His job is to *oversee* the workers. 그의 일은 인부들의 작업을 감독하는 것이다. SYN supervise

oversleep [òuvərslíːp] *v.* [I] (overslept-overslept) 너무 오래 자다, 늦잠 자다

overtake [òuvərtéik] *v.* [I,T] (overtook-overtaken) …을 따라잡다, 추월하다: One runner *overtook* another runner and won the race. 한 주자가 다른 주자를 따라 잡아서 경주에서 승리했다.

overthrow [òuvərθróu] *v.* [T] (overthrew-overthrown) (정부 등을) 뒤집어엎다, 타도하다: They were plotting to *overthrow* the government. 그들은 정부를 전복할 계획을 꾸미고 있었다.

n. [óuvərθròu] **1** 타도, 전복 **2** 폐위

overtime [óuvərtàim] *n.* 규정외 노동 시간, 초과 근무

overture [óuvərtʃər] *n.* **1** [음악] 서곡, 전주곡; [시·문장] 서장 **2** (주로 *pl.*) 신청, 제안

overturn [òuvərtə́ːrn] *v.* **1** [I,T] 뒤집어지다, 전복되다: The car *overturned*. 차가 전복되었다. **2** [T] (법안 등을) 부결시키다: The National Assembly *overturned* this decision. 국회는 이 결의안을 부결시켰다.

overview [óuvərvjùː] *n.* 개관, 개요, 총람: give an *overview* of the subject 과목의 개요를 설명하다

overweight [óuvərwèit] *adj.* 중량이 초과된, 지나치게 뚱뚱한: I'm a bit *overweight*. 나는 약간 살쪘다.

overwhelm [òuvərhwélm] *v.* [T] (보통 수동태) **1** …의 의기를 꺾다, 질리게[당황하게] 하다: He was *overwhelmed* by the sad news. 그는 슬픈 소식을 듣고 어쩔 줄 몰랐다. SYN upset **2** 압도하다, 제압하다 SYN overcome

overwhelming [òuvərhwélmiŋ] *adj.* 압도적인, 저항할 수 없는: An *overwhelming* majority of the members were against the idea. 회원의 압도적인 다수가 그 의견에 반대했다. / I felt an *overwhelming* desire to return home. 나는 집에 돌아가고 싶은 매우 강한 충동을 느꼈다.

overwork [òuvərwə́ːrk] *v.* [I,T] 과로하다, 지나치게 일을 시키다: You look tired — is the new manager *overworking* you? 너 피곤해 보인다. 새 매니저가 지나치게 일을 시키니?

n. 과로

*****owe** [ou] *v.* [T] **1** 빚지고 있다: I *owe* John $10. 나는 존에게 10달러 빚이 있다. **2** (은혜·의무 등을) 입고 있다, (어떤 감정을) …에게 품고 있다: I *owe* you an apology. 나는 너한테 사과할 일이 있다. **3** (성공 등을) …에게 돌려야 한다, …의 덕택이다 (to): I *owe* my success to my parents. 나의 성공은 부모님 덕택이다.

owing to *prep.* … 때문에, …로 인하여: The train was delayed *owing to* the accident. 사고 때문에 기차가 연착했다. SYN because of

owl [aul] *n.* 올빼미

*****own** [oun] *adj. pron.* **1** (소유를 강조하여) 자기 자신의, …자신의 것: I saw it with my *own* eyes. 바로 내 이 두 눈으로 보았다. / This is her *own* house. 이것은 그녀 소유의 집이다. **2** 남의 도움을 빌리지 않는, 자력으로: She makes all her *own* clothes. 그녀는 자신의 옷을 자신의 힘으로 만든다.

v. [T] **1** 소유하다: Who *owns* the house? 이 집은 누가 소유하고 있나? **2** (죄·사실 등을) 인정하다, 자백하다 (up): No one *owned* up to breaking the window. 아무도 유리창을 깼다고 자백하지 않았다. [SYN] confess

[숙어] **(all) on one's own** 자기 힘으로, 혼자, 단독으로: He lives *all on his own.* 그는 혼자 살고 있다. / I can move this box *on my own.* 나는 혼자서 이 상자를 옮길 수 있다.

come into one's own 진가를 인정받다 〔발휘하다〕: He really *comes into his own* in a crisis. 그는 위기에 처하면 진가를 발휘한다.

hold one's own (against) 자기의 입장을 견지하다, 굴하지 않다: She had a hard time after the accident but soon she *held her own.* 사고 후에 그녀는 힘든 시간을 보냈지만 곧 꿋꿋해졌다.

of one's own 자기 자신의: Everyone has troubles *of his*〔*her*〕 *own.* 누구나 자기 자신의 문제를 갖고 있다.

owner [óunər] *n.* 임자, 소유자

ox [ɑks] *n.* (*pl.* oxen) 황소 *cf.* cow 암소

oxidize [ɑ́ksədàiz] *v.* [I,T] 산화시키다〔하다〕

oxygen [ɑ́ksidʒən] *n.* 산소 (비금속 원소; 기호 O)

ozone [óuzoun] *n.* 오존 (산소의 동소체로서 특유한 냄새가 나는 무색의 기체): the *ozone* layer 오존층

pP

pace [peis] *n.* **1** 걸음걸이, 걷는 속도, 보조; (일·생활의) 속도: I started to walk at a fast *pace*. 나는 빠른 걸음으로 걷기 시작했다. / I don't like the *pace* of modern life. 나는 현대 생활의 속도가 마음에 들지 않는다. **2** (한) 걸음, 보폭: Take two *paces* forward! 2보 앞으로!

v. [I,T] (특히 초조하거나 화나서) 왔다 갔다 하다

관용 **keep pace (with)** (…와) 보조를 맞추다: The supply can hardly *keep pace with* the demand. 공급이 수요를 거의 따라가지 못한다.

set(make) the pace (선두에 서서) 보조를 정하다; 솔선수범하다

pacific [pəsífik] *adj.* **1** 평화로운, 평온한: a *pacific* era 태평 시대 **2** 평화를 사랑하는

n. (the Pacific) 태평양 (the Pacific Ocean)

pacifism [pǽsəfìzəm] *n.* 평화주의
— **pacifist** *n.* 평화주의자

pacify [pǽsəfài] *v.* [T] 달래다, 진정시키다; …에 평화를 회복시키다, 평정하다

***pack** [pæk] *n.* **1** 꾸러미, 보따리, 포장한 짐: a *pack* of envelopes 봉투 한 묶음 / The information *pack* consists of a brochure and a map. 정보 꾸러미는 소책자와 지도로 구성되어 있다.

2 [미] (판매용으로 일정량을 담은) 한 상자(꾸러미): a *pack* of cigarettes 담배 한 갑 / a *pack* of bubble gum 풍선껌 한 통 SYN packet

3 배낭: I hid the money in my *pack*. 나는 배낭에 돈을 숨겼다. SYN backpack, rucksack

4 (사냥개·이리 등의) 한 떼, 무리: a *pack* of wolves 이리 떼

5 (악당 등의) 일당, 한 패: a *pack* of thieves 도둑의 일당 / I shall dismiss the whole *pack* of them. 나는 그들을 모조리 해고해 버리겠다.

6 다수, 다량: Everything she told me was a *pack* of lies. 그녀가 내게 말한 모든 것은 거짓말이었다.

7 (카드의) 한 벌 ([미] deck): a *pack* of cards 카드 한 벌

8 [의학] (찜질의) 습포; 얼음 주머니 (ice pack); (미용술의) 팩: a mud *pack* 진흙 팩

v. **1** [I,T] 싸다, (짐을) 꾸리다, 포장하다: He *packed* the clothes into the trunk. 그는 트렁크에 옷을 챙겨 넣었다. / I am going to *pack* up now. 나는 지금부터 짐을 꾸리려는 참이다. OPP unpack

2 [T] (종종 수동태) (사람이) …을 꽉 채우다, 채워 넣다: The audience *packed* the hall. 청중이 홀에 꽉 찼다. / This book is *packed* with useful information. 이 책은 유용한 정보로 가득하다.

— **packer** *n.* 짐 꾸리는 사람, 포장업자; 포장 장치

관용 **pack in** 일[활동]을 그만두다: I'd just *packed in* the job that day — it was really tough. 나는 그 날 일을 그만둬 버렸다. 일이 너무 힘들었다. SYN give up

pack up 1 일을 끝내다: I *packed up* early and went home. 나는 일찍 일을 끝내고 집에 갔다. **2** (기계·엔진 등이) 멎다, 고장나다: The engine is *packed up*! 엔진이 고장났다!

package [pǽkidʒ] *n.* **1** 소포, 꾸러미: A small *package* reached me today. 오늘 내게 작은 소포가 왔다. **2** 포장한 상품: a *package* of cookies 과자 한 상자 **3** 뭉뚱그

려진 것, 일괄; [라디오 · TV] (이미 만들어 놓은) 일괄 프로; [컴퓨터] 꾸러미, 패키지: This aid *package* includes emergency food and medical supplies. 이 구급 패키지에는 비상 식량과 의약품이 포함되어 있다. / a new software *package* 새로운 소프트웨어 패키지

package tour *n.* ([영] package holiday) 패키지 투어 (운임 · 숙박비 등을 일괄 지급하는 여행사 주관의 단체 여행)

packet [pǽkit] *n.* **1** 작은 다발〔꾸러미〕, 소포 ([미] pack, package): a *packet* of biscuits 비스킷 한 상자 **2** (내기나 투기에서 번〔잃은〕) 큰돈 **3** [컴퓨터] 다발, 패킷 (컴퓨터 정보 통신에서 한 번에 전송하는 정보 조작 단위〔량〕)

packing [pǽkiŋ] *n.* **1** 짐꾸리기, 포장: do the *packing* 짐을 싸다 **2** [영] 포장용품, (포장용) 충전물 (삼 부스러기 · 솜 등)

pad [pæd] *n.* **1** (충격 · 손상을 막는) 덧대는 것, 패드; (상처에 대는) 거즈; (흡수성) 패드 (생리용); (말의) 안장 받침; (윗옷의) 어깨심 **2** (한 장씩 떼어 쓰는) 종이철: a writing *pad* 편지지철 **3** (우주선 등의) 발사대, 헬리콥터 이착륙장: a launch *pad* 로켓 발사대

v. (padded-padded) **1** [T] (보통 수동태) …에 덧대다 **2** [I] 터벅터벅 걷다, 가만히 걷다: She *padded* into the bedroom. 그녀는 침실로 가만히 걸어갔다.

— **padding** *n.* 충전물 (솜 · 털 등)

〔숙어〕 **pad out** (문장 · 연설 등을) 군말을 넣어 길게 하다

paddle [pǽdl] *n.* (카누 등의) 짧고 폭 넓은 노

v. **1** [I,T] 노를 젓다 ⇨row **2** [I] 얕은 물 속을 철벅거리다, 첨벙첨벙 건너가다: The children *paddled* in the stream. 아이들은 개울에서 철벅거리며 놀았다.

paddy [pǽdi] *n.* 논 (paddy field)

pagan [péigən] *n. adj.* 이교도(의)

*****page** [peidʒ] *n.* (*abbr.* p.) **1** 페이지, 쪽, 면: Turn to *page* 24 of your book. 책

24쪽을 펴라. **2** [컴퓨터] 페이지 (기억 영역의 한 구획)

pageant [pǽdʒənt] *n.* **1** (역사적 장면을 표현하는) 야외극, 화려한 행렬 **2** [미] 미인 대회 〔SYN〕 beauty contest

pageantry [pǽdʒəntri] *n.* 화려한 구경거리, 장관

pager [péidʒər] *n.* 휴대용 소형 무선 호출기 〔SYN〕 bleeper, beeper

pagoda [pəgóudə] *n.* 탑 (여러 층으로 된 동양식 탑)

pail [peil] *n.* **1** 들통 **2** 한 들통(의 양)

*****pain** [pein] *n.* **1** (몸의 일부의) 아픔: I feel a *pain* in my back. 나는 등이 아프다. **2** 고통, 괴로움: the *pain* of parting 이별의 쓰라림 **3** (pains) 노력, 수고: I was at *pains* to hide my true feelings. 나는 진심을 애써 숨겼다.

v. [T] 고통을 주다, 괴롭히다: It *pains* me to have to leave, but I must. 떠나야 하는 것이 괴롭지만 나는 떠나야 한다.

— **painful** *adj.* **painfully** *adv.* **painless** *adj.* 아프지 않은

〔숙어〕 **a pain (in the neck)** 짜증나게 하는 사람〔것〕: She's *a* real *pain.* 그녀는 정말 짜증나는 사람이다.

■ 유의어 **pain**

pain 갑자기 오는 쑤시는 듯한 아픔.
ache 오래 계속되는 예리한 또는 둔한 아픔.

painkiller [péinkìlər] *n.* 진통제

painstaking [péinztèikiŋ] *adj.* **1** (조사 · 연구 등이) 면밀한, 철두철미한: They carried out a *painstaking* search to find out the cause of the crash. 그들은 충돌 사고의 원인을 밝혀내려고 면밀한 조사를 실시했다. 〔SYN〕 careful, thorough **2** 수고를 아끼지 않는, 정성을 들이는, 근면한: He is not very smart but he is *painstaking.* 그는 아주 총명하지는 않지만 근면하다. 〔SYN〕 diligent

— **painstakingly** *adv.*

***paint** [peint] *n.* **1** 페인트, 도료: I gave the door a coat of *paint.* 문에 페인트를 칠했다. **2** (paints) 그림물감 (세트)
v. [I,T] **1** 페인트를 칠하다: We *painted* the walls blue. 우리는 벽을 파란색으로 칠했다. **2** (그림물감으로) 그리다: I *paint* in oils. 나는 유화를 그린다. **3** 화장하다, 바르다: She *painted* her nails bright red. 그녀는 손톱에 밝은 빨간색을 발랐다.

painter [péintər] *n.* **1** 페인트공, 칠장이 **2** 화가

painting [péintiŋ] *n.* **1** 그림, 회화 **2** 그림 그리기, 화법 ※ drawing은 painting과 비슷하나 물감 대신 연필, 크레용을 이용한다. **3** 페인트칠

***pair** [pɛər] *n.* **1** (두 개로 된) 한 쌍, 한 짝: a *pair* of shoes[earrings] 구두 한 켤레[귀고리 한 쌍] **2** (두 부분으로 되어 분리할 수 없는) 한 벌: a *pair* of trousers[scissors, glasses] 바지 한 벌[가위 한 자루, 안경 하나] **3** 한 쌍의 남녀, (특히) 부부, 약혼자; 2인조; 한 쌍의 동물
v. [I,T] **1** 한 쌍이 되다, 짝짓다 (off): By the end of the party, most people had *paired* off. 파티가 끝날 때쯤에 대부분의 사람들은 짝을 이루었다. / She tried to *pair* me off with her sister. 그녀는 나를 그녀의 여동생과 짝지어 주려고 했다. **2** (일·스포츠 등에서) 짝이 되다 (up): I hope to be *paired* up with her. 나는 그녀와 짝을 이루고 싶다.
숙어 **in pairs** 두 개가[둘이] 한 쌍이 되어: These earrings are only sold *in pairs.* 이 귀고리는 한 쌍으로만 판다. / We all have to work *in pairs.* 우리 모두는 2인 1조로 일해야 한다.

pajamas [pədʒɑ́:məz] *n.* (*pl.*) ([영] pyjamas) 파자마, 잠옷

pal [pæl] *n.* 친구: a pen *pal* 펜팔, 편지 친구

***palace** [pǽlis] *n.* 궁전, 궁궐

palate [pǽlit] *n.* [해부] 입천장, 구개: the hard[soft] *palate* 경[연]구개

— **palatable** *adj.* (음식이) 입맛에 맞는, 맛난

***pale** [peil] *adj.* **1** (얼굴이) 핼쑥한, 창백한: You look *pale*—are you all right? 창백해 보이는데, 너 괜찮니? **2** (빛깔이) 엷은: a *pale* yellow blouse 옅은 노란색 블라우스 OPP dark
v. [I] **1** 창백해지다 **2** (빛깔이) 엷어지다

palette [pǽlit] *n.* 팔레트, 조색판

palm [pɑ:m] *n.* **1** 손바닥: read one's *palm* …의 손금을 보다 **2** [식물] 야자, 종려 (palm tree)
v. [T] (요술 등에서) 손 안에 감추다
숙어 **palm off 1** (거짓말·핑계 등으로) 남을 속이다 (with): He tried to *palm* her *off* with ingenious stories. 그는 이야기를 교묘히 꾸며 대어 그녀를 속이려했다. **2** (속여서 가짜를) 팔아먹다 (on, upon): He *palmed off* his old computer on me. 그는 나를 속여 그의 오래된 컴퓨터를 팔아 먹었다.

palmtop [pɑ́:mtɑp] *n.* 팜탑 컴퓨터 (손바닥 크기의 휴대용 컴퓨터)

pampas [pǽmpəz] *n.* (the pampas) 팜파스 (남아메리카의 대초원)

pamphlet [pǽmflit] *n.* 팸플릿, 소책자

***pan** [pæn] *n.* 납작한 냄비

pancake [pǽnkèik] *n.* 팬케이크 (밀가루에 달걀을 섞어 프라이팬에 얇게 구운 것)

panda [pǽndə] *n.* [동물] 판다 (히말라야 등지에서 서식하는 흑백곰의 일종)

pane [pein] *n.* (한 장의) 창유리 (windowpane)

panel [pǽnl] *n.* **1** 패널 (천장·벽 등의 한 칸) **2** 토론자단, (전문) 위원단: a *panel* of experts 전문가의 일단 **3** (자동차·기계 등의) 계기판, 패널

pang [pæŋ] *n.* (갑자기 일어나는) 격심한 아픔, 고통; 고민: hunger *pangs* 배고픔 / *pangs* of conscience 양심의 가책

panic [pǽnik] *n.* **1** 돌연한 공포, 당황: They were in a *panic* when a fire started in the building. 건물에 화재가 났을 때 그들은 공포에 사로잡혔다. **2** [경제] 공황

v. [I] (panicked-panicked; panicking) 당황하다, 허둥대다: Don't *panic*! 당황하지 마라!

panorama [pæ̀nərǽmə] *n.* 파노라마, 회전 그림; 전경
— **panoramic** *adj.*

pant [pænt] *v.* [I] 헐떡거리다, 숨차다
n. 헐떡거림, 숨참

panther [pǽnθər] *n.* **1** 표범 (leopard) **2** [미] 퓨마 (puma) **3** 재규어 (jaguar)

panties [pǽntiz] *n.* (*pl.*) (여성·소아용) 팬티

pantomime [pǽntəmàim] **1** 무언극 ([미] mime) **2** [영] 크리스마스 때의 동화극 (panto)

pantry [pǽntri] *n.* 식료품(저장)실

*****pants** [pænts] *n.* (*pl.*) **1** [미] 바지 [SYN] trousers **2** [영] 속바지, (남자용) 팬츠 [SYN] underpants

papaya [pəpáːiə] *n.* 파파야 나무(열매)

*****paper** [péipər] *n.* **1** 종이: a piece of *paper* 종이 한 장 / a *paper* bag 종이 가방 **2** 신문(지): Have you seen today's *paper*? 너 오늘 신문 봤니? **3** (papers) 서류, 문서; 신분 증명서: top-secret *papers* 극비 문서 / The police officer asked to see my *papers*. 경찰관이 나의 신분증을 보여 달라고 요 청했다. **4** 시험 문제(답안)(지): The English *paper* was easy. 영어 시험 문제는 쉬웠다. **5** (연구) 논문: At the conference, I present a *paper* on currency reform. 회의에서 나 는 통화 개혁에 대한 논문을 발표한다.

[숙어] **on paper 1** (구두가 아닌) 서류상으 로 **2** 이론상으로, 가정적으로: Your idea seems fine *on paper*, but I'm not sure it would work in practice. 자 네의 아이디어는 이론상으로는 그럴 듯한데 실 행에 옮길 수 있을 지는 모르겠네. [SYN] in theory

paperback [péipərbæ̀k] *n.* 종이 표지책
cf. hardback, hardcover 두꺼운 표지의 책

paper boy *n.* 신문 배달원

papyrus [pəpáiərəs] *n.* (*pl.* papyri) **1** [식물] 파피루스 (고대 이집트의 제지 원료) **2** 파피루스 종이 **3** 파피루스 사본(고(古)문서)

para- *prefix* '측면, 근접, 초월'의 뜻.: a *para*medic 준(準)의료 활동 종사자 / *para*normal 과학적으로 알 수 없는

parable [pǽrəbəl] *n.* 우화, 비유(담)

parachute [pǽrəʃùːt] *n.* 낙하산

parade [pəréid] *n.* 행렬, 시위 행진; 열병 (식): a victory *parade* 승리의 행진

paradise [pǽrədàis] *n.* **1** (종종 Paradise) 천국, 낙원 [SYN] heaven **2** 낙원 (원하는 활동을 하기에 완벽한 곳): Hawaii is a *paradise* for surfers. 하와이는 파도 타는 사람들을 위한 낙원이다.

paradox [pǽrədàks] *n.* 역설, 자기 모순 된 말
— **paradoxical** *adj.* **paradoxically** *adv.*

paraffin, parafine [pǽrəfin] *n.* **1** [화학] 파라핀 (석유 제조 과정에서 생기는 부 산물) **2** [영] 등유 ([미] kerosene)

paragraph [pǽrəgræ̀f] *n.* (문장의) 절, 단락

parallel [pǽrəlèl] *adj.* **1** 평행의 (to): *parallel* lines 평행선 / The road runs *parallel* to the sea. 길이 바다와 나란히 나 있다. **2** 같은 종류의, 유사한: *Parallel* experiments are being conducted in both countries. 유사한 실험이 양국에서 실 시되고 있다.
adv. 평행하여, 나란히
n. **1** 평행선, 평행물 **2** 유사(물), 필적 하는 것 (사람): His new idea is without *parallel*. 그의 새로운 생각은 유례 없는 것이다.

paralyze, paralyse [pǽrəlàiz] *v.* [T] **1** 마비시키다: The drug *paralyzes* the nerves. 그 약은 신경을 마비시킨다. **2** 활동 불능이 되게 하다, 무력(무효)케 하다: A

general strike *paralyzed* the city. 총파
업으로 도시 기능이 마비되었다.

—**paralyzed** *adj.* 마비된, 무력한

paralysis *n.* [의학] 마비; 활동 불능 (상태),
(교통 등의) 마비 상태

paramount [pǽrəmàunt] *adj.* 최고의,
가장 중요한: Safety of the children is
paramount. 아이들의 안전이 가장 중요하다.

paraphrase [pǽrəfrèiz] *v.* [T] (쉽게) 바
꿔 쓰다(말하다)
n. (알기 쉽게 자세히) 바꾸어 말하기(쓰기),
부연, 의역

parasite [pǽrəsàit] *n.* 기생 동(식)물, 기
생충(균)

—**parasitic** *adj.* 기생하는, 기생물(충)의

parasol [pǽrəsɔ̀:l] *n.* (여성용) 양산,
파라솔

***parcel** [pá:rsəl] *n.* ([미] package) 꾸러
미, 소포

parch [pɑ:rtʃ] *v.* 1 [T] (콩 등을) 볶다, 굽
다: *parched* peas 볶은 콩 2 [I,T] 바싹 말리
다(마르다), (목)마르게 하다

—**parched** *adj.* 바싹 마른, 목타는

***pardon** [pá:rdn] *int.* 1 (무슨 말씀인지)
다시 한 번 말씀해 주십시오 (pardon me, I
beg your pardon.)
※ 끝을 올려 발음한다.
2 죄송합니다 (과실 · 실례를 사과할 때); 실례
지만 (모르는 사람에게 말을 걸거나 상대방의
의견에 반대할 때): I beg your *pardon,*
but which way is to Myeongdong?
실례지만 명동은 어느 쪽으로 가면 됩니까?
※ 끝을 내려 발음한다.
n. 1 [법] 특사, 사면 2 용서, 허용, 관대
v. [T] 용서하다, 관대히 봐주다: *Pardon* me
my offense. 제 잘못을 용서해 주십시
오. / *Pardon* me for interrupting you.
방해해서 미안합니다.

***parent** [pɛ́ərənt] *n.* 어버이 (아버지 또는
어머니); (parents) 양친, 부모

—**parental** *adj.*

parentage [pɛ́ərəntidʒ] *n.* 태생, 가문,

혈통

parenthood [pɛ́ərənthùd] *n.* 어버이임,
어버이로서의 신분, 부모와 자식의 관계

parent-in-law *n.* 시아버지, 시어머니, 장
인, 장모

parish [pǽriʃ] *n.* 1 본당, 교구 2 한 교회
의 전체 신도; [영] 전체 교구민

—**parishioner** *n.* 교구민

***park** [pɑ:rk] *n.* 1 공원, 유원지: Let's go
for a walk in the *park.* 공원에 산책하러
가자. / an amusement *park* 유원지, 놀이
공원 2 [미] 운동장; 경기장: a baseball
park 야구장
v. [I,T] 주차하다: Where did you *park?*
어디다 주차했니?

—**parking** *n.* 주차

parking lot *n.* ([영] car park) 주차장

***parliament** [pá:rləmənt] *n.* 1 의회, 국
회 2 (Parliament) 영국 의회 3 (Parliament)
하원

—**parliamentary** *adj.*

※ Parliament는 상원(the House of
Lords)과 하원(the House of Commons)으
로 구성된다. 한국 국회는 the National
Assembly, 미국 국회는 Congress, 일본 국
회는 the Diet라고 한다.

parlor, parlour [pá:rlər] *n.* 1 객실,
거실 SYN living room 2 가게, …점(店):
an ice-cream *parlor* 아이스크림 가게 / a
beauty *parlor* 미장원 3 (호텔 등의) 특별
휴게(응접)실

parody [pǽrədi] *n.* (풍자적 · 해학적인) 모
방 시문, 패러디, 서투른 모방(흉내): The
play is a *parody* of Shakespeare's
book 'Romeo and Juliet.' 그 연극은
셰익스피어의 '로미오와 줄리엣'을 패러디한 것
이다.
v. [T] 서투르게 흉내내다, 풍자적으로 시문을
개작하다

parole [pəróul] *n.* 가석방, 집행 유예: He
was released on *parole* after serving
a year. 그는 1년간 복역한 후 가석방으로 나

왔다.

parrot [pǽrət] *n.* 앵무새

parsley [páːrsli] *n.* [식물] 파슬리

***part** [pɑːrt] *n.* **1** ((a) part) (전체 속의) 일부, 부분 (of): Which *part* of America do you come from? 당신은 미국 어디 출신입니까? / *Part* of the work is finished. 작업의 일부는 끝났다.

2 (parts) 신체의 일부분; (기계의) 부품, 부속품: the inner *parts* 내장 / spare *parts* for a car 자동차의 예비 부품

3 (연극·영화 등의) 역, 역할: I play the *part* of Juliet. 나는 줄리엣 역을 맡았다.

4 (parts) 지역, 지구: Are you from these *parts*? 당신은 이 지역 출신입니까?

5 (책·TV 시리즈 등의) 부, 편: a novel in three *parts* 3부로 된 소설

6 비율: three *parts* of wine to one *part* of water 포도주 3에 물 1의 비율

7 (머리의) 가르마 ([영] parting)

v. **1** [I,T] 나누어지다, 헤어지다 (from): We exchanged phone numbers when we *parted*. 우리는 헤어질 때 전화 번호를 교환했다. / I don't want to be *parted* from my family. 나는 나의 가족들과 떨어져 있고 싶지 않다.

2 [I,T] 갈라지다, 떨어져 나가다, 떼어 놓다: The river *parts* here. 강은 여기서 분기된다. / A smile *parted* her lips. 그녀는 입술을 약간 벌리며 미소 지었다.

3 [T] (머리를) 가르마 타다: She *parts* her hair in the middle. 그녀는 한가운데 가르마를 탄다.

adv. 일부분은, 얼마간, 어느 정도: The exam is *part* written, *part* practical. 시험은 필기 부분과 실기 부분으로 되어 있다.

[숙어] **for one's part** ···로서는: *For my part* I prefer to stay at home. 나로서는 집에 있는 것이 더 좋다.

for the most part 대개, 대부분은: They were *for the most part* Americans. 그들 대부분은 미국인이었다.

in part 부분적으로, 일부분: He is *in part* to blame for the accident. 그는 사고에 대해 얼마간 비난받게 될 것이다.

on one's part, on the part of ···편 [쪽]에서는: There is no objection *on my part*. 나로서는 이의 없다.

part company with ···와 갈라지다, 절교하다, 의견을 달리하다

part with ···을 버리다, 양도하다, (가진 것을) 내어놓다: I'm reluctant to *part with* my car, but I need the money. 차를 내 놓고 싶지는 않지만 돈이 필요해서요.

play(have) a part in ···에 관여하다

take part in ···에 참가하다: All the students *took part in* the festival. 학생들 모두가 축제에 참가했다.

partake [pɑːrtéik] *v.* [I,T] (partook-partaken) **1** 참가(참여)하다 (in): I'd like to *partake* in the festivities. 나는 축하 행사에 참가하고 싶다. **2** (식사 등을) 같이 하다 (of): They *partook* of our fare. 그들은 우리와 식사를 함께 했다.

partial [páːrʃəl] *adj.* **1** 부분적인; 불완전한 **2** 불공평한, 편파적인: a *partial* opinion 편파적인 의견 [OPP] impartial **3** 몹시 좋아하는 (to): I am *partial* to chocolate. 나는 초콜릿을 몹시 좋아한다.

participant [pɑːrtísəpənt] *n.* 참가자, 관계자

participate [pɑːrtísəpèit] *v.* [I] 참가하다, 관여하다 (in, with): The whole class *participated* in the discussion. 학급 전체가 토론에 참가했다.

— participation *n.*

participle [páːrtəsìpəl] *n.* [문법] 분사

particle [páːrtikl] *n.* **1** 미립자, 극소(량): dust *particles* 먼지 입자 **2** [문법] 불변화사 (관사·전치사·접속사 등 어형 변화가 없는 것)

***particular** [pərtíkjələr] *adj.* **1** (명사 앞에만 쓰임) 특정한, 특히 그: Why did you choose this *particular* chair? 왜 특별히

이 의자를 택했니? **2** (명사 앞에만 쓰임) 각별한, 특별한: You should pay *particular* attention to spelling. 너는 철자에 각별한 주의를 해야 한다. / "Why did you ask?" "No *particular* reason." "왜 물었니?" "특별한 이유는 없어." **3** 개개의, 개별적인: Everybody has their own *particular* problems. 모든 사람은 그들 각자의 문제들이 있다. **4** 꼼꼼한, 까다로운 (about, over): She's very *particular* about what she eats. 그녀는 먹는 것에 매우 까다롭다.
— **particularly** *adv.*

[숙어] **in particular** 특히, 각별히: I like all subjects, but English *in particular*. 나는 모든 과목이 좋지만 특히 영어가 좋다.

parting [pάːrtiŋ] *n.* **1** 헤어짐, 이별 **2** 분할, 분리 **3** [영] (머리의) 가르마

partisan, partizan [pάːrtəzən] *n.* **1** 한동아리, 일당; 당파심이 강한 사람 **2** [군대] 유격병, 게릴라 대원
adj. 당파심이 강한
— **partisanship** *n.* 당파심

partition [pɑːrtíʃən] *n.* **1** (방 · 건물 등을 구분하는) 구획(선), 칸막이 **2** 분할, 분배, 구분
v. [T] 분할[분배]하다, (토지 등을) 구분하다, 칸막이하다: They *partitioned* off part of the living room to make a study. 그들은 거실에 칸막이를 해서 서재를 만들었다.

partly [pάːrtli] *adv.* 부분적으로, 얼마간: I am *partly* responsible. 나도 부분적으로 책임이 있다.

partner [pάːrtnər] *n.* **1** 배우자 (남편 · 아내) **2** 파트너, (댄스 등의) 상대, (게임 등의) 짝, 자기 편: He's my tennis *partner*. 그는 나의 테니스 파트너이다. **3** (일을 함께 하는) 동료, 협력자: *partners* in crime 공범자 **4** (사업의) 공동 출자자: She's a *partner* in a law firm. 그녀는 법률 회사의 공동 출자자이다. / business *partner* 사업 파트너
v. [T] 협력하다, 짝짓다

partnership [pάːrtnərʃîp] *n.* **1** 공동, 협력, 제휴: go into *partnership* 협력[제휴]하다 **2** 조합, 합자 회사

part-time [pάːrttàim] *adj.* 파트 타임의, 시간제의: a *part-time* teacher 시간 강사 *cf.* full-time 전임의

party [pάːrti] *n.* **1** 모임, 파티: a birthday *party* 생일 잔치 / We're having a *party* this Sunday. 우리는 이번 주 일요일에 파티를 연다. **2** 정당, 당파: Which *party* did you vote for in the election? 선거에서 어느 정당에 투표했니? **3** 일행, 패거리: a *party* of tourists 여행단 **4** [법] (계약 · 소송 등의) 당사자, 한쪽 편: The two *parties* are having difficulty agreeing. 양쪽 편이 합의하는 데 어려움이 있다.

*****pass** [pæs] *v.* **1** [I,T] 지나가다: If you *pass* a supermarket, could you get me some milk? 만약 슈퍼마켓을 지나가면 우유 좀 사다 줄래?
2 [I,T] 통과하다, 나아가다, 건너다 (along, down, through): A plane *passed* over our heads. 비행기 한 대가 우리의 머리 위로 지나갔다.
3 [T] 넘겨주다, 건네주다: Please *pass* me the salt. 소금 좀 건네 주십시오.
4 [I,T] [스포츠] (공을) 보내다, 패스하다: Beckham quickly *passed* to Owen. 베컴은 오웬에게 재빨리 패스했다.
5 [I] (때가) 지나다, 경과하다: Four years have *passed* since I last saw you. 내가 너를 마지막으로 본 후로 4년이나 흘렀다.
6 [T] (시간을) 보내다, 지내다: We *passed* the time playing cards. 우리는 카드를 하면서 시간을 보냈다.
7 [I,T] (시험에) 합격하다, (수험생을) 합격시키다: I *passed* my driving test! 나는 운전 면허 시험에 합격했다! / The examiner *passed* me. 감독관은 나를 합격시켜 주었다.
[OPP] fail
8 [T] (의안 등을) 가결[승인]하다: They *passed* a law banning the sale of guns.

그들은 총기 판매 금지법을 승인했다.
9 [T] (판결 등을) 내리다 (on): The judge *passed* sentence of death on him. 재판관은 그에게 사형을 선고했다.
10 [I] (let ... pass) 관대히 봐주다: He was unkind but I let it *pass*. 그가 불친절했지만 나는 관대히 봐주었다.
n. **1** 합격 OPP fail **2** 통행(출입) 허가증, 승차권: You need a *pass* to get into the building. 그 건물에 들어가려면 출입 허가증이 필요하다. / I showed my bus *pass* to the driver. 나는 운전 기사에게 버스 승차권을 보여 주었다. **3** [스포츠] 송구, 패스 **4** 산길, 고갯길
숙어 **come to pass** (일이) 일어나다, 실현되다 SYN take place
pass away 죽다: He *passed away* last year. 그는 작년에 죽었다.
pass by 1 옆을 지나다: I *pass by* your house on the way to school. 나는 학교 가는 길에 너의 집을 지나간다. **2** (시간이) 경과하다 **3** 못 본 체하고 지나가다, 모른 체하다
pass down 대대로 전하다, 물려주다: The skill has been *passed down* from generation to generation. 그 기술은 대대로 전해지고 있다.
pass for …으로 통하다, …으로 간주되다: His mother looks so young she'd *pass for* his sister. 그의 어머니는 너무 젊어 보여서 그의 누나라 해도 통하겠다.
pass on …으로 옮기다, 전하다 (to): Now, let's *pass on* to the next question. 그럼, 다음 질문으로 넘어가자. / Please *pass* the massage *on* to Jane. 제인에게 메시지를 전해 주세요.
pass out 의식을 잃다, 기절하다: I was hit on the head and *passed out*. 나는 머리를 맞고 기절했다. SYN faint
pass over …을 넘다, 간과하다
pass the buck to …에게 책임을 전가하다
pass through 1 …을 통과하다: The road *passes through* a tunnel. 도로는 터널을 통과한다. **2** (학교의) 과정을 수료하다 **3** (어려운 일 등을) 경험하다, 당하다
pass water 오줌 누다 SYN urinate
passable [pǽsəbəl] *n.* **1** 괜찮은, 상당한, 쓸만한: I can speak *passable* English. 나는 영어를 괜찮게 한다. **2** (명사 앞에는 쓰이지 않음) 통행할 수 있는, (강 등이) 건널 수 있는: The path is not *passable* in winter. 겨울에는 그 길로 다니지 못한다. OPP impassable
passage [pǽsidʒ] *n.* **1** 통로; 복도 (passageway) **2** (체내의) 관(管): the nasal *passages* 콧구멍 **3** 통행, 통과: No *passage* this way. 이 길은 통행을 금함. **4** (문장·연설·음악의) 일절, 한 줄: He read a *passage* from the novel. 그는 소설의 한 구절을 읽었다. **5** 경과, 추이: Memories fade with the *passage* of time. 기억들은 시간이 지남에 따라 희미해진다. **6** (바다·하늘의) 수송, 여행
***passenger** [pǽsəndʒər] *n.* 승객
passer-by, passerby *n.* (*pl.* passers-by) 지나가는 사람, 통행인
passion [pǽʃən] *n.* **1** 열정, 격정: a man of *passion* 정열가 **2** (a passion) 격노, 울화: fall(get) into a *passion* 노발대발하다 **3** 열애, 연정, 정열 **4** (a passion) 열망, 매우 좋아함 (for): I have a *passion* for football. 나는 축구를 매우 좋아한다.
passionate [pǽʃənit] *adj.* **1** 열렬한, 열의에 찬: a *passionate* speech 열의에 찬 연설 / a *passionate* supporter 열렬한 지지자 **2** (슬픔·애정 등이) 격렬한, 강렬한: a *passionate* kiss 격렬한 키스
— **passionately** *adv.*
passive [pǽsiv] *adj.* **1** 수동의, 수동적인, 활동적이 아닌: Women at that time were *passive*. 그 당시 여성들은 수동적이었다. **2** [문법] 수동의
OPP active
— **passively** *adv.*

passport [pǽspɔ̀ːrt] *n.* **1** 여권 **2** (a passport to) (어떤 목적을 위한) 수단: Hard work was her *passport* to success. 열심히 일한 것이 그녀의 성공의 수단이었다.

password [pǽswɔ̀ːrd] *n.* 암호: Please enter your *password*. 암호를 입력하세요.

***past** [pæst] *adj.* **1** 지나간, 과거의: in years *past* =in *past* years 과거에 / Winter is *past* and spring has come at last. 겨울이 지나고 마침내 봄이 왔다. **2** (명사 앞에만 쓰임) 방금 지난, (지금부터) … 전: He has been ill for the *past* week. 지난 일주일 동안 그는 아팠다.

prep. adv. **1** (시간적으로) …을 지나(서): It's half *past* ten. 10시 반이다. **2** (공간적으로) …의 저쪽, …을 지나서: The bank is just *past* the cinema. 은행은 극장을 바로 지나서 있다. / The boy walked straight *past* me. 소년은 나를 지나 곧장 걸어갔다. **3** …의 범위를 넘어, …이 미치지 않는: a pain *past* bearing 참을 수 없는 고통 / It's *past* all belief. 그것은 전혀 믿을 수 없다.

n. **1** (the past) 과거: We learn about the *past* in history lessons. 우리는 역사 수업에서 과거에 대해 배운다. / in the *past* 과거에 **2** 과거의 사건, 경력: I know nothing about his *past*. 나는 그의 과거에 대해 아무것도 모른다. **3** (the past) [문법] 과거시제[형]

[숙어] **past it** 너무 나이 들어, 옛날처럼 일을 못해: We should have dropped him from the team—he's *past it*! 저 사람을 팀에서 빼야야 하는 건데. 너무 늙었어!

wouldn't put it past ... (to do) 아무가 능히 …하고도 남으리라 생각하다: I *wouldn't put it past* him *to* cheat in the exams. 그는 시험 볼 때 부정 행위를 하고도 남는다고 생각한다.

pasta [pɑ́ːstə] *n.* 파스타 (달걀을 섞은 가루 반죽을 재료로 한 이탈리아 요리)

***paste** [peist] *n.* **1** (붙이는) 풀 **2** 밀가루 반죽 (파이 등의 재료) **3** 반죽해서 만든 식품, 페

이스트: bean(fish) *paste* 된장(어묵)
v. [T] 풀로 바르다(붙이다)

pasteurize [pǽstəràiz] *v.* [I,T] (우유 등에) 저온 살균을 하다: *pasteurized* milk 저온 살균 우유

—**pasteurization** *n.*

pastime [pǽstàim] *n.* 기분 전환, 오락, 소일거리: Shopping is her favorite *pastime*. 쇼핑은 그녀가 가장 즐기는 기분 전환거리이다. [SYN] hobby

pastoral [pǽstərəl] *adj.* **1** 목사의 **2** 전원(생활)의, 목가적인: a *pastoral* life 전원생활

***pastry** [péistri] *n.* **1** 가루 반죽 **2** 가루 반죽으로 만든 과자(류)

pasture [pǽstʃər] *n.* 목장, 방목장, 목초지

pat¹ [pæt] *v.* [T] (patted-patted) 가볍게 두드리다(치다): He *patted* me on the shoulder. 그는 나의 어깨를 툭 쳤다.
n. 가볍게 두드리기

[숙어] **a pat on the back** 격려, 칭찬(의 말): You've done a great job and you deserve *a pat on the back*. 너는 훌륭히 일을 해냈으니 칭찬받을 만하다.

pat² [pæt] *adj. adv.* (명사 앞에만 쓰임) (해답 · 설명 등이) 적절한, 꼭 들어맞는: You've got a *pat* response to every question. 너는 모든 질문에 적절한 대답을 했다.

patch [pætʃ] *n.* **1** 부스러기, 작은 조각, 파편: There are icy *patches* on the road. 도로에 얼음 조각들이 있다. **2** (옷 등을 깁는) 헝겊 조각: I sewed *patches* on the elbows of my jacket. 나는 재킷의 팔꿈치에 헝겊 조각을 대고 기웠다. **3** 안대 **4** 조그마한 땅, 밭: a cabbage(vegetable) *patch* 양배추(야채)밭
v. [T] …에 헝겊을 대다

—**patchwork** *n.* 여러 헝겊을 잇댄 세공

[숙어] **patch up 1** …에 조각을 대어 수선하다 **2** (사건 · 분규 등을) 수습하다, 조정하다: They tried to *patch up* their differences. 그들은 의견 차이를 조정하려고

애썼다.

patent [pǽtənt] *n.* **1** (전매) 특허(권) **2** (전매) 특허품

adj. **1** (전매) 특허의, 특허권을 가진 **2** 명백한, 뻔한: a patent lie 뻔한 거짓말

v. [T] …의 (전매) 특허를 얻다(주다)

paternal [pətə́:rnl] *adj.* (명사 앞에만 쓰임) **1** 아버지(로서)의, 아버지다운 **2** 아버지 쪽의: He's my paternal grandfather. 그분은 나의 친할아버지시다. *cf.* maternal 어머니 쪽의

paternity [pətə́:rnəti] *n.* 아버지임, 부권, 부계 *cf.* maternity 모성

*****path** [pæθ] *n.* **1** (사람이 다녀서 생긴) 작은 길, 오솔길 **2** (공원 등의) 보도; 경주로: a bicycle path 자전거 길 **3** (인생의) 행로, 방침

pathetic [pəθétik] *adj.* **1** 애처로운: a pathetic scene 애처로운 광경 **2** 감동적인 **3** 형편 없는, 가치 없는, 서투른: That's a pathetic excuse. 그건 서투른 변명이다.

— **pathetically** *adv.*

pathological [pæ̀θəládʒikəl] *adj.* 병리학의, 병리상의; 병적인: He's a pathological liar. 그는 병적인 거짓말쟁이다.

pathos [péiθɑs] *n.* (예술 작품 등의) 비애감, 연민의 정을 자아내는 힘

patience [péiʃəns] *n.* 인내(력), 참을성: She had the patience to hear me out. 그녀는 참을성 있게 끝까지 내 이야기를 들어 주었다. / I lost (my) patience with you. 나는 너를 더는 참을 수 없다. OPP impatience

*****patient**[1] [péiʃənt] *adj.* 인내심이 강한, 참을성 있는 (with): She's patient with children. 그녀는 아이들에게 성미 급하게 굴지 않는다. OPP impatient

— **patiently** *adv.*

*****patient**[2] [péiʃənt] *n.* 병자, 환자

patriot [péitriət] *n.* 애국자, 우국지사

— **patriotism** *n.* 애국심

patriotic [pè̀itriátik] *adj.* 애국적인, 애국의

— **patriotically** *adv.*

patrol [pətróul] *v.* [I, T] (patrolled-patrolled) 순찰하다

n. **1** 순찰: A police car is on patrol in the area. 경찰차가 그 지역을 순찰 중이다. **2** 순찰대, 정찰대: a border patrol 국경 순찰대

patron [péitrən] *n.* **1** (예술·사업 등의) 후원자, 보호자: a patron of the arts 예술 후원자 **2** 단골 손님, 고객

patronage [péitrənidʒ] *n.* **1** 보호, 후원, 찬조 **2** (상점·호텔 등에 대한 고객의) 밀어주기, 애용: Thank you for your patronage. 애용해 주셔서 감사합니다.

patronize, patronise [péitrənàiz] *v.* [T] **1** …에게 생색내다, 선심 쓰는 체하다 **2** …의 단골 손님이 되다

— **patronizing** *adj.* 생색을 내는 **patronizingly** *adv.*

patter [pǽtər] *n.* **1** 타닥타닥 (발소리), 후두두 (빗소리): the patter of rain on the roof 후두두 지붕을 두드리는 빗소리 **2** (호객꾼·세일즈맨 등이 지껄이는) 빠른 말

v. [I] 경쾌하게 움직이다, 타닥타닥 걷다, (비가) 후두두 내리다: Raindrops pattered steadily against the window. 빗방울이 창문을 끊임없이 후두두 때렸다.

*****pattern** [pǽtərn] *n.* **1** (행위·사고의) 형, 방식, 경향: behavior patterns 행동 방식 **2** 도안, 무늬: a skirt with a floral pattern 꽃무늬 치마 SYN design **3** 본, 모형

*****pause** [pɔ:z] *n.* 중지, 휴지, (잠시) 중단: There was a pause in the conversation, and then it continued again. 대화가 잠시 중단되었다가 다시 시작되었다.

v. [I] 잠시 멈추다, 휴지(중단)하다 (for): We paused to look upon the scene. 우리는 잠시 멈추고 경치를 보았다.

pave [peiv] *v.* [T] (종종 수동태) (도로를) 포장하다 (with): The area is paved with bricks set in patterns. 그 지역은 무늬가 만들어지도록 놓인 벽돌들로 포장되어 있다.

—**pavement** *n.* 포장 도로; 인도

[숙어] **pave the way for**(to) …에의 길을 열다(준비하다), …을 가능케 하다: Data from the space probe will *pave the way for* a more detailed exploration of Mars. 무인 우주 탐사선에서 나온 자료가 좀더 상세한 화성 탐험을 가능케 할 것이다.

pavilion [pəvíljən] *n.* **1** [영] (야외 경기장의) 선수석, 관람석 **2** (운동회 등에 쓰는) 대형 천막 **3** (박람회의) 전시관

paw [pɔ:] *n.* (개·고양이·곰 등의) 발 *v.* [I,T] (동물이) 앞발로 긁다(치다) (at): The dog's *pawing* at the door. 개가 문을 앞발로 긁고 있다.

pawn[1] [pɔ:n] *n.* **1** (체스의) 폰, 졸(卒) **2** (남의) 앞잡이

pawn[2] [pɔ:n] *v.* [T] 전당잡히다

—**pawnbroker** *n.* 전당포 업자

pawnshop *n.* 전당포

*****pay** [pei] *v.* (paid-paid) **1** [I,T] (대금을) 치르다, 지불하다 (for): Would you prefer to *pay* by cash or credit card? 현금이나 신용 카드 중에 어느 것으로 지불하시겠습니까? **2** [T] (빚을) 갚다: *pay* a fine 벌금을 물다 / I *paid* him the rent. 나는 그에게 집세를 지불했다. **3** [I,T] (일 등이) 수지 맞다, 이익이 되다: This job doesn't *pay* me. 이 일은 수지가 안 맞다. **4** [I] 벌을 받다, 보답이 있다 (for): You'll *pay* for your foolish behavior. 너는 그 어리석은 짓으로 벌을 받게 될 것이다.

n. **1** 급료, 보수 **2** 지불, 지급

[숙어] **pay back 1** (빚을) 갚다 (to): I'll *pay* you *back* tomorrow. 돈을 내일 갚을게. **2** …에게 보복하다 (for)

pay off 1 빚을 전부 갚다: I expect to *pay* the debt *off* within two years. 2년 안에 빚을 전부 갚으려고 한다. **2** 성과가 있다, 잘 되다: His plan didn't *pay off*. 그의 계획은 별 성과가 없었다.

pay out (돈·임금·빚을) 지불하다

pay up (빚을) 전부 갚다, 청산하다

■ **유의어** pay

pay 급료를 뜻하는 가장 일반적인 말. **wages** 시간·날·주 등의 단기간의 단위로서 육체 노동의 양에 따라 현금으로 지불되는 임금. **salary** 정기적으로 지급되는 봉급. **fee** 의사·변호사 등의 일에 대해 지불하는 사례금. **income** 정기적인, 특히 연간의 또는 이자 수입.

payable [péiəbəl] *adj.* 지불해야 할, 지불할 수 있는: Interest payments are *payable* monthly. 이자 지불은 매달 지불해야 한다. / make the check *payable* to … 에 수표를 발행하다

payday [péidèi] *n.* 지급일, 봉급날

payee [peií:] *n.* (어음·수표 등의) 수취인, 영수인

payment [péimənt] *n.* **1** 지불, 납입: make a *payment* 지불하다 **2** 지불액 **3** 보수, 보상; 보복, 벌

payroll [péiròul] *n.* **1** (종업원의) 급료 지불 명부: on(off) the *payroll* 고용(해고)되어 **2** (종업원의) 급료 지급 총액

PC *abbr.* personal computer 개인용 컴퓨터

PDA *abbr.* personal digital assistant 휴대할 수 있는 작고 가벼운 개인 컴퓨터

PDP *abbr.* plasma display panel [전자] 플라스마 화면 표시판 (방전에 의한 발광을 이용하여 글자·화상을 표시하는 박형 표시 장치)

*****pea** [pi:] *n.* [식물] 완두(콩), 완두 비슷한 콩과 식물

*****peace** [pi:s] *n.* **1** 평화; 평화로운 시기: *peace* talks 평화 회담 **2** 치안, 질서: keep the *peace* 치안을 유지하다 **3** (마음의) 평온, 안심: *peace* of mind 마음의 평정 **4** 고요, 침묵: *peace* and quiet (소란 후의) 정적

[숙어] **at peace 1** 평화롭게: Her mind is *at peace*. 그녀의 마음은 편안하다. **2** 사이좋게 (with): Korea has been *at peace* with Japan. 한국은 일본과 사이좋게 지내고 있다. **3** 고이 잠들어 (죽음을 이르는 부드러운 표현): Now he is *at peace* and his suffering is over. 이제 그는 고이 잠들었고 그의 고통도 끝이 났다.

in peace 편안히, 안심하여: Leave me *in peace*. 나를 방해하지 마라.

make (one's) peace (with) …와 화해하다: Stop fighting you two—shake hands and *make your peace with* each other! 너희 둘 그만 싸워. 악수하고 둘이 화해해!

peaceful [píːsfəl] *adj.* **1** 평화로운 **2** 평온한, 조용한: I had a *peaceful* afternoon. 나는 평온한 오후를 보냈다.
— **peacefully** *adv.* **peacefulness** *n.*

peacekeeping [píːskìːpiŋ] *adj.* (명사 앞에만 쓰임) 평화 유지의: a *peacekeeping* force 평화 유지군

peacetime [píːstàim] *n.* 평시 OPP wartime

*****peach** [piːtʃ] *n.* **1** 복숭아; 복숭아나무 **2** 복숭아빛, 노란빛이 도는 핑크색

peacock [píːkàk] *n.* [조류] 공작 (특히 수컷; 암컷은 peahen)

peak [piːk] *n.* **1** 절정, 최고점: He is now at the *peak* of his career. 그는 지금 (직업에서의) 성공의 최고점에 있다. **2** (뾰족한) 산꼭대기 **3** (뾰족한) 끝, 첨단: the *peak* of a roof 지붕의 꼭대기 **4** (군모 등의) 앞챙
adj. 최고의, 피크의: in the *peak* season 한 철의 최고로 바쁜 때에
v. [I] 최고점(한도)에 달하다: Sales *peaked* in August, then fell sharply. 판매가 8월에 최고점에 달하고 난 후 급격하게 떨어졌다.

peal [piːl] *n.* **1** (종·천둥·포성의) 울림; 울리는 소리 **2** (웃음·박수 등의) 왁자하게 터지는 소리
v. [I] 울리다, 울려 퍼지다

*****peanut** [píːnʌt] *n.* **1** 땅콩 (groundnut) **2** (peanuts) 아주 적은 금액, 푼돈

*****pear** [pɛər] *n.* [식물] 서양배; 서양배나무

pearl [pəːrl] *n.* 진주; (pearls) 진주 목걸이

peasant [pézənt] *n.* **1** 농부, 소작농 **2** 시골뜨기

pebble [pébəl] *n.* 조약돌, 자갈

pecan [pikǽn] *n.* [식물] 피칸 (북아메리카산 호두나무의 일종), 피칸 열매

peck [pek] *v.* [I,T] **1** (부리로) 쪼다, 쪼아 먹다 **2** 급히 입을 맞추다: She *pecked* me on the cheek. 그녀는 내 볼에 가볍게 입맞췄다.
n. **1** 쪼기, 쪼아 먹음 **2** (내키지 않는) 가벼운 키스

peculiar [pikjúːljər] *adj.* **1** 기묘한, 괴상한, 색다른: This soup tastes *peculiar*. 이 수프는 색다른 맛이 난다. SYN odd **2** 독특한, 고유의, 특별한 (to): Every society has its own *peculiar* customs. 어느 사회나 고유의 관습이 있다.
— **peculiarly** *adv.*

peculiarity [pikjùːliǽrəti] *n.* **1** 특색, 특수성: Each college has its own traditions and *peculiarities*. 각 대학은 그 대학만의 전통과 특색이 있다. **2** 기묘, 이상 **3** 버릇: We all have our little *peculiarities*, don't we? 우리 모두는 몇 가지 이상한 버릇들을 가지고 있어, 그렇지 않니?

pedal [pédl] *n.* (자전거·기계류·피아노 등의) 페달, 발판
v. [I,T] 페달을 밟다, 페달을 밟아서 나아가다: I *pedaled* my bicycle up the hill. 나는 자전거 페달을 밟아 언덕을 올라갔다.

peddle [pédl] *v.* [T] 행상하다, 팔고 다니다
※ 특히 불법적인 판매일 때 쓴다.

pedestal [pédəstl] *n.* **1** (조상(彫像) 등의) 주춧대, 받침대 **2** 근저, 기초

pedestrian [pədéstriən] *n.* 보행자; 도보 여행(경주)자

peel [piːl] *v.* **1** [T] (과일 등의) 껍질을 벗기다: *Peel* and chop the potatoes. 감자 껍질을 벗기고 잘게 썰어라. **2** [I,T] (껍질·표면 등을) 벗기다, 벗어지다 (off, away, back): I *peeled* off the price label. 나는 가격표를 벗겨 냈다. / My sunburned skin began to *peel*. 햇빛에 탄 피부가 벗겨지기 시작했다.
n. (과일 등의) 껍질: banana *peels* 바나나

껍질

[축어] **keep one's eyes peeled (for)** ⇨ eye

peep [pi:p] *v.* [I] **1** 엿보다, 슬쩍 들여다보다 (at, into, through): I *peeped* at her through the window. 나는 창문 너머로 그녀를 엿보았다. **2** (차차) 보이기 시작하다, (태양·화초 등이) 나기[피기] 시작하다: The moon *peeped* out from behind the clouds. 달이 구름 속에서 얼굴을 내밀었다.

n. **1** 엿보기, 슬쩍 들여다보기: She took a *peep* at the answers. 그녀는 정답을 슬쩍 보았다. **2** (새·쥐가) 삐악삐악, 찍찍 우는 소리; 작은 소리, 우는 소리

*peer¹ [piər] *n.* **1** 동료, (사회적·법적으로) 동등한 사람 **2** [영] 귀족

peer² [piər] *v.* [I] 자세히 보다 (at, into): I *peered* into every window to find a clue. 나는 단서를 얻기 위해 모든 창 안을 자세히 보았다.

peevish [pí:viʃ] *adj.* 성마른, 안달하는, 까다로운

— **peevishly** *adv.*

peg [peg] *n.* **1** (나무·금속 등의) 걸이못, 나무[대]못 **2** 천막용 말뚝 (tent peg) **3** 빨래집게 (clothes peg, clothes pin)

v. [T] (pegged-pegged) **1** 나무못[말뚝]으로 고정시키다 (out) **2** (통화·물가를) 안정시키다, 고정시키다 (at, to)

pelican [pélikən] *n.* [조류] 펠리컨

pen [pen] *n.* **1** 펜: a fountain *pen* 만년필 **2** (가축의) 우리

penal [pí:nəl] *adj.* (명사 앞에만 쓰임) 형벌의, 형법의, 형사상의: the *penal* code 형법 / a *penal* offense 형사 범죄

penalize, penalise [pí:nəlàiz] *v.* [T] **1** [법] 벌하다, 형을 과하다, …에게 유죄를 선고하다 **2** 불리하게 하다, 궁지에 몰아넣다: The present tax system *penalizes* poor people. 현재 세금 제도는 가난한 사람들에게 불리하다.

penalty [pénəlti] *n.* **1** 형벌, 처벌: The *penalty* for murder was death. 살인에 대한 형벌은 사형이었다. **2** 벌금, 위약금: You should pay a *penalty* equal to 20% of the ticket price when you change your flight plans. 비행 일정을 변경할 때는 표값의 20%에 해당하는 위약금을 지불해야 한다. / a *penalty* clause (계약서의) 위약 조항 **3** 인과 응보; (어떤 행위·상태에 따르는) 불이익, 손실 **4** [스포츠] 반칙에 대한 벌: a *penalty* kick 페널티 킥

pence [pens] *n.* (*pl.*) penny(영국의 화폐 단위)의 복수

*pencil [pénsəl] *n.* 연필

v. [T] 연필로 쓰다[그리다]

[축어] **pencil in** 일단 예정에 넣어 두다

pencil case *n.* 필통

pencil sharpener *n.* 연필깎이

pending [péndiŋ] *adj.* 미정[미결]의, 심리중의: His divorce is still *pending*. 그의 이혼 소송은 아직 심리 중이다.

prep. …중, …의 사이, …할 때까지는: A decision has been delayed *pending* an investigation. 조사할 때까지는 결정이 연기되었다.

pendulum [péndʒələm] *n.* **1** (시계 등의) 추, 진자 **2** 추세, 동향: The *pendulum* of public opinion has swung against the government. 여론의 동향이 정부와 반대하여 돌아가고 있다.

penetrate [pénətrèit] *v.* [I,T] **1** 꿰뚫다, 관통하다, 침투하다: The bullet *penetrated* his chest. 총알이 그의 가슴을 관통했다. / The flashlight *penetrated* the darkness. 빛이 어둠 속을 비췄다. **2** (진의·진상 등을) 간파하다, 통찰하다, 이해하다: Scientists have still not *penetrated* the mysteries of nature. 과학자들은 아직도 자연의 신비를 파악하지 못하고 있다. / It's hard to *penetrate* the meaning of her words. 그녀 말의 의미를 간파하는 것은 어렵다.

— **penetration** *n.*

penetrating [pénətrèitiŋ] *adj.* **1** 꿰뚫

는, 관통하는, 날카로운: a *penetrating* look 꿰뚫어 보는 눈빛 **2** 통찰력이 있는, 예리한, 이해가 빠른: a *penetrating* view 예리한 의견 **3** (목소리 등이) 잘 들리는, 날카로운

***penguin** [péŋgwin] *n.* 펭귄

penicillin [pènəsílin] *n.* [약학] 페니실린

peninsula [pinínʃələ] *n.* 반도 (육지가 바다에 길게 돌출하여 삼면이 바다로 둘러싸여 있는 부분)

penknife [pénnàif] *n.* 주머니칼

pen name *n.* 필명, 아호

penniless [pénilis] *adj.* 무일푼의, 몹시 가난한: He is a *penniless* artist. 그는 무일푼의 예술가이다.

penny [péni] *n.* (*pl.* pence, pennies) **1** [영] 1페니 (*abbr.* p; 영국의 화폐 단위) **2** [미] 1센트 동전

■ 용법 penny

1 금액을 말하는 복수는 pence, 동전의 개수를 말하는 복수는 pennies임.: Please give me six *pennies* for this sixpence. 이 6펜스를 동전 6개로 바꿔 주세요.
2 twopence [tʌ́pəns], threepence [θrépəns]에서 twelvepence까지와 twentypence는 한 단어로 쓰고 [-pəns]로 약하게, 나머지는 두 단어로 써서 [-péns]라고 발음한다.

---

pen pal *n.* ([영] pen friend) 펜팔, 편지를 통하여 사귀는 친구: I've got a *pen pal* in Canada. 나는 캐나다에 펜팔 친구가 있다.

pension [pénʃən] *n.* 연금: draw one's *pension* 연금을 타다
—**pensioner** *n.* 연금 수령자[생활자]

pensive [pénsiv] *adj.* 생각에 잠긴, 시름에 젖은, 구슬픈

penta- *prefix* '다섯'의 뜻.
※ 모음 앞에는 pent-라고 쓴다.

pentagon [péntəgàn] *n.* **1** [수학] 5각형, 5변형 **2** (the Pentagon) 미국 국방부

***people** [píːpl] *n.* (*pl.*) **1** (일반적) 사람들: There are a lot of *people* in the room. 방에 사람들이 많다. **2** (관사 없이) 세인, 세상 사람들: *People* say that ... …이라고들 한다 **3** (*pl.* peoples) 국민, 민족: Abraham Lincoln spoke of 'government of the *people*, by the *people*, for the *people*.' 아브라함 링컨은 '국민의, 국민에 의한, 국민을 위한 정치'에 관해 말했다. / the *peoples* of Asia 아시아의 여러 민족 **4** (한 지방의) 주민, (어느 계급 · 단체 · 직업 등의) 사람들: city *people* 도시 사람들 / young *people* 젊은 사람들 **5** (the people) 서민, 일반 민중, 하층 계급 **6** 가족, 친척: Will you meet my *people*? 우리집 가족들을 만나 보시겠어요?

***pepper** [pépər] *n.* **1** 후추; 후추나무 **2** 고추
v. [T] (보통 수동태) **1** (후추를) 뿌리다 **2** (질문 · 총알 등을) …에 퍼붓다 (with): He was *peppered* with questions. 그는 질문 세례를 받았다.

peppermint [pépərmìnt] *n.* **1** [식물] 박하; 박하 기름

per [pər] *prep.* **1** (배분) …에 대해, …마다: The meal will cost $25 *per* person. 식사는 1인당 25달러이다. / The speed limit is 70 miles *per* hour. 속도 제한은 시속 70마일이다. **2** (수단 · 행위자) …에 의하여, …으로: *per* post[rail] 우편으로[철도로]

per capita [pər-kǽpitə] *adj. adv.* 1인당(의), 머릿수로 나눈[나누어]: *Per capita* income fell sharply this year. 올해 1인당 수입이 급격히 떨어졌다.

perceive [pərsíːv] *v.* [T] **1** 지각하다, 감지하다: I *perceived* a faint light in the distance. 나는 멀리 희미한 불빛을 감지했다. **2** 이해하다, 파악하다: We *perceived* by his face that he had failed in the attempt. 그의 얼굴에서 그 시도가 실패했음을 알았다.

***percent, per cent** [pərsént] *n.* (*pl.* percent(s)) 퍼센트, 백분 (기호 %); 백분율

adj. (숫자와 함께) …퍼센트의, 백분의: a 15 *percent* rise 15퍼센트 인상

percentage [pərséntidʒ] *n.* 백분율; 비율: What *percentage* of students passed the exam? 몇 퍼센트의 학생들이 시험에 합격했니?

perceptible [pərséptəbəl] *adj.* 인지〔지각〕할 수 있는; 눈에 띄는, 상당한 OPP imperceptible
— **perceptibly** *adv.*

perception [pərsépʃən] *n.* **1** 지각 (작용), 지각력, 인식 **2** 견해: What is your *perception* of marriage? 결혼에 대한 너의 견해는 어떠니?

perceptive [pərséptiv] *adj.* 지각하는, 지각력이 있는, 통찰력이 있는
— **perceptively** *adv.*

perch [pə:rtʃ] *v.* **1** [I] (새·사람이) …에 앉다, 자리 잡다 **2** [I,T] (보통 수동태) (불안정한〔높은〕 곳에) 놓다, 앉히다: The house is *perched* on top of a high hill. 그 집은 높은 언덕의 꼭대기에 서 있다.
n. **1** (새의) 횃대 **2** 높은 지위, 편안한 자리

percussion [pə:rkʌʃən] *n.* **1** 충격; 충돌; 진동 **2** [음악] 타악기
— **percussive** *adj.*

perfect [pə́:rfikt] *adj.* **1** 완전한, 완벽한: The car is two years old but it's in *perfect* condition. 차가 2년이 되었지만 완벽한 상태이다. / Her performance was *perfect*. 그녀의 공연은 완벽했다. OPP imperfect **2** 꼭 들어맞는, 이상적인 (for): The weather is *perfect* for a picnic. 소풍 가기에 날씨가 그만이다. / You would be *perfect* for the job. 네가 그 일에 꼭 들어맞는 사람이다. **3** (명사 앞에만 쓰임) 순전한, 전적인, 철저한: a *perfect* fool 진짜 바보 / a *perfect* stranger 전혀 낯선 사람 **4** 정확한, 순수한: a *perfect* circle 완전한 원 / a *perfect* gentleman 신사 중의 신사 **5** [문법] 완료의
n. [문법] 완료 시제: the present〔future,

past〕*perfect* 현재〔미래, 과거〕완료
v. [T] [pə(:)rfékt] 완성하다, 완전히 하다: I'm trying to *perfect* my English. 나는 영어를 완전히 하기 위해 노력하고 있다.
— **perfectly** *adv.*

perfection [pərfékʃən] *n.* 완전, 완성, 완벽: to *perfection* 완전히, 더할 나위 없이

perform [pərfɔ́:rm] *v.* **1** [T] 실행하다, 이행하다: The operation will be *performed* next week. 수술은 다음 주에 할 것이다. **2** [I,T] 공연하다, 연기하다, 연주하다: He will be *performing* on stage tonight. 그는 오늘 밤 무대에서 공연할 것이다. **3** [I] (기계·사람이) (잘, 서투르게) 작동하다, 일하다 (well, badly, poorly): The car *performs* well on curves. 차가 곡선 도로에서 잘 달린다.
— **performer** *n.* 실행자; 연기〔연주〕자

performance [pərfɔ́:rməns] *n.* **1** 상연, 공연, 연기, 연주: give a *performance* 상연〔공연〕하다 **2** 성적, 성과: My *performance* in the exams was disappointing. 나의 시험 성적은 기대에 어긋났다. **3** (기계 등의) 성능; 운전: The car's *performance* on mountain roads was impressive. 산악 도로에서 그 차의 성능은 대단히 좋았다. **4** 실행, 수행: the *performance* of one's duty 직무 수행

perfume [pə́:rfju:m, pərfjú:m] *n.* **1** 향수, 향료 ([영] scent) **2** 향기, 방향(芳香)

perhaps [pərhǽps] *adv.* 아마, 형편에 따라서는: *Perhaps* he has lost it. 아마 그는 그것을 잃어버렸는지도 모른다.

■ 유의어 perhaps
perhaps, maybe 가능성은 있지만 확실성은 없음을 나타내며, 가능성의 크고 적음은 문제시하지 않음. **possibly** 가능성은 있지만 확실하지는 않음. **probably** 가능성이 크고 아주 있을 법함.

---

peril [pérəl] *n.* 위험, 위기; 위험물: I was in *peril*. 나는 위험에 처했다. / The doctor had warned me about the *perils* of drug abuse. 의사는 나에게 약물 남용에 따르는 위험에 대해 경고했었다.

※ danger, dangerous가 좀더 일반적인 말이다.

— **perilous** *adj.*

*period [píəriəd] *n.* **1** 기간: for a six-week *period* 6주간 **2** 시대, (발달 과정의) 단계: What *period* of history are you most interested in? 역사상 어느 시기에 가장 관심이 있니? **3** (학교의) 수업 시간, 교시; (전반 · 후반 등의) 경기의 구분: We have six *periods* of English a week. 일주일에 영어 수업 시간이 6시간 있다. / the second *period* 2교시 **4** (여성의) 월경, 생리 **5** [문법] 마침표, 종지부 ([영] full stop)

periodic [pìəriádik] *adj.* 주기적인, 정기의

— **periodically** *adv.*

periodical [pìəriádikəl] *n.* 정기 간행물 (일간지 제외), 잡지

perish [périʃ] *v.* [I] 멸망하다, 썩어 없어지다, 죽다: Hundreds *perished* in the earthquake. 수백 명이 지진으로 죽었다.

— **perishable** *adj.* (음식이) 썩기 쉬운

*permanent [pə́:rmənənt] *adj.* 영구한, 영속하는; 불변의: Are you looking for a temporary job or something *permanent*? 임시직을 찾고 있니 아니면 계속해서 할 일을 찾고 있니?

— **permanently** *adv.* **permanence** *n.*

permissible [pə:rmísəbəl] *adj.* 허용할 수 있는, 무방한 정도의: They have been exposed to radiation above the *permissible* level. 그들은 허용치 이상의 방사선에 노출되어 있다.

permission [pə:rmíʃən] *n.* 허가, 허락, 면허: Who gave you *permission* to leave early? 누가 일찍 가도 좋다고 허락해 주었니? / You have to get *permission* from the city to build your house. 집을 지으려면 시의 허가를 얻어야 한다. / I used my father's car without *permission*. 나는 허락을 받지 않고 아버지의 차를 썼다.

permissive [pə:rmísiv] *adj.* 허용〔허가〕하는; 관대한

*permit [pə:rmít] *v.* (permitted-permitted) **1** [T] 허락하다, 허가하다: Smoking is not *permitted* here. 여기서는 흡연이 허용되지 않는다. / The visa *permits* you to stay for a month. 그 비자로 당신은 한 달간 머물 수 있다. **2** [I,T] (사정이) …을 가능케 하다, 용납하다: We'll have a picnic next Saturday, weather *permitting*. 날씨만 좋다면 우리는 다음 주 토요일에 소풍을 갈 것이다.

n. [pə́:rmit] 허가증, 면허증: You can't park here without a *permit*. 허가증 없이 여기에 주차할 수 없습니다. / a travel 〔export〕 *permit* 여행〔수출〕 허가증

perpendicular [pə̀:rpəndíkjələr] *adj.* **1** 직각을 이루는, 수직의: a *perpendicular* line 수직선 [SYN] vertical [OPP] horizontal **2** 깎아지른, 급경사의

perpetual [pərpétʃuəl] *adj.* **1** 영구의, 영속하는, 종신의: They lived in *perpetual* fear of being discovered and arrested. 그들은 발각되어 체포될 거라는 계속되는 두려움 속에 살았다. **2** 부단한, 끊임없는: She resented his *perpetual* complaining about her cooking. 그녀는 그녀의 요리에 대한 그의 끊임없는 불평에 분개했다. [SYN] continual

— **perpetually** *adv.*

perpetuate [pə(:)rpétʃuèit] *v.* [T] 영속시키다, 끊이지 않게 하다

perpetuity [pə̀:rpətjú:əti] *n.* 영속, 불멸, 영원: in *perpetuity* 영구히, 영원히

perplex [pərpléks] *v.* [T] 당혹케 하다, 난감하게 하다: I was somewhat *perplexed* by his answer. 나는 그의 대답에 다소 당황했다.

— **perplexed** *adj.* **perplexity** *n.*

persecute [pə́:rsikjù:t] *v.* [T] **1** (종종

수동태) (종교·주의 등의 이유로) 박해하다,
학대하다 **2** 성가시게 요구하다, 괴롭히다
— **persecution** *n.* (특히 종교상의) 박해
persecutor *n.* 박해자

persevere [pə̀:rsəvíər] *v.* [I] 참다, 견디
다 (at, in, with): Despite the difficulties,
I'm going to *persevere* with my
studies. 어려움에도 불구하고 나는 연구를 끝
까지 해낼 것이다.
— **perseverance** *n.*

persist [pə:rsíst] *v.* [I] **1** 고집하다, 주장하
다, 끝까지 하다 (in, in doing, with): Don't
persist in asking silly questions. 어리
석은 질문을 계속하지 마라. **2** 지속되다, 존속
하다: If the pain *persists*, consult a
doctor. 통증이 지속되면 의사에게 진찰을 받
아라.
— **persistence** *n.*

persistent [pə:rsístənt] *adj.* **1** 고집하
는, 끈덕진: He is very *persistent*. 그는 매
우 끈덕지다. **2** 영속하는, 끊임없는: a
persistent cough 끊임없는 기침
— **persistently** *adv.*

*****person** [pə́:rsən] *n.* **1** 사람, 인간, 인물,
인격: He's a very dangerous *person*. 그
는 매우 위험한 인물이다. / She's nice as a
person, but she's not right for the job.
그녀는 인간적으로는 좋지만 그 일에는 적합하
지 않다. **2** (-person) (복합어를 이루어) …하
는 사람: chair*person* 의장 / spokes*person*
대변인 / sales*person* 판매원 **3** [문법] 인칭
[숙어] **in person** 본인 자신이, 몸소: You
had better go and speak to him *in
person*. 네가 가서 직접 그에게 말하는 것이 좋
겠다.

persona [pərsóunə] *n.* (*pl.* personae,
personas) **1** (극·소설 등의) 등장 인물 **2** 사
람, 인물 **3** [심리] 외적 인격, 페르소나 (가면
을 쓴 인격): He has a very cheerful
public *persona*. 그는 매우 쾌활한 성격을 가
지고 있다.

personal [pə́:rsənəl] *adj.* **1** 개인의, 자기

만의: That's my *personal* opinion. 그것
이 나의 개인적인 의견이다. / a *personal*
matter 개인적인 일 **2** 본인 스스로의, 직접
의: The president made a *personal*
visit to the victims in the hospital. 대
통령은 입원해 있는 희생자들을 직접 찾아가 보
았다. **3** (특정) 개인에 관한, 사적인; 인신 공
격의: May I ask you a *personal*
question? 사적인 질문을 해도 될까요? /
You don't have to get so *personal*!
그렇게 인신 공격을 할 필요는 없잖아! /
personal abuse 인신 공격 **4** (물건에 대하
여) 인격적인, 인간의: *personal* factors 인
간적 요소 **5** 신체의, 용모의: a *personal*
appearance 용모 **6** [문법] 인칭의:
personal pronoun 인칭 대명사

personality [pə̀:rsənǽləti] *n.* **1** 개
성, 성격, 인격: She has a friendly
personality. 그녀는 다정한 성격을 지녔다. **2**
강렬한 개성, 매력: He has a great
personality. 그는 아주 매력적인 인물이다. **3**
(스포츠·TV 등의) 인물, 유명인: a televi-
sion *personality* 텔레비전의 인기 배우

personalize, personalise
[pə́:rsənəlàiz] *v.* [T] **1** (보통 수동태) …에
이름〔주소 등〕을 넣다〔붙이다〕: *personalized*
handkerchiefs 이름을 넣은 손수건 **2** 개인
화하다 **3** 인격화하다, 의인화하다

personally [pə́:rsənəli] *adv.* **1** 나 개인
적으로〔는〕, 자기로서는: *Personally*, I don't
care to go. 나로서는 가고 싶지 않다. **2** 몸
소, 스스로: I will thank him *personally*.
내가 직접 그를 만나서 인사하겠다. **3** (아무의)
감정을 상하게 하려는 의도로, 빗대어 **4** 인품
으로서〔는〕, 개인으로서: I like him
personally, but dislike the way he
conducts business. 그의 인품은 좋아하지
만, 사업하는 방법은 마음에 들지 않는다.
[숙어] **take ... personally** …을 기분 나
쁘게 받아들이다, …에 화를 내다: Please
don't *take* it *personally*, but I would
just rather stay at home today. 기분

나쁘게 생각하지는 말았으면 좋겠는데, 난 오늘 그냥 집에 있고 싶어.

personify [pə:rsánəfài] *v.* [T] **1** …의 화신(전형)이 되다: She seems to *personify* goodness. 그녀는 선의 전형인 것 같다. **2** 의인화하다, 인격화하다
— **personification** *n.*

personnel [pə:rsənél] *n.* **1** (집합적) (관청·회사 등의) 전직원, 임원; [군대] 대원 **2** 인사부(국, 과) (personnel department)

perspective [pə:rspéktiv] *n.* **1** 시각, 견지, 관점: Overseas travel gave me a new *perspective* on life. 해외 여행이 나에게 삶에 대한 새로운 시각을 주었다. / The novel is written from the *perspective* of a child. 그 소설은 아이의 관점으로 쓰여졌다. **2** 견해, 사고 방식 **3** 원근(화)법

perspiration [pə:rspəréiʃən] *n.* 발한 (작용), 땀
※ sweat이 좀더 일반적인 말이다.

perspire [pərspáiər] *v.* [I] 땀을 흘리다, 발한하다; 증발하다
— **perspiratory** *adj.* **perspiration** *n.*

*****persuade** [pə:rswéid] *v.* [T] **1** 설득하다: I *persuaded* him to come to the party. 나는 그가 파티에 오도록 설득했다. OPP dissuade **2** 믿게 하다, 납득시키다; …을 확신케 하다: How can I *persuade* you of my sincerity? 저의 성실함을 어떻게 하면 믿어 주실런가요? / I was *persuaded* of his innocence. 나는 그가 무죄임을 확신했다.

persuasion [pərswéiʒən] *n.* **1** 설득 **2** 확신, 신념; 신앙 **3** 신조; 종파, 파벌: He is the Roman Catholic *persuasion*. 그는 가톨릭 신자다.

persuasive [pərswéisiv] *adj.* 설득 잘하는, 설득력 있는: a *persuasive* argument 설득력 있는 주장
— **persuasively** *adv.* **persuasiveness** *n.*

pertain [pə:rtéin] *v.* [I] 속하다, 부속하다; 관계하다; 적합하다: Your remark does not *pertain* to the question. 너의 발언은

이 문제와 관계가 없다.

pertinent [pə:rtənənt] *adj.* **1** 타당한, 적절한: a *pertinent* question 적절한 질문 **2** 관련된; …에 관한 (to): *pertinent* details 관련 항목 OPP impertinent

pervade [pərvéid] *v.* [T] …에 널리 퍼지다, …에 가득 차다: Spring *pervades* the air. 봄기운이 대기에 만연하다.

pervasive [pərvéisiv] *adj.* 널리 퍼지는, 어디에나 있는: He lives with a *pervasive* sense of guilt. 그는 온통 죄책감에 젖어 살고 있다.

perverse [pərvə́:rs] *adj.* 외고집의, 성미가 비꼬인
— **perversely** *adv.* **perversity** *n.*

perversion [pərvə́:rʒən] *n.* **1** (의미의) 곡해, 왜곡; 악용 **2** [정신의학] (성)도착: sexual *perversion* 성(적)도착

pervert [pə:rvə́:rt] *v.* [T] **1** 나쁜 길로 이끌다, 타락시키다 **2** 악용하다, 곡해하다 *n.* [pə́:rvə:rt] **1** 타락자; 변절자 **2** 성도착자

pessimism [pésəmìzəm] *n.* 비관; 비관론, 염세주의 OPP optimism
— **pessimistic** *adj.* **pessimistically** *adv.* **pessimist** *n.* 염세주의자

pest [pest] *n.* **1** 유해물, 해충 **2** 골칫덩어리: That child is a real *pest*. 저 아이는 정말 골칫덩어리다.

pesticide [péstəsàid] *n.* 살충제

*****pet** [pet] *n.* **1** 애완 동물 **2** 총아, 마음에 드는 사람, 귀염둥이

petal [pétl] *n.* 꽃잎

petition [pitíʃən] *n.* 청원(서), 탄원(서): More than 10,000 people signed the *petition* demanding a new bridge. 만 명 이상이 새 다리를 지어 달라는 청원서에 서명했다.
v. [I,T] 청원(탄원, 진정)하다

petrol [pétrəl] *n.* ([미] gas, gasoline) 가솔린, 정유, 경유

petroleum [pitróuliəm] *n.* 석유

petticoat [pétikòut] *n.* **1** 페티코트, 속치마 **2** (petticoats) 어린이 옷, 여성복

petty [péti] *adj.* (pettier-pettiest) **1** 사소한, 대단찮은: *petty* crime 경범죄 **2** 마음이 좁은, 쩨쩨한, 비열한: *petty* revenge 비열한 복수
— **pettiness** *n.*

PG *abbr.* parental guidance [영화] 부모의 지도가 요구되는 영화, 미성년자 부적당 영화: The film's a *PG*. 이 영화는 보호자의 지도가 요망된다.

pH [pìːéitʃ] *n.* [화학] 페하(피에이치) 지수 (수소 이온 농도를 나타내는 기호)
※ pH 지수가 7이하이면 산성, 7이상이면 알칼리성으로 나타낸다.

phantom [fǽntəm] *n.* **1** 유령, 환영
※ ghost가 좀더 일반적인 말이다.
2 환각, 망상

pharmacist [fáːrməsist] *n.* 약사 (pharmaceutist)

pharmacology [fàːrməkálədʒi] *n.* 약리학, 약물학
— **pharmacological** *adj.*

pharmacy [fáːrməsi] *n.* **1** 약국 **2** 조제술, 약학

phase [feiz] *n.* (발달·변화의) 단계, 국면: The first *phase* of the project should be finished by next month. 프로젝트의 첫 단계는 다음 달까지 끝나야 한다.
v. [T] (단계적으로) 실행하다, 조정하다, 예정을 짜다
[숙어] **phase in** 단계적으로 도입하다: The government is going to *phase in* the new health care system over the next five years. 정부는 앞으로 5년간 새 건강 관리 제도를 단계적으로 도입할 것이다.
phase out 단계적으로 제거[폐지]하다

pheasant [fézənt] *n.* (*pl.* pheasant(s)) 꿩

phenomenal [finámənəl] *adj.* 놀라운, 경이적인: The film has been a *phenomenal* success. 영화는 놀라운 성공을 거두었다.
— **phenomenally** *adv.*

phenomenon [finámənàn] *n.* (*pl.* phenomena) 현상, 경이: a natural *phenomenon* 자연 현상

phew [pyː, fjuː] *int.* **1** 체, 이런 (불쾌·놀람·피로 등을 나타낼 때): *Phew*, it's hot! 아이, 더워! **2** 휴 (어렵고 힘든 일이 끝났거나 일어나지 않아서 기쁨과 안도를 나타낼 때): *Phew*! I'm glad that the exam is over. 휴! 시험이 끝나서 좋다. [SYN] whew

philanthropist [filǽnθrəpist] *n.* 박애가, 박애주의자, 자선가

philanthropy [filǽnθrəpi] *n.* **1** 박애, 자선 **2** (종종 *pl.*) 자선 행위[사업, 단체]
— **philanthropic** *adj.* **philanthropically** *adv.*

philosopher [filásəfər] *n.* 철학자

philosophical [filəsáfikəl] *adj.* **1** 철학(상)의 **2** 달관한, 체념한 (about): He seems *philosophical* about losing his job. 그는 일자리를 잃은 것에 체념한 것 같다.

philosophy [filásəfi] *n.* **1** 철학 **2** 원리, 근본 사상: the *philosophy* of religion [science] 종교[과학]의 원리 **3** 인생관

phobia [fóubiə] *n.* **1** (특정 사물·활동·상황에 대한) 병적 공포[혐오], 공포병[증]: My sister has a *phobia* about heights. 내 여동생은 높은 곳을 굉장히 무서워한다.

-phobia *suffix* '…공(恐), …병(病)'의 뜻.: xeno*phobia* 외국인 공포증[기피증] / claustro*phobia* 폐소 공포증 / aqua*phobia* 물 공포증

phoenix, phenix [fíːniks] *n.* (이집트 신화의) 불사조

phone [foun] *n.* 전화(기): The *phone* is ringing—would you answer it? 전화벨이 울리는데 당신이 좀 받아 줄래요? / You can contact me by *phone*. 저에게 전화로 연락하세요.
v. [I,T] 전화를 걸다: I will *phone* you tomorrow. 내일 너에게 전화할게. [SYN]

ring, call

[숙어] **on the phone**(**telephone**) **1** 통화 중인, 전화 상으로: We talk *on the phone* about twice a week. 우리는 일주일에 두 번 정도 전화 통화를 한다. **2** (집·사무실에) 전화가 있는: I'll have to write to him because he's not *on the phone*. 그의 집에 전화가 없기 때문에 편지를 보내야겠다.

phonetic [founétik] *adj.* 음성의, 음성을 표시하는: a *phonetic* alphabet 음표 문자

—**phonetically** *adv.* **phonetics** *n.* 음성학

phony, phoney [fóuni] *adj.* (phonier-phoniest) 가짜의, 엉터리의: I gave the police a *phony* driver's license. 나는 경찰에게 가짜 운전 면허증을 주었다. / a *phony* English accent 엉터리 영국 악센트

phosphorus [fásfərəs] *n.* [화학] 인(燐) (비금속 원소; 기호 P)

photo [fóutou] *n.* 사진 ⇨ photograph

photocopy [fóutoukɑ̀pi] *n.* (서류 등의) 사진 복사 [SYN] Xerox

v. [T] (서류 등을) 사진 복사하다

—**photocopier** *n.* 복사기

photograph [fóutəgræf] *n.* 사진 (photo): a color(black-and-white) *photograph* 칼라(흑백) 사진 / I took a lot of *photographs* of the children. 나는 아이들 사진을 많이 찍었다.

v. **1** [T] 사진을 찍다 **2** [I] (보통 well, badly와 함께 쓰여) 사진발이 …하다: I always *photograph* badly(well). 나는 늘 사진이 잘 받지 않는다(받는다).

—**photographer** *n.* 사진가

photography *n.* 사진술, 사진 촬영

photon [fóutɑn] *n.* [물리] 광양자, 광자 (빛 에너지의 양, 단위)

photosynthesis [fòutousínθəsis] *n.* [생물] 광합성

phrasal verb *n.* [문법] 동사구 (동사가 부사나 전치사와 함께 쓰여 새로운 의미를 가짐)

phrase [freiz] *n.* [문법] 구(句)

v. [T] (어떤 특정한 표현으로) 말하다, 말로 표현하다: He *phrased* his criticisms carefully. 그는 조심스레 자신의 평을 말했다.

physical [fízikəl] *adj.* **1** 육체의, 신체의: *physical* strength 체력 / *physical* exercise 체조, 운동 **2** 물질의, 물질적인, 실제의: the *physical* world 물질계 / There's no *physical* evidence. 물적 증거가 없다. **3** 물리학(상)의, 물리적인: *physical* chemistry 물리 화학 **4** 자연의, 자연에 관한

—**physically** *adv.*

physician [fizíʃən] *n.* **1** [미] (일반적으로) 의사 **2** 내과의(사) *cf.* surgeon 외과의사

physics [fíziks] *n.* (*pl.*)(단수 취급) 물리학

—**physicist** *n.* 물리학자

physiology [fìziálədʒi] *n.* 생리학

—**physiological** *adj.* **physiologist** *n.* 생리학자

physique [fizíːk] *n.* 체격, 체형: a man of strong *physique* 체격이 튼튼한 사람

piano [piǽnou] *n.* (*pl.* pianos) 피아노

—**pianist** *n.* 피아니스트

pick [pik] *v.* [T] **1** 골라잡다, 고르다: In the end, she *picked* the red dress. 결국 그녀는 빨간색 드레스를 골랐다. / She is *picked* for the Olympic team. 그녀는 올림픽 팀에 뽑혔다. **2** (꽃·과일 등을) 따다, 뜯다: I *picked* some apples this morning. 나는 오늘 아침에 사과를 좀 땄다. **3** (손가락으로) 쑤시다, 뽑아 내다: Stop *picking* your nose! 코 좀 그만 후벼라! / He *picked* food from his teeth. 그는 이를 쑤셔 음식물을 제거했다. / She *picked* a hair off her sweater. 그녀는 스웨터에 붙은 머리카락을 떼어 냈다. **4** (pick one's way) (발 디딜 데를 골라) 조심스럽게 나아가다

n. **1** 선택(권): We've got tea, coffee, or orange juice—take your *pick*. 홍차, 커피, 오렌지 주스가 있습니다. 원하는 걸 고르세요. **2** 정수(精粹), 엄선된 것: It's the *pick* of this month's new movies. 그것이 이번 달 새 영화들 중에 가장 좋은 것이다. **3** 곡괭이,

채굴기

[숙어] **have a bone to pick with** ⇨ bone

pick a fight (with) …에게 싸움을 걸다

pick a lock (자물쇠를 열쇠 등으로) 열다

pick a(one's) pocket (지갑·포켓에서) 훔치다, 소매치기하다

pick and choose 고르고 고르다, 엄선하다

pick at 1 …을 조금씩 먹다 **2** …에 손을 대다, …을 만지다

pick off 한 사람씩 겨누어 쏘다: Snipers *picked* the soldiers *off* one by one. 저격병들이 군인들을 차례로 쏘았다.

pick on 1 …을 괴롭히다: Why don't you *pick on* someone your own size? 너하고 덩치가 비슷한 아이나 괴롭히지 그러냐? **2** …을 비난하다(나무라다): Why does my mom always *pick on* me? 어머니는 왜 늘 나를 나무라시는 걸까?

pick out 1 골라 내다: We finally *picked out* a present for Jane. 우리는 마침내 제인을 위한 선물을 골랐다. **2** 분간하다, 식별하다: I could *pick* my mother *out* easily in the old photos. 나는 옛날 사진에서 우리 엄마를 쉽게 분간할 수 있었다.

pick up 1 집어 들다, 줍다: She *picked up* her son and kissed him. 그녀는 아들을 들어 올려 키스했다. / Just as I *picked up* the phone, it stopped ringing. 전화기를 집어 들자마자 전화벨이 끊어졌다. **2** (차에) 태우다, (차로) 마중 나가다: I'll *pick* you *up* at your hotel. 내가 호텔로 마중 나갈게. **3** (무선·레이더 등으로) 포착하다: Our TV doesn't *pick up* channel 11 very well. 우리 TV는 채널 11이 수신이 잘 안 된다. **4** (지식·외국어 등을) 들어서 알게 되다, 익히다: He just *picked up* French when he lived there. 그는 거기 살았을 때 프랑스 어를 익혔다. **5** …을 사다, 무난히 손에 넣다: She *picked up* some bargains at the store. 그녀는 상점에서 특가품들을 조금 샀다. **6** (물건을) 도중에 받아 가다: I'll *pick up*

the book on the way to school. 학교 가는 길에 내가 그 책을 받아 가겠다. / I'll *pick* my things *up* later. 나중에 내 물건들을 가져가겠다. **7** (속력을) 더하다, 내다: The train was gradually *picking up* speed. 기차가 서서히 속력을 내고 있었다. **8** (경기·건강·성적 등이) 향상하다, 호전되다: Auto sales are *picking up*. 자동차 판매량이 늘어나고 있다.

pickle [píkəl] *n.* **1** (보통 *pl.*) 절인 것 (오이지 등), 피클 **2** (야채·생선 등을) 절이는 물 *v.* [T] 소금물에 절이다, 담그다

picky [píki] *adj.* (pickier-pickiest) 까다로운: a *picky* eater 식성이 까다로운 사람

***picnic** [píknik] *n.* 피크닉, 소풍: Let's have a *picnic* Saturday afternoon. 토요일 오후에 피크닉 가자.
v. [I] (picnicked-picnicked; picnicking) 소풍 가다

pictorial [piktɔ́ːriəl] *adj.* 그림의, 그림으로 나타낸

***picture** [píktʃər] *n.* **1** 그림, 사진: The children drew a *picture* of their families. 아이들은 그들의 가족 그림을 그렸다. / Excuse me, could you take a *picture* of us? 죄송하지만 사진 좀 찍어 주실래요? **2** (영화·TV 등의) 영상, 화면: Something's wrong with the TV — the *picture* is a little fuzzy. TV가 고장인가 보다. 화면이 약간 희미하다. **3** (생생한) 묘사; 상황: Don't say any more — I get the *picture*. 더 이상 말하지 마라. 상황을 이해하겠다. **4** 꼭 닮은 것, 화신: He's the *picture* of health. 그는 건강 그 자체이다. **5** 영화; (pictures) 영화 산업, 영화관 **6** 그림같이 아름다운 사람(것, 풍경)
v. [T] **1** 마음에 그리다, 상상하다: I *pictured* myself lying on a beach in the hot sun. 나는 뜨거운 태양이 내리쬐는 해변에 누워 있는 상상을 해 보았다. **2** (종종 수동태) 그림(사진)으로 나타내다, 묘사하다: Here, Susan is *pictured* with her boyfriend.

여기 수잔이 남자 친구와 함께 있는 사진이 나왔다.

picturesque [pìktʃərésk] *adj.* 그림과 같은, 아름다운 (보통 오래된 건물이나 장소를 표현할 때 쓰임): the *picturesque* village of Swiss 스위스의 그림 같이 아름다운 마을

pie [pai] *n.* 파이: apple *pie* 사과 파이

*****piece** [pi:s] *n.* **1** 조각, 단편: a *piece* of paper 종이 한 장 / a *piece* of furniture 가구 한 점 / There are *pieces* of broken glass on the floor. 바닥에 깨진 유리 조각들이 있다. / I have an important *piece* of information for you. 네게 줄 중요한 정보가 하나 있다. / Can you give me a *piece* of advice? 충고 좀 해 줄래? **2** (한 벌인 물건 중의) 일부, 부분: Some of the jigsaw puzzle *pieces* are missing. 그림 맞추기 조각 몇 개가 없어졌다. **3** (신문 · 잡지의) 기사 (on, about): Did you read a *piece* on alternative medicine in the newspaper yesterday? 어제 신문에 난 대체 의학에 대한 기사를 읽어 봤니? **4** (문학 · 예술상의) 작품: a fine *piece* of sculpture 훌륭한 조각 **5** (장기 · 체스에 쓰는) 말 **6** 화폐: What can I buy with a ten-cent *piece*? 10센트로 뭘 살 수 있을까?

v. [T] …을 이어 맞추다, 접합하다 (together): Investigators are trying to *piece* together what caused the fire. 조사관들은 화재가 어떻게 일어났는지 모든 정보와 사실을 이어 맞추려고 애쓰고 있다.

[숙어] **a piece of cake** 손쉬운 일: The test was *a piece of cake* for me. 나에게 그 시험은 식은 죽 먹기였다.

give … a piece of one's mind 나무라다, 직언하다

go to pieces 1 산산조각이 나다: The ship *went to pieces* on the reef. 배는 암초에 걸려 산산조각이 났다. **2** 자제력을 잃다, (정신적 · 육체적으로) 좌절되다

in one piece 무사히, 상처 없이: She'll come back *in one piece*. 그녀는 무사히 돌

아올 것이다.

in(to, into) pieces 산산이 부서져서, 뿔뿔이: The vase lay on the floor *in pieces*. 꽃병은 산산이 부서져서 바닥에 놓여 있다. / She tore the letter *to pieces*. 그녀는 편지를 갈기갈기 찢었다.

take to pieces 산산조각을 내다, 풀다, 해체하다

piecemeal [píːsmìːl] *adj. adv.* 하나씩, 차차, 조각조각으로

pier [piər] *n.* **1** 부두, 선창 **2** 방파제

pierce [piərs] *v.* **1** [T] 꿰찌르다, 꿰뚫다, 구멍을 뚫다: The bullet *pierced* his shoulder. 탄환이 그의 어깨를 관통했다. / She got her ears *pierced*. 그녀는 귀에 구멍을 뚫었다. **2** [I,T] (추위 · 고통 등이) …에 스며들다, (빛 · 소리 등이) 뚫고 들어가다 (through, into): A scream *pierced* the silence. 비명 소리가 정적을 울렸다.

piercing [píərsiŋ] *adj.* **1** (바람 · 추위가) 날카로운, 살을 에는 듯한: a *piercing* wind 살을 에는 듯한 바람 **2** (소리가) 귀를 찢는 듯한: a *piercing* scream 날카로운 비명 소리 **3** 통찰력 있는

piety [páiəti] *n.* **1** (종교적인) 경건, 신앙심 **2** (나라 · 어버이 등에 대한) 충성심

*****pig** [pig] *n.* **1** 돼지 **2** 돼지고기 **3** 돼지 같은 사람; 불결한 사람, 욕심꾸러기, 고집쟁이

v. [T] 걸신들린 듯 먹다

[숙어] **pig out (on)** 게걸스럽게 먹다, 과식하다

■ **관련 표현** pig

pork 보통 돼지고기 **boar** 거세하지 않은 수퇘지 **sow** 성숙한 암퇘지 **piglet** 새끼 돼지 **oink, squeal** 돼지 울음 소리

*****pigeon** [pídʒən] *n.* 비둘기

pigeon-hole [pídʒənhòul] *n.* (책상 등의) 작은 칸, 분류용 선반, 정리함

piggy [pígi] *n.* (새끼) 돼지

※ 아이들이 주로 사용하는 말이다.

—**piggy bank** *n.* 돼지 저금통

pigment [pígmənt] *n.* 그림물감, 안료, 색소

*****pile** [pail] *n.* **1** 쌓아올린 것, 더미: a *pile* of books(sand) 책(모래) 더미 **2** (a pile of, piles of) 대량, 많음: I've got *piles* of things to do. 나는 할 일이 많다. **3** 큰돈, 재산: He made a *pile* in real estate. 그는 부동산으로 큰돈을 벌었다. **4** (piles) 치질, 치핵

v. [T] **1** 겹쳐 쌓다, 쌓아올리다 (up): We *piled* the boxes in the corner. 우리는 상자를 구석에 쌓았다. **2** (…을) …위에 산더미처럼 쌓다 (on, with): The desk is *piled* with books. 책상에 책이 산더미처럼 쌓여 있다.

[숙어] **pile into(out of, off)** 우르르 들어가다(나오다): People *piled out of* the bus. 사람들이 버스에서 우르르 내렸다.

pile up 축적하다, 쌓이다: His debts began to *pile up.* 그의 빚이 늘기 시작했다.

pilgrim [pílgrim] *n.* 순례자

pilgrimage [pílgrimidʒ] *n.* 순례 여행

*****pill** [pil] *n.* **1** 알약: I take a couple of *pills,* three times a day after meal. 나는 식후에 하루 세 번 두세 개의 알약을 복용한다. / a sleeping *pill* 수면제 **2** (the pill) 경구 피임약: She is on the *pill.* 그녀는 피임약을 먹고 있다.

pillage [pílidʒ] *n.* 약탈; 약탈물, 전리품
v. [I,T] 약탈하다

pillar [pílər] *n.* **1** [건축] 기둥 **2** (국가·활동의) 중심 인물, 주석, 중진: He's a *pillar* of our community. 그는 우리 공동체의 중심인물이다. **3** [영] 우체통 (pillar box; [미] mailbox)

*****pillow** [pílou] *n.* 베개

*****pilot** [páilət] *n.* (비행기·우주선 등의) 조종사; 수로 안내인
v. [T] **1** (비행기·배 등을) 조정하다 **2** 인도하다, 이끌다: He took my hand and *piloted* me through the corridors. 그가 내 손을 잡고 나를 복도로 안내했다. **3** 시험적으로 쓰다(행하다): The new curriculum is being *piloted* in schools in Seoul. 새로운 교육 과정이 서울에 있는 학교들에서 시험적으로 쓰이고 있다.

pimple [pímpl] *n.* 여드름, 뾰루지

pin [pin] *n.* **1** 핀, 못바늘 **2** 장식된 브로치
v. [T] (pinned-pinned) **1** 핀으로 꽂다 (on, together): We're not allowed to *pin* anything on this wall. 이 벽에 어떤 것도 (핀으로) 꽂아 두면 안 된다. / She had a red ribbon *pinned* to her jacket. 그녀는 재킷에 빨간색 리본을 핀으로 꽂았다. **2** 꼭 누르다, 속박하다 (against, to, under): He was *pinned* under the car. 그는 차 아래 깔려 꼼짝도 못 했다. / He *pinned* me to the ground. 그가 나를 땅에 밀어붙였다.

[숙어] **pin (all) one's hopes on** …을 굳게 믿다, 신뢰하다

pin down 1 …를 억누르다, 속박하다 **2** …에게 상세한 설명을 요구하다 **3** 파악하다, 확실히 구별하다: It was difficult to *pin down* exactly the cause of the disease. 그 병의 원인을 정확히 파악하는 것이 어려웠다.

pins and needles 손발이 저려 따끔따끔한 느낌

PIN [pin] *abbr.* personal identification number (은행 카드의) 비밀 번호 (PIN number)

pincers [pínsərz] *n.* (*pl.*) **1** 펜치, 못뽑이, 족집게 **2** (새우·게 등의) 집게발

pinch [pintʃ] *v.* **1** [T] 꼬집다: Stop *pinching* me! 나 좀 꼬집지 마! **2** [I,T] (구두 등이) 죄다, 꽉 끼다: These shoes *pinch* my toes. 이 구두는 꽉 끼어 발가락이 아프다. **3** [T] 빼앗다, 훔치다: Who's *pinched* my pencil? 누가 내 연필을 훔쳐 갔어?
n. **1** 꼬집음 **2** 두 손끝으로 집을 만한 양, 조금: Add a *pinch* of salt. 소량의 소금을 첨가해라.

— **pinched** *adj.* (병·추위 등으로 얼굴이) 여윈, 창백한

[숙어] **in(at) a pinch** 만약의 경우에, 위기

에 직면하여

take ... with a pinch of salt ⋯을 에누리해서〔회의적으로〕듣다

*pine¹ [pain] **n. 1** 〔식물〕솔, 소나무 (pine tree) **2** 소나무 재목

pine² [pain] **v.** [I] **1** (슬픔·갈망 등으로) 수척해지다, 한탄하며 지내다 (away): After my father died, my mother just *pined* away. 아버지가 돌아가신 후 어머니는 몹시 수척해지셨다. **2** 연모〔갈망〕하다 (for): She is *pining* for home. 그녀는 집을 몹시 그리워하고 있다.

pineapple [páinæpl] **n.** 파인애플

ping-pong [píŋpàŋ, -pɔ́n(:)ŋ] **n.** 탁구 SYN table tennis

*pink [piŋk] **n. adj.** 분홍색(의)

pinnacle [pínəkəl] **n. 1** 정점, 절정: By the age of 30, she had reached the *pinnacle* of her career. 30세에 그녀는 성공의 정점에 도달했다. **2** (뾰족한) 산봉우리; 꼭대기 **3** 작은 뾰족탑

pint [paint] **n.** (**abbr.** pt.) 파인트 (① 액량의 단위; 1/2 quart; [영] 0.57리터, [미] 0.47리터 ② 건량의 단위; 1/2 quart; [영] 0.57리터, [미] 0.55리터)

pioneer [pàiəníər] **n. 1** 선구자 (in, of): He is one of the *pioneers* of heart-transplant surgery. 그는 심장 이식 수술의 선구자 중의 한 명이다. **2** (미개지 등의) 개척자: the *pioneers* of the American West 미 서부 개척자들

v. [T] **1** 개척하다 **2** 선도하다, 지도하다

pious [páiəs] **adj.** 경건한, 신앙심이 깊은
— **piously adv.**

*pipe [paip] **n. 1** 파이프, 관: A *pipe* had burst in the kitchen and flooded the floor. 부엌에 파이프가 터져서 바닥에 물이 넘쳐났다. **2** 담뱃대: My father smoked a *pipe*. 아버지는 파이프 담배를 피셨다. **3** 피리; 파이프 오르간의 관

v. 1 [T] (물·가스 등을) 파이프를 통해 나르다 **2** [I,T] 피리를 불다

숙어 **pipe up** 갑자기 큰소리로 말하다

piracy [páiərəsi] **n. 1** 해적 행위 **2** 저작권 침해, 표절: software *piracy* 소프트웨어 불법 복제

pirate [páiərət] **n. 1** 해적 **2** 표절자
v. [T] 표절하다, 저작권을 침해하다

pistol [pístl] **n.** 권총, 피스톨

piston [pístən] **n.** 〔기계〕 피스톤

pit [pit] **n. 1** (땅의) 구덩이, 구멍: Dig a *pit* and bury the rubbish in it. 구덩이를 파고 그 안에 쓰레기를 묻어라. **2** 광산, 탄갱 SYN coal mine **3** (몸·물건 표면의) 우묵한 곳 **4** (the pits) (자동차 경주에서) 급유〔수리〕하는 곳, 피트 **5** [미] (살구·복숭아 등의) 씨: a peach *pit* 복숭아 씨

v. [T] (pitted-pitted) 움푹 들어가게 하다, ⋯에 구덩이를 파다: The street was *pitted* with potholes. 길이 구덩이들로 움푹움푹 들어가 있었다.

숙어 **be the pits** 최악이다: The food in that restaurant *is the pits*! 저 식당의 음식은 최악이다!

pit against 싸움 붙이다, 경쟁시키다: You can *pit* your brains *against* his strength. 너는 지혜로 그의 힘에 맞설 수 있다.

pitch [pitʃ] **n. 1** 정도, 한계, 높이: Racial tensions have risen to fever *pitch*. 인종 간의 긴장이 매우 흥분된 수준까지 올랐다. **2** 〔음악〕 가락, 음률의 높이 **3** (노점 상인 등이) 선전으로 떠드는 소리 **4** 〔야구〕 투구 **5** [영] (축구·하키 등의) 경기장: a football *pitch* 축구 경기장 SYN field, court

v. 1 [I,T] 〔야구〕 (투수가) 투구하다 **2** [T] 던지다, 내던지다: She *pitched* a letter into the fire. 그녀는 편지를 불 속에 던졌다. **3** [I] 거꾸로 떨어지다, 앞으로 넘어지다: The bus stopped suddenly, *pitching* me forward. 버스가 갑자기 서서 나는 앞으로 넘어졌다. **4** [T] (어떤 수준에) 정하다, 맞추다: His speech was *pitched* at the average students' level. 그의 연설은 보통 학생들 수준에 맞았다. **5** [T] (천막을) 치다:

We'd better *pitch* the tent before it gets dark. 어두워지기 전에 천막을 치는 게 좋겠다. **6** [T] (상품 등을) 팔다, 강매조로 선전하다 **7** [I] (배·항공기가) 앞뒤로 흔들리다 **8** [T] [음악] …의 음을 조정하다: This song is *pitched* too high for my voice. 이 노래는 내 목소리에 비해 음이 너무 높이 맞춰져 있다.

[숙어] **pitch in** 열심히 하기 시작하다; 협력하다

pitch-black *adj.* 새까만, 캄캄한

pitcher [pítʃər] *n.* **1** 물주전자 (귀 모양의 손잡이와 주둥이가 있는) **2** [야구] 투수

piteous [pítiəs] *adj.* 불쌍한, 슬픈, 측은한: a *piteous* cry 측은한 울음 소리
— **piteously** *adv.*

pith [piθ] *n.* (오렌지·레몬 등의) 껍질 안쪽의 유조직, 심

pitiful [pítifəl] *adj.* 가엾은, 처량한, 인정 많은: She looks so *pitiful*. 그녀는 너무 가여워 보인다.
— **pitifully** *adv.*

pitiless [pítilis] *adj.* 무자비한, 몰인정한: a *pitiless* dictator 무자비한 독재자
— **pitilessly** *adv.*

***pity** [píti] *n.* **1** 불쌍히 여김, 동정: I don't feel any *pity* for him. 나는 그를 조금도 불쌍히 여기지 않는다. **2** 애석한 일, 유감스러운 일: It is a *pity* to lose such a chance. 그런 기회를 놓치다니 유감이다. / What a *pity*! 정말 가엾다[유감스럽다]!
v. [T] 불쌍히 여기다: I *pity* anyone who has to live with him. 나는 그와 함께 살아야 할 사람이 불쌍히 여겨진다.
[숙어] **take[have] pity on** …을 딱하게 여기다: She *had pity on* the beggar and gave him some money. 그녀는 거지를 딱하게 여겨 돈을 좀 주었다.

pivot [pívət] *n.* **1** [기계] 회전축 **2** 가장 중요한 사람[것]
v. [I,T] (…을 중심축으로 해서) 회전하다

pizza [pí:tsə] *n.* 피자

placard [plǽkɑ:rd] *n.* 플래카드; 간판, 벽보

***place** [pleis] *n.* **1** 장소, 곳: Always keep your passport in a safe *place*. 여권을 항상 안전한 곳에 보관해라. / This is no *place* for children. 이 곳은 아이들이 올 데가 아니다.

2 시, 지역, 지방: Which *places* did you go to in France? 너는 프랑스의 어느 지역에 갔었니?

3 (특별한 목적을 위한) 공간, 장소; 건물; 음식점: I couldn't find a *place* to park. 나는 주차할 곳을 찾지 못했다. / There's a nice Italian *place* on the corner. 모퉁이에 좋은 이탈리아 식당이 있다.

4 좌석, 자리, 위치: Go back to your *place*. 제자리로 돌아가라. / If you get first, can you save me a *place*? 네가 먼저 도착하면 내 자리 좀 맡아 줄래?

5 지위, 신분: It's not your *place* to tell me what to do. 너는 나에게 뭘 하라고 명령할 지위가 아니다.

6 일자리, 직장: look for a *place* 일자리를 찾다

7 적당한 기회, 자격: She has got a *place* to study law at Harvard University. 그녀는 하버드 대학에서 법학을 공부할 기회를 얻었다. / There is no *place* left in a modern arts course. 현대 미술 과정에는 남은 자리가 없다.

8 있어야 할 장소: Please put the hammer in its *place* when you're finished. 다 쓰면 망치를 제자리에 갖다 놓으세요.

9 입장, 환경, 경우: A library is no *place* for a party. 도서관은 파티를 할 환경이 아니다.

10 [수학] 자리: the third decimal *place* 소수 셋째 자리

11 사는 곳, 주거, 집: Come around to my *place*. 우리 집에 놀러와. / I bought a *place* on the coast. 나는 해변에 집을 한 채

샀다.

12 순서, 순위: He finished in second *place*. 그는 2등을 했다.

v. [T] **1** 두다, 놓다: I *placed* the vase in the center of the table. 나는 꽃병을 탁자 가운데 놓았다. / *Place* the words in alphabetical order. 알파벳순으로 단어를 배열해라.

2 …를 어떤 상황·상태에 두다: His mistakes *placed* me in a very difficult position. 그의 잘못으로 나는 매우 어려운 처지에 놓였다.

3 직위에 앉히다, …에게 일을 찾아 주다: He was *placed* with a law firm. 그는 법률 회사에 일자리를 얻었다.

4 (신뢰·희망·중요성 등을) …에 두다, 걸다 (on): The company *places* emphasis on training its staff. 그 회사는 직원 교육에 중점을 두고 있다. / I *place* importance on a comfortable lifestyle. 나는 편안한 생활 방식에 중요성을 둔다.

5 생각해 내다, 알아차리다: I know his face, but I can't *place* him. 그의 얼굴은 알겠는데 누구였는지는 생각이 안 난다.

6 주문하다; 투자하다: She *placed* the order for the pizza an hour ago. 그녀는 한 시간 전에 피자를 주문했다.

[숙어] **all over the place** 사방에, 도처에

fall[slot] into place (이야기·일 등이) 제자리에 들어가다, 제대로 맞다

in one's place …의 처지라면: What would you do *in my place*? 네가 내 입장이라면 어떻게 하겠니?

in place 1 올바른 위치에, 원래의 위치에: The chairs are all *in place*. 의자는 모두 제자리에 있다. **2** (계획·준비 등이) 완료되어: The arrangements are all *in place* for the concert. 콘서트 준비가 모두 완료되어 있다.

in place of …대신에: You can use honey *in place of* sugar in some recipes. 몇 가지 요리법에서 설탕 대신 꿀을

사용할 수 있다.

in the first[second] place 첫째[둘째]로: I can't go with you. *In the first place*, I feel sick and *in the second place*, I have an exam tomorrow. 난 너와 갈 수 없다. 첫째로 몸이 아프고, 둘째로 내일 시험이 있다.

out of place 1 제자리에 있지 않은: Look at that! You got all of my books *out of place*! 저걸 좀 봐! 네가 내 책 전부를 잘못 놨잖아! **2** 부적당한, 그 자리에 어울리지 않는: I felt completely *out of place* among all those rich people. 저런 부자들과 나는 전혀 어울리지 않는 것 같았다. [OPP] in place

put[keep] … in one's (proper) place (…에게) 분수를 알게 하다

take one's place …을 대신하다: Who will *take our teacher's place* during his absence? 우리 선생님이 안 계시는 동안 누가 그를 대신합니까?

take place (행사 등이) 개최되다; (사건이) 일어나다: The next meeting will *take place* on Friday. 다음 회의는 금요일에 열릴 것이다. / When did the event *take place*? 사건은 언제 일어났습니까?

take the place of …을 대신하다: Sending e-mail has almost *taken the place of* writing letters. 전자 우편을 보내는 것이 편지 쓰는 것을 거의 대신하고 있다.

placid [plǽsid] *adj.* 평온한, 조용[고요]한 —**placidly** *adv.* **placidity** *n.*

plague [pleig] *n.* **1** 역병, 전염병: AIDS has been called a sexual *plague*. AIDS는 성적 전염병이라고 불린다. **2** (the plague) 페스트, 흑사병 **3** (해충 등의) 이상 발생 *v.* [T] 괴롭히다, 성가시게 굴다

***plain** [plein] *adj.* **1** 분명한, 명백한; 평이한: It is *plain* that he will fail. 그가 실패할 것은 뻔하다. / She made it *plain* that she didn't like me. 그녀는 나를 좋아하지 않음을 분명히 했다. / The instructions

are written in *plain* English. 설명서는 평이한 영어로 쓰여 있다. **2** (사람·생각·행동 등이) 솔직한, 꾸밈없는: I'm *plain* with you—I don't like the idea. 솔직하게 말하면 그 생각은 별로다. **3** 검소한, 수수한, 간단하게 조리한: I like *plain* cooking. 나는 간단한 요리가 좋다. / a *plain* suit 수수한 정장 **4** (명사 앞에만 쓰임) 장식[무늬, 빛깔]이 없는, (종이·천 등이) 무지의, 순수한, 섞이지 않은: *plain* yoghurt 아무것도 첨가하지 않은 요구르트 **5** (얼굴이) 예쁘지 않은: a *plain* woman 예쁘지 않은 여자
adv. **1** 분명히, 알기 쉽게 **2** 완전히, 아주: That's just *plain* crazy! 완전히 미쳤다!
n. 평지, 평원

plainly [pléinli] *adv.* **1** 명백히, 분명히: He was *plainly* angry. 그는 분명히 화가 나 있었다. **2** 솔직히: I told him *plainly* what I thought of his idea. 그의 아이디어에 대한 나의 생각을 솔직하게 말했다. **3** 검소하게, 수수하게: She was *plainly* dressed and wore no make-up. 그녀는 수수하게 차려 입고 화장도 하지 않았다. / a *plainly* furnished room 간단하게 가구가 갖춰진 방

plaintive [pléintiv] *adj.* 애처로운, 슬픈 듯한, 푸념하는: I like the *plaintive* sound of the bagpipes. 나는 백파이프의 애처로운 소리가 좋다.
— **plaintively** *adv.*

plait [pleit] *n.* ([미] braid) **1** (길게) 땋아 늘인 머리, 변발 **2** 엮은 밀짚; 땋은 끈
v. [T] (머리·끈 등을) 엮다, 짜다: I *plaited* my hair. 나는 내 머리를 땋았다.

*****plan** [plæn] *n.* **1** 계획, 안(案): Do you have *plans* for Saturday night? 너는 토요일 밤에 계획이 있니? / There's been a change of *plan*—I'm not flying to New York today. 계획이 변경됐다. 나는 오늘 뉴욕에 안 간다. / If everything goes according to *plan*, we'll be done in August. 모든 것이 계획대로 진행되면 우리는

8월에 끝낼 것이다. **2** 약도, (시가지 등의) 지도: a street-*plan* of Seattle 시애틀의 지도 **3** 도면, 설계도: a seating *plan* 좌석 배치도 / The floor *plan* showed us exactly where everyone's office would be. 평면도는 각자의 사무실이 정확히 어디에 위치할지를 나타냈다. **4** 모형, 초안
v. (planned-planned) **1** [I,T] 계획하다: She's already *planning* how to spend her prize money. 그녀는 벌써 상금을 어떻게 쓸지 계획하고 있다. **2** [I,T] 마음먹다, …할 작정이다: I'm *planning* to visit Europe this summer. 이번 여름에는 유럽 여행을 할 작정이다. **3** [T] 설계하다, …의 설계도를 그리다
— **planning** *n.* (특히 경제적·사회적인) 계획, 입안 **planner** *n.* 계획자
[숙어] **make(form, lay) plans (for)** …의 계획을 세우다: We still haven't *made plans for* the trip. 우리는 아직 여행 계획을 세우지 못했다.

plan on -ing 1 …하려고 생각하다, 예정이다: I'm *planning* on spending the holiday in the country. 나는 휴가를 시골에서 보낼 계획이다. **2** …할 것을 기대하다: We didn't *plan* on his being late. 우리는 그가 늦으리라고는 예상하지 못했다.

plan out …을 면밀히 계획하다, 기획하다

plane [plein] *n.* **1** 비행기: He hates traveling by *plane*. 그는 비행기로 여행하는 것을 싫어한다. / What time does her *plane* get in? 그녀가 탄 비행기는 언제 도착하니? **2** 평면 **3** 대패
adj. (명사 앞에만 쓰임) 편평한, 평탄한: a *plane* surface 평면
v. [T] …에 대패질하다, 편평하게 깎다

*****planet** [plǽnət] *n.* **1** [천문] 행성: Mercury is the smallest *planet* in our solar system. 수성이 태양계에서 가장 작은 행성이다. **2** (the planet) 지구
— **planetary** *adj.*

planetarium [plæ̀nətɛ́əriəm] *n.* [천문]

행성의(儀), 플라네타륨 (천체(天體)의 운행을 나타내는 기계); 천문관

plank [plæŋk] *n.* 두꺼운 판자

※ board보다 두껍다.

plankton [plǽŋktən] *n.* 플랑크톤, 부유 생물

*plant [plænt] *n.* **1** (동물에 대한) 식물: Don't forget to water the *plants*. 화초에 물 주는 거 잊지 마라. / a tomato *plant* 토마토 모종 **2** 공장, 설비: a waterpower *plant* 수력 발전소

v. [T] **1** 심다, (씨를) 뿌리다: We *planted* some roses in the garden. 우리는 정원에 장미를 좀 심었다. **2** (…을) …에 심다 (with): The field is *planted* with soy beans. 밭에 콩을 심었다. **3** 놓다, 설치하다; …에 앉다 (oneself): A microphone was *planted* in his desk. 그의 책상에 마이크가 설치되어 있었다. / My brother *planted* himself on the sofa in front of the television. 내 남동생은 텔레비전 앞에 있는 소파에 앉아 있었다. **4** (불법적인 것을) 감추다, (남에게 혐의가 가도록) 몰래 놓아 두다 (on): The bomb was *planted* in the station waiting room. 폭탄이 역 대합실에 몰래 설치되어 있었다. / The pickpocket *planted* the wallet on a passerby. 소매치기는 지갑을 행인의 호주머니에 몰래 넣었다.

plantation [plæntéiʃən] *n.* **1** (특히 열대 지방의 대규모) 재배지, 농원, 농장 **2** 식림지, 조림지, 인공림

plasma [plǽzmə] *n.* [의학] 혈장 (plasm)

plaster [plǽstər] *n.* **1** 회반죽, 벽토; 분말 석고 **2** 고약; [영] 반창고 (sticking plaster) **3** 깁스; 구운 석고 (plaster of Paris): She had her leg in *plaster* for two months after the accident. 그녀는 사고 후에 두 달 동안 다리에 깁스를 하고 있었다.

v. [T] **1** …에 회반죽을 바르다 **2** (…을) …에 온통 발라 붙이다 (in, with): The wall was *plastered* with movie posters. 벽에 영화 포스터가 더덕더덕 붙어 있었다.

*plastic [plǽstik] *n.* 플라스틱, 합성 수지; 플라스틱 제품

adj. 플라스틱으로 만든: a *plastic* spoon 플라스틱 숟가락

*plate [pleit] *n.* **1** 접시 (보통 납작하고 둥근 것): a salad(soup) *plate* 샐러드(수프)접시 / dinner *plate* 정찬용 접시 (식사 때 주요한 음식을 담는 크고 편편한 접시) **2** (요리의) 한 접시, 1인분: She's eaten a *plate* of spaghetti. 그녀는 스파게티 한 접시를 먹어 치웠다. / clean(empty) one's *plate* (한 접시를 다) 먹어치우다 **3** (금속·유리 등의) 판, 판금: a steel *plate* 강철판 **4** (이름 등을 쓴) 표찰, 간판; (자동차 등의) 번호판 (license plate): The car had California *plates*. 그 차는 캘리포니아 주 번호판을 달고 있었다. **5** 도금: gold(silver) *plate* 금(은)도금 **6** [지질] 플레이트 (지각과 맨틀 상층부의 판상 부분)

v. [T] (보통 수동태) **1** …에 도금하다: Even their faucets had been *plated* with gold. 심지어 그들의 수도꼭지도 금으로 도금되어 있었다. **2** 판금으로 덮다

plateau [plætóu] *n.* (*pl.* plateaus, plateaux) **1** 고원 **2** 상하 변동이 없는 상태, 정체기, 슬럼프: The crime rate reached a *plateau*. 범죄율에는 변동이 없었다.

*platform [plǽtfɔ:rm] *n.* **1** (정거장의) 플랫폼, 승강단: The train to Busan leaves from *platform* 3. 부산행 기차는 3번 승강단에서 떠난다. **2** 단(壇), 교단, 연단 **3** (정당의) 강령, 기본 노선: The party's new *platform* emphasizes rural development. 정당의 새로운 강령은 시골의 발전을 강조하고 있다.

platinum [plǽtənəm] *n.* [화학] 백금, 플라티나 (금속 원소; 기호 Pt)

plausible [plɔ́:zəbəl] *adj.* (이유·구실 등이) 그럴 듯한, 정말 같은: a *plausible* excuse 그럴 듯한 변명 OPP implausible

*play [plei] *v.* **1** [I] 놀다; 장난치다, (…을) 가지고 놀다 (with): The children are *playing* on the beach. 아이들은 해변에서

놀고 있다. / My brother has a lot of toys to *play* with. 내 남동생은 갖고 놀 장난감이 많다.

2 [I,T] 게임을 즐기다, 경기에 참가하다, (…와) 대전하다 (against): I enjoy *playing* computer games. 나는 컴퓨터 게임하는 것을 즐긴다. / The boys are outside *playing* basketball. 사내 아이들은 밖에서 농구를 하고 있다. / Yankees are *playing* against Dodgers this weekend. 이번 주말에 양키즈가 다저스와 경기를 한다.

3 [I,T] (악기·곡을) 연주하다 (on): She *played* the piano. 그녀는 피아노를 쳤다. / *Play* me Chopin. 쇼팽의 곡을 들려 주세요.

4 [T] (레코드·라디오 등을) 틀다: I *played* the jazz CD again. 나는 재즈 시디를 다시 틀었다.

5 [I,T] 출연하다, 연기하다; (연극·영화 등이) 상연[상영]되다: Julia Roberts *played* the heroine in 'Pretty Woman.' 줄리아 로버츠는 '귀여운 여인'에서 여주인공을 맡아 했다. / 'Hamlet' is *playing* at the National Theater. '햄릿'이 국립 극장에서 상연되고 있다.

6 [I] 경쾌하게 날아다니다, 가볍게 흔들리다; (빛 등이) 비치다: Leaves *play* in the breeze. 나뭇잎이 산들바람에 가볍게 나부낀다. / The sunlight *plays* in the water. 햇빛이 물 위에 반짝이고 있다.

n. **1** 연극, 희곡: go to a *play* 연극 보러 가다 **2** 경기, 시합: Rain stopped *play* yesterday. 비 때문에 어제 경기가 중단됐다. **3** 놀이, 유희: The children are at *play*. 아이들은 놀고 있다.

---

4 장난, 농담: I said it only in *play*. 나는 농담으로 말한 것뿐이었다.

5 행동, 행위, 태도: fair(foul) *play* 공명 정대[비열]한 행위

6 (비디오·녹음기 등의) 재생

[숙어] **play a part(role) (in)** …의 역할을 하다: Salt *plays an* important *part in* the function of the body. 소금은 신체 기능에서 중요한 역할을 한다.

play at 1 …놀이를 하다: The children were *playing at* soldiers. 아이들은 병사 놀이를 하고 있었다. **2** …을 장난[취미]삼아 하다: She's a college student who *plays at* being an actress. 그녀는 취미삼아 배우를 하고 있는 대학생이다.

play back (녹음·녹화 테이프를) 재생하다: *Play* that last scene *back* to me again. 마지막 장면을 다시 한 번 재생해 봐라.

play down 가볍게 다루다, 경시하다: The government tried to *play down* the seriousness of the incident. 정부는 사고의 심각성을 가볍게 다루려 했다. [OPP] play up

play into one's hands …의 이익이 되도록 행동하다, …의 계략에 빠지다

play A off against B (득을 볼 생각으로) 싸움을 붙이다: She seems to enjoy *playing* one person *off against* another. 그녀는 사람들을 싸움 붙이기를 좋아하는 것 같다.

play on(upon) (공포심 등을) 이용하다: This film is *playing on* people's fear. 이 영화는 사람들의 공포심을 이용하고 있다.

play up 1 강조하다, 선전하다: In the interview you should *play up* your experience of working abroad. 면접에서 너의 해외 근무 경험을 강조해야 한다. **2** (기계·신체 등이) 컨디션이 나빠지다: My lower back has been *playing up* again. 허리가 다시 나빠지고 있다.

play with 1 …와 놀다, …을 가지고 놀다: He loves *playing with* his son. 그는 아

들과 노는 것을 좋아한다. **2** (사물을) 만지작거리다: She was just *playing with* her hair. 그녀는 머리카락만 만지작거리고 있었다. **3** (아이디어를) 이리저리 생각해 보다: I'm *playing with* the idea of writing a poem. 나는 시를 한번 써 볼까 생각 중이다.

play with fire 위험한 짓〔행동〕을 하다

player [pléiər] *n.* **1** 경기자, 선수 **2** 자동 연주 장치, 플레이어: a CD *player* 시디 플레이어 **3** 연주자: a flute *player* 플루트 연주자

playful [pléifəl] *adj.* **1** 쾌활한, 놀기 좋아하는 **2** 장난의, 농담의, 우스꽝스러운

playground [pléigràund] *n.* 운동장; 놀이터

playmate [pléimèit] *n.* 놀이 친구

play-off *n.* (비기거나 동점인 경우의) 결승 경기; (시즌 종료 후의) 우승 결정전 시리즈

plaything [pléiθìŋ] *n.* **1** 장난감 **2** 장난감 취급받는 사람

playtime [pléitàim] *n.* (주로 학교의) 노는 시간

plaza [plá:zə] *n.* **1** (도시·읍의) 광장 **2** [미] 쇼핑 센터

plea [pli:] *n.* **1** 탄원, 청원 (for): make a *plea* for …을 탄원하다 **2** [법] 항변; (피고의) 답변(서); 소송: He entered a *plea* of guilty. 그는 자기 죄를 인정했다.

plead [pli:d] *v.* **1** [I] 탄원하다, 간청하다: He *pleaded* with her to come back. 그는 그녀에게 돌아와 달라고 간청했다. / She *pleaded* for mercy. 그녀는 자비를 청했다. **2** [I,T] 진술하다, 답변하다, …임을 주장하다: He *pleaded* not guilty to the charge of murder. 그는 살인죄에 대해 무죄를 주장했다. **3** [I,T] 변호하다, 변론하다: The lawyer *pleaded* her case. 그 변호사가 그녀의 변론을 맡았다. **4** [T] …을 구실로 내세우다, 변명하다: She left early, *pleading* illness. 그녀는 아프다고 일찍 갔다. / He *pleaded* ignorance of the law. 그는 법을 몰랐다고 변명했다.

pleasant [plézənt] *adj.* **1** (사물이) 즐거운, 기분 좋은, 유쾌한: It's a very *pleasant* evening. 아주 즐거운 저녁이다. **2** (날씨가) 좋은: a *pleasant* weather 좋은 날씨 [OPP] unpleasant **3** (사람·태도가) 호감이 가는, 상냥한, 쾌활한: She's always *pleasant* to everyone. 항상 그녀는 모든 사람에게 상냥하다.

— pleasantly *adv.*

****please¹** [pli:z] *int.* **1** (정중한 요구·간청을 나타내는 명령문·의문문에서) 제발, 부디, 죄송하지만, 아무쪼록: *Please* come in. 들어오십시오. / Pay attention, *please*. 주목해 주십시오. / May I *please* use your phone? 전화 좀 써도 될까요? **2** (권유에 대한 응답에서) (부디) 부탁 드립니다: "Would you like some more cake?" "Yes, *please*." "케이크 좀 더 드시겠습니까?" "예, 주십시오." **3** (완곡하게 상대방의 주의를 환기시켜) 미안합니다만, 실례합니다만: *Please*, mister, I don't understand. 미안합니다만, 선생님, 이해가 안 가는데요.

****please²** [pli:z] *v.* **1** [I,T] 기쁘게 하다, 만족시키다: You can't *please* everybody. 모든 사람을 만족시킬 수는 없다. **2** [I] (as, what, whatever, anything 등이 이끄는 종속절 안에서) 좋아하다, …하고 싶어하다: Do as you *please*. 좋을 대로 해라. / She let her kids do whatever they *please*. 그녀는 아이들이 원하는 것은 무엇이든 하도록 했다. / Go where you *please*. 가고 싶은 곳으로 가라.

— pleasing *adj.* 즐거운; 호감이 가는

[숙어] **if you please 1** (물건을 부탁하여) 제발, 미안합니다만: Pass me the salt, *if you please*. 미안합니다만, 소금 좀 집어 주시겠습니까? **2** (비꼬는 투로) 글쎄 말입니다: Now, *if you please*, he expects me to pay for it. 글쎄 그는 내가 그 값을 치를 거라고 생각한답니다.

please oneself 좋을 대로 하다: "I don't think I'll go." "Oh, well, *please yourself*. I'm going anyway." "나는 못

갈 거 같아." "오, 너 좋을 대로 해. 난 어쨌든 갈 거야."

pleased [pli:zd] *adj.* (명사 앞에는 쓰이지 않음) 기뻐하는, 만족한 (with, to do, that): I'm really *pleased* with my new watch. 나는 새 시계가 아주 마음에 든다. / I'm *pleased* to hear about your new job. 나는 네가 새 일자리를 얻었다는 소식에 기쁘다. / We're *pleased* (that) you could come. 네가 올 수 있다니 기쁘다. OPP displeased

*pleasure [pléʒər] *n.* **1** 기쁨, 즐거움: The small gift gave me a lot of *pleasure*. 그 작은 선물이 나에게 큰 기쁨을 주었다. **2** 위안, 오락 **3** 즐거운 일, 유쾌한 일: It's a *pleasure* to talk to her. 그녀와 이야기하는 것은 즐겁다.
—**pleasurable** *adj.* 즐거운, 기분 좋은
[숙어] **for pleasure** 재미로: He read the book *for pleasure*. 그는 재미로 그 책을 읽었다.
it's a pleasure, it's my pleasure 천만에요, 괜찮습니다: "Thanks for coming." "(It's) My pleasure." "와 주셔서 감사합니다." "천만에요."
take pleasure in …을 즐기다: He *takes pleasure in* driving in the country. 그는 시골길 드라이브를 좋아한다.
with pleasure 기꺼이, 쾌히: "Will you come with me?" "With pleasure." "나와 같이 가 줄래?" "기꺼이 같이 가 줄게."

pledge [pledʒ] *n.* **1** 서약: make a *pledge* 서약하다 / take(sign) a *pledge* 맹세하다 **2** 저당, 담보; 저당(담보)물
v. [T] **1** 서약(약속)하다 (to do): He *pledged* me his support. 그는 나에게 지원을 약속했다. / They have *pledged* to end the fighting. 그들은 싸움을 끝내겠다고 서약했다. **2** 담보로 넣다

plentiful [pléntifəl] *adj.* 많은, 윤택한, 충분한: a *plentiful* harvest 풍작 OPP scarce

*plenty [plénti] *n.* 많음, 가득, 풍부 (of): There is *plenty* of time. 시간이 충분히 있다. / "More dessert?" "No thanks, I've had *plenty*." "후식을 더 드릴까요?" "고맙지만, 많이 먹었습니다."
adv. 듬뿍, 충분히, 아주: This shirt looks *plenty* big enough to you. 이 셔츠는 네게 아주 커 보인다.
[숙어] **plenty more** 더(아직도) 많은: There is *plenty more* food in the kitchen. 부엌에 음식이 아직 많이 있다.

pliers [pláiərz] *n.* (*pl.*) 집게, 펜치: a pair of *pliers* 펜치 하나

plight [plait] *n.* 곤경, 궁지, 어려운 입장: the *plight* of the homeless 집 없는 사람들의 어려운 상황

plod [plɑd] *v.* [I] (plodded-plodded) **1** 터벅터벅 걷다 (along, on): We *plodded* on through the snow. 우리는 눈 속을 터벅터벅 걸어갔다. **2** 끈기 있게 일하다

plot [plɑt] *n.* **1** (극·소설 등의) 줄거리, 구상: The novel has a complicated *plot*. 그 소설은 복잡한 줄거리를 가지고 있다. **2** 음모: The police discovered a *plot* to assassinate the president. 경찰은 대통령을 암살하려는 음모를 알아 냈다. **3** 소구획, 작은 지면: a vegetable *plot* 야채를 심을 땅
v. (plotted-plotted) **1** [I,T] 도모하다, 꾀하다: They were *plotting* to blow up the city hall. 그들은 시청을 폭파할 음모를 꾸미고 있었다. **2** [T] (비행기·배 등의 위치·진로를) 도면에 기입하다, (모눈종이 등에) 좌표로 위치를 결정하다, 그래프로 계산을 하다: He *plotted* a course between Incheon and New York. 그는 인천과 뉴욕 사이의 항로를 도면에 기입했다.

plow [plau] *n.* ([영] plough) 쟁기
v. **1** [I,T] (쟁기로) 갈다: *plow* a filed 밭을 갈다 **2** [I] 힘들여 나아가다; (책 등을) 힘들여 읽다: The truck *plowed* through the mud. 트럭은 진흙에서 힘들게 빠져 나왔다. / He *plowed* through the pile of books.

그는 산더미처럼 쌓인 책들을 꾸준히 읽어 나
갔다.

pluck [plʌk] *v.* **1** [T] 뜯다, 잡아 뽑다; 휙
잡아채다 (from, out): He *plucked* an
apple off the tree. 그는 나무에서 사과를
하나 땄다. / She *plucked* flowers from
her garden. 그녀는 정원에서 꽃을 땄다. / I
plucked the letter from his hands. 나는
그의 손에 있는 편지를 낚아챘다. **2** [T] …의
(깃)털을 뜯다: I don't think I could
pluck a chicken. 나는 닭털을 뜯지 못할
것 같다. **3** [I,T] 잡아당기다, 끌어내리다: I
felt someone *plucking* at my sleeve.
누군가가 내 소매를 잡아당기는 것 같았다. **4**
[T] (현악기를) 뜯다
n. 용기, 결의
—**plucky** *adj.* 용기 있는
［숙어］ **pluck up (the) courage** 용기를
내다, 분발하다: He finally *plucked up
courage* to ask her out on a date. 드디
어 그는 그녀에게 데이트 신청을 할 용기를 냈
다.

*****plug** [plʌg] *n.* **1** [전기] (콘센트에 끼우는)
플러그 **2** 마개 (욕실·싱크대의 구멍을 막는)
3 (책·영화 등의) 선전 (문구), 짤막한 광고
v. [T] (plugged-plugged) **1** …에 마개를 하
다, 막다 (up): He *plugged* the leak
in the roof. 그는 지붕에 새는 곳을 막았다.
2 (라디오·TV에서) 끈덕지게〔집요하게〕광고
하다
［숙어］ **plug in** 플러그를 꽂다, (장비를) 전원
에 연결하다: Can you *plug* the iron
in, please? 다리미 플러그 좀 꽂아 줄래요?
［OPP］ **unplug**

plum [plʌm] *n.* **1** [식물] 서양자두; 그 나무
2 (제과용) 건포도

plumage [plúːmidʒ] *n.* (조류의) 깃털

plumber [plʌ́mər] *n.* 배관공

plumbing [plʌ́miŋ] *n.* (수도·가스의) 배
관; 배관 공사

plume [pluːm] *n.* **1** (연기·먼지 등의) 기
둥: a *plume* of smoke (폭발에 의한) 버섯

구름 **2** 깃털; 깃털 장식

plump¹ [plʌmp] *adj.* 부푼, 살이 잘 찐: a
baby with *plump* cheeks 볼이 포동포동
한 아기
※ 좋은 뜻으로 포동포동하게 살찐 것을 나타
내며 주로 어린아이나 젊은 여성에 대해 쓴다.

plump² [plʌmp] *v.* **1** [I,T] 털썩 떨어
지다〔떨어뜨리다〕, 주저앉다 (down): He
plumped himself down on a bench. 그
는 벤치에 털썩 앉았다. **2** [I] [영] 단 한 사람
에게 투표하다; 절대 찬성〔지지〕하다 (for): I
plump for the New York Yankees. 나
는 뉴욕 양키스의 열렬한 팬이다.

plunder [plʌ́ndər] *n.* 약탈(품)
v. [I,T] 약탈하다: Many works of art
were *plundered* by soldiers. 많은 예술품
들이 군인들에 의해 약탈되었다.

plunge [plʌndʒ] *v.* **1** [I] 뛰어들다, 떨어지
다 (into, in): He ran to the river and
plunged in. 그는 강으로 달려가 뛰어들었
다. / His car *plunged* off the cliff. 그의
차는 벼랑으로 떨어졌다. **2** [T] 던져 넣다, 던
지다, 찌르다: He *plunged* his hands into
his pockets. 그는 양손을 호주머니에 집어넣
었다. **3** [T] (어떤 상태·행동에) 빠지게 하다,
몰아넣다: The country had been
plunged into chaos. 그 나라는 혼돈에 빠졌
었다. **4** [I] 착수하다, 갑자기 시작하다 (into):
She *plunged* into the whole story. 그
녀는 갑자기 자초지종을 말하기 시작했다.
n. 뛰어듦, 돌입; 하락: There has been a
10% *plunge* in house price. 집값이 10%
하락했다.
［숙어］ **take the plunge** 결단을 내리다, 모
험하다: They finally *took the plunge*
and got married last month. 그들은 마
침내 결단을 내리고 지난 달에 결혼했다.

plural [plúərəl] *n. adj.* [문법] 복수(형)(의)
［OPP］ **singular**

*****plus** [plʌs] *prep.* **1** [수학] 플러스, …을 더
하여: Three *plus* two equals five. 3에 2
를 더하면 5이다. / The bag costs $59.95

plus tax. 그 가방은 59.95달러에 세금이 별도로 붙는다. OPP minus **2** …에 덧붙여서, … 외에: We want something *plus* the men, that is, money. 사람 외에 필요한 것이 있는데 그것은 즉 돈이다. / the debt *plus* interest 이자가 붙은 부채 SYN besides

n. **1** [수학] 플러스 부호 (+) OPP minus **2** 이익, 여분: Knowledge of French will be a *plus* in this job. 프랑스 어를 알고 있다는 것이 이 일에 이득이 될 것이다.

adj. (명사 뒤에만 쓰임) **1** … 이상의: He works 10 hours a day *plus*. 그는 하루에 10시간 이상 일한다. **2** (성적에서) 상위의, …의 약간 위의: I got a B plus(B⁺) for Mathematics. 나는 수학에서 B 플러스를 받았다. OPP minus

plush [plʌʃ] *adj.* 사치스런, 값비싼: a *plush* hotel 값비싼 호텔

Pluto [plu:tou] *n.* [천문] 명왕성

plutonium [plu:tóuniəm] *n.* [화학] 플루토늄 (방사성 원소; 기호 Pu)

ply [plai] *v.* **1** [I,T] …에 열성을 내다, 열심히 일하다: *ply* a trade 장사를 열심히 하다 **2** [I] (배·차 등이) 정기적으로 왕복하다: The bus *plies* from the station to the hotel. 버스는 역과 호텔 사이를 왕복한다.

축어 **ply ... with ~ 1** …에게 ~을 자꾸 주다, 억지로 권하다: He *plied* me *with* food. 그는 나에게 음식을 자꾸 권했다. **2** (질문 등을) 퍼붓다, 캐묻다: The boy *plied* his teacher *with* questions. 그 아이는 선생님에게 끊임없이 질문했다.

*P.M., p.m. *abbr.* post meridiem 오후

pneumonia [nju:móunjə] *n.* [의학] 폐렴

*pocket [pákit] *n.* **1** 포켓, 호주머니: The keys are in my *pocket*. 열쇠는 내 호주머니에 있다. **2** (자동차 문 안쪽의) 주머니, (열차 등의 좌석에 있는) 주머니: The map is in the *pocket* on the car door. 지도는 자동차 문의 주머니에 있다. / The suitcase has several inside *pockets*. 그 여행 가방은 안

쪽에 여러 개의 주머니가 있다. **3** 가지고 있는 돈, 자금, 용돈: I paid for my ticket out of my own *pocket*. 나는 내 돈으로 표값을 지불했다. **4** 주위에서 고립된 그룹〔지구〕: a *pocket* of poverty 빈곤 지구

v. [T] **1** 포켓에 넣다: She *pocketed* the change. 그녀는 잔돈을 포켓에 넣었다. **2** 착복하다, 훔치다: He *pocketed* all the profits. 그는 이익금을 전부 가로챘다.

adj. (명사 앞에만 쓰임) 포켓용〔형〕의, 소형의 (pocket-sized): a *pocket* dictionary 소형〔포켓형〕 사전

축어 **pick a〔one's〕 pocket** ⇨pick

pocket money *n.* ([미] allowance) 용돈

pod [pɑd] *n.* (완두콩 등의) 꼬투리; 누에고치

podium [póudiəm] *n.* 연단; (오케스트라의) 지휘대

*poem [póuim] *n.* (한 편의) 시; 운문

*poet [póuit] *n.* 시인

poetic [pouétik] (또는 poetical) *adj.* **1** 시의, 시적인: *poetic* language 시어 **2** 시인(기질)의, 시를 좋아하는

※ '시의'의 뜻으로는 보통 poetical, '시적인'의 뜻으로는 보통 poetic을 쓴다. 또한 poetical은 시의 형식에 관하여, poetic은 시의 본질·내용에 관하여 식별적으로 사용될 때도 있다.

— **poetically** *adv.*

poetry [póuitri] *n.* **1** (집합적) 시, 시가: epic〔lyric〕 *poetry* 서사〔서정〕시 *cf.* prose 산문 **2** 시집 **3** 작시(법)

poignant [pɔ́injənt] *adj.* 애절한, 슬픔〔회한〕을 자아내는: a *poignant* love story 애절한 러브 스토리

— **poignantly** *adv.* **poignancy** *n.*

*point [pɔint] *n.* **1** (생각해야 할) 점, 사항, 항목, 문제: She makes some interesting *points* in her report. 그녀는 보고서에서 몇 가지 흥미로운 점들을 주장하고있다.

2 (the point) 요점, 요지: The *point* is I don't want to marry you. 요점은 내가

너와 결혼하고 싶지 않다는 것이다. / Would you just get to the *point*? 요점을 좀 말씀해 주시겠습니까?

3 특징(이 되는 점), 특질: Kindness is one of his strong *points*. 친절함은 그의 장점 중의 하나이다. / a weak *point* 단점

4 (the point) 목적, 취지 (of(in), of(in) doing): What's the *point* of seeing him? 그를 만나는 목적은 무엇이냐? / There's no *point* in inviting her — she never comes to parties. 그녀를 초대해도 소용 없다. 그녀는 절대 파티에 오지 않는다.

5 (종종 복합어로) 어떤 특정한 때, 시점; 지점, 장소: At that *point*, the door opened and the teacher walked in. 그 때 문이 열리고 선생님이 들어오셨다. / a turning *point* 전환기

6 뾰족한 끝: the *point* of a needle 바늘끝

7 (기호로서의) 점; [수학] 소수점; [문법] 구두점, 종지부, 마침표; [음악] 부호: one *point* nine 1.9 / a full *point* 종지부 / an exclamation *point* 느낌표

8 득점, 점수: Our team scored five *points*. 우리 팀이 5점을 땄다. / lose a *point* 점수를 잃다

9 (온도계 등의) 눈금; (온도의) 도; (물가·주식 시세 등의) 지표, 포인트: Interest rates have risen by two percentage *points*. 이자율이 2% 올랐다. / boiling(freezing, melting) *point* 끓는(어는, 녹는)점

v. **1** [I] 가리키다 (at, to): "There's a spider," she said, *pointing* to the ceiling. 그녀는 천장을 가리키며 '거미가 있어'라고 말했다.

2 [I,T] 향하게 하다 (at, towards): He *pointed* the gun at the target. 그는 표적을 향해 총을 겨누었다.

3 [I] 가리키다, (어떤 방향을) 향해 있다: The arrow *points* north. 화살표는 북쪽을 가리키고 있다.

4 [I] 경향을 나타내다, 시사하다 (to): Everything seems to *point* to success.

모든 것이 성공의 조짐을 나타내고 있다.

[숙어] **be on the point of -ing** 막 …하려고 하다: He *was on the point of* going out. 그는 막 나가려던 참이었다.

beside the point ⇨ beside

make a point of -ing 반드시 …하다, …을 중시하다: I *make a point of* taking a walk after breakfast. 나는 아침 식사 후엔 반드시 산책을 한다.

point of view 견지, 의견 [SYN] viewpoint, standpoint

point out 1 지적하다, 알리다: *Point out* any errors to me. 잘못이 있으면 무엇이든 지적해 주세요. **2** 나타내다, 분명히 하다: He *pointed out* that it was not true. 그는 그것이 사실이 아니었음을 분명히 했다.

prove a point 주장함의 정당함을 밝히다, …를 설득시키다

to the point 요령 있는, 적절한, 핵심을 찌르는: Her answer is short and *to the point*. 그녀의 대답은 간결하고 핵심을 찌른다.

up to a point 어느 정도

point-blank [pɔ́intblǽŋk] *adj. adv.* **1** 표적을 똑바로 겨냥한, 직사(直射)의: a *point-blank* range(distance) 표적 거리 **2** 노골적인, 단도직입적인: I told him *point-blank* that he had made a mistake. 나는 그가 실수했다고 단도직입적으로 말했다.

pointed [pɔ́intid] *adj.* **1** 뾰족한 **2** (말·표현 등이) 날카로운, 신랄한: a *pointed* question 날카로운 질문

— pointedly *adv.*

pointer [pɔ́intər] *n.* **1** 조언, 암시, 힌트: Could you give me some *pointers* on this job? 이 일에 대한 조언을 좀 해 주시겠어요? **2** (지도·흑판 등을 가리키는) 지시봉, (시계·저울 등의) 바늘, 시침 **3** [컴퓨터] 포인터 (컴퓨터 화면상에서 마우스를 따라 움직이는 작은 화살표 모양)

pointless [pɔ́intlis] *adj.* 효과 없는, 헛된, 무의미한: It seems *pointless* to discuss this issue again. 이 문제를 다시

논의하는 것은 무의미한 것 같다.

—**pointlessly** *adv.* **pointlessness** *n.*

poise [pɔiz] *n.* **1** 평형, 균형: lose one's *poise* 평형을 잃다 **2** 평정, 안정: a man of *poise* 침착하고 냉정한 사람

poised [pɔizd] *adj.* **1** …할 준비가 된 (for, to do): The army was *poised* to attack. 군대는 공격할 준비가 되었다. **2** (사람이) 침착한, 태연한

*****poison** [pɔ́izən] *n.* 독(약): *poison* gas 독가스

v. [T] **1** 독살[독해]하다: *poison* an enemy commander 적의 사령관을 독살하다 **2** …에 독을 넣다: He thought that someone has *poisoned* his food. 그는 누군가 그의 음식에 독을 넣었다고 생각했다. **3** (물·공기 등을) 오염시키다; (생각·성격 등에) 해독을 끼치다: Chemical waste has *poisoned* the water supply. 화학 폐기물이 상수도원을 오염시켰다. / I think that these violent videos *poison* children's minds. 나는 이런 폭력적인 비디오가 아이들의 마음에 해독을 끼친다고 생각한다. **4** 망치다, 못쓰게 하다: The unhappy accident *poisoned* the whole holidays. 불행한 사고 때문에 휴가 전체를 망쳤다.

—**poisoner** *n.* 해독을 끼치는 사람[것], 독살자

poisonous [pɔ́izənəs] *adj.* **1** 유독한, 유해한: a *poisonous* snake 독사 **2** 매우 불쾌한

poke [pouk] *v.* **1** [T] (손·막대기 등으로) 찌르다: He *poked* me in the ribs with a pencil. 그가 연필로 내 옆구리를 찔렀다. **2** [I,T] (막대기·머리·손가락 등을) 쑥 넣다, 쑥 내밀다 (into, through, out of, down): She *poked* her head out of the window. 그녀는 창문 밖으로 머리를 쑥 내밀었다.

n. 찌름: He gave me a *poke* in the arm. 그는 내 팔을 콕 찔렀다.

[숙어] **poke fun at** …을 놀리다

polar [póulər] *adj.* (명사 앞에만 쓰임) 극지의, 남극[북극]의: *polar* expedition 극지 탐험대

polarize, polarise [póuləràiz] *v.* **1** [I,T] 대립시키다, 분극화시키다 **2** [T] (빛을) 편광시키다 **3** [T] …에 극성을 주다

Polaroid [póulərɔ̀id] *n.* (상표명) 폴라로이드 (일종의 즉석 카메라); 폴라로이드 카메라

*****pole** [poul] *n.* **1** 막대기, 장대: a fishing *pole* 낚싯대 **2** 극, 극지: the North(South) *Pole* 북(남)극 **3** [물리] 전극, 자극

pole vault *n.* (the pole vault) 장대높이뛰기

*****police** [pəlí:s] *n.* (the police) (집합적) 경찰

v. [T] (경찰이) …의 치안을 유지하다, 단속하다: U.N. forces *police* several countries in Africa. 아프리카의 몇 나라가 유엔군의 관리 하에 있다.

■ **용법** police

1 police는 복수 명사로 항상 복수 동사를 받으며 경찰관 한 명이란 뜻으로 'a police'라고 쓰지 않음.: More than one hundred *police* gathered. 100명 이상의 경찰들이 모였다. **2** 조직으로서의 경찰을 뜻할 때는 항상 the를 붙임.: The *police* are investigating the crime. 경찰은 그 범죄를 조사 중이다.

policeman [pəlí:smən] *n.* (*pl.* policemen) 경찰관, 경관

police officer *n.* 경찰관 (officer) [SYN] policeman, policewoman

police state *n.* 경찰 국가

police station *n.* 경찰서

*****policy** [páləsi] *n.* **1** (정부·회사 등의) 정책, 방침: What is the government's *policy* on education? 정부의 교육 정책은 무엇입니까? / foreign *policies* 외교 정책 **2** 방책, 수단: Honesty is the best *policy*. [속담] 정직이 최선의 방책이다. **3** 보험 증권[증서]

polio [póuliòu] *n.* [의학] 소아마비

polish [páliʃ] *v.* [T] 닦다, …의 윤을 내다: I *polished* my shoes. 나는 구두를 닦았다.
n. **1** 광택제: shoe *polish* 구두약 **2** 광택, 닦기
[숙어] **polish off** (일·식사 등을) 재빨리 끝내다, 해내다

polished [páliʃt] *adj.* **1** 광택 있는 **2** 품위 있는, 세련된

***polite** [pəláit] *adj.* 공손한, 예의바른, 정중한; 교양 있는, 우아한: It was *polite* of her to offer me her seat. 나에게 자리를 양보해 준 걸 보니 그녀는 참 예의바른 사람이었다. / a *polite* refusal 정중한 거절 [OPP] impolite
— **politely** *adv.* **politeness** *n.*

***political** [pəlítikəl] *adj.* **1** 정치(상)의, 정치에 관한: The U.S. has two main *political* parties. 미국에는 두 개의 큰 정당이 있다. **2** 정치에 관심이 있는: I'm not a *political* person. 나는 정치에 관심이 없다. **3** 정치적인, 정략적인
— **politically** *adv.*

politician [pàlətíʃən] *n.* 정치가

politics [pálitiks] *n.* (*pl.*) **1** (단수 취급) 정치, 정치 활동: He went into *politics* in his early thirties. 그는 삼십대 초반에 정계에 들어갔다. **2** (복수 취급) 정강, 정견, 정치관: What are his *politics*? 그의 정치관은 어떤 것입니까? **3** (단수 취급) 정략, (당파적·개인적) 이해, 동기 **4** (단수 취급) 정치학 ([미] Political Science)

poll [poul] *n.* **1** 여론 조사(의 질문표) (opinion poll) **2** 투표: go to the *polls* 투표하다 **3** 투표 결과, 투표수
v. [T] **1** (표를) 얻다; 투표하다 **2** 여론 조사를 하다
— **polling** *n.* 투표; 여론 조사

pollen [pálən] *n.* [식물] 꽃가루

pollinate [pálənèit] *v.* [T] [식물] …에 수분(가루받이)하다
— **pollination** *n.* 수분 (작용)

pollutant [pəlúːtənt] *n.* 오염 물질

***pollute** [pəlúːt] *v.* [T] 더럽히다, 오염시키다: The air has been *polluted* with exhaust fumes. 공기가 배기 가스로 오염되었다.

pollution [pəlúːʃən] *n.* **1** 오염, 불결: air [water] *pollution* 대기[수질] 오염 **2** 오염 물질

poly- *prefix* '다(多), 복(複)'의 뜻. [OPP] mono- 단일의

polyester [pálièstər] *n.* [화학] 폴리에스테르; 폴레에스테르 섬유[수지] (인공 섬유의 일종)

polygon [páligàn] *n.* [수학] 다각형: a regular *polygon* 정다각형
— **polygonal** *adj.*

pomp [pɑmp] *n.* 화려, 장관

pompous [pámpəs] *adj.* **1** 거만한, 건방진 **2** (말 등을) 과장한 **3** 화려한, 호화로운

pond [pɑnd] *n.* 못, 연못

■ 유의어 **pond**
lake 배를 탈 수 있는 정도의 큰 호수를 뜻함. **pond** 영국에서는 특히 가축에 물을 먹일 만한 크기의 인공적인 못을 뜻하고 미국에서는 lake보다 작은 자연의 못에도 쓰임. **pool** pond보다 훨씬 작은 웅덩이를 뜻함. **puddle** 내린비로 형성된 작은 pool.

---

ponder [pándər] *v.* [I,T] 숙고하다, 깊이 생각하다 (on, over)

pony [póuni] *n.* 조랑말; (일반적) 작은 말

ponytail [póunitèil] *n.* 포니테일 (뒤로 묶어 말꼬리처럼 아래로 늘어뜨린 머리 모양)

poodle [púːdl] *n.* 푸들 (곱실거리는 털을 가진 개)

pooh [puː] *int.* 흥, 피, 체 (경멸·의문 등을 나타냄)

***pool** [puːl] *n.* **1** (a pool) 물웅덩이, 괸 곳 (of): There was a *pool* of oil under the car. 차 아래 기름이 괴어 있었다. / a *pool* of blood 피바다 **2** 수영장 (swimming pool): We have a *pool* in our backyard. 우리

집 뒤뜰에 수영장이 있다. **3** (인공의) 작은 못, 저수지 **4** (공동 목적을 위하여) 갹출한 물건〔돈〕; 공동 출자 **5** 내기 당구 **6** (the pools) 〔영〕축구 도박 (축구 시합의 승부를 예상하는) *v.* [T] 공동 출자〔부담〕하다, (생각 · 기술 등을) 서로 내놓다: They *pooled* their resources 〔money〕to start the business. 그들은 사업을 시작하기 위해 자금을 공동으로 출자했다.

***poor** [puər] *adj.* **1** 가난한: She came from a *poor* family. 그녀는 가난한 집안 출신이었다. OPP rich **2** (the poor) 가난한 사람들 **3** 열등한, 건강치 못한: My brother is in *poor* health. 나의 남동생은 건강이 좋지 못하다. **4** 불쌍한, 가엾은: *Poor* John, he's had a rough day. 가엾은 존, 그는 힘든 하루를 보냈다. **5** 부족한, 불충분한, 빈약한: At last month's meeting, attendance was *poor*. 지난 달 모임에는 참석자가 얼마 안 되었다. / a country *poor* in natural resources 천연 자원이 별로 없는 나라 **6** 메마른; 결핍된: *poor* soil 메마른 땅 / *poor* crop 흉작 **7** (활동 · 작품 등이) 서투른, 어설픈, 무능한 (at): I'm *poor* at English. 나는 영어를 잘 못한다. / a *poor* speaker 말이 서투른 사람

poorly [púərli] *adv.* 가난하게; 빈약하게, 불충분하게; 서투르게: a *poorly* paid job 박봉의 직업

adj. (명사 앞에는 쓰이지 않음) 〔영〕건강이 좋지 못한, 몸이 찌뿌드드한: I'm feeling *poorly*. 나는 몸이 좋지 않다.

***pop** [pɑp] *v.* (popped-popped) **1** [I,T] 펑 소리가 나다, 펑 터지다: The ballon *popped*. 풍선이 펑 터졌다. **2** [I] 불쑥 나타나다, 쑥 들어오다〔나가다〕(out, off, up): His head *popped* out of the window. 그의 머리가 창문 밖으로 불쑥 나타났다. / A button *popped* off my jacket. 재킷에서 단추가 툭 떨어졌다. **3** [T] 확 움직이게 하다〔놓다, 내밀다, 찌르다〕(in, into): Please *pop* the letter into the mailbox. 편지를 우체통에 넣어 주십시오.

n. **1** 대중 음악 (pop music): a *pop* singer 대중 음악 가수 **2** 평하는 소리: The cork came out of the bottle with a loud *pop*. 코르크 마개가 펑하는 큰 소리와 함께 병에서 빠졌다. **3** 탄산 음료

〔숙어〕**pop in** 돌연 방문하다
pop out 갑자기 튀어나오다〔꺼지다〕
pop up 갑자기 나타나다〔일어나다〕

popcorn [pápkɔ̀:rn] *n.* 팝콘

pope [poup] *n.* (Pope) 로마 교황

poplar [páplər] *n.* [식물] 포플러

***popular** [pápjələr] *adj.* **1** 인기 있는, 평판이 좋은 (with): That song is very *popular* with teenagers. 그 노래는 십대들에게 매우 인기 있다. OPP unpopular **2** 대중적인, 통속의: *popular* prices 대중(적) 가격 / *popular* science 통속 과학 **3** 민중의, 서민의: the *popular* opinion 여론

popularity [pàpjəlǽrəti] *n.* 인기, 대중성: The president's *popularity* has declined. 대통령의 인기가 떨어졌다.

popularize, popularise [pápjələràiz] *v.* [T] 대중〔통속〕화하다, 보급시키다

— **popularization** *n.*

popularly [pápjələrli] *adv.* 일반적으로, 널리; 일반 투표로: Vitamin C is *popularly* believed to prevent colds. 비타민 C는 보통 감기를 예방한다고 알려져 있다.

populate [pápjəlèit] *v.* [T] (보통 수동태) …에 사람을 거주케 하다, …에 살다: Seoul is a densely *populated* city. 서울은 인구 밀도가 높은 도시이다.

***population** [pàpjəléiʃən] *n.* **1** 인구, 주민수: What is the *population* of Seoul? 서울의 인구는 얼마인가? **2** (the population) 주민; (한 지역의) 모든 주민, (특정 계급 · 종족의) 사람들: the urban *population* 도시 주민 **3** [생태] (일정 지역의) 개체군, 집단; 개체수

porcelain [pɔ́:rsəlin] *n.* 자기(磁器); 자기 제품

porch [pɔːrtʃ] *n.* **1** [미] 베란다 **2** [영] 현관, 입구

pore [pɔːr] *n.* 털구멍

v. [T] **1** 열심히 독서〔연구〕하다 (over): We spent hours *poring* over the contract. 계약서를 자세히 살펴보는 데 몇 시간이나 걸렸다. **2** 숙고하다, 곰곰히 생각하다 (over, on, upon)

*pork [pɔːrk] *n.* 돼지고기

porous [pɔ́ːrəs] *adj.* 작은 구멍이 많은, (공기·물 등이) 스며드는, 투과성의 OPP non-porous

porridge [pɔ́ːridʒ] *n.* 포리지 (오트밀을 물이나 우유로 끓인 죽)

*port [pɔːrt] *n.* **1** 항구: a naval *port* 군항 / come into *port* 입항하다 / leave *port* 출항하다 **2** 항구 도시 **3** [항해] (선박의) 좌현 OPP starboard

portable [pɔ́ːrtəbl] *adj.* 들고 다닐 수 있는, 휴대용의: a *portable* radio 휴대용 라디오

n. 휴대용 기구, 포터블 (라디오, 텔레비전 등)

portal [pɔ́ːrtl] *n.* **1** (우람한) 입구, 현관, 정문 **2** [컴퓨터] 포털사이트 (인터넷 사용자가 원하는 정보를 얻기 위해 반드시 거쳐야 하는 사이트; 야후 등)

porter [pɔ́ːrtər] *n.* **1** (기차역·공항 등의) 수화물 운반인, 짐꾼 **2** 문지기, 수위

portion [pɔ́ːrʃən] *n.* **1** 한 조각, 일부, 부분 (of): A large *portion* of the book is made up of photographs. 책의 많은 부분이 사진으로 구성되어 있다. **2** (음식의) 1인분: two *portions* of chicken 닭고기 2인분 **3** (책임·비난·이익 등의) 몫: I accept my *portion* of the blame for the accident. 나는 사고에 대한 내 몫의 비난을 받겠다.

v. [T] 나누다, 분배하다 (out): Could you *portion* out the cake? 케이크 좀 나눠줄래요?

portrait [pɔ́ːrtrit] *n.* **1** 초상화, 초상 사진 **2** 상세한 묘사: The book gives a fascinating *portrait* of college life. 그

책은 대학 생활을 매혹적으로 잘 묘사하고 있다.

portray [pɔːrtréi] *v.* [T] **1** (인물·풍경 등을) 그리다 **2** (글이나 말로) 묘사하다 (as): In the film he's *portrayed* as a hero. 영화에서 그는 영웅으로 표현되었다. **3** (역을) 연기하다: In the movie, Michael Douglas *portrayed* the president of the United States. 영화에서 마이클 더글러스는 미국 대통령을 연기했다.

— **portrayal** *n.*

pose [pouz] *v.* **1** [T] (요구 등을) 주장하다, (문제 등을) 제기하다; (위험성을) 내포하다, 지니다: He *posed* a question to his students. 그는 학생들에게 질문을 했다. **2** [I,T] 포즈를 취하다〔취하게 하다〕: After the wedding we all *posed* for photographs. 결혼식이 끝난 후 우리는 사진을 찍기 위해 포즈를 취했다. **3** [I] (어떤) 태도를 취하다, 짐짓 …인 체하다 (as): He *posed* as a lawyer. 그는 변호사인 척 했다.

n. **1** 자세, 포즈 **2** 꾸민 태도, 겉치레

*position [pəzíʃən] *n.* **1** 위치, 장소: I'm trying to find our *position* on the map. 나는 지도에서 우리의 위치를 찾으려고 애쓰고 있다. / Turn the switch to the 'on' *position*. 스위치를 '켜짐' 상태로 돌려라. / The bands are in *position* for the parade's start. 퍼레이드를 시작하려고 밴드는 제자리를 잡고 있다.

2 (몸의) 자세: She is sitting in the same *position* for a long time. 그녀는 오랜 시간 동안 똑같은 자세로 앉아 있다. / a sitting 〔kneeling, standing〕 *position* 앉아〔무릎 꿇고, 서〕 있는 자세

3 상태, 형세: She's in a very difficult *position*. 그녀는 매우 어려운 상황에 있다. / I'm not in a *position* to help you financially. 나는 너에게 재정적인 도움을 줄 상황이 아니다.

4 (문제 등에 대한) 태도, 입장, 견해 (on): What is your *position* on this problem? 이 문제에 대한 너의 견해는 어떠니?

5 지위, 신분, 순위: the *position* of women in society 사회에서 여성들의 지위 / She finished the race in second *position*. 그녀는 2위로 경기를 마쳤다.
6 직책, 직(職), 근무처: She applied for a *position* in the firm that I work for. 그녀는 내가 근무하는 회사에 일자리를 지원했다. SYN post
7 [스포츠] (수비) 위치: What *position* does he play? 그는 (경기에서) 어느 위치를 맡고 있니?
v. [T] 적당한 장소에 두다, 위치를 정하다: I *positioned* myself as far away from him as possible. 나는 가능한 한 그와 멀리 떨어져 자리를 잡았다.

positive [pázətiv] *adj.* **1** 긍정적인: It's important to have a *positive* attitude when you have a serious illness. 중병에 걸렸을 때는 긍정적인 태도를 갖는 것이 중요하다. / a *positive* answer 긍정적인 대답 OPP negative **2** 확신하는, 자신이 있는 (about, that): "Are you sure you saw him?" "Absolutely *positive*." "확실히 그를 보았어?" "정말 확실해." / I'm *positive* that he's right. 나는 그가 옳다는 것을 확신한다. **3** 단정적인, 명확한: a *positive* proof 확증 **4** [의학·물리] 양성의: Her pregnancy test was *positive*. 그녀의 임신 테스트 결과는 양성이었다. OPP negative **5** [수학] 양수의 OPP negative
n. **1** 실재; 확실성, 긍정 **2** [문법] 원급

positively [pázətivli] *adv.* **1** 확실히, 절대적으로: He said quite *positively* that he would come. 그는 올 거라고 확실히 말했다. **2** 긍정적으로: You must try to start thinking *positively*. 너는 긍정적으로 생각하도록 해야 한다. **3** 적극적으로 **4** 정말로, 몹시: The idea is *positively* stupid. 그 생각은 정말로 어리석다.

*possess [pəzés] *v.* [T] **1** 소유하다, 가지고 있다: Many nations already *possess* chemical weapons. 많은 나라가 이미 화학

무기를 가지고 있다. / We lost everything we *possessed* in the fire. 화재로 인해 우리는 가졌던 모든 것을 잃었다. **2** (자격·능력을) 지니다, 갖추다: This plant was thought to *possess* miraculous healing powers. 이 식물은 신기한 치유력이 있는 것으로 여겨졌다. **3** (감정·관념 등이) …을 지배하다, 사로잡다: What *possessed* her to act like that? 그녀는 무엇 때문에 그런 행동을 했을까?
— **possessed** *adj.* 홀린, 미친, 열중한
숙어 **(be) possessed of** …을 가지고 있다: He *is possessed of* a large fortune. 그는 큰 재산을 소유하고 있다.

possession [pəzéʃən] *n.* **1** 소유, 입수 **2** (보통 *pl.*) 소유물, 재산: Many people lost their houses and all their *possessions* in the storm. 많은 사람들이 폭풍으로 인해 그들의 집과 모든 재산을 잃었다. SYN belongings
숙어 **(be) in possession of** …을 소유하고 있다: He *was in possession of* an illegal drug. 그는 불법 약물을 소지하고 있었다.
take possession of …을 입수하다, 점유하다: We don't *take possession of* the house till next month. 우리는 다음 달까지는 그 집을 입수하지 못한다.

possessive [pəzésiv] *adj.* **1** 소유의, 소유욕이 강한 (of, about): He's pretty *possessive* about his car. 그는 자동차에 대한 소유욕이 매우 강하다. **2** [문법] 소유격의

possessor [pəzésər] *n.* 소유자

possibility [pàsəbíləti] *n.* **1** 가능성 (of, that): Is there any *possibility* of that happening? 그게 일어날 가능성이 있는 거냐? / There is a strong *possibility* that she was lying. 그녀가 거짓말을 하고 있었을 가능성이 아주 높다. **2** 실현 가능한 일 [수단]: "Have you decided what to do?" "No, I'm still considering the various *possibilities*." "무엇을 할지 결정했니?" "아니, 아직도 여러 가지 가능한 일들을

고려 중이야."

*possible [pásəbəl] *adj.* **1** 가능한, 할 수 있는: Is it *possible* for him to get there in time? 그가 제 시간에 거기 도착할 수 있을까? / I'll send it today, if *possible*. 가능하다면 오늘 그것을 보낼게. / I'll phone you as soon as *possible*. 가능한 한 빨리 네게 전화할게. [OPP] impossible **2** 있음직한, 일어날 수 있는: It is *possible* that she will come. 그녀는 올지도 모른다. **3** (최상급이나 all, every와 함께 써서 그 뜻을 강조하여) 가능한 한: every *possible* means 가능한 모든 수단 **4** 그런대로 괜찮은, 적당한, 어울리는: He is the only one *possible* person among them. 그래도 그 중에서 괜찮은 사람은 그뿐이다. / a *possible* site for the new capital 새 수도로 적합한 부지

possibly [pásəbli] *adv.* **1** 어쩌면, 아마: "Can you come?" "*Possibly*." "올 수 있겠니?" "아마 그럴 것 같아." **2** (can과 함께 쓰여 강조적으로) 어떻게든지 해서, 될 수 있는 한, 도저히 (…않다): We'll do everything we *possibly* can to help. 우리가 도울 수 있는 모든 것을 할 것이다. / I couldn't *possibly* ask you to do that. 나는 네게 그것을 해 달라고 도저히 부탁할 수 없었다. / Could you *possibly* help me? 어떻게 좀 도와 주지 않겠습니까?

*post [poust] *n.* **1** 우편, 우편 제도 ([미] mail): I'm sending your present by *post*. 네 선물을 우편으로 보낼게. **2** (1회 배달 분의) 우편물 ([미] mail): There wasn't any *post* for you. 너한테 온 우편물은 없었다. **3** [영] 우체국; 우체통 ([미] mailbox) **4** 지위, 직, 직장: The minister said that he would resign his *post*. 장관은 사임하겠다고 말했다. [SYN] position **5** [군대] 초소, 주둔지: Soldiers had to remain at their *post*. 군인들은 그들의 주둔지에 머물러 있어야 했다. **6** 기둥; 푯말: a starting *post* 출발점 — *v.* [T] **1** 우송하다 ([미] mail): *Post* this letter, please. 이 편지 좀 부쳐 주세요. / I

posted him a Christmas card. 나는 그에게 크리스마스 카드를 부쳤다. **2** 배치하다, 전출시키다: He has been posted to the London office. 그는 런던 사무소에 전출되었다. / Policemen were *posted* along the street. 경찰들이 길을 따라 배치되었다. **3** (종종 수동태) 게시하다, 공표하다: The exam results were *posted* on the notice board. 시험 결과는 게시판에 게시되었다. / Keep me *posted* about what is going on. 일어나는 일을 내게 계속 알려 줘.

— **posting** *n.* 지위 (부서 · 부대)에의 임명

[숙어] **by return (of post)** ⇨ return

post- *prefix* '후, 다음'이란 뜻. [OPP] ante-, pre-

postage [póustidʒ] *n.* 우편 요금

postal [póustəl] *adj.* 우편의; 우체국의; 우송에 의한: *postal* workers 우체국 직원

postbox [póustbàks] *n.* [영] 우체통 (letter box; [미] mailbox)

postcard [póustkàːrd] *n.* 우편 엽서

*poster [póustər] *n.* 포스터, 벽보, 광고 전단

posterior [pastíəriər] *adj.* **1** (시간 · 순서) 뒤의, 다음의 [OPP] prior **2** (위치가) 뒤의; (신체의) 등 부분의 [OPP] anterior

posterity [pastérəti] *n.* (집합적) 자손; 후세: These works of art should be preserved for *posterity*. 이러한 예술 작품들은 후세를 위해 보존되어야 한다.

postgraduate [póustgrǽdʒuit] *n.* 대학원 학생, 연구생

postman [póustmən] *n.* (*pl.* postmen) ([미] mailman) 우체부

postmark [póustmàːrk] *n.* 소인(消印) — *v.* [T] …에 소인을 찍다

post office *n.* 우체국

postpone [poustpóun] *v.* [T] 연기하다, 미루다: The meeting has been *postponed* until next Sunday. 모임은 다음 일요일까지 연기되었다. [SYN] delay

— **postponement** *n.*

postscript [póustskrìpt] *n.* (편지의) 추신 (*abbr.* P.S.); (책의) 후기

posture [pástʃər] *n.* **1** 자세, 자태: She has really good *posture.* 그녀는 정말 자세가 좋다. / Poor *posture* can lead to backache. 나쁜 자세는 요통을 일으킬 수 있다. **2** (정신적) 태도, 마음가짐: the government's *posture* on the issue 그 문제를 대하는 정부의 자세

postwar [póustwɔ́ːr] *adj.* 전후(戰後)의 OPP prewar

*****pot** [pɑt] *n.* **1** 단지, 항아리; (깊은) 냄비; 화분: *pots* and pans 냄비와 팬 (취사도구) / a coffee *pot* 커피 주전자 / a flower*pot* 화분 **2** (단지 등의) 한 잔의 분량: a *pot* of beer 맥주 한 잔

v. [T] (potted-potted) **1** 화분에 심다 **2** [당구] (공을) 포켓에 넣다; [야구·골프] (공을) 치다

potable [póutəbəl] *adj.* (물이) 마시기에 적합한, 마실 수 있는

*****potato** [pətéitou] *n.* (*pl.* potatoes) **1** 감자: mashed *potatoes* 으깬 감자 **2** [미] 고구마 (sweet potato)

potent [póutənt] *adj.* 세력 있는, 강력한; 설득력 있는; (약 등이) 잘 듣는: *potent* weapons 강력한 무기 / a *potent* drug 잘 듣는 약
— **potency** *n.*

potential [pouténʃəl] *adj.* (명사 앞에만 쓰임) 잠재적인, 가능한: a *potential* customer 단골이 될 가망이 있는 사람
n. 잠재력, 가능성: She has a lot of *potential* as a writer. 그녀는 작가가 될 잠재력이 풍부하다.
— **potentially** *adv.*

potter [pátər] *n.* 도공, 도예가

pottery [pátəri] *n.* **1** (집합적) 도기: This shop sells beautiful *pottery.* 이 상점은 아름다운 도기를 판다. **2** 도기 제조(법): Her hobby is *pottery.* 그녀의 취미는 도기를 만드는 것이다. **3** 도기 제조소

pouch [pautʃ] *n.* **1** (가죽으로 만든) 작은 주머니; 쌈지; 돈지갑 **2** (캥거루 등의) 육아낭, (펠리컨의) 턱주머니

poultry [póultri] *n.* (집합적; 복수 취급) (닭·오리·거위 등의) 가금(家禽); 그 고기

*****pound¹** [paund] *n.* **1** 파운드 (pound sterling) (영국의 화폐 단위; 기호 £): a ten-*pound* note 10파운드 지폐 **2** 파운드 (무게의 단위; 약 0.454kg; *abbr.* lb.): a *pound* of potatoes 감자 1파운드 / I weigh about 120 *pounds.* 나는 몸무게가 120파운드 정도 나간다. / The oranges are only 40 cent a *pound.* 오렌지는 1파운드에 겨우 40센트다. **3** (the pound) 영국의 통화 제도; 파운드의 시세

pound² [paund] *v.* **1** [I,T] 세게 두드리다, 마구 치다 (at, against, on): He *pounded* his fist on the door. 그는 주먹으로 문을 탕탕 두드렸다. **2** [I] 쿵쿵 쿵쿵 걷다 (along, down, up): He *pounded* up the stairs. 그는 계단을 쿵쿵 쿵쿵 걸어 올라갔다. **3** [I] (심장이) 두근거리다: My heart was *pounding* with excitement. 흥분으로 심장이 두근거렸다. **4** [T] 때려부수다, 가루로 만들다

*****pour** [pɔːr] *v.* **1** [T] 따르다, 쏟다, 붓다: He *poured* me a glass of beer. 그가 나에게 맥주를 한 잔 따라 주었다. **2** [I] (액체·빛·연기 등이 대량으로) 흐르다, 흘러 나가다: Tears were *pouring* down her cheeks. 눈물이 그녀의 볼을 타고 흘러내렸다. / The fresh air *poured* into the room. 신선한 공기가 방 안으로 흘러들어왔다. **3** [I] (비가) 억수같이 퍼붓다 (down): It *poured* all night. 밤새도록 비가 억수같이 퍼부었다. **4** [I] (군중 등이) 쇄도하다, 밀어닥치다: The people were *pouring* out of the theater. 사람들이 극장 밖으로 쏟아져 나오고 있었다.
속의 **pour out** (말·감정 등을) 거침없이 드러내다, 끊임없이 지껄이다

poverty [pávərti] *n.* **1** 가난, 빈곤: There are many people living in *poverty* in this country. 이 나라에는 가난하게 사는 사람들이 많다. OPP wealth **2** 결핍, 부족: The work shows a *poverty* of creativity. 그 작품은 독창성의 부족이 드러난다. / a *poverty* of ideas 사상의 빈곤

poverty-stricken [pávərtistrìkən] *adj.* 매우 가난한, 가난에 시달린: a *poverty-stricken* area 매우 가난한 지역

****powder** [páudər] *n.* **1** 가루, 분말: Grind the spices into a *powder*. 양념을 가루로 빻아라. **2** (화장용) 분: face *powder* 페이스 파우더 **3** 가루약 **4** 화약 (gunpowder) *v.* [T] **1** 가루로 만들다 **2** 분을 바르다: Jane took out her compact and began *powdering* her face. 제인은 콤팩트(휴대용 분갑)를 꺼내서 얼굴에 분을 바르기 시작했다. **3** …에게 가루를 뿌리다, …로 가득하다 (with): Her face was *powdered* with flour. 그녀의 얼굴은 밀가루 투성이가 되었다.

—**powdered** *adj.* 분말로 한

****power** [páuər] *n.* **1** 힘, 능력: He has no *power* to live on. 그는 살아갈 힘이 없다. / *power* of nature 자연의 힘 **2** 권력, 정권: He's been in *power* now for five years. 그는 현재 5년 동안 정권을 잡고 있다. / The party went out of *power*. 그 정당은 정권을 잃었다. / take(seize) *power* 정권을 잡다 **3** (the power) 권한, 권능 (to): The police have the *power* to arrest people. 경찰은 사람들을 체포할 수 있는 권한이 있다. **4** 강국: Spain was an important military *power* in the 16th century. 스페인은 16세기에 중요 군사 강국이었다. / an economic *power* 경제 강국 / a world *power* 세계의 강국 **5** (powers) (특수한) 능력; 체력, 정력: She has great *powers* of concentration. 그녀는 굉장한 집중력을 가지고 있다. / His *powers* are failing. 그의 체력이 약해지고 있다. **6** 동력, 전력, 에너지, (물리적인) 힘: electrical (nuclear, water) *power* 전력(원자력, 수력) / The house was rocked by the

power of the explosion. 집이 폭발력으로 인해 흔들렸다.

v. [T] …에 동력을 공급하다: The clock is *powered* by two small batteries. 그 시계는 두 개의 작은 건전지로 움직인다.

숙어 **come to(into) power** 정권을 장악하다: He *came to power* in 1998. 그는 1998년에 정권을 장악했다.

have power over …을 지배하다, …을 마음대로 하다: He likes to *have power over* people. 그는 사람들을 지배하는 걸 좋아한다.

in one's power 힘이 미치는, 지배 아래: It is not *in my power* to do so. 그것은 내 힘으로는 할 수 없다.

powered [páuərd] *adj.* (보통 복합어로) **1** (…의) 동력이 있는: a high-*powered* engine 강력 엔진 **2** (렌즈 등이) …의 배율의

powerful [páuərfəl] *adj.* **1** 세력 있는, 유력한: She's the most *powerful* person in the organization. 그녀는 조직에서 가장 유력한 인물이다. **2** 강한, 강력한; 강인한: The car has a *powerful* engine. 그 차는 강력한 엔진을 가지고 있다. / a *powerful* boxer 강인한 권투 선수 **3** (연설 등이) 사람을 감동시키는, 설득력 있는: Her speech was very *powerful*. 그녀의 연설은 매우 설득력이 있었다. **4** (약 등이) 효능 있는: a *powerful* drug 잘 듣는 약

—**powerfully** *adv.*

powerless [páuərlis] *adj.* 무력한, 무능한; 권력이 없는; 효능이 없는: The police were *powerless* to do anything. 경찰은 무력해서 아무것도 할 수 없었다.

power plant *n.* ((영) power station) 발전소

practical [prǽktikəl] *adj.* **1** 실제의, 실제상의: Have you got any *practical* experience of working on a farm? 당신은 농장에서 일해 본 실제 경험이 있습니까? *cf.* theoretical 이론상의 **2** 실용적인, 쓸모 있는: I need clothes that are *practical* rather than fashionable. 나는 유행하는 옷보다는 실용적인 옷이 필요하다. **3** 실제로 도움이 되는, 실행 가능한: Your plan isn't *practical*. 너의 계획은 실행 가능하지 않다. / My father offered me *practical* advice on finding a job. 아버지는 직업을 찾는 데 있어 나에게 실제로 도움이 되는 충고를 해 주셨다. **4** 분별이 있는 **5** 경험이 풍부한, 노련한: He's really *practical*—he can fix anything. 그는 정말 노련하다. 무엇이든지 고칠 수 있다.

practicality [præktikǽləti] *n.* **1** 실용성, 실제적임, 실용주의: Your suggestion lacks *practicality*. 너의 제안은 실용성이 부족하다. **2** (practicalities) 실용[실제]적인 것

practically [præktikəli] *adv.* **1** 사실상, 거의: There is *practically* nothing left. 사실상 아무것도 남아 있지 않다. **2** 실제적으로, 실용적으로: You need to think *practically*. 너는 실질적으로 생각할 필요가 있다.

*__practice__ [præktis] *n.* **1** 실행, 실제: It looks all right in theory, but will it work in *practice*? 이론상으로는 괜찮지만 실제로도 잘 될까? **2** 버릇, 습관, 관례 **3** 실습, 연습; 숙련: I have three piano *practices* a week. 나는 일주일에 세 번 피아노 연습을 한다. **4** (의사·변호사의) 업무, 영업; 사무소, 진료소: He has a successful legal *practice* in Boston. 그는 변호사로 보스턴에서 성업 중이다. / a medical *practice* 의료 행위
v. [I,T] ([영] practise) **1** 연습하다, 실습하다: I *practice* the flute every day. 나는 매일 플루트를 연습하고 있다. **2** 실행하다, (신앙·이념 등을) 실천하다: *Practice* what you preach. 설교하는 바를 스스로 행하여라. **3** (의사·변호사 등으로) 개업하다, 종사하다: He has *practiced* law for over thirty years. 그는 30년 이상을 변호사로 일해 왔다. / She is now *practicing* as a dentist. 그녀는 현재 치과 의사로 일하고 있다.

[숙어] be[get] out of practice (연습 부족으로) 서투르다

in practice 실제로는: In *practice*, women receive much lower wages than their male colleagues. 실제로는 여자들이 남자 동료들보다 훨씬 낮은 임금을 받고 있다.

put ... in[into] practice …을 실행하다: How do you intend to *put* these ideas *into practice*? 너는 이러한 생각들을 어떻게 실행에 옮길 작정이니?

pragmatic [prægmǽtik] *adj.* **1** 실제적인 **2** [철학] 실용주의의

pragmatism [prǽgmətìzəm] *n.* **1** [철학] 실용주의 **2** 실리주의, 현실주의
—**pragmatist** *n.* 실용주의자

prairie [prɛ́əri] *n.* 대초원 (특히 북아메리카 미시시피강 연안의)

*__praise__ [preiz] *v.* [T] 칭찬하다 (for): He was *praised* for his diligence. 그는 근면하다고 칭찬받았다.
n. 칭찬

praiseworthy [préizwə̀ːrði] *adj.* 칭찬할 만한, 갸륵한 [OPP] blameworthy

*__pray__ [prei] *v.* [I,T] 빌다, 기원하다, 기도하다 (to, for): I *prayed* to God for help. 나는 신에게 도움을 기원했다. / We are *praying* for good weather tomorrow. 우리는 내일 날씨가 좋기를 빌고 있다.

prayer [prɛ́ər] *n.* **1** 기도문, 기원의 말 (for): She always says her *prayers* before she goes to sleep. 그녀는 항상 잠자리에 들기 전에 기도를 드린다. **2** 기도, 빌기: We knelt in *prayer*. 우리는 무릎 꿇고 기도했다.

pre- *prefix* '전, 앞, 미리'의 뜻. [OPP] post-

preach [priːtʃ] *v.* **1** [I,T] 설교하다, 전도하다 **2** [T] 타이르다, 권면하다: You're always *preaching* honesty, and then you lie to me. 너는 항상 정직을 권면하면서 나한테 거짓말을 한다. **3** [I] 훈계하다, 충고하다: My mother's always *preaching* at me about studying harder. 나의 어머니는 항상 더 열심히 공부하라고 훈계하신다.

— **preacher** *n.* 설교자

precaution [prikɔ́:ʃən] *n.* 조심, 경계; 예방책: I took the *precaution* of insuring my camera. 나는 예방책으로 사진기를 보험에 들었다. / take *precautions* against …을 경계〔조심〕하다

— **precautionary** *adj.*

precede [pri:sí:d] *v.* [I,T] …에 앞서다, …에 우선이다: Who *preceded* Bill Clinton as President? 빌 클린턴의 전(前)대통령은 누구였나? / The fire was *preceded* by a loud explosion. 화재에 앞서 큰 폭발이 있었다.

precedence [présədəns] *n.* 선행, 우위, 우선(권): take *precedence* over …에 우선하다

precedent [présədənt] *n.* 선례, 전례; [법] 판례: There is no *precedent* for it. 그것에 관한 전례는 없다. / set〔create〕a *precedent* (for) …에 전례를 만들다

preceding [pri:sí:diŋ] *adj.* (보통 the preceding) 이전의, 바로 앞의 [OPP] following

precept [prí:sept] *n.* 가르침, 교훈, 격언

precinct [prí:siŋkt] *n.* **1** [미] (행정상의) 관구, 관할 구역 **2** [영] 구내, 영역: a shopping *precinct* 상점가 **3** (교회 등의) 경내, 내부 **4** (precincts) 주위, 부근: the *precincts* of the cathedral 대성당 부근

*__precious__ [préʃəs] *adj.* **1** 비싼, 귀중한: *precious* stones〔metals〕 보석〔귀금속〕 / Nothing is so *precious* as time. 시간보다 귀중한 것은 없다. **2** 사랑스러운, 둘도 없는: Her children are very *precious* to her. 그녀에게는 아이들이 대단히 소중하다.

precipice [présəpis] *n.* 절벽, 벼랑

precipitate [prisípətèit] *v.* [T] **1** 재촉하다, 촉진시키다: The war was *precipitated* by an invasion. 그 전쟁은 침략에 의해 촉발되었다. **2** (어떤 상태에) 갑자기 빠뜨리다 (into)

adj. [prisípətit] 경솔한, 조급히 구는

n. [prisípətit] [화학] 침전(물)

— **precipitately** *adv.*

precipitation [prisìpətéiʃən] *n.* **1** [기상] 강설, 강우〔강수〕(량); (수증기의) 응결 **2** [화학] 침전(물)

precipitous [prisípətəs] *adj.* 험한, 가파른: *precipitous* cliffs 가파른 절벽

*__precise__ [prisáis] *adj.* **1** 정밀한, 정확한: *precise* details 정밀한 세부 항목 / *precise* measurements 정밀한 측정(치) / We met in 1995—May first to be *precise*. 우리는 1995년에 만났다. 정확히 말하면 5월 1일이다. [OPP] imprecise **2** (명사 앞에만 쓰임) 딱 들어맞는, 바로 그…: At that *precise* moment, the telephone rang. 바로 그때 전화벨이 울렸다. **3** 꼼꼼한, 세세한: He's very *precise* about his work. 그는 일에 대해선 매우 꼼꼼하다.

precisely [prisáisli] *adv.* **1** 바로, 정확히: I arrived at six o'clock *precisely*. 나는 정확히 6시에 도착했다. [SYN] exactly **2** 틀림없이, 전혀: This is *precisely* the truth. 이것은 틀림없는 사실이다. **3** (동의를 나타내어) 바로 그렇다: "So it was Tom's mistake." "*Precisely*." "그것은 톰의 잘못이었다." "그렇고 말고."

precision [prisíʒən] *n.* 정확, 정밀: The work is done with great *precision*. 그일은 아주 정확하게 끝났다.

predecessor [prédisèsər] *n.* **1** 전임자, 선배 **2** (기계 등의) 전신(前身), 대치된 것 [OPP] successor

predicate [prédikit] *n.* [문법] 술부, 술어

v. [T] [prédikèit] 단언하다

predicative [prédikèitiv] *adj.* [문법] 서술적인: the *predicative* use (형용사를 보어로 쓰는) 서술적 용법 *cf.* attributive 한정적인

— **predicatively** *adv.*

*__predict__ [pridíkt] *v.* [T] 예언하다; 예보하

다: It's difficult to *predict* exactly when or where a typhoon will come. 언제, 어디서 태풍이 올지 정확히 예보하는 것은 어렵다.
— **prediction** *n.*

predictable [pridíktəbl] *adj.* **1** 예언〔예상〕할 수 있는: The match had a *predictable* result. 경기는 예상된 결과대로였다. **2** (사람이) 새로운 게 없는: She's so *predictable*. 그녀는 정말 새로운 게 없는 사람이다.
— **predictably** *adv.*

predominant [pridámənənt] *adj.* 우세한, 탁월한; 눈에 띄는: The *predominant* color was red. 주색(主色)은 빨강이었다.
— **predominantly** *adv.* 우세하게, 주로

predominate [pridámənèit] *v.* [I] 우세하다, 뛰어나다; 지배력을 갖다 (over): Dairy farming *predominates* in this area. 이 지역에는 낙농업이 우세하다.
— **predominance** *n.*

preeminent [priémənənt] *adj.* 우수한, 발군의, 탁월한: He was the *preeminent* artist of his day. 그는 당시에 탁월한 예술가였다.
— **preeminently** *adv.* **preeminence** *n.*

preface [préfis] *n.* 서문, 머리말
v. [T] …에 서문을 쓰다; (말·글 등을) (…으로) 시작하다: He *prefaced* his speech by an apology. 그는 사과로 그의 연설을 시작했다.

*prefer [prifə́:r] *v.* [T] **1** (오히려) …을 좋아하다 (to): Which color do you *prefer* — blue or red? 파란색과 빨간색 중에 어느 색을 좋아하니? / I *prefer* beer to wine. 나는 포도주보다 맥주를 좋아한다. / I would *prefer* to go there alone. 나는 혼자 거기에 가고 싶다. **2** (고소장 등을) 제출하다: *prefer* a charge against …를 고소하다

preferable [préfərəbəl] *adj.* 차라리 나은, 바람직한 (to, to doing): Poverty is *preferable* to ill health. 가난이 아픈 것보다 낫다.

preferably [préfərəbli] *adv.* 차라리, 즐겨, 되도록이면: Call me tonight, *preferably* after 9 o'clock. 오늘밤, 되도록이면, 9시 이후에 전화해라.

preference [préfərəns] *n.* **1** 더 좋아함, 편애 (for): His *preference* is for simple cooking. 그는 담백한 음식을 더 좋아한다. / We have lemonade and orange juice — do you have a *preference*? 레모네이드와 오렌지 주스가 있는데 (둘 중) 더 좋아하는 것이 있나요? **2** 우선권, 우대, 특혜: We give *preference* to those who have worked with us for a long time. 우리는 우리와 오래 일한 사람들에게 우선권을 준다.

preferential [prèfərénʃəl] *adj.* (명사 앞에만 쓰임) 우선(권)의, 차별적인: *preferential* treatment 우대

prefix [prí:fiks] *n.* [문법] 접두사 *cf.* suffix 접미사

pregnancy [prégnənsi] *n.* 임신: It's harmful to drink alcohol during *pregnancy*. 임신 중에 술을 마시는 것은 해롭다.

pregnant [prégnənt] *adj.* 임신한: She's three months *pregnant*. 그녀는 임신 3개월이다. / My wife is *pregnant* with our first child. 나의 아내는 첫 아이를 임신 중이다.

prehistoric [prì:histɔ́:rik] *adj.* 유사 이전의, 선사 시대의

prehistory [pri:hístəri] *n.* 선사학; 유사 이전(의 사건)

prejudice [prédʒədis] *n.* 편견, 선입관 (against): racial *prejudice* 인종적 편견 / He has a *prejudice* against foreigners. 그는 외국인에 대해 선입관을 갖고 있다.
v. [T] **1** …에 편견을 갖게 하다 (against): The review had *prejudiced* me against the book. 나는 서평을 보고 나서 그 책에 대해 편견을 갖게 되었다. **2** 손상시키다, …에 손해를 주다: A criminal record

will *prejudice* your chances of getting a job. 전과 기록이 직업을 얻는 데 손해가 될 것이다.

— **prejudiced** *adj.* 편견을 가진, 편파적인

preliminary [prilímənèri] *adj.* 예비의, 준비의; 임시의: a *preliminary* meeting 예비 모임

n. (보통 *pl.*) 사전 준비, 예비 행위〔단계〕

prelude [prélju:d] *n.* **1** 〔음악〕 전주곡, 서곡 **2** (중요한 사건 등의) 전조 (to): The changes are seen as a *prelude* to wide-ranging reforms. 변화들은 광범위한 개혁이 올 전조로 여겨진다. **3** 서막, 서문

premature [prì:mətjúər] *adj.* 너무 이른, 시기상조의, 조숙한: a *premature* birth 조산(早産) / His *premature* death was caused by lung cancer. 그의 너무 이른 죽음은 폐암 때문이었다. / It seems a bit *premature* to comment on the negotiations. 협상에 대해 논평을 하기에는 조금 시기상조인 것 같다.

— **prematurely** *adv.*

premier [primíər] *adj.* (명사 앞에만 쓰임) 첫째의, 가장 중요한, 최고위의: He's one of the nation's *premier* scientists. 그는 그 나라의 가장 중요한 과학자 중의 한 명이다. / the city's *premier* hotel 그 도시의 최고급 호텔

n. (영국·프랑스 등의) 국무 총리, 수상 (prime minister)

premiere, première [primíər, - mjέər] *n.* (연극의) 첫날, 초연; (영화의) 특별 개봉

premium [prí:miəm] *n.* **1** 보험료: How much is the monthly *premium*? 매달 보험료가 얼마입니까? **2** 할증금: Many customers are willing to pay a *premium* for a superior product. 많은 고객들이 보다 나은 제품에 대해 추가 요금을 기꺼이 지불한다. **3** 상(금); 포상금, 상여금

preoccupy [pri:άkjəpài] *v.* [T] 마음을 빼앗다, 몰두하게 하다

— **preoccupied** *adj.* 몰두한, 열중한

preoccupation *n.*

preparation [prèpəréiʃən] *n.* **1** 준비, 예비: Did you do much *preparation* for the exam? 시험 준비를 많이 했니? **2** (보통 *pl.*) 준비한 것: *Preparations* for the opening ceremony are well under way. 개회식 준비가 잘 진행되고 있다.

〔숙어〕 **in preparation for** …에 대한 준비로, …을 대비하여: He is practicing every day *in preparation for* the upcoming big game. 그는 다가올 큰 경기를 대비하여 매일 연습하고 있다.

make preparations for …의 준비를 하다: We are *making preparations for* the wedding. 우리는 결혼식을 준비하고 있다.

preparatory [pripǽrətɔ̀:ri] *adj.* 준비의, 예비의: *preparatory* work 준비 작업

***prepare** [pripέər] *v.* [I,T] **1** 준비하다, 대비하다: She is *preparing* the meal. 그녀는 식사를 준비하고 있다. / We've *prepared* a surprise party for him. 우리는 그를 위해 깜짝 파티를 준비했다. / After a short rest we *prepared* to climb down. 잠시 쉰 후에 우리는 산을 내려갈 준비를 했다. **2** (…에게) 준비시키다, 각오를 갖게 하다: This course *prepares* students for the entrance exam. 이 과정은 학생들에게 입학 시험을 준비시키고 있다. / He *prepared* himself to die. 그는 죽을 각오가 되어 있었다.

〔숙어〕 **be prepared for** …에 대한 준비가 되어 있다: I'm *prepared for* the worst. 나는 최악의 경우를 각오하고 있다.

be prepared to do …할 각오를 하고 있다, 자진하여 …하다: I'm *prepared to* admit my fault. 내 잘못을 깨끗이 인정한다.

preponderance [pripάndərəns] *n.* (무게·힘에 있어서의) 우위, 우세; 다수 〔SYN〕 predominance

— **preponderant** *adj.* 무게〔수·양·힘〕

에 있어 우세한, 압도적인

preposition [prèpəzíʃən] *n.* (*abbr.* prep.) [문법] 전치사

prerogative [prirágətiv] *n.* (관직·지위에 따르는) 특권, 특전 SYN privilege

prescribe [priskráib] *v.* [T] **1** (약을) 처방하다, 치료법을 지시하다: The doctor *prescribed* painkillers for me. 의사는 나에게 진통제를 처방해 주었다. **2** 규정하다, 지시하다: The law *prescribes* that all children must go to school. 모든 아이들은 학교에 가야 한다고 법에서 규정하고 있다.

prescription [priskrípʃən] *n.* 처방, 처방전

presence [prézəns] *n.* **1** 존재, 실재: I was not aware of her *presence*. 나는 그녀가 온 것을 미처 알지 못했다. **2** 출석, 참석: Your *presence* is requested. 참석해 주시기 바랍니다. OPP absence **3** (군대 등의) 주둔 **4** 풍채, 태도, 자태: a man of noble *presence* 풍채가 기품 있는 사람

축어 **in one's presence, in the presence of** …의 면전에서; …에 직면하여: He signed the document *in the presence of* a lawyer. 그는 변호사가 보는 앞에서 서류에 서명했다.

presence of mind (위급시의) 침착, 태연자약 OPP absence of mind

*****present¹** [prézənt] *adj.* **1** (명사 앞에만 쓰임) 지금의, 현재의: What is your *present* address? 당신의 현재 주소는 어떻게 됩니까? / at the *present* time 오늘날에는 **2** (명사 앞에는 쓰이지 않음) 있는, 출석하고 있는: I was *present* at the meeting. 나는 회의에 참석했다. / The accident is still *present* in my memory. 나는 그 사건을 아직도 기억한다. OPP absent

*****present²** [prézənt] *n.* **1** (친한 사람들 사이의) 선물: a birthday[Christmas] *present* 생일[크리스마스] 선물

※ gift는 보다 격식 차린 말로 값어치가 있는

것 등에 쓰인다. **2** (보통 the present) 현재, 오늘날: You have to stop worrying about the past and start thinking about the *present*! 너는 과거에 대한 걱정은 그만 하고 현재에 대해 생각해야 해! / There is no time like the *present*. [속담] 지금이 호기다. (현재보다 좋은 때는 또 없다.) **3** (the present) [문법] 현재시제 (the present tense)

*****present³** [prizént] *v.* [T] **1** 선물하다, …에게 주다, 증정하다 (to, with): We *presented* our teacher with flowers. 우리는 선생님께 꽃을 드렸다. / He *presented* a medal to a winner. 그는 우승자에게 메달을 수여했다.

2 (계획 등을) 발표하다, 진술하다: He is *presenting* the report to the board on Monday. 그는 월요일에 이사회에서 보고서를 발표할 예정이다.

3 야기시키다, (기회·가능성 등을) 주다: The situation *presented* a serious problem. 그 사태로 인해 심각한 문제가 야기되었다. / This sort of work *presents* me with no difficulty. 이런 종류의 일은 나에게 누워서 떡먹기다.

4 (서류·계산서 등을) 제출하다, 내놓다: The builder *presented* me with his bill. 건축업자가 나에게 청구서를 제출했다.

5 (극·TV 등에) 출연시키다, (배우 등을) 등장시키다

6 (연극 등을) 상연하다, (영화사가 영화 등을) 제공하다: The theater is *presenting* 'West Side Story' this weekend. 이번 주말에 극장에서 '웨스트 사이드 스토리'를 상영한다.

7 소개하다, 인사시키다: May I *present* Mr. Jones? 존스 씨를 소개합니다.

축어 **at present** 현재: I'm busy *at present*. Can I call you later? 지금 좀 바쁜데. 내가 나중에 전화해도 될까?

for the present 현재로서는, 당분간

presentable [prizéntəbəl] *adj.* 남 앞

에 내놓을 만한, 보기 흉하지 않은

presentation [prèzəntéiʃən] *n.* **1** 수여, 증정; 수여식: *Presentation* of the awards takes place at 11 o'clock. 시상식은 11시에 열린다. **2** (계획 · 제품 등의) 발표, 설명: She gave a *presentation* on ancient Korean art. 그녀는 고대 한국 미술에 대해 발표했다. **3** 전달〔전시〕 방식, 보여지는 모습: The *presentation* of food can be as important as the taste. 음식의 모양새는 맛만큼이나 중요할 수도 있다. **4** (영화 · 연극 등의) 공연, 공개

presently [prézəntli] *adv.* **1** 이내, 곧: He will be here *presently*. 그는 곧 여기올 것이다. **2** 현재: She is *presently* away from home. 그녀는 지금 집에 없다.

preservative [prizə́:rvətiv] *n.* 방부제

preserve [prizə́:rv] *v.* [T] **1** 보존하다, 유지하다: It is important to *preserve* our culture. 우리의 문화를 보존하는 것은 중요하다. / *preserve* order 질서를 유지하다 **2** 보호하다, 지키다 (from): The dog *preserved* him from danger. 개가 그를 위험에서 구했다. **3** (과일 등을) 저장 식품으로 만들다, 설탕〔소금〕 절임으로 하다: My mother *preserved* fruit in sugar. 엄마가 과일을 설탕 절임했다.

— **preservation** *n.*

preside [prizáid] *v.* [I] **1** (회의 등에) 의장을 맡아 보다, 사회를 보다: He *presided* at〔over〕 the meeting. 그는 그 모임의 사회를 보았다. **2** 지배하다, 관장하다 (over): The manager *presides* over the business of a firm. 지배인이 회사의 업무를 관장한다.

presidency [prézidənsi] *n.* **1** (the presidency) 대통령의 직〔지위〕 **2** 대통령의 임기

*****president** [prézidənt] *n.* **1** 대통령 (President): *President* Lincoln 링컨 대통령 / the *President* of the United States of America 미국의 대통령 **2** 장,

회장, 총재; (대학의) 총장, 학장

— **presidential** *adj.*

*****press** [pres] *n.* **1** (보통 the press) 보도 기관, 언론계, 보도진; 신문, 출판물: freedom of the *press* 언론〔출판〕의 자유 / The scandal has been widely reported in the *press*. 그 스캔들이 언론에 크게 보도되었다. / the local *press* 지역 신문

2 (신문 · 잡지 등의) 논평, 논조: She has had a bad *press* recently. 그녀는 최근에 언론에서 나쁜 논평을 받고 있다.

3 인쇄기 (printing press): go to *press* 인쇄에 돌려지다

4 인쇄소, 발행처, 출판부〔사〕: Oxford University *Press* 옥스퍼드 대학 출판부

5 누름, 압박: The box opens with the *press* of a button. 상자는 버튼을 누르면 열린다.

6 압착기, 짜는 기계: a garlic *press* 마늘 짜는 기계

v. **1** [I,T] 누르다: *Press* the button to start the machine. 기계를 작동시키려면 버튼을 눌러라. / He *pressed* down hard on the break. 그는 브레이크를 세게 밟았다. / The children *pressed* their faces against the window. 아이들이 창문에 얼굴을 밀어붙였다.

2 [T] (즙을) 짜내다: *press* grapes 포도를 짜다

3 [T] 다림질하다: I'll just *press* those shirts. 내가 저 셔츠들을 다림질할게.

4 [T] 껴안다, 꽉 쥐다: She *pressed* him in her arms. 그녀는 그를 꽉 껴안았다. / He *pressed* a ten-dollar bill into my hand. 그는 내 손에 10달러 지폐 한 장을 꼭 쥐어 주었다.

5 [I] 밀어 제치며 나아가다, 밀려오다 (across, against, around): A large crowd *pressed* around him. 군중이 그의 주위에 몰려들었다.

6 [I,T] …에게 강요하다, …을 조르다 (for, to): We *pressed* him for an answer.

우리는 그에게 대답을 강요했다. / He *pressed* me to stay a little longer. 그는 나에게 좀 더 있으라고 졸랐다.

7 [T] 강조〔역설〕하다, 주장하다: He *pressed* his point. 그는 자기 논지를 강력히 주장했다. / She *pressed* her ideas on me. 그녀는 자신의 생각을 나에게 고집했다.

〔숙어〕 **be pressed for** 괴로운 입장에 처하다, 압박을 받다: He *was pressed for* money. 그는 돈에 쪼들렸다.

press ahead〔forward, on〕(with) 밀어 헤치고 나가다, 서두르다: I *pressed on with* my work. 나는 일을 서둘러서 했다.

press charges (against) …를 고발하다

press conference *n.* 기자 회견

pressing [présiŋ] *adj.* 절박한, 긴급한: a *pressing* need 절박한 필요

pressure [préʃər] *n.* **1** 누르기, 압박, 강제(력): Apply *pressure* to the cut and it will stop bleeding. 베인 자리를 누르고 있어라. 그러면 출혈이 멈출 것이다. **2** 압력: My father has high blood *pressure*. 아버지는 고혈압이시다. / high〔low〕 atmospheric *pressure* 고〔저〕기압 **3** 곤란, 고통; 긴급: financial *pressure* 재정난 / I couldn't stay long because of *pressure* of work. 나는 일이 몹시 바빠서 더 있을 수 없었다.

v. [T] …에게 압력을 가하다, 강제하다: They *pressured* him into accepting the contract. 그들은 그에게 그 계약을 받아들이도록 압력을 가했다. / The police *pressured* him to confess his crime. 경찰은 그에게 자백을 강요했다.

〔숙어〕 **put pressure on〔upon〕** …에 압력을 가하다: Her parents have been *putting pressure on* her to get married. 그녀의 부모님은 그녀에게 결혼하라고 압박하고 있다.

under pressure 압력을 받아, 강요되어: The president is *under pressure* to resign. 대통령은 사임하라는 압력을 받고 있

다. / The gas is stored *under pressure*. 가스는 높은 압력으로 저장되어 있다.

prestige [prestíːdʒ] *n.* 위신, 명성
— **prestigious** *adj.* 명성 있는

presumably [prizúːməbli] *adv.* 추측상, 아마: *Presumably* he forgot to send the letter. 아마 그는 편지 보내는 것을 잊어버린 것 같다.

presume [prizúːm] *v.* [T] **1** 추정하다, …인가 하고 생각하다: The killer is *presumed* to have fled to America. 살인자는 미국으로 도망간 것으로 추정된다. / I *presume* that you are right. 나는 네 말이 옳다고 생각한다. / You are Mr. Smith, I *presume*? 당신이 스미스 씨 맞죠? **2** (보통 부정·의문문에서) 감히 …하다: I won't *presume* to trouble you. 나는 당신에게 폐를 끼칠 생각은 없습니다.
— **presumption** *n.* 가정, 추측

presumptuous [prizʌ́mptʃuəs] *adj.* 주제넘은, 뻔뻔한: It would be *presumptuous* of me to speak for the others. 내가 다른 사람들을 대신해 말하는 것은 주제넘은 일일 것이다.

***pretend** [priténd] *v.* [I,T] **1** …인 체하다, 가장하다, 속이다: I don't think he's asleep. He's just *pretending*. 나는 그가 자고 있다고 생각하지 않는다. 그는 단지 자는 척 하고 있는 것이다. / He *pretended* to be sick. 그는 아픈 체했다. / She *pretended* not to know me. 그녀는 나를 모르는 체했다. **2** (아이들의 놀이에서) …하는 흉내를 내다: The kids *pretended* to be Indians. 아이들은 인디언 놀이를 했다.

pretense [priténs] *n.* ([영] pretence) 구실; 겉치레, 거짓: He made a *pretense* that he was sick. 그는 아픈 체했다.

〔숙어〕 **on〔under〕 the pretense of** …을 구실로, …을 빙자하여, …인 것처럼 보이게 하고: He cheated me *under the pretense of* friendship. 그는 우정을 빙자하여 나를 속였다.

pretension [priténʃ∂n] *n.* (종종 *pl.*) 암묵의 요구, 자임, 자부

pretentious [priténʃ∂s] *adj.* 자만하는, 허세부리는, 과장된

pretext [príːtekst] *n.* 구실, 핑계: She used a call as a *pretext* for leaving the room. 그녀는 전화가 온 것을 핑계삼아 방에서 나갔다. / He called her on the *pretext* of asking for a book. 그는 책을 빌려 달라는 구실로 그녀에게 전화했다.

*__pretty__ [príti] *adj.* (prettier-prettiest) **1** (여자·소녀가) 예쁜, 귀여운: a *pretty* girl 예쁜 소녀 / She looks much *prettier* with her hair cut short. 그녀는 머리를 짧게 자르니 훨씬 더 예뻐 보인다. ⇨ beautiful **2** 훌륭한, 멋진, 깔끔한, (눈·귀에) 즐거운: a *petty* dress 멋진 옷 / a *pretty* garden 아담한 정원 / You have a *pretty* voice. 너는 기분 좋은 목소리를 가졌다.

adv. 꽤, 상당히, 매우: It's *pretty* cold today. 오늘은 꽤 춥다. / The test was *pretty* easy. 시험은 상당히 쉬웠다. / "How are you doing?" "*Pretty* good." "어떻게 지내니?" "아주 좋아."

—**prettily** *adv.* 곱게, 얌전하게
prettiness *n.*

[숙어] **pretty much**(**well**) 거의: I've *pretty much* finished packing now. 나는 이제 거의 짐을 다 쌌다.

prevail [privéil] *v.* [I] **1** 우세하다, 이기다 (against, over): They *prevailed* over their enemies in the battle. 그들은 전투에서 적을 압도했다. / Truth will *prevail*. [격언] 진리는 승리한다. **2** 널리 보급되다, 유행하다: This custom *prevails* in the south. 이 풍습은 남부에서 널리 행해지고 있다. / The superstition still *prevails* among them. 그 미신은 아직도 믿어지고 있다. **3** 설득하다, 설복하다 (on, upon): I *prevailed* on her to accept the invitation. 나는 초대에 응하도록 그녀를 설득했다.

prevailing [privéiliŋ] *adj.* (명사 앞에만 쓰임) **1** 널리 보급되어 있는, 일반적인: a *prevailing* attitude 일반적인 태도 **2** 우세한, 주요한: the *prevailing* wind (지역적·계절적으로 가장) 우세한 바람, 탁월풍

prevalent [prév∂l∂nt] *adj.* (널리) 보급된, 널리 행해지는; 우세한: Malaria is *prevalent* in this part of the country. 이 지방에는 말라리아가 널리 퍼져 있다.

—**prevalence** *n.*

*__prevent__ [privént] *v.* [T] **1** 막다, 방해하다, 막아서 … 못하게 하다 (from doing): Business *prevented* him from going. 그는 일 때문에 못 갔다. ※ stop보다 좀더 격식 차린 표현이다. **2** (질병·재해 등을) 예방하다, 방지하다: *prevent* accidents 사고를 예방하다

prevention [privénʃ∂n] *n.* 방지, 예방; 예방법: crime *prevention* 범죄 예방 / AIDS *prevention* 에이즈 예방

preventive [privéntiv] *adj.* 예방의, 막는, 방지하는 (preventative): *preventive* measures 예방책 / *preventive* medicine 예방 의학

preview [príːvjùː] *n.* **1** (영화 등의) 시연, 시사(회), **2** [미] 영화·[텔레비전]의 예고편, (라디오의) 프로 예고

*__previous__ [príːvi∂s] *adj.* 앞의, 이전의, 사전의: He said that he had arrived on the *previous* day. 그는 그 전날 도착했다고 말했다. / Do you have any *previous* experience of this kind of work? 당신은 이런 일을 전에 해 본 경험이 있습니까?

adv. …보다 전에(앞서) (to): I'll have the house cleaned *previous* to your arrival. 당신이 도착하기 전에 집을 청소할게요.

—**previously** *adv.*

prewar [príːwɔ́ːr] *adj.* 전전(戰前)의 [OPP] postwar

prey [prei] *n.* **1** 먹이: a beast of *prey* 맹수 **2** 희생: fall *prey* to …의 희생이 되다

v. [I] **1** 잡아먹다, 먹이로 하다 (on): Spiders

prey on small insects. 거미는 작은 곤충을 잡아먹는다. **2** 약탈하다, 빼앗다 (on): He *preys* on lone women in their twenties or thirties. 그는 이삼십대의 혼자 있는 여성들을 강탈하고 있다. **3** (걱정·근심 등이) 괴롭히다 (on one's mind): Care *preyed* on her mind. 근심이 그녀의 마음을 괴롭혔다.

*price [prais] *n.* **1** 가격, 대가; 시세: House *prices* are falling. 집값이 떨어지고 있다. / The *price* of oil has risen steadily. 기름값이 꾸준히 오르고 있다. / We can get a car at very low *prices*. 우리는 매우 저렴한 가격으로 차를 살 수 있다. / half (full) *price* 반값 (정가) **2** 대가, 희생: He gained the victory, but at a heavy *price*. 그는 승리를 얻었지만 희생이 컸다.
　v. [T] …에 값을 매기다 (at): The book is *priced* at $20. 그 책은 20달러의 값이 매겨져 있다.
　[숙어] **at a price** 비교적 비싸게; 상당한 희생을 치르고
　at any price 값이 얼마든, 어떠한 희생을 치르더라도: We must win *at any price*. 우리는 어떠한 일이 있어도 이겨야 한다. / I wouldn't sell it *at any price*. 나는 그것을 절대로 팔지 않겠다.
　at the price of …라는 대가를 치르고서, …을 희생하고서: He succeeded in his business *at the price of* his health. 그는 건강을 희생하고서 그의 사업에 성공했다.

> ■ **유의어 price**
> **price** 실제로 물품을 매매할 때의 값: a bargain *price* 할인 가격 **charge** 어떤 것을 사용하는 데 지불하는 요금: the *charge* for parking 주차 요금 **fare** 탈것의 요금: a taxi *fare* 택시 요금 **cost** 일 (생산)하는 데 드는 돈의 총액, 비용: the *cost* of living 생활비 **fee** 각종 수수료, 무형의 봉사에 대한 요금

priceless [práislis] *adj.* 대단히 귀중한, 돈으로 살 수 없는: *priceless* antiques 대단히 귀중한 골동품 [SYN] valuable, invaluable
price list *n.* 정가표 (목록)
price tag *n.* (상품에 붙이는) 정찰, 가격표
prick [prik] *v.* [T] **1** (바늘 등으로) 찌르다, 쑤시다, 꽂다: I *pricked* my finger with a pin. 손가락이 핀에 찔렸다. / He *pricked* himself on a thorn. 그는 가시에 찔렸다. **2** (양심 등이) 찌르다, …에 아픔을 주다: Pepper *pricks* the tongue. 후추 때문에 혀가 얼얼하다. / His conscience *pricked* him. 그는 양심의 가책을 받았다.
　n. 찌름; (바늘로 찌르는 듯한) 아픔, 쑤심
　[숙어] **prick up one's ears** (동물이) 귀를 쫑긋 세우다; (사람이) 주의해서 듣다, 귀를 기울이다: I *pricked up my ears* when they mentioned my name. 그들이 내 이름을 들먹였을 때 나는 주의해서 들었다.
prickle [príkəl] *n.* **1** (동식물 표피에 돋친) 가시 **2** 찌르는 듯한 아픔
　v. [I] 따끔따끔 아프다; 찌르다
prickly [príkli] *adj.* (pricklier-prickliest) **1** 가시가 많은: a *prickly* cactus 가시가 많은 선인장 / a *prickly* bush 가시덤불 **2** 따끔따끔 아픈, 욱신욱신 쑤시는 **3** 과민한, 성마른
pride [praid] *n.* **1** 자랑, 만족: She always talks about her son with great *pride*. 그녀는 늘 아들에 대해 대단히 자랑스럽게 말한다. **2** 자존심, 긍지: I think you may have hurt her *pride*. 네가 그녀의 자존심을 상하게 한 것 같다. / He has too much *pride* to accept any help. 그는 너무 자존심이 강해서 어떠한 도움도 받지 않는다. **3** 자만심, 오만, 거만: He has *pride* in his ability. 그는 자신의 능력에 자만하고 있다. / *Pride* goes before a fall. [속담] 교만은 패망의 선봉. **4** (보통 the pride, one's pride) 자랑거리 (of): The soccer team is the *pride* of the whole town. 그 축구팀은 마을 전체의 자랑거리이다.

v. [T] 자랑하다 (oneself on): She *prides* herself on her cooking. 그녀는 자신의 요리 솜씨를 자랑스러워한다.

[숙어] **one's pride and joy** …에게 큰 기쁨을 주는 것, …가 애지중지 하는 것: He spends hours cleaning that sports car—it's *his pride and joy*. 그는 그 스포츠카를 세차하는 데 몇 시간씩이나 보낸다. 그 차는 그의 자랑이자 기쁨이다.

take(feel, have) (a) pride in …을 자랑하다: He *takes* great *pride in* his garden. 그는 자신의 정원을 아주 자랑스러워한다.

*priest [priːst] *n.* 성직자, 목사; [가톨릭] 사제 *cf.* priestess 여성 사제

prim [prim] *adj.* (primmer-primmest) 꼼꼼한, 딱딱한; (특히 여자가) 새침한: She's a very *prim* and proper lady. 그녀는 매우 새침떠는 숙녀이다.

—**primly** *adv.*

prima donna [prìː)mədάnə] *n.* 프리마돈나 (가극의 주연 여배우 · 인기 여가수)

*primary [práiməri] *adj.* **1** 첫째의, 제1의, 주요한: Our *primary* concern is to preserve and protect wildlife. 우리의 주요 관심사는 야생 생물을 보존하고 지키는 것이다. **2** [교육] 초등의: a *primary* school 초등 학교 **3** 최초의, 본래의: the *primary* meaning of a word 말의 원뜻 / *primary* color 원색

n. **1** 제1의 사물; 제1원리 **2** [미] (정당의) 예비 선거 (primary election)

—**primarily** *adv.* 첫째로; 주로

primate [práimit] *n.* 영장류

prime [praim] *adj.* (명사 앞에만 쓰임) **1** 첫째의, 가장 중요한: He is the *prime* suspect in a murder investigation. 그는 살인 사건 수사에서 가장 유력한 용의자이다. **2** 일류의, 제1급의: *prime* beef 최상급 쇠고기 / The hotel is in a *prime* location in the city center. 그 호텔은 도시 중심부의 제일 좋은 위치에 있다. **3** 기초적인, 근본적

인: This is a *prime* example of 1930s architecture. 이것이 1930년대 건축의 가장 전형적인 예이다.

n. 전성기: He was cut off in his *prime*. 그는 한창때에 죽었다. / I think the team are past their *prime*. 그 팀은 이제 전성기가 지난 것 같다.

v. [T] …에게 미리 가르쳐 주다 (for, with): He was *primed* with the latest news before the interview. 그는 인터뷰 전에 미리 최근의 정보를 제공받았다.

prime minister *n.* 국무 총리, 수상

primeval, primaeval [praimíːvəl] *adj.* 초기의, 원시(시대)의

primitive [prímətiv] *adj.* **1** 원시적인, 미발달의, 소박한: *primitive* art(tools) 원시적인 예술(도구) **2** 원시의, 원시 시대의: *primitive* man 원시인

*prince [prins] *n.* **1** 왕자 **2** 군주, 제후

princess [prínses] *n.* **1** 공주 **2** 왕비, 왕자비

*principal [prínsəpəl] *adj.* (명사 앞에만 쓰임) 주요한, 제1의: Saudi Arabia's *principal* export is oil. 사우디 아라비아의 제1의 수출품은 석유이다.

n. 장(長); 교장; 회장

—**principally** *adv.* 주로; 대개

*principle [prínsəpəl] *n.* **1** 근본 방침, 주의, 행동 원리: He doesn't have any *principles*. 그는 어떤 행동 원리도 없는 사람이다. / I never gamble, as a matter of *principle*. 나는 절대로 도박은 하지 말자는 주의다. **2** 원리, 원칙, (물리 · 자연의) 법칙: the *principle* of relativity 상대성 원리

[숙어] **in principle** 원칙적으로, 대체로: I agree with you *in principle*. 원칙적으로는 나도 너와 같은 의견이다.

on principle 주의로서, 원칙에 따라: She doesn't wear fur *on principle*. 그녀는 모피를 입지 않는다는 주의다.

*print [print] *v.* **1** [I,T] 인쇄하다: The leaflets will be *printed* on recycled paper. 전단은 재생 용지로 인쇄될 것이다. **2** [T] 출판(간행)하다: 20,000 copies of the novel were *printed*. 그 소설을 2만 부 찍어 냈다. **3** [T] (신문·잡지에 사진·글 등이) 나오다, 찍히다: The magazine *printed* the nude photo of him. 잡지에 그의 나체 사진이 나왔다. **4** [T] [사진] 인화하다 **5** [I,T] 인쇄체로 쓰다: Please *print* your name clearly below your signature. 서명 밑에 이름을 인쇄체(정자)로 분명하게 쓰세요. **6** [T] (무늬를) 날염하다

n. **1** 인쇄된 글자, 활자체: I bought books with large *print* for my grandmother. 나는 할머니에게 활자체가 큰 책을 사드렸다. **2** 인쇄; 인쇄 부수; 제 …쇄: This book has clear *print*. 이 책은 인쇄가 선명하다. **3** 인쇄업 **4** 인쇄물, [미] 출판물 (신문·잡지) **5** (보통 복합어로) 자국, 흔적: The dog left its paw *prints* all over the kitchen floor. 개가 부엌 바닥에 온통 발자국을 남겼다. / finger*print* 지문 **6** 판화 **7** [사진] 인화된 사진, 인화

— **printing** *n.* 인쇄, 인쇄술(업)

[숙어] **in print** 출판(인쇄)되어; (책이) 입수 가능하여, 발간되어 [OPP] out of print 절판 되어

print out [컴퓨터] 인쇄 출력하다

printer [príntər] *n.* **1** 인쇄업자 **2** [컴퓨터] 프린터

prior [práiər] *adj.* (명사 앞에만 쓰임) 앞(서)의, 전의: I had to refuse the dinner invitation because of a *prior* engagement. 나는 선약 때문에 저녁 초대를 거절해야 했다.

[숙어] **prior to** …보다 전에(먼저): *prior to* my arrival 내가 도착하기 전에

priority [praió(ː)rəti] *n.* **1** (시간·순서가) 앞(먼저)임; 보다 중요함, 우선: give *priority* to …에게 우선권을 주다 **2** 우선(중요) 사항

prism [prízəm] *n.* **1** 프리즘, 분광기; (prisms) 7가지 빛깔 **2** [수학] 각기둥

*prison [prízn] *n.* 교도소, 감옥: He spent 10 years in *prison*. 그는 10년을 감옥에서 보냈다. [SYN] jail

— **prisoner** *n.* 죄수, 포로

> ■ 용법 prison
> **1** 죄수가 투옥되거나 복역을 하는 등의 경우는 the를 쓰지 않음.: He was sent to *prison* for a long time. 그는 매우 오랫동안 투옥되었다. **2** 교도소에 방문할 때 또는 특정 교도소를 뜻할 때는 the를 씀.: Conditions in the *prison* are appalling. 그 교도소의 여건은 끔찍하다.

privacy [práivəsi] *n.* **1** 비밀, 남의 눈을 피함: If you want *privacy*, you can close the door. 남의 눈을 피하고 싶으면 문을 닫으면 된다. **2** 사적(개인적) 자유, 사생활: an invasion of *privacy* 사생활 침해

*private [práivit] *adj.* **1** 사적인, 개인에 속하는: *private* property 사유 재산 / *private* life 사생활 **2** 사유의, 사립의, 사설의: I went to a *private* school. 나는 사립 학교에 다녔다. **3** 공개하지 않은, 비밀의, 자기 혼자의: This is a *private* matter—it doesn't concern you. 이건 개인적인 문제다. 너하고는 관계 없다. **4** 은둔한, 남의 눈을 피한: Is there somewhere *private* where we can talk? 우리가 대화할 수 있는 조용한 곳이 있을까?

n. 병사, 병졸

— **privately** *adv.*

[숙어] **in private** 비밀히, 개인적으로: I'd rather talk about it with you *in private*. 그것에 대해 당신하고 개인적으로 이야기하고 싶습니다.

privilege [prívəlidʒ] *n.* **1** 특권, 특전 **2** (개인적) 은전, (특별한) 혜택, **3** [법] 면책, 면제

— **privileged** *adj.* 특권 있는, 면제된

*prize [praiz] *n.* 상품, 상: He won first *prize*. 그가 1등상을 탔다. / the Nobel *Prize* for Literature 노벨 문학상

adj. (명사 앞에만 쓰임) 입상의, 상품으로 주는; 상을 받을 만한: *prize* money 상금
v. [T] 높이 평가하다, 소중히 여기다: I *prize* the ring as a keepsake. 나는 그 반지를 기념품으로 소중히 여기고 있다. [SYN] treasure

pro [prou] *n.* (*pl.* pros) **1** 프로, 직업 선수: a golf *pro* 프로 골프 선수 **2** 전문가: She is a real *pro* at arranging flowers. 그녀는 꽃꽂이 전문가이다. [SYN] professional **3** 찬성(론)

[숙어] **the pros and cons** 찬반 양론; 이해 득실: We should consider *the pros and cons* carefully before buying a bigger house. 우리는 더 큰 집을 사기 전에 이해 득실을 신중히 고려해야 한다.

pro- *prefix* **1** '찬성, 편드는'의 뜻. **2** '앞(에), 앞으로'의 뜻.

probability [pràbəbíləti] *n.* **1** 있음직함, 일어남직함 **2** 있음직한 일; 가망: We must prepare for all *probabilities*. 우리는 모든 있음직한 일에 대비해야 한다.

[숙어] **in all probability** 아마도, 십중팔구는

*****probable** [prábəbəl] *adj.* 있음직한, 사실 같은, 예상되는: Light rain i s *probable* tomorrow morning. 내일 아침에 적은 양의 비가 예상된다. / It is *probable* that he will succeed. 그는 성공할 것 같다. [OPP] improbable

probably [prábəbli] *adv.* 아마, 필시: I'll *probably* be late tonight. 나는 오늘 저녁에 아마 늦을 것이다.

probe [proub] *v.* [I,T] **1** 면밀히 조사하다, 찾다 (into): I don't want to *probe* too deeply into your private life. 나는 당신의 사생활을 자세히 조사하고 싶지는 않습니다. **2** 탐침으로 찾다, 시험하다
n. **1** 엄밀한 조사(탐구) **2** [의학] 탐침 (상처 등을 살피는 기구)

*****problem** [prábləm] *n.* **1** 문제, 의문: the unemployment *problem* 실업 문제 / I'm having *problems* with my computer. 내 컴퓨터에 문제가 있다. / solve a *problem* 문제를 풀다 **2** [수학] 문제 **3** [논리] 삼단 논법에 포함된 문제 **4** [체스] 묘수풀이 (문제)

— **problematic, problematical** *adj.* 문제의; 미심쩍은

[숙어] **no problem 1** (부탁·질문에 대해) 문제 없어, 알았습니다: "Can you repair it?" "*No problem.*" "그거 고칠 수 있니?" "문제 없어." **2** (인사·사죄의 답으로) 별말씀을, 괜찮아: "Thanks for all your help." "Oh, *no problem!*" "도와 주셔서 감사합니다!" "별말씀을요."

procedure [prəsí:dʒər] *n.* 순서, 수순, (진행·처리의) 절차: You must follow correct *procedure* at all times. 당신은 항상 올바른 순서를 따라야 합니다. / What's the *procedure* for obtaining a visa? 비자를 받는 절차는 어떻게 되나요?

proceed [prousí:d] *v.* [I] **1** (일이) 진행되다, 계속되다: The construction project was *proceeding* with surprising speed. 건설 공사는 놀라운 속도로 진행되고 있었다. **2** 계속하여 행하다, 착수하다 (with, to): *Proceed* with your story. 이야기를 계속하시오. / Let's *proceed* with our lesson. 수업을 계속합시다. **3** (앞으로) 나아가다, 전진하다: She *proceeded* downstairs. 그녀는 아래층으로 내려갔다. / We *proceeded* on our way. 우리는 가던 길을 계속 갔다.

proceeding [prousí:diŋ] *n.* **1** 진행; 행위, 방식 **2** (proceedings) 소송 절차: divorce *proceedings* 이혼 소송 절차

*****process** [práses] *n.* **1** (만드는) 방법, 순서, 처리: The *process* of making steel is complex. 강철 제조 과정은 복잡하다. **2** (현상·사건 등의) 진행, 경과; (일련의) 변화, 과정; 작용: the *process* of history 역사의 진행[흐름] / the digestive *process* 소화 작용 / Graying hair is part of the aging *process*. 흰머리는 노화 과정의 일부이다.

v. [T] **1** (재료 · 식품 등을) 가공 처리하다 **2** 처리하다; (자료 등을) 조사 분류하다: Visa applications take 10 days to *process*. 비자 신청은 처리하는 데 10일 걸린다. **3** [컴퓨터] (자료를) 처리하다

[숙어] **in (the) process of** …의 과정 중에, …의 진행 중에: Our office is *in the process of* upgrading all the computers. 사무실에 있는 모든 컴퓨터는 업그레이드 중이다.

procession [prəséʃən] *n.* 행진, 행렬: a funeral *procession* 장례 행렬 / in *procession* 열을 지어

processor [prásesər] *n.* **1** (농산물의) 가공업자 **2** [컴퓨터] 처리 장치

proclaim [proukléim] *v.* [T] 포고(선언)하다, 공포하다: They *proclaimed* the Crown Prince to be the new king. 그들은 황태자를 새로운 국왕으로 포고했다.

— **proclamation** *n.*

procure [proukjúər] *v.* [T] (어렵게) 얻다, 획득하다: It was difficult to *procure* food in those days. 당시에는 식량을 조달하기가 어려웠다.

— **procurement** *n.*

prodigal [prádigəl] *adj.* **1** 낭비하는, 방탕한: a *prodigal* lifestyle 방탕한 생활 방식 **2** 풍부한, 아낌없이 주는 (of): He has a mind *prodigal* of new ideas. 그는 새로운 아이디어가 굉장히 풍부하다.

— **prodigality** *n.*

prodigy [prádədʒi] *n.* 비범한 사람, 천재(아), 신동: He was a child *prodigy* on the piano. 그는 피아노 신동이었다.

— **prodigious** *adj.* 비범한, 놀라운

*produce [prədjú:s] *v.* [T] **1** (상품 등을) 생산하다, 제작하다: The factory *produces* about 10,000 cars a year. 그 공장은 1년에 약 1만 대의 자동차를 생산한다. [SYN] manufacture **2** (곡물 등을) 산출하다, 생기게 하다: France *produces* a great deal of wine. 프랑스는 많은 양의 포도주를 생산

한다. **3** (작품 등을) 창작하다: He *produced* poetry and novels. 그는 시와 소설을 창작했다. **4** 일으키다, 초래하다: New medicines can *produce* side effects. 새로운 약은 부작용을 일으킬 수 있다. **5** 꺼내다, 제시하다: I *produced* my ticket. 나는 차표를 내보였다. **6** (연극 등을) 연출하다, 상연(공연)하다: He *produced* 'A Chorus Line.' 그는 '코러스 라인'을 연출했다.

n. [prádju:s] **1** (집합적) 농산물, 천연 산물 **2** 작품, 제품

producer [prədjú:sər] *n.* **1** 생산자, 제작자 **2** (영화 · 연극 등의) 제작자 (재정적인 면도 포함한 연출 · 제작의 책임자) **3** 연출가, 감독 ([미] director)

product [prádəkt] *n.* **1** 산물, 생산품, 제품: agricultural *products* 농산물 / Coffee is Brazil's main *product*. 커피는 브라질의 주요 생산물이다. **2** 결과, 소산, 성과 (of): Crime is sometimes a *product* of poverty. 범죄는 때때로 빈곤의 소산이다. **3** [수학 · 컴퓨터] 곱: The *product* of six and three is eighteen. 6과 3의 곱은 18이다.

production [prədʌ́kʃən] *n.* **1** 생산: Timber is used in the *production* of paper. 목재는 종이를 생산하는 데 사용된다. / The new model goes into *production* next year. 새 모델은 내년에 생산에 들어간다. / mass *production* 대량 생산 **2** 생산량(고): We need to increase *production* by 30%. 우리는 생산량을 30%까지 올려야 한다. **3** (영화 등의) 제작, 연출; 상연 작품, 제작 영화(프로): film *production* 영화 제작

[숙어] **on production of** …을 제공(제시)하면: You can get a discount *on production of* the card. 그 카드를 제시하면 할인받을 수 있다.

productive [prədʌ́ktiv] *adj.* **1** 생산력이 있는, 다산의, 풍요한: *productive* land 기름진 땅 **2** 생산적인: We had a very *productive* meeting. 우리는 매우 생산적인 회의를 했다.

— **productivity** *n.* 생산성, 다산, 풍요

Prof. *abbr.* Professor 교수

profane [prəféin] *adj.* 모독적인, 불경스러운: *profane* language 불경스러운 언사

v. [T] 모독하다, (신성을) 더럽히다

profess [prəfés] *v.* [T] **1** (특히 틀린 · 거짓된 것을 옳다고) 주장하다, 공언하다, 단언하다: He *professed* his innocence. 그는 그의 결백을 주장했다. / She *professes* to have no knowledge of the event. 그녀는 그 사건에 대해 아는 것이 없다고 단언한다. **2** 신앙을 고백하다, 신앙하다: Mother *professes* Buddhism. 어머니는 불교 신자이다.

***profession** [prəféʃən] *n.* **1** 직업: I am a lawyer by *profession*. 나의 직업은 변호사이다. ⇨ work

2 (the profession) (집합적) 동업자들

professional [prəféʃənəl] *adj.* **1** (명사 앞에만 쓰임) 직업의, 직업상의: a *professional* call 직업상의 방문 **2** 전문의, 전문가의: She looks very *professional* in that suit. 정장을 입으니 그녀는 매우 전문가처럼 보인다. OPP unprofessional **3** 지적 직업에 종사하는, 전문직의: a *professional* man 전문 직업인 (의사 · 변호사 등) **4** 직업적인, 프로의: a *professional* football 프로 축구 / a *professional* golfer 프로 골프 선수 OPP amateur

n. **1** 지적 직업인 **2** 프로(직업) 선수 (pro) **3** 전문가 (pro)

— **professionally** *adv.*

숙어 **professional advice** (변호사 · 회계사 등) 전문가의 충고(조언): I got *professional advice* from a lawyer. 나는 변호사에게 전문적 조언을 얻었다.

professor [prəfésər] *n.* (*abbr.* Prof.) (대학) 교수

proffer [práfər] *v.* [T] 내밀다, 제의하다, 제공하다: He barely touched the *proffered* hands of his counterparts. 그는 상대자들의 내민 손을 마지못해 잡았다. / He *proffered* a hint to me. 그는 나에게 힌트를 주었다.

n. 제출, 제의, 제공(물)

proficient [prəfíʃənt] *adj.* 숙달된, 능숙한 (in, at): She's very *proficient* in English. 그녀는 영어를 능숙하게 한다.

— **proficiency** *n.*

profile [próufail] *n.* **1** 옆모습, 측면 **2** 윤곽, 소묘; 인물 소개, 프로필

숙어 **a high〔low〕 profile** 명확한 태도, 주의를 끌려고 하는 태도〔저자세, 삼가는 태도〕

in profile 옆모습으로는, 측면에서 본 바로는

***profit** [práfit] *n.* 이익, 수익: We sold our house at a huge *profit*. 우리는 큰 이익을 보고 집을 팔았다. / make a *profit* on ···으로 이익을 보다

v. [I,T] 이익을 보다, 덕을 입다, (···으로) 도움이 되다 (from, by): It *profited* me nothing. 그것은 나에게 아무 도움도 되지 못했다. / I *profited* by your criticism. 너의 비평이 도움이 되었다.

profitable [práfitəbəl] *adj.* **1** 유리한, 이문이 있는: a *profitable* deal 유리한 거래 **2** 유익한, 도움이 되는: *profitable* instruction 유익한 교훈

— **profitably** *adv.* 유리〔유익〕하게

profitability *n.* 이익률, 수익성

profound [prəfáund] *adj.* **1** 마음으로부터의, 심심한, (충격 · 변화가) 큰: Her mother's death had a very *profound* effect on her. 어머니의 죽음이 그녀에게 매우 큰 영향을 주었다. / *profound* grief 깊은 슬픔 **2** 뜻깊은, 심원한, (학문 · 사상 등이) 깊은: He is a *profound* thinker. 그는 심오한 사색가이다. / a *profound* remark 의미 심장한 말 OPP superficial

— **profoundly** *adv.*

profuse [prəfjúːs] *adj.* **1** 아낌없는, 통이 큰; 사치스러운: *profuse* hospitality 극진한 환대 **2** 많은, 풍부한: *profuse* apologies

귀찮을 정도로 되풀이하는 사과
—**profusion** *n.*

***program, programme**
[próugræm] *n.* **1** [컴퓨터] 프로그램 **2** (TV
등의) 프로그램 **3** 계획(표), 예정(표): What's
the *program* for today? 오늘 예정은 어떻
게 되어 있나요? **4** (음악회·운동회 등의) 차례
표, 연주 곡목
v. [I,T] (programmed-programmed) **1** …
의 프로그램을 짜다, 계획하다: A rest
period is *programmed* after dinner.
저녁 식사 후에 휴식 시간이 계획되어 있다. **2**
[컴퓨터] 프로그램을 공급하다; 계획[예정]대로
하게 하다: I've *programmed* the video
to start recording at 9 o'clock. 나는 비
디오가 9시에 녹화되도록 프로그램을 맞춰 놓
았다.
—**programmer** *n.* (영화·라디오 등의) 프
로그램 작성자; [컴퓨터] 프로그래머

***progress** [prágres] *n.* **1** 전진, 진행 **2** 진
보, 발달, 진척: cultural *progress* 문화의
진보
v. [I] [prəgrés] **1** 진보하다, 발달하다:
Technology has *progressed* rapidly in
the last 100 years. 과학 기술은 지난 100
년 동안 빠르게 발달하고 있다. **2** 전진하다, 진
척하다: I felt more and more tired as
the evening *progressed*. 나는 밤이 깊어
갈수록 더욱 피곤해졌다.
—**progression** *n.*
숙어 **in progress** 진행 중: Silence!
Exam is *in progress*. 조용히! 시험 중이다.
make progress 전진하다, 진보하다:
Korea has *made* rapid *progress* in the
field of heavy industry. 한국은 중공업
분야에서 급격한 성장을 이룩했다.

progressive [prəgrésiv] *adj.* **1** (부단히)
전진하는, 점진적: *progressive* change 점진
적인 변화 **2** (제도·주의·방침 등이) 진보적
인, 진보주의의: *progressive* ideas 진보적
사상 **3** (Progressive) [미] 진보당의 **4** (세
금 등이) 누진적인: *progressive* taxation

누진 과세(법) **5** (병이) 진행성의, 악화하는: a
progressive disease 진행성 질병
—**progressively** *adv.*

prohibit [prouhíbit] *v.* [T] 금지하다
(from doing): Smoking is *prohibited*.
흡연을 금지함. / The law *prohibits*
children under 16 from buying
cigarettes. 법률은 16세 미만의 아이들이 담
배를 사는 것을 금지하고 있다.
—**prohibition** *n.* 금지(령)

prohibitive [prouhíbətiv] *adj.* **1** 엄청
나게 비싼: The cost of land in Tokyo is
prohibitive. 도쿄의 땅값은 엄청나게 비싸다.
2 금지된
—**prohibitively** *adv.*

***project** [prádʒekt] *n.* **1** 안(案), 계획 (사
업): a *project* to help the homeless 노숙
자들을 돕기 위한 계획 (사업) **2** 연구 과제, 조
사 과제: I'm doing a *project* on the
environment. 나는 환경에 대한 연구 과제
를 하고 있다.
v. [prədʒékt] **1** [T] (보통 수동태) 계획하다
2 [T] (보통 수동태) (비용 등을) 예측[추정]하
다: a *projected* population growth 추정
되는 인구 증가 / The company *projected*
an annual growth rate of 5%. 회사는
5%의 연간 성장률을 예측했다. **3** [T] 투사(投
射)하다, 영사(映寫)하다 (on, onto): *project*
the slide onto a screen 스크린에 슬라이
드를 영사하다 **4** [T] …의 이미지를 주다, 전하
다, 이해시키다: She's trying to *project* a
more confident image. 그녀는 좀 더 자
신감 있는 이미지를 주려고 노력하고 있다. **5**
[I] 불쑥 내밀다, (건물 일부가) 돌출하다: The
balcony *projects* out from the wall. 발
코니가 벽에서 돌출되어 있다. **6** [T] 발사하다,
내던지다: *project* a missile 미사일을 발
사하다

projectile [prədʒéktil] *n.* **1** [군대] 발
사체 (로켓·포탄 등) **2** 발사물, 투사물

projection [prədʒékʃən] *n.* **1** 추정, 예
측: sales *projections* 판매 예측 **2** [영화] 영

사, 투영

projector [prədʒéktər] *n.* 영사기, 프로젝터

prologue, prolog [próulɔːg] *n.* **1** 머리말, 서언 **2** (연극의) 개막사; 서막 OPP epilogue, epilog

prolong [proulɔ́ːŋ] *v.* [T] 늘이다, 연장하다: They're trying to *prolong* their lives. 그들은 수명을 늘이려고 애쓰고 있다.

promenade [prɑ̀mənéid] *n.* **1** 산책, 산보 **2** 해변, 산책길 **3** [미] (고교ㆍ대학의) 무도회 (prom); 산보 음악회 (promenade concert)

prominent [prɑ́mənənt] *adj.* **1** 중요한, 저명한: a *prominent* writer 저명한 작가 **2** 현저한, 두드러진; 돌출한: a *prominent* teeth 뻐드렁니

—**prominently** *adv.* **prominence** *n.*

*****promise** [prɑ́mis] *v.* **1** [I,T] 약속하다; 준다는 약속을 하다 (to do, that): He *promised* to come. 그는 꼭 오겠다고 약속했다. / She *promised* me that she would be on time. 그녀는 시간을 정확히 지키겠다고 내게 약속했다. / My parents *promised* me a new computer. 부모님은 내게 새 컴퓨터를 사 주신다고 약속했다. **2** [T] …의 가망(희망)이 있다, …할 듯하다: The clouds *promise* rain. 구름을 보니 비가 올 듯 하다. / It *promises* to be a really exciting game. 정말 흥미 있는 경기가 될 것 같다.

n. **1** 약속: If you make a *promise*, you should keep it. 약속을 하면 꼭 지켜야 한다. / He broke his *promise* to give the book back to me within a week. 그는 일주일 내에 책을 돌려 주겠다는 약속을 어겼다. **2** (성공에 대한) 기대, 희망, 가망: There is no *promise* of success. 성공할 가망은 없다. / He shows great *promise* as an athlete. 그는 운동 선수로 성공할 가망이 매우 크다.

promising [prɑ́misiŋ] *adj.* 가망 있는, 유망한: a *promising* youth 유망한 청년

promontory [prɑ́məntɔ̀ːri] *n.* 벼랑, 낭떠러지; [해부] 돌기, 융기

promote [prəmóut] *v.* [T] **1** 진전시키다, 증진하다: *promote* world peace 세계 평화를 촉진시키다 / *promote* health 건강을 증진하다 **2** (상품의) 판매를 선전을 통해 촉진시키다 **3** (종종 수동태) 승진시키다: She's been *promoted* to manager. 그녀는 매니저로 승진했다. OPP demote

promoter [prəmóutər] *n.* 촉진자, 조장자; (주식 회사의) 발기인; (권투 등의) 흥행주

promotion [prəmóuʃən] *n.* **1** 승진, 진급: give(get) *promotion* 승진시키다(하다) OPP demotion **2** 판매 촉진 (상품), 광고: a sales *promotion* 판매 촉진 광고 **3** 조장, 증진, 장려 (of): the *promotion* of health 건강 증진

prompt [prɑmpt] *adj.* **1** 신속한, 즉석의: I expect a *prompt* reply to my letter. 내 편지에 대한 신속한 답장을 바란다. SYN immediate **2** (명사 앞에는 쓰이지 않음) 즉시(기꺼이) …하는 (in doing, to do): They were *prompt* to volunteer. 그들은 즉시 지원했다.

v. **1** [T] 자극하다, 격려(고무)하다: What *prompted* him to steal it? 어떤 동기로 그는 그것을 훔치게 되었을까? **2** [T] (행동을) 촉구하다, 유발하다: That has *prompted* me to this conclusion. 그것으로 인해서 나는 이런 결론을 내렸다. **3** [I,T] [연극] …에게 뒤에서 대사를 가르쳐 주다

n. **1** [연극] 대사 일러주기 **2** [컴퓨터] 프롬프트, 입력 촉진 기호 (지시 대기 상태임을 나타내는 기호) *

adv. 정확히 (promptly): at five o'clock *prompt* 정확히 5시에

—**promptly** *adv.* 즉시; 정각에

prone [proun] *adj.* …하기 쉬운, …의 경향이 있는 (to, to do): He's *prone* to get angry. 그는 화를 잘 낸다. / accident-*prone* (사람ㆍ차 등이 보통보다) 사고를 내기 쉬운

prong [prɔ:ŋ] *n.* **1** (포크 등의) 갈래 **2** 포크 모양의 것, 갈퀴; 뾰족한 것 **3** (-pronged *adj.*) (복합어를 이루어) …으로 갈라진: a three-*pronged* fork 삼지창

pronoun [próunàun] *n.* (*abbr.* pron.) [문법] 대명사

pronounce [prənáuns] *v.* **1** [T] 발음하다: How do you *pronounce* the word? 그 단어는 어떻게 발음하지? **2** [T] 선언하다, 선고하다: The judge *pronounced* him guilty. 재판관은 그에게 유죄를 선고했다. / *pronounce* sentence on …에 선고를 내리다 **3** [T] 단언하다; 공표하다: The doctor *pronounced* him dead at 9.20 a.m. 의사는 그가 오전 9시 20분에 죽었다고 단언했다. **4** [I,T] 의견을 표명하다, 판단을 내리다 (on): *pronounce* on an important matter 중요한 문제에 대해 의견을 말하다
—**pronounced** *adj.* 뚜렷한, 명백한

pronunciation [prənÀnsiéiʃən] *n.* 발음, 발음법

*****proof** [pru:f] *n.* **1** 증명, 증거(물) (of, that): He showed us his passport as *proof* of his identity. 그는 신분 증명서로 여권을 제시했다. / There's no *proof* that he's guilty. 그가 유죄라는 증거는 없다. **2** (보통 *pl.*) [법] 증거 서류 **3** 시험, 테스트 **4** [인쇄] 교정쇄

-proof *suffix* '…을 막는; 내(耐)…, 방(防)…' 의 뜻.: water*proof* 방수의 / fire*proof* 내연성의 / sound*proof* 방음의

prop [prɑp] *v.* [T] (propped-proppd) 버티다, …에 버팀목을 대다 (up); 기대어 놓다 (against): Use this chair to *prop* the door open. 이 의자를 버티어 놓아 문이 닫히지 않도록 해라. / I *propped* my bicycle against the wall. 나는 벽에 자전거를 기대어 놓았다.
n. 버팀목, 지주

propaganda [prɑ̀pəgǽndə] *n.* (주의·신념의) 선전, 선전 활동, (선전하는) 주의, 주장: a *propaganda* film 선전 영화

propagate [prɑ́pəgèit] *v.* [I,T] **1** 번식하다: How do these plants *propagate* themselves? 이러한 식물들은 어떻게 번식하는 것일까? **2** 선전(보급)하다
—**propagation** *n.*

propel [prəpél] *v.* [T] (propelled-propelled) 추진하다, 몰아대다: A yacht is *propelled* by wind. 요트는 바람에 의해 나아간다.

propeller [prəpélər] *n.* 프로펠러, 추진기

*****proper** [prɑ́pər] *adj.* **1** 적당한, 타당한: Put that back in its *proper* place. 그것을 적당한 자리에 도로 갖다 두어라. / Is this the *proper* tool for the job? 이것이 그 일을 하는 데에 적합한 연장인가요? / It's not a *proper* moment for a joke. 농담하기 적당한 순간이 아니다. **2** 실제의, 진짜의; 정식의: I want a *proper* job. 나는 제대로 된(직업다운) 직업을 원한다. **3** 예의바른, 품위 있는: It is not *proper* that you should do so. 그렇게 행동하는 것은 예의바르지 못하다. [OPP] improper **4** (명사 뒤에만 쓰임) 본래의, 진정한: England *proper* 영국 본토 / I live outside Seoul. I don't live in the city *proper*. 나는 서울 외곽에 살고 있다. 엄밀한 의미에서 도시에서 살고 있지 않다.

properly [prɑ́pərli] *adv.* **1** 마땅히, 당연히: He very *properly* refused. 그가 거절한 것은 아주 당연한 일이다. **2** 똑바로, 올바르게, 적당하게, 알맞게: The computer doesn't work *properly*. 컴퓨터가 똑바로 작동하지 않는다. / *properly* speaking 정확히 말하면 **3** 훌륭하게, 단정히, 예의바르게: I expect you to behave *properly* at the restaurant. 나는 네가 식당에서 예의바르게 행동하길 바란다. [OPP] improperly **4** 적당히, 알맞게: She's not *properly* dressed for cold weather. 그녀는 추운 날씨에 알맞게 옷을 (두껍게) 입고 있지 않다.

proper noun *n.* [문법] 고유 명사 (proper name)

*****property** [prɑ́pərti] *n.* **1** (집합적) 재산,

자산: Is this your *property*? 이것은 당신 것입니까? **2** 부동산, 소유지, 건물: He has a number of *properties* in the country. 그는 시골에 많은 땅을 가지고 있다. / private *property* 사유 재산 **3** 소유(권), 물욕: literary *property* 저작권 **4** (보통 *pl.*) (고유한) 성질, 특성: the *properties* of copper 구리의 특성

prophecy [práfəsi] *n.* 예언

prophesy [práfəsài] *v.* [T] 예언하다, 예측하다: He *prophesied* war. 그는 전쟁을 예언했다.

prophet [práfit] *n.* **1** (종교에서) 예언자, 신의 대변자 (Prophet) **2** 사물을 예측하는 사람

— **prophetic** *adj.* 예언의

proportion [prəpɔ́:rʃən] *n.* **1** 부분, 몫: A large *proportion* of the earth's surface is covered by sea. 지구 표면의 대부분은 바다로 덮여 있다. **2** 비(比), 비율: What is the *proportion* of girls to boys in the class? 학급에서 남학생에 대한 여학생의 비율은 얼마인가? / the *proportion* of three to one 3대 1의 비율 **3** 균형, 조화: a sense of *proportion* 균형 감각 **4** (proportions) 크기, 넓이, 정도: a building of huge *proportions* 거대한 건물

— **proportional** *adj.* 비례하는, 균형이 잡힌

축어 **in proportion to** …에 비례하여: Her feet seem very small *in proportion to* her body. 그녀의 발은 몸에 비해 매우 작아 보인다.

out of (all) proportion to …에 비해 너무 과도한(심한): The punishment was *out of all proportion to* his crime. 그가 지은 죄에 비해서 형벌이 너무 과중했다.

*****proposal** [prəpóuzəl] *n.* **1** 신청, 제안, 제의: a *proposal* for a ban on the use of nuclear weapons 핵무기 사용 금지 제안 **2** 청혼

propose [prəpóuz] *v.* **1** [T] 신청하다; 제

안하다: I *propose* to start early. 나는 일찍 출발할 것을 제의한다. **2** [T] 꾀하다, 기도하다: I *propose* to take a week's holiday. 나는 일주일간 휴가를 얻을 생각이다. **3** [I,T] 청혼하다 (to): I *proposed* to her. 나는 그녀에게 청혼했다. **4** [T] 추천하다, 지명하다 (for, as): Mr. Smith was *proposed* as president. 스미스 씨는 회장으로 지명되었다.

proposition [pràpəzíʃən] *n.* **1** (특히 사업상의) 제안, 건의: He made a *proposition* to buy the building. 그는 그 건물을 사자고 제의했다. **2** 계획, 안: a selling *proposition* 판매 계획 **3** 진술, 주장: We were debating the *proposition* that 'All people are created equal.' 우리는 '사람은 모두 평등하게 창조되었다' 라는 주장에 대해 논쟁하고 있었다. **4** [논리·수학] 명제, [수사학] 주제

proprietor [prəpráiətər] *n.* (사업·호텔 등의) 소유자

prose [prouz] *n.* 산문

prosecute [prásəkjù:t] *v.* [I,T] [법] 기소하다, 고소하다 (for): He was *prosecuted* for fraud. 그는 사기 행위로 기소되었다.

prosecution [pràsəkjú:ʃən] *n.* **1** [법] 기소, 고소 **2** (the prosecution) 기소자측, 검찰 당국 *cf.* the defense 피고측

prosecutor [prásəkjù:tər] *n.* [법] 소추자, 기소자, 고발자; 검찰관, 검사

prospect [práspekt] *n.* **1** 예상, 기대: She's very excited at the *prospect* of seeing him again. 그녀는 그를 다시 볼 수 있다는 기대로 매우 흥분했다. **2** (prospects) (장래의) 가망: He has good *prospects*. 그는 전도 유망하다. / There is no *prospect* of success. 성공할 가망이 없다. **3** 전망, 조망; 경치: command a fine *prospect* 경치가 좋다

prospective [prəspéktiv] *adj.* 예기되는, 가망이 있는; (법률 등이) 장래에 발효되는: a *prospective* customer 팔아 줄 만한 사람

prosper [práspər] *v.* [I] (사업 등이)

번영〔번창〕하다; (사람이) 성공하다: My business *prospered.* 사업이 번창했다. / a *prospering* breeze 순풍

prosperity [prɑspérəti] *n.* 번영, 번창, 성공: a time of economic *prosperity* 경제 번영 시대

prosperous [prάspərəs] *adj.* 번영하는, 부유한: a *prosperous* business 번창하고 있는 사업 / He was the son of a *prosperous* family. 그는 부유한 집안의 아들이었다.

prostitute [prάstətjùːt] *n.* 매춘부
— **prostitution** *n.* 매춘, 매음

prostrate [prάstreit] *adj.* **1** 엎어진, 엎드린: We found him lying *prostrate* on the floor. 우리는 그가 마룻바닥에 엎어져 있는 것을 발견했다. **2** 기진맥진한, 기운을 잃은: She was *prostrate* with grief after her mother's death. 그녀는 어머니가 돌아가신 후 슬픔으로 인해 기운이 하나도 없었다.
— **prostration** *n.*

*****protect** [prətékt] *v.* [I,T] 보호하다, 막다, 지키다 (against, from): She wore a hat to *protect* her skin from the sun. 그녀는 햇빛으로부터 피부를 보호하기 위해 모자를 썼다. / Waxing your car will help *protect* against rust. 차를 왁스로 닦는 것은 녹을 방지하는 데 도움이 될 것이다.
— **protector** *n.* 보호자; 보호 장치

protection [prətékʃən] *n.* 보호, 보안 (against, from)
— **protectionism** *n.* [경제] 보호 무역주의(론), 보호 정책 **protectionist** *n. adj.* 보호 무역론자(의)

protective [prətéktiv] *adj.* **1** (명사 앞에만 쓰임) 보호하는, 방어의: a *protective* vest 방탄 조끼 **2** (…을) 보호하고 싶어하는 (of, towards): He's very *protective* of his younger brother. 그는 남동생을 매우 보호하고자 한다. **3** 보호 무역(정책)의

protein [próutiːn] *n.* 단백질

*****protest** [próutest] *n.* 항의, 항변; 주장 (against)

v. [prətést] **1** [I,T] 항의하다, 이의를 제기하다 (about, against): What were the students *protesting* against? 학생들은 무엇에 항의하고 있었는가? / He *protests* that he did no such thing. 그는 그런 일을 안 했다고 항변한다. **2** [T] 주장하다: The defendant *protested* that he was innocent of the crime. 피고는 그 범죄에 대해 결백하다고 주장했다.
— **protester** *n.*

〔숙어〕 **under protest** 이의를 제기하여, 마지못해

Protestant [prάtəstənt] *n.* **1** 신교도 **2** (protestant) 항의자
adj. **1** 신교(도)의 **2** (protestant) 항의하는
— **protestantism** *n.* 신교(도)

prototype [próutoutàip] *n.* 원형; 표준, 모범: a *prototype* of a new car 새 차의 원형

protract [proutrǽkt] *v.* [T] 오래 끌게 하다, 연장하다: *protracted* negotiations 오래 끌고 있는 교섭

protrude [proutrúːd] *v.* [I] 불쑥 나오다, 비어져 나오다: His shirttail *protruded* from beneath his coat. 셔츠 자락이 그의 상의 밑으로 비어져 나와 있었다.
— **protrusion** *n.* 돌출, 비어져 나옴

*****proud** [praud] *adj.* **1** 자랑으로 여기는 (of): She is so *proud* of her son. 그녀는 아들을 아주 자랑스럽게 여긴다. / I'm *proud* that you told the truth. 나는 네가 사실대로 말한 것이 자랑스럽다. / We are *proud* to have you here. 당신을 이 곳에 모시게 됨을 영광으로 생각합니다. **2** 거만한, 뽐내는: What makes you so *proud* of yourself? 뭔데 그리 뽐내는 거냐? **3** 자존심이 있는: He is too *proud* to ask for money. 그는 자존심이 너무 강해 돈을 요구하지 않는다.
— **proudly** *adv.*

*****prove** [pruːv] *v.* (proved-proven, proved-proved) **1** [T] 증명하다: I can *prove* that his answer is right. 나는 그의 대답이 옳음을 증명할 수 있다. / He's trying to *prove* his innocence to the court. 그는 법정에서 자신의 결백을 증명하려고 애쓰고 있다. **2** [I] …임을 알다, …이 되다: The book *proved* a little difficult for me. 그 책은 나에게는 조금 어려웠다. / The result *proved* (to be) successful. 결과는 성공적인 것으로 판명되었다. **3** [T] 자기가 …임을 증명하다 (oneself): She *proved* herself to be a good mother. 그녀는 자신이 좋은 엄마라는 것을 입증했다.

— **provable** *adj.* 증명할 수 있는

proverb [prάvə:rb] *n.* 속담, 격언 [SYN] saying

*****provide** [prəváid] *v.* [T] **1** 주다, 공급하다 (with, for): I'll *provide* the food for the party. 나는 파티에 필요한 음식을 제공할 것이다. / This book will *provide* you with all the information you need. 이 책이 네가 필요로 하는 모든 정보를 줄 것이다. **2** 규정하다: The contract *provides* that the house should be completed by the end of May. 계약서에는 그 집을 5월 말까지 완성하도록 규정되어 있다.

[숙어] **provide for 1** 필수품을 공급하다, 부양하다: He is well *provided for*. 그는 아무 부족함 없이 산다. **2** 준비하다, 대비하다: We must *provide for* urgent needs. 우리는 긴급한 필요에 대비해야 한다.

provided [prəváidid] *conj.* …을 조건으로, 만약 …이면 (that) (providing): *Provided* that it is true, you may go. 만약 그것이 사실이라면, 가도 좋다.

※ provided는 if보다 문어적이다.

providence [prάvədəns] *n.* **1** (종종 Providence) 섭리, 하느님의 뜻 **2** (Providence) 하느님, 신 **3** 선견(지명), 조심

— **provident** *adj.* 선견지명이 있는; 검소한

province [prάvins] *n.* **1** 지방, 지역 **2** (the provinces) (수도·대도시에 대해서) 지방, 시골: Seoul and the *provinces* 수도

서울과 지방

provincial [prəvínʃəl] *adj.* **1** (명사 앞에만 쓰임) 주(州)의, 도(道)의, 영토의 **2** 지방의, 시골의: *provincial* taxes 지방세 **3** 지방적인, 시골티 나는; 편협한, 옹졸한: *provincial* attitudes 옹졸한 태도

provision [prəvíʒən] *n.* **1** 공급, 제공; 지급량: *provision* of food 식량 공급 **2** 예비, 준비, 설비 (for): He made *provision* for his retirement. 그는 퇴직에 대비했다. **3** (provisions) 양식, 식량, 저장품: *Provisions* are plentiful. 식량은 충분하다.

provisional [prəvíʒənəl] *adj.* 일시적인, 임시의: a *provisional* government 임시 정부

— **provisionally** *adv.*

provocation [prὰvəkéiʃən] *n.* **1** 성나게 함; 화남: feel *provocation* 성내다 / under *provocation* 성나서, 분개하여 **2** 도발, 자극

provocative [prəvάkətiv] *adj.* **1** 성나게 하는, 약올리는: a *provocative* remark 약올리는 말 **2** (성적으로) 자극하는, 도발적인

— **provocatively** *adv.*

provoke [prəvóuk] *v.* [T] **1** (감정 등을) 일으키다: Her statement has *provoked* a public outcry. 그녀의 진술은 대중의 야유를 불러 일으켰다. **2** 성나게 하다: I was *provoked* at his impudence. 나는 그의 무례함에 화가 났다. **3** 자극하여 …시키다, 유발시키다 (into): I *provoked* him into doing something really stupid. 나는 그가 정말 바보 같은 짓을 하도록 자극했다.

prowl [praul] *v.* [I,T] (먹이를) 찾아 헤매다, 배회하다; (도둑이) 동정을 살피다 (about, around): Homeless dogs *prowled* about in the street. 집 없는 개들이 거리를 헤매고 다녔다.

— **prowler** *n.* 배회자; 좀도둑

[숙어] **be(go) on the prowl** (훔칠 기회를 노리고) 배회하다

proximity [prɑksíməti] *n.* (장소 · 시간 등이) 근접, 가까움: in the *proximity* of a park 공원 부근에 / What's good about this hotel is its *proximity* to the airport. 이 호텔이 좋은 것은 공항에서 가깝다는 것이다.

prudent [prú:dənt] *adj.* 신중한, 조심성 있는; 분별 있는: It would be *prudent* to read a contract properly before signing it. 서명하기 전에 계약서를 정확히 읽는 것이 분별 있는 것이다. [OPP] imprudent
— **prudently** *adv.* **prudence** *n.*

pry [prai] *v.* **1** [I] (남의 사사로운 일을) 캐다, 엿보다, 동정을 살피다 (into): Reporters were *prying* into her personal life. 기자들은 그녀의 사생활을 캐내고 있었다. **2** [T] [미] 지레로 올리다, 떼어 내다, 억지로 열다: *pry* a door open 문을 억지로 열다

P.S., ps *abbr.* postscript 추신

pseudonym [sú:dənim] *n.* 익명, 필명

psychic [sáikik] *adj.* 마음의; 영혼의, 심령(현상)의; 심령 작용을 받기 쉬운

psycho [sáikou] *n.* =psychopath

psychological [sàikəládʒikəl] *adj.* **1** 정신적인 [SYN] mental **2** 심리학(상)의
— **psychologically** *adv.*

psychology [saikálədʒi] *n.* **1** 심리학 **2** 심리 (상태)
— **psychologist** *n.* 심리학자

psychopath [sáikoupæθ] *n.* (반사회적 또는 폭력적 경향을 지닌) 정신병질자 (psycho)

*****public** [pʌ́blik] *adj.* **1** 공공의, 공중의, 일반 국민의: *public* safety 치안 / Publishing this information is definitely in the *public* interest. 이 정보를 발표하는 것이 분명히 공공의 이익에 도움이 된다. **2** 공립의, 공설의: Smoking is not allowed in *public* places. 공공 장소에서는 금연. / *public* transport 공공 수송 기관 (버스 · 열차 등) / a *public* telephone 공중 전화 **3** 공개의, 공공연한: a *public* debate 공개 토론회 / It's *public* knowledge that she has an alcohol problem. 그녀에게 알코올 문제가 있다는 것은 알려진 일이다. **4** 공적인, 공무의: a *public* office 관공서, 관청 / a *public* servant 공무원

n. **1** (the public) 공중, 국민: The *public* has a right to know about this. 국민은 이것에 대해 알 권리가 있다. / The park is open to the *public* daily. 공원은 매일 일반인에게 개방된다. **2** …계(界), …사회: the reading *public* 독서계
— **publicly** *adv.*

[숙어] **go public 1** (비밀 등을) 공표하다 **2** (회사가) 주식을 공개하다

in public 공공연히, 여러 사람 앞에서: He doesn't like to speak *in public*. 그는 여러 사람 앞에서 말하기를 좋아하지 않는다.

in the public eye 사회의 주목을 받고, 널리 알려져

publication [pʌ̀bləkéiʃən] *n.* **1** 간행, 출판 **2** 간행물, 출판물: a monthly *publication* 월간 출판물 **3** 발표, 공표

publicity [pʌblísəti] *n.* **1** 널리 알려짐; 명성, 평판 **2** 선전, 광고(문)

*****publish** [pʌ́bliʃ] *v.* **1** [I,T] 출판하다, 발행하다 **2** [T] 발표하다, 공표하다: The Government *published* the latest unemployment figures. 정부는 최근의 실업자 총수를 발표했다.
— **publisher** *n.* 출판업자, 발행자 **publishing** *n.* 출판(업)

pudding [púdiŋ] *n.* 푸딩 (양갱 비슷한 디저트)

puddle [pʌ́dl] *n.* 웅덩이 ⇨ pond

puff [pʌf] *v.* **1** [I,T] (연기 등을) 내뿜다: Smoke *puffed* out of the chimney. 연기가 굴뚝에서 뿜어져 나왔다. / Don't *puff* cigarette smoke into my face. 담배 연기를 내 얼굴에다 뿜어대지 마라. **2** [I,T] (담배를) 뻐끔뻐끔 피우다: My father was *puffing* on his pipe. 아버지는 (담배) 파이프를 뻐끔뻐끔 빨고 계셨다. **3** [I] (숨을) 헐떡이다: He was *puffing* hard when he jumped on to the bus. 그는 버스에 뛰어 올라 헐떡거리고 있었다. **4** [I] (연기 등을) 폭 폭 내며 움직이다 (along, away, out, up): The train *puffed* slowly away into the station. 열차가 푹푹 연기를 뿜으며 역으로 들어왔다.

n. **1** 훅 불기 **2** 한 번 부는 양; (담배의) 한 모금: take(have) a *puff* on a cigarette 담배 한 모금을 빨다 **3** 분첩 (powder puff)

[숙어] **puff out** (공기로) 부풀(리)다

puff up 부풀어오르다: His leg *puffed up* all round the insect bite. 벌레에게 물린 그의 다리 주위가 부풀어올랐다.

*****pull** [pul] *v.* **1** [I,T] 당기다, 끌다: I *pulled* his sleeve. 나는 그의 소매를 잡아당겼다. / She *pulled* the drawer open. 그녀는 서랍을 당겨서 열었다. / *pull* the trigger 방아쇠를 당기다 **2** [T] 떼어 놓다, 뽑아 내다; (옷 등을) 입다, 벗다 (on, out, up): I switched off the TV and *pulled* out the plug. 나는 TV 전원을 끄고 플러그를 뽑았다. / She *pulled* on her socks. 그녀는 양말을 신었다. / He *pulled* off his hat and coat. 그는 모자와 코트를 벗었다. **3** [T] (수레를) 끌고 가다, (어느 방향으로) 움직이다: That cart is too heavy for me to *pull*. 저 수레는 너무 무거워서 내가 끌고 갈 수 없다. **4** [I,T] (…에서) 억지로 떼어 놓다, 떨어지다: She screamed and *pulled* away from him. 그녀는 소리를 지르며 그에게서 떨어졌다. **5** [T] (근육 등을) 무리하게 쓰다: He *pulled* a muscle trying to lift the desk. 그는 책상을 들려고 애쓰다가 근육을 다쳤다. **6** [T] (칼·총 등을) 빼어들다, 들이대다: She *pulled* a gun on me. 그녀는 총을 빼들어 나에게 겨누었다.

n. **1** 잡아당기기, 한차례 당기기 (at, on): give a *pull* at a rope 밧줄을 한 번 잡아당기다 **2** 당기는 힘; 매력 **3** (술·담배 등의) 한 모금

[숙어] **pull down** 허물어뜨리다: The old factory will be *pulled down*. 오래된 공장

은 허물어질 것이다.

pull(make) faces(a face) 얼굴을 찌푸리다

pull in 1 (기차가) 역에 도착하다: The train *pulled in* on time. 기차가 정각에 도착했다. **2** (차 등이) 한쪽 편으로 대다: He *pulled in* to let the ambulance pass. 그는 구급차가 지나가도록 차를 한쪽 편으로 댔다.

pull off 훌륭히 해내다: *pull* the scheme *off* 계획을 성사시키다

pull one's leg …을 속이다, 놀리다: You're *pulling my leg*, aren't you? 지금 절 놀리시는 거죠?

pull one's weight (분담한) 자기의 역할을 하다: Other people had complained that he wasn't *pulling his weight*. 다른 사람들은 그가 자기의 역할을 하고 있지 않다고 불평했다.

pull oneself together 감정을 가라앉히다, 냉정을 되찾다

pull out 1 (기차가) 역을 빠져 나가다 **2** (군대 등이) 철수하다; (사업 등에서) 손을 떼다: Most of the troops have been *pulled out*. 대부분의 군대가 철수했다. **3** …을 빼내다: He *pulled out* a blade of grass from the lawn. 그는 잔디에서 풀잎 하나를 뽑았다. **4** (추월하기 위해) 차선에서 벗어나다: That taxi *pulled out* right in front of me. 저 택시가 바로 내 앞쪽으로 추월했다.

pull over 차를 길 한쪽으로 대다: The policeman signaled to him to *pull over*. 경찰이 그에게 차를 도로변으로 대라고 신호했다.

pull through (병·곤란 등을) 극복하다

pull together 협력하여 일하다, 사이좋게 해나가다

pull up (차 등을) 멈추다: He *pulled up* at the red light. 그는 빨간 불에서 차를 세웠다.

pullover [púlòuvər] *n.* 풀오버 (머리로부터 입는 스웨터 등)

pulp [pʌlp] *n.* **1** 펄프 (제지 원료) **2** (연한) 과육(果肉)

pulse [pʌls] *n.* **1** 맥박: His *pulse* is still beating. 그의 맥박은 아직 뛰고 있다. / feel 〔take〕 a〔one's〕 *pulse* …의 맥을 짚어 보다 **2** (pulses) 콩류; 콩

v. [I] (…으로) 맥이 뛰다; (…속을) 고동치다: Her heart *pulsed* with pleasure. 그녀의 가슴은 기쁨으로 뛰고 있었다.

pump [pʌmp] *v.* **1** [T] (물을) 펌프로 푸다; (…에서) 물을 퍼내다 (out, up): *pump* out water 물을 퍼내다 **2** [T] (액체·공기 등을) 주입하다 (into): *pump* air into a tire 타이어에 바람을 넣다 **3** [T] 펌프 작용을 하다, 펌프로 푸다: Your heart *pumps* blood around your body. 심장의 펌프 작용으로 몸 곳곳에 피를 보낸다. **4** [I] (액체가) 흘러나오다, 분출하다 (out, up): The blood kept *pumping* out. 피가 계속 솟구쳐 나왔다. **5** [I,T] (손 등을 펌프질하듯) 상하로 움직이다

n. **1** 펌프, 양수기: a bicycle *pump* 자전거 펌프 **2** (보통 *pl.*) 끈이 없고 중간 또는 높은 굽의 구두, 펌프스

[숙어] **pump up** …에 펌프로 공기를 넣다: I *pumped up* my bicycle tires. 나는 자전거 타이어에 펌프로 공기를 넣었다.

pumpkin [pʌ́mpkin] *n.* [식물] 호박; 호박 줄기〔덩굴〕

punch [pʌntʃ] *v.* [T] **1** 주먹으로 치다 (in, on): I *punched* him on the chin. 나는 그의 턱에 펀치를 가했다. **2** (구멍 뚫는 기구로) …에 구멍을 뚫다: He *punched* my ticket. 그는 내 표에 구멍을 뚫었다.

n. **1** 타격, 주먹으로 치기: She gave him a *punch* in the nose. 그녀는 그의 코를 한 대 갈겼다. **2** 구멍 뚫는 기구, 펀치; (차표 등을 찍는) 구멍 가위 **3** 펀치 (레몬즙·설탕·포도주 등의 혼합 음료)

[숙어] **pull one's punches** (공격·비평 등에서) 사정을 봐주다

punctual [pʌ́ŋktʃuəl] *adj.* 시간을 엄수하는; …에 늦지 않는: I was always *punctual* for class. 나는 수업에 언제나 늦는 일이 없었다.

— **punctually** *adv.* **punctuality** *n.*

punctuate [pʌ́ŋktʃuèit] *v.* **1** [T] 중단시키다 (with): His speech was *punctuated* with cheers. 그의 연설이 박수로 중단되었다. **2** [I,T] 구두점을 찍다

punctuation [pʌ̀ŋktʃuéiʃən] *n.* 구두(법), 구두점 (punctuation mark)

puncture [pʌ́ŋktʃər] *n.* (바늘 등으로) 찌름; (찔러서 낸) 구멍, (타이어 등의) 펑크

v. [I,T] …에 구멍을 뚫다, (바늘 등으로) 찌르다; (타이어를) 펑크내다

***punish** [pʌ́niʃ] *v.* [T] 벌하다, 응징하다 (for): I was *punished* for telling lies. 나는 거짓말을 해서 벌을 받았다. / Murder is *punished* by death. 살인은 사형으로 처벌받는다.

— **punishing** *adj.* 지치게 하는, 고통을 주는

punishable [pʌ́niʃəbəl] *adj.* 벌 줄 수 있는, 처벌해야 할: a *punishable* offense 처벌해야 할 죄

punishment [pʌ́niʃmənt] *n.* 벌, 형벌, 처벌: capital *punishment* 극형

punitive [pjú:nətiv] *adj.* **1** 형벌의, 응보의 **2** (과세 등이) 가혹한

punk [pʌŋk] *n.* **1** [음악] 펑크(뮤직) (1970년대 말에서 1980년대 초 영국에서 일어난 사회 체제에 반항적인 음악 조류) **2** 펑크족

pupa [pjú:pə] *n.* (*pl.* pupae, pupas) 번데기 ※ 특히 나비, 나방의 번데기는 chrysalis 라고 한다.

***pupil** [pjú:pəl] *n.* **1** 학생 (흔히 초등 학생·중학생): There are 30 *pupils* in my class. 나의 학급에는 30명의 학생이 있다. **2** 제자, 문하생 (예술·음악 등의 분야의 전문가에게 기술을 배우는 사람) **3** [해부] 눈동자, 동공

puppet [pʌ́pit] *n.* **1** 꼭두각시; 작은 인형 **2** 남이 시키는 대로 하는 사람, 앞잡이;

puppet government 괴뢰 정부

*puppy [pʌ́pi] *n.* 강아지 (pup)

*purchase [pə́:rtʃəs] *v.* [T] **1** 사다, 구입하다: I *purchased* a ticket two weeks in advance. 나는 2주 전에 미리 표를 구입했다. / *purchasing* power 구매력 **2** (노력 · 희생을 치르고) 획득하다, 얻다: We *purchased* freedom with blood. 우리는 피 흘려 자유를 쟁취했다.

n. **1** 사들임, 구입: the *purchase* of a computer 컴퓨터 구입 **2** 구입품: make a good〔bad〕 *purchase* 물건을 싸게〔비싸게〕사다 / Do you wish us to deliver your *purchases*? 구입품들을 배달해 드릴까요?

—**purchaser** *n.* 사는 사람, 구매자

*pure [pjuər] *adj.* **1** 순수한, 불순물이 없는: *pure* gold 순금 / This sweater is made of *pure* wool. 이 스웨터는 순모로 만들어졌다. [OPP] impure **2** 순종의, 순혈의: a *pure* Englishman 토박이 영국인 **3** (명사 앞에만 쓰임) 순전한, 전적인: We met by *pure* chance. 우리는 순전히 우연히 만났다. **4** (색깔 · 소리 · 빛 등이) 맑은, 깨끗한: *pure* water〔air〕 맑은 물〔공기〕 / *pure* white 순백 / *pure* skin 깨끗한 피부 **5** (명사 앞에만 쓰임) (학문 등이) 순 이론적인: *pure* mathematics 순수〔이론〕 수학 [OPP] applied **6** 청순한, 순결한: *pure* in body and mind 몸과 마음이 청순한 [OPP] impure

—**purely** *adv.* **pureness** *n.*

purge [pə:rdʒ] *v.* [T] (정당 · 조직 등에서 불순분자를) 추방하다, 숙청하다 (of, from)
n. 추방, 숙청

purify [pjúərəfài] *v.* [T] 깨끗이 하다; 정화하다; 정제하다: Plants help to *purify* the air. 식물은 공기를 정화하는 데 도움이 된다. / One of the functions of the kidneys is to *purify* the blood. 신장의 기능 중 하나는 피를 맑게 하는 것이다.

Puritan [pjúərətən] *n.* **1** 청교도 **2** (puritan) 엄격한 사람

adj. **1** 청교도의〔같은〕 **2** (puritan) 엄격한

—**puritanical** *adj.* 청교도적인, 엄격한

purity [pjúərəti] *n.* **1** 청정, 순수 **2** 깨끗함, 청결: *purity* of life 깨끗한 생활 **3** (금속 등의) 순도

*purple [pə́:rpəl] *n. adj.* 자줏빛의

purport [pərpɔ́:rt] *v.* [I,T] (종종 그릇된 사실을) 의미하다, 주장하다, (옳은 · 사실인 것 같은) 인상을 주다: This article *purports* to give the true story. 이 기사는 사실을 말하는 것 같은 인상을 준다. (그러나 사실이 아니다.) / The document *purports* to be official. 그 서류는 공문서로 되어 있다. (공문서가 아닐 수도 있다.)

n. [pə́:rpɔ:rt] (서류 · 연설 등의) 의미, 취지

*purpose [pə́:rpəs] *n.* **1** 목적, 의도: What is the *purpose* of your visit? 너의 방문 목적은 무엇이냐? / He bought the land for the *purpose* of building his store on it. 그는 가게를 지을 목적으로 그 땅을 샀다. **2** (purposes) 용도, 효과: serve various *purposes* 여러 가지 용도에 쓰이다 **3** 의지, 결심, 결의: I've always admired her for her strength of *purpose*. 나는 항상 그녀의 의지력을 존경해 왔다. **4** 취지, 논점: come to the *purpose* 문제에 이르다 / to this〔that〕 *purpose* 이런〔그런〕 취지로

[숙어] **on purpose** 의도하여, 고의로: He said such things *on purpose* to annoy me. 그는 나를 괴롭히려고 일부러 그런 말을 했다. [SYN] deliberately

to〔for〕 all intents and purposes ⇨ intent

purr [pə:r] *v.* [I] (고양이가 기분 좋은 듯이) 목을 가르랑거리다

*purse [pə:rs] *n.* **1** 돈주머니, 지갑 **2** [미] 핸드백
v. [I,T] (입 등을) 오므리다; (눈살을) 찌푸리다 (up)

purser [pə́:rsər] *n.* (선박 · 비행기 등의) 사무장; (군함의) 회계관

pursue [pərsú:] *v.* [T] **1** 뒤쫓다, 추적하다:

The police *pursued* a robber for several kilometers. 경찰은 강도를 몇 킬로미터나 뒤쫓았다. ※ pursue는 chase보다 좀 더 격이 있는 표현이다. **2** 추구하다, …을 얻으려고 애쓰다 **3** (일·연구 등을) 수행하다, 속행하다: He prudently *pursued* a plan. 그는 세심한 주의를 기울여 계획을 수행했다.
— **pursuer** *n.* 추적자

pursuit [pərsúːt] *n.* **1** 추구: the *pursuit* of happiness 행복의 추구 **2** 추적, 추격 **3** 속행, 수행: the *pursuit* of plan 계획의 수행 **4** 일; 취미, 오락: daily *pursuits* 일상적인 일 / literary *pursuits* 문학의 일(연구)

[숙어] **in hot pursuit** 맹렬히 추적하여
in pursuit (of) …을 추구하여, …을 찾아서: She left her native country *in pursuit of* freedom. 그녀는 자유를 찾아 조국을 떠났다. / We spent the whole day *in pursuit of* game. 우리는 사냥감을 찾느라 온종일을 보냈다.

***push** [puʃ] **1** [I,T] 밀다, 밀어 움직이다: We *pushed* the boat into the water. 우리는 보트를 강으로(호수로) 밀어 넣었다. / She *pushed* the door open. 그녀가 문을 밀어서 열었다. **2** [I,T] 밀고 나아가다: He *pushed* past me. 그는 나를 밀어 제치고 나아갔다. / He *pushed* his way to the front of the crowd. 그는 사람들 앞으로 밀고 나갔다. **3** [I,T] (버튼·스위치 등을) 누르다: To turn the television on, you just *push* this button. 텔레비전을 켜려면 이 버튼만 누르면 된다. **4** [T] …에게 강요하다: Don't *push* him for payment. 그에게 지불을 강요하지 마라. / She *pushed* her child to do his homework. 그녀는 아이에게 숙제를 하라고 성화같이 야단쳤다. **5** [T] (상품 등의) 판매를 촉진하다, 광고 선전하다: They're really *pushing* their new product. 그들은 새 상품 판매에 매우 적극적이다.
n. 밀기

[숙어] **be pushed for** (…의) 부족으로 곤란받다: He's really *pushed for* money.

그는 정말로 돈에 쪼들리고 있다.
push around(about) (사람을) 매정하게 다루다; 들볶다, 괴롭히다
push for …을 자꾸 요구하다: She is *pushing for* a pay raise. 그녀는 임금 인상을 요구하고 있다.
push forward(ahead) (with) 추진하다
push in (사람이) 억지로 밀고 들어오다
push off 떠나다, 출발하다
push on (곤란을 물리치고) 전진하다; 계획대로 밀고 나가다
push over 밀어 넘어뜨리다

***put** ⇨ p. 573

puzzle [pʌ́zl] *n.* **1** 난제, 난문 **2** 수수께끼, 퍼즐: a crossword *puzzle* 크로스워드 퍼즐 (낱말을 가로세로로 맞추기) / jigsaw *puzzle* 조각 그림 맞추기
v. **1** [T] 당혹케 하다: It *puzzled* him what to do. 그는 어떻게 해야 할지 난감했다. / This question *puzzles* me. 이 문제는 도저히 모르겠다. **2** [I] 이리저리 생각하다, 머리를 짜내다 (over): We *puzzled* over a mathematical problem. 우리는 수학 문제를 이리저리 생각했다. **3** [T] (수수께끼·문제를) 풀다 (out)

puzzled [pʌ́zld] *adj.* 당황한, 어찌할 바를 모르는: She looked *puzzled*. 그녀는 당황한 듯 보였다.

puzzling [pʌ́zliŋ] *adj.* 영문 모를, 어려운
pygmy, pigmy [pígmi] *n.* **1** (Pygmy) 피그미족 (아프리카 적도 부근에 사는 종족) **2** 난쟁이
adj. (명사 앞에만 쓰임) 아주 작은

pyramid [pírəmìd] *n.* **1** 피라미드, 금자탑 **2** [수학] 각뿔, 각추
— **pyramidal** *adj.* 피라미드 모양의; 거대한

put

put [put] *v.* [T] (put-put; putting) **1** (어떤 위치에) 놓다, 두다, 넣다: Where have you *put* the keys? 열쇠를 어디에 두었니? / *Put* your clothes in the closet. 옷을 옷장에 넣어 두어라. / She *put* her hands over her mouth. 그녀는 손으로 입을 가렸다. **2** …을 붙이다, 더하다: Can you *put* a button on this shirt? 이 셔츠에 단추 좀 달아 줄래? / Did you *put* sugar in my coffee? 내 커피에 설탕을 넣었니? **3** 쓰다, 기록하다: *Put* your name on the list. 명단에 너의 이름을 써라. **4** (어떤 상태에) 놓다, (…으로) 하다: This *put* her in a very difficult position. 이 것이 그녀를 매우 어려운 상황에 처하게 했다. / What *put* you in such a bad mood? 무엇이 널 그렇게 짜증나게 했니? **5** (세금·의무·비난 등을) 부과하다, 퍼붓다: They *put* a heavy tax on luxury goods. 그들은 사치품에 중과세를 부과했다. / They *put* all the blame on me. 그들은 모든 책임을 내게 물었다. **6** 평가하다, (…에 값을) 매기다: I *put* our damage at $7,000. 나는 손해액을 7,000달러로 어림했다. / They *put* the distance at five miles. 그들은 거리를 5마일로 어림잡았다. **7** 표현하다, 진술하다: Let me *put* it in another way. 다른 표현을 써 보기로 하자. / to *put* it briefly[mildly] 간단히[조심스럽게] 말하자면

숙어 **put ... across** 잘 전달하다, 이해시키다: I couldn't *put* my idea *across* to my students. 학생들에게 내 생각을 잘 이해시킬 수 없었다.

put aside 1 (후일을 위해) …을 따로 남겨두다, 저축하다: If you want the article, I will *put* it *aside* for you. 이 물건이 필요하시다면 따로 놓아두겠습니다. **2** 무시하다, 잊다

put away 1 (언제나 두는 곳에) 치우다, 비축하다: Children should be taught to *put away* their things. 아이들은 자기 물건을 치우도록 교육받아야 한다. **2** (장차를 위해) 떼어 두다, 비축하다 **3** 투옥하다, 감금하다

put back 1 제자리에 갖다 놓다: I *put* the book *back* on the shelf. 나는 책을 선반 제자리에 갖다 두었다. **2** (…까지) 연기하다: The meeting has been *put back* until next Friday. 회의가 다음 주 금요일까지 연기되다. **3** (시계의 바늘을) 되돌리다

put ... before ~ …을 ~의 앞에 놓다, …을 ~에 우선시키다: I *put* my family *before* my work. 나는 일보다 가족을 우선시한다.

put by 저축하다: I had *put by* money for a rainy day. 나는 만일의 경우를 대비하여 돈을 저축해 두었다.

put down 1 (…를) …으로 여기다: I *put* the woman *down* at thirty. 나는 그 여자를 서른 살로 보았다. / They *put* him *down* as an idiot. 그들은 그를 바보로 여겼다. **2** (…을) 내려놓다; (아기를) 침대에 누이다: *Put* your pencil *down*. 연필을 내려놓아라. / He *put* the phone *down*. 그는 전화기를 내려놓았다. **3** …을 쓰다, 기록하다: He *put* *down* everything she said. 그는 그녀가 말한 것을 모두 적었다. **4** 억누르다, 진압하다: *put down* a rebellion 반란을 진압하다 **5** (…을) 계약금으로 지불하다 **6** (늙은 개 등을) 처치하다, 죽이다 **7** 비굴한 생각이 들게 하다; (사람·물건을) 헐뜯다

put down to (…을 ~으로) 돌리다, (…을 ~의) 탓으로 하다: He *put* the mistake *down to* me. 그는 잘못을 내 탓이라고 했다.

put forward 1 (시계를) 앞으로 돌리다 **2** 제안하다: *put forward* a new theory 새로운 설을 제창하다 **3** 추천하다, 천거하다: *put* oneself *forward* 입후보하다 / *put forward* a candidate 후보자를 천거하다

put in 1 (가구·설비 등을) 설치하다: *put* an air conditioner *in* 에어 컨디셔너를 설치하다 SYN install **2** (말 등을) 참견하다 **3** (요

구 · 서류 등을) 제출하다, 신청하다: I've *put in* an application to the college. 나는 대학에 지원서를 냈다. **4** (시간을) 보내다: I *put in* an hour on my studies. 나는 1시간 동안 공부를 했다.

put it to ... that ~ …에게 ~이 사실임을 알리다: I *put it* to you *that* they are innocent. 저는 그들이 결백함을 당신께 알리는 바입니다.

put off 1 의욕을 잃게 하다: The accident *put* him *off* drinking. 그 사고로 그는 술을 끊었다. **2** 연기하다, 미루다: Never *put off* till tomorrow what you can do today. 오늘 할 수 있는 일을 내일로 미루지 마라. / Don't *put off* answering the letter. 편지에 답장을 미루지 마라. **3** (전등 등을) 끄다: He *put off* the light and went to bed. 그는 불을 끄고 잠자리에 들었다.

put on 1 (옷 · 모자 · 안경 등을) 입다, 쓰다: *Put* your coat *on*. 코트를 입어라. / She *puts on* her glasses. 그녀는 안경을 쓰고 있다. **2** (화장 등을) 하다, …을 바르다: She *puts* face cream *on* every night. 그녀는 매일 밤 얼굴 크림을 바른다. **3** (수도 · 전기 등을) 켜다: Can you *put* the light *on* please? 불 좀 켜 주실래요? **4** (테이프 · CD 등을) 틀다: Why don't you *put on* some music? 음악 좀 틀지 그러니? **5** (체중 등을) 늘리다; (속도를) 내다: He's *putting on* weight. 그는 체중이 늘고 있다. / *put on* speed 속도를 내다 **OPP** lose **6** 상연하다, (전시회 등을) 개최하다 **7** (임시 열차 등을) 운행하다 **8** …인 체하다: She's not really that upset. She's just *putting* it *on*. 그녀는 진짜 그 정도로 많이 화난 게 아니다. 그저 화난 척하고 있는 것이다.

put oneself out (남을 위해) 무리를 하다, 일부러 …하다: Don't *put yourself out* for me. 저를 위해 일부러 이렇게 하지 마세요.

put (oneself) over (across) (상대방에게 의견을) 잘 전하다, 이해시키다: He *put* his ideas *over* very well at the meeting. 그는 회의에서 발표를 썩 잘했다.

put out 1 …에게 폐를 끼치다, 번거롭게 하다: I hope I'm not *putting* you *out*. 제가 폐를 끼치는 것은 아니겠지요. **2** …를 당황하게 하다, 화나게 하다: He was so calm that nothing *put* him *out*. 그는 침착해서 무슨 일이 일어나도 당황하는 기색이 없었다. **3** (불 등을) 끄다: They *put out* the fire with the help of their neighbors. 그들은 이웃 사람들의 도움으로 불을 껐다. **SYN** extinguish **4** (전기 등을) 끄다 **5** …을 밖에 내(놓)다: *put out* a garbage can 쓰레기통을 밖에 내놓다 **6** 발표하다, 출판하다, 방송하다: They're *putting out* a new model in May. 그들은 5월에 새 모델을 발표할 예정이다.

put through 1 (시험 · 시련 등을) 받게 하다 **2** 전화를 연결시키다: Please *put* me *through* to Mr. Baker. 베이커 씨에게 연결해 주세요.

put ... to (문제 · 질문 · 의견 등을) 제출(제기)하다, 내다: I'd like to *put* a question *to* you. 당신에게 질문을 하고 싶습니다.

put together 조립하다, 구성하다, 합계하다: You have to *put* this table *together* yourself. 너 혼자서 이 탁자를 조립해야 한다.

put up 1 …을 숙박시키다: Will you *put* us *up* for the weekend? 이번 주말에 묵어도 될까? **2** …을 올리다; (천막을) 치다: *Put up* your hands! 손 들어! / Let's *put up* the tents at once. 즉시 천막을 치자. **3** (집 등을) 짓다, 세우다: *put up* a fence 울타리를 세우다 **4** 게시하다, 내걸다 **5** (가격 등을) 올리다

put up with …을 참다, 인내하다: I can't *put up with* this toothache any longer. 나는 이 치통을 더 이상 참을 수 없다.

qQ

quack [kwæk] *n.* **1** 꽥꽥 (오리가 우는 소리) **2** 돌팔이 의사
v. [I] **1** 꽥꽥 울다 **2** 엉터리로 치료를 하다

quadrangle [kwɑ́drǽŋgəl] *n.* **1** 4각형, 4변형 **2** (특히 학교나 대학의) 안뜰

quadruple [kwɑdrú:pəl] *v.* [I,T] 4배로 되다, 4배로 하다: The number of students at the college has *quadrupled* in the last ten years. 그 대학의 학생 수는 지난 10년간 4배가 되었다.

quail [kweil] *n.* 메추라기

quaint [kweint] *adj.* **1** 기묘한, 별스러운 [SYN] queer, odd **2** 예스런 멋이 있는: What a *quaint* old house! 얼마나 멋진 옛날 집인가!

quake [kweik] *v.* [I] **1** 진동하다: The earth *quaked*. 지면이 흔들렸다. [SYN] shake **2** (사람이) 덜덜 떨다: She *quaked* with fear. 그녀는 무서워서 벌벌 떨었다.
n. **1** 지진 (earthquake의 축약형) **2** 흔들림, 진동

qualification [kwɑ̀ləfəkéiʃən] *n.* **1** 자격 증명서, 면허장: You'll never get a good job if you don't have any *qualifications*. 어떤 자격증도 없다면 좋은 직업을 얻을 수 없을 것이다. **2** 자격, 능력: The interviewer was impressed with her *qualifications*. 면접관은 그녀의 능력에 감명을 받았다. **3** 조건, 제한: She accepted the proposal with only a few *qualifications*. 그녀는 몇 가지 조건만으로 그 제안을 받아들였다.

qualified [kwɑ́ləfàid] *adj.* **1** 자격이 있는 (for, to do): He is well *qualified* for this job. 그는 이 일에 충분한 자격이 있다. **2** 조건부의: My boss gave only *qualified* approval to the plan. 사장은 그 계획에 대해 조건부 수락을 해 주었다. [OPP] unqualified

*★**qualify** [kwɑ́ləfài] *v.* **1** [I] 자격을 따다, 자격을 얻다 (as): She recently *qualified* as a pilot. 그녀는 최근에 비행 조종사 자격을 땄다. **2** [I,T] 자격을 주다 (for, to do): He is *qualified* for teaching French. 그는 프랑스 어를 가르칠 자격이 있다. **3** [I] [스포츠] 예선을 통과하다, 다음 경기에 진출하다 (for): Our team has *qualified* for the final. 우리 팀은 결승에 나갈 자격을 얻었다. **4** [T] 제한하다 **5** [T] [문법] 수식하다 [SYN] modify

*★**quality** [kwɑ́ləti] *n.* **1** 질, 품질 **2** 양질, 우수성: goods of *quality* 양질의 물건 **3** 성질, 특성: the *qualities* of a leader 지도자의 자질
adj. 질 좋은: *quality* goods 우량품
— **qualitative** *adj.* 성질상의, 질적인

quantify [kwɑ́ntəfài] *v.* [T] **1** 양을 정하다〔표시하다〕, 양을 재다: Happiness cannot be *quantified*. 행복은 그 양을 잴 수 있는 것이 아니다. **2** [논리] (명제의) 양을 정하다

*★**quantity** [kwɑ́ntəti] *n.* **1** 양, 액: a large〔small〕 *quantity* of water 다량〔소량〕의 물 [SYN] amount **2** (어떤 특정의) 분량, 수량: an unknown *quantity* 미지수 **3** (quantities) 다수, 다량
— **quantitative** *adj.* 분량상의, 양적인
[숙어] **in quantities〔quantity〕** 많이, 다량으로: He buys things *in quantities*. 그는 물건을 다량으로 구입한다.

quantum [kwɑ́ntəm] *n.* (*pl.* quanta) [물리] 양자(量子)

*★**quarrel** [kwɔ́:rəl] *n.* **1** 말다툼, 불화 [SYN]

disagreement **2** 싸움〔불화〕의 이유: We have no *quarrel* with the people of your country. 우리는 당신네 국민들과 싸울 이유가 없습니다.

v. [I] (quarrel(l)ed-quarrel(l)ed) **1** 말다툼하다, 다투다 (with): He always *quarreled* with her about trifles. 그는 항상 사소한 일로 그녀와 다투었다. **2** 불평하다, 나무라다 (with): A bad workman *quarrels* with his tools. [속담] 서투른 무당이 장구만 탓한다. (실력 없는 일꾼이 연장을 나무란다.)

■ 유의어 **quarrel**

quarrel 주로 말다툼. **fight** 맞붙어서 하는 싸움. **brawl** 거리 등에서 하는 떠들썩한 싸움. **struggle** 장애를 극복하기 위한 신체적·정신적인 괴로운 싸움.

---

quarrelsome [kwɔ́:rəlsəm] *adj.* 말다툼 잘 하는, 걸핏하면 싸우려는: *Quarrelsome* people are difficult to work with. 걸핏하면 싸우려는 사람들은 함께 일하기 힘들다. SYN argumentative

quarry [kwɔ́:ri] *n.* **1** 채석장 **2** 사냥감
v. [I,T] 돌을 떠〔잘라〕내다

quart [kwɔːrt] *n.* 쿼트 (액체량의 단위; 4분의 1갤런; 2파인트; [미] 0.94리터; [영] 1.14리터)

****quarter** [kwɔ́:rtər] *n.* **1** 4분의 1 **2** 15분: a *quarter* to one 1시 15분 전 **3** 3개월 (1년의 1/4), 4분기: You get a gas bill every *quarter*. 3개월에 한 번씩 가스비 청구서를 받는다. **4** [미·캐나다] 25센트 (1/4달러) **5** 방위: from every *quarter* 사방에서 **6** ···가(街), 거리; 지역: the Chinese *quarter* of San Francisco 샌프란시스코의 중국인 거리 **7** (quarters) 숙소, (군대의) 진영
— **quarterly** *adv. adj.* 연 4회로〔의〕: a *quarterly* magazine 계간지

quartz [kwɔːrts] *n.* [광물] 석영

quaver [kwéivər] *v.* [I,T] **1** 진동하다 **2** 목소리를 떨다
n. ([미] eighth note) [음악] 8분 음표 : a *quaver* rest 8분 쉼표

quay [kiː] *n.* 선창, 부두, 방파제

****queen** [kwiːn] *n.* 여왕, 왕비 *cf.* king 왕
— **queen bee** *n.* 여왕벌

queer [kwiər] *adj.* **1** 묘한 SYN odd **2** 의심스러운 SYN doubtful **3** 동성애의

quench [kwentʃ] *v.* [T] **1** (갈증을) 풀다: When it's hot, it's best to *quench* your thirst with water. 더울 때는 물로 갈증을 푸는 것이 제일 좋다. **2** (불을) 끄다 SYN extinguish

query [kwíəri] *n.* 질문: I have a *query* regarding your business plan for next year. 당신의 내년 사업 계획과 관련해 질문이 있습니다. SYN question
v. [T] 질문하다

quest [kwest] *n.* 탐색; 추구 SYN search, pursuit
v. [I,T] 탐구〔탐색〕하다 SYN search (for)
숙어 **in quest of** ···을 찾아서: He went off *in quest of* truth. 그는 진실을 찾아 나섰다.

****question** [kwéstʃən] *n.* **1** 질문, 물음: I asked him a *question*. =I asked a *question* of him. =I put a *question* to him. 나는 그에게 질문했다. **2** (해결할) 문제: Several *questions* had still not been resolved. 몇 가지 문제들이 여전히 해결되지 않고 있었다. SYN problem **3** 의문, 의심: There's no *question* about whose fault it is. 그것이 누구의 잘못인지 의심의 여지가 없다.

v. [T] **1** 질문하다, 신문하다: The police *questioned* him for several hours. 경찰은 몇 시간 동안 그를 신문했다. SYN inquire OPP answer, reply **2** ···에 의심을 품다: Are you *questioning* the truth of what I'm saying? 내가 말한 것이 사실인지 의심하는 겁니까? SYN doubt

숙어 **in question** 문제의, 해당하는: the person *in question* 당사자

out of question 틀림없는, 확실한: Her

success is *out of question*. 그녀의 성공은 틀림없다. [SYN] beyond doubt

out of the question 전혀 불가능한: Their victory is *out of the question*. 그들의 우승은 전혀 불가능하다. [SYN] impossible / Another chocolate bar? That's *out of the question*. You've already had too many sweets. 초콜릿 한 판을 더 달라고? 절대 안 돼. 벌써 사탕을 너무 많이 먹었잖아. [SYN] unacceptable

without question 의심할 것도 없이, 물론: *Without question*, he is the best player in our team. 틀림없이 그는 우리 팀에서 가장 훌륭한 선수이다.

questionable [kwéstʃənəbəl] *adj.* 의심스러운: It is *questionable* whether this goal can be achieved. 이 목표가 달성될지 의심스럽다.

question mark *n.* 물음표, 의문 부호

questionnaire [kwèstʃənéər] *n.* 질문서, 질문표, 앙케트: He answered a *questionnaire* about teenagers' hobbies. 그는 십대들의 취미에 관한 질문서에 답했다.

queue [kju(:)] *n.* **1** (차례를 기다리는 차·사람의) 줄, 행렬 ([미] line): stand in a *queue* 긴 행렬[줄]을 서다 **2** 땋아 늘인 머리 *v.* [I] 줄서서 기다리다 (up): We *queued* up for a bus. 우리는 버스를 타기 위해 줄을 섰다.

※ 미국에서는 We waited in line for a bus.라는 표현을 사용한다.

*****quick** [kwik] *adj.* **1** 빠른, 신속한; 즉석의: Be *quick*! 빨리 해! **2** 기민한, 눈치 빠른: He is *quick* to understand. 그는 이해가 빠르다. [SYN] clever **3** 짧은, 잠시의: I just have to make a *quick* phone call. 잠깐 전화 통화를 해야 돼.

adv. 빨리 [OPP] slow

— **quickly** *adv.*

[숙어] **be quick at** …이 빠르다, …을 잘 하다: He *is quick at* figures. 그는 계산이 빠르다.

quicken [kwíkən] *v.* [I,T] **1** 속력을 더하다, 서둘게 하다: He *quickened* his pace to catch up with his friends. 그는 친구들을 따라잡기 위해 발걸음을 재촉했다. [SYN] hurry [OPP] slow down **2** 활기를 띠게 하다, 되살아나게 하다, 소생하다: The illustration *quickened* my interest. 그 삽화가 나의 흥미를 돋구었다.

quicksand [kwíksænd] *n.* 유사(流砂) (그 위를 걷는 사람·짐승을 빨아들임)

quicksilver *n.* 수은 [SYN] mercury

quick-tempered *adj.* 성급한, 화 잘 내는

*****quiet** [kwáiət] *adj.* **1** 고요한, 조용한: The house was *quiet* because everyone was asleep. 모두가 잠들어 집은 조용했다. [OPP] loud **2** (거래가) 한산한, 한적한: Business is *quiet* at this time of year. 일년 중 이맘때 사업은 한산하다. **3** (사람이) 조용한, 얌전한: She is very *quiet* and shy. 그녀는 매우 조용하고 수줍음이 많다.

n. 고요함, 정적, 평정

— **quietly** *adv.* **quietness** *n.*

quilt [kwilt] *n.* 누비이불, 누비 침대 커버

*****quit** [kwit] *v.* (quit-quit; quitting) **1** [I,T] 떠나다, 사직하다: He *quit* his job because he wasn't being paid enough. 그는 충분한 보수를 받지 못해 일을 그만두었다. **2** [T] 그만두다, 중지하다: *Quit* worrying about me. 내 일로 걱정 그만 해. / *quit* smoking 담배를 끊다 [SYN] stop **3** [I,T] [컴퓨터] 프로그램을 끝내다

*****quite** [kwait] *adv.* **1** 아주, 완전히, 전혀: Are you *quite* sure you understand it? 그걸 이해한 게 확실하니? [SYN] completely **2** 꽤, 매우: The movie is *quite* good. 그 영화는 꽤 훌륭하다. **3** [영] 그럼요, 동감입니다: Yes, *quite*. (Well, *quite*.) 그럼요.

[숙어] **not quite 1** 약간 부족한, 거의 충분한: She is *not quite* done with her homework. 그녀는 숙제가 아직 조금 남았다. (숙제를 거의 끝냈다.) **2** 불확실성을 나타냄.: I did*n't quite* understand what he said. 나는 그가 한 말을 확실히는 이해 못 했다. **3** (부분 부정으로) 그다지 …은 아닌: He is *not quite* a gentleman. =He is not much of a gentleman. 그는 그다지 신사는 아니다.

quite a few(little) 상당수(량)의: He knows *quite a little* about it. 그는 그 일에 대해 상당히 많이 알고 있다.

quiver [kwívər] *v.* [I] 떨다, 흔들리다: He *quivered* with fear. 그는 두려움으로 떨었다. SYN tremble

*‌**quiz** [kwiz] *n.* (*pl.* quizzes) 간단한 시험, 질문; 퀴즈
v. [T] (quizzed-quizzed) …에게 질문하다: Her mother *quizzed* her about where she was last night. 어머니는 지난 밤 그녀

가 어디에 있었는지 물어 보셨다.

quotation [kwoutéiʃən] (또는 quote) *n.* **1** 인용(문, 구) **2** [상업] 시세(표); 견적(서)

quotation marks *n.* (*pl.*) 인용 부호, 따옴표: single *quotation* marks 작은따옴표 (' ') / double *quotation* marks 큰따옴표 (" ")

quote [kwout] *v.* **1** [I,T] 인용하다 **2** [T] 예시하다: She *quoted* the proverb about honesty. 그녀는 정직에 대한 속담을 예로 들었다. **3** [I,T] (가격·시세를) 부르다

quotient [kwóuʃənt] *n.* [수학·컴퓨터] 몫, 지수: When twelve is divided by three, the *quotient* is four. 12가 3으로 나누어지면 몫은 4가 된다.

Q

r R

***rabbit** [rǽbit] *n.* (집)토끼: run like a *rabbit* 혼비백산하여 달아나다 *cf.* hare 산토끼

rabies [réibiːz] *n.* [의학] 광견병, 공수병

***race** [reis] *n.* **1** 경주, 경마: run a *race* 경주하다 **2** 경쟁: the TV ratings *race* 시청율 경쟁 [SYN] competition **3** 인종, 종족 (the race); 인류 (human race): the *race* problem 인종 문제 / the white[yellow] *race* 백색[황색] 인종 **4** (문화상의 구별로) 민족, 국민: the Korean *race* 한국 민족
v. **1** [I,T] 경주[경쟁]하다: I *raced* him to the tree. 나는 나무가 있는 데까지 그와 경주했다. [SYN] compete **2** [I,T] 질주하다, 달리다: I *raced* for the train. 나는 기차를 타려고 달렸다. **3** [T] (말·차 등을) 경주시키다
— **racer** *n.* 경주자; 경마말

racecourse [réiskɔ̀ːrs] *n.* ([미] racetrack) 경주로, 경주장, 경마장

racehorse [réishɔ̀ːrs] *n.* 경주말 (racer)

racial [réiʃəl] *adj.* 인종(상)의, 종족의, 민족(간)의: *racial* discrimination 인종 차별
— **racially** *adv.* **racialism** *n.* 인종주의

racing [réisiŋ] *n.* 질주(疾走) 경기
adj. 경주용의, 경주의: a *racing* car 경주용 자동차

racism [réisizəm] *n.* 민족[인종] 차별주의; 인종적 편견
— **racist** *n.* 민족[인종] 차별주의자

rack [ræk] *n.* **1** (모자 등의) 걸이, 선반; (열차 등의) 그물 선반; (서류 등의) 분류 상자; 걸시 걸이: a hat[clothes] *rack* 모자[옷]걸이 **2** 고문(대)
v. [T] **1** 고문하다, 고통을 주다 [SYN] torture **2** (머리를) 짜내다: *rack* one's brains 머리를 짜내서 생각하다

racket [rǽkit] *n.* **1** (테니스·배드민턴·탁구용) 라켓 (racquet) **2** 큰 소리, 야단법석: What's the *racket*? 웬 소란이야? **3** 부정한 돈벌이, 사기; 밀매

racquetball [rǽkitbɔ̀ːl] *n.* [미] 라켓볼 (2~4명이 자루가 짧은 라켓과 직경 5.7cm의 공으로 하는 스쿼시 비슷한 구기)

radar [réidɑːr] *n.* **1** 레이더, 전파 탐지기 **2** (자동차의) 속도 측정 장치

radiance [réidiəns] *n.* **1** 광휘(光輝) **2** (눈·얼굴 등의) 빛남, 밝음

radiant [réidiənt] *adj.* **1** 빛[열]을 내는, 빛나는, 밝은 **2** (행복·희망 등으로) 빛나는, 밝은: Amy, you look *radiant*. 에이미, 얼굴이 밝아 보이는구나. / a *radiant* smile 밝은 미소 **3** 방사(복사)에 의한: *radiant* energy (물리) 복사 에너지 / *radiant* heat 복사열

radiate [réidièit] *v.* **1** [I,T] (빛·열 등을) 방사하다, 방출하다, 발산하다: Heat *radiates* from a heater. 열은 난방 장치에서 나온다. [SYN] emit, send forth **2** [I,T] (기쁨 등을) 발산하다, 발산시키다: She *radiated* energy and self-confidence. 그녀는 에너지와 자신감을 발산했다. **3** [I] (중심에서) 방사상으로 퍼지다, 사방으로 뻗다: streets *radiating* from the square 광장에서 사방으로 뻗어 있는 도로들

radiation [rèidiéiʃən] *n.* **1** (빛·열 등의) 복사, 방사 **2** 복사선, 복사 에너지

radiator [réidièitər] *n.* **1** 라디에이터, 난방기, 방열기 **2** (자동차·비행기 등의) 냉각 장치

radical [rǽdikəl] *adj.* **1** 근본적인, 기본적인: a *radical* principal 기본 원칙 [SYN] fundamental **2** 급진적인, 과격한: The educational system needs *radical* reform. 교육 제도는 급진적인 개혁이 필요하다. **3** 급진파의: the *radical* party 급진당 *n.* 급진당원, 과격론자

— **radically** *adv.* 근본적으로, 철저히

radicalism *n.* 급진주의

radio [réidiòu] *n.* (*pl.* radios) **1** (종종 the radio) 라디오 (방송); 라디오 방송 사업; 라디오 방송국: listen to the *radio* 라디오를 듣다 / I heard the news over[on] the *radio.* 나는 뉴스를 라디오로 들었다. **2** 무선 전신[전화], 무전기: send a message by *radio* 무전[무선]으로 통신을 보내다 **3** 라디오 수신[송신]기 (radio set): turn[switch] on[off] the *radio* 라디오를 켜다[끄다]

v. [I,T] (radioed-radioed) 무선(통신)으로 전하다, 라디오 방송을 하다: The ship *radioed* for help. 그 배는 무선으로 구조 요청을 했다.

radioactive [rèidiouǽktiv] *adj.* 방사성의, 방사능의: *radioactive* contamination 방사능 오염 / *radioactive* leakage 방사능 누출 / *radioactive* rays 방사선

— **radioactivity** *n.* 방사능[성]

radioactive waste *n.* 방사성 폐기물

radish [rǽdiʃ] *n.* [식물] 무 (겉은 붉은 색이고 속은 흰 색)

radium [réidiəm] *n.* [화학] 라듐 (방사성 원소; 기호 Ra)

radius [réidiəs] *n.* (*pl.* radii [réidiài], radiuses) **1** (원·구의) 반지름, 반경; 반지름 내의 범위 (of): within a *radius* of two miles of …에서 반경 2마일 이내에 **2** (행동·활동 등의) 범위, 구역: the *radius* of free delivery 무료 배달 구역

raft [ræft] *n.* 뗏목, 고무 보트: We floated in a *raft* down the river. 우리는 뗏목을 타고 강을 내려갔다.

v. [I,T] **1** 뗏목으로 건너다[나르다] **2** 뗏목으로 엮다

rafting [rǽftiŋ] *n.* (스포츠로서) 뗏목 타기, 고무 보트로 계곡 내려가기

rag [ræg] *n.* **1** 넝마, 누더기 **2** (rags) 누더기 옷: a man in *rags* 누더기 옷을 입은 남자

rage [reidʒ] *n.* **1** 격노: I was frightened because I had never seen him in such a *rage* before. 나는 그가 전에 이렇게 화가 난 것을 본 적이 없었기 때문에 두려웠다. [SYN] fury **2** (바람·파도 등의) 사나움

v. [I] **1** 격노하다 **2** 사납게 날뛰다; (유행병 등이) 창궐하다: The storm *raged* all day. 폭풍우가 하루 종일 사납게 몰아쳤다. / The disease *raged* through the city. 질병이 온 도시에 창궐했다.

[숙어] **fly[go] into a rage** 버럭 화를 내다: When he didn't get what he wanted, he *went into a rage.* 원하는 것을 얻지 못하면 그는 버럭 화를 냈다.

ragged [rǽgid] *adj.* **1** (옷 등이) 찢어진, 해어진; 누더기 옷을 입은: *ragged* pants 해어진 바지 / a *ragged* child 누더기 옷을 입은 아이 **2** 텁수룩한, 멋대로 자란: *ragged* hair 텁수룩한 머리털 **3** 울퉁불퉁한: a *ragged* shoreline 들쭉날쭉한 해안선

■ **접미어 -ed**
명사에 붙여 '특정한 상태나 특징을 지닌'의 뜻을 나타내는 형용사를 만든다.: rag*ged* 누더기를 입은 / bor*ed* 지루한

---

raging [réidʒiŋ] *adj.* (명사 앞에만 쓰임) **1** (자연이) 거친, 맹렬한: a *raging* storm 거친 폭풍우 **2** (느낌·감정 등이) 매우 강한: a *raging* thirst 타는 듯한 목마름 / a *raging* jealousy 매우 강한 질투심 **3** 쑤시고 아픈: a *raging* headache 쑤시고 아픈 두통

raid [reid] *n.* **1** 급습, 기습: an air *raid* 공습 **2** (경찰의) 현장 급습, 불시 단속: a drugs *raid* 마약 단속 **3** (약탈 목적의) 불법 침입: a bank *raid* 은행 침입

v. [T] **1** 급습하다, 침입하다 [SYN] invade **2** 경찰이 수색하다: The police *raided* a drug dealer's house. 경찰이 마약 거래자의 집을 수색했다.

rail [reil] *n.* **1** (수건걸이·커튼 등의) 가로

대: a towel *rail* 수건걸이 **2** (계단 등의) 난간: My grandma holds on to the *rail* when she goes down the stairs. 할머니는 계단을 내려가실 때 난간을 붙잡으신다. **3** (rails) (철도의) 레일 **4** 철도: *rail* travel〔fares〕철도 여행〔요금〕/ a *rail* bus 궤도 버스

[숙어] **by rail** 철도〔편으〕로
off the rails (열차가) 탈선하여; 정도에서 벗어나
on the rails 궤도에 올라, 순조롭게 진행되어

railroad [réilròud] *n.* ([미] railway) 철도 (선로): a *railroad* accident 철도 사고 / a *railroad* carriage 객차 / a *railroad* station 철도역

railway [réilwèi] *n.* **1** [영] 철도, 철도 선로 ([미] railroad) **2** [미] 경편(輕便)〔시가, 고가, 지하철〕궤도: a commuter *railway* 통근 전차

*****rain** [rein] *n.* **1** 비, 강우: walk in the *rain* 빗속을 걷다 / a heavy *rain* 호우 / be caught in the *rain* 비를 만나다 / Do you have much *rain* in England? 영국에는 비가 많이 옵니까? / Take your umbrella. It looks like *rain*. 우산 가져가라. 비가 올 것 같다. **2** (rains) 소나기; 장마 **3** (the rains) (열대의) 우기 [SYN] rainy season

v. **1** [I] (it을 주어로) 비가 오다: It never *rains* but it pours. [속담] 불행은 겹쳐서 온다. (왔다하면 장대비다.) **2** [T] 빗발치듯 퍼붓다: Honors were *rained* (down) upon him. 수많은 영예가 그에게 주어졌다.

[숙어] **(as) right as rain** [영] 완전히 건강을 회복하여: You'll be *as right as rain* soon. 너는 곧 완쾌할 거야.
be rained out〔off〕 비 때문에 중지〔연기〕되다: The game *was rained out*. 경기가 비 때문에 중지되었다.
It rains cats and dogs. 비가 억수같이 쏟아진다.
rain or shine 비가 오거나 말거나; 무슨

일이 있어도

rainbow [réinbòu] *n.* 무지개
rain check, raincheck *n.* [미] **1** 우천 입장 보상권 (야구 경기 등을 우천으로 연기할 때 다음에 관람할 수 있도록 주는 입장권) **2** (초대 등의) 연기 **3** (품절의 경우 등에) 후일 우선 물품〔서비스〕보증(권)

[숙어] **give〔take〕a rain check on** 다음에 다시 초대하기로 약속하다〔약속에 응하다〕

raincoat [réinkòut] *n.* 비옷
raindrop [réindràp] *n.* 빗방울
rainfall [réinfɔ̀ːl] *n.* 강우; 강우량, 강수량
rain forest, rainforest
[réinfɔ̀(ː)rist] *n.* [생태] 다우림(多雨林), (특히) 열대 다우림: a tropical *rainforest* 열대 우림
rainstorm [réinstɔ̀ːrm] *n.* 폭풍우
rainwater [réinwɔ̀ːtər] *n.* 빗물
rainy [réini] *adj.* (rainier-rainiest) **1** 비 오는: *rainy* season 우기, 장마철 **2** 비가 올 듯한, 비가 많이 내리는: *rainy* clouds 비구름 **3** 비에 젖은: a *rainy* street 비에 젖은 거리

[숙어] **keep〔save〕for a rainy day** 만일의 경우에 대비하여 비축하다

*****raise** [reiz] *v.* [T] **1** 올리다, 들어올리다: She *raised* her hand to wave. 그녀는 손을 흔들려고 들어올렸다. / *raise* the price〔tem-perature, rent〕물가〔온도, 집세〕를 올리다 / *raise* one's voice 소리지르다 [SYN] lift up, elevate [OPP] lower
2 일으키다: *raise* a fallen child 넘어진 어린이를 일으키다
3 (집 등을) 세우다: He *raised* a house on his property. 그는 자신의 땅에 집을 세웠다.
4 돈을 마련하다, 모금하다: Our church *raises* money to help the poor. 우리 교회는 가난한 사람들을 돕기 위해 모금한다.
5 (문제·이의 등을) 제기〔제출〕하다: *raise* a moral issue 도덕상의 문제를 제기하다

R

6 (웃음·불안·의문 등을) 일으키다, 자아내다: Accidents are *raising* fears about the safety of the equipment. 사고가 장비의 안전성에 대한 염려를 자아내고 있다.

7 기르다, 사육하다, 재배하다: I've *raised* four children. 나는 4명의 아이들을 키웠다. / That farmer *raises* corn and chickens. 저 농부는 옥수수와 닭을 키운다. SYN grow

— **raised** *adj.* 높인; 양각의

축어 **raise one's eyebrows** (놀람·경멸을 나타내어) 눈썹을 치켜 올리다, 이맛살을 찌푸리다

■ 유의어 **raise**
raise 주로 수직 방향으로 들어올리다. 비유적 표현에 흔히 쓰임. **lift** 주로 물리적으로 무엇인가를 들어올린다는 의미로 쓰임. **elevate** 정신적으로 높이는 것, 위치 상승의 의미로 쓰임.

raisin [réizən] *n.* 건포도

rake [reik] *n.* 갈퀴, 고무래

v. [T] 갈퀴로 긁다; 긁어모으다: My father *raked* fallen leaves from a lawn. 아버지께서 잔디밭에서 낙엽을 긁어 치우셨다.

축어 **rake in** (돈 등을) 긁어들이다, 잔뜩 벌다: He *rakes* it *in*. 그는 돈을 많이 벌어들인다.

rake up (과거·추문 등을) 들추어 내다, 폭로하다: Don't *rake up* those old stories again. 그런 지난 이야기를 다시는 들추어 내지 마라.

rally [ræli] *v.* **1** [I,T] 다시 모이다(모으다): The coach *rallied* his players at halftime. 코치는 하프 타임에 선수들을 다시 모았다. **2** [I,T] (공동의 목적을 위해) 불러모으다, 지원하러 모이다 (around, behind): They *rallied* behind the president. 그들은 대통령을 지원하러 모였다. **3** [I] (병 등에서) 회복하다 **4** [I] (경제) (증권 등의) 시세가 회복(반등)하다 **5** [I] (테니스 등에서) 공을 연달아 서로 쳐 넘기다, 랠리하다

n. **1** 다시 모임 **2** (기력·경기 등의) 회복 **3** (정치적·종교적) 대회, 대집회: a political (peace) *rally* 정치(평화) 집회 **4** 자동차 랠리 (규정된 평균 속도로 공로에서 행하는 장거리 경주) **5** (테니스 등에서) 서로 연달아 계속 쳐 넘기기, 랠리

축어 **rally round** 도우러 달려오다: His friends all *rallied round* when he was ill. 그가 아팠을 때 모든 친구들이 도우러 달려왔다.

RAM [ræm] *abbr.* random-access memory (컴퓨터) 임의 접근 기억 장치, 램 (컴퓨터나 주변 단말기기의 기억 장치에 널리 쓰이며 정보의 변경, 삭제, 기록, 해독이 가능함)

ram¹ [ræm] *n.* (거세하지 않은) 숫양 *cf.* ewe 암양

ram² [ræm] *v.* [T] (rammed-rammed) **1** 부딪치다, 격돌하다 **2** 쑤셔 넣다

ramble [ræmbəl] *v.* [I] **1** 어슬렁어슬렁 거닐다: We *rambled* here and there through the woods. 우리는 숲 사이를 이리저리 거닐었다. **2** 두서 없이 이야기하다 (on)

n. 산책

rambler [ræmblər] *n.* **1** (영) 어슬렁거리는 사람 **2** (식물) 덩굴장미 (rambler rose)

rambling [ræmbliŋ] *adj.* **1** (말·글 등이) 산만한, 두서 없는 **2** (집·거리 등이) 무질서하게 뻗어 있는, 꾸불꾸불한

rampant [ræmpənt] *adj.* **1** (병·범죄·소문 등이) 만연하는, 마구 퍼지는: Starvation was *rampant* in the country after the long drought. 오랜 가뭄 후에 나라에 기아가 만연했다. **2** (잡초 등이) 무성한, 우거진 **3** 뒷발로 선

ranch [rænt∫] *n.* **1** 목장 **2** (미) (특정 가축·작물을 기르는) (대)농장, 사육장

— **rancher** *n.* 목동; 목장 감독; 농장 주인

*****random** [rændəm] *adj.* **1** 닥치는 대로의, 되는 대로의: a *random* remark(guess) 되는 대로 하는 말(억측) / *random* checks

불시검문 **2** [통계] 임의의, 무작위의
— **randomly** *adv.*

숙어 **at random** 무작위로, 되는 대로:
Five students were chosen *at random*
from the class. 반에서 다섯 명의 학생들이
무작위로 선출되었다. / He spoke *at random*.
그는 멋대로 지껄였다.

***range** [reindʒ] *n.* **1** 열, 줄: a *range* of
buildings 한 줄로 늘어선 건물 **2** 산맥: a
mountain *range* 산맥 **3** (동식물의) 분포
구역 **4** (변동의) 범위, 한도: the narrow
range of prices for steel 변동이 적은 철강
값의 폭 **5** (세력·능력·지식 등이 미치는) 범
위, 한계: a wide *range* of knowledge
광범위한 지식 / The task is out of my
range. 그 일은 내게는 무리다. **6** (제품 등의)
종류: This shop has a very wide *range*
of clothes. 이 상점은 매우 다양한 종류의 옷
을 구비하고 있다. **7** (미사일 등의) 사정(거리):
out of〔within〕 *range* 사정거리 밖〔안〕
에 / These missiles have a *range* of
500 kilometers. 이 미사일들은 사정거리가
500킬로미터이다. **8** (요리용) 전자〔가스〕레인
지

v. [I] **1** 줄짓다; (산맥 등이) (한 줄로) 뻗다:
The boundary *ranges* from northwest
to southwest. 경계는 북서쪽에서 남서쪽으
로 나 있다. **2** (동식물이) 분포되어 있다, 서식
하다: This plant *ranges* from Canada
to Mexico. 이 식물은 캐나다에서 멕시코에
걸쳐 분포되어 있다. **3** 퍼지다, …의 범위에
걸치다: The lecture *ranged* over a
number of topics. 강의는 여러 논제에 걸
쳤다. **4** (어떤 범위 내에서) 변동하다, 움직이
다, 오르내리다: The temperature *ranges*
from ten to twenty degrees. 기온은 10
도에서 20도까지 오르내린다. **5** (탄알이) 도달
하다; 사정거리가 …이다: This gun *ranges*
8 miles. 이 포의 사정거리는 8마일이다.

ranger [réindʒər] *n.* **1** 돌아다니는 사람,
방랑자 **2** 무장 순찰대원; [미] (국유림의) 순찰
경비대원

***rank** [ræŋk] *n.* **1** 열; (특히 군대의) 횡열:
the front〔rear〕 *rank* 전〔후〕열 SYN row
2 계급, 등급, (사회적) 지위, 신분; 상류 사회
〔계급〕: people of all *ranks* 모든 계층의 사
람들 / a man of high *rank* 고위층의 사람
3 (the ranks) (장교 이외의) 군대 구성원, 병
사; (집합적) 병졸: all the *ranks* 병사 전원
4 (보통 *pl.*) (간부와 구별하여 정당·회사·단
체의) 일반 당원(사원, 회원)

v. [I,T] **1** 나란히 세우다, 정렬시키다: He
ranked the chessmen on the board. 그
는 말을 체스판 위에 나란히 세웠다. **2** 위치를
정하다, 등급 짓다: She was *ranked* among
the best-dressed women. 그녀는 옷맵시
가 가장 좋은 여자 축에 들었다.
— **ranking** *n.* 등급 매기기; 서열

■ 유의어 **rank**
rank 상하 관계가 계단식으로 고정되어 있
음. **degree** 상하 관계가 아니고 진보·증
감·중요성의 정도·경중을 나타냄. **grade**
품질·가치·능률 등의 단계·등급을 나타
냄. 학업의 성적, 초·중·고교의 학년도
grade임.

rank and file *n.* (the rank and file) **1**
사병, 하사관병 **2** 보통 사람, 평회원(평사원,
평당원)들

ransom [rǽnsəm] *n.* 배상금, 몸값: The
family paid a *ransom* of $200,000 for
the return of their kidnapped son. 가
족은 유괴된 아들을 돌려 받는 데 몸값으로 20
만 달러를 지불했다.

숙어 **a king's ransom** 왕의 몸값; 큰 돈
hold ... to〔for〕 ransom …를 억류하고
몸값을 요구하다

rap [ræp] *n.* **1** 톡톡 두드림; 두드리는 소리:
There was a *rap* on the window. 창문
을 두드리는 소리가 들렸다. **2** 랩 음악 (rap
music): *Rap* became popular in the
1980s. 랩 음악은 1980년대에 인기를 얻기 시
작했다.

v. (rapped-rapped) **1** [I,T] 톡톡 두드리다:

My friend *rapped* on my door, and I let her in. 내 친구가 방문을 두드려서 그녀를 들어오게 했다. **2** [T] 비난하다, 혹평하다 **3** [I] 랩을 부르다

rape [reip] *n.* 성폭행, 강간
v. [T] 성폭행하다, 강간하다

***rapid** [rǽpid] *adj.* **1** (속도가) 빠른: He walked at a *rapid* pace along the street. 그는 길을 따라 빠른 속도로 걸었다. / a *rapid* growth 급성장 [SYN] quick, swift [OPP] slow, tardy **2** (행동이) 재빠른, 민첩한; 조급한: a *rapid* worker 일이 빠른 사람 / a *rapid* decision 즉결 **3** 급한, 가파른: a *rapid* slope 가파른 비탈 [SYN] steep
n. (보통 *pl.*) 급류
— **rapidly** *adv.* 빠르게, 순식간에 **rapidity** *n.*

rapture [rǽptʃər] *n.* 큰 기쁨, 환희, 열중
[숙어] **go(fall) into raptures over …**에 열광하다

rare [rɛər] *adj.* (rarer-rarest) **1** 드문, 진기한: a *rare* beauty 보기 드문 미인 / on *rare* occasions 간혹 / It's very *rare* to see snow in April. 4월에 눈을 본다는 것은 매우 드문 일이다. [SYN] scarce [OPP] ordinary **2** (공기 등이) 희박한 [SYN] thin [OPP] dense **3** (고기 등이) 덜 구워진, 설익은 ※ medium 중간 정도로 구워진, well done 잘 구워진
— **rarity** *n.* 아주 드묾, 희박; 진품

rarely [rɛ́ərli] *adv.* 드물게, 좀처럼 …하지 않는: It *rarely* rains in this district. 이 지방에는 비가 거의 내리지 않는다. [SYN] seldom

rascal [rǽskəl] *n.* **1** 불량배, 악한 **2** (버릇없이 구는 어린이에게) 녀석, 놈, 장난꾸러기: a little *rascal* 개구쟁이

rash¹ [ræʃ] *adj.* 분별없는, 성급한, 경솔한: It was *rash* of him to promise it. 그가 그 일을 약속한 것은 경솔했다.
— **rashly** *adv.* **rashness** *n.*

rash² [ræʃ] *n.* **1** [의학] 발진, 뾰루지: a heat *rash* 땀띠 / I came out in a *rash* today. 오늘 뾰루지가 났다. **2** (보통 불쾌한 일 등의) 빈발, 다발 (of): a *rash* of accidents 빈발한 사건들

raspberry [rǽzbèri] *n.* [식물] 나무딸기 (열매)

***rat** [ræt] *n.* **1** 쥐, 시궁쥐 *cf.* mouse **2** 비열한 놈, 변절자
[숙어] **rat race** 치열하고 무의미한 경쟁, 과당 경쟁

***rate** [reit] *n.* **1** 비율, 율: the birth (death) *rate* 출생(사망)률 [SYN] ratio **2** 가격, 시세: exchanging *rate* 환율 [SYN] price **3** 요금: advance(lower) the *rate* 요금을 올리다(내리다) / postal *rate* 우편 요금 [SYN] charge **4** 속도, 진도, 정도: at a great(rapid) *rate* 빠른 속도로 **5** (함선·선원의) 등급, 종류; …급: the first(second) *rate* 제1(2)급 **6** (rates) 세금; [영] 지방세 ([미] local tax): pay the *rates* 지방세를 내다
v. **1** [I,T] 평가하다, 어림잡다: This novel is *rated* among the best. 이 소설은 가장 좋은 소설의 하나로 평가된다. [SYN] estimate **2** [T] …을 받을 만하다 ([미] deserve): They *rate* a big thank-you for all their hard work. 그들은 힘든 일을 했기 때문에 감사를 받을 만하다.
[숙어] **at any rate** 좌우간, 하여튼: I will come *at any rate*. 나는 무슨 일이 있어도 오겠다.
at the(a) rate of …의 비율(속도)로: *at the rate of* nineteen miles a second 초속 19마일로 / The river is washing away the soil *at the rate of* one inch a year. 강이 매년 1인치씩 땅을 쓸어 간다.

***rather** [rǽðər] *adv.* **1** 오히려, 차라리: I would stay home *rather* than go out. 나는 외출하기보다는 집에 있고 싶다. **2** 어느 정도, 다소; 상당히, 꽤: I'm feeling *rather* better today. 오늘은 다소 기분이 좋다. / It is *rather* hot today. 오늘은 꽤 덥다. **3** (or rather) 더 정확히 말하면: I got a C, *or rather* a C⁺, on the exam. 나는 시험에서 C, 더 정확히 말하면 C⁺를 받았다.

int. [rǽðər] (반어적으로 강한 긍정의 답에) 물론, 그렇고 말고: "Do you know her?" "*Rather!* She is my aunt." "저 여자분을 아십니까?" "물론이죠! 제 숙모이신걸요." SYN certainly

숙어 **would rather ... (than)** ~하느니 차라리 …하는 편이 낫다: I'd *rather* go to the movies *than* go hiking. 하이킹을 가 느니 차라리 영화를 보러 가는 편이 낫다. / Sorry. I'd *rather* not talk about it. 미안 하지만 그 점에 대해서는 말하지 않는 편이 낫 겠어.

ratify [rǽtəfài] *v.* [T] 비준[재가]하다; 실 증[확증]하다 SYN sanction, confirm
— **ratification** *n.*

rating [réitiŋ] *n.* **1** 등급을 정함 **2** (과세 를 위한) 평가, 견적 **3** [미] (시험의) 평점, (실업가·기업 등의) 신용도 **4** (라디오·TV 의) 시청률, (레코드의) 판매량 **5** (선원 등의) 등급, 급수; 요트·자동차 등의 등급 **6** [영 화] 연령별 관람 제한 제도

ratio [réiʃou] *n.* [수학] 비, 비율: The *ratio* of men to women was two to one. 남녀의 비는 2대 1이었다. SYN proportion, rate

ration [rǽʃən] *n.* **1** (식품·연료 등의) 배 급(량), 할당(량) **2** (rations) 식량, 양식; [군 대] 하루치 식량
v. [T] **1** (할당량으로) 지급[배급]하다; (군인에 게) 급식하다: The government *rationed* out food for the flood victims. 정부는 수해자들에게 음식을 배급했다. **2** 공급을 제한 하다: Water must now be *rationed*. 이 제 급수 제한을 해야 한다. **3** 소비를 제한하다: She *rationed* her money so it wouldn't run out. 돈이 떨어지지 않게 하기 위해 그녀 는 소비를 제한했다.

rational [rǽʃənl] *adj.* **1** (사람이) 이성적 인, 분별있는: Man is a *rational* being. 인

간은 이성적인 존재이다. SYN reasonable OPP irrational, unreasonable **2** 합리적인, 도리에 맞는, 논리적인: a *rational* policy [plan] 합리적인 정책[계획] **3** 추리의, 추론 의: *rational* faculty 추리력
— **rationally** *adv.* **rationalize** *v.* 합리 화하다

■ 유의어 **rational**
rational emotional의 반의어로 '이성적 판단에 의한, 이성에 맞는'의 의미임. **reasonable** '(사람이) 분별이 있는, 양식 이 있는'의 의미로 이성보다는 분별·양식 에 중점이 있음. **sensible** reasonable에 가깝지만 행동하기 전에 잘 검토됨을 시사 함.

rationalism [rǽʃənlìzəm] *n.* 합리주의
rattle [rǽtl] *v.* **1** [I,T] 덜걱덜걱[우르르] 소 리나다[내다], 덜거덕거리다: The windows are *rattling* in the wind. 창문이 바람 때 문에 덜컥거리고 있다. **2** [I,T] (시·이야기· 선서 등을) 줄줄 외다[읽다, 노래를 하다], 빠 른 말로 지껄이다 (off, out, away): She *rattled* off the poem. 그녀는 시를 줄줄 외 웠다. / The child *rattled* away merrily. 아이는 즐겁게 재잘거렸다. **3** [T] 놀라게 하다; 초조하게 하다: Keep calm—don't let yourself get *rattled*. 진정해. 초조해 하 지 마.
n. **1** 드르륵, 덜거덕; 왁자지껄 **2** (장난감의) 딸랑이
— **rattling** *adj.* 아주 빠른, 활발한

ravage [rǽvidʒ] *n.* 황폐, 파괴 SYN ruin
v. [T] 약탈[파괴]하다; 황폐하게 하다: The country has been *ravaged* by civil war for many years. 다년간의 내전으로 그 나라는 황폐해졌다.

rave [reiv] *v.* [I] **1** 헛소리를 하다, (미친 듯 이) 소리지르다: That poor man is mentally ill and *raves* for hours. 저 불 쌍한 남자는 정신이 이상해서 몇 시간 동안 헛 소리를 한다. **2** 격찬하다 (about): Critics *raved* about the new play. 비평가들은 새 연극을 격찬했다.

n. **1** 미쳐 날뛰기; (파도 등의) 노호 **2** [영] 떠들썩한 파티 **3** 격찬

raven [réivən] *n.* [조류] 갈가마귀

ravenous [rǽvənəs] *adj.* 게걸스러운, 몹시 배고픈

— **ravenously** *adv.*

ravine [rəvíːn] *n.* 협곡, 산골짜기

*****raw** [rɔː] *adj.* **1** 생(날)것의: *Raw* vegetables are good for your teeth. 생 야채는 치아에 좋다. OPP cooked **2** 가공하지 않은, 원료 그대로의; (술 등이) 물을 타지 않은: *raw* material 원료 / *raw* whiskey 물 타지 않은 위스키 / *raw* data 미처리 데이터 / *raw* land 미개발 토지 **3** 미숙한, 경험이 없는: a *raw* recruit 신병, 풋내기 **4** (상처 등이) 껍질이 벗겨진; 쓰라린: a *raw* cut 까진 상처 **5** (습하고) 매우 추운

ray [rei] *n.* **1** 광선: *rays* of the sun 햇빛 / ultraviolet *rays* 자외선 **2** (생각 · 희망의) 빛, 서광; 약간, 소량: There is not a *ray* of hope. 한 가닥의 희망도 없다. **3** [물리] 열선, 방사선, …선: X-*ray* 엑스선 **4** [수학] (원의) 반지름, 반직선 (half-line)

rayon [réiɑn] *n.* 인조견사, 레이온

razor [réizər] *n.* 면도칼, (특히) 전기 면도기: an electric *razor* 전기 면도기 / a disposable *razor* 일회용 면도기

razor blade *n.* 면도날

re- *prefix* '반복, 강조, 서로, 반대, 뒤'의 뜻.: *recede* 반환하다 / *recompense* 보답하다 / *readjust* 재조정하다

*****reach** [riːtʃ] *v.* **1** [T] 도착(도달)하다, (적용 범위 등이) …에 이르다(미치다): We *reached* the top of a hill. 우리는 산꼭대기에 도착했다. / His voice *reaches* everyone in the room. 그의 목소리는 방에 있는 모든 사람들에게 들린다. / *reach* an agreement 합의에 도달하다 **2** [I,T] (손 · 가지 등을) 뻗치다, 내밀다: His hand *reached* out and held me. 그가 손을 뻗어 나를 잡았다. **3** [I,T] (손을

뻗쳐) …에 닿다, …을 잡다; 건네주다: Are you tall enough to *reach* the top shelf? 너 맨 윗 선반에 닿을 만큼 키가 크니? / Please *reach* me that book. 그 책 좀 집어 주세요. **4** [T] …와 연락이 되다: I couldn't *reach* you by telephone. 네게 전화로 연락할 수 없었다.

n. **1** (잡으려고) 손을 뻗음 **2** 손발이 닿는 범위(한도); 쉽게 갈 수 있는 거리: Keep medicines out of children's *reach.* 약은 어린이 손이 닿지 않는 곳에 두시오. **3** 세력(지력, 권력)의 범위; 이해력, 견해: Nuclear physics is beyond my *reach.* 핵 물리학은 내 이해력 밖에 있다. **4** (a reach) (뻗친) 팔의 길이, 리치: That boxer has a long *reach.* 그 권투 선수는 리치가 길다. **5** 넓게 퍼진 곳, 구역: a *reach* of desert 광활한 사막 지대

■ 유의어 reach

reach 어떤 목적 · 결과 · 행선지 등에 도달함을 나타냄. **arrive at(in)** 어떤 장소나 목표에 이름을 말함. **get to** reach(도착하다)의 구어적 표현임.

*****react** [riːǽkt] *v.* [I] **1** (작용 · 힘에 대해) 반작용하다; 서로 작용하다: Kindness often *reacts* upon the kind. 친절은 친절한 사람들에게 돌아오는 일이 많다. **2** (자극 · 상황 등에) 반응하다, 대응하다: When he heard the good news, he *reacted* with a smile. 그는 기쁜 소식을 듣고 미소로 반응했다. SYN respond **3** 반대하다, 반항하다 (against): The citizens *reacted* against the plan. 시민들은 그 계획에 반대했다. **4** [화학] 반응하다 (on): This acid *reacts* on iron. 이 산은 철에 반응한다.

— **reactive** *adj.*

reaction [riːǽkʃən] *n.* **1** (자극 · 사건 등에 대한) 반응, 태도; 반작용: What was his *reaction* to your proposal? 당신의 제안에 대한 그의 반응은 어땠습니까? / action and *reaction* 작용과 반작용 **2** 반항, 반발:

reaction against militarism 군국주의에 대한 반항 **3** (정치상의) 반동, 복고, 보수적 경향: the forces of *reaction* 보수 반동세력 **4** [화학] 반응; [물리] 반작용, 반동력: an allergic *reaction* 알레르기 반응

read [ri:d] *v.* (read[red]-read[red]) **1** [I,T] 읽다, 이해하고 읽다: Have you *read* this book? 이 책을 읽었습니까? / I learned how to *read* music. 나는 악보 읽는 법을 배웠다.
2 [I,T] 낭독하다, 읽어 주다: *Read* me the passage, please. 그 구절을 읽어 주세요.
3 [T] (표정 등에서 사람의 마음·생각 등을) 읽다, 알아차리다: I can *read* your thoughts. 나는 네가 무슨 생각을 하는지 알 수 있다.
4 [T] (카드 등으로) 점치다; (수수께끼 등을) 풀다; 예언하다: *read* a dream 해몽하다 / Have you ever had your palm *read*? 네 손금을 본 적이 있니?
5 [T] (말·행위 등을) 해석하다: It may be *read* several ways. 그것은 여러 가지로 해석될 수 있다. / I *read* this letter to mean that he won't come. 내가 해석하기에 이 편지는 그가 오지 못한다는 뜻인 것 같다.
6 [T] (온도계·시계 등이) 나타내다: The thermometer *read* 100 degrees Fahrenheit. 온도계가 화씨 100도를 가리켰다.
7 [T] [영] (대학에서) 연구[전공]하다: He is *reading* linguistics at Cambridge. 그는 캠브리지 대학에서 언어학을 전공하고 있다.
n. **1** [영] 독서(시간): have a long[short, quiet] *read* 장시간[잠깐, 조용히] 독서하다 **2** 읽을거리
[숙어] **read between the lines** 행간에 숨은 뜻을 읽다
read out 소리내어 읽다: Shall I *read* the storybook *out*? 내가 그 이야기책을 소리내어 읽어 줄까?
read through[over] 통독하다 (처음부터 끝까지 자세히 읽다): Would you mind *reading through* my essay? 제 에세이를 검토해 주시겠습니까?

readable [rí:dəbəl] *adj.* **1** 재미있게 읽을 수 있는, 읽기 쉬운 **2** (인쇄·필적 등이) 읽기 쉬운

reader [rí:dər] *n.* **1** 독자, 독서가: a great *reader* 책을 많이 읽는 사람 **2** 교정원, 출판사의 원고 검토인 **3** 읽기 연습용 책, 독본 **4** [컴퓨터] 판독기: a card *reader* 카드 판독기

reading [rí:diŋ] *n.* **1** 독서, 읽기: My hobbies include *reading* and painting. 나의 취미는 독서와 그림 그리기를 포함한다. **2** 읽을거리, 기사; (readings) 선집: good [dull] *reading* 재미있는[따분한] 읽을거리 / *readings* from Shakespeare 셰익스피어 선집 **3** (사본·원고 등의) 읽는 법: There are various *readings* of this passage. 이 구절은 읽는 법이 여러 가지 있다. **4** (사건·꿈 등의) 판단, 해석, 견해: What is your *reading* of the facts? 이 사실들에 대한 너의 견해는 무엇이니? **5** (기압계·온도계 등의) 표시 도수: The *reading* on the thermometer is 30°. 온도계의 눈금은 30도를 가리키고 있다.

ready [rédi] *adj.* (readier-readiest) **1** 준비가 된 (for, to do): Dinner is *ready*, so let's eat. 저녁이 준비됐어요, 자 식사합시다. / Is everything *ready* for the party? 파티 준비가 다 됐니? / I'm *ready* to go out. 저는 언제라도 외출할 수 있어요. [SYN] prepared **2** 각오가 되어 있는, 기꺼이 …하는 (for, to do): I'm *ready* for death. 나는 죽을 각오가 되어 있다. / He is always *ready* to give interviews. 그는 언제든지 기꺼이 인터뷰한다. **3** 곧 …하려는, 금방 …할 것 같은 (to do): She seemed *ready* to cry. 그녀는 금방이라도 울 것 같았다. **4** 즉석에서의, 재빠른, 능숙한: a *ready* reply [answer] 즉답 / She is *ready* at figures. 그녀는 셈이 빠르다. **5** 즉시 쓸 수 있는, 편리한: *ready* cash for emergencies 비상금
adv. (과거분사와 함께) 미리, 준비하여:

ready-cooked 미리 요리된 / *ready*-built 이미 세워진

n. 준비; 용이, 신속

— **readily** *adv.* 즉시; 기꺼이 **readiness** *n.* 준비; 용이, 신속

숙어 **get**(**make**) **ready** (**for**) (…을 위해) 준비를 하다: She *made* a room *ready for* guests. 그녀는 손님 맞을 방을 준비했다.

ready-made *adj.* **1** (옷 등이) 기성품(복)의, 만들어져 있는: *ready-made* suit 기성복 **2** (사상·의견 등이) 진부한, 개성이 없는

***real** [ríːəl] *adj.* **1** 진실의, 진짜의, 진정한: *real* gold 순금 / the *real* thing 진짜; 극상품 / What was the *real* reason for your absence? 네가 결석한 진짜 이유가 뭐였니? / She was my *real* friend. 그녀는 진정한 친구였다. **2** 현실의, 실제의: The tale is based on *real* life. 그 이야기는 실생활에 기초한 것이다. SYN actual OPP ideal **3** (상황·감정 등을 강조) 대단한, 큰: Health is a *real* problem for me at the moment. 건강이 지금 나에게 큰 문제이다. **4** [법] 부동산의: *real* estate 부동산

adv. 정말로, 매우, 아주: We had a *real* good time at the party last night. 우리는 어젯밤 파티에서 정말 즐거운 시간을 보냈다.

n. (the real) 현실, 실물

숙어 **for real** 실제의, 진짜의; 정말로: Are you *for real*? 너 정말이니? (거짓말 같다.)

realism [ríːəlìzəm] *n.* **1** 현실주의 **2** (문학·예술 등의) 사실주의 **3** [철학] 실재(실념)론

— **realist** *n.* 현실주의자; 사실주의 작가(화가); 실재론자

realistic [ríːəlístik] *adj.* **1** 현실주의의, 현실적인, 실제적인: a *realistic* estimate 실제적인 견적 **2** 사실주의의, 사실파의: a *realistic* novel 사실주의 소설 **3** 실재론(자)의

— **realistically** *adv.*

reality [riːǽləti] *n.* **1** 진실(성) **2** 현실(성), 사실: School starts tomorrow— it's back to *reality* again. 내일은 개학이다. 이제 다시 현실로 돌아간다. **3** 실재, 실제: the *reality* of God 신의 실재

숙어 **in reality** 실제는, 실은: People say this is an interesting book but *in reality* it's rather boring. 사람들이 이건 재미있는 책이라고 말하는데 실은 좀 지루하다.

***realize, realise** [ríːəlàiz] *v.* [T] **1** 깨닫다, 이해하다: I *realized* how difficult it is. 나는 그 일이 얼마나 어려운 일인가를 깨달았다. SYN recognize **2** 실현하다, 달성하다: This summer I will *realize* my dream of going to France. 이번 여름에 나는 프랑스로 가려는 꿈을 실현할 것이다. SYN accomplish

— **realization, realisation** *n.*

■ 접미어 **-ize, -ise**
동사 어미로서 '…화하다', '…로 되다'의 뜻을 나타내며, 영국에서는 -ise도 사용함.: real*ize*, real*ise* / civil*ize*, civil*ise*

real-life *adj.* 현실의, 공상이 아닌

really [ríːəli] *adv.* **1** 정말로, 실제로: She wasn't *really* angry. 그녀는 정말로 화난 게 아니야. / I don't *really* like it. 실은 나는 그것을 좋아하지 않는다. **2** 참으로, 확실히: I am *really* surprised to see you! 너를 만나다니 정말 놀라워! SYN very **3** (감탄사적으로) 그래, 어머, 아니: Not *really*! 설마! / *Really*? 정말? / *Really*! 그렇고 말고!, 물론이지!

realm [relm] *n.* **1** 왕국, 국토: The queen rules her *realm*. 여왕이 자신의 왕국을 통치한다. SYN kingdom **2** 범위, 영역 **3** (학문의) 부문, 분야: In the *realm* of physics, Einstein was a genius. 물리학 분야에서 아인슈타인은 천재였다. **4** (동식물) 계(界): the *realm* of nature 자연계

real-time *adj.* **1** (컴퓨터) 실시간의: *real-time* language translations 실시간 언어

번역 **2** (방송 등이) 즉시의, 동시의

reap [ri:p] *v.* [T] **1** (농작물을) 베어〔거둬〕들이다, 수확하다: *reap* a harvest 농작물을 거둬들이다 OPP sow **2** (노력·행위 등의 결과로) …를 받다, 얻다: *reap* the benefit 〔reward〕이익〔보상〕을 얻다

rear¹ [riər] *n.* **1** (the rear) 뒤, 후위, 후방: He sat in the *rear* of the classroom. 그는 교실 뒤쪽에 앉았다. **2** 궁둥이
adj. 배후의, 후미의: the *rear* window of a car 차의 뒷유리 / *rear* service 후방 근무

rear² [riər] *v.* [T] **1** (아이를) 기르다, (가축을) 사육하다: A mother *rears* her children to adulthood. 어머니는 아이들을 성인이 될 때까지 기른다. SYN bring up **2** 재배하다: *rear* crops 농작물을 재배하다

rearm [ri:á:rm] *v.* [I,T] 재무장시키다〔하다〕
— **rearmament** *n.* 재무장, 재군비

rearrange [rì:əréindʒ] *v.* [T] **1** 재정리〔재배열〕하다: Let's *rearrange* the room and have the desk by the window. 방의 배열을 바꿔 책상을 창문 쪽에 두자. **2** …의 일시를 재지정하다: The meeting has been *rearranged* for next Wednesday. 회의는 다음 주 수요일로 바뀌었다.
— **rearrangement** *n.*

rearview mirror *n.* (자동차 등의) 백미러

*****reason** [rí:zən] *n.* **1** 이유, 까닭, 변명, 동기: He has every *reason* to complain. 그가 불평할 만한 이유는 충분히 있다. SYN cause **2** 이성, 사고력, 판단력: People are different from animals because they have the power of *reasons*. 사람은 사고력이 있기 때문에 동물과 다르다. **3** 도리, 이치: There is *reason* in what you say. 네가 말하는 것에는 일리가 있다. **4** 제정신, 분별 있는 행위: come to *reason* 제정신이 들다 / lose one's *reason* 미치다
v. [I,T] **1** 추론하다, 논리적으로 생각해 내다: We *reasoned* that he was guilty. 우리는 그 사람이 유죄라고 판단했다. / He *reasoned*

out the answer to a question. 그는 질문에 대한 답을 논리적으로 생각해 냈다. **2** 이야기하다, 논의하다 (with): He *reasoned* with her very gently on the matter. 그는 그 일에 관해 매우 부드럽게 그녀와 논의했다.

축어 **by〔for〕reason of** …의 이유로, … 때문에: The scheme failed *by reason of* bad organization. 그 계획은 준비가 미흡해서 실패했다. SYN because of

It stands to reason that ... …은 사리에 맞다, 당연하다: *It stands to reason that* we cannot live without air. 공기가 없으면 살 수 없다는 것은 당연한 일이다.

listen to〔hear〕reason 이치〔충고〕에 따르다: I tried to persuade him not to smoke but he just wouldn't *listen to reason*. 그가 담배를 피우지 않도록 설득하려 했지만 그는 이에 따르려 하지 않았다.

reasonable [rí:zənəbəl] *adj.* **1** (사람·행동이) 분별 있는: a *reasonable* man 분별 있는 사람 SYN sensible OPP unreasonable **2** 이치에 맞는, 조리 있는: a *reasonable* excuse 조리 있는 해명 **3** 온당한, 적당한: on *reasonable* terms 무리 없는 조건으로 SYN moderate **4** (가격 등이) 비싸지 않은, 알맞은: The price of the desk was very *reasonable*, so I bought it. 그 책상의 가격이 적당해서 나는 그걸 샀다.
— **reasonably** *adv.* 합리적으로; 상당히, 꽤

reasoning [rí:zəniŋ] *n.* **1** 추론; 이론; 논법 **2** (집합적) 논거, 증명

reassure [rì:əʃúər] *v.* [T] **1** 안심시키다, 기운을 돋우다: She *reassured* me that everything was fine. 그녀는 나에게 모든 것이 잘 되어 간다고 안심시켰다. **2** 재보증하다
— **reassuring** *adj.* **reassurance** *n.*

rebate [rí:beit] *v.* [T] (금액의 일부를) 환불하다; (청구액을) 할인하다
n. 환불; 리베이트: get a tax *rebate* 세금을

환불받다

rebel [rébəl] *n.* 반역자; (권력·전통 등에 대한) 반항자: He had a reputation as a *rebel* in his family. 집안에서 그는 반항아로 유명하다.
v. [I] [ribél] (rebelled-rebelled) **1** (정부 등에) 반역하다; (권력·지배 등에) 반항하다 (against): She *rebelled* against her parents. 그녀는 부모님께 반항했다. **2** 화합하지 않다; 몹시 싫어하다, 반감을 갖다

rebellion [ribéljən] *n.* **1** 모반, 반란, 폭동: a *rebellion* against the military regime 군사 정권에 대한 반란 / rise in *rebellion* 폭동을 일으키다 **2** (일반적으로) 반항: his teenage *rebellion* 그의 십대의 반항

rebellious [ribéljəs] *adj.* 반역하는, 반항적인: *rebellious* troops 반란군 / *rebellious* teenagers 반항적인 십대

rebirth [ri:bə́:rθ] *n.* 재생, 갱생; 부활

reborn [ri:bɔ́:rn] *adj.* 다시 태어난, 갱생한

rebound [ribáund] *v.* [I] **1** (공 등이) 되튀다: The ball *rebounded* from a wall. 공이 벽에 맞아 되튀었다. **2** 반향하다 **3** (행동이 본인에게) 되돌아오다: The evil deed *rebounded* upon her. 그녀의 악행이 그녀에게로 되돌아왔다. **4** 원래대로 되돌아가다, 만회하다: Share prices *rebounded* today after last week's falls. 주가가 지난 주 폭락 후로 오늘 회복되었다. **5** [농구] 리바운드 볼을 잡다
n. [rí:bàund, ribáund] **1** 되튐, 반발 **2** 반향, 메아리 **3** (감정 등의) 반동 **4** 회복, 재기 **5** [농구] 리바운드 (볼)

rebuild [ri:bíld] *v.* [T] (rebuilt-rebuilt) 재건하다, 다시 짓다, 개축하다: The castle was *rebuilt* by his great grandson. 그 성은 그의 증손자에 의해 다시 지어졌다.

rebuke [ribjú:k] *v.* [T] 꾸짖다, 비난하다: My mother *rebuked* me for using bad language. 어머니는 내가 욕을 한 것에 대해 꾸짖으셨다.
n. 힐책, 꾸짖음: He received a *rebuke* for

his mistake. 그는 그의 실수로 꾸짖음을 들었다. SYN scolding

recall [rikɔ́:l] *v.* [T] **1** 생각해 내다, 상기하다: I don't *recall* exactly when I first visited there. 내가 처음 그 곳을 방문한 때가 정확히 생각나지 않는다. **2** 생각나게 하다, 상기시키다: Her paintings *recall* the style of Picasso. 그녀의 그림들은 피카소의 화풍을 생각나게 한다. **3** 다시 부르다, 소환하다: The head office *recalled* him to Seoul. 본사에서 그를 서울로 소환했다. **4** [미] (공직에 있는 사람을) 해임하다 **5** (결함 상품을) 회수하다; 취소하다: The company *recalled* a product because it was not safe. 안전하지 않다는 이유로 그 회사는 제품을 회수했다. / *recall* an order 주문을 취소하다
n. **1** 되부름, 소환: a letter of *recall* 소환장 **2** [미] 리콜 (일반 투표에 의한 공직자의 해임) **3** (결함 상품의) 회수; 취소 **4** 회상, 상기(력)

축어 **recall to one's mind** 생각[기억]해 내다: When I look at that picture, I *recall* its owner *to my mind*. 저 그림을 볼 때마다 나는 그 그림의 주인이 생각난다.

■ 접두어 re-
1 '서로, 반대, 뒤, 물러남; 분리, 밑, 재차, 부정' 등의 뜻을 나타냄.: *react, resign, resist*
2 '다시, 새로; 다시 하다' 등의 뜻을 나타냄.: *rebuild, remake*

recapture [ri:kǽptʃər] *v.* [T] **1** 탈환하다, 되찾다; 다시 체포하다: The police *recaptured* the prisoner who escaped from prison. 경찰은 탈옥한 죄수를 다시 체포했다. **2** 과거를 상기하다: My diary *recaptures* my younger days. 일기를 읽으면 옛일이 생각난다. **3** [미] (정부가 수익의 일부를) 초과 징수하다
n. **1** 탈환, 되찾음, 회복 **2** 되찾은 물건[사람] **3** [미] (정부의) 재징수, 초과 징수

recede [ri:síːd] *v.* [I] **1** 물러가다; 멀어지다: The tide has *receded*. 조수가 빠졌다. **2** (기억 · 인상이) 희미해지다: The painful memories gradually *receded* in her mind. 아픈 기억이 점차 그녀의 마음 속에서 사라져 갔다. **3** 감소하다, (가치 · 품질 등이) 떨어지다, 나빠지다: *receding* prices 하락하는 물가 **4** 뒤로 기울다, 쑥 들어가다; (머리털이) 벗겨져 올라가다: a *receding* chin 쑥 들어간 턱 / a *receding* hairline 벗겨져서 점점 넓어지는 이마

receipt [risíːt] *n.* **1** 영수증, 인수증: Keep the *receipt* in case you want to exchange the bag. 가방을 교환할 경우를 대비해 영수증을 보관하세요. **2** 수령, 영수 **3** (보통 *pl.*) 수령[수입]액: the total *receipts* 총수입액

*****receive** [risíːv] *v.* [T] **1** (제공 · 배달된 것을) 받다, 수취하다, 얻다: I *received* an e-mail from him. 그에게서 이메일을 받았다. / *receive* a phone call[a prize] 전화를[상을] 받다 [SYN] get, accept, acquire **2** (환영 · 주목 · 죄 등을) 받다: We *received* a warm welcome from our club members. 우리는 클럽 회원들로부터 따뜻한 환영을 받았다. / *receive* a blow on the head 머리를 얻어맞다 **3** (정보 · 지시 등을) 받다, 받아들이다, 인정하다: *receive* new ideas 새 사상을 받아들이다

> **■ 용법 receive와 get**
> **receive**의 1번의 의미로 get을 흔히 사용하는데, 일반적으로 receive는 공식적인 문어체에, get은 일상 대화에 많이 사용함.: I *received* a letter from Mr. Smith. / I *got* a letter from Linda.

receiver [risíːvər] *n.* **1** 수취인, 받는 사람 [OPP] sender **2** 수신기, 수화기; (텔레비전의) 수상기 **3** 수납계원

*****recent** [ríːsənt] *adj.* 최근의, 근래의, 새로운: in *recent* years 근년(에는) / This is a *recent* photograph of my family. 이것

이 우리 가족의 최근 사진이다. [SYN] late

recently [ríːsəntli] *adv.* 최근에: Have you seen him *recently*? 최근에 그를 본 적 있니? [SYN] lately

> **■ 용법 recently와 lately**
> **recently** '어느 한 때'와 '어느 기간 동안'의 의미로 사용. '어느 한 때'의 의미로 쓰인 경우는 과거형을 씀.: She got married *recently*. 그녀는 최근에 결혼했다. '어느 기간 동안'의 의미로 쓰인 경우는 현재완료 또는 현재완료 진행형을 씀.: He has started learning tennis *recently*. 그는 요 근래 들어서 테니스를 배우기 시작했다.
> **lately** '어느 기간 동안'의 의미로만 쓰여 현재완료 또는 현재완료 진행형에만 씀.: I haven't seen her *lately*. 나는 요즘 그녀를 만나지 못했다.

reception [risépʃən] *n.* **1** 받아들임, 수취 **2** 접대, 응접: We always receive a warm *reception* at my grandma's house. 우리는 할머니 댁에서 항상 따뜻한 환영을 받는다. **3** 환영회, 리셉션: a wedding *reception* 결혼 피로연 **4** [영] (호텔 · 회사 등의) 접수구: I met my father at the *reception* of his office. 나는 아버지 회사의 접수구에서 아버지를 만났다.

— **receptionist** *n.* (회사 · 호텔 등의) 접수계원

recess [ríːses, risés] *n.* **1** 휴식; (의회의) 휴회: The National Assembly is now in *recess*. 국회는 지금 휴회 중이다. **2** [미] (법정의) 휴정; (대학의) 휴가; (학교의) 휴식 시간: an hour's *recess* for lunch 점심 식사를 위한 1시간 휴식 **3** (recesses) 깊숙한 곳, 후미진 곳, 구석 **4** (해안선 · 산맥 등의) 우묵한 곳; 벽의 움푹 들어간 곳

recession [riséʃən] *n.* **1** 퇴거, 후퇴; (종교적 의식 후의) 퇴장 **2** (벽면 등의) 들어간 곳, 우묵한 곳 **3** (일시적인) 경기 후퇴, 불경기: How long will the *recession* last?

불경기가 얼마나 지속되겠는가?

recessive [risésiv] *adj.* **1** 퇴행의, 역행의 **2** [생물] 열성의: a *recessive* character 열성 형질 / *recessive* gene 열성 유전자 OPP dominant

recharge [ri:tʃá:rdʒ] *v.* [T] 재충전[재장전]하다: He plugged the drill in to *recharge* it. 그는 드릴을 재충전하기 위해서 플러그를 꽂아두었다.

n. 재충전

— **rechargeable** *adj.* 재충전이 가능한

*****recipe** [résəpì:] *n.* **1** (요리의) 조리법, 비법: Give me the *recipe* for this cake. 이 케이크 만드는 법 좀 알려 주세요. **2** 비법, 비결, 묘안: a *recipe* for a happy marriage 행복한 결혼 생활의 비결 **3** (약제 등의) 처방 (전)

recipient [risípiənt] *n.* 수납자, 수령인: a *recipient* of an award 수상자

adj. **1** 받는, 수용하는 **2** 감수성[이해력]이 있는

reciprocal [risíprəkəl] *adj.* **1** 상호(간)의, 호혜의: *reciprocal* action[help] 상호 작용[원조] / a *reciprocal* treaty 호혜 조약 / *reciprocal* trade 호혜 통상 SYN mutual **2** 교환으로 주는, 답례의: a *reciprocal* gift 답례 선물

— **reciprocally** *adv.* **reciprocate** *v.*

recital [risáitl] *n.* **1** 리사이틀, 연주회, 독주[독창]회: give a piano *recital* 피아노 연주회를 열다 **2** (시 등의) 낭송, 낭독(회)

recite [risáit] *v.* [I,T] 암송하다, 낭독하다: They *recited* poetry to one another. 그들은 서로에게 시를 암송해 주었다.

reckless [réklis] *adj.* 분별 없는, 무모한; (위험 등에) 개의치 않는: a *reckless* adventurer 무모한 모험가 SYN rash

— **recklessly** *adv.*

reckon [rékən] *v.* **1** [I,T] (수를) 세다, 계산[합계]하다 (up): I *reckon* 50 of them. 세어 보니 50이다. / *reckon* up the bill 계산서를 합산하다 **2** [T] (…로) 보다, 간주하다:

They *reckon* him as their leader. 그들은 그를 그들의 지도자로 생각했다. **3** [T] 생각하다: I *reckon* you have a very good chance of winning. 나는 네가 승리할 아주 좋은 기회를 얻었다고 생각해. / She is tired, I *reckon*. 나는 그녀가 지쳤다고 생각한다. **4** [I] 기대하다, 믿다 (on, upon): We're *reckoning* on a large profit. 우리는 상당한 수익을 기대하고 있다.

reckoning [rékəniŋ] *n.* **1** 계산, 셈 SYN calculation **2** 결제, 청산 **3** 계산서 **4** (배·비행기 등의) 위치 파악, 계산; 보답; 응보 숙어 **be out in[of] one's reckoning** 계산이 틀리다; 기대가 어긋나다

the day of reckoning 1 결산일 **2** (the Day of Reckoning) 최후의 심판일, (특히) 응보를 받는 날

reclaim [rikléim] *v.* [T] **1** …의 반환을 요구하다, 되찾다, 회수하다: I *reclaimed* my suitcase from the left baggage office. 나는 수하물 보관소에서 내 여행 가방을 되찾았다. **2** 개간[개척]하다; (땅을) 메우다: *reclaimed* land 매립지 **3** (폐물을) 재생(이용)하다; (천연 자원을) 이용하다: *reclaimed* rubber 재생 고무 **4** 개심케 하다, 교화하다; 동물을 길들이다

— **reclamation** *n.*

recline [rikláin] *v.* [I] 기대다, 눕다: He *reclined* against a wall and closed his eyes. 그는 벽에 기대서 눈을 감았다. / *reclining* chair (등받이와 발판이 조절되는) 안락 의자 SYN lean, lie

recognition [rèkəgníʃən] *n.* **1** 인지, 인식: There's a growing *recognition* that we should abolish capital punishment. 사형을 폐지해야 한다는 인식이 높아지고 있다. **2** 승인, 허가: These examinations have worldwide *recognition*. 이 시험은 세계적인 승인을 받고 있다. **3** (공로 등의) 인정, 표창 **4** 알아봄: beyond[out of] *recognition* 옛 모습을 찾아볼 수 없을 만큼 숙어 **in recognition of** …을 인정하여,

…의 공에 의하여: Please accept this gift *in recognition of* the work you have done. 자네가 한 일을 인정하여 주는 이 선물을 받아 주게.

recognizable, recognisable
[rékəgnàizəbəl] *adj.* 인식(인지, 승인)할 수 있는; 알아볼 수 있는
— **recognizably, recognisably** *adv.*

*recognize, recognise [rékəgnàiz] *v.* [T] **1** 알아보다, 보고 곧 알다: I hadn't seen her for 20 years, but I *recognized* her immediately. 나는 그녀를 20년간 보지 못했지만 금새 알아보았다. **2** (공로 등을) 인정하다, 감사하다, 표창하다 **3** (사실을) 인정하다: He *recognized* that he had been beaten. 그는 졌다고 인정했다. **4** (공식적으로) 인정하다, 승인하다: The international community has refused to *recognize* the newly independent nation. 국제 사회는 신생독립국을 승인하기를 거부해 오고 있다.

recoil [rikɔ́il] *v.* [I] **1** (용수철 등이) 되튀다, 되돌아오다; 반동하다: Our acts *recoil* upon ourselves. 자기 행위의 결과는 자신에게 되돌아온다. **2** 퇴각하다; (두려움·놀람 등으로) 뒷걸음질치다: He *recoiled* when he saw a dangerous snake in front of him. 그는 그의 앞쪽에 있는 위험한 뱀을 보고 뒷걸음질쳤다.
n. [rikɔ́il, ríːkɔ̀il] **1** 되튐; 반동 **2** 뒷걸음질, 움찔함

recollect [rèkəlékt] *v.* [I,T] 생각해 내다, 회상하다: I don't *recollect* exactly what we talked about yesterday. 우리가 어제 무엇에 대해 이야기했는지 정확히 생각나지 않는다. [SYN] remember [OPP] forget

recollection [rèkəlékʃən] *n.* **1** 회상, 상기; 기억력: I have no *recollection* of meeting her. 나는 그녀를 만난 기억이 없다. **2** (보통 *pl.*) 옛 생각, 추억이 되는 일: The party is one of my happiest *recollections*. 그 파티는 나의 아주 행복한 추억 중의 하나이다.

*recommend [rèkəménd] *v.* [T] **1** 추천하다: Could you *recommend* me a good hotel? 좋은 호텔을 소개해 주시겠습니까? / I've *recommended* the book to all my friends. 나는 그 책을 내 친구들 모두에게 추천했다. **2** …을 권하다, 충고하다: The doctor *recommended* (that) I take more exercise. 의사는 내게 더 많은 운동을 할 것을 권했다.
— **recommendable** *adj.* 추천할 수 있는, 권할 만한

recommendation [rèkəmendéiʃən] *n.* **1** 추천: I bought this computer on John's *recommendation*. 존의 추천으로 이 컴퓨터를 샀다. **2** 추천(소개)장: He wrote a letter of *recommendation* for her. 그는 그녀의 추천장을 썼다. **3** 권고, 충고: They made a *recommendation* that the minister resign. 그들은 장관의 사임을 권했다.

recompense [rékəmpèns] *n.* **1** 보수, 보답 **2** 보상, 배상: Please accept this check in *recompense* for the damage to your garden. 당신의 정원에 대한 손해 배상으로 이 수표를 받아 주세요.
v. [T] 보답하다; 보상하다: Insurance *recompensed* him for his injury. 보험에서 그의 상해를 보상해 주었다. [SYN] compensate

reconcile [rékənsàil] *v.* [T] **1** (종종 수동태) 화해시키다 (to, with): They were finally *reconciled* with each other after years of not speaking. 몇 년간 대화 없이 지내다 결국 그들은 서로 화해했다. **2** (싸움·논쟁 등을) 조정하다; 조화시키다 (to, with): It's difficult to *reconcile* the demands of my job with the desire to be a good father. 직업상 해야 할 일들과 좋은 아버지가 되기 위한 바람을 조화시키기가 어렵다. [SYN] harmonize **3** (reconcile oneself 또는 수동태) …으로 만족하다, 스스로 단념(만

족)하게 하다: He was *reconciled* to his fate. 그는 자신의 운명을 감수하고 있었다.

reconciliation [rèkənsìliéiʃən] *n.* **1** 화해 **2** 조화, 일치 **3** 복종, 단념

reconsider [rì:kənsídər] *v.* [I,T] **1** 다시 생각하다, 재고하다: We want you to *reconsider* your decision to quit your job. 우리는 일을 그만둔다는 너의 결정을 다시 생각하기를 바란다. **2** (투표 등을) 재심의에 부치다
— **reconsideration** *n.*

reconstruct [rì:kənstrʌ́kt] *v.* [T] **1** 재건하다, 개조하다: The government must *reconstruct* the shattered economy. 정부는 파탄이 난 경제를 재건해야 한다. **2** (부분을 연결하여 사건을) 재구성하다, 재현하다: The police *reconstructed* how the murder happened by talking to the witnesses. 경찰은 목격자들과 이야기를 나누면서 살인 사건이 어떻게 일어났는지 재구성했다.
— **reconstruction** *n.*

*record [rékərd] *n.* **1** 기록, 등록: Keep a *record* of all the money you spend. 지출하는 모든 금액을 기록해 두어라. / That thief has a long criminal *record*. 그 도둑은 많은 범죄 기록을 가지고 있다. **2** 이력, 경력: Her *record* is against her. 그녀는 이력에서 불리하다. **3** 레코드, 음반 [SYN] album **4** 경기 기록, (특히) 최고 기록: set a new *record* 신기록을 세우다 / break the *record* 기록을 깨다
v. [rikɔ́:rd] **1** [T] 기록하다, 등록하다: She *records* everything that happens to her in her diary. 그녀는 일어나는 모든 일을 일기에 기록한다. **2** [I,T] 녹음(녹화)하다: The band has recently *recorded* a new album. 그 밴드는 최근에 새 앨범을 녹음했다. **3** [T] (계기 등이) 표시하다: The thermometer *recorded* a temperature of 30 degrees Celsius. 온도계가 섭씨 30도를 기록했다.

[숙어] **off the record** 비공식의(으로), 공표해서는 안 되는: She told me *off the record* that she was going to resign. 그녀는 나에게 비공식으로 곧 사임할 것이라고 말했다.

on record 1 기록되어, 기록적인: the heaviest rain *on record* 기록적인 폭우 **2** 공표된, 널리 알려진

put(set, get) the record straight 오해를 바로잡다

recorder [rikɔ́:rdər] *n.* **1** 기록자, 등록자 **2** 녹음기, 녹화기; 기록기 **3** [음악] 리코더 (옛날 플루트의 일종)

recording [rikɔ́:rdiŋ] *n.* **1** 녹음, 녹화: a *recording* studio 녹음실 **2** 녹음(녹화) 테이프

recount [rikáunt] *v.* [T] 자세히 말하다, 하나하나 열거하다

*recover [rikʌ́vər] *v.* **1** [T] (잃은 것을) 되찾다: The police *recovered* only a small percentage of stolen goods. 경찰은 도둑맞은 물건의 극히 일부만을 되찾았다. **2** [I] (건강을) 회복하다: He *recovered* from his illness and is well again. 그는 병에서 회복되어 다시 건강하다. [SYN] get better **3** [I] (감각·감정 등이) 정상을 찾다: He never *recovered* from the shock of his wife dying. 그는 부인을 잃은 충격에서 벗어나지 못했다. / He fell down but managed to *recover* himself. 그는 넘어졌지만 겨우 정신을 차렸다. **4** [T] (손실을) 만회하다: *recover* financial losses 경제적 손실을 만회하다

recovery [rikʌ́vəri] *n.* **1** (보통 a recovery) (건강의) 회복, 완쾌: He made a quick *recovery* from the operation. 그는 수술에서 빨리 회복되었다. **2** 경기 회복: Creating more jobs should help the country's economic *recovery*. 더 많은 일자리를 창출하는 것이 이 나라의 경제 회복에 도움이 될 것이다. **3** 되찾음, 만회: the *recovery* of the stolen jewels 도둑맞은

보석의 되찾음

recreation [rèkriéiʃən] *n.* 휴양, 기분 전환, 오락, 레크리에이션: All the family members need to have their own interests and *recreations*. 가족 모두는 그들 자신의 관심사와 오락거리를 가질 필요가 있다.

— **recreational** *adj.* **recreate** *v.* 기분 전환시키다〔하다〕, 휴양시키다〔하다〕

recruit [rikrú:t] *v.* [I, T] 신병〔새 회원, 신입 사원〕을 모집하다

n. **1** 신병, 보충병 **2** (단체 등의) 새 회원; 신입생, 신입 사원

— **recruitment** *n.* 신병〔신규〕 모집

*****rectangle** [réktæŋgəl] *n.* 직사각형

— **rectangular** *adj.*

rectify [réktəfài] *v.* [T] 개정〔교정〕하다; (악습 등을) 없애다: He *rectified* the mistake in the contract. 그는 계약서의 잘못을 교정했다.

recur [riká:r] *v.* [I] (recurred-recurred) **1** (사건·문제 등이) 재발하다, 되풀이되다: a *recurring* problem〔illness〕 재발하는 문제〔질병〕 **2** (생각 등이) 마음에 다시 떠오르다; 상기〔회상〕되다: The idea kept *recurring*. 그 생각이 머리에서 떠나지 않았다.

— **recurrent** *adj.* **recurrence** *n.*

recycle [ri:sáikəl] *v.* [T] 재생 이용하다, 재순환시키다: *recycled* paper 재생지 / Aluminium cans can be *recycled*. 알루미늄 캔은 재활용된다.

— **recyclable** *adj.* **recycling** *n.* 재(생) 이용

*****red** [red] *adj.* (redder-reddest) **1** 빨간, 빨간색의 **2** (노여움·부끄러움 등으로) 빨개진: She was *red* with shame. 그녀는 창피해서 얼굴이 빨개졌다. **3** (털·피부 등이) 붉은

n. 빨강, 적색

〔숙어〕 **be in the red** 적자를 내고 있다: Our company was making money, but now it*'s in the red*. 우리 회사는 수익을 냈었지만 지금은 적자를 내고 있다. 〔**OPP**〕

be in the black

get〔**come**〕**out of red** 적자를 면하다

red card *n.* [경기] 레드카드 (심판이 선수에게 퇴장을 명할 때 보이는 카드) ⇨ yellow card

red carpet *n.* (귀빈의 출입로에 까는) 붉은 융단; (the red carpet) 극진한 예우〔대접, 환영〕

Red Cross *n.* (the Red Cross) 적십자사

redden [rédn] *v.* [I, T] 붉히다, 붉어지다

※ go red 또는 blush가 더 흔히 사용된다.

reddish [rédiʃ] *adj.* 불그스레한

redeem [ridí:m] *v.* [T] **1** 되사다, 되찾다; (저당물을) 도로 찾다: He *redeemed* his watch at the pawnbroker. 그는 전당포 업자에게 맡겼던 시계를 도로 찾았다. **2** (외상값·채무 등을) 갚다, 상환하다 **3** (노력하여) 회복하다, 다시 찾다: He worked hard to *redeem* himself for his failure. 그는 실패를 만회하기 위해 열심히 일했다. / *redeem* one's honor 명예를 회복하다 **4** [신학] 속죄하다 **5** (결점·과실 등을) 벌충하다, 채우다: The eyes *redeem* her face from ugliness. 눈이 그녀의 못생긴 얼굴을 살려 주고 있다. **6** (쿠폰·상품권 등을) 상품으로 바꾸다

redemption [ridémpʃən] *n.* **1** 되찾음, 되삼 **2** (어음·채권 등의) 상환, 회수 **3** [신학] (예수에 의한) 구원 〔**SYN**〕 salvation **4** 보상〔보충〕하는 것

〔숙어〕 **beyond**〔**past, without**〕**redemption** 회복할 가망이 없는; 구제 불능의

red-hot *adj.* (금속 등이) 빨갛게 달은

red tape *n.* 복잡한 관청의 수속, 관료적 형식주의: We must cut through the *red tape*. 우리는 복잡한 관료주의를 극복해야 한다.

*****reduce** [ridjú:s] *v.* [T] **1** (액수·양·정도 등을) 줄이다, 축소하다: She stopped smoking and *reduced* her risk of getting lung cancer. 그녀는 담배를 끊어서 폐암에 걸릴 위험을 줄였다. / Consumption is being *reduced* by 15 percent. 소

비가 15% 감소했다. [OPP] increase **2** 격하
시키다; (어려운 지경에) 몰아넣다 (to): They
were *reduced* to begging or starving.
그들은 구걸을 하거나 굶어 죽을 수밖에 없게
되었다. **3** (종종 수동태) 부득이 ···하게 하다
(to): His reply *reduced* me to tears. 그
의 대답은 나를 눈물 흘리게 했다.

— **reducible** *adj.* ···할 수 있는

reduction [ridʌkʃən] *n.* **1** 감소, 축소, 절
감: Many companies have announced
dramatic *reductions* in staff. 많은 회사
들이 인원의 대폭 축소를 발표했다. **2** 할인:
great *reductions* in price 대할인

redundant [ridʌndənt] *adj.* **1** 여분의,
과다한 [SYN] superfluous, excessive **2** 매
우 풍부한, 넘칠 정도의 **3** 말이 많은, 장황한
4 [영] (노동자가) 잉여 인원이 된, (일시) 해
고되는

— **redundancy** *n.*

reed [ri:d] *n.* **1** 갈대 **2** 갈대밭 **3** (reeds)
(지붕 이는) 갈대 이엉 **4** [음악] (악기의) 혀;
(the reeds) (관현악단의) 리드 악기(부)

reef [ri:f] *n.* **1** 암초, 모래톱 **2** 광맥

reel [ri:l] *n.* **1** (실·밧줄 등을 감는) 릴, 얼
레 **2** (낚싯대의 손잡이 쪽에 다는) 릴, 감개
3 (영화 필름을) 감는 틀; (필름의) 1권: a
picture in three *reels* 3권짜리 영화
v. **1** [I] 비틀거리며 걷다: He *reeled*
drunkenly along the street. 그는 술취
해서 비틀거리며 걸었다. **2** [I] (강타·쇼크 등
으로) 휘청거리다: The boxer *reeled* and
fell. 권투 선수는 휘청거리더니 쓰러졌다. **3**
[T] 얼레에 감다 **4** [T] (물고기·낚싯줄 등을)
릴로 끌어올리다 (in, out): I *reeled* in my
fishing line. 낚싯줄을 릴로 끌어올렸다.

[숙어] **reel off** 술술(거침없이) 이야기하다
[쓰다]: She could *reel off* the names of
her twenty grandchildren. 그녀는 20명
의 손자들의 이름을 술술 말할 수 있다.

reestablish [rì:istǽbliʃ] *v.* [T] 재건하다,
부흥하다 [SYN] restore

reexamine [rì:igzǽmin] *v.* [T] **1** 재시험

〔재검토〕하다 **2** [법] 재심문하다

***refer** [rifə́:r] *v.* (referred-referred) **1** [I]
언급하다 (to), (···을 ~라고) 부르다 (to ... as
~): We agreed never to *refer* to
the matter again. 우리는 그 문제에 대해
다시 언급하지 않기로 동의했다. / She always
referred to Dan as 'that nice man'. 그
녀는 항상 댄을 '그 좋은 사람'이라고 부른다.
2 [I] 관계하다, 관련하다 (to): books
referring to fish 어류에 관련된 도서 **3** [I]
조회하다, 참고로 하다 (to): Complete the
exercise without *referring* to a dictio-
nary. 사전을 참고하지 말고 연습 문제를 푸세
요. **4** [T] (도움을 얻기 위해) 보내다: My
doctor *referred* me to a specialist. 의사
는 나를 전문의에게 보냈다.

referee [rèfərí:] *n.* **1** (축구·권투 등의)
심판원, 주심 [SYN] umpire **2** [영] 신원 조회
처; 신원 보증인 **3** [법] 중재인, 조정자
v. [I,T] 중재하다, 심판하다

reference [réfərəns] *n.* **1** 언급, 논급
(to): They made no *reference* to the
fight. 그들은 싸움에 관한 언급은 하지 않았
다. **2** 참조, 참고: make *reference* to a
dictionary 사전을 참조하다 **3** (인물·기량
등에 대한) 문의, 조회 **4** 참고서, 참고문, 인용
문: a *reference* book 참고서 **5** 참조 부호
(reference mark) **6** 신용 조회처, 신원 보증
인: Who are your *references*? 당신의 신
원 보증인은 누구입니까? **7** (신원 등의) 증명
서, 신용 조회장 **8** 관계, 관련 (to): This has
some *reference* to our problem. 이것은
우리 문제와 다소 관계가 있다.

[숙어] **with(without) reference to** ···
에 관하여〔관계 없이〕: *without reference to*
age or sex 남녀노소 상관 없이

referendum [rèfəréndəm] *n.* (*pl.*
referendums, referenda) 국민〔일반〕투표

refill [ri:fíl] *v.* [T] 다시 채우다, (재)충전하
다: Can I *refill* your glass? 잔을 다시 채
워 드릴까요?
n. [rí:fil] 보충물, 다시 채운 것

refine [rifáin] *v.* [T] **1** 정제하다, 정련하다: *refine* sugar 설탕을 정제하다 **2** 세련되게 하다, 품위 있게 하다, 다듬다: He tried to *refine* his manners. 그는 자기 태도를 품위 있게 하려고 노력했다. / *refine* one's style of writing 작문 스타일을 다듬다

refined [rifáind] *adj.* **1** 정련한, 정제한: *refined* oil〔sugar〕 정유〔정당〕 OPP unrefined **2** (사람·행위 등이) 세련된, 품위 있는, 우아한: He has a *refined* way of speaking. 그는 품위 있는 말투를 지녔다. SYN polished OPP unrefined

refinement [ri:fáinmənt] *n.* **1** 세련, 고상, 우아: a man of *refinement* 품위 있는 사람 SYN elegance **2** 정제, 정련 **3** 다듬기

refinery [ri:fáinəri] *n.* 정제〔정련〕소, 정련 장치〔기구〕: an oil *refinery* 정유 공장

reflect [riflékt] *v.* **1** [T] (빛·소리·열 등을) 반사하다: The mirror *reflected* the light onto the wall. 거울이 빛을 벽에 반사시켰다. **2** [T] (보통 수동태) (거울 등이 물건을) 비치다: She saw herself *reflected* in the shop window. 그녀는 상점 창문에 비친 자신의 모습을 보았다. **3** [T] 반영하다, 나타내다: His deeds *reflect* his thoughts. 그의 행위는 그의 생각을 반영한다. **4** [I] 반성하다; 숙고하다 (on, upon): You should *reflect* on your mistake. 너는 네 잘못을 반성해야 한다.

— **reflector** *n.* 반사물, 반사경

숙어 **reflect on 1** (나쁜) 영향을 미치다, 체면을 손상시키다: When one player misbehaves in public, it *reflects on* the whole team. 한 선수가 대중 앞에서 품행이 좋지 않으면 전체 팀의 명예를 훼손시킨다. **2** 곰곰이 생각하다: You need some time to *reflect on* your future plans. 너는 앞으로의 계획을 곰곰이 생각할 시간이 좀 필요하다.

reflection, reflexion [riflékʃən] *n.* **1** 반사: an angle of *reflection* 반사각

2 반영: The decrease in crime is a *reflection* of a stable society. 범죄의 감소는 안정된 사회의 반영이다. **3** 반사열〔광, 색〕, 반향음 **4** (거울 등의) 영상, (물에 비친) 그림자: one's *reflection* in a mirror 거울에 비친 모습 **5** 꼭 닮은 것: She is a *reflection* of her mother. 그녀는 그녀의 어머니를 꼭 닮았다. **6** 반성, 숙고 (on, upon) **7** (종종 *pl.*) 감상, 의견: I have a few *reflections* on his conduct. 그의 행동에 대해 나도 몇 가지 의견이 있다. **8** 비난, 잔소리; 불명예(의 꼬투리) (on, upon): There could be no possible *reflection* on her character. 그녀의 인격에는 흠잡을 데가 없다.

숙어 **on〔without〕 reflection** 잘 생각해 보고〔생각하지도 않고〕: At first I thought it was a bad idea, but *on reflection* I realized he was right. 처음에는 그의 생각이 좋지 않다고 생각했으나 잘 생각해 보니 그가 옳다는 것을 깨달았다.

reflective [rifléktiv] *adj.* **1** 깊이 생각하는, 사려 깊은 **2** 반사하는, 반영하는: Wear a *reflective* belt when you're cycling at night. 밤에 자전거를 탈 때는 반사 벨트를 착용해라. / This comment is not *reflective* of the public mood. 이 논평은 국민 의향이 반영되어 있지 않다. **3** 반사〔반영〕에 의한: *reflective* light 반사광 **4** (동작이) 반사적인

reflex [rí:fleks] *adj.* **1** 반사 작용의, 반사적인 **2** (효과·영향 등이) 되돌아오는, 재귀적인: a *reflex* answer 즉각적인 대답 **3** (빛·색 등이) 반사된
n. **1** 반사 행동 (reflex act); 반사 작용 (reflex action): conditioned *reflex* 조건 반사 / She put her hands out as a *reflex* to stop her fall. 그녀는 떨어지지 않으려고 반사적으로 손을 뻗었다. **2** (reflexes) 반사 능력: He hit my knee with a hammer to

test my *reflexes*. 그는 나의 반사 신경을 알아보기 위해 망치로 무릎을 쳤다.

reflexive [rifléksiv] *adj.* [문법] 재귀의: a *reflexive* pronoun 재귀대명사 / a *reflexive* verb 재귀동사

reform [ri:fɔ́:rm] *v.* **1** [T] (제도 등을) 개혁하다, 개정(개량)하다: *reform* the system of education 교육 제도를 개혁하다 **2** [I,T] 개심시키다, 교정하다: An alcoholic *reformed* his ways and never drank again. 알코올 중독자가 습관을 고쳐서 다시는 술을 마시지 않았다. **3** [T] (폐해·혼란 등을) 시정하다, 수습하다
n. **1** 개혁, 개량 **2** 교정, 개심 **3** (폐단 등의) 수습, 구제
— **reformative** *adj.*   **reformer** *n.* 개혁가   **reformism** *n.* 개혁주의(운동, 정책)   **reformist** *n.* 개혁주의자

■ 유의어 **reform**
reform 전체적으로 결함이 있기 때문에 전면적으로 개량하다. **correct** 전체와 관계 없이 틀린 부분만 정정하다. **amend** 전체를 좋게 하기 위해 틀린 부분을 수정하다. **improve, better** (개개의 잘못을 언급하지 않고) 더 좋게 하다, 개선하다.

reformation [rèfərméiʃən] *n.* **1** 개혁, 개선 **2** 교정, 개심 **3** (the Reformation) (16세기의) 종교 개혁

refract [rifrǽkt] *v.* [T] [물리] (광선을) 굴절시키다
— **refraction** *n.*

refrain¹ [rifréin] *v.* [I] 삼가다, 그만두다, 참다 (from): She *refrained* from making any comment. 그녀는 어떤 논평을 하는 것도 삼갔다. / *refrain* from laughing 웃음을 참다

refrain² [rifréin] *n.* 후렴, (시가의) 반복 (구) [SYN] chorus

refresh [rifréʃ] *v.* [T] **1** (심신을) 상쾌하게 하다, 기운나게 하다: A good night's sleep and a shower always *refresh* me. 숙면

과 샤워는 항상 나를 상쾌하게 한다. [OPP] exhaust, wear out **2** (기억 등을) 새롭게 하다: *refresh* one's memory 기억을 되살리다 [SYN] revive, renew

refreshing [rifréʃiŋ] *adj.* **1** 상쾌한, 후련한: a *refreshing* beverage(drink) 청량음료 **2** 참신한, 새롭고 재미있는: a *refreshing* movie 새롭고 재미있는 영화

refreshment [rifréʃmənt] *n.* **1** (refreshments) 간단한 음식물, 다과: *Refreshments* are available in the cafe over there. 저기 카페에서 간단한 음식을 먹을 수 있어. **2** 원기회복, 기분을 상쾌하게 함 **3** 기운을 돋우는 것 (수면·음식 등)

refrigerate [rifrídʒərèit] *v.* [T] 냉각하다; 냉장(냉동)하다
— **refrigeration** *n.*

***refrigerator** [rifrídʒərèitər] *n.* **1** 냉장고 ※ 구어에서는 fridge라고도 한다. **2** 냉각(냉동) 장치

refuge [réfjudʒ] *n.* **1** 피난, 보호: We had to take *refuge* under a tree while it rained. 비가 오는 동안 우리는 나무 아래로 피해 있어야 했다. **2** 피난소, 대피소 [SYN] shelter
[숙어] **take refuge at(in)** …에 피난하다

refugee [rèfjudʒí:] *n.* **1** 피난자, 난민: a *refugee* camp 난민 캠프 **2** 망명자, 도피자

refund [rí:fʌnd] *n.* 환불(금), 반환(물): You can claim for a *refund* of your travel costs. 당신은 여행 경비의 반환을 요구할 수 있습니다.
v. [T] [riːfʌnd, ríːfʌnd] 반환하다, (구입한 물건을) 반품하다, 환불하다
— **refundable** *adj.*

refusal [rifjú:zəl] *n.* 거절, 거부: I was disappointed by his *refusal* to come. 그가 오지 않겠다고 해서 나는 실망했다.

***refuse¹** [rifjú:z] *v.* [I,T] 거절하다, 거부하다: They expect me to stay on here and I can hardly *refuse*. 그들은 내가 이곳에 계속 머물기를 기대하고 있어서 거절하기 어

렵다. / He *refused* an invitation to a party. 그는 파티 초대를 받아들이지 않았다. / The engine *refused* to work. 기계가 작동하지 않았다. [OPP] accept, agree

■ **유의어 refuse**
refuse 요구 · 부탁 · 제의 등을 거절하다. **decline** 보다 정중한 사교적인 말로 정중하게 거절하다. **reject** 위의 두 말이 다소 사람을 의식하고 있는 데 비해, 계획 · 제안 등을 거절하다.

****refuse²** [réfjuːs] *n.* **1** 쓰레기, 폐물 [SYN] rubbish **2** 인간 쓰레기(폐물)

regain [rigéin] *v.* [T] 되찾다, 회복하다: *regain* one's freedom(health) 자유를(건강을) 되찾다 [SYN] recover

regal [ríːgəl] *adj.* 국왕의, 제왕의; 당당한: the *regal* power 왕권 / the *regal* government 왕정

****regard** [rigáːrd] *v.* [T] **1** (…으로) 간주하다, 생각하다, 여기다 (as): He *regards* his family as the most important thing in his life. 그는 자신의 가족을 그의 인생에서 가장 중요하다고 여긴다. [SYN] consider **2** 주목해서 보다, 주의하다: He *regarded* the photograph with interest. 그는 흥미를 가지고 그 사진을 바라보았다. **3** 중시하다, 존중하다: You never *regard* my feelings. 넌 내 기분을 전혀 중시하지 않는다. [SYN] respect **4** …에 관계하다 [SYN] concern
n. **1** 주목, 주의 **2** 마음씀, 관심: He shows little *regard* for other people's feelings. 그는 다른 사람들의 기분에는 거의 무관심하다. **3** 존중, 존경: hold ... in high (low) *regard* …을 존중(경시)하다 **4** 관계, 점, 사항: in this(that) *regard* 이(그) 점에서는 **5** (regards) (편지에서의) 안부 인사
[축어] **as regards, as regarding** …에 관해서는, …의 점에서는

give one's (best) regards (to) (…에게) 안부를 전하다: *Give my regards to* Ted when you see him. 테드를 만나면 내 안부를 전해 줘.

in(with) regard to …에 대하여, …에 관하여: researches *with regards to* the solution of the problem 그 문제 해결에 관한 조사 [SYN] regarding

without regard to …에 상관 없이, …을 무시하고

regarding [rigáːrdiŋ] *prep.* …에 관하여, …의 점에서는: I need more information *regarding* this matter. 나는 이 일에 관해 더 많은 정보가 필요하다.

regardless [rigáːrdlis] *adj.* 무관심한, 괘념치 않는
[축어] **regardless of** …에 관계 없이, …에도 불구하고: I made up my mind to get it *regardless of* cost. 가격에 관계 없이 나는 그걸 사기로 결심했다.

regime, régime [reiʒíːm, riʒíːm] *n.* 정권; 정치 체제; 제도: under the old *regime* 구정권 하에서

regiment [rédʒəmənt] *n.* [군대] 연대
v. [T] [rédʒəmènt] **1** 연대로 편성(편입)하다 **2** 조직화하다, 통제하다
— **regimental** *adj.* 연대의; 통제적인

****region** [ríːdʒən] **1** 지방, 지역: desert (tropical, polar) *regions* 사막(열대, 극) 지방 **2** (세계 또는 우주의) 역(域), 층, 계; (대기 · 해수의) 층: the upper *regions* of the air 대기의 상층부 **3** (학문 등의) 영역, 범위, 분야 (of): the *region* of science 과학의 영역 **4** (신체의) 부위: the abdominal *region* 복부
[축어] **in the region of** …의 부근에; 거의 …, 약 …: It will cost *in the region of* $200. 약 200달러 정도 들 것이다.

regional [ríːdʒənəl] *adj.* **1** 지방의; 지역적인: a *regional* newspaper 지방 신문 **2** [의학] 국부의

register [rédʒəstər] *n.* **1** 기록부, 등록(등기)부 (register book); 기재 사항: the electoral *register* 선거인 명부 / He signed the *register* at the hotel. 그는 호텔에서

등록부에 서명을 했다. **2** 기록, 등록 **3** (속
도·금전 출납 등의) 자동 기록기, 기록 표시기
v. **1** [I,T] 기록하다, 등록(등기)하다: All
births, deaths, and marriages must
be *registered*. 모든 출생, 사망, 결혼은 등록
되어야 한다. **2** [I,T] (온도계 등이) 가리키다:
The scales *registered* 120 pounds. 저울
이 120파운드를 가리켰다. [SYN] indicate **3**
[T] (표정 등으로 감정을) 나타내다: Her face
registered surprise. 그녀의 얼굴에는 놀란
기색이 보였다. **4** [I,T] (종종 부정문에 쓰여)
명심하다, 기억하다(되다): He told me his
name but it didn't *register*. 그가 그
의 이름을 말했으나 나는 잊어버렸다. **5** [T] (우
편물을) 등기로 부치다: get(have) a letter
registered 편지를 등기로 부치다
— **registered** *adj.* 등록한; 등기로 한
registration [rèdʒəstréiʃən] *n.* 기입,
등록: *registration* number(mark) (자동
차) 등록 번호, 차량 번호
registry [rédʒəstri] *n.* **1** 기록, 등록 **2**
등록소, 등기소
***regret** [rigrét] *n.* **1** 유감, 후회 (for,
about): I don't have any *regrets* about
the choices I've made. 내가 한 선택에 후
회는 없다. **2** 애도, 슬픔: a letter of *regret*
조의문
v. [T] (regretted-regretted) **1** 후회하다: I
hope you won't *regret* your decision
later. 나는 네가 나중에 너의 결정을 후회하지
않기를 바란다. **2** 유감으로 생각하다: I
regret to say that I am unable to help
you. 도와 드릴 수 없어서 유감입니다.
— **regretful** *adj.* 유감으로 생각하는, 후회
하는 **regretfully** *adv.* **regrettable**
adj. 유감스러운, 슬퍼할 만한 **regrettably**
adv.
***regular** [régjələr] *adj.* **1** 규칙적인: The
patient's breathing was slow and
regular. 그 환자의 호흡은 느리고 규칙적이었
다. [OPP] irregular **2** 정기적인: a *regular*
meeting 정기 모임 **3** 일상의, 불변의: a

regular customer 단골 손님 / *regular*
employ 상시 고용 **4** (사이즈가) 보통의, 표
준의: *Regular* or large fries? 감자 튀김을
보통으로 드릴까요 큰 걸로 드릴까요? **5** (커피
에) 보통 양의 밀크와 설탕이 든 **6** 조화를 이
룬, 균형잡힌: *regular* teeth 고르게 난 이
[OPP] irregular **7** 정규의, 정식의; 면허 있는:
a *regular* member 정회원 / *regular*
army 상비군, 정규군 **8** [문법] 규칙 변화의:
regular verb 규칙 동사 [OPP] irregular
n. **1** 단골 손님 **2** 정규 선수 **3** (보통 *pl.*) 정
규(상비)병
— **regularly** *adv.* **regularity** *n.* 규칙적
임; 정규, 보통
[숙어] **on a regular basis** 규칙적으로
regulate [régjəlèit] *v.* [T] **1** 규정하다,
통제하다: Her mother strictly *regulates*
how much TV she can watch. 그녀의
어머니는 그녀가 TV를 볼 수 있는 시간을 엄하
게 통제하신다. **2** 조절하다, 정리하다:
regulate the traffic 교통 정리하다
regulation [règjəléiʃən] *n.* **1** (보통 *pl.*)
규칙, 규정, 법규: traffic *regulations* 교통
법규 **2** 단속, 조절: *regulation* of prices 물
가 조정
rehabilitate [rì:həbílətèit] *v.* [T] **1**
(장애자·부상자·범죄자 등을) 사회 복귀시키
다 **2** 원상태로 되돌리다, 복원하다 **3** 명예(평
판)을 회복시키다 **4** 복직(복위, 복권)시키다
— **rehabilitation** *n.*
rehearsal [rihə́:rsəl] *n.* (극·음악의) 예
행 연습, 리허설: They didn't have time
for (a) *rehearsal* before the perfor-
mance. 그들은 공연 전에 예행 연습을 할 시
간이 없었다.
rehearse [rihə́:rs] *v.* [I,T] **1** 연습하다, 시
연하다 **2** 열거하다, 되풀이해 말하다
reign [rein] *n.* **1** 치세(治世): in the *reign*
of Queen Elizabeth 엘리자베스 여왕의 치
세에 **2** 통치, 지배 **3** 통치(지배)권, 세력
v. [I] **1** 통치하다, 군림하다, 지배하다 (over):
The King *reigns*, but he does not

rule. 왕은 군림하나 통치하지는 않는다. [SYN] govern **2** 널리 퍼지다, 크게 유행하다: Silence *reigned* in the large hall. 큰 홀은 쥐죽은 듯 했다.

rein [rein] *n.* **1** (종종 *pl.*) 고삐 **2** 구속(력)

reincarnation [rì:inkɑ:rnéiʃən] *n.* 다시 육체를 부여함; 환생: Hindus and Buddhists believe in *reincarnation*. 힌두교와 불교 신자들은 환생을 믿는다.
— **reincarnate** *v.*

reindeer [réindìər] *n.* (*pl.* reindeer) 순록

reinforce [rì:infɔ́:rs] *v.* [T] **1** (보강재·버팀목 등으로) 보강하다: They used concrete to *reinforce* the walls. 그들은 벽을 보강하기 위해 콘크리트를 사용했다. **2** 강화하다, 증강하다, 한층 강력하게(효과적으로) 하다: *reinforce* one's argument with facts 사실을 들어 주장을 강화하다

reinforcement [rì:infɔ́:rsmənt] *n.* **1** 보강, 강화 **2** (reinforcements) 증원 부대(함대), 지원병 **3** 보강재, 보급품

***reject** [ridʒékt] *v.* [T] (요구·제의 등을) 거절하다, 거부하다: The plan was *rejected* as being impractical. 그 계획은 비현실적이라는 이유로 거부되었다. [SYN] refuse [OPP] accept
n. [rídʒekt] 거부된 물건(사람), 불합격품(자): *Rejects* are sold at half price. 불합격품은 반값에 팔린다.
— **rejection** *n.* 거절, 폐기

rejoice [ridʒɔ́is] *v.* [I] 기뻐하다, 좋아하다, 축하하다 (at, over): We *rejoiced* at the good news. 우리는 희소식을 듣고 기뻐했다. / She *rejoiced* to hear of his success. 그의 성공 소식을 듣고 그녀는 기뻐했다.

rejoin [ri:dʒɔ́in] *v.* [I,T] **1** 재접합(재결합) 하다 **2** 복귀하다

relapse [rilǽps] *n.* **1** 다시 나쁜 길(버릇)에 빠짐 **2** [의학] 재발: She had a *relapse* and then died. 그녀는 병이 도져서 죽었다.
v. [I] **1** (원상태·습관으로) 되돌아가다, 다시 빠지다 (into): He *relapsed* into his old

bad habits. 그는 옛날의 나쁜 습관에 다시 빠졌다. **2** (병이) 재발하다

***relate** [riléit] *v.* [T] **1** 관계시키다, 관련시키다: Our teacher *relates* our class discussions to real life. 선생님은 학급 토론을 실생활과 관련시키셨다. [SYN] connect **2** …와 친척이다: He is distantly *related* to my father. 그는 아버지의 먼 친척이다. **3** 이야기하다, 말하다: *relate* the whole story 차근차근 이야기해 주다

related [riléitid] *adj.* **1** 관계(관련) 있는: The doctor says my headaches are *related* to stress. 의사는 나의 두통이 스트레스와 관계 있다고 말한다. **2** 친척의, 혈연 관계가 있는: I am *related* to him. 나는 그와 친척 관계이다.

relation [riléiʃən] *n.* **1** 관계, 관련: The *relation* between mathematics and physics is close. 수학과 물리학은 밀접한 관계가 있다. **2** (relations) (구체적인) 관계, 국제 관계, (사람과의) 이해 관계: diplomatic *relations* between the two countries 두 나라 간의 외교 관계 **3** 친족 관계; 친척 [SYN] relative
[숙어] **bear no relation to, be out of all relation to** …와 전혀 관계가 없다, …와 전혀 어울리지 않다: He *bears no relation to* his sister. 그는 그의 누나와 전혀 다르다. **in(with) relation to** …에 관하여, …에 관련하여: I had nothing to say *in relation to* the project. 나는 그 계획에 대해서 아무 할 말이 없었다.

***relationship** [riléiʃənʃìp] *n.* **1** 관계, 관련: I don't see any *relationship* between the two events. 나는 두 사건이 서로 관련되어 있다고 보지 않는다. **2** (사람·국가 간 등의) 관계: The new teacher has a very close *relationship* with the students. 새로 오신 선생님은 학생들과 매우 친하게 지내신다. **3** 친족(친척) 관계

***relative** [rélətiv] *adj.* **1** 비교상의, 상대적인: They are living in *relative*

R

comfort as compared with other villagers. 그들은 다른 마을 사람들에 비하면 비교적 편하게 살고 있다. **2** 상호의; 상관적인; 비례하는: Supply is *relative* to demand. 공급은 수요에 비례한다. **3** 관계가 있는, 적절한: the article *relative* to the accident 사고에 관한 기사 **4** [문법] 관계절을 이끄는: a *relative* pronoun 관계대명사

n. **1** 친척: a close [distant] *relative* 가까운 [먼] 친척 [SYN] relation **2** [문법] 관계사

— **relatively** *adv.* 비교적으로; …에 비교 [비례]하여 **relativity** *n.* 관련성, 상대성 (이론)

*relax [riláeks] v. **1** [I] 쉬다: This holiday will give you a chance to *relax*. 이번 휴일이 네가 쉴 수 있는 기회가 될 것이다. **2** [I] 긴장을 풀다, 마음을 풀다: Why don't you stop being angry and *relax* for a while? 화 좀 그만 내고 잠깐 마음을 풀지 그래요? **3** [I,T] 늦추다, 풀어지다: He *relaxed* his grip on the rope. 그는 로프를 움켜잡은 손을 늦추었다. / This massage will *relax* your tired muscles. 이 마사지가 너의 지친 근육을 풀어 줄 것이다. [SYN] loosen [OPP] tighten **4** [T] (법·규율 등을) 관대하게 하다, 완화하다

— **relaxed** *adj.* 긴장을 푼, 편한

relaxation [rìːlækséiʃən] *n.* **1** 편히 쉼, 기분 전환 [풀이]: I go fishing for *relaxation*. 나는 기분 전환으로 낚시하러 다닌다. **2** 기분 전환으로 하는 일, 오락 **3** (긴장·근육 등의) 풀림, 이완 **4** (의무·부담 등의) 경감, 완화

relay [ríːlei] *n.* **1** 교대자 **2** 릴레이 경주 (relay race)

v. [T] [ríːlei, riléi] **1** 연락하다: Instructions were *relayed* to us by phone. 지시가 전화로 우리에게 전달되었다. **2** [통신] 중계하다 **3** 교대자와 교대하다

*release [rilíːs] v. [T] **1** 풀어 놓다, 떼(어 놓)다; (폭탄을) 투하하다: *release* hair from pins 핀을 빼고 머리를 풀다 **2** 해방 [석방]하

다: He *releases* his pet birds from their cage each day. 그는 날마다 새장에서 그의 애완 새들을 놓아 준다. [SYN] set free **3** 면제 [해제]하다: They were *released* from debt. 그들은 빚을 면제받았다. **4** (영화를) 개봉하다, (정보·음반·신간 등을) 공개 [발표, 발매]하다: The band's latest album will be *released* next week. 그 밴드의 최신 앨범이 다음 주에 발매될 예정이다. **5** (핸드 브레이크 등을) 풀다

n. **1** 해방, 석방, 면제: He got an early *release* from jail. 그는 교도소에서 조기 출감되었다. **2** 발사, (폭탄의) 투하 **3** 발표 [공개, 발매] (물); 개봉 (영화): press *release* (보도 관계자에게 미리 나누어 주는) 보도 자료

relent [rilént] *v.* [I] **1** 상냥해지다, (마음이) 누그러지다: Her parents eventually *relented* and let her go to the party. 그녀의 부모님은 결국 마음이 누그러져서 그녀를 파티에 보내 주셨다. **2** (바람 등이) 약해지다

relentless [riléntlis] *adj.* 냉혹한, 가차없는: *relentless* criticism 가차없는 비판

*relevant [rélәvәnt] adj. (당면한 문제에) 관련된; 적절한, 타당한 (to): Is that information really *relevant*? 그 정보가 정말 관련 있습니까? [SYN] proper [OPP] irrelevant

— **relevance** *n.* 관련; 적절(성)

*reliable [riláiәbәl] adj. 의지가 되는, 믿음직한, 확실한: He is a *reliable* worker who is always on time. 그는 항상 시간을 엄수하는 믿음직한 직원이다. [OPP] unreliable

— **reliably** *adv.* **reliability** *n.*

reliance [riláiəns] *n.* 믿음, 의지, 신뢰: Don't place too much *reliance* on her promises. 그녀의 약속을 너무 믿지 마라.

— **reliant** *adj.*

relic [rélik] *n.* **1** (relics) 유적, 유물: *relics* of antiquity 고대의 유물 [SYN] remnant **2** (풍속·신앙 등의) 잔재, 유풍(遺風) **3** 유품, 기념품

relief [rilíːf] *n.* **1** (고통 등의) 경감, 제거: This brought considerable *relief* from the pain. 이것은 상당히 고통을 덜어 주었다. **2** 안심, 위안: I breathed a sigh of *relief*. 나는 안도의 한숨을 쉬었다. **3** 구원, 구조; 원조 물자[자금]: a *relief* fund 구제 기금 **4** 면세금: tax *relief* 세금 공제

relieve [rilíːv] *v.* [T] **1** (고통·부담·걱정 등을) 경감하다, 덜다: No words will *relieve* my sorrow. 어떤 말도 나의 슬픔에 위로가 되지 않는다. / *relieve* stress 스트레스를 풀다 **2** 안도케 하다; (긴장 등을) 풀게 하다 **3** (고통·공포 등으로부터) 해방하다; 없애다, 빼앗다 (of): *relieve* a person of one's responsibility 책임을 면해 주다 / Let me *relieve* you of that heavy bag. 제가 그 무거운 가방을 날라다 드리죠. / A thief *relieved* him of his purse. 도둑이 그의 지갑을 훔쳤다.

*religion [rilídʒən] *n.* **1** 종교: the freedom of *religion* 종교의 자유 **2** 종파: the Christian[Buddhist] *religion* 그리스도교[불교] **3** 신앙 생활; 신앙(심)

religious [rilídʒəs] *adj.* **1** 종교의, 종교적인 **2** 신앙의, 신앙심이 깊은, 경건한: She's deeply *religious*. 그녀는 신앙심이 매우 깊다.

— **religiously** *adv.* 독실하게; 충실히, 엄격히

relinquish [rilíŋkwiʃ] *v.* [T] 포기하다, 그만두다, 단념하다

※ give up이 더 일반적인 표현이다.

relish [réliʃ] *n.* **1** 맛, 풍미: a *relish* of garlic 마늘 맛 **2** (음식·일에 대해 가지는) 흥미, 즐거움: find no *relish* in one's work 일에 흥미가 전혀 없다 **3** 양념, 소스
v. [T] **1** 맛있게 먹다 **2** 즐기다, 기쁘게 여기다: He won't *relish* doing so. 그는 그렇게 하는 것을 좋아하지 않을 것이다.

reload [riːlóud] *v.* [I,T] (…에) 짐을 되싣다; (…에) 다시 탄약을 재다

reluctant [rilʌ́ktənt] *adj.* 마음 내키지 않는, 꺼리는, 마지못해 하는 (to do): Many parents feel *reluctant* to talk openly with their children. 많은 부모들이 자녀들과 마음을 열고 이야기하기를 주저한다.

— **reluctantly** *adv.* **reluctance** *n.*

rely [rilái] *v.* [I] 의지하다, 신뢰하다 (on, upon): He can be *relied* upon. 그는 신뢰할 수 있다. / *Rely* on me to keep my promise. 약속을 지킬 테니 걱정하지 마라.

※ that절을 사용하는 경우 앞에 it이 나오는 것이 일반적이다.: You may *rely* on it that he will be here this afternoon. 그는 오늘 오후에 꼭 올 것이다.

— **reliable** *adj.* 의지가 되는, 믿음직한 **reliant** *adj.* 믿는, 신뢰하는 **reliance** *n.*

■ 유의어 rely

rely 확실성·능력 등을 신뢰하고 있어 의지하다. **depend** 상대의 호의 유무에 관계 없이 의지하다. **count on** 기대하다. (계산이 내포됨) **trust** 상대를 절대적으로 신뢰하여 의지하다.

*remain [riméin] *v.* [I] **1** 남다, 없어지지 않고 있다: If you take 3 from 8, 5 *remains*. 8−3=5 **2** 머무르다: He will have to *remain* in hospital for at least 7 days. 그는 적어도 7일 동안 병원에 입원해 있어야 할 것이다. **3** …하지 않고 남아 있다: Much more still *remains* to be done. 해야 할 일이 아직 많이 남아 있다. **4** …한 대로이다, 여전히 …이다: They *remained* at peace. 그들은 여전히 평화를 유지하고 있었다. / He *remained* silent. 그는 침묵을 지키고 있었다.

n. (remains) **1** 잔존물; 유물, 유적 **2** 유해, 유골

remainder [riméindər] *n.* **1** (the remainder) 나머지; 잔류물[자]: It is 2:00 P.M. now, and I will spend the *remainder* of the afternoon studying English. 지금은 오후 2시이고, 나는 나머지 오후 시간을 영어 공부를 하면서 보낼 것이다. **2** (remainders) 유적 **3** [수학] 나머지

*remark [rimɑ́ːrk] *v.* [I,T] **1** 의견을 말하

다〔쓰다〕, 비평하다 (on, upon): Everyone has *remarked* on what a lovely lady she is. 모든 사람들이 그녀가 얼마나 사랑스러운 아가씨인지에 대해 말했다. **2** 주목하다, 알아차리다: I *remarked* that it had got colder. 나는 날씨가 더 추워졌음을 알아차렸다. *n.* **1** 발언, 비평, 말 **2** 주의, 주목

[숙어] **make a remark (on)** (…에 관하여) 소견을 말하다: He *made a* good *remark on* her habits. 그는 그녀의 품행을 칭찬했다.

remarkable [rimáːrkəbəl] *adj.* 주목할 만한, 현저한: It was a *remarkable* achievement. 그것은 주목할 만한 업적이었다.

— **remarkably** *adv.*

remedial [rimíːdiəl] *adj.* **1** 치료하는, 치료상의 **2** 구제적인, 교정〔개선〕하는 **3** 학력 부족을 보충하는: *remedial* reading (읽기·쓰기 능력이 낮은 학생들을 위한) 보충 읽기

remedy [rémədi] *n.* **1** 치료, 요법; 치료약: The best *remedy* for grief is hard work. 슬픔을 치료하는 최선의 방법은 열심히 일하는 것이다. / a cold *remedy* 감기약 [SYN] cure **2** 구제책 (for): a *remedy* for social evils 사회악의 방지책 *v.* [T] 고치다, 치료〔교정〕하다

***remember** [rimémbər] *v.* **1** [I,T] 생각나다, 생각해 내다: I can *remember* people's faces, but not their names. 나는 사람들의 얼굴은 기억하는데, 이름이 생각나지 않는다. [SYN] recall, recollect [OPP] forget **2** [I,T] 기억하고 있다; 잊지 않고 …하다: I *remember* meeting her once. 나는 전에 한 번 그녀를 만났던 것을 기억하고 있다. / *Remember* to water the plants while I'm away. 내가 없는 동안에 화초에 물을 줄 것을 잊지 마라. [SYN] keep in mind **3** [T] …에게 특별한 감정을 품다; …에게 선물〔팁〕을 주다; 기록〔기념〕하다: He always *remembers* me on my birthday. 그는 늘

내 생일에 잊지 않고 선물을 준다. / My grandmother *remembered* me in her will. 할머니는 유언으로 나에게 재산을 남겨 주셨다. **4** [T] …를 위해 기도하다: I'll *remember* you in my prayers. 너를 위해 기도할게. **5** [T] 안부를 전하다: *Remember* me to your family. 당신 가족에게 안부 전해 주세요.

■ **용법** remember

1 동명사가 올 경우 과거에 한 일을 기억하고 있다는 의미.: I don't *remember* seeing him at the party. 나는 파티에서 그를 본 기억이 나지 않는다.
2 to부정사가 올 경우 앞으로 할 일을 기억하고 있다는 의미.: *Remember to* turn the lights off before you leave. 떠나기 전에 불을 끄고 가는 것을 잊지 마라.

■ **유의어** remember

remember '생각하고 있다' 또는 '노력하지 않아도 기억이 되살아나다'의 의미임.
recollect, recall 저절로는 생각나지 않는 것으로 노력하여 '기억을 되살리다'라는 뜻을 나타냄.

remembrance [rimémbrəns] *n.* **1** 기억; 추억, 회상 **2** 기억력: My *remembrance* is poor. 나는 기억력이 좋지 않다. **3** 기념, 추모: a service in *remembrance* of those killed in the war 전사자 추모식 **4** 기념품, 유물

[숙어] **in remembrance of** …의 기념으로; …을 추모하여: They wore black *in remembrance of* those who had died. 그들은 죽은 사람들을 추모하기 위해 검은 옷을 입었다.

***remind** [rimáind] *v.* [T] 생각나게 하다, 상기시키다, 일깨우다 (of): She *reminds* me of my mother. 그녀를 보니 나의 어머니 생각이 난다. / Please *remind* her to call me. 내게 잊지 말고 전화하도록 그녀에게 일러 주세요.

reminder [rimáindər] *n.* **1** 생각나게 하는 사람〔물건〕 **2** 상기시키는 조언〔주의〕, 메모 **3** [상업] 독촉장

reminisce [rèmənís] *v.* [I,T] 추억에 잠기다; 추억을 말하다〔쓰다〕

reminiscence [rèmənísəns] *n.* **1** 회상, 추억 **2** 기억력 **3** 생각나게 하는 것〔일〕; 옛 생각: There is a *reminiscence* of her mother in her manners. 그녀의 태도에는 그녀의 어머니를 생각나게 하는 데가 있다. **4** (reminiscences) 회고담, 회상록: I had to listen to his vivid *reminiscences* of the war. 그의 생생한 전쟁의 회고담을 들어야 했다.

reminiscent [rèmənísənt] *adj.* 추억에 잠기는; 생각나게 하는 (of): That movie is so *reminiscent* of my adolescence. 그 영화는 나의 젊은 시절을 생각나게 한다.

remnant [rémnənt] *n.* **1** (the remnant) 나머지, 잔여: the *remnants* of the dinner 저녁 식사 후 남은 음식 **2** 잔존물, 유물, 자취: *remnants* of the city's former glory 그 도시의 옛 영광의 자취

remorse [rimɔ́:rs] *n.* 후회, 양심의 가책: She was filled with *remorse* for what she had done. 그녀는 자신이 한 일을 몹시 후회했다.
— **remorseful** *adj.* 몹시 후회하는

remorseless [rimɔ́:rslis] *adj.* **1** 무자비한, 냉혹한 **2** 뉘우치지 않는
— **remorselessly** *adv.*

remote [rimóut] *adj.* (remoter-remotest) **1** (거리가) 먼, 멀리 떨어진: a *remote* island in the Pacific 태평양에 있는 멀리 떨어진 섬 **2** 인가와 떨어진, 외딴: a *remote* mountain village 외딴 산촌 **3** (시간적으로) 먼: a *remote* future 먼 장래 **4** 관계가 적은, 크게 다른; (혈연 관계가) 먼: topics *remote* from the subject 본제와 관계가 먼 화제 / a *remote* relative 먼 친척 **5** 희박한, 거의 없는, 근소한: a *remote* possibility 만에 하나의 가능성 **6** (태도 등이) 쌀쌀한, 냉담한: His manner was polite but *remote*. 그의 태도는 공손하지만 냉담했다.
— **remotely** *adv.* **remoteness** *n.*

remote control *n.* **1** 원격 조작〔제어〕 **2** 원격 제어 장치, 리모컨 (remote)

removal [rimú:vəl] *n.* **1** 이동, 이전: a *removal* van [영] 이삿짐 트럭 **2** 제거, 철수: snow *removal* 제설 **3** 해임, 면직: There have been calls for the president's *removal*. 대통령 해임에 대한 요구가 있었다.

***remove** [rimú:v] *v.* **1** [I,T] 옮기다, 이동하다: *Remove* the pan from the heat. 팬을 불에서 내려놓아라.
※ take off〔out〕이 더 일상적 표현이다.
2 [T] 제거하다: This detergent will *remove* even old stains. 이 세제는 오래된 얼룩도 제거해 줄 겁니다. / *remove* a name from a list 명단에서 이름을 빼다 **3** [T] (옷·모자 등을) 벗다 **4** [T] 해임〔해고〕하다 (from): He was *removed* (from office). 그는 (공직에서) 해임됐다.
— **remover** *n.* (칠·얼룩의) 제거제

removed *adj.* (명사 앞에는 쓰이지 않음) **1** 떨어진, 먼 (from): What you say is far *removed* from what you said before. 네가 말한 것은 전에 말했던 것과 아주 다르다. **2** (혈연 관계가) …촌의: one's first cousin once〔twice〕 *removed* 사촌의 아들딸〔손자〕 **3** 제거된; 죽은

Renaissance [rènəsá:ns] *n.* 문예 부흥, 르네상스 (14~16세기 유럽의); 르네상스의 미술〔문예, 건축〕 양식

rename [ri:néim] *v.* [T] 새로 이름 붙이다, 개명하다

render [réndər] *v.* [T] **1** …로 만들다, …이 되게 하다: The heat *renders* me helpless. 더위가 나를 지치게 만든다. **2** (도움 등을) 주다, 행하다: You have *rendered* me a service. 당신은 지금까지 계속 나에게 도움을 주고 있다. **3** (보답으로) 주다, 갚다: *render* thanks 답례하다 **4** (계산서·이유·

회답 등) 제출하다: *render* a bill 청구서를 내다 **5** (판결 등을) 언도하다; (재판을) 집행하다: *render* a verdict 판결을 내리다 **6** (세금 등을) 납부하다, 바치다 **7** 표현하다, 묘사하다; 연주〔연출〕하다: She *rendered* the song beautifully. 그녀는 아름답게 그 곡을 연주했다. / Children soon learn to *render* their thoughts in speech. 어린이들은 곧 자신의 생각을 말로 표현하는 것을 배운다. **8** 번역하다: She is *rendering* the book into Korean from English. 그녀는 영어로 된 책을 한국어로 번역하고 있다.

rendezvous [rándivù:] *n.* (*pl.* rendezvous[rándivù:z]) **1** 만날 약속: have a *rendezvous* with …와 만나기로 하다 **2** 회합 장소: This cafe is a popular *rendezvous* for students. 이 카페는 학생들에게 인기 있는 약속 장소이다. **3** (우주선의) 궤도 회합, 랑데부

renew [rinjú:] *v.* [T] **1** 다시 시작하다, 재개하다: She *renewed* her efforts to escape. 그녀는 탈출하려는 노력을 다시 시작했다. **2** 새롭게 하다: The window frames will have to be *renewed*. 창문 틀을 새로 해야 한다. **3** (서류·계약 등을) 갱신하다: I need to *renew* my passport. 나는 여권을 갱신해야 한다. **4** (젊음·힘 등을) 되찾다, 회복하다: He returned from his holiday with *renewed* strength. 그는 원기를 회복하여 휴가에서 돌아왔다. **5** 보충〔보완〕하다: *renew* a stock of goods 재고품을 보충하다 **6** 신품과 교환하다
— **renewal** *n.*

■ 유의어 **renew**
renew 헌 것을 다시 새롭게 하다. 물질, 정신 양쪽에 쓰임. **renovate** 더욱 활기 있고 편리한 상태로 새롭게 하다. **restore** 잃었던 것, 나쁜 상태로 있던 것을 원상태로 복구하다. **refresh** 필요한 것을 공급하여 잃었던 체력·원기 등을 회복하다.

renounce [rináuns] *v.* [T] **1** (권리 등을

정식으로) 포기하다: He *renounced* the throne. 그는 왕좌를 포기했다. SYN give up **2** 부인하다: *renounce* one's faith 신앙을 부인하다
— **renunciation** *n.*

renovate [rénəvèit] *v.* [T] (청소·보수·개조 등을 하여) 새롭게 하다, 혁신하다, 개선하다, 수리하다 SYN renew
— **renovation** *n.*

renown [rináun] *n.* 명성, 유명: Her *renown* spread across the country. 그녀의 명성이 전국에 퍼졌다. SYN fame
— **renowned** *adj.*

***rent** [rent] *n.* **1** 지대, 소작료 **2** 집세, 방세: I pay the *rent* at the beginning of the month. 나는 월초에 집세를 낸다. **3** 임대, 임차: Is this house for *rent*? 이 집 임대하는 겁니까? / For *rent*. 셋집 있음. **4** (기계·설비 등의) 사용료, 임대료
v. [T] **1** 임차하다, 빌리다: Do you own or *rent* your car? 차를 소유하고 계십니까 아니면 빌리십니까? **2** 임대하다, 세놓다: He *rented* me the room. 그는 나에게 그 방을 세놓았다.
— **rent-free** *adj.* 사용료를 물지 않는

rental [réntl] *n.* 임대〔임차〕료, 총사용료; 지대〔집세, 사용료〕의 수입: Bike *rental* is 2 dollars. 자전거 임대료는 2달러이다.

reorganize, reorganise
[ri:ɔ́:rgənàiz] *v.* [I,T] 재편성하다; 개조〔개혁〕하다; 정리하다: I've *reorganized* my files so that I can easily find what I'm looking for. 내가 찾는 것을 쉽게 발견할 수 있게 하기 위하여 나의 파일들을 다시 정리했다.
— **reorganization, reorganisation** *n.*

***repair** [ripέər] *v.* [T] **1** 수선하다, 수리하다: *repair* a roof after a storm 폭풍우 후에 지붕을 수리하다 / I'll have to get my car *repaired*. 내 차는 수리해야 한다. SYN mend, fix **2** (건강·힘 등을) 되찾다, 회복하다 **3** (결함·잘못 등을) 정정〔교정〕하다; (관계

를) 회복하다: How can I *repair* this wrong? 이 잘못을 어떻게 고칠 수 있을까? / *repair* a broken friendship 깨진 우정을 회복하다

n. **1** 수리, 수선; 수리 상태: be in need of *repair* 수리가 필요하다 **2** (repairs) 수선〔수리, 복구〕 작업; 수선비

— **repairable** *adj.* 수선할 수 있는

[숙어] **beyond〔past〕repair** 수리의 가망이 없는

in good〔bad〕repair, in〔out of〕 repair 손질이 잘 되어 있어서〔있지 않아서〕

under repair(s) 수리 중

reparation [rèpəréiʃən] *n.* **1** 보상, 배상 **2** (reparations) 배상금〔물〕 **3** 수리, 수선

※ 지금은 흔히 repair(s)를 쓴다.

— **reparative** *adj.* 수선의, 배상의

repatriate [ri:péitrièit] *v.* [T] 본국으로 송환하다

— **repatriation** *n.*

repay [ripéi] *v.* [T] (repaid-repaid) **1** (돈을) 갚다: The loan must be *repaid* with interest. 대출금은 이자와 함께 갚아야 한다. **2** 보답하다, 은혜를 갚다; 보복하다: How can I ever *repay* you for what you've done? 당신이 해 주신 일에 어떻게 보답해야 할까요?

— **repayable** *adj.* 돌려줄 수 있는, 돌려줘야 할 **repayment** *n.*

***repeat** [ripí:t] *v.* **1** [I,T] 되풀이하다, 반복하다: Could you *repeat* what you just said? 방금 하신 말씀을 다시 해 주시겠어요? **2** [T] 따라 말하다: *Repeat* each sentence after me. 한 문장씩 나를 따라 말하세요. **3** [T] (비밀 등을) 그대로 전하다, 딴 사람에게 말하다: Don't *repeat* it to anybody. 그걸 아무에게도 말하지 마라.

n. **1** 되풀이, 반복 **2** [음악] 도돌이(표) **3** 복사; 반복되는 무늬 **4** (TV · 라디오의) 재방송

— **repeated** *adj.* **repeatedly** *adv.*

repel [ripél] *v.* [T] (repelled-repelled) **1** (적의 공격을) 쫓아버리다, 격퇴하다: *repel* an

attack 공격을 격퇴하다 **2** 거절하다, 퇴짜놓다: *repel* a suitor 구혼자를 퇴짜놓다 **3** [물리] (자석 등이) 반발하다; (물 등을) 튀기다, 통과시키지 않다: This spray *repels* insects. 이 스프레이는 방충용입니다. / The special surface *repels* moisture. 특수 표면이 습기를 막아 준다. **4** 혐오감(반감)을 주다: The dirt and smell *repelled* her. 오물과 악취가 그녀를 불쾌하게 했다.

repellent, repellant [ripélənt] *adj.* **1** 혐오감을 주는, 불쾌한: a *repellent* smell 역한 냄새 **2** 방수의; (벌레 등을) 물리치는: a water-*repellent* raincoat 방수가 되는 비옷

n. 방수 가공제, 방충제: an insect *repellent* 방충제

repent [ripént] *v.* [I,T] 후회하다, 뉘우치다: He *repented* his hasty decision. 그는 성급한 결정을 후회했다. / *repent* (of) one's sins 죄를 뉘우치다

— **repentant** *adj.* **repentance** *n.*

repertoire [répərtwὰ:r] *n.* 연주 곡목, 레퍼토리, 상연 목록 [SYN] repertory

repetition [rèpətíʃən] *n.* **1** 되풀이, 반복; 재현 **2** 암송(문 · 시구) **3** (음악의) 반복 연주 **4** 사본, 복사

⇨ repeat

repetitious, repetitive [rèpətíʃəs, ripétətiv] *adj.* (말 · 행동을) 자꾸 되풀이하는, 반복성의: She hated the tedious, *repetitive* household tasks. 그녀는 지루하고 반복되는 집안일을 싫어했다.

***replace** [ripléis] *v.* [T] …에 대신하다, …에 대체하다: These PCs *replace* the old network system. PC가 예전의 네트워크 시스템을 대신한다. [SYN] take the place of **2** 제자리에 놓다, 되돌려주다: *Replace* the caps on the bottles. 병 뚜껑들을 다시 닫아라. [SYN] put back **3** 바꾸다, 바꾸어 놓다: He *replaced* a worn tire by a new one. 그는 낡은 타이어를 새 것으로 바꾸었다.

— **replaceable** *adj.* **replacement** *n.*

replay [riːpléi] *v.* [T] **1** 경기를 다시 하다 **2** (녹음·녹화된 것을) 재생하다
n. [ríːpleì] 재경기; 다시 보기[듣기]

replica [réplikə] *n.* **1** [미술] (원작자에 의한) 원작의 모사 **2** 복제, 복사

reply [riplái] *v.* [I,T] 대답하다: I e-mailed him but he hasn't *replied*. 나는 그에게 이메일을 보냈지만 회답이 없다. SYN answer
n. 대답, 회답: in *reply* to …에 답하여 / make a *reply* 대답하다

report [ripɔ́ːrt] *v.* **1** [I,T] (연구·조사 등을) 보고하다, (보고 들은 것을) 전하다: Come back next week to *report* on your progress. 다음 주에 돌아와서 진행 상황을 보고하게. / Call me if you have anything new to *report*. 전할 만한 새로운 내용이 있으면 나에게 전화해. **2** [I,T] 기사를 작성하다[보내다], 보도하다 (on, upon): The newspapers *reported* that he had died in a car accident. 그가 차 사고로 숨졌다고 신문에 보도되었다. **3** [T] (사고·범죄 등을) 신고하다, 알리다: *report* the accident to the police 사고를 경찰에 신고하다 **4** [I] (소재·상황 등을) 알리다, 신고하다
n. **1** 보고(서) **2** (학교의) 성적표: get a good *report* 좋은 성적표를 받다 **3** 보도, 기사: a news[weather] *report* 뉴스 보도[기상 통보] **4** 소문; 평판, 명성: a man of good[bad] *report* 평판이 좋은[나쁜] 사람

reportedly [ripɔ́ːrtidli] *adv.* 소문에 의하면, 들리는 바에 의하면: The band have *reportedly* decided to split up. 소문에 의하면 그 밴드는 해체하기로 결정했다고 한다.

reporter [ripɔ́ːrtər] *n.* **1** 보고[신고]자 **2** 보도 기자, 통신원

represent [rèprizént] *v.* [T] **1** 대표하다, 대리하다: You will need a lawyer to *represent* you in court. 당신은 법정에서 당신을 대리할 변호사가 필요합니다. **2** 나타내다, 의미하다, 상징하다: The red lines on the map *represent* railways. 지도의 붉은 선은 철로를 나타낸다. **3** 말로 표현하다, 기술

하다: He *represented* the war as already lost. 그는 마치 전쟁이 이미 패한 것처럼 말했다. **4** 묘사하다, 그리다: The painting *represents* the death of Jesus. 그 그림은 예수의 죽음을 그린 것이다.

representation [rèprizentéiʃən] *n.* **1** 표시, 표현, 묘사 **2** 대표, 대리; [집합적] 대표단: proportional[regional] *representation* 비례[지역] 대표제 **3** 초상(화), 회화 **4** 설명, 진술; 주장, 단언 **5** 상연, 연출; 분장

representative [rèprizéntətiv] *adj.* **1** 대표적인, 전형적인 (of): The exhibition is *representative* of modern art. 그 전시회는 현대 미술을 대표하고 있다. **2** 대리[대표]하는; 대의제의: The Congress is *representative* of the people. 의회는 국민을 대표한다. **3** 표현하는, 묘사하는, 상징하는
n. **1** 대표자, 대리인 **2** 대의원 **3** (Representative) [미] 하원 의원

repress [riprés] *v.* [T] **1** 억누르다: It is not good to *repress* your feelings. 감정을 억누르는 것은 좋지 않다. **2** 저지하다, 진압하다: *repress* a revolt 폭동을 진압하다 SYN suppress
— **repressible** *adj.* 억제할 수 있는
repressive *adj.* 억압적인 **repressed** *adj.* 억눌린, 억압된 **repression** *n.*

reproach [ripróutʃ] *v.* [T] 비난하다, 나무라다, 꾸짖다 (for, with): She *reproached* me for breaking my promise. 그녀는 내가 약속을 어긴 것에 대하여 꾸짖었다. SYN blame, scold
n. **1** 비난, 질책 **2** 비난의 대상[말]
— **reproachful** *adj.* **reproachfully** *adv.*
숙어 **above[beyond] reproach** 나무랄 데 없이, 훌륭히: Your behavior today has been above *reproach*. 오늘 너의 행동은 나무랄 데 없었다.
reproach oneself 자책하다

reprocess [riːprásés] *v.* [T] 재생하다,

재가공하다: *reprocessed* wool 재생 양모

reproduce [rìːprədjúːs] *v.* **1** [T] 재생하다, 재현하다: The lizard *reproduces* its torn tail. 도마뱀은 끊어진 꼬리를 재생한다. **2** [I] 생식하다, 번식하다 **3** [T] 복사하다, 복제하다 [SYN] copy
— **reproductive** *adj.*

reproduction [rìːprədΛkʃən] *n.* **1** 생식, 번식: sexual *reproduction* 유성 생식 **2** 재생, 재현: excellent sound *reproduction* 아주 훌륭한 음향 재생 **3** 복제(물), 복사, 모사(품): The poster is a *reproduction* of a famous painting by Picasso. 이 포스터는 유명한 피카소 그림의 모사품이다.

reprogram [rìːpróugræm] *v.* [I,T] [컴퓨터] 프로그램을 다시 작성하다

reprove [riprúːv] *v.* [T] 꾸짖다, 비난하다 [SYN] reproach
— **reproof** *n.*

reptile [réptil, réptail] *n.* 파충류의 동물

republic [ripΛblik] *n.* 공화국: the *Republic* of Korea 대한민국 (한국의 공식 명칭)

republican [ripΛblikən] *adj.* **1** 공화국의, 공화정체(주의)의 **2** (Republican) [미] 공화당의
n. **1** 공화주의자 **2** (Republican) [미] 공화당원 *cf.* Democrat 민주당원

repulse [ripΛls] *v.* [T] **1** (적·공격 등을) 격퇴하다, 물리치다 **2** 거절하다 **3** 혐오감을 주다, 불쾌하게 하다: Your bad manners *repulse* me. 당신의 예의 없는 태도가 나를 불쾌하게 하는군요. [SYN] repel
n. **1** 격퇴 **2** 거절
— **repulsive** *adj.* **repulsion** *n.*

***reputation** [rèpjətéiʃən] *n.* 평판; 명성: This restaurant has a very good *reputation*. 이 식당은 평판이 좋다. [SYN] name

repute [ripjúːt] *n.* 평판; 명성: She is a writer of international *repute*. 그녀는

국제적 명성을 지닌 작가이다. [SYN] reputation
— **reputable** *adj.* 평판이 좋은

reputed [ripjúːtid] *adj.* 평판이 좋은, … 라는 평판이 있는: He is *reputed* to be wealthy. 그는 부자라는 평판이다.
— **reputedly** *adv.*

***request** [rikwést] *n.* 요구, 의뢰, 간청: Can I make a *request*? 부탁 하나 해도 될까요?
v. [T] **1** 구하다, (신)청하다: *request* a loan from the bank 은행에 대출을 신청하다 **2** …에게 원하다, 간청하다: Visitors are *requested* not to touch the exhibitions. 방문객들은 진열품에 손대지 마시오.
※ request는 ask보다 격식을 차린 정중한 표현이다.

***require** [rikwáiər] *v.* [T] **1** (종종 수동태) 요구하다: All students are *required* to pass the examination. 모든 학생은 그 시험에 합격해야 한다. / What's *required* is a complete reorganization of the system. 시스템에 대한 완전한 재편이 요구된다. [SYN] demand **2** 필요로 하다: He *requires* medical cure. 그는 치료를 받아야 한다. / This radio *requires* two batteries. 이 라디오는 배터리가 두 개 들어간다.
※ require는 need보다 격식을 차린 표현이다.

requirement [rikwáiərmənt] *n.* **1** 요구, 필요 **2** 필요물, 요구물 **3** 필요 조건, 자격: university entrance *requirements* 대학 입학 필요 조건

requisite [rékwəzit] *adj.* (명사 앞에만 쓰임) 필요한, 없어서는 안 될
n. 필수품, 필요 조건 (for, of): Ten years' experience is a *requisite* for the job. 그 일자리는 10년 경력이 필요 조건이다. [SYN] necessity

rescue [réskjuː] *v.* [T] 구조하다, 구하다 (from): He *rescued* a child from drowning. =He *rescued* a drowning child. 그는 물에 빠진 아이를 구조했다. [SYN] save

n. 구조, 구출, 구제

[숙어] **come(go) to one's rescue** (위험 또는 어려움에서) 구해 주다: My father *came to his rescue* and lent him the money. 나의 아버지께서 그를 도와 주기 위해 그에게 돈을 빌려 주셨다.

— **rescuer** *n.* 구조자, 구출자

***research** [risə́:rtʃ, rí:sə:rtʃ] *n.* 연구, 조사: scientific(medical, historical) *research* 과학(의학, 역사) 연구 [SYN] investigation

v. [I,T] 연구하다, 조사하다 (into, in, on): *research* into a matter thoroughly 문제를 철저히 조사하다

— **researcher** *n.* 연구(조사)원

resemblance [rizémbləns] *n.* 유사(성), 닮음; 유사점: The boy bears no *resemblance* to his father. 그 소년은 아버지를 전혀 닮지 않았다.

resemble [rizémbəl] *v.* [T] …와 닮다, …와 비슷하다: She so *resembles* her mother. 그녀는 어머니를 많이 닮았다. [SYN] look like

resent [rizént] *v.* [T] …에 분개하다, 화내다; 원망하다: She *resented* her brother's refusal to help. 그녀는 오빠가 도와 줄 것을 거절한 것에 대해 분개했다.

— **resentful** *adj.* **resentment** *n.*

reservation [rèzərvéiʃən] *n.* **1** 예약; 예약석(실): I phoned the restaurant to make a *reservation*. 식당에 예약을 하기 위해 전화를 걸었다. **2** 보류(된 권리·이익) **3** 제한, 조건: accept a proposal without *reservation* 조건 없이 제안을 수락하다 **4** (입 밖에 낼 수 없는) 걱정, 의심: I have some *reservations* about their marriage. 나는 그들의 결혼이 마음에 좀 걸린다. **5** (사냥용 새·짐승의) 사육지; 인디언 보호 거주지, 군사 용지

***reserve** [rizə́:rv] *v.* [T] **1** (어떤 목적을 위해서) 떼어두다, 마련해 두다: This house is *reserved* for special guests. 이 집은 귀빈

을 위한 것이다. **2** 예약하다: This table is *reserved*. 이 테이블은 예약된 것입니다. / I'd like to *reserve* a table for two. 두 사람용 테이블을 예약하고 싶습니다.

n. **1** (reserves) 비축, 예비; 예비(보존)품: *reserves* of food 식량 비축 **2** (reserves) (석유·석탄 등의) 매장량: oil *reserves* 석유 매장량 **3** 특별 보류지, 지정 보호 지역: You can sometimes see wild animals at that nature *reserve*. 때로는 자연 보호 지역에서 야생 동물을 볼 수 있습니다. **4** 자제, 신중; 침묵, 마음에 숨김 **5** [경기] 후보 선수

— **reserved** *adj.* **reservedly** *adv.*

[숙어] **in reserve** 예비의, 남겨 둔: Keep some money *in reserve* for emergencies. 비상시를 대비해서 돈을 좀 남겨 두어라.

reserved [rizə́:rvd] *adj.* **1** 보류한, 예비의; 예약한: a *reserved* seat 예약(지정)석 **2** 수줍어하는, 내성적인: The boy is very *reserved*—you never know what he's thinking. 그 소년은 너무 내성적이어서 무슨 생각을 하고 있는지 절대 알 수가 없다.

reservoir [rézərvwɑ̀:r] *n.* 저장소; 저수지; (램프의) 기름통, (만년필의) 잉크통

reset [ri:sét] *v.* [T] (reset-reset; resetting) **1** 고쳐(다시) 놓다: I *reset* the alarm clock to ring later so that I could sleep more. 나는 잠을 더 자려고 자명종을 더 뒤로 다시 맞춰 놓았다. **2** (계기 등을) 초기 상태로 돌리다 **3** [컴퓨터] 재시동하다

reside [rizáid] *v.* [I] **1** 살다, 거주하다 (in, at): He *resides* here in Seoul. 그는 이 곳 서울에 살고 있다.

※ live가 더 일반적인 표현이다.

2 (성질이) 있다, 존재하다: Her beauty *resides* in her lovely eyes. 그녀의 아름다움은 아름다운 눈에 있다. **3** (권리 등이) (…에) 속하다: The power of decision *resides* in President. 결정권은 대통령에게 있다.

residence [rézidəns] *n.* **1** 주거, 주택;

저택 **2** 관저, 공관 **3** 거주: Windsor is open to visitors when the Royal Family is not in *residence*. 윈저 성은 왕족이 거주하지 않을 때 방문객들에게 공개된다.

residency [rézidənsi] *n.* **1** 주거, 주재 기간 **2** [미] 전문의 실습 기간 (인턴 과정 다음에 실시되는) **3** 관저, 공관 SYN residence

resident [rézidənt] *n.* **1** 거주자, 체류자: local *residents* 지역 주민 **2** [미] 전문의 수련자
adj. 거주하는, 주재의: a *resident* tutor 입주 가정 교사

residential [rèzidénʃəl] *adj.* **1** 주거의, 거주에 적합한: a *residential* quarter (district) 주택지 / *residential* qualifications (투표에 필요한) 거주 자격 **2** (학생을 위한) 숙박 설비가 있는: a *residential* college 기숙제 대학 **3** 강의에 출석을 요하는: a *residential* course 실제로 수강이 필요한 과목

residue [rézidjù:] *n.* 나머지, 잔여; 찌꺼기: My dishwasher is leaving soap *residue* on my glasses. 내 식기세척기는 유리잔에 비누 찌꺼기를 남긴다.
— **residual** *adj.* 나머지의; 찌꺼기의

resign [rizáin] *v.* **1** [I,T] 사임하다, 그만두다: He has *resigned* as chairman of the committee. 그는 위원회 의장직을 사임했다. **2** [T] (권리 등을) 포기하다, 단념하다, 넘겨주다: I *resign* my children to your care. 아이를 당신이 맡아 돌보아 주시오. **3** [T] (resign oneself 또는 수동태) 몸을 맡기다, 감수하다, 따르다 (to): She *resigned* herself to sharing a room with her sister. 그녀는 여동생과 방을 같이 쓰기로 했다. / He seems to *resign* himself to his fate. 그는 체념하고 자신의 운명을 따르는 것처럼 보인다.
— **resigned** *adj.* 단념한, 체념한; 퇴직(사직)한

resignation [rèzignéiʃən] *n.* **1** 사표: She has handed in her *resignation*. 그

녀가 사표를 제출했어. **2** 사직, 사임 **3** 감수, 체념: She accepted her fate with *resignation*. 그녀는 체념하여 그녀의 운명을 받아들였다.

*****resist** [rizíst] *v.* **1** [I,T] 저항하다, 방해하다: The soldiers *resisted* for two days. 군인들은 이틀 동안 저항했다. **2** [T] (병·화학 작용 등에) 견디다, 영향 받지 않다: Stainless steel *resists* rust. 스테인레스 금속은 녹이 슬지 않는다. **3** [I,T] (주로 부정구문) 참다: I can never *resist* the urge to laugh. 나는 웃고 싶은 충동을 참을 수 없다.

resistance [rizístəns] *n.* **1** 저항, 반항: The government troops overcame the *resistance* of the rebel army. 정부군은 반군의 저항을 물리쳤다. **2** 저항력: She has good *resistance* against sickness. 그녀는 질병에 대한 저항력이 강하다. **3** (종종 the Resistance) (제2차 세계 대전 중의 나치스 점령지에서의) 레지스탕스, 지하 저항 (운동) **4** [전기] 저항 (*abbr.* R); 전류 저항 장치: electric *resistance* 전기 저항

resistant [rizístənt] *adj.* **1** 저항하는, 반항하는; 방해하는 **2** (복합어를 이루어) 견디는, 내성이 있는: a water-*resistant* watch 방수 시계

resolute [rézəlù:t] *adj.* 굳게 결심한; 굳은, 단호한: He was *resolute* in carrying out his plan. 그는 계획을 실현할 결의가 확고했다. / a *resolute* will 불굴의 의지
※ determined가 더 일상적으로 쓰인다.
— **resolutely** *adv.*

resolution [rèzəlú:ʃən] *n.* **1** 결심, 결의: He has made a New Year's *resolution* to stop drinking. 그는 술을 끊기로 새해 결심을 했다. SYN determination **2** (의문·문제 등의) 해결, 해답 **3** (투표를 통한) 결정, 결의(안): a nonconfidence *resolution* 불신임 결의 **4** 결단(력), 확고 부동: He lacks *resolution*. 그에게는 결단력이 부족하다.

resolve [rizálv] *v.* **1** [T] (문제·곤란 등을)

풀다, 해결하다: Everybody wants to *resolve* this as soon as possible. 모든 사람들이 이것을 가능한 한 빨리 해결하고 싶어 한다. [SYN] work out **2** [I,T] 결심하다, 결정하다: He *resolved* to ask her to marry him the next day. 그는 다음날 그녀에게 결혼해 줄 것을 요청하기로 결심했다. [SYN] decide **3** [I,T] 분해(분석)하다; 용해하다, 녹이다: Water may be *resolved* into oxygen and hydrogen. 물은 산소와 수소로 분해될 수도 있다.

— **resolved** *adj.* 결심한, 단호한; 숙고한

resort [rizɔ́:rt] *n.* 유흥지, 번화가, 사람들이 자주 가는 곳: a ski *resort* 스키장 / a summer *resort* 피서지

v. [I] **1** 의지하다, (보통 달갑지 않은 수단을) 쓰다, 도움을 청하다 (to): After not sleeping for two nights I finally *resorted* to sleeping pills. 나는 이틀 밤을 잠 못 들어서 결국 수면제에 의지했다. **2** (어떤 장소에) 자주 가다; (습관적으로) 잘 가다[다니다] (to): She *resorts* to a hot spring. 그녀는 온천에 자주 간다.

[숙어] **in the last resort, (as) a(the) last resort** 최후의 수단으로서, 결국

resound [rizáund] *v.* [I] **1** (악기·소리 등이) 울리다, 울다: Music *resounded* through the hall. 음악이 홀 전체에 울렸다. **2** (장소가 소리 등으로) 울려 퍼지다 (with): The room *resounded* with the children's shouts. 방은 아이들의 고함소리로 가득 찼다. **3** (사건·명성 등이) 떨치다, 널리 알려지다 (through): His act *resounded* through the nation. 그의 행동은 전국에 널리 알려졌다.

resounding [rizáundiŋ] *adj.* (명사 앞에만 쓰임) **1** 반향하는, 울려 퍼지는 **2** 널리 알려진; 철저한: a *resounding* success 대성공

***resource** [rí:sɔːrs] *n.* **1** (보통 *pl.*) 자원, 물자, 재원: The country's greatest *resource* is the dedication of its workers. 그 나라의 가장 큰 자원은 근로자들의 헌신이다. / America is rich in mineral *resources*. 미국은 광물 자원이 풍부하다. / natural (human) *resources* 천연(인적) 자원 **2** 수단, 방책: It takes great *resource* to survive on the island. 무인도에서 살아남으려면 온갖 수단이 다 필요하다. **3** 변통하는 재주, 기지 [SYN] wit

— **resourceful** *adj.* 지략이 풍부한; 자원이 풍부한

***respect** [rispékt] *n.* **1** 존경, 경의 (for): We Koreans have *respect* for our elders. 우리 한국인들은 웃어른을 공경한다. [OPP] disrespect **2** 존중, 중시 (for): He has no *respect* for my rights. 그는 나의 권리를 존중해 주지 않는다. **3** 점: In many *respects* the new version is not so good as the old one. 많은 점에서 새로운 판이 예전 것만 못하다.

v. [T] **1** 존중하다, 존경하다: I *respect* him for his honesty. 나는 정직하다는 점에서 그를 존경한다. **2** 주의하다, 고려에 넣다: *respect* a person's privacy 아무의 사생활을 침해하지 않도록 하다

[숙어] **have respect to** …와 관계가 있다: It *has respect to* this event. 그것은 이 사건과 관계가 있다.

in all(many, some) respects 모든(많은, 어떤) 점에서

in no respect 어느 점에서도 … 않다: *In no respect* do we differ from each other. 어떤 점에서도 우리는 서로 다르지 않다.

in(with) respect of(to) …에 관하여: The teacher told a story about Heo Jun *in respect to* the spirit of self-sacrifice. 선생님께서 자기 희생 정신에 관하여 허준의 이야기를 해 주셨다. [SYN] regarding

pay(show) one's respects to …에게 경의를 표하다, 안부를 전하다 [SYN] give one's regards to

without respect to〔of〕 …을 무시하고:
He did so *without respect to* results.
그는 결과는 생각하지 않고 그렇게 했다.

respectable [rispéktəbəl] *adj.* **1** 존
경할 만한, 훌륭한: *respectable* citizens 훌
륭한 시민들 **2** 상당한, 꽤 되는: quite
a *respectable* income 적지 않은 수입
— **respectably** *adv.* 훌륭하게, 꽤
respectability *n.* 존경할 만함; 훌륭한 사
람들

respectful [rispéktfəl] *adj.* 공손한, 예
의 바른 (to, towards); 존경〔존중〕하는: It is
not *respectful* to stick out your tongue.
혀를 내미는 것은 예의 바르지 못한 짓이다.
OPP disrespectful
— **respectfully** *adv.*

respective [rispéktiv] *adj.* (명사 앞에만
쓰임) 각각의: They have their *respective*
merits. 그들은 각기 장점이 있다.
— **respectively** *adv.* 각각, 각기

respond [rispánd] *v.* [I] **1** 응답〔대답〕하
다: She *responded* to my suggestion
with a laugh. 그녀는 나의 제안에 웃음으
로 응답했다. SYN reply **2** (말·행동 등에)
응수하다, 반응하다: Her father *responded*
by cutting her allowance. 그녀의 아버
지는 그녀의 용돈을 줄이는 것으로 응수했
다. / How did he *respond* to the news?
그 소식에 그가 어떻게 반응했니? SYN react
3 (자극 등에) 반응하다: The patient did
not *respond* well to the new treat-
ment. 그 환자는 새 치료법에 별 반응이 없었
다.

response [rispáns] *n.* **1** 응답, 대답:
Every time I asked her a question, I
got no *response*. 그녀에게 질문을 할 때마다
아무런 대답을 듣지 못했다. **2** [생물·심리]
(자극에 대한) 반응
— **responsive** *adj.*
숙어 **in response to** …에 응하여, …에
답하여: I act *in response to* the call of
duty. 나는 의무가 명하는 대로 행동한다.

responsibility [rispànsəbíləti] *n.* **1**
책임, 의무: The manager explained
what my *responsibilities* were. 지배인이
내 책임이 무엇인지 설명해 주었다. **2** 책임이
되는 것, 부담
숙어 **take the responsibility of〔for〕**
…의 책임을 지다

***responsible** [rispánsəbəl] *adj.* **1** (명
사 앞에는 쓰이지 않음) 책임 있는, 책임을 져
야 할 (to, for); …의 원인인: The pilot of
the plane is *responsible* for the
passengers' safety. 비행기 조종사는 여
행객의 안전에 대한 책임이 있다. / The
weather is *responsible* for the delay.
연기한 것은 날씨 때문이다. **2** (사람에 대해)
신뢰할 수 있는: You can leave the
children with Susan—she's very
responsible. 수잔에게 아이들을 맡겨도 돼. 그
녀는 정말 믿을 수 있거든. OPP irrespon-
sible **3** (지위·일 등이) 책임이 무거운: The
President has a very *responsible*
position. 대통령은 책임이 매우 무거운 지위
이다.
— **responsibly** *adv.* 책임지고, 확실히

***rest** [rest] *n.* **1** 휴식, 안정: The workers
all get a *rest* at lunchtime. 근로자들은
점심 시간에 모두 휴식을 취한다. **2** 수면: She
had a good night's *rest*. 그녀는 밤에 푹
잤다. **3** 정지: bring a car to *rest* 자동차를
멈추다 **4** [음악] 휴지, 쉼표 **5** (the rest) 나
머지, 잔여; (복수 취급) 그 밖의 사람들〔것들〕:
Take what you want and throw the
rest away. 네가 원하는 것을 가지고 나머지는
버려. / I've got two bright students,
but the *rest* are average. 두 명의 명석한
학생이 있으나 나머지는 보통이다.

v. **1** [I,T] 쉬다, 휴식하다, 쉬게 하다, 휴식시키
다: He *rested* (for) an hour after
lunch. 그는 점심 식사 후 1시간 쉬었다. / He
stopped to *rest* his horse. 그는 말을 쉬
게 하기 위해 멈추어 섰다. **2** [I] 눕다, 자다:
She lay down to *rest*. 그녀는 잠자리에 들

었다 **3** [I] 죽다: Let him *rest* in peace. 그를 고이 잠들게 하소서. **4** [I,T] 놓여 있다, 기대다 (on, against): She *rested* her head on his shoulder and went to sleep. 그녀는 머리를 그의 어깨에 기대고 잠이 들었다. / *Rest* the ladder against the wall. 사닥다리를 벽에 기대 놓아라.

— **restful** *adj.* 편안한, 평온한

숙어 **at rest 1** 휴식하여 **2** 영면하여, 죽어 **3** 움직이지 않고, 정지하여: Children are never really *at rest*. 아이들은 절대 가만히 있지 못한다. **4** 안심하여 **5** (사건 등이) 해결되어

come to rest 멈추다, 서다: The car *came to rest* at the edge of the road. 차가 길가에 멈추어 섰다.

let the matter rest 문제를 그대로 두다

put(set) one's mind at rest …를 안심시키다

rest on …에 의존하다, …에 의거하다

rest with (결정·선택 등이) …에 달려 있다: It *rests with* you to decide. 결정은 네게 달려 있다.

take a rest, get some rest 잠시 쉬다: *Get some rest* and think about it again tomorrow. 좀 쉬고 내일 그것에 대해 다시 생각해 봐.

****restaurant** [réstərənt] *n.* 식당, 음식점, 레스토랑: a fast food *restaurant* 패스트 푸드 음식점 / a Chinese(an Italian) *restaurant* 중국(이탈리아) 음식점

restless [réstlis] *adj.* **1** 침착하지 못한, 들떠 있는, 불안한; 잠 못 이루는: I spent a *restless* night. 나는 잘 못 잤다. **2** 끊임없는, 항상 움직이는; (사람이) 활동적인: the *restless* seas 항상 움직이는 바다 / a man of *restless* energy 활동가

— **restlessly** *adv.* **restlessness** *n.*

restoration [rèstəréiʃən] *n.* **1** 회복, 복구, 부흥: the *restoration* of order 질서의 회복 **2** 손해 배상, 반환 **3** (미술품·문헌 등의) 복원; (건축·미술품 등의) 원형 모조,

복원된 것: the *restoration* of an old painting 오래된 그림의 복원 **4** 복직, 복위: She hopes for *restoration* to her old job. 그녀는 전직으로의 복귀를 바라고 있다.

restore [ristɔ́:r] *v.* [T] **1** (질서·기능·건강 등을) 원상태로 되돌리다, 회복시키다: She is *restored* to health. 그녀는 건강을 회복했다. **2** 원장소에 되돌리다, 반환하다: *restore* a lost child to its mother 미아를 아이 엄마에게 돌려보내다 / The stolen wallet was soon *restored* to its owner. 도난당한 지갑은 곧 주인에게 반환되었다. **3** (미술품·건물 등을) 복구하다, 복원하다: She *restores* old furniture as a hobby. 그녀는 취미로 오래된 가구를 복원한다. **4** 복직(복위)시키다: The dismissed manager was *restored* to his former position. 해고된 매니저는 이전의 지위에 복직됐다.

restrain [ri:stréin] *v.* [T] **1** 제지하다, 금하다 (from): I had to *restrain* her from running out into the street. 나는 그녀가 도로로 뛰어드는 것을 막아야 했다. **2** 억제하다, 참다: You should try to *restrain* your ambitions and be more realistic. 너의 야망을 누르고 좀 더 현실적이 되도록 노력해야 한다. / I had to *restrain* the urge to slap him. 나는 그의 따귀를 때리고픈 강한 충동을 참아야 했다. SYN hold back

— **restrained** *adj.* 삼가는, 자제하는; 억제된

restraint [ri:stréint] *n.* **1** 제지, 금지, 억제(력); 억제 수단(도구): Even though the mother was very angry, she acted with *restraint* and didn't yell at her child. 어머니는 화가 많이 났는데도 참고 아이에게 소리를 지르지 않았다. / *restraint* of trade 거래 제한 **2** 속박, 구속, 감금: put (keep) under *restraint* (특히 정신병원에) 감금하다 **3** 자제; 조심; (표현상의) 신중

****restrict** [ristríkt] *v.* [T] 제한하다, 한정하

다 (to, within): The speed is *restricted* to 60 kilometers an hour here. 여기서 속도는 시속 60킬로로 제한되어 있다. / The government has *restricted* freedom of movement into and out of the country. 정부는 출입국의 자유를 제한했다.
— **restricted** *adj.* 한정된, 제한된; (문서 등이) 기밀의 **restrictive** *adj.* 제한하는, 한정하는 **restriction** *n.*

rest room *n.* (극장·호텔·백화점 등의) 휴게실, 화장실

*__result__ [rizʌ́lt] *n.* **1** 결과, 성과, 결말: This wasn't really the *result* that I was expecting. 이건 내가 기대했던 결과가 아니었다. / The *result* of the test was positive. 검사 결과는 양성이었다. **2** (보통 *pl.*) (시험·경기 등의) 성적, 결과: When do you get your exam *results*? 너는 언제 시험 성적을 받니? / the baseball *results* 야구 시합의 결과 **3** (계산의) 결과, 답
v. [I] **1** 결과로서 일어나다 (from): Sickness often *results* from eating too much. 병은 종종 과식 때문에 생긴다. **2** 귀착하다, 끝나다 (in): My efforts *resulted* in nothing. 내 노력은 허사로 끝났다.
[숙어] **as a result of** …의 결과로서: Several people were killed *as a result of* storm. 몇몇 사람이 폭풍우로 죽었다.

■ **유의어 result**
result 조건·원인에서 생기는 결과. 성과나 성적으로 나타나게 된 과정이 평가되는 경우가 많음. **issue, outcome** '이루어진 것'의 뜻으로 결과에만 초점을 둠. **fruit** 좋은 결과, 성과, 결실. **consequence** 잇따라 일어나는, 필연적인 결과. 다방면에 미치는 결과라는 뜻으로 복수형으로 많이 쓰임. **effect** 직접적이고 단시간에 나타나는 결과, 효과.

resume [rizúːm] *v.* [I,T] 다시 시작하다, 다시 계속하다: Normal services will be *resumed* in the spring. 정상적인 서비스가 봄에 다시 시작됩니다.
— **resumption** *n.*

résumé, resumé, resume [rèzuméi] *n.* ([영] curriculum vitae) [미] 이력서

resurrection [rèzərékʃən] *n.* **1** 소생, 부흥 **2** (the Resurrection) 예수의 부활

retail [ríːteil] *n.* *adj.* 소매(의): a *retail* price 소매 가격 / a *retail* shop 소매점 *cf.* wholesale 도매(의)
— **retailer** *n.* 소매 상인

retain [ritéin] *v.* [T] **1** 보유〔유지〕하다, 간직하다: He tried to *retain* his self-control. 그는 자제심을 잃지 않으려 애썼다. / The interior of the shop still *retains* nineteenth-century atmosphere. 그 가게의 인테리어는 여전히 19세기 분위기를 유지하고 있다. [SYN] keep, hold **2** 잊지 않고 있다
— **retention** *n.* 보유, 보류; 유치, 감금; 기억력

retake [riːtéik] *v.* [T] (retook-retaken) **1** 다시 잡다 **2** 되찾다, 탈환하다: Our soldiers have *retaken* the city. 우리 병사들이 도시를 탈환했다. **3** (영화 등을) 다시 찍다

retaliate [ritǽlièit] *v.* [I] 보복하다, 앙갚음하다: The terrorists *retaliated* against the government with a bomb attack. 테러리스트들이 폭탄 공격으로 정부에 보복했다.
— **retaliation** *n.*

retard [ritáːrd] *v.* [T] (성장·발달 등을) 방해하다, 지체시키다: Smoking *retards* growth. 흡연은 발육을 저해한다. [SYN] delay
n. **1** 지체, 지연; 방해 **2** [ríːtɑːrd] 정신 박약자, 바보

retarded [ritáːrdid] *adj.* 발달이 늦은; (지능 등이) 뒤진: a *retarded* child 지진아

retire [ritáiər] *v.* [I] **1** 은퇴하다, 퇴직하다: He *retired* when he was 65. 그는

65세에 은퇴했다. **2** 물러가다, 칩거하다: I was tired of the party, so I *retired* to my room. 나는 파티에 싫증이 나서 내 방으로 물러갔다. **3** 자다, 잠자리에 들다: *retire* for the night 잠자리에 들다 **4** (군대가) 후퇴하다, 철수하다

— **retired** *adj.* 은퇴한, 퇴직한 **retiring** *adj.* 은퇴하는; 교제를 싫어하는, 수줍은 **retiree** *n.* [미] 퇴직자, 은퇴자

retirement [ritáiərmənt] *n.* **1** 은퇴, 퇴직, 퇴역: My father took early *retirement*. 아버지는 조기 퇴직하셨다. / the *retirement* age 퇴직 연령 **2** 은거, 칩거 **3** 정년 후의 기간: What will you do during your *retirement*? 정년 후에 무엇을 할 건가요?

retort [ritɔ́ːrt] *v.* [T] 말대꾸하다, 반박하다: "It's all your fault!" he *retorted*. "모두 다 네 잘못이야!"라고 그가 말대꾸했다.

n. **1** 말대꾸, 반박 **2** [화학] 레토르트, 증류기

retreat [ri:tríːt] *n.* **1** 퇴각, 후퇴: 퇴각 신호: be in (full) *retreat* (총)퇴각하다 **2** 은둔, 은퇴 **3** 은신처, 피난처: a rural *retreat* 시골의 은신처

v. [I] **1** [군대] 후퇴하다, 퇴각하다 OPP advance **2** 물러가다: He saw her and *retreated*, too shy to speak to her. 그는 그녀를 보고 말을 걸기가 쑥스러워 물러갔다. OPP advance **3** 틀어박히다, 은퇴하다

retrieve [ritríːv] *v.* [T] **1** 만회하다, 되찾다: *retrieve* the loss 손실을 만회하다 / I went back to the locker room to *retrieve* my jacket. 나는 재킷을 찾으러 로커룸으로 돌아갔다. **2** [컴퓨터] 정보를 검색하다

— **retrieval** *n.*

■ 접두어 **retro-**

'뒤로, 거꾸로, 거슬러'의 뜻을 나타냄.: *retro*spect 회고 / *retro*ject 뒤로 던지다

---

retrospect [rétrəspèkt] *n.* 회고, 회상

OPP prospect

축어 **in retrospect** 뒤돌아 보면, 회고하면: *In retrospect*, it was the wrong time to set up a new company. 뒤돌아 보면 그 때는 새로운 회사를 설립하기에 부적절한 시기였다.

retrospective [rètrəspéktiv] *adj.* **1** 회고의 OPP prospective **2** [법] 효력이 소급하는: a *retrospective* law 소급법

— **retrospectively** *adv.*

*****return** [ritɔ́ːrn] *v.* **1** [I] (본래의 장소·상태·화제 등으로) 되돌아가다, 돌아가(오)다: I shall *return* to this point later. 나중에 또 이 점을 언급하겠소. / He left home never to *return*. 그는 고향을 떠나서 다시는 돌아오지 않았다. **2** [I] 다시 일어나다; (병 등이) 재발하다: If the pain *returns*, take two of the tablets. 통증이 다시 일어나면 이 알약을 두 알 먹어라. **3** [T] 돌려주다: *Return* this book to the shelf. 이 책을 서가에 도로 갖다두시오. **4** [T] 갚다, 보답하다: We'll be happy to *return* your hospitality if you ever come to my country. 당신이 우리 나라에 온다면 당신의 환대에 보답할 수 있어 기쁠 것입니다. **5** [T] [테니스] (공을) 되받아치다

n. **1** 돌아옴(감), 귀가, 귀향: on my *return* from the trip 내가 여행에서 돌아왔을(돌아올) 때 **2** 반환, 되돌림 **3** [테니스] 공을 되받아치기 **4** 수입, 수익; 수익률: That savings account pays a 2% *return*. 그 계좌는 수익률이 2%이다. **5** 왕복표 (return ticket) ([미] round-trip ticket) OPP single, one-way **6** [컴퓨터] 리턴 키 (the return key)

— **returnable** *adj.* 되돌릴 수 있는; 반환(보고)해야 할

축어 **by return (of mail(post))** (우편에서) 받는 즉시: Please send your reply *by return*. (이 편지를 받는 즉시) 당신의 대답을 알려 주세요.

in return (for) …의 답례로, …의 보답으로: Please accept this present *in* *return for* all your help. 당신의 도움에 대한 답례로 이 선물을 받아 주세요.

■ 유의어 return

return 형신적인 문어체의 말로서 일상적 표현으로는 go back, come back의 뜻임. **get back** come back보다 격식을 차리지 않는 표현임. **be back** '돌아와 있다' 라는 상태에 중점을 두어 일상 대화에서 많이 쓰임.

return ticket *n.* [영] 왕복표

※ 미국에서 return ticket은 '돌아올 때 쓰는 표'를 뜻한다. 왕복표는 round-trip ticket이라고 한다.

reunify [ri:júːnəfài] *v.* [T] 다시 통일(통합)시키다
— **reunification** *n.* 재통일, 재통합

reunion [ri:júːnjən] *n.* **1** 재결합, 화해; 재회 **2** (친족·동문 등의) 친목회, 동창회: Our college has a *reunion* at the college every three years. 우리 대학은 3년마다 교내에서 동창회를 연다.

reunite [rìːjuːnáit] *v.* [I,T] 재결합하다(시키다), 화해(재회)하다(시키다): She was finally *reunited* with her children at the airport. 그녀는 마침내 공항에서 그녀의 아이들과 재회했다.

reuse [riːjúːz] *v.* [T] 다시 이용하다, 재생하다: If we *reuse* our bottles and cans, there will be less garbage. 우리가 병과 캔을 다시 이용하면 쓰레기가 줄어들 것이다.
n. [riːjúːs, ríːjùs] 재사용
— **reusable** *adj.* **reusability** *n.*

*reveal [riví:l] *v.* [T] **1** (알려지지 않은 것을) 드러내다, 누설하다, 폭로하다: He *revealed* his secrets to his friend. 그는 친구에게 비밀을 누설했다. **2** (가려진 것을) 보이다, 나타내다: The fog cleared and *revealed* distant view to our sight. 안개가 걷히고 원경이 모습을 드러냈다.
— **revealing** *adj.* 뜻이 깊은; (옷 등이) 살갗을 노출시킨

revelation [rèvəléiʃən] *n.* **1** 폭로, (비밀의) 누설, 발각 **2** 폭로된 것, 의외의 새 사실: It was a *revelation* to me. 실로 의외의 일이었다.

revenge [rivéndʒ] *n.* 보복, 복수: He was seeking *revenge* for his father's murder. 그는 죽은 아버지를 위해 복수를 하려고 했다.
v. [T] (revenge oneself 또는 수동태) …에게 원수를 갚다, 복수하다 (on)
— **revengeful** *adj.* 복수심에 불타는
속어 **take(have, get) one's revenge on(upon)** …에게 복수하다, 원한을 풀다

revenue [révənjùː] *n.* **1** 세입: The government has a huge need for tax *revenue*. 정부는 막대한 규모의 세입을 필요로 한다. **2** (정기적인) 소득, 수입, 수익; 수입원: *revenue* tax 수입세 **3** (revenues) 총수입, 소득 총액

revere [rivíər] *v.* [T] 존경하다, 숭배하다
— **reverent** *adj.* 경건한, 공손한
reverence *n.*

reverend [révərənd] *adj.* **1** 귀하신, 존경할 만한, 거룩한 (사람·사물·장소 등) **2** (the Reverend; *abbr.* Rev.) …님 (성직자에 대한 경칭)

reverse [rivə́ːrs] *v.* **1** [T] 거꾸로 하다, 반대로 하다; 뒤집다: *reverse* the order 순서를 거꾸로 하다 / I *reversed* my jacket before washing it. 나는 재킷을 세탁하기 전에 뒤집었다. **2** [T] 바꾸어 놓다, 전환하다: Their positions are now *reversed*. 그들의 입장이 이제는 바뀌었다. **3** [I,T] (기계 등을) 역류(역회전)시키다, (차를) 후진시키다: He *reversed* his car into the garage. 그는 차를 후진하여 차고에 넣었다. **4** [T] (주의·결정 등을) 뒤엎다, 번복하다 **5** [T] [법] 취소하다, 파기하다
adj. **1** 반대의, 거꾸로의: in *reverse* order 역순으로 **2** 뒤로 향한, 역전하는: *reverse* gear 후진 기어 **3** 뒤(이면)의, 배후의
n. **1** (the reverse) 역, 반대 (of): This

movie is the exact *reverse* of what I was expecting. 이 영화는 내가 생각했던 것과 정반대이다. **2** 뒤, 배후; (화폐·매달 등의) 뒷면 **3** 후진[역전] 장치
— **reversely** *adv.* **reversal** *n.* 전도, 역전

숙어 **in reverse** 거꾸로, 후진에
reverse (the) charges ([미] call collect) [영] 요금을 수신인 지불로 하다
reversible [rivə́:rsəbəl] *adj.* **1** (옷이) 양면의 **2** 원상으로 되돌릴 수 있는: a *reversible* decision 취소할 수 있는 결정 / a *reversible* reaction 가역 반응 OPP irreversible
revert [rivə́:rt] *v.* [I] (본래 상태·습관·신앙 등으로) 되돌아가다: *revert* to the old system 옛 제도로 복귀하다
— **reversion** *n.*
review [rivjú:] *n.* **1** 재조사, 재검토 **2** 회고, 반성 **3** [미] 복습, 연습; 복습 과제: *review* exercises 연습 문제 **4** 비평, 논평; 평론 잡지: a book *review* 서평
v. [T] **1** 재검토하다: I *reviewed* the information you gave me, and now I'd like to talk to you about it. 당신이 내게 준 자료를 재검토했고 이제 그것에 대해 이야기하고 싶습니다. **2** 회고하다 **3** [미] 복습하다: Let's *review* what we've done in class this week. 이번 주 수업 시간에 한 것을 복습합시다. **4** 세밀히 검사[조사]하다 **5** 비평하다, 논평하다: I only go to see the movies that are *reviewed* favorably. 나는 호평받은 영화만 보러 간다.
— **reviewer** *n.* 비평[평론]가
revise [riváiz] *v.* **1** [T] 개정하다, 교정하다: a *revised* edition 개정판 **2** [T] (의견 등을) 바꾸다: *revise* one's opinion 의견을 바꾸다 **3** [I,T] [영] 복습하다 ([미] review): I'm *revising* for my exam. 나는 시험 준비로 복습 중이야.
— **revision** *n.*
revival [riváivəl] *n.* **1** (의식·체력 등의)

회복, 재생, 부활 **2** 부흥; (습관·복장 등의) 재유행 **3** (예전 연극·영화 등의) 재상연[재상영]: Singers did a *revival* of songs from old musicals. 가수들은 옛 뮤지컬 노래를 다시 불렀다. **4** [법] (법적 효력의) 회복, 부활
revive [riváiv] *v.* [I,T] **1** (생명·의식 등을) 소생(하게) 하다, 회복시키다: The doctor *revived* the patient who had fainted. 의사는 기절한 환자를 회복시켰다. **2** 기운나게 하다: I'm very tired but I'm sure a cup of coffee will *revive* me. 나는 정말 지쳤지만 커피 한 잔이면 다시 기운을 차릴 거야. **3** (잊혀진 것·유행·기억 등이) 되살아나게 하다, 부활시키다, 재유행시키다: Her trip to the museum *revived* her old interest in painting. 박물관 여행은 그녀에게 그림에 대한 관심을 되찾아 주었다.
revoke [rivóuk] *v.* [T] (명령·약속·면허 등을 공식적으로) 철회하다, 취소하다, 무효로 하다
revolt [rivóult] *v.* **1** [I] 배반하다, 반란을 일으키다 (against): People *revolted* against the government. 국민은 정부에 반기를 들었다. SYN rebel OPP obey **2** [T] 불쾌하게 하다: I was *revolted* by his cruelty. 나는 그의 잔인함에 불쾌했다. SYN disgust
n. **1** 반란, 반역: in *revolt* …에 반항하여 **2** 혐오감, 불쾌
— **revolting** *adj.* 불쾌감을 일으키는, 구역질나는
revolution [rèvəlú:ʃən] *n.* **1** 혁명, 대변혁: the Industrial *Revolution* 산업 혁명 / the great French *Revolution* 프랑스 대혁명 **2** 회전 (운동), 1회전: 45 *revolutions* per minute 매분 45회전 **3** (계절 등의) 주기, 순환: the *revolution* of seasons 사철의 순환 **4** [천문] 공전 (주기): the *revolution* of the earth around the sun 태양을 도는 지구의 공전
— **revolutionize** *v.*

revolutionary [rèvəlú:ʃənèri] *adj.* 혁명의, 혁명적인, 대변혁의: a *revolutionary* leader 혁명적인 지도자 / *revolutionary* discoveries 대변혁을 초래하는 발견
n. (revolutionaries) 혁명당원; 혁명론자

revolve [riválv] *v.* [I] **1** 회전하다: The earth *revolves* on its axis. 지구는 지축을 중심으로 자전한다. **2** 주위를 돌다, 공전하다: The earth *revolves* around the sun. 지구는 태양 둘레를 돈다. **3** (계절 등이) 순환하다: The seasons *revolve*. 계절은 순환한다. **4** (여러 가지 생각이 마음 속에) 오가다, 맴돌다: All sorts of fantasies *revolved* in my mind. 온갖 터무니없는 공상이 내 머리 속을 맴돌았다. **5** ···을 중심으로 삼다, 촛점을 맞추다 (around): She thinks the whole world *revolves* around her. 그녀는 자신이 가장 중요하다고 생각한다. (온 세상이 그녀를 중심으로 돈다고 생각한다.)

revolver [riválvər] *n.* (회전식의) 연발 권총

revolving [riválviŋ] *adj.* 회전식의: *revolving* doors 회전문

reward [riwɔ́ːrd] *n.* **1** 보수, 보상, 보답: There's a *reward* for whoever finishes first. 첫번째로 끝내는 사람에게 상이 있다. / No *reward* without toil. [격언] 고생 끝에 낙이 온다. **2** 현상금, 사례금: She offered a *reward* to anyone who could find her cat. 그녀는 자신의 고양이를 찾아 주는 사람에게 사례금을 약속했다.
v. [T] (종종 수동태) ···에게 보답하다, 보수를 〔상을〕 주다: His efforts were *rewarded* with success. 그의 노력은 성공으로 보상되었다.
— **rewarding** *adj.* 득이 되는, 할 만한 가치가 있는

rewrite [ri:ráit] *v.* [T] (rewrote-rewritten) 고쳐 쓰다, 다시 쓰다

rhetoric [rétərik] *n.* **1** 수사(修辭)법, 수사학; 웅변술 **2** 화려한 문체; 과장, 미사여구
— **rhetorical** *adj.* **rhetorically** *adv.*

rheumatism [rú:mətìzəm] *n.* 류머티즘

rhinoceros [rainásərəs] *n.* (*pl.* rhinoceroses, rhinoceros) 코뿔소, 무소

rhyme [raim] *n.* **1** 운(韻), 압운, 각운 **2** 동운어: "Rhyme" and "time" form a rhyme. "Rhyme"과 "time"은 운을 이룬다. **3** 운문; 압운시: nursery *rhymes* 자장가, 동요
v. [I,T] 운이 맞다, 운을 맞추다 (with)

rhythm [ríðəm] *n.* 리듬, 율동, 주기적 반복: He's a terrible dancer because he has no sense of *rhythm*. 그는 리듬 감각이 없는 형편 없는 댄서다. / the *rhythm* of a heartbeat 심장 고동의 리듬
— **rhythmic, rhythmical** *adj.* **rhythmically** *adv.*

rib [rib] *n.* **1** [의학] 늑골, 갈빗대: He fell and broke a *rib*. 그는 넘어져서 늑골이 부러졌다. **2** (고기가 붙은) 갈비 **3** 갈비 모양의 것

ribbon [ríbən] *n.* 리본, 띠
[숙어] **be torn to ribbons** 갈기갈기 찢기다

*****rice** [rais] *n.* 쌀, 밥, 벼: a *rice* crop 벼농사 / boil〔cook〕 *rice* 밥을 짓다 / live on *rice* 밥을 주식으로 하다

*****rich** [ritʃ] *adj.* **1** 부자의, 부유한: Their one aim in life is to get *rich*. 그들 인생의 한 가지 목표는 부자가 되는 것이다. [SYN] wealthy [OPP] poor **2** (the rich) 부자들: The *rich* are often powerful because of their money. 부자들은 그들의 돈 때문에 세력을 갖기도 한다. **3** 많은, 풍부한 (in, with): Liver is particularly *rich* in vitamin A. 간은 특히 비타민 A가 풍부하다. **4** (음식·음료가) 기름기가 많은, 영양·맛이 풍부한: a *rich* fruit cake 과일이 많이 들어간 케이크 **5** (토양이) 비옥한, 기름진: *rich* soil 기름진 땅 **6** (색·음이) 짙은, 강한: She bought a *rich* brown carpet for her bedroom. 그녀는 침실에 깔 진한 갈색 카펫을 샀다. / The singer's *rich* voice thrilled the audience. 성량이 풍부한 가수의 목소리는 청

R

중을 감동시켰다.
— **richly** *adv.* **richness** *n.*
riches [rítʃiz] *n.* (*pl.*) 부, 재산 SYN
wealth
rickshaw, ricksha [ríkʃɔ:, ríkʃɑ:]
n. 인력거
rid [rid] (rid-rid, ridded-ridded; ridding)
v. [T] 면하게 하다, 자유롭게 하다 (of): …에서
제거하다 (of): You must *rid* yourself of
that bad habit. 너는 그 나쁜 버릇을 버려야
해. / I have to *rid* the garden of weeds.
나는 정원에서 잡초를 제거해야 한다.
숙어 **get rid of 1** …을 면하다〔벗어나다〕:
I've tried all sorts of medicines to *get
rid of* my cold. 감기를 나으려고 나는 온갖
약을 다 먹어 보았다. **2** …을 제거하다〔치워
놓다〕; 죽이다: It's time we *got rid of* all
these old toys. 이제 이 낡은 장난감들을 모
두 치워야 할 때다.
riddle [rídl] *n.* **1** 수수께끼: solve
〔guess〕 a *riddle* 수수께끼를 풀다 **2** 수수께
끼 같은 사람〔물건〕
***ride** [raid] *v.* [I,T] (rode-ridden) **1** 말을
타다: *ride* on horseback 말을 타다 **2** (탈
것을) 타다, 타고 가다: He hasn't got a
car, so he *rides* to work on the bus.
그는 차가 없어서 버스를 타고 일하러 간다. /
ride on a bus〔train, ship〕 버스〔기차,
배〕를 타다 / *ride* in a car〔a taxi, an
elevator〕 차〔택시, 엘리베이터〕를 타다
n. **1** (말·탈것·사람의 등에) 탐, 태움, 타고
감: Shall I take you for a *ride* in my
car? 내 차로 태워 줄까? **2** 승마〔차〕 여행: a
train *ride* 기차 여행 **3** 타고 있는 시간: It's
about 2 hours' *ride*. 차로 약 2시간 걸린
다. **4** (형용사와 함께) 타는 기분: give a
bumpy *ride* (차가) 덜커덩거리다 **5** (유원지
등의) 탈것: My favourite *ride* is the
roller coaster. 내가 가장 좋아하는 탈것은
롤러 코스터이다.
— **rider** *n.* 타는 사람, 기수 **riding** *n.* 승마
숙어 **give ... a ride** …를 태워 주다

go for a ride 승마〔드라이브〕하러 나가다
take ... for a ride …을 속이다, 이용하다
ridge [ridʒ] *n.* **1** 산마루, 산등성이: We
walked along the narrow mountain
ridge. 우리는 좁은 산등성이를 따라 걸었다.
2 (동물의) 등, 등줄기 **3** 융기(부분); (파도의)
물마루; 콧대 **4** (밭의) 두둑, 이랑; (직물의)
골
ridicule [rídikjù:l] *n.* 비웃음, 조소, 조롱:
He became an object of *ridicule*. 그는
비웃음의 대상이 되었다.
v. [T] 비웃다, 놀리다: I don't think his
faith should be *ridiculed*. 나는 그의 신념
이 비웃음을 당해서는 안 된다고 생각한다.
***ridiculous** [ridíkjələs] *adj.* 우스운, 터
무니없는, 바보 같은: a *ridiculous* price 터
무니없는 가격 / Do I look *ridiculous* in
this dress? 내가 이 옷을 입으니 우스꽝스러
워 보이니? / Don't be so *ridiculous*! 바보
같은 소리하지 마라!
— **ridiculously** *adv.*
rifle¹ [ráifəl] *n.* 소총, 라이플총
rifle² [ráifəl] *v.* [I,T] 훔치려고 샅샅이 뒤지
다〔찾다〕; 강탈하다
rift [rift] *n.* **1** 불화: a growing *rift*
between brothers 형제들 사이의 커져 가
는 불화 SYN disagreement **2** 째진 틈, 갈
라진 틈 SYN split, crack
rig¹ [rig] *v.* [T] (rigged-rigged) **1** 부정 수
단으로 조작하다: They claimed that the
competition had been *rigged*. 그들은
그 시합이 조작되었다고 주장했다. **2** (배에) 장
비를 갖추다 **3** 임시변통으로 만들다, 날림으로
짓다 (up): We *rigged* up a simple
shower at the back of the cabin. 우리
는 오두막 뒤편에 임시로 간단한 샤워룸을 설치
했다.
rig² [rig] *n.* 유정(由井) 굴착 장치 (oil rig)
***right** [rait] *adj.* **1** 옳은, 올바른, 진실한:
You're *right* to say so. 네가 그렇게 말하
는 것은 옳다. OPP wrong
2 정확한, 틀리지 않은: the *right* answer

옳은 답 / "You're Korean, aren't you?"
"Yes, that's *right*." "당신은 한국 사람이죠,
그렇죠?" "네, 맞아요." OPP wrong
3 적절한, 제격인: I hope I've made a
right decision. 내가 적절한 결정을 했기를
바란다. / She is the *right* person for the
job. 그녀는 그 일에 적격이다 OPP wrong
4 (도덕적으로) 정당한, 올바른: Do what
you think is *right*. 옳다고 생각하는 일을
하십시오. OPP wrong
5 건강한; 정연한, 상태가 좋은: A week's
rest put him *right*. 일주일간의 휴식으로
그는 완쾌했다. / put things *right* 정돈하다
6 오른쪽의 OPP left
adv. **1** 정확히: The train was *right* on
time. 기차는 정확히 시간을 지켰다.
2 정면으로, 곧바로; 직접: I went *right* at
her. 나는 그녀에게 곧장 갔다.
3 (도덕상) 바르게, 옳게: act *right* 바르게 행
동하다
4 똑바로, 제대로, 적절하게: Why does
he never do anything *right*? 왜 그
는 제대로 하는 게 없지? / The suit doesn't
fit *right*. 그 옷은 꼭 맞지 않는다. OPP
wrong
5 줄곧; 아주, 완전히: Did you watch the
game *right* to the end? 경기를 끝까지 다
봤니?
6 우측에(으로): She went to the corner
and turned *right*. 그녀는 모퉁이로 가서 오
른쪽으로 돌았다. OPP left
7 바로, 곧: I'll be *right* back. 곧 돌아갈게.
n. **1** 올바름, 정의: You're old enough to
know the difference between *right*
and wrong. 너는 옳고 그름을 충분히 구별
할 수 있는 나이이다. OPP wrong
2 오른쪽으로: Take a *right*. 오른쪽으로 도
시오. OPP left
3 정확함
4 권리: Freedom of speech is one of
the basic human *rights*. 언론의 자유는
기본적인 인권의 하나이다. / civil *rights* 공민

권, 민권
5 (the Right) [정치] 우파, 보수당 (의원)
v. [T] **1** (잘못 등을) 바로 잡다 **2** …의 위치를
바르게 하다, 정돈하다
— **rightly** *adv.* 바르게 **rightness** *n.*
[숙어] (as) **right as rain** 아주 순조로워,
아주 건강하여
(be) **in the right** 올바르다, 이치에 닿다: I
will not apologize because I *am in
the right*. 내가 옳으므로 사과는 하지 않겠다.
by (of) right(s) 올바르게, 정당하게: *By
rights*, half the profit should be mine.
정당하게 이익의 반은 내 것이다.
by (in) right of …의 권한으로, …의 이유
로
get on the right side of …의 마음에
들다: She was always *getting on the
right side of* her mother. 그녀는 언제나
어머니의 마음에 들었다.
in one's (own) right 자기의 권리로; 당
연히
put (set) ... right …을 바로 잡다, 정돈하
다
right away (off, now) 곧, 즉시 SYN at
once
Right you are! 옳은 말씀이오!; 좋다!, 알
았습니다!
within one's rights 자기 권리 내에서;
(…하는 것도) 당연하게: You're quite
within your rights to refuse to work
on Sundays. 일요일에 일하지 않으려는 것
은 아주 당연한 것이다.
righteous [ráitʃəs] *adj.* (도덕적으로) 올
바른, 공정한, 정당한: *righteous* anger 의분
— **righteously** *adv.* **righteousness** *n.*
right-hand *adj.* (명사 앞에만 쓰임) 오른손
의, 우측의; 오른손을 쓰는: make a *right-
hand* turn 우회전을 하다 / a *right-hand*
glove 오른손 장갑
right-handed *adj.* 오른손잡이의; 오른손
용의
rigid [rídʒid] *adj.* **1** 굳은, 단단한: a *rigid*

piece of metal 단단한 쇳조각 OPP soft **2**
(생각 등이) 완고한: He's *rigid* in his
opinions. 그는 생각이 완고하다. **3** 엄격한,
엄정한: *rigid* rules 엄격한 규칙
— **rigidly** *adv.* **rigidity** *n.*

rigor, rigour [rígər] *n.* **1** 엄함, 엄격:
They were punished with unusual
rigor. 그들은 유난히 엄하게 처벌받았다. **2**
가혹한 행위; (법률·규칙 등의) 엄격한 집행
〔적용〕 **3** (rigors) (생활 등의) 어려움, 곤궁;
(기후 등의) 호됨, 혹독: the *rigors* of the
winter 겨울의 혹독함 **4** 엄밀, 정확: His
arguments lacked logical *rigor*. 그의
주장에는 논리적 정연함이 부족했다.
— **rigorous** *adj.*

rim [rim] *n.* (특히 원형물의) 가장자리, 테:
the *rim* of a cup 컵의 가장자리

***ring**¹ [riŋ] *n.* **1** 반지: a wedding *ring* 결
혼 반지 **2** 고리, 고리 모양의 것: a curtain
ring 커튼 고리 / a key *ring* 열쇠 고리 **3** 원,
원형: Stand in a *ring* and hold hands.
둥글게 서서 손을 잡으세요. **4** (빙 둘러앉는)
공연장, 경기장: a boxing *ring* 권투장 **5** 한
패, 도당: a drugs *ring* 마약 조직
v. [T] (ringed-ringed) (종종 수동태) 둘러싸
다, 에워싸다: They were *ringed* about
with enemies. 그들은 적에게 포위되었다.

***ring**² [riŋ] *v.* (rang-rung) **1** [I,T] (종·벨
등을) 울리다, 소리가 나다; …처럼 들리다:
ring the bell 벨을 울리다 / What he says
rings true. 그의 말은 진실처럼 들린다. **2** [I]
벨을 울리다, 벨을 울려서 부르다〔요구하다〕: I
rang at the front door. 나는 현관벨을 울
렸다. / "Did you *ring*, sir?" asked the
waiter. "부르셨습니까?"라고 웨이터가 물었
다. **3** [I,T] [영] …에게 전화를 걸다 (up) ([미]
call): *Ring* me up any time. 언제라도 전
화를 주시오. SYN phone **4** [I] 울리다, 울려
퍼지다 (with): The hall *rang* with
laughter. 홀에 웃음소리가 울려 퍼졌다. **5**
[I] …하게 울리다, …하게 들리다: His
words *ring* hollow. 그의 말은 허황되게

들린다.
n. **1** (종·전화 등을) 울리기, 울리는 소리:
There was a *ring* at the door. 현관벨이
울렸다. **2** 울림, 잘 울리는 소리 **3** (a ring,
the ring) (말·이야기 내용 등의) 가락, …다
움, 느낌 (of): Her excuse had a familiar
ring. 그녀의 변명은 전에 들어 본 적이 있는
것 같다.
축어 **give ... a ring** …에게 전화를 걸다:
I'll *give* you *a ring* later. 나중에 전화할
게.

ring a bell 생각나게 하다: The name
rang a bell but I couldn't remember
where I had heard it before. 그 이름은
생각나지만 전에 어디서 들었는지는 기억할 수
없었다.

ring back [영] 나중에 전화하다 SYN call
back

rink [riŋk] *n.* (실내) 스케이트장; 롤러스케이
트장 (skating rink)

rinse [rins] *n.* **1** 헹구기 **2** (헹구는) 린스제
v. [T] 헹구다, 씻어내다: *Rinse* your hair
thoroughly after each shampoo. 샴푸
를 한 후마다 머리를 충분히 헹구어라.

riot [ráiət] *n.* 폭동, 소동: The army
were called in to put down the *riot*.
폭동을 진압하기 위해서 군대가 소집되었다.
v. [I] 폭동을 일으키다
— **riotous** *adj.* **rioter** *n.* 폭도
축어 **run riot 1** 제멋대로〔함부로〕 날뛰다
〔떠들어 대다〕: At the end of the football
match, the supporters *ran riot*. 축구 경
기가 끝날 무렵에 응원자들은 제멋대로 날뛰었
다. **2** (식물이) 무성하게 자라다, (꽃이) 만발
하다

rip [rip] *v.* (ripped-ripped) **1** [I,T] 찢다,
쪼개지다: I've *ripped* my skirt on a nail.
내 치마가 못에 걸려 찢겼다. **2** [T] 떼어내다,
벗겨내다: *rip* a page out of a book 책에
서 한 페이지를 떼어내다
n. **1** 찢음 **2** (옷의) 터짐, 찢어진 곳
축어 **rip off 1** 벗겨내다, 떼어내다 **2** 빼앗

다, 훔치다 **3** …에게 값을 턱없이 요구하다

rip through …를 강타하다, 황폐화시키다: A tornado *ripped through* Jackson, Tenn. 토네이도가 네테시주 잭슨 지역을 강타했다.

rip up 쭉 찢다, 잡아 뜯다: She *ripped up* his photos and burned the pieces. 그녀는 그의 사진들을 갈기갈기 찢어서 불태웠다.

ripe [raip] *adj.* (riper-ripest) **1** (과일·곡물이) 익은: Soon *ripe*, soon rotten. [격언] 대기만성. (빨리 익은 것은 빨리 썩는다.) **2** 숙성한: *ripe* cheese 숙성한 치즈 **3** 원숙한, 숙달된 (in): a man of *ripe* experience 경험이 풍부한 사람 / He is *ripe* in the business. 그는 그 일에 매우 숙달되어 있다. **4** 기회가 무르익은, 준비가 다 된 (for): The time is *ripe* for action. 실행할 때가 되었다. — **ripen** *v.*

rip-off *n.* 도둑질, 사기; 사취, 갈취, 폭리: Don't eat in that restaurant. It's a complete *rip-off*. 그 식당에서 식사하지 마. 완전 폭리야.

ripple [rípəl] *n.* **1** 잔물결, 파문 **2** (a ripple) 잔물결 (같은) 소리; 소곤거림 (of): a *ripple* of laughter 떠들썩하다가 잠잠해 지는 웃음소리

v. [I,T] 잔물결이 일다: The lake *rippled* gently. 호수는 조용히 잔물결이 일고 있었다.

*****rise** [raiz] *v.* [I] (rose-risen) **1** 일어서다, 일어나다: He *rose* from his seat. 그는 자리에서 일어났다.

2 오르다, 떠오르다, 올라가다: Smoke was *rising* from the chimney. 굴뚝에서 연기가 피어오르고 있었다. / The sun *rises* in the east and sets in the west. 해는 동쪽에서 떠올라서 서쪽으로 진다. [OPP] fall

3 (지위·신용·중요성 등이) 오르다, 높아지다, 승진하다: *rise* to a high position 높은 지위에 오르다 / *rise* to power 권력을 쥐다

4 치솟다, 우뚝 솟아 있다: The tower *rises* above the other buildings. 그 탑은 다른 건물들 위로 우뚝 솟아 있다.

5 나타나다, 수면에 떠오르다: Land *rose* to view. 육지가 시야에 들어왔다.

6 (사건·강 등이) 생기다, 근원을 이루다: The river *rises* from Lake Paro. 이 강은 파로호에서 발원한다. / Trouble *rose* from a misunderstanding. 분쟁은 오해에서 비롯되었다.

7 폭동을 일으키다, 반항하여 일어나다 (against): The people *rose* up against the king. 국민들은 국왕에게 반기를 들었다.

n. **1** 상승, 오름: at *rise* of sun 해뜰 때 [OPP] drop, fall **2** (물가·수치 등의) 상승; [영] 승급(액) ([미] raise) : a 10% pay *rise* 10% 임금 인상 **3** (정도·강도 등의) 증가; (감정 등의) 고조, 격앙 **4** 출세, 향상

[숙어] **give rise to** …을 생기게 하다, …을 일으키다: Her strange behavior *gave rise to* rumors that she was crazy. 그녀의 이상한 행동이 그녀가 미쳤다는 소문을 불러일으켰다.

rise to the occasion〔emergency, crisis〕 난국〔위기〕에 대처하다

rising [ráiziŋ] *adj.* **1** 떠오르는: the *rising* sun 떠오르는 태양 **2** 승진하는, 인기가 한창 오르고 있는: a *rising* young movie star 인기 상승 중인 젊은 영화 배우 **3** 증대〔증가〕하는: the *rising* wind 점점 세어지는 바람 / a *rising* market 오름 시세 **4** 성장 중인: the *rising* generation 청년(층)

*****risk** [risk] *n.* **1** 위험(성), 모험: Most sports involve the *risk* of injury. 대부분의 스포츠는 부상의 위험성을 가지고 있다. **2** 위험한 것; 위험 분자: Smoking is a *risk* to your health. 흡연은 건강에 위험을 초래한다.

v. [I] **1** …할 위험을 각오하다: If you don't work hard now, you *risk* failing your exam. 네가 지금 열심히 공부하지 않으면 너는 시험에서 낙제 점수를 받을 위험을 각오해야 한다. **2** 위험을 무릅쓰고 …하다: When you were drowning in the ocean, a stranger *risked* his neck to save you. 네가 바다에 빠졌을 때 어떤 사람이 목숨을 걸고 너를 구했다.

— **risky** *adj.* 위험한, 모험적인

[숙어] **at all risks** 어떤 위험을 무릅쓰고라도 [SYN] at all cost

at one's own risk 자기가 책임지고: Cross the road *at your own risk*. 길을 건너다 차에 치여도 책임지지 않음.

at the risk of …을 걸고, …의 위험을 무릅쓰고: *At the risk of* seeming rude, I'm afraid I have to leave now. 무례해 보일지 모르겠지만 저는 지금 떠나야겠습니다.

run〔take〕a risk〔risks, the risk〕(of) (…의) 위험을 무릅쓰다: If you tell him the truth, you *run the risk of* hurting his feelings. 그에게 사실을 말하려면 그의 감정을 상하게 하는 위험을 무릅써야 해.

rite [rait] *n.* 의식, 의례: burial〔funeral〕 *rites* 장례식 [SYN] ceremony

ritual [rítʃuəl] *adj.* **1** (종교적) 의식의 **2** 관습의, 관례의

n. (종교적) 의식: a religious *ritual* 종교 의식

— **ritually** *adv.*

rival [ráivəl] *n.* **1** 경쟁자, 적수, 라이벌: These two baseball teams have been *rivals* for years. 이 두 야구팀은 몇 년 동안 적수였다. [SYN] competitor **2** 호적수, 필적할 사람

v. [T] (rival(l)ed-rival(l)ed) …와 맞서다, …와 경쟁하다: No computer can *rival* a human brain for complexity. 어떤 컴퓨터도 복잡성 면에서 인간의 뇌와 비교될 수 없다.

— **rivalry** *n.* 경쟁, 대항

***river** [rívər] *n.* **1** 강: We sailed slowly down the *river*. 우리는 강을 따라 천천히 항해했다. **2** 다량의 흐름: *rivers* of tears 하염없이 흐르는 눈물

※ 강의 이름은 미국에서는 the Mississippi River, 영국에서는 the river〔River〕Thames 와 같이 표기한다.

riverside [rívərsàid] *n. adj.* 강가(의), 강변(의)

***road** [roud] *n.* **1** 길, 도로: We live on a quiet *road*. 우리는 조용한 길가에 산다. / *road* signs 도로 표지 **2** (Road) 가(街) (도시 등의 가로의 이름으로) (*abbr.* Rd): 217 Kingsbury *Rd*, London 런던시 킹즈베리 거리 217번지 **3** 수단, 방법: the *road* to peace 평화로 가는 길

— **roadside** *n.* 길가, 노변

[숙어] **be on the road** 여행 중이다, 진행 중이다: The singer *is on the road* giving concerts. 그 가수는 콘서트를 하면서 여행 중이다.

by road 육로로, 자동차로: If you go *by road* it will take at least six or seven hours. 자동차로 가면 적어도 6시간에서 7시간 걸릴 것이다.

■ 유의어 road

road 길의 가장 일반적인 말. **street** 시가지에 있는 도로, 차도, 인도를 모두 포함. **avenue** 양쪽에 나무를 심은 시가지의 큰 길로 street는 동서로, avenue는 남북으로 뻗은 길을 의미하기도 함. **way** 길·방법을 나타내는 약간 추상적인 개념. **path**, **lane**, **trail** 모두 사람을 위한 좁은 길. **alley** 빈민가의 뒷골목을 가리키는 경우가 많음.

---

roam [roum] *v.* [I,T] (건들건들) 거닐다, 배회하다: We *roamed* through the woods after we had a picnic. 우리는 소풍을 마친 후에 숲을 거닐었다.

roar [rɔːr] *v.* **1** [I] 으르렁거리다: The lion opened his huge mouth and *roared*. 사자가 큰 입을 벌리고 으르렁거렸다. **2** [I,T] 고함치다, 큰 소리로 말하다: You need not *roar*. 그렇게 큰 소리를 내지 않아도 된다. / *roar* with laughter 큰 소리로 웃다 **3** [I] (차·기계 등이) 큰 소리를 내다 (along, down, past): The truck *roared* down the road. 트럭은 큰 소리를 내며 길을 달려갔다.

n. 으르렁거리는 소리, 고함소리

roaring [rɔ́ːriŋ] *adj.* **1** 포효[노호]하는: *roaring* applause 떠나갈 듯한 갈채 **2** 떠들썩한, 법석 떠는: a *roaring* party 떠들썩한 파티 **3** 크게 번창하는, 활기찬: do a *roaring* trade 장사가 크게 번창하다 / a *roaring* success 대성공

roast [roust] *v.* **1** [I,T] (고기를) 굽다, 구워지다, 오븐에 굽다: We *roasted* a turkey for four hours in the oven. 칠면조를 오븐에서 4시간 동안 구웠다. **2** [T] (콩·커피 열매 등을) 볶다: *roasted* peanuts 볶은 땅콩 **3** [T] (불에 쬐어) 데우다[녹이다]: She *roasted* her hands over the fire. 그녀는 손을 불에 쬐어 녹였다. **4** [I] 더워지다, 찌는 듯이 덥다: I'm simply *roasting*. 지독하게 덥다.

adj. (명사 앞에만 쓰임) 구운: *roast* beef 구운 쇠고기

n. **1** (오븐에) 구운 고기, 불고기 **2** (불고기용의) 고기, 로스트 고기 **3** [미] (야외의) 불고기 파티 [SYN] barbecue

rob [rɑb] *v.* [T] (robbed-robbed) **1** (사람에게서 물건을) 훔치다, 빼앗다 (of): My wallet's gone! I've been *robbed*! 내 지갑이 없어졌어! 도둑맞았어! / They knocked him down and *robbed* him of his watch. 그들이 그를 때려눕히고 그의 시계를 빼앗았다. **2** (…에게서 행복·능력 등을) 빼앗다, 잃게 하다 (of): The shock *robbed* him of speech. 그는 쇼크로 말을 못하게 되었다.

— **robber** *n.* 강도 **robbery** *n.* 강탈, 약탈

■ 유의어 **rob**

rob '(폭력·협박 등으로) 아무에게서 물건을 훔치다'의 뜻으로 rob a person of something의 형태로 씀. **steal** '(몰래 아무의) 물건을 훔치다'의 뜻으로 steal something from a person의 형태로 씀. **deprive** '아무의 권리나 지위와 같은 추상적인 것을 빼앗다'의 뜻으로 deprive a person of something의 형태로 씀.

robe [roub] *n.* **1** 길고 품이 넓은 겉옷 (특히 관복, 법복): judges' *robes* 재판관의 법복 **2** (목욕 전후에 입는) 실내복 [SYN] dressing gown, bathrobe

robin [rɑ́bin] *n.* 울새 (붉은 색의 가슴 털을 지닌 갈색의 작은 새), 개똥지빠귀의 일종

robot [róubət] *n.* 로봇, 사람의 일을 대신할 수 있는 자동 장치: These cars are built by *robots*. 이 자동차들은 로봇에 의해 제작되었다.

— **robotic** *adj.* 로봇을 이용하는, 로봇식의 **robotics** *n.* (*pl.*) (단수 취급) 로봇 공학

robust [roubʌ́st] *adj.* (사람·몸이) 강건한, 튼튼한

*****rock¹** [rɑk] *n.* **1** 바위, 암석: To build the tunnel, they had to cut through 500 feet of solid *rock*. 터널을 건설하기 위해서 그들은 500피트의 단단한 암석을 뚫어야 했다. **2** (보통 *pl.*) 암초: The ship hit the *rocks* and started to sink. 배는 암초에 부딪쳐 가라앉기 시작했다. **3** [미] 돌 **4** [영] 단단한 사탕 과자, 얼음 사탕

— **rocky** *adj.* 바위가 많은; 바위 같은

[숙어] **on the rocks 1** (결혼·사업에서) 위기에 처한, 파산한: Their marriage is *on the rocks*. 그들의 결혼 생활은 위기에 처해 있다. **2** (위스키와 같은 음료를) 얼음과 함께 제공하는: Scotch *on the rocks*. 얼음을 넣어서 스카치 위스키 한 잔 주십시오.

*****rock²** [rɑk] *v.* **1** [I,T] (앞뒤·좌우로) 흔들리다, 흔들어 움직이다, 흔들다: The city *rocked* by an earthquake. 도시는 지진으로 흔들렸다. / She *rocked* her baby to sleep. 그녀는 아기를 흔들어 재웠다. **2** [T] 크게 동요시키다, 쇼크를 주다: The murder case *rocked* the nation. 그 살인 사건이 전국을 크게 동요시켰다.

n. 록 음악 (rock music): a *rock* singer 록 가수

— **rocking chair** *n.* 흔들의자

[숙어] **rock the boat** 불화를 야기시키다, 평지풍파를 일으키다

rock and roll, rock 'n' roll *n.* 로큰롤 (1950년대 중반부터 미국에서 일어나 세계적으로 대중 음악의 한 주류를 이룬 연주 스타일과 리듬의 명칭)

****rocket** [rάkit] *n.* **1** 로켓: a space *rocket* 우주선 / launch a *rocket* 로켓을 발사하다 **2** 로켓 무기 [SYN] missile **3** 봉화; 쏘아올리는 불꽃

v. [I] **1** 로켓처럼 돌진하다, 급속도로 움직이다 **2** (가격 등이) 갑자기 치솟다: Prices have *rocketed* recently. 최근에 가격이 갑자기 치솟았다.

****rod** [rɑd] *n.* **1** 막대(기), 장대, 지팡이: a fishing *rod* 낚싯대 **2** 작은 가지 **3** 회초리; (the rod) 매질: Spare the *rod* and spoil the child. [속담] 매를 아끼면 자식을 망친다.

rodeo [róudiòu] *n.* (*pl.* rodeos) 로데오 (야생말을 타거나 소를 잡는 기술을 공개적으로 겨루는 대회)

rogue [roug] *n.* **1** 악한, 불량배 **2** (귀여운 뜻으로) 장난꾸러기, 개구쟁이

adj. (명사 앞에만 쓰임) 무리에서 이탈한, 다른 개체와 다르게 행동하는: a *rogue* gene 변이 유전자

ROK *abbr.* the Republic of Korea 대한민국

****role** [roul] *n.* **1** 역할, 임무: Parents play an important *role* in their children's education. 부모는 자식들의 교육에 중요한 역할을 한다. **2** (배우의) 배역: She played the *role* of the queen. 그녀는 여왕의 배역을 연기했다.

role-play *v.* [I,T] (실생활에서) …의 역할을 하다, 행동으로 나타내다

n. 역할 연기

role-playing *n.* [심리] 역할 연기 (심리극 등에서)

****roll** [roul] *n.* **1** 롤, 한 통, 두루마리: a *roll* of film 필름 한 통 **2** 롤빵: He had a ham sandwich on a *roll*. 그는 롤빵으로 만든 햄 샌드위치를 먹었다. **3** 회전, 구르기, (주사위 등) 던지기: It's your *roll*, Sam.

샘, 네가 던질 차례야. **4** 명부; 출석부: *roll* call 출석 점검 **5** 울리는 소리: a distant *roll* of thunder 멀리서 들려오는 천둥 소리

v. **1** [I,T] 구르다, 회전하다, 굴리다: A coin *rolled* on the floor. 동전이 마루 위를 굴러갔다. **2** [I] (차가) 나아가다, 달리다: The car *rolled* off. 차는 달려 사라졌다. **3** [I,T] 뒹굴다, 전복되다: The car *rolled* over in the crash. 충돌로 차가 전복되었다. **4** [I,T] 둥글게 말다, 동그래지다 (up): The insect *rolled* up when I touched it. 그 곤충을 만지자 곤충이 몸을 둥글게 말았다. [OPP] unroll **5** [T] 판판하게 하다, 늘리다: *Roll* the dough flat with a rolling pin. 밀대로 반죽을 밀어 판판하게 해라. **6** [I] 좌우로 흔들리다: The ship began to *roll* in the waves. 배가 파도에 흔들리기 시작했다.

— **rolling** *adj.*

[축어] **be rolling in it**(money) 굉장히 부자다

roll in 많이 모여들다: Presents are *rolling in*. 선물이 쏟아져 들어오고 있다.

roll up (사람이) 차로 도착하다; (차가) 들어오다: She *rolled up* in a limousine. 그녀는 리무진을 타고 도착했다.

roller [róulər] *n.* **1** (운반용) 굴림대 **2** 롤러 (땅 고르는 기계·밀대·페인트칠 롤러 등) **3** (지도·스크린·차양 등을 감는) 심대, 축 **4** (rollers) 머리 마는 기구

Rollerblade™ *n.* 롤러블레이드

v. [I] (rollerblade) 롤러블레이드를 타다

roller skate (또는 skate) *n.* 롤러스케이트

v. [I] (roller-skate) 롤러스케이트를 타다

— **roller skating** *n.*

romance [roumǽns] *n.* **1** 연애 **2** 로맨스, 로맨틱한 기분(사건) **3** 연애 이야기(문학)

****romantic** [roumǽntik] *adj.* **1** 로맨틱한, 낭만적인: He isn't very *romantic*—he never says he loves me. 그는 별로 낭만적이지 않다. 나에게 사랑한다고 말한 적이 없다. **2** 연애의: It's not a *romantic* relationship—they're just business

partners. 연애하는 사이가 아니에요. 그들은 사업 동반자일 뿐이에요. **3** 공상적인, 비현실적인

n. 로맨틱한 사람; 공상가, 몽상가

— **romantically** *adv.* 낭만적〔공상적〕으로 **romanticism** *n.* 낭만주의 **romanticist** *n.* 낭만주의자 **romanticize, romanticise** *v.*

*roof [ru:f] *n.* (*pl.* roofs) **1** 지붕: The *roof* on that old house lets water in when it rains. 저 낡은 집의 지붕은 비가 오면 물이 샌다. **2** 내부의 가장 높은 곳: the *roof* of a cave 동굴의 천장 / the *roof* of the mouth 입천장 **3** 정상, 꼭대기: the *roof* of the world 세계의 지붕 (Pamir 고원)

숙어 **a roof over one's head** 거처할 집

*room [ru:m] *n.* **1** 방: a furnished *room* 가구가 비치된 방 / a dining〔living〕 *room* 식당〔거실〕 **2** 장소, 공간: The elevator is full of people so that there is no *room* to move. 엘리베이터가 사람들로 가득 차서 움직일 공간이 없다. SYN space **3** 기회, 여지 (for): Is there any *room* for doubt? 조금이라도 의심할 여지가 있나? SYN possibility

v. [I] 묵다; [미] …와 한 방을 쓰다 (with), 하숙하다

— **roomy** *adj.* 널찍한, 여유가 있는 **roomful** *n.* 한 방 가득〔한 사람·물건〕

숙어 **make room for** …을 위하여 장소를 비우다, 자리를 양보하다: How can we *make room for* all the furniture? 이 가구가 다 들어갈 공간을 어떻게 만들지?

roommate *n.* (기숙사·하숙 등의) 한 방을 쓰는 사람

rooster [rú:stər] *n.* [미] 수탉 SYN cock

*root [ru:t] *n.* **1** (식물의) 뿌리 **2** (손톱·털·치아 등의) 밑뿌리 **3** (roots) (정신적) 고향; 조상, 시조: She's proud of her Korean *roots*. 그녀는 자신의 고향이 한국임을 자랑스러워한다. **4** 근원, 원인: The high crime rate has its *roots* in unemployment and poverty. 높은 범죄율의 원인은 실업과 가난에 있다. SYN origin

v. [I,T] **1** 뿌리박다, 뿌리박게 하다: This plant *roots* quickly. 이 식물은 뿌리가 빨리 내린다. **2** (공포 등으로) 얼어붙다: Terror *rooted* him to the ground. 무서워서 그는 그 자리에서 꼼짝 못했다.

숙어 **root about〔around〕** …을 찾아 휘젓다, 탐색하다: He *rooted about* in a drawer for the paper. 그는 서류를 찾기 위해 서랍을 뒤졌다.

root for 응원하다: We *root for* the local high school baseball team. 우리는 지역 고교 야구팀을 응원한다. SYN support

root out 뿌리째 뽑다, 근절하다: *root out* social evils 사회의 악을 근절하다

*rope [roup] *n.* 밧줄, 끈: A sailor threw a *rope* ashore and we tied the boat to a post. 선원이 밧줄을 육지로 던져서 우리는 배를 기둥에 묶었다.

v. [T] **1** 밧줄로 묶다: I *roped* my horse to a nearby tree. 나는 말을 가까운 나무에 밧줄로 묶었다. **2** (계획 등에) 끌어들이다 (in): I was *roped in* to help with the cleaning up. 꼬드기는 바람에 나는 청소를 거들었다. **3** 밧줄을 둘러치다 (off): The police *roped off* the scene of the crime. 경찰이 범죄 현장에 줄을 둘러쳤다.

숙어 **know〔learn〕 the ropes** 요령을 잘 알고 있다〔배우다〕

show ... the ropes …에게 요령〔방법〕을 가르치다

*rose [rouz] *n.* **1** 장미(꽃), 장미과의 식물: He sent her a bunch of red *roses*. 그는 그녀에게 붉은 장미꽃 한 다발을 보냈다. **2** 장밋빛; (보통 *pl.*) 발그레한 얼굴빛

— **rosy** *adj.* 장밋빛의; 유망한

숙어 **a〔the〕 bed of roses** 걱정 없는 환경, 안락한 지위〔신분〕

rot [rɔt] *v.* [I,T] (rotted-rotted) 썩다, 썩이다, 부패하다: Sugar *rots* your teeth. 설탕

은 이를 썩게 한다. SYN decay
n. 썩음, 부패

rotary [róutəri] *adj.* **1** 회전(선회)하는: *rotary* motion 회전 운동 **2** (기계 등이) 회전식의: a *rotary* fan 선풍기
n. **1** 회전 기계 **2** [미] 로터리, 환상 교차로 ([영] roundabout)

rotate [róuteit] *v.* [I,T] **1** 회전하다(시키다): The earth *rotates* on its axis. 지구는 축을 중심으로 회전한다. **2** 교대하다(시키다): We *rotate* the duties so that nobody is stuck with a job they don't like. 우리는 일을 교대로 하기 때문에 누구도 하기 싫은 한 가지 일에 얽매이지 않는다.
— **rotation** *n.*

rotten [rátn] *adj.* **1** (음식이나 어떤 물질이) 썩은, 부패한: The wood was completely *rotten*. 그 나무는 완전히 썩었다. **2** 기분이 아주 나쁜: I have a bad cold and feel *rotten* today. 나는 독감이 걸려서 오늘 기분이 아주 좋지 않다. **3** 형편 없는, 매우 화가 난: He's a *rotten* driver. 그는 형편 없는 운전사이다.

rouge [ru:ʒ] *n.* (볼이나 입술 화장용의) 연지, 루즈 SYN blusher

*rough [rʌf] *adj.* **1** 거친, 울퉁불퉁한: Her hands were *rough* from hard work. 그녀의 손은 힘든 일로 거칠었다. / a *rough* ground 울퉁불퉁한 땅 **2** 난폭한; 예의 없는: That fellow has a *rough* manner. 저 친구는 예의가 없다. **3** 대강의, 대략적인: The builder did a *rough* sketch of how the new stairs would look. 그 건축자는 새 계단이 어떻게 보일지 대략적인 스케치를 했다. / a *rough* estimate 어림셈 **4** 기분이 좋지 않은, 힘든, 고된: I feel a bit *rough*. 몸이 좀 안 좋아. / I had a *rough* day. 힘든 하루였다. **5** (날씨·바다 등이) 험악한, 거친: a *rough* weather 악천후 / The sea was too *rough* for sailing. 항해를 하기엔 바다가 너무 거칠었다.

n. **1** 울퉁불퉁한 땅 **2** 거친 것; 미가공(품) **3** 개략

adv. **1** 거칠게, 난폭하게 **2** 대충, 개략적으로
v. [T] **1** 거칠게 하다 **2** 대충 계획을 세우다 (out)
— **roughness** *n.* **roughen** *v.*

숙어 **be rough** (on) …에게 불친절하다, 가혹하다: Don't *be* too *rough on* him. 그에게 모질게 굴지 마라.

in rough 초벌로, 연습용으로 빨리 한(그린); 대충, 개략: His first plans were drawn up *in rough*. 그의 첫 번째 계획이 대략 작성되었다.

rough it 불편한 생활을 하다: You have to *rough it* a bit when you go camping. 캠핑을 가면 좀 불편한 생활을 해야 한다.

sleep rough 야숙(노숙)하다

take the rough with the smooth 인생의 부침에 개의치 않다, 태평하게 지내다

roughly [rʌfli] *adv.* **1** 거칠게, 함부로; 버릇없이: He grabbed me *roughly* by my arm. 그는 내 팔을 거칠게 잡았다. **2** 대충, 대략적으로: It took *roughly* four hours, I guess. 대략 4시간 정도 걸렸던 것 같다.

*round [raund] *adj.* **1** 둥근, 원형의: a *round* table 둥근 테이블
2 한 바퀴 도는, 왕복의: a *round* trip 왕복 여행
3 약, 대략: 500 as a *round* figure 대략적인 수치로 500
4 꽤 많은, 충분한: a good *round* sum 목돈

adv. prep. **1** 돌아서, …의 둘레에: There's a path *round* the lake. 호수 둘레에 오솔길이 있다.
2 한 바퀴 돌아서: Will you bring the car *round* to the door? 차를 현관으로 돌려주시겠습니까?
3 특정 방향으로: The garden is *round* the back of the house. 정원은 집 뒤편에 있다.
4 (모든 각자에게) 한 차례 돌아, 고루고루:

Pass the photographs *round* for everyone to see. 모든 사람들이 볼 수 있도록 사진을 돌리세요.

5 처음부터 끝까지: (all) the year *round* 일년 내내

6 …의 부근에: Do you live *round* here? 이 부근에 사세요?

7 …의 안을 이곳저곳: look *round* the room 방 안을 여기저기 둘러 보다

※ 미국 영어에서는 around가 round와 같은 의미로, 더 일반적으로 사용된다.

n. **1** 원; 원〔구, 원통〕형의 것: sit in a *round* (빙) 둘러 앉다

2 한 바퀴, 순환: the *round* of the seasons 계절의 순환

3 연속, 되풀이; 정해진 일〔생활〕: the daily *round* of life 일상 생활

4 순회, 순찰, (의사의) 회진: The doctor is out on the *round*. 의사는 왕진 중이다.

5 (술 등의) 한 순배의 양: This *round* is on me. 이번에 내가 사지.

6 승부의 한판, 한 게임, 1라운드, …회전: play a *round* of golf 골프를 한판 하다 / Our team lost in the first *round* of the tournament. 우리 팀은 토너먼트 1회전에서 졌다.

7 일제 사격(에 필요한 탄알); (탄알의) 한 발

8 떠나갈 듯한 박수; (환성·갈채 등의) 한바탕: Let's give tonight's performers a big *round* of applause. 오늘밤 가수들에게 큰 박수 갈채를 보냅시다.

v. [T] (커브·모퉁이를) 돌다: The car *rounded* the corner. 차는 모퉁이를 돌았다.

[숙어] **(be) the other way round** (…와) 반대이다

in round figures〔numbers〕 대략, 어림셈으로

make one's rounds (of) (…을) 순회하다: The policeman *makes his rounds* every two hours. 그 경찰관은 2시간마다 순찰을 한다.

round about …의 주위에; 대략: *round about* five o'clock 5시경에

round down〔up〕 (수·가격을) 우수리 없이 잘라 올리다〔버리다〕: $10.55 *rounded up* is $11. 10달러 55센트를 반올림하면 11달러이다.

round off 완성하다, 마무리하다: We *rounded* the meal *off* with a chocolate and cake. 우리는 초콜릿과 케이크로 식사를 마무리했다.

round up (흩어진 사람〔것〕을) 끌어 모으다: Cowboys *rounded up* the cows. 카우보이들이 소를 모았다.

roundabout [ráundəbàut] *n.* **1** [영] 환상 교차로 ([미] rotary) **2** [영] 회전 목마 [SYN] merry-go-round

adj. **1** 우회하는, 돌아가는 **2** 둘러서 말하는

rouse [rauz] *v.* [T] **1** 깨우다, 일으키다: He *rouses* himself out of bed every morning. 그는 매일 아침 스스로 일어난다. **2** (감정을) 돋우다, 성나게 하다: The news *roused* him to action. 그 뉴스를 듣고 그는 분기하여 행동을 개시했다.

— **rousing** *adj.* 분기시키는, 자극하는

***route** [ru:t] *n.* **1** 길, 도로, 노선: What's the best *route* to Pohang? 포항까지 가는 가장 좋은 노선은 무엇입니까? **2** 수단, 방법: Hard work is the only *route* to success. 열심히 일하는 것이 성공하는 유일한 방법이다.

routine [ru:tí:n] *n.* **1** 판에 박힌 일, 일상의 일〔과정〕: My daily *routine* starts with breakfast at 7. 나의 일상 생활은 7시 아침 식사부터 시작한다. **2** 기계적인 순서〔일〕 **3** (연극에서) 틀에 박힌 몸짓〔연기〕; 일정한 일련의 댄스 스텝 **4** [컴퓨터] 루틴 (프로그램에 의한 컴퓨터의 일련의 작업)

adj. 일상의, 틀에 박힌: *routine* duties 일상적인 임무

— **routinely** *adv.* **routinize** *v.* 관례화하다

***row**¹ [rou] *n.* **1** 열, 줄, 행렬: a *row* of houses 일렬로 늘어선 집 [SYN] line **2** (극장

등의) 좌석의 줄: We had seats in the front *row* of the theater. 우리는 극장 앞 줄 좌석에 앉았다.

[숙어] **in a row 1** 일렬로: The children were standing *in a row* at the front of the class. 어린이들이 교실 앞쪽에 일렬로 서 있었다. **2** 연속적으로: This is her third win *in a row*. 그녀가 세 차례 연속으로 우승을 했다.

*row² [rou] *v.* **1** [I,T] 노로 배를 젓다: She *rowed* across the lake. 그녀는 배를 저어 호수를 건넜다. **2** [T] (배로) 저어 나르다: He *rowed* us across the river. 그는 우리를 배로 강을 건네 주었다.

n. **1** 노(배)젓기 **2** 젓는 거리(시간)

— **rowboat, rowing boat** *n.* 노로 젓는 배

*row³ [rau] *n.* **1** 법석, 소동 **2** 말다툼, 싸움: Two men had a *row* outside a restaurant. 두 남자가 식당 밖에서 시끄럽게 싸움을 했다. **3** 큰소리, 소음: I can't concentrate because of the *row* the builders are making. 공사하는 사람들이 일으키는 소음 때문에 집중할 수가 없다.

v. [T] 떠들다; 싸움(언쟁)하다: They are always *rowing* about money. 그들은 늘 돈 때문에 싸운다.

[숙어] **make a row** 소동을 일으키다; 항의하다

*royal [rɔ́iəl] *adj.* **1** 왕(여왕)의, 왕족의: The *royal* family live in a large castle. 왕족은 큰 성에 산다. **2** 왕립의; 칙허의: a *royal* charter 칙허장

n. 왕가의 사람: In England, the *royals* are loved. 영국에서 왕가의 사람들은 사랑받는다.

royalty [rɔ́iəlti] *n.* **1** 왕권; 왕족 **2** 특허권(저작권) 사용료; (희곡의) 상연료; 인세: The author earns a 2% *royalty* on each copy sold. 저자는 책 한 권당 2%의 인세를 받는다.

rsvp *abbr.* [프] Répondez, s'il vous plaît (Reply, if you please.) 회답을 바람.

*rub [rʌb] *v.* (rubbed-rubbed) **1** [I,T] 문지르다, 비비다: He *rubbed* at the stain on his trousers and made it worse. 그가 바지에 묻은 얼룩을 문질러서 얼룩이 더 심해졌다. / I *rubbed* my hands together to warm them. 나는 두 손을 비벼 따뜻하게 했다. **2** [T] 문질러 바르다: Can you *rub* some sun cream on my back for me, please? 등에 썬 크림 좀 발라 주겠니? **3** [I,T] 스쳐서 벗겨지다, 까지게 하다: These new shoes are *rubbing* my heels. 이 새 구두를 신으니 뒤꿈치가 벗겨진다.

n. 마찰, 문지름: Give the table a good *rub*. 탁자를 잘 닦아라.

[숙어] **rub away** 비벼 없애다, 닦아 내다

rub (it) in (사실·잘못 등을) 짓궂게 되풀이하여 말하다, 상기시키다: OK, I made a mistake—you don't have to *rub it in*. 그래, 내 잘못이야. 다시 말하지 않아도 돼.

rub off 문질러 없애다, 닳아 없어지다

rub off on 본받다, 옮다, (생각·습관 등이) …에 영향을 미치다: Her cheerfulness *rubs off on* everyone she meets and makes them happy. 그녀의 명랑함이 그녀가 만나는 모든 사람들에게 영향을 미쳐 그들을 행복하게 한다.

rub out (쓴 것을) 문질러 지우다: The answer is wrong. *Rub* it *out*. 답이 틀렸다. 지워라.

rub salt into the wound(one's wounds) 궁지에 몰린 사람을 더욱 몰아세우다 (상처에 소금을 비벼넣다)

rub shoulders(elbows) with …와 어울리다; (저명 인사 등과) 교제하다: In my job, I *rub shoulders with* all sorts of famous people. 직업상 나는 다양한 유명 인사들과 교제한다.

*rubber [rʌ́bər] *n.* **1** 고무: a *rubber* ball 고무 공 / a *rubber* band 고무 밴드 **2** 고무 지우개 ([미] eraser)

rubbish [rʌ́biʃ] *n.* ([미] garbage, trash)

1 쓰레기, 잡동사니: Could you put this *rubbish* outside in the garbage can? 이 쓰레기를 밖에 있는 쓰레기통에 넣어 줄래? **2** 하찮은 것, 어리석은 짓: I don't agree with that—it's *rubbish*! 그 말에 동의할 수 없어. 어리석은 짓이야!

ruby [rúːbi] *n.* 루비, 홍옥(紅玉)

rucksack [rʌ́ksæk] *n.* [영] 배낭 SYN backpack, pack

*rude [ruːd] *adj.* (ruder-rudest) **1** 버릇없는, 무례한, 교양 없는: It's *rude* not to say "Thank you." when you are given something. 뭔가를 받았을 때 "감사합니다"라는 말을 하지 않는 것은 무례하다. SYN impolite **2** 조잡한, 대강의: He ate a *rude* meal of bread, cheese, and water. 그는 빵, 치즈 그리고 물뿐인 간단한 식사를 했다. **3** (농담 등이) 야비한, 음란한: a *rude* joke 음란한 농담 **4** 격심한, 돌연한: a *rude* shock 갑작스러운 충격
— **rudely** *adv.* **rudeness** *n.*

rudiment [rúːdəmənt] *n.* (rudiments) 기본, 기초(원리)
— **rudimental, rudimentary** *adj.* 근본의, 기본의

ruffle [rʌ́fəl] *v.* [T] **1** 흐트러뜨리다, 어지럽히다: A strong wind *ruffled* her long hair. 강한 바람이 그녀의 긴 머리를 헝클어뜨렸다. **2** (종종 수동태) 화나게 하다, 당황하게 하다: His unkind words *ruffled* her pride. 그의 불친절한 말이 그녀의 자존심을 상하게 했다.

rug [rʌg] *n.* **1** (방바닥·거실의 일부에 까는) 깔개, 융단 **2** [영] 무릎[어깨] 덮개 (특히 여행 시 방한용으로 쓰는) ([미] lap robe)
※ carpet은 바닥의 전체를 덮는다는 점에서 rug와 구별된다.

rugby [rʌ́gbi] *n.* 럭비 (rugby football)

rugged [rʌ́gid] *adj.* **1** 우툴두툴한, 울퉁불퉁한, 바위투성이의: a *rugged* mountain 바위투성이 산 **2** (얼굴이) 주름진, 거칠거칠한: a *rugged* face 주름진 얼굴 **3** (사람·물건이) 강건한, 튼튼한, 억센: The *rugged* ship made it through the storm. 튼튼한 배는 폭풍을 헤쳐 나갔다. **4** (생활 등이) 고된, 어려운: a *rugged* life 어려운 생활

ruin [rúːin] *v.* [T] **1** 파괴하다, 망치다, 못쓰게 하다: The rain *ruined* our holiday. 비가 우리의 휴가를 망쳤다. SYN spoil, destroy **2** 파산시키다, 몰락시키다: The stock market crash *ruined* him, so he has no money. 증권 시장의 붕괴가 그를 파산시켜 그는 빈털터리가 되었다.
n. **1** 파멸, 황폐 **2** 파산, 몰락: Many small companies are facing financial *ruin*. 많은 소규모 회사들이 재정의 파산에 직면했다. **3** (ruins) 폐허, 유적, 잔해: We visited the *ruins* of ancient Greece. 우리는 고대 그리스 유적을 구경했다. SYN remains
— **ruined** *adj.* 황폐한; 몰락한 **ruinous** *adj.* 파괴적인
축어 **fall[go, come] to ruin** 멸망하다, 황폐하다

in ruins 폐허로 되어: All the royal palaces were *in ruins*. 모든 왕궁은 폐허가 되어 있었다.

*rule [ruːl] *n.* **1** 규칙, 규정: obey[break] a *rule* 규칙을 지키다[어기다] / There is no *rule* without some exceptions. [속담] 예외 없는 규칙은 없다. **2** 주의: When you run a marathon, the golden *rule* is—don't start too fast. 마라톤 경주를 할 때 반드시 주의해야 할 점은 너무 빨리 출발하지 말라는 것이다. **3** 통례, 관례, 습관: Rainy weather is the *rule* here in June. 이 곳은 6월에 언제나 비가 많이 온다. **4** [수학] 공식, 해법 **5** 지배, 통치 (기간): a country under foreign *rule* 외국의 지배 하에 있는 나라
v. [I,T] **1** 통치하다, 지배하다: Most modern kings and queens *rule* only in a formal way, without real power. 대부분의 현대의 왕과 왕비들은 실제 권력이 없이 단지 형식적으로 나라를 지배할 뿐이다. **2** 판

R

결하다, 재정하다: Only the Appeal Court can *rule* on this point. 항소 법원만이 이 문제를 판결할 수 있다.

■ **유의어** rule
rule 질서 유지·획일화 등을 위해 일반적으로 가지고 있는 규칙. **regulation** 집단의 관리·통제를 위한 규칙으로 당국에 의해 시행되는 규칙.

[숙어] **as a (general) rule** 일반적으로, 대개: *As a rule*, I go to the gym three times a week. 나는 대개 일주일에 세 번 체육관에 간다.

by (a) rule of thumb 주먹구구, 눈어림

rule out (규정 등에 따라) 제외하다, 금지하다: Doctors have *ruled out* operation at this time. 의사들이 이번에는 수술을 배제시켰다.

work to rule [영] (노동 조합원이) 준법투쟁을 하다

ruler [rúːlər] *n.* **1** 지배자, 통치자 **2** 자

ruling [rúːliŋ] *adj.* (명사 앞에만 쓰임) **1** 지배하는, 통치하는: the *ruling* party 집권당, 여당 **2** 우세한, 유력한: the *ruling* spirit 주동자 **3** (시세 등이) 일반적인: the *ruling* price 시가, 일반 시세
n. 판결, 재정

rum [rʌm] *n.* **1** 럼주 (사탕수수·당밀로 만듦) **2** [미] (일반적) 술

rumble [rʌ́mbəl] *v.* [I] **1** 우르르 울리다: I'm hungry—my stomach's *rumbling*. 배가 고파서 뱃속에서 꾸르륵 소리가 난다. **2** (차가) 덜커덕거리며 가다: A cart *rumbled* along (the road). 짐 마차가 덜커덕거리며 (길을) 지나갔다.
n. (천둥·수레 등의) 우르르, 울리는 소리: a *rumble* of the thunder 천둥 소리

rumor, rumour [rúːmər] *n.* 소문: Some *rumors* are going round about his past. 그의 과거에 관한 소문이 떠돌아난다.
v. [T] (항상 수동태) 소문을 내다, 남의 이야기를

하다: He is *rumored* to be seriously ill. 그가 심하게 앓고 있다는 소문이다.

[숙어] **Rumor has it that ..., There is a rumor that ...** …라는 소문이 있다: *Rumour has it that* Sue's getting married soon. 수가 곧 결혼한다는 소문이 있다.

*****run** ⇨ p. 633

runaway [rʌ́nəwèi] *adj.* 도주한; 다룰 수 없는
n. 도망자; 가출 소년[소녀]; 도망친 말

runner [rʌ́nər] *n.* **1** 달리는 사람; 경주자 [말] **2** 밀수업자: a gun *runner* 총기 밀수업자

running [rʌ́niŋ] *n.* **1** 달리기, 경주 **2** 경영, 운영: the *running* costs of a car 자동차 유지비
adj. **1** 달리는, 달리면서 하는; 경주(용)의 **2** (명사 앞에만 쓰임) (물·강 등이) 흐르는 **3** (명사 앞에만 쓰임) 연속적인, 계속하는: a *running* pattern 연속 무늬

runny [rʌ́ni] *adj.* (runnier-runniest) **1** 흐르는 경향이 있는: *runny* butter (녹아서) 무른 버터 **2** 눈물·콧물이 잘 흐르는: I've got a *runny* nose today. 오늘 (자꾸) 콧물이 나온다.

runway [rʌ́nwèi] *n.* 주로(走路); 활주로

rural [rúərəl] *adj.* 시골의, 지방의: live a *rural* life 전원 생활을 하다 [OPP] urban

*****rush** [rʌʃ] *v.* **1** [I,T] 돌진하다: I *rushed* back home when I got the news. 나는 그 소식을 듣고 급히 집으로 돌아갔다. **2** [I,T] 급하게 행동하다: There's plenty of time — we don't need to *rush*. 시간은 많아. 서두를 필요 없어. **3** [T] 급히 보내다[운반하다, 데리고 가다]: The Red Cross *rushed* medical supplies to the war zone. 적십자는 의약품을 전쟁 지역으로 급히 보냈다.
n. **1** 돌진 **2** 분주한 활동; 혼잡; 몹시 바쁨: In the mornings everybody is in a *rush*. 아침에는 모두 바쁘다. **3** (a rush) 쇄도: There's been a *rush* for tickets. 표를 사

run

run [rʌn] *v.* (ran-run; running) **1** [I,T] 달리다, 뛰다; 달리게 하다, 뛰게 하다: I had to *run* to catch the bus. 버스를 타기 위해 나는 뛰어야 했다.

2 [I,T] 급하게 가다, 빨리 움직이다: She *ran* her eyes down the list. 그녀는 목록을 대충 훑어보았다.

3 [I] (길 등이) 통하다, 이어지다: The road *runs* through the woods. 그 길은 숲을 통과한다.

4 [I] (세월이) 흐르다, (시간이) 지나가다: How fast the years *run* by! 세월이 참 빨리 흘러간다!

5 [T] 경영하다, 관리하다: She *runs* a restaurant. 그녀는 레스토랑을 경영한다.

6 [I,T] 작동하다, (기계 등을) 가동하다; 돌리다, 조작하다: Don't touch the engine while it's *running*. 엔진이 작동 중일 때는 손대지 마시오.

7 [I] (차・배가) 다니다, (정기적으로) 운행하다: The buses *run* every 10 minutes. 버스는 10분마다 다닌다.

8 [T] (차 등을) 몰다: It costs a lot to *run* a car. 차를 모는 것은 돈이 많이 든다.

9 [I] 계속하다[되다]: The contract *runs* for 10 weeks. 그 계약은 10주간 유효하다.

10 [I,T] (물・액체가) 흐르다, 흘리다: The river *runs* into a lake. 이 강은 호수로 흘러든다. / My nose *runs*. 콧물이 나온다.

11 [I] (색깔이) 번지다: Will the color *run* if the shirt is washed? 이 셔츠는 빨면 색이 번집니까?

12 [I] 입후보〔출마〕하다 (for): *run* for president 대통령에 출마하다

13 [T] (책 등을) 찍다, 인쇄하다: The paper is *running* a series of the articles on pollution. 그 신문은 오염에 관한 기사를 연재하고 있다.

14 [T] (실험 등을) 하다: *run* a blood test 혈액 검사를 하다

n. **1** 달림, 뛰기

2 단거리 여행, 드라이브: We had a trial *run* in the new car. 우리는 새 차를 타고 시험 운행을 했다.

3 연속: a *run* of bad luck 불운의 연속

4 연속 공연〔흥행〕: a long *run* 장기 흥행

5 큰 수요; 인기, 유행 (on): a great *run* on a new novel 새 소설의 대히트

6 [야구] 득점, 1점: score two *runs* 2점을 따다

[숙어] **in the long run** 마침내, 결국: It pays *in the long run* to buy goods of high quality. 품질이 좋은 물건을 사는 것이 결국은 이익이 된다.

on the run 쫓기어, 도망하여: The escaped murderer is still *on the run*. 탈주한 살인범이 아직도 도주 중이다.

run across 우연히 만나다: I *ran across* an old friend last week. 나는 지난 주에 옛 친구를 우연히 만났다.

run after …을 뒤쫓다: Her dog was *running after* a rabbit. 그녀의 개가 토끼를 뒤쫓고 있었다.

run away 달아나다, 가출하다: He had *run away* from home several times. 그는 몇 번 가출한 적이 있었다.

run down 1 부딪쳐 쓰러뜨리다: She was *run down* by a bus. 그녀는 버스에 치여 쓰러졌다. **2** 헐뜯다, 욕하다: He's always *running* himself *down*. 그는 항상 스스로를 비하한다. **3** (기계가) 멎다; (건전지 등이) 다하다: The clock has *run down*. 시계가 멎었다.

run for it 급히 (위험 등에서) 달아나다, 탈출하다

run high 1 (시세가) 오르다: Prices of fruits are *running high*. 과일 값이 치솟고 있다. **2** 바다가 거칠어지다

run into 1 …와 우연히 만나다 **2** (나쁜 상황에 빠지다): We *ran into* bad weather.

R

우리는 악천후를 만났다. **3** …와 충돌하다: His car skidded and *ran into* a street light. 그의 차가 미끄러져서 가로등에 충돌했다.

run off …을 인쇄하다, 프린트하다: Could you *run off* five copies of this for me, please? 이거 다섯 부만 프린트해 주시겠어요?

run off with …을 가지고 달아나다, 훔치다: He *ran off with* $10,000 of the company's money. 그는 회사 돈 10,000달러를 가지고 달아났다.

run out (of) …을 다 써버리다: The truck has *run out of* gas again. 트럭은 또 기름이 다 떨어졌다.

run over (차가) …을 치다: He narrowly escaped being *ran over* by a taxi. 그는 하마터면 택시에 치일 뻔한 것을 아슬아슬하게 피했다.

run through 1 (…을) 대충 훑어보다: I'd like to *run through* these points with you. 이러한 점들을 당신과 함께 빨리 검토해 보고 싶어요. **2** (어떤 경향이) 전체에 걸쳐 있다: This theme *runs through* the whole book. 이 주제가 책 전체에 걸쳐 다루어져 있다. **3** 다 써 버리다: He has *run through* his whole fortune. 그는 전 재산을 탕진했다.

run up 1 (물가가) 오르다 **2** (비용·빚 등이) 갑자기 늘다: She *ran up* an enormous phone bill. 그녀는 엄청나게 늘어난 전화 요금 고지서를 받았다.

려는 사람들이 쇄도했다.

— **rush hour** *n.* 러시아워, 혼잡 시간

rust [rʌst] *n.* (금속의) 녹

v. [I,T] 녹슬다, 부식하다: Some parts of the car had *rusted*. 차의 일부분이 녹슬었다.

rustic [rʌ́stik] *adj.* **1** 시골(풍)의 **2** 소박한, 꾸밈 없는 **3** (가구·건물 등이) 거칠게 만든, 통나무로 만든

rustle [rʌ́səl] *v.* [I,T] (나뭇잎·종이 등이) 바스락거리다: The reeds *rustled* in the wind. 갈대가 바람에 바스락거렸다.

n. 바스락거리는 소리

숙어 **rustle up (for)** 애써서 모으다; 급히 준비하다[만들다]: I can *rustle up* something for you to eat. 네가 먹을 것을 급히 만들어 보겠다.

rusty [rʌ́sti] *adj.* (rustier-rustiest) **1** 녹슨: a *rusty* knife 녹슨 칼 **2** (쓰지 않아) 무디어진, 서투른: My French is *rusty*. 나는 프랑스 어가 서투르다.

ruthless [rúːθlis] *adj.* 무자비한, 잔인한: a *ruthless* dictator 무자비한 독재자

— **ruthlessly** *adv.* **ruthlessness** *n.*

rye [rai] *n.* 호밀: *rye* bread 호밀빵

S

Sabbath [sǽbəθ] *n.* (the Sabbath) 안식일 (유대교는 토요일, 기독교는 일요일)

sabotage [sǽbətɑ̀ːʒ] *n.* [프] **1** 사보타주 (쟁의 중인 노동자에 의한 공장 설비·기계 등의 파괴, 생산 방해) **2** (일반적) 파괴(방해) 행위
v. [T] 고의로 방해(파괴)하다: The water supply had been *sabotaged* by the rebels. 수도 공급이 폭도들에 의해 중단되었다.

sack [sæk] *n.* **1** 마대, 자루: a *sack* of sweet potatoes 고구마 한 자루 **2** (식품 등을 넣는) 종이 봉지, 비닐 봉지; 한 봉지(의 양): a *sack* of candies 캔디 한 봉지 **3** (the sack) 해고 **4** (the sack) 침낭, 잠자리: I'll go and hit the *sack*. 난 가서 자야겠다.
v. [T] **1** 자루에 넣다 **2** 해고하다 ([미] fire): My boss will *sack* me if I'm late again! 내가 또 지각하면 사장이 날 해고할 거야!
[숙어] **get(have) the sack** 해고당하다: He *got the sack* for lying. 그는 거짓말을 하다가 해고당했다.
give ... the sack …를 해고하다: They've never actually *given* anyone *the sack*. 그들은 실제로 누구도 해고한 적이 없었다.

sacred [séikrid] *adj.* **1** 신에게 바쳐진: a *sacred* building 신전 **2** 신성한: Cats were *sacred* animals for ancient Egyptians. 고대 이집트 인들에게 고양이는 신성한 동물이었다. [SYN] holy **3** 종교적인, 성전(聖典)의: *sacred* music 종교 음악

sacrifice [sǽkrəfàis] *n.* **1** 희생; 희생적인 행위: I still remember the *sacrifice* my parents made to give me a better education. 나는 내가 보다 나은 교육을 받도록 하기 위해 부모님께서 하신 희생을 지금도 기억하고 있다. **2** 산 제물, 제물; 제물을 바치는 행위: Noah offered a *sacrifice* to God. 노아는 하느님께 제물을 바쳤다.
v. **1** [T] 희생하다, 포기하다 (for, to): She *sacrificed* everything for her career. 그녀는 직장 생활을 위해 모든 것을 희생했다. **2** [I,T] 제물로 바치다
[숙어] **at the sacrifice of** …을 희생하여

***sad** [sæd] *adj.* (sadder-saddest) **1** 슬픈, 슬픔에 잠긴: It's *sad* to leave my good friends. 좋은 친구들과 이별하는 것은 슬픈 일이다. [OPP] happy **2** 슬퍼할, 통탄할: The *sad* fact is that racial discrimination still exists. 슬픈 사실은 인종 차별이 여전히 존재한다는 것이다.
— **sadness** *n.*

sadden [sǽdn] *v.* [T] 슬프게 하다: The sudden death of his dog *saddened* him. 갑작스런 개의 죽음이 그를 슬프게 했다.

saddle [sǽdl] *n.* **1** (말의) 안장 **2** (자전거·오토바이 등의) 안장
v. [T] **1** …에 안장을 놓다: He *saddled* (up) his horse. 그는 말에 안장을 놓았다. **2** (책임을) 지우다, …에게 과(課)하다 (with): I got *saddled* with cleaning up after the party. 나는 파티 후에 청소를 해야 했다.

sadism [sǽdizəm] *n.* 사디즘, 병적인 잔혹성 *cf.* masochism 마조히즘, 피학성 변태 성욕
— **sadist** *n. adj.* 가학성 변태 성욕자(의)

sadly [sǽdli] *adv.* **1** 슬픈 듯이, 슬프게: She nodded *sadly*. 그녀는 슬픈 듯이 고개를 끄덕였다. **2** 유감스럽게도, 슬프게도:

Sadly, he had to leave the house. 유감스럽게도 그는 집을 떠나야 했다.

[숙어] **be sadly mistaken** …에 대해 완전히 잘못 알고 있다: If you think you can get away with this, you *are sadly mistaken*. 네가 이 일에 대해 별도 받지 않고 빠져 나갈 수 있다고 생각한다면 큰 오산이야.

safari [səfáːri] *n.* (*pl.* safaris) (사냥 · 탐험 등의) 원정 여행, 사파리

***safe¹** [seif] *adj.* **1** 안전한, 위험(성)이 없는: This place is *safe* from fire. 이 곳은 화재의 위험이 없다. / Is it *safe* to play with big dogs? 커다란 개들과 노는 것이 안전한가? / Keep the papers in a *safe* place. 그 서류를 안전한 장소에 보관해라. [OPP] dangerous **2** 무사한, 탈 없는, 다치지 않은: All children were *safe*. 아이들 모두 무사했다. **3** [야구] 세이프의: a *safe* hit 안타
— **safely** *adv.* **safety** *n.*

[숙어] **better safe than sorry** 나중에 후회하는 것보다 신중을 기하는 것이 낫다

in safe hands 잘 돌봐 줄 사람과 함께 있는: Don't worry about your cat. It's *in safe hands*. 고양이 걱정은 하지 마. 잘 돌봐 줄 사람과 함께 있잖아.

it is safe to say that …라 해도 과언이 아니다: It is safe to say that he will be elected. 그가 당선된다고 해도 과언이 아니다.

on the safe side 신중을 기하여, 만일을 위하여: Take the umbrella with you — just to be *on the safe side*. 만일을 위해 우산을 가지고 가도록 해.

safe and sound 무사히, 탈 없이: They all returned home *safe and sound*. 그들 모두가 무사히 집으로 돌아왔다.

■ 유의어 **safe**

safe 위험이 없는(없었던) 상태에 쓰이는 가장 일반적인 말.: He arrived home *safe* after a rough voyage. 그는 험한 항해를 마치고 무사히 집에 돌아왔다.

secure 위험으로부터 안전하게 지켜져 있다, 보장돼 있다는 안심감. 대개는 safe의 강조형이지만 feel secure(마음이 든든하다)처럼 미래의 안전에 관한 보장에 사용하며 arrived home secure라고는 잘 쓰지 않는다.

safe² [seif] *n.* (*pl.* safes) 금고
— **safebreaker** *n.* 금고털이

safeguard [séifgàːrd] *n.* 보호; 보호물, 안전 장치
v. [T] 보호하다: We're developing a new program to *safeguard* the computer system against hacking. 우리는 해킹으로부터 컴퓨터 시스템을 보호할 수 있는 새로운 프로그램을 개발하고 있다.

safekeeping [séifkìːpiŋ] *n.* 보관: I put my earrings in the drawer for *safekeeping*. 나는 귀고리를 잘 보관하기 위해 서랍에 넣어 둔다.

safety [séifti] *n.* 안전, 무사: There is *safety* in numbers. [속담] 수가 많은 편이 안전하다. / traffic(road) *safety* 교통 안전 / *safety* measures 안전 조치

saga [sáːgə] *n.* (영웅 · 왕 등을 다룬 굉장히 긴) 북유럽의 전설; 무용담; 대하 소설

***sail** [seil] *v.* **1** [I] 항해하다: The ship is *sailing* along. 배가 항해 중이다. **2** [I,T] (배 · 요트를 스포츠로) 달리다, 조종하다: He often goes *sailing* on weekends. 그는 주말이면 종종 요트 타러 간다.

※ go sailing의 형태로 쓰는 것이 보통이다.

3 [I] (배가) 출범하다, 출항하다: The ship *sails* at nine tomorrow morning. 배는 내일 아침 9시에 출항한다. **4** [I] 미끄러지듯 나아가다; (특히 여성이) 점잔빼며 걷다: The kite *sailed* through the air. 연은 미끄러지듯 하늘을 날았다. / She *sailed* into the room. 그녀는 점잔빼며 방으로 들어왔다.
n. **1** 돛 **2** 항해

sailboat [séilbòut] *n.* ([영] sailing boat) 돛배, 범선, 요트

sailing [séiliŋ] *n.* **1** 항해(술) **2** 선박 여행 **3** 요트 경기 **4** (정기선의) 출범, 출항

sailor [séilər] *n.* 뱃사람, 선원

saint [séint] *n.* **1** 성인(聖人): He named his children after *saints*. 그는 아이들 이름을 성인들의 이름을 따라 지었다. **2** (Saint) 성(聖)… (인명·교회명·지명 등의 앞에서는 보통 St.로 씀): *St.* Helena 세인트 헬레나 ※ 자음 앞에서는 [sən], 모음 앞에서는 [sənt]로 발음한다. **3** 덕이 높은 사람
— **saintess** *n.* 성녀

sake [seik] *n.* 위함, 이익, 목적: I came here for your *sake*. 나는 너를 위해 여기에 왔다.
[숙어] **for God's(Christ's, goodness', Heaven's, pity's, etc.) sake 1** 제발, 부디 (다음에 오는 명령문을 강조): *For Heaven's sake*, clean up your room! 제발 네 방 청소 좀 해라! **2** 그만둬, 도대체 (불쾌감·노여움을 표현): *For goodness' sake*, what's the matter now? 도대체 이젠 뭐가 문제야?
※ for God's sake와 for Christ's sake는 강한 표현으로 듣는 사람을 불쾌하게 할 수도 있다.
for the sake of, for one's sake … 을 위해: You'd better stop smoking *for the sake of* your health. 너의 건강을 위해 담배를 끊는 게 좋을 것이다.

salad [sæləd] *n.* 샐러드, 생채 요리: Would you like some *salad*? 샐러드 좀 드시겠습니까?

*****salary** [sæləri] *n.* 봉급, 급료: a monthly *salary* 월급

sale [seil] *n.* **1** 판매, 팔기: The *sale* of opium is illegal. 아편 판매는 불법이다. **2** (sales) 매상, 매상고: It seems impossible to reach the *sales* target for this month. 이번 달 매상 목표량을 채우는 것은 불가능해 보인다. **3** 특매, 염가 매출, 재고 정리 판매 (clearance sale): The

department store is having a *sale* on winter coats. 백화점에서 겨울 코트를 세일 중이다. **4** (sales 또는 sales department) 영업부: She works in *sales*. 그녀는 영업부에서 일한다.
[숙어] **for sale** 팔려고 내놓은: It's not *for sale*. 그것은 비매품입니다.
on sale 1 구입할 수 있는, 시판 중인: The March issue of National Geographic is *on sale* now. 내셔널 지오그래픽 3월호가 지금 판매 중입니다. **2** 염가로 판매하는: I bought a computer *on sale*. 나는 컴퓨터를 할인가로 샀다.

salesclerk [séilzklə̀:rk] (clerk) *n.* ([영] shop assistant) [미] 점원 (clerk)

salesman [séilzmən] *n.* (*pl.* salesmen) **1** 판매원, 점원 **2** [미] 세일즈맨, 외판원

salesperson [séilzpə̀:rsən] *n.* (*pl.* salespeople) 판매원, 외판원

saleswoman [séilzwùmən] *n.* (*pl.* saleswomen) 여점원, 여자 판매원

saline [séilin] *adj.* 소금의, 염분이 있는: a *saline* solution 식염수

saliva [səláivə] *n.* 타액, 침

salmon [sæmən] *n.* (*pl.* salmon) **1** 연어: smoked *salmon* 훈제 연어 **2** 연어 살빛 (분홍이 섞인 주황색)

salon [səlán] *n.* **1** (의상·미용 등의) 가게, …점(실): a beauty *salon* 미용실 **2** (18세기 파리 상류 부인의 객실에서 베푸는) 초대회, 명사의 모임 **3** (대저택의) 객실, 응접실

saloon [səlú:n] **1** [미] 술집, 바 ※ 지금은 보통 bar를 쓴다. **2** [영] 세단형 자동차 ([미] sedan) **3** (호텔 등의) 큰 홀 **4** (여객선의) 담화실 **5** [영] 오락장, …장(場): a dancing *saloon* 댄스 홀 / a billiard *saloon* 당구장

*****salt** [sɔ:lt] *n.* **1** 소금: Butter, *salt*, and pepper are the main ingredients in Western cooking. 버터, 소금, 그리고 후추는 서양 음식의 주요 재료이다. / a pinch of *salt* 소량의 소금 **2** [화학] 염(鹽)
adj. **1** 소금기 있는, 짠: a *salt* spring 염천

S

2 소금에 절인: *salt* fish 소금에 절인 생선
v. [T] (주로 수동태) **1** (음식에) 소금을 치다: I
salted milk to make it taste better. 나
는 맛을 더 좋게 하기 위해 우유에 소금을 쳤다.
2 소금에 절이다: Mother *salted* pork for
preservation. 어머니께서 돼지고기를 저장
하기 위해 소금에 절이셨다.
— **salty** *adj.*

saltwater [sɔ́:ltwɔ̀:tər] *adj.* 바닷물의,
바다에 사는: *saltwater* fish 바닷물고기 *cf.*
freshwater 민물의

salty [sɔ́:lti] *adj.* (saltier-saltiest) 짠, 소
금기가 있는: This soup is too *salty*! 이 수
프가 너무 짜요!

salute [səlú:t] *v.* [I,T] **1** 경례하다, 예포를
쏘다: A private *saluted* the general.
이등병이 대장에게 경례를 했다. / The
president was *saluted* with 21 guns.
대통령은 21발의 예포를 받았다. **2** 경의를 표
하다: Heo Nanseolheon is *saluted* as
one of the greatest poets. 허난설헌은 위
대한 시인들 중의 한 사람으로 존경을 받는다.
n. **1** 경례, 예포: give a *salute* 경례를 하다 /
a 7-gun *salute* 7발의 예포 **2** 경의를 표함

salvage [sǽlvidʒ] *n.* **1** 조난 선박의 화물
구조: *salvage* boat 해난 구조선 **2** (일반적)
구조 **3** 구조된 물건
v. [T] **1** (해난 · 화재 등으로부터) 구조하다
(from): They managed to *salvage*
confidential papers from the fire. 그
들은 화재로부터 기밀 서류들을 가까스로 구해
냈다. **2** 폐물을 이용하다: This dog house
is built from *salvaged* materials. 이 개
집은 폐품을 이용해 지은 것이다.

salvation [sælvéiʃən] *n.* **1** 구조, 구제;
구조물, 구제자 **2** [신학] (죄로부터의) 구원, 구
세; 구세주

Salvation Army *n.* (the Salvation
Army) 구세군

samba [sǽmbə] *n.* (*pl.* sambas) 삼바
(브라질의 댄스 또는 댄스 음악; 이를 모방한
사교춤)

***same** [seim] *adj.* **1** (the same) 동일한,
바로 그: He and I went to the *same*
school. 그와 나는 같은 학교에 다녔다. **2**
(the same) 같은, 일치하는 (별개의 것이지만
종류 · 외관 · 양 등에서 다르지 않다는 뜻):
She'll give you the *same* advice. 그녀
도 네게 똑같은 충고를 할 것이다. **3** (the
same) (전과) 다름없는, 마찬가지인: The
patient is the *same* as yesterday. 환자
는 어제와 같은 상태이다.
adv. (보통 the same) 마찬가지로:
Hamsters all look the *same* to me. 나
한테 햄스터는 다 마찬가지로 보인다.
pron. (the same) 동일한 사람(것): "I
would like a ham sandwich and a
coffee." "The *same*, please." "난 햄 샌
드위치와 커피 한 잔이요." "저도 같은 것으로
주세요."
[숙어] **all** (**just**) **the same 1** 그래도, 그럼
에도 불구하고: She's not cute, but I like
her *all the same*. 그녀는 귀엽지는 않지만 그
래도 나는 그녀가 좋다. **2** 아주 같은(한가지
인), 아무래도 상관 없는: It's *all the same*
to me. 어느 쪽이든 나에겐 상관 없다.
at the same time 1 동시에, 같이:
"Chocolate!", they shouted *at the
same time*. "초콜릿이요!"라고 그들은 동시에
소리쳤다. **2** 한편으로는: It's a beautiful
picture but *at the same time* it looks
cheap. 아름다운 그림이지만 한편으로는 값싸
보인다.
much the same ⇨ much
same here 1 (남이 한 말에 이어) 나도 같
다(그렇다) **2** (음식 주문 등에서) 나도 같은
것을 주세요
(**the**) **same to you** 당신도 또한:
"Merry Christmas!" "*Same to you!*"
"크리스마스 잘 보내!" "너도!"

sample [sǽmpəl] *n.* 견본, 샘플: a free
sample of perfume 향수 무료 샘플 [SYN]
specimen
adj. 견본의: a *sample* piece of cloth 견본

천 조각

v. [T] **1** 견본을 뽑다 **2** 견본으로 조사하다 **3** 시식〔시음〕하다: He *sampled* various wines. 그는 다양한 포도주를 시음해 보았다.

sanction [sǽŋkʃən] *n.* **1** 재가, 인가: If you want to form a club, you need to have a *sanction* of the principal. 클럽을 만들고 싶다면 교장 선생님의 인가가 필요하다. **2** (주로 *pl.*) (보통 수개국 공동의 국제법 위반국에 대한) 제재, 제재 규약 (against): economic *sanctions* against Iraq 이라크에 대한 경제 제재 **3** (법령·규칙 위반에 대한) 처벌

v. [T] 재가〔인가〕하다: In some countries, divorce is not *sanctioned*. 몇몇 나라에서는 이혼을 인가해 주지 않는다.

sanctuary [sǽŋktʃuèri] *n.* **1** 성역 (중세에 법률의 힘이 미치지 못한 교회 등), 은신처, 피난처 **2** 동물 보호 구역, 사냥 금지 구역

****sand** [sænd] *n.* **1** 모래: *sand*castle 모래성 **2** (the sands) 모래톱, 사막: Children are playing on the *sands*. 아이들이 모래톱에서 놀고 있다.

— **sandy** *adj.*

sandal [sǽndl] *n.* 샌들

sandbag [sǽndbæ̀g] *n.* 샌드백, 모래를 넣은 자루

sandbank [sǽndbæ̀ŋk] *n.* 모래 언덕, 사구(砂丘)

sandpaper [sǽndpèipər] *n.* 사포(砂布), 샌드페이퍼: I rubbed the rough surface with *sandpaper*. 나는 사포로 거친 표면을 문질렀다.

v. [T] 사포로 닦다: I *sandpapered* the rough surface. 나는 사포로 거친 표면을 문질렀다.

sandstone [sǽndstòun] *n.* [지질] 사암(砂岩) (모래가 물 속에 가라앉아 굳어서 된 바위로 주로 건축용)

sandstorm [sǽndstɔ̀:rm] *n.* (사막의) 모래 폭풍

****sandwich** [sǽndwitʃ] *n.* 샌드위치: a bacon *sandwich* 베이컨 샌드위치

v. [T] (억지로) 끼우다, 삽입하다: The boss *sandwiched* an appointment between two board meetings. 사장은 두 개의 임원 회의 사이에 약속을 만들어 넣었다.

sandy [sǽndi] *adj.* (sandier-sandiest) **1** 모래의, 모래투성이의: My shoes are all *sandy*! 신발이 온통 모래투성이네! **2** 모래빛의, 엷은 갈색의: He has *sandy* hair. 그의 머리카락은 엷은 갈색이다.

— **sandiness** *n.*

sane [sein] *adj.* **1** 정신적으로 건강한, 제정신의: I'm not crazy. I'm *sane*. 난 미치지 않았어. 난 제정신이라구. **2** 분별 있는: I guess that's the only *sane* solution to the problem. 그것만이 문제에 대한 분별 있는 해결책일 것이라고 나는 생각한다. [OPP] insane

— **sanity** *n.*

sanitarium [sæ̀nətɛ́əriəm] *n.* (*pl.* sanitariums, sanitaria) ([영] sanatorium) 요양소

sanitary [sǽnətèri] *adj.* **1** (공중) 위생의, 보건상의: *sanitary* laws 공중 위생법 / *sanitary* arrangements 위생 설비 **2** 위생적인, 깨끗한, 균이 없는: a *sanitary* wrapper for sandwiches 샌드위치 포장용 무균지(無菌紙)

sanitation [sæ̀nətéiʃən] *n.* **1** (공중) 위생 **2** 하수구 설비, 하수〔오수, 오물〕 처리

sanity [sǽnəti] *n.* **1** 제정신, 정신이 멀쩡함 **2** 건전함, 온건함 [OPP] insanity

Santa Claus [sǽntəklɔ̀:z] *n.* ([영] Father Christmas) 산타클로스

※ St. Nicholas (네덜란드 말로 Sint Klaus)에서 나온 말이다.

sap [sæp] *n.* 수액 (땅 속에서 빨아올려 잎으로 향하는, 나무의 양분이 되는 액; 나무에서 분비하는 액)

v. [T] (sapped-sapped) **1** (담 밑 등을) 파서 무너뜨리다 **2** 서서히 해치다, 점차 약화시키다: Repeated mistakes can *sap* self-confidence. 반복되는 실수는 자신감을 점차 약화시킬 수 있다.

sapling [sǽpliŋ] *n.* **1** 묘목, 어린 나무 **2** 젊은이

sapphire [sǽfaiər] *n.* 사파이어, 청옥

sarcasm [sɑ́:rkæzəm] *n.* 빈정거림, 비꼼, 풍자

sarcastic [sɑ:rkǽstik] *adj.* 빈정거리는, 비꼬는, 신랄한: Are you being *sarcastic*? 비꼬는 거니?
— **sarcastically** *adv.*

sardine [sɑ:rdíːn] *n.* [어류] 정어리
〖숙어〗 **be packed like sardines** 빽빽하게 채워지다: The commuters *were packed* into the train *like sardines*. 통근자들이 기차에 아주 빼곡이 타고 있었다.

sari, saree [sɑ́:ri(ː)] *n.* 사리 (인도 여성이 입는 옷; 허리를 두르고 머리를 덮거나 어깨 너머로 늘어뜨림)

sash [sæʃ] *n.* **1** 띠, 장식띠 **2** [군대] (어깨에서 내려 뜨리는) 현장 **3** 창틀, 새시

Satan [séitən] *n.* 사탄, 악마, 마왕 *cf.* devil 악마, 악귀
— **satanic** *adj.*

*****satellite** [sǽtəlàit] *n.* **1** (인공)위성: a communication *satellite* 통신 위성 / *satellite* broadcasting 위성 방송 **2** [천문] 위성 (행성의 둘레를 운행하는 작은 천체): The moon is a *satellite* of the earth. 달은 지구의 위성이다.

satellite dish (또는 dish) *n.* 접시 안테나, 파라볼라 안테나 (위성에서 전파를 직접 수신함)

satin [sǽtən] *n.* 공단, 새틴 (천의 일종)

satire [sǽtaiər] *n.* **1** 풍자 **2** (a satire) 풍자 문학〔시, 소설〕: 'Ready-made Life' is one of the greatest *satires*. '레디메이드 인생'은 훌륭한 풍자 소설 중의 하나이다.
— **satirical** *adj.* **satirically** *adv.*

satirize, satirise [sǽtəràiz] [T] 풍자화하다, …에 대하여 풍자문을 쓰다

satisfaction [sæ̀tisfǽkʃən] *n.* 만족(감); 만족시키는 것: He feels *satisfaction* at

having his ability recognized. 그는 자신의 재능을 인정받은 것에 만족해한다. / Your success will be a great *satisfaction* to your parents. 너의 성공으로 부모님께서 매우 만족해하시겠다. 〖OPP〗 dissatisfaction
〖숙어〗 **to one's satisfaction** …가 만족〔납득〕하도록: Well, is everything done *to your satisfaction*? 자, 모든 게 만족스럽게 됐어?

*****satisfactory** [sæ̀tisfǽktəri] *adj.* 만족스러운: Your answer is not *satisfactory*. Can you give us more details? 네 대답이 만족스럽지 못하구나. 좀 더 자세히 말해 줄 수 있겠니? 〖OPP〗 unsatisfactory
— **satisfactorily** *adv.*

satisfy [sǽtisfài] *v.* [T] **1** 만족시키다: My parents are *satisfied* with my grades. 부모님께서는 내 점수에 만족하셨다. **2** 조건을 충족시키다: You need to get good grades to *satisfy* the entrance requirements of the college. 대학 입학 조건을 충족시키려면 좋은 점수를 받아야 한다. **3** 확신〔납득〕시키다: I was *satisfied* that it wasn't her fault. 나는 그것이 그녀의 잘못이 아니라고 확신했다.
— **satisfied** *adj.*
〖숙어〗 **(be) satisfied with** …에 만족하다: I *was satisfied with* the result. 나는 결과에 만족했다.

satisfying [sǽtisfàiiŋ] *adj.* **1** 만족스러운, 충분한 **2** (증거·설명 등이) 납득할 수 있는, 확실한
— **satisfyingly** *adv.*

saturate [sǽtʃərèit] *v.* [T] **1** 흠뻑 적시다: I slipped and now the carpet is *saturated* with water. 내가 넘어지는 바람에 지금 카페트는 물에 흠뻑 젖은 상태다. **2** 포화 상태로 하다: The market is *saturated* with Chinese products. 시장은 중국산 상품들로 포화 상태다.
— **saturation** *n.*

saturated [sǽtʃərèitid] *adj.* **1** 흠뻑 젖은 **2** [화학] 포화 상태가 된: *saturated* solution 포화 용액

Saturday [sǽtərdèi] *n.* (*abbr.* Sat.) 토요일

Saturn [sǽtərn] *n.* **1** [천문] 토성 **2** [로마 신화] 농업의 신

sauce [sɔːs] *n.* 소스 (서양 요리에서 맛이나 빛깔을 내기 위하여 식품에 넣거나 위에 끼얹는 액체 또는 걸쭉한 상태의 양념): Hunger is the best *sauce*. [속담] 시장이 반찬.

saucepan [sɔ́ːspæ̀n] *n.* (자루와 뚜껑이 달린) 스튜 냄비

*****saucer** [sɔ́ːsər] *n.* (커피잔 등의) 받침 접시: a cup and *saucer* 받침 접시가 딸린 컵

sauna [sáunə] *n.* (핀란드의) 증기욕(탕), 사우나(탕)

*****sausage** [sɔ́ːsidʒ] *n.* 소시지, 순대: beef *sausage* 쇠고기로 만든 소시지

savage [sǽvidʒ] *adj.* **1** 야만의, 미개한: *savage* tribes 야만족 **2** 길들여지지 않은, 사나운: *savage* beasts 야수 **3** 잔인한, 잔혹한, 가차없는: *savage* punishments 잔인한 형벌 / *savage* criticism 혹평

n. **1** 야만인, 미개인 **2** 잔인한 사람; 버릇없는 사람

v. [T] **1** (성난 말·개 등이 사람을) 물어뜯다: He was *savaged* by a mad dog. 그는 미친 개에게 물렸다. **2** …을 맹렬히 공격(비난)하다

— **savagely** *adv.*

savagery [sǽvidʒəri] *n.* **1** 야만, 미개(상태) **2** 사나움, 잔인; 만행 **3** (집합적) 야만인, 야수

savanna, savannah [səvǽnə] *n.* (열대·아열대 지방의) 대초원, 사바나

*****save¹** [seiv] *v.* **1** [T] (위험에서) 구하다 (from): She *saved* a child drowning. 그녀가 물에 빠진 아이를 구했다. **2** [I,T] 모으다, 저축하다: I'm *saving* up to go to Europe. 나는 유럽에 가려고 저축하고 있다.

3 [T] 절약하다, 아끼다: If we take a shortcut, it will *save* us two hours. 지름길로 가면 두 시간을 절약할 수 있다.

4 [T] (수고·어려움 등을) 덜다, 적게 하다, 면하게 하다: This shirt *saves* ironing. 이 셔츠는 다림질을 안 해도 된다. / It *saved* me the trouble of looking for a parking lot. 덕분에 주차장을 찾지 않아도 되었다.

5 [T] 떼어 두다, 남겨 두다: Please *save* me some of the cake. 내게 케이크 좀 남겨 줘.

6 [T] [컴퓨터] (데이터를) 저장하다: Don't forget to *save* your files. 파일 저장하는 것을 잊지 마.

7 [T] 득점을 안 시키다

n. (축구 등에서) 상대편의 득점을 막음; [야구] 세이브 (구원 투수가 리드를 지켜 나감)

[숙어] **save〔keep〕 ... for a rainy day** ⇨ rainy

save face ⇨ face

save one's breath (소용 없을) 말을 아끼다: You'd better *save your breath*— he's not listening. 말할 필요도 없겠다. 그는 듣고 있지 않아.

save² [seiv] *prep.* …을 제외하고: All *save* him went to the movies. 그를 제외한 모든 사람들은 영화 보러 갔다. [SYN] except

saver [séivər] *n.* **1** 구조자 **2** 절약가, 저축가 **3** (합성어로) …절약기〔장치〕: labor-*saver* 노력력 절약 장치

saving [séiviŋ] *n.* **1** (savings) 저축액 **2** 절약, 검약: From *saving* comes having. [속담] 절약은 부의 근본. / *Saving* is getting. [속담] 절약이 곧 돈 버는 것이다.

savior, saviour [séivjər] *n.* **1** 구조자 **2** (the Savior) 구세주, 구주 (예수), 그리스도

saw [sɔː] *n.* 톱

v. [I,T] (sawed-sawed, sawed-sawn) 톱질하다, 톱으로 켜다: He's *sawing* a wood plank to make a chair. 그는 의자를 만들려고 나무 판자를 톱으로 자르고 있다.

sawdust [sɔ́ːdʌ̀st] *n.* 톱밥

saxophone [sǽksəfòun] *n.* 색소폰 (대

형 목관 악기)
*say ⇨ 아래 참조
saying [séiiŋ] *n.* 속담, 격언, 전해 오는 말:
An old *saying* tells us that haste

makes waste. 옛 격언에 조급히 굴면 일을
그르친다고 했다.
[숙어] **as the saying goes** 속담에도 있듯
이, 흔히들 말하듯이

---

say

say [sei] *v.* [T] (said-said) **1** 말하다, 이야
기하다: What did he *say* next? 다음에 그
가 뭐라고 말했지? / Easier *said* than done.
[속담] 말보다 실천. (말하긴 쉽고 행동하긴 어렵
다.)
2 의견을 말하다: I can't *say* which one is
better. 어느 것이 좋은지 모르겠는 걸. / What
do you *say* we all eat out tonight? 우리
모두 오늘 저녁에 외식하는 게 어때? / Does
anyone else have anything to *say*? 더
할 말이 있는 사람 있나요?
3 (신문·책·게시판 등에) …라고 씌어져 있다,
나 있다: The newspaper *says* that there
was an earthquake in Japan yesterday.
신문에 어제 일본에서 지진이 났었다는 군. /
The sign *says* that this is a dead end.
표지판이 이 길이 막다른 길임을 나타낸다. /
The clock *says* three. 시계가 3시를 가리키
고 있다.
4 (말 이외의 방법으로) 나타내다, 표현하다:
Say it with flowers. 그 마음을 꽃으로 전하
시오.
5 (세상 사람들이) 전하다, …라고(들) 하다: It
is *said* that she is a liar. 그녀는 거짓말쟁
이라고들 한다.
6 가정하다, 추측하다; (삽입구처럼 쓰여) 이를
테면, 예를 들면, 글쎄요: Let's *say* you
really got lost in the woods. What
would you do? 네가 정말로 숲에서 길을 잃
었다고 하자. 어떻게 할 건데? / Will you
come to see me, *say*, this Saturday? 나
한테 놀러 오지 않겠니, 이를테면 이번 일요일에
라도.
7 외다, 암송하다: Did you *say* your
prayers? 기도문을 암송했니?

n. **1** 발언권, 발언할 차례[기회]: It's your
say now. 이번엔 네가 말할 차례야. **2** (the
say) [미] (최후의) 결정권: The director
has the final *say* about who will play
the leading role. 누가 주연을 맡을 것인지는
감독에게 최후 결정권이 있다.
[숙어] **have one's say** 하고 싶은 말을 하다
It goes without saying that ... (너무
도 명백해서) …(임)은 말할 것도 없다: It goes
without saying that he's the best
swimmer. 그가 최고의 수영 선수라는 것은
말할 것도 없다.
I wouldn't say no. 네네, 좋지요, 기꺼이:
"Ice cream?" "*I wouldn't say no.*" "아이
스크림 먹을래?" "좋지."
say for oneself 변명하다: Well, what
do you have to *say for yourself* this
time? 자, 이번에는 무슨 변명을 하려고?
say to oneself 스스로 다짐하다, 혼잣말을
하다, 마음 속에 생각하다: "Never again!"
he *said to himself.* "다시는 안 해!"라고 그는
다짐했다.
that is to say 즉, 바꿔 말하면: Let's
stick to the first plan, *that is to say,*
you get the water and I'll make fire.
첫 번째 계획대로 하자. 즉, 너는 물을 길어 오고
나는 불을 피울게.
to say nothing of …은 말할 것도 없이,
…은 물론: He doesn't know English, *to
say nothing of* French. 그는 프랑스 어는 말
할 것도 없고 영어도 모른다.
to say the least (of it) 극히 줄잡아 말해
도: *To say the least,* it was harsh
treatment. 극히 줄잡아 말해도 그것은 지독한
대우였다.

■ **유의어** saying

saying 격언, 속담의 뜻으로 가장 일반적인 말. **proverb** 거의 saying에 가깝지만 생활의 슬기를 구체적으로 말한 것이 많음. **aphorism, epigram** 둘 다 간결한 표현과 독단적인 정의가 특색으로 aphorism은 그 요령의 좋음, epigram은 마음을 찌르는 것 같은 날카로움이 특징. **maxim** 처세의 지침이 될 만한 격언. **motto** 자신의 좌우명으로 삼은 maxim.

scaffold [skǽfəld] *n.* 처형대, 교수대

scald [skɔːld] *v.* [T] **1** (끓는 물 · 김으로) 데게 하다: The water was so hot that it *scalded* my hand. 물이 너무 뜨거워서 나는 손을 데었다. **2** (고기 · 야채 등을) 데치다 **3** 끓는 물로 씻다(소독하다)

n. (끓는 물 · 김에 의한) 뎀, 화상 **2** (과일의) 썩음; (심한 더위로 인한) 나뭇잎의 변색

— **scalding** *adj.* 델 것 같은, 끓는

***scale¹** [skeil] *n.* **1** 눈금, 저울눈: the *scale* of a clinical thermometer 체온계의 눈금 **2** (지도 등의) 축척, 비율: a map drawn to a *scale* of ten miles to the inch 10마일 1인치 축적에 의한 지도

3 (임금 · 요금 · 세금 등의) 율(率), 세법: a *scale* of taxation 세율

4 규모: a plan of a large *scale* 대규모 계획

5 (scales) 저울; 체중계: He weighed meat on the *scales*. 그는 고기의 무게를 저울로 쟀다.

6 [음악] 음계: the major(minor) *scale* 장(단)음계

7 비늘: Fish has *scales* to protect its body. 물고기는 몸을 보호하기 위해 비늘이 있다.

[숙어] **on a large(small) scale** 대(소)규모로

scale² [skeil] *v.* [T] **1** (산 등에) 오르다: She *scaled* a 300m cliff. 그녀는 300미터 절벽을 올랐다. **2** 비율에 따라 정(증감)하다,

일정한 기준으로 정하다 (up, down): *scale* up(down) wages 임금을 일정률로 올리다(내리다) **3** 비늘(껍질)을 벗기다: *Scale* the fish before cooking them. 요리하기 전에 생선의 비늘을 벗겨라. **4** 치석을 떼어 내다, 스케일링하다

scalp [skǽlp] *n.* 머릿가죽 (특히 북아메리카 인디언이 적의 시체에서 벗겨 내어 전리품으로 채집)

scamper [skǽmpər] *v.* [I] (어린이 · 동물 등이) 재빨리 달리다, 날쌔게 움직이다: The children *scampered* to school. 아이들이 학교로 재빨리 달려갔다. / Squirrels *scampered* around the yard. 다람쥐들이 뜰에서 뛰어 돌아다녔다.

scan [skæn] *v.* [T] (scanned-scanned) **1** 자세히 조사하다, 세밀히 살피다: The detective *scanned* the whole area but couldn't find a clue. 탐정은 그 지역을 자세히 조사했지만 어떤 단서도 찾지 못했다. **2** 재빨리 대충 훑어보다: I *scanned* the list of names to find mine. 나는 내 이름을 찾으려고 명단을 훑어보았다. **3** [기계] (레이더나 초음파로) 탐지하다: Bar codes on the items are *scanned* at a supermarket checkout. 슈퍼마켓 계산대에서 물품에 찍혀 있는 바코드가 해독된다. **4** [컴퓨터] 스캔받다

n. **1** 자세히 조사하기 **2** 대충 훑어보기 **3** 탐지, 해독 **4** [의학] 스캔

scandal [skǽndl] *n.* **1** 부정 사건(행위), 스캔들 (대중을 경악케 하는 사건 · 행위): Watergate *scandal* 워터게이트 사건 **2** (스캔들에 대한) 세상의 분개, 물의: cause *scandal* 세간에 물의를 일으키다 **3** 악평, 중상, 비방: Everyone enjoys a bit of *scandal*. 우리는 모두 남의 비방을 조금은 즐긴다.

— **scandalous** *adj.*

scandalize, scandalise [skǽndəlàiz] *v.* [T] 분개시키다: We were *scandalized* by what he did. 우리는 그가 한 행동에 분개했다.

scanner [skǽnər] *n.* **1** [컴퓨터] 스캐너 **2** (인체 내부를 조사하는) 스캐너, 주사 장치

scant [skǽnt] *adj.* (명사 앞에만 쓰임) 불충분한, 부족한: a *scant* supply of water 부족한 물 공급

scanty [skǽnti] *adj.* (scantier-scantiest) 부족한, 얼마 안 되는 — **scantily** *adv.*

scar [skɑ:r] *n.* **1** 상처 자국, 흉터: a vaccination *scar* 우두 자국 **2** (마음·명성 등의) 상처, 타격 *v.* [I,T] (scarred-scarred) 흉터(상처)를 남기다: Her hand was *scarred* by a burn. 화상으로 인해 그녀의 손에 흉터가 남았다.

scarce [skɛərs] *adj.* **1** (명사 앞에는 쓰이지 않음) 부족한, 적은: Food was *scarce* in wartime. 전쟁 기간 중에 식량이 부족했다. [OPP] plentiful **2** 희귀한, 드문: A panda bear is a *scarce* species. 팬더는 희귀한 종이다. [SYN] rare — **scarcity** *n.*

scarcely [skɛərsli] *adv.* **1** 간신히, 가까스로: He's *scarcely* seventeen. 그는 겨우 17세가 될까말까 하다. **2** (can 등을 수반하여) 거의 …아니다: I can *scarcely* see. 나는 거의 안 보인다.

scare [skɛər] *v.* **1** [T] 위협하다, 놀라게(겁나게) 하다: The dog *scared* the cat. 개가 고양이를 놀라게 했다. **2** [I] 놀라다, 겁내다: I *scare* easily. 나는 잘 놀란다. *n.* (공연한) 겁, 쓸데없이 놀라기, 이유 없는 공포 [숙어] **scare ... away(off)** …을 놀래켜서 쫓아버리다: He *scared* the rats *away*. 그가 쥐를 놀래켜서 쫓아버렸다.

scarecrow [skɛərkròu] *n.* 허수아비

scared [skɛərd] *adj.* **1** 겁먹은, 겁에 질린: I was *scared* to death. 나는 겁이 많이 났다. **2** …하기가 겁나는 (of, to do): She was *scared* of going out alone late at night. 그녀는 밤 늦게 혼자 나가는 것을 겁나 했다.

scarf [skɑ:rf] *n.* (*pl.* scarves, scarfs) **1** 목도리 **2** 스카프

scarlet [skɑ́:rlit] *n. adj.* 주홍(의), 진홍색 (의)

scarlet fever *n.* [의학] 성홍열

scary [skɛ́əri] *adj.* (scarier-scariest) **1** 무서운, 두려운: I don't like *scary* movies. 나는 무서운 영화는 싫다. **2** 잘 놀라는, 겁 많은: Don't be so *scary*. 그렇게 겁내지 마세요.

*****scatter** [skǽtər] *v.* **1** [I] 뿔뿔이 되다, 흩어지다: The frightened crowd *scattered* in all directions. 놀란 군중들은 사방으로 흩어졌다. **2** [T] 뿔뿔이 흩어버리다, (씨 등을) 뿌리다: She *scattered* seeds over the field. 그녀는 밭에 씨를 뿌렸다.

scattered [skǽtərd] *adj.* 따로따로 떨어진, 드문드문한: houses *scattered* in the mountain 산 속에 드문드문 있는 집들

scenario [sinɛ́əriòu] *n.* (*pl.* scenarios) **1** 연극 대본, 영화 각본 **2** 행동 계획, 계획안: Here are several possible *scenarios*. 여기 가능한 초안들이 몇 개 있다.

*****scene** [si:n] *n.* **1** (사건 등의) 현장: a crime *scene* 범죄 현장 / an accident *scene* 사고 현장 **2** (연극의) 무대 장면, (영화의) 세트 **3** (극의) 장(場): Act III, *Scene* II 제 3 막, 제 2 장 **4** (무대·영화에 펼쳐지는) 장면: Parting was a sad *scene*. 이별은 슬픈 장면이었다. **5** 광경, 경치, 조망: a peaceful country *scene* 평화로운 시골 경치 **6** (울부짖는) 큰 소동, 난리: She made a *scene* to get her own way. 그녀는 소란을 피워 제 고집을 관철했다.

scenery [sí:nəri] *n.* **1** (한 지방(자연) 전체의) 풍경, 경치: natural *scenery* 자연 풍경 **2** 무대 장치, 배경

scent [sent] *n.* **1** 냄새, 향기: the *scent* of lilac 라일락 향기 **2** (짐승 등의) 냄새 자취 **3** [영] 향수 [SYN] perfume **4** (사냥개의) 후각: Hunting dogs have a keen *scent*. 사냥개는 후각이 예리하다. **5** 직감, 육감: There was the *scent* of victory in the air. 승리할 것 같은 느낌이 감돌았다. [SYN] intuition

v. [T] **1** 냄새 맡다: My cat *scented* a mouse. 내 고양이가 쥐 냄새를 맡았다. **2** (위험 등을) 감지하다: We *scented* danger and decided to go back. 우리는 위험을 감지하고 돌아가기로 결정했다. **3** 냄새를 풍기다, 향수를 뿌리다: She *scented* herself with perfume. 그녀는 향수 냄새를 풍겼다.

schedule [skédʒu(:)l] *n.* **1 [미] 시간표: a train *schedule* 기차 시각표 [SYN] timetable **2** 일정, 예정(표): I have a busy *schedule* tomorrow. 나는 내일 일정이 빡빡하다.

v. [T] (종종 수동태) (특정 일시에) 예정하다: The meeting is *scheduled* for Sunday. 회합은 일요일로 예정되어 있다.

scheme [ski:m] *n.* **1 계획, 기획: housing *scheme* 주택 건설(공급) 계획 [SYN] plan **2** 조직, 배합, 구성: color *scheme* 색채의 배합

v. [I,T] 계획을 세우다, 음모를 꾸미다: He's always *scheming* to cut a class. 그는 언제나 수업을 빼먹을 궁리만 한다.

scholar [skálər] *n.* **1** 학자 **2** 장학생

scholarly [skálərli] *adj.* **1** 학자다운, 박식한 **2** 학문적인

scholarship [skálərʃìp] *n.* **1** 장학금(제도): She studied on a Fulbright *scholarship*. 그녀는 풀브라이트 장학금으로 공부했다. **2** 학문, 학식, 박학

school [sku:l] *n.* **1 학교: When do you go to *school*? 몇 시에 등교하니? / Do you wear *school* uniform? 교복을 입니?

2 수업: There is no *school* today. 오늘은 수업이 없다. / Our children are still at *school*. 우리 아이들은 아직도 수업 중이다.

3 (the school) 전교 학생과 교직원: The new teacher was welcomed by the whole *school*. 새로 부임한 선생님은 전교 학생들과 교직원의 환영을 받았다.

4 양성(교습, 강습)소, 연구소: a driving *school* 운전 교습소

5 [미] (대학 · 대학원의) 전문 학부: the Medical *School* 의학부 / the *School* of Law 법학부

6 파, 학파: the Impressionist *school* 인상파

7 (물고기 등의) 떼: a *school* of whales 고래 떼

[숙어] **a school of thought** 생각(의견)을 같이하는 사람들, 학파, 유파

schoolboy *n.* (초 · 중 · 고등 학교의) 남학생

school bus *n.* 통학 버스

schoolgirl *n.* (초 · 중 · 고등 학교의) 여학생

schooling [skú:liŋ] *n.* 학교 교육

science [sáiəns] *n.* **1 과학, (특히) 자연과학 **2** 과학의 분야, …학(學): social *science* 사회 과학

science fiction *n.* (*abbr.* SF, sci-fi) 공상 과학 소설(영화)

scientific [sàiəntífik] *adj.* **1** 과학적인: *scientific* proof 과학적인 증거 **2** 과학적으로 생각하는, 체계적인: We need to make more *scientific* approach. 우리는 좀 더 체계적인 접근을 해야 한다.

— **scientifically** *adv.*

scientist [sáiəntist] *n.* (자연)과학자

sci-fi [sáifái] *n.* =science fiction

**scissors [sízərz] *n.* (*pl.*) 가위: I need to buy two pairs of *scissors*. 나는 가위 두 자루를 사야 한다.

※ 항상 복수형임에 주의한다.: a pair of *scissors* 가위 한 자루

scoff [skɔ:f] *v.* [I] 비웃다, 조소하다 (at)

**scold [skould] *v.* [I,T] 꾸짖다, 잔소리하다 (for): His mother *scolded* him for being naughty. 그의 어머니는 그의 나쁜 행실을 꾸짖었다.

scoop [sku:p] *n.* **1** 국자, 주걱 **2** 한 번 퍼내는 양: two *scoops* of ice cream 아이스크림 두 숟가락 **3** (TV · 신문 등의) 특종

v. [T] **1** 푸다, 뜨다 (out, up): *Scoop* out the middle of the watermelon. 수박의

속을 떠내라. **2** 큰돈을 벌다, 상을 타다 **3** [신문] (특종을) 입수하다, (다른 신문을) 앞지르다

scooter [skú:tər] *n.* **1** (모터) 스쿠터, 소형 오토바이 **2** 스쿠터 (한쪽 발을 올려 놓고 다른 발로 땅을 차며 달리는 아이들용 놀이감)

scope [skoup] *n.* **1** 범위, 영역, (정신적) 시야: the *scope* of science 과학이 미치는 범위 / a mind of wide *scope* 넓은 시야를 가진 사람 **2** (능력 등을 발휘할) 여유, 여지 (for): Is there much *scope* for new ideas? 새로운 아이디어를 펼칠 여지가 많습니까?

scorch [skɔ:rtʃ] *v.* [T] **1** …을 눋게 하다, 그슬리다: The wall had been *scorched* by the fire. 화재로 인해 벽이 검게 그슬렸다. **2** (햇볕이 식물 등을) 시들게 하다: The long, hot summer *scorched* the grass. 길고 무더운 여름은 풀을 시들게 했다.

scorching [skɔ́:rtʃiŋ] *adj.* 태우는 듯한, 매우 뜨거운: It's *scorching* today! 오늘 날씨 무지하게 덥다!

*****score** [skɔ:r] *n.* **1** (경기 등에서의) 득점, (시험의) 득점, 성적: win by a *score* of 4 to 2 4:2로 이기다 **2** 20, 20명(개): He visited more than a *score* of countries. 그는 20개국 이상의 나라를 여행했다. **3** (scores) 다수, 많음: *scores* of times 종종 / *scores* of years ago 수십 년 전에 **4** [음악] 악보 총보(總譜) (둘 이상의 성악·기악을 위한); 작품: a film *score* 영화 음악 *v.* [I,T] 득점하다: She *scored* the highest marks in P.E. 그녀가 체육에서 가장 높은 점수를 땄다.

scoreboard [skɔ́:rbɔ̀:rd] *n.* 스코어보드, 득점 게시판

scorn [skɔ:rn] *n.* 경멸, 멸시: We have nothing but *scorn* for a liar. 거짓말쟁이에게는 경멸밖에 줄 것이 없다. [SYN] contempt *v.* [T] **1** 경멸하다, 무시하다: We *scorn* a cheater. 우리는 사기꾼을 경멸한다. **2** (경멸하여) 거절하다, 퇴짜놓다: He *scorned* her

advice. 그는 그녀의 충고를 거절했다.

scornful [skɔ́:rnfəl] *adj.* 경멸하는, 비웃는: a *scornful* smile 비웃음 — **scornfully** *adv.*

Scorpio [skɔ́:rpiòu] *n.* [천문] 전갈자리

scorpion [skɔ́:rpiən] *n.* 전갈

scoundrel [skáundrəl] *n.* 악당, 깡패

scour [skauər] *v.* [T] **1** 문질러 닦다: The cook *scoured* the pots with soap. 요리사가 냄비들을 비누로 문질러 닦았다. **2** (녹·얼룩을) 문질러[씻어] 없애다: *scour* rust off a knife 칼의 녹을 벗기다 **3** (도랑·파이프 등을) 훑어 내다, (물로) 씻어 내다: He *scoured* the blocked pipes until they were no longer blocked. 그는 파이프가 더 이상 막히지 않을 때까지 물로 씻어 냈다. **4** (…을 찾아) 돌아다니다, 철저히 조사하다: They *scoured* the woods for the missing child. 그들은 미아를 찾아 숲 속을 돌아다녔다.

scourge [skə:rdʒ] *n.* **1** 채찍, 매 **2** 하늘의 응징, 천벌 (천재·전쟁 등) **3** 두통거리, 불행을 가져오는 사람[것]

scout [skaut] *n.* **1** [군대] 정찰병 **2** (Scout) 보이 스카우트나 걸 스카우트의 회원 **3** 녀석, 놈

scowl [skaul] *n.* 찌푸린 얼굴, 오만상 *v.* [I] 얼굴을 찌푸리다, 오만상을 하다, 노려보다 (at): The prisoner *scowled* at the jailer. 죄수는 간수를 노려보았다. [SYN] glower

scramble [skrǽmbəl] *v.* **1** [I] (재빠르게) 기어오르다: He *scrambled* up a cliff. 그는 벼랑을 기어올랐다. **2** [I] 서로 빼앗다, 얻으려고 다투다 (for, after, over): They *scrambled* for a seat. 그들은 자리를 잡으려고 서로 다투었다. **3** [T] 긁어모으다, 뒤섞다: I *scrambled* the pieces of the puzzle. 퍼즐 조각들을 뒤섞었다. **4** [T] (달걀을) 휘저으며 부치다 **5** [T] (도청 방지를 위해) 주파수를 변경하다 *n.* **1** 기어오름 **2** 쟁탈(전) **3** 스크램블 레이스 (급경사·울퉁불퉁한 길에서의 오토바이 경주)

scrambled egg(s) *n.* 스크램블드 에그 (달걀을 휘저어 부친 음식)

scrap [skræp] *n.* **1** 작은 조각, 파편: a *scrap* of paper 종이 조각 / a *scrap* of information 단편적인 정보 **2** 폐물, 허섭스 레기 **3** 고철 **4** (scraps) 먹다 남은 음식, 찌 꺼기 **5** (scraps) (신문·잡지 등의) 오려낸 것, 발췌

v. [T] (scrapped-scrapped) **1** 부스러기로 하다, 찢어발기다 **2** 버리다: She *scrapped* her habit of biting fingernails. 그녀는 손톱을 물어뜯는 버릇을 버렸다.

scrapbook [skrǽpbùk] *n.* 스크랩북

scrape [skréip] *v.* **1** [T] 문지르다, 문질러 〔닦아서〕 반반하게 하다: He *scraped* his boots clean. 그는 구두를 문질러 깨끗이 했다. **2** [T] 문질러〔스치어, 긁어〕 벗기다 (off, away, out): He *scraped* the paint off the house. 그는 그 집의 페인트를 긁어 벗겼다.

3 [T] (다쳐서 피부가) 벗겨지다: He *scraped* his knee on a stone. 그는 돌에 무릎이 벗 겨졌다.

4 [I,T] 비벼 소리를 내다, 귀에 거슬리는〔삐걱 거리는〕 소리를 내다: Chairs *scraped* as the students stood up. 학생들이 일어서 면서 의자들이 귀에 거슬리는 소리를 냈다.

5 [I,T] (자금·선수 등을) 애써서 긁어모으다, 마련하다 (up, together): He *scraped* together enough money to buy a camera. 그는 카메라를 살 수 있을 만큼의 돈 을 애써서 긁어모았다.

6 [I] (시험에) 간신히 합격하다, 가까스로 해내 다: He *scraped* through the exam. 그는 간신히 시험에 합격했다.

7 [T] 파다, 도려내다 (out): I *scraped* out a hole in the garden. 그는 뜰에 구덩이를 팠다.

8 [I] 근근이〔간신히〕 살아가다 (by, along): He lost his job, so the family had to *scrape* along on $90 a week. 그가 실직 해서 가족들은 주당 90달러로 근근이 먹고살아

야 했다.

n. **1** 문지르기 **2** 마찰로 인해 생기는 소리 **3** 찰과상, 긁힌 자국: He got a *scrape* on his elbow. 그는 팔꿈치에 찰과상을 입었다. **4** (특히 자초한) 곤란, 곤경: He gets into a *scrape* because he doesn't think before he acts. 그는 행동하기 전에 생각하 지 않기 때문에 곤경에 빠진다. **5** 말다툼: Two boys got into a *scrape*. 두 소년이 말다툼을 했다.

scratch [skrætʃ] *v.* **1** [I,T] (특히 가려운 곳을) 긁다: Don't *scratch* mosquito bites. 모기 물린 곳은 긁지 마라. **2** [I,T] 할퀴 다: The cat *scratched* my face. 고양이가 내 얼굴을 할퀴었다. / I had *scratched* my hand on a nail. 내 손을 못에 긁혔다. **3** [T] 지워 없애다, 삭제하다: We had to *scratch* him from the list because of his injury. 우리는 그가 부상을 당했기 때문에 명 단에서 그를 빼야 했다. **4** [I] 긁거나 할퀴어 소리를 내다: The mice are *scratching* somewhere. 어디선가 쥐들이 갉아대는 소 리가 난다. / This pen *scratches*. 이 펜은 직 직 긁힌다.

n. **1** 긁기, 할퀴기: I had a good *scratch*. 벅벅 긁었더니 시원하다. **2** 긁은〔할퀸〕 자국: Don't worry. It's only a *scratch*. 걱정 하지 마세요. 살짝 긁힌 것뿐인데요. **3** 긁는 소 리

〔숙어〕 **be〔come〕 up to scratch** 적정 수준에 이르다: Your last essay didn't *come up to scratch*. 너의 지난번 작문은 수 준 미달이었다.

from〔at, on〕 scratch 맨 처음부터, 무 (無)에서: I'm learning German *from scratch*. 나는 독일어를 맨 처음부터 배우는 중 이다. / He started his business *from scratch*. 그는 무일푼으로 사업을 시작했다.

scrawl [skrɔːl] *v.* [I,T] 휘갈겨 쓰다: He *scrawled* something in the notebook and I can't read it. 그가 무언가를 공책에 휘갈겨 썼는데 알아볼 수가 없다.

n. 휘갈겨 쓴 글씨 SYN scribble

scream [skri:m] *v.* [I,T] 큰 소리로 외치다, 비명을 지르다: She *screamed* 'Help!' 그녀는 '사람 살려!'라고 외쳤다. / He *screamed* as the roller coaster sped up. 롤러 코스터가 속도를 내자 그가 비명을 질렀다.

n. **1** 외침 (소리), 비명 **2** 아주 유쾌한 사람〔일, 물건〕: He's really a *scream*. 그는 정말 재미있는 친구다.

■ 유의어 **scream**

scream 공포, 고통, 또는 분노에 의해 내는 크고 높으며 찢어지는 듯한 소리. **shriek** 좀 더 날카롭고 갑작스레 내는 소리. **screech** 듣기에 불쾌할 정도로 날카로운 소리.

---

screech [skri:tʃ] *v.* [I,T] 날카로운 소리를 내다, 비명을 지르다: "Leave me alone!" he *screeched*. "날 내버려 둬!"라고 그는 날카로운 목소리로 말했다.

n. 날카로운 소리

***screen** [skri:n] *n.* **1** 칸막이; 〔창문의〕 방충망: a folding *screen* of six panels 6폭으로 된 병풍 **2** 방호물, 숨는 곳 **3** (텔레비전·컴퓨터의) 화면, 스크린 **4** (영화의) 스크린, 영사막; (the screen) 영화〔계〕: She first appeared on the *screen* this year. 그녀는 올해 영화로 데뷔했다.

v. [T] **1** 가리다, 숨기다: One corner of the room was *screened*. 방 한쪽 구석은 칸막이로 되어 있었다. / Sunglasses *screen* your eyes from the sun. 선글라스는 해로부터 눈을 보호해 준다. **2** (소지품·병균 등에 대해) 조사하다: I had my visa application *screened*. 나는 비자 신청서를 심사받았다. / He was *screened* for hepatitis. 그는 간염 검사를 받았다. **3** (지원자를) 선발〔심사〕하다, 가려〔걸러〕내다 (out): Unsuitable candidates were *screened* out at the first interview. 부적절한 후보자들을 첫 번째 면접에서 걸러냈다. / She always

screens her phone calls. 그녀는 항상 전화를 가려서 받는다. **4** 상영하다; (소설·연극 등을) 영화화〔각색〕하다; 촬영하다: The theater is *screening* the movie two times a day. 그 극장은 그 영화를 하루에 2번 상영하고 있다.

screen saver *n.* [컴퓨터] 화면보호 장치 (동일 화면을 계속 표시함으로써 일어날 CRT의 연소 방지를 위한 프로그램〔소프트웨어〕)

screw [skru:] *n.* **1** 나사, 나사못 **2** (배의) 스크루, 추진기

v. **1** [T] 나사로 죄다, 나사못으로 고정시키다 **2** [I,T] 돌려서 죄다〔닫다〕: *Screw* the lid on tightly. 뚜껑을 꽉 닫아라. **3** [T] (입·얼굴 등을) 찡그리다: I *screwed* up my eyes in the bright light. 빛이 눈부셔서 눈을 찡그렸다. **4** [T] (종잇조각을) 뭉치다, 구겨 쥐다: He *screwed* the letter up and threw it away. 그는 편지를 뭉쳐서 던져 버렸다.

숙어 **screw up** 큰 실수로 엉망이 되게 하다: You are the one who *screwed up* the party! 파티를 엉망으로 만든 게 바로 너잖아!

screwdriver [skrú:dràivər] *n.* 나사돌리개, 드라이버

scribble [skríbəl] *v.* [I,T] **1** 갈겨 쓰다: I *scribbled* her phone number. 나는 그녀의 전화 번호를 급히 썼다. **2** 낙서하다: Don't *scribble* on the wall! 벽에 낙서하지 마! *n.* 갈겨 쓰기, 흘려 쓴 것

script [skript] *n.* **1** 손으로 쓴 글 **2** [인쇄] 필기체 활자 **3** (극·영화·방송극 등의) 각본, 대본

scripture [skríptʃər] *n.* **1** (the Scriptures) 성서 SYN the Bible **2** (scriptures) 경전: the Buddhist *scriptures* 불교 경전

scroll [skroul] *n.* **1** 두루마리 **2** 목록, 일람표 **3** [컴퓨터] 두루마리 (화면에 글이 꽉 찼을 때 한 행씩 밀어올림)

v. **1** [I,T] (두루마리 모양으로) 말다 **2** [T] [컴퓨터] 표시 화면 내용을 순차적으로 올리다 〔내

리다) (up, down)

scrub [skrʌb] *v.* [I,T] (scrubbed-scrubbed) **1** 비벼 빨다: She *scrubbed* dirty shirts. 그녀는 더러운 셔츠를 비벼 빨았다. **2** (불순물을) 없애다, 북북 문질러 닦다: He *scrubbed* the floor clean. 그는 마루를 문질러 닦아서 깨끗이 했다.

n. **1** 문질러 닦기, 걸레질 **2** 덤불, 관목숲 **3** 작은 잡목이 우거진 땅 (scrubland)

scrutinize, scrutinise
[skrú:tənàiz] *v.* [T] 자세히 조사하다: He *scrutinized* the design drawing of a house. 그는 주택 설계도를 자세히 들여다 보았다.

scrutiny [skrú:təni] *n.* 면밀한 조사, 감시: Every product undergoes a close *scrutiny*. 모든 상품은 엄밀한 검사를 받는다.

scuba diving *n.* 스쿠버 다이빙

sculptor [skʌ́lptər] *n.* 조각가

***sculpture** [skʌ́lptʃər] *n.* **1** 조각, 조소 **2** 조각 작품

scuttle [skʌ́tl] *v.* [I] 황급히 가다: A rat *scuttled* into the hole in the wall when I turned the light on. 내가 불을 켜자 쥐가 벽에 난 구멍 속으로 황급히 도망쳤다.

scythe [saið] *n.* (농업용의 자루가 긴) 큰 낫

***sea** [si:] *n.* **1** (종종 the sea) 바다 ([미] ocean): Shall we go swimming in the *sea*? 바다에서 수영할까? **2** (종종 Sea) (육지·섬으로 둘린) 바다, …해: the Dead *Sea* 사해 **3** (seas) 파도: The boat sank in rough *seas*. 보트가 거센 파도에 침몰했다. **4** (a sea of, seas of) 다량, 많음, 다수: a *sea* of flame 불바다

[숙어] **at sea 1** 항해 중인: He spent three months *at sea*. 그는 3달 동안 항해를 했다. **2** 어찌할 바를 모르는: I'm all *at sea* with my homework. 나는 숙제를 어떻게 해야할지 모르겠다.

by sea 배편으로: I sent Christmas presents *by sea*. 나는 크리스마스 선물들을 배편으로 보냈다.

by the sea 바닷가에: She lives in a small house *by the sea*. 그녀는 바닷가에 있는 작은 집에 살고 있다.

seabed [sí:bèd] *n.* (the seabed) 해저

seabird [sí:bə̀rd] *n.* 바닷새

seafood [sí:fù:d] *n.* 해산 식품 (생선·조개류)

sea gull, seagull [sí:gʌ̀l] *n.* 갈매기

seal [si:l] *n.* **1** 바다표범, 물개 **2** (문서 등에 찍힌) 인장: The letter I saw was stamped with the *seal*. 내가 본 편지에는 인장이 찍혀 있었다. **3** 인감, 도장, 옥새 **4** 봉인, 봉함: Don't purchase if the *seal* is broken. 봉함이 떨어져 있는 경우 구입하지 마시오. **5** 밀봉재; 봉인지, 봉인 테이프

v. [T] **1** 날인하다, (상담 등을) 타결하다 **2** 봉인하다, 봉하다: *Seal* the box (up) with tape. 테이프로 그 상자를 봉해라. / She *sealed* (down) the envelope and put a stamp on it. 그녀는 봉투를 봉하고 그 위에 우표를 붙였다. **3** 밀봉하다, 틈새를 막다: *seal* the cracks in a wall 벽의 갈라진 틈을 막다 **4** 확실하게 하다: We *sealed* the promise with a handshake. 우리는 악수로 그 약속을 다짐했다.

[숙어] **seal off** 출입을 금지하다, 포위하다: The police *sealed off* the area where the explosion happened. 경찰은 폭발이 있던 장소의 출입을 금지했다.

sea level *n.* 해수면: 1000m above *sea level* 해발 1000m

sea lion *n.* [동물] 강치

seam [si:m] *n.* **1** (천 등의) 솔기: A *seam* on my old coat is coming apart. 낡은 코트의 솔기가 터지려고 한다. **2** (판자 등의) 이음매, 맞춘 곳 **3** [지질] 두 지층의 경계선, (석탄 등의) 얇은 층

seaman [sí:mən] *n.* (*pl.* seamen) 뱃사람, 선원

seaplane [sí:plèin] *n.* 수상 비행기

seaport [sí:pɔ̀:rt] *n.* 항구; 항구 도시

***search** [sə́:rtʃ] *v.* **1** [I,T] 찾다, 수색하다:

The police are *searching* for survivors. 경찰이 생존자가 있는지 수색 중이다. / I *searched* (through) my pockets for some change. 나는 잔돈이 있나 보려고 호주머니를 뒤졌다. / Doctors are still *searching* for a cure for cancer. 의사들은 아직도 암에 대한 치료법을 찾고 있다. **2** [T] (소지품 조사를 위해) …의 몸을 수색하다: We were *searched* at the airport. 우리는 공항에서 몸수색을 받았다. **3** [T] [컴퓨터] (데이터 베이스·파일 등을) 검색하다 *n.* **1** 탐색, 수색 **2** [컴퓨터] 검색, 찾기: a *search* engine 검색 엔진

— **searcher** *n.* 수색자; [컴퓨터] 검색사

[숙어] **in search of** …을 찾아: She went into the forest *in search of* food. 그녀는 먹을거리를 찾아 숲 속으로 갔다.

searching [sə́ːrtʃiŋ] *adj.* **1** (눈매·질문 등이) 날카로운, 예리한: a *searching* question 날카로운 질문 **2** 면밀한, 엄중한: a *searching* examination 면밀한 검사

search warrant *n.* (가택 등의) 수색 영장

seashell [síːʃèl] *n.* 바닷조개, 조가비

seashore [síːʃɔ̀ːr] *n.* (보통 the seashore) 해변, 바닷가 [SYN] beach

seasick [síːsìk] *adj.* 뱃멀미가 난, 뱃멀미의
— **seasickness** *n.*

seaside [síːsàid] *n. adj.* 해변(의), 바닷가(의): go to the *seaside* (해수욕 하러) 해안에 가다 / a *seaside* resort 해수욕장

***season**[1] [síːzən] *n.* **1** 계절, 사철의 하나: the four *seasons* 사철 **2** 시절, 철, 때: the rainy *season* 우기 / the holiday *season* 휴가철 / the baseball *season* 야구 시즌

[숙어] **in season** (과일·어류 등이) 제철[한창]인: Crab is *in season* in November. 11월에는 게가 제철이다.

out of season 철지난, 한물 간

season[2] [síːzən] *v.* [T] 간을 맞추다, 조미하다: She *seasoned* soup with salt. 그녀는 소금으로 수프의 간을 맞추었다.
— **seasoning** *n.*

seasonal [síːzənəl] *adj.* 계절의, 계절에 따른; 주기적인: *seasonal* fruits 계절 과일 / a *seasonal* job 계절적 직업

seasoning [síːzəniŋ] *n.* 조미료, 양념

***seat** [siːt] *n.* **1** 자리, 좌석: Is this *seat* free? 빈 자리인가요? **2** (의자 등의) 앉는 부분: Don't put your feet on the *seat*! 앉는 자리에 발 올려놓지 마! **3** (극장·비행기 등의) 지정석, 예약석: I've booked two *seats* for the opera. 나는 오페라 좌석 둘을 예약했다. **4** 의석, 의원권: He won[got] a *seat* in Congress. 그가 의원에 당선됐다. / lose one's *seat* 낙선하다, 떨어지다
v. [T] **1** (종종 수동태) 앉히다: Please be *seated*. 앉으십시오. **2** (건물이) …명분의 좌석을 갖다, 수용하다: The hall *seats*[is *seated* for] 3,000. 회관에는 3,000개의 좌석이 있다.

— **seating** *n.* 좌석(수), 좌석 배치

[숙어] **in the driver's[driving] seat** 책임자의 입장에서

take a[one's] seat 앉다: Please, take your seat. 앉으십시오.

seat belt *n.* (비행기·자동차 등의) 좌석 벨트, 안전 벨트 (safety belt): fasten [unfasten] a *seat belt* 좌석 벨트를 매다[풀다]

seaweed [síːwìːd] *n.* 해초, 바닷말

seclude [siklúːd] *v.* [T] (사람·장소 등을) 분리하다, 격리하다
— **seclusion** *n.* 격리, 은둔

secluded [siklúːdid] *adj.* 격리된, 인가에서 멀리 떨어진: a *secluded* patient 격리 환자 / a *secluded* house in the mountain 산 속의 외딴집 / She leads a *secluded* life. 그녀는 은둔 생활을 한다.

second[1] [sékənd] *adj.* 제2의, 두 번째의, 2등의: Busan is the *second* largest city in Korea. 부산은 한국에서 두 번째로 큰 도시이다. / the *Second* World War 제2차 세계 대전 / They hold elections every *second* year. 그들은 2년마다 선거를 한다. /

the *second* team 2군

adv. 둘째로, 두 번째로: She woke up *second*. 그녀가 두 번째로 일어났다. / come *second* 2등이 되다.

n. **1** 두 번째(둘째, 2위)의 사람(물건): He was the *second* to arrive. 그가 두 번째로 도착했다. / Henry the *Second* 헨리 2세 / the *second* of November, November the *second* 11월 2일 **2** (seconds) 더 달라서 먹는 음식, 두 그릇째의 음식 **3** (보통 seconds) 2급품 (약간의 흠집으로 인해 싸게 파는 물건): These sneakers are *seconds*. They're much cheaper. 이 운동화들은 2급품입니다. 매우 저렴합니다. **4** (자동차의) 2단 (기어)

v. [T] 후원하다, 찬성하다, 지지하다: I *second* the motion. 방금하신 동의에 찬성합니다.

[숙어] **(be) second to none** 누구에게도 (무엇에도) 뒤지지 않는, 첫째 가는: He's *second to none* in math. 그는 수학에 있어서 누구에게도 뒤지지 않는다.

second² [sékənd] *n.* **1** 1초: Close your eyes for five *seconds*. 5초 동안 눈을 감으세요. **2** 매우 짧은 시간: Wait a *second*. 잠깐만 기다려. / a split *second* 몇 분의 1초, 눈 깜짝할 사이

secondary [sékəndèri] *adj.* **1** 제2위의, 2차의, 제 2의: a *secondary* cause 제 2의 원인 / a *secondary* infection 제2차 감염 **2** 다음의, 부차적인, 덜 중요한: Health is what matters. Others are of *secondary* importance. 중요한 것은 건강이다. 다른 것들은 그 다음에 온다. **3** 중등 교육(학교)의: *secondary* school 중등 학교

— **secondarily** *adv.*

second best *n.* 차선의 방책, 둘째로 좋은 사람(것)

— **second-best** *adj.* 제2위의, 두 번째로 좋은

second class *n.* **1** 2급, 2류 **2** (탈것의) 2등석

— **second-class** *adj. adv.* 2류의; 2종

(등)의(으로); 2등석의

second hand *n.* (the second hand) (시계의) 초침

secondhand [sékəndhǽnd] *adj.* **1** 간접적인, 전해(얻어) 들은: *secondhand* news 얻어 들은 뉴스 **2** 중고(품)의: a *secondhand* car 중고차

second language *n.* **1** (한 나라의) 제2 공용어 **2** (모국어 다음 가는) 제2의 언어 **3** (학교에서) 제1외국어

secondly [sékəndli] *adv.* 제2로, 다음으로: Firstly, I don't like the color and *secondly*, it's too expensive. 첫째로 난 그 색이 마음에 들지 않아. 그리고 둘째로 너무 비싸.

second-rate [sékəndréit] *adj.* 2류의, 우수하지 않은: *second-rate* paintings 2류 그림들

secrecy [sí:krəsi] *n.* 비밀, 비밀 엄수: We need absolute *secrecy* about our plan. 우리 계획에 대해 비밀을 엄수해야 할 필요가 있다.

*****secret** [sí:krit] *adj.* 비밀의, 기밀의: a *secret* code 암호 / a *secret* passageway 비밀 통로

n. **1** 비밀, 기밀: a military *secret* 군사 기밀 / It's no *secret* that they love each other. 그들이 서로 사랑한다는 것은 만인이 다 아는 일이다. **2** (종종 secrets) (자연계의) 불가사의, 신비: the *secrets* of nature 자연의 신비 **3** (the secret) 비법, 비결: What's the *secret* of your success? 성공의 비결이 무엇인가요?

— **secretly** *adv.*

[숙어] **in secret** 비밀히, 몰래: They met *in secret*. 그들은 몰래 만났다.

keep a secret 비밀을 지키다: Can you *keep a secret*? 비밀을 지킬 수 있지?

secret agent *n.* 첩보원, 첩자, 간첩

secretarial [sèkrətɛ́əriəl] *adj.* 비서의

secretariat(e) [sèkrətɛ́əriət] *n.* **1** 비서관의 직 **2** 비서과; (the secretariat) 비서

과 직원들 **3** (Secretariat) (국제 조직의) 사무국

secretary [sékrətèri] *n.* **1** 비서 **2** 서기 **3** (Secretary) [미] 장관: the *Secretary* of Defense (미국의) 국방 장관 **4** [영] (국무) 대신 (Secretary of State)

secrete [sikrí:t] *v.* [T] **1** 비밀로 하다, 숨기다: He *secreted* the letter under the carpet. 그는 편지를 카페트 밑에 숨겼다. **2** [생리] 분비하다: *secrete* hormones 호르몬을 분비하다

secretion [sikrí:ʃən] *n.* **1** [생리] 분비 (작용) **2** 분비물[액] **3** 숨김, 은닉

secretive [sikrí:tiv] *adj.* 숨기는, 비밀주의의: He's very *secretive* about his new job. 그는 자신의 새 직업에 대해 잘 말하지 않는다.
— **secretively** *adv.* **secretiveness** *n.*

secret service *n.* (정부의) 비밀 기관, 첩보부

sect [sekt] *n.* 분파, 종파, 당파

sectarian [sektɛ́əriən] *adj.* 분파의, 종파의, 당파의
n. 파벌적인 사람, 당파심이 강한 사람

*section [sékʃən] *n.* **1** (나뉜 것 중의) 한 조각[부분]: cut an orange into *sections* 오렌지를 여러 조각으로 자르다 / the culture *section* of the newspaper 신문의 문화면 **2** 자른 면, 단면(도), 절단면: The illustration shows a *section* through a leaf. 삽화는 나뭇잎의 단면을 보여 준다. **3** 구분, 구획: a non-smoking *section* in a restaurant 레스토랑의 금연 구역
v. [T] **1** 분할하다, 구분하다 **2** [의학] 절개하다

sectional [sékʃənəl] *adj.* **1** 부분의, 구분의 **2** 조립식의: a *sectional* chair 조립식 의자 **3** 특정 구역에 관한, 지방적인: *sectional* interests 지방적인 이해 관계

sector [séktər] *n.* **1** [수학] 부채꼴 **2** (군대) 전투 지구, 작전 지구 **3** (사회·산업 등의) 분야, 부문, 영역: the private[public] *sector* 민간[공공] 부문 **4** [컴퓨터] 섹터 (자

기 디스크나 disk pack의 track을 보다 작게 나눈 부분)

secular [sékjələr] *adj.* 세속의, 비종교적인: *secular* education (종교 교과를 가미하지 않은) 보통 교육

secure [sikjúər] *adj.* **1** (지위·생활·미래 등이) 안정된, 걱정이 없는: I feel *secure* about my future. 나는 내 미래에 대해 걱정이 없다. / a *secure* job 안정된 일자리 OPP insecure **2** 안전한, 위험이 없는: a *secure* hideout 안전한 은신처 SYN safe **3** 튼튼한: The building was *secure*, even in the earthquake. 그 건물은 지진에도 끄떡없었다. **4** (자물쇠·문 등이) 단단히 잠긴[닫힌]: Are the windows *secure*? 창문을 다 잠갔니? **5** 확실한: a *secure* victory 확실한 승리
v. [T] **1** 안전하게 하다, 굳게 지키다 (against, from): *secure* a city from attack 공격으로부터 도시를 지키다 **2** (문 등을) 단단히 잠그다, 채우다: *Secure* the locks. 자물쇠를 단단히 채워라. **3** 확실하게 하다: The success *secured* his reputation. 성공으로 그의 명성은 확고하게 되었다. **4** 확보하다, 얻다: Please *secure* me a seat. 자리를 하나 잡아 줘. SYN get
— **securely** *adv.*

security [sikjúəriti] *n.* **1** 안전, 안심 OPP insecurity **2** 보안, 방위[보호] 수단: All the *security* measures against terrorism should be taken. 테러 행위에 대한 모든 보안 조치를 취해야 한다. **3** 보증, 보증금, 담보: A house can be used as *security* for a loan. 집은 대부금에 대한 담보로 쓰일 수 있다. **4** 경비 담당(자), 경비 회사: He called *security* when he spotted the intruder. 침입자를 발견하고 그는 경비 회사에 전화를 걸었다.

sedan [sidǽn] *n.* ([영] saloon) 세단형 자동차

sediment [sédəmənt] *n.* 앙금, 침전물

sedimentary [sèdəméntəri] *adj.* 앙금

의, 침전(퇴적)으로 생긴: *sedimentary* rock 퇴적암

seduce [sidʒúːs] *v.* [T] **1** 부추기다, 꾀다: The promise of big money *seduced* him into leaving his company. 거금을 쥘 수 있다는 약속이 그를 사직하도록 부추겼다. **2** (이성을) 유혹하다

— **seductive** *adj.* **seduction** *n.*

*see ⇨ 아래 참조

*seed [siːd] *n.* **1** 씨(앗), 종자: Hamsters like sunflower *seeds*. 햄스터는 해바라기

씨를 좋아한다. **2** (보통 *pl.*) 근원, 원인, 불씨: the *seeds* of conflict 다툼의 원인

v. **1** [I,T] 씨를 뿌리다: Dandelions *seed* themselves. 민들레는 스스로 씨를 뿌린다. **2** [T] 씨를 제거하다: She *seeded* grapes. 그녀는 포도의 씨를 발라 냈다.

— **seedless** *adj.* 씨 없는

seedling [síːdliŋ] *n.* 모종, 묘목

seedy [síːdi] *adj.* (seedier-seediest) **1** 씨가 많은: a *seedy* watermelon 씨 많은 수박 **2** (복장 등이) 초라한, 누추한: a *seedy*

---

see

see [siː] *v.* (saw-seen) **1** [I,T] 보다, 보이다: I *saw* her go out. 나는 그녀가 외출하는 걸 보았다. / Have you *seen* my bag? 제 가방 보셨어요?

2 [T] (글자 · 인쇄물 등을) 보다: I *saw* your article in the newspaper. 네가 쓴 기사를 신문에서 봤다.

3 [T] (연극 · 영화 등을) 구경하다, 보다; (텔레비전 프로를) 보다 (이 뜻으로는 watch가 더 일반적임): I *saw* 'Matrix 2' yesterday. 나는 어제 '매트릭스 2'를 봤다.

4 [I,T] 깨닫다, 이해하다: I don't *see* your point. 너의 취지를 모르겠다. / I *see* what you mean. 네 말을 이해하겠다.

5 [T] 인정하다, (특히) 장점으로서 …을 찾아내다: I can't *see* him as a class monitor. 나는 그를 반장으로 인정할 수 없어. / I don't *see* any harm in it. 나는 그것에서 이렇다할 해로운 점을 찾을 수가 없다.

6 [T] 잘 보다, 살펴보다: *See* who is at the door. 누가 왔는지 나가 보아라.

7 [T] 확실히 하다, 확인하다: *See* that the TV is off. 텔레비전이 꺼졌는지 확인하거라.

8 [T] 배웅하다, 바래다 주다: I *saw* my friend to the station. 나는 친구를 역까지 바래다 주었다.

9 [T] 만나다, 데이트하다: I stopped to *see* Jane. 나는 제인을 만나기 위해 잠깐 들렀다. /

They've been *seeing* each other for a year. 그들은 사귄지 1년 정도 된다.

10 [T] (정보나 조언을 얻기 위해) 방문하다, (의사에게) 진찰을 받다: You had better *see* a doctor. 너는 의사의 진찰을 받는 것이 좋겠다.

11 [T] 경험하다, 겪다, 목격하다: She has *seen* a lot of life. 그녀는 많은 인생 경험을 했다. / The city *saw* many changes. 도시는 많은 변화를 겪었다.

[숙어] **I'll see (about it).** (즉답을 피해) 생각해 보겠습니다, 어떻게 해보죠

I see. 알았다, 알겠다, 그렇군

let me see 가만있자 (무언가를 기억하려 할 때): *Let me see*, where did I put my glasses? 가만있자, 내 안경을 어디다 뒀더라?

see ... off …을 배웅하다

see through 꿰뚫어 보다, 간파하다: She *saw through* his scheme. 그녀는 그의 계략을 꿰뚫어 보았다.

see to …을 처리하다: I'll *see to* the reservation. Don't worry 예약은 내가 할게. 걱정 마.

see you around 잘 가, 안녕 (다시 만날 약속을 하지 않았을 때)

see you (later) 나중에 보자 (곧 다시 만날 사람에게)

you see 어때, 아시겠죠: It's like this, *you see*. 그건 이렇단 말야, 알겠지.

S

old man 초라한 노인 **3** (사물·장소 등이) 평판이 좋지 않은, 저급한: a *seedy* hotel 풍기가 좋지 않은 여관

seeing [síːiŋ] *conj.* …이므로, …한 것을 보면 (that, as): *Seeing* that it's 9 o'clock, we'll wait no longer. 이미 9시나 됐으니 더는 기다리지 말자.
n. **1** 보기, 보는 일: *Seeing* is believing. [속담] 백문이 불여일견. **2** 시력, 시각

seek [siːk] *v.* [T] (sought-sought) **1** 찾다, 추구하다: *seek* fame 명성을 추구하다 / *seek* gold 금을 찾으려 하다 **2** (조언·설명 등을) 구하다, 요구하다 (from): You shoud *seek* advice from your lawyer on this matter. 너는 이 문제에 관해 네 변호사에게 조언을 구해야 한다. **3** 시도하다, 노력하다 (to do): They *seek* to satisfy their needs. 그들은 그들의 필요를 충족시키려고 노력한다. **4** (-seeking *adj.*) (복합어를 이루어) …을 구하는[찾는]: a heat-*seeking* missile 열 추적 미사일 / attention-*seeking* behavior 주의를 끌려는 행동
[숙어] **seek for[after]** 얻으려고[찾으려고] 애쓰다: He's always *seeking after* power. 그는 항상 권력을 추구하고 있다.

seeker [síːkər] *n.* **1** 수색자, 탐구자: job-*seekers* 구직자 **2** (미사일의) 목표물 탐색 장치, 그 장치를 단 미사일

*****seem** [siːm] *v.* [I] **1** …으로 보이다, …(인 것) 같다: He *seems* (to be) a kind man. 그는 친절한 사람인 것 같다. **2** (…하는 것 같이) 생각되다, 여겨지다: You don't *seem* to like me. 너는 내가 못마땅한 모양이야. / I *seem* to hear him sing. 그의 노랫소리가 들리는 것 같다. **3** (it을 주어로 하여) …인(한) 것 같다: It *seems* safer for you not to go. 너는 가지 않는 편이 안전할 것 같다.

■ 유의어 **seem**
seem 마음 속으로 그렇게 생각되다. **appear** 외견상으로 판단하여 그렇게 생각되다. **look** 눈으로 보아 그렇게 생각되다.

seeming [síːmiŋ] *adj.* (명사 앞에만 쓰임) 겉보기만의, 외관상의: *seeming* friendship 겉만의 우정 / a *seeming* likeness 겉만 닮음 [SYN] apparent
— **seemingly** *adv.*

seep [siːp] *v.* [I] 스며나오다, 새다: Rain *seeped* through the roof. 지붕으로 빗물이 샜다.

seesaw [síːsɔ̀ː] *n.* 시소(놀이)
adj. 시소 같은, 아래위(앞뒤)로 움직이는
v. [I,T] 아래위(앞뒤)로 움직이다: The price *seesawed* between $1 and $2. 가격은 1달러와 2달러 사이를 왔다갔다 했다.

seethe [siːð] *v.* [I] **1** (화가 나서) 속이 끓어오르다: I was absolutely *seething*. 나는 너무 화가 나서 속이 끓어올랐다. **2** (장소 등이 사람으로) 들끓다 (with): The streets were *seething* with tourists. 거리는 관광객들로 들끓고 있었다.
— **seething** *adj.*

segment [ségmənt] *n.* 단편, 조각, 부분: every *segment* of American life 미국 생활의 구석구석 / the *segment* of an orange 오렌지 조각

segmentation [sègməntéiʃən] *n.* 분할, 구분

segregate [ségrigèit] *v.* [T] **1** 분리[격리]하다: We have to *segregate* the sick children from the rest. 아픈 아이들을 다른 아이들에게서 격리해야 한다. [SYN] separate, isolate **2** (어떤 인종·사회층)에 대하여 차별 대우를 하다: Blacks are *segregated* from whites in some schools. 몇몇 학교에서는 흑인 학생들을 백인 학생들과 차별 대우를 한다. [OPP] integrate

segregation [sègrigéiʃən] *n.* **1** 분리, 격리, 차단 **2** 인종 차별(대우)

seismograph [sáizməgræf] *n.* 지진계, 진동계

seismology [saizmálədʒi] *n.* 지진학
— **seismologist** *n.* 지진학자

seize [siːz] *v.* [T] **1** (갑자기) (붙)잡다, 꽉 쥐다: He *seized* the gun and pointed at them. 그가 총을 쥐고 그들을 향해 겨누었다. / She *seized* my hand and dragged me away. 그녀가 내 손을 잡더니 날 끌고 갔다. SYN grab **2** (기회 등을) 붙잡다, 포착하다: Finally I *seized* the opportunity to ask questions. 나는 드디어 질문할 기회를 잡았다. **3** 압류하다, 몰수하다: The police *seized* illegal guns. 경찰이 불법 총기류를 압류했다. **4** (보통 수동태) (공포·병 등이) 덮치다, 엄습하다: The crowd was *seized* with [by] panic. 군중은 갑자기 공포에 사로 잡혔다.

seizure [síːʒər] *n.* **1** 압류, 몰수 **2** (병의) 발작, 졸도: a heart *seizure* 심장 발작

seldom [séldəm] *adv.* 드물게, 좀처럼 … 않는: He *seldom* changes his opinion. 그는 자신의 의견을 좀처럼 바꾸지 않는다.

***select** [silékt] *v.* [T] 선택하다, 고르다: *Select* the book you want. 갖고 싶은 책을 골라라. / They *selected* Tom as leader of their group. 그들은 톰을 그룹의 리더로 뽑았다.
adj. 가려낸, 정선한: Our market sells only *select* fruits and vegetables. 우리 가게에서는 엄선된 과일과 야채만을 팝니다.

selection [silékʃən] *n.* **1** 선발, 선택: His *selection* as a mayor candidate was quite unexpected. 시장 후보로 그가 선정된 것은 아주 뜻밖이었다. **2** 선발된 사람 [것]: a *selection* from Hemingway 헤밍웨이 선집 / The new manager is a good *selection*. 새 지배인은 적임자이다. **3** (같은 종류의) 구색: The shop has a wide *selection* of wines. 그 가게에는 포도주의 구색이 갖추어져 있다.

selective [siléktiv] *adj.* **1** 선택에 신중한: She's always very *selective* when she buys her clothes. 그녀는 늘 옷을 사는 데 아주 신중하다. **2** (행위·영향 등이) 선택적인: *selective* bombing 선택 폭격

— **selectively** *adv.*

self [self] *n.* (*pl.* selves) **1** 자기, 자신: *Self* do, *self* have. [속담] 자업자득. **2** 개성, 특질, 본성, 진수: reveal one's true *self* 본성을 드러내다 / She is beauty's *self*. 그녀는 미(美)의 화신이다. **3** 이기심, 사욕: He always thinks of others, never of *self*. 그는 항상 자신의 이해보다는 다른 사람들을 생각한다.
숙어 be [feel, etc.] one's old *self* 컨디션이 좋다, 완전히 회복되다: Mother was sick and didn't seem like *her old self*. 어머니는 편찮으셔서 컨디션이 좋지 않으셨다.

self- *prefix* '자기, 스스로의'의 뜻.

self-adhesive *adj.* (봉투 등이) 풀칠되어 있는

self-assured *adj.* 자신 있는, 자기 만족의 SYN confident
— **self-assurance** *n.*

self-centered *adj.* 자기 중심의, 이기주의적인

self-confident *adj.* 자신 있는, 자신 과잉의 SYN self-assured, confident
— **self-confidence** *n.*

self-conscious *adj.* 자의식이 강한, 남을 의식하는
— **self-consciously** *adv.* **self-consciousness** *n.*

self-control *n.* 자제(심), 극기

self-critical *adj.* 자기 비판적인

self-defense [defence] *n.* 자기 방어, 정당 방위: in *self-defense* 자위 수단으로서, 자기 방어를 위해

self-destruct *v.* [I] (로켓·미사일 등이 고장시) 스스로 파괴하다, 자폭하다
— **self-destructive** *adj.* **self-destruction** *n.*

self-discipline *n.* 자기 훈련, 자제

self-employed *adj.* 자가 영업의, 자영업의
— **self-employment** *n.*

self-esteem *n.* **1** 자존(심) **2** 자만(심), 자

부(심)

self-evident *adj.* 자명한

self-explaining〔**explanatory**〕*adj.* 자명한, 설명이 필요 없는

self-expression *n.* (문학·예술 등에 있어서) 자기 표현, 개성 표현
— **self-expressive** *adj.*

self-governing *adj.* 자치의: the *self-governing* colonies 자치 식민지

self-help *n.* 자립, 자조(自助): *Self-help* is the best help. 〔격언〕 자조가 최상의 도움이다.

self-important *adj.* 젠체하는, 자부심이 강한
— **self-importantly** *adv.* **self-importance** *n.*

self-interest *n.* 이기심; 사리사욕, 사리 (추구)
— **self-interested** *adj.* 이기적인

selfish [sélfiʃ] *adj.* 이기적인, 이기주의의: It's *selfish* of you to say so. 그런 말을 하다니 이기적이구나.
— **selfishly** *adv.* **selfishness** *n.*

selfless [sélflis] *adj.* 사심이 없는, 무욕의
— **selflessly** *adv.*

self-made *adj.* 자력으로 만든〔출세한〕: He's a *self-made* man. 그는 자수성가한 사람이다.

self-pity *n.* 자기 연민

self-portrait *n.* 자화상

self-reliant *adj.* 자기를 믿는, 독립 독행의
— **self-reliantly** *adv.* **self-reliance** *n.*

self-respect *n.* 자존(심), 자중(自重)
— **self-respectful, self-respecting** *adj.* 자존심 있는

self-restraint *n.* 자제, 극기

self-righteous *adj.* 독선적인
— **self-righteously** *adv.* **self-righteousness** *n.*

self-sacrifice *n.* 자기 희생, 헌신(적 행위)

self-satisfied *adj.* 자기 만족의

self-service *n. adj.* (식당·매점 등의) 셀프서비스(의) (손님이 손수 갖다 먹는 식의)

self-starter *n.* **1** (자동차 등의) 자동 시동 장치, 또는 그 자동차 **2** [미] 자발적으로 계획을 실행하는 사람

self-study *n.* **1** 독학 **2** 자기 관찰〔성찰〕
adj. 독습용의, 독학으로 습득한

***sell** [sel] *v.* (sold-sold) **1** [I,T] 팔다: We're *selling* used cars at a good price. 중고차를 좋은 값에 팝니다. [OPP] buy **2** [T] (가게가 물건을) 판매하다, 장사하다: Do you *sell* newspapers? 신문 파시나요? **3** [I,T] 팔리다: This magazine *sells* 500,000 copies a week. 이 잡지는 1주일에 50만 부가 팔린다. / These notebooks *sell* for 1,000 won each. 이 공책들은 한 권에 천원에 판다. **4** [T] 판매를 촉진시키다, 선전하다: TV *sells* consumer goods. TV 덕택으로 소비재가 팔린다. **5** [T] …에게 ~을 받아들이게 하다, 납득시키다 (on): I *sold* him on my idea. 나는 그에게 내 아이디어를 납득시켰다.

[숙어] **be sold out** 매진되다, 품절되다: All the tickets *were sold out* within one hour. 1시간 내에 모든 표가 매진되었다.

sell off 싸게 팔아 치우다, 떨이로 팔다

sell-by date *n.* (포장 식품 등의) 판매 유효 기한(의 날짜)

seller [sélər] *n.* **1** 파는 사람, 판매인: a book *seller* 서적 판매인 **2** 팔리는 물건: a best *seller* 가장 잘 팔린 물건, 베스트 셀러 / a bad〔poor〕 *seller* 잘 안 팔리는 물건

semblance [sémbləns] *n.* **1** 외관, 외형 **2** 유사, 닮음; … 비슷한 것: There's not even a *semblance* of proof. 증거 비슷한 것도 없다.

semester [siméstər] *n.* (1년 2학기제의) 한 학기

semi- *prefix* '반…, 어느 정도…, 좀…'의 뜻.

semicircle [sémisə̀ːrkəl] *n.* 반원(형)
— **semicircular** *adj.*

semicolon [sémikòulən] *n.* 세미콜론 (;) ※ 문장을 연결하는 and의 대용이다. 단어

와 단어를 연결하는 and의 대용은 comma(,) 이다.

semiconductor [sèmikəndΛktər] *n.* [물리] 반도체

semifinal [sèmifáinəl] *n. adj.* 준결승 (의)

— **semifinalist** *n.* 준결승 진출 선수

seminar [sémənὰːr] *n.* **1** (대학의) 세미나 (교수의 지도에 의한 학생 공동 연구 그룹) **2** (단기간에 집중적으로 하는) 연구 집회 **3** [미] 전문가 회의

senate [sénət] *n.* **1** (종종 the Senate) (미국·캐나다·프랑스 등의) 상원: a *Senate* hearing 상원 청문회 **2** (고대 로마·그리스 의) 원로원 **3** 입법부, 의회

senator [sénətər] *n.* **1** (종종 Senator) [미] 상원 의원 **2** 원로원 의원

***send** [send] *v.* [T] (sent-sent) **1** 보내다, 발송하다: I *sent* flowers to my aunt. 나는 숙모에게 꽃을 보냈다. **2** (사람을) 파견하다, 보내다: She *sent* a boy on an errand. 그녀는 소년을 심부름 보냈다. **3** 내몰다, 억지로 보내다: *Send* the cat out of the room. 고양이를 방에서 내쫓으시오. **4** …의 상태로 되게 하다: The noise is *sending* me mad. 시끄러워서 미치겠다.

— **sender** *n.* 발신인

축어 **send away 1** 내쫓다 **2** 해고하다 **3** 멀리 보내다

send for …을 부르러 보내다: Hurry. *Send for* the doctor! 서둘러. 의사를 불러 와!

send in (신청서·사표 등을) 내다, 제출하다

send off (편지 등을) 발송하다: I *sent off* the package this morning. 나는 오늘 아침에 소포를 부쳤다.

send off〔away〕**for** …을 우편으로 주문 하다, (주문하여) 가져오게 하다

send off (**the field**) (반칙 등으로 선수 를) 퇴장시키다

send out 1 발송하다: Make sure you *send out* the invitations in right time.

확실하게 제때에 초대장을 발송하도록 해라. **2** 파견하다 **3** (…을) 가져오도록 주문하다 (for); (…을) 가지러〔사러, 구하러〕보내다 (for): Let's *send out* for pizza. 피자를 가져오도 록 주문하자. **4** (빛·열 등을) 발하다: Natural gas *sends out* almost no hydrocarbons. 천연 가스는 탄화 수소를 거 의 내지 않는다.

***senior** [síːnjər] *adj.* **1** 손위의, 연상의 (to): He's *senior* to me by two years. 그는 나보다 두 살 위다. **2** (가족·학교 등 같 은 집단의 같은 이름인 사람에 대해) 나이 많 은 쪽의 (*abbr.* sen., senr., Sr.): Thomas Brown(,) *Sr.* 아버지 토마스 브라운 **3** (직 급·지위 등이) 선임(상급, 수석)의, 선배의: a *senior* counsel 수석 변호사 **4** [미] (4년제 대학의) 제4년의, (고교의) 최고 학년의

n. **1** 연장자, 손윗사람 **2** 선배, 상사 **3** [미] 최 상급생, 4학년생 *cf.* freshman 신입생, 1학년 생, sophomore 2학년생, junior 3학년생

senior citizen *n.* 고령 시민 (보통 여자 60세, 남자 65세 이상의 연금 생활자), 고령 자, 노인 SYN old-age pensioner

seniority [siːnjɔ́ːriti] *n.* **1** 연상임 **2** 선임 자의 특권

sensation [senséiʃən] *n.* **1** 감각, 지각: I have no *sensation* in my arm. 내 팔 에 감각이 없다. / a tingling *sensation* 따 끔거리는 느낌 **2** 마음, 기분: a delightful *sensation* 즐거운 기분 **3** 센세이션, 물의, 대사 건: Their marriage caused a *sensation*. 그들의 결혼은 센세이션을 일으켰다.

sensational [senséiʃənəl] *adj.* **1** 선풍 적 인기의, 세상을 놀라게 하는: a *sensational* event 떠들썩한 사건 **2** 선정적인, 흥미 본위 의: a *sensational* novel 선정적인 소설 **3** 멋진, 굉장한: That's *sensational*! 그것 참 굉장하다!

— **sensationally** *adv.*

***sense** [sens] *n.* **1** (시각·청각·촉각 등의) 감각, 오감의 하나: The dog has a keen *sense* of smell. 개는 예민한 후각을 갖고 있

다.

2 느낌, …감: Don't you have any *sense* of guilt? 너는 죄책감이라곤 조금도 없니?

3 이해, 관념, 직감: a *sense* of humor 유머 감각 / a *sense* of rhythm 리듬 감각 / He has no *sense* of economy. 그는 경제 관념이 없다.

4 분별력, 사려, 판단력: There's no *sense* in selling your family treasure. 가보를 파는 것은 사려 깊지 못하다. / *Sense* comes with age. [속담] 나이 들면 철도 든다. / common *sense* 상식

5 제정신, 정상적인 의식 상태: What on earth would bring you to your *senses*? 도대체 어떻게 해야 네가 정신을 차리겠니?

6 의미, 뜻: In what *sense* do you use this word? 이 단어는 어떤 뜻으로 쓰는 거니? SYN meaning

v. [T] 느끼다, 알아채다: She *sensed* danger approaching. 그녀는 위험이 다가오고 있음을 알아챘다.

숙어 **in a sense** 어떤 의미로는: It's true *in a sense*. 그것은 어떤 의미로는 진실이다.

in all senses 모든 의미(점)에서

make sense 이치에 닿다, 합리적이다: His attitude doesn't *make sense* to me. 그의 태도는 이해할 수가 없다.

talk sense ⇨ talk

■ **유의어** sense

sense 막연한 느낌(feeling)이 의식으로 파악된 것: a *sense* of insecurity 불안전감 (불안한 느낌과 동시에 안전치 않다는 의식이 있음) **feeling** 육체나 마음이 갖는 막연한 느낌: a *feeling* of insecurity 일말의 불안감 **sensation** 감각에 작용하여 feeling이나 sense를 일으키는 외부의 영향력을 강조: the sweet *sensation* of returning health 건강이 회복되고 있다는 육체가 주는 감미로운 감각

---

senseless [sénslis] *adj.* **1** 무감각한, 인사

불성의: He was knocked *senseless*. 그는 얻어맞아 기절했다. **2** 몰상식한, 분별 없는, 어리석은: a *senseless* answer 어리석은 답변 **3** (행위·말 등이) 무의미한: *senseless* chatting 무의미한 수다

sense organ *n.* 감각 기관

sensibility [sènsəbíləti] *n.* **1** (sensibilities) 섬세한 감수성 **2** 감각(력)

sensible [sénsəbəl] *adj.* **1** 분별 있는, 현명한: *sensible* advice 현명한 충고 OPP silly, foolish **2** (변화 등이) 눈에 띌 정도의, 현저한: There was a *sensible* fall in the temperature. 온도가 꽤 떨어졌다. **3** (복장 등이) 실용 본위의, 기능적인: *sensible* shoes 실용적인 신발

— **sensibly** *adv.*

sensitive [sénsətiv] *adj.* **1** 민감한, 예민한: I have *sensitive* skin. 내 피부는 민감성이다. / Artists are *sensitive* to beauty. 예술가는 아름다움에 민감하다. **2** (감정이) 상하기 쉬운; 신경 과민의, 화 잘 내는: Don't be so *sensitive*—I didn't mean it. 너무 화내지 마. 고의로 그런 게 아냐. **3** 미묘한, 다루기 난처한, 국가 기밀에 속하는: a *sensitive* topic 미묘한 화제 **4** [기계] 감도가 좋은, 고감도의: a *sensitive* balance 민감한 저울

— **sensitively** *adv.* **sensitiveness, sensitivity** *n.*

sensor [sénsər] *n.* (빛·소리·열 등에 반응하는) 감지기, 감지 장치

sensual [sénʃuəl] *adj.* **1** 관능적인, 육감적인: *sensual* lips 육감적인 입술 **2** 세속적인 **3** [철학] 감각론의

— **sensuality** *n.*

*****sentence** [séntəns] *n.* **1** 문장, 글: Every *sentence* begins with a capital letter. 모든 문장은 대문자로 시작한다. **2** [법] 판결, 선고: a life *sentence* 종신형

v. [T] 판결을 내리다, 형을 선고하다: The judge *sentenced* him to ten years' imprisonment. 판사는 그에게 징역 10년의 판결을 내렸다. / The murderer was

sentenced to death. 살인자는 사형 선고를 받았다.
— **separately** *adv.*

sentiment [séntəmənt] *n.* **1** (종종 *pl.*) 소감, 감상, 생각: These are my *sentiments* about the election. 이것이 선거에 대한 내 소감이다. **2** 감정에 흐르는 경향, 정에 약함, 다정다감: She is full of *sentiment*. 그녀는 다정 다감한 사람이다. / There is no place for *sentiment* in competition. 승부에 동정은 금물.

sentimental [sèntəméntl] *adj.* **1** (이성을 떠나) 감정적인: I keep my father's watch for *sentimental* reasons. 나는 심정상 이유로 아버지의 시계를 보관하고 있다. **2** 감상적인, 감정에 좌우되기 쉬운: a *sentimental* love story 감상적인 사랑 이야기
— **sentimentally** *adv.*
sentimentality *n.*

sentry [séntri] *n.* [군대] 보초, 초병; 감시

separable [sépərəbəl] *adj.* 분리할 수 있는 OPP inseparable

*****separate** [sépərèit] *v.* **1** [T] 잘라서 떼어 놓다, 분리하다 (from): The hedge *separtes* the garden into two parts. 울타리가 뜰을 둘로 갈라놓고 있다. / This glass wall *separates* smokers from nonsmokers. 이 유리벽이 흡연자와 비흡연자를 분리해 준다. **2** [I,T] 헤어지다, (사람을) 떼어〔갈라〕놓다: We *separted* at the crossroads. 우리는 교차로에서 헤어졌다. / The teacher *separated* Jack and John because they were talking all the time. 선생님은 잭과 존이 계속 잡담을 해서 둘을 떼어 놓았다. **3** [I] (부부가) 별거하다, 갈라지다: Her parents *separated* when she was five. 그녀의 부모님은 그녀가 다섯 살 때 갈라지셨다.
adj. [sépərit] **1** 분리된: A barn is *separate* from the house. 헛간은 집과는 분리되어 있다. **2** 따로따로의, 한 사람 한 사람의: We sleep in *separate* rooms. 우리

는 각기 딴 방에서 잔다.
— **separately** *adv.*

■ 유의어 separate
separate 하나였던 것을 떼어 낸다는 의미로 분리가 강조된다.: *separate* chaff from grain 겨를 곡식에서 분리하다 **part** 분리되는 것 사이의 간격에 중점이 있다.: *part* one's lips 입술을 벌리다 **divide** 분할하다, 몇 개의 작은 부분으로 가르다, 불화 등으로 분열시키다의 뜻.

separation [sèpəréiʃən] *n.* **1** 분리, 떨어짐, 이탈: *separation* of church and state 정교 분리 **2** 경계(선), 칸막이: the *separation* between the two towns 두 도시 사이의 경계선 **3** 간격, 틈 **4** 이별, 별거

September [septémbər] *n.* (*abbr.* Sept.) 9월

sequel [síːkwəl] *n.* **1** 계속, 후편: a *sequel* to the novel 소설의 후편 **2** 그 다음에 오는 것, 결과, 귀추: An infectious disease comes as a *sequel* to floods. 홍수가 난 다음에는 전염병이 생긴다.

sequence [síːkwəns] *n.* **1** 연달아 일어남, 연속, 연쇄: a *sequence* of rich harvest 계속되는 풍작 **2** 순서, 차례: Arrange the files in alphabetical *sequence*. 파일들을 알파벳 순으로 정리하세요.

sequential [sikwénʃəl] *adj.* 연속되는, 잇따라 일어나는
— **sequentially** *adv.*

serenade [sèrənéid] *n.* **1** 세레나데 (남자가 밤에 연인의 창 밑에서 부르는 노래〔연주〕) **2** [음악] 다악장으로된 기악곡 형식의 하나

serene [siríːn] *adj.* **1** 고요한, 잔잔한, 화창한 **2** (사람·표정 등이) 차분한, 평화스러운
— **serenely** *adv.* **serenity** *n.*

serf [səːrf] *n.* 농노 (토지와 함께 매매된 봉건 시대의 최하위 계급의 농민)

sergeant [sáːrdʒənt] *n.* **1** [군대] 하사관, 병장 (미국 육군에서는 staff sergeant의 아

래, corporal의 윗 계급) **2** 경사(警查) (미국
은 captain 또는 lieutenant와 patrolman의
중간, 영국은 inspector와 constable의 중
간)

serial [síəriəl] *adj.* **1** 계속되는, 일련[연속]
의: a *serial* killer 연쇄 살인범 **2** 연속물인,
정기의: a *serial* story 연재 소설
n. **1** (신문 · 잡지 · 영화 등의) 연속물; (연재물
등의) 1회분 **2** 정기 간행물
— **serialize, serialise** *v.*

serial number *n.* **1** 일련[제작] 번호 **2**
[군대] 인식 번호, 군번 **3** [컴퓨터] 일련 번호

*****series** [síəri:z] *n.* (*pl.* series) **1** 일련, 연
속, 한 계열: a *series* of victories 연승 **2**
시리즈, 총서, 연속 출판물 **3** (TV · 라디오) 연
속물[프로]

■ **유의어** series

series 비슷하거나 서로 관계 있는 것들이
연이은 것. **sequence** 관계가 밀접해서
종종 하나가 그 다음 것을 야기시키는 것.
succession 서로 그다지 관계 없는 것들
이 연이은 것.

*****serious** [síəriəs] *adj.* **1** (표정 · 태도 등이)
진지한, 진정인, 엄숙한: Are you *serious*?
너 진정이니? / I'm quite *serious* about
starting my own business. 나는 내 사업
을 시작하는 것에 대해 진지하게 생각하고 있
다. **2** (사태 · 문제 등이) 중대한, 심각한: I
made a *serious* mistake. 내가 중대한 실
수를 저질렀어. **3** (병 · 부상이) 심한, 중한:
He is suffering from a *serious* illness.
그는 중병으로 고생하고 있다. **4** (문학 · 음악
등이) 예술 본위의, 진지한, 딱딱한: *serious*
readings 딱딱한 읽을거리, 교양서
— **seriousness** *n.*

seriously [síəriəsli] *adv.* **1** 진지하게,
진정으로: He doesn't take anything
seriously. 그는 무엇이든 진지하게 받아들이
지 않는다. **2** 심각하게, 중대하게: She was
seriously ill. 그녀의 병은 심각했다. / I'm
seriously concerned about my future

job. 나는 미래의 내 직업에 대해 심각하게 생
각하고 있다. **3** (문장 첫머리에서) 진정으로 하
는 말인데: *Seriously*, what should I do
with it? 진정으로 하는 말인데, 내가 그것을
어떻게 처리해야 하지?

sermon [sə́:rmən] *n.* **1** 설교 **2** 잔소리, 장
광설

serpent [sə́:rpənt] *n.* (크고 독이 있는) 뱀

servant [sə́:rvənt] *n.* **1** (특히 가사를 맡
은) 하인, 고용인 OPP master **2** 부하, 종복;
봉사자 **3** 공무원, 관리 ⇨ civil servant

*****serve** [sə:rv] *v.* **1** [T] (음식을) 차려 내다,
(손님의) 시중을 들다: Dinner is *served*. 저
녁 식사 준비가 됐습니다. / The waiter
served us coffee. 웨이터는 우리에게 커피를
가져왔다.
2 [I,T] (손님의) 주문을 받다, 응대하다:
Have you been *served*? 주문하셨나요?
3 [I,T] 도움[소용]되다, 목적에 맞다: The
excuse does not *serve* you. 그 변명은 소
용 없다. / It's a very entertaining film
but it also *serves* an educational
purpose. 그것은 매우 오락적인 영화지만 교
육적인 목적에도 맞다.
4 [I,T] 섬기다, …을 위해 일하다: For over
ten years, he has *served* the company
loyally. 10년이 넘게 그는 회사에 충실히 근
무했다.
5 [T] (임기 · 연한 · 형기 등을) 채우다, 복무하
다: She *served* two terms as mayor. 그
녀는 시장 임기를 2기째 맡아 했다. / He is
serving a 2-year sentence in prison.
그는 형무소에서 2년형을 채우는 중이다. / He
served in the army for three years. 그
는 육군에서 3년간 복무했다.
6 [I,T] (테니스 등에서) (공을) 서브하다
숙어 **first come, first served** ⇨ first
serve as 대용이 되다: A sofa *served*
him *as* a bed. 소파가 그에게는 침대 구실을
했다.
serve ... right (흔히 it을 주어로) 꼴좋다,
고소하다: "Ouch! The cat scratched

me!" "*Serves* you *right,* teasing her like that!" "아얏! 고양이가 날 할퀴었어!" "꼴좋다, 그렇게 괴롭히더니!"

server [sɔ́:rvər] *n.* **1** 식사 시중 드는 사람 **2** (테니스 등에서) 서브하는 사람 **3** [컴퓨터] 서버 (분산 처리 시스템에서 client로부터의 요구에 따라 서비스를 공급하는 기기(프로세스))

service [sɔ́:rvis] *n.* **1** 공공 사업: the postal *serive* 우편 업무 / telephone *service* 전화 사업 ⇨ civil service

2 [경제] 용역, 서비스업, 사무: a *service* industry 서비스 산업 / a catering *service* 케이터링 업무 (지정받은 곳으로 음식을 만들어 가져다 주는 일)

3 군무, 병역 (기간): He spent three years in the *service*. 그는 3년간 군 복무를 했다. / the military *service* 병역

4 도움, 유익, 은혜: I'll be glad to be of your *service*. 당신에게 제가 도움이 될 수 있으면 기쁘겠습니다.

5 고용, 근무, 부림을 당함: She retired after twenty years of *service* in the educational world. 그녀는 20년간 교육계에서 일하다가 은퇴했다.

6 (손님에 대한) 서비스, 접대: a *service* charge 봉사료 / This restaurant has good *service*. 이 식당은 서비스가 좋다.

7 (애프터) 서비스, (정기) 점검(수리): I need to take my microwave oven for a *service*. 내 전자레인지를 수리받아야 한다.

8 봉사, 공헌: the *services* of a doctor 의료 봉사

9 [종교] 예배, (일반적) 식: a funeral *service* 장례식

10 (테니스 · 탁구 등에서) 서브 (넣기)

v. [T] 정비(점검, 손질)하다: I have my car *serviced* regularly. 나는 차를 정기적으로 점검받고 있다.

serviceman [sɔ́:rvismæn] *n.* (*pl.* servicemen) **1** (현역) 군인 **2** 수리공, 주유소 종업원

service station *n.* 주유소, 서비스 스테이션 (기계 · 전기 기구 등의 정비 · 수리 등을 하는 곳)

servicewoman [sɔ́:rviswùmən] *n.* (*pl.* servicewomen) 여자 (현역) 군인

serving [sɔ́:rviŋ] *n.* **1** 음식을 차림, 음식 시중 **2** (음식의) 한 그릇

sesame [sésəmi] *n.* 참깨(씨): *sesame* oil 참기름

session [séʃən] *n.* **1** (의회 · 회의 등의) 개회 중, (법정이) 개정 중임: in *session* 개회(회의, 개정) 중 **2** 회기: the 30th *session* of the National Assembly 제 30회기 국회 **3** (특정 활동을 위한) 일시적 모임: a jazz *session* 재즈 연주회 / question-and-answer *session* 청문회 **4** (대학의) 학기; [영] (대학의) 학년; [미] 수업 (시간): a morning(summer) *session* 오전(하계) 수업

*****set**¹ ⇨ p. 662

set² [set] *adj.* **1** 고정된, 움직이지 않는: *set* eyes 응시하는 눈 / a *set* time for the party 정해진 파티 시간 / *set* menu 세트 메뉴 (가격과 음식의 종류가 정해진) **2** 단호한: a *set* mind 결심 **3** 정해진, 정규의: a list of *set* books for an examination 시험 지정서 목록 **4** 준비가 된: On your marks. Get *set*. Go! (체육에서) 제자리에. 준비. 땅!

[숙어] **be set in one's way** (생각 · 생활이) 굳어 있다

set³ [set] *n.* **1** 일몰 **2** 한 벌, 한 세트: a *set* of dishes 접시 한 벌 **3** 한 패(거리), 동아리, 사람들: a literary *set* 문인 **4** (라디오) 수신기, (TV) 수상기 **5** 무대 장치 **6** (테니스 등의) 세트 **7** [수학] 집합

setback [sétbæk] *n.* **1** 방해, 차질: There has been a slight *setback* in our plans. 우리의 계획에 약간의 차질이 생겼다. **2** 역류

setting [sétiŋ] *n.* **1** 놓기, 자리잡아 두기, 설치 **2** (해 · 달의) 지기: the *setting* of the sun 지는 해 **3** 환경, 주위: the geographic *setting* of Korea 한국의 지리적 환경 **4**

set¹

set [set] *v.* (set-set; setting) **1** [T] 두다, 놓다: He *set* down the load. 그가 짐을 내려놓았다.

2 [T] …하게 하다, …상태로 하다: Who *set* the machine going? 누가 기계를 작동시켰니? / Who *set* the car on fire? 누가 차에 불을 질렀는가?

3 [T] 준비하다, 차리다: *set* the table 밥상을 차리다 / *set* a trap 덫을 놓다

4 [T] (시계·눈금 등을) 맞추다, (기계 등을) 작동하도록 조정하다, 고정시키다: He *set* an alarm for seven o'clock. 그는 자명종을 7시에 맞춰 놓았다. / I had my broken bone *set*. 나는 부러진 뼈를 정상으로 맞춰 넣었다.

5 [T] (때·장소 등을) 정하다, 지정하다: Let us *set* a place and a date. 장소와 날짜를 정합시다. / Demand *sets* a limit to production. 수요는 생산을 제한한다.

6 [T] (모범·유행 등을) 보이다: You have to *set* a good example to your children. 당신 아이들에게 좋은 모범이 되어야 합니다. / *set* a new world record 세계 신기록을 내다

7 [T] (일·과제를) 과하다, 맡기다 (for): Who *set* the questions for the exam? 누가 시험 문제들을 냈니?

8 [I] 굳어지다, 응고하다: The cement has *set*. 시멘트가 굳었다.

9 [T] (보석 등을) 박아 넣다, 끼워 박다: She had the diamond *set* in a ring. 그녀는 반지에 다이아몬드를 박아 넣었다.

10 [I] (해 등이) 지다, 저물다: The sun has *set*. 해가 저물었다. [OPP] rise

숙어 **set about** 시작하다, 착수하다: We *set about* digging a hole. 우리는 구멍을 파는 일에 착수했다.

set apart …을 위해 따로 떼어 놓다: He *set apart* some money for later use. 그는 나중에 쓰기 위해 돈을 좀 떼어 놓았다.

set aside 1 …을 위해 따로 떼어 놓다 [SYN] set apart **2** 거절하다, 버리다, 무시하다:

Let's *set aside* your personal feelings now. 지금은 네 개인적인 감정은 생각지 말자.

set back 1 (계획·발전 등을) 방해하다 **2** (시계 바늘 등을) 되돌리다: *Set back* your clocks ten minutes. 네 시계를 10분 뒤로 돌려라. **3** (흔히 수동태) (행사 등의) 일시를 (시각을) 늦추다: The bad weather has *set back* our building plans. 나쁜 날씨로 건설 계획이 늦춰졌다. **4** …에 비용을 들이다: The new laptop *set* me *back* over $2,000. 새 휴대용 컴퓨터에 2,000달러 넘게 들었다.

set foot 발을 들여놓다, 방문하다 (in, on): No foreigner has ever *set foot* in this area. 이 지역에는 어떤 외국인도 온 적이 없었다.

set forth 1 여행을 떠나다, 출발하다 **2** (의견 등을) 말하다, 발표하다: I think I clearly *set forth* my views. 나는 내 의견을 분명히 말했다고 생각한다.

set in (계절·악천후·바람직하지 않은 상태가) 시작되다: Spring has *set in*. 봄이 왔다. / His wound was treated before infection could *set in*. 그의 상처는 감염되기 전에 치료되었다.

set off 1 출발하다, (여행을) 떠나다: They *set off* early in the morning. 그들은 아침 일찍 떠났다. **2** (폭탄·화약을) 폭발시키다: The Chinese *set off* fireworks on New Year's Day. 중국 사람들은 정월 초하루에 폭죽을 터뜨린다. **3** (기계·장치 등을) 가동시키다: The smoke *sets off* a fire alarm. 연기는 화재 경보기를 가동시킨다. **4** (행동·감정 등을) 일으키다, 유발하다: His jokes *set* everyone *off* laughing. 그의 농담은 모든 사람들을 웃겼다. **5** (대조에 의해) 돋보이게 하다, 강조하다: The pearl ring *set off* her hands beautifully. 진주 반지로 그녀의 손이 아름답게 돋보였다.

set out 1 여행을 떠나다, (…를 향해) 출발하다 **2** 착수하다, …하려고 시도하다 (to do):

She *set out* to improve her English. 그녀는 영어 실력을 늘리기 위해 노력하기 시작했다.

set up 개업하다: She *set up* as a lawyer. 그녀는 변호사로 개업했다.

(이야기 등의) 배경, (소설·연극의) 장소와 때 **5** (무대) 장치 **6** (보석 등의) 박아 끼우기 **7** (기계·기구의) 조절 (방식〔눈금〕): This machine has three *settings*—high, medium, low. 이 기계에는 고, 중, 저의 세 가지 조절 눈금이 있다.

settle [sétl] *v.* **1** [T] 결정하다, 정하다: The date for the conference is *settled*. 회의의 날짜는 결정됐다. **2** [I,T] (분쟁을) 수습하다, (문제·곤란 등을) 해결하다: She tried hard to *settle* the dispute. 그녀는 분쟁을 수습하려고 노력했다. **3** [I] 살다, 정착하다: They *settled* down in London. 그들은 런던에 정착했다. **4** [I,T] (편안히) 앉다, 자리잡다: He *settled* himself in an armchair. 그는 안락 의자에 앉았다. **5** [I,T] (사람·신경 등을) 진정시키다, 달래다: This medicine would *settle* your nerves. 이 약을 먹으면 신경 과민이 가라앉을 거야. **6** [T] (셈을) 청산〔지불〕하다: I have a debt to *settle* with him. 나는 그에게 갚아야 할 빚이 있다. **7** [I] (새 등이) 앉다, 내려앉다

〔숙어〕 **settle down 1** 편히 앉다 **2** (특히 결혼하여) 자리잡다, 안정되다: He wants to get married and *settle down*. 그는 결혼해서 자리잡고 싶어한다. **3** 진정되다: The excitement has *settled down*. 흥분이 가라앉았다.

settle down to 본격적으로 착수하다, 몰두하다: I must *settle down to* my homework. 이제 숙제를 해야겠다.

settle in (새로운 환경에) 적응하다: It's not easy for a new student to *settle in*. 새로 전학온 학생이 적응하기는 쉽지 않다.

settled [sétld] *adj.* **1** 정해진, 변치 않는: He has a *settled* idea on politics. 그는 정치에 관해 변함 없는 생각을 갖고 있다. **2** 편안한, 안정된: We feel very *settled* here. 우리는 이 곳이 참 편안하다.

settlement [sétlmənt] *n.* **1** (결혼·취직 등에 의한) 생활의 안정 **2** 정착, 정주 **3** 이민 **4** 개척지 **5** (사건 등의) 해결: come to 〔reach〕 a *settlement* 화해하다 **6** 청산, 결산, 지불 **7** (사회) 복지 사업

settler [sétlər] *n.* 정착자, 개척자

seven [sévən] *n. adj. pron.* 7(의), 일곱 (의); 일곱 개〔사람〕 ⇨ six 참조

seventeen [sévantíːn] *n. adj. pron.* 17(의), 열일곱(의); 열일곱 개〔사람〕 ⇨ six 참조

seventeenth [sévantíːnθ] *n. adj. pron. adv.* 17th ⇨ sixth 참조

seventh [sévanθ] *n. adj. pron. adv.* 7th ⇨ sixth 참조

seventieth [sévantiiθ] *n. adj. pron. adv.* 70th ⇨ sixth 참조

seventy [sévanti] *n. adj. pron.* 70(의), 일흔(의); 일흔 개〔사람〕, 70살 ⇨ sixty 참조

sever [sévər] *v.* [T] **1** (둘로) 절단하다, 자르다: Two of her fingers were completely *severed* in the accident. 그녀의 손가락 두 개가 사고로 완전히 절단됐다. / a *severed* rope 끊어진 로프 **2** 관계를 끊다: He *severed* his relationship with his partners. 그는 파트너들과의 관계를 끊었다.

— **severance** *n.*

***several** [sévərəl] *adj.* **1** 몇몇의, 몇 개의, 몇 명의, 몇 번의: I have been there *several* times. 나는 몇 번인가 거기 가 본 적이 있다. ※ 보통 대여섯 정도를 말하며, a few보다 많고 many보다는 적은 일정치 않은 수를 가리킨다.

2 각각의, 여러 가지의, 따로따로의: Each has his *several* ideal. 사람은 각자의 이상이 있다. 〔SYN〕 respective

pron. 몇몇, 몇 개, 몇 사람: If you need a pen, there are *several* on the desk. 펜

S

이 필요하면 책상 위에 몇 개 있다. / *Several (of them) were absent.* (그들 중) 몇 사람은 결석이었다.

***severe** [sivíər] *adj.* (severer-severest) **1** 엄한, 모진, 가혹한: *You are too severe with your children.* 당신은 아이들에게 너무 엄하다. / *a severe punishment* 엄벌 / *severe criticism* 혹평 **2** 맹렬한, 격심한, 위중한: *a severe headache* 극심한 두통 / *The severe storm blew down a tree.* 맹렬한 태풍이 불어 나무를 넘어뜨렸다.

— **severely** *adv.* **severity** *n.*

sew [sou] *v.* [I,T] (sewed-sewed, sewed-sewn) 꿰매다, 바느질하다, 재봉하다: *I need to sew a button on my coat.* 나는 내 코트에 단추를 달아야 한다.

sewage [súːidʒ] *n.* 하수, 오물

sewer [sjúːər] *n.* 하수구, 하수도

sewing [sóuiŋ] *n.* **1** 재봉, 바느질: *a sewing machine* 재봉틀 **2** (집합적) 바느질감

sex [seks] *n.* **1** 성(性), 성별: *Do you know what sex the baby is?* 아기의 성별이 뭔지 아세요? / *Please put your name, age, and sex on the form.* 용지에 당신의 이름, 나이, 성별을 쓰세요. [SYN] gender **2** (집합적) 남성, 여성: *the male (female) sex* 남성(여성) / *He is terrified of the opposite sex.* 그는 이성을 두려워한다. **3** 성교, 성행위: *have sex with* …와 성교하다 / *sex education* 성교육

sexual [sékʃuəl] *adj.* 성(性)의, 성적인: *the sexual organs* 성기, 생식기 / *Their relationship isn't sexual.* 그들의 관계는 성적인 것이 아니다. / *sexual discrimination* 성차별

sh, shh [ʃː] *int.* 쉬! (조용히 하라는 소리)

shabby [ʃǽbi] *adj.* (shabbier-shabbiest) **1** 닳아 해진, 입어서 낡은: *shabby clothes* 닳아 해진 옷 **2** (사람이) 초라한, 누더기를 걸친 **3** 지저분한, 더러운: *a shabby hotel room* 낡고 지저분한 호텔 방 **4** 비열한, 인색

한: *a shabby trick* 야비한 속임수

— **shabbily** *adv.* **shabbiness** *n.*

shack [ʃæk] *n.* (초라한) 오두막, 판잣집

shade [ʃeid] *n.* **1** 그늘, 응달: *I'd prefer to sit in the shade.* 나는 응달에 앉는 게 좋다. **2** 차양, 빛을 가리는(부드럽게 하는) 것: *a lampshade* 전등갓 / *window shade* 창문 차양 **3** (shades) 선글라스 **4** (a shade) 명암(농담)의 정도, 색조 (of): *The room is painted a soft shade of blue.* 방을 부드러운 파란색으로 칠했다. **5** (색조·뜻의) 미묘한 차이: *There are several shades of meaning in that sentence.* 그 문장에는 몇 가지 미묘한 의미의 차이가 있다. **6** (a shade) 극히 조금, 기미, 약간: *There is not a shade of doubt.* 털끝만큼의 의심도 없다.

v. [T] **1** 그늘지게 하다, (빛·열을) 가리다: *He shaded his eyes with his hand.* 그는 손으로 햇빛을 가렸다. **2** (그림·사진 등에) 명암이 지게 하다 (in)

shadow [ʃǽdou] *n.* **1** 그림자, 투영: *cast a shadow (over)* (…에) 그림자를 던지다 **2** 햇빛이 닿지 않는 곳, 그늘, 어둠: *The room is always half in shadow.* 방의 반은 항상 햇빛이 닿지 않아 어두컴컴하다. **3** 조금, 극히 조금: *without(beyond) the shadow of a doubt* 추호의 의심도 없이

v. [T] (그림자처럼) 붙어다니다, 미행하다: *The detective shadowed the suspect for several days.* 형사는 며칠 동안 용의자를 미행했다.

shadowy [ʃǽdoui] *adj.* **1** 그림자가 있는(많은), 어둑한: *a shadowy wood* 어둑한 숲 **2** 그림자 같은, 희미한, 어렴풋한: *a shadowy figure* 희미한 형상 **3** 불분명한, 의심스러운

shaft [ʃæft] *n.* **1** (광산) 수갱, 환기 구멍, 승강기의 통로: *Thirteen coal miners were trapped in a deep shaft.* 13명의 석탄 광부가 깊은 수갱 속에 갇혀 있었다. / *an elevator shaft* 승강기 통로 **2** (창·망치·골프 클럽 등의) 자루, 손잡이

S

shaggy [ʃǽgi] *adj.* (shaggier-shaggiest)
1 머리를 텁수룩하게 한, 단정치 못한 **2** 털복
숭이의, 털이 텁수룩한: a *shaggy* dog 털복
숭이 개

*__shake__ [ʃeik] *v.* (shook-shaken) **1** [I,T] 흔
들(리)다, 흔들어 움직이다, 흔들어 (…의 상태
로) 되게 하다, 떨다: *Shake* the bottle
before opening it. 병을 열기 전에 흔들어
잘 섞어라. / We *shook* the apples from
the tree. 우리를 나무를 흔들어 사과를 떨어
뜨렸다. / She *shook* the snow off. 그녀는
눈을 털었다. / Her voice was *shaking*. 그
녀의 목소리가 떨리고 있었다. / He is
shaking with cold. 그는 추위에 떨고 있다.
2 [T] 동요시키다, 혼란시키다: The scandal
has *shaken* the whole country. 그
스캔들이 온 나라를 어지럽혔다. **3** [T] (자신 ·
신뢰 등을) 흔들리게 하다, 줄어들게 하다:
Nothing could *shake* my faith. 어떤 것
도 나의 신념을 흔들 수 없었다.

n. **1** 흔들기: Give me a *shake* at five. 5
시에 흔들어 깨워 주세요. **2** 동요, 흔들림, 진
동; 지진: The building gave a *shake*. 건
물이 흔들렸다. **3** (몸이) 떨림, 전율 **4** 악수 **5**
흔들어 만드는 음료수, 밀크 쉐이크 (milk
shake)

[숙어] **shake off 1** (먼지 등을) 털다 **2** (못
된 버릇 · 병 등을) 고치다: I can't *shake
off* my cold. 도무지 감기가 떨어지지 않는
다. **3** (뒤쫓는 사람을) 따돌리다, 떨어버리다:
He managed to *shake off* his pursuers
in the crowd. 그는 군중 속에서 그의 추적
자를 간신히 따돌렸다.

**shake one's hand, shake hands
(with), shake ... by the hand** (…와)
악수하다: We smiled and *shook hands*.
우리는 미소지으며 악수했다.

shake one's head (부정 · 거절 등의 표시
로서) 머리를 가로 젓다

shake up 1 (술 등을) 흔들어 섞다 **2** (신경
을) 어지럽히다: The accident really
shook me *up*. 그 사고는 정말로 나를 혼란스

럽게 했다. **3** 격려하다, 각성시키다: *Shake
yourself up.* 기운을 내라. **4** (조직 · 단체
등을) 대개혁[재편성]하다: The new
chairman *shook up* the company. 새
회장은 회사를 대규모로 재편성했다.

shaky [ʃéiki] *adj.* (shakier-shakiest) **1**
(몸이) 부들부들 떨리는, 비틀비틀하는, 허약
한; (소리 등이) 떨리는: a *shaky* walk 비틀
거리는 걸음걸이 / *shaky* voice 떨리는 목소
리 **2** 흔들거리는, 위태위태한: Don't sit on
that chair. It's a bit *shaky*. 저 의자에 앉
지 마라. 의자가 약간 흔들거린다.
— **shakily** *adv.*

*__shall__ [ʃæl] *aux.* **1** (의문문에서 단순미래) …
할까요, …일까요: *Shall* I be in time for
the train? 열차 시간에 댈 수 있을까요? /
When *shall* we see you again? 우리는
언제 또 당신을 뵐 수 있을까요? / What *shall*
I do next? 다음엔 뭘 하면 될까요?

2 (상대방의 의향 · 결단을 물어) …할까요, …
하면 좋을까요: *Shall* I help you? 도와 드릴
까요? / "I'm cold." "*Shall* I close the
window?" "나는 추워요." "창문을 닫을까
요?"

3 (shall we) (상대에게 제안) …할까요:
Shall we go out for a walk? 산책 나갈까
요?

4 (will 대신 I, we와 함께 쓰여 단순미래를
나타냄) …일 것이다, …하게 되다: I *shall* be
18 years old next year. 나는 내년에 18살
이 된다. / We *shall* arrive tomorrow. 우
리는 내일 도착할 것이다.

5 (말하는 이의 결의 · 약속) …하게 하겠다:
You *shall* go. (나는) 너를 가게 하겠다. /
She *shall* have this book. (나는) 그녀에게
이 책을 주겠다.

*__shallow__ [ʃǽlou] *adj.* **1** 얕은: a *shallow*
stream 얕은 시냇물 **2** 천박한, 알팍한, 피상
적인: a *shallow* mind[person] 천박한 생
각[사람]
[OPP] deep
n. (종종 *pl.*) 얕은 곳, 여울

— **shallowness** *n.*

shaman [ʃáːmən] *n.* 샤먼, 방술사, 무당

— **shamanism** *n.* 샤머니즘 (샤먼을 중심으로 한 원시 종교의 하나)

shame [ʃeim] *n.* **1** 부끄럼, 수치(심), 치욕: His crime brought *shame* on his family. 그의 범죄가 그의 가족에게 치욕을 가져왔다. / To my *shame*, I have never read a Shakespeare. 부끄러운 얘기지만 나는 한 번도 셰익스피어 작품을 읽은 적이 없다. / *Shame* on you! 부끄러운 줄 알아라! (부끄럽지도 않으냐!) **2** (a shame) (너무나) 심한 일[짓], 유감된 일: What a *shame*! 그것 참 너무하군! (그거 안됐군!) / It's a *shame* that you have to leave so soon. 네가 그렇게 일찍 가야 한다니 유감이다.

v. [T] **1** 창피 주다, 부끄러워하게 하다: The boy was *shamed* before the whole school. 그 소년은 모든 학생들 앞에서 창피당했다. / It *shames* me to say it, but I told a lie. 말하기 부끄럽지만 나는 거짓말을 했다. **2** 부끄러움을 주어 …(못)하게 하다: She *shamed* him into apologizing. 그녀는 그를 부끄럽게 하여 사과하도록 했다.

— **ashamed** *adj.*

shameful [ʃéimfəl] *adj.* **1** 부끄러운, 면목없는: a *shameful* conduct 부끄러운 행위 **2** 괘씸한, 못된 **3** 추잡한, 음란한

— **shamefully** *adv.*

shameless [ʃéimlis] *adj.* 부끄러움을 모르는, 파렴치한, 뻔뻔스러운: *shameless* behavior 뻔뻔스러운 행동 / a *shameless* liar 뻔뻔스러운 거짓말쟁이

— **shamelessly** *adv.*

****shampoo** [ʃæmpúː] *n.* **1** 샴푸, 세발액 **2** 머리 감기, 세발

v. [T] 씻다, 머리를 감다

shamrock [ʃæmrɑk] *n.* 토끼풀, 클로버

shanty [ʃǽnti] *n.* (초라한) 오두막, 판잣집: *shanty* town 판자촌, 빈민가

****shape** [ʃeip] *n.* **1** 모양, 형상, 외형: What *shape* is the table—round or square? 탁자의 모양은 어떤 거니? 둥근 형이니 사각형이니? **2** (사람의) 모습, 몸매: I'd better get into *shape* before bikini season! 비키니 철이 되기 전에 몸매를 가꾸는 것이 좋겠어! **3** (건강·경영 등의) 상태, 형편: He is in good (bad, poor) *shape*. 그는 건강이 좋다 (나쁘다). **4** (the shape) 구체화된 형태, 뚜렷한 모양 (of): the whole *shape* of economics 경제의 전체상 / What will the *shape* of the future be? 장래는 어떻게 될 것인가? **5** (-shaped *adj.*) (복합어를 이루어) …의 모양을 한: a heart-*shaped* cake 하트 모양을 한 케이크 / an L-*shaped* room L자 모양의 방

v. **1** [T] 모양 짓다, 형체를 만들다 (into): The child *shapes* clay into balls. 아이가 진흙으로 공을 만든다. **2** [T] (진로·행동·태도 등을) 정하다: The character is *shaped* by the childhood experiences. 성격은 어린 시절의 경험으로 결정된다. **3** [I] 구체화되다, 잘 되어 가다 (up): The plan is *shaping* up. 계획은 이루어져 가고 있다. / Everything is *shaping* up well. 만사가 잘 되어 간다.

〔숙어〕 **out of shape 1** 모양이 엉망이 되어: The box was crushed *out of shape*. 상자는 엉망으로 찌그러졌다. **2** 몸이 불편하여

take shape 모양을〔형태를〕 이루다, 구체화하다: A new design of the house began to *take shape* in her mind. 집의 새로운 디자인이 그녀의 마음 속에서 모양을 잡아가기 시작했다.

shapeless [ʃéiplis] *adj.* 형태가〔모양이〕 없는, 볼품 없는: a *shapeless* dress 일정한 형태가 없는 드레스

****share** [ʃɛər] *v.* **1** [T] 분배하다, 나누다 (out): He *shared* out the money between his two sons. 그는 그 돈을 두 명의 아들에게 나누어 주었다. / I *shared* my sandwiches with him. 나는 샌드위치를 그와 나누어 먹었다. **2** [I,T] 공유하다, 함께 하다, 공동 부담하다 (with): She *shares* a

room with her sister. 그녀는 여동생과 방을 같이 쓴다. / Let me *share* the cost with you. 비용을 공동으로 부담합시다. **3** [T] (생각·사건 등을) …에게 이야기하다: Sometimes it helps to *share* your problems. 때로 자신의 문제를 타인에게 이야기하는 것이 도움이 된다.

n. **1** 몫, 할당, 분담 (of): I did my *share* of the work. 나는 내게 할당된 일을 했다. **2** (보통 shares) 주(株), 주식: I own 2,000 *shares* of Samsung. 나는 삼성 주식 2,000 주를 가지고 있다.

shareholder [ʃɛ́ərhòuldər] *n.* ([미] stockholder) 주주

*★**shark** [ʃɑːrk] *n.* 상어

sharp [ʃɑːrp] *adj.* **1** 날카로운, 뾰족한, (날이) 잘 드는, 예리한: a *sharp* knife 예리한 칼 / a *sharp* teeth 날카로운 이 [OPP] blunt **2** 가파른, 갑자기 꺾이는: This is a *sharp* curve, so slow down. 급커브이니 속도를 늦춰라. / a *sharp* rise in prices 물가의 급격한 상승

3 명확한, 뚜렷한: This TV gives a very *sharp* picture. 이 TV는 매우 선명한 화면을 제공한다. / the *sharp* outline of the mountain 산의 뚜렷한 윤곽

4 (눈·코·귀 등이) 예민한, 영리한, 약삭빠른, 빈틈이 없는: She has a really *sharp* mind. 그녀는 아주 예민한 지성을 가지고 있다. / His *sharp* eyes missed nothing. 그의 날카로운 눈은 어떤 것도 놓치지 않았다.

5 (행동이) 날쌘, 재빠른, 민첩한: *sharp* work 날랜 솜씨

6 (기질·말·목소리 등이) 날카로운, 신랄한, 격렬한: a *sharp* temper 날카로운 성미 / He has a *sharp* tongue. 그는 (종종) 독설을 퍼붓는다.

7 (아픔이) 격심한: I felt a *sharp* pain in my chest. 나는 가슴에 심한 통증을 느꼈다. [OPP] dull

8 (맛·추위 등이) 매서운, 쓰라린: a *sharp* taste 얼얼한 맛 / This cheese is pretty

sharp. 이 치즈는 맛이 너무 강하다.

9 [음악] 반음 높은, 올림표가 붙은 (기호 #)

adv. **1** 꼭, 정각: at three o'clock *sharp* 정각 3시에

2 갑자기, 돌연, 급속히: Turn *sharp* right at the crossroads. 교차로에서 오른쪽으로 확 꺾어라.

3 [음악] 반음 높게: She's singing *sharp*. 그녀는 반음 높게 노래를 부르고 있다.

n. [음악] 올림표 (기호 #)

— **sharply** *adv.* **sharpness** *n.*

sharpen [ʃɑ́ːrpən] *v.* [I,T] 날카롭게 하다, 또렷하게 하다: I *sharpened* my pencil. 나는 연필을 뾰족하게 깎았다. / *sharpen* a knife 칼을 갈다

sharpener [ʃɑ́ːrpənər] *n.* 가는[깎는] 기구: a pencil *sharpener* 연필깎이

shatter [ʃǽtər] *v.* **1** [I,T] 산산이 부서지다 [부수다], 박살내다: The glass hit the floor and *shattered*. 유리컵이 마루에 부딪쳐 산산이 깨졌다. / The explosion *shattered* all the windows in the building. 폭발로 인해 건물의 모든 유리창이 산산이 부서졌다. **2** [T] 부수다, (희망 등을) 꺾다, 망치다: The program *shattered* all my illusions about university life. 그 프로그램이 대학 생활에 대한 나의 환상을 깼다.

shave [ʃeiv] *v.* [I,T] (수염을) 깎다, 면도하다: He *shaves* every morning. 그는 매일 아침 면도한다.

n. 면도하기, 수염깎기: You must have a *shave*. 면도를 해라.

shaver [ʃéivər] (또는 electric razor) *n.* 전기 면도기, 면도 기구

shawl [ʃɔːl] *n.* 숄, 어깨 걸치개

shear [ʃiər] *v.* [T] (sheared-sheared, sheared-shorn) (큰 가위로) 베다, 자르다; (양털을) 깎다

n. (shears) 큰 가위: a pair of *shears* 큰 가위 한 벌

sheath [ʃiːθ] *n.* 칼집, (연장의) 덮개, 집

shed¹ [ʃed] *n.* **1** 헛간, 가축 우리 **2** 광, 창

고, 차고

shed² [ʃed] *v.* [T] (shed-shed; shedding) **1** (잎·씨 등을) 떨어뜨리다, (껍질·깃털 등을) 갈다, 벗어 버리다: Trees *shed* their leaves in fall. 나무는 가을에 잎이 진다. / A snake *sheds* its skin. 뱀은 허물을 벗는다. **2** 뿌리다, (눈물·피 등을) 흘리다: She *shed* tears. 그녀는 눈물을 흘렸다. / *shed* blood 피를 흘리다, 사람을 죽이다 **3** (빛·열·향기 등을) 발(산)하다, 퍼뜨리다: These lilacs *shed* a sweet perfume. 이 라일락은 향기가 좋다. **4** (천 등이) 물이 스며들지 않다, 물을 튀기다: This raincoat *sheds* water. 이 비옷은 물이 스며들지 않는다. **5** (불필요한 것 등을) 버리다, 포기하다

[숙어] **shed light on** …을 명백히 하다: Experts hope the plane's flight recorders will *shed light on* the cause of the crash. 전문가들은 비행기의 비행 기록 장치가 추락의 원인을 명백히 해 줄 것이라 기대하고 있다.

***sheep** [ʃiːp] *n.* (*pl.* sheep) 양: a flock of *sheep* 한 떼의 양

sheep dog, sheepdog [ʃíːpdɔ(ː)g] *n.* 양 지키는 개

sheepish [ʃíːpiʃ] *adj.* (실수·어리석음 등으로) 부끄러워 하는, 당황해 하는: He gave me a *sheepish* smile and apologized. 그는 내게 당황해 하는 미소를 지으며 사과했다. — **sheepishly** *adv.*

sheepskin [ʃíːpskìn] *n.* **1** 양가죽, 양피지: a *sheepskin* coat 양가죽 코트 **2** 양가죽의 의류 (외투·모자 등)

sheer [ʃiər] *adj.* **1** (천·피륙이) 얇은, 비치는: *sheer* stockings 얇은 스타킹 **2** (명사 앞에만 쓰임) 순전한, 완전한: That explanation is *sheer* nonsense. 저 설명은 정말 어처구니 없는 것이다. / a *sheer* waste of time 순전한 시간 낭비 / by *sheer* luck 정말 운이 좋아서 **3** 깎아지른 듯한, 수직의: a *sheer* cliff 깎아지른 듯한 절벽

***sheet** [ʃiːt] *n.* **1** 시트, (침구 등의) 커버, 홑

이불: She has put clean *sheets* on the bed. 그녀는 침대 위에 깨끗한 시트를 깔았다. **2** (종이) 한 장, …장(매), (서적·인쇄물·편지 등의) 한 장: a *sheet* of paper 종이 한 장 **3** 얇은 판: a *sheet* of glass〔iron〕 판유리〔철판〕 한 장 **4** (눈·물·얼음 등이) 넓게 펴진 면, 온통…: The lake was covered with a *sheet* of ice. 호수가 온통 얼음으로 덮여 있었다.

***shelf** [ʃelf] *n.* (*pl.* shelves) **1** 선반: Put the plates on the top *shelf*. 접시를 선반 맨 위에 두어라. / a book *shelf* 책꽂이 **2** 얕은 곳, 여울목, 암초

***shell** [ʃel] *n.* **1** (달걀·조개·견과류 등의) 껍질: an egg *shell* 달걀 껍질 / a snail *shell* 달팽이 껍질 **2** (건물 등의) 뼈대, 외부: the *shell* of a house 집의 뼈대 **3** 포탄, 유탄 *v.* [T] **1** …의 껍질을 벗기다: *shell* peas 콩꼬 지를 까다 **2** 포격하다, 폭격하다

[숙어] **come out of one's shell** 마음을 터놓다

retire〔go〕 into one's shell 침묵하다, 마음을 터놓지 않다

shellfish [ʃélfiʃ] *n.* (*pl.* shellfish(es)) 조개, 갑각류 (새우·게 등)

shelter [ʃéltər] *n.* **1** 피난 장소, 은신처; 대합실: a bus *shelter* 버스 대합실 / air-raid *shelter* 방공호 **2** 보호, 비호; 피난: I took *shelter* from the rain under a tree. 나는 나무 아래서 비를 피했다. *v.* **1** [I] 숨다, 피난하다 (from): My dog was napping in the shade, *sheltering* from the hot sun. 내 개는 뜨거운 해를 피해 그늘에서 낮잠을 자고 있었다. **2** [T] 숨기다, 보호하다: The wood *shelters* the house from cold winds. 숲이 찬바람으로부터 집을 보호해 준다.

shepherd [ʃépərd] *n.* 양치는 사람 *v.* [T] **1** (양을) 지키다, …을 보살피다 **2** 이끌다, 안내하다: The guide *shepherded* the tourists around. 안내인은 관광객들을 이곳 저곳으로 두루 안내했다.

sheriff [ʃérif] *n.* [미] 보안관

shield [ʃi:ld] *n.* **1** 방패 **2** (riot shield) (경찰의) 폭동 진압용 방패 **3** 보호물[자], 방어물 **4** 방패 모양의 것, 방패 모양의 무늬; 우승패 *v.* [T] 감싸다, 보호하다, 가리다: She *shielded* her eyes from the sun with her hand. 그녀는 손으로 햇빛을 가려 눈을 보호했다.

shift [ʃift] *v.* [I,T] **1** 이동하다, 자리를 옮기다(바꾸다): He *shifted* his chair. 그는 의자를 옮겼다. / She *shifted* her weight from one foot to the other. 그녀는 체중을 한쪽 발에서 다른 쪽 발로 옮겨 실었다. / Don't try to *shift* the blame onto me! 내게 잘못을 떠넘기지 마라! **2** (방향·장면·상황·성격 등이) 바뀌다, 변경하다: The wind *shifted* to the east. 바람 방향이 동쪽으로 바뀌었다.

n. **1** (태도·견해 등의) 변경, 전환 (in): There has been a *shift* in public opinion on this matter. 이 문제에 대한 여론의 변화가 있었다. **2** (근무의) 교체, 교대 (시간): work in three *shifts* 3교대제로 일하다 **3** (집합적) 교대조: the day[night] *shift* 주간[야간] 교대조 **4** [컴퓨터] 시프트 키 (비트나 문자의 배열을 우 또는 좌로 이동시킴)

shilling [ʃíliŋ] *n.* **1** 실링 (영국의 화폐 단위; 1971년 폐지됨) **2** 실링 (케냐·우간다 등의 영국령 동아프리카의 화폐 단위)

shimmer [ʃímər] *v.* [I] 희미하게 반짝이다, 가물거리다: The moonlight *shimmered* on the water. 달빛이 물 위에 가물거렸다.

shin [ʃin] *n.* 정강이

***shine** [ʃain] *v.* (shone-shone) **1** [I] 빛나다, 반짝이다: The moon *shines* bright. 달이 환하게 비친다. / Make hay while the sun *shines*. [속담] 기회를 놓치지 마라. (해가 났을 때 건초를 만들어라.) **2** [T] 빛나게 하다, (빛을) 비추다: *Shine* your flashlight on my steps. 손전등으로 나의 발 밑을 비춰라. **3** [I] 눈에 띄다, 두드러지다, 빼어나다

(in): He really *shines* in science. 그는 정말 과학에 뛰어나다. **4** [T] (shined-shined) (구두·거울 등을) 닦다, 광을 내다: *shine* shoes 신발을 닦다

n. **1** 빛(남) **2** 윤, 광(택) **3** 윤내기, 닦기

shiny [ʃáini] *adj.* (shinier-shiniest) **1** 빛나는, 번쩍이는, 윤나는: a *shiny* new coin 빛나는 새 동전 **2** 햇빛이 쬐는, 맑게 갠 **3** (옷 등이) 오래 입어 번들거리는

***ship** [ʃip] *n.* 배, 함선: We went to Japan by *ship*. 우리는 배를 타고 일본에 갔다. *v.* [T] (shipped-shipped) …을 배로 보내다; (철도·트럭 등으로) 보내다, 수송하다: The corn was *shipped* to Africa. 곡물은 배로 아프리카에 수송됐다. / The goods will be *shipped* by rail. 물건은 철도편으로 수송될 것이다.

shipbuilding [ʃípbìldiŋ] *n.* 조선(造船), 조선학[술], 조선업

— **shipbuilder** *n.* 배 만드는 사람, 조선 회사

shipment [ʃípmənt] *n.* **1** 선적; 수송, 발송 **2** 선적량, 적하 위탁 화물

shipping [ʃípiŋ] *n.* **1** (집합적) 선박(수) **2** 선적, 적하 **3** 해운업

shipwreck [ʃíprèk] *n.* 난선, 난파; 배의 조난 사고 *v.* [I,T] 난선[난파]하다: They were *shipwrecked* off the coast of Alaska. 그들은 알래스카 해안 앞바다에서 난파했다.

shipyard [ʃípjà:rd] *n.* 조선소

shirt [ʃə:rt] *n.* 셔츠: dress *shirt* 와이셔츠

shiver [ʃívər] *v.* [I] (추위·공포 등으로) 와들와들 떨다: I *shivered* with cold. 나는 추위로 덜덜 떨었다.

n. **1** 몸서리, 떨림 **2** (the shivers) 오한, 전율: The ghost movie gave me the *shivers*. 귀신 영화가 나를 오싹하게 했다.

shoal [ʃoul] *n.* **1** (물고기 등의) 떼 **2** 다량, 다수: *shoals* of people 수많은 사람들 **3** 얕은 곳, 여울목, 모래톱

***shock** [ʃak] *n.* **1** (정신적) 충격, 타격: His

death was a great *shock* to his friends. 그의 죽음에 대한 소식은 친구들에게 매우 큰 충격이었다. **2** [의학] 쇼크: He went into *shock* after the traffic accident. 그는 교통 사고 후에 쇼크 상태에 빠졌다. **3** 충격, 충돌: Don't touch that wire. You'll get an electric *shock*. 저 전선을 만지지 마라. 전기 충격을 받게 된다.

v. **1** [T] …에 충격을 주다, 깜짝 놀라게 하다: He was *shocked* at the news. 그는 그 소식을 듣고 깜짝 놀랐다. / I was *shocked* to hear of his death. 나는 그가 죽었다는 말을 듣고 충격을 받았다. **2** [I,T] 비위를 건드리다, 혐오감을 일으키다

shock absorber *n.* (자동차 · 비행기 등의) 충격 흡수 장치, 완충 장치

shocking [ʃákiŋ] *adj.* **1** 충격적인, 소름끼치는, 무서운: *shocking* news 충격적인 소식 **2** [영] 지독한, 형편 없는, 조잡한: a *shocking* cold 심한 감기

***shoe** [ʃuː] *n.* **1** 신, 구두: a pair of *shoes* 신발 한 켤레 / put on *shoes* 신발을 신다 / take off *shoes* 신발을 벗다 / What size are these *shoes*? 이 신발은 사이즈가 몇인가요? **2** 편자 (horseshoe)

v. [T] (shod-shod, shoed-shoed) 구두를 신기다; 말에 편자를 박다

〖숙어〗 **in one's shoes** …의 입장이 되어, …를 대신하여: What would you do if you were *in my shoes*? 네가 내 입장이라면 어떻게 하겠니?

shoehorn [ʃúːhɔ̀ːrn] *n.* 구둣주걱

shoemaker [ʃúːmèikər] *n.* 구두 만드는 〔고치는〕 사람

shoestring [ʃúːstriŋ] *n.* 〖영〗 shoelace) 구두끈: Tie your *shoestrings*. 신발끈을 묶어라.

***shoot** [ʃuːt] *v.* (shot-shot) **1** [I,T] (총 · 화살을) 쏘다, 발사하다: They were *shooting* arrows at a target. 그들은 표적을 향해 화살을 쏘고 있었다. / He was *shot* in the arm. 그는 팔에 총을 맞았다.

2 [T] 사살하다, 쏴 죽이다: A policeman was *shot* dead. 경찰 한 명이 사살당했다. **3** [I,T] 총사냥하다: We go *shooting* on the weekend. 우리는 주말에 사냥을 간다. **4** [I,T] 재빨리 지나가다, 힘차게 움직이다: A car *shot* by us. 자동차 한 대가 우리 곁을 획 지나갔다. / Flames *shot* up from the burning house. 불타는 집에서 불길이 확 치솟아 올랐다. **5** [I] 욱신욱신 쑤시다: A sharp pain *shot* through me. 심한 통증이 내 온몸에 퍼졌다. **6** [I,T] 촬영하다, 사진을 찍다: Most of the film was *shot* in France. 영화의 대부분은 프랑스에서 촬영되었다. / We are *shooting* a film about the war. 우리는 전쟁에 대한 영화를 촬영하고 있다. **7** [I] (골을 향해 공을) 차다, 던지다, 슛하다: He should have *shot* instead of passing. 그는 패스 대신 슛을 했어야 했다.

n. **1** 사격, 발사 **2** 사격 대회; 사냥터 **3** 어린 가지, 새싹 **4** (영화 · 사진의) 촬영

〖숙어〗 **shoot down** 쏘아 떨어뜨리다: Several enemy planes were *shot down*. 몇 대의 적기가 격추당했다.

shoot up 1 (어린이 · 초목 등이) 쑥쑥〔빨리〕 자라다〔뻗다〕: Jimmy has really *shot up* since I saw him last. 지미는 마지막으로 본 이후로 부쩍 컸다. **2** 하늘 높이 치솟다, 급등하다: Prices are *shooting up*. 물가가 급등하고 있다.

shooting star *n.* 유성

***shop** [ʃap] *n.* **1** 가게, 상점 (〖미〗 store): The *shops* in town open at 9:00. 시내에 있는 상점들은 9시에 문을 연다. / corner *shop* (슈퍼마켓에 대해) 작은 상점 **2** 일터, 공장: a repair *shop* 수리 공장

v. [T] (shopped-shopped) 물건을 사다, 쇼핑하다: I go *shopping* once a month. 나는 한 달에 한 번 장보러 간다.

— **shopper** *n.* (물건) 사는 손님

〖숙어〗 **shop around** (일자리 · 물건 등을) 찾아 헤매다, 물색하다 (for)

shopkeeper [ʃápkìːpər] *n.* ([미] storekeeper) 가게 주인, 소매 상인

shoplift [ʃáplìft] *v.* [I,T] 가게 물건을 훔치다〔슬쩍하다〕: Oscar-nominated actress Winona Ryder was found guilty of *shoplifting* charges. 오스카상 후보자로 지명된 위노나 라이더는 가게에서 물건을 슬쩍한 죄과가 있음이 확인되었다.
— **shoplifter** *n.* 가게 좀도둑, 들치기
shoplifting *n.* 가게 좀도둑질

shopping [ʃápiŋ] *n.* **1** 쇼핑, 물건사기, 장보기: I'll do the *shopping* this weekend. 나는 이번 주말에 쇼핑할 것이다. **2** [영] 쇼핑한 물건

shopping mall *n.* ([영] shopping centre) (보행자만 들어갈 수 있는) 상점가, 그 안의 한 구역 (mall)

*****shore** [ʃɔːr] *n.* 바닷가, 해안, 해변, (바다·호수·강의) 기슭

*****short** [ʃɔːrt] *adj.* **1** (길이·거리 등이) 짧은: This coat is *short* on me. 이 코트는 나한테 짧다. / It's only a *short* walk to the store. 상점까지는 조금만 걸으면 된다. [OPP] long

2 (키가) 작은: I'm too *short* to reach the top shelf. 나는 너무 작아서 맨 위 선반에 손이 닿지 않는다. [OPP] tall

3 (시간이) 짧은: a *short* visit 짧은 방문 / He left a *short* time ago. 그는 바로 얼마 전에 떠났다. / I have a *short* memory. 나는 잘 잊어버린다. [OPP] long

4 불충분한, 모자라는: I'm about ten dollars *short*. 나는 10달러 정도 모자란다. / He seemed a bit *short* of breath. 그는 약간 숨이 가빠 보였다. / Computers are in *short* supply in the office. 사무실에 컴퓨터가 부족하다.

5 (시간·행위 등이) 순식간에: a few *short* years 순식간에 지나간 몇 해

6 생략의 (for): Doc is *short* for doctor. Doc는 doctor의 약자이다.

7 성마른, 퉁명스러운, 무뚝뚝한 (with): I'm sorry I was so *short* with you. 퉁명스럽게 말하여 죄송합니다.

adv. **1** 갑자기, 별안간: She stopped *short*. 그녀는 갑자기 멈춰 섰다. **2** 미치지 않아, 도중에: The arrow landed *short* of the target. 화살이 과녁에 미치지 못했다. **3** 부족하여, 결핍하여 **4** 간단히, 짤막히

n. **1** [전기] 단락(短絡), 쇼트 (short circuit) **2** (shorts) 짧은〔반〕 바지 **3** (shorts) 남자용 팬티 ※ underpants, underclothes가 일반적인 말이다.

[숙어] **cut ... short** …을 갑자기 끝내다〔가로막다〕: I started to explain, but he *cut* me *short*, saying he had to answer the phone. 내가 설명하려고 했지만 그는 전화를 받아야 한다고 하면서 내 말을 가로막았다.

fall〔come〕 short (of) …에 미치지 못하다, (기대 등에) 어긋나다: The pay raise *fell short of* our expectations. 임금 인상은 우리의 기대에 미치지 못했다.

for short 생략하여: My name is Jimmy, or Jim *for short*. 내 이름은 Jimmy 또는 줄여서 Jim이라고 해.

in short 요컨대: *In short*, I need some money. 요컨대 나는 돈이 좀 필요하다.

run short 없어지다, 바닥나다, 부족하다 (of): We're *running short* of sugar. 설탕이 부족할 것 같다.

short of 1 …을 제외하고: Nothing *short of* a miracle will save his life. 기적만이 그의 목숨을 구할 수 있을 것이다. **2** …이 부족한, …이하의, …에 못 미치는: I'm *short of* money at the moment. 나는 지금 돈이 좀 모자란다. / We were still five miles *short of* our destination. 목적지까지 가려면 아직 5마일 남아 있었다.

shortage [ʃɔ́ːrtidʒ] *n.* 부족, 결핍: a *shortage* of cash 현금 부족 / a food *shortage* 식량난

shortcoming [ʃɔ́ːrtkʌ̀miŋ] *n.* 결점, 단점

S

short cut *n.* **1** 지름길, 최단 노선: I took a *short cut* to school across the field. 나는 들판을 가로질러 지름길로 학교에 갔다. **2** 손쉬운 방법: There aren't any *short cuts* to learning English. 영어를 배우는 손쉬운 방법은 없다.

shorten [ʃɔ́ːrtn] *v.* [I,T] 짧아지다, 줄다, 짧게 하다, 적게 하다: The trousers were too long, so I *shortened* them. 바지 너무 길어서 줄였다.

shorthand [ʃɔ́ːrthænd] *n.* 속기: a *shorthand* typist 속기사

shortly [ʃɔ́ːrtli] *adv.* **1** 곧, 이내, 즉시: He will *shortly* arrive in Korea. 그는 곧 한국에 도착할 예정이다. **2** 냉랭하게, 무뚝뚝하게: 'Stop interrupting me,' he said *shortly*. '방해하지 마' 라고 그는 냉랭하게 말했다. **3** 간략하게, 간단히

shortsighted [ʃɔ́ːrtsáitid] *adj.* **1** 근시(안)의 ([미] nearsighted) [OPP] long-sighted **2** 근시안적인, 선견지명이 없는: a *shortsighted* policy 근시안적인 정책

short-term *adj.* 단기의: *short-term* plans 단기 계획들

short wave *n.* (*abbr.* sw) [전자] 단파

shot [ʃɑt] *n.* **1** 발포, 발사, 총성: I heard *shots* in the distance. 멀리서 총성이 들렸다. / take a *shot* at …을 저격하다, 겨누다 **2** 탄환, 포탄 **3** (스포츠에서) 한 번 차기, 치기: Good *shot*! 잘 맞혔다!, 좋은 공이다! **4** 촬영, 사진; (영화·TV 등의) 한 화면; 촬영 거리: I got some really good *shots* of the harbor at sunset. 나는 해질녘 항구의 정말 멋진 사진들을 찍었다. / a long *shot* 원거리 촬영 **5** 시도, 해보기: He had a *shot* at repairing the vacuum cleaner. 그는 진공 청소기를 고쳐 보기로 했다. / give one's best *shot* 최선의 노력을 다하다 **6** (주사 등의) 한 대 **7** (투포환 경기의) 포환

shotgun [ʃɑ́tgʌn] *n.* 산탄총, 엽총, 새총

should [ʃud] *aux.* **1** (의무·당연) …하여야 한다, …하는 것이 당연하다[좋다]: You shouldn't speak so loud. 그렇게 큰 소리로 이야기해선 안 된다. / I *should* have gone to bed earlier. 나는 좀 더 일찍 잠자리에 들었어야 했다. ※ 'should have+과거분사' 는 …했어야 했는데 실제로는 하지 않았음을 나타낸다.

2 (강한 상상·기대·가능성·추측) …임에 틀림없다, 틀림없이 …일 것이다: I *should* be back by 12. 나는 12시에 틀림없이 돌아올 것이다. / He *should* have arrived at the office by now. 그는 지금쯤 회사에 도착해 있을 것이다.

3 (if 절에서) 만일 (…하면), 설사 …하더라도: If you *should* see John, give him my best wishes. 만일 존을 만나게 되면 안부를 전해 줘.

4 (조건절의 귀결로서 1인칭에서) …할[일] 텐데: If I had a thousand dollars, I *should* take a long holiday. 만일 천 달러가 있으면 나는 긴 휴가를 가질 수 있을 텐데. / If he were to do so, I *should* be angry. 그가 그런 일을 한다면 나는 화를 낼 것이다.

5 (간접화법에서 shall에 대한 단순미래) …일 것이다: I promised I *should* be back before 5 o'clock. 나는 5시 전에 돌아온다고 약속했다. / She thought that she *should* soon be quite well again. 그녀는 병이 곧 나으려니 생각했다.

6 (의문사와 더불어 의문·놀라움 등을 나타냄) 대체 (어디서, 어떻게, 어째서 등) …인가, …해야만 하나: How on earth *should* I know? 대체 내가 어떻게 안단 말인가? / Why *should* he go for you? 어째서 그가 너 대신 가야 하니?

7 (요구·제안·주장 등의 명사절에서) …하다, …하도록: I suggest that you *should* join us. 당신이 우리와 함께 할 것을 제안합니다. / He insisted that the plan *should* be carried out without delay. 계획이 지체없이 실행되어야 한다고 그는 주장했다.

8 (놀라움·노여움·유감·필연·당연을 나타

내는 that절에서) …하다니, …이라니, …하다, …하는 것은: It's odd that you *should* not know about it. 네가 그걸 모르고 있었다니 이상하다. / It is lucky that the weather *should* be so fine. 날씨가 이렇게 좋다니 운이 좋다. / It is natural that she *should* get angry. 그녀가 화를 내는 것도 당연하다.

※ should의 부정형은 should not이고, should not의 축약형은 shouldn't이다.

****shoulder** [ʃóuldər] *n.* **1** 어깨: She put her head on his *shoulder*. 그녀는 머리를 그의 어깨에 기댔다. / shrug one's *shoulders* (당황·놀람·절망·체념 등의 표시로) 어깨를 움츠리다 **2** 어깨살〔고기〕(식용 고기의 앞다리 또는 전반부) **3** (옷·도구·현악기 등의) 어깨(부분) **4** 갓길 (길 양옆 가장자리) **5** (-shouldered *adj.*) (복합어를 이루어) …한 어깨의: a broad-*shouldered* man 어깨가 넓은 남자 / round-*shouldered* 어깨가 굽은

v. [T] **1** (책임·부담을) 떠맡다, 짊어지다: *shoulder* the blame〔burden, responsibility, cost〕 비난〔부담, 책임, 비용〕을 떠맡다 **2** 어깨로 밀다, 어깨로 밀어헤치고 나아가다

축어 **have a chip on one's shoulder** ⇨ chip

rub shoulders with ⇨ rub

shoulder to shoulder 어깨를 나란히 하여, 협력하여, 밀집하여

shoulder blade〔bone〕 *n.* 어깨뼈, 견갑골

****shout** [ʃaut] *v.* **1** [I] 큰 소리를 내다, 외치다, 소리치다 (at, out, to): There's no need to *shout*. I'm not deaf! 큰 소리 낼 필요 없어. 나는 귀먹지 않았단 말이야! **2** [T] 큰 소리로 말하다: He *shouted* his orders. 그는 큰 소리로 명령을 내렸다.

n. 외침, 부르짖음, 큰 소리; 환호〔갈채〕(소리)

축어 **shout down** 소리쳐 반대하다, 고함쳐 물리치다: The crowd *shouted down* his suggestions. 군중은 그의 제의에 반대

를 외쳐 댔다.

shove [ʃʌv] *v.* [I,T] **1** 밀(치)다, 밀어제치다, 밀고 가다: He *shoved* the chair across the room. 그는 방을 가로질러 의자를 밀어 놓았다. / The crowd was pushing and *shoving* to get a better view. 군중들은 좀 더 잘 보려고 (다른 사람들을) 마구 밀어제쳤다. **2** (아무렇게나) 밀어 넣다: She *shoved* books into her bag. 그녀는 가방 속에 책을 아무렇게나 밀어 넣었다.

n. 밂, 밀어제침: give … a *shove* …을 냅다 밀다

shovel [ʃʌvəl] *n.* 삽

v. [I,T] (shovel(l)ed-shovel(l)ed) 삽으로 푸다〔파다〕

****show** [ʃou] *v.* (showed-shown, showed-showed) **1** [T] 보이다, 제시하다: He *showed* me his photos. 그는 내게 그의 사진을 보여 주었다. / You have to *show* your ticket at the entrance. 입구에서 표를 제시해야 합니다.

2 [T] …을 증명하다, 밝히다: His experiment *showed* the theory to be false. 그의 실험은 그 이론이 잘못되었다는 것을 증명했다. / This letter *shows* what he is. 이 편지는 그가 어떤 사람인가를 말해 주고 있다.

3 [I] 나타나다, 보이다: Anger *showed* on his face. 그의 얼굴에 노여움이 드러났다. / Does the spot on my shirt *show*? 내 셔츠 위의 얼룩이 보이니?

4 [T] 설명하다, 해 보이다, 가르치다: Can you *show* me how to use the computer? 컴퓨터 사용하는 법 좀 가르쳐 줄래요?

5 [T] 안내하다, 가리키다: He *showed* me the way to the station. 그는 나에게 역으로 가는 길을 가리켜 주었다. / She *showed* me around the city. 그녀가 나에게 시내를 두루 안내해 주었다.

6 [T] 진열〔전시, 출품〕하다: Her paintings are being *shown* at the gallery. 그녀의

그림이 화랑에 전시되고 있다. SYN exhibit
7 [T] 눈에 띄게[두드러지게] 하다: A light-colored coat *shows* soil readily. 밝은 색 상의는 얼룩이 곧 드러난다.

n. **1** 구경거리, 쇼, 흥행: a comedy[quiz] *show* 코미디[퀴즈] 쇼 **2** 전시회, 전람회: a fashion *show* 패션쇼 / a flower *show* 꽃 전시회 SYN exhibition **3** 시늉; 외양, 겉꾸밈: He made a big *show* of being sorry. 그는 굉장히 미안한 척했다. **4** (감정 등의) 표시, 나타내기

축어 **show off** 드러내다, 돋보이게 하다, 자랑해 보이다: It was never to *show off* her own cleverness. 그것은 결코 그녀 자신의 똑똑함을 뽐내려고 한 것은 아니었다.

show up 1 나오다, 나타나다: He did not *show up* for the meeting. 그는 회의에 나타나지 않았다. **2** 똑똑히 보이게 하다, 뚜렷하게 하다: The light *showed up* the stain on the cloth. 불빛으로 천의 얼룩이 똑똑히 보였다. / The yellow ribbon *showed up* against her dark hair. 그녀의 검은 머리에 노란 리본이 두드러지게 눈에 띄었다.

show business (또는 show biz) *n.* 연예업, 흥행업, 연예계

showcase [ʃóukèis] *n.* (유리) 진열장

showdown [ʃóudàun] *n.* (결말을 짓는) 최종 단계, 막판: a *showdown* vote 결선투표

*∗**shower** [ʃáuər] *n.* **1** 샤워 설비, 샤워룸: He's in the *shower*. 그는 샤워룸에 있다. **2** 샤워(하기): I took a *shower* and got dressed. 나는 샤워를 하고 옷을 차려 입었다. **3** 소나기: I was caught in a *shower* on my way home. 나는 집에 가는 길에 소나기를 만났다. **4** 쏟아져옴, (탄알 · 눈물 · 편지 등이) 빗발치듯 함: a *shower* of sparks 쏟아지는 불꽃 / a *shower* of presents 많은 선물

v. **1** [I,T] 빗발치듯 쏟아지다[퍼붓다]: Tears *showered* down her cheeks. 눈물이 비오듯 그녀의 뺨에 흘렀다. **2** [I] 샤워를 하다

— **showery** *adj.* 소나기(가 올 것) 같은; 소나기가 잦은

showing [ʃóuiŋ] *n.* **1** (영화 · 연극의) 상연, 상영: a special *showing* of the movie 'Tarzan' 영화 '타잔'의 특별 상영 **2** 성적, 솜씨: He made a bad *showing* on the test, but a good *showing* in the job. 그는 시험 성적이 좋지 않았지만 일은 잘했다. **3** 전람회, 전시회

show-off *n.* **1** 자랑, 과시 **2** 자랑꾼

showroom [ʃóurù(ː)m] *n.* 상품 진열실, 전시실: a car *showroom* 자동차 전시실

shred [ʃred] *n.* **1** 끄트러기, 조각, 파편: My notebook was torn to *shreds*. 내 공책이 갈기갈기 찢겨졌다. **2** (a shred) 약간, 극히 조금 (of): There is not a *shred* of evidence. 쥐꼬리만한 증거도 없다.

v. [T] (shredded-shredded) 조각조각으로 하다, 갈가리 찢다

— **shredder** *n.* 서류 분쇄기

shrew [ʃruː] *n.* [동물] 뾰족뒤쥐 (shrewmouse)

shrewd [ʃruːd] *adj.* 예민한, 날카로운, 영리한: a *shrewd* choice 똑똑한 선택 / a *shrewd* observer 예민한 관찰자

— **shrewdly** *adv.*

shriek [ʃriːk] *v.* **1** [I] 날카로운 소리를 지르다, 비명을 지르다: We were *shrieking* with laughter. 우리는 큰 소리로 깔깔거리며 웃고 있었다. **2** [T] 날카로운 소리로 말하다, 비명을 지르며 말하다

n. 날카로운 소리, 부르짖음, 비명: I gave a *shriek* of pain. 나는 아파서 비명을 질렀다.

shrill [ʃril] *adj.* (소리가) 날카로운, 높은: a *shrill* cry 날카로운 울음 소리

shrimp [ʃrimp] *n.* (*pl.* shrimp(s)) 작은 새우

shrine [ʃrain] *n.* **1** (성인들의 유물 · 유골을 모신) 성당, 사당 **2** (신성시되는) 전당, 성지 (聖地): a *shrine* of art 예술의 전당

shrink [ʃriŋk] *v.* (shrank-shrunk, shrunk-shrunken) **1** [I,T] 오그라들다, 줄다,

수축시키다: Wool *shrinks* when washed. 양모는 빨면 줄어든다. / The number of students has *shrunk* from 100 to 70. 학생 수가 100명에서 70명으로 줄었다. **2** [I] 움츠리다, 뒷걸음질치다, 위축되다: She *shrunk* with fear. 그녀는 무서워서 몸을 움츠렸다.

[숙어] **shrink from** 회피하다, (꺼려서) …하지 않다: He *shrinks from* saying what he knows. 그는 자기가 아는 것을 말하기 꺼린다.

shrivel [ʃríːvəl] *v.* [I,T] (shrivel(l)ed-shrivel(l)ed) 주름(살)지다, 오그라들다, 시들다 (up): A lot of the plants had *shriveled* up and died in the hot weather. 많은 식물들이 뜨거운 날씨에 시들어 죽었다.

shroud [ʃraud] *n.* 수의(壽衣)
v. [T] (보통 수동태) 싸다, 가리다, 감추다 (in, by): The airport was *shrouded* in a heavy mist. 공항은 짙은 안개에 싸여 있었다.

shrub [ʃrʌb] *n.* 키 작은 나무, 관목

shrug [ʃrʌg] *v.* [I,T] (shrugged-shrugged) (어깨를) 으쓱하다 (어떤 사실에 대해 알지 못하거나 관심이 없음을 나타내는 몸짓; 보통 동시에 두 손바닥을 보임): "I have no idea," he said, *shrugging* his shoulders. 그는 어깨를 으쓱이며, "나는 잘 몰라"라고 말했다.
n. 어깨를 으쓱하기

shudder [ʃʌdər] *v.* [I] (공포 · 추위 등으로) 떨다, 전율하다: I *shudder* at the mere thought of it. 나는 그것을 생각만 해도 몸서리가 난다.
n. (몸을) 떪, 전율
※ shiver보다 뜻이 강하다.

shuffle [ʃʌfəl] *v.* **1** [I] 발을 질질 끌다, 지척거리다: The old man *shuffled* along the road. 노인이 발을 질질 끌며 길을 걸었다. **2** [I,T] 이리저리 움직이다: He *shuffled* his feet in boredom. 그는 지루해서 발을 이리저리 움직였다. **3** [I,T] 뒤섞다: It's your turn to *shuffle* the cards. 네가 카드를 섞을 차례다.
n. **1** 발을 질질 끌기 **2** 카드를 쳐서 떼기[떼는 차례], 뒤섞음

shun [ʃʌn] *v.* [T] (shunned-shunned) 피하다, 비키다, 멀리하다: *shun* society 사람 접촉을 피하다, 세상을 멀리하다 / I *shun* foods that are not healthy. 나는 건강에 나쁜 음식은 멀리한다.

*****shut** [ʃʌt] *v.* (shut-shut; shutting) **1** [I,T] 닫히다, 닫다: The window *shuts* easily. 창문은 잘 닫힌다. / He *shut* the door behind him. 그는 들어가서 문을 닫았다. **2** [I,T] (가게 · 식당 등이) 닫다, 폐점〔휴점〕하다: The *shop* shuts at 5 o'clock. 그 가게는 5시에 닫는다. **3** [T] 가두다, 막다, 차단하다: I *shut* my puppy inside the house while I went shopping. 나는 쇼핑하러 가는 동안 내 강아지를 집 안에 가두었다. / The enemy *shut* every pass. 적은 모든 통로를 봉쇄했다. **4** [T] (문 등에) 끼이게 하다: She *shut* her skirt in the door and tore it. 그녀의 치마가 문에 끼어서 찢어졌다.
adj. (명사 앞에는 쓰이지 않음) 닫힌, 잠긴: The door was *shut*. 문은 잠겨 있었다. / Her eyes were *shut* and I thought she was asleep. 그녀의 눈이 감겨 있어 나는 그녀가 자고 있다고 생각했다.

[숙어] **shut away** 격리하다, 가두다

shut down (가게 · 공장이) 폐쇄되다, 닫다: The factory *shut down* last year. 공장은 작년에 폐쇄됐다.

shut off 1 (가스 · 라디오 등을) 잠그다, 차단하다: Oil supplies have been *shut off*. 석유 공급이 차단되었다. **2** (…을) 떼어 내다, 격리하다: Cheonghak-dong has been completely *shut off* from the modern world. 청학동은 현대 세계와 완전히 격리되어 있다. **3** (기계 등이) 멈추다: The machine *shuts off* automatically if it gets too hot. 너무 뜨거워지면 기계는 자동적으로 멈춘다. **4** (교통을) 차단하다

shut out …을 못 들어오게 하다, 내쫓다:

The trees *shut out* the view. 이 나무들이 전망을 가린다.

shut up 1 입다물게 하다: *Shut up!* 입 닥쳐! **2** 감금하다, 가두다 (in): He was *shut up* in prison for ten years. 그는 10년 동안 감옥에 감금되었다.

shutter [ʃʌtər] *n.* **1** 덧문, 겉문 **2** (사진기의) 셔터

shuttle [ʃʌtl] *n.* (근거리의) 정기 왕복 항공기〔열차, 버스〕

*****shy** [ʃai] *adj.* (shyer-shyest, shier-shiest) **1** 소심한, 수줍어하는, 부끄럼 타는: He was too *shy* to say anything to her. 그는 너무 수줍어해서 그녀에게 어떤 말도 하지 못했다. **2** 조심성 많은, 조심하여 …하지 않는 (of, about doing): He is *shy* of telling the truth. 그는 사실을 말하길 꺼리고 있다.

v. [I] **1** (말이 놀라서) 뒷걸음치다 **2** 겁내다, 꽁무니 빼다 (away, off): Her eyes *shy* away from mine. 그녀는 내게서 눈을 피하고 있다.

— **shyly** *adv.* **shyness** *n.*

sibling [síbliŋ] *n.* (보통 *pl.*) 형제, 자매
※ 보통 brother(s) and sister(s)라고 표현한다.: Do you have any *brothers and sisters*? 너는 형제나 자매가 있니?

*****sick** [sik] *adj.* **1** 병의, 병에 걸린: She's looking after her *sick* mother. 그녀는 병든 어머니를 돌보고 있다. / get *sick* 병들다 **2** [영] 느글거리는, 메스꺼운: I feel *sick*. 나는 토할 것 같다. **3** (명사 앞에는 쓰이지 않음) 물린, 신물이 난 (of): I'm really *sick* of housework! 나는 정말 집안일에 진저리가 난다! **4** (명사 앞에는 쓰이지 않음) 실망한, 울화가 치미는, 괴로운 (at, about): He is *sick* about not getting that job. 그는 그 일을 얻지 못해 화가 나 있다. **5** 그리워〔사모〕하는 (for): She is *sick* for her family. 그녀는 가족을 그리워하고 있다. **6** (정신이) 불건전한, (농담 등이) 기분 나쁜, 소름 끼치는: a *sick* joke 기분 나쁜 농담

7 (the sick) 아픈 사람들, 환자들
n. 구토

숙어 **make ... sick** …를 화나게 하다: People like you *make* me *sick*! 너같은 사람들이 나를 화나게 해!

sicken [síkən] *v.* [T] 구역질나게 하다, 물리게 하다: The very thought of it *sickens* me. 그것을 생각만 해도 신물이 난다.
— **sickening** *adj.*

sickly [síkli] *adj.* (sicklier-sickliest) **1** 병약한, 허약한: a *sickly* child 허약한 아이 **2** (얼굴 등이) 창백한, 핼쑥한, 병적인: Her face had a *sickly* yellow. 그녀의 얼굴은 창백한 노란색이었다. **3** 역겨운: a *sickly* smell 역겨운 냄새

sickness [síknis] *n.* **1** 병, 건강치 못함: He misses a lot of school because of *sickness*. 그는 아파서 학교를 많이 빠지고 있다. **2** 구토, 메스꺼움: morning *sickness* 입덧 / sea*sickness* 뱃멀미

*****side** [said] *n.* **1** 면 (앞뒤·좌우·상하·안팎): A cube has six *sides*. 정육면체는 6개의 면이 있다.

2 쪽, 측, 측면: The *side* of the car was badly scratched. 차의 측면이 심하게 긁혔다. / on the west *side* of the town 시의 서쪽에

3 가장자리, (도로·강 등의) 가: There are trees on both *sides* of the road. 도로의 양쪽 가장자리에 나무들이 있다. / We rested by the *side* of the river. 우리는 강가에서 휴식을 취했다.

4 끝, 변두리

5 (종이·동전 등의) 한쪽 면: Write on both *sides* of the paper. 종이 양면에 적어라.

6 (신체의) 옆구리: My *side* aches. 옆구리가 아프다.

7 (경기·싸움·논의 등에서) …편, 팀, 파: Which *side* won? 어느 편이 이겼냐? / I'm on your *side*. 나는 네 편이다.

8 (문제 등의) 측면, (관찰)면, 관점: There

are two *sides* to every question. 어느 문제에나 두 가지 면이 있다. / the funny *side* of a situation 상황의 재미있는 면

9 [수학] (삼각형 등의) 변, (입체의) 면: A square has four *sides*. 사각형은 네 변이 있다.

10 (혈통의) ···쪽, ···계: He is Chinese on his mother's *side*. 그는 어머니 쪽이 중국계이다.

11 (-sided *adj.*) (복합어를 이루어) 측(면, 변)이 있는: a one-*sided* view 편견 / many-*sided* 다방면의

adj. **1** 한쪽의, 곁의, 측면의: a *side* entrance 통용문 **2** 부가적인, 부업의: a *side* job 부업

v. [I] 지지하다, 편들다 (with): Mother always *sided* with me. 어머니는 늘 내 편을 드셨다.

[숙어] **get on the right〔wrong〕side of** ···의 마음에 들다〔들지 않다〕: She tried to *get on the right side of* her mother. 그녀는 항상 어머니의 마음에 들려고 애썼다.

on〔from〕all sides, on〔from〕every side 온갖 방면에(서), 빈틈없이: They were attacking *on all sides*. 그들은 사방에서 공격하고 있었다.

side by side 나란히: They were walking *side by side*. 그들은 나란히 걷고 있었다.

take sides 편들다, 지지하다: Our parents never *take sides*. 부모님은 어느 한쪽 편을 들지 않으신다.

sideboard [sáidbɔ̀:rd] *n.* (식당 벽면의) 식기 찬장

side effect *n.* (약물 등의) 부작용

sideline [sáidlàin] *n.* **1** 부업: She teaches English in the evening as a *sideline*. 그녀는 부업으로 저녁에 영어를 가르친다. **2** (sidelines) [스포츠] 사이드라인, 사이드라인의 바깥쪽

[숙어] **on the sidelines** 방관자로서

sidelong [sáidlɔ̀:ŋ] *adj.* 옆으로의, 비스듬한, 간접적인: a *sidelong* glance 곁눈질

sidewalk [sáidwɔ̀:k] *n.* (([영] pavement) (특히 포장된) 보도, 인도

sideways [sáidwèiz] *adv. adj.* **1** 옆(쪽)으로, 측면의: If you would move *sideways*, I could see better. 당신이 옆으로 좀 가시면, 제가 더 잘 보일 텐데요. / She looked *sideways* at the girl next to her. 그녀는 자신의 옆에 있는 소녀를 곁눈으로 보았다. **2** 옆으로 향한, 비스듬한: Turn the table *sideways*. 탁자를 비스듬히 돌려 놓아라.

siege [si:dʒ] *n.* 포위, 포위 공격

siesta [siéstə] *n.* (점심 후의) 낮잠 (특히 더운 나라에서)

sieve [siv] *n.* (고운) 체, 조리: pass flour through a *sieve* 밀가루를 체로 치다

v. [T] 체질하다, 거르다

sift [sift] *v.* **1** [T] 체로 치다 **2** [I,T] 면밀히 조사하다 (through): Police are *sifting* through all the evidence. 경찰이 모든 증거들을 면밀히 조사하고 있다.

sigh [sai] *v.* **1** [I] 한숨 쉬다〔짓다〕, 탄식하다, 그리워 한탄하다: She *sighed* deeply and sat down. 그녀는 깊게 한숨 쉬며 앉았다. / She *sighed* for the happy old days. 그녀는 행복했던 옛날을 그리며 한숨지었다. **2** [T] 한숨 쉬며 말하다: "There's nothing we can do about it now," she *sighed*. "우리가 지금 그것에 대해 할 수 있는 게 아무것도 없어." 그녀는 한숨 쉬며 말했다. **3** [I] (바람이) 한숨 짓듯 산들거리다: The wind *sighed* in the trees. 바람에 나무들이 살랑거린다.

n. 한숨, 탄식: give a *sigh* of relief 안도의 한숨을 쉬다

***sight** [sait] *n.* **1** 시각, 시력: He lost his *sight* in the war. 그는 전쟁에서 시력을 잃었다. / I have very poor *sight*. 나는 시력이 매우 안 좋다.

2 (the sight) 봄, 목격 (of): She fainted at the *sight* of blood. 그녀는 피를 보자 기절했다.

3 시계, 시야: We camped within *sight* of the lake. 우리는 호수가 바라보이는 곳에서 야영을 했다.
4 조망, 광경, 풍경: a familiar *sight* 흔히 볼 수 있는 광경
5 (sights) 명소, 명승지, 관광지: see the *sights* 명승지 구경을 하다
6 (a sight) 놀라운〔충격적인, 비참한〕 것: You must get some sleep. You look like a *sight*. 좀 자지 그래. 네 얼굴이 말이 아니다.
7 (보통 sights) (총의) 겨냥, 조준(기)
8 (-sighted *adj.*) (복합어를 이루어) …눈의, …안(眼)의, …시(視)의: near-*sighted* 근시의
v. [T] 찾아 내다, 목격하다, 보다

[숙어] **at〔on〕 sight** 보자마자, 즉석에서
at (the) sight of …을 보자, …을 보고: The children ran away *at the sight of* a fierce dog. 아이들은 사나운 개를 보고 달아났다.
by sight (이름은 모르고) 얼굴만은 (알고 있는): I know the gentleman *by sight*. 나는 그 신사의 얼굴만은 알고 있다.
catch sight of …을 찾아 내다, 흘끗 보다: I *caught sight of* him in the crowd. 나는 군중 속에서 그를 찾아 냈다.
in sight 1 보여, 보이는 거리에: The land was not yet *in sight*. 육지는 아직 보이지 않았다. **2** (시간적으로) 가까워져, 임박한
lose sight of …을 (시야에서) 놓치다, …을 잊다: The ship *lost sight of* the coast. 그 배는 해안이 보이지 않게 되었다. / Never *lose sight of* the clue. 단서를 못 보고 놓치지 마라.
out of sight 보이지 않는, 보이지 않는 곳에: The plane flew *out of sight* in a moment. 비행기는 순식간에 날아가 버려 보이지 않게 되었다. / *Out of sight,* out of mind. [속담] 눈에서 멀어지면, 마음도 멀어진다.

sightseeing [sáitsì:iŋ] *n.* 관광, 구경, 유람: We did some *sightseeing* in Paris.

우리는 파리를 좀 구경했다. / go *sightseeing* 관광하러 가다

sightseer [sáitsì:ər] *n.* 관광객, 유람객
sign [sain] *n.* **1** 기미, 징후, 전조, 모습 (of): Dark clouds are a *sign* of rain. 먹구름은 비가 올 징조다. / There was no *sign* of life in the house. 그 집에는 아무도 없는 것 같았다. **2** 표지, 도표, 간판: a road *sign* 도로 표지 **3** 신호, 손짓, 몸짓: I made a *sign* for him to stop. 나는 그에게 멈추라고 신호했다. **4** 기호, 표시, 부호: a dollar *sign* 달러 표시 / + and − are *signs* that mean 'plus' and 'minus'. +와 −는 더하기와 빼기를 의미하는 기호이다. **5** [천문·점성] 궁(宮) (황도(黃道)의 12구분의 하나)
v. **1** [I,T] 사인〔서명〕하다, 기명 날인하다: *Sign* here, please. 여기 사인해 주세요. / They *signed* the treaty. 그들은 조약에 서명했다. **2** [T] (…하기로) 계약 서명하다: The team *signed* four new players this week. 그 팀은 이번 주에 4명의 새로운 선수들과 계약을 맺었다. **3** [I,T] (손짓·몸짓 등으로) 알리다, 신호하다: He *signed* us to enter the room. 그는 우리에게 방에 들어오라고 신호했다.

[숙어] **sign in〔out〕** 서명하여 도착〔출발〕을 기록하다: All visitors are required to *sign in* at reception and wear a visitor's badge. 모든 방문객들은 접수구에서 출입 서명을 하고 방문객 배지를 달아야 한다.
sign up 1 (…와) 계약하다 **2** (조직·단체에) 가입하다, 등록을 신청하다: I've *signed up* for a computer course. 나는 컴퓨터 강좌에 등록했다.

***signal** [sígnəl] *n.* **1** 신호: Don't move until I give the *signal*. 내가 신호를 할 때까지 움직이지 마라. / busy *signal* (전화에서) 통화 중이라는 신호 소리 **2** 신호기: a traffic *signal* 교통 신호기 **3** 전조, 징후, 조짐: The changing color of the leaves on the trees is a *signal* that it will soon be fall. 나뭇잎의 색이 변하는 것은 곧

가을이 된다는 징조다. **4** (텔레비전·라디오 등의) 신호 (송신·수신되는 전파·음성·영상 등) *v.* (signal(l)ed-signal(l)ed) **1** [I,T] 신호하다, …을 신호로 알리다: He *signaled* me to stop talking. 그는 내게 이야기하지 말라고 신호했다. **2** [T] …의 전조가〔조짐이〕되다

signatory [sígnətɔ̀ːri] *n.* 서명인, 조인자, (조약의) 가맹국

adj. 서명한, 참가〔가맹〕조인한: the *signatory* powers to a treaty 조약 가맹국

signature [sígnətʃər] *n.* 서명

significance [signífikəns] *n.* **1** 의의, 의미: What is the *significance* of this discovery? 이 발견의 의미는 무엇인가? **2** 중요성: a matter of *significance* 중대 사건

*****significant** [signífikənt] *adj.* **1** 중대한, 중요한 [OPP] insignificant **2** 뜻있는, 의의 깊은 **3** 함축성 있는, 의미 심장한: They exchanged *significant* glances. 그들은 의미 심장한 눈빛을 교환했다. **4** 상당한, 뚜렷한: There has been a *significant* increase in the number of women students in recent years. 최근 몇 년 사이 여학생 수가 상당히 증가했다.

— **significantly** *adv.*

signify [sígnəfài] *v.* [T] **1** 의미하다, 뜻하다: What does this phrase *signify*? 이 글귀는 어떤 의미입니까? **2** 표시하다, 나타내다: She *signified* her agreement by nodding her head. 그녀는 고개를 끄덕여 동의를 표했다.

sign language *n.* 손짓〔몸짓〕언어, 수화

signpost [sáinpòust] *n.* 간판〔광고〕기둥, (십자가 등의) 푯말, 이정표

*****silence** [sáiləns] *n.* **1** 고요함, 정적: A loud crash of thunder broke the *silence* of the night. 큰 천둥 소리가 밤의 정적을 깼다. **2** 침묵, 무언: Silence is gold. [속담] 침묵은 금이다. **3** 무소식: Forgive me for my long *silence*. 오랫동안 소식을 전하지 못한 것을 용서하십시오. **4** 언급하지 않

음, 묵살

v. [T] 침묵시키다, 잠잠하게 하다

[숙어] **in silence** 침묵하여, 조용히: We ate our dinner *in silence*. 우리는 말 없이 저녁을 먹었다.

silent [sáilənt] *adj.* **1** 조용한, 고요한, 소리 없는: The house was empty and *silent*. 집은 텅 비고 고요했다. / *silent* movies 무성 영화 **2** 침묵하는, 무언의, 말없는: He was *silent* for a moment before he answered. 그는 대답하기 전에 잠시 말이 없었다. / Be *silent*! 조용히 해! **3** [음성] 발음되지 않는, 묵음의: The 'b' in 'comb' is *silent*. 'comb'에서 'b'는 묵음이다.

— **silently** *adv.*

silhouette [sìluːét] *n.* 실루엣, 그림자 그림

silicon [sílikən] *n.* [화학] 규소 (비금속 원소; 기호 Si)

*****silk** [silk] *n.* 비단, 명주실, 생사

silkworm [sílkwə̀ːrm] *n.* 누에

silky [sílki] *adj.* (silkier-silkiest) 비단 같은, 보드라운, 매끄러운, 광택 있는: *silky* hair 보드라운 머리카락

sill [sil] *n.* 문지방, 문턱, 창턱: a window *sill* 창문턱

*****silly** [síli] *adj.* (sillier-silliest) 어리석은, 분별 없는, 바보 같은: It was *silly* of you to buy it. 그것을 사다니 참 어리석은 짓을 했다. / Don't be so *silly*! 바보 같은 소리 마라! [OPP] sensible

— **silliness** *n.*

silo [sáilou] *n.* 사일로 (사료·곡물 등을 넣어 저장하는 원탑 모양의 건조물)

*****silver** [sílvər] *n.* **1** 은 (금속 원소; 기호 Ag): a *silver* necklace 은목걸이 **2** 은화; 금전, 화폐 **3** 은그릇, 은식기, 은제품, 은세공(품) *adj.* **1** 은의, 은으로 만든 **2** 은 같은, 은빛으로 빛나는

silvery [sílvəri] *adj.* **1** 은과 같은, 은빛의: the *silvery* light of the moon 은백색의

달빛 / *silvery* hair 은발 **2** (소리가) 맑은, 낭랑한: peals of *silvery* laughter 맑은 웃음소리 **3** 은을 함유한(입힌)

*__similar__ [símələr] *adj.* 유사한, 비슷한, 닮은, 같은: We have *similar* tastes in music. 우리는 음악에 있어 비슷한 취향을 가지고 있다. [OPP] different, dissimilar
— **similarly** *adv.*

similarity [sìmələǽrəti] *n.* 유사(점), 닮은 점 (to, in, between): There are a lot of *similarities* between the two countries. 두 나라 사이에는 많은 유사점이 있다.

simile [síməlì:] *n.* 직유(直喩) (like, as 등을 써서 하나를 직접 다른 것에 비유하기; as brave as a lion 사자처럼 용감한)

*__simple__ [símpəl] *adj.* (simpler-simplest) **1** 단순한, 간단한, 쉬운: The instructions were written in *simple* English. 사용설명서는 쉬운 영어로 쓰여져 있었다. / The recipe is very *simple*. 요리법은 매우 간단하다. **2** 간소한, 꾸밈없는, (식사 등이) 담백한: a *simple* dress 간소한 드레스 **3** 순전한, 온전한: the *simple* truth 거짓 없는 진실 **4** (사람·생활이) 검소한, 소박한, 수수한: a *simple* life 검소한 생활 **5** 무지한, 경험(지식)이 부족한 **6** [문법] 단순…, 단(單)…: *simple* tense 단순시제 (조동사를 수반하지 않음) / *simple* past(present, future) 단순과거(현재, 미래)

simplicity [simplísəti] *n.* **1** 단순, 간단, 평이, 간편: the *simplicity* of the instructions 사용 설명서의 간결성 **2** 간소, 검소, 수수함: I like the *simplicity* of her designs. 나는 그녀 디자인의 간소함이 마음에 든다.

simplify [símpləfài] *v.* [T] 단순화하다, 간단(평이)하게 하다: He tried to *simplify* the story for the children. 그는 아이들에게 이야기를 쉽게 해 주려고 애썼다.
— **simplification** *n.*

simply [símpli] *adv.* **1** (강조) 그저, 전혀, 아주, 정말: I have *simply* nothing to do. 나는 전혀 할 일이 없다. / She is *simply* lovely. 그녀는 정말 예쁘다. **2** 알기 쉽게, 평이하게: Please explain it more *simply*. 좀더 알기 쉽게 설명해 주세요. **3** 간단히, 꾸밈없이, 수수하게: She was dressed *simply*, in white blouse and black skirt. 그녀는 흰색 블라우스에 검정 치마로 수수하게 입었다. **4** 단순히, 단지: It was *simply* a misunderstanding. 그것은 그저 오해였다. / They *simply* did as they were ordered. 그들은 다만 시키는 대로 했을 뿐이었다.

simulate [símjəlèit] *v.* [T] …을 가장하다, (짐짓) …체하다, …의 모의 실험을 하다: This machine *simulates* conditions in space. 이 기계는 우주에서의 상태를 모의 실험하고 있다.
— **simulation** *n.*

simultaneous [sàiməltéiniəs] *adj.* 동시의, 동시에 일어나는, 동시에 존재하는: *simultaneous* translation 동시 통역
— **simultaneously** *adv.*

sin [sin] *n.* **1** (종교·도덕상의) 죄, 죄악: Stealing is a *sin*. 도둑질은 죄다. / commit a *sin* 죄를 범하다 **2** (세간의 관습·예절에 대한) 과실, 잘못, 위반: It is a *sin* against good manners. 그것은 예의에 어긋난다.
v. [I] (sinned-sinned) 죄를 범하다, 나쁜 짓하다; (예절 등에) 어긋나다
— **sinful** *adj.* 죄 많은 **sinner** *n.* (종교·도덕상의) 죄인

> ■ **유의어 sin**
> **sin** 특히 종교상·도덕상의 죄. **crime** 법률을 어기는 죄로, 강도·사기·살인 등의 행위. **vice** 부도덕한 습관 또는 행위로서 음주·방탕·허언 등. 따라서 crime, vice는 동시에 sin이지만, sin이라도 crime이나 vice가 아닌 것도 있음.

*__since__ [sins] *adv.* **1** (강조) 그 후 (지금까지): I

have not seen him *since*. 그 후 나는 그를 보지 못했다. / They have *since* become more friendly. 그들은 그 후 더욱 친해졌다. **2** …전에: I saw her not long *since*. 나는 그녀를 바로 최근에 만났다. / He has long *since* arrived. 그는 훨씬 전에 도착했다.

※ ago가 일반적인 표현이다.

prep. (종종 ever since) …이래, …부터 (지금에 이르기까지), 그 후: I haven't eaten anything *since* yesterday. 나는 어제부터 아무것도 안 먹었다. / *Since* when have you lived here? 언제부터 여기서 살고 계십니까?

***conj.* 1** …한 이래, …한 후 (지금까지): I have lived here *since* I was a child. 어렸을 때부터 나는 여기서 살았다. / It has been two years *since* I saw him. 내가 그를 만난 지 2년이 된다. **2** …하므로(이므로), …까닭에, …인 이상: *Since* I have no money, I cannot think of going abroad. 나는 돈이 없기 때문에 외국행 따위는 엄두도 내지 못 한다.

sincere** [sinsíər] ***adj. (sincerer-sincerest) 성실한, 진심에서 우러난, 진실한, 정직한: He seems to be *sincere*. 그는 성실해 보인다. / Please accept my *sincere* apologies. 나의 진심 어린 사과를 받아 주십시오. [OPP] insincere

— **sincerity** ***n.***

sincerely [sinsíərli] ***adv.*** 성실(진실)하게, 진정으로, 마음으로부터: I *sincerely* hope I'll see her again. 나는 그녀를 다시 만나길 진정으로 원한다. / *Sincerely* (yours) 편지의 끝맺음말로 쓰는 표현

sing** [siŋ] ***v. [I,T] (sang-sung) **1** 노래하다: She *sings* in the church choir. 그녀는 교회 성가대에서 노래한다. **2** (새가) 울다, 지저귀다

— **singing** ***n.*** 노래하기, 성악, 독창

singer [síŋər] ***n.*** 가수, 성악가

***single** [síŋgəl] ***adj.* 1** (명사 앞에만 쓰임) 단 하나의, 단 한 개의: She didn't say a

single word. 그녀는 한 마디 말도 하지 않았다. **2** 독신의: Are you married or *single*? 당신은 기혼이세요, 미혼이세요? **3** (명사 앞에만 쓰임) 1)1인용의: a *single* bed [room] 1인용 침대[방] **4** 편도의: a *single* ticket 편도표

***n.* 1** (레코드의) 싱글 앨범: Have you heard Britney Spears' new *single*? 너는 브리트니 스피어스의 새로 나온 싱글 앨범을 들어 봤니? **2** (호텔 등의) 1인용 방: Do you have any *singles* left? 1인실 남은 거 있나요? **3** [영] 편도 차표: A *single* to London, please. 런던 행 편도 차표 한 장 주세요. **4** 독신자 **5** (singles) [테니스] 단식

v. [T] 뽑아 내다, 선발하다 (out): The teacher *singled* him out for praise. 선생님은 그를 선발하여 칭찬하셨다.

[숙어] **every〔each〕single** 한 사람 한 사람의, 하나하나의: I call her *every single* day. 나는 그녀에게 매일매일 전화한다.

※ every, each의 강조형이다.

single-handed ***adj. adv.*** 한쪽 손의(으로), 단독의(으로)

single-minded ***adj.*** 목적이 단 하나의, 공통 목적을 가진

— **single-mindedness** ***n.***

singly [síŋgli] ***adv.*** 하나씩, 하나하나; 단독으로: We don't sell them *singly*, only in packs of four. 그것들은 하나씩은 팔지 않고 4개씩 한 팩으로만 판매합니다.

singular [síŋgjələr] ***adj.* 1** [문법] 단수의 [OPP] plural **2** 보통이 아닌, 뛰어난: the *singular* beauty of his voice 그의 목소리의 뛰어난 아름다움

n. (the singular) [문법] 단수(형)

— **singularity** ***n.*** 기이, 기묘

sink** [siŋk] ***v. (sank-sunk) **1** [I,T] 가라앉(히)다, 침몰(시키)하다: The Titanic *sank* after hitting an iceberg. 타이타닉 호는 빙산에 부딪친 후 침몰했다. / They *sank* ten enemy ships. 그들은 적군의 배 열 척을 침몰시켰다.

S

2 [I] 풀썩 주저앉다, 비실비실 쓰러지다: He *sank* into the chair and fell asleep at once. 그는 의자에 털썩 주저앉아 곧 잠들어 버렸다. **3** [I] (해·달 등이) 지다, 떨어지다: The sun was *sinking* in the west. 해는 서쪽으로 지고 있었다. **4** [I] (물·수량 등이) 줄다, (물가·가치 등이) 내리다, 떨어지다: The flood is *sinking*. 홍수가 빠지고 있다. **5** [I] (건물·지반이) 내려앉다, 함몰하다: Ground *sank* under my feet. 발 아래 땅이 꺼졌다. **6** [I] (말·교훈 등이) 마음에 새겨지다, 이해되다 (in, into): Their warning *sank* into my heart. 그들의 경고가 가슴에 와 닿았다.

n. (부엌의) 수채, 물 버리는 곳; [미] 세면대

sip [sip] *v.* [I,T] (sipped-sipped) 조금씩 [홀짝홀짝] 마시다: She *sipped* her coffee. 그녀는 커피를 홀짝홀짝 마셨다.

n. (마실 것의) 한 모금, 한 번 홀짝임

*★**sir** [səːr] *n.* **1** (호칭) 님, 귀하, 선생, 각하, 나리 (손윗 남자에 대한 존칭적·의례적 호칭; 점원이 남자 손님을 호칭할 때에도 쓰임): Can I help you, *sir*? 손님, 제가 도와 드릴까요? *cf.* madam 부인, 아가씨 **2** 근계(謹啓), 귀중 (편지의 머리말에 쓰임): Dear *Sir* [Sirs] ※ 복수는 회사 앞으로 보내는 상용문에 쓰이며 여성에 대해서는 Madam을 쓴다. **3** (Sir) 경(卿) (영국에서는 나이트작 또는 준남작의 지위에 있는 사람의 이름 앞에 붙임; 성(surname)에는 붙이지 않음): *Sir* Winston Churchill 윈스턴 처칠 경

siren [sáiərən] *n.* **1** 사이렌, 호적, 경보기: I heard an ambulance *siren*. 나는 구급차의 사이렌을 들었다. **2** (Siren) [신화] 사이렌 (아름다운 노랫소리로 근처를 지나는 뱃사람을 유혹해서 파선시켰다는 바다의 요정) **3** 요부, 마녀

*★**sister** [sístər] *n.* **1** 여자 형제, 자매, 언니, 누이(동생): We are *sisters*. 우리는 자매지간이다. **2** (종종 Sister) [영] 수간호사 **3** (Sister)

수녀 **4** (보통 형용사처럼 쓰여) 동형·동종의 것: We have a *sister* company in Germany. 우리는 독일에 자매 회사가 있다. **5** 동포 자매, 같은 학급의 여학생, 여성 회원

sister-in-law *n.* (*pl.* sisters-in-law) 형수, 계수, 동서, 시누이, 올케, 처형, 처제

*★**sit** [sit] *v.* (sat-sat; sitting) **1** [I] 앉다, 앉아 있다: I *sat* at my desk and stared out of the window. 나는 책상에 앉아 창밖을 응시했다. **2** [T] 앉히다 (down): She *sat* me down and offered me a cup of coffee. 그녀는 나를 앉히고 커피를 한 잔 주었다. **3** [I] (…에) 위치하다, 놓여 있다: The school *sits* on top of a hill. 학교는 언덕 꼭대기에 있다. / A huge bunch of flowers is *sitting* on your desk. 큰 꽃다발이 네 책상 위에 놓여 있다. **4** [T] [영] (시험을) 치르다: If I fail, will I be able to *sit* the exam again? 불합격하면 시험을 다시 칠 수 있나요? **5** [I] (의회·법정이) 개회하다, 개정하다: The court will *sit* next week. 공판은 다음 주에 개정한다.

[축어] **sit down** 앉다, 자리잡다: Come over here and *sit down*! 여기 와서 앉아라!

sit up 1 일어나 앉다, 똑바로 앉다: He *sat up* in bed and looked at the clock. 그는 잠자리에서 일어나 앉아 시계를 봤다. **2** 자지 않고 (일어나) 있다: We *sat up* talking all night. 우리는 자지 않고 밤새도록 이야기했다.

site [sait] *n.* **1** (건물 등의) 용지, 집터, 부지: a building *site* 건설 부지 **2** 위치, (사건 등의) 장소: historic *site* 사적 **3** [컴퓨터] 사이트 (홈페이지를 비롯한 서버를 가리킴, website의 준말)

v. [T] …의 용지를 정하다, (…에) 위치하게 하다

sitting [sítiŋ] *n.* **1** 회기, 개정 기간 **2** (학교·호텔 등에서 한 집단에 할당된) 식사 시간: The first *sitting* is at 12 o'clock. 첫 번째 식사 시간은 12시다.

sitting room *n.* ([미] living room) 거실

situated [sítʃuèitid] *adj.* 위치하고 있는: The hotel is *situated* near to the station. 그 호텔은 역 가까이에 위치하고 있다.

*****situation** [sìtʃuéiʃən] *n.* **1** 입장, 사정, 정세, 상태: I'm in a difficult *situation*. 나는 어려운 입장에 처해 있다. / political *situation* 정국 **2** 위치, 장소, 소재, 환경 **3** 지위, 일자리

six [siks] *n. adj.* 6(의), 여섯(의): My daughter is *six* years old next month. 내 딸은 다음 달에 여섯 살이 된다. / a bus with a number *six* 6번 버스 / Let's meet at *six*. 6시에 만나자.
pron. 여섯 개〔사람〕

sixteen [síkstí:n] *n. adj. pron.* 16(의), 열여섯(의); 열여섯 개〔사람〕 ⇨ six 참조
pron. 열여섯 개〔사람〕, 열여섯 살

sixteenth [síkstí:nθ] *n. adj. pron. adv.* 16th ⇨ sixth 참조

sixth [siksθ] *n. adj.* **1** 제6(의), 여섯 번째(의): This is the *sixth* time I've tried to call him. 이번이 그에게 전화를 거는 여섯 번째 시도이다. / I have to return my library books on the *sixth* of May. 도서관의 책을 5월 6일까지 반납해야 한다. **2** 6분의 1(의), 6등분한 것 중 하나: Cut the cake into *sixths*. 케이크를 6등분으로 잘라라.
pron. 여섯 번째의 것
adv. 여섯 번째로

sixtieth [síkstiiθ] *n. adj. pron. adv.* 60th ⇨ sixth 참조

sixty [síksti] *n. adj.* 60(의), 육십〔예순〕(의): She retired at *sixty*. 그녀는 육십 세에 은퇴했다. / There are *sixty* people coming to the wedding. 결혼식에 올 사람은 육십 명이다.
pron. 육십〔예순〕 개〔명〕
축어 **in one's sixties** (나이의) 60대: He is *in his sixties*. 그는 60대다.

the sixties, the '60s 60년대: The Beatles made their first hit record in *the sixties*. 비틀즈는 60년대에 그들의 첫 히트 음반을 냈다.

sizable, sizeable [sáizəbəl] *adj.* 상당한 크기의, 꽤 큰: a *sizable* amount of money 꽤 많은 돈

*****size** [saiz] *n.* **1** 크기, 치수, 넓이, 부피: Your shoes and mine are the same *size*. 네 신발과 내 신발은 같은 치수다. / The animal was the *size* of a large cat. 그 동물은 큰 고양이만한 크기였다. **2** (옷 등의) 사이즈: "What *size* shoes do you take?" "I take *size* 10 shoes." "너는 몇 사이즈 신발을 신니?" "나는 사이즈 10을 신어." / The shirts come in three *sizes* — small, medium, and large. 이 셔츠는 소, 중, 대, 세 가지 사이즈로 나온다. **3** (-size(d) *adj.*) (복합어를 이루어) 크기가 …인: a small-〔large-〕*size*(*d*) 소〔대〕형의 / a king-*size*(*d*) bed 특대형 침대
v. [T] 크기에 따라 배열〔분류〕하다: She *sized* her clothes into three classes. 그녀는 옷을 크기에 따라 3가지로 분류했다.
축어 **size up** (인물 등을) 평가〔판단〕하다

sizzle [sízəl] *v.* [I] (튀김이나 고기 구울 때) 픽픽〔지글지글〕하다: The sausages were *sizzling* in the pan. 소시지가 팬에서 지글지글 거리고 있었다.

skate [skeit] *n.* **1** 스케이트 (ice skate) **2** 롤러 스케이트 (roller skate) **3** [어류] 홍어
v. [I] **1** 스케이트를 지치다〔타다〕(ice-skate): Can you *skate*? 너는 스케이트 탈 수 있니? **2** 롤러 스케이트를 타다 (roller-skate)
— **skater** *n.*

skateboard [skéitbɔ̀:rd] *n.* 스케이트보드

skating [skéitiŋ] *n.* **1** 얼음지치기, 스케이트(타기) (ice-skating): go *skating* 스케이트 타러 가다 **2** 롤러 스케이트 타기 (roller-skating)

skating rink (또는 ice rink, rink) *n.* 스케이트장, 롤러 스케이트장

skeleton [skélətn] *n.* **1** 골격, 해골 **2**

(가옥 · 배 등의) 뼈대

adj. (인원이) 최소 한도의: a *skeleton* staff 최소 한도의 인원

skeptic, sceptic [sképtik] *n.* 회의론 자, 의심 많은 사람

adj. =skeptical

skeptical, sceptical [sképtikəl] *adj.* 의심 많은, 회의적인: Many experts remain *skeptical* about his claims. 많은 전문가들이 그의 주장에 대해 회의적이다.

skepticism, scepticism [sképtəsìzəm] *n.* 회의론, 무신론

sketch [sketʃ] *n.* **1** 스케치, 사생화, 밑그림: I made a *sketch* of the building. 나는 그 건물을 스케치했다. **2** (TV 등의 재미있는) 소품, 단편, 토막극, 촌극 **3** 대략, 개요

v. [I,T] 스케치하다, 사생하다

sketchy [skétʃi] *adj.* (sketchier-sketchiest) 개략의, 대강의: We only have *sketchy* information. 우리는 개략적인 정보만을 가지고 있다.

ski [ski:] *v.* [I] (skied-skied; skiing) 스키를 타다: go *skiing* 스키 타러 가다 / Can you *ski*? 너 스키 탈 수 있니?

adj. 스키(용)의: a *ski* resort 스키장

n. 스키 (용구): He put on his *skis*. 그는 스키를 신었다. / a pair of *skis* 스키 한 벌

— **skiing** *n.* (스포츠로서의) 스키

skier [ski:ər] *n.* 스키를 타는 사람, 스키어: He is a good *skier*. 그는 스키를 잘 탄다.

*∗**skill** [skil] *n.* **1** 숙련, 노련, 능숙함, 솜씨: I have no *skill* in sewing. 나는 바느질을 못한다. **2** 기능, 기술: You need computing *skills* for that job. 너는 그 일을 하기 위해 계산 능력이 필요하다. / The course will help you to develop your reading and listening *skills*. 그 강좌는 너의 읽기와 듣기 기술을 향상시키는 데 도움이 될 것이다.

skilled [skild] *adj.* **1** (사람이) 숙련된, 능숙한: a *skilled* worker 숙련된 노동자 / He is *skilled* at skiing. 그는 스키를 능숙하게 탄다. **2** 숙련을 요하는, 특수 기술을 요하는:

skilled work 숙련을 요하는 일

skillful, skilful [skílfəl] *adj.* **1** 숙련된, 솜씨 좋은, 능숙한: a *skillful* player 숙련된 선수 **2** 잘 만들어진, 훌륭한, 교묘하게 잘 하는: a *skillful* clarinet playing 훌륭한 클라리넷 연주

— **skil(l)fully** *adv.* **skil(l)fulness** *n.*

skim [skim] *v.* (skimmed-skimmed) **1** [T] 위에 뜬 찌끼를 걷어 내다 (off, from): *skim* off the fat 지방을 걷어 내다 / *skim* the cream off the milk 우유에서 크림을 걷어 내다 **2** [I,T] (수면 등을) 스쳐 지나가다, 미끄러지듯 지나가다: A bird *skimmed* over the lake. 새가 호수를 스쳐 날아갔다. **3** [I,T] 대충 훑어 읽다(보다)(through, over): I *skimmed* through the newspaper. 나는 신문을 대충 훑어보았다.

skim(med) milk *n.* 탈지유 (우유에서 생크림을 제거한 것)

*∗**skin** [skin] *n.* **1** (사람 · 동물의) 피부: She has (a) fair *skin*. 그녀는 하얀 피부를 가졌다. **2** (동물의) 가죽, 피혁: a bag made of crocodile *skin* 악어 가죽으로 만든 가방 **3** (과일 등의) 껍질, (곡물의) 껍데기: a banana *skin* 바나나 껍질 **4** (-skinned *adj.*) (복합어를 이루어) 가죽이(피부가) …인: He's very dark-*skinned*. 그는 매우 검은 피부이다. **5** (더운 우유 등의 표면에 생기는) 얇은 막

v. [T] (skinned-skinned) 껍질(가죽)을 벗기다

skin-deep *adj.* (상처 · 태도 등이) 깊지 않은, 피상적인, 외견상의: a *skin-deep* wound 외상 / Beauty is only *skin-deep*. [속담] 미모는 가죽 한 꺼풀이다.

skinny [skíni] *adj.* (skinnier-skinniest) 바짝 여윈, 뼈가죽만 남은

skip [skip] *v.* (skipped-skipped) **1** [I] 가볍게 뛰다, 깡충깡충 뛰어다니다: The child *skipped* along the road. 아이가 길을 깡충깡충 뛰어갔다. **2** [I] [영] 줄넘기하다 ([미] skip rope): I *skip* for fifteen minutes every day. 나는 매일 15분씩 줄넘기한다. **3**

[T] (식사 등을) 거르다; (학교 등을) 빼먹다: I *skipped* lunch today. 나는 오늘 점심을 걸렀다. / He *skipped* his class today. 그는 오늘 수업을 빼먹었다. **4** [T] (군데군데) 건너뛰어 읽다, 빠뜨리다, 대충 훑어보다: I accidentally *skipped* one of the questions in the test. 나는 뜻하지 않게 시험에서 문제 하나를 빠뜨렸다.

n. **1** (가볍게) 뜀; 줄넘기 **2** [영] 대형 용기 (주로 건축 현장 등에서 나오는 폐기물 운반용)

skirmish [skə́:rmiʃ] *n.* (우발적인) 작은 전투, 승강이; 작은 논쟁

*****skirt** [skə:rt] *n.* **1** 스커트, 치마 **2** (물건의) 가장자리, 끝 **3** (차량·기계 등의) 철판 덮개
v. [I,T] 가에 있다, …의 가(변두리)를 지나다: The highway *skirts* the city. 간선 도로가 도시 주변을 지나고 있다.

skull [skʌl] *n.* 두개골

*****sky** [skai] *n.* 하늘, 창공: a clear blue *sky* 맑고 푸른 하늘 / The *sky* suddenly went dark. 하늘이 갑자기 어두워 졌다.

sky-blue *adj.* 하늘색의
— **sky blue** *n.*

sky-high *adj. adv.* 매우 높은(높게)

skylark [skáilὰ:rk] *n.* 종달새

skyline [skáilὰin] *n.* (빌딩·산 등의) 하늘을 배경으로 한 윤곽, 스카이라인: the New York *skyline* 뉴욕의 스카이라인

skyscraper [skáiskrèipər] *n.* 마천루, 고층 건물

slab [slæb] *n.* **1** 평석(平石), 석판: a marble *slab* 대리석판 **2** (재목의) 널빤지 **3** (빵·과자 등의) 넓적하고 두꺼운 조각: a *slab* of bread 두툼한 빵 조각

slack [slæk] *adj.* **1** (옷 등이) 느슨한, (고삐 등이) 늘어진: The reins are too *slack*. 고삐가 너무 느슨하다. [SYN] loose [OPP] tight **2** 침체된, 한산한, 부진한: a *slack* season (장사의) 불경기철 / *slack* time (차·식당 등의) 텅텅 비는 시간 **3** 부주의한, 태만한: *slack* supervision 부주의한 감독 **4** (사람이) 꾸물거리는, 느린, 더딘: You've been rather

slack in your work recently. 너는 요즘 일하는 것이 좀 더디다. **5** (바람·조수 등의 흐름이) 느린, 정체되어 탁한 **6** (날씨가) 흐릿한: *slack* weather 흐릿한 날씨
n. (slacks) 헐거운 바지 (운동용), 슬랙스

slacken [slǽkən] *v.* [I,T] **1** 늦추다, 느슨하게 하다: *Slacken* off! 밧줄을 늦춰라! **2** (속도·노력 등이) 느려지다, 줄이다, 약하게 하다 (off): The car's speed *slackened* (off) as it went up a steep hill. 자동차의 속도는 가파른 언덕을 올라갈 때 느려졌다.

slam [slæm] *v.* (slammed-slammed) **1** [I,T] (문 등을) 탕(탁) 닫다: He *slammed* the door because he was furious. 그는 화가 나서 문을 탕 닫았다. **2** [T] 털썩(탁) 놓다(던지다), 힘차게 팽개치다: She *slammed* the book on the table. 그녀는 탁자 위에 책을 털썩 내려놓았다.

slander [slǽndər] *n.* **1** 중상, 비방, 욕 **2** [법] 구두(口頭) 비난, 명예 훼손
v. [T] 중상(비방)하다, 명예를 훼손하다
— **slanderous** *adj.* 중상적인, 헐뜯는

slang [slæŋ] *n.* **1** 속어 (표준적인 어법으로 인정되어 있지 않은 구어) **2** (어떤 계급·사회의) 통용어, 전문어: students' *slang* 학생어

slant [slænt] *v.* **1** [I] 기울다, 경사지다: Most handwriting *slants* to the right. 대개의 필체는 오른쪽으로 기운다. **2** [T] (보통 수동태) (기사 등을) 특정한 계층에 맞게 고쳐 쓰다, 왜곡하다: a magazine *slanted* toward the youth 젊은 독자 취향의 잡지
n. **1** 경사, 비탈: That building is built on(at) a *slant*. 저 건물은 비스듬하게 지어졌다. **2** 경향, 관점: You have a wrong *slant* on the problem. 이 문제에 대한 너의 관점은 틀렸다.
— **slanting** *adj.*

slap [slæp] *v.* [T] (slapped-slapped) **1** (손바닥으로) 찰싹 때리다: She *slapped* him in the face. 그녀는 그의 얼굴을 찰싹 때렸다. **2** 세게(털썩) 놓다(차다, 던지다): The boy *slapped* the money on the table and walked away. 그 아이는 테이블에 돈을 탁 놓고는 가버렸다.

n. 손바닥으로 (뺨을) 때림, 철썩 (때리기)

adv. **1** 찰싹 **2** 갑자기, 불시에 **3** 곧바로, 정면으로, 정확히: He shot *slap* in the middle of the target. 그는 표적의 가운데를 정확히 쏘았다.

slash [slæʃ] *v.* **1** [I,T] 휙〔썩〕 베다 **2** [T] (예산·급료·쪽수 등을) (대폭) 삭감하다: The price of books has been *slashed* by 50%. 책의 가격이 50%까지 인하되었다.

n. **1** 일격, 휙 벰, 내리침 **2** 깊은 상처 **3** (옷의) 탄 곳, 슬릿 **4** 사선(/) ([영] oblique)

slate [sleit] *n.* **1** 슬레이트, 점판암 (쉽게 쪼개지는 성질을 가진 암석) **2** 석판; 석판색

slaughter [slɔ́:tər] *v.* [T] **1** 도살하다 ⟨SYN⟩ butcher **2** (전쟁 등으로) 대량 학살하다 ⇨ kill

n. **1** 도살 **2** 살인, 대량 학살

slaughterhouse [slɔ́:tərhàus] *n.* 도살장

slave [sleiv] *n.* 노예: *slave* trade 노예 무역

v. [I] 노예처럼〔고되게〕 일하다 (away)

— **slavery** *n.* 노예 상태〔신분〕; 노예 제도

slay [slei] *v.* [T] (slew-slain) 죽이다, 살해하다 ⟨SYN⟩ kill

※ 미국에서는 보통 저널리즘 용어로 사용하며, 영국에서는 주로 문어로 쓴다.

sled [sled] *n.* 썰매; (놀이용) 소형 썰매

v. [I] (sledded-sledded) 썰매를 타다, 썰매로 가다

sledge [sledʒ] *n.* **1** [영] (어린이용) 작은 썰매 ([미] sled) **2** [미] (말·개가 끄는 운반용) 썰매 ([영] sleigh)

v. [I] 썰매로 가다〔나르다〕, 썰매를 타다

sleek [sli:k] *adj.* **1** (머리칼 등이) 매끄러운, 윤기 있는; 영양이 좋은: The dog has *sleek* fur. 강아지는 매끄러운 털을 지녔다. **2** (옷차림 등이) 단정한, 맵시낸 **3** 선이 고운, 잘 빠진: Who owns that *sleek* sports car? 저 잘 빠진 스포츠 카는 누구 것이니?

***sleep** [sli:p] *n.* **1** 잠, 졸음: I didn't get much *sleep* last night. 어젯밤에 충분히 못 잤다. **2** (a sleep) 수면 기간(량): I had a short *sleep* in the afternoon. 오후에 잠깐 잤다.

v. (slept-slept) **1** [I] 잠자다: Did you *sleep* well? 잘 잤니? / He usually *sleeps* late on Sundays. 그는 보통 일요일에는 늦잠을 잔다. **2** [T] …만큼의 침실이 있다, 투숙시키다: The lodging house *sleeps* 30 men. 그 여인숙엔 30명을 수용할 방이 있다.

⟨숙어⟩ **get to sleep** 잠들다: I couldn't *get to sleep* last night—I was too excited. 나는 너무 흥분되어서 어젯밤 잠들지 못했다.

go to sleep 1 잠자리에 들다: She got into bed and soon *went to sleep*. 그녀는 침대로 가서 곧 잠들었다. ⟨SYN⟩ **fall asleep 2** (팔·다리가) 저리다: My legs have *gone to sleep*. 다리가 저리다.

put〔lay〕… to sleep 1 (동물 등을) 안락사 시키다 **2** (수술 등을 위해) 마취시키다 **3** …을 재우다: She *put* her baby *to sleep*. 그녀는 아기를 재웠다.

sleep in 늦잠 자다

sleep like a log 푹 자다: I went to bed early and *slept like a log*. 나는 일찍 잠자리에 들어서 푹 잤다.

sleep over 외박하다: Mom, can I *sleep over* at my friend's house? 엄마, 친구네 집에서 자도 돼요?

sleeper [slí:pər] *n.* **1** (형용사와 함께) 자는 사람; 잠꾸러기: a light〔heavy〕 *sleeper* 잠귀 밝은〔어두운〕 사람 **2** =sleeping car

sleeping bag〔sack〕 *n.* (등산용) 침낭

sleeping car *n.* ([영] sleeping carriage) (철도의) 침대차 (sleeper)

sleeping pill〔tablet〕 *n.* 수면제

sleepless [slí:plis] *adj.* 잠 못 이루는, 불면증의: He was *sleepless* with worry. 그는 걱정으로 잠을 이룰 수 없었다.

— **sleeplessness** *n.*

sleepwalker [slíːpwɔ̀ːkər] *n.* 몽유병자
— **sleepwalking** *n.*

sleepy [slíːpi] *adj.* (sleepier-sleepiest)
1 졸린, 졸음이 오는; 졸린 듯한; 최면(성)의:
sleepy voice 졸린 목소리 / I felt so
sleepy that I went straight to bed. 나
는 너무 졸음이 와서 곧장 잠자리에 들었다. **2**
(장소가) 활기가 없는, 생기 없이 조용한; 움직
임이 없는: a *sleepy* village 조용한 마을
— **sleepily** *adv.*

sleet [sliːt] *n.* 진눈깨비
— **sleety** *adj.*

*★**sleeve** [sliːv] *n.* **1** (옷의) 소매, 소맷자락:
The *sleeves* are too long for you. 소매
가 너무 길다. **2** (레코드의) 커버, 재킷 ([미]
jacket) **3** (-sleeved *adj.*) (복합어를 이루어)
…한 소매의: a short-(long-, half-)
sleeved shirt 짧은(긴, 반) 소매의 셔츠
— **sleeveless** *adj.* 소매 없는

sleigh [slei] *n.* (대개 말이 끄는) 썰매 [SYN]
sledge

slender [sléndər] *adj.* **1** 홀쭉한, 가느다
란, 가냘픈, 날씬한: He is *slender* in
build. 그는 체격이 호리호리하다. / She has
long *slender* fingers. 그녀의 손가락은 길
고 가냘프다. **2** 얼마 안 되는, 적은, 빈약한;
미덥지 못한: a *slender* income 얼마 안 되
는 수입 / The chances of winning are
very *slender*. 이길 확률은 아주 적다.

slice [slais] *n.* **1** (빵·햄 등의) 얇은 조각,
(베어 낸) 한 조각: a *slice* of bread(ham)
빵(햄) 한 조각 **2** 일부, 부분, 몫 (of): a *slice*
of land 토지의 한 부분 / a *slice* of profits
이익의 일부 / a *slice* of life 인생의 한 단면
v. **1** [T] 얇게 베다(썰다); 베어(잘라) 내다:
Slice the onion, please. 양파를 얇게 썰어
주세요. / He *sliced* off a piece of meat.
그는 고기 한 조각을 베어 냈다. **2** [I,T] (칼 등
으로) 베다: The glass *sliced* into her
finger. 그녀의 손가락이 유리에 베였다. / I
sliced through the rope with a knife.
나는 칼로 밧줄을 잘랐다. **3** [T] (골프 등에서)

(공을 베듯이) 치다, 깎아치다

slick [slik] *adj.* **1** 매끄러운, 반질반질한, 미
끄러운: a *slick* runway 미끄러운 활주
로 **2** 말솜씨가 좋은, 교활한, 약은: a *slick*
salesman 말솜씨가 좋은 판매원
n. (바다·호수 등에 있는 석유의) 유막

*★**slide** [slaid] *v.* (slid-slid) **1** [I,T] 미끄러지
다, 미끄러져 가다: He *slid* along the ice.
그는 얼음 위에서 미끄러졌다. **2** [I,T] 살짝 빠
져 달아나다; 슬그머니 넣다; 어느새 지나가다:
She *slid* out of the room when
nobody was looking. 그녀는 아무도 안
보는 사이에 몰래 방에서 나왔다. / He *slid*
the letter into his friend's pocket. 그
는 편지를 친구의 주머니에 슬쩍 넣었다. / The
years *slid* by. 세월이 유수처럼 흘러갔다. **3**
[I] (가격·가치 등이) 내리다, 하락하다: Stock
prices are *sliding* for two straight
days. 주가가 이틀 내내 하락하고 있다. **4** [I]
(죄·나쁜 버릇 등에) 모르는 사이에 빠지다:
He *slid* into debt and eventually
went bankrupt. 그는 빚더미에 올라 결국
파산했다.

n. **1** (현미경) 슬라이드 **2** (어린이용의) 미끄럼
틀 **3** (가격·주가 등의) 하락, 저하 **4** [사진]
슬라이드, 투명화 **5** 산사태, 눈사태

*★**slight** [slait] *adj.* **1** 약간의, 적은: a *slight*
increase(difference) 근소한 증가(차이) **2**
가벼운; 사소한, 대수롭지 않은: He has a
slight cold. 그는 감기 기운이 있다. / There
is not the *slightest* doubt about it. 그
점에 대해서는 추호의 의심도 없다. **3** (몸이)
가는, 홀쭉한, 가냘픈: Like most long-
distance runners she is very *slight*. 대
부분의 장거리 선수들처럼 그녀는 아주 홀쭉하
다. [SYN] slender

[숙어] **not in the slightest** 조금도 …아
니다: I am *not in the slightest* anxious
about her. 나는 그녀에 대해서는 조금도 걱
정하지 않는다. [SYN] not at all

slightly [sláitli] *adv.* **1** 약간, 조금: I am
slightly ill. 나는 몸이 좀 아프다. **2** 약하게,

S

홀쭉하게, 가냘프게: He is small and *slightly* built. 그는 작고 가냘픈 체격이다.

slim [slim] *adj.* (slimmer-slimmest) **1** 호리호리한, 가냘픈: She's got a *slim* figure. 그녀의 몸매는 호리호리하다. ⎣SYN⎦ slender **2** 얼마 안 되는, 불충분한; (가능성이) 적은: His chances of success are very *slim*. 그가 성공할 가능성은 아주 적다.

v. [I] (slimmed-slimmed) (감식 · 운동 등으로) 체중을 줄이다: You haven't got much dinner—are you *slimming*? 저녁을 많이 먹지 않는구나. 체중을 줄이고 있니?

slime [slaim] *n.* **1** 끈적끈적한 것; 진흙 **2** (달팽이 · 물고기 등의) 점액

slimy [sláimi] *adj.* (slimier-slimiest) **1** 미끈덕미끈덕한, 끈적끈적한: *slimy* mud 미끈덕미끈덕한 진흙 **2** [영] (사람이) 굽실거리는, 비굴한 ⎣SYN⎦ oily

sling [sliŋ] *n.* **1** 어깨에 매는 붕대, 삼각건: He had his arm in a *sling*. 그는 팔을 붕대로 고정시켰다. **2** 투석기 (옛날의 무기); (고무줄) 새총 (slingshot)

v. [T] (slung-slung) **1** …을 (내)던지다: Don't *sling* your bag on the floor! 바닥에 가방을 내던지지 마라! / *Sling* me the key. 열쇠를 내게 던져라. **2** (어깨 위 등에) 던져 올리다, 걸치다; 팔걸이 붕대로 매달다: He *slung* his jacket over his shoulder. 그는 어깨에 재킷을 걸쳤다.

slingshot [slíŋʃàt] *n.* [미] (고무줄) 새총

***slip** [slip] *v.* (slipped-slipped) **1** [I] 미끄러지다, 미끄러져 넘어지다, 발을 헛디디다 (over, on): He *slipped* over on the wet floor. 그는 젖은 바닥에 미끄러져 넘어졌다. ⎣SYN⎦ slide **2** [I] 미끄러져 빠지다, 벗겨지다; 헐거워지다, 풀리다: The knife *slipped* and cut my hand. 칼이 미끄러져 손을 베었다. / The soap *slipped* out of my hand. 비누가 손에서 미끄러졌다. **3** [I] 살짝 움직이다; 살짝 들어서다(빠져 나가다): We *slipped* out while nobody was looking. 우리는 아무도 안 보는 사이에 살짝 빠져 나왔다. **4** [T]

몰래 주다, 살짝 건네 주다 (to): He picked up a coin and *slipped* it into his pocket. 그는 동전을 주워서 주머니에 슬쩍 집어 넣었다. **5** [I,T] 후딱 입다(벗다) (into, on; off, out of): I *slipped* out of my coat. 나는 코트를 후딱 벗었다. **6** [I] (질 · 양 등이) 내리다, 하락하다: Prices have *slipped*. 물가가 하락했다. **7** [I,T] (때가) 어느덧 지나가다; (기회 등이) 지나가 버리다; (기억 · 기력 등이) 없어지다, 쇠퇴하다: Time *slips* by. 시간이 덧없이 흐른다. / Don't let the opportunity *slip* away. 기회를 놓치지 마라.

n. **1** (가벼운) 실수, 잘못: a *slip* of memory 기억 착오 ⎣SYN⎦ mistake **2** 종이 조각, 메모 용지, 전표: a *slip* of paper 종이 조각 / He got the pink *slip*. 그는 해고 통지서를 받았다. (해고되었다.) **3** 미끄러짐, 헛디딤 **4** 슬립 (여성용 속옷): Your *slip* is showing. 네 속옷이 보인다.

⎣숙어⎦ **a slip of the tongue** 잘못 말함: 'Jenny' was *a slip of the tongue*—I meant to say 'Jane'. '제니'는 잘못 말한 거야. '제인'이라고 말하려고 했어.

give ... the slip (추적자 등을) 따돌리다

let ... slip ⇨ let

slip one's mind 잊혀지다: I'm sorry. The appointment completely *slipped* *my mind*. 미안해, 약속을 완전히 잊었어.

slip out (비밀 등을) 무심코 입 밖에 내다: I didn't intend to tell him. It just *slipped out*. 그에게 말하려던 게 아니야. 무심결에 말해 버렸어.

slip up 실수하다, 틀리다: You must have *slipped up* when you were writing down the numbers. 네가 숫자를 받아 적으면서 실수했음이 분명해.

slipper [slípər] *n.* (slippers) (가벼운) 실내화

slippery [slípəri] (또는 slippy) *adj.* **1** (길 · 땅 등이) 미끄러운, 반들반들한: Drive carefully—the road is wet and *slippery*. 조심해서 운전해라. 비가 와서 길이

미끄러워. **2** (물건이) 미끈거리는, 미끄러워 잡기 힘든: *slippery* soap 미끄러워 잡기 힘든 비누 **3** (사람·행동 등이) 믿을 수 없는, 교활한: a *slippery* politician 믿을 수 없는 정치인

slit [slit] *n.* **1** 길게 베어진 상처〔자국〕 **2** 갈라진 틈, 틈새: He watched them through a *slit* in the curtains. 그는 커튼 사이의 틈으로 그들을 지켜보았다.

v. [T] (slit-slit; slitting) 세로로 베다〔자르다, 째다, 찢다〕: I *slit* open the envelope with a knife. 칼로 봉투를 잘라서 열었다.

slogan [slóugən] *n.* (정당·단체 등의) 슬로건, 표어; (상품의) 선전 문구: a campaign *slogan* 캠페인 표어

*****slope** [sloup] *n.* **1** 경사면, 비탈; (스키장의) 슬로프: The road rises in a gentle *slope*. 도로는 완만한 경사를 이루고 있다. / a ski *slope* 스키 연습장 **2** 경사(도): a *slope* of 15 degrees 15도 경사

v. [I] 경사지다, 비탈지다: The road *slopes* gently down to the river. 길이 강까지 완만하게 경사져 있다.

sloppy [slápi] *adj.* (sloppier-sloppiest) **1** (일·복장 등이) 엉성한, 조잡한, 너절한; (언행·태도 등이) 깔끔히 못한: She is a *sloppy* worker. 그녀는 일하는 것이 어설프다. **2** (땅이) 질퍽한, 물웅덩이가 많은; (날씨가) 비가 잘 오는 **3** (물 등으로) 더러워진, 엎지른 물에 젖은 **4** 묽고 싱거운: The batter is a bit *sloppy*—add some more flour. 반죽이 좀 묽다. 밀가루를 좀 더 넣어라. **5** (옷이) 헐렁한: big *sloppy* jeans 크고 헐렁한 청바지 **6** [영] (말 등이) 감상적인, 푸념어린, 나약한: I hate *sloppy* love songs. 나는 감상적인 사랑 노래를 싫어한다. **SYN** sentimental

slot [slɑt] *n.* **1** 가늘고 긴 구멍; (동전·편지 등의) 투입구: Put a coin in the *slot*. 투입구에 동전을 넣어라. **2** (연속되는 것 중에서) 위치, 장소; (특히 방송 프로그램 중의) 시간대: She's been given a prime-time *slot*

on the radio. 그녀는 라디오 방송의 황금 시간대를 얻었다. **3** (일 등의) 부서, 지위

v. [I,T] (slotted-slotted) 집어넣다, 투입하다: The seat belt *slotted* in easily. 안전벨트는 쉽게 끼워졌다.

숙어 **slot〔fall〕into place** ⇨ place

sloth [slouθ] *n.* **1** [동물] 나무늘보 **2** 게으름, 나태: *Sloth* is one of the Seven Deadly Sins. 게으름은 7대 죄악 중의 하나이다. **SYN** laziness

— **slothful** *adj.* 게으른, 나태한

slot machine *n.* **1** [미] 슬롯 머신, 자동 도박기 ([영] fruit machine) **2** [영] 자동 판매기 ([미] vending machine)

*****slow** [slou] *adj.* **1** (속도가) 느린, 더딘, 느릿느릿한; (일이) 시간이 걸리는: *slow* progress 더딘 진척 / I'm a very *slow* eater. 나는 아주 천천히 먹는다. / *Slow* and steady wins the race. [속담] 느려도 착실하면 이긴다. **OPP** fast, quick **2** 좀처럼 … 하지 않는, 마지못해 하는 (to do; in〔about〕doing): She is *slow* to anger. 그녀는 좀처럼 화내지 않는다. / Why were you so *slow* in answering my question? 질문에 답하는 데 왜 꾸물거리니? **3** 이해가 늦은, 아둔한: She's the *slowest* student in the class. 그녀는 반에서 가장 이해가 더딘 학생이다. **SYN** dull **4** 침체한, 활기 없는, 불경기의: Business is *slow* in summer. 여름에는 장사가 잘 안 된다. **5** (명사 앞에는 쓰이지 않음) (시계가) 늦은, 더디 가는: This clock is ten minutes *slow*. 이 시계는 10분 늦다. **OPP** fast **6** 지루한, 시시한: His plays are so *slow* that they send me to sleep. 그의 연극은 너무 지루해서 졸린다.

adv. 느리게, 더디게, 천천히: She drives too *slow*. 그녀는 운전을 너무 천천히 한다. / Read *slower*. 더 천천히 읽으시오.

※ slow가 부사로 쓰인 경우 감탄문에서 how의 다음 또는 복합어를 이룰 때 외에는 동사 뒤에 쓰이며 slowly보다 구어적이고 의미가 강하다.: How *slow* the train is moving!

기차가 정말 천천히 움직이는구나! / *slow-moving* traffic 더딘 교통

v. [I,T] 속도가 떨어지다, 늦어지다; 느리게 하다: The train *slowed* down to thirty miles an hour. 열차는 시속 30마일로 감속했다. / He *slowed* his walk a little. 그는 걸음을 조금 늦췄다.

— **slowness** *n.*

숙어 **slow down(up)** 속력을 늦추다; 느긋이 하다[시키다]: *Slow down* before you reach the crossroads. 사거리에 이르기 전에 속도를 늦추어라. / The car *slowed up* to a stop. 차가 속력을 늦추어 멈췄다.

slowly [slóuli] *adv.* 느릿느릿, 천천히, 느리게: The time passed *slowly*. 시간이 더디게 갔다. / Could you please speak more *slowly*? 좀더 천천히 말해 주시겠어요?

slow motion *n.* (영화·텔레비전 등의) 느린 동작[슬로 모션] (효과): They replayed the winning goal, this time in *slow motion*. 이번에는 슬로 모션으로 골 득점 장면을 다시 보여 주었다.

slow-moving *adj.* 느리게 움직이는, 동작이 둔한

slug [slʌɡ] *n.* **1** [동물] 민달팽이, 괄태충 **2** 총탄

sluggard [slʌ́ɡərd] *n.* 게으름뱅이, 빈둥거리는 사람

sluggish [slʌ́ɡiʃ] *adj.* **1** (사람·행동이) 게으른, 나태한, 굼뜬: A heavy lunch makes me rather *sluggish* in the afternoon. 과한 점심으로 오후에 좀 나른해졌다. **2** (물의 흐름 등이) 완만한; (움직임이) 느린 **3** 부진한, 불경기의: a *sluggish* market 불황

— **sluggishly** *adv.*

slum [slʌm] *n.* (종종 *pl.*) 빈민굴, 슬럼가

slumber [slʌ́mbər] *v.* [I] 꾸벅꾸벅 졸다, (잠시) 졸다

n. (종종 *pl.*) 잠, (특히) 선잠, 겉잠: I fell into a deep *slumber*. 난 깊이 잠들어 버렸다.

— **slumberous, slumbrous** *adj.* 졸린 (듯한); 활기 없는, 조용한

slump [slʌmp] *v.* [I] **1** (시세·매상 등이) 폭락하다; (사업·인기 등이) 갑자기 쇠퇴하다: Sales have *slumped* dramatically over the past year. 지난 해부터 매상이 급격히 떨어졌다. **2** 푹 고꾸라지다, 털썩 주저앉다: Utterly wearied, I *slumped* into the chair. 완전히 지쳐서 의자에 털썩 주저앉았다.

n. **1** (a slump) (물가·시세 등의) 폭락 (in): a *slump* in demand 수요의 급감 반의 boom **2** 불황, 불경기: The *slump* pushed up unemployment to 15%. 불황으로 실업률이 15%로 뛰어올랐다.

sly [slai] *adj.* (slier-sliest, slyer-slyest) **1** (사람이) 교활한, 간교한: a *sly* dog 교활한 놈 / He's really *sly* and greedy. 그는 정말 교활하고 탐욕스럽다. 동의 cunning **2** (행동이) 은밀한, 음흉한: a *sly* smile 음흉한 미소

— **slyly** *adv.*

숙어 **on the sly** 몰래, 은밀히, 살그머니: The boys smoked tobacco *on the sly*. 소년들은 몰래 담배를 피웠다.

smack¹ [smæk] *v.* [I,T] **1** 손바닥으로 (철썩) 치다, 세게 때리다: If you don't behave yourself, I'll *smack* your bottom! 예의바르게 행동하지 않으면 엉덩이를 때릴 거다! **2** 강타하다, 세게 부딪치다: The teacher *smacked* his hand down on the table to get our attention. 선생님은 우리의 주의를 끌기 위해 손으로 탁자를 세게 치셨다. **3** 쪽소리를 내며 키스하다

n. (손바닥으로) 철썩 때리기[때리는 소리]

smack² [smæk] *n.* **1** 맛, 풍미, 독특한 맛 **2** …끼새, 기미, …한 데; 조금, 약간

v. [I] **1** 맛이 나다, 향내가 나다: It *smacks* of garlic. 그것은 마늘 맛이 난다. **2** …의 기미가 있다, …다운 데가 있다 (of): His conduct *smacks* of hypocrisy. 그의 행동에는 좀 위선적인 데가 있다.

*★**small** [smɔːl] *adj.* **1** (크기·수·양 등이) 작은, 소형의; 적은, 얼마 되지 않는: This

dress is too *small* for you. 이 옷은 네게 너무 작다. / a *small* room 비좁은 방 / a *small* sum of money 얼마 안 되는 돈 / *small* hope of success 적은 성공률 / *small* businesses 소기업 [OPP] large **2** 나이 어린, 유년의: It can be very tiring to look after *small* children. 어린 아이들을 돌보는 것은 아주 피곤한 일일 것이다. [SYN] young **3** 하찮은, 사소한: Don't worry. It's just a *small* matter. 걱정 마. 그건 사소한 문제일 뿐이야. **4** 소문자의: a *small* letter 소문자

adv. 작게, 소규모로: She writes so *small* that I can't read it. 그녀는 글씨를 너무 작게 써서 나는 읽을 수가 없다.

[숙어] in a big (small) way ⇨ way
small arms *n.* 휴대 무기 (소총·권총 등)
small change *n.* 잔돈
small hours *n.* (the small hours) 깊은 밤 (새벽 1시부터 4시까지)
smallpox [smɔ́:lpɑ̀ks] *n.* [의학] 천연두, 마마
small-scale *adj.* **1** 소규모의: a *small-scale* enterprise 소기업 **2** (지도 등의) 축척의: a *small-scale* map 축척 지도 [OPP] large-scale
small talk *n.* 잡담: I don't enjoy making *small talk* with strangers at a party. 나는 파티에서 낯선 사람들과 잡담하는 것을 좋아하지 않는다.
***smart**¹ [smɑːrt] *adj.* **1** 재치 있는, 영리한, 현명한: a *smart* remark 재치 있는 말 / You are *smart* enough to understand computers. 너는 똑똑해서 컴퓨터에 대해 잘 아는구나. [SYN] clever **2** [영] (옷차림이) 맵시 있는, 말쑥한, 산뜻한: You look very *smart* in your new jacket. 너 새 재킷을 입으니 아주 멋져 보여. [SYN] neat **3** [영] 세련된, 우아한, 유행의: a *smart* hotel (restaurant) 고급 호텔 (레스토랑) **4** (행동이) 날렵한, 활발한, 재빠른: a *smart* pace 민첩한 발걸음

— **smartly** *adv.*
smart² [smɑːrt] *v.* [I] **1** 욱신욱신 쑤시다, 쓰리다 (from): My finger *smarts* from the sting. 손가락이 찔려서 쑤신다. **2** (말 등으로) 감정을 상하다, (…때문에) 자존심 상하다 (from, over): He was still *smarting* from the personal insult. 그는 인신 공격으로 인해 아직도 분개하고 있다.
smarten [smɑ́:rtn] *v.* [I,T] [영] 멋을 내다, 말쑥 (산뜻)하게 하다 (up): You'd better *smarten* yourself up before the interview. 인터뷰 전에 옷차림을 깔끔히 하는 게 좋다
smash [smæʃ] *v.* [I,T] **1** 산산조각이 나다, 박살내다 (up): I dropped my cup on the floor and it *smashed*. 컵이 바닥에 떨어져서 산산조각이 났다. / He *smashed* the window with a stone. 그는 돌멩이로 창문을 박살냈다. **2** 세게 충돌하다, 맹렬히 돌진하다 (against, into, through): The truck *smashed* into a tree. 트럭이 나무에 충돌했다. **3** [테니스] 강하게 내리치다

n. **1** 깨뜨려 부숨, 분쇄; 쨍그렁하고 부서지는 소리 **2** [테니스] 스매시 **3** (노래·영화 등의) 대성공, 대히트 (smash hit): This album contains all the latest *smash* hits. 이 앨범에는 최신 대히트 곡들이 모두 수록되어 있다.
smashing [smǽʃiŋ] *adj.* **1** (타격 등이) 맹렬한 **2** [영] 굉장한, 대단한: I had a *smashing* holiday. 나는 아주 멋진 휴가를 보냈다.
smear [smiər] *v.* [T] **1** (기름 등을) 바르다, 칠하다: I *smeared* sun tan lotion all over myself. 나는 선탠 로션을 전신에 발랐다. **2** 더럽히다 (on, with): His shirt was *smeared* with blood. 그의 셔츠는 피로 더럽혀졌다.

n. **1** 얼룩, 오점: There were *smears* of paint on her face. 그녀의 얼굴에 페인트 얼룩이 있었다. **2** 명예 훼손, 중상, 비방: a *smear* campaign 비방 운동, 인신 공격

***smell** [smel] *v.* (smelled-smelled, smelt-smelt) **1** [I] 냄새가 나다 (of): He *smells* of tobacco. 그에게서는 담배 냄새가 난다. / The freshly baked bread *smells* good. 갓 구운 빵 냄새가 좋다. **2** [I] 악취를 풍기다: This meat *smells*. 이 고기는 썩는 냄새가 난다. / Your feet *smell*! 너한테서 발 냄새 난다! **3** [T] (종종 can을 수반하여) 냄새로 알다, …의 냄새를 느끼다: I can *smell* something burning. 무엇인가 타는 냄새가 난다. **4** [T] 냄새 맡다: I *smelled* the rose to see if it is real. 나는 장미가 진짜인지 아닌지 냄새를 맡아 보았다. **5** [I] 냄새를 알아내다, 후각이 있다: I've got a cold and I can't *smell* properly. 나는 감기에 걸려서 냄새를 잘 맡을 수 없다.

n. **1** 냄새, 향기: a sweet *smell* 달콤한 향기 / I love the *smell* of coffee. 나는 커피 향이 좋다. **2** 악취, 구린내: What a *smell*! 아이 구려! **3** 후각: Dogs have a marvelous sense of *smell*. 개는 뛰어난 후각을 갖고 있다. **4** (a smell) (한번) 냄새 맡기: Take a *smell* of this milk—is it all right? 이 우유 냄새를 한번 맡아 보렴. 괜찮아?

smelly [sméli] *adj.* (smellier-smelliest) 불쾌한 냄새의, 냄새가 코를 찌르는: *smelly* socks 냄새가 지독한 양말

smelt [smelt] *v.* [T] (광석을 용해하여) 제련하다, 녹여서 분류하다; (금속을) 용해하다
— **smelter** *n.* 제련공; 제련소; 용광로

***smile** [smail] *n.* 미소, 방실거림; 웃는 얼굴: She had a gentle *smile* on her face. 그녀는 얼굴에 상냥한 미소를 지었다.

v. **1** [I] 미소짓다, 생글거리다 (at): She *smiled* at us. 그녀는 우리를 보고 미소지었다. OPP frown **2** [T] 미소로 나타내다: I *smiled* welcome to them. 나는 그들을 미소로 환영했다.
— **smiling** *adj.*

smith [smiθ] *n.* 대장장이 (blacksmith) ※ 보통 goldsmith (금 세공인), tinsmith (양철

공)과 같이 합성어로 쓴다.
— **smithy** *n.* 대장간

smog [smɑg] *n.* 스모그, 연무 (도시 등의 연기 섞인 안개)

***smoke** [smouk] *n.* **1** 연기: The room was full of cigarette *smoke*. 방은 담배 연기로 자욱했다. / There is no *smoke* without fire. [속담] 아니 땐 굴뚝에 연기 날까. **2** (a smoke) (담배의) 한 대 피우기, 흡연; 한 대 피우는 시간: Let's have a *smoke*. 담배 한 대 피웁시다.

v. **1** [I,T] 담배를 피우다, 흡연하다: I don't *smoke*. 나는 담배를 피우지 않는다. **2** [I] 연기를 내다: The stove *smokes* badly. 그 난로는 몹시 연기를 낸다.

smoked [smoukt] *adj.* 훈제한: *smoked* salmon(ham) 훈제 연어(햄)

smokeless [smóuklis] *adj.* 연기 없는, 무연의

smoker [smóukər] *n.* 흡연자: a heavy *smoker* 골초 OPP non-smoker

smoke screen *n.* [군대] 연막; 위장, 변장

smokestack [smóukstæk] *n.* (선박·기관차·공장 등의) 굴뚝

smoking [smóukiŋ] *n.* 흡연: No *smoking* within these walls. 구내 금연.

smoking room *n.* 흡연실

smoky, smokey [smóuki] *adj.* (smokier-smokiest) **1** 연기 나는, 연기가 많은, 연기 자욱한: a *smoky* room 연기 자욱한 방 **2** 연기와 같은; 연기색의, 흐린, 연기내가 나는: a *smoky* sky 흐린 하늘 / *smoky* gray eyes 엷은 회색 눈동자

smolder, smoulder [smóuldər] *v.* [I] **1** 그을다, 연기만 피운 채 타버리다: a *smoldering* fire 연기만 나는 모닥불 **2** (분노·불만 등이) 끓다; 사무치다: *smoldering* discontent 마음 속에 쌓인 불만

***smooth** [smu:ð] *adj.* **1** (표면 등이) 매끄러운, 반질반질한: *smooth* skin 매끄러운 피부 / a *smooth* road 평탄한 길 OPP rough **2** (반죽·풀 등이) 고루 잘 섞인, 잘 이겨진:

Beat the mixture until *smooth*. 응어리 지지 않을 때까지 반죽해라. OPP lumpy **3** (일이) 순조로운, 원활히 진행되는: a *smooth* journey 순탄한 여행 / He contributed to the *smooth* running of the company. 그는 회사의 순조로운 경영에 기여했다. **4** (움직임이) 부드러운, 삐걱거리지 않는: The car came to a *smooth* stop. 차는 부드럽게 섰다. / a *smooth* flight〔voyage〕 평온한 비행〔항해〕 OPP bumpy **5** 호감을 주는, 붙임성 있는; 알랑거리는: I don't like him. He's too *smooth*. 나는 그 남자가 싫다. 너무 알랑거린다. ※ 비난조로 보통 남자에 대해 쓰는 표현이다.

v. [T] **1** 매끄럽게 하다, 평탄하게 하다, 고르다; (주름을) 펴다, 다리다 (away, down, out): She *smoothed* out wrinkles from a skirt. 그녀는 스커트의 주름을 폈다. / I *smoothed* down my hair. 나는 머리를 매만졌다. **2** (크림 등을) 문지르다, 바르다: She *smoothed* some oil over her arms and neck. 그녀는 오일을 팔과 목에 발랐다. **3** (곤란 등을) 없애다, 제거하다, 치우다: He *smoothed* away all objections to the plan. 그는 계획에 대한 모든 장애를 제거했다.
— **smoothly** *adv.* **smoothness** *n.*
숙어 **take the rough with the smooth** ⇨ rough

smooth-spoken *adj.* 말솜씨 좋은 SYN smooth-tongued

smother [smʌ́ðər] *v.* [T] **1** 숨막히게 하다, 질식(사)시키다 (with): He *smothered* her with a pillow. 그는 베개로 그녀를 질식시켰다. **2** (…으로) 덮다, 푹 싸다: She was *smothered* in mink. 그 여자는 밍크 코트에 휘감겨 있었다. / The city is *smothered* in fog. 도시는 안개로 덮여 있다. **3** (…을) 듬뿍 치다〔바르다〕 (in, with): a salad *smothered* with dressing 드레싱을 듬뿍 뿌린 샐러드 **4** (감정을) 억제하다, 억누르다; (하품을) 삼키다: He *smothered* his grief with ceaseless work. 그는 쉴새 없이 일하는 것으로 슬픔을 달랬다. / I *smothered* a yawn. 나는 하품을 참았다. **5** (불을) 덮어 끄다: I *smothered* the flames with a blanket. 나는 담요로 덮어서 불을 껐다.

smuggle [smʌ́gəl] *v.* [T] **1** 밀수입(밀수출)하다, 밀수〔밀매매〕하다: *smuggled* goods 밀수품 / The drugs have been *smuggled* through customs. 마약이 세관을 통해 밀수입(밀수출)되었다. **2** 몰래 들여오다〔내가다〕
— **smuggler** *n.* 밀수입(밀수출)자

*****snack** [snæk] *n.* (정규 식사 이외의) 가벼운 식사, 간식, 스낵: Many *snack* foods are high in calory. 많은 스낵 음식들은 열량이 높다.
v. [I] 가벼운 식사를 하다, 간식을 하다: She's been *snacking* all day. 그녀는 하루 종일 간식을 먹고 있다.

snack bar *n.* ([영] counter, stand) 간이 식당, 스낵바

snail [sneil] *n.* 달팽이

*****snake** [sneik] *n.* **1** 뱀 **2** 음흉〔교활〕한 사람
v. [I] 꿈틀꿈틀 움직이다, 기다, 꾸불꾸불 굽다

snake charmer *n.* 뱀 부리는 사람

snap [snæp] *v.* (snapped-snapped) **1** [I,T] 딱〔뚝〕 부러지다: The rope *snapped*. 로프가 뚝 끊겼다. / You'll *snap* that ruler if you bend it too far. 그 자를 너무 구부리면 부러뜨리게 된다. **2** [I,T] 찰칵〔딱〕하고 소리를 내다; (문을) 쾅 닫(히)다, 왈칵 열(리)다; (권총 등을) 탕 쏘다: The door *snapped* shut〔open〕. 문이 쾅하며 닫혔다〔열렸다〕. / He *snapped* a box open. 그는 상자를 탁하고 열었다. **3** [I,T] (화난 듯이) 거칠고 사납게 말하다 (at): "What's so funny?" I *snapped*. "뭐가 그리도 재미있니?"라고 나는 거칠게 말했다. **4** [I] 덥석 물다, 물어뜯다: The dog was barking and *snapping* at my leg. 개가 짖어대면서 내 다리를 물려고 했다. **5** [I,T] 스냅 사진을 찍다 **6** [I] (신경 등이) 갑자기 견딜 수 없게 되다: The stress was too much and finally she *snapped*.

S

스트레스가 너무 과중해서 결국 그녀는 신경이 쇠약해졌다.

n. 1 휙〔딱, 철썩〕하는 소리: The branch broke with a loud *snap*. 나뭇가지는 딱하는 소리를 크게 내며 부러졌다. **2** 스냅 사진 (snapshot) **3** 〔찰깍하고 채워지는〕 죔쇠, 스냅 〔똑딱 단추〕 **4** 〔영〕 스냅 〔카드놀이의 일종〕 *adj.* (명사 앞에만 쓰임) 갑작스런, 즉석의, 불시의: a *snap* decision 즉석의 결정

[숙어] **snap one's fingers** 손가락으로 딱 소리를 내다: She was *snapping* her *fingers* in time with the music. 그녀는 음악에 맞추어 손가락으로 소리를 내고 있었다.

snap ... up 잽싸게 …하다: It's a real bargain—you should *snap* it *up*! 정말 헐값이네. 빨리 사야겠다! / I *snapped up* her offer to help me. 나는 날 도와 주겠다는 그녀의 제안을 냉큼 받아들였다.

snappish [snǽpiʃ] *adj.* 딱딱거리는, 화 잘 내는, 퉁명스러운: She's usually very *snappish*. 그녀는 화를 잘 낸다. / a *snappish* reply 퉁명스러운 대답

snapshot [snǽpʃɑt] *n.* 스냅 사진

snare [snɛər] *n.* **1** 덫, 올가미: a mouse *snare* 쥐덫 / fall into a *snare* 덫에 걸리다 / lay〔set〕 a *snare* 덫을 놓다 [SYN] trap **2** (종종 *pl.*) 속임수, 함정, 유혹: The desire for success is a *snare* in which everyone is caught. 성공에 대한 욕망은 모두가 빠지는 함정이다. [SYN] trap

v. [T] **1** 덫으로 잡다 **2** (함정에) 빠뜨리다, 유혹하다

snarl [snɑːrl] *v.* [I,T] **1** (개가 이빨을 드러내고) 으르렁거리다: The dog *snarled* at me. 그 개는 내게 으르렁거렸다. **2** 고함치다, 호통치다: "Get out!" he *snarled*. "나가라!" 라고 그는 고함쳤다.

n. 으르렁거림; 으르렁거리는 소리

snatch [snætʃ] *v.* **1** [I,T] 잡아〔낚아〕채다, 와락 붙잡다: She *snatched* at the letter. 그 여자는 편지를 잡아챘다. / He *snatched* my handbag and ran off. 그 남자는 내

핸드백을 잡아채서 도망갔다. **2** [T] 뜻밖에〔운 좋게〕 얻다; (기회를 보고) 급히 덤벼들다: I managed to *snatch* an hour's sleep on the train. 기차에서 겨우 1시간 정도 잘 수 있었다.

n. **1** 잡아챔, 날치기 **2** (보통 *pl.*) (노래·이야기 등의) 한 마디, 단편; 짧은 시간, 잠시: I only managed to catch a few *snatches* of their conversation. 나는 그들의 대화를 몇 마디만 겨우 들을 수 있었다. / I just slept in *snatches* last night. 나는 어젯밤에 한잠 겨우 잤다.

sneak [sniːk] *v.* **1** [I] 몰래 움직이다: She *sneaked* into〔out of〕 the room. 그녀는 살그머니 방으로 들어갔다〔방에서 나왔다〕. **2** [T] 몰래 …하다: The boy was caught *sneaking* a book from a shop. 소년이 가게에서 책을 몰래 훔치다가 잡혔다. / I *sneaked* a look at the answers. 나는 해답을 훔쳐봤다.

n. **1** 몰래 하기〔하는 사람〕 **2** 〔영〕 고자질하는 학생

[숙어] **sneak up (on, behind)** (놀라게 하려고) 몰래 다가가다: He *sneaked up on* her and gave her a surprise. 그는 그녀의 등 뒤로 몰래 다가가서 놀라게 했다.

sneaker [sníːkər] *n.* (sneakers) [미] 고무 바닥의 운동화

sneer [sniər] *v.* [I] 냉소〔조소〕하다, 비웃다, 경멸하다 (at): They *sneered* at her poor clothes. 그들은 그녀의 낡은 옷을 비웃었다.

n. 냉소, 비웃음, 경멸

sneeze [sniːz] *v.* [I] 재채기하다: The baby keeps *sneezing* — I think she's getting a cold. 아기가 재채기를 계속한다. 감기 들려는 것 같다.

n. 재채기 (소리)

※ 재채기 소리는 achoo ([영] atishoo).

sniff [snif] *v.* **1** [I,T] 코를 킁킁거리다, 냄새를 맡다 (at): The dog *sniffed* at the stranger. 개는 낯선 사람에게 킁킁거리며 냄새를 맡았다. **2** [I] 콧방귀 뀌다: She just *sniffed* when I said hi. 내가 안녕하고 인사했는데 그녀는 그냥 콧방귀만 뀌었다.

n. 냄새 맡음; 코로 숨쉬는 소리: Is this milk all right? Have a *sniff*. 이 우유 괜찮을까? 냄새 맡아 보렴.

sniper [snáipər] *n.* 저격병

snob [snɑb] *n.* (지위 · 재산만을 존중하여) 윗사람에게 아첨하고 아랫사람에게 교만한 사람, 속물
— **snobbery** *n.* 속물 근성

snobbish [snábiʃ] *adj.* 속물의, 신사연하는
— **snobbishly** *adv.* **snobbishness** *n.*

snore [snɔːr] *v.* [I] 코를 골다: He *snores* heavily. 그는 심하게 코를 곤다.
n. 코곪

snorkel [snɔ́ːrkəl] *n.* 스노클 (잠수함의 환기 장치, 잠수용 호흡 기구)

snort [snɔːrt] *v.* **1** [I] (말 · 돼지 등이) 코를 씨근거리다, 콧김을 내뿜다 **2** [I,T] (경멸 · 반대 등으로) 콧방귀 뀌다: She *snorted* in disgust. 그녀는 역겹다는 듯이 콧방귀를 뀌었다.
n. 거센 콧바람

snout [snaut] *n.* (돼지 · 개 · 악어 등의) 삐죽한 코, 주둥이

*****snow** [snou] *n.* **1** 눈: The kids are playing in the *snow*. 아이들이 눈에서 놀고 있다. **2** 강설; 적설: We have had many heavy *snows* this winter. 이번 겨울에는 눈이 많이 왔다. ※ '(한 번의) 눈 내림'을 뜻할 때는 셀 수 있는 명사가 된다.
v. **1** [I] 눈이 내리다: It's *snowing*. 눈이 오고 있다. **2** [T] (보통 수동태) 눈으로 덮다[가두다] (in, on, under): The village was *snowed* in. 그 마을은 눈에 갇혔다. **3** [I] 눈처럼 쇄도하다, 우르르 몰려들다: Presents *snowed* in on my birthday. 내 생일에 선물이 쏟아져 들어왔다.

snowball [snóubɔ̀ːl] *n.* 눈덩이, 눈뭉치: a *snowball* fight 눈싸움
v. [I] (눈덩이처럼) 점점 커지다

snowboard [snóubɔ̀ːrd] *n.* 스노보드
— **snowboarding** *n.* 스노보드 타기

snowbound [snóubàund] *adj.* 눈에 갇힌, 발이 묶인

snow-capped [snóukæ̀pt] *adj.* (산꼭대기가) 눈으로 덮인 SYN snow-crowned

snowdrift [snóudrìft] *n.* 쌓인 눈더미, 휘몰아쳐 쌓인 눈: The car was stuck in a *snowdrift*. 차가 눈더미에 갇혔다.

snowdrop [snóudrɑ̀p] *n.* [식물] 스노드롭, 갈란투스; 아네모네

snowfall [snóufɔ̀ːl] *n.* 강설, 강설량: heavy *snowfalls* 폭설

snowflake [snóuflèik] *n.* 눈송이

snow line *n.* 설선 (만년설의 최저 경계선) (snow limit)

snowman [snóumæ̀n] *n.* (*pl.* snowmen) 눈사람

snowplow [snóuplàu] *n.* ([영] snowplough) 제설기[차]

snowshoe [snóuʃùː] *n.* (snowshoes) 동철 박은 신선, 설상화

snowslide [snóuslàid] *n.* 눈사태 (snowslip) SYN avalanche
※ landslide 산 사태, mudslide 진흙 사태

snowstorm [snóustɔ̀ːrm] *n.* 눈보라

snow-white [snóuhwáit] *adj.* 눈같이 흰, 새하얀

snowy [snóui] *adj.* (snowier-snowiest) **1** 눈이 쌓인, 눈에 덮인 **2** 눈이 많은, 눈이 내리는: We've had a very *snowy* winter this year. 올해는 눈이 꽤 많이 왔다. **3** 눈처럼 하얀: *snowy* hair 백발
※ 텔레비전 화면이 잘 안 나오고 지직거리는 경우를 snowy라고 표현하기도 한다.: The TV is *snowy*. 텔레비전이 지직거린다.

snug [snʌg] *adj.* (snugger-snuggest) **1** (장소 등이) 아늑한, 편안한, 안락한: a *snug* little room 아늑하고 작은 방 SYN cozy **2** (옷 등이) 꼭 맞는: This jacket is too *snug*—do you have it in a larger size? 이 재킷은 너무 끼어요. 좀 더 큰 사이즈

S

가 있나요?
— **snugly** *adv.*

***so** ⇨ p. 697

soak [souk] *v.* **1** [I,T] (물 등에) 젖다; 담그다, 흠뻑 적시다: Let the fruit *soak* in water for a while. 과일을 잠시 물에 담가 놓아라. / I was *soaked* by the shower. 나는 소나기를 만나 흠뻑 젖었다. **2** [I] (물 등이) 스미다, 스며들다, 스며 나오다 (into, through, out of): The rain *soaked* through a roof. 지붕으로 비가 스며들었다. **3** [T] 물에 적셔 빨아 내다 (out): *soak* out stains of a shirt 물에 담가 셔츠의 얼룩을 빼다

[숙어] **soak up 1** (액체 · 열 · 햇볕을) 흡수하다, 빨아들이다: I *soaked up* the spilled milk with a cloth. 엎지른 우유를 걸레로 빨아들였다. / The ground *soaked up* the rain. 땅이 빗물을 흡수했다. **2** (지식 · 정보를) 흡수하다: Given the right environment, children are like sponges and will *soak up* information. 적절한 환경을 만들어 주면 아이들은 스폰지처럼 지식을 흡수한다.

soaked [soukt] *adj.* (명사 앞에는 쓰이지 않음) (비 등으로) 흠뻑 젖은: My shoes are *soaked*. 내 신발이 흠뻑 젖었다.

soaking [sóukiŋ] *adj.* 흠뻑 젖은 (soaking wet): You're *soaking*! Come in and dry off. 너 흠뻑 젖었구나. 들어와서 좀 말려라.

so-and-so *n.* (*pl.* so-and-sos) **1** 아무개; 이러저러, 여차여차: Mr. *So-and-so* 아무개 씨, 모씨 / say *so-and-so* 여차여차 말하다 **2** 나쁜 놈, 밉살맞은 놈: He really is a *so-and-so*. 그는 정말 밉살맞은 녀석이다.

***soap** [soup] *n.* 비누: a bar[cake] of *soap* 비누 한 장 / a toilet[washing] *soap* 화장[세탁] 비누 / *soap* powder 가루 비누
— **soapy** *adj.* 비누 같은, 비누투성이의

soap bubble *n.* 비눗방울

soap opera *n.* 연속 라디오[TV] (멜로) 드라마 (본래 비누 회사가 제공한 가정 주부를 위한 주간 연속 라디오 · 텔레비전 방송극)

(soap)

soapsuds [sóupsʌ̀dz] *n.* (*pl.*) (물에 뜬) 비누 거품; 비눗물

soap works *n.* (보통 단수 취급) 비누 공장

soar [sɔːr] *v.* [I] **1** 높이 날다, 날아오르다: The glider *soared* high to heaven. 글라이더는 공중으로 높이 날아올랐다. **2** (물가 등이) 급등하다, 치솟다; (온도 등이) 급상승하다: Prices have *soared* in recent months. 최근 몇 달간 물가가 치솟았다. / The temperature *soared* to 40° in August. 8월에 기온이 40도까지 올라갔다. **3** (산 · 타워가) 높이 솟다: The mountain *soars* 1,000 feet above the village. 산은 마을 위로 1,000피트 우뚝 솟아 있다.
— **soaring** *adj.*

sob [sɑb] *v.* (sobbed-sobbed) **1** [I] 흐느껴 울다: "It's all my fault," she *sobbed*. "모든 것이 나의 잘못이야."라며 그녀는 흐느껴 울었다. / I *sobbed* myself to sleep. 나는 흐느껴 울다가 잠들었다. **2** [T] 흐느끼며 말하다 (out): He *sobbed* out the whole sad story. 그는 흐느끼면서 그 슬픈 이야기를 전부 털어놓았다.
n. 흐느낌, 목메어 울기

sober [sóubər] *adj.* **1** 술 취하지 않은, 맑은 정신의: I've never seen him *sober*. 나는 그가 술 취하지 않은 모습을 본 적이 없다. [OPP] drunken **2** 진지한, 엄숙한: a *sober* face 진지한 얼굴 **3** (색깔이) 수수한, 소박한: She always dresses in *sober* colors. 그녀는 늘 수수한 색의 옷을 입는다.
v. [I,T] **1** 술이 깨다, 술이 깨게 하다 (up): I need a cup of coffee to *sober* me up. 술이 깨도록 커피 한 잔을 마셔야겠다. **2** 진지[엄숙]해지다, (마음이) 가라앉다 (down): She *sobered* down a lot as she got older. 그녀는 나이가 들면서 많이 진지해졌다.
— **sobering** *adj.* (사람을) 진지하게 하는
soberly *adv.*

so-called *adj.* 소위, 이른바: He is a *so-called* walking dictionary. 그는 이른바

so

so [sou] *adv.* **1** (정도를 나타내어) 그[이]렇게, 그[이] 정도로: Don't be *so* silly! 그렇게 어리석게 굴지 마라! / It was *so* hot that I couldn't sleep. 나는 너무 더워서 잠을 잘 수 없었다. / He didn't live *so* long. 그는 그렇게 오래 살지는 못했다.

2 (강조적으로) 매우, 무척, 대단히: I am *so* sleepy! 너무 졸리는군! / *So* sorry! 대단히 미안해요! / Thank you *so* much. 대단히 고맙습니다.

3 (부정어 뒤에 와서) …만큼은[정도로는] …(하지 않다): She isn't *so* tall as you. 그녀는 너만큼은 키가 크지 않다. / He wasn't quite *so* clever as we expected. 그는 생각했던 것만큼 영리하진 못했다.

4 (앞에 나온 말을 대신하여) 그렇게, 그처럼: Are you coming by train? If *so*, I can meet you at the station. 기차 타고 올 거니? 그렇다면 역으로 마중 나갈게. / "Will he fail?" "I'm afraid *so*." "그가 실패할까요?" "안됐지만 그럴 것 같아요." / "Susie is getting married." "*So* I heard." "수지가 결혼한대." "그렇다더군."

5 (긍정문에서) ① (so+(조)동사+주어) …도 또한 그렇다: We were wrong; *so* were you. 우리들도 잘못했지만, 너도 마찬가지였다. ② (so+주어+(조)동사) (정말) 그렇다, 그렇고 말고: They work hard. *So* they do. 그들은 열심히 공부한다. 정말 그렇다.

6 그[이]와 같이, 그[이]렇게: Hold the racket *so*, like this! 라켓을 이런 식으로 잡으세요, 이렇게! / Cut up the oranges like *so*. 오렌지를 이렇게 잘라라.

conj. **1** 그러므로, 그래서: The train leaves in ten minutes, *so* you had better hurry. 기차는 십 분 있으면 떠나므로 서두르는 편이 좋겠다. / It rained hard, *so* I could not go. 비가 몹시 와서 갈 수가 없었다.

2 …하도록, (…하기) 위하여 (so that의 that이 생략된 것임): He wore a cap *so*

nobody would recognize him. 그는 자신을 아무도 알아보지 못하도록 모자를 썼다.

[숙어] **and so on[forth]** …따위, 등등

(in) so far as …하는 한(에서는): *So far as* I know he will be away for three months. 내가 아는 한 그는 3개월 동안 멀리 가 있을 것이다.

just so ⇨ just

not so much … as ~ …이라기보다는 오히려 ~이다: He is *not so much* a teacher *as* a scholar. 그는 선생님이라기보다는 오히려 학자이다.

or so …내외, …정도: in an hour *or so* 한 시간 정도 후에 / ten days *or so* ago 10일쯤 전에 / He must be thirty *or so*. 그는 30세 정도임에 틀림없다.

so as to do[be] …하기 위해서[하도록]: Walk fast *so as to be* on time. 시간에 맞출 수 있게 빨리 걸어라.

so … as to do[be] ~할 만큼 …이다, ~하게도 …하다: He was *so* angry *as to be* unable to speak. 그는 말을 못 할 만큼 화나 있었다.

so far 거기[여기]까지는, 지금까지는: This is the best I have seen *so far*. 이것은 내가 지금까지 본 것 중에서 가장 좋다. / *So far*, so good. 여기까지는 잘 되었다.

so[as] far as … be concerned …에 관한 한에서는, …만으로는: No two people speak exactly alike, *so far as* sounds *are concerned*. 음성에 관한 한에서는 두 사람의 말이 아주 정확히 같을 수는 없다. / He can come whenever he likes, *so far as* I *am concerned*. 나는 그가 언제든 오고 싶을 때 와도 좋다.

so long 안녕 [SYN] goodbye

so long as …하는 한, …하기만 하면: Any book will do *so long as* it is interesting. 재미만 있으면 무슨 책이든지 좋다.

so much for 1 …에 대해서는 그만(해 두

다): *So much for* today. 오늘은 이것으로 끝. / The car's broken down again. *So much for* our trip. 차가 또 고장났다. 여행은 끝이다. **2** (언행 불일치 때 쓰는 비꼬는 말투) …이란 그저 그 정도다: She arrived late again; *so much for* her punctuality! 그녀는 또 지각했군. 그녀에게 시간 엄수란 그저 그런 거지!

so … that ~ ~할 만큼 …하여; 매우 …해서: I'm *so* busy *that* I can't leave now. 나는 너무 바빠서 지금 갈 수 없다.

so that … (**can, may**) **1** …하기 위해서, …하도록: They worked hard *so that* they *could* finish it in time. 그들은 제 시

간에 그것을 끝내기 위해서 열심히 일했다. ※ 구어에서는 that이 종종 생략된다.

2 그래서, 그 때문에, …하여(서): He ran very slowly, *so that* he was easily caught. 그는 너무 천천히 달렸기 때문에 쉽게 붙잡혔다.

so to speak〔**say**〕 말하자면: He is, *so to speak*, a grown-up baby. 말하자면 그는 다 큰 어린아이다. 〔SYN〕 as it were

so what 그래서 그게 어쨌다는 건가, 그게 무슨 상관인가: "She says she doesn't like you." "*So what?*" "그녀는 너를 좋아하지 않는다고 했어." "그게 어쨌다는 거니?"

살아 있는 사전이다. 〔SYN〕 what is called

***soccer** [sákər] *n.* 축구

※ 정식 명칭은 association football이다.

sociable [sóuʃəbəl] *adj.* 사교적인, 교제하기를 좋아하는; 붙임성 있는: in a *sociable* manner 사근사근한 태도로 / She is a very *sociable* woman. 그녀는 매우 사교적인 사람이다. 〔OPP〕 unsociable
— **sociably** *adv.* **sociability** *n.*

***social** [sóuʃəl] *adj.* **1** 사회적인; 사회 생활을 하는, 사회에 관한: Man is a *social* animal. 인간은 사회적 동물이다. / *social* problems〔reforms〕 사회 문제〔개혁〕 **2** 사교계의, 상류 사회의: a *social* party 사교 파티 **3** 사교적인, 친목의: He has a busy *social* life. 그는 사교 생활로 바쁘다. / School gives children opportunities to develop their *social* skills. 학교는 아이들에게 사교성을 발달시키는 기회를 제공한다. **4** 〔동물〕 군거하는 (떼를 지어 사는); 〔식물〕 군생하는 (같은 종류의 식물이 한 곳에 떼를 지어 나는): *social* insects such as ants 개미 같이 떼를 지어 사는 곤충들
— **socially** *adv.*

Social Democracy *n.* 사회 민주주의 (국가) (social democracy)
※ 사회주의(socialism)의 원칙과 민주주의

(democracy)의 자유 사상이 결합된 체제이다.
— **Social Democrat** *n.* 사회 민주당원

socialism [sóuʃəlìzəm] *n.* 사회주의 (운동): state *socialism* 국가 사회주의

■ **접미어 -ism**
'주의', '설', '상태', '작용', '행위', '특성', '장점' 등의 의미를 나타냄.: social*ism* 사회주의 / commun*ism* 공산주의 / hero*ism* 영웅적 행위 / American*ism* 미국 정신

---

socialist [sóuʃəlist] *n.* 사회주의자

socialistic [sòuʃəlístik] *adj.* 사회주의적인, 사회주의(자)의

sociality [sòuʃiæləti] *n.* 사회성, 교제를 좋아함; 군거성

socialize, socialise [sóuʃəlàiz] *v.* **1** 〔T〕 사회화하다: The family has the important function of *socializing* children. 가정은 아이들을 사회화하는 중요한 기능이 있다. **2** 〔T〕 사회주의화하다, 국유화하다 **3** 〔I〕 사귀다, 교제하다: I enjoy *socializing* with my classmates. 나는 반친구들과 사귀는 것을 좋아한다.
— **socialization** *n.* 사회(주의)화

social science *n.* 사회과학; 사회학

social security *n.* (〔미〕 welfare) 사회보

장 제도 (양로 연금 · 실업 급여 등)

social work *n.* 사회 (복지 관련) 사업

— **social worker** *n.* 사회 사업가

*__society__ [səsáiəti] *n.* **1** 사회, 공동체; 세상 (사람들): a primitive(civilized) *society* 원시(문명) 사회 / The role of women in *society* is changing. 사회에서 여성의 역할이 변하고 있다. **2** 협회, 단체, 학회, 조합: a scientific *society* 과학 협회 / the English speaking *society* 영어 회화 클럽 **3** (the society) 사교계; 상류 사회(의 사람들): high *society* 상류 사회 **4** 사교, 교제: I always enjoy his *society*. 그와의 교제는 언제나 즐겁다.

socio- *prefix* '사회의, 사회학의'의 뜻.

sociologist [sòusiálədʒist] *n.* 사회학자

sociology [sòusiálədʒi] *n.* 사회학

— **sociological** *adj.* 사회학(상)의; 사회 문제의

*__sock__ [sak] *n.* (socks) (짧은) 양말: a pair of *socks* 양말 한 켤레

[숙어] **pull one's socks up** [영] 정신을 차리고 시작하다, 분발하다: He's going to have to *pull his socks up* if he wants to pass the exam. 시험에 합격하고 싶다면 그는 더 분발해야 할 것이다.

socket [sákit] *n.* **1** (전구 등을 꽂는) 소켓; (플러그용의) 벽 소켓 (power point, plug): Plug the iron into the *socket*, please. 다리미를 소켓에 꽂아 주렴. **2** [해부] (눈 등의) 와(窩), 강(腔): eye *socket* 안와, 눈구멍

soda [sóudə] *n.* **1** 소다수 (soda water): a whisky and *soda* 하이볼 (소다수를 탄 위스키) **2** [미] 거품이 이는 음료 (탄산수 · 샴페인 등) [SYN] fizzy drink **3** 소다, 나트륨 화합물

*__sofa__ [sóufə] *n.* 소파, 긴 의자

*__soft__ [sɔ(ː)ft] *adj.* **1** 부드러운, 폭신한: a *soft* bed(pillow) 폭신한 침대(베개) [OPP] hard

2 매끄러운, 보들보들한, 촉감이 좋은: soft

skin 매끄러운 피부 [OPP] rough

3 (음성이) 낮은, 조용한: Her voice was so *soft* that I could hardly hear her. 그녀의 음성이 너무 낮아서 좀처럼 알아들을 수 없었다. [OPP] loud, harsh

4 (빛 · 색이) 부드러운, 차분한: The room was decorated in *soft* pastel colors. 그 방은 부드러운 파스텔 색으로 꾸며졌다. [OPP] bright

5 (태도가) 온화한, 다정한, 너그러운: a *soft* answer 온건한 대답 / a *soft* heart 다정한 마음 [OPP] hard, strict

6 (기후 등이) 온화한, 따스한, (바람이) 상쾌한: a *soft* climate 온화한 날씨 / a *soft* breeze 상쾌한 바람

7 (물이) 연성의, 단물의: *soft* water 단물, 연수 [OPP] hard

— **softly** *adv.* **softness** *n.*

[숙어] **have a soft spot for** (행실이 나쁠 때에도) …을 좋아하다: I'd always *had a soft spot for* Mark. 나는 늘 마크를 좋아했다.

soft drink *n.* 청량 음료

soft drug *n.* 중독성이 없는 환각제(마약) (마리화나 등) [OPP] hard drug

soften [sɔ́(ː)fən] *v.* **1** [I,T] 부드럽게(연하게) 하다: Heat *softens* iron. 열은 쇠를 무르게 한다. / Fry until the carrot has *softened*. 당근이 연해질 때까지 기름에 볶아라. **2** [T] (마음을) 누그러지게 하다; (고통 · 분노 등을) 덜다, 경감하다: The air bag *softened* the impact of the crash. 에어백이 충돌시의 충격을 덜어 주었다. **3** [T] (색 · 빛 · 음성 등을) 부드럽게(수수하게) 하다, 낮게 하다: He *softened* his voice. 그는 목소리를 낮췄다.

soft-hearted *adj.* 마음이 상냥한, 온화(다정)한 [OPP] hard-hearted

software [sɔ́(ː)ftwɛ̀ər] *n.* [컴퓨터] 소프트웨어 (컴퓨터 프로그램 체계의 총칭)

cf. hardware 하드웨어 (전자기기의 총칭)

soggy [sági] *adj.* (soggier-soggiest) **1**

물에 잠긴(젖은): The ground was *soggy* from the heavy rain. 땅이 폭우로 물에 잠겼다. ⸤SYN⸥ soaked **2** (빵 등이) 설구워진 **3** 무기력한, 맥빠진

*soil [sɔil] *n.* **1** 흙, 토양, 땅: rich(poor) *soil* 기름진(메마른) 땅 **2** 국토, 나라: This is my native *soil*. 여기가 나의 고향이다. / on foreign *soil* 이국에서 **3** (the soil) 농업 (생활), 농지, 경작: We make our living from the *soil*. 우리는 농사를 지어 먹고 산다. *v.* [T] (종종 수동태) 더럽히다, 얼룩을 묻히다

solace [sáləs] *n.* **1** 위안, 위로, 기분 전환 (in): After the death of his son, he found *solace* in the church. 아들이 죽고 나서 그는 교회에서 위안을 찾았다. **2** (a solace) 위안이 되는 것: Music was a great *solace* to me when I was depressed. 우울할 때는 음악이 내게 큰 위안거리였다.

solar [sóulər] *adj.* (명사 앞에만 쓰임) **1** 태양의, 태양에 관한, 태양에서 나오는(일어나는): a *solar* eclipse 일식 / a *solar* spot 태양의 흑점 *cf.* lunar 달의 **2** 태양 광선을 이용한: *solar* power 태양 에너지 / *solar* heating 태양열 난방

solar system *n.* (the solar system) [천문] 태양계

*soldier [sóuldʒər] *n.* (육군) 군인, 병사: *soldiers* and sailors 육·해군 군인

— **soldierlike, soldierly** *adj.* 군인다운; 늠름한, 용감한

soldiery [sóuldʒəri] *n.* (집합적) 군인, 군대

sole¹ [soul] *adj.* (명사 앞에만 쓰임) **1** 오직 하나의, 유일한: the *sole* survivor 유일한 생존자 ⸤SYN⸥ only **2** 단독의, 독점적인, 총 …: *sole* right of use 독점 사용권 / I have *sole* responsibility for sales. 내가 판매의 총책임을 맡고 있다. ⸤SYN⸥ exclusive

sole² [soul] *n.* **1** 발바닥 **2** (구두 등의) 바닥, 밑창 **3** [어류] 혀가자미, 혀넙치

solely [sóulli] *adv.* **1** 혼자서, 단독으로: I am *solely* responsible for anything that goes wrong. 잘못에 대한 모든 책임은 나에게만 있다. **2** 오로지, 전혀, 단지: I went there *solely* to see it. 나는 단지 그것이 보고 싶어서 그 곳에 갔다.

solemn [sáləm] *adj.* **1** 엄숙한, 근엄한: He spoke in *solemn* tones. 그는 엄숙한 어조로 말했다. **2** 진지한, 성실한: a *solemn* promise 성의 있는 약속 **3** 의식에 맞는; 격식을 차리는: a *solemn* ceremony 장엄한 의식

— **solemnly** *adv.* **solemnity** *n.*

solemnize [sáləmnàiz] *v.* [T] (결혼식 등을) 엄숙히 올리다

solicit [səlísit] *v.* **1** [T] (원조·지지·조언 등을) (간)청하다, 부탁하다, 조르다: May I *solicit* your advice on that matter? 그 문제에 대해 조언을 구해도 될까요? / We *solicited* her for a contribution. 우리는 그녀에게 기부금을 부탁했다. **2** [I,T] (매춘부 등이) 유혹하다, 끌다

— **solicitation** *n.*

solicitor [səlísətər] *n.* [영] 사무 변호사 (법정 변호사와 소송 의뢰인 사이에서 주로 사무만을 취급하는 법률가)

solicitous [səlísətəs] *adj.* **1** 걱정하는, 신경 쓰는 (about, of) **2** 열심인; 갈망하는 (to do, of): He was *solicitous* to get praise. 그 사람은 칭찬을 몹시 받고 싶어했다.

solicitude [səlísətjùːd] *n.* **1** 근심, 걱정, 염려 (about) **2** 갈망, 열심 (for) **3** (solicitudes) 걱정거리

*solid [sálid] *adj.* **1** 고체의, 고형의: a *solid* body 고체 / *solid* food 고형식 (씹어야 삼킬 수 있는 음식) **2** 단단한; 속이 비지 않은, 속이 꽉 찬: *solid* ground 단단한 지면 / a *solid* tire 솔리드 타이어 (속까지 고무인 타이어) ⸤OPP⸥ hollow **3** 견고한, 튼튼한: a *solid* building 견고한 건물 **4** 확실한, 믿을 수 있는: *solid* evidence 확고한 증거 **5** (명사 앞에만 쓰임) 속까지 질이 같은, 도금한 것이 아닌: *solid* gold 순금 **6** 연속된, 끊긴 데 없는:

I slept for twelve *solid* hours. 나는 꼬박 12시간을 잤다.

n. 1 고체 (solid body): Liquids become *solids* when frozen. 액체가 얼면 고체가 된다. **2** (solids) 고형식: The baby is on *solids*. 아기가 고형식을 한다. **3** [기하] 입(방)체: a *solid* foot 1입방 피트

— **solidity** *n.*

solidarity [sɑ̀lədǽrəti] *n.* **1** 결속, 단결, 공동 일치 (with) **2** 연대; [법] 연대 책임: the People's *Solidarity* for Participatory Democracy 참여 민주주의 민중 연대

solidify [səlídəfài] *v.* [T] 응고(응결)시키다, 굳(히)다

solitary [sɑ́litèri] *adj.* **1** (일 등이) 혼자서 하는: *solitary* chores 혼자 하는 일 **2** 남과 사귀지 않는, 혼자 있기 좋아하는: a *solitary* person 은둔자 **3** (명사 앞에만 쓰임) 외톨의, 외로운, 고독한: a *solitary* traveler 외로운 나그네 [SYN] lone **4** 쓸쓸한, 적막한, 외진: a *solitary* house 외딴집 **5** (보통 부정·의문문) 유일한, 단 하나의: There is not a *solitary* exception. 단 하나의 예외도 없다.

— **solitary confinement** (imprison-ment) *n.* 독방 감금

solitude [sɑ́litʲùːd] *n.* 고독, 외톨이임, 홀로 삶

solo [sóulou] *n.* (*pl.* solos) [음악] 독주(곡); 독창(곡)

※ 2중창, 2중주는 duet, 3중창, 3중주는 trio 라고 한다.

adj. **1** 혼자 하는, 단독의: a *solo* flight 단독 비행 **2** [음악] 솔로의, 독창(독주)의

— **soloist** *n.* 독주자; 독창자

soluble [sɑ́ljəbəl] *adj.* **1** 녹는, 녹기 쉬운 (in): Salt and sugar are *soluble* in water. 소금과 설탕은 물에 녹는다. **2** 해결(해답)할 수 있는: Is this problem *soluble*? 이 문제는 해결 가능한 거니? [OPP] insoluble

solution [səlúːʃən] *n.* **1** (a solution) (문제의) 해결(책) (to): They cannot find a *solution* to the difficulty. 그들은 그 어려움의 해결책을 찾아 내지 못하고 있다. **2** (the solution) 해답: The *solution* to the quiz will be published tomorrow. 퀴즈의 답은 내일 발표될 것이다. **3** 용액: a strong (weak) *solution* 진한(묽은) 용액 **4** 용해, 용해 상태: The sea-water holds various substances in *solution*. 바닷물에는 여러 가지 물질이 녹아 있다.

***solve** [sɑlv] *v.* [T] **1** (곤란 등을) 해결하다: The government is trying to *solve* the problem of unemployment. 정부는 실업 문제를 해결하려 애쓰고 있다. **2** (문제·수수께끼 등을) 풀다, 해답하다, 해명하다: I managed to *solve* the equation. 나는 그 방정식을 겨우 풀었다.

— **solvable** *adj.* 풀 수 있는, 해결(해석)할 수 있는

solvent [sɑ́lvənt] *adj.* **1** 지불 능력이 있는 **2** 용해력이 있는, 녹이는

n. **1** 용제, 용매: Alcohol and petrol are useful *solvents* for grease stains. 알코올과 휘발유는 기름때의 유용한 용매이다. **2** 해결책

— **solvency** *n.* 지급 능력; 용해(력)

somber, sombre [sɑ́mbər] *adj.* **1** 어둠침침한, 흐린; 음침한, 칙칙한: a *somber* sky 흐린 하늘 / a *somber* dress 칙칙한 색깔의 드레스 **2** 우울한, 음울한: She had a *somber* expression on her face. 그녀는 우울한 표정을 지었다.

— **somberly** *adv.*

***some** ⇨ p. 702

somebody [sʌ́mbàdi] *pron.* 어떤 사람, 누군가 (someone): *Somebody* is looking for you. 누군가 너를 찾고 있다. / He's getting married to *somebody* he met at work. 그는 직장에서 만난 어떤 사람과 결혼한다. / You'll have to ask *somebody* else. 너는 누군가 딴 사람에게 물어 봐야 할 것이다.

some

some [sʌm] **adj. 1** (불가산명사 또는 복수형의 가산명사 앞에서) 다소의, 약간(조금)의; 몇몇의: I want *some* money. 나는 돈이 (좀) 필요하다. / for *some* days 며칠간 / Give me *some* apples. 사과를 몇 개 주세요.

※ 일반적으로 부정문이나 의문문에서는 some 대신에 any를 쓴다.: Do you need *any* money? 돈이 필요하니? / I need *some* more butter. I haven't got *any*. 버터가 좀 더 필요하지만 조금도 없다. 그러나, 의문문에서 권유를 나타내거나 yes의 답을 기대하는 경우 또는 조건절에서도 긍정적 기대를 하는 경우는 some을 쓴다.: Would you have *some* more tea? 차를 좀 더 드시겠어요? / If you have *some* more money, you should buy that book. 돈이 좀 더 있으면 그 책을 사라.

2 (의문문에서 any 대신 some을 쓰면 긍정의 답을 기대하거나 권유를 나타냄): Could I have *some* more paper, please? 종이 좀 더 써도 될까요?

3 사람(물건)에 따라 …(도 있다), 그 중에는 …(도 있다): *Some* books are interesting; others are boring. 재미있는 책도 있고 지루한 책도 있다.

4 (단수 가산명사와 함께) 어떤, 무언가의, 누군가의, 어딘가의 (종종 명사 뒤에 or other를 곁들여 뜻을 강조함): I *saw* it in some book. 그것은 어떤 책에서 보았다. / She is living in *some* village in India. 그녀는 인도 어딘가의 마을에 살고 있다. / for *some* reason or other 어떤 이유로

5 (복수 가산명사와 함께) 몇 개인가의, 몇 사람인가의: She's honest in *some* ways. 그녀는 어떤 면에서는 정직하다.

6 상당한, 어지간한, 꽤: It cost me *some* money. 그것은 꽤 돈이 들었다.

***pron.* 1** 다소, 얼마간, 좀, 약간: "Do you want any tea?" "Yes, give me *some*." "차를 마시고 싶습니까?" "네, 좀 주세요." / *Some* of her books are quite exciting. 그녀의 책 중에는 꽤 재미있는 것도 있다.

2 어떤 사람들, 어떤 것: *Some* say yes and *some* say no. 찬성하는 사람이 있는가 하면 반대하는 사람도 있다.

***adv.* 1** (수사 앞에서) 약: I waited *some* ten minutes. 나는 약 10분간 기다렸다.

2 얼마쯤, 어느 정도, 조금은: I slept *some* last night. 어젯밤에는 얼마간 눈을 붙였다.

n. 상당한 인물, 대단한 사람: He thinks he's (a) *somebody*. 그는 자신을 대단한 사람이라고 생각한다.

someday [sʌ́mdèi] (또는 some day) *adv.* 언젠가 (훗날에): *Someday* I'll be rich. 언젠가 나는 부자가 될 것이다.

※ someday는 미래에만 쓰이고, 과거에는 one day를 쓴다.

somehow [sʌ́mhàu] *adv.* **1** 어떻게든지 하여, 여하튼, 어쨌든: Don't worry. I'll get your lost wallet back *somehow*. 걱정 마라. 내가 잃어버린 지갑을 어떻게든지 찾아줄게. **2** 어쩐지, 웬일인지, 아무래도: *Somehow* I don't like him. 어쩐지 나는 그가 싫다.

someone [sʌ́mwʌ̀n] *pron.* =somebody

something [sʌ́mθiŋ] *pron.* **1** 무언가, 어떤 것(일): I've got *something* in my eye. 눈에 무언가 들어갔다. / I want *something* to eat. 무언가 좀 먹었으면 좋겠다. / Don't just stand there. Do *something*! 거기 그렇게 서있지만 말고 어떻게 좀 해봐!

※ something과 anything의 차이는 some과 any의 차이와 같다.

2 (무언가 가치 있는 · 주목할 만한 · 흥미의 대상이 되는 것을 가리켜) (재미있는, 심상치 않은) 무언가: There's *something* in what she says. 그녀의 말에 일리가 있다. /

You've got *something* there. 그거 좋은 생각이다.

3 (확실하지 않은 금액 · 시간 · 인명 등에 대해) ···이 얼마간, 얼마 가량의 ···, ···인지 뭔지: She is sixty *something*. 그녀는 60세인가 그럴걸. / The train leaves at three *something*. 그 열차는 3시 몇 분인가에 떠난다.

[숙어] **be(have) something to do with** ···와 관계가 있다: Her job *is something to do with* animals. 그녀의 직업은 동물과 관련이 있다.

or something 뭐라더라, 뭐더라: She is a doctor *or something*. 그녀는 의사라던가 뭐라던가.

something like 1 어느 정도 ···같은, 대략: Learning English is *something like* learning how to swim. 영어를 배우는 것은 수영을 배우는 것과 비슷하다. / He gave me *something like* ten thousand dollars. 그는 나에게 약 10,000달러를 주었다. **2** 훌륭한 것: He was *something like* a musician. 그는 훌륭한 음악가였다.

something of 얼마간, 다소: He has *something of* a musician in him. 그에게는 다소 음악가의 소질이 있다. / She's *something of* a liar. 그녀는 가끔 거짓말을 할 때가 있다.

sometime [sʌ́mtàim] *adv.* (또는 some time) 언젠가, 후에: I'll go and see you *sometime*. 일간 보러 갈게.

***sometimes** [sʌ́mtàimz] *adv.* 때때로, 이따금: I usually walk, but *sometimes* I take a taxi. 나는 평소에는 걷지만 택시를 탈 때도 있다.

somewhat [sʌ́mʰwɑ̀t] *adv.* 얼마간, 얼마쯤, 약간: It's *somewhat* different. 그것은 좀 다르다.

***somewhere** [sʌ́mʰwɛ̀ər] *adv.* ([미] someplace) **1** 어딘가에(서), 어디론가: She's *somewhere* in the garden. 그녀는 정원 어딘가에 있다. / I put my keys *somewhere* around here and now I can't find them. 나는 열쇠를 여기 어디에 두었는데 지금은 못 찾겠다. / Let's sit *somewhere* else—It's too noisy here. 어딘가 다른 곳에 앉자. 여기는 너무 시끄럽다.

※ somewhere와 anywhere의 차이는 some과 any의 차이와 같다.

2 (전치사 · 타동사의 목적어로 쓰여) 어딘가, 어떤 곳: He needed *somewhere* to stay. 그는 어딘가 머무를 장소가 필요했다. **3** (시간 · 연령 · 분량 등이) 대략, 정도, 쯤: It's *somewhere* between two and three o'clock. 2, 3시쯤이다.

***son** [sʌn] *n.* 아들 *cf.* daughter 딸

sonar [sóunɑːr] *n.* 소나, 수중 음파 탐지기

sonata [sənɑ́ːtə] *n.* [음악] 소나타, 주명곡

***song** [sɔ(ː)ŋ] *n.* **1** 노래, 성악; 가곡, 단가: a folk(love) *song* 민요(연가) / Sing me a *song*. 노래 불러 주세요. **2** (조류 등의) 우는 (지저귀는) 소리: the *song* of the lark 종달새 우는 소리

songwriter [sɔ́(ː)ŋràitər] *n.* (가요곡의) 작사(작곡)가, 작사 작곡가

son-in-law *n.* (*pl.* sons-in-law) 사위; 양자

sonnet [sɑ́nət] *n.* 14행시, 소네트

sonny [sʌ́ni] *n.* 아가야, 얘 (소년 · 연소자에 대한 친근한 호칭)

***soon** [suːn] *adv.* **1** 곧, 이윽고, 이내: He will s*oon* be back. 그는 곧 돌아올 것이다. / See you *soon*. 곧 보자. **2** 빨리, 이르게: How *soon* will you be ready? 얼마나 빨리 준비되겠니? / Do you really have to go *soon*? 정말 일찍 가야 하니? / *Soon* got, *soon* gone. [속담] 쉽게 얻은 것은 쉽게 없어진다.

[숙어] **as soon as** ···하자마자, ···하자 곧: I will tell him so *as soon as* he comes. 그가 오면 곧 그렇게 전할게.

no sooner ... than ···하자마자: I had *no sooner*(No sooner had I) left home *than* it began to rain. 집을 나서자마자 비가 오기 시작했다.

soon(er) or late(r) 머지않아, 조만간: *Sooner or later* he will recover his health. 머지않아 그는 건강을 회복할 것이다.
would〔had〕 sooner ... than ~ ~할 바에야 차라리 …하고 싶다: I *would sooner* die *than* yield. 굴복하느니 차라리 죽는 편이 낫다. / I'*d sooner* stay in *than* go out. 나는 밖에 나가느니 집에 있고 싶다.

soot [sut] *n.* 검댕, 매연, 그을음
— **sooty** *adj.* 그을은, 검댕이 낀

soothe [suːð] *v.* [T] **1** (사람 · 감정을) 달래다, 위로하다; 진정시키다: She tried to *soothe* the crying child. 그녀는 우는 아이를 달래려 했다. [SYN] comfort **2** (고통 등을) 덜다, 완화하다, 누그러지게 하다: This medicine should *soothe* a toothache. 이 약은 치통을 덜어 준다. [SYN] relieve
— **soothing** *adj.* **soothingly** *adv.*

sophisticated [səfístəkèitid] *adj.* **1** (사람 · 취미 · 복장 등이) 세련된, 도시적인; 세상 물정에 익숙한; 학문〔교양〕있는: a *sophisticated* reader〔audience〕눈이 높은 독자〔감상 능력이 세련된 청중〕/ The fashion magazines show what the *sophisticated* woman is wearing this season. 패션 잡지는 세련된 여성이 이 계절에 어떤 옷을 입는지 보여 준다. **2** (기계 · 기술 등이) 정교한, 고성능의; 복잡한: *sophisticated* machinery 고성능 기계 / highly *sophisticated* techniques 매우 정교한 기술
— **sophistication** *n.*

sophomore [sáfəmɔ̀ːr] *n.* [미] (4년제 대학 · 고등 학교의) 2년생 ⇨ senior

soprano [səprǽnou] *n.* (*pl.* sopranos) **1** [음악] 소프라노, (여성 · 아이의) 최고음부 (*abbr.* sop., s.) **2** 소프라노 가수〔악기〕

sorcerer [sɔ́ːrsərər] *n.* 마법사, 마술사 *cf.* sorceress 여자 마법사〔마술사〕[SYN] wizard, magician

*sore [sɔːr] *adj.* (sorer-sorest) (몸 · 상처가) 아픈, 욱신욱신〔따끔따끔〕쑤시는, 피부가 까진, 염증을 일으키는: I had a *sore* throat

from a cold. 나는 감기로 목에 염증이 생겼다. / I'm *sore* all over. 나는 온몸이 아프다.
n. 건드리면 아픈 곳; 헌데, 상처, 종기
— **soreness** *n.*
[숙어] **a sore point〔spot, place〕** 아픈 데, 급소, 약점: Don't joke about her weight—it's *a sore point* with her. 그녀의 몸무게를 가지고 농담하지 마라. 그녀에게는 약점이다.

stand〔stick〕out like a sore thumb (사람 · 물건이) 주위와 현저히 달라 어울리지 않다: In China a European *stands out like a sore thumb*. 중국에서는 유럽인이 아주 뛴다. / A big new building would *stand out like a sore thumb* in the old part of town. 새 고층 건물은 마을의 오래된 부분과 너무 어울리지 않는다.

sorely [sɔ́ːrli] *adv.* 심하게, 몹시: They're *sorely* in need of support. 그들은 절실하게 원조를 필요로 하고 있다.

sorrow [sárou] *n.* **1** 슬픔, 비애, 비통: He felt great *sorrow* for his friend's misfortune. 그는 친구의 불운을 매우 슬퍼했다. [SYN] sadness, grief **2** 슬픈 일〔사건〕: Life has many joys and *sorrows*. 인생에는 많은 즐거운 일과 슬픈 일이 있다.

■ **유의어** sorrow

sorrow 가까운 사람을 잃거나 불행한 일에 대한 슬픔을 나타내는 가장 일반적인 말. **sadness** sorrow에 비해 보다 구어적이며 별일 없이 침통한 기분 등에도 씀. **grief** 어떤 특정한 불행에 의한 아주 강한 슬픔을 나타냄. sorrow에 비해 단기간임. **distress** 마음의 괴롭고 아픔, 비통. 꽤 오랜 시간에 걸쳐 계속되며 원인이나 환경이 바뀌지 않으면 가시지 않음. **melancholy** 원인이 뚜렷하지 않은 상습적인 슬픔, 우울. **gloom** sadness에 가까우나 슬픔을 '어둠'에 비유한 표현. 마음이나 환경 등을 뒤덮는 음울함.

---

sorrowful [sároufəl] *adj.* 슬픈, 비탄에

잠긴; 슬픈 듯한; 슬픔을 자아내는, 불행한: a *sorrowful* sight 비참한 광경 / a *sorrowful* news 슬픈 소식

— **sorrowfully** *adv.*

*****sorry** [sɑ́ri] *adj.* (sorrier-sorriest) **1** (명사 앞에는 쓰이지 않음) 슬픈, 딱한, 가엾은 (to do, that): I'm deeply *sorry* about his death. 그의 죽음을 진심으로 애도한다. / I'm *sorry* to hear it. 그것 참 딱한 이야기로군. **2** (명사 앞에는 쓰이지 않음) 미안하게 생각하는, 후회하는, 사과하는: I'm *sorry* I've kept you waiting. 기다리게 해서 미안합니다. / I'm *sorry* to trouble you. 폐를 끼쳐 죄송합니다. **3** (명사 앞에는 쓰이지 않음) 유감스러운, 섭섭한, 아쉬운: I am *sorry* that I could not go with them. 그들과 같이 갈 수 없는 게 유감스럽다. **4** (명사 앞에만 쓰임) 한심한; 서투른; 지독한, 심한: a *sorry* fellow 한심한 녀석 / a *sorry* state of affairs 곤란한 상황

int. **1** 죄송합니다, 미안합니다, 섭섭합니다: *Sorry*, did I step on your toe? 죄송해요, 발을 밟았죠? / *Sorry*, we're closed. 죄송합니다만, 영업이 끝났습니다. **2** [영] 미안하지만 다시 말씀해 주세요: "I'm hungry." "*Sorry*?" "I said I was hungry." "배고파라." "네?" "배고프다고 했어요."

숙어 **sorry for oneself** 낙심하여, 낙담하여: Stop being *sorry for yourself*! 낙심하지 마라!

*****sort** [sɔːrt] *n.* **1** (a sort) 종류, 부류 (of): What *sort* of music do you like? 너는 어떤 종류의 음악을 좋아하니? / They are of all *sorts* and sizes. 그것들은 종류와 크기가 여러 가지다. 〔SYN〕 kind **2** 성격, 성질: He'll help—he's a good *sort*. 그가 도와 줄 것이다. 그는 성격이 좋으니까. **3** 품질: The coffee is of an inferior *sort*. 그 커피는 품질이 나쁘다.

v. [T] **1** 분류하다, 구분하다 (into): They *sorted* the watermelons into large ones and small ones. 그들은 수박을 큰 것과 작은 것으로 분류했다. **2** [영] (종종 수동태) 해결하다, 정리하다: These problems have now been *sorted*. 이 문제들은 지금 막 해결되었다.

숙어 **a sort of** 일종의, …와 같은: Can you hear *a sort of* dripping noise? 물이 똑똑 떨어지는 것 같은 소리 들리지 않니?

(**be**) **out of sorts** 기분이 나쁘다; 기운이 없다: I *was out of sorts* because of lack of sleep. 나는 잠이 모자라서 기운이 없었다.

sort of 다소, 얼마간: I was *sort of* tired, so I stayed home. 나는 다소 피곤해서 집에 있었다. / This place is *sort of* strange. 이 곳은 좀 이상하다.

sort out 1 해결하다: Have you *sorted out* how to get there yet? 거기 가는 방법을 해결했니? **2** 골라 내다, 구별하다: She *sorted out* her books in the bookshelves. 그녀는 서가에서 책을 골라 냈다.

sort through 정리하다: I found the ring while *sorting through* some clothes. 나는 옷을 정리하다가 반지를 발견했다.

SOS *n.* (*pl.* SOS's) (무전의) 조난 신호, 구원 요청; 위급 호출

※ save our ship의 약자이다.

so-so *adj.* 그저 그렇고 그런 (정도의), 좋지도 나쁘지도 않은: "How are you?" "*So-so*." "어떻게 지내니?" "그럭저럭 지내."

ad. 그럭저럭

soul [soul] *n.* **1** (영)혼, 넋: the immortality of the *soul* 영혼 불멸 〔OPP〕 body, flesh **2** 정신, 마음 **3** 생기, 기백; 열정: He has no *soul*. 그는 정열이 없다. **4** (형용사와 함께) (…한) 인물: He's an honest *soul*. 그는 정직한 사람이다. / Poor *soul*! What will he do now? 불쌍한 사람! 그는 이제 무엇을 할까? **5** (부정어와 함께) 사람: Not a *soul* was to be seen in the street. 거리에는 한 사람도 보이지 않았다. 〔SYN〕 person

숙어 **heart and soul** ⇨ heart

soulless [sóulis] *adj.* 맥이 빠진, 생기 없는; 무정한, 비열한: a *soulless* city of gray concrete 회색 콘크리트의 삭막한 도시

***sound**¹ [saund] *n.* **1** 소리, 음(향): He closed the door without a *sound*. 그는 소리 없이 문을 닫았다. / I heard the *sound* of laughter. 나는 웃음 소리를 들었다. / He stood completely still, not making a *sound*. 소리도 내지 않고 그는 가만히 서 있었다.

2 (TV · 라디오 등의) 소리의 세기: I can't hear what they're saying—turn the *sound* up. 뭐라고 말하는지 들리지 않는다. 소리 좀 높여라.

v. **1** [I] …하게 들리다, 느껴지다, 생각되다 (like): That excuse *sounds* queer. 그 변명은 이상하게 들린다. / That *sounds* like a good idea! 그거 좋은 생각이다! / She *sounded* exhausted when I talked to her on the phone. 전화 통화할 때 그녀는 지친 목소리인 듯 했다. / That *sounds* like Mary's voice. 저것은 메리의 목소리 같다. / Does he *sound* like the right person for the job? 그가 그 일에 맞는 사람이라고 생각하느냐? / It *sounds* as if somebody is calling you. 누군가가 너를 부르고 있는 것처럼 들린다.

2 (-sounding *adj.*) (복합어를 이루어) …한 소리가 나는: strange-*sounding* names 이상하게 들리는 이름

3 [T] …을 소리나게 하다, 울리다: He *sounded* the horn of his car to warn the other driver. 그는 다른 운전자에게 경고하려고 차의 경적을 울렸다.

4 [T] (종 · 나팔 · 북 등으로) 알리다, 신호하다: The bell *sounded* the end of the class. 수업 끝을 알리는 종이 울렸다.

5 [T] (보통 수동태) (글자를) 발음하다, 소리 내어 읽다: The 'h' of 'hour' is not *sounded*. hour의 h는 발음하지 않는다.

[숙어] **sound out** (**about**) (남의) 생각을 탐지하다, …에게 의향을 타진하다: I wrote to her to *sound out* her views on the new project. 나는 새 프로젝트에 대한 그녀의 생각을 알아보기 위해 그녀에게 편지를 썼다.

■ **유의어** sound

sound 소리를 나타내는 가장 일반적인 말. **noise** 불쾌한 소리, 소음, 라디오 등의 잡음. **tone** 높낮이 · 억양 · 음조 등에 초점을 맞춘 음, 음색.: a voice silvery in *tone* 음색이 맑은 음성

sound² [saund] *adj.* **1** (재정 상태 등이) 확실한, 견실한, 안전한: a *sound* friend 믿을 만한 친구 / a *sound* investment (bank) 안전한 투자 (은행) **2** 건전한, 정상적인: A *sound* mind in a *sound* body. [속담] 건전한 몸에 건전한 정신이 깃들인다. [OPP] unsound **3** 상하지 (썩지) 않은: *sound* fruit (teeth) 썩지 않은 과일 (충치가 없는 이) **4** 철저한, 충분한: a *sound* sleep 숙면 **5** (건물 등이) 견고한, 단단한

adv. 깊이, 푹: I was *sound* asleep. 나는 깊이 잠이 들었다.

— **soundness** *n.*

sound effect *n.* (보통 *pl.*) 음향 효과

soundly [sáundli] *adv.* (수면 상태가) 푹, 깊이: The baby was sleeping *soundly*. 아기는 깊이 잠들었다.

soundproof [sáundprú:f] *adj.* 방음의: *soundproof* walls 방음벽

soundtrack [sáundtræk] *n.* 사운드 트랙; (필름 가장자리의) 녹음대(帶); 영화 필름에 녹음된 음성; (판매용) 영화 음악 (대사)

sound wave *n.* [물리] 음파

soup [su:p] *n.* 수프, 고깃국(물): chicken (onion) *soup* 치킨 (양파) 수프 / a bowl of *soup* 수프 한 그릇

***sour** [sáuər] *adj.* **1** 시큼한, 신: Lemons are *sour*. 레몬은 시큼하다. [SYN] acid **2** (특히 우유가) 발효하여 시큼한, 시어진, 시큼한 냄새가 나는: The milk went *sour*. 우유가 시어졌다. **3** (사람 · 표정 등이) 까다로운, 불쾌한, 심술궂은: She gave me a *sour* look.

그녀는 나를 보고 불쾌한 표정을 지었다. SYN ill-tempered

v. [I,T] **1** 시게 하다; (음식 등이) 상하다 **2** (관계가) 나빠지(게 하)다; (일·계획 등이) 틀어지(게 하)다: A breach of diplomacy *soured* relations between the two countries. 외교 불화로 두 나라의 관계가 나빠졌다. **3** (사람이) 심술궂어지다, 삐뚤어지다: He was *soured* by a business failure. 그는 사업에 실패하여 성격이 비뚤어졌다.

— **sourly** *adv.* **sourness** *n.*

축어 **go〔turn〕sour** 일이 못쓰게 되다, 표준 이하가 되다: The project *turned sour*. 그 계획은 엉망이 되었다.

sour grapes 지기 싫어 허세 부리기 (이솝 우화에서)

■ 유의어 **sour**

sour 맛이나 냄새가 신 것으로 발효·부패를 암시함. **acid** 원래 신맛이 있다는 뜻으로, sour보다 과학적인 말. **tart** 혀를 찌르는 듯이 신 것으로 기분 좋은 미각을 암시하는 말.

***source** [sɔ:rs] *n.* **1** 수원(지), 원천: The river takes its *source* from this lake. 그 강의 수원은 이 호수이다. **2** 근원, 근본, 원인 (of): a *source* of income 수입원 / a *source* of political unrest 정치적 불안의 원인 **3** 출처, 정보원; 소식통: The news came from a reliable *source*. 그 뉴스는 믿을 만한 소식통에서 나왔다. / I tracked down the *source* of the rumor. 나는 소문의 출처를 추적했다.

***south** [sauθ] (또는 South) *n.* (*abbr.* S) **1** (the south) 남쪽: I'm lost—which direction is *South*? 길을 잃었어요. 어느 쪽이 남쪽이에요? / She lives to the *south* of London. 그녀는 런던의 남쪽에 살고 있다. **2** (the South) 남쪽 나라, 남부 지방(지역): We moved to the *South* when I was a child. 내가 어렸을 때 우리는 남부 지방으로 이사했다.

adj. adv. **1** (명사 앞에만 쓰임) 남(쪽)의, 남방에 있는: a *south* exit 남쪽 출구 **2** 남쪽을 향한, 남부로: The house faces *south*. 집은 남향이다. **3** (바람이) 남으로부터의〔에서〕: The wind is *south*. 바람은 남쪽에서 불어온다.

southeast [sàuθí:st] *n.* (*abbr.* SE) **1** (the southeast) 남동 **2** (the Southeast) 남동 지방; 미국 남동부

adj. adv. 남동에 (있는), 남동의, 남동으로(부터)(의)

southeasterly [sáuθí:stərli] *adj.* **1** 남동으로의 **2** (바람이) 남동에서의

southeastern [sàuθí:stərn] *adj.* (명사 앞에만 쓰임) **1** 남동의, 남동쪽으로의〔에 있는〕; 남동에서의 **2** (Southeastern) 남동부(지방)의: the *southeastern* states of the US 미국의 남동부 주들

southerly [sʌ́ðərli] *adj.* **1** 남쪽의, 남쪽에 있는; 남쪽으로의: We're going in a *southerly* direction. 우리는 남쪽으로 가고 있다. **2** (바람이) 남쪽으로부터의: *southerly* breezes 남풍

southern [sʌ́ðərn] (또는 Southern) *adj.* **1** 남쪽의, 남쪽에 있는; 남쪽으로부터 부는: Greece is in *Southern* Europe. 그리스는 유럽의 남쪽에 있다. **2** (종종 Southern) [미] 남부 지방의; 남부 사투리의

southerner [sʌ́ðərnər] *n.* 남국의 사람, 남부인; (Southerner) [미] 남부 (여러 주)의 사람 OPP northerner

southernmost *adj.* 최남단의

south pole *n.* (the south pole, the South Pole) (지구의) 남극; (하늘의) 남극; (자석의) 남극, S극

southward [sáuθwərd] *adj. adv.* 남쪽으로(의)

southwards [sáuθwərdz] *adv.* = southward

southwest [sàuθwést] *n.* (*abbr.* SW) **1** (the southwest) 남서 **2** (the Southwest) 남서 지방; 미국 남서부

adj. adv. 남서의; 남서쪽으로(의); 남서쪽으로부터(의)

southwesterly [sàuθwéstərli] *adj.* **1** 남서쪽으로의 **2** (바람이) 남서쪽에서의

southwestern [sàuθwéstərn] *adj.* **1** (명사 앞에만 쓰임) 남서(로)의, 남서에 있는, 남서로부터의 **2** (Southwestern) 남서부 지방의

*****souvenir** [sù:vəníər] *n.* 기념품, 선물: a *souvenir* shop 선물 가게, 기념품점 / I bought a model of the Eiffel Tower as a *souvenir* of my trip to Paris. 나는 파리 여행의 기념품으로 에펠탑 모형을 샀다.

sovereign [sávərin] *n.* 주권자, 군주, 국왕, 지배자

adj. **1** (국가가) 자주적인, 독립의: a *sovereign* state 독립국 **2** (군주가) 주권을 갖는; (권력이) 최고의: *sovereign* power 주권

sovereignty [sávərinti] *n.* 주권, 종주권

soviet [sóuvièt] *n.* **1** (소련의) 평의회 **2** (the Soviets) 소련 정부(국민)

adj. **1** 소비에트 연방(인민)의 **2** 소비에트의, 평의회의

Soviet Union *n.* 옛 소비에트 연방

※ 공식 명칭은 the Union of Soviet Socialist Republics (소비에트 사회주의 공화국 연방). 축약형은 USSR 또는 U.S.S.R.

sow¹ [sou] *v.* [T] (sowed-sown, sowed-sowed) (씨를) 뿌리다 (in), (땅에) 파종하다 (with): We're *sowing* the field with wheat. 밭에 밀 씨앗을 뿌리고 있다. / These seeds should be *sown* in May. 이 씨앗은 5월에 뿌려야 한다.

sow² [sau] *n.* 암퇘지

soy [sɔi] *n.* ([영] soya) 콩(나무): *soy* milk(oil) 두유(콩기름)

soybean [sɔ́ibì:n] *n.* ([영] soya bean) 콩, 대두

soy sauce *n.* ([영] soya sauce) 간장

spa [spɑ:] *n.* 광천, 온천장

*****space** [speis] *n.* **1** 공간: time and *space* 시간과 공간

2 (종종 복합명사로 쓰여) 우주 (outer space): a *space*man(*space*woman) 우주 비행사(여자 우주 비행사) / the *space* travel age 우주 여행 시대

3 간격, 거리: *space* between buildings 두 빌딩 사이의 간격

4 (장소) 빈 곳: an open *space* 공지, 빈터

5 빈 공간, 여지: There is enough *space* in the closet for my clothes. 옷장에는 내 옷을 넣을 만한 충분한 공간이 있다. / There is *space* for one more person. 한 사람 더 들어갈 공간이 있다. / This sofa takes up too much *space*. 이 소파는 너무 많은 공간을 차지한다.

6 (특정한 목적을 위한) 공간, 구역: a parking *space* 주차 공간

7 (서류 등의) 여백, 빈 곳: Write your name in the blank *space* provided. 주어진 빈 곳에 이름을 쓰세요. [SYN] room

8 [인쇄] 스페이스, 행간; (문자의) 폭: Leave a *space* after the comma. 콤마 다음에 여백을 두어라.

9 (때의) 사이, 시간; 잠시, 단시간: I felt much better in the *space* of two weeks. 2주 사이에 나는 건강이 많이 좋아졌다. / It all happened in a *short* space of time. 짧은 시간 동안 모든 일이 일어났다.

v. [T] …에 일정한 간격(거리, 시간)을 두다 (out): *Space* the chairs out a little more. 의자의 간격을 좀 더 띄워라. / The trees were *spaced* out evenly beside the path. 나무들이 길 양쪽에 일정한 간격으로 떨어져 있었다.

space capsule *n.* 우주 캡슐 (우주선의 기밀실)

spacecraft [spéiskræft] *n.* (*pl.* spacecraft) 우주선 [SYN] spaceship

space flight *n.* 우주 비행; 우주 여행

spaceship [spéisʃìp] *n.* 우주선 [SYN] spacecraft

spacious [spéiʃəs] *adj.* 넓은, 넓은 범위

의: a *spacious* yard 넓은 마당
— **spaciousness** *n.*

space station *n.* 우주 정류장; 우주국 (지구의 대기권 밖에 설치하는 무선국)

spacesuit [spéissùːt] *n.* 우주복

spade [speid] *n.* **1** (네모로 생긴) 삽 *cf.* shovel 삽 **2** (spades) [카드] 스페이드
[숙어] **call a spade a spade** 사실 그대로[까놓고] 말하다

spadework [spéidwəːrk] *n.* **1** 삽질 **2** (힘드는 일의) 기초 작업, 사전 준비

spaghetti [spəgéti] *n.* 스파게티

Spam [spǽ(ː)m] *n.* 스팸 (돼지고기 통조림; 상표명)

spam [spǽ(ː)m] *n.* [컴퓨터] 스팸 메일 (통신이나 인터넷을 통해 무차별적으로 대량 살포되는 광고성 전자 메일)

span [spæn] *n.* **1** 한 뼘 (엄지손가락과 새끼손가락을 편 사이의 길이) **2** 약간의 짧은 거리 [넓이, 양] **3** (특정한 길이의) 기간, (주의력·생명 등의) 지속 길이: life *span* 수명 / Young children have a short attention *span*. 어린 아이들은 집중하는 시간이 짧다.
v. [T] (spanned-spanned) **1** (강·계곡 등에) 걸치다, 다리를 놓다: A bridge *spans* the river. 강에 다리가 걸려 있다. **2** (시간적으로) …에 걸리다, (기억·상상 등이) …에 미치다: The history of China *spans* 4,000 years. 중국의 역사는 4,000년에 이른다. / Her interests *spanned* a wide range of subjects. 그녀는 여러 과목에 두루 흥미가 있었다.

spangle [spǽŋgəl] *n.* 번쩍이는 금속 조각 (특히 무대 의상 등의)
v. [T] (보통 수동태) 금속 조각으로 장식하다, 번쩍이게 하다, (보석 등을) 박아 넣다

spank [spæŋk] *v.* [T] (벌로 손바닥으로 엉덩이를) 찰싹 때리다, 냅다 갈기다

spanner [spǽnər] *n.* ([미] wrench) 스패너 (너트를 죄는 공구)

spare [spɛər] *adj.* (sparer-sparest) **1** 여분의, 예비의, 따로 남겨둔: a *spare* key

[tire] 여분의 열쇠[예비 타이어] / a *spare* half-hour 30분간의 짬 **2** 한가한: What do you do in your *spare* time? 여가 시간에 무엇을 하니? **3** 부족한, 모자라는, 검소한: a *spare* diet 검소한 식사
n. 예비품, 비상 용품
v. [T] **1** (충분해서) 나누어 주다, 빌려 주다; (시간 등을) 할애하다: Can you *spare* me a few moments? 잠깐 시간 낼 수 있나요? / Can you *spare* $10? 10달러 빌려 줄 수 있니? **2** (폐·수고 등을) 끼치지 않다, 덜다; (…한 꼴을) 면하게 하다: You could *spare* yourself a visit if you use phone. 전화를 쓴다면 방문하지 않아도 된다. **3** (종종 부정문에 쓰여) 절약하다, 아끼다: Her parents *spared* no expense on her wedding. 부모님은 그녀의 결혼식에 비용을 아끼지 않았다. / He didn't *spare* himself. 그는 수고를 아끼지 않고 노력했다. **4** (아까워서) 사용치 않다: *Spare* the rod and spoil the child. [속담] 매를 아끼면 자식을 버린다. **5** 용서하다, (특히) 목숨을 살려 주다: *Spare* (me) my life. 목숨만은 살려 주시오.
[숙어] **to spare** 남아돌 만큼의, 여분의: I have enough money to buy it, with $20 *to spare*. 그것을 살 돈은 충분하고도 20달러가 남는다.

sparing [spɛ́əriŋ] *adj.* 검소한, 알뜰한; (자료·내용 등이) 빈약한, 부족한: There's not much shampoo left, so be *sparing* with it. 샴푸가 많이 남아 있지 않으니 아껴 써라. / She was rather *sparing* in her praise. 그녀는 칭찬하는 데 다소 인색하다.
— **sparingly** *adv.*

spark [spɑːrk] *n.* **1** 불꽃, 불똥; 섬광: In a gas leak, any small *spark* will cause an explosion. 가스 누출 시에는 작은 불꽃으로 폭발이 일어날 수 있다. / a *spark* of light 섬광 **2** [전기] 불꽃, 스파크 **3** (a spark) (보통 부정문으로) 아주 조금, 약간: I don't have a *spark* of interest in his plan. 나는 그의 계획에 조금도 관심이 없다.

v. [T] **1** 발화시키다 (off) **2** (흥미·기운 등을) 갑자기 불러일으키다, 북돋다, 고무하다 (off): This minor incident *sparked* off major riots in the cities. 이 작은 사건으로 도시에는 큰 폭동이 일어났다. / Going to the exhibition *sparked* her interest in photography. 전시회에 간 것이 사진에 대한 그녀의 흥미를 불러일으켰다.

sparkle [spá:rkəl] *v.* [I] **1** 불꽃을 튀기다: The flames leaped and *sparkled*. 불길이 피어오르면서 불꽃을 튀겼다. **2** (보석·재치 등이) 번쩍(번득)이다, 빛나다: Her diamonds *sparkled* in the sunlight. 그녀의 다이아몬드가 햇살에 빛났다. / His eyes *sparkled* with joy. 그의 눈은 기쁨으로 빛났다.

n. **1** 불꽃, 불똥 **2** 번쩍임, 광채, 광택 **3** (재기 등의) 번득임; 생기, 활기 **4** (포도주 등의) 거품

sparkling [spá:rkliŋ] *adj.* **1** (별 등이) 반짝거리는, 빛나는 **2** (재치 등이) 번득이는, 활기에 넘친: *sparkling* wit 번득이는 재치 **3** (포도주 등이) 거품이 이는: *sparkling* wine 발포성 포도주 / *sparkling* water 거품이 이는 물 [OPP] still

sparrow [spǽrou] *n.* 참새

sparse [spɑːrs] *adj.* 성긴, 드문드문한, (털 등이) 숱이 적은; (인구 등이) 희박한; 빈약한: a *sparse* population 희박한 인구 (밀도) / *sparse* hairs 숱이 적은 머리 / Our information on the accident is rather *sparse*. 그 사건에 대한 정보가 좀 빈약하다. [OPP] dense

— **sparsely** *adv.* **sparseness** *n.*

spartan [spá:rtən] *adj.* 검소하고 엄격한, 스파르타식의: a *spartan* lifestyle 검소하고 엄격한 생활 방식

※ 그리스의 옛 도시 국가였던 Sparta에서 유래되었다.

spasm [spǽzəm] *n.* **1** 경련, 쥐: I got painful muscular *spasms* in my leg. 다리가 근육 경련으로 아프다. **2** (감정·활동 등의 돌발적인) 발작, 충동: a *spasm* of coughing 발작적인 기침 / a *spasm* of grief 복받치는 슬픔

spatial [spéiʃəl] *adj.* **1** 공간의, 공간에 관련된 **2** 우주의

spatter [spǽtər] *v.* **1** [T] (물·흙탕 등을) 튀기다; 뿌리다; …을 끼얹다 (with, on): The passing car *spattered* my clothes with mud. 지나가는 차가 옷에 흙탕물을 튀겼다. **2** [I] (비가) 후두두 떨어지다 (on): The rain is *spattering* on the roof. 비가 지붕 위로 후두두 내리고 있다.

**speak ⇨ p. 711

speaker [spíːkər] *n.* **1** 말(이야기)하는 사람; 강연자, 연설자: Today's *speaker* is a famous writer. 오늘의 강연자는 저명한 작가이다. **2** 특정 언어를 쓰는 사람: She's a fluent English *speaker*. 그녀는 유창하게 영어를 한다. **3** 스피커, 확성기 (loudspeaker)

spear [spiər] *n.* **1** 창; (고기 잡는) 작살 **2** (식물의) 눈, 새싹, 어린 가지

spearhead [spíərhèd] *n.* **1** 창끝 **2** 선봉, 돌격대의 선두, 공격 최전선

v. [T] (공격의) 선두에 서다, 선봉을 맡다

special [spéʃəl] *adj.* **1 특별한, 독특한, 보통이 아닌: a *special* recipe 독특한 요리법 / She needs *special* medication. 그녀는 특별한 약물 치료가 필요하다. / I kept this suit for *special* occasions. 나는 특별한 경우를 위해 이 정장을 보관해 두었다. [OPP] general **2** 각별한, 매우 친한: She's a *special* friend. 그녀는 각별한 친구이다. **3** (다른 것보다) 중요한: What are his *special* interests? 그의 주된 관심사는 무엇이니? / Don't lose it. It's *special*. 그거 잃어버리지 마. 중요한 거야. **4** 특수한, 특별한 목적을 위한: a *special* mission 특수한 임무 / a *special* event 특별한 이벤트 **5** 보통보다 더 많은, 각별한: Take *special* care on the roads today—it's icy. 오늘은 도로에 더 많이 신경 써라. 얼어서 미끄럽다.

n. **1** 특별한 사람(것) **2** 특가, 할인품: a

speak

speak [spi:k] *v.* (spoke-spoken) **1** [I] 이야기(말)하다: Please *speak* more slowly. 좀 더 천천히 말해 주세요.
2 [I] …에 관하여 이야기를 하다, 담화하다; 이야기를 걸다: I'd like to *speak* to you for a moment. 당신과 잠깐 이야기하고 싶습니다. / This is John *speaking*. (전화로) 존입니다.
3 [T] (어느 국어를) 말하다, 쓰다: Do you *speak* French? 프랑스 어를 하니? / English is *spoken* here. 여기서는 영어를 쓴다.
4 [I] 연설하다, 강연하다 (on, about): She will *speak* at our graduation. 그녀는 졸업식에서 연설할 것이다.
5 [I] (be speaking) (관계 등이) 말을 주고받는(할 수 있는) 정도다: After their argument they're still not *speaking* to each other. 그들은 언쟁 후로 아직도 서로 말도 않고 있다.
6 [T] (의사·감정 등을) 나타내다: Actions *speak* louder than words. [속담] 말보다는 행동이 설득력이 있다. / The photograph *speaks* of the terror of war. 그 사진은 전쟁의 공포를 말해 주고 있다.
[숙어] **be on speaking terms (with)** 말을 건넬 정도의 친분이 있는 사이다: I'm on *speaking terms with* her. 그녀와는 말을 주고받는 정도이다.
generally(roughly, strictly) speaking 일반적으로(대략, 엄밀히) 말하면
so to speak 말하자면, 이를테면: I've known him for years; he is my friend, *so to speak*. 나는 그를 오랫동안 알아왔다. 말하자면 그는 내 친구다.
speak for 1 …을 대변하다, 변호하다: The lawyer is *speaking for* the defense. 변호사는 피고를 변호하고 있다. **2** (보통 수동태) 요구하다, 주문하다, 예약하다: This seat is already *spoken for*. 이 자리는 이미 예약되어 있다. **3** 나타내다, 상징하다: This *speaks for* his honesty. 이것은 그의 정직함을 나타낸다.

speak for itself(themselves) 스스로 명백해지다: Our company has had a very successful year; the statistics *speak for themselves*. 우리 회사에게는 아주 성공적인 해였다. 통계를 보면 명백하다.
speak for oneself 자기 생각(의견)을 말하다
speak highly of …을 칭송(격찬)하다: The village *spoke highly of* him. 마을 사람들은 그를 매우 칭찬했다. [SYN] talk highly of
speak one's mind 속마음을 털어놓고 이야기하다
speak out (의견을) 거리낌없이(정정당당히) 이야기하다 (against): Don't be afraid of *speaking out*. 염려 말고 (거리낌없이) 말해라. / Who will *speak out* against the tyranny of the government? 정부의 폭정에 대해 누가 거리낌없이 이야기할 것인가?
speak up 1 큰 소리로 말을 하다: *Speak up*, please! I can't hear you. 큰 소리로 말해 주세요. 잘 안 들리네요. **2** (의견 등을) 거리낌없이 이야기하다
speak well(ill, evil) of …을 좋게(나쁘게) 말하다, …을 칭찬하다(헐뜯다): He *speaks well of* his wife. 그는 아내를 칭찬한다. / Don't *speak ill of* others. 남을 욕하지 마라.

■ **유의어 speak**
speak 스스럼없는 잡담에서부터 연설에 이르기까지 모든 구두 전달을 일컬음. **talk** 듣는 사람을 상대로 의미를 알 수 있는 이야기를 하는 것을 일컫지만, 때로는 내용이 없는 단순한 말을 가리키는 경우도 있음. 특히 두 사람 이상의 대화에 쓰임.: They *talked* all night. 그들은 밤새 이야기했다. **tell** '알리다'를 뜻하는 가장 일반적인 말로 반드시 speak, talk하지 않아도 되며 노래나 몸짓 등으로 tell해도 됨.

special on pork 돼지고기 특별 할인 **3** (TV 의) 특별 프로

[숙어] **anything special** 특별히 하는 일, 특별한 일: Are you doing *anything special* tomorrow? 내일 뭐 특별히 할 일 있니?

special delivery *n.* ([영] express delivery) 속달 우편(물)

specialist [spéʃəlist] *n.* 전문가; 전문의: an eye(heart) *specialist* 안과(심장) 전문의

speciality [spèʃiǽləti] *n.* = specialty

specialize, specialise [spéʃəlàiz] *v.* [I] 전문으로 다루다, 전공하다 (in): This shop *specializes* in books for young children. 이 가게는 아동 도서를 전문으로 취급한다. / He *specializes* in economics. 그는 경제학을 전공한다.
— **specialized, specialised** *adj.* 전문의 **specialization, specialisation** *n.* 특수화, 전문화, 전문 과목(분야)

specially [spéʃəli] *adv.* 특(별)히, 각별히; 일부러 (especially): I made this cake *specially* for you. 너를 위해 특별히 이 케이크를 만들었다. / I *specially* wanted to visit Hawaii. 나는 특히 하와이에 가고 싶었다.

specialty [spéʃəlti] *n.* ([영] speciality) **1** 전문, 전공: His *specialty* is Korean history. 그의 전공은 한국사다. **2** 특제품; 특산품, 명물: Wedding dresses are the *specialty* in that clothing store. 웨딩 드레스는 그 옷가게의 특제품이다. / Apples are a local *specialty*. 사과는 지역 특산품이다. **3** 신(제)품

species [spíːʃi(ː)z] *n.* (*pl.* species) **1** [생물] (분류상의) 종(種): This bird has become an endangered *species*. 이 새는 멸종 위기에 처한 종이 되었다. / The Origin of *Species* 종의 기원 (다윈의 저서) **2** (공통된 특성을 가진) 종류 **3** 인종 **4** (the species, our species) 인류

****specific** [spisífik] *adj.* **1** (진술 등이) 명확한, 상세한, 구체적인: Can you be more *specific* about what the woman was wearing? 그 여자가 어떤 옷을 입고 있었는지 좀더 자세히 말해 줄래요? **2** 특유한, 특수한, 독특한: They're discussing these *specific* problems. 그들은 이런 특수한 문제들에 대해 토론하고 있다. [OPP] general **3** 일정한, 특정한: a *specific* sum of money 특정 금액 / the *specific* symptoms of AIDS 에이즈의 특정한 증상 **4** (병이) 특이한, 특수한 원인으로 일어나는: This disease is *specific* to pigs. 이 질병은 돼지에게만 발병한다. **5** 특정한 (질병에 쓰이는), (약이) 특효 있는: Penicillin is a *specific* remedy for syphilis. 페니실린은 매독의 특효약이다.

specifically [spisífikəli] *adv.* **1** 명확히, 분명히: The bottle was *specifically* labeled 'poison.' 그 병에는 명확히 '독극물'이라는 라벨이 붙어 있었다. **2** (형용사 앞에서) 특히: a *specifically* Westcoast phenomenon 특히 서해안의 현상 **3** 구체적으로 말하면, 즉: Several countries, *specifically* Britain, France, and Germany, have signed the agreement. 몇몇 나라 즉, 영국, 프랑스, 독일이 그 조약에 사인했다.

specification [spèsəfikéiʃən] *n.* **1** 상술, 열거 **2** (보통 *pl.*) (건물 · 기계 등의) 설계 명세서; (명세서 등의) 명세 (사항), 세목, 내역 **3** [법] (특허 출원의) 특허 설명서 **4** 명확화, 특정화

specify [spésəfài] *v.* [T] 일일이 열거하다, 자세히(구체적으로) 말하다(쓰다), 명시(명기)하다: The rules *specify* that pets cannot be kept here. 규정에는 애완 동물은 여기 들어올 수 없도록 명시되어 있다.

specimen [spésəmən] *n.* **1** 견본; 예, 실례: a *specimen* page 견본쇄 **2** (동식물의) 표본: stuffed *specimen* 박제 **3** 검사 · 연구를 위한 재료(자료): A *specimen* of your blood was tested in the laboratory.

너의 혈액 샘플이 실험실에서 검사되었다. [SYN] sample

speck [spek] *n.* **1** 작은 반점, 얼룩, 오점; (특히 과일 등의) 썩은 홈, 멍 (of): a *speck* of blood 피 묻은 얼룩 **2** 작은 조각, 단편: I've got a *speck* of dust in my eye. 눈에 티끌이 들어갔다. **3** (보통 부정문에서) 적은 양, 소량 (of): There is not a *speck* of truth in what he said. 그의 말에는 진실성이 티끌만큼도 없다.

speckle [spékəl] *n.* (표면 전체에 있는) 작은 반점, 얼룩

specs [speks] *n.* (*pl.*) 안경 [SYN] glasses

spectacle [spéktəkəl] *n.* **1** 광경, 장관: The stars make a fine *spectacle* tonight. 오늘밤은 별이 장관이다. **2** (호화로운) 구경거리, 쇼; 스펙터클 영화 **3** (spectacles) 안경: a pair of *spectacles* 안경 하나 [SYN] glasses
— **spectacled** *adj.* 안경을 쓴

spectacular [spektǽkjələr] *adj.* 구경거리의, 볼 만한, 장관의: The waterfall is quite *spectacular*. 폭포는 아주 볼 만하다.
— **spectacularly** *adv.*

spectator [spékteitər] *n.* 구경꾼, 관객; 방관자, 목격자

specter, spectre [spéktər] *n.* **1** 공포 (불안)의 원인, 무서운 것: the *specter* of war 전쟁의 공포 **2** 유령, 망령, 요괴 [SYN] ghost

spectral [spéktrəl] *adj.* **1** 유령의(과 같은), 괴기한 **2** [광학] 스펙트럼의: a *spectral* analysis 스펙트럼 분석 / *spectral* colors 분광색(무지개색)

spectrum [spéktrəm] *n.* (*pl.* spectra, spectrums) **1** [물리] 스펙트럼, 분광: We can see the colors of the *spectrum* in a rainbow. 무지개에서 스펙트럼의 색을 볼 수 있다. **2** (변동하는 것의) 연속체, 범위: A wide *spectrum* of opinions on foreign policy was represented at the meeting. 외교 정책에 대한 폭넓고 다양

한 의견이 회의에서 다루어졌다. / a wide *spectrum* of reading 폭넓은 독서 범위

speculate [spékjəlèit] *v.* **1** [I,T] 추측하다, 궁리하다, 숙고하다: I don't know why he did it—I'm just *speculating*. 그가 왜 그랬는지 모르겠다. 그냥 추측만 할 뿐이다. **2** [I] 투기를 하다, 요행수를 노리다: He made his money by *speculating* in stocks. 그는 주식에 투기해서 돈을 벌었다.
— **speculation** *n.* 사색, 숙고; 투기
speculator *n.* 투기꾼; 사색가

speculative [spékjəlèitiv] *adj.* **1** 사색적인; 추리의 **2** 순(純)이론의, 공론의: *speculative* geometry 이론 기하학 **3** 투기적인, 투기를 좋아하는: a *speculative* venture 투기 사업 / a *speculative* market 투기 시장

speech [spi:tʃ] *n.* **1** 연설, 강연: He made (delivered) his *speech* in Japanese. 그는 일본어로 연설했다. / a farewell *speech* 고별사 [SYN] address **2** 말하는 능력, 언어 능력(표현력): Only man is capable of *speech*. 인간만이 말을 할 수 있다. / freedom of *speech* 언론의 자유 / *Speech* is silver, but silence is golden. [속담] 말은 신중히 고려한 후에 해야 한다. (웅변은 은이요, 침묵은 금이다.) **3** 말투, 말씨: His *speech* was slurred and I thought he was drunk. 그의 말투가 굴러가는 듯 하고 분명치 않아서 취했다고 생각했다. **4** (배우의) 대사

speech day *n.* [영] (학교의) 종업식 날 (증서·상품 등이 수여되며 암송·연설이 행해지는 축제일)

speechless [spí:tʃlis] *adj.* (충격·격분 등으로) 말이 안 나오는, 말을 못 하는: He was *speechless* with anger. 그는 화가 나서 말이 안 나왔다.

*speed [spi:d] *n.* **1** 빠름, 신속: Work is processing at full *speed*. 일은 최고 속도로 진행되고 있다. / More haste, less *speed*. [속담] 급할수록 천천히. **2** 빠르기, 속력, 속도: We were driving at a *speed* of

S

120 kilometers an hour. 우리는 시속 120 킬로미터로 달리고 있었다. / There are *speed* restrictions on this part of road. 도로의 이쯤에 속도 제한이 있다.

v. [I] (sped-sped, speeded-speeded) **1** 급히 가다, 질주하다: The car *sped* along the street. 그 차는 도로를 질주했다. / This year is *speeding* by. 올해는 빨리 지나간다. **2** (자동차 등이) 속도를 내다; 속도 위반을 하다: The car *sped* up. 그 자동차는 속도를 냈다. / I was caught *speeding*. 나는 속도 위반으로 붙잡혔다.

숙어 **speed up** 속도를 내다, 능률을 올리다: You'd better *speed up* if you want to get there in time. 제 시간에 도착하려거든 속도를 더 내도록 해라. / The new system will *speed up* the process of applying for a passport. 새로운 시스템은 여권 신청하는 과정을 더욱 능률적으로 처리할 것이다.

speedboat [spí:dbòut] *n.* 고속 모터 보트

speeding [spí:diŋ] *n.* 속도 위반

speed limit *n.* 제한 속도, 최고 허용 속도

speedometer [spi:dámitər] *n.* 속도계, 주행 기록계

speedup [spí:dʌp] *n.* **1** (기계 · 생산 등의) 능률 촉진, 노동 강화 **2** 속력 증가

speedway [spí:dwèi] *n.* **1** 스피드웨이 (자동차 · 오토바이의 경주장); 스피드웨이에서의 경주 **2** (미) 고속 도로

speedy [spí:di] *adj.* (speedier-speediest) 빠른; 급속한, 신속한; 즉시의, 즉석의: She's a very *speedy* worker. 그녀는 일을 매우 빨리 하는 사람이다. / We need to take *speedy* action. 신속한 조치를 취해야 한다. / a *speedy* answer 즉답
— **speedily** *adv.* **speediness** *n.*

*****spell**[1] [spel] *v.* (spelled-spelled, spelt-spelt) **1** [I,T] (낱말을 …라고) 철자하다, 철자를 말하다(쓰다): How do you *spell* your name? 네 이름은 어떻게 쓰니? / Her name

is *spelled* J-A-N-E. 그녀의 이름은 J, A, N, E라고 쓴다. **2** [T] …의 철자이다, …라고 읽다: D-E-S-K *spells* 'desk'. D, E, S, K는 'desk'라고 읽는다. **3** [T] 의미하다, …한 결과가 되다, 따르다: This cold weather could *spell* trouble for farmers. 이런 추운 날씨는 농부들에게 걱정거리다. / Failure *spells* death. 실패는 파멸을 의미한다.

숙어 **spell out 1** (단어를) 한 자 한 자 읽다(쓰다): She *spelled* her name *out* for me. 그녀는 자신의 이름을 한 자 한 자 말했다. **2** 명확히(상세하게) 설명하다: You need to *spell out* exactly how you feel. 네가 어떻게 생각하는지 정확히 설명해야 한다.

spell[2] [spel] *n.* **1** 주문, 마력, 마법: The witch put the prince under a *spell*, and he became a beast. 마녀가 왕자에게 마법을 걸어 그는 야수가 되었다. **2** 한동안의 계속; (날씨 등이 계속되는) 기간, 잠깐: Let's sit a *spell*. 잠깐 앉자. / I lived in Paris for a *spell*. 파리에 잠시 살았다. / a warm *spell* 한동안의 따뜻한 날씨

spellbind [spélbàind] *v.* [T] (spellbound-spellbound) **1** 주문을 걸다, 마술을 걸다 **2** 매혹하다, 황홀케 하다
— **spellbound** *adj.* 주문에 걸린; 홀린, 넋을 잃은

spell check *v.* [I,T] (컴퓨터로) 철자 검사를 하다
n. 철자 검사 (spell checker)

spell checker *n.* [컴퓨터] 철자 검사 (입력한 단어 중 잘못된 것을 검출하여 바르게 잡아 주는 장치) (spell check)

spelling [spéliŋ] *n.* **1** 철자법, 정자(正書)법; 철자: an incorrect *spelling* 틀린 철자법 / a *spelling* mistake 철자법 오류 / The British and American *spellings* of 'neighbor' are different. 'neighbor'의 영국식과 미국식의 철자가 다르다. **2** 철자하기, 철자 능력: His *spelling* has improved. 그의 철자 능력은 향상되었다.

*****spend** [spend] *v.* (spent-spent) **1** [I,T]

(돈을) 쓰다, 소비하다 (on): I *spent* a lot of money on books. 나는 책을 사는 데 돈을 많이 썼다. / How much did you *spend*? 얼마 썼니? **2** [T] (때를) 보내다, 지내다; (시간을) 들이다: I *spent* a whole evening watching TV. 나는 저녁 내내 텔레비전 보면서 시간을 보냈다. / She *spent* three years in Canada. 그녀는 캐나다에서 3년을 지냈다. / Don't *spend* much time on it. 그것에 너무 시간을 들이지 마라.

spendthrift [spéndθrìft] *n.* 돈 씀씀이가 헤픈 사람, 낭비가

sphere [sfiər] *n.* **1** 구체, 구, 구형: The Earth is not a perfect *sphere*. 지구는 완전한 구형이 아니다. **2** (활동) 영역, (세력) 범위; 본분: She is a well-known personality in the *sphere* of broadcasting. 그녀는 방송계에서 유명한 인사이다. / remain〔keep〕within〔in〕one's *sphere* 자신의 본분을 지키다 **3** [천문] 천구, 천체

— **spherical** *adj.* 구(형)의

sphinx [sfiŋks] *n.* (*pl.* sphinxes, sphinges) (the Sphinx) [신화] 스핑크스 (여자의 머리와 사자의 몸통이에 날개를 단 괴물)

spice [spais] *n.* **1** 양념, (집합적) 향신료, 양념류: *Spices* are widely used in Indian cooking. 향신료는 인도 요리에서 널리 쓰인다. **2** 정취, 흥취: Her humor added *spice* to her talk. 유머가 그녀의 이야기에 흥취를 돋구었다.

v. [T] **1** 양념을 치다, 향신료를 넣다 (with): The dish is *spiced* with ginger. 요리는 생강으로 양념되어 있다. **2** 흥취를 더하다 (up, with): She *spiced* up her dull outfit with a colorful hat. 그녀는 단조로운 의상에 화려한 모자로 멋을 더했다.

*****spicy** [spáisi] *adj.* (spicier-spiciest) **1** 향(신)료를 넣은, 양념을 한: Do you like *spicy* food? 향신료가 들어간 음식 좋아하니? **2** 매운 양념을 한, 자극적인 **3** 외설스러운, 음란한: *spicy* conversation 음담패설

*****spider** [spáidər] *n.* 거미

— **spidery** *adj.* 거미의〔같은〕, (거미발 같이) 가늘고 긴, 거미가 많은

spike [spaik] *n.* **1** 긴 못, 담장못 **2** (경기용 신바닥의) 스파이크 **3** (spikes) 스파이크화

v. [T] **1** 큰 못으로 박다, …에 못〔징〕을 박다 **2** (음료에) 술을 타다: She *spiked* her drink with vodka. 그녀는 음료에 보드카를 탔다.

*****spill** [spil] *v.* (spilled-spilled, spilt-spilt) **1** [I,T] (액체·가루 등을) 엎지르다, 흘트리다: I've *spilled* some coffee on the table. 탁자 위에 커피를 좀 엎질렀다. / It is no use crying over *spilt* milk. [속담] 엎지른 물은 다시 담을 수 없다. (엎질러진 우유 때문에 우는 것은 소용이 없다.) **2** [I] 나오다, 사방으로 흩어지다〔퍼지다〕(out, over, into): The train stopped and everyone *spilled* out. 기차가 멈추자 모든 사람들이 쏟아져 나왔다.

n. **1** 엎지름, 엎질러짐; 유출: Many fish died as a result of the oil *spill*. 많은 어류들이 기름 유출로 죽었다. **2** 엎지른 양

ⓢ숙어 **spill the beans** 비밀을 누설하다

spin [spin] *v.* (spun-spun; spinning) **1** [I,T] (팽이 등이) 돌다, 돌리다: *spin* a top 팽이를 돌리다 / The teacher *spun* round to see who had spoken. 선생님은 누가 말했는지 보려고 돌아섰다. **2** [I,T] (실을) 잣다, 방적하다; (누에·거미 등이) 실을 내다, 집을〔고치를〕짓다: Cotton is *spun* into thread. 솜을 자아 실을 만든다. / Spiders *spin* webs. 거미가 거미집을 짓는다. **3** [T] (세탁물을) (탈수기로) 원심 탈수하다: She *spun* the laundry dry. 그녀는 세탁물을 탈수했다. **4** [T] 자세히〔장황하게〕이야기하다 **5** [I] (차바퀴가) 헛〔겉〕돌다 **6** [I] 질주하다, 빨리 지나가다

n. **1** 회전; (탁구·골프공 등의) 스핀: the *spin* of the earth 지구의 자전 **2** 탈수: These clothes need another *spin* — they are still very wet. 이 옷들은 한번 더

탈수시켜야겠다. 아직도 많이 축축하다.

— **spinning** *n. adj.* 방적(의), 방적업(의); 급회전(의)

[숙어] **go〔take〕 for a spin** (자전거·배·차 등으로) 드라이브하러 가다: He *took* me *for a spin* in his new car. 그는 자신의 새 차로 나를 드라이브시켜 주었다.

spin ... out (날짜를) 오래 끌다; (토론·이야기 등을) 질질 끌다; (돈 등을) 오래 쓰도록 조금씩 내 놓다: Can I *spin* my holiday *out* for a few more days? 휴가를 며칠 좀 더 쓸 수 있을까요? / I've only got $20, and we've got to *spin* it *out* over the whole week. 내게 20달러뿐이므로 한 주 내내 그 돈으로 조금씩 써야 한다.

spinach [spínitʃ] *n.* 시금치

spindle [spíndl] *n.* **1** (물레의) 가락 (실을 자아 감는 토리 구실을 하는 막대기); (방적 기계의) 방추 **2** (기계의) 굴대, 축

spin doctor *n.* (특히 정치가의) 보도 대책 조언자, 대(對)미디어 대변인 (미디어에 대한 당파적인 분석을 전하거나 화제에 대한 새 해석을 말함)

spin dryer, spin drier *n.* [영] (원심 분리식) 탈수기

spin-dry *v.* [T] 원심력으로 탈수하다

spine [spain] *n.* **1** 등뼈, 척주, 척추골 [SYN] backbone **2** (식물·동물의) 바늘, 가시: cactus *spines* 선인장의 가시 **3** (책의) 등 (책명·저자명 등을 쓰는)

— **spinal** *adj.* 등뼈의, 척추의; 바늘의, 가시의

spineless [spáinlis] *adj.* **1** (동물이) 척추가 없는, 등뼈가 없는 **2** 용기가 없는, 결단력이 없는

spiral [spáiərəl] *n.* **1** [기하] 나선, 소용돌이선 **2** 나선형의 것; 나선 용수철

adj. 나선〔나사〕 모양의, 소용돌이꼴의: a *spiral* staircase 나선 층계

v. [I] (spiral(l)ed-spiral(l)ed) 소용돌이꼴로 나아가다; (연기 등이) 소용돌이꼴로 피어오르다: The damaged plane *spiraled* downwards. 파손된 비행기가 뱅뱅 돌며 추락했다.

spire [spaiər] *n.* 뾰족탑; (지붕의) 뾰족한 꼭대기

■ **유의어** spire

spire 날카롭고 뾰족한 지붕. **steeple** 선단에 spire를 가진 높은 탑.

*****spirit** [spírit] *n.* **1** 정신, 마음: the poor in *spirit* 마음이 가난한 자들 / Although he's now living in England, I feel he's always with me in *spirit*. 지금 그 사람은 영국에 살고 있지만, 정신적으로는 늘 그가 나와 함께 있다고 느낀다. [OPP] body, flesh, matter

2 (육체를 떠난) 영혼; 망령, 유령; 악마, 요정: She is dead, but her *spirit* lives on. 그녀는 죽었지만 그 영혼은 계속 살아 있다. / He was possessed by evil *spirits*. 그는 악령에 사로잡혔다. [SYN] soul

3 신령; (the Holy Spirit) [기독교] 성령

4 (spirits) 기분: She's been in high〔low〕 *spirits* lately. 그녀는 요즈음 기분이 좋다〔좋지 않다〕. / His *spirits* lifted as he read the e-mail. 이메일을 읽고서 그의 기분은 좋아졌다. [SYN] mood

5 (-spirited *adj.*) (복합어를 이루어) 기분이 〔원기가〕 …한: high〔low〕-spirited 기운찬 〔풀이 죽은〕

6 (종종 *pl.*) [영] 알코올; 화주(火酒), 독한 술: a *spirit* lamp 알코올 램프 / Whisky is a type of *spirit*. 위스키는 독한 술 중의 하나다.

7 활기, 기운; 용기, 열의: fighting *spirit* 투지 / a man of *spirit* 활기 있는 사람

8 성품, 기질, 기풍; 시대 정신, 풍조: the *spirit* of the age〔times〕 시대 정신

9 (보통 the spirit) (법 등의) 정신, 참뜻: the *spirit* of law 법의 정신

10 (소속 단체에 대한) 충성심: school 〔college〕 *spirit* 애교심 / team *spirit* 단체 〔협동〕 정신 [SYN] loyalty

11 (수식어와 함께) …한 성격〔기질〕의 사람: He is a generous *spirit*. 그는 관대한 사람이다.

v. (어린애 등을) 유괴〔납치〕하다, 감쪽같이 채가다〔감추다〕 (away, off): *spirit* away a girl 소녀를 유괴하다 / The thieves *spirited* away our car. 도둑은 우리의 차를 몰고 달아났다.

— **spirited** *adj.* 기운찬, 활발한, 용기 있는

spiritual [spírit∫uəl] *adj.* **1** 정신의, 정신적인: one's *spiritual* presence〔welfare〕정신적 존재〔행복〕 [OPP] material, physical **2** 종교상의, 종교적인; 교회의, 교회법상의: *spiritual* courts 종교 재판소 / *spiritual* songs 성가 **3** 영적인, 심령적인; 신의

— **spiritually** *adv.*

spiritualism [spírit∫uəlìzəm] *n.* **1** 강신술, 심령술 **2** 정신주의 **3** [철학] 유심론, 관념론

— **spiritualist** *n.* 심령술사; 정신주의자; 유심론자

spit [spit] *v.* [I,T] (spit-spit, spat-spat; spitting) **1** (입 안의 음식·침 등을) 뱉다: He *spit* out the medicine. 그는 약을 뱉어 냈다. / She *spit* in my face. 그녀는 내 얼굴에다 침을 뱉었다. **2** (욕·폭언 등을) 내뱉다, 내뱉듯이 말하다

n. **1** 침 **2** 곶, (바다·호수 등의) 길게 돌출한 모래톱 **3** (고기 굽는) 쇠꼬챙이, 꼬치

spite [spait] *n.* 악의, 심술 [SYN] malice

— **spiteful** *adj.* **spitefully** *adv.*

[숙어] **in spite of** …에도 불구하고: We went swimming *in spite of* the rain. 비가 오는데도 불구하고 우리는 수영하러 갔다. [SYN] despite

splash [splæ∫] *v.* [I,T] (물·흙탕 등이) 튀다, 튀어 흩어지다, 튀기다: The mud *splashed* up to the windshield. 흙탕물이 차 앞 유리창까지 튀었다. / The children played *splashing* water over one another. 아이들은 서로 물을 튀기며 놀았다.

n. **1** (물을) 튀기는 소리: with a *splash* 텀벙

하고 **2** (잉크 등의) 튄 것, 얼룩: *splashes* of mud 흙탕 얼룩

[숙어] **splash out (on)** (불필요한 곳에) 돈을 쓰다

splendid [spléndid] *adj.* **1** 훌륭한, 더할 나위 없는: a *splendid* idea 멋진 아이디어 **2** 화려한, 호사한

— **splendidly** *adv.*

splendor, splendour [spléndər] *n.* 호화, 장대: the *splendor* of the palace 궁전의 장대함

splint [splint] *n.* 얇은 널조각, (접골 치료용) 부목

splinter [splíntər] *n.* (나무·금속·유리 등의) 날카로운 조각: I've got a *splinter* in my finger. 내 손가락에 가시가 박혔다.

v. [I,T] 쪼개지다, 쪼개다

***split** [split] *v.* (split-split; splitting) **1** [I,T] 분리하다〔되다〕, 분열하다〔되다〕: Our class has *split* up into five groups. 우리 반은 다섯 그룹으로 갈라졌다. **2** [T] 분담하다, 함께하다: We *split* the cost of the meal. 우리는 음식값을 분담했다. **3** [I,T] (세로로) 찢다, 찢어지다, 째다: *split* a log into two 통나무를 둘로 쪼개다 / My jeans *split* when I jumped the fence. 담을 뛰어넘을 때 청바지가 찢어졌다.

n. **1** 불화의 원인, 입장의 차이 **2** 쪼개진 틈

split second *n.* 순식간

***spoil** [spɔil] *v.* (spoiled-spoiled, spoilt-spoilt) **1** [T] 망쳐 놓다, 손상하다: My vacation was *spoiled* by the bad weather. 날씨가 좋지 않아 휴가를 망쳤다. / Too many cooks *spoil* the broth. [속담] 사공이 많으면 배가 산으로 올라간다. (요리사가 많으면 고깃국을 망친다.) **2** [T] (성격을) 버리다, (아이를) 버릇없게 기르다: *spoil* a child 아이를 버릇없게 기르다 **3** [T] (사람을) 지나치게 대접하다: Some wives *spoil* their husbands. 남편을 지나치게 떠받드는 부인들이 있다. **4** [I,T] (음식물이) 상하다, 썩다: Food *spoils* quickly in hot weather.

음식은 더운 날씨에 빨리 상한다.
n. (spoils) 전리품, 약탈품

spoilage [spɔ́ilidʒ] *n.* 망치기, 손상

spoken [spóukən] *v.* speak의 과거분사
adj. 말로 하는, 구두의: *spoken* English 구
어 영어 *cf.* written 문자로 쓴, 문어의

spokesman [spóuksmən] *n.* (*pl.*
spokesmen) (남자) 대변인, 대표자

spokesperson [spóukspə̀ːrsən] *n.*
(*pl.* spokespersons, spokespeople) 대변
인, 대표자
※ '대변인'이란 뜻으로 지금은 여성과 남성을
포괄하는 spokesperson이 많이 쓰인다.

spokeswoman [spóukswùmən] *n.*
(*pl.* spokeswomen) (여성) 대변인, 대표자

sponge [spʌndʒ] *n.* **1** (세척용의) 스펀지
2 스펀지 케이크 (카스텔라 류) [SYN] sponge
cake
v. [T] 스펀지로 닦다〔빨아들이다〕

sponge cake *n.* 스펀지 케이크 (sponge)

spongy [spʌndʒi] *adj.* (spongier-
spongiest) 푹신푹신한, 흡수성의

sponsor [spánsər] *n.* **1** (상업 방송의)
스폰서, 광고주: a *sponsor* for a TV
program 텔레비전 프로그램의 스폰서 **2** 후
원자, 발기인
v. [T] 후원하다: A beer company *spon-
sored* the event. 한 맥주 회사가 행사를 후
원했다.

spontaneous [spɑntéiniəs] *adj.* 갑자
기 일어나는, (계획에 없이) 자연 발생의:
spontaneous expression of gratitude
저절로 우러나는 감사의 표현
— **spontaneously** *adv.* **spontaneity**
n.

spool [spuːl] *n.* **1** (실·필름·전선 등을 감
은) 릴, 스풀 **2** 실패, 얼레

*****spoon** [spuːn] *n.* 숟가락
v. [T] 숟가락으로 뜨다: *spoon* up one's
soup (숟가락으로) 수프를 뜨다

spoonful [spúːnfùl] *n.* 한 숟가락 가득한
양: a *spoonful* of salt 소금 한 숟가락

sport [spɔːrt] *n.* 스포츠, 운동: What's
your favorite *sport*? 가장 좋아하는 운동이
무엇인가요?

sporting [spɔ́ːrtiŋ] *adj.* 운동〔경기〕용의:
a *sporting* news 스포츠 뉴스

sports car *n.* 스포츠카

sportsman [spɔ́ːrtsmən] *n.* (*pl.*
sportsmen) 운동가, 운동 애호가

sportsmanlike [spɔ́ːrtsmənlàik] *adj.*
정정당당한

sportsmanship [spɔ́ːrtsmənʃìp] *n.* 스
포츠맨십, 정정당당함

sportswoman [spɔ́ːrtswùmən] *n.* (*pl.*
sportswomen) (여자) 운동가, 운동 애호가

sporty [spɔ́ːrti] *adj.* (sportier-sportiest)
1 스포츠에 적합한 **2** 운동을 좋아하는 **3** 경쾌
한, 화려한

*****spot** [spɑt] *n.* **1** 반점, 점: a black dog
with white *spots* 흰 반점이 있는 검정개 **2**
(지저분한) 얼룩: The tablecloth has
many *spots*. 식탁보가 얼룩투성이다. **3** (피
부에 나는) 발진, 부스럼, 여드름: a face
covered with *spots* 여드름투성이의 얼굴
4 (특정의) 지점, 장소: a fishing *spot* 낚시
터 / vacation *spot* 휴가지 **5** 스포트라이트
[SYN] spotlight
v. [T] (spotted-spotted) **1** 얼룩지게 하다,
더럽히다 **2** 발견하다, 분간하다: I *spotted*
my mother in the crowd. 나는 군중 속
에서 어머니를 알아보았다.
[숙어] **on the spot 1** 즉석에서, 바로: He
was killed *on the spot*. 그는 즉사했다. **2**
그 자리에, 현장에: The firefighters were
on the spot within five minutes. 소방대
원들은 5분 안에 화재 현장에 출동했다.

spotless [spátlis] *adj.* **1** 더럽혀지지 않
은, 얼룩이 없는: a *spotless* kitchen 아주
깨끗한 부엌 **2** (성격 등이) 결점이 없는, 흠잡
을 데 없는; 결백한

spotlight [spátlàit] *n.* 스포트라이트
[SYN] spot

spotted [spátid] *adj.* 반점 무늬가 있는

spotty [spáti] *adj.* (spottier-spottiest) **1** 얼룩〔반점〕 투성이의 **2** 한결같지 않은 **3** [영] (피부에) 여드름이 있는

spouse [spaus] *n.* 배우자

spout [spaut] *n.* (주전자 등의) 주둥이, 물 꼭지

v. [I,T] **1** (액체 등을) 내뿜다, 분출하다: The pipe *spouted* out steam. 파이프가 증기를 내뿜었다. **2** 장황하게 말하다: He *spouted* his theories on foreign policy. 그는 자신의 외교론을 장황하게 설명했다.

sprain [sprein] *v.* [T] (발목 등을) 삐다: *sprain* one's finger 손가락을 삐다

n. 삠, 접질림

sprawl [sprɔːl] *v.* [I] **1** (팔·다리를 펴고) 자유롭게 눕다〔앉다〕: People lay *sprawled* out in the sun. 사람들이 야외에서 햇볕을 쬐며 팔다리를 쭉 뻗고 누워 있었다. **2** (건물 등이) 보기 흉하게〔불규칙하게〕 퍼지다, 마구 뻗다: The city is *sprawling* out into the suburbs. 그 도시는 교외로 뻗어 나가고 있다.

— **sprawling** *adj.*

spray [sprei] *n.* **1** 물보라, 물안개 **2** 스프레이 (용기 안에 든 향수 등의 액)

v. [I,T] (물보라·소독액 등을) 뿌리다: *spray* insecticide upon flies 파리에 살충제를 뿌리다 / She *sprayed* herself with perfume. 그녀는 몸에 향수를 뿌렸다.

*spread [spred] *v.* (spread-spread) **1** [I,T] (널리) 퍼지다, 번지다, 퍼뜨리다: The fire *spread* rapidly because of the strong wind. 거센 바람 때문에 불은 급속히 번졌다. / Rats and flies *spread* disease. 쥐와 파리는 병을 퍼뜨린다. / The rumors *spread* quickly. 소문은 빠르게 퍼졌다. **2** [T] (접힌 것을) 펴다, 펼치다: *spread* out the newspaper 신문을 펼치다 **3** [T] (잼 등을) …에 바르다, 칠하다: Don't *spread* the butter too thick. 버터를 너무 두껍게 바르지 마라. **4** [T] 분할하다, 분배하다: You can *spread* out your repayments over a period of three years. 상환을 3년 동안 분

할하여 내도 좋습니다.

n. **1** 퍼짐; 폭, 넓이 **2** (수·양의) 증가, 늘어남, 보급, 만연: the *spread* of disease 병의 만연 **3** 빵에 바르는 것 (버터·잼 등) **4** (한 면 이상을 차지하는) 기사, 특집 기사 **5** 식탁보, 침대 시트

sprig [sprig] *n.* 잔가지, 어린 가지

*spring [spriŋ] *v.* [I] (sprang-sprung) **1** 뛰어오르다, 튀다, 도약하다: When the alarm went off, he *sprang* out of bed. 알람 시계가 울리자 그는 자리에서 벌떡 일어났다. **2** (용수철 등이) 튕기다: The boy let the branch *spring* back. 소년이 나뭇가지를 휘게 했다가 되튕겼다. **3** 갑자기 …하다, 일약 …해지다: A wind suddenly *sprang* up. 갑자기 바람이 일었다. / He *sprang* into fame. 그는 일약 유명해졌다.

n. **1** [계절] 봄 **2** 용수철, 스프링 **3** 샘, 샘물 **4** 되튀기, 반동

— **springy** [spríŋi] *adj.* 탄성이 있는

［축어］ **spring from** …에서 나오다, …의 결과이다: The idea for the movie *sprang from* the experience she had while traveling in Africa. 그 영화의 발상은 그녀가 아프리카를 여행하면서 얻은 경험에서 나온 것이다.

spring ... on (의견·질문 등을) 느닷없이 내놓다: He *sprang* another mathematical trick *on* her. 그는 느닷없이 그녀에게 숫자 장난을 보여 주었다.

springboard [spríŋbɔ̀ːrd] *n.* **1** 뜀판, 도약판 **2** (a springboard) (비유적으로) 새로운 출발점

springtime [spríŋtàim] *n.* **1** 봄 **2** 청춘기, 초기

sprinkle [spríŋkəl] *v.* [T] (액체·분말 등을) 흩뿌리다: She *sprinkled* sugar on the cake. 그녀는 케이크에 설탕을 뿌렸다.

— **sprinkling** *n.*

sprinkler [spríŋklər] *n.* 스프링클러, 살수 장치

sprint [sprint] *v.* [I,T] (단거리를) 역주하다

n. 단거리 경주, 전력 질주

— **sprinter** *n.*

sprite [sprait] *n.* 요정, 도깨비 SYN
spirit

sprout [spraut] *v.* [I,T] 싹이 트다, 발아하
다: The new leaves *sprouted* up. 새 잎
이 돋아났다.

n. 새싹, 눈

spur [spəːr] *n.* **1** 박차 (말을 빨리 달리게 하
기 위해 승마용 구두의 뒤축에 댄 쇠로 만든
톱니 모양의 물건) **2** (비유적으로) 자극, 격려:
Poverty is the best *spur* to the artist.
가난은 예술가에게 가장 좋은 자극이 된다. **3**
(산의) 돌출부

v. [T] (spurred-spurred) 자극[격려]하다:
What *spurred* him to study hard? 무
엇이 그로 하여금 열심히 공부하게 했을까?
SYN urge

spurt [spəːrt] *v.* **1** [I,T] 뿜어 나오다, 분출
하다: Water *spurted* from the crack. 틈
새에서 물이 뿜어 나왔다. **2** [I] 역주하다

n. **1** 분출 **2** 분발, 역주

spy [spai] *n.* 스파이, 간첩

v. **1** [I] 스파이 노릇을 하다, (몰래) 조사하다
2 [T] 감시하다 (on, upon): The man next
door is *spying* on you. 이웃집 남자가 당
신을 감시하고 있네요.

spyglass [spáiɡlæs] *n.* 작은 망원경, 쌍안
경

spyhole [spáihòul] *n.* (방문자 확인용의)
내다보는 구멍 (peephole)

squad [skwɑd] *n.* (집합적) 분대, 소집단,
한 팀

squadron [skwádrən] *n.* (집합적) (군대)
소함대, 비행대대

*__square__ [skwɛər] *n.* **1** 정사각형 **2** 광장
(Square): Protesters gathered in the
town *square*. 시위자들이 도시의 광장에 모
였다. **3** [수학] 평방, 제곱: Twenty five is
the *square* of five. 25는 5의 제곱이다.

adj. *adv.* **1** 정사각형의, 사각의; 직각의: a
square tablecloth 정사각형의 식탁보 /

square shoulders 떡 벌어진 어깨 **2** (명사
앞에는 쓰이지 않음) 셈이 끝난: Here is the
money I owe you. We're *square* now.
여기 너한테 빌린 돈이야. 이제 우리 계산 끝났
다. **3** (명사 앞에는 쓰이지 않음) (경기 등에
서) 득점이 같은 **4** 공명정대한, 정직한: a
square deal 공정한 거래 **5** 평방의, 제곱의 **6**
분명하게, 직접적으로: He looked me
square in the face. 그는 내 얼굴을 똑바로
바라보았다. SYN squarely

v. **1** [T] 정사각형으로 하다, 네모지게[직각으
로] 하다 **2** [T] [수학] 제곱하다: Four
squared is sixteen. 4의 제곱은 16이다. **3**
[I,T] 일치하다, 동의하다, …의 동의를 얻다:
His behavior does not *square* with
his words. 그의 행동은 말과 일치하지 않는
다. / If you want time off, you'll have
to *square* it with the boss. 휴가를 내고
싶으면 당신은 그것에 대해 사장님의 동의를 얻
어야 할 거야.

— **squarely** *adv.* **squareness** *n.*

squash [skwɑʃ] *v.* **1** [T] 으깨다: My hat
was *squashed* out. 나의 모자가 찌그러졌
다. **2** [I,T] (좁은 곳에) 비집고 들어가다, 쑤셔
넣다: We all *squashed* into the back of
the car. 우리는 모두 차의 뒷좌석에 비집고
탔다. **3** [T] 억누르다, (제안 등을) 물리치다

n. **1** (좁은 장소가) 붐빔, 혼잡 **2** 과즙 음료 **3**
[스포츠] 스쿼시

squeak [skwiːk] *n.* 찍찍[끽끽]하는 소리,
새된 소리

v. [I,T] (쥐 등이) 찍찍[끽끽] 울다, 삐걱거리
다, 새된 소리로 말하다

— **squeaky** *adj.*

squeal [skwiːl] *v.* [I,T] (고통·공포·기쁨
등으로) 비명을 지르다, 끽끽[깩깩]거리다

n. 비명, 끽끽 (우는 소리)

squeeze [skwiːz] *v.* **1** [T] 꽉 쥐다, 짜다:
He *squeezed* my hand and said
goodbye. 그는 내 손을 꽉 쥐고 작별 인사를
했다. / She *squeezed* the water out of
the cloth. 그녀는 천에서 물을 짜냈다. **2**

[I,T] 끼어 들다, 밀어 넣다, 틀어박다: He tried to *squeeze* in. 그는 비집고 들어오려 했다. / He *squeezed* three suits into a small suitcase. 그는 작은 가방에 옷 세 벌을 쑤셔 넣었다.

n. **1** 굳은 악수, 꼭 껴안기: I gave her shoulder a *squeeze*. 나는 그녀의 어깨를 꼭 껴안았다. **2** 한 번 짠 양: a *squeeze* of lemon 레몬을 한 번 짠 양 **3** 꽉 참, 비좁음 **4** (재정상의) 압박, (경제상의) 긴축

squirrel [skwə́:rəl] *n.* 다람쥐

St. *abbr.* **1** (Saint) 성(聖): *St.* Luke 성(聖)누가 **2** (Street) 가(街): Downing *St.* 다우닝가

stab [stæb] *v.* [T] (stabbed-stabbed) (칼로) 찌르다: *stab* a person to death 아무를 찔러 죽이다 / He *stabbed* a potato with his fork. 그는 포크로 감자를 찍었다.

n. **1** 찌르기, 찔린 상처 **2** 찌르는 듯한 아픔

stabbing [stǽbiŋ] *n.* (칼에) 찔리는 사고 *adj.* (명사 앞에만 쓰임) (아픔이) 찌르는 듯: a *stabbing* pain 찌르는 듯한 아픔

stabilize, stabilise [stéibəlàiz] *v.* [I,T] 안정되다, 안정시키다: The patient's condition has *stabilized*. 환자의 상태는 안정되었다. / a *stabilizing* apparatus 안정 장치

— **stabilization, stabilisation** *n.*

stable¹ [stéibl] *adj.* 안정된, 견고한: *stable* foundation 견고한 토대 / Don't climb the ladder—it's not very *stable*. 그 사다리를 오르지 마. 그다지 튼튼하지 않아. [OPP] unstable

— **stability** *n.* 안정, 안정성

stable² [stéibl] *n.* 마구간, 가축 우리

— **stableman** *n.* 마부

stack [stæk] *n.* **1** (가지런히 쌓은) 더미, 퇴적: a *stack* of wood 목재 더미 **2** (보통 *pl.*) 다량, 많음: I have *stacks* of work to do. 나는 할 일이 산적해 있다. **3** (파식에 의해) 외따로 선 바위

v. [T] 쌓아올리다: The desk was *stacked*

with papers. 책상 위에 서류들이 쌓여 있었다.

stadium [stéidiəm] *n.* (*pl.* stadiums, stadia) 육상 경기장, 스타디움

staff [stæf] *n.* **1** 직원, 사원: the teaching *staff* 교수(교사)진 / Please ask a member of *staff*. 직원 중 한 명에게 문의하세요.

※ staff는 보통 단수 취급을 하지만 복수 취급을 할 때도 있다.: All *staff* speak good English. 직원들 모두가 영어를 잘 한다.

2 [음악] 오선(五線), 보표 ([영] stave)

v. [T] (보통 수동태) ···에 직원을 두다: We are short *staffed*. 우리 회사는 직원이 부족하게 배치되었다.

stag [stæg] *n.* 수사슴 *cf.* hind 암사슴

*★**stage** [steidʒ] *n.* **1** (일이 진척되는) 단계, 시기: The plan is still in its early *stages*. 계획은 아직도 초기 단계이다. / at this *stage* 이 단계에서 **2** 스테이지, 무대: As a child, she appeared on *stage*. 아이였을 때 그녀는 무대에 나왔다. (무대에서 공연했다.) **3** 연극계, 배우업(業): Her father didn't want her to go on the *stage*. 그녀의 아버지는 그녀가 연극계에서 활동하는 것을 원치 않으셨다.

v. [T] **1** (극 · 콘서트 등을) 무대에 올리다, 연출하다 **2** (파업 등을) 기획하다: *stage* a riot 폭동을 꾸미다

— **stage manager** *n.* 무대 감독

stagger [stǽgər] *v.* [I] 비틀거리다, 비틀거리며 걷다: She *staggered* across the finishing line and collapsed. 그녀는 비틀거리며 결승점을 통과한 후 쓰러졌다.

staggered [stǽgərd] *adj.* **1** 매우 놀란: I was absolutely *staggered* when I heard the news. 난 그 소식을 들었을 때 어안이 벙벙했다. **2** (근무 시간 등이) 조절된

staggering [stǽgəriŋ] *adj.* 경이적인, 믿기 어려운

— **staggeringly** *adv.*

stagnant [stǽgnənt] *adj.* **1** (물이) 흐르지 않는, 썩은: a *stagnant* pond 고여 있는

연못 **2** 불경기의, 부진한: Trade is *stagnant*. 거래가 부진하다.

stagnate [stǽgneit] *v.* [I] **1** 불경기가 되다, 활기를 잃다 **2** (물이) 괴다, 썩다
— **stagnation** *n.*

stain [stein] *v.* [I,T] 얼룩지다, 더럽히다: His fingers were *stained* with ink. 그의 손가락은 잉크로 얼룩졌다.
n. 얼룩, 녹

stainless [stéinlis] *adj.* **1** 더럽혀지지 않은 **2** 녹슬지 않는
— **stainless steel** *n.* 스테인리스강(鋼)

***stair** [stɛər] *n.* **1** (stairs) 계단: a flight of *stairs* 한 줄로 이어진 계단 **2** (계단의) 한 단

staircase [stéərkèis] *n.* (난간이 있는) 계단 [SYN] stairway

stairway [stéərwèi] *n.* =staircase

stake [steik] *n.* **1** 말뚝 **2** 지분(持分), 주(株)의 보유분: have a *stake* in ···에 이해 관계를 갖다 **3** (stakes) 내기에 건 돈 **4** 상금
v. [T] (생명·돈 등을) 걸다: He *staked* much money on a race. 그는 경마에 많은 돈을 걸었다.
[숙어] **at stake** (···을 잃을) 위험에 놓여: My honor is *at stake*. 나의 명예가 걸린 문제이다. / People's lives are *at stake*. 사람들의 목숨이 위험하다.
stake out a (one's) claim (···에 대한) 권리를 주장하다, (···을) 자기 것이라고 하다

stale [steil] *adj.* **1** (음식·공기 등이) 신선하지 않은, 상한: The bread will go *stale* in a few days. 며칠 지나지 않아 빵은 상할 것이다. **2** (더 이상) 흥미롭지 않은, 진부한: *stale* jokes 진부한 농담

stalemate [stéilmèit] *n.* **1** 교착 상태, 막다름 **2** (체스 게임에서의) 수의 막힘

stalk¹ [stɔːk] *n.* (식물의) 줄기 [SYN] stem

stalk² [stɔːk] *v.* **1** [T] (적·사냥감에) 살그머니 접근하다 **2** [T] (연예인 등을 소름끼치도록) 추적하다, 스토킹하다: She claimed that a man had been *stalking* her for

three years. 그녀는 한 남자가 자신을 3년 동안 몰래 추적해 왔다고 주장했다. **3** [I] (화가 나) 성큼성큼 걷다
— **stalker** *n.*

stall [stɔːl] *n.* **1** (전방이 열린) 매점, 노점 **2** 마구간, 축사 **3** 엔진 정지 **4** 칸막이한 작은 방, 한 구획: shower *stall* 샤워실 **5** [영] (stalls) (극장의) 1층 정면 1등석
v. [I,T] **1** 엔진이 멈추다, 시동을 꺼트리다: The bus driver kept *stalling* the bus on the hill. 버스 운전사는 언덕에서 계속해서 시동을 꺼트렸다. **2** 교묘하게 시간을 벌다

stallion [stǽljən] *n.* 종마(種馬)

stalwart [stɔ́ːlwərt] *adj.* **1** 튼튼한, 건장한 **2** 용감한 **3** 의지가 강한

stamina [stǽmənə] *n.* 지구력, 끈기

stammer [stǽmər] *v.* [I,T] 말을 더듬다: He *stammered* over a few words. 그는 더듬거리며 몇 마디 말했다.
n. 말더듬기

***stamp** [stæmp] *n.* **1** 우표: My hobby is collecting *stamps*. 나의 취미는 우표 수집이다. [SYN] postage stamp **2** 도장 (고무 도장 등) **3** 소인(消印) **4** 검인, 상표
v. **1** [I,T] 짓밟다, 발을 쾅 구르다: He *stamped* on the spider. 그는 거미를 짓밟았다. **2** [I] 쿵쿵 걷다: He *stamped* about the room. 그는 쿵쿵거리며 방 안을 돌아다녔다. **3** [T] 날인하다, (문구·도안·날짜 등을) 찍다

***stand** ⇨ p. 723

stand-alone [stǽndəlóun] *adj.* (컴퓨터·기계 등이) 독립형의

***standard** [stǽndərd] *n.* **1** (서비스·생활 등의) 수준: the *standard* of living 생활 수준 **2** 표준, 기준 **3** 규범, 모범
adj. **1** 보통의, 일반적인 **2** 공인의, 표준의: *standard* English 표준 영어

standardize, standardise [stǽndərdàiz] *v.* [T] 표준(규격)에 맞추다: *standardized* goods 규격품

stand

stand [stænd] *v.* (stood-stood) **1** [I] 선 자세로 있다, 서 있다: Don't *stand* if you are tired. 피곤하면 서 있지 말거라.

2 [I] (다른 자세에서) 일어서다: Everyone *stood* as the chairman entered. 회장이 들어오자 모두들 일어섰다.

3 [T] 세워 놓다, 두다: They *stood* a ladder against the wall. 그들은 사다리를 벽에 기대어 놓았다.

4 [I] (…에) 위치하다, (…한 상황에) 놓이다: The old buildings have *stood* empty for ten years. 그 낡은 건물들은 10년 동안 비어 있었다.

5 [I] (제안·합의 사항 등이) 유효하다: The regulation still *stands*. 규정은 아직 유효하다.

6 [I] (높이·수치 등이) …이다: He *stands* six feet three. 그는 키가 6피트 3인치이다.

7 [I] (찬성·반대 등의) 태도를 취하다: *stand* for 찬성하다 / *stand* with 지지하다 / *stand* out against 강하게 반대하다

8 [I] …을 할 처지가 되다: If you have to sell your car, you *stand* to lose a lot of money. 차를 꼭 팔려고 한다면 아마 손해를 많이 보게 될 것이다.

9 [I] 입후보하다: *stand* for Parliament 국회 의원에 입후보하다

10 [T] (부정문에서 can 또는 could와 어울려) 참다, 견디다: I can't *stand* the man. He is so annoying. 나는 그 사람 못 봐 주겠어. 그 사람 너무 짜증나. [SYN] bear

11 [T] (어려운 상황을) 이겨 내다, 살아남다: These animals can *stand* extremely hot temperatures. 이 동물들은 극도로 더운 기온도 견디어 낼 수 있다. [SYN] take

n. **1** 진열대, 가판대, 노점, 매점: a music *stand* 악보대 / a newspaper *stand* 신문 판매대

2 (경기장의) 계단식 스탠드, 관람석

3 (a stand) 단호한 태도〔입장〕: make one's *stand* clear 태도를 분명히 하다

[숙어] **stand by 1** 옆에서 방관하다: How can you *stand by* and see such cruelty? 이런 무자비함을 보고 당신은 어떻게 방관만 할 수 있죠? **2** (도울 준비를 하고) 대기하다: I'll *stand by* you whatever happens. 무슨 일이 일어나더라도 내가 너의 곁에 있어 줄게.

stand for 1 (약어가) …을 의미하다: Do you know what UN *stands for*? UN이 무슨 뜻인지 아니? **2** 지지하다: I hate everything that man *stands for*. 난 저 사람이 지지하는 건 다 싫다.

stand in the way 방해가 되다: We must accomplish it, no matter what obstacles may *stand in the way*. 어떠한 장애에 부딪쳐도 우리는 그것을 완수해야 한다.

stand out 눈에 띄다, 두드러지다: His work *stands out* from that of the others. 그의 작품은 다른 사람들의 것보다 두드러진다.

stand to 1 (진술 등을) 고집하다, 주장하다: He *stood to* it that he had not seen her. 그는 그녀를 못 봤다고 주장했다. **2** (약속을) 지키다: He did not *stand to* the promise he had given. 그는 자기가 한 약속을 지키지 않았다.

stand up 일어서다: He looked taller when he *stood up* straight. 그가 똑바로 서자 키가 더 커 보였다.

stand up for …의 편을 들다, 지지하다: A mother will usually *stand up for* children. 어머니는 대개 아이들을 옹호해 준다.

take a〔one's〕stand 자리잡다: The policeman *took his stand* at the street corner. 경관은 길모퉁이에 자리잡고 섰다.

— **standardization, standardisation** *n.*

standby [stǽndbài] *n.* (*pl.* standbys) **1** (급할 때) 의지가 되는 사람〔것〕 **2** 대기자, (비

행기) 공석을 기다리는 사람

adj. (명사 앞에만 쓰임) 대기 중인: a *standby*
passenger 빈 자리가 나길 기다리는 승객

stand-in [stǽndìn] *n.* **1** (일반적) 대리인
2 (배우의) 대역 [SYN] substitute

standing [stǽndiŋ] *n.* **1** 지위, 신분
[SYN] status **2** 지속, 존속: a custom of
long *standing* 오랜 관습

adj. 지속[영속]적인

standpoint [stǽndpɔ̀int] *n.* 견지, 관점
[SYN] point of view

standstill [stǽndstìl] *n.* 멈춤, 정지:
come to a *standstill* 멈추다

stanza [stǽnzə] *n.* (시의) 연 (보통 4행 이
상의 각운이 있는 시구)

staple [stéipəl] *n.* (호치키스의) 철침, 스테
이플

v. [T] 철쇠로 박다

stapler [stéiplər] *n.* 호치키스

*star [stɑːr] *n.* **1** 별: a falling *star* 별똥별,
유성 **2** 별 모양, 별표 **3** (호텔·식당 등의 등
급을 표시하는) 별표: a five-*star* hotel (별
다섯 개짜리) 최고급 호텔 **4** 인기인, 인기 배우
5 (stars) 별자리운; 운수

v. (starred-starred) **1** [I] 주연하다: Audry
Hepburn *starred* in 'My Fair Lady.'
오드리 헵번은 '마이 페어 레이디'에서 주연을
했다. **2** [T] …을 주역으로 하다

starch [stɑːrtʃ] **1** 녹말, 전분 **2** (옷을 빳빳
하게 하는) 풀

v. [T] (옷에) 풀을 먹이다

starchy [stɑ́ːrtʃi] *adj.* **1** 녹말의; 풀을 먹
인, 빳빳한 **2** 형식을 차리는, 거북살스러운

stare [stɛər] *v.* [I] 응시하다, 빤히 보다:
Don't *stare* at me like that. 그렇게 빤히
쳐다보지 마세요.

— **staring** *adj.*

[숙어] **stare ... in the face 1** …의 얼굴
을 똥어지게 보다: He *stared* me *in the
face*. 그는 내 얼굴을 똥어지게 보았다. **2** (죽음
등이) 눈앞에 닥치다: Death *stared* him *in
the face*. 죽음이 그의 눈앞에 닥쳤다. **3** (사실

이) …에게 있어 명백하다

starfish [stɑ́ːrfìʃ] *n.* (*pl.* starfish(es)) 불
가사리

starlight [stɑ́ːrlàit] *n.* 별빛

starlit [stɑ́ːrlìt] *adj.* 별빛의

starry [stɑ́ːri] *adj.* (starrier-starriest) 별
이 가득한: a *starry* night 별이 가득한 밤

starship [stɑ́ːrʃìp] *n.* 은하계 우주 탐사선

*start [stɑːrt] *v.* **1** [I,T] 출발하다, …하기 시
작하다: Let's *start* early. 일찍 출발합시
다. / She *started* playing the piano
when she was five. 그녀는 다섯 살 때 피
아노를 치기 시작했다.

2 [I,T] 시작하다, 개시하다: The show
starts at eight. 공연은 8시에 시작된다. /
He *started* the meeting. 그가 회의를 시작
했다.

3 [I,T] (기계·자동차 등을) 작동하다, 시동하
다: He got onto his motorcycle
and *started* the engine. 그는 오토바이에
올라타 시동을 걸었다.

4 [I,T] (회사·단체 등을) 설립하다, 시작하다:
He has decided to *start* his own
business. 그는 자기 사업을 시작하기로 결심
했다. **5** [I] (놀람 등으로) 움찔하다, 흠칫하다:
The sound made me *start*. 나는 그 소리
에 흠칫했다.

n. **1** 초반, 시초: a *start* in life 인생의 첫 단
추 / I arrived late and missed the *start*
of the film. 나는 늦게 도착하여 영화의 초반
부를 놓쳤다. **2** 출발: make a fresh *start*
산뜻한 출발을 하다 **3** (the start) (경기의) 출
발점: line up at the *start* 출발점에 줄 서다
4 선발(권), 유리(한 위치) **5** 펄쩍 뜀, 깜짝 놀
람: with a *start* 흠칫 놀라

[숙어] **start off** 출발하다: They *started
off* on their expedition. 그들은 원정길에
나섰다.

start on (여행·사업 등을) 시작하다: He
started on a journey. 그는 여행을 떠났다.

start out (인생·직업 등을) …로 시작하다:
He *started out* as a flutist in an

orchestra. 그는 관현악단의 플루트 연주자로 첫발을 내딛었다.

start up 1 벌떡 일어나다, 흠칫하다: He *started up* in surprise. 그는 놀라 펄쩍 뛰었다. **2** (엔진에) 시동을 걸다: She *started up* the engine. 그녀는 엔진에 시동을 걸었다.

start with …로부터 시작하다, 우선 …하다: The dictionary *starts with* the letter A. 사전은 A자부터 시작한다.

starter [stάːrtər] *n*. **1** 출발자, 개시자 **2** 출발 신호원 **3** (식사의) 제1코스, 식욕 돋우는 음식 SYN appetizer

startle [stάːrtl] *v*. [T] 깜짝 놀라게 하다: The noise *startled* me out of my sleep. 시끄러운 소리에 깜짝 놀라 나는 잠이 깨었다.

startling [stάːrtliŋ] *adj*. 놀라운, 깜짝 놀라게 하는: a *startling* news 놀라운 소식

starve [staːrv] *v*. [I,T] 굶주리다, 굶어 죽다, 굶겨 죽이다: Millions of people are *starving* in the poorer countries of the world. 세계의 가난한 나라에서는 수백만의 사람들이 굶어 죽는다.

— **starvation** *n*. 굶주림, 기아, 아사

숙어 **starve to death** 굶어 죽다, 굶겨 죽이다: He was *starved to death*. 그는 굶어 죽었다.

***state** [steit] *n*. **1** 상태, 형편, 형세: He is in a poor *state* of health. 그는 건강이 좋지 않다. / Ice is water in a solid *state*. 얼음은 고체 상태의 물이다. **2** (흔히 the State) 국가, 국토, 정부: a welfare *state* 복지 국가 **3** (종종 State) (국가의 일부를 이루는) 주(州), 주 정부 **4** 공식 (정부 차원 또는 고위급이 관여함): *state* visit 공식 방문 **5** (the States) 미국: He lived in the *States* for about six years. 그는 미국에서 6년 정도 살았다.

v. [T] 진술하다, 주장하다, 말하다: He *stated* his own opinion. 그는 자기 의견을 진술했다. / He *stated* that the negotiations would continue. 그는 협상은 계속될 것이

라고 말했다.

stated [stéitid] *adj*. **1** 공인의, 공식의 **2** 명백히 규정된: a *stated* price 규정 가격

statehouse [stéithàus] *n*. [미] 주 의회 의사당

stately [stéitli] *adj*. 당당한, 위엄 있는, 장중한

— **stateliness** *n*.

statement [stéitmənt] *n*. **1** 성명, 성명서, 진술: make a *statement* 성명을 발표하다 **2** 명세서

state-of-the-art *adj*. (기기가) 최신식인, 최첨단 기술을 결집한

statesman [stéitsmən] *n*. (*pl*. statesmen) 정치가

stateswoman [stéitswùmən] *n*. (*pl*. stateswomen) *n*. 여성 정치가

static [stǽtik] *adj*. 정적인, 정지 상태의: a *static* population level 변동 없는 인구 수치

n. **1** (수신기의) 잡음, 전파 방해 **2** 정전기 SYN static electricity

*****station** [stéiʃən] *n*. **1** 기차역, 정거장 SYN railroad station, railway station **2** 버스 정류장 **3** 특정 서비스 등을 하는 곳: a fire *station* 소방서 / a broadcasting *station* 방송국

v. [T] (보통 수동태) 부서에 앉히다, 배치시키다: Soldiers have been *stationed* around the building. 군인들이 건물 주위에 배치되었다.

stationary [stéiʃənèri] *adj*. 움직이지 않는, 정지된: a *stationary* car 정지된 차 / Remain *stationary*! 움직이지 마라!

stationer's [stéiʃənərz] *n*. 문방구점

stationery [stéiʃənəri] *n*. 문방구, 문구: a *stationery* shop(store) *n*. 문방구점

stationmaster [stéiʃənmǽstər] *n*. (철도의) 역장

statistics [stətístiks] *n*. (*pl*.) **1** 통계(표) **2** (단수 취급) 통계학

— **statistical** *adj*. **statistically** *adv*.

***statue** [stǽtʃuː] *n.* 상(像), 조상(彫像): *Statue* of Liberty 자유의 여신상

stature [stǽtʃər] *n.* **1** (인물의) 재능, 능력 **2** 키, 신장: a man of short *stature* 키 작은 남자

***status** [stéitəs] *n.* **1** [법] 신분, (법적) 상태: Please indicate your name, age, and marital *status*. 이름, 나이 그리고 결혼 여부를 밝혀 주세요. **2** (사회적) 지위, 자격: the political and social *status* of women 여성의 정치적 사회적 지위

statute [stǽtʃuːt] *n.* 법령, 법규, 규칙: a general *statute* 일반법 / a private *statute* 사법

***stay** [stei] *v.* [I] **1** 머무르다, (…에) 계속 있다: *Stay* here till I return. 내가 돌아올 때까지 여기 있거라. **2** (…인 상태를) 계속 유지하다: I can't *stay* awake any longer. 더 이상은 깨어 있지 못하겠다. **3** (방문객 등이) 잠시 머무르다[묵다]: Which hotel are you *staying* at? 어느 호텔에 묵고 계신가요?
n. 머무름, 체재, 체류: make a long *stay* 장기 체재하다
[숙어] **stay away from** …에 가까이 가지 않다, 결석하다: He sometimes *stays away from* school. 그는 가끔 학교에 가지 않는다.
stay up 일어나 있다, 깨어 있다: The nurse had to *stay up* all night. 간호사는 밤새도록 깨어 있어야 했다.

steadfast [stédfæst] *adj.* 확고부동한, 고정된: He was *steadfast* to his principles. 그는 끝까지 자신의 신념에 따랐다.
— **steadfastly** *adv.* **steadfastness** *n.*

***steady** [stédi] *adj.* (steadier-steadiest) **1** 고정된, 확고한, 흔들리지 않는: a *steady* hand 떨지 않는 손 / Hold the ladder *steady* while I climb up. 내가 사다리를 오르는 동안 흔들리지 않게 잡아 줘. **2** 끊임없는, 한결같은, 안정된: a *steady* job 안정된 직업 **3** 착실한, 차분한, 믿을 만한: a *steady*

worker 착실한 일꾼
v. [I,T] 견고하게 하다; 침착하게 하다, 안정되다: I tried to *steady* myself by grabbing the tree. 나는 나무를 붙잡아 떨어지지 않으려고 애썼다. / *steady* one's nerve 마음을 가라앉히다
— **steadily** *adv.* 착실하게; 꾸준히

steak [steik] *n.* (고기·생선 등의) 스테이크

***steal** [stiːl] *v.* (stole-stolen) **1** [I,T] 도둑질하다, 훔치다: I had my watch *stolen*. 나는 시계를 도난당했다. **2** [I] 몰래 다가가다: He *stole* up on the gentleman. 그는 그 신사에게 몰래 접근했다.

■ 유의어 **steal**
steal 물건을 '훔치다'에 씀: My camera has been *stolen*! 나는 카메라를 도둑맞았다! **rob** 사람이나 장소(은행 등)를 '털다'라는 뜻으로 씀: I've been *robbed*! 나 강도당했어!

stealth [stelθ] *n.* 몰래하기, 비밀
— **stealthy** *adj.* **stealthily** *adv.*

***steam** [stiːm] *n.* 스팀, 증기, 수증기: rooms heated by *steam* 스팀 난방을 한 방 / windows clouded with *steam* 김으로 뿌연 창문
v. **1** [I] 김을 내다, 증기를 발생하다: This boiler *steams* well. 이 보일러는 증기가 잘 나온다. **2** [I,T] (음식을) 찌다: *steamed* potatoes 찐 감자

steam bath *n.* 증기탕

steamboat *n.* (작은) 기선, 증기선 [SYN] steamer

steam boiler *n.* 증기 보일러

steam engine *n.* 증기 기관

steamer [stíːmər] *n.* **1** 증기선 **2** 찌는 기구

***steel** [stiːl] *n.* 강철, 강(鋼), 스틸
v. [T] 마음을 단단히 하다 (oneself): He *steeled* himself to undergo the pain. 그는 고통을 견디어 내기 위해 마음을 단단히

먹었다.
— **steely** *adj.*

steelworks [stí:lwə̀:rks] *n.* (단수 또는 복수 취급) 제강소

***steep** [sti:p] *adj.* **1** 가파른, 급경사의: a *steep* slope 가파른 언덕 **2** (상승·하락의) 폭이 큰 **3** 터무니없이 비싼
— **steeply** *adv.* **steepness** *n.*

steeple [stí:pəl] *n.* (교회 등의) 뾰족탑

steer [stiər] *v.* **1** [I,T] 운전하다, (어느 방향으로) 돌리다: *steer* a ship westward 배를 서쪽으로 돌리다 **2** [T] (상황을) 통제하다, 이끌다: She tried to *steer* the conversation away from the subject of marriage. 그녀는 결혼이라는 주제로부터 멀어지도록 대화를 이끌었다.

steering [stíəriŋ] *n.* (자동차의 핸들을 포함한) 조종대, 조타(操舵)

steering wheel *n.* (자동차의) 운전대

***stem** [stem] *n.* **1** (식물의) 줄기, 대 **2** [문법] 어간
v. [T] (stemmed-stemmed) **1** 줄기를 제거하다: She *stemmed* cherries before eating. 그녀는 먹기 전에 체리의 줄기를 제거했다. **2** 저지하다, 거스르다: *stem* the bleeding 출혈을 막다 / They rowed upstream, *stemming* the current. 그들은 흐름을 거스르며 상류 쪽으로 노를 저었다. **3** …의 결과로 일어나다, 유래하다 (from)
— **stem cell** *n.* 줄기 세포
[축어] **stem from** …에서 생기다, 유래하다: Poverty *stems from* war. 가난은 전쟁에서 생긴다.

stenograph [sténəgræf] *n.* **1** 속기 문자, 속기물 **2** 속기 타이프라이터
v. [T] 속기하다
— **stenography** *n.* 속기, 속기술
stenographer *n.* 속기사

***step** [step] *n.* **1** 걸음: take a *step* forward 일보 전진하다 **2** (일의) 한 단계 **3** 계단의 한 단
v. [I] (stepped-stepped) **1** 발을 내딛다, 걷다, 밟다: *step* on a person's foot 아무의 발을 밟다 **2** (짧은 거리를) 움직이다, …로 가다: I opened the door and *stepped* out of the room. 나는 문을 열고 방에서 나왔다.
[축어] **step by step** 한 걸음 한 걸음: *Step by step* we gained knowledge. 우리는 점차 지식을 쌓아 갔다.
step down 사직하다, 은퇴하다
step in (돕기 위해) 끼어들다, 개입하다: He *stepped in* to stop the fight. 그는 싸움을 말리려고 끼어들었다.
step up 1 다가가다 **2** 촉진하다, 강화하다: The police *stepped up* their efforts to fight crime. 경찰은 범죄를 진압하려는 그들의 노력을 강화했다.
take a step〔**steps**〕조처를 취하다: Farmers *took steps* to protect their crops. 농부들은 농작물을 보호할 조처를 취했다.
watch one's step 발밑을 조심하다

step- *prefix* '의붓, 아버지〔어머니〕가 다른'의 뜻.

stepbrother [stépbrʌ̀ðər] *n.* 이복 형제

stepchild [stéptʃàild] *n.* (*pl.* stepchildren) 의붓자식

stepdaughter [stépdɔ̀:tər] *n.* 의붓딸

stepfather [stépfɑ̀:ðər] *n.* 의붓아버지, 계부

stepladder [stéplæ̀dər] *n.* 발판 사닥다리

stepmother [stépmʌ̀ðər] *n.* 의붓어머니, 계모

stepparent [stéppɛ̀ərənt] *n.* 의붓아버지 또는 의붓어머니

stepping stone *n.* **1** 징검다리의 돌, 디딤돌 **2** (출세를 위한) 발판, 수단

stepsister [stépsìstər] *n.* 이복 자매

stepson [stépsʌ̀n] *n.* 의붓아들

stereo [stériòu] *n.* (*pl.* stereos) **1** 스테레오 전축 [SYN] stereo system **2** 입체 음향 장치
adj. 스테레오의, 입체 음향의 *cf.* mono 단선

S

율의

stereophonic [stèriəfánik] *adj.* 입체
음향(효과)의, 스테레오의: *stereophonic*
sound 입체음

stereotype [stériətàip] *n.* 전형; 고정관
념, 편견; 상투적인 문구[수단]
v. [T] 고정시키다, 판에 박다

sterile [stéril] *adj.* **1** 자식을 못 낳는, 불
임의 **2** 균이 없는, 살균한 **3** (땅이) 메마른, 불
모의 **4** (교섭 등이) 헛된
— **sterility** [stəríləti] *n.*

sterilize, sterilise [stérəlàiz] *v.* [T]
1 살균하다, 소독하다 **2** (보통 수동태) 불임케
하다
— **sterilization, sterilisation** *n.*

sterling [stə́:rliŋ] *n.* 영화(英貨) (파운드를
기본 단위로 하는 영국의 화폐 제도)
adj. **1** 순은의, 순은으로 만든: a *sterling*
silver bracelet 순은으로 만든 팔찌 **2** 진짜
의, 신뢰할 만한; 매우 뛰어난

stern[1] [stə́:rn] *adj.* **1** (표정 등이) 엄숙한,
험한: a *stern* face 근엄한 얼굴 **2** 단호한, 준
엄한, 용서 없는
— **sternly** *adv.*

stern[2] [stə́:rn] *n.* **1** 선미(船尾) **2** (일반적)
뒷부분

stethoscope [stéθəskòup] *n.* 청진기

stew [stju:] *n.* 스튜 (고기와 야채를 푹 고아
서 만듦)
v. [I,T] 뭉근한 불로 끓이다

steward [stjú:ərd] *n.* **1** (여객기 등의) 승
무원 **2** (전람회·무도회·경마 등의) 접대역,
간사

stewardess [stjú:ərdis] *n.* (여객기 등
의) 여성 승무원 SYN air hostess

***stick** [stik] *v.* (stuck-stuck) **1** [I,T] 찔리
다, (뾰족한 것으로) 찌르다: The arrow
stuck in the tree. 화살이 나무에 꽂혔다. /
She *stuck* a fork into thick meat. 그녀
는 포크로 두툼한 고기를 찍었다. **2** [I,T] 달라
붙다, 붙이다: Several pages have *stuck*
together. 몇 페이지가 함께 달라붙었다. **3**

[T] (아무렇게나) 놓다: *Stick* it down here.
그걸 여기에 내려 놓으세요. **4** [I] 고정되다, …
에 걸리다: His zipper *stuck* halfway
up. 그의 지퍼가 중간에서 걸려 꼼짝 하지 않았
다. **5** [I] (흔히 부정문·의문문에 쓰여) 주저하
다, 망설이다: He *sticks* at nothing to
succeed. 그는 성공하기 위해서는 어떤 일도
주저하지 않는다.
n. **1** 막대기, 잘라낸 나뭇가지 **2** 지팡이 SYN
walking stick **3** (하키 등의) 스틱 **4** 막대기
모양의 물건: a *stick* of candy 막대 사탕
숙어 **stick it out** 최후까지 버티다[해내
다]: We shall *stick it out* to the end. 우
리는 끝까지 참을 것이다.

stick out 내밀다, 튀어나오다: He *stuck*
his tongue *out* at his sister. 그는 누이동
생에게 혀를 내밀었다.

stick to 1 (어려움에도 불구하고) 계속하다:
She *stuck to* the diet and lost a lot of
weight. 그녀는 다이어트를 계속해서 살이 많
이 빠졌다. SYN persevere **2** 바꾸지 않다,
계속하다: He promised to take the
children to the zoo and he *stuck to*
his word. 그는 아이들을 동물원에 데리고
가기로 약속했고 그 약속을 지켰다. / "Shall
we meet on Thursday?" "No, let's
stick to Friday." "우리 목요일에 만날까?"
"아니. (이미 결정한대로) 금요일에 만나자."

stick up (흉기로 위협하며) 손 들어

stick with 1 계속하다: Practicing is
boring, but *stick with* it and some
day you will be a good player. 연습이
지루하지만 계속하면 언젠가는 훌륭한 선수가
될 거야. SYN persevere **2** 함께[곁에] 있
다, 떠나지 않다: *Stick with* me until we
get out of the crowd. 군중들 속을 빠져
나갈 때까지 내 곁을 떠나지 마.

sticker [stíkər] *n.* (한 쪽 면이 달라붙는)
스티커

sticky [stíki] *adj.* (stickier-stickiest) **1**
끈적끈적한, 들러붙는 **2** 귀찮은, 곤란한: a
sticky situation 곤란한 상황

— **stickiness** *n.*

*stiff [stif] *adj.* **1** 빳빳한, 견고한: The door handle is *stiff* and I can't turn it. 문고리가 뻑뻑해서 돌리지 못하겠다. **2** (목·어깨 등이) 뻐근한: have a *stiff* neck 목이 뻐근하다 **3** (점토·반죽 등이) 끈적이는, 딱딱해진: Whip the cream until it is *stiff*. 크림이 뻑뻑해질 때까지 휘저어라. **4** (평소보다) 강한, 맹렬한: a *stiff* wind 강한 바람 **5** (술이) 독한: *stiff* drink 독한 술 **6** (조건·벌 등이) 엄한; (경쟁이) 심한: a *stiff* punishment 엄벌
— **stiffly** *adv.* **stiffness** *n.*

stiffen [stífən] *v.* **1** [I] (두렵거나 화가 나서) 굳어지다 **2** [I,T] 딱딱해지다, 뻣뻣하게 하다

stiff-necked [stífnékt] *adj.* 완고한, 고집 센

stifle [stáifəl] *v.* **1** [T] 방해하다, 억누르다: *stifle* a yawn 하품을 참다 **2** [I,T] 질식하다, 질식시키다: *stifle* a person with smoke 연기로 아무를 질식시키다 [SYN] suffocate
— **stifling** *adj.*

*still [stil] *adj.* **1** 정지한, 정지하여: Stand *still*! Let me take a picture. 가만 있어 봐! 사진 한 장만 찍을게. **2** 조용한, 잔잔한: The sea is *still* today. 오늘은 바다가 잔잔하다.
adv. **1** 아직, 여전히: He is *still* poor. 그는 아직도 가난하다. **2** 더욱, 더: There are *still* five days to go until my birthday. 내 생일까지는 5일 더 있어야 한다. **3** 그럼에도, 그러나: I am sleepy, *still* I will work. 나는 졸리지만 일을 하겠다. **4** (비교급과 쓰여) 더 한층, 훨씬: *still* better 훨씬 좋은
n. (영화 등에서 캡쳐한) 한 장의 사진
— **stillness** *n.*

[숙어] **still less** 더더욱 … 아니다: If you don't know, *still less* do I. 네가 모른다면 더욱이 나 같은 사람이야 알 턱이 없다.

still more 더더욱 …이다: If you must work hard, *still more* must I. 네가 열심

히 공부해야 된다면 나야말로 더더욱 그렇다.
※ still less는 부정문에 쓰고 still more는 긍정문에 쓴다.

stimulant [stímjələnt] *n.* 흥분제

stimulate [stímjəlèit] *v.* [T] **1** 자극하다, 활발하게 하다: High wages *stimulated* the national economy. 높은 임금이 국가의 경제를 촉진시켰다. **2** 흥미를 끌다: Colorful pictures can *stimulate* a child. 색채가 풍부한 그림들은 어린 아이의 흥미를 유발할 수 있다.
— **stimulating** *adj.* **stimulation** *n.*

stimulative [stímjəlèitiv] *adj.* **1** 자극적인 **2** 격려하는, 고무하는
n. 자극물

stimulus [stímjələs] *n.* (*pl.* stimuli) 자극; 자극물

sting [stiŋ] *v.* [I,T] (stung-stung) **1** (침·가시 등이) 찌르다, 쏘다: A bee *stung* my arm. 벌이 내 팔을 쏘았다. **2** 얼얼[따끔따끔]하다: Smoke *stings* my eyes. 연기로 눈이 따끔거린다. **3** (정신적으로) 고통을 주다: The memory of the insult still *stings*. 그 때의 모욕은 아직도 마음을 괴롭힌다.
n. **1** 침, 독침, 가시 **2** 찌르기, 쏘기; 찔린 상처: be hurt by a *sting* 찔려서 상처 입다 **3** 쑤시는 듯한 아픔, 격통 **4** (정신적인) 괴로움, 고통
— **stinging** *adj.*

stingy [stíndʒi] *adj.* (stingier-stingiest) 인색한: Don't be so *stingy*. 너무 인색하게 굴지마라.
— **stingily** *adv.* **stinginess** *n.*

stink [stiŋk] *v.* [I] (stank-stunk) **1** 악취가 나다, 고약한 냄새가 나다: This ham *stinks*. 이 햄은 악취가 심하다. **2** (부정·부패 등을) 강하게 암시하다 **3** 아주 서투르다, 질이 나쁘다: He looks good but his acting *stinks*. 그는 잘생겼지만 연기력은 완전 엉망이다.
n. 악취, 고약한 냄새

stir [stə:r] *v.* (stirred-stirred) **1** [T] (커피

등을) 젓다, 휘젓다: He *stirred* his coffee with a teaspoon. 그는 찻숟가락으로 커피를 저었다. **2** [I,T] 꿈틀거리다, 살짝 움직이다: The wind *stirs* the leaves. 바람이 나뭇잎을 살랑거리게 한다. **3** [T] 감동시키다, 자극하다, 선동하다: The movie *stirred* his imagination. 그 영화는 그의 상상력을 자극했다.

n. **1** 움직임, 휘젓기: Give it a *stir*. 그것 좀 저어라. **2** (술렁이게 하는) 소동, 법석, 물의
— **stirring** *adj.*

[숙어] **stir up 1** (문제 등을) 야기시키다: The teacher told me to stop *stirring up* trouble. 선생님은 나에게 말썽을 일으키지 말라고 하셨다. **2** (감동 등을) 일으키다: Her story *stirred up* some painful memories. 그녀의 이야기는 몇 가지 아픈 기억을 떠오르게 했다.

stitch [stitʃ] *n.* **1** 한 바늘, 한 땀, 한 코: A *stitch* in time saves nine. [속담] 제때의 한 바늘이 뒤의 아홉 바늘을 덜어 준다. / How many *stitches* did you have in your arm? 팔을 몇 바늘이나 꿰맸니? **2** 통증, 쑤심: a *stitch* in the side 옆구리의 통증
v. [I,T] 꿰매다

stock [stɑk] *n.* **1** 재고 (물품): The book you want is out of *stock* at the moment. 당신이 찾고 있는 책은 현재 매진입니다. **2** 저장(량), 비축: We constantly keep a large *stock* of gasoline. 우리는 늘 다량의 휘발유를 비축하고 있다. **3** 주식, 증권: invest a lot of money in *stocks* 많은 돈을 주식에 투자하다 **4** [요리] (수프용으로 고기 등을) 삶은 국물
v. [T] **1** (가게에 물품을) 갖추다, 팔고 있다: The store *stocks* a wide range of wines. 저 상점은 다양한 종류의 포도주를 갖춰 놓고 있다. **2** …로 채우다

[숙어] **in stock** (상점에 물건이) 구비되어 있는: The new edition is *in stock* in major bookstores. 새 판(版)은 대형 서점에 구비되어 있습니다. [OPP] out of stock

stock up (충분히) 비축해두다 (on, with): We must *stock up* with food for the winter. 겨울철을 나기 위해 식료품을 충분히 구입해 두어야 한다.

stockbroker [stɑ́kbròukər] *n.* 증권 중개인

stockholder [stɑ́khòuldər] *n.* 주주(株主)

stocking [stɑ́kiŋ] *n.* (stockings) 스타킹, 긴 양말

stockpile [stɑ́kpàil] *n.* 비축, 축적
v. [T] 비축[저장]하다

stocky [stɑ́ki] *adj.* (stockier-stockiest) 땅딸막한

stoic [stóuik] *adj.* 금욕의 [SYN] stoical
— **stoically** *adv.* **stoicism** [stóuəsìzəm] *n.* 금욕주의

stolen [stóulən] *v.* steal의 과거분사
adj. **1** 훔친: a *stolen* goods 도둑맞은 물건 **2** 은밀한: a *stolen* marriage 은밀한 결혼, 도둑 결혼

*****stomach** [stʌ́mək] *n.* **1** 위(胃): have a weak *stomach* 위가 약하다 **2** 복부, 배
v. [T] (보통 부정문이나 의문문에 쓰여) …을 참고 보다[듣다, 수용하다]: I cannot *stomach* such an insult. 나는 그런 심한 모욕은 참을 수 없다.

stomachache [stʌ́məkèik] *n.* 위통, 복통: have a *stomachache* 배가 아프다

stomp [stɑmp] *v.* [I] 짓밟다, 무거운 발걸음으로 걷다

*****stone** [stoun] *n.* **1** 돌, 돌멩이: throw a *stone* 돌을 던지다 **2** 보석 [SYN] precious stone **3** (복숭아·자두 등의) 씨: a peach *stone* 복숭아 씨 **4** (*pl.* stone) [영] 스톤 (무게의 단위; 14파운드)

Stone Age *n.* 석기 시대

stone-blind *adj.* 눈이 아주 먼

stonecutter [stóunkʌ̀tər] *n.* **1** 석수 **2** 돌 자르는 기계

stone-deaf *adj.* 전혀 못 듣는

stone's throw *n.* 근거리: at a *stone's*

throw 가까운 거리에

stoneware [stóunwὲər] *n.* 석기, 도자기

stonework [stóunwə̀ːrk] *n.* 돌 세공; 석조(건축)물

stony, stoney [stóuni] *adj.* (stonier-stoniest) **1** 돌이 많은: a *stony* beach 돌이 많은 바닷가 **2** 무감동한, 무표정한: a *stony* heart 무정한 마음

stool [stuːl] *n.* (등받이 없는) 의자

stoop [stuːp] *v.* [I] 몸을 굽히다, 웅크리다: He *stooped* down suddenly. 그는 갑자기 몸을 굽혔다.
n. 몸을 굽힘

*****stop** [stɑp] *v.* (stopped-stopped) **1** [I,T] (움직이는 것에 대해) 서다, 정지하다, 세우다: The clock has *stopped*. 시계가 멈췄다. / I *stopped* someone in the street to ask the way to the station. 나는 기차역에 가는 길을 물으려고 거리에서 누군가를 멈춰 세웠다. **2** [I,T] (진행 중인 것에 대해) 그치다, 중지하다: The rain has *stopped*. 비가 그쳤다. **3** [T] (…하는 것을) 막다, 방해하다: Who can *stop* her from behaving like that? 누가 그녀의 그런 행동을 막을 수 있을까? **4** [I,T] (…하기 위해) 잠시 멈추다, 중단하다: We *stopped* work for a while to have lunch. 우리는 점심을 먹으려고 일을 잠시 중단했다.

■ **주의할 표현** stop

stop -ing '…하는 것을 그만두다'의 뜻: He *stopped* smok*ing*. 그는 담배를 끊었다.
stop to do '…하기 위해 멈추어 서다'의 뜻: He *stopped* to smoke. 그는 담배를 피우려고 멈춰 섰다.

---

n. **1** 멈춤, 중지: No *stop* is permitted on the road. 노상 정차 금지. **2** 정거장, 정류장: a bus *stop* 버스 정류장
[숙어] **stop over** (긴 여행 중에) 잠깐 머무르다: We'll *stop over* at next stop. 다음 정거장에서 잠시 쉬어 갈 것이다.

stopgap [stɑ́pgæp] *n.* 임시변통의 것[사람]

stopover [stɑ́pòuvər] *n.* (여행 중의) 단기 체재

stoppage [stɑ́pidʒ] *n.* **1** 파업, 휴업 **2** [스포츠] (선수 부상 등에 의한) 경기 중단, 지체

stopper [stɑ́pər] *n.* (병 등의) 마개: He put a *stopper* in a bottle. 그는 마개로 병을 막았다. [SYN] plug

storage [stɔ́ːridʒ] *n.* **1** 저장, 보관: in cold *storage* 냉장되어 **2** 창고, 저장소

*****store** [stɔːr] *n.* **1** (대형) 상점: a furniture *store* 가구점 [SYN] shop **2** 저장, 비축: have a good *store* of wine 포도주를 많이 저장하고 있다 **3** 창고, 저장소
v. [T] 저장하다, 비축하다: *store* up fuel for the winter 겨울철에 대비하여 연료를 비축하다 / All the data are *stored* on diskettes. 모든 자료는 디스켓에 저장되어 있다.

[숙어] **in store** 앞으로 일어날[발생할]: Good news was *in store* for us at home. 집에서는 기쁜 소식이 우리를 기다리고 있었다.

set store by …을 중히 여기다: He *sets* no *store by* science. 그는 과학을 전혀 중히 여기지 않는다.

storehouse [stɔ́ːrhàus] *n.* **1** 창고 **2** (지식 등의) 보고

storekeeper [stɔ́ːrkìːpər] *n.* 가게 주인 [SYN] shopkeeper

storeroom [stɔ́ːrrùː(ː)m] *n.* 저장실, 광

stork [stɔːrk] *n.* 황새

*****storm** [stɔːrm] *n.* 폭풍우: A *storm* caught us. 우리는 폭풍우를 만났다.
v. **1** [I,T] 돌격하다, 습격하다: An angry crowd *stormed* the embassy. 성난 군중이 대사관을 습격했다. **2** [I] 돌진하다, 난폭하게 …하다: He *stormed* out of the room. 그는 화나서 방을 뛰쳐나갔다.
— **stormy** *adj.* **stormily** *adv.*

■ 유의어 storm
storm '폭풍우'를 의미하는 가장 일반적인 말. rainstorm, snowstorm, thunderstorm 등의 합성어로도 많이 쓰임. 특히 매우 강한 바람을 동반하는 storm은 **hurricane**이고 강한 회오리를 동반하는 storm은 **cyclone, tornado, typhoon** 또는 **whirlwind**. 매우 심한 snowstorm은 **blizzard**라고 함. **gale** 강풍. storm과 breeze의 중간 정도로 겨울이나 환절기에 많음.

storm-beaten *adj.* 폭풍우에 휩쓸린

stormbound [stɔ́:rmbàund] *adj.* (배 등이) 폭풍우에 발이 묶인

*story[1] [stɔ́:ri] *n.* **1** 이야기, 실화: The police didn't believe his *story*. 경찰은 그가 하는 이야기를 믿지 않았다. / the *story* of the French Revolution 프랑스 혁명 이야기 **2** (단편) 소설, 동화: a detective *story* 탐정 소설 **3** (유아어) 거짓말, 꾸며낸 이야기: a tall *story* 허풍 **4** [언론] 기사, 뉴스

■ 유의어 story
story 픽션, 실화 어느 것에든 쓰이나 말하는 이의 주관에 중점이 있음.: according to my friend's *story* 친구의 말에 의하면 **tale** story에 비해 약간 픽션·각색의 뜻을 포함함. **narrative** 좀 형식적인 말로 허구의 기미가 많음. **account** 설명을 위한 사실의 자세한 묘사.: an *account* of the trip 여행담

story[2], **storey** [stɔ́:ri] *n.* (*pl.* stories; [영] storeys) 층, 계층: two-*story* house 이층짜리 집

■ 유의어 story
story 보통 건물이 몇 층인가를 나타낼 때 씀.: a four-*story* building 4층짜리 건물 / The building is four *stories* high. 그 건물은 4층짜리이다.

floor 건물의 한 층을 가리킬 때 씀.: He works on the fifth *floor*. 그는 5층에서 일한다.

stout [staut] *adj.* **1** (사람이) 뚱뚱한, 살찐 SYN stocky **2** 단단한, 견고한 SYN sturdy — **stoutly** *adv.* **stoutness** *n.*

*stove [stouv] *n.* 스토브, 난로

*straight [streit] *adj.* **1** 곧은, 일직선의: a *straight* line 직선 **2** (명사 앞에는 쓰이지 않음) 수평의, 수직의: That picture isn't *straight*. 그림이 수평[수직]이 안 맞다. **3** 정직한, 솔직한: Would you give me a *straight* answer? 나한테 솔직하게 답변해 줄래? **4** 정돈된, 가지런한 **5** 고지식한, 융통성 없는

adv. **1** 일직선으로, 똑바로: walk *straight* 똑바로 걷다 **2** 곧장, 곧바로: Come *straight* home after school. 학교가 끝나면 곧장 집으로 와라. **3** 솔직하게, 정직하게: talk *straight* 솔직하게 이야기하다

straighten [stréitn] *v.* [I,T] 똑바르게 되다, 펴다: *straighten* one's tie 넥타이를 똑바르게 하다

straightforward [strèitfɔ́:rwərd] *adj.* **1** 명백한; (일 등이) 간단한 **2** 정직한, 솔직한

strain [strein] *n.* **1** (밀거나 당겨 발생하는) 압력, 팽팽함: Too much *strain* broke the rope. 너무 당겨서 밧줄이 끊어졌다. **2** 정신적 긴장, 피로 SYN stress **3** (무리해 몸을) 상하게 함, 삠, 접질림 **4** (동물·식물·병 등의) 종, 형: a new *strain* of disease 새로운 질병의 형태

v. **1** [I,T] 온힘을 발휘하다, 크게 애쓰다: He *strained* to reach the shore. 그는 해안에 닿기 위해 필사적이었다. **2** [T] (신체에 대하여) 혹사하다: He *strained* his heart. 그의 심장에 무리가 갔다. **3** [T] (관계에) 금가게 하다: Money problems *strained* their relationship. 돈 문제가 그들 사이를 금가게 만들었다. **4** [T] 거르다, 걸러내다

strain seeds from orange juice 오렌지 주스를 걸러 씨를 제거하다

strained [streind] *adj.* **1** 부자연한, 일부러 꾸민: a *strained* laughter 억지로 웃는 웃음 **2** (부담감으로) 긴장된, 걱정스러운

strainer [stréinər] *n.* 여과기, 체

strait [streit] *n.* **1** (보통 *pl.*) 해협 **2** (straits) 궁핍, 곤란: I am in desperate *straits* for money. 나는 돈에 너무 쪼들리고 있다.

strand¹ [strænd] *n.* **1** (실·머리카락 등의) 한 가닥 **2** (이야기·아이디어 등의) 일부분, 요소

strand² [strænd] *n.* 물가, 해안
v. [I,T] **1** 좌초하다 **2** 궁지에 몰다
— **stranded** *adj.*

*****strange** [streindʒ] *adj.* **1** 이상한, 기묘한: A *strange* thing happened to me on my way home. 집에 오는 길에 내게 이상한 일이 생겼다. **2** 낯선, 생소한, 미지의: She told me not to talk to a *strange* man. 그녀는 내게 낯선 사람과 이야기하지 말라고 했다.
— **strangely** *adv.* **strangeness** *n.*
[숙어] **strange to say** 이상하게도: *Strange to say*, the dead tree blossomed. 이상하게도 죽은 나무에서 꽃이 피었다.

stranger [stréindʒər] *n.* **1** 낯선 사람, 모르는 사람: He is a *stranger* to me. 나는 그를 모릅니다. **2** 이방인 (모르는 곳에 와 있는 사람): I'm quite a *stranger* to London. 저는 런던에 처음입니다.

strangle [strǽŋɡəl] *v.* [T] **1** 교살하다, 질식시키다 **2** (발전 등을) 억압하다: *strangle* a social movement 사회 운동을 억압하다

strap [stræp] *n.* **1** (가죽·천·비닐 등의) 끈 **2** 손잡이: He held on to a *strap* over his head in the bus. 그는 버스에서 그의 머리 위에 있는 손잡이를 꼭 잡았다.
v. [T] (strapped-strapped) 끈으로 매다[묶다]

strategic [strətíːdʒik] *adj.* **1** 전략상의,

전략상 중요한 **2** (폭격 등이) 적의 요충지를 노린
— **strategically** *adv.*

strategist [strǽtədʒist] *n.* 전략가

strategy [strǽtədʒi] *n.* 작전, 전략

straw [strɔː] *n.* **1** 짚, 밀짚 **2** 짚 한 오라기 **3** 빨대
[숙어] **the last〔final〕straw** (그것 때문에 갑자기 견디지 못하게 되는) 최후의 매우 적은 부담

*****strawberry** [strɔ́ːbèri] *n.* 딸기, 양딸기

stray [strei] *v.* [I] **1** 옆길로 빗나가다, 딴길로 들어서다: *stray* off in woods 숲 속으로 잘못 들어가다 **2** (생각 등이) 주제에서 빗나가다: My thoughts *strayed* for a few moments. 내 생각이 잠깐 주제를 벗어나고 말았다.
adj. (명사 앞에만 쓰임) 처진, 길 잃은: a *stray* cat 길 잃은 고양이
n. 길 잃은 사람〔가축〕

streak [striːk] *n.* **1** 줄, 선, 줄무늬 **2** (은연중에 드러나는) 성격의 일면: She is a very caring girl, but she has a selfish *streak*. 그녀는 매우 다정한 사람이지만 이기적인 면도 있다. **3** (행운·불운 등의) 연속: a winning *streak* 연승
v. **1** [I] 번개처럼 달리다: When I opened the door, the cat *streaked* in. 내가 문을 열었더니 고양이가 번개같이 들어왔다. **2** [T] (보통 수동태) 줄무늬 모양으로 얼룩지게 하다

streaked [striːkt] *adj.* 줄무늬가 있는

*****stream** [striːm] *n.* **1** 시내, 개울 **2** (액체·기체의) 흐름: *streams* of blood 대량의 출혈 **3** (사람·차량 등의) 행렬: The street had a *stream* of cars. 거리에는 자동차의 물결이 그치지 않았다. **4** (사건 등의) 연속, 계속: a *stream* of telephone calls 쇄도하는 전화
v. [I] **1** (액체·기체·빛이) 쏟아지다, 흐르다: Tears were *streaming* down her face. 그녀의 뺨에 눈물이 흘러내렸다. **2** 끊임없이 계속되다: People were *streaming* out of the building. 그 건물에서 사람들이 끊임없

이 쏟아져 나왔다.

streamline [strí:mlàin] *v.* [T] **1** (자동차 등을) 유선형으로 하다 **2** (조직·업무 등을) 간소화하다, 효율화하다
adj. **1** 유선형의, 날씬한 **2** 간소화 된; 최신식의 [SYN] streamlined
— **streamliner** *n.* 유선형 열차[버스]

*****street** [strí:t] *n.* **1** 거리, 가로(街路): I met him in[on] the *street* this morning. 나는 오늘 아침에 거리에서 그를 만났다. **2** (Street) …가(街) (*abbr.* St): Downing *Street* 다우닝 가(街)

streetcar [strí:tkà:r] *n.* 시가 전차

street sweeper *n.* 거리 청소원[청소기]

*****strength** [streŋkθ] *n.* **1** 체력, 힘: We will work with all our *strength*. 우리는 온 힘을 다해서 열심히 일할 것이다. **2** 내구력, 견고성: the *strength* of a bridge 교량의 내구력 **3** 영향력: Germany's economic *strength* 독일의 경제적 영향력 **4** (감정·의견 등의) 강도 [SYN] intensity **5** (사람·계획 등의) 강점, 장점: the *strengths* and weaknesses of a plan 계획의 강점과 약점 [OPP] weakness

strengthen [stréŋkθən] *v.* [I,T] 강해지다, 강화하다 [OPP] weaken

strenuous [strénjuəs] *adj.* **1** 힘·노력을 요하는: Squash is a *strenuous* exercise. 스쿼시는 힘을 요하는 운동이다. **2** 열심인: make *strenuous* efforts 무척 노력하다 / *strenuous* opposition 강한 반대
— **strenuously** *adv.* **strenuousness** *n.*

stress [stres] *n.* **1** (정신적) 압박, 곤경: She's been under a lot of *stress* since her husband went into hospital. 그녀는 남편이 입원한 이래로 엄청난 정신적 고통을 겪고 있다. **2** (중요성의) 강조, 역설: lay [put] *stress* on …을 강조하다 **3** 강세, 악센트 **4** [물리] 압력, 힘
v. [T] **1** 강조하다, 역설하다 **2** [음성] …에 강세를 붙이다
— **stressful** *adj.*

*****stretch** [stretʃ] *v.* **1** [I,T] 늘이다, 잡아당기다: He *stretched* the rope tight. 그는 밧줄을 팽팽히 잡아당겼다. **2** [I,T] 기지개를 켜다, (팔·다리 등을) 내뻗다: He *stretched* his arms and yawned. 그는 팔을 뻗으며 하품했다. **3** [I] (시간·공간적으로) 뻗다, 퍼지다: The forest *stretches* to the river. 숲은 강까지 펼쳐져 있다. **4** [T] (돈·시간·능력 등을) 최대한 활용하다, 전부 발휘하다
n. **1** (물·땅의) 범위, 일부: a wide *stretch* of land 광활한 땅 **2** (팔·다리 등을) 쭉 뻗음
[숙어] **stretch one's legs** 산보하다

stretcher [strétʃər] *n.* (환자를 나르는) 들것

*****strict** [strikt] *adj.* **1** 엄격한, 엄한: He is *strict* with his pupils. 그는 학생들에게 엄하다. **2** 엄밀한, 정확한: a *strict* statement of facts 사실의 정확한 진술
— **strictly** *adv.*

stride [straid] *v.* (strode-stridden) **1** [I] 큰 걸음으로 걷다, 활보하다: She turned abruptly and *strode* off down the stairs. 그녀는 갑자기 돌아서더니 계단을 성큼성큼 내려왔다. **2** [I,T] 넘다: She *strode* over a puddle. 그녀는 웅덩이를 (밟지 않고) 넘어서 갔다.
n. 활보, 큰 걸음
[숙어] **make great strides in** …에 장족의 진보를 하다

strife [straif] *n.* 투쟁, 다툼, 싸움

*****strike** [straik] *v.* (struck-struck) **1** [T] 치다, 때리다, 부딪다: He *struck* the table with his fist. 그는 주먹으로 탁자를 쳤다. / The ship *struck* a rock and sank. 배가 바위에 부딪혀 가라앉았다. **2** [I,T] 갑자기 공격하다, 침해하다: The army *struck* by surprise at night. 군대가 밤에 갑자기 공격했다. [SYN] attack **3** [I] 파업하다: The workers are *striking* for improved safety standards. 근로자들이 안전성 기준 개선을 요구하며 파업하고

있다.

4 [T] 감명을 주다; …한 인상을 주다: Her behavior *struck* me as odd. 그녀의 행동은 내게 이상하다는 인상을 주었다. [SYN] impress

5 [T] (생각이) 갑자기 떠오르다: A good idea *struck* me as I was reading the newspaper. 신문을 읽는 동안 좋은 생각이 떠올랐다.

6 [T] (성냥을) 긋다, (부싯돌을) 치다: *strike* a light (성냥으로) 불을 붙이다

7 [I,T] (시계가 시각을) 치다, 쳐서 알리다: The clock *struck* five. 시계가 5시를 알렸다.

8 [T] (금·석유 등 지하 자원을) 발견하다: They finally *struck* gold in 1886. 그들은 마침내 1886년에 금을 발견했다.

n. **1** 파업, 공습 **2** [야구] 스트라이크

— **striker** *n.* 치는 사람, 파업 참가자

strike-out *n.* [야구] 삼진

[숙어] **strike back** 되받아치다

strike up 시작하다: They *struck up* a conversation about high school. 그들은 고등 학교에 대한 이야기로 대화를 시작했다.

striking [stráikiŋ] *adj.* 뚜렷한, 현저한, 인상적인: She is a *striking* woman, quite beautiful. 그녀는 매우 아름답고 인상적인 여자다.

— **strikingly** *adv.*

*****string** [striŋ] *n.* **1** 실, 끈, 줄: a piece of *string* 한 가닥의 끈 **2** (악기의) 현(絃): A guitar has six *strings*. 기타는 여섯 줄로 되어 있다. **3** (라켓 등의) 줄 **4** (the strings) (오케스트라의) 현악기 **5** 끈으로 꿴 것, 일련: a *string* of pearls 꿴 진주 한 줄 **6** [컴퓨터] 문자열

v. [T] (strung-strung) **1** 실에 꿰다: I *strung* some beads for a necklace. 나는 목걸이를 만들기 위해 구슬을 꿰었다. **2** 끈으로 묶다

[숙어] **pull strings** (인형극에서) 줄을 조종하다; 배후에서 조종하다

string out 한 줄로 세우다

strip [strip] *v.* (stripped-stripped) **1** [I,T] 옷을 벗다(벗기다) (off): It was so hot that we *stripped* off our shirts. 날씨가 너무 더워서 우리는 셔츠를 벗었다. **2** [T] …로부터 빼앗다, 치우다 (of): They *stripped* the house of all its furniture. 그들은 집에서 모든 가구를 치웠다. **3** [T] (겉껍질 등을) 벗기다, 까다 (off): We *stripped* the paint off the walls. 우리는 벽의 페인트를 벗겼다.

n. 길고 가느다란 조각: a *strip* of land 길고 가늘게 뻗은 땅 / The Israeli helicopter attack in the Gaza *Strip* late Tuesday, wounded at least 10 people. 화요일 오후 가자 지구에 대한 이스라엘 헬리콥터의 공격이 적어도 10명에게 중상을 입혔다.

stripe [straip] *n.* 줄무늬: a shirt with blue *stripes* 파란 줄무늬 셔츠

— **striped** *adj.* 줄무늬가 있는

strive [straiv] *v.* [I] (strove-striven) 얻으려고 애쓰다: *strive* for independence 독립을 얻으려고 노력하다

stroke [strouk] *n.* **1** (글씨·그림의) 한 획: She used four *strokes* of a pen to make an E. 그녀는 E를 쓰기 위해 네 번 획을 그었다. **2** (수영·노젓기·골프의) 한 번의 동작; 수영법: back *stroke* 배영 **3** (뇌졸중 등의) 발작: have a *stroke* 발작을 일으키다 **4** 뜻밖의 행운

v. [T] 쓰다듬다: *stroke* a dog 개를 쓰다듬다

[숙어] **at a (one) stroke** 단숨에, 일거에

stroll [stroul] *n.* 어슬렁어슬렁 거닐기, 산책: go for a *stroll* along the beach 해변을 따라 산책하다

v. [I] 어슬렁어슬렁 걷다

*****strong** [strɔ(:)ŋ] *adj.* **1** (사람이) 힘이 센, 튼튼한: He is a very *strong* man. 그는 매우 힘이 센 남자다. **2** (물건이) 강한, 단단한: The window is made from very *strong* glass. 그 유리창은 매우 강한 유리로 만들어졌다. **3** (자연의 힘이) 강한, 센: *Strong* winds are forecast in the area tomorrow. 내일 그 지역에 강한 바람이 예보

되었다. **4** 진한, 독한, 센: *strong* coffee 진한 커피 / a *strong* drink 독한 술 **5** (의견·신념이) 강한, 확고한: a *strong* will 강한 의지 **6** 유력한, 성공 가능성 있는: She's a *strong* candidate for the job. 그녀는 그 일에 유력한 후보자이다.

— **strongly** *adv.* **strength** *n.*

⟦숙어⟧ **be going strong** (아직도) 번창하고 있다, 정정하다: The company was founded in 1900 and *is* still *going strong.* 그 회사는 1900년에 설립되어 아직도 번창하고 있다.

strong-minded *adj.* 결연한, 과단성 있는 ⟦SYN⟧ determined

***structure** [strʌ́ktʃər] *n.* **1** 구조; 조직, 체계: the economic *structure* of Korea 한국의 경제 구조 / the grammatical *structure* of a language 언어의 문법 체계 **2** 구조물, 건물: A new *structure* is being built on the corner. 모퉁이에 새 건물이 공사 중이다.

v. [T] 조직화하다, 구축하다

— **structural** *adj.*

***struggle** [strʌ́ɡəl] *v.* [I] **1** 전력을 다해 노력하다, 애쓰다 (with, for, to do): He *struggled* for his success. 그는 성공하려고 갖은 노력을 다했다. / She's *struggling* to bring up a family on a very low income. 그녀는 적은 수입으로 가족을 부양하느라 애쓰고 있다. **2** 싸우다, 벗어나려고 애쓰다 (with, against): He *struggled* fiercely with his armed robber. 그는 무장한 강도와 맹렬하게 싸웠다. / He has been *struggling* against cancer for years. 그는 몇 년째 암과 싸우고 있다.

n. **1** 노력, 고투 **2** 싸움, 투쟁: the *struggle* for existence 생존을 위한 투쟁

stub [stʌb] *n.* 동강, 쓰다 남은 토막, 꽁초: The ticket collector gave me the *stub* of my ticket. 검표원이 내 표의 토막을 내게 주었다. (영화관에서 표를 내면 그 표에서 일부를 떼서 주는 것)

stubborn [stʌ́bərn] *adj.* 고집센, 완고한; 굽히지 않는: Stop being so *stubborn.* 그만 고집 부려. ⟦SYN⟧ obstinate

— **stubbornly** *adv.* **stubbornness** *n.*

stud [stʌd] *n.* **1** (가죽 등에 박는) 장식 못 **2** (와이셔츠의) 장식 단추 ([미] collar button) **3** [건축] (벽의) 간주(間柱) **4** [기계] 박아 넣는 볼트 **5** (스노타이어의) 징, 스파이크

v. [T] (studded-studded) **1** 장식용 못을 박다, 장식 단추를 달다: She wore a belt *studded* with fancy buttons. 그녀는 장식 단추가 달린 벨트를 착용했다. **2** …에 온통 박다, 흩뿌리다: a brooch *studded* with pearls 진주가 박혀 있는 브로치

***student** [stjúːdənt] *n.* **1** 학생: She is a high-school *student* and will start college next spring. 그녀는 고등 학생이고 내년 봄에 대학생이 된다. ※ 미국에서는 중학생 이상, 영국에서는 대학생을 말한다. **2** 학자, 연구자: a *student* of insects 곤충 연구가 **3** (대학·연구소 등의) 연구생

studio [stjúːdiòu] *n.* (*pl.* studios) **1** (예술가의) 작업실, 아틀리에 **2** (음악·댄스 등의) 연습실 **3** (보통 *pl.*) 영화 촬영소 **4** 방송실, 스튜디오; (레코드의) 녹음실 **5** 원룸, 1실형 주거 ([미] studio apartment; [영] studio flat)

***study** [stʌ́di] *n.* **1** 공부: the *study* of foreign languages 외국어 공부 **2** 학과, 과목 **3** (studies) 연구, 학문: the department of business *studies* 경영학과 **4** 연구 사항: a *study* of the cause of heart disease 심장병의 원인에 관한 연구 **5** 검토, 조사: under *study* 검토 중인 **6** 서재, 연구실: He has many books in his *study.* 그의 서재에는 책이 많다.

v. **1** [I,T] 배우다, 공부하다; 연구하다: She *studied* for the math test. 그녀는 수학 시험 공부를 했다. / He *studies* Korean history at the university. 그는 대학에서 한국사를 공부한다. **2** [T] 눈여겨〔유심히〕 보

다: She *studied* her friend's face for a moment. 그녀는 친구의 얼굴을 잠시 유심히 보았다.

stuff [stʌf] *n.* **1** (어떤 종류의) 막연한 물건 [것]: There's sticky *stuff* all over the chair. 의자 위에 온통 끈끈한 것들이 묻어 있어. / green *stuff* 채소 **2** 재료, 원료: building *stuff* 건축 자재 **3** 소지품: Don't leave your *stuff* behind. 소지품을 잊지 마세요. **4** 가치 없는 것, 시시한 것; 허튼소리: I like reading and *stuff*. 나는 독서와 뭐 그런 것을 좋아한다. / What *stuff*! 참 시시한 소리를 하는군!
v. [T] **1** (속을) 채우다 (with): *Stuff* the cushion and then sew up the final seam. 쿠션 속을 채우고 마지막 솔기를 꿰매라. **2** 급하게 밀어[채워] 넣다 (into): I quickly *stuffed* some clothes into a bag. 나는 급하게 가방에 옷가지를 밀어 넣었다. **3** 실컷 먹이다 (with): He *stuffed* himself with sandwiches. 그는 샌드위치를 실컷 먹었다. **4** 박제로 하다: a *stuffed* bird 박제한 새

stuffing [stʌfiŋ] *n.* **1** (요리용 닭·칠면조 등에 넣는) 속 **2** (이불·소파·인형 등을 채우는) 깃털[솜, 짚]

stuffy [stʌfi] *adj.* (stuffier-stuffiest) **1** (방이) 통풍이 잘 안 되는, 숨막힐 듯한 **2** (사람이) 거만한, 구식의

stumble [stʌmbəl] *v.* [I] **1** 발부리가 걸리다, …에 채어 비틀거리다 (over, on): He *stumbled* on a stone and fell down. 그는 돌에 걸려 넘어졌다. **2** 비틀거리며 걷다 (along): The old man *stumbled* along. 노인은 비틀거리며 걸어갔다. **3** 말을 더듬다: He *stumbles* badly. 그는 말을 심하게 더듬는다.
[숙어] **stumble across[on]** 우연히 만나다[발견하다]: She *stumbled* on the ring she lost last month. 그녀는 지난 달에 잃어버린 반지를 우연히 발견했다.

stump [stʌmp] *n.* (잘리거나 부러진 것의)

남은 부분: a tree *stump* 나무 그루터기
v. [T] 쩔쩔매게 하다: The student was *stumped* by the difficult question. 그 학생은 어려운 문제 때문에 쩔쩔맸다.

stun [stʌn] *v.* [T] (stunned-stunned) **1** 기절시키다, 정신을 잃게 하다 **2** (뜻밖의 소식으로) 깜짝 놀라게 하다: Everyone was *stunned* by the news. 그 소식을 듣고 모두 깜짝 놀랐다.
— **stunning** *adj.* 놀랄 만큼 아름다운, 굉장한

stunt¹ [stʌnt] *n.* **1** 이목을 끌기 위한 행동: a political *stunt* 이목을 끌기 위한 정치 활동 **2** 묘기, 곡예: 영화의 위험하고 흥미로운 연기: Some actors do their own *stunts*. 어떤 배우들은 직접 위험한 연기를 한다.

stunt² [stʌnt] *v.* [T] 성장(발육)을 방해하다: A poor diet may *stunt* growth. 부실한 식단은 성장을 저해할 수 있다.

stunt man *n.* (*pl.* stunt men) 위험한 장면의 대역(代役), 스턴트 맨

*****stupid** [stjúːpid] *adj.* **1** 우둔한, 어리석은: I made a *stupid* mistake. 나는 어리석은 실수를 했다. / It was *stupid* of me to behave like that. 그렇게 행동하다니 나도 바보였어. **2** (명사 앞에만 쓰임) 화나게 하는, 짜증나게 하는: I hate doing this *stupid* exercise. 나는 정말 이 짜증나는 운동을 하는 게 싫다.
— **stupidly** *adv.* **stupidity** *n.*

sturdy [stəːrdi] *adj.* (sturdier-sturdiest) **1** 튼튼한, 건강한: *sturdy* legs 튼튼한 다리 **2** 오래 가는, 튼튼한: I bought this *sturdy* pair of shoes many years ago. 나는 이 질긴 신발을 몇 년 전에 샀다.
— **sturdily** *adv.* **sturdiness** *n.*

stutter [stʌtər] *v.* [I,T] 말을 더듬다
n. 말더듬기 (버릇)

*****style** [stail] *n.* **1** (독특한) 방법, 스타일; 양식: He developed his own *style* of painting. 그는 자신만의 화법을 발전시켰다. / *styles* of architecture 건축 양식 **2** 스

타일, 유행(형), 모양: The classic black dress is always in *style*. 고전적인 검정 드레스는 항상 유행이다. **3** 품격, 품위: have no *style* 품위가 없다; 평범하다
— **stylish** *adj.* 유행의, 멋진 **stylist** *n.* 디자이너, 스타일리스트

Styrofoam [stáiərəfòum] *n.* 스티로폼 (발포 폴리스티렌; 상표명): a *Styrofoam* cup 스티로폼 컵

sub- *prefix* '아래; 아(亞), 하위, 부(副); 조금, 반'의 뜻.: *sub*tropical 아열대의 / *sub*marine 잠수함 / *sub*acid 약간 신

subconscious [sʌbkánʃəs] *adj.* 잠재의식의, 어렴풋이 의식하고 있는
n. (the subconscious) 잠재 의식
— **subconsciously** *adv.*

subdivide [sʌbdiváid] *v.* [I,T] 세분하다, 다시 나누다
— **subdivision** *n.*

subdue [səbdjúː] *v.* [T] **1** (적국 등을) 정복하다, (사람을) 위압(압도)하다: Napoleon *subdued* much of Europe. 나폴레옹은 유럽의 대부분을 정복했다. **2** (감정 등을) 억제하다, 억누르다: He tried to *subdue* his anger. 그는 화를 참으려고 애썼다. **3** (빛깔·소리·태도·통증 등을) 누그러지게 하다, 완화하다: He *subdued* the screaming baby with soft music. 그는 조용한 음악으로 아이의 울음을 그치게 했다.

***subject** [sʌbdʒikt] *adj.* **1** (명사 앞에는 쓰이지 않음) …받기 쉬운 (to): The prices are *subject* to change. 물가는 변하기 쉽다. **2** (명사 앞에는 쓰이지 않음) …조건으로 하는 (to): Our plan is *subject* to your approval. 우리의 계획은 너의 동의에 달려있다. **3** 지배를 받는, 복종하는 (to): Rich and poor, we are all *subject* to the laws of this country. 부자건 가난하건 우리는 모두 이 나라 법에 따른다.
n. **1** (토론·연구·이야기 등의) 주제: Stop trying to change the *subject*! 주제를 바꾸려고 하지 마! **2** (학교의) 과목: What's

your favorite *subject*? 가장 좋아하는 과목이 뭐니? **3** [문법] 주어 **4** 국민: a British *subject* 영국 국민
v. [T] [səbdʒékt] **1** 복종[종속]시키다, 지배하다: The invaders quickly *subjected* the tribes. 침입자들은 빨리 부족들을 지배했다. **2** (싫은 일을) 겪게 하다, 당하게 하다: His poor health *subjected* him to disease. 그의 안 좋은 건강이 그를 병에 걸리게 했다. / She was *subjected* to ridicule. 그녀는 조롱을 당했다.

■ **유의어** subject
subject 논문·연구·이야기·작품 등에서 다루는 대상·제재 **theme** 표제로서 다루어지지 않더라도 일관하여 흐르는 주제·테마 **topic** 논문·이야기 등의 부분적인 주제·화제

subjective [səbdʒéktiv] *adj.* **1** 주관의, 주관적인: a *subjective* judgment 주관적인 판단 [OPP] objective **2** [문법] 주격의
— **subjectively** *adv.*

submarine [sʌ́bmərìːn] *n.* 잠수함

submerge [səbmə́ːrdʒ] *v.* [I,T] (물 속에) 가라앉(히)다, 침수되다, 잠수하다: The submarine *submerged* when enemy planes were sighted. 적의 비행기가 보이자 잠수함은 잠수했다.

submission [səbmíʃən] *n.* **1** 복종, 항복: in *submission* to …에 복종하여 **2** 제출; 제출물: The final deadline for *submission* is January fifth. 최종 제출일은 1월 5일이다.

submit [səbmít] *v.* (submitted-submitted) **1** [T] 제출하다: All applications must be *submitted* by Monday. 모든 신청서는 월요일까지 제출해야 한다. **2** [I] 굴복하다, 복종하다 (to): There was nothing for it but to *submit* with good grace. 기꺼이 따를 수밖에 없었다. / *submit* to authority 권위에 복종하다
— **submissive** *n.* 복종하는, 유순한

subordinate [səbɔ́ːrdənit] *adj.* 종속적인, 하위의: I want to take a vacation but that is *subordinate* to finding a new job. 휴가를 가고 싶지만 새 일자리를 찾는 것이 우선이다.

n. 부하

v. [T] [səbɔ́ːrdənèit] 종속시키다, 하위에 두다; 얕보다: Her personal life has been *subordinated* to her career. 그녀의 개인 생활은 직장 생활 다음으로 밀려나 있었다.

subscribe [səbskráib] *v.* **1** [I] 구독하다, 구독을 신청하다: What newspaper do you *subscribe* to? 어떤 신문을 구독하십니까? **2** [T] (이름 등을) 문서의 밑에 쓰다, 서명하다 (to): I *subscribed* my name to the document. 나는 그 문서에 서명했다. **3** [I] (서명하여) 찬성〔동의〕하다 (to): I *subscribed* to his opinions. 나는 그의 의견에 동의했다.

— **subscriber** *n.* 구독자, 신청인
subscription *n.* 예약(금), 신청

subsequent [sʌ́bsikwənt] *adj.* (명사 앞에만 쓰임) 후의, 다음의, 결과로서 일어나는: These skills were then passed on to *subsequent* generations. 이러한 기술은 다음 세대에 전수되었다.

— **subsequently** *adv.* 계속하여, 그 후에

subside [səbsáid] *v.* [I] **1** (비·바람·감정 등이) 잠잠해지다, 진정되다: Then the wind *subsided*, and all was quiet. 바람이 잠잠해진 다음 (온 주의가) 고요해졌다. **2** (땅·건물이) 침강하다

— **subsidence** *n.*

subsidiary [səbsídièri] *adj.* 보조의, 종속적인: a *subsidiary* business 부업
n. 자회사: My brother works for a smaller *subsidiary* of a big car company. 우리 오빠는 큰 자동차 회사의 작은 자회사에 다닌다.

subsist [səbsíst] *v.* [I] (수입·식량 부족시에) 살아가다, 생존하다, 연명하다 (on): We *subsisted* on scanty food. 우리는 부족한

음식으로 연명했다.

— **subsistence** *n.* 생존, 생계

*****substance** [sʌ́bstəns] *n.* **1** 물질: Tires are made of rubber and other *substances*. 타이어는 고무와 다른 물질로 만들어진다. **2** 실질, 내용: an idea with little *substance* 실질적인 내용이 별로 없는 아이디어 **3** 요지, 요점: the *substance* of a speech 연설의 요지 **4** 자산, 재산: a man of *substance* 자산가

■ **유의어 substance**

substance 어떤 물건의 실체, 본질을 구성하고 있는 것, 물질 그 자체. **matter** mind 또는 spirit의 반의어로서의 물질. thing과 가까우며 많은 비유적 의미가 있음. **material** 재료로서의 물건. **stuff** material의 구어이며 비유적 의미가 있음.

---

substantial [səbstǽnʃəl] *adj.* **1** (양이) 꽤 많은, 상당한: A *substantial* amount of money is missing. 상당한 양의 돈이 분실되었다. **2** 실질적인, 사실상의: The committee were in *substantial* agreement. 위원회는 사실상 합의했다. **3** 튼튼한, 견고한: a *substantial* desk 튼튼한 책상

substantially [səbstǽnʃəli] *adv.* **1** 대체로, 실질적으로: They're *substantially* the same. 그것들은 대체적으로 같다. **2** 상당히, 꽤, 풍부히: Costs have fallen *substantially*. 비용이 상당히 줄었다. SYN considerably

substitute [sʌ́bstitjùːt] *n.* 대리인, 대역; 대체물
v. [T] 대용하다, 대체하다 (for): You can *substitute* cooking oil for butter in this recipe. 이 요리법에서는 버터 대신 식용유를 써도 된다.

— **substitution** *n.* 대리, 대용

subtitle [sʌ́btàitl] *n.* **1** (보통 *pl.*) (TV·영화의) 설명〔대사〕, 자막 **2** (책 등의) 부제
v. [T] (보통 수동태) ···에 부제를 달다; (설명)

자막을 넣다: a French movie *subtitled* in English 영어 자막을 넣은 프랑스 영화

subtle [sʌtl] *adj.* **1** 미묘한, 포착하기 어려운: a *subtle* difference 미묘한 차이 **2** (향기·용액 등이) 엷은, 희미한: a *subtle* smell of roses 희미한 장미 향기 **3** 영리한, 명석한: *subtle* brain 명석한 두뇌 **4** 교활한, 음흉한: a *subtle* trick 교활한 속임수
— **subtly** *adv.* **subtlety** *n.*

subtopic [sʌbtɑpik] *n.* (논제의 일부를 이루는) 부차적인 논제

subtract [səbtrækt] *v.* [T] 빼다, 감하다 (from): If you *subtract* five from ten, you get five. 10에서 5를 빼면 5다. [OPP] add
— **subtraction** *n.*

suburb [sʌbəːrb] *n.* **1** 교외, 근교 **2** (the suburbs) 교외 주거지: My parents moved to the *suburbs*, so they need to buy a car. 부모님은 교외 주거지로 이사해서 차를 구입해야 한다.
— **suburban** *adj.* 교외의; 단조로운

***subway** [sʌbwèi] *n.* **1** [미] 지하철: A lot of people take the *subway* to work every day. 많은 사람들이 매일 지하철로 출근한다. **2** [영] 지하도
※ 영국에서는 지하철을 underground 또는 tube, 미국에서는 지하도를 underpass라고 한다.

suc- *prefix* '밑의, 밑에 있는'의 뜻. [SYN] sub-
※ c 앞에는 sub-가 대신 쓰인다.

***succeed** [səksíːd] *v.* **1** [I] 성공하다, 잘 되어가다 (in): I'm sure you'll *succeed* if you work hard. 열심히 하면 성공할 거야. / No one thought he would *succeed* in his new business. 아무도 그가 새 사업에 성공할 거라고 생각하지 못했다. [OPP] fail **2** [I,T] 계승[상속]하다, 뒤를 잇다: *succeed* to an estate 부동산을 상속받다 / Nixon *succeeded* Johnson as President. 닉슨이 존슨의 뒤를 이어 대통령이 되었다.

■ 유의어 **succeed**
succeed 목적을 달성하다 **flourish** 번영하다. 성공의 외면에 나타난 화려함을 강조함. **prosper** 물질적으로 번영하다

success [səksés] *n.* **1** 성공, 성취: The *success* rate for this operation is very low. 이 수술의 성공률은 매우 낮다. **2** 성공한 일, 대성공: The movie 'Titanic' was a huge *success*. 영화 '타이타닉'은 대성공이었다. [OPP] failure

successful [səksésfəl] *adj.* **1** 성공한, 잘된, 출세한: a *successful* candidate 당선자; 합격자 / He was *successful* in getting a job. 그는 일자리를 구하는 데 성공했다. **2** (일이) 성공적인, 대성공의: a *successful* drama 성공적인 드라마
— **successfully** *adv.* 성공적으로, 훌륭하게

succession [səkséʃən] *n.* **1** 연속: A *succession* of visitors came to the door. 방문객들이 연이어 찾아왔다. **2** 상속(권), 계승(권)
[숙어] **in succession** 잇달아, 연속하여: Mysterious events occurred *in succession*. 이상한 사건들이 잇달아 일어났다.

successive [səksésiv] *adj.* 잇따른, 계속되는, 연속하는: It rained (for) five *successive* days. 5일간 계속 비가 왔다.
— **successively** *adv.*

successor [səksésər] *n.* 상속[계승]자, 후임자; 대신하는 것: the *successor* to Nixon 닉슨의 후임자

succumb [səkʌm] *v.* [I] **1** 굴복하다, 굽히다: *succumb* to the temptation 유혹에 지다 **2** 죽다: *succumb* to cancer 암으로 죽다

***such** [sʌtʃ] *adj.* **1** (어떤 종류의) 그러한, 그런: *Such* behavior is just not acceptable in this school. 그런 행동은 이 학교에서 받아들여지지 않는다. **2** (앞에서 말한) 그러한: Tigers eat meat. *Such* animals are called carnivores. 호랑이는 육식을 한다. 그러한 동물을 육식 동물이라 한다. **3** (such (...) as) …와 같은, 그러한: He collects musical instruments, *such* as trumpets and guitars. 그는 트럼펫, 기타와 같은 악기를 모은다.

adv. (형용사를 강조하여) 그렇게, 매우: I have *such* great news! 아주 굉장한 소식이 있어! / Did you have to buy *such* an expensive coat? 그렇게 비싼 코트를 사야 했니?

pron. 그런 사람〔것〕: *Such* were the results. 결과는 그와 같았다.

[숙어] **as such 1** 그대로, 그런 것으로: She is a kind woman and is known *as such.* 그녀는 친절한 여자이다. 그리고 그렇게 알려져 있다. **2** 그 자체로, 그것만으로: Money, *as such*, does not bring happiness. 돈, 그 자체가 행복을 가져다 주지는 않는다.

such and such 이러이러한: He lives on *such and such* street—I forgot the street's name. 그는 이러이러한 거리에 사는데 그 거리 이름을 잊어버렸다.

such ... that 매우 …해서: He was *such* a fine gentleman *that* everybody respected him. 그는 매우 훌륭한 신사였으므로 누구나 그를 존경했다.

suck [sʌk] *v.* [I,T] **1** 빨다, 빨아들이다: She *sucked* lemonade through a straw. 그녀는 레모네이드를 빨대로 빨아먹었다. / He *sucked* up a spill with a sponge. 그는 엎지러진 물을 스폰지로 빨아들였다. **2** 핥다, 빨아먹다: He was noisily *sucking* on a sweet. 그는 시끄럽게 사탕을 빨아먹었다.

— **suction** *n.* 빨아들임, 흡입

sucker [sʌ́kər] *n.* **1** 잘 속는 사람 **2** (동·식물의) 흡반, 빨판 **3** 빠는 사람〔것〕, 젖먹이

*****sudden** [sʌ́dn] *adj.* 갑작스러운, 뜻밖의, 별안간의: A *sudden* change in your life can cause stress. 인생의 갑작스런 변화는

스트레스를 일으킬 수도 있다.

— **suddenly** *adv.* **suddenness** *n.*

[숙어] **all of a sudden** 별안간, 갑자기: It was sunny; then *all of a sudden* it started to rain. 날씨가 맑았었는데 갑자기 비가 내리기 시작했다.

sue [suː] *v.* [I,T] 고소하다, 소송을 제기하다 (for): *sue* him for damage 그에게 손해 배상 소송을 제기하다

*****suffer** [sʌ́fər] *v.* **1** [I,T] (고통·슬픔·손해·어려움·혼란함 등을) 겪다, 경험하다, 입다 (from, for): Children often *suffer* a lot when their parents get divorced. 어린이들은 부모가 이혼할 때 상당히 혼란함을 겪는다. / I have *suffered* much loss through him. 나는 그 때문에 큰 손해를 입었다. / She often *suffers* from severe headache. 그녀는 종종 심한 두통으로 고통받는다. **2** [I] 나빠지다: My grades *suffered* when I didn't study. 나는 공부를 안 해서 점수가 나빠졌다. **3** [T] (부정문·의문문에서) 참다, 견디다: I won't *suffer* your endless complaints. 난 너의 끝없는 불평을 참지 않을 것이다. [SYN] bear, put up with

— **sufferer** *n.* 피해자 **suffering** *n.* 괴로움, 수난

suffice [səfáis] *v.* [I] 족하다, 충분하다: That *suffices* to prove his honesty. 그것은 그가 정직하다는 것을 증명하기에 충분하다.

*****sufficient** [səfíʃənt] *adj.* 충분한, 족한: Our money was *sufficient* for a two-week vacation. 우리 돈은 2주간의 휴가를 보내기에 충분했다. / He knows *sufficient* English to make himself understood. 그는 자기 뜻을 표현하기에 충분한 정도의 영어를 알고 있다. [OPP] insufficient

— **sufficiently** *adv.* **sufficiency** *n.*

suffix [sʌ́fiks] *n.* 접미사, 접미어 [OPP] prefix

suffocate [sʌ́fəkèit] *v.* [I,T] 질식하다,

숨이 막히다; 질식시키다, 숨을 막다: The smoky fire was *suffocating* us. 연기가 자욱한 불길이 우리를 질식시키고 있었다.
— **suffocating** *adj.* **suffocation** *n.*

sug- *prefix* '밑의, 밑에 있는'의 뜻. SYN sub-

***sugar** [ʃúɡər] *n.* **1** 설탕: She put a teaspoon of *sugar* in her coffee. 그녀는 커피에 한 티스푼의 설탕을 넣었다. **2** 설탕 한 개〔한 숟가락〕: a lump of *sugar* (각)설탕 한 개 **3** [화학] 당(糖), 당류
— **sugary** *adj.* 설탕이 든, 단

sugar beet *n.* 사탕무

sugar cane *n.* 사탕수수

sugarcoat [ʃúɡərkòut] *v.* [T] **1** (알약 등에) 당의를 입히다 **2** 나쁜 소식을 좋게 전하다

***suggest** [səɡdʒést] *v.* [T] **1** 제안하다: He *suggested* that we have lunch at the French restaurant. 그는 프랑스 식당에서 점심을 먹자고 제안했다. / He *suggested* going out for a walk. 그는 산책하러 갈 것을 제안했다. **2** 암시하다, 넌지시 말하다: The results of the test *suggested* that I was ill. 검사 결과는 내가 병에 걸렸음을 암시했다. **3** (사람·장소 등을) 추천하다: Could you *suggest* someone to advise me how to do this? 내가 이 일을 어떻게 할지 알려 줄 사람을 추천해 주실 수 있습니까?

suggestion [səɡdʒéstʃən] *n.* **1** 제안: May I make a *suggestion*? 제안 한 가지 해도 되겠습니까? **2** 암시, 시사 **3** 연상 **4** 기색, 모양: not even a *suggestion* of fatigue 피로한 기색도 없는

suggestive [səɡdʒéstiv] *adj.* **1** 시사하는, 암시하는 **2** (…을) 연상시키는, 생각나게 하는 (of): The melody is *suggestive* of rolling waves. 그 멜로디는 넘실거리는 파도를 연상케 한다. **3** 도발적인, 외설적인: *suggestive* remarks 외설적인 말

suicide [súːəsàid] *n.* 자살; 자살 행위: commit *suicide* 자살하다
— **suicidal** *adj.* 자살적인; 자포자기한

***suit** [suːt] *n.* **1** 한 벌: She wore a dark blue *suit*. 그녀는 진한 청색의 상하 한 벌을 입었다. **2** …옷(복): a swim*suit* 수영복 / a space*suit* 우주복 **3** 소송: The judge dismissed the *suit*. 재판관은 그 소송을 기각했다. / bring (a) *suit* against …를 고소하다 **4** [카드] 짝패 한 벌 (hearts, diamonds, clubs, spades로 각 13장)
v. [T] **1** (…을 하기에) 편하다, …에 형편이 좋다, …에 적합하다: Would Monday morning *suit* you? 월요일 오전이 괜찮겠습니까? **2** (색·옷이) 잘 어울리다: That black dress really *suits* you. 그 검정 드레스는 당신에게 정말 잘 어울립니다.

suitable [súːtəbəl] *adj.* 적당한, 어울리는: Please set a *suitable* time to meet. 만나기 편한 시간을 정하세요. / This movie's not *suitable* for children. 이 영화는 어린이에게 적당하지 않다. OPP unsuitable
— **suitably** *adv.* **suitability** *n.*

suitcase [súːtkèis] *n.* 여행 가방 (case)

sulfur, sulphur [sʌ́lfər] *n.* 황, 유황 (비금속 원소; 기호 S)

sulfur dioxide *n.* 이산화황, 아황산가스

sulk [sʌlk] *n.* 샐쭉함, 부루퉁함
v. [I] 샐쭉해지다, 부루퉁해지다: When his girlfriend will not see him, he *sulks* for days. 여자 친구가 만나지 않으려 하면 그는 며칠 동안 부루퉁해 있다.
— **sulky** *adj.*

sullen [sʌ́lən] *adj.* 기분이 언짢은, 골나서 말을 하지 않는, 뚱한
— **sullenly** *adv.*

sultry [sʌ́ltri] *adj.* (sultrier-sultriest) 더운, 찌는 듯이 더운

***sum** [sʌm] *n.* **1** 합계, 총계: The *sum* of 3 and 4 is 7. 3과 4의 합계는 7이다. **2** 금액: Huge *sums* of money are spent on scientific research. 과학 연구에 거액의 돈이 소비된다.
v. [T] (summed-summed) **1** 합계하다: *sum* up bills at the store 상점에서 계산

서를 합계하다 **2** 요약하다 (up): His opinion may be *summed* up in the following few words. 그의 의견은 다음 몇 마디로 요약될 수 있을 것이다.

***summary** [sʌ́məri] *n.* 요약: Write a *summary* of the article. 이 논설을 요약해 쓰시오.
adj. **1** 요약한, 간략한 **2** 즉석의, 약식의
— **summarize, summarise** *v.*

***summer** [sʌ́mər] *n.* 여름: We often eat outside in *summer*. 우리는 여름에 종종 밖에서 식사를 한다.
— **summery** *adj.* 여름의(같은), 하절용의

summer time *n.* ([미] daylight saving time) [영] 일광 절약 시간

summertime *n.* 여름(철), 하절

summit [sʌ́mit] *n.* **1** (산의) 정상, 꼭대기 **2** (국가 간) 정상 회담: Next year, the *summit* conference will be held in Seoul. 내년 정상 회담은 서울에서 열릴 예정이다.

summon [sʌ́mən] *v.* [T] **1** 소환하다, 호출하다; (의회 등을) 소집하다: The head-teacher *summoned* me to his office. 교장 선생님이 나를 교장실로 부르셨다. **2** (용기 등을) 불러일으키다 (up): *summon* up all one's strength 있는 힘을 다 내다

summons [sʌ́mənz] *n.* (*pl.* summonses) **1** (법원에의) 출두 명령, 소환장 **2** (의회 등의) 소집(장)

***sun** [sʌn] *n.* **1** (the sun) 태양, 해: The *sun* rises every morning and sets every evening. 해는 매일 아침 떠서 매일 저녁 진다. **2** 햇빛, 햇볕: Shall we go and sit out in the *sun*? 나가서 햇볕에 앉아 있을까?
v. [I] (sunned-sunned) 햇볕을 쬐다, 일광욕하다

sunbathe [sʌ́nbèið] *v.* [I] 일광욕하다
— **sunbathing** *n.*

sunblock [sʌ́nblὰk] *n.* 자외선 차단제 (sunscreen)

sunburn [sʌ́nbə̀:rn] *n.* 햇볕에 탐
— **sunburned, sunburnt** *adj.*

Sunday [sʌ́ndei] *n.* (*abbr.* Sun) 일요일: They go to church on *Sundays*. 그들은 일요일마다 교회에 간다.

sunflower [sʌ́nflàuər] *n.* 해바라기

sunglasses [sʌ́nglæ̀siz] *n.* (*pl.*) 선글라스 [SYN] dark glasses

sunken [sʌ́ŋkən] *adj.* **1** 가라앉은, 물 속의: *sunken* rocks 암초 **2** (눈·볼 등이) 살 빠진, 움푹 들어간: *sunken* cheeks 홀쭉한 볼 **3** 내려앉은, 한 단 낮은 곳에 있는: a *sunken* living room 좀 낮은 곳에 있는 거실

sunlight [sʌ́nlàit] *n.* 햇빛
— **sunlit** *adj.* 햇볕에 쬐인

sunny [sʌ́ni] *adj.* (sunnier-sunniest) 햇볕이 잘 드는, 밝게 비치는: a *sunny* day 맑은 날

sunrise [sʌ́nrὰiz] *n.* 해돋이, 일출: at *sunrise* 동틀녘에

sunset [sʌ́nsèt] *n.* 일몰, 해질녘: at *sunset* 해질녘에

sunshine [sʌ́nʃàin] *n.* 햇빛, 일광: The *sunshine* lasts about 12 hours in September. 9월에는 햇빛이 약 12시간 동안 비친다.

sunstroke [sʌ́nstròuk] *n.* 일사병

suntan [sʌ́ntæ̀n] *n.* 볕에 그을음 (tan): have(get) a *suntan* 선탠을 하다
— **suntanned** *adj.*

***super** [súːpər] *adj.* **1** 특히, 특별히 **2** 훌륭한, 멋진: We had a *super* time on our vacation. 우리는 멋진 휴가를 보냈다.

super- *prefix* '…의 위에, 더욱 …하는, 뛰어나게 …한, 과도하게 …한'의 뜻.: *super*-natural 초자연의 / *super*normal 비범한

superb [supə́:rb] *adj.* 훌륭한, 멋진, 뛰어난: a *superb* performance 훌륭한 공연
— **superbly** *adv.*

superficial [sùːpərfíʃəl] *adj.* **1** 표면적인, 피상적인: I thought that the article

was written at a very *superficial* level. 나는 그 기사가 매우 피상적인 수준으로 작성되었다고 생각했다. **2** (상처 등이) 표면에 있는, 얕은: a *superficial* wound 외상 **3** (사람이) 가벼운, 천박한: He's fun to be with, but he's *superficial*. 그는 같이 지내기에 재미있지만 가벼운 사람이다.
— **superficially** *adv.* **superficiality** *n.*

superfluous [su:pə́rfluəs] *adj.* 불필요한, 여분의, 남는

superhighway [sù:pərháiwei] *n.* [미] (다차선의 입체 교차로를 가진) 고속 도로

superintend [sù:pərinténd] *v.* [I,T] 지휘하다, 감독하다

superintendent [sù:pərinténdənt] *n.* **1** 경찰 본부장, 경찰 서장 **2** (건물의) 관리인

*****superior** [səpíəriər] *adj.* **1** 우수한, 뛰어난, 훌륭한 (to): Our product is *superior* to our competitor's. 우리 제품이 경쟁사 것보다 우수하다. [OPP] inferior **2** 상위의, 상급의 (to): a *superior* officer 상급 관리 **3** 거만한, 잘난 체하는: He has such a *superior* attitude. 그는 상당히 잘난 체한다.
n. 윗사람, 상관 [OPP] inferior
— **superiority** *n.*

superlative [səpə́:rlətiv] *adj.* 최고의, 최상급의
n. [문법] 최상급

superman [sú:pərmæn] *n.* (*pl.* supermen) **1** 슈퍼맨, 초인 **2** (Superman) 슈퍼맨 (만화 주인공인 초인)

supermarket [sú:pərmà:rkit] *n.* 슈퍼마켓

supernatural [sù:pərnǽtʃərəl] *adj.* 초자연의, 불가사의한, 신비한
n. (the supernatural) 초자연적인 작용[현상], 불가사의

supersonic [sù:pərsánik] *adj.* **1** 초음속의: *supersonic* speed 초음속 **2** [물리] 초음파의: *supersonic* waves 초음파

superstar [sú:pərstà:r] *n.* (스포츠 · 예능계의) 인기인, 슈퍼스타

superstition [sù:pərstíʃən] *n.* 미신: I don't believe in the old *superstition* that the number 13 is unlucky. 나는 숫자 13이 불행을 가져온다는 오래된 미신을 믿지 않는다.
— **superstitious** *adj.* 미신적인

supervise [sú:pərvàiz] *v.* [I,T] 감독하다, 관리하다: He *supervised* the children in the pool. 그는 풀장 안에 있는 어린이들을 감독했다.
— **supervision** *n.*

supervisor [sú:pərvàizər] *n.* 관리[감독]자, 감시자[원]
— **supervisory** *adj.*

*****supper** [sʌ́pər] *n.* (특히 낮에 dinner를 먹었을 때의) 저녁 식사, (가벼운) 만찬, (특히) 야식

supplement [sʌ́pləmənt] *n.* 보충, 부록, 추가: The doctor said she should be taking vitamin *supplements*. 의사는 그녀에게 비타민 첨가제를 복용하라고 말했다. / the Sunday *supplements* 일요 증보판
v. [T] [sʌ́pləmènt] 보충하다, 증보하다
— **supplementary** *adj.* 보충의, 추가[부록]의

*****supply** [səplái] *v.* [T] 공급하다, 지급하다: Our school *supplies* food for the children. 우리 학교에서는 아동들에게 급식을 한다. / The lake *supplies* water for the town. =The lake *supplies* the town with water. 그 호수는 마을에 물을 공급한다.
n. **1** 공급, 지급: *supply* and demand 공급과 수요 / The storm cut off the water *supply*. 폭풍우로 물의 공급이 끊겼다. **2** 공급[지급]품, 공급량 **3** 재고품, 비축 물자 **4** (supplies) (군대 · 탐험대 등의) 양식, 군량, 보급품

[숙어] in short supply 공급 부족으로, 결핍하여: Computers are *in rather short*

supply in this office. 이 사무실에 컴퓨터
가 다소 부족하다.

■ 유의어 supply
supply 결핍되어 있는 것을 보급하다.
furnish 주로 생활이나 위락에 필요한 것
을 공급하다. **equip** 일에 필요한 것을 갖
추다.

*support [səpɔ́:rt] v. [T] 1 (사람·주의·
정책 등을) 지지하다, 후원하다: My father
supported the Labor Party all his life.
아버지는 평생 노동당을 지지하셨다. **2** (시설
등을) 재정적으로 원조하다 **3** 부양하다: She
supports her family by working two
jobs. 그녀는 두 가지 일을 하면서 가족을 부양
한다. **4** 지탱하다, 버티다: These beams
support the roof. 이 들보들이 지붕을 지탱
하고 있다. **5** (진술 등을) 입증하다: The
results *support* our original theory. 결
과가 우리의 원래 이론을 입증해 준다. **6** [영]
(스포츠 팀을) 응원하다 ([미] root for)
n. **1** 지지, 후원: He spoke in *support* of
the motion. 그는 그 동의를 옹호하는 발언
을 했다. **2** 지지자〔물〕, 지주, 토대 **3** 부양, 생
활비
— **supportive** *adj.* 협력적인, 격려하는
supporter *n.* 지지자

■ 유의어 support
support 물리적인 지지에서 정신적인 지
지, 생활비 지원까지 폭넓은 뜻을 가지며,
버팀이 없으면 무너질 가능성을 시사함.
maintain 현상태가 유지되도록 버팀. 특
히 정신적인 일에 쓰임. **sustain** 좀 딱딱
한 말. 정당한 것을 공적으로 지지하다.
uphold 남의 주의·주장·신념 등을 옹호
하다.

*suppose [səpóuz] v. [T] 1 가정하다, 상상
하다: Let's *suppose* that our plan fails,
then what shall we do? 우리 계획이 실
패한다고 가정해 보자. 그럼 우리는 어떻게 하
지? **2** 생각하다, 추측하다: I *suppose* he's
still in Seoul. 나는 그가 아직 서울에 있다고
생각해. **3** (정중한 요구를 나타내어) …하면 어
떤가, …하십시다: I don't *suppose* you'd
lend me your car tonight, would
you? 오늘밤 당신 차를 빌려 주실 수 있을지
모르겠습니다. / *Suppose* we go to the
movies? 우리 영화 보러 가는 게 어떨까? **4**
(마지못해) 동의하다: I don't agree with
it, but I *suppose* (that) it's for the best.
그 일에 동의하지는 않지만 그게 최선인 것 같
아.
— **supposedly** *adv.* 상상으로, 아마
supposition *n.* 상상; 가정, 가설
[숙어] **be supposed to 1** …하기로 되어
있다: What *are* we *supposed to* study
this hour? 이번 시간에 우리는 무엇을 공부
하기로 되어 있니? **2** …할〔일〕 것으로 생각되
다: This *is supposed to* be his best
book. 이것이 그의 최고의 책인 것 같다.

supposing [səpóuziŋ] *conj.* 만약 …이라
면: *Supposing* your father knew it,
what would he say? 너의 아버지가 아시
면 뭐라고 하실까?

suppress [səprés] *v.* [T] **1** 진압하다, 가라
앉히다: *suppress* a riot 폭동을 진압하다 **2**
(증거·사실 등을) 감추다: *suppress* the
truth 진실을 감추다 **3** (감정 등을) 참다, 억
누르다: *suppress* a yawn〔laughter〕하품
〔웃음〕을 참다
— **suppression** *n.*

supreme [səprí:m] *adj.* 최고의, 최상의,
극도의: the *Supreme* Court 대법원 / a
matter of *supreme* importance 가장 중
요한 문제
— **supremely** *adv.* **supremacy** *n.* 최
고, 최상위; 주권

*sure [ʃuər] *adj.* **1** (명사 앞에는 쓰이지 않
음) 확실한, 틀림없는: I'm *sure* (that) I left
my keys on the table. 열쇠를 탁자 위에
놓고 온 게 틀림없어. **2** (명사 앞에는 쓰이지
않음) 반드시 …하는: If you work hard,
you are *sure* to pass the exam. 열심히

공부하면 반드시 시험에 합격할 거야. **3** 확신하고 있는, 자신이 있는: Is there anything you're not *sure* of? 확신하지 못하는 것이 있습니까? **4** (대답으로) 물론, 그럼요: "Would you like coffee?" "*Sure*." "커피 마실래요?" "좋지요."

숙어 **be sure to** 반드시 …하다: They *are sure to* come back. 그들은 반드시 돌아온다.

for sure 확실히, 틀림없이: It's going to be fine, *for sure*. 틀림없이 날씨는 좋아질 것이다.

make sure 1 확인〔다짐〕하다: I'll just *make sure* I've turned the oven off. 오븐을 껐는지 확인해 봐야겠다. **2** 꼭 …하다: *Make sure* you are back home by 10 o'clock. 10시까지 꼭 집에 돌아오렴.

sure of oneself (자신의 의견 등에) 자신이 있는: I'd never seen him like this, so *sure of himself*. 이렇게 자신에 찬 그의 모습은 본 적이 없어.

to be sure 확실히, 과연: He has a clear head, *to be sure*, but he has no heart. 확실히 그는 머리는 좋으나 인정이 없다.

■ **유의어 sure**

sure 주로 주관적으로 확실한 것. **certain** sure와 같은 뜻으로 쓰이기도 하지만 객관적으로 특수한 이유나 증거에 의거하여 확실한 것.

surely [ʃúərli] *adv.* **1** 확실히, 꼭, 틀림없이: He will *surely* succeed. 그는 꼭 성공할 것이다. **2** (부정문에서) 설마: *Surely*, you don't mean to go. 설마 가시려고 하는 것은 아닐 테죠. **3** (대답으로) 물론, 그럼요: "Will you go with us?" "*Surely*!" "우리와 같이 가실 거죠?" "그럼요!"

surf [sə:rf] *n.* (해안에) 밀려와 부서지는 파도 *v.* [I,T] **1** 서핑을〔파도타기를〕 하다 **2** 인터넷을 이용하다: I *surfed* the Net for two hours. 나는 2시간 동안 인터넷을 이용했다.
— **surfing** *n.*

****surface** [sə́:rfis] *n.* **1** 표면, 수면: Two-thirds of the Earth's *surface* is covered by water. 지구 표면의 3분의 2가 물로 덮여 있다. **2** (평평한) 윗면: the *surface* of a table 테이블 윗면 **3** 외관: On the *surface*, that looks like a good car, but the engine is bad. 외관상 저것은 좋은 차처럼 보이지만 엔진이 나쁘다. / beneath 〔below〕 the *surface* 내면은, 속은
v. **1** [I] (잠수함 등이) 떠오르다 **2** [I] (문제·화제 등이) 표면화하다, 나타나다: Their differences began to *surface*. 그들의 의견 차이가 표면화되기 시작했다. **3** [T] …에 표지를〔표면을〕 달다; (길 등을) 포장하다: *surface* a road with asphalt 길을 아스팔트로 포장하다

surge [sə:rdʒ] *n.* **1** (군중 등의) 쇄도, 돌진: a *surge* of crowd 군중의 쇄도 **2** (감정의) 동요, 고조: a *surge* of enthusiasm 열정의 폭발 **3** [전기] 서지 (전류·전압의 급증(동요)) **4** (물가 등의) 급상승: There was a *surge* in the price of garlic. 마늘 값의 급상승이 있었다.
v. [I] **1** (군중·감정 등이) 파도처럼 밀려오다, 쇄도하다, 들끓다: The crowd *surged* into the theater. 군중이 극장에 쇄도했다. **2** (물가가) 급등하다: Lately prices are *surging* up. 최근에 물가가 계속 급등하고 있다.

surgeon [sə́:rdʒən] *n.* 외과 의사

surgery [sə́:rdʒəri] *n.* 외과, (외과) 수술
— **surgical** *adj.* 외과의

surmise [sərmáiz] *n.* 추측
v. [I,T] 추측하다: After seeing that the room was empty, he *surmised* that the party was over. 방이 비어 있는 것을 보고 그는 파티가 끝났다고 추측했다. SYN guess

surmount [sərmáunt] *v.* [T] (곤란 등을) 극복하다, 이겨 내다: They managed to *surmount* all opposition to their plans. 그들은 자신들의 계획에 대한 모든 반

대를 가까스로 이겨 냈다.

surname [sə́ːrnèim] *n.* 성 (last name, family name)

surpass [sərpǽs] *v.* [T] ···보다 뛰어나다, ···을 능가하다: The book's success has *surpassed* everyone's expectations. 그 책의 성공은 모든 사람들의 예상을 뛰어넘었다.
— **surpassing** *adj.*

surplus [sə́ːrplʌs] *n.* 나머지, 과잉; 잉여(금): We've got a *surplus* of milk. 우유가 과잉 생산되었다. [SYN] excess [OPP] deficit
adj. 과잉의: *surplus* stocks 잉여 상품, 재고품 / a *surplus* population 과잉 인구

*****surprise** [sərpráiz] *n.* **1** 놀람 **2** 놀라운 일〔물건〕, 뜻밖의 일
v. [T] **1** 놀라게 하다: I am *surprised* that she won the prize. 그녀가 상을 탔다니 놀랍다. / He *surprised* us by saying that he was leaving the company. 그가 회사를 떠난다는 말을 해서 우리를 놀라게 했다. **2** 기습하다, 불시에 〔덮〕치다: The robbers had just opened the safe when they were *surprised* by the police. 경찰이 기습했을 때 강도들은 막 금고 문을 열었다.
— **surprising** *adj.* **surprisingly** *adv.*
[숙어] **in surprise** 놀라서: "Why?" she exclaimed *in surprise*. 그 여자는 놀라서 "왜?"라고 소리쳤다.

to one's surprise 놀랍게도: *To my surprise*, they agreed to all our demands. 놀랍게도 그들은 우리의 요구를 모두 들어주었다.

■ 유의어 **surprise**

surprise 기대·준비가 없는 상대방을 놀라게 하다의 뜻으로서, 가장 일반적인 말.
astonish surprise보다 뜻이 강하고, 믿을 수 없는 일로 사람을 놀라게 하다의 뜻.
amaze 상대방이 당황하거나 어찌할 바를 모를 정도로 놀라움을 주다. **startle** 별안간 펄쩍 뛸 정도의 놀라움을 주다.

---

surprising [sərpráiziŋ] *adj.* 놀랄 만한, 불가사의한, 의외의; 눈부신: She gave a rather *surprising* answer. 그녀는 다소 의외의 답을 했다.
— **surprisingly** *adv.*

surrealism [səríːəlizəm] *n.* 초현실주의
— **surrealist** *n. adj.* 초현실주의자(의)

surrender [səréndər] *v.* **1** [I,T] 항복하다, 자수하다 (to): They would rather die than *surrender* to the invaders. 그들은 적에게 항복하느니 차라리 죽음을 택할 것이다. [SYN] yield **2** [T] 넘겨주다, 양도하다: The police ordered them to *surrender* their weapons. 경찰은 그들에게 무기를 넘겨줄 것을 명령했다. **3** [T] 포기하다, 양보하다 [SYN] give up
n. **1** 인도, 양도; 포기 **2** 항복, 굴복: unconditional *surrender* 무조건 항복 **3** 자수

*****surround** [səráund] *v.* [T] 둘러싸다, 에워싸다 (by, with): He was *surrounded* by his fans. 그는 그의 팬들에 둘러싸였다.

surrounding [səráundiŋ] *n.* (surroundings) (주위) 환경, 주위의 상황: She grew up in comfortable *surroundings*. 그녀는 편안한 환경에서 성장했다.
adj. (명사 앞에만 쓰임) 주위의, 둘레〔부근〕의: the *surrounding* hills 주위의 언덕

survey [sə́ːrvei] *n.* **1** 개관, 개론: This class is a *survey* of European history. 이 수업은 유럽사 개론이다. **2** (토지 등의) 측량 **3** (의견·행동 등의) 표본 조사: She prepared a *survey* about immigration. 그녀는 이민에 관한 조사를 준비했다. **4** (장소·상태 등의) 검사, 조사
v. [T] [səːrvéi] **1** 내려다보다; 개관하다, 관찰하다: We stood at the top of the hill and *surveyed* the countryside. 우리는 언덕 위에 올라서서 그 지방 전체를 주의 깊게 살폈다. **2** 측량하다 **3** (장소·상태 등을) 조사하다: He *surveyed* his finances before buying a new car. 그는 새 차를

S

구입하기 전에 자신의 재정 상태를 점검했다. / Have the house *surveyed* before you buy it. 집을 구입하기 전에 조사해 봐라. **4** (의견·행동 등을) 조사하다: *survey* TV viewers TV 시청자들을 조사하다
— **surveyor** *n.* 측량사; 감시인; 검사관
*****survive** [sərváiv] *v.* **1** [I,T] 살아남다: She was lucky to *survive* the plane crash. 그녀는 운 좋게도 비행기 추락에서 살아났다. / Few buildings *survived* the bombing. 폭격으로 남은 건물이 거의 없다. **2** [T] …보다 오래 살다: He *survived* his children. 그는 자식들보다 오래 살았다. / He is *survived* by his wife and two children. 그의 유가족으로 아내와 두 아이가 있다.
— **survival** *n.* 살아남음, 생존 **survivor** *n.* 생존자, 유족
susceptible [səséptəbəl] *adj.* (명사 앞에는 쓰이지 않음) **1** …에 쉽게 영향을 받는 (to): Young people are *susceptible* to advertisements. 젊은층이 광고의 영향을 쉽게 받는다. **2** (병에) 걸리기 쉬운 (to): He is *susceptible* to colds. 그는 감기에 잘 걸린다. [SYN] vulnerable **3** …을 할 수 있는, 용인하는 (of, to): His statement is *susceptible* of(to) two interpretations. 그의 진술서는 두 가지로 해석할 수 있다.
suspect [səspékt] *v.* [T] **1** 아마 …이리라고 생각하다, 추측하다: I *suspect* that rain is going to spoil our picnic. 비가 와서 소풍을 망칠 것 같다. **2** …가 유죄라고 생각하다: I *suspect* him of stealing the money. 나는 그가 돈을 훔쳤다고 생각한다. / He was *suspected* of being a spy. 그는 스파이라는 혐의를 받았다. **3** 의심하다: I have no reason to *suspect* her honesty. 그녀의 정직함을 의심할 이유가 없다.
n. [sʌ́spekt] 혐의자, 용의자
adj. [sʌ́spekt] 수상한, 의심스러운: *Suspect* drugs are removed from the market.

의심스런 약품은 시장에서 몰수되었다.
suspend [səspénd] *v.* **1** [I,T] 매달다: Chandeliers were *suspended* on heavy chains from the ceiling. 샹들리에가 무거운 사슬로 천장에 매달려 있었다. **2** [I,T] 중지하다, 일시 정지하다: Sales of the drug will be *suspended* until more tests are completed. 추가 검사가 완료될 때까지 그 약의 판매가 중단될 것이다. / He was given a *suspended* sentence. 그는 집행 유예를 받았다. **3** [T] 정직(停職)시키다, (학생을) 정학시키다 (from): He was *suspended* from school for a week. 그는 일주일간 정학당했다.
— **suspension** *n.* 정직, 정학; 미결(정)
suspense [səspéns] *n.* (영화·소설 등의) 서스펜스, 지속적 긴장감, 손에 땀을 쥐는 상태: That action movie created a lot of *suspense*. 그 액션 영화는 많은 긴장감을 유발했다.
[축약] **keep ... in suspense** …을 마음 졸이게 하다, 불안하게 하다: The story *kept* me *in suspense* till the last page. 그 이야기는 마지막 페이지까지 나를 마음 졸이게 했다.
suspicion [səspíʃən] *n.* **1** 의심(쩍음), 혐의: He's been arrested on *suspicion* of theft. 그는 절도 혐의로 구속되었다. / She is under *suspicion* of murder. 그녀는 살인 혐의를 받고 있다. **2** 알아챔, 눈치챔: I have a *suspicion* that she already knows about our relationship. 그녀가 이미 우리의 관계를 알고 있는 것 같다.
suspicious [səspíʃəs] *adj.* **1** 의심스러운, 수상쩍은: His behavior was very *suspicious*. 그의 행동은 아주 수상쩍었다. **2** 의심 많은, 공연히 의심하는 (of, about): My sister has a very *suspicious* nature. 나의 여동생은 아주 의심이 많은 성격이다. / He is *suspicious* of me. 그는 나를 의심하고 있다.
— **suspiciously** *adv.*

sustain [səstéin] *v.* [T] **1** (생명을) 유지하다: Oxygen *sustains* life. 산소는 생명을 유지시킨다. [SYN] keep alive **2** 계속하다, 지속하다: The teacher managed to *sustain* the children's interest. 선생님은 가까스로 아이들의 관심을 계속해서 붙잡아 둘 수 있었다. [SYN] maintain **3** (손해·상처 등을) 받다, 입다, 경험하다: The company has *sustained* heavy losses this year. 그 회사는 올해 심한 손실을 입었다. [SYN] suffer

sustainable [səstéinəbl] *adj.* **1** 유지〔계속〕할 수 있는, 받칠 수 있는 **2** (자원 이용이) 환경이 파괴되지 않고 계속될 수 있는, (개발 등이) 야생 동물을 절멸시키지 않는

sustenance [sʌ́stənəns] *n.* **1** 생계, 생활 **2** 생명을 유지하는 것, 음식, 자양〔영양〕물 **3** 지지, 유지, 지속

*swallow¹ [swálou] *v.* **1** [T] 들이켜다, 삼키다: It's easier to *swallow* pills if you take them with water. 알약을 물과 함께 마시면 더 삼키기가 쉽다. **2** [I] (놀람·긴장 등으로) 마른침을 꿀꺽 삼키다: I *swallowed* hard and tried to speak, but nothing came out. 마른침을 꿀꺽 삼키고는 말을 하려 했는데 아무 말도 나오지 않았다. **3** [T] 쉽사리 받아들이다〔믿다〕: I can't *swallow* that. 나는 그걸 전적으로 믿을 수는 없다. **4** [T] (모욕 등을) 참다, 감수하다: I find his criticisms very hard to *swallow*. 그의 비판은 참기가 너무 힘들다. **5** [T] 써 없애다, (돈 등을) 다 써버리다 (up): The rent *swallows* up our earnings. 집세가 우리 수입을 다 까먹는다.

n. **1** 삼킴, 마심 **2** 한 모금(의) 양: Take a *swallow* of water. 물을 한 모금 마셔라.

*swallow² [swálou] *n.* 제비: One *swallow* does not make a summer. 〔속담〕사물의 일면만 보고 전체를 단정하지 마라. (제비 한 마리 왔다고 해서 여름이 온 것은 아니다.)

swamp [swɑmp] *n.* 늪, 습지

v. [T] **1** 물에 잠기게 하다: A big wave *swamped* the boat. 큰 파도로 보트가 물에 잠겼다. **2** (보통 수동태) 바빠서 정신 못 차리게 하다 (with): Our new product was so popular that we were *swamped* with work. 새 제품이 아주 인기가 있어 우리는 일에 몰려 정신이 없었다.

swan [swɑn] *n.* 백조
— **swan song** *n.* 백조가 죽을 때 부른다는 아름다운 노래; (시인·작곡가 등의) 마지막 작품, 최후의 업적

swap [swɑp] *v.* [I,T] (swapped-swapped) (물물) 교환하다, 바꾸다: I *swapped* hats with her. 나는 그녀와 모자를 바꾸었다. / Never *swap* horses while crossing the stream. 〔속담〕난국에 처하여 지도자를 바꾸지 마라. (개울을 건너다 말을 갈아타지 마라.)
n. (물물) 교환(품): Let's do a *swap*. 물물교환하자.

swarm [swɔːrm] *n.* **1** (곤충의) 무리, 떼: a *swarm* of bees 벌떼 **2** 사람의 무리, 군중
v. [I] **1** 떼를 짓다, 많이 모여들다 (round, about): The photographers *swarmed* round him. 사진가들이 그의 주위에 많이 모여들었다. **2** (장소가) 충만하다, 꽉 차다 (with): Every place *swarmed* with people on Sundays. 일요일에는 어디를 가나 사람들로 붐볐다. **3** 떼지어 이동하다; (벌 등이) 분봉하다

sway [swei] *v.* **1** [I] 흔들리다: The trees are *swaying* in the wind. 나무들이 바람에 흔들리고 있다. **2** [T] (사람·의견 등을) 움직이다, 좌우하다: His speech *sways* thousands of votes. 그의 연설이 수천 표를 움직인다.

*swear [swɛər] *v.* (swore-sworn) **1** [I] 욕설을 퍼붓다 (at): He *swears* when he is angry. 그는 화가 나면 욕을 한다. / Stop *swearing* at the children. 아이들에게 욕하지 마라. **2** [I,T] 맹세하다, 선서하다: I don't know anything about what

S

happened, I *swear*. 나는 무슨 일이 일어났는지 모릅니다. 맹세해요. / President-elect Roh Moohyun was *sworn* in as president. 대통령 당선자 노무현이 대통령으로 선서했다.

sweat [swet] *v.* [I] (sweat-sweat, sweated-sweated) **1** 땀을 흘리다: I always *sweat* a lot when I exercise. 나는 운동할 때 항상 땀을 많이 흘린다. **2** 땀 흘려 일하다, 고생하다: He *sweat* for long hours writing that report. 그는 그 기사를 쓰느라 장시간 고생했다.
n. **1** 땀: in a *sweat* 땀에 젖어 **2** 어려운 일, 힘드는 일: This job's quite a *sweat*. I'm exhausted already. 이 일은 아주 어려운 일이다. 나는 벌써 녹초가 됐다. / "Are you sure you can do it in time?" "No *sweat*." "너 제 시간에 맞춰 그 일을 할 수 있는 게 확실해?" "쉬운 일이지."

sweater [swétər] *n.* 스웨터

sweep [swi:p] *v.* (swept-swept) **1** [I,T] (보통 비로) 청소하다, (먼지 등을) 쓸다, 털다: He *swept* the dust off his desk. 그는 책상에서 먼지를 쓸어 냈다.
2 [T] 손으로 밀어내 치우다: She *swept* the glasses angrily from the table. 그녀는 화가 나서 탁자에서 유리컵들을 손으로 밀쳐 냈다.
3 [I,T] 빠르게 번지다[움직이다]: The fire *swept* through the house. 불길이 삽시간에 집으로 번졌다. / He *swept* out of the room without a word. 그는 한마디 말도 안 하고 휙하고 방을 나갔다.
4 [T] (급류·눈사태 등이) 휩쓸어 가다: A large wave *swept* away the sandcastle. 큰 파도가 모래성을 휩쓸어 갔다. / He was *swept* along in the crowd. 그는 군중 속에 휩쓸려 갔다.
5 [I] (전염병·감정 등이) 엄습하다: A deadly fear *swept* over me. 심한 공포감이 나를 엄습했다.
6 [T] 스치다; (옷자락 등이) …에 살짝 끌리다: Her dress *swept* the floor. 그녀의 옷이 바닥에 질질 끌렸다.
7 [T] (빛·시선 등이) 휙 지나가다, 휙 둘러보다: Her eyes *swept* the room quickly. 그녀는 방을 재빨리 둘러보았다.
8 [T] (경기 등에서) 연승하다; (선거·싸움 등에서) 압승하다
n. **1** 청소, 쓸기 **2** (손·칼·노 등을) 한 번 휘두르기 **3** (미치는) 범위, 영역, 한계: the wide *sweep* of meadow 넓게 펼쳐진 목초지

sweeper [swí:pər] *n.* **1** 청소부 **2** (특히 융단의) 청소기 (carpet sweeper) **3** [축구] 스위퍼 (골키퍼 앞의 수비수)

sweeping [swí:piŋ] *adj.* **1** (진술 등이) 포괄적인, 광범위한: *Sweeping* generalizations about this complex situations are not helpful. 이러한 복합적인 상황을 포괄적으로 일반화하는 것은 도움이 안 된다.
2 대범한, 무차별의: *sweeping* reforms 전면적인 개혁 **3** 철저한, (승리 등) 결정적인: a *sweeping* victory 완전한 승리
n. **1** 쓰레질, 일소, 소탕 **2** (sweepings) 쓸어 모은 것, 쓰레기

***sweet** [swi:t] *adj.* **1** 단: This ice cream is very *sweet*. 이 아이스크림은 매우 달다. **2** (어린이나 작은 것이) 사랑스러운: Her baby is so *sweet*. 그녀의 아기는 매우 사랑스럽다. ⟨SYN⟩ cute **3** 상냥한, 다정한: a *sweet* voice 다정한 목소리 **4** 냄새가 좋은, 향기로운: It smells *sweet*. 향기가 좋다. / *sweet* flowers 향기로운 꽃 **5** (소리·목소리가) 듣기 좋은, 감미로운; 음성이 좋은: *sweet* music 듣기 좋은 음악
n. **1** (보통 *pl.*) 사탕, 단 것 ([미] candy) **2** [영] 후식으로 먹는 단 것
— **sweetly** *adv.* 상냥하게 **sweetness** *n.* 단맛, 감미로움 **sweeten** *v.* 달게 하다
⟨숙어⟩ **have a sweet tooth** 단 것을 좋아하다

sweetener [swí:tnər] *n.* 감미료: an artificial *sweetener* 인공 감미료

sweetheart [swíːthɑ̀ːrt] *n.* **1** 애인 **2** 여보, 당신 (호칭) SYN darling **3** 기분 좋은 사람, 멋진 사람

sweet potato *n.* 고구마

swell [swel] *v.* (swelled-swelled, swelled-swollen) **1** [I,T] 부풀(리)다, 팽창하다〔시키다〕, 부어오르다 (up): I twisted my ankle and it *swelled* up. 발목을 삐어서 부었다. / Heavy rain has *swollen* the rivers. 비가 많이 와서 강물이 불어났다. **2** [I,T] (수량·정도 등이) 늘어나다: a rapidly *swelling* population 급증하는 인구 **3** [I] (감정이) 끓어오르다; (가슴이) 벅차다, 부풀다 (with): Strong hatred *swelled* up in him. 강한 증오심이 그의 가슴에 치밀었다. / Her heart *swelled* with sorrow. 그녀의 마음은 슬픔으로 가득 찼다. **4** [I] (소리가) 높아지다, 격해지다: His voice *swelled* louder. 그의 목소리가 더 커졌다.

n. **1** 팽창, 부어오름 **2** 큰 파도, (파도의) 굽이침 **3** (수량·정도 등의) 증대, 증가

swelling [swéliŋ] *n.* **1** (몸의) 부은 데, 혹, 종기: I had a nasty *swelling* under my eye. 눈 아래에 심한 종기가 생겼다. **2** 팽창, 부풀어오름: The bites can cause *swelling*. 물린 상처로 부풀어오를 수 있다.

swerve [swəːrv] *v.* [I] 급히 방향을 바꾸다: The bus driver *swerved* to avoid hitting the child. 버스 운전사는 어린이를 피하려고 급히 방향을 바꾸었다.

n. 급선회, 빗나감

swift [swift] *adj.* **1** 날랜, 빠른: a *swift* runner〔ship〕 날랜 주자〔쾌속선〕 **2** 신속한, 즉석의: We had to make a *swift* decision. 우리는 신속한 결정을 내려야 했다. — **swiftly** *adv.*

***swim** [swim] *v.* (swam-swum; swimming) **1** [I,T] 수영하다, 헤엄치다: He *swam* across the river and back again. 그는 강을 헤엄쳐 건너갔다 돌아왔다. **2** [I] 젖다, 잠기다 (in); 넘치다, 가득하다 (with, in): The salad was *swimming* in

oil. 샐러드에 기름이 너무 많았다. **3** [I] 현기증이 나다, (머리가) 어찔어찔하다: The heat made my head *swim*. 더위로 머리가 어찔어찔했다. **4** [I] (물건이) 빙빙 도는 것처럼 보이다: The room *swam* before his eyes. 그의 눈에는 방이 빙빙 도는 것처럼 보였다.

n. 수영: go for a *swim* 수영하러 가다 — **swimmer** *n.* **swimming** *n.*

swimming pool *n.* 수영장 (pool)

swimsuit [swímsùːt] *n.* 수영복

swine [swain] *n.* **1** (*pl.* swine) [미] 돼지 **2** (*pl.* swines) 야비한 사람

***swing** [swiŋ] *v.* (swung-swung) **1** [I,T] 이리저리 흔들리다, 흔들다: Children sat on the bench, *swinging* their legs. 어린이들이 다리를 흔들면서 벤치에 앉아 있었다. **2** [I,T] …의 방향을 바꾸다; 빙 돌다, 회전하다: She *swung* around when he called her name. 그가 그녀의 이름을 부르자 그녀가 돌아섰다. / The door *swung* open. 문이 휙 열렸다. **3** [I,T] 매달(리)다: The lamp *swung* from the ceiling. 램프가 천장에 매달려 있었다. **4** [I] 그네를 뛰다〔에 타다〕 **5** [I,T] (팔을 크게 휘둘러) …을 치다, 스윙하다 (at): She *swung* her bag at him. 그녀는 가방으로 그를 후려쳤다. / *swing* at a fast ball 속구를 후려치다 **6** [I] (…로) 관심을 돌리다, 의견〔입장〕을 바꾸다 **7** [I,T] 스윙(음악) 식으로 연주하다, 스윙 춤을 추다

n. **1** 흔들림, 진동 **2** 휘두르기, 치기, 스윙: The boy took a *swing* at the ball. 그 아이는 공을 쳤다. **3** 그네, 그네 타기: ride in a *swing* 그네를 타다 **4** (시·음악 등의) 율동, 음률, 가락 **5** (경기·여론 등의) 변동, 동요: There has been a big *swing* in public opinion. 여론의 큰 움직임이 있었다.

숙어 **in full swing** 한창(진행 중)인: The Christmas festivities are now *in full swing*. 크리스마스 축제가 지금 한창이다.

swirl [swəːrl] *v.* [I,T] 소용돌이치다: The stream *swirls* over the rock. 개울이 소

용돌이치면서 바위 위를 흐르고 있다.

n. 소용돌이

*switch [switʃ] *n.* **1** 스위치, 개폐기: a light *switch* 전등 스위치 **2** 바꿈, 전환, 변경: There was a *switch* in the schedule. 스케줄의 변경이 있었다.

v. [I,T] **1** 바꾸다, 전환하다: He *switched* trains in Chicago. 그는 시카고에서 기차를 갈아탔다. / Let's *switch* the conversation to another topic. 대화를 다른 주제로 바꾸자. **2** 교환하다, 바꾸다 (with, over): Would you mind *switching* places with me? 자리 좀 바꿔 주실 수 있을까요? **3** (전등·라디오 등을) 켜다 (on); 끄다 (off): Don't forget to *switch* off the TV. 텔레비전 끄는 것을 잊지 마라.

switchboard [swítʃbɔ̀ːrd] *n.* (전기) 배전반, (전화) 교환대

swoop [swuːp] *v.* [I] **1** (매 등이 공중에서) 덮치다, 덤벼들다: The eagle *swooped* down to snatch a young rabbit. 독수리가 공중에서 덮쳐 어린 토끼를 채갔다. **2** (경찰·군대 등이) 급습하다, 기습하다: The police *swooped* as the robber came out of the bank. 경찰은 도둑이 은행에서 나올 때 급습했다.

n. 급습, 급강하

sword [sɔːrd] *n.* 검, 칼: The pen is mightier than the *sword*. [속담] 문(文)은 무(武)보다 강하다. (펜은 칼보다 강하다.)

syllable [síləbəl] *n.* 음절: "Dog" is a word of one *syllable* and "butter" has two *syllables*. "Dog"는 1음절이고 "butter"는 2음절이다.

syllabus [síləbəs] *n.* (*pl.* syllabuses, syllabi) (강의 등의) 요목, 요강; [영] 시간표

*symbol [símbəl] *n.* **1** 상징 (of): A heart shape is the *symbol* of love. 하트 모양은 사랑의 상징이다. **2** 기호, 부호 (for): H₂O is the symbol for water. H₂O는 물을 나타내는 기호이다.

— **symbolism** *n.* 상징주의, 상징파

symbolic, symbolical [simbálik, -əl] *adj.* **1** 상징하는 (of): Yellow is *symbolic* of jealousy. 노란색은 질투를 상징한다. **2** 상징(기호)에 의하여 표시된, 상징(주의)적인: a *symbolic* painting 상징적인 그림

— **symbolically** *adv.*

symbolize, symbolise [símbəlàiz] *v.* [T] …을 나타내다, 상징하다: In Europe, the color white *symbolizes* purity. 유럽에서 흰색은 순수함을 나타낸다.

symmetry [símətri] *n.* (좌우) 대칭, (좌우 대칭에서 오는) 균형(미): the *symmetry* of the human body 인체의 균형미

— **symmetric, symmetrical** *adj.* 대칭적인, 균형이 잡힌 **symmetrically** *adv.*

sympathetic [sìmpəθétik] *adj.* **1** 동정적인, 인정 있는: He's very *sympathetic* to injured animals. 그는 다친 동물들에 매우 동정심을 갖는다. **2** 호의적인, 찬성하는: He was *sympathetic* to my suggestion. 그는 내 제안에 찬성이었다. **3** 공감하는: She suffers from allergy too, so she was *sympathetic*. 그녀도 알레르기로 고생을 하기 때문에 (알레르기가 얼마나 고생스러운 것인지) 그녀도 공감했다.

— **sympathetically** *adv.*

sympathize, sympathise [símpəθàiz] *v.* [I] **1** 동정하다, 위로하다 (with): She *sympathized* with me in my grief. 그녀는 나의 슬픔을 같이 했다. **2** 공감하다, 찬성(동의)하다 (with): Why doesn't she *sympathize* with my plan? 왜 그녀는 내 계획에 찬성하지 않는가?

— **sympathizer, sympathiser** *n.* 동조자, 지지자

*sympathy [símpəθi] *n.* **1** 동정(심), 연민: Everyone feels great *sympathy* for the victims of the typhoon. 모든 사람들이 태풍의 피해자들에게 깊은 동정심을 느끼고 있다. / You have all my *sympathies*. = All my *sympathies* are with you. (문

상, 위문의 뜻으로) 참으로 안됐습니다. **2** (종종 *pl.*) 호의, 찬성, 공감: I have no *sympathy* with his foolish idea. 나는 그의 어리석은 생각에는 찬성할 수 없다.

[숙어] **in sympathy with** …에 동정〔찬성〕하여, …에 동조하여: Hundreds of workers struck *in sympathy with* their colleagues. 수백 명의 노동자들이 동료들과 뜻을 같이하여 파업했다.

symphony [símfəni] *n.* **1** 교향곡, 심포니 **2** [미] 교향악단(의 콘서트)

symposium [simpóuziəm] *n.* 토론회, 좌담회, 심포지엄

symptom [símptəm] *n.* **1** [의학] 증상: Sneezing is often the first *symptom* of a cold. 재채기는 종종 감기의 첫 번째 증상이다. **2** (보통 부정적인) 징후, 징조: High unemployment is a *symptom* of a weak economy. 높은 실업률은 약한 경제의 징조이다.

syndrome [síndroum] *n.* **1** [의학] 증후군: Acquired Immune Deficiency *Syndrome* (AIDS) 후천성 면역 결핍 증후군 **2** (어떤 감정·행동이 일어나는) 일련의 징후, 일정한 행동 양식

synonym [sínənim] *n.* 동의어 [OPP] antonym

— **synonymous** *adj.*

synopsis [sinápsis] *n.* (*pl.* synopses) 개관, 개요; (소설·영화 등의) 대강의 줄거리

synthesis [sínθəsis] *n.* (*pl.* syntheses) **1** 종합, 통합; 종합〔통합〕체 **2** [화학] 합성, 인조 **3** (소리·음악 등의) 합성

— **synthetic** *adj.* 합성의, 인조의

synthesizer [sínθəsàizər] *n.* 신시사이저 (소리 합성 장치〔악기〕)

syrup [sírəp] *n.* 시럽, 당밀

***system** [sístəm] *n.* **1** (통일된) 체계, 조직, (통신·수송 등의) 조직망: education *system* 교육 제도 / the postal *system* 우편 제도 / a communication *system* 통신망 **2** 방식, 방법: a new *system* of teaching 새 교수 방법 **3** (생물의) 조직, 계통: the nervous *system* 신경 계통 **4** (the system) (기존의 지배) 체제, 제도: If you go against the *system*, you will get into trouble. 체제에 반대한다면 어려움을 겪게 될 거야. **5** 복합적인 기계 장치, (오디오 등의) 시스템: a heating〔ventilation〕*system* 난방〔환기〕장치

systematic [sìstəmǽtik] *adj.* 체계〔조직, 계통〕적인; 규칙적인, 질서 정연한: a *systematic* search 체계적인 조사

— **systematically** *adv.*

S

table 754

t T

*table [téibəl] *n.* **1** 테이블, 탁자: a dining(tea) *table* 식탁(차 탁자) / He put some books on the *table*. 그는 책 몇 권을 탁자 위에 두었다. **2** 식탁; (식탁 위의) 요리, 음식: Let me help you clear the *table*, Mom. 엄마, 제가 식탁 치우는 것을 도와 드릴게요. / We sat at the *table* for breakfast. 우리는 아침 식사를 하려고 식탁에 둘러앉았다. **3** 표, 리스트, 목록: a *table* of contents 목차 [SYN] list

v. [T] 탁자 위에 놓다; 표로 만들다

[숙어] **at table** 식탁에 앉아, 식사 중: They were all *at table* when I got home. 집에 도착했을 때 그들은 모두 식사 중이었다.

set(lay) the table 상을 차리다: Could you *set the table* for supper, please? 저녁상을 차려 주시겠어요?

under the table 몰래, 불법으로: She gave him money *under the table*. 그녀는 그에게 뇌물을 주었다.

wait at(on) table (직업으로서) 식사 시중을 들다

tablecloth [téibəlklɔ̀(:)θ] *n.* (*pl.* tablecloths) 식탁보

table knife *n.* 식탁용 나이프

table manners *n.* (*pl.*) 식사 예절, 테이블 매너

tablespoon [téibəlspùːn] *n.* **1** (수프용) 큰 스푼, 식탁용 스푼 **2** 큰 스푼 하나 가득한 분량 (tablespoonful)

tablet [tǽblit] *n.* **1** (금속·돌·나무의) 평판, 패: a bronze *tablet* 청동패 **2** 정제, 알약: Take two aspirin *tablets* every morning. 매일 아침마다 아스피린 두 정을 복용하시오. [SYN] pill

table talk *n.* 식탁에서의 잡담(화제), 좌담

table tennis *n.* 탁구 [SYN] ping-pong

tableware [téibəlwɛ̀ər] *n.* 식탁용 식기류

tabloid [tǽblɔid] *n.* **1** 타블로이드 신문 (쉽게 읽을 수 있는 작은 크기의 신문) **2** 요약 **3** (Tabloid) 알약, 정제 (상표명)

taboo, tabu [təbúː] *n.* (*pl.* taboos, tabus) 터부, 금기

v. [T] 금(기)하다, 피하다

adj. 금기의: a *taboo* word 금구(禁句)

tacit [tǽsit] *adj.* 말로 나타내지 않는, 무언의: *tacit* approval 묵인 [SYN] unspoken, silent

—tacitly *adv.* 소리 없이, 잠자코

tack [tæk] *n.* **1** (새) 방침, 정책: If people won't listen, we'll have to try a different *tack*. 사람들이 귀 기울이지 않는다면 다른 방침을 취해야 할 것이다. **2** 납작한 못, 압정 **3** (tacks) [재봉] 시침질, 가봉 **4** [항해] (바람과 돛의 조정으로 정해지는) 배의 침로

v. **1** [T] 압정으로 고정시키다: She *tacked* a notice to the board. 그녀는 공고를 게시판에 압정으로 붙여 놓았다. **2** [T] 시침질하다, 가봉하다 **3** [I] [항해] (지그재그로 자주) 침로를 바꾸다 (about): The boat *tacked* about against the wind. 배는 바람을 안고 지그재그로 나아갔다.

[숙어] **tack on** 부가하다, 덧붙이다: At the last minute, they *tacked on* a couple of extra visits to my schedule. 마지막에 그들은 나의 스케줄에 두 세 가지 추가 방문을 덧붙였다. [SYN] add, attach

tackle [tǽkəl] *v.* **1** [T] (일·문제 등에) 달려들다, 다루다: It took twelve hours for

firemen to *tackle* the blaze. 소방대원들이 불을 진압하는 데 12시간 걸렸다. [SYN] undertake **2** [I,T] [럭비 · 축구] 태클하다, 붙잡다 [SYN] seize **3** [T] …와 논쟁하다 (about, on): I *tackled* her about current topics. 나는 시사 문제에 대해 그녀와 논쟁했다.
n. **1** [럭비 · 축구] 태클 **2** 연장, 도구, 기구: fishing *tackle* 낚시 도구 [SYN] gear

taco [táːkou] *n.* (*pl.* tacos) 타코 (저민 고기 · 치즈 · 양상추 등을 넣고 튀긴 옥수수 빵; 멕시코 요리)

tact [tækt] *n.* **1** 재치, 꾀바름, 요령: She has great *tact* in teaching. 그녀는 가르치는 요령을 많이 알고 있다. [SYN] skill **2** [음악] 박자

tactful [tǽktfəl] *adj.* 재치 있는, 약삭빠른 [OPP] tactless
— **tactfully** *adv.* **tactfulness** *n.*

tactic [tǽktik] *n.* **1** (보통 *pl.*) 술책, 책략 **2** (tactics) 전술(학), 병법: guerrilla *tactics* 게릴라 전술 [SYN] skillful devices
※ tactics는 개개의 전투에 대한 전술을, strategy는 전체적 작전 계획(전략)을 뜻한다.
— **tactician** *n.* 전술가

tactical [tǽktikəl] *adj.* **1** 전술적인, 전술상의 **2** 책략(술책)에 능한, 약삭빠른
— **tactically** *adv.*

tadpole [tǽdpòul] *n.* 올챙이

tag[1] [tæg] *n.* **1** 태그, 꼬리표: Where's the price *tag* on this skirt? 이 치마의 가격표는 어디 있나요? **2** [문법] 부가의문 (question tag)
v. (tagged-tagged) **1** [T] 표[정가표]를 붙이다, 부가하다 [SYN] add **2** [I,T] 붙어다니다 (at, after, along)
[숙어] **tag along** 붙어다니다, 뒤를 쫓다(따르다): I don't know him—he just *tagged along* with us. 나는 저 사람을 모르는데, 그가 그냥 우리를 쫓아 왔어.

tag[2] [tæg] *n.* 술래잡기

*****tail** [teil] *n.* **1** (동물의) 꼬리: The dog is wagging its *tail*. 개가 꼬리를 흔들고 있다. [OPP] head **2** [항공] (비행기 · 미사일의) 꼬리 부분 **3** (tails) (양복의) 자락, 연미복 **4** 끄트머리, 말미, 후부: the *tail* of a procession 행렬의 후미 **5** (tails) (화폐의) 뒷면: "We'll toss a coin to decide," said my teacher. "Heads or *tails*?" "우리는 동전을 던져 결정할 거야."라고 선생님이 말씀하셨다. "앞면이니 뒷면이니?" **6** 미행자, 첩보원
v. [T] 미행하다: That car has been *tailing* me for the last 20 minutes. 저 차는 20분 전부터 계속 나를 미행하고 있다.
[숙어] **cannot make head or tail of** …의 뜻을(정체를) 전혀 모르다: The police *couldn't make head or tail of* the murderer. 경찰은 그 살인범의 정체를 전혀 알 수 없었다.

tail away(off) 점차 감소하다, (목소리 등이) 작아지다: The profits *tailed off* towards the end of the year. 이윤이 그해 말 무렵에 감소했다. / Her voice *tailed off* as she fell asleep. 잠이 들면서 그녀의 목소리가 작아졌다.

tail coat *n.* 연미복, 모닝 코트 [SYN] tails

tail end *n.* 후미, 하단, 말단

taillight [téillàit] *n.* (자동차 · 열차 등의) 테일라이트, 미등 [OPP] headlight

tailor [téilər] *n.* 재봉사, (주로 남성복의) 재단사: The *tailor* makes the man. [속담] 옷이 날개다. (재봉사가 사람을 만든다.) *cf.* dressmaker (여성 · 아이들 옷의) 재봉사
v. [T] **1** (보통 수동태) (요구 · 조건 · 필요에) 맞추어 만들다(고치다), 맞게 하다 (to): The vacation plans are *tailored* to fit our needs. 휴가 계획은 우리의 요구에 맞도록 짜여져 있다. **2** (양복을) 짓다, 양복점을 경영하다: The suit is well *tailored*. 이 양복은 잘 지어졌다.

tailor-made [téilərméid] *adj.* 양복점에서 지은, 맞춤의
n. (보통 *pl.*) 맞춤옷

taint [teint] *n.* **1** 더러움, 얼룩, 오점 [SYN]

stain **2** 수치, 오명 (of): the *taint* of dishonesty 부정이라는 오명 **3** 부패, 타락: moral *taint* 도덕적 타락

v. [T] (주로 수동태) **1** 더럽히다, 오염시키다 **2** 썩히다, 부패시키다: The meat is *tainted*. 고기가 썩었다. **3** (명예·평판 등을) 더럽히다: His reputation was *tainted* by the scandal. 그의 명성이 스캔들로 더럽혀졌다. SYN spoil

***take** ⇨ p. 757

takeaway *n.* ([미] takeout, carry-out) **1** [영] (사서 식당에서 먹지 않고) 가지고 가는 음식을 파는 가게 **2** [영] 가지고 가는 음식: Let's have a *takeaway*. 가지고 가서 먹자.

takeoff *n.* [항공] 이륙 (지점): The airplane is ready for *takeoff*. 비행기는 이륙할 준비가 됐다. OPP landing

takings [téikiŋz] *n.* (*pl.*) 매상고, 소득, 수입

tale [teil] *n.* **1** 이야기: He told some fascinating *tales* about his life in Berlin. 그는 베를린에서의 생활에 대한 아주 재미있는 이야기를 몇 가지 해 주었다. SYN story **2** 거짓말, 소문 SYN rumor

talebearer [téilbὲərər] *n.* 나쁜 소문을 퍼뜨리는 사람, 고자쟁이

***talent** [tǽlənt] *n.* **1** (타고난) 재주, 재능, 수완, 솜씨: a man of *talent* 재능이 있는 사람 / She has a *talent* for music. 그녀는 음악에 타고난 재능이 있다. **2** (집합적) 재능 있는 사람들, 인재, (개인으로서의) 탤런트: stage *talent(s)* 무대 배우

— **talented** *adj.* 재주 있는 **talentless** *adj.* 무능한

***talk** [tɔ:k] *v.* **1** [I] 말하다, (…와) 이야기하다: Can I *talk* to you for a minute? 잠깐 이야기할 수 있을까요? SYN speak **2** [I,T] 의논하다, 상담하다: *Talk* with your adviser. 조언자와 의논하세요. **3** [I] 소문을 지껄이다, 객쩍은 소리를 지껄이다: People will *talk*. 세상 사람들의 소문은 막을 수 없다. / *Talk* of the devil, and he is sure to appear. [속담] 호랑이도 제 말하면 온다. (악마에 대해 이야기하면 악마가 틀림없이 나타난다.) SYN gossip

n. **1** 이야기, 담화: a tall *talk* 허풍 / He had a long *talk* with her. 그는 그녀와 오랫동안 이야기했다. **2** (talks) 협의, 의논, 회담: peace *talks* 평화 회담 **3** (a talk) 강연, 강의: He gave a *talk* on his visit to Japan. 그는 그의 일본 방문에 대해 강연했다. SYN lecture **4** 소문: I heard it in *talk*. 나는 그것을 소문으로 들었다.

— **talker** *n.*

숙어 **know what one is talking about** ⇨ know

talk about …에 관해 이야기하다, …을 논하다: What are you *talking about*? 무슨 이야기를 하고 있는 거니?

talk down to 깔보는 듯한 태도로 말하다: My teacher never *talks down to* us. 선생님은 우리들에게 무시하는 투로 말씀하시는 적이 없다. SYN patronize

talking of …으로 말하자면: *Talking of* music, do you like jazz? 음악에 관한 이야기인데, 재즈를 좋아합니까?

talk ... into(out of) -ing …를 설득하여 ~시키다(하지 않도록 하다): I *talked* her *into* accepting my present. 그녀를 설득하여 내 선물을 받도록 했다. / I *talked* him *out of* resigning. 나는 그를 설득하여 사임하지 않도록 했다.

talk over 1 …에 대해서 의논하다: My parents were *talking over* our future. 부모님은 우리 장래에 관해 의논하고 계셨다. **2** …를 설득하다: They *talked* him *over* to their side. 그들은 그를 설득해서 자기편으로 만들었다.

talk sense 이치에 닿는 말을 하다: He's the only politician who *talks* any *sense*. 그는 이치에 닿는 말을 하는 유일한 정치가이다.

talk shop (근무 시간 외에) 일(전문적인) 이야기를 하다: Even at a party they

take

take [teik] *v.* [T] (took-taken) **1** 가지고 가다, 데리고 가다: *Take* an umbrella with you. 우산을 가지고 가거라. / He *took* me to the station. 그가 나를 역까지 데려다 주었다. SYN carry

2 손에 잡다, 쥐다: I *took* him by the hand. 나는 그의 손을 잡았다. SYN seize, grasp

■ **유의어 take**

take '손에 가지다'와 '가져가다'의 두 뜻 이 있으며 '손에 가지다'의 경우에도 가져간 다는 뜻이 내포되는 일이 많음.: He *took* me by the hand and led me to a corner of the room. 그는 내 손을 잡고 방 한 구석으로 데려 갔다. **seize** 갑자기 꽉 잡다: I *seized* his arm to make him turn around. 나는 그가 뒤돌아보도록 하 려고 그의 팔을 꽉 잡았다. **grasp** 손으로 쥐듯이 '잡다, 파악하다, 이해하다'의 뜻: I don't *grasp* your meaning. 네 말뜻을 이해하지 못하겠다. **clutch** (공포심 등으로) 꼭 쥐고 놓지 않다: She *clutched* my hand in the dark. 그녀는 어둠 속에서 내 손을 꼭 쥐고 있었다. **grab** 탐욕스레 움 켜쥐다: The child *grabbed* all the candy. 아이는 사탕을 남김없이 움켜쥐었 다. **snatch** 세차게 낚아채어 빼앗다: She *snatched* the letter from my hand. 그녀는 내 손에서 편지를 홱 빼앗았다.

3 빼앗다, 탈취하다: Who's *taken* my purse? 누가 내 지갑을 가져갔지?

4 받다, 받아들이다: Do you *take* credit cards? 신용 카드 받나요? / What paper do you *take*? 무슨 신문을 보십니까? / He's not going to *take* the job. 그는 그 일을 받 아들이지 않을 것이다. SYN accept

5 점령[점거]하다, 관리하다, 제어하다: He *took* control of the division last month. 그는 지난 달에 그 부서의 책임자가 되었다.

6 이해하다, …라고 생각하다: Don't *take* it ill. 나쁘게 생각하지 마라. / You need to *take* what I said more seriously. 너는 내 가 말한 것을 좀더 진지하게 생각할 필요가 있다. SYN consider

7 (감정·생각 등을) 일으키다, 느끼다, 경험하 다: He *takes* great delight in his work. 그는 자기 일에 상당한 즐거움을 느낀다.

8 견디어[참아] 내다, 해내다: I can't *take* any more of her lies. 나는 더 이상 그녀의 거짓말을 참을 수 없다. SYN stand

9 (보통 it을 주어로 하여) (시간·노력 등을) 필 요로 하다, (시간이) 걸리다: It *took* (me) an hour to write it. 그것을 쓰는 데 (나는) 한 시간 걸렸다.

10 (음식을) 먹다, 마시다, 복용하다; (설탕·우 유 등을) 넣다: *Take* this tablet three times a day. 이 알약을 하루에 세 번 복용해라. / Do you *take* milk in tea? 차에 우유를 넣어서 마시니?

11 (기록 등을) 적다: He *took* notes during the lecture. 그는 강의 동안에 필기했다.

12 (사진을) 찍다: I *took* some nice pictures of the trees. 좋은 나무 사진을 몇 장 찍었다.

13 (체온을) 재다, 확인하다, 조사하다: The nurse *took* my temperature. 간호사는 나 의 체온을 쟀다.

14 취하다, 선택하다: I'll *take* this one. 이 것을 주십시오. SYN select

15 (어떤 행동을) 하다, 취하다: *Take* a look at this picture. 이 사진을 보아라.

16 (탈것에) 타다: I always *take* the bus to school. 나는 학교에 갈 때 항상 버스를 탄 다.

17 (신발·옷 등의) 사이즈가 …이다: What size shoes do you *take*? 너는 신발 사이즈 가 어떻게 되니?

18 [문법] (어미·목적어·강세 등을) 취하다: Ordinary nouns *take* -s in the plural.

T

보통명사의 복수형에는 (어미에) s가 붙는다.

숙어 **be taken with** ···에 끌리다, 흥미를 갖다: I'*m* quite *taken with* his idea. 나는 그의 아이디어에 꽤 흥미가 생긴다.

I take it that ···라고 생각하다[믿다]: I *take it that* we are to come early. 우리는 일찍 와야 한다고 생각합니다.

take a walk 산책을 하다: If it is fine tomorrow, we are going to *take a* long *walk* in the suburbs. 내일 날씨가 좋으면 우리는 교외로 멀리 산책을 갈 작정이다. **SYN** stroll, go for a walk

take aback ···를 놀라게 하다, 허를 찌르다: The news really *took* us *aback*. 그 뉴스는 정말로 우리를 놀라게 했다.

take after 1 ···를 닮다: Jim *takes after* his father. 짐은 자기 아버지를 닮았다. **SYN** resemble **2** 모방하다, 흉내내다

take apart ···을 분해하다, 분석하다: He *took* the watch *apart*. 그는 시계를 분해했다.

take away 1 (감정·고통 등을) 덜다, 사라지게 하다: This aspirin will *take* the pain *away*. 이 아스피린이 통증을 덜어 줄 거야. **2** [영] (음식물을) 사가지고 돌아가다 ([미] take out) **3** ···을 제거하다: She *took* the knife *away* from the child. 그녀는 아이에게서 칼을 치웠다.

take back 1 (구입한 상품을) 반품하다: I'd like to *take* this shirt *back* and get refund. 저는 이 셔츠를 반품하고 환불받고 싶습니다. **2** (약속 등을) 취소하다, 철회하다: I *take back* what I said. 내가 말한 것을 취소할게.

take down 1 내리다, 무너뜨리다, 헐다: I've *taken* the pictures *down*. 나는 사진들을 벽에서 내렸다. / We *took* the tent *down* and started the journey home. 우리는 텐트를 걷고 집으로 떠날 준비를 했다. **2** 적어 놓다, 써 두다: Reporters will *take down* the speeches. 신문 기자들은 연설을 받아 쓸 것이다. **SYN** write down

take ... for ~ ···을 ~이라고 생각하다, ···을 ~으로 잘못 알다: I'm sorry, I *took* you *for* Mr. Smith. 미안합니다. 저는 당신을 스미스 씨로 잘못 알았습니다. **SYN** mistake ... for ~

take in 1 속이다: Don't be *taken in* by his promise. 그의 약속에 속지 마라. **2** 묵게 하다, (하숙인을) 치다: Several families *take in* foreign students. 몇몇 가정은 외국 학생들을 묵게 한다. **3** 이해하다: She *took in* the situation at a glance. 그녀는 한눈에 상황을 이해했다.

take it easy 마음을 편하게 가지다, 여유 있게 하다, 태평하게 마음먹다: Everyone in the family can *take it easy* at home. 가족 모두는 집에서 편안히 지낼 수 있다.

take it from me 내 말을 믿어 주게, 정말이야: It won't work—*take it from me*. 그건 효과가 없을 거야. 나를 믿어.

take it out on ···에게 분풀이하다: Don't *take it out on* me, just because you had a bad day today. 오늘 하루 망쳤다고 나한테 분풀이하지 마라.

take notice[note] of ···에 주목[주의]하다, 눈치채다: I warned him, but he *took* little *notice of* it. 그에게 경고했으나 그는 그다지 유의하지 않았다.

take off 1 (비행기 등이) 이륙하다: The plane *took off* at eight o'clock from Gimpo Airport. 비행기는 8시에 김포공항을 이륙했다. **OPP** land **2** (아이디어·상품 등이) 갑자기 성공하다: I hear the business is really *taking off*. 그 사업이 정말로 성공하고 있다더라. **3** (옷·모자·구두·안경·반지 등을) 벗다: He *took off* his clothes and got into the bath. 그는 옷을 벗고 욕실로 들어갔다. **OPP** put on **4** (휴가로) 일을 쉬다, (시간을) 내다: I'm going to *take* a week *off* next month. 나는 다음 달에 일주일 휴가를 가질 것이다. **5** (남의 버릇을) 흉내내다: He's really good at *taking* people *off*. 그는 정말로 사람들 흉내를 잘 낸다.

take on 1 고용하다: The manager has agreed to *take* him *on*. 지배인은 그를 고용할 것을 승낙했다. **2** (일·책임을) 맡다: He's *taken on* a new project. 그는 신규 사업을 맡았다.

take out 1 (산책·영화·식사 등에) 데리고 가다: He *took* the children *out* for a walk. 그는 산책하러 아이들을 데리고 나갔다. **2** (치아·얼룩 등을) 빼다, 제거하다: I had two teeth *taken out*. 나는 치아 두 개를 뽑았다. **3** 꺼내다, 집어내다 (of): She *took* her handkerchief *out* of her pocket. 그녀는 호주머니에서 손수건을 꺼냈다.

take over 1 이어[인계]받다: The firm she works for has recently been *taken over* by a large company. 그녀가 일하는 회사는 최근에 큰 회사로 인수되었다. **2** 접수하다, 점거하다: The occupation army *took over* my house. 점령군이 나의 집을 점거했다.

다.

take pains 수고하다, 애쓰다: He *takes* great *pains* in educating his children. 그는 아이들을 교육하는 데 상당히 애쓴다.

take part in …에 참가하다: Will she *take part in* the concert? 그녀가 음악회에 참가할까요?

take to 1 …을 좋아하다, …이 마음에 들게 되다: The baby has *taken to* her new nursemaid. 아기가 새 유모를 잘 따랐다. **2** …의 습관이 붙다: He has *taken to* drink. 그는 술 마시는 습관이 생겼다.

take up 1 (시간·장소 등을) 잡다, 차지하다: His time is mostly *taken up* with writing. 그는 대부분의 시간을 저술하는 데 보내고 있다. [SYN] occupy **2** (취미로서 규칙적으로) …하기 시작하다: I've *taken up* jogging recently. 나는 최근에 조깅을 하기 시작했다.

---

have to *talk shop*! 파티에서까지 저 사람들은 일 이야기를 해야 하나!

talkative [tɔ́:kətiv] *adj.* 이야기하기를 좋아하는, 수다스러운 [SYN] chatty
— **talkatively** *adv.*

talkie [tɔ́:ki] *n.* **1** 발성 영화 **2** 휴대용 무선 전화기

***tall** [tɔ:l] *adj.* **1** (사람·사물에 대해) (키가) 큰: a *tall* young man 키가 큰 젊은이 [OPP] short **2** 높이[키]가 …인: How *tall* are you? 키가 얼마니? / He is six feet *tall*. 그는 키가 6피트이다.

tambourine [tæ̀mbərí:n] *n.* [음악] 탬버린

tame [teim] *adj.* **1** (동물·새 등을) 길들인, 유순한: After a few months, the monkeys became very *tame*. 몇 달이 지나자 원숭이들은 아주 온순해졌다. [OPP] wild, fierce **2** 재미가 없는, 단조로운, 생기가 없는: It was a *tame* play in comparison to some that she's made. 그것은 그녀가 만든 다른 연극과 비교해서 재미가 없었다.

[SYN] dull
v. [T] 길들이다
— **tamable** *adj.* **tamer** *n.* 조련사

tan [tæn] *n.* **1** (피부가) 햇볕에 탐 [SYN] suntan **2** 햇볕에 탄 빛깔, 황갈색
v. [I,T] (tanned-tanned) **1** (피부를) 햇볕에 태우다: *tanned* arms 그을린 팔 **2** (가죽을) 부드럽게 하다, 무두질하다
— **tanned** *adj.*

tangible [tǽndʒəbəl] *adj.* **1** 만져서 알 수 있는, 실체적인: *tangible* property 유형 자산 **2** 명백한, 현실의: a *tangible* fact 명백한 사실
n. (tangibles) 유형 자산
— **tangibly** *adv.*

tangle [tǽŋgəl] *n.* **1** (머리카락 등의) 엉킴, 얽힘: a *tangle* of wires 엉킨 전선들 **2** 혼란, 뒤죽박죽: The traffic was in a frightful *tangle*. 교통은 완전히 혼잡 상태였다.
v. [I,T] 엉키게 하다, 얽히게 하다 (with): The hedge is *tangled* with morning

glories. 울타리에 나팔꽃 덩굴이 엉켜 있다.
SYN entangle OPP disentangle
— **tangled** adj.

tango [tǽŋgou] n. (pl. tangos) 탱고 (춤
의 일종)
v. [I] (tangoed-tangoed; tangoing) 탱고
를 추다

tank [tæŋk] n. **1** (물 · 기름 · 가스 등의) 탱
크, 물통 **2** [군대] 전차, 탱크
— **tanker** n. 유조선

tank car n. 유조차, 탱크차 (각종 액체나 기
체의 수송용 탱크를 싣는 화차)

tank top n. (소매 없는 러닝 셔츠 모양의)
여자용 윗옷

***tap¹** [tæp] v. (tapped-tapped) **1** [I,T] 가
볍게 두드리다〔치다〕 (at, on): He tapped
me on the shoulder. 그는 내 어깨를 툭 쳤
다. **2** [I,T] (지식의 원천 등을) 열다, 이용하다;
(토지 · 지하 자원을) 개발하다: The railway
tapped the district. 철도가 이 지방을 개발
했다. **3** [T] (전화선 등에) 탭을 달고 도청하다:
He suspected that his telephone had
been tapped. 그는 전화가 도청되고 있다고
의심했다.

***tap²** [tæp] n. **1** (통에 달린) 주둥이, (수도
등의) 꼭지 ([미] faucet): Could you turn
off the tap in the kitchen? 부엌의 수도꼭
지 좀 잠가 주시겠어요? **2** 가볍게 두드리기: I
heard a tap on the window. 나는 창문
두드리는 소리를 들었다. **3** 도청기, 은닉 마이
크

tap dance n. 탭 댄스 (구두 소리로 리듬을
맞춤)

tap-dance v. [I] 탭 댄스를 추다

tape [teip] n. **1** 녹음〔비디오〕 테이프, 카세
트 테이프: I've got the film on tape. 그
영화를 비디오 테이프에 녹화했다. / He has
a lot of tapes and CDs. 그는 많은 테이프
와 CD를 갖고 있다. **2** (접착 · 절연용) 테이프:
adhesive〔insulating〕 tape 접착〔절연〕용
테이프 **3** (짐 꾸리는 데 쓰는) 납작한 끈 **4**
[경기] (결승선에 있는) 테이프

v. [T] **1** 녹음〔녹화〕하다: Can you tape the
concert for me tonight? 오늘 밤 콘서트
를 녹화해 주겠니? **2** 테이프를 달다〔붙이다〕,
테이프로 묶다〔매다〕 (up): She taped the
poster on the wall. 그녀는 벽에 포스터를
테이프로 붙였다. **3** (붕대로) 묶다 He taped
up the wound. 그는 상처를 붕대로 묶었
다.

tape measure n. 줄자 (천 또는 얇은 금속
제) SYN measuring tape

tape recorder n. 테이프 리코더, 녹음기

taper [téipər] n. **1** 가느다란 초 **2** 끝이 뾰
족한 것〔모양〕
v. [I,T] 점점 가늘어지다, 뾰족하게 하다

tapestry [tǽpistri] n. 태피스트리 (색색의
실로 수놓은 벽걸이나 실내 장식용 비단)

tar [tɑːr] n. 타르 (석탄에서 얻은 것으로 식
으면 굳어지는 검은색의 기름 같은 액체)
v. [T] (tarred-tarred) 타르를 바르다〔칠하다〕
— **tarry** adj. 타르를 칠한

tardy [tɑ́ːrdi] adj. (tardier-tardiest) **1**
느린, 더딘: a tardy reader 문자 해독이 더
딘 아이 SYN slow **2** 늦은, 지각한: We
apologize for our tardy arrival. 늦게
도착한 것을 사과드립니다. SYN late
— **tardily** adv.

***target** [tɑ́ːrɡit] n. **1** (모금 · 생산 등의 도
달) 목표: Our target is to finish the
work by six o'clock. 우리의 목표는 일
을 6시까지 마치는 것이다. SYN aim **2** (공격)
목표, 표적: Doors and windows are an
easy target for burglars. 문과 창문은 도
둑들에게 쉬운 표적이다. SYN mark **3** (웃
음 · 분노 · 비판 · 경멸 등의) 대상, 목표: She
has become the target of much
criticism. 그녀는 상당한 비난의 대상이 되었
다. **4** 과녁: hit〔miss〕 the target 과녁을 맞
추다〔빗나가다〕
v. [T] (보통 수동태) …을 목표로 정하다, 목적
으로 삼다: The magazine is targeted at
teenagers. 그 잡지는 십대를 겨냥한 것이다.

tariff [tǽrif] n. **1** 관세표〔율〕 **2** (철도 · 전

신 등의) 요금표, 운임표, (여관·음식점 등의) 요금[가격]표 SYN list of prices

tarry [tǽri] *v.* [I] **1** 머무르다, 묵다 **2** 시간이 걸리다, 늦어지다, 꾸물거리다 SYN delay
— **tarrier** *n.*

tart [tɑːrt] *n.* **1** 타트, 파이: a strawberry *tart* 딸기 타트
※ 미국에서는 과일 등을 얹은 속이 보이는 작은 파이, 영국에서는 과일 파이
2 [영] 행실이 단정치 못한 여자

tartan [tɑ́ːrtn] *n.* **1** (스코틀랜드 특유의) 격자무늬: His shirt is a green and yellow *tartan*. 그의 셔츠는 녹색과 노란색의 격자무늬이다. **2** 격자무늬 모직물
adj. 타탄의, 격자무늬 직물로 만든

***task** [tæsk] *n.* **1** (일정한 기간에 완수해야 할) 일, 임무: a home *task* 숙제 SYN job, assignment **2** 힘든[고된, 어려운] 일
v. [T] …에 일을 과하다[할당하다]: She *tasked* her maid beyond her strength. 그녀는 하녀에게 힘겨운 일을 시켰다.
숙어 **take[call, bring] to task** 꾸짖다: He *took* me *to task* for being late. 그는 지각했다고 나를 꾸짖었다.

task force *n.* **1** (군대) (특수 임무를 띤) 기동 부대[함대] **2** 대책 본부

taskmaster *n.* (일을 할당하는) 공사 감독

tassel [tǽsəl] *n.* **1** (장식용의) 술 **2** [식물] (옥수수의) 수염
v. [T] **1** 술을 달다 **2** (옥수수의) 수염을 뜯다
— **tasseled** *adj.*

***taste** [teist] *n.* **1** 맛, 미각: a sweet [bitter, sour, salty] *taste* 단[쓴, 신, 짠] 맛 / I've got a cold, so my *taste*'s quite gone. 감기에 걸려 맛을 전혀 모르겠다. **2** (a taste) 시식, 맛보기: Do you want a *taste* of this cheese? 이 치즈를 맛보겠어요? **3** (약간의) 경험: That was my first *taste* of success. 그것은 나의 첫 성공의 경험이었다. **4** 감식력, 심미안: She has excellent *taste* in music. 그녀는 음악에 훌륭한 센스를 가졌다. **5** (a taste) 취미, 기호: The color is a

matter of personal *taste*. 색이란 개인적인 기호의 문제이다. SYN liking
v. **1** [I] 맛이 나다: It *tastes* sour[of mustard]. 그것은 신[겨자] 맛이 난다. **2** [T] …의 맛을 느끼다[알다]: Can you *taste* anything strange in this soup? 이 수프에서 뭔가 이상한 맛이 나지 않습니까? **3** [T] 시식하다: Can I *taste* a piece of that ice cream? 저 아이스크림의 맛을 봐도 될까요?
숙어 **(be) in bad[poor] taste** 천하게, 품위 없이: I thought some of your jokes *were in* very bad *taste*. 나는 너의 유머 중 몇 가지는 매우 품위가 없다고 생각했다.
have a taste for …에 취미가 있다, …을 좋아하다: She *has a taste for* music. 그녀는 음악을 좋아한다. / He *has* no *taste for* reading. 그는 독서에 취미가 없다.
to one's taste 취미에 맞아서, 기호에 따라

tasteful [téistfəl] *adj.* (옷·가구·장식품 등에 대한) 멋을 아는, 감식력이 있는, 우아한 OPP tasteless
— **tastefully** *adv.*

tasteless [téistlis] *adj.* **1** 맛없는: This soup is rather *tasteless*. 이 수프는 좀 맛이 없다. OPP tasty **2** 기분 상하게 하는, 불쾌한: His joke was particularly *tasteless*. 그의 유머는 특히 불쾌했다. **3** (옷·가구·장식품 등에 대한) 감식력이 없는, 멋없는: a *tasteless* outfit 센스 없는 의상 OPP tasteful

tasty [téisti] *adj.* (tastier-tastiest) 맛있는: This broccoli soup is very *tasty*. 이 브로콜리 수프는 아주 맛있다.
— **tastily** *adv.* **tastiness** *n.*

tatter [tǽtər] *n.* **1** 넝마 조각 SYN rag **2** (tatters) 누더기 옷
v. [I,T] 갈가리 찢다[찢어지다]
— **tattered** *adj.* 해어진, 누더기를 걸친
숙어 **in tatters** 누더기가 되어, 다 해져서: She was dressed *in tatters*. 그녀는 누더

기 옷을 입고 있었다.

tattletale [tǽtltèil] *n. adj.* 수다쟁이(의), 고자쟁이(의) SYN telltale

tattoo [tætúː] *n. (pl.* tattoos) 문신
v. [T] 문신을 하다

taunt [tɔːnt] *v.* [T] (불쾌한 말 등으로) 화나게 하다, 비웃다: They used to *taunt* her because she was fat and wore glasses. 그들은 그녀가 뚱뚱하고 안경을 썼기 때문에 놀려대곤 했다.
n. 비웃음, 조롱, 모욕
— **taunter** *n.*

tavern [tǽvərn] *n.* 1 (선)술집 SYN pub 2 여인숙 SYN inn

tawny [tɔ́ːni] *n. adj.* 황갈색(의) SYN yellowish brown
— **tawnily** *adv.* **tawniness** *n.*

*****tax** [tæks] *n.* 세금, 조세: national〔local〕 *taxes* 국〔지방〕세 / income *tax* 수입세
v. [T] (종종 수동태) …에 과세하다: Alcohol and cigarettes are heavily *taxed*. 술과 담배는 세금이 많이 부과된다.
숙어 **after taxes** 세금 공제의〔로〕
before taxes 세금 포함의〔으로〕: What do you earn *before taxes*? 세금 포함해서 소득이 얼마니?
impose a tax on …에 과세하다

■ 유의어 **tax**
tax 일반적인 세금. **rates** 영국에서 특별 목적으로 부동산에 과하는 지방세. **duties** 관세. (공항 등의 면세품에 관해서 말할 때는 duty-free를 쓴다.: an airport *duty-free* shop 공항의 면세점)

taxable [tǽksəbəl] *adj.* 세금이 붙는
n. (보통 *pl.*) 과세 대상
— **taxably** *adv.*

taxation [tækséiʃən] *n.* 1 과세, 징세: a *taxation* office 세무서 / progressive *taxation* 누진 과세 2 조세(액), 세수(입)

tax-free *adj.* 면세의

taxi [tǽksi] *n.* (〔미〕 cab) 택시: Shall we take a *taxi* to the station? 역까지 택시 타고 갈까요?
v. [I] 1 택시로 가다〔나르다〕 2 〔항공〕 (비행기가) 지상에서 자력으로 이동하다

taxpayer [tǽkspèiər] *n.* 납세자, 납세 의무자

*****tea** [tiː] *n.* 1 (홍)차: a cup of *tea* 차 한 잔 / make *tea* 차를 끓이다 2 차나무, 차잎사귀 3 티, 오후의 차 (특히 영국에서 점심과 저녁 사이에 차와 함께 먹는 가벼운 식사)
※ 보통 홍차를 tea라고 하는데, 특별히 명시할 경우에는 black tea라고 한다. 녹차는 green tea라고 한다.
숙어 **(not) one's cup of tea** ⇨ cup

tea bag *n.* (1인분의) 차를 넣은 봉지

*****teach** [tiːtʃ] *v.* (taught-taught) 1 [I,T] 가르치다, 교육하다: Jimmy *taught* them French. 지미는 그들에게 프랑스 어를 가르쳤다. / She *teaches* five classes daily. 그녀는 매일 다섯 번 수업을 한다. 2 [T] (사람·짐승에게) (…의 방법을) 가르치다, 훈련하다, 길들이다: Who *taught* you to play the guitar? 누가 기타 연주를 가르쳐 주었니? 3 [T] (경험·사실 등이) …을 가르쳐 주다, 깨닫게 하다: Poverty *taught* me to appreciate the little things in life. 가난은 내게 삶에서 사소한 것들에도 감사하도록 가르쳐 주었다.
— **teachable** *adj.*
숙어 **teach ... a lesson** …의 버릇을 고쳐 주다, 혼내 주다: She decided to *teach* his son *a lesson*. 그녀는 아들의 버릇을 고치기로 결심했다.
teach oneself 독학하다
teach school 교편을 잡다: My dad *taught school* in New York. 아버지는 뉴욕에서 교편을 잡으셨다.

■ 유의어 **teach**
teach '가르치다'를 뜻하는 가장 일반적인 말로 학교 교육 이외에도 쓰임.: Dad *taught* me to drive. 아버지는 내게 운전을 가르쳐 주셨다. **instruct** 어떤 특수한

분야에 대해 조직적인 방법으로 가르침을 뜻함.: She *instructs* in chemistry. 그녀는 화학을 가르친다. **educate** 장시간에 걸쳐 모든 종류의 지식을 학교와 같은 정식 교육 기관에서 가르침을 뜻함.: He was *educated* at Oxford. 그는 옥스퍼드에서 교육을 받았다.

teacher [tíːtʃər] *n.* 선생님, 교사

teaching [tíːtʃiŋ] *n.* **1** 교육, 수업: *teaching* methods 교수법 **2** (보통 *pl.*) 교의, 교훈: the *teachings* of Christ〔Gandhi〕그리스도〔간디〕의 가르침

teacup *n.* **1** 찻잔 **2** 찻잔 한 잔(의 양)

tea-leaf *n.* (*pl.* tea-leaves) **1** 차잎사귀 **2** (tea-leaves) 차 찌끼

team [tiːm] *n.* **1** [경기] 팀, 조: a basketball *team* 농구 팀 **2** (협동하여 일하는) 그룹: a *team* of seven scientists 7명의 과학자 그룹

v. [I] 팀이 되다, 협력하다 (up, with, together)

[숙어] **team up** (**with**) …와 협력하다: You can *team up with* one other student if you want. 원한다면 다른 학생과 협력해도 된다.

※ team은 단수 동사나 복수 동사와 함께 쓰일 수 있다.: The *team* play〔plays〕two matches every month. 그 팀은 한 달에 두 번 시합을 한다.

teammate [tíːmmeit] *n.* 팀 동료

teamwork *n.* 팀워크, 협동 작업, 협력

teapot *n.* 찻주전자

***tear¹** [tiər] *n.* (보통 *pl.*) 눈물: The little girl burst into *tears*. 어린 소녀가 울음을 터뜨렸다.

[숙어] **in tears** 눈물을 흘리며: When I looked up at her, she was all *in tears*. 내가 그녀를 쳐다보았을 때, 그녀는 울고 있었다.

shed tears ⇨ shed²

***tear²** [tɛər] *v.* (tore-torn) **1** [I,T] 찢다, 찢어지다, 째다: I *tore* two pages out of

my notebook. 공책에서 두 장을 찢었다. **2** [T] 잡아채다, 홱 채어 빼앗다〔벗기다〕: He *tore* the poster down from the wall. 그는 벽에서 포스터를 잡아챘다. / The man *tore* the handbag out of her hands. 그 남자는 그녀의 손에 있는 핸드백을 홱 빼앗았다. **3** [T] (구멍 등을) 째서 내다, …에 찢긴 구멍을 내다: I *tore* a hole in my skirt. 스커트에 구멍을 냈다. **4** [I] 질주하다 (along, up, down, past): A car came *tearing* along. 자동차가 질주해 오고 있었다. [SYN] rush

n. 찢어진 틈〔곳〕, 해진 데: There's a *tear* in your bag. 네 가방에 찢어진 곳이 있다.

[숙어] **be torn between A and B** A와 B 사이에서 (어느 쪽을 선택할까 하고) 망설이다, 괴로워하다

tear away 억지로 떼어 놓다: I could not *tear* myself *away* from my friends. 나는 차마 친구들과 헤어질 수가 없었다.

tear down (건물 등을) 헐다: The old theater is to be *torn down* next month. 그 낡은 극장 건물은 다음 달에 헐릴 예정이다.

tear off 1 잡아채다: a branch *torn off* a tree 나무에서 꺾어낸 가지 **2** (옷 등을) 급히 벗다: I *tore* my sweaty clothes *off* and took a shower. 나는 땀에 젖은 옷을 급히 벗고 샤워를 했다.

tear oneself away (**from**) (마지못해) 뿌리치고 떠나다: Could you please *tear yourself away from* the TV and listen to me for a second? TV 그만 보고 잠깐 제 이야기 좀 들어줄 수 있나요?

tear up 갈기갈기 찢다: She *tore* the letter *up*. 그녀는 편지를 갈기갈기 찢었다. [SYN] tear in pieces

wear and tear ⇨ wear

tearful [tíərfəl] *adj.* **1** 울고 있는, 거의 울 것 같은 **2** 슬픈 [OPP] tearless

— **tearfully** *adv.* **tearfulness** *n.*

tear gas *n.* 최루 가스

tearjerker [tíərdʒə̀ːrkər] *n.* 눈물을 흘

리게 하는 영화·연극·책 등

tease [ti:z] *v.* [I,T] 집적거리다, 짓궂게 괴롭히다, 놀려대다: He *teased* her about being fat. 그는 그녀가 뚱뚱하다고 놀렸다.

teaspoon [tí:spùːn] *n.* 찻숟가락

teaspoonful [tí:spuːnfùl] *n.* 찻숟갈 하나 가득(한 양)

teatime *n.* (오후의) 차 마시는 시간

technical [téknikəl] *adj.* **1** 기술적인, (과학) 기술의: *technical* training 기술 교육 **2** 전문(적)인, 특수한: *technical* terms 전문 용어 **3** 공업의: *technical* school 공업 학교

technically [téknikəli] *adv.* **1** 정확히, 엄밀히 말하자면: *Technically*, you're supposed to pay by July fifth. 엄밀히 말하자면 7월 5일까지 지불하셔야 합니다. **2** 기술적으로: *technically* advanced weapons 고도로 기술적인 무기 **3** 전문적으로: She is a *technically* brilliant pianist. 그녀는 전문적으로 아주 뛰어난 피아니스트이다.

technician [tekníʃən] *n.* 기술자, 전문가: a laboratory *technician* 실험 전문가

technique [tekníːk] *n.* **1** (학문·과학 연구 등의) (전문) 기술 **2** (예술·스포츠 등의) 기법, 기교, (음악의) 연주법: He is a football player with brilliant *technique*. 그는 화려한 기교를 지닌 축구 선수이다. / She has poor *technique* at the piano. 그녀는 피아노 연주가 서투르다.

techno [teknou] *n.* [음악] 테크노 음악 (전자 악기를 많이 써서 기계적인 리듬을 특징으로 함)

techno- *prefix* '기술, 공예, 응용'이라는 뜻.

***technology** [teknálədʒi] *n.* 과학 기술, 생산 기술: Modern *technology* is amazing, isn't it? 현대 과학 기술은 놀랍지 않니?
— **technological** *adj.* **technologist** *n.* 과학 기술자

teddy [tédi] *n.* 장난감 곰 (teddy bear)

tedious [tí:diəs] *adj.* 지루한, 싫증나는,

장황한: a *tedious* talk 지루한 이야기
— **tedium** *n.* 권태, 지루함

teem [ti:m] *v.* [I] 충만하다, 풍부하다, 많이 있다 (with): The river *teems* with fish. 그 강에는 물고기가 많다. [SYN] abound

teen [ti:n] *n.* =teenager
adj. =teenage

-teen *suffix* '10'의 뜻. (13-19의 수의 어미에 씀)

teenage [tí:nèidʒ] *adj.* (명사 앞에만 쓰임) **1** (연령이) 10대의: *teenage* children 10대 아이들 **2** 10대 용의, 10대 만의: *teenage* magazines 10대들이 보는 잡지

***teenager** [tí:nèidʒər] *n.* 10대의 소년[소녀]: The magazine is very popular with *teenagers*. 그 잡지는 10대들에게 상당히 인기가 있다.

teens [ti:nz] *n.* (*pl.*) 10대 (숫자가 -teen으로 끝나는 13-19세까지의 연령): She is just out of her *teens*. 그녀는 겨우 10대를 넘어섰다.

[숙어] **in one's teens** ···가 10대에[일 때]: *in her* last *teens* 그녀가 19세인 해에 / *in her* early (late) *teens* 그녀가 10대 초반[후반]일 때에

teeth [ti:θ] *n.* (*pl.*) tooth의 복수

TEFL [téfəl] *abbr.* Teaching English as a Foreign Language 외국어로서의 영어 교수(법)

tel. *abbr.* telephone (number) 전화 (번호)

tele- *prefix* **1** 먼: *tele*pathy 텔레파시 **2** 텔레비전과 관련된: *tele*text 문자 다중 방송 **3** 전화를 사용하여: *tele*sales (전화에 의한) 판매·광고 활동

telecast [téləkæst] *v.* [I,T] 텔레비전 방송을 하다
n. 텔레비전 방송

telecommunication
[tèləkəmjùːnəkéiʃən] *n.* **1** (라디오·TV·전신·전화 등에 의한) 원거리 통신, 전자 통신 **2** (보통 *pl.*) 전기통신학 **3** [컴퓨터] (전기) 통신, 텔레커뮤니케이션

telecommute [téləkəmjù:t] *v.* [T] 컴퓨터로 집에서 근무하다
— **telecommuter** *n.*

telecomputer [téləkəmpjù:tər] *n.* 텔레컴퓨터 (전화선이나 원거리 통신 체계를 이용하여 정보를 송수신하는 컴퓨터)

teleconference [téləkûnfərəns] *n.* (전화·텔레비전 등을 이용한) 원격지간의 회의
— **teleconferencing** *n.*

telegram [téləgræm] *n.* 전보, 전신: send a *telegram* 전보 치다 / by *telegram* 전보로

telegraph [téləgræf] *n.* **1** 전신, 전보 **2** 전신기, 신호기
v. [I,T] 전보를 치다, 전신으로 알리다, 전송하다: She *telegraphed* him to come. 그녀는 그에게 오라고 전보를 쳤다. / He *telegraphed* her the discovery. 그는 그녀에게 그 발견을 전보로 알렸다.
— **telegraphic** *adj.* 전신의, 전보의
telegraphy *n.* 전신(술) **telegrapher** *n.* 전신 기사

*telephone [téləfòun] (또는 phone) *n.* (*abbr.* tel.) **1** 전화[통신] 조직: Can I contact you by *telephone*? 전화로 당신과 연락할 수 있나요? **2** 전화(기): The *telephone* is ringing. 전화가 울리고 있다.
v. [I,T] 전화를 걸다, 전화로 말하다 (to): I *telephoned* her arrival to him. 나는 그에게 그녀의 도착을 전화로 알렸다.
축어 **on the phone**[telephone] ⇨ phone

telephone booth
n. ([영] telephone box) 공중 전화 박스

telephone directory
n. 전화 번호부 (phone book)

telephone exchange *n.* 전화국, 전화 교환국

telephone number *n.* 전화 번호

telephone operator *n.* 교환수[원]

telephotograph [tèləfóutəgræf] *n.* 망원 사진, 전송 사진

telescope [téləskòup] *n.* 망원경

teletext [télətèkst] *n.* 텔레텍스트, 문자 다중 방송

televise [téləvàiz] *v.* [T] (텔레비전으로) 방송하다: The concert will be *televised* live on NBC tonight. 그 콘서트는 오늘 밤 NBC에서 실황으로 방송될 것이다.

*television [téləvìʒən] *n.* (*abbr.* TV) **1** 텔레비전 수상기 (television set) **2** 텔레비전, 텔레비전 영상[프로]: He was watching *television*. 그는 텔레비전을 보고 있었다. **3** 텔레비전 방송 산업, 텔레비전에 관련된 일: He works in *television*. 그는 텔레비전 관계의 일을 하고 있다.
축어 **on television** 텔레비전으로 방송하는: I saw a boxing match *on television*. 나는 텔레비전에서 권투 경기를 보았다.

telex [téleks] *n.* 텔렉스 (가입자가 전신·전화로 접속하여 텔레타이프로 외국과 교신하는 통신 방식; Telex는 그 상표명)
v. [T] 텔렉스로 송신하다

*tell [tel] *v.* (told-told) **1** [T] 말하다, 이야기하다: *tell* a lie 거짓말하다 / *Tell* me a story. 이야기를 해 주시오. / I don't really want to go out, to *tell* the truth. 사실을 말하자면, 정말로 외출하고 싶지 않다. SYN say

2 [T] 명하다: I *told* him to go on. 나는 계속하라고 그에게 일렀다. SYN order

3 [I,T] (보통 can, could, be able to를 수반하여) 분간하다, 식별하다, 구별하다 (from): Can you *tell* the difference? 차이를 알겠니? / It's hard to *tell* how long the job will take. 그 일이 얼마나 오래 걸릴지는 알기 어렵다.

4 [T] 알리다, 전하다, 가르쳐 주다: I'm *told* you've been to America. 네가 미국에 갔다 왔다는 말을 들었다. / *Tell* me how to make it. 그것 만드는 방법을 가르쳐 주시오. SYN inform

5 [I] (거짓말·비밀 등을) 누설하다, 털어놓고 이야기하다: Promise you won't *tell*! 누설

하지 않겠다고 약속해라!

6 [T] (사물이) 나타내다, 표시하다, 증거가 되다: Her face *told* her grief. 그녀의 얼굴이 그녀의 슬픔을 나타냈다.

7 [I] 효과가 있다, 지장을 주다, 악영향이 있다 (on, upon): The strain will *tell* on you. 그렇게 무리하면 몸에 해롭다.

— **teller** *n.* 말하는 사람; 금전 출납계

■ **용법** tell

1 명령문을 피전달문으로 하는 직접 화법을 간접 화법으로 전환할 때 쓰인다.: He said to me, "Don't leave the room." → He *told* me not to leave the room.

2 상대편을 나타내지 않고 that절을 목적어로 쓸 수 없다. said는 가능하다.: He *told me that* he might be late. / He *said that* he might be late.

[숙어] **all told** 합계(해서), 통틀어: There must have been five cars in the accident, *all told*. 그 사고에 통틀어 다섯 대의 자동차가 있었음에 틀림없다.

(I'll) **tell you what** 들어 봐, 하고 싶은 이야기가 있어: *I'll tell you what*—we'll get you something to eat on the way. 들어 봐(이렇게 하면 될 것 같은데), 우리가 오는 길에 네가 먹을 것을 좀 사 올게.

I told you (so)! 그러게 내가 뭐랬어! 그렇게 말하지 않던가!, 그것 봐!

tell ... from ~ …과 ~을 구별하다: How can you *tell* an Englishman *from* an American? 영국 사람과 미국 사람을 어떻게 분간하지? [SYN] distinguish from

tell of(about) …을 말하다, …의 이야기를 하다: Can you *tell* me *of* a good dentist? 좋은 치과 의사를 말해 주겠니? / He *told* me *of*(about) his troubles. 그는 나에게 자신의 어려움에 관해 말했다.

tell off 야단치다, 책망하다: The teacher *told* him *off* for not doing his homework. 선생님은 그가 숙제를 하지 않아서 야단치셨다.

tell on 1 …에 영향을 미치다: His age is beginning to *tell on* him. 그도 나이에는 어쩔 수 없게 되었다. **2** (…을 부모님·선생님 등에게) 고자질하다, 밀고하다: I didn't *tell on* you. 너에 관한 것을 고자질하지 않았다.

tell the time (시계가 때를) 알리다: The clock *told the time*. 시계가 시간을 알렸다.

telling [téliŋ] *adj.* **1** 감정을 (저도 모르게) 드러내는, 나타내는 **2** 효력이 있는, 현저한, 강력한: That's quite a *telling* argument. 그것은 아주 효과적인 논쟁이다.

— **tellingly** *adv.*

telltale [téltèil] *n.* 고자쟁이
adj. (비밀·감정 등을) 저도 모르게 드러내는, 고자질하는

temp [temp] *n.* 임시 직원: We hire *temps* to work for us when our employees are on vacation. 우리는 종업원들이 휴가일 때 일해 줄 임시 직원을 고용한다.
v. [I] 임시 직원으로서 일하다

temp. *abbr.* temperature 온도, 기온

*__temper__ [témpər] *n.* **1** 기질, 성질; 성마름: Be careful of him. He's got a pretty violent *temper*. 그 사람 조심해라. 성질이 아주 난폭한 사람이다. **2** 기분: It's no use talking to her when she's in a bad *temper*. 그녀가 기분이 나쁠 때는 말을 걸어도 소용이 없다. [SYN] mood

※ in a temper와 out of temper는 둘 다 '발끈 화를 내어'라는 뜻이다. 앞의 temper는 mood (울화)의 뜻이고, 뒤의 temper는 composure (침착)의 뜻이다.

[숙어] **in a good**(bad) **temper** 기분이 좋아(나빠)서: She is *in a* very *good temper* today. 그녀는 오늘 아주 기분이 좋다.

keep one's temper 참다: It's hard to *keep my temper* with so many things going wrong. 많은 것들이 잘못되고 있는데 참는 것은 어렵다.

lose one's temper 화내다: He *loses his temper* when he's very tired. 그는

많이 피곤하면 화를 낸다.

temperament [témpərəmənt] *n.* 기질, 성질, 성미: a calm(fiery) *temperament* 조용한(성급한) 성격 SYN disposition

temperamental [tèmpərəméntl] *adj.* 신경질(감정)적인, 변덕스러운: It's difficult to work for someone who's so *temperamental*. 너무 신경질적인 사람 밑에서는 일하기가 어렵다.
— **temperamentally** *adv.*

temperance [témpərəns] *n.* **1** 절제, 자제 **2** 절주, 금주: a *temperance* movement 금주 운동

temperate [témpərit] *adj.* **1** (기후·계절 등이) 온화한, (지역 등이) 온대성의: a *temperate* climate 온화한 기후 / the *temperate* zone 온대 **2** 중용의, 온건한, 적당한 SYN moderate **3** 절제하는, 금주의: a man of *temperate* habits 절제가 SYN abstinent
— **temperately** *adv.* **temperateness** *n.*

*****temperature** [témpərətʃər] *n.* **1** 온도, 기온: Water begins to boil at the *temperature* of 212 °F. 물은 화씨 212도에서 끓기 시작한다. **2** 체온: a *temperature* chart 체온표
숙어 **have(run) a temperature** (병으로) 열이 있다: She *has a temperature* and has gone to bed early. 그녀는 열이 있어서 일찍 자러 갔다.
take one's temperature 체온을 재다: The nurse *took his temperature* with a thermometer. 간호사는 체온계로 그의 체온을 쟀다.

-tempered *suffix* '…한 성질의'의 뜻.: short-*tempered* 성질이 급한

tempest [témpist] *n.* **1** 사나운 비바람, 폭풍우 SYN storm **2** 야단법석, 대소동 SYN tumult
— **tempestuous** *adj.* 폭풍우의

*****temple** [témpəl] *n.* **1** (고대 그리스·로마·이집트의) 신전, (불교·힌두교·유대교 등의) 절, 사원 **2** [해부] 관자놀이

tempo [témpou] *n.* (*pl.* tempos) **1** (활동·운동 등의) 속도, 템포 **2** [음악] 빠르기, 박자: a fast(slow) *tempo* 빠른(느린) 박자

temporal [témpərəl] *adj.* **1** 시간의 *cf.* spatial 공간의 **2** 일시적인, 잠시의 OPP eternal, permanent **3** 현세의 SYN earthly OPP spiritual **4** 관자놀이의

*****temporary** [témpərèri] *adj.* **1** 일시적인, 덧없는: *temporary* pleasure 덧없는 쾌락 OPP lasting, permanent **2** 임시의, 임시변통의: a *temporary* job 임시직
— **temporarily** *adv.*

tempt [tempt] *v.* [T] **1** 유혹하다, 부추기다 (into, to): I was *tempted* to buy the hat. 그 모자를 사고 싶은 생각이 들었다. / He tried to *tempt* me with a bribe. 그는 나를 뇌물로 유혹하려 했다. SYN lure **2** …할 생각(기분)이 나게 하다, 꾀다: The fine weather *tempted* me out. 날씨가 좋아 밖에 나갔다. SYN induce

temptation [temptéiʃən] *n.* **1** 유혹, 유혹함(됨) **2** 유혹물, 마음을 끄는 것: A piece of cheesecake is a great *temptation*! 치즈 케이크는 굉장한 유혹이다!

tempting [témptiŋ] *adj.* 유혹하는, 부추기는: He made a *tempting* offer for me. 그는 내게 솔깃해지는 제안을 했다.
— **temptingly** *adv.* **temptingness** *n.*

ten [ten] *n. adj. pron.* 10(의), 열(의); 열 개(사람) ⇨ six 참조
숙어 **ten to one** 십중팔구, 거의 틀림없이: The boy has been eating green fruit, and *ten to one* he will be sick. 그 소년은 익지 않은 과일을 먹고 있으니까 십중팔구 병이 날 것이다.
tens of thousands of 수만의

tenant [ténənt] *n.* 소작인, 차지인(借地人): a *tenant* farmer 소작농 / *tenant* right 차지(차가)권 OPP landlord
v. [T] (보통 수동태) (토지·가옥을) 빌리다, 임

차하여 살다

— **tenantable** *adj.* (토지 · 가옥 등을) 임차〔거주〕할 수 있는 **tenantless** *adj.* 빌려 쓰는 사람이〔거주자가〕 없는, 빈 땅〔집〕의

***tend** [tend] *v.* **1** [I] …의 경향이 있다, …하기 쉽다 (to, toward): Fruits *tend* to decay. 과일은 자칫 썩기 쉽다. ⨂ be inclined to **2** [T] 돌보다: The nurse gently *tended* the sick. 간호사는 친절하게 병자들을 보살폈다. ⨂ look after **3** [I] 주의하다, 배려하다: *Tend* to your own affairs. 네 일에나 마음을 써라. ⨂ attend to

⨂ **tend to 1** …의 경향이 있다: She *tends* to exaggerate. 그녀는 과장해서 말하는 경향이 있다. **2** …에 이바지하다: This will *tend* to improve working conditions. 이것은 노동 여건 개선에 이바지할 것이다.

tendency [téndənsi] *n.* **1** 경향, 풍조, 추세: Her hobbies show artistic *tendencies*. 그녀의 취미에는 예술적 경향이 보인다. / Traffic accidents have a *tendency* to increase. 교통 사고는 증가하는 추세이다. **2** 버릇, 성향: He has a *tendency* towards exaggeration. 그는 과장해서 말하는 버릇이 있다.

tender¹ [téndər] *adj.* **1** 상냥한: *tender* looks 상냥한 얼굴 ⨂ kind, loving **2** (고기 등이) 부드러운, 씹기 쉬운: *tender* beef 연한 쇠고기 ⨂ soft ⨂ tough **3** 연약한, 손상되기 쉬운: a *tender* skin 상하기 쉬운 피부 ⨂ delicate **4** 만지면 아픈, 상처받기 쉬운, 민감한: My leg is still *tender* where I bruised it. 다리의 멍든 곳이 만지면 여전히 아프다. ⨂ sensitive

v. [T] 부드럽게 하다

— **tenderly** *adv.* **tenderness** *n.*

⨂ **at a tender age, at the tender age of** 어린〔철없는〕 나이에: He was sent off to boarding school *at the tender age of* seven. 그는 7살의 어린 나이에 기숙학교로 보내졌다.

tender² [téndər] *n.* 돌보는 사람, 간호사: a bar*tender* 바텐더

tender³ [téndər] *v.* [T] 제출하다, 제공하다: He was forced to *tender* his resignation. 그는 사표를 제출할 수 밖에 없었다. ⨂ offer

n. **1** 제출, 제공 **2** 입찰, 입찰 견적서

tenderhearted [téndərhá:rtid] *adj.* 다정한, 다감한, 상냥한

— **tenderheartedly** *adv.* **tenderheartedness** *n.*

tenement [ténəmənt] *n.* **1** 집, 건물 **2** (빈민가 등의) 아파트, 공동 주택: *tenement* house (도시 하층민의) 아파트, 공동 주택

***tennis** [ténis] *n.* 테니스: a *tennis* court 테니스 코트 / a *tennis* racket 테니스 라켓 / Let's play *tennis*. 테니스 치자.

tenor [ténər] *n.* [음악] 테너 (가수): Luciano Pavarotti is a famous *tenor*. 루치아노 파바로티는 유명한 테너 가수이다.

※ 성악에서 남성의 음역은 bass, baritone, tenor 순으로 높아진다.

adj. 테너의

tense¹ [tens] *adj.* **1** (줄 등이) 팽팽한 **2** (신경 · 감정 등이) 긴장한, 긴박한: She looked worried and *tense*. 그녀는 걱정스럽고 긴장되어 보인다. **3** (근육 등이) 딱딱한, 긴장된 **4** (상황 등이) 긴장시키는: a *tense* moment 긴장의 순간 ⨂ lax, loose

v. [I,T] 팽팽하게 하다, 긴장시키다〔하다〕 (up)

— **tensely** *adv.* **tenseness** *n.*

tense² [tens] *n.* [문법] (동사의) 시제: the present〔past, future〕 *tense* 현재〔과거, 미래〕 시제 / the perfect *tense* 완료 시제

tension [ténʃən] *n.* **1** (정신적인) 긴장, 흥분 **2** (국제 정세 등의) 절박, 긴장 상태: racial *tensions* 인종 관계의 긴장 상태 **3** (줄 · 근육 등의) 팽팽함, 긴장: The massage relieved the *tension* in my shoulders. 안마로 어깨의 뻣뻣함을 풀었다.

v. [T] 팽팽하게 하다, 긴장시키다

— **tensional** *adj.* 긴장(성)의 **tensioned**

adj. 긴장된

*tent [tent] *n.* 텐트, 천막: pitch(strike) a *tent* 텐트를 치다(걷다)

v. [I,T] 천막을 치다, 야영하다

tenth [tenθ] *n. adj. pron. adv.* 10th ⇨ sixth 참조

*term [təːrm] *n.* **1** 말, (특히) 술어, 용어: technical *terms* 기술 용어, 전문어 **2** (terms) 말투, 말씨 **3** (terms) (계약·지불·요금 등의) 조건, 약정: the *terms* of peace 강화 조건 **4** (일정한) 기간, 임기: a *term* of two years 2년의 임기 **5** [영] 학기 ([미] semester): the spring(fall) *term* 봄(가을) 학기

v. [T] 이름짓다, 칭하다, 부르다: The dog is *termed* John. 그 개는 존이라고 불린다. / The project could hardly be *termed* a success. 그 프로젝트는 성공작이라고 하기 어렵다. SYN name

숙어 be on equal terms (with) …와 같은 조건으로, 대등하게

come to terms with 타협하다, (사태 등을) 감수하다, 익숙해지다: It's hard to *come to terms with* being fired. 해고되는 것을 감당하기는 어렵다.

in terms 교섭(상담) 중인

in terms of 1 …의 말로: *in terms of* censure 비난의 말로 2 …에 의하여 3 …의 견지에서 (보아): He sees life *in terms of* money. 그는 돈의 관점에서 인생을 본다.

※ in terms of 대신에 종종 in … terms가 쓰이기도 한다.: *in* technical(legal) *terms* 전문(법률) 용어로

in the long(short) term 장기(단기)적으로는: Taking this decision will be beneficial *in the long term*. 이 결정을 수용하는 것이 장기적으로는 이로울 것이다.

on good(bad) terms …와 사이가 좋은 (나쁜): Now I stand *on good terms* with my father. 이제 나는 아버지와 원만하게 지내고 있다.

※ visiting terms 서로 왕래하는 사이.

speaking terms 서로 말을 건네는 정도의 사이.

terminal [təːrmənəl] *n.* **1** 종점, 터미널, 종착역: a bus *terminal* 버스 종점 **2** [컴퓨터] 단말(기)

adj. **1** (치명적인 병이) 말기의, (환자가) 가망이 없는, 불치의: *terminal* cancer 말기의 암 **2** 끝의, 종말의, 종착역의 **3** 학기말의: a *terminal* examination 학기말 시험

— **terminally** *adv.*

terminate [təːrməneit] *v.* [I,T] …을 끝내다, 종결시키다, 마무리하다: The meeting *terminated* at ten o'clock in the evening. 그 회의는 밤 10시에 끝났다. SYN end

adj. [təːrmənit] 유한한, 종지의: a *terminate* decimal [수학] 유한소수

— **termination** *n.*

terminator [təːrməneitər] *n.* **1** 종결시키는 사람(물건) **2** [천문] (달·별의) 명암 경계선 **3** [컴퓨터] 종료기

terminology [təːrmənάlədʒi] *n.* 전문 용어, 술어: technical *terminology* 전문어

terminus [təːrmənəs] *n.* (*pl.* terminuses, termini [təːrmənài]) **1** (철도·버스의) 종점, 종착역 SYN terminal **2** 종착지, 목적지, 경계(선)

termite [təːrmait] *n.* 흰개미

tern [təːrn] *n.* 제비갈매기

terrace [térəs] *n.* **1** 테라스 (바닥에 돌을 깐 큰 식당·저택의 야외 식사 장소) **2** [영] 고지대에 늘어선 집들, 연립 주택 **3** (보통 *pl.*) (경사지를 계단 모양으로 깎은) 단지, 계단 모양의 뜰 **4** (terraces) (축구장의 층으로 된) 입석

terrestrial [təréstriəl] *adj.* **1** 지구(상)의 SYN earthly OPP celestial **2** 육지의, 육상의 *cf.* aquatic 물의, 물 속의 **3** 지상의, 현세의, 속세의

— **terrestrially** *adv.*

*terrible [térəbəl] *adj.* **1** 무서운, 소름끼치는: a *terrible* weapon 가공할 무기 /

T

terrible news 끔찍한 소식 [SYN] awful **2** 몹시 기분 나쁜〔상한〕, 불쾌한: She felt *terrible* when she realized what she had done. 그녀는 자신이 한 행동을 자각했을 때 기분이 몹시 상했다. **3** 아주 서투른: a *terrible* driver〔actor〕아주 서투른 운전사〔연기자〕 [SYN] very bad **4** 심한, 대단한: The heat is *terrible* here. 이 곳의 더위는 지독하다.

terribly [térəbli] *adv.* **1** 몹시, 굉장히, 대단히: I'm *terribly* sorry to have kept you waiting. 기다리게 해서 대단히 죄송합니다. **2** 매우 서투르게: He played *terribly*. 그는 아주 서투르게 경기를 했다.

terrier [tériər] *n.* 테리어 (개의 일종)

terrific [tərífik] *adj.* **1** 아주 좋은, 훌륭한: We had a *terrific* vacation in Hawaii. 우리는 하와이에서 멋진 휴가를 보냈다. **2** (명사 앞에만 쓰임) (정도·크기 등이) 굉장한, 대단한: The car drove past at a *terrific* speed. 그 차는 굉장한 속도로 지나갔다.
— **terrifically** *adv.*

■ 접미어 **-fic**
'…로 하는, …화하는'의 뜻의 형용사를 만든다.: terri*fic*, scienti*fic*

terrified [térəfàid] *adj.* 무서워하는, 겁먹은, 겁에 질린 (of): I'm really *terrified* of snakes. 나는 정말로 뱀을 무서워한다.

terrify [térəfài] *v.* [T] 겁나게 하다, 놀라게 하다 [SYN] frighten

territory [térətɔ̀:ri] *n.* **1** (영해를 포함한) 영지, 영토 **2** (광대한) 땅, 지역, 지방: Much *territory* in Africa is desert. 아프리카는 넓은 지역이 사막이다. **3** [생태] (동물의) 세력권, 텃세권 **4** (학문·행동의) 영역, 분야
— **territorial** *adj.*

terror [térər] *n.* **1** (무서운) 공포, 두려움: The people fled in *terror*. 사람들은 두려워서 달아났다. **2** 무서운 사람〔것〕: He is a *terror* to the villagers. 그는 마을 사람들에게 무서운 존재이다. **3** 테러 (계획), 테러 집단 **4** 대단한 골칫거리, 성가신 녀석〔아이〕: Tom is a perfect *terror*. 톰은 정말 골칫거리이다.

terrorism [térərìzəm] *n.* 테러리즘, 공포 정치, 폭력주의
— **terrorist** *n.*

terrorize, terrorise [térəràiz] *v.* [T] 무서워하게 하다, 탄압〔위협〕하다, 위협서 …시키다: Street gangs have been *terrorizing* the neighborhood for months. 거리의 폭력단들이 몇 달 동안 이웃을 위협하고 있다.

TESL [tésl] *abbr.* Teaching English as a Second Language (영어를 제 2언어로 사용하는 나라에서의 영어 교수)

TESOL [tísɔ:l, tésɔ:l] *abbr.* Teaching of English to Speakers of Other Languages (영어를 모국어로 하지 않는 나라에서의 영어 교수)

*****test** [test] *n.* **1** 테스트, 시험: We have a dictation *test* every Monday. 우리는 매주 월요일마다 받아쓰기 시험이 있다. [SYN] examination **2** (간단한 건강) 검사: a *test* for color blindness 색맹 검사 / a blood〔urine〕 *test* 혈액〔소변〕 검사 **3** 실험: a nuclear *test* 핵실험 **4** (판단·평가의) 기준, 표준: Driving on that icy road was a real *test* of my skill. 빙판길에서 운전하는 것은 내 실력의 진정한 평가 기준이었다.
v. [T] **1** (순도·성능·정도 등을) 검사〔시험〕하다: They are *testing* the new engine. 그들은 새로 나온 엔진의 성능을 검사하고 있다. **2** (신체 특정 부위를) 검진〔검사〕하다: I had my eyesight *tested* yesterday. 나는 어제 시력 검사를 받았다. **3** (지식 등을) 테스트하다 (on): We're being *tested* on grammar on Wednesday. 우리는 수요일에 문법 시험을 본다.
— **tester** *n.* 시험자, 시험 장치
[숙어] **put ... to the test** …을 시험〔음미〕하다: Living together will soon put

their relationship *to the test*. 함께 살면 그들의 관계를 곧 시험해 볼 수 있을 것이다.

testament [téstəmənt] *n.* **1** (a testament) (사실·정당성 등의) 증거, 입증하는 것 **2** [법] 유언(장), 유서 SYN will **3** [성서] (신과 사람과의) 계약, 성약 **4** (the Testament) 성서: the Old[New] *Testament* 구약[신약]성서

test drive *n.* (차의) 시운전, 시승

test-drive *v.* [T] (차를) 시운전하다

testify [téstəfài] *v.* [I,T] **1** 증명하다, 입증하다, (법정에서) 증언하다: The fact *testified* to his innocence. 그 사실이 그의 무죄를 증명했다.

testimonial [tèstəmóuniəl] *n.* **1** (자격) 증명서, 추천장 **2** 상장, 표창장
adj. **1** 증명서의 **2** 상의, 감사의

testimony [téstəmòuni] *n.* **1** 증언, (법정에서의) 선서 증언 **2** (a testimony) 증거 SYN proof

test paper *n.* **1** 시험 문제[답안]지 **2** [화학] (리트머스 등의) 시험지

test tube *n.* 시험관

text [tekst] *n.* **1** (서문·부록·주석·삽화 등에 대하여) 본문 **2** (요약·번역에 대하여) 원문: The newspaper published the whole *text* of the speech. 그 신문은 연설 전문을 실었다. **3** [미] 교과서 SYN textbook **4** (연설·토론 등의) 주제, 화제

***textbook** [tékstbùk] *n.* 교과서: a history *textbook* 역사 교과서

textile [tékstail] *n.* (보통 *pl.*) 직물, 옷감: a *textile* factory 섬유 공장
adj. 직물의: *textile* art 직물 공예

textual [tékstʃuəl] *adj.* 본문의, 원문의
— **textually** *adv.*

---

than

than [ðæn] *conj.* **1** (형용사·부사의 비교급과 함께) …보다도, …에 비하여: He is ten years older *than* I (am). 그는 나보다 10살 위이다. / He is taller *than* any other boy in his class. 그는 반에서 누구보다도 키가 크다.

■ **용법 than**
1 than 이하의 절에는 생략이 많다.: You know her better *than* I (know her). 나보다 네가 그녀를 더 잘 알고 있다. / You know her better *than* (you know) me. 당신은 나보다 그녀를 더 잘 알고 있다. **2** 구어에서는 He is taller than I.를 than me라고 할 때가 많으나, 이 때의 than은 전치사이다.

2 (관계대명사적으로) …보다(도), …이상으로: There is more money *than* is needed. 필요 이상의 돈이 있다. / It'll take less *than* an hour. 채 한 시간도 안 걸릴 것이다.

3 (rather, sooner 등과 함께) …보다는 차라리: I would rather starve to death *than* steal. 나는 도둑질하느니 차라리 굶어 죽겠다.

4 (else, other, otherwise, another 등과 흔히 부정문에서) …이외에(는): None other *than* his parents can help him. 양친 이외에 그를 도와 줄 사람은 아무도 없다. / He never teaches otherwise *than* by examples. 그는 실례를 들어 가르치는 이외에는 (다른 방법으로) 가르치지 않는다. / I had no other choice *than* that. 그것 이외에는 달리 방도가 없었다.

5 (Scarcely, Hardly, Barely+had+주어+과거분사 형식으로) …하자마자 곧 ~하다 Hardly had I got home *than* it began to rain. 집에 돌아오자마자 비가 오기 시작했다. SYN when

prep. **1** (비교급 뒤에서) …보다(도): She is taller *than* me. 그녀는 나보다 키가 크다. **2** (ever, before, usual 등의 앞에서) …보다(도): She came earlier *than* usual. 그녀는 여느 때보다 일찍 왔다.

T

texture [tékstʃər] *n.* **1** (피부·목재·암석 등의) 결, 감촉: a smooth(rough, coarse) *texture* 부드러운(거칠거칠한, 거친) 감촉 **2** (피륙의) 짜임새 **3** 조직, 구조 SYN constitution

-th *suffix* **1** 형용사·동사로부터 추상명사를 만듦.: tru*th* 진실 **2** 4이상의 기수에 붙여 서수 및 분모를 만듦.: four*th* 네 번째(의)
※ -ty로 끝나는 수사에는 -th가 결합하면 ieth의 형태가 된다.: thir*tieth*

*****than** ⇨ p. 771

*****thank** [θæŋk] *v.* [T] …에게 감사하다: *Thank* you for your present. 선물에 대하여 감사합니다. / No, *thank* you. 아닙니다, 이제는 됐습니다, 그만 두어라, 괜찮다 (권유를 사양할 때의 말)
n. (thanks) **1** 감사, 사의 **2** (감탄사적으로 써서) 매우 고마워요: *Thanks.* 고맙소.
숙어 **thank God(Godness, Heavens)** 고마워라, 이런, 고맙게도
thanks to …의 덕택으로, …때문에: *Thanks to* his decision, things have come out right. 그가 결정을 내려 준 덕분에 일이 잘 되었다. SYN because of

thankful [θǽŋkfəl] *adj.* (명사 앞에는 쓰이지 않음) 감사하는, 고마워하는: I am *thankful* that he came. 그가 와 준 것을 고맙게 생각한다.
— thankfully *adv.* **thankfulness** *n.*

thankless [θǽŋklis] *adj.* 감사하지 않는, 은혜를 모르는
— thanklessly *adv.* **thanklessness** *n.*

thanksgiving [θæ̀ŋksgíviŋ] *n.* **1** (Thanksgiving) =Thanksgiving Day **2** 감사하기, (특히 하느님에 대한) 감사: a harvest *thanksgiving* 추수 감사절

Thanksgiving (Day) *n.* 감사절 (미국은 11월의 넷째 목요일, 캐나다는 10월의 둘째 월요일)

*****that** ⇨ p. 773

thatch [θætʃ] *n.* **1** (지붕 등을 이기 위한) 짚, 억새, 풀 **2** 초가지붕
v. [T] (지붕을) 짚으로(풀로) 이다: a *thatched* roof(cottage) 초가지붕(초가집)

thaw [θɔː] *v.* [I,T] **1** (눈·서리·얼음 등이) 녹다, 녹이다: It will *thaw* tomorrow. 내일은 눈이 녹을 것이다. SYN melt **2** (냉동식품이) 해동 상태가 되다 (out): *Thaw* chicken thoroughly before you cook it. 닭고기를 요리하기 전에 완전히 해동시켜라. **3** (감정·태도 등이) 풀리다, 풀리게 하다: After a few glasses of wine he began to *thaw* a little. 그는 와인을 몇 잔 마시고 나서 태도가 조금 누그러졌다.
n. **1** 해동, 해빙: A *thaw* has set in. 해빙기가 시작되었다. **2** 마음의 풀림
— thawy *adj.*

*****the** ⇨ p. 775

*****theater, theatre** [θí(ː)ətər] *n.* **1** (연극·쇼 등을 공연하는) 극장: I go to the *theater* once a month. 나는 한 달에 한 번은 연극 구경을 간다. SYN playhouse **2** [미] 영화관 (movie theater; [영] cinema): a drive-in *theater* (자동차를 탄 채 보는) 야외 영화관
※ 연극을 공연하고 영화를 상영하는 곳은 theater이지만 오페라 극장은 opera house 라고 한다.
2 (the theater) 연극, (집합적) 극문학(작품): the modern *theater* 현대극 **3** 연극 상연, 연기: He's been working in the *theater* for over thirty years. 그는 30여년 동안 연극 공연을 하고 있다. **4** [영] 수술실 (operating theater)

theatrical [θiǽtrikəl] *adj.* **1** 극장의 **2** 연극의, 연극적인: *theatrical* effect 극적 효과 **3** (말·행동이) 연극조의, 과장된

theft [θeft] *n.* 도둑질, 절도: She committed a *theft*. 그녀는 도둑질을 했다. SYN stealing *cf.* thief 도둑

theme [θiːm] *n.* **1** 주제, 화제: the *theme* of discussions 토론의 주제 SYN subject **2** [미] (학교 과제의) 작문
adj. (레스토랑·호텔 등이) 특정 장소·시대 등의 분위기를 살린: *theme* park 테마 공원

that

that [ðæt] **A** 〈지시사〉 (*pl.* those) *adj.* (지시형용사) 그, 저 (this에 대하여 먼 것을 가리키거나 this와 상관적으로 쓰임): on *that* day 그 날에 / in *that* city 그 시에서 / What is *that* flower? 저 꽃은 무엇이니?

pron. (지시대명사) (*pl.* those) **1** 그것, 저것 (this에 대하여 좀 떨어진 곳에 있는 물건·사람; 이미 언급했거나 이야기에 나온 사물·사람을 가리킴): Can you hear *that*? 그것이 들리니? / *That* is what I want to hear. 그것이 내가 듣고 싶어하는 것이다.

2 (이미 언급된 것, 상대가 저절로 이해하고 있는 것에 관하여) 그것, 저것: After *that*, things changed. 그 후 사정이 바뀌었다. / *That* will do. 그것이면 좋겠다.

3 (앞서 말한 명사의 반복을 피하여) …의 그것: The population of Seoul is larger than *that*(= the population) of Busan. 서울의 인구는 부산의 인구보다 많다.

※ one과는 달리 'the+명사'를 대신한다.

4 (관계대명사 which의 선행사로서) (…하는 바의) 것, 일: *That* which is bought cheaply is the dearest. [속담] 싼 게 비지떡.

5 (this '후자'와 호응하여) 전자 (the former): Virtue and vice are before you; this leads you to misery, *that* to peace. 네 앞에 선과 악이 있다. 후자는 사람을 불행으로, 전자는 평화로 인도한다.

adv. (지시부사) 그만큼, 그렇게 (수량·정도를 나타내는 형용사·부사를 수식): We've done only *that* much. 우리는 그만큼만 했다. / Is it *that* bad? 그렇게 나쁜가?

B 〈연결사〉 *rel. pron.* …인(한) 바의 **1** (사람·동물·사물을 선행사로 받는 제한 용법의 관계대명사): Where is the dog *that* was here? 여기 있었던 개는 어디에 있니? / He is the scientist (*that*) I spoke of. 그가 바로 내가 말했던 과학자이다. / He is the kindest man *that* ever lived. 그는 이 세상에서 가장

친절한 사람이다. / It is the only dictionary (*that*) I have. 그것이 내가 가진 유일한 사전이다.

※ **1** 관계대명사 that은 주격·목적격만 있고 소유격은 없다. 목적격의 관계대명사 that은 흔히 생략된다. **2** 전치사의 목적어로서는 바로 그 뒤에 올 수 없다.: the house *that* he lives in **3** 선행사에 최상급의 형용사 또는 the only, the same(very), all, any, no 등이 붙는 경우에는 대개 that이 사용된다.

2 (때·방법·이유 등을 나타내는 명사를 선행사로 하는 관계부사적 용법): The day (*that*) he was born was rainy. 그가 태어난 날은 비 오는 날이었다. / I don't know the reason (*that*) he came here. 그가 여기 온 이유를 나는 모른다.

※ 관계부사 when, where, how, why 등의 대신으로 자유롭게 쓰인다. 이 때의 that은 흔히 생략되는 경우가 많다.

3 (It is ... that의 강조구문) ~하는 것은 …이다: It is I *that* am to blame. 비난받아야 할 사람은 나다. / It is lack of water *that* worries me. 내가 걱정하고 있는 것은 물의 부족이다.

C 〈접속사〉 *conj.* (종속접속사) **1** (명사절을 이끄는 경우) …하다는(이라는) 것

① (주절을 이끌어): *That* you would succeed was certain. 네가 성공한다는 것은 틀림없었다.

※ 흔히 가주어 it을 써서 that절은 뒤로 돌리며 that은 생략되기도 한다.

② (보어절을 이끌어): The trouble is *that* he has no money. 문제는 그가 돈이 없다는 것이다.

③ (목적절을 이끌어): I think (*that*) he will come. 그가 올 것이라고 생각한다. / I think it possible *that* he may come. 나는 그가 올지도 모른다고 생각한다.

※ 특히 think, suppose, believe, hope, know의 다음에 오는 that은 생략될 수 있다.

T

④ (동격절을 이끌어): No one can deny the fact *that* smoking is harmful. 흡연이 해롭다는 사실은 누구도 부인하지 못한다.

※ 이 때 that은 생략되지 않는다.

2 (in that절) …이라는 점에서, …하므로[이므로]: He takes after his father in *that* he is fond of music. 그는 음악을 좋아한다는 점에서 아버지를 닮았다.

※ that절을 목적절로 취하는 전치사에는 except, save, but, besides, beyond, in 등의 몇몇 전치사로 제한된다.

3 (형용사·자동사 등에 이어지는 부사절을 이끌어) …하여서: I am sorry (*that*) I am late. 늦어서 죄송합니다.

4 부사절을 이끄는 경우

① ((so) that ... may, in order that ... may 로 목적을 나타내어) …하기 위해, …하도록: Speak louder so (*that*) everybody can hear you. 모두에게 들리도록 더 큰 소리로 말하세요. / She rose early *that* she might not be late for the first train. 그녀는 첫 열차에 늦지 않도록 일찍 일어났다.

※ that절 안에 may(might)를 쓰는 것은 딱딱한 표현이며, can(could), will(would)이 쓰인다. 또 구어에서는 종종 that이 생략된다.

② (so(such) ... that으로 결과·정도를 나타내어) 너무 …해서, …할 만큼: He is such a nice man *that* everybody likes him. 사람이 좋으므로 모든 사람이 그를 좋아한다.

※ 구어에서는 흔히 that이 생략된다.

③ (원인·이유) …이므로, …때문에: It is not *that* I want it. 내가 그것을 원해서가 아니다.

④ (판단의 근거) …을 보니, …하다니: Where is he, *that* you come without him? 그와 함께 오지 않다니, 그는 대체 어디 있니?

⑤ (It is(was) ... that ~ 으로 부사(구)를 강조하여) ~하는 것은 …이다: It was on Saturday *that* it happened. 그것이 일어난 것은 토요일이었다.

⑥ (부정어 뒤에서 제한하는 절을 이끌어) (…하는) 한에는: "Is he married?" "Not *that* I know of." "그는 결혼했니?" "내가 아는 바로는 안 했어."

⑦ (가정법을 수반하여 바람·기원·놀람·분개 등을 나타내는 절을 이끌어) …면 좋을 텐데: Oh, *that* he were here! 그가 여기에 있으면 좋으련만!

⑧ (that절 안에 should를 써서 놀람·분개를 나타내어) …하다니: *That* she should betray us! 그녀가 우리를 배신하다니!

숙어 **in that** …한 점에서, …하므로: I prefer his plan to yours *in that* it is more practical. 나는 그의 계획이 더 실용적이라는 점에서 너의 계획보다 좋다.

not that ... but that ~ …하다는 것이 아니라 ~하다는 것이다: It is *not that* I do not like it, *but that* I cannot afford it. 그것이 마음에 안 든다는 게 아니라 살 만한 여유가 없다는 것이다.

that is (to say) 즉, 다시 말하면: This is the place where the Savior, *that is* (*to say*), Christ was born. 여기가 구세주, 즉 예수께서 나신 곳이다.

that's that 그것으로 끝났다(결정났다): I won't go and *that's that*. 내가 안 간다면 안 가는 거야.

that's why 그것이 …하는 이유다: *That's why* I don't like it. 그래서 그게 싫단 말이야.

with that 그리하여, 그렇게 말하고: *With that* he went away. 그렇게 말하고 그는 떠나가 버렸다.

(야생동물·해양생물·동화 나라와 같은 테마로 통일한 공원)

***then** [ðen] *adv. conj.* **1** 그 때에는, 그 당시에는: Come at noon—I'll be ready *then*. 12시에 와라. 그 때에는 준비될 것이다. **2** 그 다음에(는), 그리고 나서: Take a hot drink and *then* go to bed. 따뜻한 것을 마시고 자거라. **3** 그 위에, 게다가: It is a nice car, and *then* it is cheap. 그것은 좋은 차이고 게다가 값도 싸다. SYN besides **4**

the

the [자음 앞에서 ðə; 모음 앞에서 ði; 강조의 경우 ðiː] *def. art.* 저, 그, 이, 예의

1 전후의 관계로 명확히 알 수 있는 것: *The man I met yesterday was a foreigner.* 내가 어제 만난 사람은 외국인이었다. / *Would you pass me the salt, please?* 소금 좀 건네 주시겠어요?

※ 특정물의 지시: 그 전에 이미 지적되었거나 이미 아는 것 또는 전후 관계로 일정한 것을 가리켜서 '그', '이' 등의 뜻을 나타낸다.

2 유일물·계절·자연·현상·방위 등에 붙여: *the sun* 태양 / *the Bible* 성경 / *the spring* 봄 / *the wind* 바람 / *the north* 북쪽

※ 춘하추동의 사철 이름에는 보통 the를 붙이지 않는다.

3 기계·발명품·악기명에 붙여: *Do you play the violin?* 바이올린 연주하니?

4 특수한 병명에 붙여 (현재는 흔히 생략): *the smallpox* 천연두 / *the measles* 홍역

5 고유명사에 붙이는 경우: *the Hans* 한씨 가문 / *the Alps* 알프스 산맥 / *the United States* 미국 / *the Thames* 템스 강 / *the Panama Canal* 파나마 운하 / *the Duke of York* 요크 공

※ 특히 복수형의 산·섬·나라 이름에는 the를 붙인다. the를 붙이지 않는 고유명사는 인명, 일반적인 지명, 국명, 별·라틴어계의 별자리 이름, 산·호수·공원·역·가로·다리 등의 이름이다. 그러나 산이라도 유럽 알프스의 독일어·프랑스 어계의 산 이름은 the Jungfrau처럼 the를 붙인다.

6 최상급이나 서수 또는 순서를 나타내는 형용사: *What's the highest building in America?* 미국에서 가장 높은 빌딩은 무엇이니? / *You're the third person to answer this question.* 너는 이 질문에 답한 세 번째 사람이다.

7 신체나 의복의 일부를 가리킬 때 소유격 대명사 대용으로: *I took him by the hand.* 나는 그의 손을 잡았다.

8 형용사 또는 분사에 붙는 경우: *As a vocation, business attracts the noble, the rich, the lowly, and the ambitious.* 직업으로서, 사업은 고귀한 사람들, 부자들, 신분이 낮은 사람들, 야심가들의 마음을 끈다. / *the accused* 피고

※ 'the+형용사'는 **1** '…한 사람들'의 뜻으로 복수 취급한다.: *the poor* 가난한 사람들 **2** 이와 같은 형식이 추상명사의 대용으로 쓰일 때는 단수 취급한다.: *the beautiful* 아름다움, 미

9 분사에 붙여 보통명사의 대용으로 쓰임: *the wounded* 부상자들 (복수 취급) / *the accused* 피고 (복수 또는 단수 취급)

10 보통명사 및 집합명사에 붙이는 경우: *The horse is a useful animal.* (대표 단수) 말은 유용한 동물이다. / *These are the pictures of his own painting.* (한정된 것 전부) 이것들은 그가 그린 그림(전부)이다. / *The pen is mightier than the sword.* (추상적 성질) 문(文)은 무(武)보다 강하다. / *He is not the man to betray us.* (such의 뜻) 그는 우리를 배반할 자는 아니다. / *the aristocracy* (전부를 뜻함) 귀족 계급

※ 보통명사, 집합명사에 the를 붙여 같은 종류의 전형으로서 대표시킬 때가 있다.

11 계량의 단위에 붙여: *by the hour* 한 시간에 얼마로 / *Salt is sold by the pound.* 소금은 파운드 단위로 판매한다.

12 특정한 시기를 나타내는 명사에 붙여 (특히 -ties로 끝나는 복수형 수사에 붙여): *I grew up in the seventies.* 나는 70년대에 성장했다.

13 (강조하기 위해서 명사 또는 부사 앞에 붙는 경우) 진짜, 대표적인, 그 유명한: *Caesar was the general of Rome.* 시저는 로마 제일의 장군이었다. / *He is the very man I wanted to see.* 그는 내가 보고자 했던 바로 그 사람이다.

adv. …하면 할수록, (…때문에) 더욱, 그만큼: *The more, the better.* 많으면 많을수록 좋

다. / I love him all *the* better for his faults. 그에게 결점이 있기 때문에 오히려 더 좋아한다.

※ **1** 상관적으로 형용사·부사의 비교급 앞에 붙여서 비례적 변화를 나타낸다. **2** The more, the better.에서 앞의 the는 관계부사, 뒤의 the는 지시부사이다. 지시부사는 독립해서 쓰일 수 있다.: He had a holiday, and looks *the* better. 그는 쉬었기 때문에 그만큼 더 원기 있어 보인다.

[숙어] **the more ..., the more ~** …하면

할수록 더욱 더 ~한: *The more* briefly a thought is expressed, *the more* clearly it is conveyed. 생각은 간결하게 표현될수록 그만큼 더 명료하게 전달된다. / *The more* hurry we are in, *the more* likely we are to drop an egg on the floor or spill the milk. 서두르면 서두를수록 달걀을 마루에 떨어뜨리거나 우유를 엎지르기 쉽다.

※ more에만 한하지 않고 뜻에 따라 여러 가지 형용사·부사의 비교급이 쓰인다. 앞의 the는 관계부사, 뒤의 the는 지시부사이다.

그렇다면, 그러면: If you don't study harder, *then* you'll fail the exam. 더 열심히 공부하지 않는다면 시험에 떨어질 것이다. *n. adj.* 그 때(의), 당시(의): the *then* prime minister 그 당시의 수상

[숙어] **from then on** 그 이후: They were friends *from then on*. 그 이후 그들은 친구가 되었다.

then and there, there and then ⇨ there

theo- *prefix* '신'의 뜻.: *theology* 신학

theology [θiːálədʒi] *n.* 신학
— **theological** *adj.* **theologian** *n.* 신학자

theorem [θíːərəm] *n.* [수학] 정리, 원리, 법칙: Pythagoras' *theorem* 피타고라스 정리

theoretical [θìːərétikəl] *adj.* **1** 이론상의, 이론적인: *theoretical* physics 이론 물리학 [OPP] practical **2** 가정적인, 이론상으로만 존재하는: Equality between men and women in our society is still only *theoretical*. 우리 사회에서 남녀평등은 여전히 이론에만 그친다.
— **theoretically** *adv.*

*****theory** [θíːəri] *n.* **1** 학설: Newton's *theory* of gravitation 뉴턴의 만유인력설 **2** (실제에 대한 예술·과학의) 이론, 원리: the *theory* of physical education (실기에 대한) 체육 이론 **3** 의견: my *theory* of life 나

의 인생관 [SYN] opinion
— **theorist, theoretician** *n.* 이론가

[숙어] **in theory** 이론적으로는: The plan is well *in theory*, but would it succeed in practice? 그 계획은 이론적으로는 좋지만 실제로 성공할까?

therapeutic [θèrəpjúːtik] *adj.* **1** 긴장을 풀어주는: I think listening to music very *therapeutic*. 음악을 듣는 것은 긴장을 푸는 데 도움이 많이 된다고 생각한다. **2** 건강 유지에 도움이 되는, 치료의, 치료법의: *therapeutic* drugs 치료제
— **therapeutically** *adv.*

therapist [θérəpist] *n.* (의사 등) 치료학자, 치료 전문가: a speech *therapist* 언어 치료사

therapy [θérəpi] *n.* (보통 복합어를 이루어) 치료, (···)치료법: She was in *therapy* for several months. 그녀는 몇 달간 치료를 받았다. / drug *therapy* 약물 치료 / psycho*therapy* 심리 치료

*****there** ⇨ p. 777

thereabout [ðɛ́ərəbàut] *adv.* ([영] thereabouts) **1** 대략, ···정도, ···쯤: There are 200 guests, or *thereabouts*. 대략 200명의 손님들이 있다. **2** 그 근처(부근)에서: He lives in Canberra, or *thereabouts*. 그는 캔버라 부근에 산다.

※ 보통 or와 함께 쓰인다.

thereafter [ðɛ̀əræftər] *adv.* 그 후에

there

there [ðɛər] *adv. pron.* **1** (there+be 동사의 형식으로 단순히 존재·사건 등을 나타냄) …이 있다: *There* is a book on the desk. 책상 위에 책이 한 권 있다. / *There* was a fire in Jongno last night. 어젯밤에 종로에 불이 났었다. / *There* is a page missing. 한 페이지가 빠져 있다.

※ 'there+be+주어'의 형식으로 존재를 나타낸다. be 이외에도 여러 가지 자동사나 수동태 형식이 쓰일 때도 있다.: *There* came to Korea a foreigner. 한 외국인이 한국에 왔다.

※ 다음 형식에 주의한다.: It is necessary that *there* be a change. 변화가 일어날 필요가 있다. / *There* being no doubt about it, … 그것에는 의심할 여지가 없어서…

2 거기[저기]에, 거기[저기]서: Here a plain, *there* a river. 여기에는 평원이, 거기에는 강이 있다. / When shall we go *there*? 우리는 언제 거기에 가는가? / I was standing over *there*. 난 저기에 서 있었는데. [OPP] here

3 (주의를 촉구하는 강조 표현) 저(것) 봐, 자아 (저기): *There* he goes! 저 봐, 그가 간다! / *There* goes the bell! 들어 봐, 종소리가 울린다! / *There* goes the train! 저것 봐, 기차가 떠나고 있어! / *There* you are! 그것 봐 (너 같은 사람이 그런 행동을 하다니)!

4 (문장 첫머리나 끝에서) 그 점에서: *There* I agree with you. 나는 그 점에서 네게 동의한다. [SYN] at that point

5 (도움 등이 필요할 때) 있다, 존재하다: My mother is always *there* if I need help. 내가 도움이 필요할 때 엄마는 항상 의지가 되어 주신다.

there and then, then and there 그 때 그 자리에서, 즉시, 즉석에서 [SYN] immediately

there is no -ing …할 수 없다: *There is no* saying what may happen. 무엇이 일어날지 알 수 없다. / *There is no* satisfying that naughty boy. 저 장난꾸러기 아이를 만족시킬 수는 없다. [SYN] it is impossible to do

there you are 1 자 여기 있다: *There you are*. I've brought you a book. 자 여기 있다. 책을 한 권 가져왔다. **2** 자 봐(라), 자 어때 (됐지): Just turn the switch and *there you are*! 그저 스위치를 넣기만 하면 돼. 자 됐다!

T

thereby [ðɛərbái] *adv.* 그것에 의해서, 그것으로

*****therefore** [ðɛərfɔ̀ːr] *adv.* 그러므로: I think, *therefore* I am. 나는 생각한다, 그러므로 나는 존재한다. [SYN] thus

therein [ðɛərín] *adv.* 그 가운데, 거기에, 그 점에 있어: *Therein* lies the cause of the accident. 거기에 사고의 원인이 있다.

thermo- *prefix* '열'의 뜻.: *thermo*-chemistry 열화학

※ 모음 앞에서는 therm-을 쓴다.

thermometer [θərmámitər] *n.* 온도계: a clinical *thermometer* 체온계 / a Centigrade(Fahrenheit) *thermometer* 섭[화]씨 온도계 / The *thermometer* dropped very rapidly. 온도계는 몹시 빨리 내려갔다.

thermos [θɔ́ːrməs] *n.* **1** 보온병 [SYN] thermos flask **2** (Thermos) 서모스 (보온병; 상표명)

these [ðiːz] *adj.* (this의 복수형, 지시형용사) 이(것)들의

pron. (지시대명사) 이(것)들 *cf.* those 저(것)들

[숙어] (**in**) **these days** 요즘음(은), 최근: In-line skating is very popular *these days*. 인라인 스케이트가 요즘 매우 인기가 있다.

one of these days 일간: He's going to get into serious trouble *one of these* *days.* 그는 일간 심각한 문제를 겪을 것이다.

thesis [θíːsis] *n.* (*pl.* theses) **1** 졸업 논문, 학위 논문: a doctoral *thesis* 박사 학위 논문 **2** 논제, 주제

*　**they** [ðei] *pron.* (*pl.*) (인칭대명사 he, she, it의 복수형; 주격 they, 소유격 their, 목적격 them, 소유대명사 theirs) **1** 그들(은), 그것들(은): We've got two children. *They*'re both girls. 우리는 아이가 두 명 있다. 그들은 모두 여자 아이들이다. **2** (막연하게) (세상) 사람들: *They* say she's a liar. 사람들은 그녀가 거짓말쟁이라고 한다. ⬚SYN⬚ people **3** (부정의 단수(대)명사를 받아) =he or she: Nobody ever admits that *they* are to blame. 아무도 자기가 나쁘다고 말하는 사람은 없다. **4** (관계대명사 who, that의 선행사) …하는 사람들 (오늘날에는 they who 대신에 those who가 보통): *They* do least who talk most. 말이 많은 사람은 실행이 적다.

⬚숙어⬚ **They say** (**that ...**) …라고들 한다: *They say that* it's going to be a freezing weather. 혹독한 날씨가 될 것이라고들 한다.

*　**thick** [θik] *adj.* **1** 두꺼운, 굵은: a *thick* book 두꺼운 책 ⬚OPP⬚ thin

2 두께가 …인: be two inches *thick* 두께가 2인치이다 ⬚OPP⬚ thin

3 빽빽한, 우거진: a *thick* forest 무성한 숲 ⬚SYN⬚ dense ⬚OPP⬚ thin

4 (액체 등이) 진한, 걸쭉한: *thick* soup 걸쭉한 수프

5 (안개·연기 등이) 짙은, 자욱한: *thick* fog 짙은 안개 ⬚OPP⬚ thin

6 혼잡한, 밀집한, 가득한 (with): The store was *thick* with shoppers. 상점은 쇼핑객들로 혼잡했다.

7 (소리·음성이) 쉰, 탁한; (사투리가) 두드러진, 심한: He had a *thick* German accent. 그에게는 심한 독일어 악센트가 있다.

8 우둔한, 미련한, 어리석은: He's a nice guy, but he's a bit *thick*. 그는 좋은 사람이지만, 조금 어리석다. ⬚SYN⬚ stupid

n. **1** (팔뚝·종아리·막대 등의) 가장 굵은(두꺼운) 부분 **2** 울창한 숲; 사람이 가장 많이 모이는 곳 **3** 한창 때, (활동이) 가장 심한 곳

adv. **1** 두껍게, 깊게: The snow lay *thick* upon the glacier. 빙하에는 눈이 두껍게 쌓여 있었다. **2** 빽빽하게, 짙게: The rose grew *thick* along the path. 장미가 작은 길을 따라 빽빽하게 자라고 있었다. **3** 자주, 쉴새없이: The heart beats *thick*. 가슴이 두근거린다.

— **thickly** *adv.*

⬚숙어⬚ **have a thick skin** (비판·모욕에) 신경 쓰지 않다, 둔감하다: You need to *have a thick skin* to survive as a politician here. 여기서 정치가로서 살아 남으려면 사람들이 하는 말에 신경 쓰지 말아야 한다.

in the thick of …의 한복판에, …에 열중하여: I enjoy being *in the thick of* things. 나는 뭔가에 열중하는 것을 좋아한다. ⬚SYN⬚ in the middle of

through thick and thin 언제나 변함 없이, 온갖 고난을 무릅쓰고: He stood by her *through thick and thin*. 그는 온갖 고난 속에서도 그녀의 곁에 있어 주었다. ⬚SYN⬚ in spite of obstacles

thicken [θíkən] *v.* [I,T] 두껍게(짙게) 하다, 두꺼워지다, 짙어지다: The fog is *thickening*. 안개가 짙어지고 있다. / Boil until the soup *thickens*. 수프가 걸쭉해질 때까지 끓이세요.

thicket [θíkit] *n.* 수풀, 덤불

thickness [θíknis] *n.* **1** 두께, 두꺼움, 굵기: five centimeters in *thickness* 5센티의 두께 **2** (일정한 두께를 가진 물건의) 한 장: Wrap the cheese cake in two *thicknesses* of greaseproof paper. 치즈 케이크를 기름이 안 배는 두 겹의 종이로 싸라.

thick-skinned *adj.* (비판·모욕에) 둔감한, 뻔뻔스러운

*　**thief** [θiːf] *n.* (*pl.* thieves) 도둑, 좀도둑

■ 유의어 thief

thief 폭력에 의하지 않고 몰래 행하는 도둑. **robber** 은행, 가게 등의 남의 소유물을 훔치는 강도. 폭력을 쓰는 경우가 많음. **burglar, housebreaker** 남의 집, 건물에 불법으로 침입하는 강도. **mugger** 거리에서 어두울 때 습격하는 폭력 강도.

thigh [θai] *n.* 넓적다리, 허벅다리
thimble [θímbəl] *n.* (재봉용의) 골무
*__thin__ [θin] *adj.* (thinner-thinnest) **1** 얇은, 두껍지 않은: a *thin* book 얇은 책 OPP thick **2** 홀쭉한, 야윈, 마른: He's too *thin*! He needs to eat more. 그는 너무 말랐다! 더 먹어야겠다. OPP fat **3** (액체 등이) 묽은, 진하지 않은: *thin* soup 묽은 수프 OPP thick **4** (안개·연기 등이) 희박한: *thin* air 희박한 공기 OPP thick **5** 드문드문한, 성긴, 조밀하지 않은: The population in this city is *thin*. 이 도시의 인구는 희박하다. OPP dense

adv. **1** 얇게: Don't slice the potato too *thin*. 감자를 너무 얇게 자르지 마라. SYN thinly **2** 드문드문, 성기게

v. [I,T] (thinned-thinned) **1** …을 가늘게 하다, 가늘어지다 **2** 옅게(희박하게) 하다: He *thinned* wine with water. 그는 포도주에 물을 타서 묽게 만들었다. **3** 성기게 하다, 적어지다: My hair is *thinning* (out). 내 머리숱이 점점 적어지고 있다.

— **thinly** *adv.* **thinness** *n.*

숙어 **thin down** 여위다, 살을 빼다: She went on a diet and *thinned down*. 그녀는 다이어트를 해서 살을 뺐다. SYN lose weight

through thick and thin ⇨ thick
vanish(diappear, melt) into thin air 온데간데없이 사라지다, 완전히 자취를 감추다: The airplane simply *disappeared into thin air*. 그 비행기가 완전히 자취를 감추어 버렸다.
wear thin ⇨ wear

■ 유의어 thin

thin '얇은, 가는, 홀쭉한'의 가장 일반적인 말. **slender** 기품 있고 보기에 아름답다는 의미로 사람이나 동물에 쓰임. **slim** '호리호리하고 날씬한'의 뜻이 있음. **skinny** '말라붙은, 피골이 상접한'의 뜻으로 건강치 못한 여읨을 나타냄. **underweight** 의학적 의미에서 '표준 중량 이하'를 나타냄.

*__thing__ [θiŋ] *n.* **1** (유형의) 것, 물건, 물체: fishing *things* 낚시 도구 / What's that *thing* on the chair? 의자 위의 저 물건은 무엇이니?

2 (무형의) 것, 사물, 문제: spiritual *things* 정신적인 것 / This is quite another *thing*. 이것은 전혀 딴 문제이다.

3 일, 행위, 사건: I have many *things* to do today. 나는 오늘 할 일이 많다. / A strange *thing* happened to me yesterday. 이상한 일이 어제 나에게 일어났다.

4 생각, 의견, 관념: say the right *thing* 적절한 말을 하다

5 (things) 옷가지; 소지품, 휴대품; 용구, 기구: Bring your swimming *things* with you. 수영복 등을 가지고 오시오. / Pack your *things*. We're leaving soon. 소지품을 챙겨라. 곧 떠날 것이다. / tea *things* 차 도구

6 (things) 사정, 사태: *Things* look dark. 형세는 어둡다. / How are *things* with you? 어떻게 되고 있니?

7 (주로 어린이·여성·노인에 대해 애정·연민·칭찬·비난·경멸 등의 감정을 담아서) 사람, 여자, 놈, 녀석: She's a sweet little *thing*. 그녀는 귀여운 아이다. / You've broken your leg? You poor *thing*! 다리가 부러졌다고? 가여운 녀석!

8 (the thing) 지당한 일, 중요한 일, 안성맞춤의 것: The *thing* is to make a start. 중요한 것은 시작하는 것이다. / It is just the

T

thing. 그것이야말로 안성맞춤이다.

⟨숙어⟩ **be a good thing (that)** 운좋게 … 하다: It's *a good thing that* you brought along an umbrella. 네가 운좋게 우산을 가지고 나왔구나.

do one's own thing [미] 자기가 좋아하는[하고 싶은] 일을 하다

first thing 우선 먼저, 즉시: Do your assignments *first thing* in the morning. 오전에 당신의 일을 우선 먼저 하시오.

for one thing 한 가지 이유로는, (우선) 첫째로는: *For one thing* I don't have the money, and for another, I'm busy. 첫째로는 그런 돈이 없고 또 바쁘기도 하다.

have(get) a thing about …에 대해 특별한 감정(편견, 공포심)을 갖고 있다, …에 몹시 사로잡혀 있다: She's *got a thing about* cats—she won't touch them. 그녀는 고양이에 대해 공포심을 가지고 있다. 고양이를 만지려고도 하지 않는다.

last thing (취침 전) 최후에, 마지막으로: I saw her *last thing* on Saturday evening. 나는 그녀를 토요일 저녁에 마지막으로 보았다.

take it(things) easy ⇨ easy

to make matters(things) worse ⇨ worse

***think** [θiŋk] *v.* (thought-thought) **1** [I,T] (…라고) 생각하다, …이라고 판단하다, 보다: What do you *think* of the concert? 그 콘서트에 대해 어떻게 생각하니? / It's going to snow, I *think*. 내 생각에는 눈이 올 것 같아.

2 [I] 생각하다, 사색하다 (about): *Think* carefully before you make a decision. 결정하기 전에 신중히 생각해라. / I'm *thinking* about buying a new computer. 나는 새 컴퓨터를 사는 것에 대해 고려 중이다.

3 [T] …을 ~로 생각하다, …이 ~라고 여기다(믿다): I *think* him mad. 나는 그가 미치

광이라고 생각한다.

4 [I] …하려고 하다, …할 작정이다 (of, about): I *think* I'll go to the library. 나는 도서관에 가려고 한다. / We're *thinking* of going to Canada. 우리는 캐나다로 갈까 한다.

5 [T] (…을) 상상하다, 마음에 그리다: Just *think* what to do next. 다음에 무엇을 할 것인지 생각해 봐라. ⟨SYN⟩ imagine

6 [I] 숙고(궁리)하다, 깊이 생각하다 (on, over): I'm *thinking* over what they've offered me. 그들이 내게 제안한 것을 숙고하고 있다.

7 [I] 배려하다: *Think* first of the ones you love. 당신이 사랑하는 사람들을 제일 먼저 배려해라. / He never *thinks* about anyone but himself. 그는 자신을 제외하고 절대로 어느 누구도 배려하지 않는다.

8 [T] 기억해 내다, 생각나다: I can't *think* where I left the keys. 내가 열쇠를 어디에 두었는지 기억해 낼 수가 없다. ⟨SYN⟩ remember

9 [T] 기대하다, 예상하다: I didn't *think* to win in the lottery. 내가 복권에 당첨될 줄은 몰랐다. / They *thought* he'd arrive early. 그들은 그가 일찍 도착할 것이라고 예상했다. ⟨SYN⟩ expect

10 [I] (특정한 방향으로) 생각을 가지다: You've got to *think* positive. 긍정적으로 생각하도록 해야 한다.

n. (a think) 일고(一考)(함), 생각: I'll have a *think* and let you know. 생각 좀 해 보고 알려 줄게.

— **thinkable** *adj.* 생각할 수 있는, 믿을 수 있는

⟨숙어⟩ **think about** …에 대하여 생각하다, 숙고하다: What are you *thinking about*? 무엇에 대해서 생각하고 있니?

think better of 1 다시(고쳐) 생각하다: What a foolish idea! I hope you'll *think better of* it. 정말 어리석은 생각이군! 다시 생각해 주기를 바란다. **2** (…을) 다시 보

다, 더 훌륭하다고 생각하다: I had always *thought better of* you than to suppose you could be so unkind. 네가 그렇게 인정이 없다고 생각하기보다는 좀더 훌륭하다고 늘 생각하고 있었다.

think highly(**a lot, well**) **of** …을 높이 평가하다, 존경하다: I *think highly of* his scholarship. 나는 그의 학식을 높이 평가한다.

think ill(**well**) **of** …을 나쁘게(좋게) 생각하다

think lightly(**poorly**) **of** …을 얕보다, 경멸하다: Don't *think lightly of* your friends. 네 친구들을 얕보지 마라.

think little(**nothing**) **of** …을 경멸하다, 하찮게 여기다: He *thinks little of* walking ten miles a day. 그는 하루에 10마일 걷는 것을 하찮게 생각하고 있다.

think much of …을 중시하다: I didn't *think much of* her. 나는 그녀를 대단치 않게 생각했다.

think of …에 대하여 생각하다, …을 생각해 내다: I cannot *think of* the word I want to use. 쓰고 싶은 말이 머리에 떠오르지 않는다. / Old people often *think of* the good times they had in their youth. 노인들은 흔히 젊었을 적의 즐거웠던 시절을 생각한다.

think out 생각해 내다, 안출하다: We've got to *think out* a plan. 우리는 계획을 생각해 내야 한다. SYN devise

think over 숙고하다, 곰곰이 생각하다: *Think over* what I've said. 내가 말한 것을 잘 생각해 봐라. / You must *think* the matter *over*. 그 문제를 숙고하지 않으면 안 된다. SYN consider

think through 끝까지 생각하다, 충분히 생각하다: I need some time to *think* the problems *through*. 나는 그 문제를 충분히 생각해 볼 시간이 좀 필요하다.

think up (구실·계획 등을) 생각해 내다: I don't want to go out tonight but I can't *think up* a good excuse. 오늘 밤 나가고 싶지 않은데 적당한 핑계가 생각나지 않는다. / I have to *think up* a new advertising slogan by tomorrow. 나는 내일까지 새로운 광고 문구를 생각해 내야 한다.

thinker [θíŋkər] *n.* 사상가, 사색가: He was known as a political *thinker*. 그는 정치적 사상가로 유명했다.

thinking [θíŋkiŋ] *n.* **1** 생각, 사고, 사색: I'll have to do some *thinking* about moving house. 이사하는 것에 대해 생각을 좀 해 봐야할 것 같다. **2** 의견, 견해: To my *thinking*, we'd better hurry up. 내 생각으로는, 우리는 서둘러야 한다.
adj. 생각하는, 사고하는, 생각이 깊은
— **thinkingly** *adv.*

think tank *n.* 두뇌 집단, 종합 연구소 (각 분야의 전문가로 구성된 종합 연구 조직)

third [θə:rd] *n. adj.* **1** 세 번째(의) **2** 제 3(의): Henry the *Third* 헨리 3세 (Henry III 라고도 씀) **3** 3분의 1(의): One *third of* the students are boys. 학생의 3분의 1이 남자 아이들이다.
pron. (달의) 3일, 세 번째의 것: "What's the date today?" "It's the *third*." "오늘이 몇 일이니?" "3일이야."
adv. 셋째로, 3등으로: travel *third* class 3 등석으로 여행하다

thirdly [θə́:rdli] *adv.* 세 번째로(는): There are three things to consider: firstly cost, secondly time, and *thirdly* staff. 세 가지 고려 사항이 있다. 첫째로 비용, 둘째로 시간, 그리고 셋째로는 직원들이다.
※ 목록 중에서 세 번째 것을 언급할 때 쓴다.

Third World *n.* (the Third World) 제3세계 (특히 아프리카·아시아 등지의 개발 도상국)

thirst [θə:rst] *n.* **1** 갈증, 목마름: Iced tea quenches your *thirst*. 아이스 티는 갈증을 해소해 준다. **2** (a thirst) 갈망, 열망 (for):

He always has a *thirst* for adventure.
그는 항상 모험을 갈망한다.
v. [I] 갈망하다 (for, after)

*****thirsty** [θə́:rsti] *adj.* (thirstier-thirstiest)
1 목마른: I'm *thirsty*. Can I have a glass of water, please? 목이 말라요. 물 한 잔 마실 수 있을까요? **2** 술을 마시고 싶어하는, 술을 좋아하는: a *thirsty* soul 술꾼 **3** 갈망(열망)하는 (for)
— **thirstily** *adv.*

thirteen [θə́:rtí:n] *n. adj. pron.* 13(의), 열셋(의); 열세 개〔사람〕 ⇨ six 참조

thirteenth [θə́:rtí:nθ] *n. adj. pron. adv.* 13th ⇨ sixth 참조

thirtieth [θə́:rtiiθ] *n. adj. pron. adv.* 30th ⇨ sixtieth 참조

thirty [θə́:rti] *n. adj. pron.* 30(의), 서른 (의); 서른 개〔명〕; 30대, 30년대 ⇨ sixty 참조

*****this** [ðis] *pron.* (*pl.* these) **1** (가까운 것·사람을 가리킬 때 또는 소개할 때) 이것, 이 물건〔사람, 일〕: What's *this*? 이것은 무엇이니? / *This* is the one I want. 이것이 내가 원하는 것이다. / *This* is my husband. 이 사람은 저의 남편입니다. **2** (방금 말한 것을 가리켜) 이 말, 이것: Who told you *this*? 누가 너에게 이 말을 했니? **3** (that에 대하여) 이쪽, 후자: Alcohol and tobacco are both injurious to your health; *this*, however, is less so than that. 술도 담배도 건강에는 해롭다. 그러나 후자가 전자보다는 해가 적다. [SYN] the latter [OPP] the former
adj. **1** 이: *This* chair's more comfortable than that one. 이 의자가 저 의자보다 더 편안하다. **2** 지금의, 현재의: It's raining all *this* week. 금주 내내 비가 내리고 있다. / Are you busy *this* Saturday? 이번 주 토요일에 바쁘니? **3** 어떤: Yesterday I was arguing with *this* woman at the shop, then ... 어제 어떤 여자랑 가게에서 실랑이를 하고 있었는데, 그 때 …

adv. 이렇게, 이만큼: I've never got up *this* early in the morning. 나는 이렇게 아침 일찍 일어나 본 적이 없다. / It was only about *this* high. 그것은 불과 이 정도의 높이였다.
[숙어] **this and that** 이것저것 잡다한 것, 가지각색의 것: "What are you talking about?" "Oh, *this and that*." "무슨 이야기하고 있니?" "오, 이것저것." [SYN] this, that, and the other

thorn [θɔ:rn] *n.* **1** (식물의) 가시: There's no rose without a *thorn*. [속담] 가시 없는 장미는 없다. **2** 고통, 근심의 원인

thorny [θɔ́:rni] *adj.* (thornier-thorniest) **1** 고통스러운, 곤란한: a *thorny* question 곤란한 질문 **2** 가시가 많은〔있는〕
— **thornily** *adv.* **thorniness** *n.*

*****thorough** [θə́:rou] *adj.* **1** 철저한, 충분한, 완전한: It was a *thorough* waste of time. 그것은 완전한 시간 낭비였다. [SYN] complete **2** 면밀한, 빈틈없는: She is a very *thorough* worker. 그녀는 빈틈없는 일꾼이다.
— **thoroughly** *adv.* **thoroughness** *n.*

thoroughgoing [θə́:rougòuiŋ] *adj.* 철저한, 완전한, 전적인: a *thoroughgoing* investigation 철저한 수색

those [ðouz] (지시대명사; that의 복수형) *pron.* **1** 그것들, 그 사람들, 그 사물들: These are better than *those*. 이것들이 그것들보다 낫다. [OPP] these **2** 사람들: Heaven helps *those* who help themselves. [속담] 하늘은 스스로 돕는 자를 돕는다. **3** (복수명사의 반복을 피하기 위해) 그것들: The pencils in this box are just as good as *those* in the other. 이 상자의 연필은 다른 상자의 연필에 못지 않게 좋다.
adj. 그것들의, 저, 그: in *those* days 그 당시에는 / *those* cats 저 고양이들
[숙어] **those who** …하는 사람들, …인 사람들: There are *those who* say so. 그렇게 말하는 사람들도 있다.

***though** [ðou] *conj.* **1** …에도 불구하고, … 이지만: *Though* he was miserable, he was cheerful. 그는 비참했지만 명랑했다. / *Though* he is very rich, he works hard. 그는 아주 부자이지만 열심히 일한다. SYN although **2** (종종 even though) 비록 …하더라도〔할지라도〕: I shall go even *though* it rains. 비록 비가 와도 나는 갈 것이다. SYN even if

adv. 그러나, 그래도: I don't believe all of it, *though*. 그러나 다 믿지는 않는다. / I can't get her out of my thoughts, *though*. 그래도 그녀를 생각하지 않을 수 없다. SYN however

※ 부사로서는 문미에 두고 콤마로 끊는 것이 보통이다.

숙어 **as though** ⇨ as

thought [θɔːt] *n.* **1** 생각, 사색, 사고: He spends hours in *thought*. 그는 몇 시간이나 사색하며 보낸다. **2** 사고력, 판단(력), 상상력: be endowed with *thought* 사고 능력을 갖추고 있다 **3** (thoughts) 생각, 의견, 견해: Let me have your *thoughts* on that report. 그 보고서에 대한 의견을 들려 주시오. **4** 사려, 배려: He sent me a card. It was a kind *thought*. 그가 내게 카드를 보냈다. 그것은 친절한 배려였다. **5** 사상, 사조: modern *thought* 근대 사상

숙어 **a school of thought** ⇨ school
at the thought of …이라고 생각하니, …을 생각하여

be lost in thought 사색에 잠기다: She *was lost in thought* for a while. 그녀는 잠시 동안 사색에 잠겼다.

on second thought(s) 다시 생각하여〔하니〕: I'd like a cup of coffee, please— actually, *on second thoughts*, I'll have an orange juice. 커피 한 잔을 마시고 싶은데, 다시 생각하니 오렌지 주스를 마셔야겠어.

thoughtful [θɔ́ːtfəl] *adj.* **1** 생각이 깊은, 신중한: a *thoughtful* person 신중한 사람 **2** 인정 있는, 친절한: It was very *thoughtful* of you to call me when I was ill. 제가 아플 때 전화를 주시다니 매우 친절하시군요. SYN kind OPP thoughtless **3** 생각에 잠기는: You look *thoughtful*. 너는 생각에 잠긴 듯하다.

— **thoughtfully** *adv.* **thoughtfulness** *n.*

thoughtless [θɔ́ːtlis] *adj.* **1** 생각이 없는, 분별 없는: It's so *thoughtless* of him to smoke when there's a baby around. 주위에 아기가 있는데도 담배를 피우는 그는 아주 분별 없는 사람이다. SYN inconsiderate **2** 인정이 없는, 자기 멋대로의: *thoughtless* words 인정 없는 말

— **thoughtlessly** *adv.* **thoughtlessness** *n.*

thousand [θáuzənd] *n.* **1** 1,000, 천 개〔명〕 **2** (thousands) 수천, 무수, 여러 번 ※ thousand 앞에 a 또는 숫자가 올 때는 s를 안 붙인다.: fifty *thousand* 5만 / a hundred *thousand* 10만

adj. **1** 1,000의 **2** 수천의, 다수의, 무수의: A *thousand* thanks. 대단히 감사합니다.

숙어 **by (the) thousand(s)** **1** 1,000의 단위로 **2** 수천이나, 무수히: They return *by the thousands* for the summer festivals. 수천 명의 사람들이 여름 축제를 위하여 돌아온다.

thousands of 수천의: *Thousands of* students joined the demonstration. 수천 명의 학생들이 데모에 참가했다.

thrash [θræʃ] *v.* **1** [T] (몽둥이·회초리 등으로) 때리다, 채찍질하다 **2** [I] 심하게 움직이다, 몸부림치다, 뒹굴다 (about) **3** [T] (경기에서 상대를) 패배시키다

숙어 **thrash out** (문제 등을) 철저하게 논의하다, 논의 끝에 (답·결론에) 이르다: We spent the whole day *thrashing out* a solution. 우리는 철저하게 해결책을 논의하느라 하루를 소비했다.

***thread** [θred] *n.* **1** 실, 바느질 실, 끈실: a needle and *thread* 실을 꿴 바늘 **2** (이야기

등의) 줄거리, 맥락, 연속, 계속 SYN sequence

v. [T] **1** (바늘 구멍·재봉틀 등에) 실을 꿰다 **2** 누비듯이 지나가다

— **thready** *adj.*

숙어 **thread one's way through** 요리조리 헤치며 나아가다: She *threaded her way through* the crowded market. 그녀는 복잡한 시장을 헤치며 나아갔다.

■ 유의어 **thread**
thread 무명·명주 등의 꼰실 **string**
thread보다 굵고 rope보다 가는 실

threadbare [θrédbɛ̀ər] *adj.* **1** (옷 등이) 실이 드러나 보이는, 입어서 떨어진, 해진 **2** 진부한, 케케묵은

— **threadbareness** *n.*

****threat** [θret] *n.* **1** 협박, 위협 SYN menace **2** (…의) 우려 (of), (나쁜) 징조: There was a *threat* of rain. 비가 올 것 같았다.

threaten [θrétn] *v.* **1** [T] 협박하다, 으르다: The boy *threatened* him with a knife. 그 소년은 그를 칼로 협박했다. **2** [I,T] (나쁜 일이) 일어날 것 같다, (재해·위험 등이) 임박하다: It *threatens* to rain. 금방 비가 쏟아질 것 같다.

— **threatening** *adj.* **threateningly** *adv.* **threatener** *n.* 협박자

three [θri:] *n. adj. pron.* 3(의), 셋(의); 세 개(사람) ⇨ six 참조

three-dimensional, 3-D [θri:diménʃənəl] *adj.* **1** 3차원의, 입체의: *three-dimensional* movies 입체 영화 **2** 입체 사진의

thresh [θreʃ] *v.* **1** [T] (곡식을) 도리깨질하다, 타작(탈곡)하다: a *threshing* machine 탈곡기 SYN thrash **2** [T] (몽둥이 등으로) 때리다 **3** [I] 뒹굴다 (about)

— **threshing** *n.*

threshold [θréʃhòuld] *n.* **1** 문지방, 입구 **2** (보통 the threshold) 발단, 시초, 출발점

숙어 **on the threshold of** 바야흐로 … 하려고 하여, …의 시초에: The scientist was *on the threshold of* an important discovery. 그 과학자는 바야흐로 중대한 발견의 문턱에 서 있었다.

thrift [θrift] *n.* 절약, 검약, 검소: practice *thrift* 절약하다 OPP waste

— **thrifty** *adj.* 절약하는, 검소한

thriftless *adj.* 절약하지 않는, 돈을 헤프게 쓰는

thrill [θril] *n.* (공포·쾌감 등으로) 오싹해짐, 전율, 감동

v. **1** [I,T] 감동(감격·흥분)시키다, 오싹하게 하다: His speech *thrilled* the audience. 그의 연설은 청중을 감동시켰다. / The story *thrilled* the audience with horror. 그이야기는 청중들을 공포로 오싹하게 했다. **2** [T] (목소리 등을) 떨리게 하다

— **thriller** *n.* 스릴 있는 소설(영화, 극)

thrilling [θríliŋ] *adj.* 오싹해지는, 감격적인: a *thrilling* experience 스릴 만점의 체험

thrive [θraiv] *v.* [I] (throve-thriven, thrived-thrived) 번창하다, 번영하다, 성공하다: His business is *thriving*. 그의 사업은 번창하고 있다. SYN prosper

— **thriving** *adj.*

****throat** [θrout] *n.* **1** 목: She fingered the pearls at her *throat*. 그녀는 목에 건 진주 목걸이를 만지작거렸다. **2** 목구멍, 숨통, 기관, 식도: I have a sore *throat*. 나는 목이 아프다.

숙어 **clear one's throat** ⇨ clear

have(feel) a lump in one's throat ⇨ lump

throb [θrɑb] *v.* [I] (throbbed-throbbed) **1** (심장이) 뛰다, 고동치다, 두근거리다, 맥박치다: My heart was *throbbing* when I saw him. 그를 보았을 때 내 심장은 두근거렸다. SYN beat **2** (머리·상처가) 욱신욱신 쑤시다: The *throbbing* pain in my head is unbearable. 머리의 욱신욱신 쑤시는 통

증이 참기 어렵다. **3** 진동하다 SYN vibrate
n. **1** 고동, 맥박 **2** 율동적인 진동

throne [θroun] *n.* **1** 왕좌, 옥좌 **2** (the throne) 왕위, 왕권: Being on the *throne*, the man was never happy. 왕위에 있으면서 그는 결코 행복하지 않았다.

throng [θrɔ(:)ŋ] *n.* (북적대는) 군중, 다수 SYN crowd
v. [I,T] 떼지어 모이다, 북적대다, 밀려들다, 쇄도하다: The streets were *thronged* with the tourists. 거리는 관광객들로 북적댔다.

*****through** ⇨ 아래 참조

*****throughout** [θru:áut] *adv. prep.* **1** (장소) …의 도처에, …에 널리: His bedroom is repainted white *throughout*. 그의

침실은 온통 흰색으로 다시 칠해졌다. **2** 처음부터 끝까지, 줄곧, 내내: She yawned *throughout* the concert. 그녀는 콘서트 내내 하품했다.

*****throw** [θrou] *v.* (threw-thrown) **1** [I,T] (내)던지다, 팽개치다: *Throw* the ball to me. 나에게 공을 던져라. / I *threw* a bone to the dog. 나는 개에게 뼈다귀를 던져 주었다. SYN hurl

2 [T] 급히 입다 (on), 벗어던지다 (off): She *threw* on a shirt and went out. 그녀는 셔츠를 급히 입고서 나갔다. / I *threw* off my clothes and took a shower. 나는 옷을 벗어던지고 샤워를 했다.

3 [T] (손 · 발을) 힘있게 움직이다, 몸을 던지

---

through

through [θru:] *prep.* **1** (통과 · 관통) …을 통과하여: The road runs *through* the village. 길이 마을을 통과하고 있다. / The rumor spread *through* the town. 소문이 읍에 온통 퍼졌다.
2 (때) 처음부터 끝까지, …중 (내내), … 동안 (줄곧): *through* the year 일년 내내 / Every night, Monday *through* Friday, he went to night school. 그는 월요일부터 금요일까지 매일 밤 야간 학교에 다녔다.
3 (경과 · 종료) …을 끝마쳐, …을 거쳐서: go *through* the work 일을 끝내다 / They are *through* school at four o'clock. 4시에 학교가 끝난다. / He got *through* the examination. 그는 시험에 합격했다.
4 (수단 · 원인 · 이유) …에 의하여, …을 통하여, … 덕택으로: fail *through* carelessness 부주의로 실패하다 / *Through* your help he may succeed. 너의 도움으로 그는 성공할 것이다.
5 (장소) 여기저기(를), 도처에[를], 두루: He traveled all *through* the world. 그는 세계의 도처를 여행했다.
adv. **1** 통하여, 통과하여, 지나서: Let me

through. 지나가게 해 주세요.
2 (처음부터) 끝까지: hear him *through* 끝까지 그의 이야기를 듣다 / read a book *through* 책을 통독하다
3 (때 · 시간) … 동안 죽[내내]: all the night *through* 밤새
4 아주, 완전히, 철저히: be wet *through* 흠뻑 젖다 / Carry your plans *through*. 너의 계획을 완수해라.
5 [미] 전화가 끝나: I'm *through*. 통화 끝났습니다.
6 [영] (…에게) 전화가 통하여, 연결되어: Could you put me *through* to the boss? 사장님과 연결해 주시겠습니까?
adj. **1** (열차 등이) 직행의, 직통의: a *through* ticket 직행 차표 / a *through* train 직행 열차
2 (도로 등이) 빠져 나갈 수 있는, 직통의: a *through* road 직통 도로
숙어 **be through (with) 1** …을 마치다: I am just *through with* (reading) this book. 나는 방금 이 책을 다 읽었다. **2** …와 관계가 없다: I am *through with* him. 나는 그와 손을 끊었다.

다 (oneself): She *threw* her arms around her husband's neck. 그녀는 남편의 목을 껴안았다. / She *threw* herself onto the sofa. 그녀는 소파에 몸을 던졌다.
4 [T] 내동댕이치다, 떨구어버리다: She was *thrown* by her horse. 그녀는 말에서 떨어졌다.
5 [T] (어떤 상태·위치·관계로) 되게 하다, 빠뜨리다, 던지다: We were *thrown* into confusion by the news. 우리는 그 소식에 혼란스러웠다.
6 [T] 당황하게 하다, 어리둥절하게 하다, 이성을 잃게 하다: We didn't let our worries *throw* us. 우리는 근심거리들에도 당황하지 않았다.
7 [T] (빛·그림자·시선 등을) 던지다, 향하게 하다: She *threw* a suspicious glance at him. 그녀는 의심스러운 시선으로 그를 보았다. / He *threw* me a look of encouragement. 그는 격려의 표정을 지어 보였다.
n. **1** 주사위를 던지기, 굴릴 차례: It's my *throw*. 내가 주사위를 던질 차례이다.
2 던짐, 던지기: a straight *throw* 직구
3 투사 거리, 던져서 닿는 거리: at [within] a stone's *throw* 돌을 던져서 닿을 만한 거리에
[숙어] **throw away 1** …을 내다버리다: He *threw away* yesterday's newspaper. 그는 어제 신문을 내다버렸다. [SYN] throw out **2** 낭비하다: You've spent four years studying—don't *throw* it all *away*. 너는 4년 공부를 했으니, 그 시간들을 허비하지 마라.
throw in …을 덤으로 주다: We'll *throw in* another copy. 한 부 더 덤으로 드립니다.
throw off 1 (관계 등을) 끊다: *throw off* the yoke of slavery 노예 신분의 굴레를 벗다 **2** (옷·습관 등을) 벗어던지다: She *threw off* her scarf. 그녀는 스카프를 벗어던졌다.
throw out 1 내쫓다: They *threw out* a noisy person out of the meeting.

그들은 떠드는 사람을 모임에서 내쫓았다. **2** 거부 [폐기] 하다, (의안을) 부결하다: The committee *threw out* his proposal. 위원회는 그의 제안을 거부했다. [SYN] reject **3** …을 내다버리다 [SYN] throw away
throw up 1 (음식물을) 토하다 I spent the night *throwing up*. 나는 밤새 토했다.
2 (새로운 아이디어 등을) 만들다, 보여 주다: They *threw up* some interesting ideas. 그들은 몇 가지 흥미있는 아이디어를 냈다. **3** 그만두다, 사직하다: She's *thrown up* her job and gone off to Kenya to work for a children's charity. 그녀는 일을 그만두고 아이들을 구호하기 위해 케냐로 떠났다.

thrush [θrʌʃ] *n.* [조류] 개똥지빠귀
thrust [θrʌst] *v.* [I,T] (thrust-thrust) **1** 밀다, (세게) 밀치다: He *thrust* his fist before my face. 그는 주먹을 내 얼굴 앞에 내밀었다. / He *thrust* his hands into his pocket. 그는 양손을 주머니에 밀어 넣었다. [SYN] push **2** (칼 등으로) 찌르다: The sword *thrust* him through. 검이 그를 꿰뚫었다. [SYN] pierce
n. **1** (the thrust) (논쟁·연설 등의) 요점, 진의, 취지: The whole *thrust* of the project was to make money. 그 계획의 전체 취지는 돈을 버는 것이었다. **2** (갑자기) 밀기, 밀침
[숙어] **thrust one's way** 억지로 통과하다, 밀어젖히고 [뚫고] 나아가다: They *thrust their way* through the crowd. 그들은 군중 속을 뚫고 나아갔다.
thrust ... upon …을 ~에게 억지로 떠맡기다, …에게 강매하다: He *thrust* the work *upon* me. 그는 그 일을 나에게 떠맡겼다.
*★**thumb** [θʌm] *n.* **1** 엄지손가락 **2** 장갑의 엄지손가락
v. [I,T] **1** (책장 등을) 후딱 넘기다, 훑어보다 (through): She *thumbed* through a magazine and took another. 그녀는 잡

지를 대충 훑어보고는 다른 것을 보았다. **2** (손가락질하여 지나가는 차를) 태워달라고 하다 [거저 타다]: She *thumbed* her way to Chicago. 그녀는 시카고까지 차를 얻어 타고 갔다.

[숙어] **be all thumbs** (손)재주가 없다: I *am all thumbs* when it comes to sport. 운동이라면 나는 재주가 없다.

by (a) rule of thumb ⇨ rule

stand[stick] out like a sore thumb ⇨ sore

thumb a ride[lift] 편승하다, 히치하이크 하다: We *thumbed a ride* to Chicago. 우리는 시카고까지 히치하이크했다.

Thumbs down! (불찬성의 표시) 안 돼!

Thumbs up! (만족의 표시) 좋아, 잘했어!

under one's thumb …가 시키는 대로: She's got him *under her thumb*. 그는 그녀가 하라는 대로 한다.

thumbnail [θʌ́mnèil] *n.* **1** 엄지 손톱 **2** (손톱같이) 작은 것 **3** [인쇄] (작고 대충 만든) 견본

v [T] 간결하게 그리다

thumbtack [θʌ́mtæ̀k] *n.* 압정

*＊**thunder** [θʌ́ndər] *n.* **1** 우레, 천둥 **2** 진동, 우레 같은 소리: *thunders* of applause 우레 같은 갈채

v. [I] **1** (비인칭 it을 주어로 해서) 천둥치다: It *thundered* last night. 간밤에 천둥이 쳤다. **2** 큰 소리를 내다, 큰 소리를 내며 이동하다 [가다]: The train *thundered* past. 열차가 큰 소리를 내며 지나갔다. **3** 호통치다: "Don't do that again!" he *thundered*. "다시는 그러지 마라!"라고 그는 큰 소리로 꾸짖었다.

thunderbolt [θʌ́ndərbòult] *n.* **1** 천둥 번개, 벼락, 낙뢰 **2** 뜻밖의 일[사건]: The news was a *thunderbolt* to me. 그 소식은 내게 청천벽력이었다.

thunderclap [θʌ́ndərklæ̀p] *n.* **1** (급격한) 천둥 소리 **2** 청천벽력 (같은 사건)

thunderstorm [θʌ́ndərstɔ̀:rm] *n.* 천

둥을 수반한 일시적 폭풍우, (심한) 뇌우

thunderstruck [θʌ́ndərstrʌ̀k] *adj.* **1** 벼락맞은, 벼락이 떨어진 **2** 깜짝 놀란

Thursday [θə́:rzdei] *n.* (*abbr.* Thur., Thurs.) 목요일

thus [ðʌs] *adv.* **1** 이렇게, 이런 식으로: He spoke *thus*. 그는 이렇게 말했다. **2** 따라서, 그런 까닭에, 그러므로: It is late, and *thus* you must go. 늦었으니 가 보시오. [SYN] therefore

thwart [θwɔ:rt] *v.* [T] (사람·계획·목적 등을) 훼방 놓다, 방해하다, 반대하다: My holiday plans were *thwarted* by the storm. 나의 휴가 계획은 폭풍으로 망쳤다.

n. (보트의) 노 젓는 사람이 앉는 널빤지[가로장]

tick [tik] *v.* **1** [I] (시계 등이) 똑딱거리다 **2** [T] [영] …에 (점검·대조필 등의) 표시(∨)를 하다, 체크하다 ([미] check): Please *tick* the appropriate box. 적절한 박스에 표시하시오.

n. **1** [영] (점·꺾자 등의 점검이나 대조필의) 표시 ([미] check mark, check) **2** (시계 등의) 똑딱똑딱 소리 (ticking) **3** [영] 순간, 일순간: I'll be with you in a *tick*. 곧 당신에게 갈 거예요. **4** [동물] 진드기

[숙어] **tick away[by]** (시간이) 똑딱똑딱하며 지나가다: The hours *ticked by*. 시간이 똑딱똑딱하며 흘렀다.

tick off 1 [영] …을 꾸짖다: I *ticked* him *off* for being late again. 그가 또 지각해서 꾸짖었다. **2** …을 노하게 하다: Constant delays *ticked* me *off*. 계속되는 지연이 나를 화나게 했다.

*＊**ticket** [tíkit] *n.* **1** (a ticket) 표, 입장[승차]권: a *ticket* office 매표소 / a one-way [single] *ticket* 편도표 / a round-trip [return] *ticket* 왕복표 **2** (크기·용량·품질·정가 등을 나타내는) 게시표, 정가표: a price *ticket* 정가표 **3** (교통 위반자에 대한) 호출장, 위반 딱지: a parking *ticket* 주차 위반 딱지

T

tickle [tíkəl] *v.* **1** [T] 간질이다: He *tickled* the baby's toes. 그는 아기의 발가락을 간질였다. **2** [I,T] (자극물 등으로) 근질거리다: My nose *tickles*. 코가 근질근질하다. **3** [T] 기쁘게 하다, 즐겁게 하다, 웃기다: I was greatly *tickled* by his joke. 그의 유머는 너무나 재미있었다. SYN amuse
n. 간지럼, 간질임

ticklish [tíkliʃ] *adj.* **1** 간지러운, 간지럼을 타는: Are you *ticklish*? 간지럼 타니? **2** (사람이) 성 잘 내는, 신경질의 **3** (문제 등이) 다루기 어려운: a *ticklish* matter 다루기 어려운 문제

tide [taid] *n.* **1** 조수, 조류: The *tide* is in (out). 지금은 밀물(썰물)이다. **2** (the tide) 그 시대의 풍조, 시세, 경향: go with the *tide* 시대 풍조를 따르다
v. [I,T] 밀물처럼 밀어닥치다, 조류를 타고 가다(흐르다)
— **tidal** *adj.* 조수의
숙어 **tide away** (책 · 서류 · 옷 등을) 정리(정돈)하다, 치우다: She told her children to *tide away* their toys before bedtime. 그녀는 아이들에게 취침 시간 전까지 장난감들을 치우라고 했다.
tide ... over …가 (곤란 등을) 극복하게 도와 주다, 이겨내게 하다: I can lend you some money to *tide* you *over* until next week. 네가 다음 주까지 버틸 수 있게 돈을 좀 빌려 줄 수 있다.

tidings [táidiŋz] *n.* (*pl.*) 통지, 기별, 소식: glad(sad) *tidings* 기쁜(슬픈) 소식
※ 항상 복수형으로 쓰이나 단수로 취급한다.

***tidy** [táidi] *adj.* (tidier-tidiest) **1** 말끔히 정돈된, 정연한: The room was clean and *tidy*. 그 방은 깨끗하고 정돈되어 있었다. SYN in good order **2** (사람에 대해) 말쑥한, 단정한; (옷차림 등이) 산뜻한: My roommate is very *tidy*. 나의 룸메이트는 아주 말쑥하다. SYN neat OPP untidy
v. [I,T] 정돈하다, 말끔하게 치우다, 깨끗하게 하다 (up): *Tidy* your room up before

you go out. 나가기 전에 방을 깨끗하게 치워라.
— **tidily** *adv.* **tidiness** *n.*

***tie** [tai] *n.* **1** (물건을 묶기 위한) 끈, 새끼 **2** 넥타이 SYN necktie **3** (보통 *pl.*) 연분, 인연, 결속: friendly *ties* 우호적인 유대 **4** 속박, 귀찮은 것, 무거운 짐 **5** (경기 · 선거 등의) 동점, 무승부, 비기기: The game ended in a *tie*. 경기는 동점으로 끝났다. **6** [음악] 붙임줄, 타이 (⌒, ⌣)
v. (tied-tied; tying) **1** [I,T] (끈 · 새끼 · 밧줄 등으로) 묶다, 매(이)다: *tie* a horse to a post 말을 기둥에 매다 / The apron *ties* at the back. 앞치마는 뒤로 맨다. SYN bind OPP untie **2** [T] (어떤 경우 · 일 등에) 구속(속박)하다, 의무를 지우다: He is *tied* to the job. 그는 일에 얽매여 있다. **3** [I] (경기 등에서) …와 동점이 되다
숙어 **tie down** 구속(속박)하다, 의무를 지우다: We'd like to travel more, but having young children really *ties* us *down*. 우리는 좀더 여행하고 싶지만 어린 아이들 때문에 얽매인다.
tie in (with) 일치하다, 적합하다, 동의하다: His conclusions *tie in with* our theory perfectly. 그의 결론은 우리의 이론과 완벽하게 일치한다.
tie up 1 단단히 묶다(매다), 포장하다: Ships are *tied up* at the dock. 배들이 선착장에 묶여 있다. / Could you *tie up* the parcel for me? 소포 좀 포장해 주시겠어요? OPP untie **2** (보통 수동태) 바쁘게 하다: She was *tied up* in a meeting all afternoon. 그녀는 오후 내내 회의로 바빴다. **3** 방해하다, (교통을) 두절시키다: All the traffic was *tied up* by the accident. 사고로 모든 교통이 두절되었다.

tie-up [táiʌp] *n.* **1** 정체, 막힘: a traffic *tie-up* 교통 정체 **2** (기업 등의) 제휴, 협력: a technical *tie-up* 기술 제휴

***tiger** [táigər] *n.* 범, 호랑이
※ 암컷은 tigress, 새끼는 cub.

***tight** [tait] *adj.* **1** 단단한, 단단해서 움직이지〔풀리지〕 않는: a *tight* knot 단단한 매듭 **2** (옷·신발 등이) 몸에 꼭 맞는, 꼭 끼는: This skirt is *tight* for me. 이 치마는 내게 꼭 낀다. OPP loose, slack **3** (관리·단속 등이) 엄한, 엄격한: a *tight* control 엄격한 통제 / Security is very *tight* at the airport. 공항 경비가 엄중하다. **4** (줄 등이) 팽팽한, 바짝 친: a *tight* rope 팽팽한 줄 **5** (포대·예정 등이) 꽉 찬: a *tight* schedule 빡빡한 스케줄 **6** (-tight *adj.*) (복합어를 이루어) 빈틈없는, (물·공기가) 새지 않는: an water*tight* container 물이 새지 않는 용기 **7** 돈이 딸리는, (금융이) 핍박한: Money is *tight*. 돈 사정이 좋지 않다. *adv.* 단단히, 굳게, 꽉: Hold it *tight*. 꼭 붙들고 있어라. SYN firmly
— **tightly** *adv.* **tightness** *n.*

tighten [táitn] *v.* **1** [T] (바짝) 죄다, 죄이다: *Tighten* up the screws. 나사를 죄라. / When you *tighten* guitar strings, the note gets higher. 기타 줄을 팽팽하게 죄면 음정이 더 높아진다. **2** [I] (몸의 일부가) 굳어지다: I feel my neck *tightening* up. 목이 뻣뻣하다. **3** [I,T] (통제·규칙을) 엄하게 하다, 강화하다 (up): Are there any ideas to *tighten* up on advertising controls? 광고 규제를 강화할 좋은 아이디어가 있나요?
숙어 **tighten one's belt** 허리띠를 졸라매다, 절약하다: I have to *tighten* my belt because I stopped working part-time. 나는 파트타임직을 그만두었기 때문에 절약해야 한다.

tile [tail] *n.* 타일, 기와: a roof *tile* 지붕 기와
v. [T] 타일을 붙이다, 기와를 이다: He's going to *tile* the bathroom. 그는 욕실에 타일을 붙이려고 한다.

***till**¹ [til] *prep.* **1** (특정한 시간) …까지 (죽):

till now 지금까지 / *till* after midnight 새벽녘까지 / Closed *till* Monday. 일요일까지 휴업. ※ 우리말 '까지'와는 달리 보통 그 날은 포함되지 않는다. SYN up to **2** (부정어와 함께) …까지 ~않다, …에 이르러 ~하다: She didn't come *till* late at night. 그녀는 밤늦도록 오지 않았다.
conj. **1** (…할 때) 까지: Wait *till* you are called for. 부를 때까지 기다리시오. **2** (부정어와 함께) …할 때까지 (~않다), …하여 비로소 ~하다: People don't know the value of health *till* they lose it. 사람들은 건강을 잃고서야 비로소 그 가치를 안다.

■ 용법 till
1 till은 '계속'을, by는 '완료'를 나타낸다.: Wait *till* 9. 9시까지 기다려라. / Come *by* 9. 9시까지 와라. **2** until, till은 의미와 용법이 거의 같으며, until은 딱딱한 감이 드는 말로 문두에 쓰이는 경향이 있다. **3** 내리 번역하는 경우가 있다.: I went on and on, *till* at last I came to a little village. 계속해서 걸어가니 마침내 어떤 조그마한 마을에 도착했다.

till² [til] *v.* [I,T] 갈다, 경작하다 SYN cultivate

till³ [til] *n.* (상점·은행 등의) 돈궤, 카운터의 돈서랍 (cash register)

tilt [tilt] *v.* [I,T] **1** 기울다, 기울이다: She *tilted* her head to one side. 그녀는 머리를 한쪽으로 기울였다. SYN slope **2** 창으로 찌르다, 마상 창시합을 하다
n. **1** 기울기, 경사 SYN slant **2** (창으로) 찌르기, 마상 창시합

timber [tímbər] *n.* **1** [영] (건축용의) 재목, 목재 ([미] lumber) **2** (대)들보, 횡목 **3** (집합적) 삼림

***time** ⇨ p. 790

timeless [táimlis] *adj.* **1** 영원한, 무한한 SYN everlasting **2** 시간을〔시대를〕 초월한
— **timelessly** *adv.* **timelessness** *n.*

timely [táimli] *adj.* (timelier-timeliest)

time

time [taim] *n.* **1** (과거·현재·미래로 계속 되는) 시간, 때: The world exists in space and *time*. 세계는 공간적 시간적으로 존재한다. / *Time* is money. [속담] 시간은 돈이다.

2 (막연히 한정된) 때, 시간, 동안: That will take a long *time*. 그것은 오랜 시간이 걸릴 것이다. / in *times* of danger 위험한 때에 / *Time* is up. 시간이 다 됐다. / There is no *time* to lose. 지체할 시간이 없다. [SYN] period

3 (몇) 시, 시각, 시간: What *time* is it? 지금 몇 시입니까? / It's *time* for lunch. 점심 시간이다.

4 (시간·시각의 기준이 되는) 표준시: standard *time* 표준시 / local *time* 지방 시간. 현지 시간

5 시기, 기회, 때, 차례: I'll do my best next *time*. 다음 번에는 최선을 다할 것이다.

6 (몇) 번, 회, 배, 곱: Do you know how many *times* I called you yesterday? 내가 어제 몇 번이나 전화했는지 아니? / This tree is three *times* taller than that one. 이 나무는 저 나무보다 3배 더 크다.

7 (지낸) 시간, 경험 (혼났던 일, 유쾌한 기억 등): have a good *time* 즐겁게 보내다 / in good *time* 마침 좋은 때에 / From that *time*, she began to study harder. 그 때부터 그녀는 열심히 공부하기 시작했다.

8 (종종 *pl.*) 시대, 연대, 현대: in the *times* of the Stuarts 스튜어트 왕조 시대에 / ancient(medieval, modern) *times* 고대 (중세, 현대)

9 (times) 시대의 추세, 경기: good(hard) *times* 호(불)경기

10 [경기] 소요 시간, 타임 (경기·게임의 일시 중단); 시작!, 그만!: He ran the mile in record *time*. 그는 1마일을 신기록으로 달렸다.

11 [음악] 박자, 속도: This piece is written in three-quarter *time*. 이 곡은 4

분의 3박자로 쓰여졌다.

v. [T] **1** (종종 수동태) 때를 잘 맞추어 …하다, 시기에 맞추다: Her visit was well *timed*. 그녀의 방문은 시기가 좋았다.

2 (경주 등의) 시간을 재다, 기록하다: *time* a runner 주자의 시간을 재다 / We *timed* our journey — it took three and a half hours. 우리는 여행 시간을 재어 보았다. 3시간 반 걸렸다.

3 (시계의) 시간을 맞추다, 조절하다: *Time* your watch with mine. 당신 시계를 내 시계에 맞추시오.

4 (열차 등의) 시간을 정하다: The train is *timed* to leave at 8:30. 열차는 8시 반에 출발할 예정이다.

5 박자를 맞추다, 박자가 맞다

[축어] **all the time, the whole time** 그 동안 죽, 줄곧: The baby kept crying *all the time*. 그 애는 줄곧 울고 있었다.

(and) about time (too), (and) not before time 거의 때를 놓친, 늦은 편으로, 겨우: "So he has finally found a job." "Yes, *and about time too*." "그래서 그가 드디어 일을 구했어." "그래, 취직하고도 남을 때지."

at a time 동시에, 한 번에: Hand them to me one *at a time*. 그것들을 한 번에 하나씩 다오. / The elevator can hold seven people *at a time*. 승강기는 한 번에 7명의 사람들을 수용할 수 있다.

at all times 언제나: All truth is not to be told *at all times*. 진리라고 하여 언제나 무턱대고 말해도 좋은 것은 아니다. [SYN] always

at any time 어느 때든지, 언제든지: He could command sleep *at any time*. 그는 어느 때든지 마음 내키는 대로 잘 수가 있었다. [SYN] whenever

at one time 한 때는, 일찍이: *At one time* he lived in New York. 그는 한 때 뉴욕에 살았다. [SYN] formerly

at the same time ⇨ same

at the time 그 때: It didn't seem like a good idea *at the time*. 그 때는 그것이 좋은 생각처럼 보이지 않았다. [SYN] then

at times 때때로: *At times* I think he is smart. 나는 때때로 그가 영리하다고 생각한다. [SYN] sometimes, occasionally

before one's time 태어나기 전의, 오래된: I don't remember Audrey Hepburn—she was *before my time*. 나는 오드리 햅번을 기억하지 못한다. 그녀는 내가 태어나기 전의 인물이다.

behind(ahead of) the times 시대에 뒤져서(보다 앞서서)

buy time ⇨ buy

by the time …할 때까지: *By the time* you come back, it will be dark. 네가 돌아올 때는 어두워져 있을 것이다.

for a time 잠시, 임시로, 당분간: He stayed in New York *for a time*. 그는 잠시 뉴욕에 머물렀다.

for the first time 처음으로: Seeing me *for the first time*, my uncle wept for joy. 나를 처음으로 보고 삼촌은 기뻐서 울었다.

for the time being 당분간: This will be enough *for the time being*. 당분간은 이것으로 충분할 것이다. [SYN] for the present

from time to time 때때로: I still think of her *from time to time*. 나는 아직도 가끔 그녀를 생각한다.

give ... a hard time ⇨ hard

have no time for …를 싫어하다: I *have no time for* people who are always complaining. 나는 항상 불평하는 사람들을 싫어한다. [SYN] dislike

have the time of one's life 더할 수 없이 즐거운 때를 보내다

in good time 알맞은 시간에, 좀 이르게: We arrived at the airport *in good time*. 우리는 공항에 일찍 도착했다.

in no time 곧, 이내: The villagers worked day and night, and *in no time* a beautiful bridge was completed. 마을 사람들이 밤낮으로 일한 결과 곧 아름다운 다리가 완성되었다.

in the course of time ⇨ course

in time 1 시간에 맞춰: I must have the boat mended *in time* for the race. 경기 시간에 맞춰 보트를 손보아야 한다. **2** 머지않아, 조만간: The candlelight will *in time* go out by itself. 촛불은 조만간 저절로 꺼질 것이다.

It is (about, high) time 이제 …할 시간이다: *It is high time* that he should go. 이제 그는 가야 할 시간이다. / *It's time* she were(was) married. 그 여자는 결혼할 때이다.

keep good(bad) time (시계가) 잘 맞다 (안 맞다)

kill time(an hour etc.) ⇨ kill

once upon a time ⇨ once

on time 1 정각에: He is always *on time*. 그는 언제나 정각에 온다. / The train came in *on time*. 열차는 정각에 들어왔다. **2** 후불로, 분할부로: He bought a book *on time*. 그는 책을 외상으로 샀다.

some time or other 언젠가는: *Some time or other* I will get all this done. 언젠가는 이것을 다 해내겠다.

take (one's) time 천천히 하다: He took *time* to answer the question. 그는 천천히 생각하고 나서 질문에 대답했다.

tell the time ⇨ tell

time after time, time and (time) again 몇 번이고, 되풀이하여: I've told you *time after time* not to bring that dog in here. 여기에 개를 데리고 오지 말라고 몇 번이고 얘기했잖아.

T

적시의, 시기에 알맞은 [OPP] untimely, mistimed

—timeliness *n.*

timeout [táimáut] *n.* [미] (경기의) 휴식

시간, 타임 아웃

timer [táimər] *n.* 시간 기록계, (경기 등의) 계시원 SYN timekeeper

timetable [táimtèibl] *n.* ([미] schedule) **1** (학교 · 열차 · 비행기 등의) 시간표: The last lesson on the *timetable* for Monday is math. 월요일 마지막 수업은 수학이다. **2** (계획 · 행사 등의) 예정표: Do you have the *timetable* of events for today? 오늘 행사의 예정표 있니?

timid [tímid] *adj.* 겁 많은, 두려워하는, 소심한, 수줍은: He is (as) *timid* as a rabbit. 그는 (토끼처럼) 매우 겁이 많다. / He is *timid* of fires. 그는 불을 무서워한다. SYN shy OPP bold
— **timidly** *adv.* **timidity** *n.*

timing [táimiŋ] *n.* 타이밍, 시간적 조절 (경기 · 연극 등에서 가장 좋은 순간을 포착 또는 속도를 조절): What perfect *timing*! I've just finished my work as you arrived to pick me up. 멋진 타이밍이야! 네가 나를 데리러 왔을 때 막 일을 마쳤거든.

timorous [tímərəs] *adj.* 소심한, 겁 많은 SYN timid
— **timorously** *adv.* **timorousness** *n.*

tin [tin] *n.* **1** 주석 (금속 원소; 기호 Sn): a *tin* box 양철통 **2** [영] 통조림 ([미] can): a *tin* of salmon 연어 통조림 **3** 양철 깡통(냄비): a biscuit *tin* 비스킷 깡통
— **tinned** *adj.*

tinge [tindʒ] *n.* **1** 엷은 색조: a *tinge* of red 붉은 빛을 엷게 띤 색조 SYN tincture **2** 기미, …티, …기: There was a *tinge* of sadness in her voice. 그녀의 목소리에는 슬픈 기색이 있었다.
v. [T] (tinged-tinged; tingeing, tinging) **1** 엷게 물들이다, 착색하다 SYN color **2** 가미하다, 기미를 띠게 하다: Her memory was *tinged* with sorrow. 그녀의 추억은 약간의 비애를 띤 것이었다.
— **tinged** *adj.*

tingle [tíŋɡəl] *v.* [I] **1** (신체의 일부에 대해) 따끔따끔 아프다, 얼얼하다, 쑤시다: My cheeks are *tingling* with cold. 나의 볼은 추위로 얼얼하다. / The straw *tingled*. 지푸라기가 따끔하게 찔렸다. **2** 설레다, 흥분하다: I'm *tingling* with anticipation. 나는 기대로 설레었다.
n. **1** 쑤심, 얼얼함 **2** 설렘, 흥분

tinker [tíŋkər] *v.* [I] 서투르게 수선하다, 어설프게 만지다 (with): He is *tinkering* with his bike. 그는 자전거를 서투르게 만지고 있다.

tinkle [tíŋkəl] *v.* [I] 짤랑짤랑〔찌르릉〕 울리다: A bell *tinkles* when I push the door open. 문을 밀어 열면 벨이 딸랑딸랑 울린다.
n. 딸랑딸랑〔따르릉〕 (하는 소리)

tinsmith [tínsmìθ] *n.* 양철〔주석〕장이, 양철공

tint [tint] *n.* **1** 엷은 빛깔: autumn *tints* 가을빛 **2** 색채의 배합, 농담: in all *tints* of red 진하고 연한 가지가지 붉은 빛으로
v. [T] …에 (엷게) 색을 내다〔칠하다〕: She had her hair *tinted*. 그녀는 머리에 염색을 했다.

***tiny** [táini] *adj.* (tinier-tiniest) 아주 작은, 조그마한: a *tiny* baby 아주 조그마한 아기 SYN very small OPP large, big
— **tinily** *adv.* **tininess** *n.*

tip [tip] *n.* **1** 끝, 끄트머리; 꼭대기, 정상: the northern *tip* of the island 섬의 북단 SYN point, end **2** (유익한) 조언 **3** 팁, 사례금 **4** [영] 쓰레기 버리는 곳: a rubbish *tip* 쓰레기장 SYN dump **5** [영] 지저분한 곳
v. (tipped-tipped) **1** [I,T] 기울(이)다, 뒤집히다 (up): The table *tipped* up. 테이블이 기울어졌다. **2** [T] (뒤엎어 내용물을) 비우다: She *tipped* the contents of her bag out on the floor. 그녀는 가방의 내용물을 바닥에 쏟았다. **3** [I,T] 팁을 주다: We *tipped* the waiter. 우리는 웨이터에게 팁을 주었다. **4** [T] …을 예상하다: He *tipped* this horse to win the race. 그는 이 말이

경주에서 이길 것이라고 예상했다.

[숙어] **on the tip of one's tongue** 생각이 날 듯 말 듯한: His name is *on the tip of my tongue.* 그의 이름이 생각날 듯 말 듯 하다.

the tip of the iceberg 빙산의 일각: These small local protests are just *the tip of the iceberg.* 이 작은 지역 시위는 빙산의 일각일 뿐이다.

tip off ···에게 비밀 정보를 제공하다, 몰래 알리다: The police must have been *tipped off.* 경찰은 비밀 정보를 제공받았음이 분명하다.

tip up〔over〕 뒤집어엎다: I *tipped* that cup of coffee *over.* 나는 그 커피 잔을 뒤집어엎었다.

tiptoe [típtòu] *n.* 발끝

v. [I] 발끝으로 걷다

[숙어] **on tiptoe** 발끝으로, 발소리를 죽이고: We walked across the room *on tiptoe* not to waken the baby. 우리들은 아기를 깨우지 않기 위해 발소리를 죽이고 방을 가로질렀다.

*****tire**¹ [taiər] *v.* [I,T] **1** 피로하게 하다, 지치다: I'm *tired* from work. 나는 일로 피곤하다. / He was quickly *tired* by the walk. 그는 산보로 곧 피곤해졌다. [SYN] fatigue [OPP] refresh **2** 싫증나게 하다, 싫증나다 (of): Sooner or later she'll *tire* of politics. 곧 그녀는 정치학에 싫증낼 것이다.

[숙어] **tire of** ···에 물리다, 싫증나다: The children *tired of* the toys very quickly. 아이들은 곧 장난감에 싫증을 냈다.

tire ... out 피곤하게 하다, 녹초로 만들다: We walked so fast and that *tired* her *out.* 우리가 너무 빨리 걸었기 때문에 그녀는 지쳐 버렸다. / They're *tired out.* 그들은 기진맥진했다.

tire² [taiər] *n.* ([영] tyre) 타이어, 바퀴

v. [T] 타이어를 달다〔끼우다〕

*****tired** [taiərd] *adj.* **1** 피로한, 지친 **2** 물린, 싫증난

— **tiredly** *adv.* **tiredness** *n.*

[숙어] **(be) tired of** ···에 싫증나는, 싫어지는: I'm *tired of* boiled eggs. 삶은 달걀에 물렸다.

(be) tired out 몹시 지친: In the race, he reached the goal first, but he looked *tired out.* 그는 경주에서 1등으로 결승점에 도착했지만 몹시 지친 모양이었다.

(be) tired with ···으로 지친, 피곤한: I *am tired with* writing. 나는 글쓰기에 지쳤다.

get tired of (점점) 싫어지다, 싫증이 나다: He *got tired of* her cakes. 그는 그녀의 케이크에 싫증이 나기 시작했다.

tireless [táiərlis] *adj.* 지칠 줄 모르는, 싫증내지 않는

— **tirelessly** *adv.* **tirelessness** *n.*

tiresome [táiərsəm] *adj.* **1** 지치는, 지루한: a *tiresome* speech 지루한 연설 **2** 성가신, 귀찮은: a *tiresome* child 성가신 아이

— **tiresomely** *adv.* **tiresomeness** *n.*

tiring [táiəriŋ] *adj.* **1** (일 등이) 피로하게 하는, 힘드는 **2** (사람 · 이야기 등이) 지루한

tissue [tíʃuː] *n.* **1** (세포) 조직: nervous *tissue* 신경 조직 **2** (얇은) 화장지, 휴지: toilet *tissue* 화장지 **3** 티슈 페이퍼 (귀중품을 싸거나 책의 삽화 위에 붙이는 종이) (tissue paper)

*****title** [táitl] *n.* **1** 표제, 제목: the *title* of a book 책의 제목 **2** 직함 (Lord, Prince, Professor, Dr., General, Sir 등): What's your job *title* now? 지금 너의 직함이 무엇이니? **3** [스포츠] 선수권, 타이틀: He won a boxing *title* finally. 그는 마침내 권투 선수권을 땄다. / defend〔lose〕 one's *title* 선수권을 방어〔상실〕하다 **4** (정당한) 권리, 주장할 수 있는 자격

— **titled** *adj.* 직함이〔작위가〕 있는

title page *n.* (책의) 속표지

*****to** ⇨ p. 794

toad [toud] *n.* **1** 두꺼비 **2** 징그러운 놈, 경멸할 인물

toast [toust] *n.* **1** 토스트, 구운 빵: two

to

to [문장 또는 절의 끝 tuː; 자음 앞 tə; 모음 앞 tu]

prep. **A** 〈일반적 용법〉 명사(상당어)구를 목적어로 하여

1 (방향) ① (도착의 뜻을 포함한 방향) …으로, …까지, …에: the road *to* London 런던으로 가는 도로 / He has gone *to* the office. 그는 출근했다.

② (도착의 뜻을 포함하지 않은 방향) …쪽으로, …에: Turn *to* the left. 왼쪽으로 돌아라.

③ (방위) …쪽에, …의 방향에: The park is *to* the north of Paris. 공원은 파리 북쪽에 있다.

2 (시간) ① (시한·기간의 끝) …까지: We work from nine *to* six. 우리는 9시에서 6시까지 일한다. ② (…분) 전: It's ten *to* five. 5시 10분 전이다.

3 (뒤에 오는 간접목적어 앞에서) …에(게): Give it *to* me. 그걸 나에게 다오. / He sent a present *to* me. 그는 나에게 선물을 보냈다.

4 (접촉·결합) …에, … 위에: She put her hands *to* her ears. 그녀는 귀에 손을 갖다 대었다. / They live next door *to* us. 그들은 우리 이웃에 살고 있다.

5 (대립) …와 서로 마주 대하여, …에 대하여: They sat face *to* face. 그들은 서로 마주 대하여 앉았다. / The children stood back *to* back. 아이들은 서로 등을 맞대고 섰다.

6 (정도·범위) …에(이르기)까지, …할 정도로: tear the letter *to* pieces 편지를 갈가리 찢다

7 (목적) …을 목적으로, …을 위하여: go *to* the rescue of …을 구출하러 가다 / Make the best effort *to* that end. 그 목적을 위해 최선을 다하라.

8 (비교·대조) …에 비해, …보다: He prefers wine *to* water. 그는 물보다 술을 더 좋아한다. / He is second *to* none in popularity. 그는 인기로는 누구에게도 못지 않다.

9 (대비) …에 대하여, …대: Reading is *to* the mind what food is *to* the body. 독서의 정신에 대한 관계는 음식의 몸에 대한 관계와 같다. / The score was five *to* three. 점수는 5대 3이었다.

10 (구성) …에 포함되어, …을 구성하여: 10 *to* the box 한 상자에 10개씩 / 20 cents *to* the dollar 달러당 20센트

11 …에(게) 있어, …에게: You are everything *to* me. 당신은 제게 없어선 안 될 존재예요. / *To* her, it was the best decision. 그녀에게 그것은 최선의 결정이었다.

12 (결과·효과) …하게 되기까지, …에 이르도록, (to one's …의 형태) …하게도: He drank himself *to* death. 그는 술을 너무 마셔서 죽었다. / His speech moved her *to* tears. 그의 연설에 감동하여 그녀는 눈물을 흘렸다. / *to* my grief(regret) 슬프게도(유감스럽게도)

13 (부가·부속·소속) …의, …에 딸린: a son *to* the king 왕의 아들 / a man belonging *to* this club 이 클럽의 회원

14 (수반) …에 맞추어: dance *to* music 음악에 맞추어 춤추다

B 〈부정사적 용법〉

1 (명사적 용법) …하는 것: *To* do so is quite easy. 그렇게 하기는 아주 쉽다. / I like *to* sing. 나는 노래하는 것을 좋아한다.

2 (형용사적 용법) …하는, …하기 위한: a house *to* let 셋집 / water *to* drink 음료수

3 (부사적 용법) …하기 위해, …해서: We took a taxi *to* get there in time. 우리는 그 곳에 제 시간에 도착하기 위해 택시를 탔다. / I awoke *to* find myself famous. 눈을 떠보니 내가 유명해진 것을 알았다.

adv. 본디 상태〔위치〕로, (문 등이) 닫히어: Shut the door *to*. 문을 꼭 닫아라.

숙어 **to and fro** 여기저기, 이리저리: His eyes went *to and fro*. 그의 눈은 이리저리 움직였다.

slices of *toast* 토스트 두 조각 **2** 축배, 축배의 말 (to): Let's drink a *toast* to the bride and groom. 신부와 신랑을 위해 축배를 듭시다.
v. **1** [I,T] 누르스름하게 굽다〔구워지다〕: This bread *toasted* well. 이 빵은 알맞게 구워졌다. **2** [T] …을 위해 축배를 들다, 건배하다: We *toasted* the happy couple. 우리는 행복한 커플을 위해 축배를 들었다.

toaster [tóustər] *n.* **1** 토스터, 빵 굽는 기구〔사람〕 **2** 축배를 드는 사람

tobacco [təbǽkou] *n.* 담배

■ 유의어 **tobacco**
tobacco 파이프용의 잘게 썬 담배 **cigar** 잎을 만 담배, 여송연 **cigarette** 종이로 만 담배

***today** [tədéi] *n. adv.* **1** 오늘: *Today* is Tuesday. 오늘은 화요일이다. **2** 현재〔오늘날〕(에는): Young people *today* don't know how lucky they are. 오늘날의 젊은 사람들은 그들이 얼마나 운이 좋은지를 모른다.

toddle [tɑ́dl] *v.* [I] **1** 아장아장 걷다 **2** 어정거리다, 거닐다 (round, to)
n. 아장아장 걷기
— **toddler** *n.* 걸음마하는 유아

***toe** [tou] *n.* **1** (사람의) 발가락: the big (little) *toe* 엄지〔새끼〕발가락 *cf.* finger 손가락 **2** (신·양말 등의) 발끝 부분
v. [I,T] (toed-toed; toeing) **1** 발끝으로 건드리다〔차다〕; 발끝으로 걷다〔서다〕 **2** (신·양말 등) 앞부리를 수선하다
[숙어] **from top to toe 1** 머리끝에서 발끝까지: She's dressed in black *from top to toe*. 그녀는 머리끝에서 발끝까지 검은색으로 입고 있다. **2** 철두철미

***together** [təgéðər] *adv.* **1** 함께, 같이: Can we have dinner *together*? 저녁 같이 먹을까? [OPP] alone **2** 합쳐, 결합하여: Mix the butter and sugar *together*. 버터와 설탕을 함께 섞어라. **3** 동시에: You cannot eat both cakes *together*. 동시에 양쪽 케이크를 먹을 수는 없다. **4** 계속하여, 중단 없이: They talked for hours *together*. 그들은 몇 시간이나 계속해서 이야기했다.

together with …와 함께, …도 같이: I'm sending you a dozen new-laid eggs, *together with* some fresh butter. 갓 낳은 달걀 한 다스를 신선한 버터와 함께 보내드립니다. [SYN] along with

togetherness [təgéðərnis] *n.* (가족의) 단란, 친교, 친근감

toil [tɔil] *v.* [I] **1** 수고하다, 고생하다, 애써 일하다: He *toiled* away in the garden all day. 그는 하루종일 정원에서 애써 일했다. [SYN] labor **2** 애써 나아가다〔걷다〕: *toil* up a hill 애써서 언덕을 올라가다
n. 힘드는 일, 수고, 노고 [OPP] rest
— **toiler** *n.* 임금 노동자, 고생하는 사람

***toilet** [tɔ́ilit] *n.* **1** 화장실, 변소: Someone's in the *toilet*. 누가 화장실에 있다. [SYN] bathroom **2** 변기: Don't forget to flush the *toilet*. 변기 물 내리는 것을 잊지 마라.

■ 용법 **toilet**
대개 화장실을 **toilet**이라고 하며 구어로 **loo**라고도 한다. **lavatory, WC**는 공식적이고 구식 표현이다. 공공 장소에서는 대개 **Ladies**나 **Gents**라고 한다. 미국에서는 집에 있는 화장실은 **bathroom**이라고 하며 공공 장소에 있는 화장실은 **restroom, ladies' room, men's room**이라고 한다.

toilet bag *n.* 세면 도구 주머니, (휴대용) 화장품 주머니 (sponge bag)

toilet paper *n.* 휴지 (toilet tissue)

toilet roll *n.* 두루마리 화장지

token [tóukən] *n.* **1** 표, 증거: This is a *token* of my love. 이건 내 사랑의 증표야. **2** (버스 승차권 등의) 토큰; (놀이 기계 등에 쓰이는) 메탈, 칩 **3** 기념품 **4** [영] 상품권
adj. **1** 형식뿐인, 명목상의: a *token* resistance 명목상의 저항 **2** 표시가 되는: a

token ring 약혼 반지

속어 **as a token of, in token of** ···
의 표시로: Please take this gift *as a token of* my gratitude. 제 감사의 표시로
이 선물을 받아 주세요.

tolerable [tálərəbəl] *adj.* **1** 너무 나쁘지
도 너무 좋지도 않은: a *tolerable* income
적당한 수입 **2** 견딜 수 있는, 참을 수 있는
SYN bearable OPP intolerable
— **tolerably** *adv.* **tolerableness** *n.*

tolerance [tálərəns] *n.* **1** (남의 의견·행
동 등에 대한) 관용, 아량, 포용력: religious
tolerance 종교적 관용 OPP intolerance **2**
참음, 인내 **3** [의학] (약·독물 등에 대한) 내
성, 내약력

tolerant [tálərənt] *adj.* 관대한, 아량 있
는 (of, toward): My parents were
tolerant of my mistakes. 부모님은 나의
실수들에 대해 관대하셨다. OPP intolerant
— **tolerantly** *adv.*

tolerate [tálərèit] *v.* [T] **1** 너그럽게 대하
다, 묵인하다: I won't *tolerate* that sort
of behavior in my class. 나의 수업 시간
에는 그런 행동을 묵인하지 않을 것이다. **2** 참
다, 견디다: The noise was more than
we could *tolerate*. 소음은 참기 힘들 정도였
다. SYN bear
— **tolerative** *adj.* **toleration** *n.*

toll¹ [toul] *n.* **1** 통행세, (다리·유료 도로의)
통행료: a *toll* bridge 유료 다리 **2** (특히 교
통사고 등의) 사상자 수, 희생자: The day
after the accident the death *toll* had
risen to 100. 사고 다음 날에는 사망자 수가
100명에 달했다.

속어 **take a heavy toll, take its
toll (of, on)** (···에게) 큰 피해를 주다, 희생
자를 내다: The gas explosion *took its
toll of* the passers-by. 가스 폭발로 행인들
이 많은 피해를 입었다.

toll² [toul] *v.* [I,T] 종이 울리다, 종을 울리
다[치다]; (시계·종 등을 울려서) 알리다: A
church bell *tolled* the hour. 교회 종이

시간을 알리며 울렸다. / *toll* a person's
death 종을 울려서 아무의 죽음을 알리다

tollgate [tóulgèit] *n.* (도로의) 통행료 징
수소

tomato [təméitou] *n.* (*pl.* tomatoes)
토마토: *tomato* sauce 토마토 소스

tomb [tu:m] *n.* 무덤, 묘 SYN grave

tomboy [támbɔi] *n.* 말괄량이
— **tomboyish** *adj.*

tombstone [tú:mstòun] *n.* 묘석, 묘비

*****tomorrow** [təmɔ́:rou] *n. adv.* **1** 내일:
See you *tomorrow*. 내일 보자. / He's
leaving for Italy tomorrow. 그는 내일
이탈리아로 떠난다. **2** 미래: We must make
efforts now to give our children a
better *tomorrow*. 우리는 아이들에게 더 나
은 미래를 주기 위해 현재에 노력해야 한다.

*****ton** [tʌn] *n.* **1** 톤 (중량 또는 용적의 단위):
a five-*ton* truck 5톤 트럭 **2** (tons) 다수,
다량: *tons* of books 아주 많은 책

tone [toun] *n.* **1** 음질, 음색: I love the
sweet *tones* of the cello. 나는 첼로의 감
미로운 음색을 좋아한다. **2** 어조, 말씨: in an
angry *tone* 화난 어조로 / the *tone* of the
press 신문의 논조 **3** 풍조, 분위기, 김새:
the *tone* of our school 우리 학교의 교
풍 / The *tone* of the room was elegant.
그 방의 분위기는 고상했다. **4** 색조, 명암, 농
담: warm *tones* of brown and yellow
갈색과 노란색의 따뜻한 색조 / The green
wallpaper had a particularly somber
tone. 녹색 벽지는 특히 우울한 색조를 띠었다.
5 (전화에서 들리는) 울림: I've called him
several times but I keep getting the
engaged *tone*. 그에게 여러 번 전화했지만
통화 중인 소리만 들린다. / dial *tone* 발신음
6 [음악] 전(全)음정 SYN step
v. **1** [I,T] ···에 가락[억양]을 붙이다, ···에 색
조를 띠게 하다 **2** [T] [음악] 조율하다 **3** [I] 조
화하다 (with): This hat *tones* well with
the dress. 이 모자는 그 옷과 잘 어울린다.

속어 **tone down** (어조·음조·색조 등을)

부드럽게 하다: He'd better *tone down* his speech. 그는 연설의 어조를 부드럽게 하는 것이 좋겠다.

tone up 1 (근육 등을) 강하게 하다, 튼튼히 하다: Aerobics really *tones up* your muscles. 에어로빅은 실제로 근육을 강화시켜 준다. **2** (소리·어조·색조 등을) 높이다, 강하게 하다: *Tone up* the radio, please. 라디오 음량을 높여 주세요.

tongs [tɔ(:)ŋz] *n.* (*pl.*) 집게, 부젓가락, (미용실의) 컬(curl)용 인두
※ 가끔 단수동사와 같이 쓰이기도 하며 보통 a pair of tongs의 형태로 쓴다.

*****tongue** [tʌŋ] *n.* **1** 혀 **2** (동물의 식용) 혓바닥 (고기) **3** 언어, 국어: mother *tougue* 모국어 [SYN] language
[숙어] **a slip of the tongue** ⇨ slip
on the tip of one's tongue ⇨ tip
(**with**) **tongue in cheek** 본심과는 반대로, 겉다르고 속다르게, 놀림조로

tongue-tied *adj.* **1** (부끄러움·당황 등으로) 말을 못 하는 **2** 혀가 짧은

tongue twister *n.* 혀가 잘 안 도는 발음하기 어려운 어구 (예: She sells seashells on the seashore.)

tonic [tánik] *n.* **1** 토닉 워터, 탄산수 (약간 쓴맛이 나는 탄산수로 알코올 음료에 첨가하기도 함) (tonic water) **2** 강장제, 기운을 북돋우는 것
adj. 튼튼하게 하는, 원기를 돋우는

*****tonight** [tənáit] *n. adv.* 오늘밤(에): What's on TV *tonight*? 오늘밤 텔레비전에서 무엇이 방영되니? / *Tonight*'s meeting is cancelled. 오늘밤의 모임이 취소되었다.

tonnage [tʌ́nidʒ] *n.* (선박의) 용적 톤수: gross *tonnage* 총톤수

*****too** ⇨ p. 798

*****tool** [tu:l] *n.* (보통 손으로 움직여서 사용하는) 도구, 공구, 연장: carpenter's *tools* 목수의 연장 / A bad workman always blames his *tools*. [속담] 서투른 직공이 항상 연장만 나무란다. [SYN] instrument

■ 유의어 **tool**
tool 손을 놀려서 쓰는 도구: gardener's *tool* 정원사의 연장 **implement** 가장 광범위한 뜻을 지니며 주로 농업·원예에 사용하는 용구, 용품: farm *implements* 농기구 **machine** 전력을 쓰는 기구 **instrument** 전문적이고 정교한 일에 쓰이는 도구: a surgeon's *instruments* 외과의의 기구 **device** 특정 목적에 맞도록 꾸며진 설비, 장치: a safety *device* 안전 장치

*****tooth** [tu:θ] *n.* (*pl.* teeth) **1** 이: a decayed *tooth* 충치 / a false *tooth* 틀니 / have a *tooth* out (치과에서) 이를 뽑다 **2** 이 모양의 것 (빗살, 톱, 줄, 포크 등의 아귀)
— **toothed** *adj.* 이가 있는, 톱니 모양의
toothless *adj.* 이가 없는, (톱 등의) 이가 빠진
[숙어] **by the skin of one's teeth** ⇨ skin
have a sweet tooth ⇨ sweet

toothache [túːθèik] *n.* 치통: I've got a terrible *toothache*. 치통이 너무 심하다.

toothbrush [túːθbrʌ̀ʃ] *n.* 칫솔

toothpaste [túːθpèist] *n.* 치약

toothpick [túːθpìk] *n.* 이쑤시개

toothsome [túːθsəm] *adj.* **1** 맛있는, 맛좋은: a *toothsome* pie 맛있는 파이 **2** 유쾌한, 흡족한: a *toothsome* offer 흡족한 제안

*****top**¹ [tap] *n.* **1** 톱, 정상, 꼭대기, 절정: The *top* of a mountain is covered with snow. 산꼭대기는 눈으로 덮여 있다. [SYN] summit [OPP] foot **2** ① (토지·테이블의) 윗면, 표면: a desk *top* 탁상 작업면 / the *top* of the ground 지면, 지표 ② 페이지의 위쪽(상단): Write your name and phone number at the *top* of the page. 이름과 전화 번호를 페이지 상단에 적으시오. ③ (마차·자동차 등의) 지붕 **3** (the top) 최고(최상)의 지위(위치), 수석: He was the

T

too

too [tu:] *adv.* **1** (형용사·부사를 수식) 너무(나), 지나치게: It's *too* late. 시간이 너무 늦었다. / He spoke *too* fast. 그는 너무나 빠르게 이야기했다.

2 ① (긍정문) 또한, 게다가: He can speak English, and German *too*. 그는 영어도 할 줄 알고 또한 독일어도 할 줄 안다. / She is beautiful, and good *too*. 그녀는 아름답고 또한 착하다. SYN also, in addition

※ too는 긍정문에서, either는 부정문의 문장 끝에 쓰인다.: I like eating out and She does *too*. 나는 외식하는 것을 좋아하는데 그녀 또한 외식하는 것을 좋아한다. / I don't like cooking and he doesn't *either*. 나는 요리하는 것을 좋아하지 않는데, 그 또한 요리하는 것을 좋아하지 않는다. 단, 권유를 나타내는 의문문이나, too가 부정어 앞에 있어 그 부정어의 영향 밖에 있을 때에는 too를 쓴다.: Won't you come with us, *too*? 우리와 같이 가지 않겠어요? / I, *too*, didn't read the book. 나도 그 책을 읽지 않았다.

② 게다가, 더욱이: His purse was stolen. And on his birthday *too*. 그의 지갑을 도난당했다. 그것도 그의 생일에 말이다.

3 ① 대단히, 매우, 무척: It's *too* kind of you. 무척 친절하시군요. (그래서 감사드립니다.) / He was only *too* glad to come with you. 그는 당신과 함께 올 수 있어서 무척 기뻐했다. ② (부정문) 그다지, 그리: I don't like it *too* much. 그것은 그다지 마음

에 들지 않는다. / It's not *too* cold today. 오늘은 많이 춥지 않다.

※ **1** 문장 전체를 수식하는 too의 앞에 콤마를 두는 것이 원칙이나 짧은 문장에서는 콤마가 생략될 수도 있다.: I'm going, *too*. / I'm going *too*. **2** '…또한 아닌'이라는 부정문에서는 too를 쓰지 않고 not ... either ~를 쓴다. **3** '지나치게'의 뜻을 강조할 경우에는 much, far 등을 쓴다.

숙어 **all too** (때에 관해) 너무나도 …하다: The vacation ended *all too* soon. 휴가가 너무나도 일찍 끝났다.

none too 조금도 …하지 않은: The party was *none too* pleasant. 파티는 조금도 즐겁지 않았다. SYN not at all

quite too 실로, 참으로

too ... for 1 ~로서는 너무 …하다, ~에 비하여 너무 …하다: It is *too* warm *for* this season. 이맘때로는 너무 따뜻하다. **2** ~하기에는 너무 …하다: The light is *too* dim *for* reading. 책을 읽기에는 불이 너무 어둡다.

too ... to ~ 너무 …해서 ~할 수 없다: The rumor is *too* good *to* be true. 소문이 너무 좋아 믿어지지 않는다. / She is *too* young *to* understand such things. 그녀는 너무 어려서 그런 것을 이해할 수가 없다.

※ 부정사의 주어를 표시할 경우에는 too ... for ~ to do의 형식을 취한다.: This book is *too* difficult *for* me *to* understand. 이 책은 너무 어려워서 나는 이해할 수가 없다.

top student in science. 그는 과학에서 수석이었다. **4** (상자·냄비 등의) 뚜껑, (병 등의) 마개: a bottle *top* 병 뚜껑 / Where's the *top* of this pen? 이 펜의 마개는 어디 있니? **5** (투피스·파자마 등의) 윗옷: I need a *top* to go with this skirt. 이 치마와 어울리는 윗옷이 필요하다.

adj. 최고의, 수석의, 일류의

v. [T] (topped-topped) **1** …보다 크다〔높

다〕, …이상이다: He *tops* six feet. 그는 키가 6피트 이상이다. **2** …의 수석을 차지하다, …의 선두에 서다: He *tops* us in mathematics. 그는 수학에서 우리를 앞선다. **3** (보통 수동형) …의 정상을 덮다 (with), …에 씌우다: a church *topped* with a steeple 뾰족탑이 있는 교회 / I like a pizza *topped* with bacon and onions. 나는 베이컨과 양파가 얹힌 피자를 좋아한다.

[숙어] **at the top of one's voice** [speed] 목청껏 소리를 질러[전속력으로]: The lad shouted *at the top of his voice*. 그 젊은이는 목청껏 소리를 질렀다.

get on top of (일이) …에게 벅차지다, …을 괴롭히다: Things have been *getting on top of* me lately. 최근 들어 일들이 내게 벅차졌다.

keep[stay] on top of 1 …보다 계속 우위에 서다 **2** (일 등을) 잘 처리해 나가다

off the top of one's head 준비 없이, 즉석에서: It was the best I could think of *off the top of my head*. 그것은 즉석에서 내가 생각할 수 있는 최선이었다.

on top 1 꼭대기에 **2** …을 지배하여, 성공하여

on top of 1 …의 위에: The book is *on top of* the TV. 그 책은 텔레비전 위에 있다. **2** …에 더하여: I missed the train, and *on top of* that I had to wait for three hours for the next one. 기차를 놓친 데다가 다음 기차를 3시간이나 기다려야 했다.

top² [tɑp] *n.* 팽이

[숙어] **sleep like a top** 곤히 자다, 푹 자다

topaz [tóupæz] *n.* [광물] 토파즈, 황옥

*★**topic** [tápik] *n.* 화제, 토픽, 논제, 주제: current *topics* 오늘의 화제 [SYN] subject

— **topical** *adj.* 화제의, 시사 문제의

topmost [tápmòust] *adj.* (명사 앞에만 쓰임) 최고의, 절정의: I couldn't reach the oranges on the *topmost* branches. 가장 높은 가지에 있는 오렌지는 딸 수 없었다. [SYN] highest

topping [tápiŋ] *n.* (소스·크림 등의) 요리 위에 얹거나 치는 것

topple [tápəl] *v.* **1** [I] 비틀거리다, (푹) 쓰러지다, 흔들리다 (over): The pile of books *toppled* over. 책 더미가 무너졌다. / We lost our balance and *toppled* over on to a sofa. 우리는 균형을 잃고 소파로 쓰러졌다. **2** [T] 넘어뜨리다, 뒤집어엎다: The

coup d'état *toppled* the dictator from his position. 쿠데타로 그 독재자는 그 지위에서 쫓겨났다.

top-secret *adj.* (서류 등이) 극비의, 1급 비밀의: a *top-secret* mission 극비의 임무

torch [tɔːrtʃ] *n.* **1** [영] 회중 전등 ([미] flashlight): They shone their *torches* around the walls of the cave. 그들은 동굴 벽 주위를 회중 전등으로 비추었다. **2** 횃불: the Olympic *torch* 올림픽 대회 성화 / The *torch* was lighted. 횃불이 점화되었다.

torchlight [tɔ́ːrtʃlàit] *n.* 횃불(의 빛)

torment [tɔ́ːrment] *n.* **1** 고통, 고뇌, 가책: She spent all night in *torment*. 그녀는 밤새도록 고뇌하며 보냈다. [SYN] torture **2** 골칫거리 (사람·물건): He's real a *torment* to me. 그는 나에게 정말 귀찮은 존재이다.

v. [T] [tɔːrmént] **1** (육체적·정신적으로) 고통을 주다, 괴롭히다: She was *tormented* by feelings of guilt. 그녀는 죄책감으로 괴로워했다. **2** (의도적으로) 못살게 굴다, 골치 아프게 하다: The older boys would *torment* him whenever they had the chance. 나이 많은 소년들이 기회가 있을 때마다 그를 못살게 굴곤 했다. [SYN] annoy

— **tormentor, tormenter** *n.* 괴롭히는 사람[것]

tornado [tɔːrnéidou] *n.* (*pl.* tornado(e)s) **1** [기상] 토네이도 (미국 미시시피 강 유역 및 서부 아프리카에 일어나는 맹렬한 회오리바람) **2** (갈채·비난 등이) 쏟아짐, 빗발침

torpedo [tɔːrpíːdou] *n.* (*pl.* torpedoes) 수뢰, 어뢰

torrent [tɔ́ːrənt] *n.* **1** 급류 **2** 억수, 소나기: a *torrent* of tears 마구 쏟아져 흐르는 눈물 / *torrents* of rain 폭우

— **torrential** *adj.* 급류의, 기세가 맹렬한

[숙어] **in torrents** (비가) 빗발치듯이, 억수같이: It rained *in torrents*. 비가 억수같이

쏟아졌다.

torrid [tɔ́:rid] *adj.* **1** (햇볕에) 탄, 바짝 마른: a *torrid* desert 불타듯 뜨거운 사막 **2** (기후 등이) 타는 듯이 더운(뜨거운): the *Torrid* Zone 열대 OPP frigid **3** 열정적인, 열렬한: a *torrid* love letter 열렬한 연애 편지
— **torridly** *adv.* **torridness** *n.*

tortoise [tɔ́:rtəs] *n.* (육상 · 민물 종류의) 거북: *tortoise* shell 거북 딱지, 별갑 *cf.* turtle 바다거북

torture [tɔ́:rtʃər] *n.* **1** 고문: He confessed under *torture.* 그는 고문에 시달려 자백했다. **2** (정신적 · 육체적) 심한 고통, 고뇌, 고민: Hearing her practice the piano is *torture*! 그녀가 피아노 연주 연습하는 것을 듣는 것은 고통스럽다!
v. [T] **1** 고문하다 **2** (종종 수동태) (정신적으로) 몹시 고통을 주다, 괴롭히다 (by): He was *tortured* by the thought that the accident was his fault. 그는 그 사고가 자신의 잘못이라는 생각으로 몹시 고통스러웠다. SYN torment
— **torturer** *n.* 고문하는 사람

toss [tɔ:s] *v.* **1** [T] (가볍게 · 아무렇게나) 던지다, 급히 던져 올리다: He *tossed* me the ball. 그는 내게 공을 던졌다. SYN throw **2** [I,T] (폭풍 · 파도 등이 배 등을) 흔들다: The small boat was *tossed* by the waves. 그 작은 보트는 파도로 몹시 흔들렸다. **3** [I,T] 몸부림치다, 뒹굴다: I've been *tossing* and turning all night. 나는 밤새 뒤척였다. **4** [T] (머리 등을) 갑자기 쳐들다, 뒤로 젖히다 (경멸 · 초조 등으로): She *tossed* her head in annoyance. 그녀는 귀찮은 듯이 머리를 뒤로 젖혔다. **5** [I,T] (승부 · 결정 등을) 동전을 던져서 정하다 (up): Let's *toss* up for the seat. 그 자리에 앉는 것을 동전을 던져 정하자.
n. **1** 던져 올리기 **2** (앞뒤를 알아맞히는) 동전 던지기
숙어 **win(lose) the toss** 동전 던지기에

서 이기다(지다)

*****total** [tóutl] *adj.* **1** 전체의, 합계의, 총계의: the *total* amount expended 지출 총계 **2** 완전한, 전적인: a *total* failure 완전한 실패 SYN complete, perfect
n. 총계, 합계: the sum *total* 총액
v. [T] (total(l)ed-total(l)ed) 합계하다, 합계 …이 되다: The participants *totaled* 100. 참가자는 모두 100명이었다. SYN amount to
— **totality** *n.*
숙어 **in total** 전체로, 총계 …: There were about 30 people there *in total*. 그 곳에는 총 30여 명의 사람들이 있었다.

totalitarian [toutæ̀lətɛ́əriən] *adj.* 전체주의의: a *totalitarian* state 전체주의 국가
n. 전체주의자

totalize [tóutəlàiz] *v.* [T] **1** 합계하다, 합하다 SYN add up **2** 전체주의화하다: *totalized* war 국가 총력전
— **totalization** *n.*

totally [tóutəli] *adv.* 완전히, 모조리: I *totally* agree with you. 전적으로 너에게 동의한다. / The fire *totally* destroyed the top floor. 화재는 맨 위층을 완전히 태웠다. SYN completely

totter [tátər] *v.* [I] (특히 아프거나 술에 취해서) 비틀거리다, 비틀비틀 걷다: He *tottered* down the stairs. 그는 비틀거리며 계단을 내려 왔다. SYN stagger
— **tottery** *adj.* **totteringly** *adv.*

*****touch** [tʌtʃ] *v.* **1** [T] (손을) 대다, 닿다, 만지다: She *touched* me on the shoulder. 그녀는 나의 어깨를 건드렸다.
2 [I,T] 인접하다, 접촉하다, 서로 닿다: I sat facing her our knees *touching*. 나는 무릎이 서로 닿은 채 그녀와 마주 앉아 있었다. / In some countries people stand close enough to *touch* elbows. 몇몇 나라에서는 사람들이 팔꿈치가 닿을 정도로 가까이 선다.
3 [T] …의 마음을 움직이다, 감동시키다: I was greatly *touched* by what you

told me. 네가 한 말에 크게 감동했다.

4 [T] (부정문에서) …와 겨루다, …에 필적하다: No one else can *touch* him. 누구도 그에게 필적할 수 없다.

n. **1** 접촉, 만지기

2 촉감, 감촉: the soft *touch* of the silk 실크의 부드러운 감촉

3 가필, 마무리: She was just adding the final *touches* to her cake. 그녀는 케이크에 마지막 마무리를 하고 있었다.

4 수법, 솜씨, 특징, 특색: She used to be a good singer but she seems to be losing her *touch* nowadays. 그녀는 훌륭한 가수였으나 요즘 그녀의 기량은 떨어지는 듯 하다.

5 (a touch) (…)한 기미, 조금, 극소량 (of): a *touch* of winter 약간 겨울 같은 기미

6 (병 등의) 가벼운 증상: a *touch* of the sun 가벼운 일사병, 더위 먹음

숙어 **get in touch with** …와 연락하다, 접촉하다

in(out of) touch with …와 접촉(교제)하여(하지 않아서): I keep *in touch with* old friends. 오랜 친구들과 연락을 계속하고 있다.

in(out of) touch with … 최신 정보를 갖고 있는(있지 않는): He is *out of touch with* the political situation. 그는 정치 정세에 어둡다.

keep (in) touch with …와 접촉(연락)을 유지하다

lose touch with ⇨ lose

touch down 1 [미식축구·럭비] 터치다운 하다 **2** (비행기가) 착륙하다

touch off 1 (총포 등을) 발사하다, 폭발시키다 **2** …의 발단이 되다, 유발하다: The arrest of some leaders *touched off* the student riots. 몇몇 지도자의 검거가 학생 폭동을 유발했다.

touch on(upon) 간단히 언급하다: He *touched on* the point. 그는 그 점에 관해 간단히 언급했다.

touch up 조금 고치다, 수정하다: She *touched up* her lipstick and brushed her hair. 그녀는 립스틱을 조금 고치고 머리를 빗었다. SYN improve

touch wood, knock on wood ⇨ wood

touched [tʌtʃt] *adj.* (명사 앞에는 쓰이지 않음) 감동한 (by, that): I was deeply *touched* by his present. 나는 그의 선물에 깊이 감동받았다. / He was *touched* that we came. 그는 우리가 와서 감동했다.

touching [tʌtʃiŋ] *adj.* 감동시키는, 애처로운, 가여운: a *touching* story 감동적인 이야기 SYN moving

— **touchingly** *adv.* **touchingness** *n.*

touchstone [tʌtʃstòun] *n.* **1** (금의 순도를 파악하는) 시금석 **2** 표준, 기준

touchy [tʌtʃi] *adj.* (touchier-touchiest) **1** 성을 잘 내는, 과민한 (about): She's very *touchy* about her weight. 그녀는 몸무게에 대해 매우 과민하다. **2** (문제·상황 등이) 다루기 어려운: This is a *touchy* issue, so we'd better talk about it next time. 이것은 골치 아픈 문제라서 다음에 이야기하는 것이 좋겠다.

*****tough** [tʌf] *adj.* **1** (일 등이) 어려운, 곤란한, 힘든, 다루기 어려운: I must make a *tough* decision. 어려운 결정을 내려야 한다. **2** 강경한, 강압적인 (on, with): I think it's time to get *tough* on crime. 범죄에 강경해질 때라고 생각한다. / The government is continuing to take a *tough* line on terrorism. 정부는 테러리즘에 대해 계속해서 강경 노선을 취하고 있다. **3** 튼튼한, 강인한, 불굴의: We need to be *tough* to go climbing in winter. 겨울에 등반하기 위해서는 강인해야 한다. SYN strong, sturdy **4** (사람이) 거칠고 폭력적인: He had shot three people dead, earning himself a reputation as a *tough* guy. 그는 세 사람을 죽이고서 무법자라는 평판을 얻었다.

5 (고기 등이) 질긴, 단단한, 꺾어지지 않는: This meat is very *tough*. 이 고기는 매우 질기다. / These toys are made from *tough* plastic. 이 장난감은 강한 플라스틱으로 만들어졌다.
6 불쾌한, (운명 등이) 고달픈 (on): It's really *tough* on him that he lost his job. 일자리를 잃다니 그의 인생도 참 고달프다.
— **toughly** *adv.* **toughness** *n.*

toughen [tʌ́fn] *v.* [I,T] ···을 강인하게(단단하게) 만들다 (up): Talks are under way to *toughen* trade restrictions. 무역 제한을 엄격히 하기 위한 회담이 진행 중이다. / Three years in the army *toughened* him up. 군대에서의 3년이라는 시간이 그를 강인하게 만들었다.

*tour [tuər] *n.* **1** 관광 여행, 유람 여행 (of, round, around): a *tour* around the world 세계 일주 여행 [SYN] round trip **2** 짧은 여행, 소풍, 견학 ⇨ travel **3** (가수·음악가·운동 선수·스포츠 팀 등의) 순회 공연, 원정 (여행): The band is currently on *tour* in Japan. 밴드는 현재 일본에서 순회 공연 중이다.
v. [I,T] **1** 관광 여행을 하다 **2** 순회 공연하다 [숙어] **make a tour of** ···을 한바퀴 돌다 (일주하다): We *made a tour of* Europe. 우리는 유럽을 일주했다.
on tour 여행 중에; 순회 공연하여: He is *on tour* in Africa. 그는 아프리카를 여행 중이다.

tourism [túərizəm] *n.* 관광 여행, 관광 사업: *Tourism* is the city's main industry. 관광 사업은 그 도시의 주요 산업이다.

tourist [túərist] *n.* (관광) 여행자, 관광객: Rome is always full of *tourists*. 로마는 늘 관광객들로 붐빈다.

tournament [túərnəmənt] *n.* 경기, 시합, 선수권 대회: a golf *tournament* 골프 선수권 대회

tow [tou] *v.* [T] 끌다, (배·자동차를) 밧줄 (사슬)로 끌다, 견인하다: My car was *towed* away by a tractor. 내 차는 견인차에 끌려갔다.
n. **1** 밧줄로 끌기, 견인 **2** 끄는 배(차), 끌려가는 배(차)
[숙어] **in tow** 동행으로: There she was with three children *in tow*. 거기에 그녀는 세 명의 아이들과 함께 있었다.

*toward [tɔːrd] (또는 towards) *prep.* **1** (위치·방향) ···쪽으로, ···로 향하여: She walked *toward* him. 그녀는 그를 향해 걸어갔다. **2** (시간·날짜·수량 등이) ···가까이, ···경(쯤, 무렵): It began to rain *toward* evening. 저녁 무렵에 비가 오기 시작했다. **3** (관계) ···에 대하여, ···에 관하여: They've always been friendly *toward* me. 그들은 항상 내게 친절했다. / What is your attitude *toward* the policy? 그 정책에 대해 너는 어떤 입장이니? **4** (목적·기여·준비) ···을 위해서, ···의 일조로: Let's make some money *toward* a present for David. 데이비드의 선물을 위해 돈을 좀 모으자.
※ toward는 주로 미국에서, towards는 영국에서 많이 쓴다.

*towel [táuəl] *n.* 타월, (세수) 수건: a dish *towel* 행주

tower [táuər] *n.* 탑: the Eiffel *Tower* 에펠탑 / a bell *tower* 종각 / a water *tower* 급수탑
v. [I] 우뚝 솟다: The Central Building *towers* over other buildings. 센트럴 빌딩은 다른 건물들 위로 우뚝 솟아 있다.
— **towered** *adj.* 탑이 있는

towering [táuəriŋ] *adj.* **1** 우뚝 솟은: *towering* cliffs 아주 높은 절벽 **2** (야심 등이) 크고 높은, (분노 등이) 격렬한: a man of *towering* ambitions 큰 야심을 품은 사람
— **toweringly** *adv.*

*town [taun] *n.* **1** 읍 (village보다 크지만 city보다 작은 도시): an industrial *town* 산업 도시 **2** (the town) (집합적) 시민, 읍민:

The whole *town* is(are) hoping that their baseball team will win tomorrow. 전 시민들은 그들의 야구팀이 내일 이기기를 바라고 있다. **3** 시내의 지구, (특히) 상가, 지방의 중심지: I'm going to *town* to do some shopping this afternoon. 나는 오늘 오후에 쇼핑하러 시내에 갈 것이다. OPP country

숙어 **go to town** (**on**) 크게 돈을 쓰다; 마음껏(의욕적으로) 하다: They *went to town on* their wedding. 그들은 결혼식에 크게 돈을 썼다.

(**out**) **on the town** (특히 밤에) 흥청망청 놀고: We were *out on the town* last night. 우리는 어젯밤에 흥청망청 놀았다.

town council *n.* [영] 읍(시)의회

town hall *n.* 시청, 읍 사무소

town planning *n.* 도시 계획 (city planning)

townsman *n.* (*pl.* townsmen) 도회지 사람, 같은 읍내 사람

townspeople *n.* (*pl.*) 도시 사람, (특정한 도시의) 시민, 읍민

tow truck *n.* 견인차

toxic [táksik] *adj.* **1** 독(성)의, 유독한 SYN poisonous **2** 중독(성)의
— **toxicity** *n.* (유)독성

*****toy** [tɔi] *n.* 장난감: The little boy wanted a *toy* soldier for Christmas. 어린 소년은 크리스마스 선물로 장난감 병정을 원했다. SYN plaything
v. [I] **1** 장난삼아 생각하다 (with): We're *toying* with the idea of going to Africa next month. 우리는 다음 달에 아프리카로 갈까 그냥 생각 중이다. **2** 장난하다, 가지고 놀다 (with): She is *toying* with her rings. 그녀는 반지를 만지작거리고 있다.

trace [treis] *n.* **1** 자취, 흔적, 발자국: *traces* of an ancient civilization 옛 문명의 자취 / He disappeared without *trace*. 그는 흔적도 없이 사라졌다. SYN track, footprint **2** (a trace) 소량, 조금

(of): There is just a *trace* of gray in her hair. 그녀의 머리카락에 백발이 약간 있다. / Wash them in water to remove all *traces* of sand. 모래를 없애려면 물로 씻어라.

v. [T] **1** …의 자국을 밟다(쫓아가다), 추적하다, …의 행방을 찾아내다: The criminal was *traced* to Chicago. 범인은 시카고까지 추적당했다. / She had given up all hope of *tracing* her missing son. 그녀는 잃어버린 아들을 찾으려는 모든 희망을 포기했다. **2** …의 출처를(유래를, 기원을) 조사하다 (back): We *traced* our family tree back to the 17th century. 우리 가족의 족보를 17세기까지 더듬어 올라가 조사했다. **3** (위에서) 베끼다, 복사하다

※ 명사의 경우 부정에는 단수형, 긍정에는 복수형이 많이 쓰인다.: There was no *trace* of the ship. 그 배는 흔적도 없었다. / Sorrow has left its *traces* upon her face. 그녀의 얼굴에 슬픔의 흔적이 남아 있다.
— **traceable** *adj.*

track [træk] *n.* **1** 밟아 다져져 생긴 길, 소로: The *track* led through the farm. 그 길은 농장으로 이어졌다. **2** 지나간 자국, 흔적, 바퀴 자국: They found tire *tracks* in the mud. 그들은 진흙에서 바퀴 자국을 발견했다. **3** 철도 선로, 궤도: Passengers should not walk across the *tracks*. 승객들은 선로를 건너서는 안 된다. **4** [경기] 경주로, 트랙: a cycling *track* 자전거 경주로 **5** [미] (필드 경기에 대하여) 트랙 경기, 육상 경기: *track* events 트랙 종목 **6** (카세트, CD 등의) 트랙: I love the first *track* from his latest album. 그의 최신 앨범에서 첫 번째 트랙을 가장 좋아한다.

v. [T] 뒤를 쫓다, 추적하다: The hunters *tracked* the lion to its hiding place. 사냥꾼들은 사자를 숨은 곳까지 추적했다. / The terrorists were *tracked* to Miami. 테러리스트들은 마이애미까지 추적을 당했다.
— **tracker** *n.* 추적자; 경찰견

[숙어] **in one's tracks** 즉석에서, 즉시: He died *in his tracks*. 그는 그 자리에서 죽었다.

keep track of …을 놓치지 않고 따라가다, …의(와의) 소식(접촉)을 끊어지지 않도록 하다: You must *keep track of* current affairs. 너는 현 정세에 밝아야 한다. / It's difficult to *keep track of* all the new theories in genetics. 유전학에 대한 모든 새로운 이론을 알기는 어렵다.

lose track of 1 …의 소식이 끊어지다: I *lost track of* my friends after graduation. 졸업 후 친구들과의 소식이 끊어졌다. **2** …의 일을 잊어버리다: We *lost track of* dates. 우리는 날짜 가는 것을 잊어버렸다.

on the right(wrong) track (생각 · 의도 · 해석 등이) 타당하여(그릇되어): These results suggest that he's *on the right track*. 이 결과는 그의 생각이 타당함을 보여준다. / He's not interested in science at all—you're *on the wrong track* there. 그는 과학에 전혀 관심이 없다. 네 생각이 틀렸다.

track down (추적 등으로) 찾아내다, 밝혀내다: The police *tracked down* the criminal. 경찰은 범인을 막다른 곳까지 추적하여 체포했다. / I don't know where this old story came from. I've never been able to *track* it *down*. 이 오래된 이야기가 어디서 유래되었는지는 모르겠다. 그것을 밝혀낼 수가 없었다.

trackless [trǽklis] *adj.* **1** 길 없는, 발자국이 없는 **2** 자취를 남기지 않는 **3** 무궤도의

tract [trækt] *n.* **1** [해부] 관, 도, 계통: a digestive *tract* 소화관 **2** (지면 · 하늘 · 바다 등의) 넓이, 넓은 면적, 지역: a vast *tract* of ocean 광대한 대양

*****tractor** [trǽktər] *n.* 트랙터, 견인(자동)차

*****trade** [treid] *n.* **1** 장사, 거래, 무역: overseas *trade* 해외 무역 **2** (the *trade*) (집합적) 동업자, 업계: My father worked in the building *trade* all his life. 나의 아버지는 평생 건설업에 종사하셨다. **3** (특히 특별한 훈련을 필요로 하며 손으로 작업하는) 직업: He is a carpenter by *trade*. 그의 직업은 목수이다. ⇨ work

v. **1** [I] 장사하다 (in), 무역(거래)하다 (with): The company has been *trading* in kimchi for many years. 그 회사는 수년 동안 김치를 팔고 있다. **2** [T] 교환하다, 바꾸다: I *traded* my bicycle for his skates. 나의 자전거를 그의 스케이트와 바꿨다.

— **trading** *n.* 상거래, 무역

[숙어] **trade ... in (for)** …을 웃돈을 얹어 주고 신품과 바꾸다: We *traded in* our old car *for* a new model. 우리의 자동차를 새로운 모델로 바꿨다.

trademark [tréidmà:rk] *n.* (*abbr.* TM) **1** (등록) 상표 [SYN] brand **2** 사람(사물)을 상징하는 특징(특성, 습성), 트레이드마크

trade-off [tréidɔ̀:f] *n.* **1** (특히 타협을 위한) 교환, 거래, 흥정 **2** (대립되는 양자 사이의) 균형

trader [tréidər] *n.* **1** 상인, 무역업자 **2** 상선, 무역선 **3** [미] 트레이더 (자기 계산으로 증권 매매를 하는 업자)

tradesman [tréidzmən] *n.* (*pl.* tradesmen) **1** 소매 상인, 점원 **2** 배달원

trade union *n.* ([미] labor union) [영] 노동 조합 (trades union, union)

trade wind *n.* 무역풍 (아열대 지방의 해상에서 부는 바람)

*****tradition** [trədíʃən] *n.* **1** 전통, 관습: keep up the family *tradition* 가문의 전통을 지키다 / In the States, it's a *tradition* to eat turkey at Thanksgiving. 미국에서는 추수감사절에 칠면조 요리를 먹는 전통이 있다. **2** 전설: stories based on *tradition*(s) 전설에 근거한 이야기

— **traditional** *adj.* **traditionally** *adv.*

*****traffic** [trǽfik] *n.* **1** 교통(량): *traffic* jam 교통 체증 / *traffic* regulations 교통법규 / There is much *traffic* on this road. 이 길은 교통량이 많다. **2** (비행기·배·기차 등의) 통행, 흐름: air *traffic control* 항공 교통 정리 **3** (종종 부정한) 거래, 무역: Police are looking for ways of cutting down the drug *traffic*. 경찰이 마약 거래를 줄이기 위한 방법을 모색하고 있다.

v. [I,T] (trafficked-trafficked; trafficking) 장사하다, (특히 부정한) 매매를 〔거래를〕 하다 (in)

—**trafficker** *n.* 악덕 상인, 부정거래업자

[숙어] **be open to traffic** (새로운 노선이) 개통하다

traffic circle *n.* (〔영〕 roundabout) 원형교차로, 로터리

traffic control *n.* 교통 정리

traffic jam *n.* 교통 체증〔마비〕

traffic light〔signal〕 *n.* 교통 신호(등)

tragedy [trǽdʒədi] *n.* **1** 비극적인 사건, 참사: It's a *tragedy* that so many people died at that accident. 너무나 많은 사람들이 그 사고에서 죽은 것은 비극적인 사건이었다. [SYN] calamity **2** (문학의 한 장르로서의) 비극: Shakespeare's 'Macbeth' is a *tragedy*. 셰익스피어의 '맥베스'는 비극이다. [OPP] comedy

tragic [trǽdʒik] *adj.* **1** 비참한, 비통한: We were deeply shocked by the *tragic* news of his death. 우리는 그의 죽음이라는 비통한 소식에 아주 놀랐다. **2** (명사 앞에만 쓰임) (문학에 대해) 비극의, 비극적인: a *tragic* actor 비극 배우 [OPP] comic

—**tragically** *adv.*

trail [treil] *n.* **1** 뒤로 길게 늘어진 것; (혜성 등의) 꼬리; 긴 옷자락 **2** 자국, 지나간 흔적; (짐승의) 냄새 자국; (수색의) 실마리, 단서: The dogs are specially trained to follow the *trail* of muddy footprints. 그 개들은 진흙 발자국을 따라가도록 특수 훈련을 받았다. [SYN] track, clue **3** (황야나 미개지의) 오솔길: a forest *trail* 숲길

v. **1** [I,T] (질질) 끌다: Her skirt was too

long and *trailed* on the floor. 그녀의 치마는 너무 길어서 마루에 질질 끌렸다. [SYN] drag, pull **2** [I] 발을 질질 끌며 걷다, 느릿느릿 걷다: The tired kids are *trailing* behind their mother. 지친 아이들이 엄마 뒤에서 느릿느릿 걷고 있다. **3** [I,T] (시합에서) 지고 있다 (by, in): The China team are *trailing* by 2 points. 중국 팀이 2점차로 지고 있다. **4** [I] (덩굴 등이) 기다, 붙어서 뻗어가다: Ivy *trails* over the walls. 담쟁이덩굴이 벽 위로 뻗어간다. **5** [T] …의 뒤를 밟다, 추적하다: Police *trailed* the criminal for several days. 경찰은 며칠 동안 범인을 추적했다.

[숙어] **trail away〔off〕** (소리가) 점점 사라지다, 약해지다: His voice *trailed away* into silence. 그의 목소리는 서서히 사라져 갔다.

trailer [tréilər] *n.* **1** (자동차 등의) 트레일러 **2** (차로 끄는) 이동 주택(사무소, 실험소) (〔영〕 caravan) **3** (땅 위로) 끄는 사람〔것〕; 추적자 **4** [영화] 예고편

***train¹** [trein] *n.* **1** 열차, 기차: an up〔a down〕 *train* 상〔하〕행 열차 / an express *train* 급행 열차 / We went to Boston by *train*. 우리는 기차를 타고 보스턴으로 갔다. **2** 연속, 연관; (사고의) 맥락: The phone interrupted my *train* of thought. 전화로 인해 생각의 흐름이 끊어졌다.

train² [trein] *v.* **1** [T] 가르치다, 훈련하다: It's important to *train* children to have good habits. 아이들이 좋은 습관을 가지도록 가르치는 것은 중요하다. / They *trained* a dog to do tricks. 그들은 개가 재주를 부리도록 훈련시켰다. [SYN] teach **2** [I,T] (직업에 관해) 교육받다, 양성되다 (as, in, to): He *trained* as an engineer. 그는 기술자로 교육받았다. / She's *training* to be a nurse. 그녀는 간호사로서 양성되고 있다. **3** [I,T] 연습〔트레이닝〕하다, 단련하다 (for): He's *training* hard for the London Marathon. 그는 런던 마라톤을

위해 열심히 연습하고 있다. **4** [T] (망원경·카메라·총 등을) 겨누다, 조준하다 (at, on): The firemen *trained* their hoses on the burning house. 소방관들은 불타오르고 있는 집으로 호스를 향하게 했다. [SYN] aim — **training** *n.*

trainee [treiníː] *n.* 연습생, (직업) 훈련생: a *trainee* hairdresser 미용사 연습생

trainer [tréinər] *n.* **1** (보통 *pl.*) (조깅용의) 운동화 ([미] sneaker) **2** 훈련자, 코치

trait [treit] *n.* (성격 등의) 특색, 특성, 특징: national *traits* 국민성 / His generosity is one of his attractive *traits*. 관대함은 그의 매력적인 특성 중의 하나이다.

traitor [tréitər] *n.* (나라·주의·사람 등에 대한) 반역자, 배신자: The leader of the rebellion was hanged as a *traitor*. 폭동의 주동자가 반역자로 처형되었다. — **traitorous** *adj.*

tramp [træmp] *n.* **1** 방랑자, 뜨내기 **2** 쿵쿵거리며 걷는 소리 **3** 도보 여행, 하이킹 *v.* [I,T] (특히 오랫동안) 쿵쿵거리며 걷다 — **tramper** *n.* 도보 여행자, 떠돌이

trample [træmpəl] *v.* [I,T] **1** 짓밟다, 밟아 뭉개다: The elephant *trampled* on the flowers. 코끼리가 꽃을 밟아 뭉갰다. **2** (감정·정 등을) 짓밟다, 유린하다, 학대하다: He *trampled* on her feelings. 그는 그녀의 감정을 짓밟았다.

tranquil [træŋkwil] *adj.* (마음·바다 등이) 조용한, 차분한, 평온한: I stared at a *tranquil* sea. 나는 고요한 바다를 응시했다. [SYN] quiet, calm [OPP] unquiet — **tranquilly** *adv.* **tranquil(l)ity** *n.*

tranquil(l)ize [træŋkwəlàiz] *v.* [T] (특히 약을 써서 사람·동물을) 진정시키다, 의식을 잃게 하다: The lion was *tranquilized* with a dart gun and taken to a shelter. 사자는 다트 총으로 의식을 잃게 한(마취된) 후 우리로 옮겨졌다.

tranquil(l)izer [træŋkwəlàizər] *n.* 진정제, 신경 안정제: She was on *tranquilizers* for a long time after her daughter died. 그녀는 딸이 죽고 나서 오랫동안 진정제에 의존해 왔다.

trans- *prefix* **1** '횡단, 관통'의 뜻.: *trans*atlantic 대서양 횡단의 **2** '초월'의 뜻.: *trans*cend 초월하다 **3** '변화, 이전'의 뜻.: *trans*form 변형시키다 **4** '건너편'의 뜻.: *trans*pontine 다리 건너의

transact [trænsǽkt] *v.* [I,T] (사무 등을) 집행하다, (사건 등을) 처리하다, 거래하다 (with) — **transactor** *n.* 처리자; 거래인

transaction [trænsǽkʃən] *n.* **1** (업무) 처리, 취급: the *transaction* of business 사무 처리 **2** 업무, 거래: We need to monitor the financial *transactions*. 재정적 거래를 감시할 필요가 있다. **3** (transactions) (학회 등의) 회보, 보고서

transcend [trænsénd] *v.* [T] **1** (경험·이해력의 범위·한계를) 넘다, 초월하다: The film implies that love *transcends* everything else. 그 영화는 사랑은 모든 것을 초월함을 보여 준다. **2** 능가하다, …보다 낫다 [SYN] surpass, excel — **transcendent** *adj.*

transcribe [trænskráib] *v.* [T] **1** 베끼다, 복사하다 **2** (연설 등을) 필기하다: The secretary *transcribed* the witnesses' statements. 비서는 증인들의 진술을 필기했다. **3** (소리 등을) 음성(음소) 기호로 나타내다 **4** 번역하다 **5** [음악] 편곡하다 **6** [방송] 녹음 (녹화) (방송)하다 — **transcriber** *n.* 필사생, 등사자; 전사기

transcript [trænskript] *n.* (또는 transcription) **1** 베낀 것, 복사 **2** (연설 등의) 필기록 **3** (학교 등의) 성적 증명서

transcription [trænskrípʃən] *n.* **1** 베끼기, 복사하기: a phonetic *transcription* 발음 표기 **2** 베낀 것, 사본 (transcript): The full *transcription* of the interview is missing. 그 인터뷰의 전체 사본이 없어졌다. **3** [음악] 편곡 **4** [라디오·TV] 녹음(녹화) (방

송)

transfer [trænsfə́:r] *v.* (transferred-transferred) **1** [I,T] 옮기다, 이동하다, 전임〔전학〕시키다: The teacher *transferred* to your school. 그 선생님은 너의 학교로 전임되셨다. **2** [I,T] (탈것을) 갈아타다: I *transferred* from one bus to another. 나는 버스를 타고 가다 다른 버스로 갈아탔다. [SYN] change **3** [T] (재산·권리를) 양도하다, 명의 변경하다: He *transferred* the house to his son before he died. 그는 죽기 전에 집을 그의 아들에게 양도했다.
n. [trǽnsfər] **1** 이동, 전임 **2** 갈아타기, 갈아타는 지점 **3** [미] 갈아타는 표 **4** [영] 전사화 (누르거나 열을 가하여 표면에 부착하는 글씨나 그림이 있는 종이 조각)
— **transferable** *adj.* **transference** *n.*

transform [trænsfɔ́:rm] *v.* [T] (외형·성질·기능·구조 등을) 변형시키다, 바꾸다 (into): They *transformed* the woodland into factories. 그들은 삼림 지대를 공장으로 바꿔 놓았다.
— **transformation** *n.*

transformer [trænsfɔ́:rmər] *n.* **1** 변화시키는 사람〔것〕 **2** [전기] 변압기, 트랜스

transgress [trænsgrés] *v.* [I,T] (법률·계율 등을) 어기다, 범하다: Anyone who *transgresses* the rules will be severely punished. 규정을 어기는 사람은 누구든지 엄중히 처벌받을 것이다.
— **transgression** *n.* **transgressor** *n.* 위반자; 죄인

transient [trǽnʃənt] *adj.* **1** 일시적인, 순간적인, 덧없는, 무상한 [SYN] passing, momentary [OPP] permanent **2** (호텔 손님 등이) 잠깐 머무르는, 단기 체류의
— **transience, transiency** *n.*

transistor [trænzístər] *n.* [전자] 트랜지스터: a *transistor* radio 트랜지스터 라디오

transit [trǽnsit] *n.* **1** 운송, 운반: The goods were damaged in *transit*. 상품은 운송 중에 손상되었다. **2** 통과, 통행: a

transit visa 통과 사증 **3** [천문] (천체의) 자오선 통과

transition [trænzíʃən] *n.* (위치·지위·단계 등의) 변천, 추이; 과도기: the *transition* from childhood to adolescence 유년기에서 청년기로의 이행
— **transitional** *adj.*

transitive [trǽnsətiv] *adj.* [문법] 타동(사)의: In this dictionary, *transitive* verbs, such as 'buy', are marked [T]. 이 사전에서 'buy'와 같은 타동사는 [T]로 표시되어 있다. [OPP] intransitive 자동사의

transitory [trǽnsətɔ̀:ri] *adj.* 일시적인, 덧없는, 무상한 [SYN] transient

translate [trænsléit] *v.* [I,T] **1** 번역하다, 해석하다: This book has been *translated* from English into Korean. 이 책은 영어에서 한국어로 번역되었다. / This verse doesn't *translate* easily. 이 시는 번역하기 어렵다. [SYN] interpret **2** (다른 형식으로) 옮기다, 바꾸다, 고치다: I hope you will *translate* your ideas into action. 네 아이디어가 실행되기를 바란다.
— **translation** *n.* **translator** *n.* 번역자, 통역(자)

transmission [trænsmíʃən] *n.* **1** 전달, 전송, 매개, 전염: We apologize for the interruption in *transmission* earlier in the program. 프로그램 초반의 전송 장애에 대해 죄송합니다. / the *transmission* of a virus 바이러스의 전염 **2** [기계] 전동 장치, (특히 자동차의) 변속기: The car has automatic *transmission*. 그 차는 자동 변속기가 있다.

transmit [trænsmít] *v.* [T] (trans-mitted-transmitted) **1** (지식·보도 등을) 전하다, 전파하다: The concert was *transmitted* live all over the world. 그 콘서트는 전 세계에 실황으로 전해졌다. **2** (병을) 옮기다, 전염시키다: Cholera is *transmitted* through contaminated water. 콜레라는 오염된 물을 통해 전염된다.

T

transmitter [trænsmítər] *n.* **1** 전달자, 전달 장치 **2** [통신] (전화의) 송화기, 송신기 OPP receiver

transparency [trænspέərənsi] *n.* **1** 투명성[도] **2** 투명화, (컬러 사진의) 슬라이드

transparent [trænspέərənt] *adj.* **1** 투명한: Glass is *transparent*. 유리는 투명하다. OPP opaque **2** (문체 등이) 명료한, 평이한

transplant [trænsplǽnt] *v.* [T] **1** [외과] (기관·조직 등을) 이식하다 **2** (식물을) 옮겨 심다
n. [trǽnsplænt] 이식(된 식물, 기관 등): She had a heart *transplant*. 그녀는 심장을 이식했다.
— **transplantation** *n.* 이식 (수술)

transport [trǽnspɔ:rt] *n.* ([미] transportation) **1** 운송, 수송: The *transport* of such heavy items in the air is very expensive. 그런 무거운 물건의 항공 수송은 매우 비싸다. SYN conveyance **2** 교통[수송] 기구: Do you have your own *transport*? 당신의 차가 있나요? / Public *transport* of the city was excellent. 그 도시의 대중 교통은 훌륭했다.
v. [T] [trænspɔ́:rt] 수송하다 SYN carry, convey

*****transportation** [træ̀nspərtéiʃən] *n.* **1** 운송, 수송 **2** 운송 시스템, 운송업 **3** 운송[교통]비: Second prize includes *transportation* and hotel accommodations. 2등상은 교통비와 호텔 숙박비가 포함됩니다.

trap [træp] *n.* **1** 덫, 올가미, …잡는 기구: A mouse got caught in a *trap*. 쥐가 덫에 걸렸다. **2** 속임수, 음모, 술책: Hopefully, the thief will walk right into our *trap*. 잘만 되면, 그 도둑은 우리의 술책에 바로 빠질 것이다. SYN trick
v. [T] (trapped-trapped) **1** (종종 수동태) (사람을) 함정에 빠뜨리다, 곤궁한 처지로 몰다: The two men were *trapped* in a burning house. 두 남자는 불타고 있는 집에 갇혔다. **2** (가스·물·에너지 등을) 끌어들이다: Special glass *traps* the heat of the sun. 특수 유리는 태양열을 받아들인다. **3** (피할 수 없는 상황·장소 등에) 가두다: The police *trapped* the killer at a street corner. 경찰은 살인범을 길모퉁이에서 잡았다. **4** 덫을 놓다, 덫으로 잡다 **5** 속이다, 속여서 …시키다 (into): She *trapped* him into giving her all the money he has. 그녀는 그를 속여서 그가 가진 돈을 몽땅 자신에게 주도록 했다.

trapdoor, trap door [trǽpdɔ:r] *n.* (지붕·마루·무대 등의) 뚜껑문, 들창

trapper [trǽpər] *n.* 덫을 놓는 사람, (특히) 모피를 얻기 위해 덫사냥을 하는 사냥꾼 (a fur trapper)

*****trash** [træʃ] *n.* ([영] rubbish) 쓰레기, 폐물, 잡동사니: The *trash* stinks — why don't you take it out? 그 쓰레기는 냄새가 지독해. 내다 버리는 게 어떠니?
— **trashy** *adj.* 쓰레기의, 폐물의

trash can *n.* ([영] dustbin) 쓰레기통

*****travel** [trǽvəl] *v.* **1** [I] (멀리 또는 외국에) 여행하다: She's *traveling* in Europe. 그녀는 유럽 여행 중이다. **2** [I,T] (일정 거리나 일정 속도로) 나아가다, 이동하다: They *traveled* 100 miles on the first day. 그들은 첫 번째 날에는 100마일을 나아갔다. **3** [I] (빛·소리 등이) 전해지다: Ill news *travels* apace. [속담] 나쁜 소문은 빨리 퍼진다. / Light *travels* faster than sound. 빛은 소리보다 빠르다.
n. **1** 여행(하기), (특히) 원거리 여행, 외국 여행: rail[space] *travel* 철도[우주] 여행 SYN journey **2** (travels) 여행기[담]: Can you tell us more about your *travels*? 네 여행담에 대해 좀 더 이야기해 주겠니?
숙어 **(be) on one's travels** 여행 중인: Is he still *on his travels*? 그는 아직 여행 중이니?

travel light 무거운 짐 없이 여행하다: We

always try to *travel light*. 우리는 늘 가볍게 여행하려고 한다.

■ 유의어 travel

travel 가장 널리 쓰이는 말로서 특히 먼 나라 또는 장기간에 걸친 여행: Foreign *travel* is very common these days. 해외 여행은 요즈음 아주 흔하다. **journey** 보통 꽤 길며 때로는 힘이 드는 여행으로 특히 차량을 타고 하는 여행: We're going to have a train *journey* across Europe. 우리는 유럽을 가로질러 기차 여행을 할 것이다. **tour** 관광 · 시찰 등의 계획에 의하여 각지를 방문하는 여행: a two-week *tour* around France 프랑스 2주 여행 **trip** 보통 용무나 놀이로 떠나고 돌아오는 여행: She's just back from a *trip* to China. 그녀는 중국 여행에서 방금 돌아왔다. / He's on a business *trip* to Hongkong. 그는 홍콩으로 사업차 여행을 갔다. **excursion** 많은 사람이 함께 하는 짧은 여행: We're going on an *excursion* next Friday. 다음 주 금요일에 소풍을 갈 것이다.

travel agency *n.* 여행사, 여행 안내소

travel agent *n.* 여행 안내업자, 여행사 직원

traveler [trǽvlər] *n.* **1** 여행자(가) **2** [영] 유랑민

traveler's check *n.* 여행자 수표 (다른 나라에서 여행 중에 환전할 수 있는 수표)

traverse [trǽvə:rs] *v.* [I,T] 가로지르다, 횡단하다: He *traversed* the continent from east to west. 그는 동쪽에서 서쪽으로 대륙을 횡단했다.
n. **1** 횡단, 통과 **2** [등산] (절벽을) Z자형으로 기어오름

***tray** [trei] *n.* **1** 쟁반, 쟁반 모양의 접시: an ash*tray* 재떨이 / The waiter was carrying a *tray* of drinks. 웨이터는 음료 쟁반을 나르고 있다. **2** 책상 위의 사무 서류 정리함

treacherous [trétʃərəs] *adj.* **1** (사람 · 언동이) 불성실한, 배반하는, 겉과 속이 다른: He was weak, timid, and *treacherous*. 그는 약하고 소심하며 불성실했다. **2** (땅 · 바다 등이 안전한 것 같으면서도) 위험한: *treacherous* ice 단단해 보이지만 깨지기 쉬운 얼음

treachery [trétʃəri] *n.* 배반 (행위), 반역

treacle [trí:kəl] *n.* **1** [영] 당밀 (설탕으로 만든 걸쭉하고 진하며 끈적이는 액체) ([미] molasses) ⇨ syrup **2** [비유] 달콤한 말 (태도, 발림 등)

tread [tred] *v.* (trod-trodden) **1** [I] 밟다, 걷다, 지나가다: She *trod* on my foot and didn't even say sorry! 그녀는 내 발을 밟고 미안하다는 말조차 하지 않았다! / He *trod* heavily and wearily up the stairs. 그는 힘겹고 지친 발걸음으로 계단을 올랐다. [SYN] walk **2** [T] 밟아 으깨다: We still make this wine by *treading* grapes. 우리는 여전히 포도를 밟아 으깨어서 이 포도주를 만든다.
n. **1** 발소리, 밟는 소리: Did you hear someone's *tread* upstairs? 위층에서 누군가의 발소리를 들었니? **2** (미끄럼 방지를 위한) 타이어의 접지면에 새겨진 무늬: The *tread* on his tire is very worn. 그의 타이어에 새겨진 무늬가 매우 닳았다.

treadle [trédl] *n.* 발판, 디딤판, 페달
v. [I] 디딤판(페달)을 밟다

treadmill [trédmìl] *n.* **1** 밟아 돌리는 바퀴 (옛 감옥에서 죄수에게 징벌로 밟게 한 것) **2** 단조로운(따분한) 일, (일 · 생활 등의) 단조로운 반복

treason [trí:zən] *n.* (국가 · 정부에 대한) 반역(죄): high *treason* 대역죄

***treasure** [tréʒər] *n.* **1** (집합적) 금은, 보물, 보석: The pirates in the story were searching for buried *treasure*. 그 이야기 속의 해적들은 숨겨진 보물을 찾고 있었다. **2** (treasures) 귀중품, (특히) 미술품: The museum has many priceless *treasures*.

그 박물관은 아주 귀중한 미술품을 많이 소장하고 있다. **3** 귀중한 물건〔사람〕: Our housekeeper is a perfect *treasure*. 우리 가정부는 아주 훌륭하다.

v. [T] **1** 소중히 하다: I will *treasure* memories of happier days with her. 나는 그녀와 함께 한 행복한 시간들을 소중히 기억할 것이다. **2** (안전·장래를 위해) 비축해 두다, (귀중품을) 비장하다

treasurer [tréʒərər] *n.* 회계원, 출납원

treasury [tréʒəri] *n.* **1** 보고 (재보를 보관하는 건물·방 등) **2** (the Treasury) 재무부 **3** (지식 등의) 보고: a *treasury* of information 지식의 보고

*****treat** [tri:t] *v.* [T] **1** 대우하다, 다루다 (with, as, like): I hate being *treated* like a child. 나는 어린애 취급받는 것을 싫어한다. / You will *treat* us as civilized people. 당신은 우리들을 문명인으로 취급하겠지요.

2 (…으로) 간주〔생각〕하다 (as): Don't *treat* his comment as a joke. 그가 한 말을 농담으로 생각하지 마라.

3 (문제 등을) 논하다: The article *treats* this problem in great detail. 그 논설은 이 문제를 매우 상세히 다루고 있다.

4 치료하다 (for): The doctor *treated* him for his pneumonia. 의사는 그의 폐렴을 치료해 주었다.

5 (화학적으로) 처리하다: It is possible to *treat* sewage so that it can be used as fertilizer. 오수는 비료로 사용될 수 있도록 화학적으로 처리하는 것이 가능하다.

6 (따뜻하게) 대접하다, …에게 한턱 내다 (to): I *treated* him to a cup of coffee. 그에게 커피 한 잔을 대접했다. / I will *treat* you all today. 오늘 내가 한턱 낼게.

n. 한턱, 한턱 냄〔낼 차례〕: Of course this is my *treat*. 물론 이건 내가 내는 거야.

〔숙어〕 **trick or treat** ⇨ trick

treatise [tríːtis] *n.* (학술) 논문, 보고서: a *treatise* on chemistry 화학에 관한 논문

treatment [tríːtmənt] *n.* **1** 치료, 치료법 〔약〕: emergency *treatment* 응급 치료 **2** 취급, 대우 **3** 처리(법): the problem of sewage *treatment* 오수 처리 문제

treaty [tríːti] *n.* 조약, 협정: A peace *treaty* was signed between the USA and Vietnam. 미국과 베트남은 평화 협정을 체결했다. 〔SYN〕 agreement

treble [trébəl] *v.* [I,T] 3배로 하다, 3배가 되다: Their profits have almost *trebled* in the last five years. 그들의 이윤은 지난 5년 동안 거의 3배가 되었다.

adj. 3배의, 3중의: They sold the land for *treble* the amount they paid for it. 그들이 지불했던 3배의 가격으로 그 땅을 팔았다. 〔SYN〕 triple

n. **1** 〔음악〕 고음부, 높은 소리 ⇨ bass **2** (특히 어린 소년) 소프라노 (가수)

— **trebly** *adv.*

*****tree** [tri:] *n.* 나무, 수목: We planted an apple *tree* in the backyard. 우리는 뒤뜰에 사과 나무를 심었다.

■ 유의어 **tree**

tree 보통 10피트 이상의 서 있는 교목: a pine *tree* 소나무 **bush, shrub** 관목 (키가 작고 밑동에서 가지를 많이 치는 나무) **wood** 목재: a table of *wood* 목재 테이블

tree line *n.* (높은 산·극지의) 수목 한계선

tree-lined *adj.* 한 줄로 나무를 심은, 가로수의

trek [trek] *v.* [I] (trekked-trekked) (고난을 견디며 특히 걸어서) 여행하다: We *trekked* in the Himalayas. 우리는 히말라야 산맥을 여행했다.

n. (지루하고 고난에 찬) 여행

tremble [trémbəl] *v.* [I] 떨다, 전율하다 (with): His voice *trembled* with anger. 그의 목소리는 노기로 떨렸다. / His hands *tremble* from drinking too much. 그는 술을 너무 많이 마셔서 손을 떤다. 〔SYN〕 shake *n.* 떨림, 전율

— **trembling** *n.*

숙어 **tremble to think** …을 생각만 해도 떨리다: I *tremble to think* what will happen when they find out. 그들이 진상을 알아냈을 때 어떤 일이 일어날지 생각만 해도 떨린다.

tremendous [triméndəs] *adj.* **1** 거대한, 굉장한 양의: He has to finish a *tremendous* amount of work. 그는 엄청난 양의 일을 끝내야 한다. 윤의어 very large **2** 멋진, 대단한: That was a *tremendous* experience. 그것은 멋진 경험이었다.

— **tremendously** *adv.*

tremulous [trémjələs] *adj.* 떠는, 전율하는, 겁 많은: a voice *tremulous* with fear 공포로 떨리는 목소리 윤의어 shaking, trembling

— **tremulously** *adv.*

trench [trentʃ] *n.* **1** 도랑 **2** [군대] 참호, 방어 진지: the *trenches* of World War I 제 1 차 세계 대전의 참호

trench coat *n.* 참호용 방수 외투, 트렌치 코트 (벨트가 있는 레인코트)

trend [trend] *n.* 경향, 추세, 유행(의 스타일): The recent *trend* is toward more part-time employment. 최근의 추세는 점점 파트타임직이 늘고 있다. / She always followed the latest *trends* in fashion. 그녀는 늘 최신 패션 유행을 따랐다. 윤의어 tendency

v. [I] 기울다, 향하다 (to, toward)

숙어 **set a (the) trend** 유행을 창출하다

trendy [tréndi] *adj.* (trendier-trendiest) 최신 유행의, 유행을 따르는: *trendy* clothes 최신 유행의 옷

trespass [tréspəs] *v.* [I] (남의 토지·건물·권리 등에) 침입하다, 침해하다

— **trespasser** *n.* 불법 침입자, 침해자

****trial** [tráiəl] *n.* **1** [법] 공판, 재판: He's going on *trial* for theft. 그는 절도죄로 재판에 회부될 것이다. **2** (품질·성능의) 시도,

시험, 실험: We're doing clinical *trials* on a new drug. 우리는 신약에 대한 임상 실험을 하고 있다. / They employed him for a three-month *trial* period. 그들은 그를 3개월 시험 기간 동안 고용했다. 윤의어 test **3** 시련, 고난: Life is full of little *trials*. 인생에는 작은 시련이 많다. 윤의어 hardship **4** 골칫거리, 귀찮은 사람 (to): My brother was a real *trial* to my parents. 내 남동생은 부모님에게 정말 골칫거리였다.

숙어 **on trial 1** 공판 중인: He is *on trial* for murder. 그는 살인죄로 공판 중이다. **2** 시험적으로: He was employed *on trial*. 그는 시험적으로 고용되었다.

trial and error 시행착오: You'll find out by *trial and error* which plants grow best. 시행착오를 통하여 어느 식물이 가장 잘 자라는지 알게 될 것이다.

■ 유의어 **trial**

trial 시도·시험의 일반적인 말. **experiment** 미래를 지향하거나 새 사실을 발견하기 위한 시도. **test** 일정한 조건에서의 검사·시험 또는 이미 행한 각종 시도의 결론을 내리기 위한 최종적 검사.

****triangle** [tráiæŋgəl] *n.* **1** 삼각형: an equilateral (isosceles) *triangle* 정삼각형 (이등변 삼각형) **2** 삼각형의 물건: Which earrings do you prefer, the *triangles* or the circles? 삼각형 모양과 원 모양 중 어느 귀걸이가 더 좋니? **3** [음악] 트라이앵글 (삼각형 타악기)

— **triangular** *adj.*

■ 접두어 **tri-, tre-**

'3(three)' 의 뜻을 나타낸다.: *tri*angle 삼각형 / *tre*ble 세 배 / *tri*cycle 세발 자전거

tribe [traib] *n.* 종족, 부족: the Arab *tribes* 아랍족

— **tribal** *adj.*

tribesman [tráibzmən] *n.* (*pl.* tribesmen) 부족 (종족)민, 원주민

tribunal [traibjúːnl] *n.* **1** 법정: the Hague *Tribunal* 헤이그 국제 사법 재판소 SYN court **2** (the tribunal) 판사석, 법관석 ※ 정규 사법 체계 밖에서 사법적 기능을 행사하는 기관에 쓰이는 일이 많다.

tributary [tríbjətèri] *n.* (강의) 지류

tribute [tríbjuːt] *n.* **1** 칭찬(감사, 존경)을 나타내는 말(행위, 선물, 표시): The concert was held as a *tribute* to the singer. 콘서트는 그 가수를 기리기 위해 열렸다. **2** (a tribute) …의 가치를 입증하는 것, 증거 (to): It was a *tribute* to his teaching methods that most children passed the test. 대부분의 아이들이 시험에 통과했다는 것은 그의 교수법의 가치를 입증하는 것이었다. **3** 공물, 조세 SYN tax 숙어 **pay (a) tribute to** …에게 경의를 표하다: I'd like to *pay tribute to* the workers for all their hard work. 저는 근로자들의 노고에 경의를 표하고 싶습니다.

****trick** [trik] *n.* **1** 책략, 속임수: He pretended to be sick, but it was just a *trick*. 그는 아픈 척 했지만 그것은 속임수일 뿐이었다. **2** 장난, 농담: He is at his *tricks* again. 또 그는 장난이다. / I'm getting tired of his silly *tricks*. 나는 그의 시시한 유머에 싫증이 난다. **3** 묘기, 재주, 요술: We watched them performing card *tricks*. 우리는 그들의 카드 묘기를 보았다. **4** 비결, 요령: What's the *tricks* of making pies? 파이를 만드는 비결이 무엇인가요?
v. [T] 속이다, 속여서 …하게 하다: He *tricked* me into investing money in stocks. 그는 나를 속여서 돈을 주식에 투자하게 했다. SYN deceive
숙어 **play a trick(joke) on 1** …에게 장난을 하다: He *played a* dirty *trick on* me. 그는 나에게 치사한 장난을 했다. **2** …을 속이다

trick or treat [미] 과자를 안 주면 장난칠 테야 (만성절(Halloween)날 밤 어린이들이 이웃집을 찾아가 부르는 문구로 과자를 얻어먹는 행사)

trick question 의외로 까다로운 것(문제): It was a *trick question*. 그것은 의외로 까다운 문제였다.

trickery [tríkəri] *n.* 속임수, 사기

trickle [tríkəl] *v.* [I] **1** (액체 등이) 똑똑 떨어지다, 졸졸 흐르다: Water *trickled* down his raincoat. 물이 그의 비옷에서 똑똑 떨어졌다. **2** (비밀 등이) 조금씩 새다, (사람이) 드문드문(조금씩, 천천히) 오다: The information *trickled* out. 그 정보는 조금씩 새어 나갔다. / People were *trickling* out of the theater. 사람들이 극장에서 조금씩 나오고 있었다.
n. **1** 물방울 **2** 졸졸 흐르는 작은 시내 **3** 소량: We usually get a *trickle* of customers in the shop in the mornings. 대개 아침에는 가게에 손님이 적다.

tricky [tríki] *adj.* (trickier-trickiest) (역할·일 등이) 하기 까다로운, 다루기 힘든, 솜씨를 필요로 하는: He is in a very *tricky* situation. 그는 매우 곤란한 상황에 처해 있다.

trifle [tráifəl] *n.* **1** (a trifle) 소량, 약간: You seem a *trifle* worried. 너는 조금 걱정스러워 보인다.
※ little과 같은 뜻으로 부사적으로 쓰인다.
2 하찮은 것(일): Don't waste your money on such *trifles*. 그런 하찮은 것에 돈을 낭비하지 마라. **3** [영] 포도주로 적신 스펀지 케이크에 거품 크림을 바른 과자
v. **1** [T] (시간·돈 등을) 낭비하다 (away) **2** [I] (손에) 가지고 놀다, 만지작거리다 (with) **3** [I] 희롱하다, 농담하다
숙어 **trifle with** 소홀히 다루다, 우습게 보다: Don't *trifle with* serious matters. 중대한 일을 소홀히 생각하지 마라. / You should not *trifle with* this feeling. 이런 감정을 우습게 보지 마라.

trifling [tráifliŋ] *adj.* 하찮은, 시시한 SYN trivial
— **triflingly** *adv.*

trigger [trígər] *n.* **1** (총의) 방아쇠 **2** 다른 일을 유발하는 사건, 계기, 동기
v. [T] (일련의 사건·반응 등을) 일으키다, 유발하다 (off): That *triggered* off a revolution. 그것이 계기가 되어 혁명이 일어났다.

trigonometry [trìgənámətri] *n.* [수학] 삼각법
— **trigonometric, trigonometrical** *adj.*

trillion [tríljən] *n. adj.* [미] 1조(의) (10¹²), [영] 100만조(의) (10¹⁸)

trim [trim] *v.* [T] (trimmed-trimmed) **1** …을 정돈하다, 손질하다: He *trimmed* the hedge all afternoon. 그는 오후 내내 울타리를 손질했다. **2** 잘라내다, 없애다 (away, off): *Trim* the excess fat off the meat. 고기에서 여분의 기름을 떼어 내라. **3** 장식하다: a dress *trimmed* with lace 레이스로 장식된 드레스
n. **1** 정돈 **2** 깎기, 손질: His hair needs a *trim*. 그의 머리는 손질이 필요하다.
adj. **1** (몸이) 홀쭉한, 군살 없는: She swims regularly to keep *trim*. 그녀는 몸매를 위해 규칙적으로 수영을 한다. **2** 말쑥한, 깔끔한, 손질이 잘 된: a *trim* garden 손질이 잘 된 정원 [SYN] neat, tidy
— **trimly** *adv.* **trimness** *n.*

trimming [trímiŋ] *n.* **1** (옷·모자 등에 붙이는) 장식: I want a plain black skirt with no *trimming*. 장식 없는 평범한 검은색 치마가 필요하다. **2** (trimmings) 곁들인 음식

trinity [tríniti] *n.* **1** (the Trinity) [신학] 삼위 일체 (성부·성자·성신을 일체로 봄) **2** 삼위 일체의 축일 [SYN] Trinity Sunday **3** 3인조, 3부분으로 된 것

trio [tríːou] *n.* (*pl.* trios) [음악] 트리오, 3중주(창)(곡) ⇨ solo

*****trip¹** [trip] *n.* (짧은) 여행, 출장 여행, 소풍: How was your *trip* to Italy? 이탈리아 여행은 어땠니? / He's away on a business *trip* until next week. 그는 다음 주까지 출장이다. ⇨ travel
— **tripper** *n.* (당일치기의 근거리) 여행자, 소풍객
[축어] **make[take] a trip** 여행하다: We're thinking of *making[taking]* a *trip* to the sea. 우리는 바다로 여행갈까 생각 중이다.

trip² [trip] *v.* (tripped-tripped) **1** [I] 발이 걸려 넘어지다 (over, on) **2** [T] 걸려서 넘어지게 하다: The wrestler *tripped* (up) his opponent. 레슬러는 상대방을 다리를 걸어서 넘어뜨렸다.

triple [trípəl] *adj.* (명사 앞에만 쓰임) 3배 [3중]의, 세 부분으로 된 [SYN] threefold
v. [I,T] 3배가 되다, 3배로 하다: The company has *tripled* in size in the last ten years. 그 회사는 지난 10년 동안 규모가 3배로 커졌다.

tripod [tráipɑd] *n.* 삼각대, 세 다리 걸상 (탁자)

triumph [tráiəmf] *n.* 승리 [SYN] victory [OPP] defeat
v. [I] 승리를 거두다, 이기다 (over): I believe that in the end good must *triumph* over evil. 결국 선이 악을 이길 것이라고 생각한다.
[축어] **in triumph** 의기 양양하여: The victor marched on *in triumph*. 승리자는 의기 양양하게 행진했다.

triumphal [traiʌmfəl] *adj.* 승리를 축하하는, 개선의: a *triumphal* parade 승리를 축하하는 행렬 / *triumphal* arch 개선문

triumphant [traiʌmfənt] *adj.* (이기거나 성공해서) 좋아하는, 우쭐대는, 의기양양한 [SYN] victorious, exultant
— **triumphantly** *adv.*

trivia [tríviə] *n.* (*pl.*) **1** trivium의 복수 (중세 학교의 삼학—문법, 논리학, 수사학) **2** 하찮은(사소한) 일(것), 평범한 일

trivial [tríviəl] *adj.* 하찮은, 대단치 않은: Your composition has only a few

trivial mistakes. 너의 작문에는 사소한 오류가 있을 뿐이다. [SYN] trifling [OPP] important
— **triviality** *n.*

trolley [tráli] *n.* **1** [영] 손수레 ([미] cart): a shopping *trolley* 쇼핑 손수레 **2** [영] (음식·음료 등을 나르는) 바퀴 달린 작은 테이블 **3** 시가 전차 [SYN] tram

trombone [trámboun] *n.* [음악] 트롬본

troop [tru:p] *n.* **1** (보통 *pl.*) 군대, 병력: regular(land) *troops* 상비[지상]군 **2** (사람·동물 등의) 떼, 무리: a *troop* of children 한 무리의 아이들 / a *troop* of deer 한 떼의 사슴
v. [I] 떼지어 모이다, 떼지어[우르르] 몰려오다[가다]: When the bell rang, all the students *trooped* into the classroom. 종이 울리자 모든 학생들이 교실로 들어왔다.

trophy [tróufi] *n.* **1** (경기 등의) 트로피, 우승기, 상품 **2** 전리품, 전승 기념품[물]

tropic [trápik] *n.* **1** 회귀선 (지구의 남과 북의 위도 23°27'에 설정된 등위도선) **2** (the tropics) 열대(지방)

***tropical** [trápikəl] *adj.* 열대(지방)의, 열대산[성]의: *tropical* vegetation(fruit) 열대 식물[과일]

trot [trɑt] *v.* [I] (trotted-trotted) **1** (말 등이) 속보로 가다, 구보하다 **2** (사람·동물 등이) 속보로 걷다, 빨리 걷다: The dog *trotted* down the path to greet us. 개가 우리를 마중하러 길을 따라 달려 왔다.
n. 빠른 걸음, 속보
[숙어] **on the trot** 쉴새없이 움직여, 내리: She worked for five hours *on the trot*. 그녀는 5시간 내리 일했다.

trotter [trátər] *n.* **1** 속보 훈련을 받은 말 **2** (보통 *pl.*) 양·돼지 등의 족(足)

***trouble** [trʌbəl] *n.* **1** 문제, 어려움, 곤란 (with): She's having *trouble* with her car. 그녀의 차에 문제가 있다. / She got into financial *trouble* after her divorce. 그녀는 이혼 후에 경제적인 어려움

에 처했다. [SYN] problem, difficulty **2** 노력, 수고: You need not go to all that *trouble*. I will do it myself. 네가 그렇게 수고할 필요가 없다. 내가 직접 하겠다. **3** 시끄러운 일, 불화, 사건: Listen! I don't want any *trouble* in here, so please just leave. 이것보세요! 저는 여기서 소란이 일어나는 것을 원하지 않아요. 그저 떠나 주세요. **4** 병: He's at home today with stomach *trouble*. 그는 복통으로 오늘 집에 있다.
v. [T] **1** 괴롭히다, 걱정시키다: He is *troubled* about the payment. 지불에 대한 일로 그는 골치를 앓고 있다. [SYN] worry **2** …에게 폐[수고]를 끼치다, …을 번거롭게 하다, 일부러[애써] …하다: Sorry to *trouble* you, but would you tell me the way to the nearest station? 죄송합니다만, 가장 가까운 역까지 가는 길을 알려 주시겠어요? [SYN] bother
[숙어] **ask for trouble** ⇨ ask
(be) in trouble 곤란한 처지에 있다
get into trouble (일이) 성가시게 되다, 말썽을 일으키다: Take care what you say, or you'll *get into trouble*. 네가 하는 말에 신경을 써라. 안 그러면 곤란하게 될 수도 있다.
go to a lot of trouble (to do) 아주 애쓰다: He *went to a lot of trouble to* make me cheer up. 그는 내가 기운 내도록 많이 애썼다.
have trouble with 1 (병으로) 고생하다: I am *having trouble with* my teeth. 이가 아파 고생하고 있다. **2** …와 옥신각신하다, 분규가 일다: You will *have trouble with* him. 너는 그와 불화가 있을 것이다.
take the trouble to do 노고를 아끼지 않고 …하다
The trouble is (that) ... 곤란한 것은 …이다: The *trouble* with us *is that* we have no fund. 곤란한 것은 우리에게 자금이 없다는 것이다.

troublemaker [trʌblmèikər] *n.* 말썽

꾸러기

troublesome [trʌ́blsəm] *adj.* **1** (오랜 기간 동안) 성가신, 귀찮은

— **troublesomeness** *n.*

■ 접미어 **-some**

'…에 알맞은, …을 생기게 하는, …하기 쉬운, …의 경향이 있는' 등의 의미를 나타내는 형용사를 만든다.: troublesome 말썽을 일으키는, quarrelsome 싸우기 좋아하는

---

trough [trɔ(ː)f] *n.* **1** 여물통, 구유 **2** 홈통, 낙수받이 **3** 물마루 사이의 골, 계곡

troupe [truːp] *n.* (배우·곡예사 등의) 흥행단, 한 패

v. [I] (단원으로서) 순회 공연하다

— **trouper** *n.* 극단원, 중견 배우

trouser [tráuzər] *adj.* 바지(용)의: a *trouser* button 바지 단추

n. 바지의 한쪽 가랑이, 바지감

*****trousers** [tráuzərz] *n.* (*pl.*) ([미] pants) [영] (남자의) 바지: I bought a new pair of *trousers*. 나는 새 바지 한 벌을 샀다.

※ scissors, glasses와 같이 항상 복수형으로 쓴다. 수를 셀 때는 a pair[three pairs] of trousers라 하고, 바지 한 가랑이를 말할 때는 trouser라고 한다.

trout [traut] *n.* (*pl.* trout(s)) 송어

truant [trúːənt] *n.* 꾀부리는 사람, 무단 결석자 (특히 학생)

[숙어] **play truant** ([미] play hooky) (학교·근무처를) 무단 결석하다, 시간을 빼먹고 놀다: The boy has been *playing truant* from school. 그 소년은 학교를 무단 결석했다.

truce [truːs] *n.* 휴전(협정): a flag of *truce* 휴전의 백기 [SYN] armistice

— **truceless** *adj.* 휴전의 가망이 없는

truck [trʌk] *n.* **1** 트럭, 화물 자동차 ([영] lorry): He's a *truck* driver. 그는 트럭 운전사이다. **2** [영] (철도의) 무개 화차: a coal *truck* 석탄 무개 화차

v. [I, T] 트럭으로[화차로] 운반하다, 트럭을 운전하다

trudge [trʌdʒ] *v.* [I] 터벅터벅 걷다: He *trudged* wearily down the hill. 그는 지쳐서 언덕 아래로 터벅터벅 내려왔다.

n. 무거운 걸음, 터벅터벅 걷기

*****true** [truː] *adj.* **1** 참된, 진실의, 사실과 틀리지 않은: Read next articles and decide if they are *true* or false. 다음 글을 읽고 사실인지 거짓인지 결정하시오. / The film was based on a *true* story. 그 영화는 실화를 바탕으로 했다. [OPP] false, untrue **2** 진짜의, 순수한: Do you believe *true* love? 당신은 진정한 사랑을 믿나요? / *true* gold 순금 [SYN] real **3** 성실한, 충실한 (to): *True* to his word, he sent me the gift. 약속한 대로 그는 내게 선물을 보내 주었다.

— **truly** *adv.* **truth** *n.*

[숙어] (be) **true of** …에 해당되다: This *is* also *true of* others. 이것은 또한 다른 사람들에게도 해당된다.

come true (예언 등이) 들어맞다, (희망 등이) 실현되다: My prediction has *come true*. 내 예언이 적중했다. / I'd always dreamed of owning my own house. In the end it *came true*. 내 집을 갖는 것을 늘 꿈꿨는데, 결국 실현되었다.

too good to be true 너무 좋아서 믿기 어렵거나, 좋아 보이지만 실제로는 그렇지 않은 것: His new job sounds *too good to be true*. 그의 새 직업은 좋아 보이지만 실제로는 그렇지 않다.

true to form[type] (사람이) 예상대로, 전형적인: *True to form*, he turned up late. 예상대로 그는 늦게 나타났다.

true to life (책·연극 등이) 실제 그대로의

truly [trúːli] *adv.* **1** (감정을 강조할 때) 정말로, 진심으로: I am *truly* grateful to you for your help. 당신의 도움에 대해 진심으로 감사합니다. **2** 진실로, 사실대로, 올바르게: Tell me *truly*. 사실대로 말해다오.

[숙어] **well and truly** ⇨ well

trump [trʌmp] *n.* (카드놀이의) 으뜸패, 으뜸패의 한 벌: Hearts are *trumps*. 하트가 으뜸패이다.

trumpet [trʌ́mpit] *n.* [음악] 트럼펫, 나팔 *v.* 1 [I] 나팔을 불다 2 [I] (코끼리가) 나팔 같은 소리를 내다 3 [T] 알리며 돌아다니다, 떠벌리다
— **trumpeter** *n.* 트럼펫 연주자

*****trunk** [trʌŋk] *n.* 1 (나무의) 줄기 2 (자동차의) 트렁크 3 (코끼리의) 코 4 (trunks) 트렁크스; 남자용 수영 팬츠 5 여행 가방 (suitcase보다 대형이며 견고한 것) ⇨ bag 6 몸통 SYN torso

*****trust** [trʌst] *n.* 1 신뢰, 신용 (in): You shouldn't put your *trust* in such a man. 그런 남자를 믿어서는 안 된다. SYN belief, faith 2 [법] 신탁: The money your father left you will be held in *trust* until you are 30. 너의 아버지가 남기신 돈은 네가 30살이 될 때까지 신탁될 것이다.
v. [T] 1 신용하다, 신뢰하다: My brother warned me not to *trust* him. 나의 오빠는 그를 신용하지 말라고 경고했다. / *Trust* yourself and do what you think is right. 네 자신을 믿고 네 생각이 옳은 쪽으로 해라. SYN rely on OPP distrust 2 기대하다, 희망하다: I *trust* to hear better news. 더 좋은 소식을 듣기 기대할게. / I *trust* the meeting is going well. 회의가 잘 되길 바래.

trustee [trʌstíː] *n.* [법] 피신탁인, 수탁자, 보관인

trusting [trʌ́stiŋ] *adj.* 믿는, 신용하는, 사람을 의심치 않는: a *trusting* child 의심할 줄 모르는 아이

trustworthy [trʌ́stwə̀ːrði] *adj.* 신용〔신뢰〕할 수 있는, 믿을 수 있는
— **trustworthiness** *n.*

truth [truːθ] *n.* 1 (the truth) 사실, 진실, 진상: Are you sure that she's telling the *truth*? 그녀가 사실을 말하고 있다고 확신하나요? / *Truth* will out. [속담] 진실은 드러나게 마련이다. 2 진실성, 진실임: There isn't a grain of *truth* in what he says. 그의 말에는 눈곱만큼의 진실도 없다. 3 진리: a universal *truth* 보편적 진리
— **true** *adj.*

숙어 **in truth** 실제로는, 사실은: They were married, but *in truth* they didn't live together. 그들은 결혼했으나 실제로는 같이 살지는 않았다.

to tell the truth 실은, 사실을 말하자면: *To tell the truth*, he is not honest. 사실을 말하자면 그는 정직하지 않다.

truthful [trúːθfəl] *adj.* 1 (사람 등이) 정직한, 진실한: Are you being *truthful* with me? 너는 내게 정직한 거니? SYN sincere 2 (진술 등이) 진실의, 사실의
— **truthfully** *adv.* **truthfulness** *n.*

*****try** [trai] *v.* (tried-tried; trying) 1 [I] 노력하다, 해보다 (to do): He *tries* to give up smoking. 그는 담배를 끊으려고 한다. / The boy *tries* to open the window. 소년은 창문을 열려고 한다. SYN endeavor 2 [T] 시도하다, 시험하다 (doing): *Try* this cake. 이 케이크 맛을 보아라. / They are *trying* the new drugs on rats. 그들은 쥐에게 새로운 약을 시험하고 있다. SYN test 3 [T] [법] (사건을) 심리〔심문〕하다, (사람을) 재판하다: He's being *tried* for murder. 그는 살인죄로 재판받고 있다.
n. 시험, 시도: You can make him change his mind. Why don't you have a *try*? 너는 그의 마음을 바꿀 수 있어. 한 번 시도해 보지 그래? SYN attempt

숙어 **give a try to** 시험해 보다: Always be ready to *give a try to* many different things. 항상 여러 가지 일을 해보겠다는 생각을 가져라.

try on (몸에 맞는지 옷·모자·신발 등을) 입어 보다〔써 보다, 신어 보다〕: *Try on* the gloves. 장갑을 끼어 보아라. / *Try* it *on*. 그것을 입어 보아라.

try one's best〔hardest〕 최선〔전력〕을

다하다: I'm *trying my best*(*hardest*) to finish the work by tonight. 나는 오늘밤까지 일을 마치기 위해 최선(전력)을 다하고 있다.

try one's hand at …을 해보다: I might *try my hand at* portrait painting. 나는 초상화를 그려 보려고 한다.

try out (착상·계획 등을) 철저히 해보다, (기계·지원자 등을) 엄밀히 시험하다: You need to *try out* the equipment before setting up the experiment. 실험을 시작하기 전에 장치를 철저히 시험해 볼 필요가 있다.

■ 유의어 **try**
try '해보다'를 뜻하는 가장 일반적인 말.: *Try* doing your best. 최선을 다해라.
attempt try보다 격식차린 말로서 노력보다 착수한 것에 중점을 둠.: He *attempted* to deceive me. 그는 불손하게도 나를 속이려고 했다.

trying [tráiiŋ] *adj.* **1** 견디기 어려운, 괴로운, 고된: I've had a *trying* day at work. 직장에서 고된 하루를 보냈다. **2** 화나는, 발칙한: The boy is very *trying*. 그 소년은 매우 발칙하다.

tryout [tráiàut] *n.* 예선 (경기), (스포츠의) 적격(실력) 시험: The *tryouts* for the team will be held on Saturday morning. 팀별 예선 경기는 토요일 아침에 열릴 것이다.

T-shirt [tíːʃəːrt] *n.* T셔츠
— **T-shirted** *adj.* T셔츠를 입은

tub [tʌb] *n.* **1** 목욕통, 욕조 (bathtub) **2** (뚜껑이 없는) 통 모양의 용기, (음식을 위한 뚜껑이 있는) 플라스틱 용기, 그릇: a *tub* for washing clothes 빨래통 / a *tub* of magarine 마가린 용기

*tube [tjuːb] *n.* **1** (금속·유리·고무 등의) 관, 통: a test *tube* 시험관 **2** (그림 물감·치약 등의) 튜브: a *tube* of toothpaste 치약 튜브 **3** [영] 지하철 ([미] subway): a *tube* station 지하철역

tuberculosis [tjuːbəˑrkjəlóusis] *n.* (*abbr.* T.B., TB, t.b.) [의학] 결핵, (특히) 폐결핵

tuck [tʌk] *v.* [T] **1** (냅킨·셔츠·담요 등의) 끝을 밀어(찔러) 넣다 (in, up, under): You need to *tuck* your shirt into your trousers because it looks untidy like that. 단정하게 보이지 않기 때문에 셔츠를 바지 속에 넣을 필요가 있다. **2** …을 (좁은·안전한 곳에) 챙겨 넣다(숨기다) (away): The letter was *tucked* into the bag. 그 편지는 가방 속에 숨겨져 있었다. **3** (옷자락·소매 등을) 걷어올리다 (up): He *tucked* up his shirtsleeves. 그는 셔츠 소매를 걷어올렸다.

축어 **tuck away 1** (수동태로만 쓰임) (집 등을) 눈에 띄지 않는 곳에 짓다: The inn was *tucked away* in a remote riverside. 여인숙은 한적한 강변에 지어졌다. **2** (안전한 곳 등에) 숨기다: My grandma always kept a bit of money *tucked away* at the back of the shelf. 할머니는 늘 선반 뒤에 약간의 돈을 숨겨 두셨다.

tuck in(**into**) [영] 잔뜩 먹다(마시다): There's plenty of food, so please *tuck in*. 많은 음식이 있으니 맘껏 드세요.

tuck in(**up**) (아이·환자에게 시트·담요 등을) 꼭 덮어 주다, 감싸다: Mommy, will you *tuck* me *in* when I go to bed? 엄마, 제가 자러 가면 이불 덮어 주실 거죠? / He *tucked* himself *up* in bed. 그는 침구로 몸을 감쌌다.

Tuesday [tjúːzdei] *n.* (*abbr.* Tue., Tues.) 화요일: We meet every *Tuesday* afternoon. 우리는 매주 화요일 오후에 만난다.

tuft [tʌft] *n.* **1** (머리털·실·깃털 등의) 술, 타래: The goats are chewing at *tufts* of grass. 염소들이 잔디 뭉치를 씹고 있다. **2** (풀이나 나무의) 덤불, 수풀

tug [tʌg] *v.* [I,T] (tugged-tugged) (힘껏) 당기다, 잡아당기다 (at, on): The little boy *tugged* at his mother's arm. 어린 소년은

그의 어머니의 팔을 잡아당겼다. SYN pull hard

n. **1** 세게 당김, 잡아당김 **2** 예인선 (tugboat)

tug-of-war *n.* 줄다리기

tuition [tʃuːíʃən] *n.* **1** 교수, 수업, 지도: My brother has to have extra *tuition* in English. 내 남동생은 영어 과외 수업을 받아야 한다. **2** 수업료 (tuition fee)

*****tulip** [tʃúːlip] *n.* 튤립

tumble [tʌ́mbəl] *v.* **1** [I] (갑자기) 넘어지다, 엎드러지다 (off, over, down): I *tumbled* down the stairs. 나는 계단에서 굴러 떨어졌다. / She lost her balance and *tumbled* over. 그녀는 균형을 잃어서 넘어졌다. **2** [I] (가격·가치 등이) 폭락하다, 갑자기 떨어지다: Share prices *tumbled* over the past week. 주가가 지난 주 동안 폭락했다. **3** [T] 뒤범벅을 만들다, 엉클어뜨리다, (머리카락·옷 등을) 구기다: She *tumbled* clothes into a box and hurried along. 그녀는 상자에 옷을 마구 쑤셔 넣고서는 서둘러 나갔다. **4** [I] 급하게 …하다: The children *tumbled* out of the bus. 아이들이 버스에서 앞을 다투어 뛰어 내렸다.

n. **1** 추락, 전도 **2** (곡예의) 공중제비, 재주넘기 **3** 혼란, 뒤범벅 **4** (주가 등의) 하락, 폭락

tumbler [tʌ́mblər] *n.* **1** (밑이 편편하고 손잡이가 없는) 컵 **2** 곡예사

tumult [tʃúːmʌlt] *n.* **1** 법석, 소동, 소란: The whole class was in *tumult*. 반 전체가 떠들썩했다. SYN uproar OPP quiet **2** (마음의) 동요, 산란, 흥분

tumultuous [tʃuːmʌ́ltʃuəs] *adj.* **1** 떠들썩한, 소란스러운: *Tumultuous* applause rang through the concert hall. 떠들썩한 박수갈채가 연주회장에 울렸다. **2** (마음이) 동요한, 격양된

tuna [tʃúːnə] *n.* (*pl.* tuna(s)) 다랑어, 참치(살): a can of *tuna* 참치 통조림 SYN tuna fish

*****tune¹** [tʃuːn] *n.* **1** 곡, 곡조, 선율: a merry *tune* 흥겨운 곡 SYN melody **2** (노래·음률의) 올바른 가락, 장단: She can't sing in *tune*. 그녀의 노래는 음이 안 맞는다.

v. [T] **1** …의 가락을 맞추다, (악기를) 조율하다, 조음하다 (up): The musician *tuned* up his violin before the concert. 음악가는 콘서트 전에 바이올린의 음을 조율했다. **2** (기계 등을) 조정하다 (up): Could you *tune* up the engine with my car, please? 제 차의 엔진을 조정해 주시겠어요? **3** (보통 수동태) [통신] …에 파장을 맞추다, (수신기를) 동조시키다: His radio was *tuned* to a rock station. 그의 라디오는 록 채널에 맞춰 있다.

숙어 **call the tune** ⇨ call

change one's tune ⇨ change

in tune (with) **1** 가락이 맞아서: He has just an ordinary voice, but he sings *in tune*. 그는 목소리는 평범하지만 음을 잘 맞추어 노래한다. **2** 조화(일치)하여, …를 이해하여: His success comes from being *in tune with* what his customers want. 그의 성공은 그가 고객들의 요구를 이해한 데서 온 것이다.

out of tune (with) **1** 가락이 안 맞아서: The old piano is *out of tune*. 그 오래된 피아노는 음률이 맞지 않다. **2** 조화하지 않고, 사이가 나쁜: A person *out of tune with* his surroundings is unhappy. 주위 사람들과 어울리지 못하는 사람은 불행하다.

tune in (라디오·TV의) 다이얼(채널)을 …에 맞추다: Millions of viewers *tune in* to watch 'News at Night' every weekday. 수백만의 시청자들이 주중에는 'News at Night'에 채널을 맞추어 시청한다.

tune up 1 (악기를) 조율하다: She began to *tune up* her cello. 그녀는 첼로를 조율하기 시작했다. **2** (오케스트라가) 악기의 음조를 맞추다: The orchestra were *tuning up* when we entered the concert hall. 우리가 콘서트 홀에 들어갔을 때 관현악단은 음을 맞추고 있었다.

tuneful [tʃúːnfəl] *adj.* 음조가 좋은, 선율

이 아름다운: The last track on this album is surprisingly *tuneful*. 이 앨범의 마지막 트랙은 선율이 대단히 아름답다.
— **tunefully** *adv.* **tunefulness** *n.*

tuneless [tjúːnlis] *adj.* 음조가 맞지 않는, 운율이 고르지 않은; 소리가 안 나는
— **tunelessly** *adv.*

*****tunnel** [tʌ́nl] *n.* 터널, 굴, 지하도: The train goes into the *tunnel*. 기차가 터널로 들어간다.
v. [I,T] 터널을 만들다

turban [tə́ːrbən] *n.* 터번 (이슬람교도 남자가 머리에 감는 두건)

turbine [tə́ːrbin] *n.* [기계] 터빈 (물, 공기 등의 힘으로 회전하는 기계나 엔진): a steam *turbine* 증기 터빈

turbulent [tə́ːrbjələnt] *adj.* **1** (폭도 등이) 소란스러운, 난폭한 SYN violent **2** (바람·파도 등이) 휘몰아치는, 사나운, 거친
— **turbulently** *adv.* **turbulence** *n.*

turf [təːrf] *n.* 잔디(밭) SYN lawn
v. [T] 잔디로 덮다, …에 잔디를 심다

turkey [tə́ːrki] *n.* **1** 칠면조 **2** 칠면조 고기

*****turn** ⇨ p. 820

turning [tə́ːrniŋ] *n.* ([영] turn) **1** 회전 **2** 모퉁이, 분기점

turning point *n.* 전환(변환)점, 전기, 고비

turnip [tə́ːrnip] *n.* [식물] 순무(의 뿌리)

turnoff [tə́ːrnɔ̀(ː)f] *n.* 옆길, (간선 도로의) 분기점, 지선 도로

turquoise [tə́ːrkwɔ̀iːz] *n.* **1** [보석] 터키석 **2** 하늘색, 청록색 (turquoise blue)

turret [tə́ːrit] *n.* (본 건물에 부속된) 작은 탑

*****turtle** [tə́ːrtl] *n.* ([미] sea turtle) 바다거북 *cf.* tortoise (육상·민물) 거북

turtleneck [tə́ːrtlnèk] *n.* 터틀넥 (목 부분이 자라의 목처럼 된 셔츠·스웨터): She is wearing blue jeans and a *turtleneck* sweater. 그녀는 청바지와 터틀넥 스웨터를 입고 있다.

tusk [tʌsk] *n.* **1** (코끼리 등의) 엄니 **2** 뾰족한 끝
v. [T] 엄니로 찌르다(상처를 내다)

tutor [tjúːtər] *n.* **1** 가정교사 **2** [영] (대학의) 개별 지도 교수: She was my *tutor* at Cambridge. 그녀는 캠브리지 대학에서 나의 지도 교수였다. *cf.* tutoress 여자 지도 교수 (가정교사)
v. [T] 가정교사로서 가르치다(지도하다), 후견하다

tutorial [tjuːtɔ́ːriəl] *n.* (대학에서 tutor에 의한) 개별 지도 시간(학급)

tuxedo [tʌksíːdou] *n.* (*pl.* tuxedos, tuxedoes) 턱시도

*****TV** *abbr.* television 텔레비전: What's on *TV* tonight? 오늘밤 텔레비전에서 뭐하니?

tweed [twiːd] *n.* **1** [직물] 트위드 (두꺼운 모직물의 일종) **2** (tweeds) 트위드 옷

twelfth [twelfθ] *n. adj. pron. adv.* 12th ⇨ sixth 참조

twelve [twelv] *n. adj. pron.* 12(의), 열둘(의); 열두 개(사람) ⇨ six 참조

twentieth [twéntiiθ] *n. adj. pron. adv.* 20th ⇨ sixtieth 참조

twenty [twénti] *n. adj. pron.* 20(의), 스물(의); 스무 개(사람) ⇨ sixty 참조

twi- *prefix* '2, 2중, 2배, 두 번'의 뜻.

twice [twais] *adv.* 2회, 2배로: *Twice* three is six. 3을 2배 하면 6이다., 3곱하기 2는 6이다. / I've already asked her *twice*. 그녀에게 벌써 두 번이나 물어 보았다. / The state is at least *twice* as big as York. 그 주는 요크보다 적어도 2배는 크다. SYN two times

twig [twig] *n.* 잔가지
— **twiggy** *adj.*

twilight [twáilàit] *n.* (해뜨기 전·해질 무렵의) 땅거미, 황혼: The *twilight* came on. 땅거미가 지기 시작했다. SYN dusk

twin [twin] *n.* **1** 쌍둥이의 한 사람; (twins) 쌍둥이: Both of you are very alike. Are you *twins*? 너희 둘은 매우 닮았어. 쌍둥이니? **2** 꼭 닮은 사람(것)의 한 쪽, 한 쌍:

turn

turn [təːrn] *v.* **1** [I,T] 돌(리)다, 회전하다: The wheels started to *turn* faster and faster. 차바퀴는 점점 더 빨리 돌기 시작했다. / He slowly *turned* the door handle. 그는 문고리를 천천히 돌렸다.

2 [I,T] (등·얼굴·시선을) …으로 돌리다, 향하게 하다: She *turned* her head to me to listen. 그녀는 내 말을 듣기 위해 고개를 돌렸다.

3 [I,T] 뒤엎다, 거꾸로 하다, (페이지를) 넘기다: The boy *turned* the cake on the table. 그 소년은 탁자 위에 있는 케이크를 뒤엎었다. / Please *turn* to page 25 and read it aloud. 25쪽을 펴고 크게 읽으시오.

4 [I,T] (가는) 방향을 바꾸다, 돌다, (모퉁이를) 돌아가다: Go straight and *turn* left down a side street. 똑바로 가서 왼쪽 골목길로 들어가세요.

5 [I,T] (성질·외관 등이) 변(화)하다: She *turned* her old dress into a skirt. 그녀는 헌 드레스로 치마를 만들었다. / Warm weather has *turned* the milk. 더워서 우유가 변질했다. / She *turned* pale and started to cry. 그녀는 창백해지더니 울기 시작했다.

6 [T] (연령·시각 등을) 넘다, 지나다: It has just *turned* six. 지금 막 6시가 지났다.

n. **1** 회전, 돌림: Tighten it with a couple of *turns*. 두 세 번 돌려서 단단하게 조여라.

2 (방향) 전환, 턴: Make a right *turn* at the traffic lights. 신호등에서 오른쪽으로 도세요. / It's illegal to do a U-*turn* on an expressway. 고속도로에서 U턴하는 것은 불법이다.

3 구부러진 곳, (도는) 모퉁이 ([영] turning): Take the next *turn* on the right. 다음 모퉁이에서 오른쪽으로 가세요.

4 차례, 순번, 기회: It is your *turn* to read. 네가 읽을 차례이다. [SYN] go

5 (병·노여움 등의) 발작: After the accident I often get quite a *turn*. 그 사고 후로 나는 가끔 질겁한다.

[숙어] **do a good turn** …에게 좋은 일을 하다, 도움되는 일을 하다: He *did* you a *good turn* by leaving. 그가 떠난 것이 너에겐 좋은 일이다.

in turn 1 (사건·행위 등이) …의 결과로서 잇따르는: Interest rates were cut, and *in turn*, share prices rose. 이자율이 떨어지자 주가가 상승했다. **2** 번갈아, 차례차례: He asked each of us *in turn* to read the book. 그는 우리들에게 한 명씩 차례로 책을 읽도록 시켰다.

take turns 교대로 하다, 서로 교대하다: They *took turns* driving the car. 그들은 교대로 차를 운전했다.

the turn of the century 세기의 변환기 [초두]에

turn around(round) 돌(리)다, 방향을 바꾸다: *Turn round* and let me see your profile. 고개를 돌려 옆모습을 보여 주세요.

turn aside 1 길을 잘못 들다 **2** 얼굴을 돌리다, 외면하다 **3** (분을) 가라앉히다: A kind answer *turns aside* anger. 상냥하게 대답하면 울화도 가라앉는다.

turn away 1 외면하다: She *turned away* in disgust. 그녀는 기분이 상해서 외면했다. **2** 쫓아버리다, 해고하다: They *turned away* a beggar at the entrance. 그들은 입구에서 거지를 쫓아버렸다.

turn back 되돌아가(게 하)다: Please *turn back* to page 10. 10쪽으로 되돌아가세요. / We're lost—we'd better *turn back*. 우리는 길을 잃었다. 되돌아가는 게 낫겠다.

turn down 1 (제안·후보자 등을) 거절하다: The Korean government *turned* the request *down*. 한국 정부는 그 요청을 거절했다. **2** (가스·불꽃 등을) 줄이다, (라디오 등의) 소리를 줄이다[낮추다]: *Turn* the radio *down*! 라디오 소리를 줄여라!

turn in 1 돌려주다[보내다]: You must

turn in your library books by this weekend. 이번 주말까지 도서관 책을 반납해야 한다. **2** [미] (보고서·서류·사표 등을) 제출하다, 건네다: He *turned in* his resignation yesterday. 그는 어제 사표를 제출했다. **3** (경찰에) 인도하다, 밀고하다: *turn in* a burglar. 강도를 경찰에 밀고하다. **4** 잠자리에 들다: He *turned in* at 10 last night. 그는 어젯밤 10시에 잤다.

turn into …으로 변하다, …이 되다: Caterpillars *turn into* butterflies. 모충이 나비가 된다.

turn off 1 (간선 도로에서) 샛길로 들어서다 **2** (수도물·가스 등을) 잠그다, (라디오·등불 등을) 끄다: Please *turn off* the radio. 라디오를 꺼 주세요. **3** [영] 해고하다: The maid was *turned off* for carelessness. 가정부는 조심성이 없어 쫓겨났다.

turn on 1 (라디오·TV 등을) 틀다, (전등을) 켜다: She *turned on* the lights. 그녀는 전등불을 켰다. **2** …을 중심으로[주제로] 하다: The conversation *turned on* national education. 화제는 국민 교육의 문제로 바뀌었다. **3** …에 따라 결정되다, …에 의하다: Everything *turns on* his answer. 만사는 그의 대답에 달려 있다. [SYN] depend on

turn out 1 밖으로 나가다, (모임에) 모이다, 나가다 (for): People *turned out* in large numbers to welcome him. 그를 환영하기 위하여 사람들이 많이 모였다. **2** (결국) …이 되다, …으로 끝나다 (to be): The rumor *turned out* (to be) false. 그 소문은 거짓임이 드러났다. / The day *turned out* wet. 그 날은 비로 끝났다. **3** (가스를) 잠그다, (전등을) 끄다: Please *turn out* the lights. 불을 꺼

turn over 1 뒤집어엎다, 전복하다: The car was *turned over*, killing the driver. 차가 뒤집혀서 운전사가 죽었다. **2** (엔진이) 걸리다, 시동하다 **3** [영] (TV의) 채널을 바꾸다: This program's boring—shall I *turn over* to ABC? 이 프로그램은 지루해요. ABC로 채널을 돌려도 되나요? **4** (…까지) 책장을 넘기다: *Turn* the page *over*. 그 페이지를 넘겨라. **5** 숙고하다: I had been *turning over* what he had said in my mind for some time. 잠시 동안 그가 말한 것에 대해 숙고하고 있었다.

turn over a new leaf 개심하다: He has *turned over a new leaf*. 그는 마음을 고쳐 먹었다.

turn the tables 형세를 역전시키다: *The tables are turned.* 형세가 역전되었다.

turn to 1 …에 의지하다: He *turned to* me for advice. 그는 나에게 조언을 구했다. **2** …에 착수하다: It's time we *turned to* our work. 이젠 일에 착수해야 할 시간이다.

turn ... to account …을 이용하다: *Turn* your misfortune *to account*. 재난을 복으로 전환시켜라.

turn up 1 (모습을) 나타내다, 나오다: He didn't *turn up* until six. 그는 6시까지 나타나지 않았다. **2** (물건이) 우연히 나타나다[발견되다]: I lost my watch three days ago and it hasn't *turned up* yet. 3일 전에 손목시계를 잃어버렸는데 아직 발견되지 않았다. **3** (램프·가스 등을) 밝게[세게] 하다, (라디오) 소리를 크게 하다: *Turn* the radio *up*, please. 라디오 소리를 크게 해 주세요.

wait one's turn ⇨ wait

---

twin beds 한 쌍의 1인용 침대

twine [twain] *n.* **1** 꼰 실, 바느질 실 **2** 엉클어짐, 뒤얽힘
v. [I,T] **1** (실을) 꼬다 **2** (화환·직물 등을) 엮다, 짜다 **3** (덩굴 등이) 감기다, 얽히다: The ivy *twined* around the pole. 담쟁이 덩

굴이 기둥에 감겨 있었다.

twinkle [twíŋkəl] *v.* [I] **1** 반짝반짝 빛나다, 반짝이다: The stars *twinkled* in the night sky. 별들이 밤하늘에 반짝였다. **2** (흥미·기쁨 등으로 눈이) 빛나다, 눈을 깜박이다: Her eyes *twinkled* with amusement.

그녀는 즐거움에 눈이 반짝였다.

n. **1** 반짝임, 번뜩임, 깜박임 **2** (생기 있는) 눈빛

— **twinkling** *adj. n.*

*twist [twist] v. **1** [I,T] 비틀어서 (…) 모양으로 하다 (into): He *twisted* the wire into the shape of a star. 그는 철사를 비틀어서 별 모양으로 만들었다.

2 [I,T] (얼굴을) 찡그리다: Her face *twisted* with pain. 그녀의 얼굴은 고통으로 일그러졌다.

3 [T] (발목 등을) 삐다, 접질리다: He slipped on the ice and *twisted* his ankle. 그는 얼음에서 미끄러져서 발목을 삐었다.

4 [I,T] 몸을 뒤틀다(꼬다), 몸부림치다: He was *twisting* his head from side to side. 그는 머리를 좌우로 뒤틀고 있었다.

5 [T] (손으로) …을 비틀어 떼다: He *twisted* the cap off the bottle. 그는 병뚜껑을 비틀어 땄다.

6 [I] (길·강 등이) 굽이쳐 가다: The road *twists* and turns for over a mile. 길은 1마일 이상 구불구불하다.

7 [I,T] 꼬(이)다, 휘감다(감기다) (round, around): My shoe strings *twisted*. 내 구두끈이 얽혔다.

8 [T] 왜곡하다, 억지를 쓰다: You're *twisting* my words—that's not what I meant at all! 너는 내 말을 왜곡하고 있어. 그건 전혀 내가 말하려던 바가 아니야!

n. **1** 비틂, 한 번 비틀기(꼬기) **2** (사건·사태의) 예기치 않은 진전, 뜻밖의 전개 **3** (도로·강 등의) 굽음, 굴곡 **4** 꼬인 모양, 꼬인 것: a *twist* of hair 꼬인 머리카락 **5** (the twist) [댄스] 트위스트

— **twisted** *adj.* 비틀린, 꼬인 **twisty** *adj.* (길 등이) 꾸불꾸불한, 정직하지 않은

[숙어] **twist one's arm** 압력을 가하다, 강요하다: I'm sure he'll come to the meeting if you *twist his arm*. 네가 그에게 강요한다면 그는 모임에 올 것이라고 확신한다.

twister [twístər] *n.* **1** (새끼 등을) 꼬는 사람, 실 꼬는 기계 **2** 부정직한 사람 **3** [구기] 틀어 치는 공 **4** 어려운 일(문제) **5** [미] 회오리바람 [SYN] whirlwind, tornado

twitch [twitʃ] *v.* [I,T] **1** 홱 잡아당기다, 잡아채다: She *twitched* the letter out of my hand. 그녀는 내 손에서 편지를 홱 잡아챘다. **2** (손가락·근육 등이) 씰룩거리다: He *twitched* his nose like a rabbit. 그는 토끼처럼 코를 씰룩거렸다.

n. **1** (근육 등의) 경련, 씰룩거림 **2** 홱 잡아당김 [SYN] jerk

— **twitchy** *adj.* 안달이 난, 들뜬

twitter [twítər] *v.* [I] **1** (새가) 지저귀다, 짹짹 울다 **2** 재잘재잘 지껄이다

n. 지저귐 [SYN] chirp

two [tu:] *n. adj. pron.* 2(의), 둘(의); 두 개〔사람〕 ⇨ six 참조

two-faced *adj.* 두 얼굴을 가진, 표리부동한, 위선적인: I don't trust him — I suspect he's a bit *two-faced*. 나는 그를 신뢰하지 않는다. 그는 좀 위선적이지 않은가 생각한다. [SYN] hypocritical

two-way [túːwéi] *adj.* (보통 명사 앞에만 쓰임) **1** 두 길의: *two-way* traffic 양면 교통 *cf.* one-way 일방 통행의 **2** 두 방향의, 상호적인 **3** 송수신 양용의

type [taip] *n.* **1** 형, 타입, 유형 (of): I love this *type* of car. 나는 이런 유형의 차가 마음에 든다. / What *type* of clothes does she wear? 그녀는 어떤 타입의 옷을 입니? **2** 전형, 모범, …한 타입의 사람: You're not the banker *type*. 자넨 은행가 타입이 아니야. / He's the *type* of person I admire. 그는 내가 존경하는 타입의 사람이다. **3** 활자, 자체: The words emphasized are in Italic *type*. 강조된 말은 이탤릭체로 되어 있다.

v. [I,T] 타이프라이터로(를) 치다: She *types* well. 그녀는 타자를 잘 한다.

— **typing** *n.* 타이프라이터로 침 **typist** *n.* 타이피스트, 타자수

typewrite [táipràit] *v.* [T] (typewrote-typewritten) 타자기로 치다, 타이프하다
※ 현재는 type가 보통 쓰인다.
— **typewritten** *adj.* 타이프라이터로 친
typewriting *n.* 타자술

typewriter [táipràitər] *n.* 타이프라이터, 타자기

typhoid [táifɔid] *n.* 장티푸스 (typhoid fever)

typhoon [taifúːn] *n.* (특히 남중국해의) 태풍 ⇨ storm

***typical** [típikəl] *adj.* **1** 전형적인, 대표적인: He was the most *typical* of the times in which he lived. 그는 그가 산 시대의 가장 전형적인 인물이었다. OPP untypical, atypical **2** 특유의, 특징적인: It was *typical* of her to get angry about it. 그것에 대해 화를 내는 것은 그녀다웠다.
— **typically** *adv.* **typicalness** *n.*

typify [típəfài] *v.* [T] **1** 대표하다, 전형이 되다 SYN exemplify **2** 상징하다, 예시하다

typography [taipágrəfi] *n.* 활판 인쇄술, 인쇄의 체재, 타이포그래피
— **typhographic, typhographical** *adj.*

tyrannosaurus [tiránəsɔ́ːrəs] (또는 tyrannosaur) *n.* 티라노사우루스 (육생 동물 중 최대의 육식 공룡)

tyranny [tírəni] *n.* **1** 전제 정치 **2** 포학, 횡포, 학대
— **tyrannical** *adj.*

tyrant [táiərənt] *n.* 폭군, 전제 군주

uU

UFO, ufo *abbr.* Unidentified Flying Object 미확인 비행 물체, (특히) 비행 접시 (flying saucer)

ugh [ʌg, u:x] *int.* 우, 와, 오, 어 (혐오·경멸·공포 등을 나타냄)

*****ugly** [ʌ́gli] *adj.* (uglier-ugliest) **1** 추한, 보기 싫은, 못생긴: He's so *ugly*! 그는 너무 못생겼다! / an *ugly* sight 보기에 불쾌한 광경 OPP beautiful **2** (사태·날씨 등이) 험악한, 불온한, 위험한: The situation is *ugly*. 사태가 험악하다. / The sky looks *ugly*. 하늘이 잔뜩 찌푸려 있다.

— **ugliness** *n.*

ulcer [ʌ́lsər] *n.* **1** [병리] 궤양, 종기: a stomach *ulcer* 위궤양 **2** 병폐, 도덕적 부패 (의 근원)

ultimate [ʌ́ltəmit] *adj.* (명사 앞에만 쓰임) **1** 최후의, 마지막의, 궁극의: Our *ultimate* goal is complete independence. 우리의 궁극적인 목표는 완전한 독립이다. **2** 근본적인, 본원적인: *ultimate* principles 근본 원리 **3** 최종적인, 결정적인: *Ultimate* responsibility lies with the President. 최종 책임은 대통령에게 있다.

n. (the ultimate) 최후의 것, 궁극점, 최종 단계[결과, 목적]: This hotel is the *ultimate* in luxury. 이 호텔은 초호화 호텔이다.

ultimately [ʌ́ltəmitli] *adv.* 최후로, 마침내, 결국: *Ultimately*, the decision rests with us. 결국, 결정은 우리가 해야 한다. SYN finally

ultimatum [ʌ̀ltəméitəm] *n.* (*pl.* ultimatums, ultimata) 최후 통첩: Give him an *ultimatum*; either he pays by Friday or he is out. 그에게 최후 통첩을 해라. 금요일까지 돈을 내든지 아니면 나가든지.

ultra- *prefix* '극단으로, 초(超)…, …과(過)'의 뜻.: an *ultra*modern house 초현대적인 집 / *ultra*sound 초음파

ultrasonic [ʌ̀ltrəsánik] *adj.* [물리] 초음파의: *ultrasonic* vibrations 초음파 진동
— **ultrasonically** *adv.*

ultraviolet [ʌ̀ltrəváiəlit] *adj.* 자외(선)의: *ultraviolet* rays 자외선
n. (*abbr.* UV) 자외선
cf. infrared 적외선(의)

*****umbrella** [ʌmbrélə] *n.* **1** 우산 **2** [미] 양산 ※ 보통 sunshade, parasol이라고 한다.

umpire [ʌ́mpaiər] *n.* (경기의) 심판(원): a ball *umpire* (야구) 구심 SYN judge, referee
v. [I,T] (경기·논쟁 등을) 심판하다, 중재하다

UN, U.N. *abbr.* United Nations 국제 연합

un- *prefix* **1** (형용사·부사·명사에 붙여서) 부정의 뜻을 나타냄.: *un*able 할 수 없는 / *un*happily 불행하게 / *un*truth 거짓 **2** (동사에 붙여서) 반대의 동작을 나타냄.: *un*bend 곧게 펴다 / *un*lock 자물쇠를 열다

unable [ʌnéibəl] *adj.* …할 수 없는 (to do): I am *unable* to walk. 나는 걸을 수 없다. / We are *unable* to go into town without a car. 우리는 자동차 없이 시내에 나갈 수 없다. OPP able

■ 유의어 **unable**
unable 일시적으로 할 수 없는 상태: *unable* to relax 편히 쉬지 못하는
incapable 선천적·영구적으로 할 능력이 없는 상태: *incapable* of appreciating music 음악을 감상할 능력이 없는

unacceptable [ʌ̀nækséptəbəl] *adj.*

받아들이기 어려운, 용납하기 어려운 OPP acceptable
— **unacceptably** *adv.*

unaccustomed [ʌ̀nəkʌ́stəmd] *adj.*
1 익숙지 않은, 숙달되지 않은 (to): He is *unaccustomed* to this kind of job. 그는 이런 일에 익숙지 않다. **2** (명사 앞에만 쓰임) 보통이 아닌, 진기한, 별난: *unaccustomed* surroundings 바뀐 새로운 환경

unaffected [ʌ̀nəféktid] *adj.* **1** 변하지 않는, 영향을 받지 않는 (by): The house was *unaffected* by the strong wind. 그 집은 강풍에도 끄떡없었다. **2** 젠체하지 않는, 있는 그대로의, 꾸밈없는: her *unaffected* manner 그녀의 꾸밈없는 태도 SYN natural OPP affected
— **unaffectedly** *adv.*

unaided [ʌnéidid] *adj.* 도움이 없는, 독립의: He did his homework *unaided*. 그는 혼자 힘으로 숙제를 했다.

unanimous [juːnǽnəməs] *adj.* **1** (결정 등이) 만장일치의, 이의 없는: a *unanimous* vote 만장일치의 표결
— **unanimously** *adv.* **unanimity** *n.*

unannounced [ʌ̀nənáunst] *adj.* 공표 되지 않은, 미리 알리지 않은: We arrived *unannounced*. 우리는 예고 없이 왔다.

unanswered [ʌnǽnsərd] *adj.* **1** 대답 없는: One of the most important questions remains *unanswered*. 가장 중요한 질문 한 개에 대한 답이 없다. (아직 아무도 풀지 못했다., 안 풀었다.) / *unanswered* letters 답장 없는 편지들 **2** 보답 없는: *unanswered* love 짝사랑

unarmed [ʌnɑ́ːrmd] *adj.* 무기를 가지지 않은, 무장하지 않은 OPP armed

unassisted [ʌ̀nəsístid] *adj.* =unaided

unattainable [ʌ̀nətéinəbəl] *adj.* 도달 〔성취〕하기 어려운, 얻기 어려운: an *unattainable* goal 성취하기 어려운 목표

unavailable [ʌ̀nəvéiləbəl] *adj.* **1** 손에 넣을 수 없는, 이용할 수 없는: This infor-mation was previously *unavailable* to the public. 이 정보는 전에는 대중들이 이용할 수 없었다. **2** 사람을 만날 수 없는, 부재 중인: I'm sorry, the manager is *unavailable* now. 죄송합니다만, 부장님은 지금 부재 중이십니다. OPP available
— **unavailability** *n.*

unavoidable [ʌ̀nəvɔ́idəbəl] *adj.* 피할 〔어쩔〕 수 없는 SYN inevitable OPP avoidable
— **unavoidably** *adv.*

unaware [ʌ̀nəwɛ́ər] *adj.* (명사 앞에는 쓰이지 않음) 눈치채지 못하는, 알지 못하는, 모르는 (of): He was *unaware* of my presence. 그는 내가 있는 것을 눈치채지 못했다. OPP aware

unawares [ʌ̀nəwɛ́ərz] *adv.* **1** 뜻밖에, 불시에: I was taken completely *unawares* by her suggestion. 그녀의 제안은 너무나 뜻밖이었다. **2** 모르는 새에, 무심히: We had walked *unawares* over the border. 우리는 모르는 새에 경계를 넘어 갔다.

unbalanced [ʌnbǽlənst] *adj.* **1** 이성을 잃은, 정서가 불안한: He seems to be mentally *unbalanced*. 그는 정서적으로 불안해 보인다. **2** 균형이 잡히지 않는 OPP balanced

unbearable [ʌnbɛ́ərəbəl] *adj.* 참을 수 없는, 견딜 수 없는: This heat is quite *unbearable* to me. 이런 더위는 정말 견딜 수 없다. SYN intolerable OPP bearable
— **unbearably** *adv.*

unbeaten [ʌnbíːtn] *adj.* 져 본 일이 없는, 불패의, (기록 등이) 깨지지 않은: The football team remains *unbeaten* this season so far. 그 축구팀은 이번 시즌에 아직까지는 불패이다.

unbelievable [ʌ̀nbilíːvəbəl] *adj.* 믿을 수 없는, 거짓말 같은: His excuse for being late was totally *unbelievable*. 늦은 것에 대한 그의 변명은 정말로 믿기지 않았다. OPP believable

U

— **unbelievably** *adv.*

unbend [ʌnbénd] *v.* [I,T] (unbent-unbent) **1** 곧게 펴(지)다 **2** (마음·몸 등을) 편하게 하다, 긴장을 풀다

unbending [ʌnbéndiŋ] *adj.* **1** 굽지 않는, 단단한 **2** (정신 등이) 불굴의, 고집 센: an *unbending* will 불굴의 의지

unborn [ʌnbɔ́ːrn] *adj.* **1** 아직 태어나지 않은 **2** 장래의, 후세의

unbreakable [ʌnbréikəbəl] *adj.* 깨뜨릴 수 없는: *unbreakable* dishes 깨지지 않는 그릇 OPP breakable

unbroken [ʌnbróukən] *adj.* **1** 파손되지 않은 **2** 계속되는, 중단되지 않는: 50 years of *unbroken* peace 50년 동안 계속된 평화 **3** (기록 등이) 깨지지 않은

unbutton [ʌnbʌ́tn] *v.* [T] (…의) 단추를 끄르다

unceasing [ʌnsíːsiŋ] *adj.* 끊임없는, 부단한, 연속된: *unceasing* efforts 부단한 노력
— **unceasingly** *adv.*

uncertain [ʌnsə́ːrtən] *adj.* 확신이 없는, 단정할 수 없는 (about, of): He was *uncertain* of his success. 그는 자신의 성공에 확신이 없었다. OPP certain
— **uncertainly** *adv.* **uncertainty** *n.*

unchallenged [ʌntʃǽlindʒd] *adj.* 문제가 되지 않는, 논쟁되지 않는; 도전을 받지 않는

unchanged [ʌntʃéindʒd] *adj.* 불변의, 변하지 않은, 본래 그대로의

unchecked [ʌntʃékt] *adj.* **1** 저지[억제]되지 않은 **2** 검사[점검]받지 않은

uncivil [ʌnsívəl] *adj.* **1** 버릇없는, 무례한 SYN rude **2** 야만적인, 미개한

uncivilized [ʌnsívəlàizd] *adj.* 미개한, 야만의: an *uncivilized* country 미개국

*uncle [ʌ́ŋkəl] *n.* 아저씨, 백[숙]부, (외)삼촌, 고모부, 이모부 *cf.* aunt 아주머니, 백[숙]모, 이(고)모

unclean [ʌnklíːn] *adj.* **1** 불결한, 더러운 **2** (도덕적으로) 순결하지 못한, 품행이 나쁜 **3** (종교적으로) 부정한

uncomfortable [ʌnkʌ́mfərtəbəl] *adj.* **1** 입기[앉기, 살기, 눕기, 신기] 불편한: *uncomfortable* shoes 불편한 신발 **2** 기분이 언짢은, 거북한: I am *uncomfortable*. 나는 불쾌하다.
— **uncomfortably** *adv.*

uncommon [ʌnkʌ́mən] *adj.* **1** 흔하지 않은, 보기 드문, 진귀한: Those birds are *uncommon* in this area. 저 새들은 이 지역에서는 보기 드물다. SYN rare **2** 보통이 아닌, 비범한: a woman of *uncommon* beauty 빼어난 미인 SYN remarkable

unconcerned [ʌnkənsə́ːrnd] *adj.* **1** 관심을[흥미를] 가지지 않는, 개의치 않는 (with, at): The baby seemed quite *unconcerned* with the noise. 그 아기는 소음에 전혀 개의치 않아 보였다. **2** 걱정[근심]하지 않는, 무사태평한 (about): He was *unconcerned* about what he had done. 그는 자신이 한 것에 대해 걱정하지 않았다. OPP concerned

unconditional [ʌnkəndíʃənəl] *adj.* 무조건의, 무제한의, 절대적인: *unconditional* surrender 무조건 항복 OPP conditional
— **unconditionally** *adv.*

unconquerable [ʌnkáŋkərəbəl] *adj.* 정복할 수 없는, 극복할 수 없는

unconscious [ʌnkánʃəs] *adj.* **1** 의식불명의, 인사불성의: She was found lying *unconscious* on the kitchen floor. 그녀가 부엌 바닥에 의식불명인 채로 쓰러져 있는 것이 발견되었다. **2** 모르는, 깨닫지 못하는 (of): Grace was quite *unconscious* of his presence. 그레이스는 그의 존재를 정말 모르고 있었다. **3** 무의식의, 부지중의: *unconscious* habit 무의식적인 습관 OPP conscious
n. (the unconscious) 무의식(적인 심리)
— **unconsciously** *adv.* 무의식적으로, 부지중에 **unconsciousness** *n.* 무의식; 의식 불명

unconstitutional [ʌ̀nkɑnstətjúːʃənəl]
adj. 헌법에 위배되는, 위헌의

uncontrollable [ʌ̀nkəntróuləbəl]
adj. 제어할 수 없는, 억제하기 어려운, 어쩔 수 없는: *uncontrollable* children 통제하기 어려운 아이들

— **uncontrollably** *adv.*

unconventional [ʌ̀nkənvénʃənəl]
adj. 관습에 의하지 않은; (태도 · 복장 등이) 판에 박히지 않은, 자유로운

uncountable [ʌnkáuntəbəl] *adj.*
무수한, 셀 수 없는, 계산할 수 없는: an *uncountable* noun 불가산 명사 (셀 수 없는 명사) [OPP] countable

n. [문법] 불가산 명사

uncover [ʌnkʌ́vər] *v.* [T] **1** …의 덮개를 벗기다, 뚜껑을 열다 [OPP] cover **2** 폭로하다, 드러내다, 밝히다: Police have *uncovered* evidence of fraud. 경찰은 사기의 증거를 밝혔다. [SYN] expose, disclose

— **uncovered** *adj.* 덮개를 씌우지 않은, 노출된

uncultured [ʌnkʌ́ltʃərd] *adj.* **1** (토지가) 경작(개간)되지 않은 **2** 교육받지 않은, 교양 없는

undamaged [ʌndǽmidʒd] *adj.* 손해를 입지 않은, 완전한

undaunted [ʌndɔ́ːntid] *adj.* 불굴의, 겁내지 않는, 용감한

undecided [ʌ̀ndisáidid] *adj.* 미결의, 미정의: I'm *undecided* whether to go to China or Japan for my holidays. 휴가를 중국으로 갈지 일본으로 갈지 정하지 못했다. [OPP] decided

undelivered [ʌ̀ndilívərd] *adj.* **1** 배달되지 않은: *undelivered* letter 배달되지 않은 편지 **2** 석방되지 않은: *undelivered* prisoner 석방되지 않은 죄수 **3** (의견 등이) 진술되지 않은, 입 밖에 내지 않은: *undelivered* speech 발표되지 않은 연설

undeniable [ʌ̀ndináiəbəl] *adj.* 부정(부인)할 수 없는, 명백한: *undeniable* proof 명백한 증거 **2** 더할 나위 없는, 흠 잡을 데 없는: an *undeniable* student 매우 우수한 학생

— **undeniably** *adv.*

*★**under** ⇨ p. 828

under- *prefix* **1** (명사 · 형용사에 붙여서) 아래의(에): *under*ground 지하(의) **2** (명사에 붙여서) 나이가 …미만의 사람, 보다 못한: the *under*fives 5살 이하의 어린이들 / an *under*secretary 차관 **3** (형용사 · 동사에 붙여서) 불충분하게: *under*state 적게 말하다 / *under*cooked food 덜 익은 음식

underbrush [ʌ́ndərbrʌ̀ʃ] *n.* ([영] undergrowth) [미] (큰 나무 밑에 자라는) 덤불, 관목

undercarriage [ʌ́ndərkæ̀ridʒ] *n.* (비행기의) 착륙 장치; (자동차 등의) 하부 구조, 차대 [SYN] landing gear

underclothes [ʌ́ndərklòuðz] *n.* (*pl.*) 속옷, 내의 [SYN] underwear

underdeveloped [ʌ̀ndərdivéləpt]
adj. **1** (나라 · 지역 등이) 저개발의 (undeveloped보다 좀더 진보한 상태를 이름): an *underdeveloped* country 개발도상국, 저개발국 ※ developing country가 좀더 일반적인 표현이다. '선진국'에는 developed 또는 advanced를 쓴다. **2** 발달(발육)이 불충분한

— **underdevelopment** *n.*

underestimate [ʌ̀ndəréstəmèit] *v.*
[T] **1** 실제보다 낮게(적게) 어림하다 **2** 과소평가(판단)하다, 얕보다: Don't *underestimate* your opponent. 네 상대를 과소평가하지 마라.

[OPP] overestimate

n. **1** 싼 견적(어림) **2** 과소평가, 경시

undergo [ʌ̀ndərgóu] *v.* [T] (underwent-undergone) (시련 · 변화 등을) 경험하다, 겪다, 견디다: He *underwent* an eight-hour operation. 그는 8시간의 수술을 받았다. / The city has *undergone* various changes. 그 도시는 여러 가지 변화를 겪었다. [SYN] experience

U

under

under [ʌ́ndər] *prep.* **1** (위치) ① …의 (바로) 아래에, …의 밑에: The dog is *under* the table. 강아지가 테이블 밑에 있다. / Write your name *under* your picture. 네 사진 아래에 이름을 적어라. ② …의 안(속)에: inject *under* the skin 피하에 주사를 놓다 / He was wearing a sweater *under* the jacket. 그는 재킷 속에 스웨터를 입고 있었다.
2 (수량·때·나이 등) … 미만인(의): boys *under* twelve years old 12세 미만의 소년들 / *Under* 50 people were present. 출석자는 50명도 안 되었다. ⟨SYN⟩ less than
3 (상태) ① (작업·고려) 중인(의): The road is *under* repair. 그 도로는 보수 중이다. ② (지배·감독·지도 등)의 아래에: the country *under* British government 영국 치하에 있는 나라 / study *under* Dr. Jones 존스 박사의 지도 하에 연구하다 ③ (조건·사정) 아래(하)에: *under* any circumstances 어떤 일이 있든, 반드시 / *under* a delusion 착각하여
4 (압박·구속) ① (짐·부담·압박 등)의 밑(하)에, …을 지고, … 때문에: The bridge would give way *under* heavy traffic. 다리는 교통량이 많으면 무너질 것이다. ② (형벌·시련 등)을 받아, …을 당하여: *under* sentence of death 사형 선고를 받고 ③ (의무·책임·구속 등) 아래(하)에: I am *under* (an) obligation to him. 나는 그에게 신세를 지고 있다.
5 (행위·판단의 기준) …에 의거하여, …에 따라서: *under* the law 법에 따라서 / *under*

Article 9 제9조에 의거해서
6 (가장·빙자) …이라는 이름으로, …의 형태를 취하여: publish works *under* a pen name 필명으로 작품을 발표하다
7 (분류·구분) …에 속하여, …(항목) 속에: Books about health problems are *under* 'Medicine.' 건강 문제에 관한 책은 '의학' 항목 하에 있다.
adv. **1** 밑에(으로), 아래에(로), 물 속에: The ship went *under*. 배가 가라앉았다. **2** 미만으로: Children seven or *under* were admitted free. 7세 내지 그 이하 어린이는 무료 입장이었다. **3** 억압되어, 지배되어: bring the fire *under* 화재를 진압하다
adj. 아래의, 하부의: the *under* lip 아랫입술 / an *under* officer 하급 장교

■ **유의어 under**
under '바로 밑에'의 뜻으로 두 사물 사이에 공간이 있을 수 있다.: The cat is asleep *under* the desk. 고양이가 책상 밑에 잠들어 있다. 또는 두 사물이 접하고 있을 수도 있다.: I put your letter *under* that book. 내가 너의 편지를 저 책 밑에 두었다. **below** '보다 낮은 위치에'의 뜻.: The sun has sunk *below* the horizon. 태양이 수평선 아래로 떨어졌다. **beneath** '바로 밑에'의 뜻으로 공문서에 쓰이나 보통 under를 쓴다. **underneath** under 대신에 쓸 수 있는 말로 특히 덮여 있거나 감추어져 있음을 강조한다.: They found a bomb *underneath* the car. 그들은 차 밑에 숨겨진 폭탄을 찾아 냈다.

---

undergraduate [ʌ̀ndərgrǽdʒuit] *n.*
대학 학부 재학생, 대학생

■ **유의어 undergraduate**
undergraduate 대학에서 첫 번째 학위를 받기 위해 공부하는 '대학생'.

graduate 첫 번째 학위를 받은 '대학 졸업자'. [미]에서는 대학 이외의 졸업생에게도 씀. **postgraduate** 하나의 학위를 취득한 후 계속 공부하는 '대학원생'. [미]에서는 보통 graduate를 씀.

***underground** [ʌ́ndərgràund] *adj.* **1**
지하의, 지하에 있는: an *underground*
passage 지하도 **2** 비밀의, 지하 조직의, 반체
제의: the *underground* government 지
하 정부
adv. **1** 지하에(서) **2** 비밀히, 몰래
n. **1** (종종 the underground) [영] 지하철
([미] subway) **2** (the underground) 지하
정치 운동〔조직〕, 반체제

undergrowth [ʌ́ndərgròuθ] *n.* ([미]
underbrush) [영] (큰 나무 밑의) 관목, 덤불

underhand [ʌ́ndərhæ̀nd] *adj.* **1** 비밀
의, 뒤가 구린, 비열한: *underhand* dealings
부정한 거래 **2** [야구·크리켓·테니스] 치던지
는, 치켜 치는

underlie [ʌ̀ndərlái] *v.* [T] (underlay-
underlain; underlying) **1** …의 밑〔아래〕에
있다〔놓이다〕 **2** …의 기초가 되다, …의 근저에
있다: Most social problems *underlie*
much of the crime in today's big
cities. 대부분의 사회 문제들은 오늘날 대도시
에서 일어나는 많은 범죄의 원인이다.

***underline** [ʌ̀ndərláin] (또는 under-
score) *v.* [T] **1** (어구 등의) 아래에 선을 긋다,
밑줄을 치다 **2** 강조하다: She *underlined*
that he was in the wrong. 그녀는 그에
게 잘못이 있다고 강력히 말했다.

underlying [ʌ̀ndərláiiŋ] *adj.* **1** 뒤에 숨
은, 잠재적인: the *underlying* causes of
the disaster 재난의 숨은 원인들 **2** 밑에 있
는 **3** 기초가 되는, 근원적인: an *underlying*
principle 기본적 원칙 [SYN] fundamental

***underneath** [ʌ̀ndərní:θ] *prep.* …의 아
래에〔를, 의〕: The coin rolled *underneath*
the chair. 동전은 의자 아래로 굴러갔다. ⇨
under
adv. 아래에, 밑에, 하부에
n. (the underneath) 아래쪽, 바닥(면):
There's a crack on the *underneath* of
the bowl. 그릇 바닥에 균열이 있다.

undernourished [ʌ̀ndərnə́:riʃt] *adj.*
영양 부족의

underpants [ʌ́ndərpæ̀nts] *n.* (*pl.*) 속
바지, (짧은 또는 긴) 팬츠 (pants)

underpass [ʌ́ndərpæ̀s] *n.* 지하도 (특히
철로·도로 밑을 입체로 교차하는)

underprivileged [ʌ̀ndərprívəlidʒd]
adj. (남보다) 특권이 적은, (사회적·경제적으
로) 혜택을 받지 못하는 [OPP] privileged
※ poor의 완곡한 표현이다.
n. (the underprivileged) 혜택을 덜 받고 있
는 사람들

underrate [ʌ̀ndəréit] *v.* [T] 낮게〔과소〕
평가하다, 얕보다, 경시하다 [SYN] underes-
timate [OPP] overrate

undersea [ʌ̀ndərsí:] *adj.* 해중의, 해저
의: an *undersea* boat 잠수함
adv. 바닷속〔해저〕에(서)

underside [ʌ́ndərsàid] *n.* 아래쪽, 밑바
닥 [SYN] bottom

***understand** [ʌ̀ndərstǽnd] *v.*
(understood-understood) **1** [I,T] (남의
말·뜻 등을) 이해하다, 알아듣다: I'm sorry,
I don't *understand*. Can you explain
that again? 죄송하지만, 이해가 안 돼요. 그
걸 다시 설명해 주시겠어요?
2 [T] ① (참뜻·설명·원인·내용 등을) 알다,
이해하다, 납득하다: I don't *understand*
why she felt so angry. 그녀가 왜 그렇게
화가 났는지 모르겠다. ② (기술·학문·법률
등에) 정통하다: She *understands* Arabic.
그녀는 아랍어를 잘 안다.
3 [T] …의 뜻으로 해석하다, 추측하다, 미루어
알다: He *understood* my smile as an
approval. 그는 나의 미소를 찬성한다는 뜻으
로 해석했다.
4 [T] (종종 수동태) (어구 등을) 마음속으로
보충하다, 보충하여 해석하다, (말 등을) 생략
하다: In the sentence 'She is shorter
than I,' the word 'am' is *understood*
at the end. '그녀는 나보다 키가 작다'는 문
장에서는 끝부분에 'am'이 생략되어 있다.
— **understandable** *adj.*
[숙어] **make oneself understood** 자기

의 말〔생각〕을 남에게 이해시키다: Can you *make yourself understood* in English? 너는 영어로 의사 소통이 되니?

■ 유의어 understand

understand 가장 일반적인 말로 지적인 이해뿐만 아니라 감정적 이해 · 경험적 이해 등도 포함함.: I can't *understand* you. 무슨 말인지 모르겠어. **comprehend** 주로 지적 이해에 한정되며 완전히 이해하기까지의 심적 과정을 강조함.: *comprehend* the problem 문제의 실체를 이해하다 **appreciate** 진가를 올바르게 이해 · 인식함.: *appreciate* English poetry 영시를 감상하다

understanding [ʌ̀ndərstǽndiŋ] *n.* **1** 지식, 식별: She has little *understanding* of how computers work. 그녀는 컴퓨터의 작동 원리에 대해 거의 모른다. **2** (비공식적인) 합의, 양해, 협정: We have an *understanding* that it will be held in strict confidence. 우리는 그것을 극비에 붙이기로 합의했다. **3** 이해력, 사려, 분별, 이해심: Mutual *understanding* is important in all relationships. 모든 관계에서 서로에 대한 이해심은 중요하다. **4** (개인적인) 견해, 해석: According to my *understanding* of the letter, it means something quite different. 내 생각에 그 편지는 아주 다른 것을 의미한다.
adj. 사려 분별이 있는, 이해심 있는: *understanding* parents 이해심 있는 부모
숙어 **on the understanding that ...** …한 조건으로: We let him stay in our house *on the understanding that* it was only for a while. 잠깐 동안만이라는 조건으로 그를 우리 집에 머무르도록 허락했다. SYN on condition that

undertake [ʌ̀ndərtéik] *v.* [T] (undertook-undertaken) **1** (일 · 책임 등을) 떠맡다, …의 책임을 지다, 시작하다: He *undertook* responsibility for the changes. 그는 변화에 대한 책임을 졌다. **2** 약속하다, 보증하다, 단언하다: He *undertook* to do the work. 그는 그 일을 하겠다고 약속했다. / I *undertake* that the medicine will work. 그 약이 효험이 있음을 내가 보증한다.

undertaker [ʌ̀ndərtéikər] *n.* **1** 인수인, 기획자, 기업〔사업〕가 **2** 장의사 SYN funeral director

undertaking [ʌ̀ndərtéikiŋ] *n.* **1** 사업, 기업: It's quite an *undertaking*. 그것은 꽤 큰 사업이다. SYN enterprise **2** (일 · 책임의) 인수, (떠맡은) 일 **3** 약속, 보증: I gave him an *undertaking* to pay the money back within a year. 돈을 1년 내에 갚겠다고 그에게 약속했다. SYN guarantee **4** 장의 사업

underwater [ʌ̀ndərwɔ́:tər] *adj.* 물 속의〔에서 쓰는〕: an *underwater* camera 수중 카메라
adv. 물 속에서

underwear [ʌ́ndərwὲər] *n.* 속옷, 내의 SYN underclothes

underweight [ʌ́ndərwèit] *adj.* 중량 부족의 OPP overweight

underworld [ʌ́ndərwὲ:rld] *n.* (the underworld) **1** 사회의 최하층, 암흑가 **2** 지옥, 저승

undesirable [ʌ̀ndizáiərəbəl] *adj.* 바람직하지 않은, 달갑지 않은, 불쾌한 OPP desirable

undeveloped [ʌ̀ndivéləpt] *adj.* **1** 발달하지 못한, 미발달의 **2** (땅 · 지역 · 나라 등이) 미개발의 ⇨ underdeveloped

undiscovered [ʌ̀ndiskʌ́vərd] *adj.* 발견되지 않은, 찾아내지 못한; 미지의

undisturbed [ʌ̀ndistə́:rbd] *adj.* **1** 손대지 않은 SYN untouched **2** 방해받지 않은: At last we were able to work *undisturbed*. 드디어 우리는 방해받지 않고 공부할 수 있었다. **3** 평정을 잃지 않은, 마음이 편안한 (by): He seemed *undisturbed* by the news of her death. 그녀의 사망 소식을 듣고도 그는 침착해 보였다. [SYN] unconcerned

undivided [ʌ̀ndiváidid] *adj.* **1** 나뉘지 않은, 분할되지 않은 **2** 한눈 팔지 않는, 집중된: Please give the matter your *undivided* attention. 그 문제에 전념해 주세요.

undo [ʌndúː] *v.* [T] (undid-undone) **1** (매듭·꾸러미 등을) 풀다, (단추 등을) 끄르다, 풀다, (옷 등을) 벗기다: I carefully *undid* the parcel. 나는 조심스럽게 소포를 풀었다. **2** (일단 한 것을) 원상태로 돌리다, 본래대로 하다, 취소하다: What is done cannot be *undone*. [속담] 엎지른 물은 다시 주워 담을 수 없다. / His mistake *undid* all our efforts. 그의 실수로 우리의 모든 노력이 수포로 돌아갔다.

undoubted [ʌndáutid] *adj.* 의심할 여지가 없는, 틀림없는, 확실한 [SYN] certain
— **undoubtedly** *adv.*

undress [ʌndrés] *v.* **1** [I] 옷을 벗다
※ get undressed가 undress보다 흔히 쓰인다.: She *got undressed* and had a shower. 그녀는 옷을 벗고 샤워를 했다.
2 [T] …의 옷을 벗기다 [OPP] dress
— **undressed** *adj.*

undue [ʌ̀ndjúː] *adj.* **1** 지나친, 과도한: The police try not to use *undue* force to disperse the crowd. 경찰은 군중들을 해산시키는 데 지나친 무력을 사용하지 않으려고 한다. **2** 부당한, 부적당한: *undue* use of power 권력의 부당한 행사 [SYN] improper **3** (지불) 기한이 되지 않은
— **unduly** *adv.* 과도하게; 부당하게, 불법으로

unearth [ʌnə́ːrθ] *v.* [T] **1** (땅 속에서) 발굴하다, 파내다: *unearth* a hidden treasure 숨겨진 보물을 발굴하다 [SYN] excavate **2** (음모 등을) 밝혀 내다, 폭로하다: The reporter *unearthed* some important secrets about her. 기자는 그녀에 관한 몇 가지 중요

한 비밀을 밝혀 냈다. [SYN] uncover

unease [ʌníːz] *n.* 불안, 걱정, 불쾌 (uneasiness) [OPP] ease

uneasy [ʌníːzi] *adj.* (uneasier-uneasiest) **1** 불안한, 걱정되는 (about): He felt *uneasy* about the future. 그는 장래가 걱정스러웠다. [SYN] restless **2** (몸이) 거북한, 불편한: I feel *uneasy* in tight clothes. 옷이 꽉 끼어서 불편하다. / *uneasy* conscience 양심의 가책 [SYN] uncomfortable **3** (태도 등이) 어색한, 부자연스러운: I have a rather *uneasy* relationship with my mother-in-law. 나는 시어머니와[장모님과] 관계가 다소 어색하다.
— **uneasily** *adv.*

uneconomic [ʌ̀niːkənámik] (또는 uneconomical) *adj.* **1** (회사 등이) 이익이 없는, 비경제적인: *Uneconomic* factories will have to be closed. 이익이 없는 공장들은 문을 닫아야 할 것이다. [SYN] unprofitable **2** 낭비하는, 비절약적인: It would be *uneconomic* to try and repair it. 그것을 수리하려고 애쓰는 것은 낭비일 것이다.
[OPP] economic, economical

uneducated [ʌnédʒukèitid] *adj.* 교육받지 못한, 무지의, 무식한

unemployed [ʌ̀nimplɔ́id] *adj.* **1** 실직한, 실업(자)의: He has been *unemployed* for over six months. 그는 6개월 넘도록 실직 상태이다. [SYN] jobless [OPP] employed **2** (도구·방법 등이) 쓰이지 않는, 이용[활용]되지 않는: *unemployed* capital 유휴 자본 **3** (the unemployed) 실업자들

unemployment [ʌ̀nemplɔ́imənt] *n.* **1** 실업, 실직: The number of people claiming *unemployment* benefit has gone up. 실업 급여를 신청하는 사람들의 숫자가 늘어났다. [OPP] employment **2** 실업자 수, 실업률: *Unemployment* has risen for the third consecutive month. 석 달 내리 실업률이 증가했다.
[SYN] joblessness

U

unending [ʌnéndiŋ] *adj.* 끝없는, 무한한, 영원한

unequal [ʌní:kwəl] *adj.* **1** 불공평한, 불평등한: the *unequal* distribution of wealth 부의 불평등한 분배 [SYN] partial **2** (크기·양·능력·이익 등이) 같지 않은, 동등하지 않은: She cut the cake into three *unequal* pieces. 그녀는 케이크를 크기가 다른 세 조각으로 잘랐다. [OPP] equal **3** (…에) 불충분한, 부적당한, 적임이 아닌 (to): He is *unequal* to the task. 그는 그 일에 적임이 아니다.
— **unequally** *adv.*

unequaled, unequalled [ʌní:kwəld] *adj.* 필적할[견줄] 것이 없는, 월등하게 좋은

UNESCO, Unesco [ju:néskou] *abbr.* United Nations Educational, Scientific, and Cultural Organization 유네스코 (국제 연합 교육 과학 문화 기구)

unethical [ʌnéθikl] *adj.* 비윤리적인, 파렴치한
— **unethically** *adv.*

uneven [ʌní:vən] *adj.* **1** 평탄하지 않은, 울퉁불퉁한: The road was very *uneven*. 그 도로는 아주 울퉁불퉁했다. [OPP] even **2** 한결같지 않은, 고르지 않은: Her breathing was *uneven*. 그녀의 숨결이 고르지 않았다. **3** 공정하지 않은, (경쟁 등이) 승산이 없는: The contest was very *uneven* — the other team was far stronger than us. 그 경기는 아주 승산이 없었다. 다른 팀이 우리보다 훨씬 강했다. **4** 홀수의: *uneven* numbers 홀수 [SYN] odd
— **unevenly** *adv.*

unexceptional [ʌniksépʃənəl] *adj.* 예외가 아닌, 보통의
— **unexceptionally** *adv.* 예외 없이, 모두

unexpected [ʌnikspéktid] *adj.* 예기치 않은, 뜻밖의, 의외의: Her death was totally *unexpected*. 그녀의 죽음은 정말로 뜻밖이었다. [OPP] usual
— **unexpectedly** *adv.*

unexplainable [ʌnikspléinəbəl] *adj.* 설명할 수 없는, 묘한

unexplored [ʌnikspló:rd] *adj.* 탐험(탐사, 답사, 조사)되지 않은, 미답의

unfailing [ʌnféiliŋ] *adj.* **1** 변하지 않는, 끊임없는: His *unfailing* good humor made him popular with everyone. 끊임없는 훌륭한 유머가 그를 모두에게 인기 있게 만들었다. / *unfailing* enthusiasm 무한한 열정 **2** 신뢰할 만한, 틀림없는, 확실한: an *unfailing* person 신뢰할 만한 사람
— **unfailingly** *adv.*

unfair [ʌnfέər] *adj.* **1** 불공평한, 편파적인 (on, to): It's so *unfair* — he gets more money for less work! 이건 아주 불공평해. 그는 적게 일해도 돈을 더 받잖아! [SYN] partial **2** (상거래 등이) 부정한, 부당한: an *unfair* means 부정 수단 [OPP] fair
— **unfairly** *adv.* **unfairness** *n.*

unfaithful [ʌnféiθfəl] *adj.* **1** 정숙하지 못한, 부정한 (to): She was frequently left alone by her *unfaithful* husband. 그녀는 부정한(바람난) 남편에 의해 종종 홀로 남겨졌다. **2** 성실하지 않은: an *unfaithful* servant 불성실한 하인 [SYN] disloyal [OPP] faithful
— **unfaithfulness** *n.*

unfamiliar [ʌnfəmíljər] *adj.* **1** 생소한, 낯선 (to): She grew many plants that were *unfamiliar* to me. 그녀는 내게는 생소한 많은 식물들을 키웠다. / The name was *unfamiliar* to me. 그 이름은 내게 생소했다. **2** (사람이) 익숙지 못한, 잘 모르는, 경험이 없는 (with): I am *unfamiliar* with Latin. 나는 라틴 어를 잘 모른다. [OPP] familiar

unfasten [ʌnfǽsn] *v.* **1** [T] 늦추다, 벗기다, 풀다: I can't *unfasten* this lock. 이 자물쇠를 열 수 없다. **2** [I] 헐거워지다, 벗어지다, 풀리다: This blouse *unfastens* at the back. 이 블라우스는 뒤에서 푼다. [SYN] undo [OPP] fasten

unfavorable, unfavourable
[ʌnféivərəbəl] *adj.* **1** 반대(의견)의, 불찬성을 나타내는: He was particularly *unfavorable* to the idea. 그는 특히 그 생각에 반대했다. **2** 형편이 나쁜, 불리한, 거슬리는: *unfavorable* weather for a trip 여행하기에 좋지 않은 날씨 OPP favorable

unfeeling [ʌnfíːliŋ] *adj.* **1** 무정한, 냉혹한: an *unfeeling* man 무정한 사람 **2** 느낌이 없는, 무감각의 SYN insensible

unfinished [ʌnfíniʃt] *adj.* 미완성의, 다되지 않은: the *Unfinished* Symphony 미완성 교향곡 (슈베르트의 교향곡 제8번, 1882년 작곡) / I have some *unfinished* business with you. 당신과 처리해야 할 미결 사항이 좀 있습니다.

unfit [ʌnfít] *adj.* **1** 부적당한, 적임이 아닌 (for, to do): It is *unfit* for use. 그것은 사용하기에 적당하지 않다. / He is *unfit* to be a teacher. 그는 교사에 적임이 아니다. **2** 건강하지 않은, 몸에 이상이 있는: She never gets any exercise — she must be *unfit*. 그녀는 운동을 전혀 하지 않는다. 틀림없이 건강이 안 좋을 것이다. OPP fit

unfold [ʌnfóuld] *v.* **1** [I,T] (접어 갠 것, 잎, 봉오리 등을) 펼치다, 펴(지)다: I *unfolded* the letter and read it. 나는 편지를 펴서 읽었다. OPP fold **2** [I,T] (경치·이야기 등이) 전개되다, 펼쳐지다: The plot of the novel *unfolds* in a very natural way. 그 소설의 줄거리는 아주 자연스럽게 전개된다. **3** [T] (의중·생각 등을) 나타내다, 표명하다, (비밀·속마음을) 털어놓다: He *unfolded* his plan to me. 그는 그의 계획을 내게 털어놓았다.

unforeseen [ʌnfɔːrsíːn] *adj.* 생각지 않은, 우연의, 뜻밖의: *unforeseen* problems 뜻밖의 문제들

unforgettable [ʌnfərgétəbəl] *adj.* 잊을 수 없는, (언제까지나) 기억에 남는 SYN memorable

unforgivable [ʌnfərgívəbəl] *adj.* 용서할 수 없는 SYN inexcusable, unpardonable OPP forgivable
— **unforgivably** *adv.*

unfortunate [ʌnfɔːrtʃənit] *adj.* **1** 불운한, 불행한: He was *unfortunate* to lose his wife. 그는 불행하게도 아내를 잃었다. OPP fortunate **2** 유감스러운, 한심스러운: It's *unfortunate* that your father can't come to the wedding. 네 아버지가 결혼식에 오시지 못해서 유감스럽다. **3** 성공 못한, 잘못된: an *unfortunate* enterprise 실패로 끝난 기업
— **unfortunately** *adv.* 불행하게, 운 나쁘게

unfriendly [ʌnfréndli] *adj.* (unfriendlier-unfriendliest) **1** 불친절한, 박정한, 우정이 없는: It was *unfriendly* of you not to help her. 그녀를 도와 주지 않다니 너도 박정하구나. **2** 적의가 있는 SYN hostile **3** (기후 등이) 나쁜, 형편이 나쁜, 불리한 OPP friendly

unfulfilled [ʌnfulfíld] *adj.* **1** 이행되지 않은, 실현(성취)하지 못한: Do you have any *unfulfilled* dreams? 실현하지 못한 꿈이 있나요? **2** (사람이) 재능을 충분히 발휘하지 않은, 불만스러운

ungrateful [ʌngréitfəl] *adj.* 은혜를 모르는, 감사할 줄 모르는 SYN unthankful OPP grateful
— **ungratefully** *adv.*

unhappy [ʌnhǽpi] *adj.* (unhappier-unhappiest) **1** 슬픈, 우울한 (about): She had a very *unhappy* childhood. 그녀는 아주 우울한 어린 시절을 보냈다. **2** 불만인, 걱정되는 (about, at, with): I'm *unhappy* about letting her go alone. 그녀가 혼자 가도록 한 것이 걱정된다. / The boss is very *unhappy* that you were late. 상사는 네가 늦은 것을 몹시 못마땅하게 여긴다. **3** 불운한, 불행한 OPP happy

U

— **unhappily** *adv.* **unhappiness** *n.*

unhealthy [ʌnhélθi] *adj.* (unhealthier-unhealthiest) **1** 건강하지 못한, 병든: She looks pale and *unhealthy*. 그녀는 창백하고 병들어 보인다. **2** (장소·기후 등이) 건강에 해로운, 비위생적인, 유해한: *unhealty* living conditions 유해한 생활 환경 **3** (도덕적·정신적으로) 불건전한: an *unhealthy* interest in death 죽음에 대한 병적인 흥미 [OPP] healthy

unheard [ʌnhə́ːrd] *adj.* (명사 앞에는 쓰이지 않음) 들리지 않는, 경청해〔들어〕 주지 않는: My suggestions went *unheard*. 나의 제안은 무시되었다.

unheard-of *adj.* 전례가 없는, 전대미문의: an *unheard-of* experiment 전대미문의 실험 / *unheard-of* behavior 전례가 없는 (무례한) 행동 [SYN] unprecedented

uni- *prefix* '단일'의 뜻.: *uni*form, *uni*corn, *uni*laterally

UNICEF, Unicef [júːnəsèf] *abbr.* United Nations Children's Fund 유니세프 (유엔 아동 기금)

unicorn [júːnəkɔ̀ːrn] *n.* 유니콘, 일각수 (一角獸; 말 비슷하며 이마에 뿔이 하나 있는 전설적인 동물)

unidentified [ʌnaidéntəfàid] *adj.* (국적·신원이) 불확실한, 미확인의, 정체 불명의: An *unidentified* body has been found in the river. 신원 미상의 시신이 강에서 발견되었다.

*****uniform** [júːnəfɔ̀ːrm] *n.* (군인·경관·간호사 등의) 제복, 군복, 관복, (운동 선수의) 유니폼: school *uniform* 교복
adj. **1** 동일한, 동형의, (형상·빛깔 등이) 같은: a building *uniform* with its neighbors in design 주위의 건물과 디자인이 같은 건물 **2** 동일 표준의, 획일적인: a *uniform* wage 획일적인 임금 **3** (시간·장소에 따라) 불변의, 일정한: at a *uniform* temperature 일정한 온도에서 **4** 균등한, 균일한, 한결같은: a man of *uniform*

disposition 변덕스럽지 않은 사람
— **uniformed** *adj.* (항시) 제복〔군복〕을 입은 **uniformity** *n.* 획일, 일률

unify [júːnəfài] *v.* [T] 하나로 하다, 통합〔일〕하다, 단일화하다 [SYN] unite
— **unification** *n.*

unilateral [jùːnəlǽtərəl] *adj.* 한쪽〔면, 편〕만의, 일방적인: *unilateral* declaration of independence 일방적 독립 선언 (종주국의 동의 없는) *cf.* bilateral 양측의
— **unilaterally** *adv.*

unimaginable [ʌnimǽdʒənəbəl] *adj.* 상상〔생각, 생각조차〕할 수 없는, 기상 천외의

unimaginative [ʌnimǽdʒənətiv] *adj.* 상상력이 없는, 시적이 아닌

unimportant [ʌnimpɔ́ːrtənt] *adj.* 중요하지 않은, 하찮은 [SYN] trivial

uninhabited [ʌninhǽbitid] *adj.* 사람이 살지 않는, 주민이 없는 [OPP] inhabited

unintelligible [ʌnintélədʒəbəl] *adj.* 이해하기 어려운, 영문을 알 수 없는, 분명치 않은 [OPP] intelligible

unintended [ʌninténdid] *adj.* 고의가 아닌, 의도한 것이 아닌

uninterested [ʌníntərəstid] *adj.* 흥미를 느끼지 않는, 무관심한 (in): He seems *uninterested* in learning anything. 그는 무엇이든 배우는 데는 무관심한 것 같다. [SYN] indifferent [OPP] interested *cf.* disinterested 사욕이 없는, 공평한

uninteresting [ʌníntərəstiŋ] *adj.* 시시한, 흥미〔재미〕 없는, 지루한 [SYN] dull

*****union** [júːnjən] *n.* **1** 결합, 연합, 합병: the *union* of two companies 두 회사의 합병 **2** 일치, 단결, 화합: Union is strength. 단결은 힘이다. **3** (개인·단체·국가 등의) 연합 조직, 연합 국가, 연방: the European Union 유럽 연합 **4** 노동 조합 ([미] labor union, [영] trade union) **5** (보통 Union) 학생 클럽, 학생 회관 (student union)

*****unique** [juːníːk] *adj.* **1** 유일(무이)한, 하나

밖에 없는: Each person's signature is *unique*. 개개인의 서명은 유일한 것이다. **2** (어떤 종류·상황·지역에) 특유한, 고유한, 독특한 (to): This dance is *unique* to this region. 이 춤은 이 지역만의 고유한 것이다. **3** 진기한, 보통이 아닌

unison [júːnəsən] *n.* **1** (소리·목소리 등의) 조화, 화합, 일치 [SYN] harmony **2** [음악] 제창

[숙어] **in unison 1** 함께, 일제히, 동시에: 'No, thank you,' they said *in unison*. '아니오, 됐습니다.' 라고 그들은 일제히 말했다. [SYN] in chorus

*__**unit**__ [júːnit] *n.* **1** 단일체, 한 개, 한 사람 **2** 단위, 구성[편성] 단위: a *unit* price 단가 / a monetary *unit* 화폐 단위 / The family is a *unit* of society. 가족은 사회의 구성 단위이다. **3** 하나의 집단, 한 무리: She works in the emergency *unit* at the hospital. 그녀는 병원 응급실에서 일한다. **4** ① [수학] 단위, 최소 완전수 '1' ② [물리] (계량·측정의) 단위 ③ [의학] (약·면역의) 단위 ④ (화폐의) 단위: The dollar is the basic *unit* of currency in the US. 달러는 미국의 기본적인 화폐 단위이다. **5** [미] [교육] (학과목의) 단위, 학점, (교재의) 단원 **6** (기계·장치의) 구성 부분, (특정 기능을 가진) 장치[설비, 기구] 한 세트: a kitchen *unit* 부엌 설비 한 세트 / The heart of a computer is the central processing *unit*. 컴퓨터의 핵심은 중앙 처리 장치이다.

*__**unite**__ [juːnáit] *v.* **1** [I,T] 결합하다, 통합하다, 합병하다: Unless we *unite*, our enemies will defeat us. 우리가 연합하지 않으면, 적이 우리를 패배시킬 것이다. / Oil will not *unite* with water. 기름과 물은 서로 겉돈다. **2** [I] (행동·의견 등이) 일치하다, 협력하다, 결속하다 (in): We must *unite* in fighting against racism. 인종차별 정책에 맞서 결속해야 한다.
— **united** *adj.*

United Nations *n.* (*abbr.* UN, U.N.) 국제 연합

United States of America *n.* (*abbr.* USA, U.S.A.) 미합중국

unity [júːnəti] *n.* **1** 통일(성): The story lacks *unity*. 그 이야기는 통일성이 없다. **2** 조화, 일치, 단결, 협동: work in *unity* with fellow workers 동료와 협력하여 일하다 **3** 개체, 단일[통일]체 **4** 단일(성), 유일: the *unity* of the self 자아의 단일성

> ■ **유의어** unity
>
> **unity** diversity(다양성)의 반대말이며, 통일 및 조화 있는 상태를 의미함.: find *unity* in variety 변화 속에 통일을 발견하다 **union** division(분할)의 반대말이며, 결합 및 결합한 것을 나타내는 말로 주로 사람·단체끼리의 결합에 쓰임.: trade *union* 직업별 노동 조합 **uniformity** irregularity(불규칙)의 반대말이며, 성질·형체·빛깔·크기·정도 등이 똑같거나 균일함을 나타냄.: *uniformity* of style 스타일의 통일

universal [jùːnəvə́ːrsəl] *adj.* **1** 우주의, 만물의: *universal* gravitation 만유인력 **2** 전 세계의, 만국의 **3** 보편적인, 일반적인: *universal* rules 일반 법칙 **4** 모든 사람의, 만인의, 전 인류의: There was *universal* agreement on the issue of sex education. 성교육 건에 대해 모두가 동의했다. **5** 다방면의, 만능의: *universal* information 다방면에 걸친 지식
— **universally** *adv.*

*__**universe**__ [júːnəvəːrs] *n.* (the universe) **1** 우주, 은하계 [SYN] cosmos **2** 만물, 삼라만상 **3** (전) 세계, 전 인류: The whole *universe* knows it. 온 세상이 다 그걸 안다.

*__**university**__ [jùːnəvə́ːrsəti] *n.* **1** (종합) 대학(교), [미] 대학원이 설치되어 있는 대학: Which *university* do you go to? 어느 대학에 다니니? *cf.* college 단과 대학 **2** 대학의 건물과 부지 **3** (집합적) 대학생, 대학 당국

U

■ **용법** university

at university, go to university는 학생으로서 학교에 가는 것을 의미하며, 관사 a, the를 넣으면 다른 용무를 보러 학교 가는 것을 뜻함.: I'm hoping to go to *university* next year. 내년에는 대학교에 다니기를 바란다. / He's going to a conference at *the university* in September. 그는 9월에 대학교에서 열리는 회의에 참석할 것이다.

unjust [ʌndʒʌ́st] *adj.* **1** 불공평한, 부당한: an *unjust* punishment 부당한 처벌 [SYN] unfair **2** 부정의, 불법의: *unjust* enrichment 부당 이득 [OPP] just
— **unjustly** *adv.*

unkind [ʌnkáind] *adj.* 불친절한, 몰인정한, 매정한: They were *unkind* to me. 그들은 내게 불친절했다. [OPP] kind
— **unkindly** *adv.* **unkindness** *n.*

unknown [ʌnnóun] *adj.* **1** 알려지지 않은, 미지의: The murderer's identity remains *unknown*. 살인범의 신원은 알려지지 않았다. **2** 무명의: He was an *unknown* writer. 그는 무명 작가였다. [OPP] well-known, famous
n. **1** (the unknown) 세상에 알려지지 않은 사람[것], 무명인, 미지의 것 **2** 미지수
[숙어] **an unknown quantity 1** [수학] 미지수 **2** 미지의 사람[것]: The candidate is *a* relatively *unknown quantity*. 그 후보는 비교적 잘 알려지지 않은 인물이다.
unknown to …에게 들키지 않은, …에게 알리지 않고: *Unknown to* the manager, she went home early. 매니저에게 들키지 않고 그녀는 일찍 집으로 갔다.

*****unless** [ənlés] *conj.* (부정의 조건을 나타내어) …하지 않으면, 만일 …이 아니라면: *Unless* you work harder, you will never pass the examination. 좀 더 열심히 공부하지 않으면 시험에 합격하지 못한다.
※ 보통 unless 대신 if ... not을 써서 바꿔

말할 수 있으나, unless절에서 가정법은 쓰이지 않는다. unless는 조건이라기보다는 제외의 뜻이 강하다.
prep. …을 제외하고, …외에: Nothing, *unless* an echo, was heard. 메아리 이외에는 아무 소리도 들리지 않았다. [SYN] except

unlike [ʌnláik] *adj.* 닮지[같지] 않은, 다른: Because their hairstyles were *unlike*, it was easy to distinguish the twins. 머리 모양이 달랐기 때문에 쌍둥이를 구별하기가 쉬웠다.
prep. **1** …을 닮지 않고, …와 달리: The picture is quite *unlike* him. 그 사진은 그와 전혀 닮은 데가 없다. / She's extremely ambitious, *unlike* me. 그녀는 나와는 달리 아주 야심적이다. **2** …답지 않게, …에게 어울리지 않게: It's *unlike* him to be late. 시간에 늦다니 그 사람답지 않다.

unlikely [ʌnláikli] *adv.* **1** 있음직하지 않은, 정말 같지 않은: an *unlikely* tale 믿기 어려운 이야기 [SYN] improbable **2** 가망 없는, 성공할 것 같지 않은: He was *unlikely* to win the race. 그는 경주에서 이길 것 같지 않았다. [OPP] likely

unlimited [ʌnlímitid] **1** (공간적으로) 한없는, 끝없는 **2** 무제한의, 무조건의, 무한한 [OPP] limited

unload [ʌnlóud] *v.* **1** [I,T] (실은 짐·무거운 짐을) 내리다 (from): *Unload* everything from the boat and clean it thoroughly. 배에서 짐을 내린 후에 완벽하게 청소해라. [OPP] load **2** [I,T] (배·차 등에서) 짐을 부리다: Have you *unloaded* the car? 차에서 짐을 부렸니? [OPP] load **3** [T] (일 등을) 떠맡기다 (on, onto): He *unloaded* all that work on me. 그는 그 일 전부를 내게 떠맡겼다.

unlock [ʌnlák] *v.* [I,T] 자물쇠를 열다, 자물쇠가 풀리다, 열리다: He *unlocked* the car and threw the bag on to the back seat. 그는 차 문을 열고 뒷좌석에 가방을 던졌다. [OPP] lock

unlucky [ʌnlʌ́ki] *adj.* (unluckier-unluckiest) **1** 불행한, 불운한: We were *unlucky* to lose because we played so well. 우리는 경기를 매우 잘 했지만 운이 없어서 졌다. **2** 불길한, 재수 없는: Thirteen is often thought to be an *unlucky* number. 13은 종종 불길한 숫자로 여겨진다. SYN unfortunate OPP lucky
— **unluckily** *adv.* 불행하게도

unmanly [ʌnmǽnli] *adj.* (unmanlier-unmanliest) 남자답지 않은, 계집애 같은; 비겁한, 나약한

unmanned [ʌnmǽnd] *adj.* 사람이 타지 않은, (인공 위성 등이) 무인의, 무인 조종의: an *unmanned* spaceship 무인 우주선

unmatched [ʌnmǽtʃt] *adj.* **1** 필적하기 어려운, 비길 데 없는: a landscape of *unmatched* beauty 비길 데 없는 아름다운 풍경 **2** 균형이 잡히지 않는, 어울리지 않는

unmeaning [ʌnmíːniŋ] *adj.* **1** 무의미한, 부질없는 **2** 멍한, 무표정한: an *unmeaning* face 무표정한 얼굴

unmoved [ʌnmúːvd] *adj.* **1** (목적·결심 등이) 흔들리지 않는, 단호[확고]한: The judge was *unmoved* by the girl's sad story, and sent her to jail. 판사는 그 소녀의 슬픈 사연에도 흔들리지 않고 그 아이를 감옥으로 보냈다. **2** 냉정한, 태연한: She remained *unmoved* throughout the funeral. 그녀는 장례식 내내 냉정함을 유지했다.

unnatural [ʌnnǽtʃərəl] *adj.* **1** 부자연한, 자연 법칙에 어긋나는: an *unnatural* phenomenon 불가사의한 현상 **2** 이상한, 괴이한 **3** 일부러 꾸민 듯한, 태도가 인위적인: She gave him a bright smile which seemed *unnatural*. 그녀는 그에게 일부러 꾸민 듯한 밝은 미소를 지었다. **4** 자연적인 감정[인정]에 어긋나는, 몰인정한: an *unnatural* parent 몰인정한 부모 OPP natural
— **unnaturally** *adv.*

unnecessary [ʌnnésəsèri] *adj.* 불필요한, 쓸데없는: We're trying to cut down on all our *unnecessary* spending. 우리는 모든 불필요한 소비를 줄이려고 노력하고 있다. SYN needless OPP necessary
— **unnecessarily** *adv.*

unnoticed [ʌnnóutist] *adj.* 주목되지 않는, 무시된, 알아채이지 않은: The error passed *unnoticed*. 그 잘못은 간과되었다.

unoccupied [ʌnákjəpàid] *adj.* **1** 임자 없는, 사람이 살고 있지 않는: *unoccupied* ground 공한지 SYN vacant **2** 일을 하고 있지 않은, 한가한

unofficial [ʌ̀nəfíʃəl] *adj.* 비공식적인, 공인되지 않은 (기록 등), (파업이) 조합 승인을 얻지 않은: an *unofficial* strike 비공인 파업 / *unofficial* reports 미확인 보도 OPP official
— **unofficially** *adv.*

unpaid [ʌnpéid] *adj.* **1** (빚 등이) 지급되지 않은, 미납의: an *unpaid* bill 미납 계산서 **2** 급료를 받지 않은: an *unpaid* assistant 급료를 받지 않은 조수 **3** (일에 대해) 무보수의: *unpaid* volunteer work 무보수의 자원 봉사 활동

unpaved [ʌnpéivd] *adj.* 돌을 깔지 않은, 포장되지 않은

unpleasant [ʌnpléz∂nt] *adj.* **1** 불쾌한, 기분 나쁜, 싫은: an *unpleasant* surprise 불쾌한 놀람 OPP pleasant **2** 불친절한, 심술궂은: He's very *unpleasant* to his employees. 그는 자기 종업원들에게 몹시 불친절하다.
— **unpleasantly** *adv.*

unpopular [ʌnpápjələr] *adj.* 인기가 없는, 평판이 나쁜: She was very *unpopular* at school. 그녀는 학교에서 상당히 인기가 없었다. OPP popular
— **unpopularity** *n.*

unprecedented [ʌnprésədèntid] *adj.* 전례[선례]가 없는, 전에 없던: *unprecedented* price decreases 전례 없는 가격 하락

U

unpredictable [ʌnpridíktəbəl] *adj.*
예언(예측)할 수 없는: *unpredictable* weather 예측할 수 없는 날씨 OPP predictable
— **unpredictability** *n.*

unprepared [ʌnpripɛ́ərd] *adj.* **1** 준비
가 없는, 즉석의: He was *unprepared* for the shock. 그에게는 뜻밖의 충격이었다. /
an *unprepared* speech 즉석 연설 **2** 불의
의: I caught him *unprepared*. 나는 그의
허를 찔렀다.

unproductive [ʌnprədʌ́ktiv] *adj.* 수
확이 없는, 비생산적인, 수익(이익)이 없는,
(결과가) 헛된: We wasted a week in *unproductive* discussions. 우리는 헛된
토론에 일주일을 허비했다. SYN unprofitable

unprotected [ʌnprətéktid] *adj.* **1** 보
호(자)가 없는: an *unprotected* player (농
구·축구 등의) 자유 계약 선수 **2** 무방비의:
Exposure of *unprotected* skin to the sun carries the risk of developing skin cancer. 햇볕에 피부를 무방비 상태로
노출하면 피부암에 걸릴 위험성이 있다. **3** 관세
보호를 받지 않는

unquestionable [ʌnkwéstʃənəbəl]
adj. 의심할 바 없는, 확실한 SYN indisputable, obvious OPP questionable
— **unquestionably** *adv.*

unquestioned [ʌnkwéstʃənd] *adj.* 문
제되지 않는, 의심되지 않는
SYN undoubted

unquestioning [ʌnkwéstʃəniŋ] *adj.*
의심하지 않는, 신뢰하는; 망설이지 않는; 무조
건의: She had been taught *unquestioning* obedience. 그녀는 무조건 복종하도록
교육받았다.

unravel [ʌnrǽvəl] *v.* [I,T] (unravel(l)ed-unravel(l)ed) **1** (엉클어진 실·짠 것 등을)
풀다, 풀어지다 **2** 해명하다, 해결하다: It is
difficult to *unravel* complex human emotions. 복잡한 인간의 심리를 푸는 것은
어렵다.

unreal [ʌnríːəl] *adj.* **1** 실재하지 않는, 비
현실적인, 공상적인: Exam questions often deal with *unreal* situations.
시험 문제는 종종 비현실적인 상황을 다룬다.
2 믿을 수 없을 정도로 멋진: Our trip to Disneyland was *unreal*. 디즈니랜드로
의 여행은 아주 멋졌다.

unrealistic [ʌnriːəlístik] *adj.* 비현실적
인, 비사실적인 OPP realistic
— **unrealistically** *adv.*

unreasonable [ʌnríːzənəbəl] *adj.*
1 이성적이 아닌, 불합리한, 상식을 벗어난: I
think it's *unreasonable* to expect you to work on Sundays. 네게 일요일마
다 일하라고 하는 것은 불합리하다고 생각한다.
2 (값·요금 등이) 터무니없는, 부당한:
unreasonable demands 터무니없는 요구
OPP reasonable
— **unreasonably** *adv.* 불합리하게, 터무
니없게

unreliable [ʌnriláiəbəl] *adj.* 의지(신
뢰)할 수 없는: Trains are becoming very *unreliable*. 기차를 점점 신뢰할 수 없
다. OPP reliable
— **unreliability** *n.*

unrest [ʌnrést] *n.* (특히 사회적인) 불안,
걱정: social *unrest* 사회 불안

unrewarded [ʌnriwɔ́ːrdid] *adj.* 보수
(보답) 없는, 무보수의

unripe [ʌnráip] *adj.* **1** 익지 않은 **2** 미숙
한, 시기 상조의

unroll [ʌnróul] *v.* [I,T] (말아 둔 것을) 풀
다, 펴다, 펼치다; (말린 것이) 펴지다: He *unrolled* the poster and stuck it on the wall. 그는 포스터를 펼쳐서 벽에 붙였다.
OPP roll (up)

unruly [ʌnrúːli] *adj.* (unrulier-unruliest)
제멋대로 구는, 다루기 힘든: *unruly* children 제멋대로 구는 아이들 OPP tame, obedient
— **unruliness** *n.*

unsatisfactory [ʌnsætisfǽktəri] *adj.*

만족스럽지 못한, 불충분한 SYN unaccept-able OPP adequate
— **unsatisfactorily** *adv.*

unscrew [ʌnskrú:] *v.* [T] **1** …의 나사를 빼다(느슨하게 하다) **2** (병 등의) 뚜껑을(마개를) 돌려서 빼다: Could you *unscrew* the top of this bottle for me? 이 병 마개를 열어 주실 수 있나요?

unscrupulous [ʌnskrú:pjələs] *adj.* 예사로 나쁜 짓을 하는, 부도덕한, 파렴치한 OPP scrupulous

unseen [ʌnsí:n] *adj.* **1** 눈에 보이지 않는: She got out of the room *unseen*. 그녀는 눈에 뜨이지 않게 방에서 나왔다. SYN invisible **2** (과제·악보 등) 처음 보는(대하는); (사전을 찾지 않고) 즉석의: *unseen* difficulties 처음 대하는 어려움 / an *unseen* translation 즉석 번역

unselfish [ʌnsélfiʃ] *adj.* 이기적이 아닌, 욕심(사심)이 없는
— **unselfishness** *n.*

unskilled [ʌnskíld] *adj.* 숙련되지 않은, 미숙한, 서투른: *unskilled* labor 비숙련 노동(자) OPP skilled

unsold [ʌnsóuld] *adj.* 팔리지 않는, 팔다 남은

unspeakable [ʌnspí:kəbəl] *adj.* **1** (기쁨·손실 등이) 말로 다할 수 없는, 이루 말할 수 없는: *unspeakable* grief 이루 말할 수 없는 슬픔 **2** 입에 담기도 싫은, 몹시 나쁜

unstable [ʌnstéibəl] *adj.* **1** 불안정한, 흔들거리는, 변하기 쉬운: This chair looks a bit *unstable* to me. 이 의자는 조금 불안정해 보인다. **2** 마음이 변하기 쉬운, 침착하지 못한: He was emotionally *unstable*. 그는 정서적으로 불안했다. OPP stable

unsteady [ʌnstédi] *adj.* (unsteadier-unsteadiest) **1** 불안정한, 건들거리는, 비틀비틀하는: He's been in bed with the flu and he's still a bit *unsteady* on his feet. 그는 독감을 앓고 난 후라 아직 걸을 때 (힘이 없어) 불안정하다. **2** 변하기 쉬운, (시세

등이) 동요하는 SYN inconsistent OPP steady
— **unsteadily** *adv.* **unsteadiness** *n.*

unsuccessful [ʌnsəksésfəl] *adj.* 성공하지 못한, 실패한, 불운의: The attempt was *unsuccessful*. 그 시도는 성공하지 못했다.
— **unsuccessfully** *adv.*

unsuitable [ʌnsú:təbəl] *adj.* 부적당한, 적합하지 않은, 어울리지 않는 (for, to): Those books are *unsuitable* for children. 저 책들은 아이들에게 적합하지 않다. OPP suitable

unsure [ʌnʃúər] *adj.* **1** 확신(자신)이 없는: She seemed nervous and *unsure* of herself. 그녀는 초조하고 자신이 없어 보였다. **2** 불안정한, 불확실한, 믿을 수 없는: I didn't argue because I was *unsure* of the facts. 나는 그 사실에 대해 불확실했기 때문에 논쟁하지 않았다. OPP sure, certain

unsuspecting [ʌnsəspéktiŋ] *adj.* 의심하지 않는, 수상히 여기지 않는, 신용하는

unsweetened [ʌnswí:tnd] *adj.* **1** 단맛이 없는, 달게 하지 않은 **2** (곡조 등이) 아름답게 다듬지 않은, 감미롭지 않은

unthinkable [ʌnθíŋkəbəl] *adj.* 생각(상상)할 수 없는, 터무니없는, 있을 법하지도 않은: It was *unthinkable* that I would never see him again. 그를 다시 볼 수 없다는 것을 상상할 수도 없었다.

unthinking [ʌnθíŋkiŋ] *adj.* 생각이 없는, 사려(지각) 없는, 경솔한
— **unthinkingly** *adv.*

untidy [ʌntáidi] *adj.* (untidier-untidiest) **1** 흐트러진, 너저분한, 어수선한: an *untidy* room 너저분한 방 / *untidy* hair 흐트러진 머리 **2** (사람이) 말끔하지 않은, 단정치 못한, 게으른: He is so *untidy*! 그는 너무 단정치 못해! OPP tidy, neat
— **untidily** *adv.* **untidiness** *n.*

untie [ʌntái] *v.* [T] (untied-untied;

untying) 풀다, 끄르다, (꾸러미 등의) 매듭을 풀다: *untie* a package 소포를 풀다 OPP tie up, fasten

***until** [əntíl] (또는 till) *prep. conj.* **1** (때의 계속) …까지, …에 이르기까지 줄곧, …하여 결국: I shall wait *until* six o'clock. 6시까지 기다리겠습니다. / The sound became fainter and fainter, *until* it ceased to be heard. 그 소리는 점점 작아지더니, 마침내 들리지 않게 되었다. / He did not come *until* I called. 그는 내가 부를 때까지 오지 않았다.
2 (부정어와 함께) …이 되어 비로서 ~하다, …에 이르러 비로소 ~하다: Not *until* yesterday did I hear the news. 어제 비로서 그 소식을 들었다. / It was not *until* last week that I noticed him leaving. 나는 지난 주에 이르러 비로소 그가 떠났음을 알아챘다.
※ 부정어를 수반하여 쓰이면 '…한 이후에야 ~함'을 강조한다.: The new laws don't take effect *until* the end of this month. 새 법률은 이번 달 말 이후부터 발효된다.

> **■ 용법 until**
> **1** until과 till의 차이: until은 till과 같은 뜻이지만 till보다 문어적이며, 문장의 앞이나 긴 절 앞에 씀. till은 명사나 짧은 절 앞에 오는 경향이 있음.
> **2** until, till과 by의 차이: by는 '…까지'의 뜻으로 기한까지 완료됨을 나타내며 계속의 뜻은 없음.: Can you finish your work *by* tomorrow? 내일까지 일을 끝낼 수 있나요?

untimely [ʌntáimli] *adj.* **1** 때(철이) 아닌, 불시의, 시기를 놓친: an *untimely* frost 때 아닌 서리 / an *untimely* death 요절
untouched [ʌntʌ́tʃt] *adj.* **1** 손상되지 않은; 영향을 받지 않은 (by): Most of the east coast remains *untouched* by tourism. 동해안의 대부분은 관광 산업에 영향을 받지 않은 채로 남아 있다. **2** (음식 등에)

입을 대지 않은: He left his meal *untouched*. 그는 음식을 입도 대지 않은채 내버려 두었다. **3** 변경되지 않은: The policy remains *untouched*. 정책에는 변경이 없다. **4** 감동되지 않은, 냉정한
untrained [ʌntréind] *adj.* 훈련되지 않은, 연습을 쌓지 않은, 미숙한
untrue [ʌntrú:] *adj.* **1** 진실이 아닌, 허위의: an *untrue* statement 허위 진술 SYN false **2** 불성실한, 정숙하지 못한 (to) SYN unfaithful
untrustworthy [ʌntrʌ́stwə̀ːrði] *adj.* 신뢰할(믿을) 수 없는
unusable [ʌnjú:zəbəl] *adj.* 쓸 수 없는, 쓸모 없는
unused [ʌnjú:zd] *adj.* **1** 쓰지 않는, 사용하지 않는 **2** 익숙지 않은, 경험이 없는 (to): I am *unused* to being told what to do. 나는 무엇을 하라고 지시받는 것에 익숙지 않다. SYN unaccustomed
unusual [ʌnjú:ʒuəl] *adj.* **1** 이상한, 보통이 아닌: It is *unusual* for him to be absent. 그가 결석하다니 이상하다. SYN uncommon OPP usual **2** 유별난, 색다른: What an *unusual* hat! 색다른 모자다!
unusually [ʌnjú:ʒuəli] *adv.* **1** 전에 없이, 이상하게: She is *unusually* quiet today. 그녀는 오늘 평소와 달리 조용하다. **2** 몹시, 대단히: this year's *unusually* hot summer 몹시 더운 올 여름
unwanted [ʌnwántid] *adj.* (아무도) 바라지 않는, 달갑지 않은: She felt *unwanted*. 그녀는 소외감을 느꼈다. / an *unwanted* pregnancy 바라지 않던 임신
unwelcome [ʌnwélkəm] *adj.* 원치 않는, 달갑지 않은, (손님 등이) 맞이하기 싫은: Since my presence seems *unwelcome* to you, I shall leave! 제가 있는 것이 거북하신 것 같으니 떠나겠습니다! OPP welcome
unwilling [ʌnwíliŋ] *adj.* 내키지 않는, 마지못해 하는, 본의가 아닌: I am *unwilling* to participate in the debate. 나는 토론

에 참여하고 싶지 않다. [OPP] willing
— **unwillingly** *adv.* 마지못해서
[숙어] **willing or unwilling** 좋든 싫든
간에
unwise [ʌnwáiz] *adj.* 분별 없는, 어리석
은 [OPP] wise
— **unwisely** *adv.*
unworldly [ʌnwɔ́ːrldli] *adj.* **1** 세상을
모르는, 순박한 [SYN] naive **2** 명리(名利)를
떠난, 세속에 물들지 않은 [OPP] worldly
unworthy [ʌnwɔ́ːrði] *adj.* (unworthier-
unworthiest) **1** (도덕적으로) 가치 없는, 하
찮은, 비열한: an *unworthy* person 보잘 것
없는 사람 **2** …을 할 가치가 없는, …에 부족
한, …에 어울리지 않는 (of): He is *unworthy*
to take the job. 그는 그 일을 맡을 만큼
유능하지 못하다. / Such a conduct is
unworthy of a gentleman. 그런 행동은
신사답지 못하다. / I feel *unworthy* of
receiving such a great award. 나는 그
런 큰 상을 받을 만한 자격이 없다고 생각한다.
unwrap [ʌnrǽp] *v.* [T] (unwrapped-
unwrapped) …의 포장을 풀다, (꾸러미 등
을) 끄르다, 열다
*__**up**__ ⇨ p. 842
up- *prefix* **1** 동사(특히 과거분사) 또는 동명사
에 붙여서 동사·명사·형용사를 만듦.:
*up*bringing 양육 **2** 동사·명사에 붙여서
'(위로) 뽑다, 뒤집어 엎다'의 뜻을 갖는 동
사·형용사를 만듦.: *up*root 뿌리째 뽑다
3 부사·형용사·명사를 만듦.: *up*hill 언덕
위로 / *up*wards 위쪽으로 / *up*town 주택
지구
upbringing [ʌ́pbriŋiŋ] *n.* (유년기의) 양
육, 교육, 가정 교육: a strict *upbringing* 엄
격한 가정 교육
update [ʌpdéit] *v.* [T] 새롭게 하다, 최신
의 것으로 하다; [컴퓨터] 갱신하다: The
web site is *updated* once a month. 그
웹 사이트는 한 달에 한 번 업데이트 된다.
n. [ʌ́pdèit] **1** 새롭게 하기, 갱신 **2** 최신 정보
upgrade [ʌ́pgrèid] *v.* **1** [T] (직원 등을)

승격시키다 **2** [I,T] 품질(가치·효과·성능 등
을) 높이다: We need to *upgrade* our
computer system. 우리는 컴퓨터 시스템의
성능을 높일 필요가 있다.
n. 향상, 증가, 상승
*__**uphold**__ [ʌphóuld] *v.* [T] (upheld-
upheld) 옹호하다, 지지하다: I cannot
uphold such conduct. 그런 행동에 찬성할
수 없다.
— **upholder** *n.*
upland [ʌ́plənd] *n.* (보통 *pl.*) 고지, 고원
adj. (명사 앞에만 쓰임) 고지에 있는: an
upland village 고지 마을
uplift [ʌplíft] *v.* [T] **1** (의기를) 높이다; (사
회적·도덕적으로) 향상시키다 **2** 들어올리다,
높이 올리다
n. **1** 올림, 들어올림 **2** [지질] 융기 **3** (지위·
도덕적인) 향상
— **uplifting** *adj.*
*__**upon**__ [əpɑ́n] *prep.* =on
※ on은 구어적인 표현이다.
[숙어] **once upon a time** (동화의 서두에
쓰여) 옛날 옛적에: *Once upon a time* there
was a beautiful princess. 옛날 옛적에
아름다운 공주가 있었습니다.
*__**upper**__ [ʌ́pər] (up의 비교급) *adj.* (명사 앞
에만 쓰임) **1** 위쪽의, (둘 중) 위편의, 상부의:
the *upper* lip 윗입술 / There is a nice
restaurant on the *upper* floor. 윗층에
멋진 식당이 있다. [OPP] lower **2** (지위 등이)
상위의, 상급의 **3** (강)상류의, 고지의, 내륙의,
북부의: the *upper* reaches of the Nile 나
일강의 상류 / *upper* New York State 뉴욕
주의 북부 **4** (Upper) [지질] 후기의, 신(新)…:
Upper Cambrian 후기 캄브리아기
[숙어] **get(have) the upper hand** 우세
(유리)하다, …을 이기다: After hours of
fierce negotiations, they *got the upper
hand*. 몇 시간의 치열한 협상 끝에 그들이 주
도권을 잡았다.
upper-class *adj.* 상류 사회(계급)의; [미]
(대학·고교의) 상급의: They're *upper-*

up

up [ʌp] *adv.* **1** (방향) ① (낮은 위치에서) 위로, 위에, 올라가: Show her *up*. 그녀를 위로 안내하시오. / Put your hand *up* if you know the answer. 답을 알면 손을 위로 올리시오. ② (자리에서) 일어나, 서서: Stand *up*, please. 일어서 주세요. / Kate, are you *up*? 케이트, 일어났니〔깼니〕?

2 (위치) 높은 곳에(서), 위쪽에(서): The boy is *up* in the tree. 아이는 나무 위에 올라가 있다.

3 (천체가) 하늘에 떠올라: What is shining *up* there? 저 위에서 비치고 있는 것은 무엇이니? / The moon rose *up* over the horizon. 달이 지평선 위에 떠올랐다.

4 ① (지위·가치·정도 등이) 올라가, 높아져: He is *up* at the head of his class. 그는 반에서 수석이다. ② (물가 등이) 올라, 높아져, (속도·음성·온도 등을) 더 크게, 더 올려〔높여〕: Prices are *up*. 물가가 올랐다. / Turn the volume *up*. 볼륨을 높여라. / The car soon speeded *up*. 그 차는 곧 속도를 냈다.

5 (특정한 장소·말하는 이가 있는) 쪽으로, …로〔을〕 향하여, 접근하여: She ran *up* to me and gave me a big hug. 그녀는 내게 달려와서 꼭 껴안아 주었다. / He came *up* to the door and knocked. 그는 문으로 와서 노크했다.

6 ① (접합·부착·폐쇄 등을 나타내는 동사와 함께) 단단히, 꽉 채워: He tied *up* the parcel with the string. 그는 소포를 끈으로 단단히 묶었다. / stop *up* a hole 구멍을 꽉 막다 ② (합체를 나타내는 동사와 함께) 전부, 모두, 한데 모아: The teacher collected *up* our exam papers. 선생님은 시험지를 한데 모으셨다. ③ (분할을 나타내는 동사와 함께) 잘게, 토막토막, 조각조각: I tore *up* the letter and threw it away. 나는 편지를 갈가리 찢어서 던져 버렸다. / The bomb blew *up*. 폭탄이 폭발했다. ④ (종결·완성 등을 나타내는 강조어로서 동사와 함께) 완전히, 모두: eat *up* 다 먹다 / Can you help me clean *up* the room? 방을 깨끗이 치우는 것을 도와 줄래?

7 북쪽으로〔에〕: Our cousins live *up* in Alaska. 사촌들은 북쪽 알래스카에 살고 있다. / We went *up* North. 우리는 북부로 갔다.

8 (장치·컴퓨터 등이) 작동하여, 가동 중인: Are the computers *up* yet? 컴퓨터는 아직도 작동 중이니?

9 이젠 글러, 잘못되어: It's all *up* with him. 그는 이제 끝장이다.

prep. **1** (낮은 위치·지위 등에서) …의 위로〔에〕: My room is *up* the stairs. 내 방은 위층에 있다. / He went *up* the social scale step by step. 그는 일보일보 사회적 지위가 높아져 갔다. **2** (어떤 방향을 향하여) …을 따라〔끼고〕: I walked *up* the road. 길을 따라서 갔다. ⸤SYN⸥ along **3** (강 등의) 상류로〔에〕: sail *up* the stream 강을 거슬러 올라가다 / The town is about 50 miles *up* the river. 그 마을은 강의 약 50마일 상류에 있다.

adj. 위로 향하는, 올라가는, 상행의: an *up* train 상행 열차 / the *up* line (철도의) 상행선

n. 상승, 오르막, 향상

⸤숙어⸥ **not up to much** 대단한 것이 아닌: The program wasn't *up to much*. 그 프로그램은 그리 좋지 않았다.

up against (곤란·장애 등에) 부딪혀서, 직면하여

up and about 병에서 회복하여 활동하는: Good to see you *up and about*. 병상에서 일어나 활동하는 모습 보니 기쁘네요.

up and down 1 왔다갔다, 여기저기: He began to walk *up and down* the room. 그는 방 안을 왔다갔다하기 시작했다. **2** 아래위로: The float bobbed *up and down* on the water. (낚시)찌는 물에 떴다 잠겼다 했다.

up for 1 선거에 나서, 입후보하여: How many candidates are *up for* election?

몇 명의 후보들이 선거에 나왔니? **2** (팔려고) 내놓아: The house was *up for* auction. 그 집을 경매에 내놓았다.

up to 1 (시간·공간적으로) (최고) …까지, …에 이르기까지: *Up to* four passengers may ride in a taxi. 택시에는 네 사람까지 탈 수 있다. / It has been all right *up to* now. 지금까지는 괜찮았다. **2** (흔히 부정문·의문문에서) (감당)할 수 있어: I don't think I'm *up to* the journey. 내가 여행을 할 수 있을 거라고 생각하지 않는다. **3** (못된) 일을 꾀하고 [꾸미고]: I knew what he was *up to*, but

I couldn't do anything about it. 그가 무슨 일을 꾸미고 있는지 알고 있었지만, 어쩔 수 없었다. **4** …의 의무[책임]인, …가 결정하는: "What shall we do this evening?" "I don't know. It's *up to* you." "우리 오늘 저녁에 뭘 할까?" "모르겠는데. 네가 정해."

ups and downs (영고) 성쇠, 좋은 일과 좋지 않은 일의 교차: Every relationship has a lot of *ups and downs*. 모든 인간 관계에는 좋은 때와 좋지 못한 때가 수없이 반복된다.

What's up? 무슨 일인가?, 무슨 일이 일어나고 있는가?

---

class. 그들은 상류층이다.

n. (the upper class) 상류 계급 (사람들)

uppercut [ʌ́pərkʌ̀t] *n.* [권투] 어퍼컷, 올려치기

uppermost [ʌ́pərmòust] *adj. adv.* 최고[최상]의(으로), 최우위의, 맨 먼저 마음에 떠오르는: the *uppermost* peaks of the mountain 그 산의 최고봉 / What's *uppermost* in your mind just before a race? 경기 전에 가장 먼저 떠오르는 생각이 무엇이니?

*upright [ʌ́pràit] *adj.* **1** 직립한, 똑바로 선: an *upright* post 수직 기둥 **2** (정신적으로) 곧은, 청렴한, 정직한: an *upright* man 청렴한 사람

n. 수직[직립] 상태, 곧은 물건

adv. 똑바로, 곧추 서서

— **uprightness** *n.*

[숙어] **bolt upright** ⇨ bolt

uprising [ʌ́pràiziŋ] *n.* (지역적인) 반란, 폭동

uproar [ʌ́prɔ̀:r] *n.* 소란, 소동, 야단법석: The meeting ended in *uproar*. 회의는 야단법석으로 끝이 났다.

— **uproarious** *adj.* 소란한, 시끄러운

uproot [ʌ̀prú:t] *v.* [T] **1** 뿌리째 뽑다: Hundreds of trees were *uprooted* in the storm. 수백 그루의 나무들이 폭풍으로 뿌리째 뽑혔다. [SYN] root up **2** (정든 땅·집

등에서) 몰아내다 (from): pathetic exiles *uprooted* from their homelands 고국에서 쫓겨난 가련한 망명자들

*upset [ʌpsét] *v.* [T] (upset-upset; upsetting) **1** 당황케 하다, 걱정시키다: I'm sorry, I didn't mean to *upset* you. 미안해요, 당신을 걱정시키려고 한 것은 아니에요. **2** (계획 등을) 엉망으로 만들다, 망쳐버리다: The bad weather *upset* our plans for the weekend. 나쁜 날씨가 우리의 주말 계획을 엉망으로 만들었다. **3** 뒤집어엎다, 전복시키다: The cat has *upset* its saucer of milk. 고양이가 우유 접시를 뒤엎었다. **4** …의 몸을 해치다, 배탈나게 하다: Spicy foods *upset* your stomach. 매운 음식은 위장에 좋지 않다.

adj. **1** 당황한, 걱정한: He was looking very *upset* about something. 그는 무엇인가에 대해 상당히 걱정하고 있는 듯 보였다. **2** (위 등이) 탈이 난: I've got an *upset* stomach. 배가 아프다.

n. **1** 뒤집힘, 전복 **2** (위 등의) 탈: a stomach *upset* 배탈 **3** (마음의) 동요, 쇼크: She had an *upset* at the news. 그녀는 그 뉴스를 듣고 쇼크를 받았다. **4** 불화, 싸움: I had a bit of an *upset* with my father. 나는 아버지와 조금 다투었다.

upside [ʌ́psàid] *n.* **1** 상부, 윗면, 위쪽 **2** 밝은 면, 좋은 면

upside down *adv. adj.* **1** 거꾸로, 뒤집혀: You've hung the picture *upside down*! 그림을 거꾸로 걸었구나! **2** 혼란하여, 엉망으로, 뒤죽박죽으로: We turned the house *upside down* looking for the keys. 우리는 열쇠를 찾느라 집을 엉망으로 만들었다.

upstairs [ʌpstέərz] *adv.* 2층에[으로, 에서], 위층에[으로, 에서]: He's sleeping *upstairs*. 그는 2층에서 자고 있다. OPP downstairs
adj. 2층의, 위층의: an *upstairs* room 위층 방
n. (the upstairs) 2층, 위층

upstream [ʌpstríːm] *adv. adj.* 상류로 (향하는), 흐름을 거슬러 올라가(는): Salmon swim *upstream* against very strong currents to reach their breeding areas. 연어는 산란지로 가려고 거센 물살을 헤쳐 상류로 거슬러 올라간다. OPP downstream

upsurge [ʌpsɔ́ːrdʒ] *n.* **1** 끓어 오름, 급증 **2** (감정의) 급격한 고조

uptight [ʌptáit] *adj.* 초조해 하는, 불안한, 성이 난: Don't get *uptight* before an exam. 시험 전에 불안해하지 마라.

up-to-date *adj.* 최근의, 최신(식)의, 현대적인: an *up-to-date* hotel 최신의 설비를 갖춘 호텔 / *up-to-date* news 최신 뉴스

uptown [ʌptáun] *adj. adv.* **1** 도시 외곽의[에], 주택 지구의[에] OPP downtown **2** (특히 부유층이 사는) 도시의 높은 지대의[에]

upward [ʌpwərd] *adj.* **1** 위로[위쪽으로] 향한: an *upward* movement of the hand 위로 향한 손 **2** 상승의, 향상하는: Prices continued their *upward* movement. 물가는 계속 올랐다. OPP downward
adv. **1** 위쪽으로: Keep going *upward* and you'll soon see the house. 위쪽으로 계속 가면 곧 그 집이 보일 것이다. **2** 보다 높은 지위[계급, 신분, 나이)로: young lawyers moving *upward* 승진하고 있는 젊은 법관들 **3** 수원(水原) 쪽으로, 상류로, 오

지로: The hikers left the path and headed *upward* along the river. 도보 여행자들은 길을 벗어나 강을 따라 상류로 향했다. **4** …이래, 이후: Sales have gone steadily *upward* during the last quarter. 매출은 지난 분기부터 꾸준히 늘고 있다. **5** (정도 · 수량 등이) …이상: fifteen years and *upward* 15세 이상
축어 **upward(s) of** …보다 많이, 거의, 약: *Upward of* a hundred guests were invited. 100여명의 손님들이 초대되었다.

upwards [ʌpwərdz] *adv.* =upward (*adv.*)

uranium [juəréiniəm] *n.* 우라늄 (방사성 금속 원소; 기호 U)

urban [ɔ́ːrbən] *adj.* 도시의, 도시에 거주하는: an *urban* area 도시 지구 OPP rural

urge [əːrdʒ] *v.* [T] **1** 재촉하다, 노력하게 하다, 열심히 권하다: She *urged* the boy to study harder. 그녀는 아이를 격려하여 더욱 열심히 공부시켰다. **2** (사람 · 말 등을) 몰아대다, 서둘게 하다: He *urged* the horse forward with a whip. 그는 채찍으로 말을 앞으로 몰아댔다. / He *urged* her to hurry up. 그는 서두르라고 그녀를 재촉했다. **3** 주장하다, 강조하다: He *urged* (upon us) the necessity of the measure. 그는 (우리에게) 그 조치의 필요성을 역설했다.
n. (강한) 충동: sexual *urges* 성적 충동 / He has an *urge* to travel. 그는 여행하고 싶은 마음이 간절하다.
축어 **urge ... on** 격려하다: They were cheering and *urging* him *on* all through the race. 그들은 경기 내내 그를 응원하고 격려했다.

urgency [ɔ́ːrdʒənsi] *n.* **1** 긴급, 절박: a matter of great *urgency* 긴급한 문제 **2** (urgencies) 긴급한 일[필요]

*****urgent** [ɔ́ːrdʒənt] *adj.* 긴급한, 절박한, 매우 위급한: an *urgent* message 긴급 메세지
— **urgently** *adv.*

U.S.A., USA *abbr.* the United States

of America 미합중국

usable [júːzəbəl] *adj.* 사용할 수 있는, 사용 가능한, 편리한

usage [júːsidʒ] *n.* **1** 용법, 사용량: This teaching method of French has wide *usage.* 이 프랑스 어 교수법은 널리 쓰이고 있다. **2** (언어의) 관용(법), 어법: a book on modern English *usage* 현대 영어 어법에 관한 책 **3** 대우, 처우, 취급: Sports equipment is designed to withstand hard *usage.* 운동 장비는 거칠게 다루어도 견디도록 고안된다.

*use ⇨ 아래 참조

used *adj.* **1** [juːzd] 써서 낡은, 중고의: a *used* car 중고차 / *used* books 헌책 SYN second-hand **2** [juːst] …에 익숙한 (to): We're not *used* to this weather. 우리는 이런 날씨에 익숙지 않다.

used to *v.* [I] **1** 늘 …했다, …하는 것이 예사였다: I *used to* visit him on holidays. 나는 휴일에는 늘 그를 방문하곤 했다. / She *used to* smoke, but gave up three years ago. 그녀는 늘 담배를 피웠으나 삼 년 전에 끊었다. **2** (현재와 대조적으로 이전의 사

---

use

use [juːz] *v.* [T] **1** 쓰다, 사용〔이용〕하다: Modern science can be *used* for good or bad purposes. 현대 과학은 좋은 목적이나 나쁜 목적으로 사용될 수 있다.
2 소비하다: We *used* the money to buy a house. 우리는 집을 사기 위해 돈을 썼다.
3 대우하다, 다루다, 취급하다: She *used* her friend well. 그녀는 친구를 친절히 대했다.
4 이기적인 목적에 이용하다, 이용해 먹다: It might be possible to *use* their mistake to help us get what we want. 우리가 원하는 것을 얻기 위해 그들의 실수를 이용할 수도 있을 것이다.
n. [juːs] **1** 사용, 이용(법); (식품 등의) 소비: Washing machines are being put into wide *use* now. 세탁기는 요즘 널리 쓰이고 있다.
2 용도, 사용 목적: This tool has many *uses.* 이 도구는 많은 용도가 있다.
3 사용 능력, 사용권: He offered them the *use* of his car. 그는 그들에게 자신의 차를 쓰도록 했다.
4 쓸모, 유용, 소용: It is no *use* crying over spilt milk. [속담] 한번 엎지른 물은 다시 주워담지 못한다. / What's the *use* of talking? 말해 봤자 무슨 소용이 있으랴?
숙어 **be in〔out of〕use** 쓰이다〔쓰이지 않

다): This dictionary *is in* daily *use.* 이 사전은 늘 쓰이고 있다. / The word *is* now wholly *out of use.* 그 단어는 현재 전혀 쓰이지 않고 있다.
be of no use 쓸모 없다, 무익하다: Have this bag—it's *of no use* to me any more. 이 가방을 가져. 내겐 더 이상 필요 없어.
come into〔go out of〕use 쓰이게 되다〔쓰이지 않게 되다): E-mail *came into* widespread *use* in the 1990s. 이메일은 1990년대에 널리 쓰이게 되었다. / Traditional farming methods are *going out of use* in many areas. 전통적인 농업 방식은 많은 지역에서 쓰이지 않게 되었다.
make use of …을 사용〔이용〕하다: You must *make* good *use of* any opportunities of practicing English. 영어를 연습할 기회를 잘 이용해야 한다.
of use 쓸모 있는, 유용한: It was *of* great *use.* 그것은 매우 쓸모가 있다. SYN useful
※ use에는 of great〔some, little〕use처럼 흔히 형용사가 수반된다.
use up 다 써 버리다: The oil is all *used up.* 석유가 다 떨어졌다. / He *used up* all the money he had. 그는 그가 가진 모든 돈을 다 써 버렸다. SYN exhaust

U

실 · 상태를 나타내어) 이전에는 …이었다: We live in town now but we *used to* live in the country. 지금은 도시에 살지만 원래는 시골에 살았다.

■ **용법** used to
1 부정문 및 의문문에는 did를 쓰는 형태와 쓰지 않는 형태의 두 가지가 쓰인다.: He *usedn't(didn't use(d))* to answer. 그는 언제나 대답하지 않았다. / Did he *use(d)(Used* he) *to* be forgetful? 그는 전에도 이렇게 잘 잊어버렸나요?
2 used to 다음에는 부정사, be(get) used to 다음에는 흔히 동명사가 옴.: He *used to* sing before large audiences. 그는 많은 청중 앞에서 늘 노래를 부르곤 했다. / He *was used to* sing*ing* before large audiences. 그는 많은 청중 앞에서 노래를 하는 데 익숙했다.

■ **유의어** used to
used to 과거의 상습적 동작 및 과거에서의 영속적 상태를 나타냄. **would** 비교적 짧은 기간의 반복 행위를 나타내며 상습적 · 영속적 색채가 약하기 때문에 often, sometimes 등의 부사와 함께 잘 쓰임.

useful [júːsfəl] *adj.* 쓸모 있는, 유용한, 편리한: *useful* advice 유용한 조언
— **usefully** *adv.* **usefulness** *n.*
[숙어] **come in useful** 쓸모 있게 되다: Don't throw that away — it might *come in useful* someday. 그것을 버리지 마라. 언젠가 쓸모 있을지 모른다.

useless [júːslis] *adj.* **1** 쓸모(소용) 없는, 무익한, 헛된: This bag is *useless* — it has a hole in it. 이 가방은 쓸모 없다. 구멍이 났다. **2** 서투른, 무능한: I'm *useless* at golf. 나는 골프에 서투르다.
— **uselessly** *adv.* **uselessness** *n.*

user [júːzər] *n.* 사용자, 소비자: *users* of public transport 대중교통 이용자

user-friendly *adj.* (컴퓨터 · 책 · 기계 등

이) 사용하기 쉬운, (이용자에게) 알기 쉬운: an *user-friendly* printer 사용하기 쉬운 프린터

usher [ʌʃər] *n.* **1** (극장 · 교회 등의) 좌석 안내원 **2** (법정 등의) 접수원, 수위
v. [T] 안내하다, 인도하다: I *ushered* him into the office. 나는 그를 사무실로 안내했다.
[숙어] **usher in** 예고하다, …의 도착을 알리다: The successful launching of artificial satellites *ushered in* the Space Age. 인공 위성의 성공적인 발사는 우주 시대가 왔음을 알렸다.

*****usual** [júːʒuəl] *adj.* 보통의, 일상의, 평소의, 흔히 있는: He rose earlier than *usual*. 그는 평소보다 일찍 일어났다. / It is *usual* for him to work at weekends. 그가 주말에 일하는 것은 흔한 일이다. [SYN] ordinary [OPP] unusual, unexpected
[숙어] **as usual** 여느 때처럼, 평소와 같이: He was late *as usual*. 그는 여느 때처럼 지각했다.

usually [júːʒuəli] *adv.* 보통, 일반적으로: She *usually* goes out on Saturdays. 그녀는 보통 토요일마다 외출한다.

utensil [juːténsəl] *n.* 기구, 도구, (특히) 가정 용품, 부엌 세간: cooking *utensils* 요리 기구

utility [juːtíləti] *n.* **1** (가스 · 수도 · 전기 등의) 공익 사업 (설비, 시설): Does your rent include *utilities*? 집세에 수도 · 전기 · 가스 등의 사용도 포함되나요? ※보통 public utilities로 쓴다. / *utility* bills (가스 · 수도 · 전기) 요금 청구서 **2** 유용, 유익, 효용 **3** (보통 *pl.*) 실용품, 유용물 **4** [컴퓨터] 유틸리티 (프로그램 작성에 유용한 각종 소프트웨어)

utilize, utilise [júːtəlàiz] *v.* [T] 활용하다, 이용하다: Water can be *utilized* as a source of power. 물은 동력원으로서 이용될 수 있다.
— **utilization** *n.*

utmost [ʌ́tmòust] *adj.* (명사 앞에만 쓰임) **1** 최대 한도의, 극도의, 극단의: a matter of the *utmost* importance 극히 중요한 것 **2** 가장 먼, 맨 끝의: to the *utmost* ends of the earth 지구의 끝까지
n. (보통 the utmost, one's utmost) (능력·노력 등의) 최대 한도, 최고도, 극한: I did my *utmost* to persuade her. 나는 그녀를 설득하기 위해 온 힘을 기울였다.
[숙어] **to the utmost** 극도로, 최대한으로: The runners had pushed themselves *to the utmost*. 주자들은 죽을 힘을 다해 뛰었다.

Utopia [ju:tóupiə] *n.* **1** 유토피아 (Sir Thomas More의 작품 Utopia 중에 묘사된 이상국) **2** (보통 utopia) 이상향, 이상적인 나라

Utopian [ju:tóupiən] *adj.* (보통 utopian) **1** 유토피아의, 이상향의 **2** 공상적〔몽상적〕인
n. 공상적 사회 개혁론자, 몽상가

utter¹ [ʌ́tər] *adj.* 전적인, 완전한; 무조건의, 절대적인: *utter* darkness 칠흑 같은 어

둠 / *utter* belief 전적인 믿음

utter² [ʌ́tər] *v.* [T] **1** (목소리·말 등을) 내다, 발음하다: *utter* a sigh 한숨을 쉬다 **2** 유포하다, 퍼뜨리다, 공표하다: You would not dare to *utter* this nonsense. 네가 이런 터무니없는 이야기를 감히 퍼뜨리진 않겠지.
— **utterer** *n.* 발언〔발음〕하는 사람

utterance [ʌ́tərəns] *n.* **1** 발언, 발성 **2** 발표력; 말씨, 어조, 발음: a man of good *utterance* 말 잘 하는 사람, 능변가 **3** (입 밖에 낸) 말, 언사: Politicians have to be careful in their public *utterances*. 정치가들은 공언할 때 신중해야 한다.
[숙어] **give utterance to** …을 말로 나타내다, 입 밖에 내다: He has not yet *given utterance to* his opinion. 그는 아직도 자신의 의견을 말하지 않았다.

utterly [ʌ́tərli] *adv.* 아주, 전혀, 완전히: It's *utterly* impossible. 그것은 전혀 불가능하다.

U-turn *n.* **1** U턴, 회전: No *U-turns*. U턴 금지. **2** (정책 등의) 180도 전환

U

V

vacancy [véikənsi] *n.* **1** (a vacancy) 공석, 결원; 비어 있는; 일자리: We have a *vacancy* for a secretary in our office. 우리 사무실에 비서 자리가 비어 있다. [SYN] opening **2** 공터 **3** 빈 방, 빈 집: 'No *vacancies,*' the sign read. 표지판에 '빈 방 없음' 이라고 쓰여 있었다. **4** 방심 (상태), 마음의 공허(허탈)

*vacant [véikənt] *adj.* **1** (토지 · 집 · 방 등이) 비어 있는: The hotel has no *vacant* rooms. 호텔에 빈 방이 없다. **2** (자리가) 비어 있는, 공석 중인: a *vacant* seat 공석 [SYN] empty **3** (마음 · 머리가) 멍청한, 비어 있는: a *vacant* stare 멍한 시선 **4** (시간이) 한가한, 틈이 있는: Keep a day next week *vacant* if you can. 가능하면 내주 하루 틈을 내 주세요.
— **vacantly** *adv.* 멍청하게, 멍하니

■ 유의어 **vacant**

vacant 본래 있어야 할 것(사람)이 없는, 생각하고 있어야 할 머리 등이 멍해진 경우에도 쓰임.: a *vacant* house 빈 집 / a *vacant* look 멍한 표정 **empty** '본래 있어야 할' 이라는 느낌은 없이 다만 비어 있는 사실만을 나타냄.: an *empty* bag 텅 빈 가방 **blank** (책 · 페이지 등에) 아무 것도 씌어 있지 않은 상태. 비유적으로 '무표정한' 이란 뜻으로도 쓰임.

---

*vacation [veikéiʃən] *n.* **1** (학교 · 회사 등의) 정기 휴가; (법정의) 휴정기: the summer *vacation* (학교의) 여름 방학 / the Christmas *vacation* 크리스마스 휴가 **2** [미] (여행 등의) 휴가: We went to Puerto Rico on *vacation*. 우리는 푸에르토리코로 휴가를 갔다.

vaccinate [væksənèit] *v.* [T] (종종 수동태) …에게 예방 접종을 하다, …에게 백신 주사를 놓다: Have you had your child *vaccinated* against measles? 당신의 아이는 홍역 예방 접종을 했나요? [SYN] immunize

vaccination [væksənéiʃən] *n.* 종두, 백신 주사, 예방 접종: *vaccination* against typhoid fever 장티푸스 예방 접종

vacuum [vækjuəm] *n.* **1** 진공: a *vacuum* bulb 진공관 **2** 공허, 공백: Her death left a *vacuum* in his life. 그녀의 죽음으로 그의 삶은 공허했다. **3** 진공 청소기 (vacuum cleaner)
v. [I,T] 진공 청소기로 청소하다: I *vacuumed* the carpets today. 나는 오늘 카펫을 진공 청소기로 청소했다.

vacuum cleaner *n.* 진공 청소기

vagabond [vægəbànd] *n.* **1** 부랑자, 방랑자 **2** 건달, 깡패
adj. 방랑하는, 무뢰한의

vagrant [véigrənt] *n.* 방랑자, 부랑자 [SYN] vagabond
adj. 방랑하는, 헤매는, 떠도는
— **vagrancy** *n.* 방랑 (생활)

vague [veig] *adj.* (vaguer-vaguest) **1** (말 · 생각 · 감정 등이) 막연한, 애매한, 분명치 않은: He seemed *vague* about his future plans. 그는 장래의 계획에 대해 막연한 것 같았다. / a *vague* answer 애매한 대답 **2** (빛깔 · 모양 등이) 희미한, 흐리멍덩한: Everything looks *vague* in the fog. 안개 속에서 모든 것이 희미하게 보인다. [SYN] indistinct **3** (표정 등이) 멍청한, 넋 나간, 건성의: He looked *vague* when I tried to explain. 내가 설명하려고 했을 때 그는 멍한 표정이었다.

— **vaguely** *adv.* **vagueness** *n.*

***vain** [vein] *adj.* **1** 헛된, 무익한, 쓸데없는: *vain* efforts 헛수고 [SYN] useless **2** 자만하는, 우쭐대는: She is *vain* about her looks. 그녀는 자신의 외모에 대해 자만하고 있다. [SYN] conceited

— **vainly** *adv.* 헛되이; 자만하여

[숙어] **in vain** 헛되이, 무익하게, 보람 없이: We tried *in vain* to persuade him. 우리는 그를 설득하려고 했으나 허사였다. / I have looked for the missing book *in vain*. 나는 잃어버린 책을 찾았으나 허사였다. [SYN] vainly

valentine [vǽləntàin] *n.* **1** (Saint Valentine) 성발렌타인 (3세기 경 로마의 기독교 순교자; 축일 2월 14일) **2** 성발렌타인 축일에 이성에게 보내는 카드·편지·선물 **3** 연인, 애인

***valid** [vǽlid] *adj.* **1** (법적으로) 유효한: a *valid* contract 합법적인 계약 / This passport is *valid* for a month only. 이 여권은 한 달 동안만 유효하다. [SYN] legitimate **2** 근거가 확실한, 정당(타당)한: a *valid* procedure 타당한 절차 / It's a perfectly *valid* argument. 아주 타당성 있는 주장이었다. [SYN] well-grounded [OPP] invalid

— **validate** *v.* **validity** *n.* 정당성, 합법성, (법적) 유효성

***valley** [vǽli] *n.* **1** 골짜기, 계곡 **2** (큰 강의) 유역: the Mississippi *valley* 미시시피 강 유역

■ **유의어** valley

valley 양측 산 사이에 움푹 패어 들어간 곳을 말하며 흔히 강으로서 물이 흐르고 있음. **gorge, ravine** valley보다 깊고 좁으며 양측이 절벽으로 되어 있음. **canyon** valley보다 큰 것을 말함.

valor, valour [vǽlər] *n.* (시·문어) (특히 싸움터에서) 용기, 용맹 [SYN] great courage

— **valorous** *adj.* 용감한, 영웅적인

valuable [vǽljuːəbəl] *adj.* **1** 값비싼: Is this painting *valuable*? 이 그림은 값비싼 것인가요? **2** 귀중한, 소중한, 유용한: a *valuable* piece of information 유익한 정보 / This book will be very *valuable* to you. 이 책은 네게 아주 유용할 것이다. [OPP] valueless, worthless

n. (보통 *pl.*) 귀중품 (보석·귀금속 등)

■ **유의어** valuable

valuable 가치가 있는, 주로 금전적인 가치, 또는 금전으로 환산한 경우의 추정적인 가치를 말함.: a *valuable* ring 값비싼 반지 **precious** 희귀하거나 그 자체가 귀중하기 때문에 가치 있는 것을 말함.: a *precious* stone 보석 / *precious* memory 소중한 추억 **priceless, invaluable** 매우 가치가 있어 값을 매길 수 없는 것을 말함.

***value** [vǽljuː] *n.* **1** 가격, 값: market *value* 시장 가격 **2** [영] 가격에 합당한 물건, 대가: The hotel was the excellent *value*. 호텔은 금액에 걸맞게 훌륭했다. **3** 가치, 유용성, 진가: Her research has been of great practical *value*. 그녀의 보고서는 실용적인 가치가 크다. **4** (values) (인생에 있어서의) 가치 기준, 가치관: moral *values* 도덕상의 가치 기준

v. [T] **1** 존중하다, 소중히 하다: I really *value* her as a friend. 나는 정말로 그녀를 친구로서 아낀다. **2** (보통 수동태) (금전으로) 평가하다, 값을 매기다 (at): The house was *valued* at $ 200,000. 그 집은 20만 달러로 매겨졌다. **3** 생각하다, 평가하다: How do you *value* him as a teacher? 그를 교사로서 어떻게 평가하십니까?

— **valuation** *n.*

[숙어] (**be**) **of value** 가치가 있는, 귀중한: Your help *is of* great *value* to me. 너의 도움은 내게 매우 소중하다.

set〔**place, put**〕**a value on** …의 값을 매기다, 평가하다: I asked him to *set a* *value on* the picture. 나는 그에게 그 그림의 값을 매겨 달라고 부탁했다. / He *puts a high value on* her poems. 그는 그녀의 시를 높이 평가한다.

valued [vǽljuːd] *adj.* **1** 평가된 **2** 귀중한, 소중한: a *valued* friend 소중한 친구

valueless [vǽljuːlis] *adj.* 가치가[값이] 없는, 하찮은 [SYN] worthless [OPP] valuable

valve [vælv] *n.* **1** (장치의) 밸브, 판(瓣): a safety *valve* 안전판 **2** [해부·동물] 판, 판막

van [væn] *n.* **1** 유개 운반차(트럭) **2** [영] (철도의) 수하물차 **3** 밴 (화물실에 거주용 설비를 설치한 왜건차)

vanadium [vənéidiəm] *n.* [화학] 바나듐 (금속 원소; 기호 V)

Vandal [vǽndəl] *n.* **1** 반달 사람, 반달 족 (5세기 로마를 휩쓴 게르만의 한 민족) **2** (종종 vandal) (다른 사람의 소유물을 고의로 혹은 재미로 파괴하는) 파괴자, 야만인

— **vandalism** *n.* 문화·예술의 파괴 (행위)

vandalize, vandalise [vǽndəlàiz] *v.* [T] (보통 수동태) (예술·문화·공공 시설 등을) 파괴하다

vanilla [vənílə] **1** [식물] 바닐라 (아메리카 열대 지방산의 덩굴 식물), 바닐라콩[열매] **2** 바닐라 에센스 (바닐라 열매에서 채취한 향료): *vanilla* ice cream 바닐라 아이스크림

vanish [vǽniʃ] *v.* [I] **1** 사라지다, 자취를 감추다: When she turned round, the boy had *vanished*. 그녀가 돌아봤을 때, 그 소년은 사라졌다. **2** (동식물의 종·전통 등이) 없어지다, 소멸하다: Many species in South Africa have *vanished* completely. 남아프리카의 많은 종들이 완전히 멸종되었다.

[SYN] disappear [OPP] appear

vanity [vǽnəti] *n.* **1** 허영(심): She is entirely free of personal *vanity*. 그녀는 전혀 개인적인 허영심이 없다. **2** 덧없음, 무상함, 허무: He realized then the *vanity* of life. 그 때 그는 인생의 덧없음을 깨달았다.

[OPP] reality

vanquish [vǽŋkwiʃ] *v.* [T] …에게 이기다, 정복하다: The soldiers *vanquished* the enemy. 군인들이 적군을 무찔렀다.

[SYN] conquer

vapor, vapour [véipər] *n.* 증기, 김, 증발 기체 (연무·아지랑이·안개·연기 등): water *vapor* 수증기

— **vaporous** *adj.* 증기가 많은, 안개 낀

vaporize, vaporise [véipəràiz] *v.* [I,T] 증발시키[하]다, 기화시키[하]다

— **vaporization, vaporisation** *n.*

variable [vɛ́əriəbəl] *adj.* **1** 변하기 쉬운, 일정치 않은, 변덕스러운: *variable* weather 변덕스러운 날씨 / Prices are *variable* according to the exchanges. 물가는 환시세에 따라 변한다. **2** (임의로) 변경할 수 있는, 가변성의: a *variable* time 변경 가능한 기한

[SYN] changeable [OPP] invariable

n. 변화하는[변하기 쉬운] 것: There are too many *variables* in the experiment to predict the result accurately. 실험에 변수가 너무 많아서 결과를 정확히 예측하기가 힘들다.

— **variably** *adv.* **variability** *n.*

variance [vɛ́əriəns] *n.* **1** 변화, 변동, 변천: *variance* in temperature 기온 변화 **2** (의견·취미·생각 등의) 불일치

[숙어] **at variance (with) 1** (…와) 사이가 나빠 **2** (언행 등이) 일치하지 않는, 모순되어: Many of his statements were *at variance with* the facts. 그의 진술 대부분은 사실과 일치하지 않았다.

variant [vɛ́əriənt] *n.* **1** 변체, 변형 **2** (철자·발음의) 이형(異形): 'Centre' is a *variant* spelling of 'center'. 'centre'는 'center'의 이형 철자이다.

adj. 다른, 상이한

variation [vɛ̀əriéiʃən] *n.* **1** 변화, 변동 (in): There may be a slight *variation* in price from shop to shop. 가게마다

가격이 조금씩 다를 수도 있다. **2** 변화의 양 〔정도〕: There is a *variation* of several points in the test scores. 시험 성적이 몇 점 정도 차이 난다. **3** 변형물 (on, of): The films he makes are all *variations* on the same theme. 그가 제작하는 모든 영화는 동일 주제에 대한 변형물이다. **4** [음악] 변주(곡): Bach's Goldberg *variations* 바하의 골든베르크 변주곡

varied [véərid] *adj.* **1** 가지가지의, 가지각색의: It is essential that your diet is *varied* and balanced. 다양하고 균형 잡힌 식단이 필수적이다. **2** 변화 있는, 다채로운: a *varied* life 파란 많은 일생

variety [vəráiəti] *n.* **1** (a variety) 가지각색의 것, 갖가지 (of): This book covers a wide *variety* of topics. 이 책은 폭넓은 여러 가지 주제를 다루고 있다. **2** 변화, 다양(성): It's easy to get bored if there's no *variety* in your work. 네가 하는 일에 변화가 없다면 지루해지기 쉽다. [SYN] diversity **3** (a variety) 종류, 품종: a new *variety* of apple 사과의 신품종 [SYN] kind, sort

[숙어] **a variety of** 여러 가지의, 가지각색의: The store has *a* great *variety of* toys. 그 가게에는 다양한 장난감들이 있다.

various [véəriəs] *adj.* **1** 가지각색의, 여러 가지의: I decided to leave Paris for *various* reasons. 나는 여러 가지 이유로 파리를 떠나기로 결심했다. [SYN] different **2** 몇 명〔개〕의; 많은: *Various* people came to the party. 많은 사람들이 파티에 참석했다. [SYN] several, numerous

varnish [vá:rniʃ] *n.* **1** 니스, 유약 **2** (특히 결점을 감추기 위한) 겉치레, 속임수
v. [T] **1** …에 니스를 칠하다 **2** (사람을 속이려고) 겉꾸미다, 눈가림하다

****vary** [véəri] *v.* **1** [I] 가지각색이다, 다르다: Teaching methods *vary* greatly from school to school. 지도 방법은 학교마다 상당히 다르다. **2** [I] 변하다, 바뀌다: Her

mood seems to *vary* according to the weather. 그녀의 기분은 날씨에 따라 바뀌는 듯 하다. **3** [T] 바꾸다, 변경하다, 고치다: I try to *vary* my diet. 나는 식이 요법을 바꾸려고 노력 중이다. / *vary* the rules 규칙을 수정하다 [SYN] alter

****vase** [veis] *n.* 꽃병, (유리 · 도자기 · 금속으로 된 장식용) 항아리, 병

vast [væst] *adj.* **1** 광대한, 거대한: a *vast* plain 광대한 평야 / a scheme of *vast* scope 웅대한 규모의 계획 [SYN] immense **2** 막대한 (수 · 양 · 금액 등): a *vast* sum of money 거액의 돈
— **vastly** *adv.* **vastness** *n.*

VAT *abbr.* value-added tax 부가 가치세 (vat)

vault¹ [vɔ:lt] *n.* **1** 둥근 천장, 아치형 천장 **2** 금고실: Most of the money was in storage in bank *vaults*. 대부분의 돈이 은행 금고실에 저장되어 있었다. **3** (교회 · 무덤 등의) 지하 납골소: a family *vault* 가족 납골소

vault² [vɔ:lt] *v.* [I,T] (막대기 · 손 등을 짚고) 도약하다, 넘다 (over): He could easily *vault* the wall. 그는 쉽게 담을 넘을 수 있었다.
— **pole vault** *n.* 장대높이뛰기

VCR *abbr.* videocassette recorder 텔레비전 프로그램이나 영화를 비디오에 녹화하거나 재생하는 기계 [SYN] video

veal [vi:l] *n.* 송아지 고기 *cf.* calf 송아지

Vega [ví:gə] *n.* [천문] 베가별, 직녀성 (거문고자리의 1등성)

****vegetable** [védʒətəbəl] *n.* 야채, 채소: He grows *vegetables*. 그는 야채를 재배한다. / *vegetable* soup 야채 수프

vegetarian [vèdʒətéəriən] *n.* 채식주의자
adj. 채식주의(자)의, 야채만의

vegetation [vèdʒətéiʃən] *n.* (집합적) 식물, 초목, 한 지방 (특유)의 식물: tropical *vegetation* 열대 식물

vehement [víːəmənt] *adj.* 격렬한, 맹렬한: Despite *vehement* opposition from her family, she quit school and became a singer. 가족들의 격렬한 반대에도 불구하고 그녀는 학교를 그만두고 가수가 되었다. SYN violent
— **vehemence** *n.*

****vehicle** [víːikəl] *n.* **1** (사람·물건의) 수송 수단, 탈 것 (자동차·열차·선박·항공기·우주선 등) **2** 매개물, 전달 수단〔방법〕: Language is the *vehicle* of thought. 언어는 사상의 전달 수단이다. SYN medium

veil [veil] *n.* **1** 베일, 면사포 **2** 덮개, 씌우개, 장막

veiled [veild] *adj.* **1** 베일로 가린 **2** 베일에 싸인, 숨겨진, 분명치 않은: *veiled* threats 은근한 협박

vein [vein] *n.* **1** [해부] 정맥 *cf.* artery 동맥 **2** 혈관 SYN blood vessel

velocity [vəlásəti] *n.* **1** 속력, 빠르기 **2** [물리] 속도: accelerated *velocity* 가속도 / the *velocity* of light 광속도

velvet [vélvit] *n.* 벨벳, 우단: black *velvet* jacket 검은색 벨벳 재킷

vending machine *n.* 자동 판매기

vendor [véndər] *n.* 행상인, 노점 상인

venerable [vénərəbəl] *adj.* (나이·인격·지위로 보아) 존경할 만한, 훌륭한, 덕망 있는

vengeance [véndʒəns] *n.* 복수, 앙갚음: Hamlet is driven by a desire for *vengeance* after his father is killed. 햄릿은 아버지가 살해된 후에 복수심으로 불탔다. SYN revenge, avenge
숙어 **with a vengeance** 심하게, 몹시, 극단으로: It began to rain again *with a vengeance*. 비가 다시 심하게 퍼붓기 시작했다.

venom [vénəm] *n.* **1** (독사 등의) 독(액) SYN poison **2** 악의, 원한: He shot her a look of sheer *venom*. 그는 그녀에게 악의 가득한 눈빛을 던졌다.
— **venomous** *adj.*

vent [vent] *n.* **1** (공기·액체 등을 뺐다 넣었다 하는) 구멍, 환기용의 작은 창: There was a small air *vent* in the ceiling. 천장에 환기용의 작은 창이 있었다. **2** (감정 등의) 표출
숙어 **give vent to** (노여움 등을) 터뜨리다: He *gave vent to* his dissatisfaction. 그는 불만을 터뜨렸다.

ventilate [véntəlèit] *v.* [T] **1** (방 등을) 통풍이 잘 되게 하다, 환기하다: The room is badly *ventilated*. 그 방은 통풍이 잘 되지 않는다. **2** 통풍 설비를 하다, 환기 구멍을 내다
— **ventilation** *n.*

ventilator [véntəlèitər] *n.* 환기 설비, 통풍기, 환기창

venture [véntʃər] *n.* **1** 모험 **2** 모험적 사업, 투기사 (사업): *venture* business (고도의 전문 지식을 활용한) 모험적 기업 / *venture* capital 벤처 캐피털, 위험 부담 자본
※ venture는 특히 사업에서 금전상의 위험을 무릅쓴 행위를 말하며, 일반적인 '모험'의 뜻으로는 adventure가 일반적이다.
v. [I] **1** 위험을 무릅쓰고 가다, 감히 가다: They *ventured* out on the stormy sea to rescue the shipwrecked people. 그들은 조난자들을 구조하기 위해 위험을 무릅쓰고 폭풍이 몰아치는 바다로 나갔다. **2** 위험을 무릅쓰고 해보다, 과감히 …하다: Nothing *ventured*, nothing gained. [속담] 호랑이 굴에 가야 호랑이를 잡는다. (위험을 무릅쓰지 않으면 어떤 것도 얻어지지 않는다.) SYN take the risk of
— **venturesome** *adj.* 대담한, 모험적인
venturous *adj.* 모험을 좋아하는, 대담한

Venus [víːnəs] *n.* **1** [천문] 금성 **2** [신화] 비너스 (사랑과 미의 여신; 그리스 신화의 Aphrodite)

veranda, verandah [vərǽndə] *n.* ([미] porch) (보통 지붕이 달린) 베란다

verb [vəːrb] *n.* (*abbr.* v., vb.) [문법] 동사: a regular〔an irregular〕*verb* 규칙〔불규

칙〕동사

verbal [və́:rbəl] *adj.* **1** 말의, 말에 나타낸, 말에 관한: *verbal* ability 언어 능력 (말하기와 쓰기 능력) **2** 구두(구술)의: a *verbal* report 구두 보고 / We have a *verbal* agreement with her. 우리는 그녀와 구두로 합의했다. [SYN] oral **3** [문법] 동사의, 동사적인
— **verbally** *adv.*

verdict [və́:rdikt] *n.* **1** [법] (배심원의) 평결, 답신: The jury returned a *verdict* of 'guilty'. 배심원은 유죄 평결을 했다. **2** 판단, 의견, 결정 (on): The doctor's *verdict* was that she was entirely healthy. 의사의 판단은 그녀가 아주 건강하다는 것이었다.

verge [və́:rdʒ] *n.* **1** 가장자리, 가, 모서리 **2** [영] (잔디가 난) 도로변, 화단의 가장자리
v. [I] **1** 가에 있다, 인접(근접)하다 (on, upon): Our property *verges* on theirs. 우리의 땅은 그들의 땅에 접해 있다. [SYN] border on **2** (어떤 상태·성질 등에) 다가가다, 거의 …할 지경이다 (on, upon): What they are doing *verges* on the illegal. 그들이 하고 있는 것은 거의 불법이다.
[숙어] **on the verge of** …에 직면하여, 바야흐로 …하려고 하여: She was *on the verge of* breaking into tears. 그 여자는 울음이 터질 지경이었다. [SYN] **on the brink of**

verify [vérəfài] *v.* [T] 진실임을 증명(입증)하다, 확인하다: The prisoner's statement was *verified* by several witnesses. 그 죄수의 진술이 몇몇 증인들을 통해 입증되었다. / We have *verified* that he's entitled to the estate. 우리는 그가 유산을 승계할 권리가 있다는 것을 확인했다.
— **verification** *n.* 확인, 조회, 증명

veritable [vérətəbəl] *adj.* (명사 앞에만 쓰임) 진실의, 정말의, 틀림없는: The meal was a *veritable* feast. 식사는 정말로 진수성찬이었다.
※ 강조의 의미를 갖는다.

vernacular [vərnǽkjələr] *n.* **1** (보통 the vernacular) 제 나라 말, 자국어, 지방어, 사투리 **2** (어떤 직업의) 전문어, (동업자간의) 은어
adj. **1** (어법·말 등이) 자국의, 지방의: the *vernacular* languages of India 인도의 여러 지방어 **2** 지방 말로 쓴, 방언을 쓴: a *vernacular* paper 자국어(지방어) 신문

versatile [və́:rsətl] *adj.* **1** 다용도의, 다목적으로 쓰이는: a *versatile* tool 다목적 도구 **2** (능력·재능이) 재주가 많은, 다재다능한: She's a very *versatile* actress. 그녀는 아주 다재다능한 여배우이다.

verse [və:rs] *n.* **1** 운문, 시 *cf.* prose 산문 **2** 시의 한 행, 시구 **3** 시의 절(節), 연(聯): This poem has four *verses*. 이 시는 4연시이다. [SYN] stanza **4** 한 편의 시: lyrical *verse* 서정시 **5** 시형, 시격: free *verse* 자유시 / blank *verse* 무운시 **6** (성서의) 절

*****version** [və́:rʒən] *n.* **1** (원형·원물에 대한) 변형, 이형, …판: a modern *version* of the ancient superstition 예로부터 있는 미신의 현대판 **2** (연주자·배우 등의 독자적인) 연주, 연출; (소설 등의) 각색, 번안; (성서의) 역(譯): a simplified *version* of Shakespeare 셰익스피어 요약판 / an updated *version* of his book 그의 책의 최신판 **3** 번역, 번역문(서): an English *version* of a French play 프랑스 희곡의 영어 번역서 **4** (개인적 또는 특수한 입장에서의) 해석, 의견, 설명: The two newspapers gave different *versions* of what happened. 두 신문은 사건에 대해 다르게 해석했다. **5** [컴퓨터] 판, 버전 (소프트웨어 등의 개량의 횟수에 관계한 수로 기능이 개선됨을 나타냄)

versus [və́:rsəs] *prep.* (*abbr.* v., vs.) **1** (소송·경기 등에서) …대(對): Oxford *versus* Cambridge 옥스퍼드 대 케임브리지 [SYN] against **2** …와 대비(비교)하여: It's a question of money *versus* job satisfaction. 돈인지 직업에 대한 만족인지

그게 문제이다. ⎣SYN⎦ in contrast with

*vertical [və́:rtikəl] *adj.* 수직의, 세로의: The cliff was almost *vertical*. 절벽이 거의 수직이었다. *cf.* horizontal 수평의, 가로의
n. (the vertical) 수직선(면, 권)
— **vertically** *adv.*

*very ⇨ p. 855

vessel [vésəl] *n.* **1** 배 (특히 보통 보트보다 큰 것): a sailing *vessel* 범선 **2** 용기, 그릇 (통·단지·대접·잔·접시 등) **3** [해부] 도관(導管), 맥관(脈管), 관(管): a blood *vessel* 혈관

vest [vest] *n.* ([영] waistcoat) 조끼
v. [T] **1** (권리를) 주다, 수여(부여)하다: The mass media have been *vested* with significant power. 대중 매체는 중요한 영향력을 갖고 있다. ⎣SYN⎦ endow **2** 옷을 입히다, (제복을) 차려 입히다

vet¹ [vet] *n.* 수의사 (veterinarian의 간약형): I took the puppy to the *vet*. 나는 강아지를 수의사에게 데려 갔다.

vet² [vet] *n.* =veteran

veteran [vétərən] *n.* **1** 고참병, [미] 퇴역(재향) 군인 ([영] ex-serviceman): a *veteran* of the Second World War 제 2 차 세계 대전의 노병 **2** 노련가, 베테랑, 경험이 많은 사람
adj. 노련한, 숙련된, 많은 경험을 쌓은

veterinarian [vètərənɛ́əriən] *n.* 수의사

veto [ví:tou] *v.* [T] **1** (제안·의안 등을) 거부하다: The president *vetoed* a tax increase on gasoline. 대통령은 휘발유의 세금 인상에 대해 거부권을 행사했다. **2** (행위 등을) 금지하다, 반대하다: My teacher *vetod* the idea. 선생님은 그 아이디어에 반대하셨다.
n. (*pl.* vetoes) (대통령·지사·상원 등이나 또는 U.N. 안보 이사회 상임 이사국의) 거부권: have the right of *veto* 거부권을 행사할 권리가 있다.

vex [veks] *v.* [T] (주로 자질구레한 일로) 짜증나게 하다, 귀찮게 굴다, 화나게 하다: I shall be *vexed* if you are late. 만약 늦게 오면 나 화낼 거야. ⎣OPP⎦ please
— **vexatious** *adj.* **vexation** *n.*

via [váiə, ví:ə] *prep.* **1** …경유로, …을 거쳐: We went to Canada *via* America. 우리는 미국을 경유하여 캐나다로 갔다. ⎣SYN⎦ by way of **2** (주로 우편·전달 수단의 사용) …을 매개로 하여, …에 의하여 ([영] by): *via* air mail 항공편으로

viable [váiəbəl] *adj.* **1** (계획 등이) 실행 가능한, 실용적인: a *viable* proposition 실행 가능한 제안 **2** (나라·경제가) 성장(발전)할 수 있는 **3** (태아·신생아 등이) 살아갈 수 있는, 생명력 있는
— **viability** *n.* 생존 능력, (특히 태아·신생아의) 생육력

vibrant [váibrənt] *adj.* **1** 활력이 넘치는, (사람이) 활발한, 기운찬: a *vibrant* atmosphere 활기찬 분위기 / a *vibrant* personality 활발한 성격 ⎣SYN⎦ exciting **2** (색·빛이) 선명한, 번쩍거리는: The grass was *vibrant* green. 잔디는 선명한 녹색이었다. ⎣SYN⎦ brilliant **3** 떠는, 진동하는 **4** [음성] 유성의 ⎣SYN⎦ voiced
— **vibrantly** *adv.* **vibrancy** *n.* 진동(성)

vibrate [váibreit] *v.* [I] **1** 진동하다, 흔들리다; (가늘게) 떨다: When a guitar string *vibrates* it makes a sound. 기타 줄이 진동하면 소리가 나온다. **2** (소리가) 울리다, (목소리가) 떨리다
— **vibration** *n.*

vice [vais] *n.* **1** 성적 부도덕 행위, 매춘, 마약 **2** 악덕, 부도덕, 악습, 나쁜 버릇: Greed, pride, envy, and dishonesty are considered to be *vices*. 탐욕, 자만심, 질투심과 부정직은 악덕으로 간주된다. / His only *vice* is smoking. 그의 유일한 나쁜 버릇은 흡연이다. ⎣OPP⎦ virtue

vice- *prefix* 관직을 나타내는 명사에 붙어서 '부(副), 대리, 차(次)'의 뜻.: *vice*-chairman

very

very [véri] *adv.* **1** (원급의 형용사·부사를 꾸며) 대단히, 매우, 몹시: This is a *very* interesting book. 이것은 대단히 재미있는 책이다. / She worked *very* hard. 그녀는 매우 열심히 일했다.

2 (형용사의 최상급, first, last, next, own 등의 한정어 앞에서) 정말(이지), 실로, 바로: They arrived there the *very* next day. 그들은 바로 그 이튿날 거기에 도착했다.

3 (부정문에서) ① 그다지[별로] (···않다): He doesn't look *very* happy. 그는 별로 행복해 보이지 않는다. / It is not *very* warm today. 오늘은 그다지 따뜻하지 않다. ② (정반대의 뜻을 완곡하게 표현하여) 전혀[조금도] (···않다): I'm not feeling *very* well. 기분이 영 좋지 않다.

adj. **1** (the, this, that 또는 소유격 인칭대명사와 함께 강조를 나타내어) 바로 그: This is the *very* thing I wanted to have. 이것은 내가 갖고 싶어 하던 바로 그것이다. [SYN] actual

2 (the very) ···조차도, ···까지도, (단지) ···만으로도: The *very* thought of blood made her sick. 그녀는 피라는 것을 생각만 해도 구역질이 났다. [SYN] mere

3 (the very) 극한의, 맨 ···: I climbed to the *very* top of the mountain. 나는 산꼭대기까지 올랐다.

4 정말, 참다운: He has shown himself a *very* knave. 그는 정말 악당임을 보여 주었다.

[숙어] **before one's very eyes** ⇨ eye

■ 유의어 very

very 형용사·부사 또는 이들의 최상급을 수식: I am *very* sorry. 정말 미안하다. / They're moving *very* quickly. 그들은 매우 빨리 움직이고 있다. / He is the *very* best in computers! 컴퓨터에 관해서는 그가 단연 최고이다!

much 형용사·부사의 비교급을 수식하며 완전히 형용사화하지 않은 과거분사에 much 또는 very much를 씀.: He is *much* taller than I. 그는 나보다 (키가) 훨씬 크다. / I was (*very*) *much* disappointed. 나는 너무 실망했다.

※ 서술적으로 쓰여 감정·심리 상태 등을 나타내는 amused, pleased, surprised 등은 very로 수식할 때가 많음.: I was *very* surprised at the news. 나는 그 소식에 몹시 놀랐다.

부의장 [SYN] deputy-

vice-president *n.* 부통령, 부총재, 부회장

vice versa [váisvə́ːrsə] *adv.* 반대로, 거꾸로: The man blames his wife and *vice versa*. 남편은 부인을 탓하고 반대로 부인은 남편을 탓한다.

vicinity [visínəti] *n.* 근처, 부근, 인근 [SYN] neighborhood

[숙어] **in the vicinity (of)** ···의 부근에[의]: There's no supermarket *in the immediate vicinity*. 바로 가까이에 슈퍼마켓이 없다.

vicious [víʃəs] *adj.* **1** 사악한, 악덕한, 타락한: a *vicious* person 악인 / *vicious* practices 악습 **2** 사나운: a *vicious* dog 사나운 개 **3** 악의 있는, 심술궂은: a *vicious* rumor 짓궂은 소문

— **viciously** *adv.* 부정하게, 심술궂게

vicious circle[cycle] *n.* 악순환: *vicious circle* of poverty 빈곤의 악순환

victim [víktim] *n.* 희생(자), 피해자: Most murder *victims* are under 30. 대부분의 살인 희생자들은 30세 이하이다.

[숙어] **fall victim to** ···의 희생이 되다: She *fell victim to* a pickpocket who pinched her wallet. 그녀는 지갑을 소매치기 당했다.

victimize [víktimàiz] *v.* [T] 희생시키다,

괴롭히다

victor [víktər] *n.* 승리자, 전승자, 정복자
adj. 승리(자)의: a *victor* nation 전승국

Victorian [viktɔ́:riən] *adj.* **1** 빅토리아
여왕(시대)의: the *Victorian* Age 빅토리아
왕조 시대 (1837-1901) **2** (사람·생각 등이)
빅토리아 풍의, 융통성이 없는, 위선적이고 예
스러운 **3** (건축·가구·실내 장식 등이) 빅토
리아조(朝) 양식의 (정교하고 호화로운 장식과
중량감이 있음), 구식의
n. 빅토리아 여왕 시대의 사람 (특히 문학자)

victorious [viktɔ́:riəs] *adj.* 승리를 거
둔, 이긴: the *victorious* team 이긴 팀
[SYN] triumphant

*****victory** [víktəri] *n.* **1** 승리, 전승, 승전:
Jimmy led his team to *victory* in the
final. 지미는 결승전에서 팀을 승리로 이끌었
다. [SYN] win, conquest [OPP] defeat **2**
극복: a *victory* over difficulty 고난의 극
복 [SYN] accomplishment [OPP] failure

video [vídiòu] *n.* (*pl.* videos) **1** [U] 비
디오, 영상: We recorded the wedding
on *video*. 우리는 결혼식을 비디오로 찍었다.
2 비디오 테이프: Do you have any
blank *video*? 빈 비디오 테이프 갖고 있니?
[SYN] video cassette, videotape **3** 비디
오 레코더 (video recorder)
v. [T] 비디오 테이프에 녹화하다: Could
you *video* 'Oprah Winfrey Show' for
me at 9:00? 9시에 '오프라 윈프리 쇼'를 녹
화해 줄 수 있니?

videocassette recorder *n.* (*abbr.*
VCR) 비디오 카세트 녹화기

videoconference
[vídioukɑ̀nfərəns] *n.* 화상 회의 (텔레비전
으로 원격지를 연결하여 하는 회의)

videophone [vídiouſòun] *n.* 텔레비전
전화, 비디오 전화

video recorder *n.* =videocassette
recorder

videotape [vídioutèip] *n.* 비디오 테이
프, 비디오 테이프 녹화

v. [T] 비디오 테이프에 녹화하다 [SYN] video

*****view** [vju:] *n.* **1** (a view) (개인적) 견해,
생각, 의견 (about, on): In my *view*, the
boy has done nothing wrong. 내 생각
에는 그 소년은 잘못 한 것이 없다. / What
are your *views* on his proposal? 그의
제안에 대한 너의 의견은 무엇이니? **2** 시야, 시
계, 시선: As we rounded the bend, the
mountains came into *view*. 굽이를 돌자
산이 시야에 들어왔다. **3** 경치, 전망, 조망:
The *view* from the top of the moun-
tain was spectacular. 산꼭대기에서 바라
본 경치는 장관이었다. / a room with a
nice *view* 전망이 좋은 방 **4** 풍경화(사진):
He showed me *views* of Mt. Inwang.
그는 내게 인왕산의 풍경 사진을 보여 주었다.
v. [T] **1** 간주하다, 판단하다, 고찰하다 (as): I
view holidays as a waste of time. 나는
휴가를 시간 낭비라고 생각한다. [SYN] regard
2 바라보다, 보다: *Viewed* from this
angle, the tree looks much taller
than it really is. 이 각도에서 바라보면 그
나무는 실제보다 훨씬 더 커 보인다. [SYN]
look at **3** 조사하다, 시찰하다: They came
back to *view* the house again. 그들은
그 집을 조사하기 위해 다시 왔다.

[축어] **a point of view** ⇨ point
in full view (of) ⇨ full
in view 1 보이는 곳에, 보여: She always
keeps the children *in view* whenever
they're in a public place. 그녀는 공공 장
소에 있을 때는 항상 아이들을 보이는 곳에 있
게 한다. [SYN] in sight **2** 고려 중(인), 목표로
하여, 기대하여: He has something *in
view*. 그는 무엇인가 목적하는 바가 있다.

in view of …을 고려하여, …의 점에서 보
아, … 때문에: *In view of* what you've
said, we decided to take no further
action. 네가 말한 것을 고려하여 우리는 더 이
상 조치를 취하지 않기로 결정했다.

keep(have) … in view 목적으로(목표
로) 하다: He wants to find work, but

he *has* nothing particular *in view*. 그는 취직하려고 하지만 뚜렷한 것을 목적으로 하지 않고 있다.

with a view to (-ing) …하려고, …할 목적으로: He works hard *with a view to* gain*ing* a scholarship. 그는 장학금을 타려고 열심히 공부하고 있다.

viewer [vjúːər] *n.* **1** 보는 사람, 구경꾼; (특히) 텔레비전 시청자: *viewer* response (TV의) 시청자 반응 **2** 뷰어 (슬라이드 등의 확대 투시 장치)

viewpoint [vjúːpɔ̀int] *n.* 견해, 견지, 관점: The novel is shown from the girl's *viewpoint*. 소설은 소녀의 관점으로 펼쳐진다. / from a different *viewpoint* 다른 견지에서 [SYN] point of view, position

vigil [vídʒil] *n.* 철야, 밤샘: She kept *vigil* over the sick child. 그녀는 밤새워 아픈 아이를 병구완했다.

vigilant [vídʒələnt] *adj.* **1** 자지 않고 지키는: *vigilant* soldiers 불침번병 **2** 방심하지 않는, 주의 깊은 [OPP] careless
— **vigilance** *n.* 조심, 경계, 불침번 서기

vigor, vigour [vígər] *n.* **1** 활기, 정력, 체력, 활력: They started their work with youthful *vigor*. 그들은 청년다운 활력으로 일을 시작했다. **2** (성격의) 억셈, (문체 등의) 힘참, 박력: Her book is written with considerable *vigor*. 그녀의 책은 상당히 힘찬 어조로 쓰였다. **3** (식물 등의) 건전한 생장력: the *vigor* of a plant 식물의 생장력
— **vigorous** *adj.* **vigorously** *adv.*

villa [vílə] *n.* **1** (피서지나 해변의) 별장 **2** 시골의 큰 저택

***village** [vílidʒ] *n.* **1** 마을 (town이나 city 보다 작음): a farm〔fishing〕 *village* 농〔어〕촌 **2** (집합적) 마을 사람들
— **villager** *n.* 마을 사람, 시골 사람

villain [vílən] *n.* **1** 악한, 악인 **2** (극·소설 등의) 악역: He made his reputation as an actor playing *villains*. 그는 악역 배우로서 유명해졌다.
— **villainous** *adj.* **villainy** *n.* 악행

vindicate [víndəkèit] *v.* [T] …의 정당함을 입증하다, 변호하다; …의 혐의를 풀다: Subsequent events *vindicated* his innocence. 그 후에 일어난 일이 그의 무죄를 입증했다.
— **vindication** *n.*

vine [vain] *n.* **1** 포도나무 (grapevine) **2** 덩굴, 덩굴 식물: rose *vines* 덩굴 장미
— **vineyard** *n.* 포도원〔밭〕

vinegar [vínigər] *n.* (식)초: cucumbers pickled in *vinegar* 식초에 절인 오이들

vintage [víntidʒ] *n.* **1** (일정 수확기에 채취된) 포도, 포도주: The 1985 *vintage* was one of the best. 1985년산은 고급 포도주 중의 하나이다. **2** 빈티지 와인 (vintage wine; 명산지에서 풍작의 해에 양조한 상표 및 연호가 붙은 고급 포도주) **3** (어떤 해의) 생산품; 형; 제작 연도: an automobile of the *vintage* of 2000 2000년형 자동차
adj. (명사 앞에만 쓰임) **1** (포도주가) 우량한, 고급의: *vintage* champagne〔wine〕 고급 샴페인〔포도주〕 **2** (제작물·작품이) 우수한, 걸작의; 유서 있는

vinyl [váinəl] *n.* [화학] 비닐(기(基))
adj. 비닐기를 함유한

viola [vióulə] *n.* **1** 비올라 (바이올린과 첼로의 중간 크기의 악기) **2** 비올라 연주자

violate [váiəlèit] *v.* [T] **1** (법률·약속 등을) 어기다: They *violated* cease-fire agreement. 그들은 휴전 협정을 어겼다. **2** (권리·프라이버시 등을) 방해하다, 침해하다: Questions of this kind *violate* my privacy and I am not willing to answer them. 이런 종류의 질문들은 프라이버시를 침해하는 것이므로 질문에 답하지 않을 것이다. **3** (여자에게) 폭행을 가하다

violation [vàiəléiʃən] *n.* **1** 위반, 위배 **2** 침해 (of): (a) *violation* of human rights 인권 침해

violence [váiələns] *n.* **1** 폭력, 난폭:

There is too much *violence* shown on TV. 텔레비전에 방영되는 폭력이 너무 많다. / crimes of *violence* 폭행죄 **2** (자연 현상 · 사람의 행동 · 감정 등의) 격렬함, 맹렬함: the *violence* of an earthquake 지진의 격렬함 숙어 **with violence** 난폭하게, 맹렬히: He slammed the door *with violence*. 그는 난폭하게 문을 닫았다.

***violent** [váiələnt] *adj.* **1** 난폭한, 폭력적인: *violent* crime 폭행죄 / The more *violent* scenes in the film were cut when it was shown on television. 영화 속의 더 많은 폭력 장면들은 텔레비전으로 방영될 때 삭제되었다. **2** (죽음이) 폭력(사고)에 의한: He met a *violent* death. 그는 사고사했다. **3** (자연 현상 · 사람의 행동 · 감정 등이) 격렬한, 맹렬한: a *violent* wind 맹렬한 바람 / a *violent* headache 지독한 두통 / He was in a *violent* temper. 그는 격노했다.
— **violently** *adv.*

***violet** [váiəlit] *n.* **1** [식물] 제비꽃 **2** 보랏빛
adj. 보라색의

violin [vàiəlín] *n.* 바이올린, 바이올린 계통의 악기 (viola, cello 등)

violinist [vàiəlínist] *n.* 바이올린 연주자, 바이올리니스트

VIP *abbr.* very important person 귀빈

viral [váiərəl] *adj.* 바이러스성의, 바이러스가 원인인: a *viral* infection 바이러스 감염

virgin [vɔ́:rdʒin] *n.* 처녀, 아가씨 SYN maiden
adj. **1** 처녀의, 동정의 **2** 처음 겪은: a *virgin* voyage 처녀 항해 SYN maiden **3** 사용한 일이 없는, 미개척의: a *virgin* forest 원시림 / *virgin* soil 처녀지
— **virginity** *n.* 처녀성, 순결

virtual [vɔ́:rtʃuəl] *adj.* (명사 앞에만 쓰임) **1** (명목상이 아니라) 실제상의, 실질적인: The king was so much under his wife's influence that she was the *virtual* ruler of the country. 왕은 그의 부인의 영향을 많이 받기 때문에 그녀가 나라의 실질적인 통치자였다. **2** [컴퓨터] 가상의

virtually [vɔ́:rtʃuəli] *adv.* 거의; 사실상, 실질적으로: The work was *virtually* finished. 작업은 거의 다 되었다.

virtual reality *n.* [컴퓨터] 가상 현실(감) (컴퓨터 시뮬레이션으로 만든 가상 공간에서 마치 현실과 같은 체험을 느끼게 하는 기술)

***virtue** [vɔ́:rtʃu:] *n.* **1** 덕, 덕행, 선행 SYN goodness OPP vice **2** (어떤 특수한) 덕, 미덕: Kindness is a *virtue*. 친절은 미덕이다. **3** 장점, 가치 (of): Its other great *virtue* is its hard-wearing quality. 그것의 다른 큰 장점은 내구성이다. SYN advantage, merit
숙어 **by(in) virtue of** …에 의해, …의 힘으로: The Spaniards, *in virtue of* the first discovery, claimed all America as their own. 스페인 사람들은 맨 먼저 발견했다는 이유로 전 아메리카를 자기들의 것이라고 주장했다.

virtuous [vɔ́:rtʃuəs] *adj.* **1** 덕이 높은, 고결한: They described him as a *virtuous* and hard-working man. 그들은 그를 덕이 높으며 근면한 사람이라고 했다. **2** 정숙한, 절개 있는: a *virtuous* woman 정숙한 여인

virus [váiərəs] *n.* **1** [의학] 바이러스, 여과성 병원체, 병균 **2** [컴퓨터] 바이러스 (컴퓨터 체계에 침입하여 파일이나 파일 체계를 파괴하는 프로그램)

visa [ví:zə] *n.* 사증, 비자, 입국 허가: I have applied for an entry *visa*. 입국 비자를 신청했다. / a tourist(student) *visa* 관광(학생) 비자 **2** (Visa (Card)) 비자 카드 (상표명; 미국의 대표적인 신용 카드의 하나)

visibility [vìzəbíləti] *n.* **1** 눈에 보임, 볼 수 있음, 쉽게 보임 **2** [기상] 시계, 시야, 가시도: The fog is heavy, and *visibility* is down to 30 meters. 안개가 자욱해서 가시도가 30미터로 떨어졌다.

visible [vízəbəl] *adj.* **1** (눈에) 보이는:

They are hardly *visible* to the naked eye. 그들은 육안으로는 거의 보이지 않는다. / There was no movement *visible*. 눈에 보이는 움직임은 없었다. **2** 명백한, 분명한, 역력한: He spoke with *visible* impatience. 그는 초조한 기색을 역력히 드러내면서 말했다.

OPP invisible

— **visibly** *adv.* 눈에 보이게, 뚜렷이

vision [víʒən] *n.* **1** 시력, 시각: the field of the *vision* 시야 SYN sight **2** 상상력, 통찰력: a poet of great *vision* 풍부한 상상력을 지닌 시인 **3** (마음 속에 그린) 꿈, 상상도, 미래상, 비전: Have you ever had *visions* of great wealth? 큰 부자가 되었을 경우를 상상해 본 적이 있니? **4** 환상, 환영: I had a *vision* in which Jesus appeared before me. 예수가 내 앞에 환영으로 나타났다.

visionary [víʒənèri] *adj.* **1** 환영의, 환상의 **2** (사람이) 공상적인, 몽상적인 **3** (계획 등이) 꿈같은, 실현 불가능한
n. 공상[몽상]가

***visit** [vízit] *v.* [I,T] **1** (사교·용건·관광 등을 위해) 방문하다, 구경하러 가다: He usually *visits* his uncle in the fall. 그는 가을에는 보통 삼촌 댁을 방문한다. / When you go to Paris, you must *visit* the Louvre. 파리에 가면 루브르 박물관을 꼭 구경해라. **2** (환자를) 병문안 가다: Nobody *visited* her in hospital. 아무도 그녀에게 병문안 가지 않았다. **3** 시찰[순시]하다; (의사가) 왕진하다: The doctor is out *visiting* his patients. 의사 선생님은 왕진 중이십니다.
n. **1** 방문, 구경, 견학; 문병; (손님으로서의) 체류 **2** 시찰; 왕진
— **visiting hours** *n.* 면회 시간
숙어 **make[pay] ... a visit (to)** …을 방문[순회, 구경]하다; …을 문병하다: Helen had recently *paid* me *a visit*. 최근에 헬렌이 나를 방문했다.

■ 유의어 **visit**

visit '사람 또는 장소를 방문하다'는 뜻으로 얼마 동안 체류하는 것이 보통이나 장기간이 되는 경우도 있음. **call** 잠깐 방문하다, 들르다, 문전 방문 등을 뜻함. 방문하는 대상이 사람이면 on, 집이면 at과 함께 씀. **see** '…를 만나다'는 뜻으로 우리말의 '…를 찾아보다'는 see를 쓰는 경우가 보통임.: I've got to *see* my lawyer at his office this afternoon. 나는 오늘 오후 나의 변호사를 만나러 가야 한다. **meet** '우연히 또는 약속에 의해 사람을 만나다'는 의미로 방문의 뜻은 없음.

visitor [vízitər] *n.* **1** 방문자, 손님; 관광객: We had no *visitors* all day. 온종일 손님 한 사람 없었다. / *Visitors* to the hospital are asked not to smoke. 문병 온 사람들에게 금연하도록 하고 있다. **2** 시찰자, 순시관

■ 유의어 **visitor**

visitor 사교·용건·관광 등 온갖 목적으로 사람·장소를 방문하는 사람으로 얼마간 체류함이 보통이나 장기간이 되는 경우도 있음.: a *visitor* in New York 뉴욕 방문객 **guest** 초대되어 접대를 받는 손님, 호텔의 숙박자 **caller** 단기간의 방문자: The *caller* left his card. 그 방문객이 명함을 두고 갔다.

visual [víʒuəl] *adj.* 시각의, 보는, 보기 위한: the *visual* nerve 시신경 / the *visual* arts 시각 예술 (그림, 조각, 영화 등)

visual aid *n.* 시각 교육 기재 (영화·슬라이드 영사(기)·괘도 등)

visualize, visualise [víʒuəlàiz] *v.* [T] 마음 속에 떠오르게 하다, 상상하다: She *visualized* an angel coming from heaven. 그녀는 천사가 하늘에서 내려오는 것을 상상해 보았다. SYN imagine

visually [víʒuəli] *adv.* 시각적으로: This painting is *visually* stunning. 이 그림은

V

시각적으로 훌륭하다.

*__vital__ [váitl] *adj.* **1** 생명의, 생명의 유지에 필요한: the *vital* organs 생명의 유지에 중요한 기관 (심장, 뇌같은) **2** 지극히 중요한: This matter is of *vital* importance to us all. 이 문제는 우리 모두에게 매우 중대하다. **3** 생생한, 생기가 넘치는: a strong, *vital* man 강하고 생기발랄한 사람
— __vitally__ *adv.*

__vitality__ [vaitǽləti] *n.* 활기, 생기: I noticed a certain lack of *vitality* in her movements. 나는 그녀의 동작에서 활기가 없는 것을 알아차렸다. SYN vigor

__vitalize__ [váitəlàiz] *v.* [T] 활력을 부여하다, 생명을 주다, 생기를 주다

__vitamin__ [váitəmin, vítəmin] *n.* 비타민 (생물의 정상적인 생리 활동에 필요한 유기 화합물): Oranges are rich in *vitamin* C. 오렌지는 비타민 C가 풍부하다.

__vivid__ [vívid] *adj.* **1** (묘사·인상·기억 등이) 명확한, 생생한, 눈에 보이는 듯한: a *vivid* recollection 생생한 추억[기억] **2** (빛·색이) 선명한, 밝은, 강렬한: I like a *vivid* blue sky. 나는 선명한 푸른색 하늘을 좋아한다.
— __vividly__ *adv.* __vividness__ *n.*

__vocabulary__ [voukǽbjəlèri] *n.* **1** 어휘, 용어수[범위] (한 언어·한 개인 또는 어떤 직업 등의 사람들이 쓰고 있는): The boy has a large *vocabulary* of English. 그 소년은 영어 어휘가 풍부하다.
※ 어휘가 '많은', '적은'일 때는 large, small을 쓴다.
2 단어집, 어휘표, 단어표

__vocal__ [vóukəl] *adj.* **1** (명사 앞에만 쓰임) 목소리의, 음성의[에 관한]: The tongue is one of the *vocal* organs. 혀는 발성 기관 중의 하나이다. **2** 시끄러운, 강하게 의견을 말하는: Public opinion has become *vocal* about the issue. 그 문제에 관해 여론이 시끄러워졌다. **3** [음악] 성악의: I like instrumental better than *vocal* music.

나는 성악보다 기악을 더 좋아한다. / a *vocal* solo 독창 *cf.* instrumental 악기의 **4** [음성] 유성음의
n. **1** [음성] 유성음 **2** (종종 *pl.*) (재즈·팝뮤직의) 보컬 (연기), 가창
— __vocally__ *adv.* 구두로; 분명히 의견을 말하여

__vocal cords__ *n.* (*pl.*) 성대

__vocation__ [voukéiʃən] *n.* **1** 천직 (의식), 사명감: She had found her *vocation* when she began writing children's books. 그녀는 자신의 아이들의 책을 쓰기 시작하면서 그 일이 자신의 천직임을 알게 되었다. SYN calling **2** 직업, 생업, 일

__vocational__ [voukéiʃənəl] *adj.* 직업(상)의: *vocational* training 직업 훈련

__vogue__ [voug] *n.* **1** 유행: Short skirts are all the *vogue* at the moment. 짧은 치마가 지금 대유행이다. SYN fashion **2** 인기, 호평
adj. 유행하는: *vogue* words 유행어
숙어 __in__[__out of__] __vogue__ 유행하고 있는 [유행이 지난]: War novels were *in vogue* several years ago. 수년 전에는 전쟁 소설이 유행했다.

*__voice__ [vɔis] *n.* **1** 목소리, 음성: He has a good *voice*. 그는 목소리가 좋다. **2** (a voice) 발언권, 선택권, 투표권 (in): I have no *voice* in this matter. 이 일에 관해서는 나는 발언권이 없다. **3** (사상·감정 등의) 발언, 표현: Anger gave him *voice*. 그는 화가 나서 입을 열었다. **4** 의견, 소원: The government should listen to the *voice* of the people. 정부는 국민의 의견에 귀기울여야 한다. **5** [문법] 태(態): active *voice* 능동태 / passive *voice* 수동태
v. [T] (감정·의견 등을) (강력히) 말로 나타내다, 표명하다: He *voiced* several objections to the plan. 그는 그 계획에 대해 몇 가지 이의를 표명했다.
숙어 __at the top of one's voice__ ⇨ top

give voice to ···을 입밖에 내다, ···을 표명하다: He *gave voice to* his opinion. 그는 자신의 의견을 말했다.

with one voice 이구동성으로, 만장일치로

voiced [vɔist] *adj.* **1** (보통 복합어를 이루어) ···소리의, 목소리가 ···인: husky-*voiced* 쉰 목소리의 / sweet-*voiced* 감미로운 음성의 **2** 목소리로 낸 **3** [음성] 유성(음)의: *voiced* sounds 유성음 / /d/ and /g/ are *voiced* consonants. /d/와 /g/는 유성 자음이다.

voiceless [vɔ́islis] *adj.* **1** 목소리가 없는, 벙어리의 **2** [음성] 무성(음)의: *voiceless* sounds 무성음 / /f/, /k/, and /t/ are *voiceless* consonants. /f/, /k/ 그리고 /t/는 무성자음이다. **3** 발언권(투표권)이 없는

voice mail *n.* 보이스 메일 (전화 메시지를 녹음해 두었다가 후에 들을 수 있게 해 주는 전자 장치)

voice recognition *n.* [컴퓨터] 음성 인식 (음성을 컴퓨터가 처리 가능한 것으로 인식함; 그 기술)

void [vɔid] *n.* **1** (우주의) 공간, 진공, 허공: Before Einstein, space was regarded as a formless *void*. 아인슈타인 이전에 우주는 형태 없는 공간으로 간주되었다. **2** 공허한 느낌, 마음의 쓸쓸함: Their daughter's death left a *void* in their lives. 딸의 죽음은 그들의 삶에 공허함을 남겼다.
adj. **1** 빈, 공허한 [SYN] empty **2** [법] 무효의: This contract is *void*. 이 계약은 무효이다. [OPP] valid **3** 없는, 결핍한 (of): He's totally *void* of charm so far as I can see. 그는 내가 아는 한 매력이 전혀 없다. [SYN] devoid

volcanic [vɑlkǽnik] *adj.* **1** 화산의, 화산 작용에 의한; 화산이 많은: *volcanic* ash 화산재 / a *volcanic* country 화산이 많은 나라 **2** 폭발성의, 격렬한: a *volcanic* temper 불같은 성격

volcano [vɑlkéinou] *n.* (*pl.* volcano(e)s) 화산: an active(a dormant, an extinct) *volcano* 활화산(휴화산, 사화산) / When did the *volcano* last erupt? 화산이 언제 마지막으로 분출하나요?

volley [vɑ́li] *n.* **1** [테니스·축구] 발리 (공이 땅에 닿기 전에 치거나 차 보내는 것); [크리켓] 발리 (공을 바운드시키지 않고 3주문(柱門) 위에 닿도록 던지기) **2** 일제 사격: a *volley* of small arms fire 소총의 일제 사격 **3** (질문·욕설 등의) 연발: a *volley* of questions 빗발치는 질문
v. [I,T] 발리로 쳐(차) 넘기다: He *volleyed* the ball spectacularly into the net. 그는 멋지게 공을 네트 안으로 찼다.

volleyball [vɑ́libɔ̀:l] *n.* **1** [경기] 배구 **2** 배구공

volt [voult] *n.* (*abbr.* V, v.) [전기] 볼트 (전압의 단위)

voltage [vóultidʒ] *n.* (*abbr.* V) [전기] 전압, 전압량, 볼트 수

voltmeter [vóultmì:tər] *n.* [전기] 볼트미터, 전압계

***volume** [vɑ́ljuːm] *n.* **1** 용적, 부피: What is the *volume* of this container? 이 용기의 부피는 얼마입니까? **2** 양, 분량: The *volume* of the traffic is increasing. 교통량이 늘고 있다. **3** 음량, 볼륨: The radio's too loud—turn the *volume* down. 라디오 소리가 너무 커. 볼륨을 줄여라. **4** (책의) 권 (*abbr.* vol.): This novel comes in three *volumes*. 이 소설은 3권으로 되어 있다. / Vol. 1 제 1권

voluminous [vəlúːmənəs] *adj.* **1** 권수가 많은, 여러 권의: His library is big and *voluminous*. 그의 서재는 크고, 많은 책을 소장하고 있다. **2** (품이) 넉넉한: a *voluminous* coat 넉넉한 코트 **3** (용기·가구 등이) 부피가 큰, 대형의: a *voluminous* suitcase 대형 여행 가방

voluntary [vɑ́ləntèri] *adj.* 자발적인, 지원의, 임의의: He does *voluntary* work at the local hospital. 그는 지역 병원에서 자원 봉사를 하고 있다. / a *voluntary* con-

V

tribution 자발적인 기부 OPP compulsory 강제적인, 의무적인
— **voluntarily** *adv.* 자발적으로, 자진하여
volunteer [vàləntíər] *n.* **1** 지원자, 자원봉사자: I now help in a local school as a *volunteer*. 나는 지역 학교에서 자원 봉사자로 일하고 있다. **2** 지원병, 의용병
v. **1** [I,T] 자진하여 하다, 지원하다: She *volunteered* to clear up the kitchen. 그녀는 자진하여 부엌을 청소했다. **2** [I] 지원병〔의용병〕이 되다 (for): He *volunteered* for the army in 1945. 그는 1945년에 지원병이 되었다.
vomit [vámit] *v.* [I,T] 토하다, 게우다: The child *vomited* when he had the flu. 그 아이는 독감에 걸렸을 때 토했다. SYN throw up ※ 영국에서는 일상적으로 be sick의 표현을 사용한다.
n. 구토(물)
***vote** [vout] *n.* **1** 투표, 표결: a secret *vote* 무기명 투표 / The suggestion was approved, with 32 *votes* in favor, and 9 against. 그 제안은 찬성 32표, 반대 9표로 승인되었다. ※ 투표 행위·투표 방식·득표수·총투표수 등을 포함한다. **2** 투표 용지: Party members are still counting the *votes*. 당원들이 아직도 표를 세고 있다. **3** (the vote) 투표권, 선거권; 총득표수: In Korea, people get the *vote* at 20. 한국에서는 20세가 되어야 투표권을 가진다.
v. **1** [I,T] 투표하다 For whom did you *vote* in the last general election? 지난 총선에서 누구에게 투표했니? **2** [T] 투표로 정하다, 표결하다: We have *voted* to establish dramatic clubs. 우리는 연극부를 만들기로 가결했다. **3** [T] (보통 수동태) (여론으로) …이라고 인정하다, 간주하다: She was *voted* best actress at the Oscars. 그녀는 오스카 시상식에서 최고의 여배우로 선정되었다.
숙어 **cast a〔one's〕 vote** 한 표를 던지다

voter [vóutər] *n.* 투표자, 선거인; 유권자: Nearly two thirds of the *voters* were either still undecided or said they would abstain. 유권자의 3분의 2 가량은 아직 결정하지 못했거나 기권할 것이라고 답했다.
voting [vóutiŋ] *n.* 투표(권 행사), 선거: a *voting* district 선거구
— **voting age** *n.* 선거권 취득 연령, 투표 연령
vow [vau] *n.* 맹세, 서약: Jenny and I recited the marriage *vows*. 제니와 나는 결혼 서약을 낭독했다.
v. [T] **1** (엄숙히) 맹세하다, 서약하다: He *vowed* that he would never drink again. 그는 다시는 술을 마시지 않겠다고 맹세했다. **2** 신에 바칠 것을 맹세하다, 헌신하다: Priests *vow* their lives to the service of God. 성직자들은 신을 섬기는 데에 그들의 일생을 바칠 것을 맹세한다.
vowel [váuəl] *n.* 모음; 모음자 (a, e, i, o, u) *cf.* consonant 자음
***voyage** [vɔ́iidʒ] *n.* 항해, (특히 배로 하는) 긴 여행: The *voyage* from England to India used to take about six months. 과거에 영국에서 인도까지의 항해는 6개월 정도 걸렸다.
voyager [vɔ́iidʒər] *n.* **1** 항해자, (모험적) 항해자; 여행자 **2** (Voyager) [우주] 보이저 (미국의 무인 우주 탐사기)
vs. *abbr.* versus …대: England *vs.* Brazil 영국 대 브라질
vulgar [válgər] *adj.* **1** (교양 있는 상류 계급에 대해) 천박한, 상스러운; 진부한: *vulgar* words 상스러운 말, 비어 **2** 무례한, 저속한: It was an extremely *vulgar* joke. 그건 정말 저속한 농담이었다. SYN crude
— **vulgarity** *n.* 야비, 천박; (종종 *pl.*) 무례한 언동
vulnerable [válnərəbəl] *adj.* **1** (장소 등이) 공격받기 쉬운; (생각 등이) 비난받기 쉬운: a fortress *vulnerable* to attacks from

the sky 공습을 받기 쉬운 요새 / Your arguments are rather *vulnerable* to criticism. 네 논지는 다소 비난받기 쉽다. **2** (육체적 · 정신적으로) 상처 입기 쉬운; (유혹 · 설득 등에) 약한: People with high blood pressure are especially *vulnerable* to diabetes. 고혈압이 있는 사람들은 특히 당뇨병에 걸리기 쉽다.

OPP invulnerable

— **vulnerability** *n.*

vulture [vʌ́ltʃər] *n.* **1** 독수리, 콘도르 **2** 탐욕스러운 사람, 욕심쟁이

wade [weid] *v.* [I] **1** (강 등을) 걸어서 건너다 **2** (진창·눈길·모래밭·풀숲 등을) 힘들여 걷다, 간신히 지나다 (across, into, through): We had to *wade* across a shallow river. 우리는 얕은 강을 걸어서 건너야 했다.

[숙어] **wade through** 힘들여〔애써서〕 나아가다, 간신히 돌파하다: I *waded through* a boring report. 나는 지루한 보고서를 겨우 다 읽어 보았다.

wafer [wéifər] *n.* **1** 웨이퍼 (살짝 구운 과자의 일종) **2** [가톨릭] 성체, 제병 (성체용 빵)

waft [wɑːft] *v.* [I,T] (냄새·소리 등을) 감돌게〔떠돌게〕 하다; 가볍게 나르〔보내〕다: The aroma of coffee *wafted* in. 커피향이 풍겨 왔다. / The wave *wafted* the boat to the shore. 파도에 밀려 보트가 해안에까지 이르렀다. [SYN] drift

wag [weidʒ] *v.* [I,T] (wagged-wagged) (몹시) 흔들리다; (꼬리·머리 등을) 움직이다, 흔들다: The dog *wagged* its tail. 개가 꼬리를 흔들었다.

****wage¹** [weidʒ] *n.* (보통 *pl.*) 임금, 급료 (주로 시간급·일급·주급): Her *wages* have gone up. 그녀의 임금이 올랐다. / living *wages* 생활에 필요한 최저 임금

■ 유의어 wage

wages 정신보다 육체 노동에 대한 하루 또는 한 주일의 임금. **salary** 능력이나 훈련을 필요로 하는 지적 직업을 가진 사람의 월급·연봉으로 wages 보다 긴 기간의 보수: an annual *salary* 연봉 **pay** 급료를 뜻하는 가장 일반적인 말. **fee** 의사·변호사 등의 일에 대해 그 때마다 지불하는 사례금.: The lawyer demanded a stiff *fee*. 그 변호사는 엄청난 상담료를 요구했다.

---

wage² [weidʒ] *v.* [T] (전쟁 등을) 수행하다 (against, on): Doctors are *waging* war against cancer. 의사들은 암과의 전쟁을 수행하고 있다. [SYN] carry on

wagon [wǽɡən] *n.* **1** 짐마차, 4륜 마차 (보통 2필 이상의 말이 끎) **2** [영] [철도] (무개) 화차 ([미] freight car) **3** (식당 등에서 쓰는 바퀴 달린) 식기대 ([영] trolley) **4** (거리의) 물건 파는 수레: a hotdog *wagon* 핫도그 판매차 **5** 유모차

wail [weil] *v.* **1** [I,T] (고통·슬픔 등으로) 소리내어 울다, 울부짖다; 비탄하다, 탄식하다: A child is *wailing* for his mother. 어린 애가 어머니를 찾아 울어대고 있다. **2** [I] (음악·바람·사이렌 등이) 구슬픈 소리를 내다: The sirens are *wailing* in the streets outside. 사이렌이 거리 밖에서 울리고 있다.
n. **1** 울부짖음; 비탄, 통곡 **2** (바람 등의) 구슬픈 소리: the *wail* of the police sirens 경찰의 사이렌 소리

****waist** [weist] *n.* **1** 허리; 허리의 둘레〔치수〕: He is wearing a belt round his *waist*. 그는 허리에 벨트를 하고 있다. **2** (의복의) 허리 부분

waistband [wéistbænd] *n.* (스커트·바지 등의) 허리띠, 허리끈

waistcoat [wéistkòut] *n.* ([미] vest) [영] (남자용의) 조끼

waist-high [wéisthái] *adj. adv.* 허리 높이의〔로〕

waistline [wéistlàin] *n.* **1** 허리의 잘록한 곳, 허리 굵기〔둘레〕: My *waistline* increased with age. 나이가 들면서 허리 둘레가 늘었다. **2** (의복의) 웨이스트라인, 허리

****wait** [weit] *v.* [I] **1** 기다리다, 대기하다 (for, to do): Please *wait* a minute. 잠시만

기다려 주세요. / Have you been *waiting* long? 오래 기다렸니? / They *waited* for the lawyer to arrive. 그들은 변호사가 도착하기를 기다렸다. **2** 기대하다: She is *waiting* for a job opportunity. 그녀는 일자리를 기대하고 있다. **3** (종종 can〔cannot〕 wait로) (사태·일 등) 잠시 미루다, 그대로 내버려두다, 급하지 않다: That can *wait*. 그것은 잠시 미룰 수 있다. / This homework can't *wait* until tomorrow. 이 숙제는 내일까지 미룰 수 없다. **4** (식탁에서) 시중들다; (아무를) 시중들다, 모시다 (on, upon): She will *wait* on table. 그녀가 식사 시중을 들 것이다. **5** (물건이) 준비되어〔갖추어져〕 있다: Dinner is *waiting* for us. 저녁 식사가 준비되어 있다. / Your mail is *waiting* for you. 네게 편지가 와 있다.

n. (a wait) 기다리는 시간 (for): I had a two-hour *wait* before I could see the doctor. 나는 진찰받으려고 2시간을 기다렸다.

[숙어] **lie in wait (for)** ⇨ lie

wait and see 일이 돌아가는 것을 관망하다, 서두르지 않고 추세를 보다: No decision will be made until next month, so you'll just have to *wait and see*. 다음 달까지는 어떤 결정도 내려지지 않을 것이므로 그저 상황을 관망해야 할 것이다.

wait behind (남이 가버린) 뒤에 남다: He *waited behind* after class to speak to his teacher. 그는 선생님과 이야기하기 위해 수업이 끝나고 남았다.

wait on〔upon〕 …을 모시다; …의 (식사) 시중을 들다: Are you *waited on*? 누군가에게 주문을 하셨습니까? (점원이 손님에게 하는 말)

wait one's turn 자기 차례를 기다리다

wait up 자지 않고 (아무를) 기다리다: I'll be late tonight, so don't *wait up* for me. 오늘밤 늦을 테니, 기다리지 마세요.

waiter [wéitər] *n.* (호텔·음식점 등의) 웨이터, 사환

waiting room *n.* (역·병원 등의) 대합실

waitress [wéitris] *n.* (호텔·음식점 등의) 여자 웨이트리스, 여급

*****wake** [weik] *v.* [I,T] (woke-woken) 잠깨다, 일어나다, 깨우다 (up): What time do you usually *wake* (up)? 보통 몇 시에 일어나니? / *Wake* me up at five o'clock. 5시에 나를 깨워 줘.

n. **1** (특히 종교·제식상의) 철야; 경야 (특히 아일랜드계 사람이 씀) **2** (배가) 지나간 자국, 흔적

[숙어] **in the wake of** …의 자국을 좇아서; …에 계속해서; …의 결과로서: *In the wake of* explorers come merchants. 탐험가들의 뒤를 이어 장사꾼들이 온다. / Miseries follow *in the wake of* a war. 전쟁의 결과로서 비참한 일들이 온다.

wake up 정신을 차리다, 주목하다: *Wake up* and listen! 정신 차리고 잘 들어!

wake ... up 분발시키다: We've got to *wake* him *up* from his laziness. 그가 게으름을 피우지 않고 분발하도록 해야 한다.

wake up to 깨닫다, 각성하다: People are finally *waking up to* the fact that the environment should be protected. 사람들은 마침내 환경이 보호되어야 함을 깨닫고 있다.

wakeful [wéikfəl] *adj.* 잠 못 이루는, 불면의, 자지 않는, 불침번의

waken [wéikən] *v.* [I,T] 잠이 깨다 (up), 깨우다: She was *waken* by a loud noise. 그녀는 큰 소리에 잠에서 깼다.

waking [wéikiŋ] *adj.* 깨어나 있는, 일어나 있는: She spends all her *waking* hours working. 그녀는 깨어 있는 시간 내내 일한다. / *waking* dream 백일몽

*****walk** [wɔːk] *v.* **1** [I] 걷다, 걸어가다: The baby is beginning to *walk*. 어린 아이가 걷기 시작한다. / He *walks* to work every day. 그는 매일 걸어서 출근한다. **2** [I] 산책하다: I would *walk* along the riverside. 나는 강변을 산책하곤 했다. **3** [T] (사람을) 걸

W

어서 따라가다, 동행하다: I'll *walk* you to the station. 역까지 바래다 드리겠습니다. **4** [T] (동물을) 걷게 하다, 데리고 가다, 운동시키다: She's *walking* the dog. 그녀는 개를 산책시키고 있다.

n. **1** 걷기 **2** 산책, 소풍: Let's go for a *walk*. 산책하자. **3** (a walk) 걸음걸이: His *walk* is just like his father's. 그의 걸음걸이는 그의 아버지와 똑같다. **4** (a walk) 보행 거리; 보행 시간: The school is five minutes' *walk* from my house. 학교는 집에서 걸어서 5분 거리에 있다.

— **walker** *n.* 보행자; 산책하는 사람

[숙어] **a walk of life** (사회 · 경제적) 지위; 직업: people from all *walks of life* 다양한 지위의 사람들

walk away〔off〕with 1 쉽게 이기다: We *walked off with* first prize. 우리는 쉽게 1등을 했다. **2** …을 훔쳐 달아나다

walk out (of) 화가 나서 (회의장 등에서) 떠나다: He *walked out of* the meeting in disgust. 그는 넌더리내며 회의장을 떠났다.

walk out on (남에게서) 떠나다; (사람 · 일 등을) 버리다: My wife *walked out on* me last winter. 내 아내는 지난 겨울에 나를 떠났다.

walkie-talkie, walky-talky [wɔ́:kitɔ́:ki] *n.* 워키토키, 휴대용 무선 전화기

walking stick *n.* 지팡이 [SYN] stick

Walkman [wɔ́:kmən] *n.* 워크맨 (Sony 사의 휴대용 스테레오 카세트 테이프 플레이어; 상표명)

walkout [wɔ́:kàut] *n.* **1** 파업, 스트라이크 [SYN] strike **2** (회의 등에서의) 항의 퇴장 **3** 물건을 사지 않고 나가는 손님

****wall** [wɔ:l] *n.* **1** 벽, 담: a stone〔brick〕 *wall* 돌담〔벽돌담〕 / *Walls* have ears. [속담] 밤말은 쥐가 듣고 낮말은 새가 듣는다. (벽에도 귀가 있다.) **2** (보통 *pl.*) 방벽, 성벽: the Great *Wall* 만리장성

v. [T] **1** 벽〔담〕으로 에워싸다〔차단하다, 경계짓다〕: They *walled* in the back yard. 그들은 뒤뜰을 담으로 에워쌌다. **2** (입구 등을) 벽으로 막다: The passage had been *walled* up. 통로가 벽으로 막혔다.

[숙어] **drive up the wall** 격노하게 하다, (몹시 화가 나) 미칠지경으로 만들다: I wish he'd stop muttering—it *drives* me *up the wall*! 나는 그가 중얼거리지 않았으면 해. 그건 나를 미치게 만들어!

****wallet** [wɑ́lit] *n.* (접을 수 있는 가죽제의) 지갑 [SYN] billfold

wallpaper [wɔ́:lpèipər] *n.* 벽지

v. [I,T] (벽 · 천장 · 방에) 벽지를 바르다

walnut [wɔ́:lnʌt] *n.* [식물] **1** 호두 **2** 호두나무 (walnut tree) **3** 호두나무 목재: a *walnut* desk 호두 재목의 책상

waltz [wɔ:lts] *n.* 왈츠(춤, 그 곡): a Strauss *waltz* 슈트라우스 왈츠

v. **1** [I,T] 왈츠를 추다: She learned to *waltz* for a month. 그녀는 한 달 동안 왈츠를 배웠다. **2** [I] 자신 있게 다가가다 (up): I can't just *waltz* up to a stranger and introduce myself. 낯선 사람에게 다가가서 내 자신을 소개할 자신이 없다.

wand [wɑnd] *n.* (마술사의 가느다란) 지팡이, 막대, 요술 지팡이

****wander** [wɑ́ndər] *v.* **1** [I,T] 헤매다, (걸어서) 돌아다니다, 어슬렁거리다: We spent the morning *wandering* around the town. 우리는 마을 주위를 어슬렁거리는 걸로 아침을 보냈다. / They *wander* the countryside looking for work. 그들은 일거리를 찾아 시골을 돌아다니고 있다. **2** [I] (길 · 장소 등에서) 벗어나다, 길을 잃다 (away, off); (이야기가) 옆길로 빗나가다: He *wandered* off the course in the mountain. 그는 산 속에서 길을 잃었다. / Don't *wander* from the subject. 이야기가 주제에서 벗어나지 않도록 해라. [SYN] stray **3** [I] (정신이) 오락가락하다, (생각 등이) 산만해지다: I'm sorry, my mind was *wandering*.

What did you say? 미안해요, 제가 정신이 없어요. 뭐라고 하셨죠?

— **wanderer** *n.* 방랑자

wandering [wɑ́ndəriŋ] *adj.* **1** (정처 없이) 돌아다니는, 방랑하는, 헤매는 **2** (강·길 등이) 구불구불한

n. (종종 *pl.*) **1** 산책, 방랑: After all his *wanderings* he had come back home to stay. 긴 방랑 끝에 그는 집으로 돌아와 머물렀다. **2** 혼란한 생각〔말〕

wane [wein] *v.* [I] **1** 작아〔적어〕지다; 약해지다, 감퇴하다; 끝이 가까워지다: His interest in the project was *waning*. 프로젝트에 대한 그의 관심이 작아지고 있었다. / Summer is *waning*. 여름이 끝나고 있다. **2** (달이) 이지러지다 [OPP] wax

n. **1** (the wane) 감소, 감퇴 **2** (달의) 이지러짐

[숙어] **on the wane** 쇠퇴하기 시작하여, 기울기 시작하여: The influence of the party was clearly *on the wane*. 그 정당의 영향력이 뚜렷하게 쇠퇴하기 시작했다.

***want** [wɔ(ː)nt] *v.* [T] **1** …을 원하다, 갖고 싶다: The boy *wants* a new bike. 그 아이는 새 자전거를 갖고 싶어한다. / What do you *want* for dinner? 저녁으로 뭘 먹고 싶니?

2 …하고 싶다; …해 줄 것을 바라다: I *want* to go to the movies this weekend. 이번 주말에 영화 보러 가고 싶다. / I don't *want* you to be late. 네가 지각하지 않았으면 해. / Do you *want* this box opened? 이 상자를 열어 주면 좋겠니?

3 …이 필요하다, 필요로 하다: The house *wants* repairing. 그 집은 수리할 필요가 있다.

4 …하지 않으면 안 되다, …하는 편이 좋다: You *want* to see a doctor at once. 너는 즉시 의사의 진찰을 받아야 한다.

5 (보통 수동태) (…에게) 볼일이 있다: You're *wanted* on the phone. 네게 전화가 왔어.

6 (고용자가 사람을) 구하고 있다: Delivery boy urgently *wanted*. [광고] 신문 배달 소년 급히 구함.

7 (경찰이) …를 지명 수배하다: He is *wanted* for kidnapping by the F.B.I. F.B.I.는 유괴 혐의로 그를 지명 수배하고 있다.

8 없다, 빠져 있다, 모자라다; (it을 주어로 하여) …만큼 부족하다, 모자라다: He *wants* judgment. 그는 판단력이 부족하다. / It *wants* 2 inches of 3 feet. 그것은 3피트에서 2인치 모자란다.

n. **1** 필요, 소용: the *want* of a real friend 진실한 친구의 필요

2 (wants) 필요물, 필수품: Our *wants* are few. 필수품이 거의 없다.

3 원하는 것; 욕구

4 (a want) 결핍, 부족 (of): The plants died for *wants* of water. 식물은 수분이 부족해서 죽었다.

5 가난, 곤궁: He had lived all his life in *want*. 그는 평생 가난하게 살았다.

[숙어] **for (the) want of** …의 부족〔결핍〕 때문에: The company failed *for want of* capital. 그 회사는 자금 부족으로 도산했다. [SYN] for lack of

in want of …이 필요하여: This car is *in want of* repair. 이 차는 수리가 필요하다.

wanting [wɔ́(ː)ntiŋ] *adj.* **1** (사물이) 없는, 모자라는, 부족한: There is something *wanting*. 무언가 부족하다. **2** (사람이) 부족한 (in); (…에 응할) 힘〔능력〕이 없는 (to): He is *wanting* in common sense. 그는 상식이 부족하다. **3** (요구·기회 등에) 맞지 않는 (to): He analyzed the new system and found it *wanting*. 그는 새 시스템을 분석하고서 (그 시스템이) 충분하지 않음을 알게 되었다.

***war** [wɔːr] *n.* **1** (국가·집단 사이의) 전쟁, 교전 상태: He died in World *War* I. 그는 제1차 세계 대전에서 전사했다. / declare *war* upon〔on〕 …에 선전 포고하다 / prisoners of *war* 전쟁 포로들 **2** 치열한 경

쟁, 다툼: The candidates are at *war*. 후보들 사이 경쟁이 치열하다. [SYN] conflict **3** (…을 끝내려는) 필사의 노력: the *war* against cancer 암과의 싸움

[숙어] (**be**) **at war** 교전 중이다; 불화하다 (with): Spain *was at war* with England. 스페인은 영국과 교전 중이었다.

war crime *n.* (보통 *pl.*) 전쟁 범죄

ward [wɔːrd] *n.* **1** 감시, 감독, 보호; 후견 **2** 병실, 병동: the children's *ward* 어린이 병동 **3** [영] 구(區) (도시의 행정 구획), 선거구: Which *ward* does he represent on the local council? 그는 지역 의회에서 어느 구의 대표인가? [SYN] district **4** [법] 피보호자, 피후견인 (미성년 등) [OPP] guardian

v. [T] (위험·타격 등을) 피하다, 막다 (off): Brushing your teeth regularly helps to *ward* off tooth decay. 규칙적으로 양치질하는 것은 충치를 예방한다.

warden [wɔ́ːrdn] *n.* **1** 관리자, 감독자, 감시인: a traffic *warden* 교통 지도원 **2** [미] 교도소장 ([영] governor)

warder [wɔ́ːrdər] *n.* **1** 감시인, 수위 **2** [영] (교도소의) 교도관

wardrobe [wɔ́ːrdròub] *n.* **1** 옷(양복)장; (특히 극장의) 의상실 **2** (집합적) (갖고 있는) 의류: She has a large *wardrobe*. 그녀는 옷이 많다.

ware [wɛər] *n.* **1** (보통 복합어를 이루어) …제품: glass*ware* 유리 제품 / hard*ware* 철물 / silver*ware* 은제품 **2** (wares) 상품, 판매품

warehouse [wɛ́ərhàus] *n.* **1** 창고, 저장 장소 **2** [영] 도매 상점, 큰 가게

warfare [wɔ́ːrfɛ̀ər] *n.* 전쟁(전투) 유형: chemical(guerrilla) *warfare* 화학(게릴라)전 / economic *warefare* 경제 전쟁

warlike [wɔ́ːrlàik] *adj.* **1** 전쟁의, 군사의: *warlike* actions 군사 행동 **2** 호전적인, 용맹한, 도전적인: a *warlike* nation (people) 호전적인 국가(국민)

***warm** [wɔːrm] *adj.* **1** 따뜻한, 온난한; (옷등이) 따뜻한, 보온의: It's getting *warmer* day by day. 날이 따뜻해지고 있다. / I've got my hands in my pockets to keep them *warm*. 나는 손을 따뜻이 하려고 주머니에 손을 넣었다. / a *warm* sweater 따뜻한 스웨터 **2** (마음·행위·사람 등이) 다정스러운, 마음에서 우러나는, 애정이 있는: We were given a very *warm* welcome. 우리는 아주 따뜻한 환대를 받았다. / *warm* thanks 마음에서 우러나는 감사 **3** (사람·행동 등이) 열광적인, 흥분한, 격렬한: a *warm* debate 격론 / a *warm* temper 발끈하는 급한 성미 **4** 따뜻한 색의: Yellow, orange, and red are *warm* colors. 노랑, 주황, 그리고 빨강은 따뜻함을 느끼게 하는 색이다.

v. [I,T] 따뜻해지다, 따뜻하게 하다 (up): The milk is *warming* up on the stove. 우유가 난로 위에서 데워지고 있다. / You can *warm* (up) the room quite quickly with this electric heater. 전기 난로로 방을 아주 빨리 따뜻하게 할 수 있다.

[숙어] **warm to(towards)** **1** (…에 대해) 친절해지다, 마음이 끌리다: They *warmed* to the new teacher at once. 그들은 곧 새 선생님을 좋아했다. **2** 열을 올리다, 열중하게 되다: She *warmed* to her work. 그녀는 일에 재미를 붙였다.

warm up (가벼운) 준비 운동을 시키다(다): The team are *warming up* before the match. 그 팀은 경기 전에 준비 운동을 하고 있다.

warm-blooded *adj.* **1** [동물] 정온의, 온혈의 (36℃~42℃) [OPP] cold-blooded **2** (사람·행위가) 열렬한, 정열적인

warm-hearted *adj.* 마음씨가 따뜻한, 친절한

warmly [wɔ́ːrmli] *adv.* **1** 따뜻이: You're not dressed *warmly* enough —put a coat on. 충분히 따뜻하게 입지 않았구나. 코트를 입어라. **2** 열심히, 열렬히, 친절하게: They thanked me *warmly* for my help. 그들은 나의 도움에 심심한 사의를

표했다.

warmth [wɔːrmθ] *n.* **1** 따뜻함, 온기: the *warmth* of the fire 불의 온기 **2** 온정, 동정(심): These orphans must be treated with *warmth*. 이 고아들을 따뜻하게 보살펴 주어야 한다.

warm-up *n.* (시합 전의) 준비 운동, 워밍업 (warm-up exercise)

*****warn** [wɔːrn] *v.* [T] **1** 경고하다, 경고하여 피하게(조심하게) 하다 (of, about): A lighthouse *warns* vessels of rocks and sands. 등대는 암초나 모래둑의 위험을 선박에 경고하여 조심하게 한다. **2** …을 경계시키다 (against); …을 그만두게 하다 (against doing, not to do): We were *warned* against swimming in that river. 그 강에서는 수영하지 말라고 경고를 받았다. / I *warned* her not to go. 나는 그녀에게 가지 말라고 주의를 주었다. **3** (경찰 등에) 알리다, 통고(통지)하다: *warn* a person to appear in court 법정에 출두하도록 …에게 통고하다 [축어] **warn ... away(off)** (사람들에게) 가까이 하지 말라고 경고하다: I waved my arms to *warn* them *off*. 나는 손을 흔들어 (위험하니) 가까이 하지 말라고 그들에게 알렸다.

warning [wɔ́ːrniŋ] *n.* **1** 경고, 경계, 주의: He paid no attention to my *warning*. 그는 나의 경고를 무시했다. **2** 훈계, 교훈: Let this be a *warning* to you. 이것을 교훈으로 삼아라. **3** 예고, 통고: Your employers can't dismiss you without *warning*. 당신의 고용주는 통고 없이 당신을 해고할 수 없습니다.

warp [wɔːrp] *v.* **1** [I,T] 휘게 하다, 휘다; 뒤틀다, 뒤틀리다: This wooden frame *warps* easily in damp conditions. 이 나무 틀은 습기가 많으면 쉽게 뒤틀린다. [SYN] twist **2** [T] (마음·성격·판단 등을) 비뚤어지게 하다; (기사·보도 등을) 왜곡하다: The boy has been *warped* by constant punishment. 그 아이는 끊임없는 체벌에 의해 성격이 비뚤어졌다.

n. **1** (재목 등의) 휨, 뒤틀림, 굽음 **2** (마음의) 비뚤어짐, 편견 **3** (the warp) [방직] 날실

warrant [wɔ́(ː)rənt] *n.* **1** 근거, 정당한 (충분한) 이유: We have every *warrant* for believing him. 그를 믿을 이유는 충분히 있다. **2** 보증(이 되는 것), 담보 물건 **3** 보증서; 영장: You can't search my house without a search *warrant*. 가택 수색 영장 없이 내 집을 수색할 수 없다. **4** 허가증, 증서: a death *warrant* 사망 증명(서)

v. [T] **1** 정당화하다, …의 정당한 이유(근거)가 되다: Just because you like it, that doesn't *warrant* spending so much money on it. 그저 네가 좋아한다는 것이 네가 그것에 그렇게 많은 돈을 쓰는 것을 정당화해 주지는 않는다. [SYN] deserve **2** 확언하다, 보증하다: I *warrant* it genuine. 나는 그것이 진짜임을 보증한다. / *Warranted* for two years. 2년간 보증함. [SYN] guarantee

warranty [wɔ́(ː)rənti] *n.* **1** (품질 등의) 보증(서): This computer is still under *warranty*. 이 컴퓨터는 아직 보증 기간 중에 있다. **2** (정당한) 근거(이유)

warrior [wɔ́(ː)riər] *n.* 전사, 무인, (특히) 역전의 용사

warship [wɔ́ːr∫ìp] *n.* 군함, 전함 [SYN] war vessel

wart [wɔːrt] *n.* (피부의) 사마귀

wary [wɛ́əri] *adj.* (warier-wariest) 경계하는, 조심성 있는, 신중한 (of): I'm a bit *wary* of giving him my address because I don't know him very well. 그를 잘 모르기 때문에 내 주소를 알려 주는 것이 좀 조심스럽다. [SYN] cautious — **warily** *adv.* **wariness** *n.*

*****wash** [wɑ∫] *v.* **1** [I,T] …을 씻다, 빨래하다, 세탁하다: He *washed* his hands in hot water. 그는 뜨거운 물로 손을 씻었다. / This shirt needs *washing*. 이 셔츠는 빨아야 된다. **2** [T] 씻어 버리다, 없애다 (off, away, out): *Wash* the dust off your face. 얼굴의 먼지를 씻어라. **3** [I,T] (파도 등이) 밀려오

W

다, (해안을) 씻다, 침식하다: The waves *wash* the foot of the cliffs. 파도가 밀려와서 절벽 밑에 철썩거리고 있다. **4** [I,T] (물결·흐름이) 떠내려 보내다, 씻어 내리다, 휩쓸려가다 (off, out, away): The bridge was *washed* away by the flood. 다리가 홍수로 인해 떠내려갔다. **5** [I] 세탁이 잘 되다, 빨아도 줄지 않다〔탈색 되지 않다〕: This curtain won't *wash* well. 이 커튼은 세탁이 잘 안 된다.

n. **1** (the wash) 세탁 **2** 세탁물: hang out the *wash* 세탁물을 널다 **3** (보통 a wash) 씻기: The boy needed a good *wash* after playing in the park all day. 그 애는 하루 종일 공원에서 놀고 나서 깨끗이 씻어야 했다. / Give the car a *wash*. 세차해라. **4** (the wash) 파도의 밀어닥침; 그 소리 [숙어] **in the wash** 세탁 중인: "Where's my blue shirt?" "It's *in the wash*." "내 파란 셔츠 어디 있어요?" "세탁 중이야."

wash one's hands of …와의 관계를 끊다: He *washed his hands of* them. 그는 그들과의 관계를 끊었다.

wash out 1 씻겨 나가다: This stain won't *wash out*. 이 얼룩은 빨아도 지지 않는다. **2** (영) (큰 비 등이 경기를) 중지시키다, 망치다: The match was *washed out* by rain. 비가 와서 경기가 중단되었다. **3** …의 내부를 씻다: My job is to *wash out* the fish tank. 수족관을 청소하는 것이 나의 일이다.

wash up 1 (미) 얼굴이나 손을 씻다 **2** (종종 수동태) (파도 등이) …을 물가에 밀어 올리다: His body was *washed up* two days later. 그의 시체는 이틀 후 바닷가에 밀려올라 왔다. **3** (영) (식기 등을) 씻어서 정돈하다, 설거지하다: Whose turn is it to *wash up*? 누가 설거지를 할 차례이니?

washable [wɑ́ʃəbəl] *adj.* **1** 세탁할 수 있는 **2** (색 등이) 빨아도 탈색되지 않는

washbasin [wɑ́ʃbèisn] *n.* 세면기, 세면대 (basin)

washer [wɑ́ʃər] *n.* **1** 세탁기, 식기 세척기

2 씻는〔빨래하는〕 사람

washing [wɑ́ʃiŋ] *n.* **1** (집합적) 세탁물 (주로 의류): Hang the *washing* out in the garden. 세탁물을 뜰에 널어라. **2** 빨기, 씻기, 세탁: Doing the *washing* is boring! 빨래하는 것은 지루하다!

washing machine *n.* 세탁기

washroom [wɑ́ʃrù(:)m] *n.* [미] 세면소, 화장실

washstand [wɑ́ʃstænd] *n.* **1** 세면대 **2** 세차장

washtub [wɑ́ʃtʌb] *n.* 빨래통

wasp [wɑsp] *n.* **1** 말벌 **2** 성 잘 내는 사람

*waste [weist] *v.* [T] **1** (돈·시간·재능 등을) 헛되이 하다, 낭비하다, 허비하다 (on): It is a pity to *waste* time on such a matter. 그러한 일에 시간을 낭비한다는 것은 유감이다. **2** (종종 수동태) …이 헛되다, 허사이다: Your words of advice were *wasted* on me. 네 조언들은 내게 소용 없었다.

n. **1** 낭비, 허비 (of): He's been unemployed for two years and it's such a *waste* of his talents. 그는 2년 동안 실업자로 있는데, 이는 그의 재능이 허비되는 것이다. / *Waste* not, want not. [속담] 낭비가 없는 곳엔 부족이 없다. **2** (종종 *pl.*) 폐물, 쓰레기, (산업) 폐기물: We oppose any kind of nuclear *waste* being dumped at sea. 우리는 어떤 종류의 핵폐기물이든지 바다에 버려지는 것에 대해 반대한다. **3** (wastes) 황무지, 불모의 땅, 사막: No crops will grow on these *wastes*. 어떤 농작물도 이런 황무지에서 자라지 않을 것이다.

adj. (명사 앞에만 쓰임) **1** 황폐한, 불모의, 경작되지 않은: *waste* ground 황폐한 땅 **2** 폐물의, 쓸모 없는: *waste* paper 휴지, 헌 종이 [숙어] **go〔run〕 to waste** 폐물이 되다, 낭비되다: Mexican cookery is economical, they say. Nothing *goes to waste*. 멕시칸 요리법은 경제적이라고 한다. 어떤 음식도 낭비되지 않는다.

lay waste 황폐케 하다 (to): The war

laid waste to the city. 전쟁은 도시를 황폐케 했다. [SYN] devastate

wastebasket [wéistbæ̀skit] *n.* 휴지통 (wastepaper basket)

wasted [wéistid] *adj.* **1** 소용이 없는, (노력 등이) 헛된: I'm sorry you had a *wasted* journey. 헛걸음하시게 해서 죄송합니다. **2** 황폐한; (병 등으로) 쇠약한 **3** 마약〔알코올〕에 취한, 마약 중독의

wasteful [wéistfəl] *adj.* **1** 낭비하는, 사치스런: It's *wasteful* to throw so much food away! 그렇게 많은 음식을 버리는 것은 낭비이다! **2** 헛된, 허비의, 비경제적인: *wasteful* methods 비경제적인 방법 **3** (전쟁 등이) 황폐시키는, 파괴시키는
— **wastefully** *adv.*

wasteland [wéistlæ̀nd] *n.* **1** (미개간의) 황무지, 불모의 땅 **2** (보통 a wasteland) (정신적 · 정서적 · 문화적으로) 불모의〔황폐한〕 지역

*****watch** [watʃ] *v.* **1** [I,T] 보다, 구경하다: I *watch* a lot of television. 나는 텔레비전을 많이 본다. **2** [I,T] 지켜보다, 주시하다: *Watch* what he is doing. 그 사람이 무엇을 하는지 지켜봐라. **3** [T] (가축 · 물건 등을) 지키다; 돌보다, 간호하다: The shepherd *watched* his flock. 양치기는 그의 양떼를 돌봤다. **4** [I,T] 망보다, 감시하다, 경계하다: You'd better *watch* that guy — he's acting suspiciously. 저 남자를 감시하는 게 좋을 거다. 수상쩍게 행동하고 있어. / Could you *watch* the kids for a couple of hours tonight? 오늘 밤 두어 시간 동안 애들 좀 봐 주시겠어요? **5** [I,T] 주의하다, 조심하다 (for): He needs to *watch* his weight. 그는 체중이 늘지 않도록 주의해야 한다. **6** (기회 등을) 기다리다, 엿보다: *Watch* for the signal. 신호를 기다려라.
n. **1** 손목시계, 회중시계: My *watch* is a bit fast〔slow〕. 내 시계는 조금 빠르다〔느리다〕. **2** 경계, 망보기, 감시: They kept a 24-hour *watch* on the house. 그들은 24

시간 그 집을 감시했다.

[숙어] **watch one's step** ⇨ step

watch out 조심하다, 경계하다: *Watch out!* There's a car coming. 조심해! 차가 오고 있어.

watch out for …을 망보다, 감시하다, 경계하다: *Watch out for* cars when you cross the road. 길을 건널 때 자동차에 주의해라.

watch over 간호하다, 돌보아 주다: For a month she *watched over* the sick child. 그녀는 한 달 동안 아픈 아이를 간호했다.

watchdog [wátʃdɔ̀(:)g] *n.* **1** 지키는 개 **2** 감시인(단): a *watchdog* committee 감시 위원회

watchful [wátʃfəl] *adj.* **1** 조심스러운, 주의 깊은, 방심하지 않는 (against, for, of): She is *watchful* of her children's health. 그녀는 아이들의 건강에 몹시 신경을 쓰고 있다. **2** (…을) 감시하는: The police are *watchful* of all foreigners. 경찰은 모든 외국인들을 감시하고 있다.

watchman [wátʃmən] *n.* (*pl.* watchmen) (건물 등의) 경비원

watchtower [wátʃtàuər] *n.* 망루, 감시탑

watchword [wátʃwə̀:rd] *n.* **1** (정당 등의) 표어, 슬로건 **2** (보초병 등이 쓰는) 암호

*****water** [wɔ́:tər] *n.* **1** 물: cold *water* 냉수 / a glass of *water* 물 한 잔 / fresh〔sea〕 *water* 민물〔바닷물〕 / mineral〔tap〕 *water* 광천수〔수돗물〕 **2** (waters) 바다, 호수, 강: Still *waters* run deep. [속담] 잘난 사람은 재주를 자랑하지 않는다. (잔잔한 물이 깊이 흐른다.) **3** 수면: What's that floating on the *water*? 수면에 떠 있는 것이 무엇이니? **4** (waters) 영해, 근해, 수역: The ship is still in Mexican *waters*. 그 배는 아직도 멕시코 수역에 있다.
v. **1** [T] (식물에) 물을 주다, (거리 · 마당 등에) 물을 뿌리다: You need to *water* the garden. 정원에 물을 줘야겠다. **2** [I] 눈물이

나다, 침을 흘리다: The smoke makes my eyes *water*. 연기 때문에 눈물이 나온다. **3** [T] …에 물을 공급하다; (동물에게) 물을 먹이 다 : The horses were fed and *watered*. 말들에게 먹이를 주고 물을 주었다.

숙어 **keep one's head above water** ⇨ head

pass water ⇨ pass

water down 1 (음료에) 물을 타다, 물로 묽게 하다: The milk seems to have been *watered down*. 이 우유는 물을 탄 것 같다. **2** (보고·법안 등의) 내용을 약화시키 다, 부드럽게 표현하다: He has *watered down* the report's conclusions in order not to alarm them. 그들을 놀라게 하지 않기 위해 그는 보고서의 결론을 부드럽게 표현했다.

water clock *n.* 물시계

water closet *n.* **1** (*abbr.* W.C.) (수세식) 변소 **2** 수세식 변기

watercolor, watercolour [wɔ́:tərkʌ̀lər] *n.* **1** (watercolors) 수채화 그림 물감 **2** 수채화(법)

waterfall [wɔ́:tərfɔ̀:l] *n.* 폭포

water lily *n.* [식물] 수련

watermelon [wɔ́:tərmèlən] *n.* 수박

water mill *n.* 물레방아; (수력) 제분소

waterproof [wɔ́tərprù:f] *adj.* 방수의, 물이 스미지 않는: *waterproof* clothing 방수복
   n. [영] 방수복, 레인코트
   v. [T] (지붕·옷감 등을) 방수 처리하다

watershed [wɔ́tərʃèd] *n.* **1** 분수령, 분수계 ([미] water parting) **2** (강의) 유역 **3** 분기점, 중대한 시기, 전환점: The 1932 election was a *watershed* in American politics. 1932년의 선거는 미국 정치사의 전환점이었다. SYN turning point

water supply *n.* **1** 상수도, 송수 (설비) **2** 급수(법), 급수(량)

waterway [wɔ́:tərwèi] *n.* **1** 수로, 항로; [미] 운하 **2** [조선] 배수구, 물 빼는 홈

watery [wɔ́:təri] *adj.* (waterier-wateriest) **1** 물의, 물 같은: *Watery* gurgles came from the tank. 탱크에서 물 넘치는 소리가 들려왔다. **2** 물을 너무 탄, 맛없는: *watery* coffee 묽은 커피 **3** 눈물을 머금은, 침을 흘리는, 콧물이 나오는 **4** (계절·하늘·구름 등이) 축축한, 비 올 듯한: a *watery* sky 비 올 듯한 하늘 **5** (외관·빛깔이) 엷은, 창백한: a *watery* blue 연한 청색

*****wave** [weiv] *n.* **1** 파도, 물결: At night, I listened to the sound of the *waves* crashing against the rocks. 나는 밤에 파도가 바위에 부딪치는 소리를 들었다. **2** (감정·상황·상태 등의) 물결, 고조: a *wave* of depression 불경기의 물결 / He felt a *wave* of nausea. 그는 속이 메스꺼워졌다. **3** (부대·이주자·철새 등의) 집단 이동[쇄도], 파도처럼 밀려옴[오는 것]: a *wave* of immigrants 이주자들의 쇄도 **4** (손 등을) 흔들기, 흔드는 신호: With a *wave* of the hand she left. 손을 흔들며 그녀는 떠났다. **5** [물리] (빛·소리 등의) 파동, 전파; [컴퓨터] 놀, 파(도) (물리량이 시간에 따라서 주기를 형성, 변하는 것) **6** (머리카락 등의) 물결 모양, 웨이브: My hair has a natural *wave*. 내 머리는 원래 곱슬머리이다.

   v. **1** [I,T] (손 등을) 흔들어 인사하다: He *waved* to me in farewell. 잘 가라고 그는 나에게 손을 흔들었다. **2** [T] (기 등을) 흔들다, 내두르다 (at, about): People *waved* flags as the President came out. 사람들은 대통령이 나오자 깃발을 흔들었다. **3** [T] (사람·차 등에) 손[기] 등으로 신호[지시]하다: The police *waved* us on. 경찰관은 우리들에게 가도 좋다고 손으로 신호했다. **4** [I] (기·가지 등이) 흔들리다, 나부끼다: The flags are *waving* in the breeze. 깃발이 미풍에 나부끼고 있다.

숙어 **wave aside** (기획·제안 등을) 퇴짜 놓다, 내치다: He *waved* her suggestions *aside*. 그는 그녀의 제안을 퇴짜놓았다.

wavelength [wéivlèŋkθ] *n.* [물리] 파장

(기호 ⋏)

waver [wéivər] *v.* [I] **1** 망설이다, 주저하다: She *wavered* between accepting and refusing. 그녀는 수락과 거절 사이에서 망설였다. [SYN] hesitate **2** 흔들리다; (불길 등이) 너울〔가물〕거리다; (목소리가) 떨리다: The flames *wavered*. 불길이 너울거렸다.

wavy [wéivi] *adj.* (wavier-waviest) **1** (머리털·지형 등이) 물결치는, 기복 있는, 굽이치는: a *wavy* hair 곱슬거리는 머리카락 **2** (선·무늬 등이) 물결 모양의, 파상의 **3** 파도가 이는, 물결치는

wax [wæks] *n.* **1** 밀초, 밀랍 **2** 귀지 (earwax)
v. **1** [T] (가죽·실 등에) 왁스를 먹이다〔바르다〕, (바닥·차 등을) 왁스로 닦다: I've *waxed* the floor, so it's a bit slippery. 바닥을 왁스로 닦아서 조금 미끄러울 것이다. **2** [I] 커지다, 증대하다; (달이) 차다: The moon *waxes* and wanes each month. 달은 매달 차고 이지러진다. [OPP] wane
— **waxy** *adj.* 밀랍을 입힌; 납빛의, 창백한

***way** ⇨ p. 874

wayside [wéisàid] *n. adj.* 길가(의), 노변(의): a *wayside* restaurant 길가에 있는 식당

wayward [wéiwərd] *adj.* **1** (사람·태도 등이) 제멋대로의, 고집 센: a *wayward* child 제멋대로 구는 아이 **2** 변덕스러운; (방침·방향 등이) 흔들리는, 일정치 않은

***we** [wìː] *pron.* (소유격 our, 목적격 us, 소유대명사 ours) **1** (인칭대명사 1인칭 복수·주격) 우리가〔는〕: *We*'re going on a picnic this Saturday. 우리는 이번 토요일에 소풍 갈 것이다. **2** 나는, 우리들은 (신문의 논설 등에서는 필자가 공적 입장에서 I 대신에 씀.): *We* will now consider the causes of World War II. 이제 우리는 제2차 세계 대전의 원인에 대해 고찰해 볼 것이다. **3** (상대방에게 동정감·친근감 등을 나타내어) 너, 너희(들): It's time *we* went to bed. 자 잘 시간이에요. **4** (일반적으로 인간을 가리켜서) 우

리들(은): Do *we* have a right to hunt animals for fun? 우리들이 재미로 짐승을 사냥할 권리를 갖고 있는가?

***weak** [wiːk] *adj.* **1** (몸·물건 등이) 약한: The baby girl is still *weak* after her illness. 병을 앓고난 후라 여자 아기는 아직 몸이 약하다. / a *weak* table 부서지기 쉬운 식탁 **2** (의지·성격 등이) 약한, 우유부단한: a *weak* and indecisive leader 힘 없고 결단력 없는 지도자 **3** (차 등이) 묽은: I like *weak* coffee. 나는 연한 커피가 좋다. **4** 설득력이 없는, 증거가 박약한, 불충분한: a *weak* argument 설득력이 없는 논쟁 **5** (경기 등이) 저조한: a *weak* economy 저조한 경제 **6** 서투른 (at, in, on): I have always been *weak* in P.E. 나는 항상 체육을 잘 못한다. **7** 희미한: a *weak* light 희미한 불빛 / a *weak* sound 희미한 소리
[OPP] strong
— **weakly** *adv.*

■ 유의어 weak
weak 약함을 뜻하는 가장 일반적인 말.
feeble 가련할 정도로 쇠약함을 뜻함.: a *feeble* light 어슴푸레한 빛 **frail** 부서지기 쉬운, 취약한, 건강을 해치기 쉬운 신체에도 씀.: a *frail* constitution 허약한 체격
fragile frail보다 더 취약한 상태로서, 취급에 세심한 주의를 하지 않으면 쉬 망가지는 물건·신체에 쓰임.: *fragile* glasswork 깨지기 쉬운 유리 제품

weaken [wíːkən] *v.* [I,T] **1** 약하게 하다, 약해지다: *weakened* eyesight 약해진 시력 [OPP] strengthen **2** 우유부단해지다, (생각 등이) 흔들리다: She eventually *weakened* and let him go. 그녀는 결국 마음이 흔들려서 그가 가도록 허락했다.

weakness [wíːknis] *n.* **1** 약함, 가냘픔 [OPP] strength **2** 약점, 결점: It's very important to know your own strengths and *weaknesses*. 네 자신의 장점과 단점을 아는 것은 아주 중요하다. [OPP]

W

way

way [wei] *n.* **1** (a way) (특정한) 방식; 방법, 수단: You do it your *way*, I'll do it mine. 너는 네 방식대로 하고 나는 내 방식대로 한다. / What is the best *way* to learn English? 영어를 배우는 가장 좋은 방법은 무엇이니?

2 (…으로) 가는 길, 통로: Can you tell me the *way* to the station? 역으로 가는 길을 알려 주시겠어요? / I'm on my *way* to the office. 나는 사무실로 가는 중이다.

3 방향, 쪽; 근처, 부근: Come this *way*, please. 이 쪽으로 오세요.

4 길, 도로: high*way* 간선 도로, 큰길 / The *way* through the garden is narrow. 정원을 통해 나 있는 길은 좁다.

5 노정, 거리: That supermarket is a long *way* from home. 그 슈퍼마켓은 집에서 먼 거리에 있다.

6 습관, 풍습, 버릇; 언제나 하는(특유한) 식: So, that's his *way*. 그래, 그것이 그의 방식이군. / the Western *way* of life 서구식 생활 방식

7 …점, 사항: He's a clever man in some *ways*. 그는 어떤 점에서는 빈틈없는 사람이다.

adv. **1** 저쪽으로: Go *way*. 저리 가.

2 (부사·전치사를 강조하여) 멀리; 훨씬, 아주: He flew a model plane high—*way* up. 그는 모형 비행기를 높이, 아주 높이 날렸다. / They're friends from *way* back. 그들은 아주 옛적부터 친구 사이다.

[숙어] **a long way** (**off**) 먼, 멀리 떨어져: His beautiful house was *a long way* from the river. 그의 아름다운 집은 강에서 멀리 떨어져 있었다.

all the way 내내, 멀리(서): He came running *all the way*. 그는 내내 뛰어 왔다.

be set in one's way ⇨ set

by the way (화제를 바꿀 때) 그런데, 여담이지만: *By the way*, have you seen him lately? 그런데 최근에 그를 만난 적이 있니?

by way of 1 …을 경유해서: He came to Korea *by way of* Tokyo. 그는 도쿄를 거쳐 한국에 왔다. [SYN] via **2** [영] …의 대신으로: I had some sandwiches *by way of* a meal. 나는 식사 대신으로 샌드위치를 좀 먹었다. **3** …할 목적으로(의도로): He said this *by way of* an introduction. 그는 머리말로 이렇게 말했다.

change one's ways ⇨ change

come one's way …에게 일어나다: A bit of good fortune *came my way*. 작은 행운이 나에게 찾아왔다.

get in the(**one's**) **way** 방해하다: He is always *getting in my way*. 그는 항상 나를 방해한다.

give way 1 패하다, 지다 (to): Don't *give way* to your feelings. 감정에 져서는 안 된다. **2** 무너지다, 꺾이다: The floor *gave way* under the heavy weight. 바닥은 무거운 무게로 무너졌다. **3** [영] (길을) 양보하다; …에 밀리다 (to): You have to *give way* to traffic coming from the right. 오른쪽에서 오는 차량에 양보해야 한다. / Steam replaced sail, but it *gave way* to gasoline later on. 증기는 돛을 대신했으나, 후에 가솔린에게 자리를 내주었다.

go out of one's(**the**) **way** 각별히 노력하다, 일부러(고의로) …하다: Although she was very busy, she *went out of her way* to help me. 비록 그녀는 많이 바빴지만 나를 도와 주려고 각별히 신경 써 주었다.

have a long way to go 갈 길이 멀다, 아직 멀다, 더 열심히 해야 한다: "You speak very good English!" "Thank you, but I still *have a long way to go*." "영어 참 잘하시네요!" "고마워요. 하지만 아직 멀었어요. (더 열심히 영어 공부를 해야지요.)"

have(**get**) **one's** (**own**) **way** 마음대로(멋대로) 하다: She's very charming, but always manages to *get her own way*. 그녀는 매력적이지만, 항상 제멋대로 하려고 한다.

in a big〔small〕way 대〔소〕규모로, 거창〔조촐〕하게

in any way 어떤 방법으로든, 어쨌든, 아무튼: He asked them to help *in any way* possible. 그는 그들에게 어떻게든 도와 달라고 부탁했다. [SYN] in some ways

in a〔one〕way 어떤 점에서는, 어느 정도, 그럭저럭: He is handsome *in a way*. 그는 어떤 점에서는 미남이다.

in no way 결코 …않다: The situation is *in no way* serious. 사태는 결코 심각하지 않다.

in one's〔own〕way 1 제 나름대로: He is a good teacher *in his own way*. 그는 그 나름대로 훌륭한 교사이다. **2** (주로 부정문) 전문인, 자신 있는: Research was not *in his way*. 연구는 그의 전문이 아니었다.

in some ways 여러 가지 점에서

in the〔one's〕way 방해가 되어: He is always *in my way*. 그는 언제나 나에게 방해가 된다.

lead the way 1 안내하다: You've been there before—why don't you *lead the way*? 전에 거기 가 본 적이 있잖아. 안내해 줄래? **2** 모범을 보이다, 맨 앞을 가다, 탁월하다: The hospital has been *leading the way* in cancer research. 그 병원은 암 연구에 있어 앞서 가고 있다.

lose one's〔the〕way 길을 잃다: If you *lose your way*, ask a police officer. 길을 잃으면, 경찰관에게 물어 봐라.

make one's〔own〕way 1 (사람·물건이) 나아가다, 전진하다: They had to *make their way* up a valley. 그들은 계곡을 올라가야 했다. **2** 번창하다, 잘 되다, 출세하다: He studied in order to *make his way* in life. 그는 출세하기 위해서 공부했다.

no way (제안·요구에 대한 거절) 천만의 말씀이다, 절대로 안 된다: "Can I borrow your camera?" "*No way!*" "카메라 빌릴 수 있니?" "절대로 안 돼!"

on the〔one's〕way to 도중에: I was *on my way to* my parents. 나는 부모님께 가는 길이었다.

on the way back 돌아오는 길에, 귀로에

the hard way ⇨ hard

under way 진행 중에: Plans are *under way* for a new link road. 새 연결 도로 계획이 진행 중이다.

Way to go! 힘내라!, 파이팅!

---

strength **3** (a weakness) 못 견디게 좋아하는 것, 애호, 기호 (for): She has a *weakness* for chocolate. 그녀는 초콜릿이라면 사족을 못 쓴다.

***wealth** [welθ] *n.* **1** 부, 재산: How did she accumulate her great *wealth*? 그녀는 어떻게 엄청난 재산을 축적했나? [SYN] riches **2** (a wealth) 풍부, 다량 (of): a *wealth* of learning 풍부한 학식

wealthy [wélθi] *adj.* (wealthier-wealthiest) **1** 넉넉한, 유복한: He's a very *wealthy* man. 그는 상당한 부자이다. [SYN] rich **2** 풍부한, 많은: *wealthy* in natural resources 천연 자원이 풍부한

***weapon** [wépən] *n.* **1** 무기, 병기: *weapons* of mass destruction 대량 살상 무기 [SYN] arms **2** 공격〔방어〕수단: His best *weapon* is silence. 그의 최대 무기는 침묵이다.

■ **유의어 weapon**

weapon 공격·방어를 위한 도구로서 본래 그 목적을 위해 만들어진 것이 아니더라도 weapon이 될 수 있음. **arms** 전쟁용 무기를 뜻함.

weaponry [wépənri] *n.* **1** (집합적) 무기류 **2** 무기 제조, 군비 개발

***wear** [wεər] *v.* (wore-worn) **1** [T] 입고〔신고, 쓰고〕있다, 몸에 지니고 있다: He's *wearing* a new jacket. 그는 새 재킷을 입

고 있다. / She *wears* glasses for reading. 그녀는 독서할 때 안경을 쓴다. / My mother *wears* very little makeup. 엄마는 거의 화장을 안 하신다. **2** [T] (표정·태도 등에) 나타내다: He *wore* a suspicious frown. 그는 의심스럽다는 듯이 얼굴을 찡그렸다. **3** [T] (머리·수염 등을) 기르고 있다: He *wears* a mustache. 그는 콧수염을 기르고 있다. **4** [I,T] 닳게 하다, 써서 낡게 하다: His socks were *worn* thin at his heels. 그의 양말이 뒤꿈치가 닳아서 얇아졌다. **5** [T] (구멍·길·도랑 등을) 뚫다, 내다: I had *worn* a hole in his favorite sweater. 나는 그가 아끼는 스웨터에 구멍을 냈다. **6** [I] (물건 등이) 오래 가다: This suit *wears* well. 이 옷은 오랫동안 입는다[질기다].

n. **1** 착용, 입기 **2** 의류, 옷, …복: children's *wear* 아동복 / knit*wear* 니트웨어 **3** 닳아 해짐, 써서 낡게 하기 **4** 오래 견딤, 내구성[력]: There is still much *wear* in these shoes. 이 구두는 아직 신을 만하다.

[숙어] **the worst for wear** ⇨ worse

wear and tear 소모, 닳아 없어짐, 마멸

wear away 닳아 없애다[없어지다], 마멸시키다: The name on the door has *worn away*. 문 위의 이름이 닳아 없어졌다.

wear down 1 닳아 없어지게 하다, 오래 써서 낡게 하다: His shoes are badly *worn down* at the heels. 그의 구두 뒤꿈치가 심하게 닳았다. **2** 피로하게 하다, (기세 등을) 꺾다, 누르다: All the stress is beginning to *wear* him *down*. 모든 스트레스가 그를 피로하게 하고 있다.

wear off 약해지다, 점점 사라지다: The effect of the drug is *wearing off*. 약기운이 사라져 가고 있다. / These pains will soon *wear off*. 이 통증들은 곧 없어질 것이다.

wear on (시간 등이) 점점 가다, 경과하다: As the hour *wore on*, we talked more and more. 시간이 지남에 따라 우리는 더 많은 이야기를 했다.

wear out 1 닳아 없어지게 하다, 해지다:

My camera batteries have *worn out*. 카메라 배터리가 다 되었다. **2** 지치게 하다: Walking around the park all day really *wears* you *out*. 공원 주위를 하루 종일 걸어다니는 것은 사람을 정말 지치게 한다.

wear thin 1 닳아서[오래 써서] 얇아지다[지게 하다]: The soles have *worn thin*. 구두창이 닳아서 얇아졌다. **2** (인내 등이) 한계점에 이르다: My patience is *wearing thin*. 더 이상은 못 참겠다. **3** (감흥이) 점점 사라지다

wearisome [wíərisəm] *adj.* **1** 피곤하게 하는, 지치게 하는: *wearisome* days 고달픈 나날들 **2** 지루한: a repetitive and *wearisome* task 반복적이고 지루한 일

[SYN] tiresome

weary [wíəri] *adj.* (wearier-weariest) **1** 피로한, 지쳐 있는 (with): I was *weary* with walking. 나는 걸어서 지쳐 있었다. [SYN] tired **2** 싫증나는, 따분한, 진저리나는 (of): I grew *weary* of his idle talk. 나는 그의 헛된 이야기에 진저리났다.

— **wearily** *adv.* **weariness** *n.*

weasel [wíːzəl] *n.* **1** [동물] 족제비 **2** 교활한 사람

***weather** [wéðər] *n.* 날씨, 일기, 기상: What is the *weather* like? 날씨가 어떠니? / I like cold *weather*. 나는 추운 날씨를 좋아한다.

v. **1** [I,T] 비바람에 맞히다, 풍화하다 (away): This rock has been *weathered* and eroded. 이 바위는 풍화되어 침식되었다. **2** [T] (재난·역경 등을) 뚫고 나아가다, 견디어 내다: Our company managed to *weather* the recession. 우리 회사는 겨우 불경기를 견뎌 냈다.

[숙어] **make heavy weather of** ⇨ heavy

under the weather 기분이 언짢아, 몸 상태가 좋지 않아: I feel a bit *under the weather*—I think I've caught a cold. 나는 몸이 좀 좋지가 않아. 감기 걸렸나 봐.

weather-beaten *adj.* **1** 비바람에 시달린 〔바랜〕 **2** 햇볕에 탄

weathercock *n.* 바람개비, (지붕 위에 설치하는 수탉 모양의) 풍향계

weather forecast *n.* 일기 예보 (forecast)

weatherman *n.* (*pl.* weathermen) 일기 예보자, 예보관, 기상대 직원

weather map *n.* 일기(기상)도

weatherproof *adj.* (건물 등이) 비바람에 견디는

weather station *n.* 측후소, 기상 관측소

weave [wi:v] *v.* [I,T] (wove-woven) **1** (직물·바구니 등을) 짜다, 뜨다, 엮다; (…을) 엮어서 만들다: a hand-*woven* scarf 손으로 짠 목도리 / *weave* thread into cloth 실을 짜서 천을 만들다 **2** (weaved-weaved) 누비듯이 나아가다, 전후좌우로 움직이다: She *weaved* her way through the crowd. 그녀는 군중 사이를 누비듯이 나아갔다. **3** (이야기·계획 등을) 꾸미다, 만들어 내다: *weave* three stories into a novel 3가지 이야기를 하나의 소설로 만들다
— **weaver** *n.*

web [web] *n.* **1** 거미집 (cobweb): The spider was spinning *webs*. 거미가 거미줄을 치고 있었다. **2** 거미집 모양의 것, …망; (TV·라디오의) 방송망: a *web* of expressways 고속 도로망 **3** [동물] (물새 등의) 물갈퀴 **4** [컴퓨터] (the Web) = World Wide Web: a *Web* page 웹 페이지
— **webbed** *adj.* 물갈퀴가 있는; 거미집 모양의

webmaster [wébmæstər] *n.* [컴퓨터] 웹마스터 (World Wide Web 사이트를 유지하고 업그레이드하는 총괄 책임자)

web page *n.* [컴퓨터] 웹 페이지 (웹에서는 HTML이라는 언어를 사용해 작성된 문서를 통해 정보를 교환하는데 이때 정보 교환을 위해 HTML로 작성된 문서)

web site *n.* [컴퓨터] 웹 사이트 (인터넷에서 사용자들이 정보가 필요할 때 언제든지 그것을 제공할 수 있도록 웹 서버에 정보를 저장해 놓은 집합체)

webzine [wébzì:n] *n.* [컴퓨터] 웹진, 웹 잡지 (www상의 전자 잡지)

wed [wed] *v.* [I,T] (wedded-wedded, wed-wed) 결혼하다, 결혼시키다 SYN marry

*****wedding** [wédiŋ] *n.* **1** 결혼, 결혼식: We've been invited to their *wedding*. 우리는 그들의 결혼식에 초대받았다. SYN marriage **2** 결혼 기념일

wedge [wedʒ] *n.* **1** 쐐기: Put a *wedge* under the door to keep it open while we're carrying the boxes in. 박스를 안으로 나르는 동안 문이 열려 있도록 아래에 쐐기를 놓아라. **2** 쐐기 모양의 것, V자형: a *wedge* of pie 파이 한 조각 (부채꼴로 잘라진)
v. **1** [T] 쐐기로 고정하다, …에 쐐기를 박다: *wedge* a window open 창문이 닫히지 않게 쐐기로 고정하다 **2** [I,T] 끼어들다, 밀어넣다: He *wedged* in between other passengers in the bus. 그는 버스에 탄 승객들 사이로 끼어들었다.

Wednesday [wénzdei] *n.* (*abbr.* Wed.) 수요일

weed [wi:d] *n.* **1** 잡초 **2** 해초 (seaweed)
v. [I,T] (…에서) 잡초를 뽑다: He's been *weeding*. 그는 잡초를 뽑고 있었다.
[숙어] **weed out** (무용물·무해물 등을) 치우다, 제거하다: The coach *weeded out* the troublemakers from the team. 코치는 말썽꾸러기 선수들을 팀에서 제외시켰다.

weedy [wí:di] *adj.* (weedier-weediest) **1** 잡초투성이의 **2** (사람·동물이) 마른, 가냘픈

*****week** [wi:k] *n.* **1** 주 (보통 일요일부터 토요일까지의 7일간): I'll see you next *week*. 다음 주에 보자. / She left a *week* ago. 그녀는 일주일 전에 떠났다. **2** (토·일요일 이외의) 평일, 주중: I go to bed early during the *week*. 나는 주중에는 일찍 잔다. **3** 취업〔등교〕

일 (working week): He works a 40-hour *week*. 그는 주 40시간제로 일한다. **4** (요일에 관계 없이) 7일간, 1주간 **5** 일정한 날 [축일]부터 시작하는 1주간: Easter *week* 부활 주일 **6** (Week) (특정한 공적인 기념·운동 등의) …주간: Traffic Safety *Week* 교통 안전 주간

[축어] **week after week** 몇 주 동안 계속해서: It rained *week after week*. 몇 주 동안 계속해서 비가 왔다.

week by week 주가 지남에 따라: *Week by week* she grew a little stronger. 주가 지남에 따라 그녀는 조금씩 튼튼해졌다.

week in, week out 매주, 주마다

※ week after week와 week in, week out을 같은 의미로 쓰기도 한다.

weekday [wíːkdèi] *n.* 평일 (일요일 또는 가끔 토요일도 제외한 요일)
adj. 평일의

weekend [wíːkènd] *n.* 주말 (토요일과 일요일): I don't work on *weekends*. 나는 주말에는 일하지 않는다.

※ 영국에서는 at weekends라고 한다.

weekly [wíːkli] *adj.* 매주의, 주1회의, 주간의: *weekly* pay 주급 / a *weekly* magazine 주간지
adv. 매주, 주1회
n. 주간지[신문, 잡지], 주보

weep [wiːp] *v.* [I,T] (wept-wept) 눈물을 흘리다, 울다, 슬퍼하다: She *wept* at sad news. 그녀는 슬픈 소식을 듣고 울었다.
— **weeper** *n.*

■ 유의어 weep

weep 눈물을 흘리는 것에 주안을 둠. 따라서 찬 물컵에 물방울이 맺히는 것도 weep임. **cry** 소리내어 우는 것이 주가 되나, 실제로는 소리가 나지 않더라도 소리를 참아가며 울 때 역시 cry가 쓰임. **sob** 흐느끼면서 훌쩍훌쩍 우는 것을 나타냄. **wail** 대성통곡하다, 절망적으로 (소리 높이) 몹시 우는 것을 뜻함.

weigh [wei] *v.* **1** [T] …의 무게를 달다, 체중을 달다: *Weigh* this parcel for me, please. 이 소포 무게 좀 달아 주세요. / Have you *weighed* yourself lately? 최근에 체중을 재어 봤니? **2** [I] 무게가 …이다[나가다], …(만큼) 무겁다: How much does the baggage *weigh*? 화물의 무게는 얼마죠? **3** [T] 숙고하다, 주의 깊게 생각하다 (up): He spoke very slowly, *weighing* what he would say. 그는 무슨 말을 할지 생각하며 아주 천천히 말했다. **4** [T] 비교 검토하다 (against): We *weighed* one plan against another. 우리는 두 가지 안을 비교 검토했다. **5** [I] …에게 불리하게 작용하다 (against): He didn't get the job because his lack of experience *weighed* against him. 경험 부족이 그에게 불리하게 작용했기 때문에 그는 일자리를 얻지 못했다.

[축어] **weigh down 1** (보통 수동태) 압박[억압]하다, 침울케 하다 (with): He felt *weighed down* with his debts. 그는 빚으로 압박감을 느꼈다. [SYN] burden **2** (무게로) 내리누르다, 힘주어 구부리다[누르다]: The trees were *weighed down* by snow. 나무들은 쌓인 눈의 무게로 휘어져 있었다.

weigh on 걱정이 되다, 부담이 되다: The problem *weighs* heavily *on* me. 그 문제는 내게 큰 부담이다.

weigh one's words 말을 신중하게 하다
weigh up 1 (비교해서) 신중하게 생각하다: We're *weighing up* pros and cons of the deal. 우리는 그 거래의 이해 득실을 신중하게 따져 보는 중이다. **2** (사람을) 평가하다, 판단하다

*****weight** [weit] *n.* **1** 무게, 중량, 체중: The apples are sold by *weight*. 사과는 무게로 달아서 판다. / I had lost 10 pounds in *weight*. 몸무게가 10파운드 줄었다. **2** 무거운 물건: He can't lift heavy *weights* because of his bad back. 그는 등이 좋지

않아서 무거운 물건을 들지 못한다. **3** (경기용의) 포환, (역도의) 웨이트 **4** 부담, 무거운 짐, 압박: the *weight* of responsibility 책임이라는 무거운 짐 **5** 중요함; 영향력

v. [T] **1** …에 무게를 더하다, 무겁게 하다; …에 적재하다: He *weighted* my fishing net before throwing it into the sea. 그는 내가 어망을 바다에 던지기 전에 그것을 무겁게 만들었다. **2** (보통 수동태) 지나치게 싣다 (with); …에게 과중한 부담을 지우다, 압박하다 (down): The car was heavily *weighted* with luggage. 그 차는 짐을 너무 많이 실었다.

<u>숙어</u> **carry weight** ⇨ carry

pull one's weight ⇨ pull

weightless [wéitlis] *adj.* (거의) 중량이 없는, 무중력의

— **weightlessness** *n.* 무중력

weight training *n.* 웨이트 트레이닝 (역기·아령 등을 이용한 훈련)

weighty [wéiti] *adj.* (weightier-weightiest) **1** (매우) 무거운, 무게 있는, 비중 있는 **2** (문제 등이) 중요한, 중대한, 쉽지 않은: They're discussing *weighty* matters. 그들은 중요한 문제를 논하고 있다.

weird [wiərd] *adj.* **1** 이상한, 불가사의한 **2** (일·사람 등이) 별난, 기묘한: He has some *weird* ideas. 그에게 몇 가지 별난 생각이 있다.

— **weirdly** *adv.* **weirdness** *n.*

weirdo [wíərdou] *n.* (*pl.* weirdos) **1** 기인, 별난 사람[것]: He's a *weirdo*. 그는 별난 사람이다. **2** (특히 위험한) 정신병자

adj. 기묘한, 별난: a *weirdo* hair style 별난 헤어 스타일

*★welcome [wélkəm] v. [T] **1** 환영하다: She's warmly *welcomed*. 그녀는 따뜻한 환영을 받았다. <u>OPP</u> unwelcome **2** (제안·충고 등을) 기꺼이 받아들이다: We would *welcome* any suggestions. 우리는 어떤 제안이라도 받아들일 것이다.

n. 환영, 환대; 환영의 인사

adj. **1** 환영받는: Come and see us whenever you're here — you're always *welcome*. 여기 오면 언제든지 들르렴. 항상 대환영이야. **2** 기쁜, 고마운: a *welcome* news 희소식 / *welcome* gift 고마운 선물 **3** 마음대로 해도 좋은 (to): You are *welcome* to (use) the telephone. 전화를 마음대로 쓰세요. **4** (비꼬아) 마음대로 …할 테면 해라 (내가 알 바 아니다): He is *welcome* to say what he likes. 그가 마음대로 지껄이게 놔두어라.

int. (종종 부사 또는 to와 함께) 어서 오십시오, 참 잘 오셨습니다: *Welcome* aboard! 승차를[탑승을, 승선을] 환영합니다! / *Welcome* to Seoul! 서울에 오신 것을 환영합니다!

<u>숙어</u> **make ... welcome** …을 따뜻이 대접하다: His family *made* me *welcome*. 그의 가족은 나를 따뜻이 대해 주었다.

You're welcome. (감사의 표현에 대한 응답으로) 천만의 말씀을.: "Thank you for your help." "You're welcome." "도와 주셔서 감사합니다." "천만에요."

■ **접두어 wel-**

'좋은(good)'의 뜻을 나타냄.: *welcome, wel*fare

weld [weld] *v.* [I, T] 용접하다, 밀착[접착]시키다: All the broken parts are *welded* together. 모든 부서진 부분들은 접착되었다.

— **welding** *n.* 용접

welfare [wélfɛ̀ər] *n.* **1** 복지, 복리, 행복, 번영: child[public] *welfare* 아동[공공] 복지 **2** 복지 사업 **3** [미] 사회 복지, 생활 보호 **4** 복지 원조금 ([영] social security)

<u>숙어</u> **on welfare** 복지 원조[생활 원조]를 받아: Most of the families in this area are *on welfare*. 이 지역에 있는 대부분의 가정은 생활 원조를 받고 있다.

*★well¹ ⇨ p. 880

*★well² [wel] *n.* **1** 우물: The *well* is dry. 우물이 말라 있다. / a wishing *well* (동전을

well¹

well [wel] *adv.* (better·best) **1** 잘, 훌륭히: She speaks English *well*. 그녀는 영어를 잘 한다. / The plan worked *well*. 계획은 잘 이행되었다. / *Well* done! 잘 했어! [SYN] skillfully [OPP] badly
2 충분히, 완전히: Shake *well* before using. 사용하기 전에 잘 흔들어라.
3 상당히, 꽤: *well* up in the list 명부에서 꽤 위쪽에 / It is *well* worth trying. 그것은 시도해 볼 가치가 충분히 있다.
4 적절히, 알맞게: That is *well* said. 지당한 말이다. / The hotel is *well* situated on a hill. 그 호텔은 언덕 위의 좋은 장소에 위치해 있다.
5 (can, could, may(might)와 함께) 아마, 대개: It may *well* be true. 그것은 사실일지도 모른다.
6 (can, could, may(might)와 함께) 사리(이치)에 맞아, 당연히: You may *well* be right. 네가 당연히 옳다.
adj. (better·best) (명사 앞에는 쓰이지 않음)
1 건강한: She looks *well*. 그녀는 건강해 보인다. / He will soon get *well*. 그는 곧 완쾌할 것입니다.
2 만족스러운, 좋은, 적당한: All is *well* with us. 모든 것이 잘 됩니다. / It looks *well* on you. 당신에게 잘 어울립니다. / It is all very *well*. 그것 참 잘 됐다.
int. **1** (놀람·의심·망설임 등을 나타내어) 이런, 저런, 뭐라고: *Well, well*! What's the matter? 저런! 어찌 된 거니?
2 (안도·체념·양보 등을 나타내어) 아이고, 과연, 그래, 글쎄: *Well*, perhaps you are right. 그래, 아마 네가 옳겠지. / *Well*, here we are at last. 자, 드디어 다 왔다.
3 (예상·기대를 나타내어) 그래서, 그런데: *Well*, then? 그래서, 그 다음엔?
4 (말을 계속하거나 용건을 꺼낼 때) 그런데, 글쎄, 그건 그렇고: *Well* now, let me see… 글쎄, 어디 보자… / *Well*, it's time to go

home. 자, 집에 갈 시간이다.
[숙어] **as well** 더욱이, 게다가, 또한: She speaks French *as well*. 그녀는 불어도 한다. / Is your mother coming *as well*? 너의 어머니께서도 오시니?
as well as 1 …와 마찬가지로 잘: "Can he play golf?" "Yes, he can *as well as* you." "그는 골프를 칠 줄 아나요?" "네, 당신과 마찬가지로 잘 쳐요." **2** …와 동시에, … 뿐만 아니라 ~도: Jessie was intelligent *as well as* beautiful. 제시는 아름다울 뿐만 아니라 머리도 좋았다.
be well off 유복하다, 잘 살다: He *is* not very *well off*. 그는 그다지 잘 살지 못한다. [OPP] be badly(ill) off
do well 1 잘 되가다, 성공하다: The business is *doing well*. 사업은 번창하고 있다. **2** 건강이 회복되다, 점차 좋아지다: My grandfather is *doing well* after his operation. 할아버지는 수술 후에 점차 좋아지고 계신다.
do well to do …하는 것이 좋다(현명하다): He *did well to* confess his crime before he was accused of it. 그가 고발되기 전에 자기 죄를 자백한 것은 현명했다.
may(might) (just) as well …하는 편(것)이 낫다: I *may as well* tell him the truth—he'll find out anyway. 그에게 사실을 이야기하는 것이 나을 것 같아. 어떻게 해서든지 알게 될 거니깐.
well and truly 완전히, 아주: I was *well and truly* exhausted. 나는 완전히 녹초가 되었다.

■ **용법** well
well로 시작하는 복합어가 동사 다음에 오면 하이픈을 쓰지 않으며 명사 앞에 쓰이면 하이픈을 써 줌.: He is *well* dressed. 그는 옷을 잘 입었다. / a *well*-dressed man 옷을 잘 입은 사람

던지고) 소원을 비는 우물 **2** (유전 등의) 정 (井): an oil *well* 유정 **3** 근원, 원천: a *well* of information 지식의 샘

v. [I] **1** 솟아 나오다, 분출하다 (out, up): Tears *welled* up in his eyes. 그의 눈에서 눈물이 넘쳐흘렀다. **2** (생각 등이) 치밀어 오르다 (up): I felt anger *welling* up in me. 나는 분노가 치밀어 오름을 느꼈다.

well-balanced [wélbǽlənst] *adj.* **1** (사람이) 제정신의, 상식 있는 **2** (식사 등이) 균형 잡힌: a *well-balanced* diet 균형 잡힌 식사

well-behaved [wélbihéivd] *adj.* 행실 〔품행〕이 좋은

well-being [wélbíːiŋ] *n.* 복지, 안녕, 행복 [SYN] welfare [OPP] ill-being

wellborn [wélbɔ́ːrn] *adj.* 가문이 좋은

well-bred [wélbréd] *adj.* **1** 본데 있게 자란, 행실이 좋은, 점잖은 **2** (말 등의) 종자가 좋은

well-done [wéldʌ́n] *adj.* **1** 바르게〔능숙히, 잘〕 수행〔처리〕된: a job *well-done* 잘 처리된 일 **2** (고기가) 잘 익은, 충분히 조리된 [OPP] underdone

well-dressed [wéldrést] *adj.* 잘 차려입은, 옷 맵시가 단정한

well-earned [wélɔ́ːrnd] *adj.* 제 힘으로 얻은, (보답 등이) 당연한: a *well-earned* punishment 자업자득

well-educated [wélédʒukèitid] *adj.* 충분한 교육을 받은, 교양 있는

well-fed [wélféd] *adj.* **1** 영양이 좋은〔충분한〕 **2** 살찐

well-groomed [wélgrúː(ː)md] *adj.* **1** (사람이) 몸차림이 단정한〔깔끔한〕 **2** (동물·정원 등이) 손질이 잘 된

well-informed [wélinfɔ́ːrmd] *adj.* **1** 잘 알고 있는: He is *well-informed* about music. 그는 음악에 대해 잘 알고 있다. **2** 박식한, 견문이 넓은 [OPP] ill-informed

well-known [wélnóun] *adj.* **1** 유명한,

잘 알려진, 주지의: a *well-known* painter 유명한 화가 / It is *well-known* that smoking can cause lung cancer. 흡연이 폐암을 유발한다는 사실은 잘 알려져 있다. **2** 친한, 친밀한, 친숙한: a *well-known* face 친숙한 얼굴 [OPP] unknown

well-made [wélméid] *adj.* **1** (몸이) 균형 잡힌, 날씬한 **2** (세공품이) 잘 만들어진 **3** (소설·극이) 구성이 잘 된

well-mannered [wélmǽnərd] *adj.* 예의바른, 점잖은, 공손한

well-off [wélɔ́(ː)f] *adj.* **1** 부유한, 유복한 [OPP] badly-off **2** …이 풍부한 (for): We're *well-off* for good shops in this area. 이 지역에는 좋은 가게들이 많다. **3** 순조로운, 순탄한: You don't know when you're *well-off*. [속담] 만사가 순탄할 때는 그것을 의식하지 못하는 법이다. (사람들은 자신이 얼마나 운이 좋은지 잘 알지 못한다.)

well-paid [wélpéid] *adj.* 보수가 좋은: The work is very *well-paid*. 그 일은 보수가 꽤 좋다.

well-rounded [wélráundid] *adj.* 다방면의; 다재다능한, 만능의: He has a *well-rounded* background in the banking industry. 그는 금융업에서 다방면의 경험이 있다.

well-suited [wélsúːtid] *adj.* 적절한, 알맞은, 편리한

well-to-do [wéltədúː] *adj.* **1** 유복한 [SYN] rich **2** (the well-to-do) (집합적) 부유층

***west** [west] *n.* (*abbr.* W) **1** (보통 the west) 서쪽: Which way is the *west*? 어느 쪽이 서쪽이니? [OPP] east **2** (the west, the West) 서부 지방〔지역〕: The rain will spread to the *West* later. 나중에 서부 지방까지 비가 올 것이다. **3** (the West) 서양, 서유럽 **4** (the West) 서부 (Mississippi 강 서쪽을 가리키며 동부(the East)에 대하여 씀) *adj.* **1** 서쪽의: They live in West

W

London. 그들은 런던 서부에 산다. **2** 서양
의, 서양풍〔식〕의
adv. 서쪽에〔으로, 에서〕: The village is 10
miles *west* of town. 그 마을은 시내에서
서쪽 10마일 지점에 있다.

westbound [wéstbàund] *adj.* 서쪽으로
가는

western, Western [wéstərn] *adj.* **1**
서쪽의〔에서의, 에 있는〕 **2** 서양의, 구미의:
Western science〔culture〕 서양의 과학〔문
화〕
n. [미] 서부 영화, 서부 음악

westerner [wéstərnər] *n.* 서부 지방 사
람 (서부는 특히 유럽·북아메리카를 가리킴)

■ **접미어 -ern**
방향을 나타내는 말에 붙여서 형용사를 만
든다.: west*ern*, east*ern*

westward [wéstwərd] *adj.* 서쪽으로 향
하는, 서쪽의, 서부의
adv. 서부로, 서쪽으로 (westwards): The
ship sailed *westward*. 배는 서쪽으로 향했
다.

westwards [wéstwərdz] *adv.* =
westward (*adv.*)

*****wet** [wet] *adj.* (wetter-wettest) **1** 젖은,
축축한: *wet* hair〔clothes〕 젖은 머리〔옷〕
[SYN] soaked [OPP] dry **2** 비 내리는, 비 올
듯한, 비가 잘 오는: a *wet* day 비 오는 날 / a
wet sky 비 올 듯한 하늘 [SYN] rainy [OPP]
dry **3** (페인트 등을) 갓 칠한, 덜 마른: *Wet*
paint! 칠 주의! [OPP] dry
v. [T] (wet-wet, wetted-wetted; wetting)
축이다, 적시다: She *wetted* a dish cloth
and tried to rub the mark away. 그녀는
행주를 적셔서 자국을 없애려고 문질렀다.
[숙어] **a wet blanket** 다른 사람의 흥을
깨는 사람
be all wet 전혀 잘못되다, 틀리다
wet behind the ears 미숙한, 경험이 많
지 않은
wet one's bed (아이가) 자리에 오줌을 싸

다

wet through 흠뻑 젖어서: He went out
in the rain and got *wet through*. 그는
비 오는데 나가서 흠뻑 젖었다.

■ **유의어 wet**
wet '적시다'의 일반적인 말. **damp** 축축
하여 불쾌감이 따르는 것을 뜻함.: Don't
sit on the sofa. It's *damp*. 소파에 앉
지 마라. 젖었어. **moist** 습함이 damp 정
도는 아니고 적당한 상태를 나타냄.: *moist*
ground 촉촉한 땅 **humid** 공기가 불쾌
할 정도의 습기를 띠고 있음을 나타냄.:
The air is *humid*. 공기가 습하다.

wetland [wétlænd] *n.* (wetlands) 습지
대

whale [*h*weil] *n.* 고래

whaler [*h*wéilər] *n.* **1** 고래 잡는 사람 **2**
포경선

whaling [*h*wéiliŋ] *n.* 고래잡이, 포경(업)

*****what** ⇨ p. 883

*****whatever** [*h*watévər] *pron.* **1** (명사절
을 인도) …하는〔인〕 것은 무엇이든: I'll do
whatever I can to help you. 너를 돕기 위
해서는 내가 할 수 있다면 무엇이든 하겠다. **2**
(양보절을 인도) 무엇을〔무엇이〕 …하든지〔이든
지〕: *Whatever* you do, do it well. 무엇
을 하든지 잘 해라. **3** (의문사 what의 강조형)
도대체 무엇을〔무엇이〕: *Whatever* do you
want me to do? 도대체 내가 무엇을 해 주
기를 원하니? [SYN] what ever, what in the
world
adj. adv. **1** (관계대명사 what의 강조형) 어떤
〔무슨〕 …일지라도: *Whatever* problem
you come up with, they'll deal with.
어떤 문제가 있더라도 그들이 해결할 것이다.
2 (양보절을 인도) 어떤 …이라도, 아무리 …
일지라도: *Whatever* you do, don't skip
the class. 네가 어떤 일을 하든지 간에 수업
은 빼먹지 마. [SYN] no matter what **3** (부
정문에서) 도대체, 전혀: She has no faults
whatever. 그녀에게는 전혀 결점이 없다.

W

what

what [*h*wɑt] **A** 의문사 *pron.* (의문대명사)
1 무엇, 어떤 것(일): *What* is this? 이것은 무엇인가? / *What* has happened? 무슨 일이 일어났니? / I don't know *what* to do. 어찌 해야 좋을지 모르겠다.

2 얼마, 얼마나: *What* is the price of this camera? 이 카메라 가격은 얼마인가요? / *What* is the population of Busan? 부산의 인구는 얼마나 되나요?

3 (직업 등을 물어) 무엇 하는 사람, 어떤 사람: *What* is he? 그의 직업이 뭐니?

※ 상대에게 What are you?라고 묻는 것은 실례이므로 What do you do?, What's your occupation?으로 표현한다.

4 (감탄문에 쓰여) 정말이지 많이, 얼마나: *What* it must cost! 정말이지 엄청난 돈이 드는군!

5 (이야기 등의 계속을 나타내어): You know *what*? 있잖아, 그런데.

adj. (의문형용사) **1** 무슨, 어떤: *What* time is it? 몇 시니? / *What* news? 무슨 다른 소식이 있니? / *What* kind of music do you like? 어떤 음악을 좋아하니?

2 (감탄문에 쓰여) 정말이지, 얼마나: *What* a beautiful day (it is)! 날씨 참 좋기도 하구나! / *What* an idea! 얼마나 근사한 생각인가!
※ What 다음에 셀 수 있는 단수 명사가 오면 a(an)을 사이에 두고 결합한다.

int. (보통 의문문에서 놀라움·노여움 등을 나타내어) 뭐라고, 저런, 어머나: "I've asked her to marry me." "*What*!" "그녀에게 청혼했어." "뭐라고!"

adv. (의문부사) 어떻게, 얼마나, 어떤 점에서: *What* does it help to complain? 불평하는 것이 어떻게(무슨) 도움이 되겠는가?

B 관계사 *pron.* (관계대명사) **1** …하는 것(일): I don't understand *what* he says. 나는 그가 말하는 것을 이해할 수가 없다.

2 (삽입절을 이끌어) (더욱) …한 것은: The house is too old and, *what* is more, it

is too expensive. 그 집은 너무 낡았고 게다가 너무 비싸다.

adj. (관계형용사) …은 무엇이든, (…할) 만큼의: I will give *what* help I can. 내가 줄 수 있는 모든 도움을 주겠다.

※ 관계형용사의 경우 '…하는 것의 전부'라는 뜻일 때가 있다.: Give me *what* money you have. 가지고 있는 돈을 전부 주시오.

[숙어] **A is to B what C is to D** A와 B에 대한 관계는 마치 C와 D에 대한 관계와 같다: Reading *is to* the mind *what* exercise *is to* the body. 독서와 정신의 관계는 운동과 육체와의 관계와 같다.

and(or) what not (열거한 뒤에) … 따위, 등등: novels, short stories, plays, *and what not* 소설, 단편, 희곡 등등

what about … ? 1 …하는 게 어떤가?: *What about* visiting him? 그를 방문하는 게 어떨까? **2** …은 어떻게 되어 있나?: *What about* the money I lent you last month? 지난 달 내가 빌려 준 돈은 어떻게 했니?

what for 1 왜, 무엇 때문에: *What* did you go there *for*? 왜 거기에 갔니? / *What for*? 무엇 때문이지? **2** (물건이) 무슨 목적에 쓰이어: *What* is this gadget *for*? 이 기구는 무엇에 쓰이는 것인가요?

what if … ? 1 …라면 어찌 될까?: *What if* we were to try? 우리가 해 본다면 어찌 될까? **2** (설사) …하더라도 어떻단 말인가?: *What if* we are poor? 가난하면 어떠니?

what one calls, what you call, what is called 소위: He is *what you call* a genius. 그는 소위 천재이다. [SYN] so-called

what with … and (what with) ~ …이라든가 ~이라든가로, …하기도 하고 ~하기도 하여: *What with* the wind *and* the rain, our trip was spoiled. 바람도 불고 비도 내리고 하여 우리의 여행은 엉망이 되었다.

숙어 **or whatever** (열거한 뒤에) 그 밖에 무엇이든지, 기타 등등, 유사한 것: tea, coffee, *or whatever* 차, 커피, 그 밖에 무엇이든지

whatever ... may be 어떠한 …일지라도: *Whatever* the matter *may be*, do your best. 어떠한 일이 있더라도 최선을 다 해라.

whatsoever [*h*wʌ̀tsouévər] *adv.* whatever의 강조형

***wheat** [*h*wiːt] *n.* [식물] 밀, 소맥: a field of *wheat* 밀밭 / This bread is made from *wheat*. 이 빵은 밀로 만들었다.

■ 유의어 wheat
wheat 가루로 빵의 원료가 되는 밀. **barley** 보리·식용도 되고 맥주·위스키의 원료로 씀. **oat** 귀리·오트밀로 식용이 되거나 소·말의 사료로 씀. **rye** 호밀·빵 또는 위스키의 원료나 가축의 사료로도 사용됨.

***wheel** [*h*wiːl] *n.* **1** 바퀴, 수레바퀴, 바퀴 달린(비슷한) 것: Most cars have four *wheels*. 대부분의 자동차는 바퀴가 4개이다. **2** (자동차의) 핸들 (steering wheel), (배의) 타륜: I'm so tired; will you take the *wheel*? 나 굉장히 피곤한데, 네가 운전할래? **3** 자동차나 다른 탈 것

v. **1** [I,T] (수레·차 등을) 움직이다, 밀다, 끌다: I *wheeled* my bicycle up the hill. 나는 언덕까지 자전거를 끌고 갔다. **2** [T] 수레 (차)로 나르다: The rubbish is *wheeled* out to the dump. 쓰레기는 차로 쓰레기장에 운반된다. **3** [I] 선회하다: The birds *wheeled* round over the ship. 새들이 배 위를 선회했다. **4** [I] 방향을 바꾸다 (about, around): He *wheeled* around in his chair. 그는 의자에 앉은 채 몸을 빙 돌렸다.

숙어 **at(behind) the wheel** 핸들을 잡은, 운전 중인: Don't speak to the man *at the wheel*. 운전 중인 사람에게 말을 걸지 마라.

put the wheels in motion 일을 실행

에 옮기다

wheelchair [*h*wíːltʃɛ̀ər] *n.* (보행이 어려운 사람을 위한) 바퀴 달린 의자, 휠체어

***when** ⇨ p. 885

whence [*h*wens] *adv.* **1** (의문사) 어디로부터: *Whence* are you? 자네는 어디서 왔는가? SYN from where **2** ① …하는 곳(장소): He returned *whence* he came. 그는 그가 왔던 곳으로 되돌아갔다. ② (앞 문장을 받아서) 그러므로, 그리하여: There was no reply, *whence* I inferred that they had gone. 대답이 없어서 그들이 가버렸다고 추측했다.

whenever [*h*wenévər] *adv. conj.* **1** (관계사) ① …할 때에는 언제든지, …할 때마다: Come *whenever* you like. 언제든지 오고 싶을 때 와라. / You can borrow my bike *whenever* you want. 필요할 때 언제든지 내 자전거를 빌려 가. ② 언제 …하더라도: *Whenever* you visit her, you will find her sleeping. 언제 그녀를 방문하더라도 그녀는 자고 있을 것이다. **2** (의문사) 도대체 언제: *Whenever* will you learn? 도대체 언제라야 알 셈인가?

***where** ⇨ p. 886

whereabouts [*h*wɛ́ərəbàuts] *adv.* **1** (의문사) 어디(쯤)에: *Whereabouts* did I leave my purse? 내가 지갑을 어디에 두었지? **2** (관계사) …하는 곳(장소): I don't know *whereabouts* she lives. 나는 그녀가 어디 사는지 모른다.

n. (단·복수 취급) 있는 곳, 소재, 행방: I know the *whereabouts* of the hotel. 그 호텔이 어디쯤 있는지 안다. / Could you tell us anything regarding the *whereabouts* of your sister? 당신의 여동생의 행방에 대해 무엇이든지 이야기해 주세요.

whereas [*h*wɛərǽz] *conj.* …에 반하여, 그런데, 그러나: He eats meat, *whereas* I'm a vegetarian. 그는 육식주의자인데 반해 나는 채식주의자이다. SYN while

whereby [*h*wɛərbái] *adv.* **1** (의문사) 무

when

when [*h*wen] **A** 의문사 *adv.* (의문부사) **1** 언제: *When* are you going to start? 언제 출발하나요? / I don't know *when* it was. 언제였던가 모른다. / Do you know *when* they're coming? 그들이 언제 올지 아니? **2** 어떤 때에, 어느 경우에: *When* do you use the plural form? 어느 경우에 복수형을 쓰니? **3** 어느 정도에서, 얼마쯤에서: Say *when* you want me to stop pouring. 얼마쯤에서 따르기를 멈추면 좋을지 말해 주세요. ※ 남에게 술 등을 따를 때 쓰는 표현으로 구어로는 Say when.이라고 줄여 말하는 것이 보통이다. 예를 들면 바텐더가 Say when.이라고 말하면 손님은 원하는 양만큼 잔이 채워지면 '그 정도면 됐습니다.'라는 뜻으로 간단히 'When.'이라고 한다.

pron. (의문대명사) 언제: Till *when* are you going to stay? 언제까지 머물 생각입니까?

B 관계사 *adv.* (관계부사) **1** (앞에 콤마가 없는 경우; 제한적 용법) ···하는(한, 할) 때: I don't know the time *when* he will arrive. 나는 그가 도착하는 시간을 모른다. **2** (앞에 콤마가 있을 경우; 계속적 용법) (···하자) 그 때: He stayed there two days, *when* he was called back to London. 그는 그 곳에서 이틀간 머물렀는데 그 때 런던으로 소환되었다. **3** (선행사를 포함한 명사절을 이끌어) ···할 때: Friday is *when* I am busiest. 금요일은 내가 가장 바쁠 때이다.

pron. (관계대명사) 그리고 그 때: Do you remember *when* she used to come to our town? 그녀가 우리 도시에 오곤 했던 때를 기억하나요?

C 종속접속사 *conj.* **1** ···할 때, ···하니(하자, 하면): It was eleven o'clock *when* he went to bed. 그가 잠자리에 들었을 때는 11시였다. / *When* I was a child, I lived in the country. 어렸을 때 나는 시골에서 살았다. **2** (흔히 현재 시제의 문장에서) ···할 때는 언제나: *When* he goes out, he takes his dog with him. 그는 외출할 때 언제나 개를 데리고 간다. / *When* it thunders, the whole house shakes. 천둥이 칠 때면 집 전체가 흔들린다. SYN whenever **3** (주절 뒤에 when이 이끄는 종속절이 올 경우) (···하자) 그 때: I had just fallen asleep *when* someone knocked at the door. 막 잠이 들었을 때 누군가가 문을 두드렸다. **4** ···한 뒤(···하면) 곧: Call me *when* you get home. 집에 가자마자 나한테 전화해라. **5** ···하면: Liberty is useless *when* it does not lead to action. 자유란 행동으로 옮겨지지 않으면 소용이 없다. SYN if **6** ···한(인)데도: He keeps idling *when* he has an examination before him. 시험을 앞두고도 그는 놀고만 있다. SYN though

엇에 의하여, 어떻게 하여: *Whereby* can we know the truth? 어떻게 하여 우리가 그 진실을 알 수 있겠는가? **2** (관계사) (그것에 의해) ···하는: He made a breakthrough in physics, *whereby* he became famous. 그는 물리학에서 획기적인 성과를 올려 그것으로 유명해졌다.

wherein [*h*wɛərín] *adv.* **1** (의문사) 어디에, 어떤 점에서: *Wherein* did I misspeak myself? 어떤 점에서 제가 잘못 말했나요? **2** (관계사) ···하는 바의; 그 중(곳)에, 그 점에서: the country *wherein* we dwell 우리가 살고 있는 나라 SYN in which

whereupon [*h*wɛ̀ərəpán] *adv.* (관계사) 그래서, 그 때문에, 그 후에, 그 결과; 그 위에, 게다가: The rain began to pour down, *whereupon* we ran for the house. 비가 퍼붓기 시작해서 우리는 집으로 달려갔다.

wherever [*h*wɛərévər] *adv.* **1** ···하는 어떤 곳에(으로)든지: Help is given

where

where [*hwɛər*] **A** 의문사 *adv.* (의문부사)
1 어디에, 어디로: *Where* am I? 여기가 어디입니까? / *Where* are you staying? 어디에 머물고 있나요? / *Where* are you going? 어디로 가는 길이니?
2 어떤 점에서: Will you tell me *where* I am wrong? 어떤 점이 잘못됐는지 말해 주겠니?
3 어떤 입장으로(사태로): *Where* do you stand on this question? 이 문제에 대해서 어떻게 생각하니?
pron. (의문대명사) 어디, 어떤 곳, 어떤 점: *Where* do you come from? 고향이 어디입니까?
B 관계사 *adv.* (관계부사) **1** (앞에 콤마가 없을 경우; 제한적 용법) …한 바의(의): This is the house *where* I was born. 여기가 내가 태어난 집이다.
2 (앞에 콤마가 있을 경우; 계속적 용법): He went to Paris, *where* he stayed for a week. 그는 파리에 가서 일주일 동안 머물렀다.
3 (선행사를 포함하여) …하는 장소(곳), …한 점: This is *where* he lives. 이 곳이 그가 사

는 곳이다. / That's *where* you are at fault. 그것이 네가 틀린 부분이다.
pron. (관계대명사) …하는(한) 바의: That is the office *where* he works at. 저기가 그가 일하고 있는 사무실이다.
C 종속접속사 *conj.* **1** …하는 곳에(으로, 에서): Leave the book *where* he can get it. 그가 집을 수 있는 곳에 책을 놓아 두시오. / Let me take you *where* you live. 사시는 곳까지 모셔다 드릴게요. / *Where* there is a will, there is a way. [속담] 뜻이 있는 곳에 길이 있다.
2 …하는 곳은 어디라도: You may go *where* you like. 어디든지 좋아하는 곳으로 가도 됩니다. ⦗SYN⦘ wherever
3 …하는 경우에: *Where* ignorance is bliss, it's folly to be wise. [속담] 모르는 것이 약이다. (무지가 행복이 되는 경우에 현명함은 어리석은 것이다.)
4 (대조·범위) …하는데 (반해), …에 대해, …인데: They are submissive *where* they used to be openly hostile. 그들은 이전에 공공연히 적대적이었는데 지금은 순종적이다.

wherever needed. 필요하다면 언제든지 돕겠습니다. **2** (의문사 where의 강조형) 대체 어디에(에서, 로): *Wherever* did you put it? 대체 어디에 두었니?
conj. **1** 어디든지 …하는 곳에(서): I'll go *wherever* you go. 나는 네가 가는 곳은 어디든지 갈 것이다. / Take exercise *wherever* possible. 어디에서든 가능하면 운동해라. **2** (양보절을 이끌어) 어디에(어디로) …하든지: *Wherever* he is, he must be found. 어디에 있든지 그를 찾아 내지 않으면 안 된다. ⦗SYN⦘ no matter where
⦗숙어⦘ **or wherever** 그러한 어떤 곳에서든 (곳으로든): You can finish the work at the office, at home, *or wherever*. 일의 마무리는 회사든 집이든 어디서든 해도 된다.

***whether** [*hwéðər*] *conj.* **1** (명사절을 인도) …인지 어떤지: I doubt *whether* he will ever be able to come. 그가 올 수 있을지 어떨지 의심스럽다. / He couldn't decide *whether* to do it. 그는 그것을 할지 안 할지 결정할 수 없었다. **2** (양보의 부사절을 인도) …이든지 (아니든지): *Whether* you like it or not, you must do it. 좋아하든 싫어하든, 너는 그것을 해야 한다.
⦗숙어⦘ **whether ... or ~** …인지 ~인지, …해야 할지 어떨지: I don't know *whether* to laugh *or* to cry. 나는 웃어야 할지 울어야 할지 모르겠다.
whether ... or no(not) 어느 쪽이든, 하여간; …인지 어떤지: *Whether* it may be a fact *or not*, it doesn't concern us. 사실

이거나 말거나 우리와는 상관 없다.

*which ⇨ 아래 참조

whichever [*h*witʃévər] **pron. 1** (부정관계대명사; 명사절을 인도) …하는 어느 것〔쪽〕이든: Take *whichever* you want. 어느 것이든 네가 원하는 것을 가져라. **2** (양보의 부사절을 인도) 어느 쪽을〔이〕 …하든〔지〕: Whichever you choose, you have the same result. 어느 쪽을 선택해도 같은 결과일 것이다. **3** (의문대명사 which의 강조형) 대체 어느 쪽을〔이〕: Whichever do you want? 대체 어느 것을 원하니?

adj. 1 (관계형용사; 명사절을 인도) …하는 어느, 어느 쪽이든: Take *whichever* seat you like. 네가 원하는 자리에 앉아라. **2** (양보의 부사절을 인도) 어느(쪽이) …든(지):

Whichever side wins, it will not concern me. 어느 쪽이 이기든 나와는 관계없는 일이다. **3** (의문형용사 which의 강조형) 대체 어느 (쪽의): Whichever James do you mean? 대체 어느 제임스 말이죠?

*while ⇨ p. 888

whim [*h*wim] **n.** 변덕, 일시적인 기분〔생각〕: We bought the car on a *whim*. 우리는 일시적인 기분으로 차를 샀다.
— **whimsical adj.**

whine [*h*wain] **v. 1** [I,T] 우는 소리를 하다, 푸념하다, 투덜대다: "Why didn't you tell me?" I *whined*. "왜 말하지 않았어?"라고 나는 투덜댔다. **2** [I] 애처로운 소리로 울다, 흐느껴 울다; (개 등이) 낑낑거리다: The dog is *whining* from hunger. 개가 배고

---

which

which [*h*witʃ] **A** 의문사 **pron.** (의문대명사) 어느 것, 어느 쪽〔사람〕: Which is your book? 어느 것이 네 책이니? / Which do you like better, tea or coffee? 홍차와 커피 중 어느 것을 더 좋아합니까? / Which do you like best? 어느 쪽이 가장 좋니? / Which of these books is yours? 이 책들 중 어느 것이 네 것이니?

adj. (의문형용사) 어느, 어떤, 어느 쪽의: Which book is yours? 어떤 책이 네 것이니? / Which one do you mean? 어느 것을 말하는 거야? / Ask *which* way to take. 어느 쪽 길로 가야 할지 물어 봐.

B 관계사 **pron.** (관계대명사) **1** (제한적 용법) …하는 (것), …한 (것): She made a doll *which* had blue eyes. 그녀는 파란 눈의 인형을 만들었다. / This is the picture of *which* the price is unbelievably high. 이것은 믿을 수 없을 만큼 비싼 가격의 그림이다. ※ 관계대명사의 소유격에는 whose, of which의 두 경우가 있지만 구어에는 후자가 많이 쓰인다. / I visited the house in *which* he was born. 나는 그의 생가를 방문했다. / I

need something with *which* to write. 무언가 쓸 것이 필요하다.

2 (계속적 용법) ① (주격·목적격) 그리고 그것은〔을〕, 그러나〔그런데〕 그것은〔을, 에〕: He gave me this book, *which* is very interesting. 그가 내게 이 책을 주었는데 그것은 매우 재미있다. ② (절·문장 전체를 선행사로 하여) 그리고 그것은, 그리고 그 때문에: She arrived an hour late, *which* annoyed us all very much. 그녀는 1시간 늦게 왔는데 그 때문에 우리 모두는 매우 짜증이 났다.

adj. (관계형용사) **1** (제한적 용법) 어느 …이나〔이든〕: Use *which* method you like. 어느 방법이나 좋을 대로 써라. / Go *which* way you please. 어느 길이든 원하시는 대로 가십시오. SYN whichever **2** (계속적 용법) 그리고 그: We went to Rome, at *which* place we parted. 우리는 로마까지 가서 거기서 헤어졌다. / He is very young, *which* fact must be taken into consideration. 그는 매우 젊다, 그래서 이 사실이 고려되어야 한다.

W

while

while [*h*wail] *conj.* ([영] whilst
[*h*wailst]) **1** (기간·시점) …하는 동안(사이),
…와 동시에: *While* I was in London, I
visited Hyde Park several times. 런던
에 있는 동안 하이드 파크에 몇 번 갔었다. /
She always listens to the radio *while*
she's driving to work. 그녀는 항상 출근길
에 운전하면서 라디오를 듣는다.
2 (대조) 반면에, 그러나, 그런데, 한편(으로는):
I have remained poor, *while* my
brother has made a fortune. 나는 여전히
가난하지만 형은 큰 재산을 모았다. / *While*
the boy is good in arithmetic, he is
not good in science. 저 소년은 산수는 잘
하지만 과학은 잘 못한다. [SYN] whereas
3 (양보의 종속절을 인도) …라고는 하나, …하
지만: *While* I admit that it is difficult, I
don't think it impossible. 나는 그 일이
어렵다는 것은 인정하지만 불가능하다고는 생각

하지 않는다.
n. (흔히 a while) (짧은) 동안, 시간, 잠시: Just
wait for a *while*. 잠시 동안만 기다려라.
v. [T] (시간을) 느긋하게(한가하게, 즐겁게) 보
내다 (away): We *whiled* away the time
fishing and swimming. 우리는 낚시질을
하거나 수영을 하면서 시간을 보냈다.
[숙어] **after a while** 잠시 후에
all the while 1 그 동안 죽(내내): He sat
silent *all the while*. 그는 그 동안 내내 잠자
코 앉아 있었다. **2** (접속사적으로) …하는 동안
죽: The students chattered *all the while*
I was lecturing. 학생들은 내가 강의하는 동
안 내내 떠들었다.
in a little while (time) 좀(얼마) 있으면,
곧: She'll be back *in a little while*. 그녀는
곧 돌아온다.
once in a while 이따금, 가끔, 때때로
worth one's while ⇨ worth

파서 낑낑거리고 있다.
n. **1** (아이들의) 보채는 소리; (사이렌·탄환·
바람 등의) 날카로운 음향; (개 등이) 낑낑거리
는 소리 **2** 우는 소리, 넋두리
whip [*h*wip] *n.* **1** 채찍 **2** (the whip) 채찍
질 **3** (정당의) 원내 총무 (party whip); [영]
(원내 총무가 의원에게 보내는) 등원 통지서
v. (whipped-whipped) **1** [T] 채찍질하다,
때리다 **2** [T] 격려하다, 자극하다; 채찍질하여
가르치다(강요하다) **3** [I,T] 갑자기 움직이다;
홱 잡아당기다(밀다): She *whipped* round
to see what had made the noise. 그녀
는 무엇이 소음을 내는지 보려고 홱 돌았다. /
He *whipped* his gun out. 그는 권총을 홱
뽑아 들었다. **4** [T] (크림·달걀 등을) 휘저어
거품이 일게 하다 (up): *Whip* the eggs,
butter, and honey together. 달걀, 버터,
꿀을 함께 휘저어 거품이 일게 해라. /
whipped cream (케이크용) 생크림 **5** [I] …
에게 크게 이기다, 승리하다

[숙어] **whip through** 재빨리 간단히 (일을)
해치우다
whip up 1 …을 (…한 상태까지) 자극하다,
(반응·감정 등을) 유발하다: He was
trying to *whip up* some enthusiasm
for the idea. 그는 그 아이디어에 대한 어떤
열정을 유발하려고 애쓰고 있었다. **2** (요리·
작품 등을) 재빠르게 만들다: She *whipped
up* dinner in ten minutes. 그녀는 10분
안에 저녁을 급히 준비했다.
whir, whirr [*h*wə:r] *v.* [I] (whirred-
whirred) 휙 날다; (모터 등이) 윙 돌다(돌리
다): The noise of a vacuum cleaner
whirring kept me awake. 진공 청소기의
윙 도는 소음으로 잠이 오지 않았다.
n. 획하는 소리; 윙하고 도는 소리
whirl [*h*wə:rl] *v.* [I,T] **1** 빙빙 돌다, 회전
(선회)하다: The dancers *whirled*
around the floor. 댄서들이 춤추며 마루를
빙빙 돌았다. **2** (머리가) 핑 돌다, 현기증이 나

다: So much information at one time made my head *whirl*. 한 번에 너무나 많은 정보로 인해 내 머리에 현기증이 났다.

n. **1** 회전, 선회 **2** (정신의) 혼란, 어지러움: My head's in a *whirl*—I'd better sit down and think. 정신이 혼란스러워서 앉아서 생각하는 것이 나을 것 같다. **3** (사건·회합 등의) 연속 (of): a *whirl* of parties 파티의 연속

축어 **give ... a whirl** 시도하다, 해 보다: I'm not deeply interested in yoga, but I'll *give* it *a whirl*. 난 요가에 그리 관심이 많지는 않지만 한 번 해 볼 것이다.

whirlpool [*h*wə́:rlpù:l] *n.* **1** 소용돌이 **2** 혼란, 소동

whirlwind [*h*wə́:rlwìnd] *n.* **1** 회오리바람 **2** 급격한 행동: a *whirlwind* tour 허둥거리는 유럽 여행

whisk [*h*wisk] *n.* (달걀·크림 등의) 거품기 *v.* [T] **1** (달걀 등을) 휘젓다, 거품 내다 SYN whip **2** 휙 채가다〔데려가다, 끌어당기다〕 (away, off): They *whisked* him off to the hospital. 그들은 그를 급히 병원으로 데리고 갔다. **3** (먼지·파리 등을) 털다, 닦다 (away, off): The cow *whisked* away the flies with its tail. 소는 꼬리를 흔들어 파리들을 쫓았다.

whisker [*h*wískər] *n.* **1** (보통 *pl.*) 구레나룻 *cf.* beard 턱수염, mustache 콧수염 **2** (보통 *pl.*) (고양이·쥐 등의) 수염

whiskey, whisky [*h*wíski] *n.* **1** 위스키 **2** 위스키 한 잔 (a glass of whiskey): Two *whiskeys*, please. 위스키 두 잔 주세요.

※ 미국·아일랜드산의 것은 보통 whiskey, 영국·캐나다산은 보통 whisky로 쓴다.

＊whisper [*h*wíspər] *v.* **1** [I,T] 속삭이다, 작은 소리로 이야기하다, 귓속말하다: She *whispered* secrets in his ear. 그녀는 그에게 귓속말로 비밀을 이야기했다. **2** [I,T] 밀담을 하다; 살그머니 이야기를 퍼뜨리다: People are *whispering* that he has cancer. 그

가 암에 걸렸다는 소문이 나돌고 있다. **3** [I] (나뭇잎·바람 등이) 살랑살랑 소리를 내다: The cold breeze *whispered* through the pines. 소나무 숲 속을 쌀쌀한 산들바람이 살랑거리며 불어 왔다.

n. **1** 속삭임, 귓속말: They spoke in a *whisper*. 그들은 귓속말을 했다. **2** 살랑거리는 소리: the *whisper* of a dress 옷자락이 살랑거리는 소리

whistle [*h*wísəl] *n.* **1** 호각, 경적: When the *whistle* goes, run! 호루라기 소리가 나면 뛰어라! / blow a *whistle* 호루라기를 불다 **2** 휘파람: He let out a *whistle*. 그는 휘파람을 불었다.

v. **1** [I,T] 휘파람을 불다; (개·차 등에) 호각으로 신호하다: He *whistled* to his dog and it came running. 그가 개에게 휘파람을 불자 개는 달려 왔다. / The referee *whistled* and the game stopped. 심판이 호각을 불자 경기는 중단되었다. **2** [I] 삐하고 (호각 소리와 비슷한) 소리를 내다; (탄환 등이) 핑 하고 소리내며 날아가다: The bullets *whistled* past my ears. 탄환이 귓전을 핑하고 울리며 지나갔다.

＊white [*h*wait] *adj.* (whiter-whitest) **1** 흰, 백색의: a *white* shirt 흰 셔츠 / *white* walls 흰색 벽 **2** 백인의: *white* races 백색 인종 OPP colored **3** 핏기를 잃은, 창백한 (with): Her face was *white* with fear. 그녀의 얼굴은 공포로 창백해졌다. SYN pale **4** (공기·물 등이) 무색의, 투명한: *white* wine 백포도주 **5** (커피·홍차가) 밀크를 탄: *white* coffee 밀크 커피

n. **1** 백색; 흰옷: She was dressed in *white*. 그녀는 흰옷으로 입었다. **2** 흰 그림물감, 백색 도료 **3** 백인 **4** (보통 the white) (달걀의) 흰자위 *cf.* yolk 노른자위 **5** (안구의) 흰자위

white-collar [*h*wáitkálər] *adj.* 사무직 계급의, 샐러리맨의: a *white-collar* worker 샐러리맨, 봉급 생활자 *cf.* blue-collar 육체 노동자의

W

white elephant *n.* (비용・수고만 드는) 성가신 물건, 무용지물

White House *n.* (the White House) **1** 백악관 (워싱턴의 미국 대통령 관저) **2** 미국 정부

white lie *n.* 악의 없는 거짓말

whiten [*h*wáitn] *v.* [I,T] 희게 하다〔되다〕, 표백하다

whitewash [*h*wáitwɑ̀ʃ] *n.* **1** 흰 도료, 회반죽 **2** 추문・실책을 숨기기 위한 수단, 여론 진정용의 공식 보고, 속임수: The report turned out to be a *whitewash*. 그 보고서는 속임수였음이 드러났다.
v. [T] **1** 흰 도료를 칠하다 **2** 실책을 얼버무리다, 속이다

whiz, whizz [*h*wiz] *n.* **1** 윙 (총알 등이 공중을 나는 소리); 윙(하고 날기, 달리기) **2** 명수, 명인 (at): She's a *whiz* at golf. 그녀는 골프의 명수이다.
v. [I] (whizzed-whizzed) 윙하고 소리나다; 붕 날다〔달리다〕: A motorcycle went *whizzing* by. 오토바이가 윙하고 지나갔다.

WHO, W.H.O. *abbr.* World Health Organization (유엔) 세계 보건 기구

***who** ⇨ 아래 참조

whoever [hu:évər] *pron.* (소유격 whosever, 목적격 whomever) **1** (관계사; 명사절을 인도) …하는 누구든지: *Whoever* comes will be welcome. 오는 사람은 누구든지 환영한다. **2** (관계사; 양보의 부사절을 인도) 누가 …하더라도〔하여도〕: She doesn't want to see anybody — *whoever* it is. 그녀는 누구든지 간에 아무도 보고 싶어하지 않는다. **3** (의문대명사 who의 강조형) 도대체 누가〔누구를〕: *Whoever* did it? 도대체 누가 그것을 하였는가?

***whole** [houl] *adj.* **1** 전부의, 모든: the *whole* world 전세계 / I spent the *whole* day cleaning. 온종일 청소하는 데 시간을 보냈다. **2** 통째의, 한 덩어리의: The snake swallowed the frog *whole*. 뱀은 개구리를 통째로 삼켰다. **3** 완전한, 다 있는: a *whole* set of dishes 수를 다 갖춘 접시 한 세트 SYN complete
n. **1** 완전체, 완전한 모습: Four quarters make a *whole*. 4분의 1이 4개 모이면 완전

---

who

who [hu:] *pron.* (소유격 whose, 목적격 whom) **A** 의문대명사 **1** 누구, 누가: "*Who* is he?" "He is Mr. Smith." "그는 누구입니까?" "스미스 씨입니다." / *Who* came? 누가 왔니? / *Who*'s that at the door? 문에 있는 사람은 누구니?
2 (whom의 대용) 누구를〔에게〕: *Who*(m) did you meet? 누구를 만났니? / *Who*(m) do you mean? 누구를 말하는 거니? ※ 구어에서는 whom의 위치가 문장의 맨 앞에 올 때는 whom 대신에 who를 쓰기도 한다. 그러나 문장의 중간에서는 whom 대신에 who를 잘 쓰지는 않는다.
B 관계대명사 **1** (제한적 용법) ① (일반 선행사와 함께) …하는 (사람): He is the man *who* came here yesterday. 그는 어제 여기에 왔던 사람이다. / Now there is no one *who* believes in a ghost. 지금은 유령을 믿는 사람이 아무도 없다. ② (those, he와 더불어): Those *who* like sports are generally healthy. 스포츠를 즐기는 사람들은 대개 건강하다. ③ (It is ... who의 강조구문으로) …하는 것은〔사람은〕: It is my mother *who* takes care of our children. 우리 아이들을 돌봐주고 계신 분은 나의 어머니이시다.
2 (계속적 용법) 그리고〔그러나〕 그는〔그들은〕: I lived with Mr. John, *who* taught me English. 나는 존 씨와 함께 살았는데 그가 내게 영어를 가르쳐 주었다. / This boy, *who* lives next door, got the prize yesterday. 이 소년은 옆집에 살고 있는데, 어제 상을 받았다.

체가 된다. **2** (the whole) 전체, 전부 (of): I spent the *whole* of that year in India. 그 해 꼬박 1년을 인도에서 보냈다. OPP part

[숙어] **as a whole 1** 전체로서, 총괄하여: We must consider these matters *as a whole*, not one by one. 우리는 이 문제를 하나씩이 아니라 전체적으로 고려해야 한다. **2** 대체적으로: The Koreans, *as a whole*, are a polite people. 한국인은 대체로 예의 바른 국민이다.

on the whole 전체로 보아서, 대체로: I've had a few problems, but *on the whole*, I'm happy. 다소의 문제가 있었지만 대체로 나는 행복하다. SYN generally

wholehearted [hóulháːrtid] *adj.* 전심의, 성심성의의: *wholehearted* support 전면적인 지지

— **wholeheartedly** *adv.*

wholesale [hóulsèil] *adj.* (명사 앞에만 쓰임) **1** 도매의: the *wholesale* price 도매 가격 / a *wholesale* merchant 도매 상인 **2** 대규모의, 대대적인, 대량의: *wholesale* slaughter 대량 학살

adv. **1** 도매로 **2** 대규모로

wholesome [hóulsəm] *adj.* **1** 건강에 좋은, 위생적인: *wholesome* food 자양분 있는 식품 / He looks like a nice, *wholesome*, young man. 그는 멋지고 건강해 보이는 젊은이다. **2** 건전한, 유익한: *wholesome* environment 건전한 환경

wholly [hóuli] *adv.* 전혀, 완전히, 전부: This is a *wholly* different matter. 이것은 전혀 다른 문제이다.

whom [huːm] *pron.* who의 목적격

whoops [hwu(ː)ps] *int.* 아이고, 이크: *Whoops*! I nearly fell down. 아이고! 넘어질 뻔 했다.

whose [huːz] *pron.* **A** 의문사 **1** 누구의 … (who의 소유격): *Whose* car is that? 저것은 누구의 차니? **2** 누구의 것 (who의 소유대명사): *Whose* are these books? 이 책들은 누구의 것이니?

B 관계대명사 (who, which의 소유격) **1** (제한적 용법) 그 사람[물건]의: That is the girl *whose* brother came here yesterday. 저 소녀가 어제 여기에 온 사람의 누나이다. **2** (계속적 용법) 그리고[그러나] 그 사람[물건]의: My daughter, *whose* major was mathematics, is a high-school teacher. 내 딸은, 그녀의 전공이 수학이었는데, 고등학교 선생님이다.

****why** [hwai] *adv.* **A** 의문부사 왜, 어째서: *Why* was she so angry? 왜 그녀는 그렇게 화가 났니? / *Why* did you do it? 너는 왜 그것을 했니? / Tell me *why* you refused. 왜 거절했는지 말해다오.

B 관계부사 **1** (제한적 용법) …하는 (이유): Is there any reason *why* you can't go? 가지 못 하는 어떤 이유라도 있니? **2** (선행사 없이 명사절을 인도) …한 이유: This is *why* he did it. 이것이 그가 그것을 한 이유이다.

n. (보통 the whys) 이유, 까닭: I want to know the *whys* and wherefores of her objection. 나는 그녀가 반대하는 이유를 알고 싶다.

int. (놀람·반대·승인 등을 나타내어) 어머, 아니, 물론이지: *Why*, it is surely Tom. 어머, 틀림없이 탐이다. / *Why*, of course. 그거야, 물론이지.

[숙어] **that's why!** 그렇게 된 거야!, 그런 까닭이야!

why don't you (…)? 1 (제안·권유) … 하는 것이 어떤가?, …하지 않겠나?: *Why don't you* try? 해보는 게 어떠니? **2** (질문) 왜 …하지 않니?: *Why don't you* like her? 왜 그녀를 좋아하지 않니?

why not (…)? 1 (상대의 부정의 말에 반론하여) 왜 아닌가[하지 않는가]?: "I can't come tomorrow." "*Why not*?" "내일은 올 수 없어요." "왜 못 오시죠?" **2** (권유·제안) …하는 게 어떤가?: *Why not* leave right away? 지금 당장 출발하는 게 어떠니? **3** (권유·제안에 동의하여) 응 좋아, 그렇게 하지: "Shall we go?" "*Why not*?" "갈까요?"

W

"그러지요."

wick [wik] *n.* (양초·램프 등의) 심지

*****wicked** [wíkid] *adj.* **1** 사악한: a *wicked* person 악인 / *wicked* habits 악습 [SYN] evil **2** 심술궂은, 장난기 있는: He has a *wicked* sense of humor. 그의 유머 감각은 짓궂다.

   — **wickedly** *adv.* **wickedness** *n.*

*****wide** [waid] *adj.* **1** 폭넓은: a *wide* river (road) 폭이 넓은 강(도로) [OPP] narrow **2** 폭이 …인: The box is only three inches *wide*. 상자는 폭이 겨우 3인치다. **3** 넓은, 광대한: the *wide* world 넓은 세계 **4** 광범(위)한, 해박한, 다방면의: He has *wide* experience. 그는 다방면의 경력이 있다. / a *wide* selection of goods 각종 상품 **5** 크게 열린: They stared with *wide* eyes. 그들은 눈을 크게 뜨고 응시했다. **6** (…에서) 빗나간, 벗어난 (of): My guess was *wide* of the mark. 나의 추측은 빗나갔다. / Her first serve was *wide*. 그녀의 첫 번째 서브는 외각으로 벗어났다.

   adv. **1** 충분히 (열어서), 완전히: Open your mouth *wide*. 입을 크게 벌려라. / He is *wide* awake. 그는 완전히 잠이 깨어 있다. **2** 널리, 광범위하게 **3** 엉뚱하게, 빗나가서: A few shots were fired but they all went *wide*. 몇 발 쏘았지만 모두 빗나갔다.

■ 유의어 wide

wide '폭'의 방향으로 넓음을 뜻함.
broad '폭'에 한정하지 않고 표면 범위가 크다는 것에 중점을 둠.

---

wide-eyed [wáidàid] *adj.* **1** 눈을 크게 뜬, 깜짝 놀란 **2** 소박한, 순진한: At that time, he was still a *wide-eyed* youngster. 그 때 그는 여전히 순진한 소년이었다.

widely [wáidli] *adv.* **1** 널리, 먼 곳에: We have traveled *widely*. 우리는 널리 여행했다. / It is *widely* known that she was once a dancer. 그녀가 한 때 무용수였다는 사실은 널리 알려져 있다. **2** 크게, 대단히: Our opinions differ *widely*. 우리들의 의견은 크게 다르다.

widen [wáidn] *v.* [I,T] 넓어지다, 넓히다: The river *widens* at that point. 강은 그 지점에서 넓어진다. / *widen* one's knowledge 지식을 넓히다

wide-ranging [wáidrèindʒiŋ] *adj.* 광범위한: a *wide-ranging* debate 광범위한 토론

widespread [wáidspréd] *adj.* **1** 널리 보급되어 있는, 만연된, 일반적인: The campaign has attracted *widespread* support. 그 캠페인은 광범위한 지지를 얻었다. / The disease is becoming more *widespread*. 그 질병은 점점 널리 퍼지고 있다. **2** (양 팔 등을) 넓게 펼친

widow [wídou] *n.* 미망인, 과부 *cf.* widower 홀아비

   — **widowed** *adj.* 미망인이(홀아비가) 된

widower [wídouər] *n.* 홀아비 *cf.* widow 과부

width [widθ] *n.* 폭, 너비, 가로: It is 10 meters in *width*. 그것은 폭이 10미터다. [SYN] breadth

wield [wi:ld] *v.* [T] **1** (나라를) 지배하다; (권력·무력 등을) 휘두르다, 행사하다; (영향 등을) 미치다: He still *wields* enormous influence at the company. 그는 여전히 회사에서 막강한 영향력을 행사한다. **2** (칼·도구 등을) 휘두르다, 사용하다

*****wife** [waif] *n.* (*pl.* wives) 아내, 부인 *cf.* husband 남편

wig [wig] *n.* 가발, 머리 장식 [SYN] hairpiece

*****wild** [waild] *adj.* **1** 야생의, 자생의: *wild* animals(plants) 야생 동물(식물) [OPP] domestic, tame **2** (동물이) 사나운, 길들지 않은: a *wild* dog 사나운 개 **3** 황량한, 불모의, 사람이 살고 있지 않는: *wild* land 무인의 땅 **4** 야만의, 미개한: a *wild* tribe 야만족 [SYN] savage **5** 열광적인, 흥분한, 열중한;

(미칠 듯이) …하고 싶어하는 (about): *wild cheers* 열광적인 갈채 / He's *wild* about racing cars. 그는 자동차 경주에 빠져 제정신이 아니다. **6** 난폭한, 제멋대로의: The kids next door are really *wild*. 옆집의 아이들은 정말로 제멋대로 행동한다. ⎡SYN⎤ uncontrolled **7** (계획 등이) 엉뚱한, 무모한; (추측 등이) 엉터리 같은, 빗나간: a *wild* idea 무모한 생각 / I made a *wild* guess. 나의 추측은 빗나갔다. **8** (날씨·바다 등이) 거센, 거친, 사나운: a *wild* night 폭풍우 몰아치는 밤

n. **1** (the wild) 자연 (상태), 야생: Most people have never actually seen a panda in the *wild*. 대부분의 사람들은 야생 상태에서 팬더를 실제로 본 적이 없다. **2** (the wild, the wilds) 광야, 황무지; 미개지: They live somewhere out in the *wilds*. 그들은 미개지 어딘가에 산다.
— **wildly** *adv.* **wildness** *n.*

wildcat [wáildkæ̀t] *n.* 살쾡이

wilderness [wíldərnis] *n.* **1** 황야, 황무지, 미개지, 사람이 살지 않는 땅: Alaska is the great *wilderness*. 알래스카는 거대한 미개지다. **2** (정원 가운데의) 손질하지 않고 내버려둔 곳

wildlife [wáildlàif] *n.* (집합적) 야생 생물

*****will¹** ⇨ 아래 참조

will² [wil] *n.* **1** (the will) 의지; 의지력: She has a strong(weak) *will*. 그녀는 의지가 강하다(약하다). **2** (the will, one's will) 소원, 의도, 뜻: What is your *will*? 네 소원은 무엇이니? / Where there's a *will*, there's a way. [속담] 뜻이 있는 곳에 길이 있다. **3** (the will, a will, one's will) 결

---

will¹

will [wil] *aux.* (단축형 'll, 부정형 will not, 부정 단축형 won't, 과거형 would) **1** …일(할) 것이다: You *will* come of age next year. 너는 내년에 성년이 된다. / *Will* he be at home tomorrow? 그는 내일 집에 있을까? / When *will* this train get to Seoul? 이 기차는 몇 시에 서울에 도착합니까?

2 …할 작정이다, …하겠다: I *will* write to him at once. 즉시 그에게 편지를 쓰겠다. / We *will* start tomorrow morning. 우리는 내일 아침에 출발할 작정이다.

3 (상대의 의지를 묻거나 권유·약속·의지 등을 나타내어) …하여 주겠니, …할 작정이니: *Will* you dine with us on Monday? 월요일에 우리와 함께 식사하실래요? / Pass the sugar, *will* you? 설탕을 건네주시겠어요?

4 (말하는 사람의 명령·지시) …해라, …하기 바라다: You *will* do as I tell you. 내 말대로 하는 거다. / *Will* you be quiet! 조용히 좀 해!

5 (현재의 상상·헤아림) (아마도) …일 것이다:

That'*ll* be our train, I suppose. 저것이 우리가 탈 열차일 거야. / You *will* be Mr. Brown, I think. 브라운 선생님이시죠.

6 (주어의 강한 의지·주장·고집) …하고 싶어하다, 반드시 …하다; (부정문에서) 아무리 해도 …하려고 하지 않다: This boy *will* not study. 이 남자 아이는 공부를 하려고 하지 않는다. / The door *won't* open. 문이 도무지 열리지 않는다.

7 (경향·습성) …하게 마련이다: Oil *will* float on water. 기름은 물에 뜬다. / Accidents *will* happen. [속담] 사고는 일어나게 마련이다.

8 (가능·능력) …할 수 있다: This car *will* hold five passengers. 이 자동차는 5명을 태울 수 있다.

⎡숙어⎤ **will do** …이면 된다, …로 좋다: This log *will* *do* for us to sit on. 이 통나무라면 우리가 앉기에 알맞다. / That *will* not *do*. 그건 안 된다. / Any time *will* *do*. 언제라도 좋다.

W

의, 열의: He seems to have lost the *will* to live. 그는 살려는 열의를 잃어버린 듯하다. **4** (남에 대한) 마음, 태도: good(ill) *will* 선의(악의) **5** 유언, 유서: make a *will* 유서를 작성하다 / My grandfather left me this house in his *will*. 할아버지는 유언으로 이 집을 나에게 남기셨다. **6** (-willed *adj.*) (복합어를 이루어) …의 의지를 가진: a strong-*willed* man 의지가 강한 사람

v. [T] **1** 의지력으로 …하게 하다: He *willed* himself to stay awake. 그는 깨어 있으려고 했다. **2** 바라다, 원하다, 의도하다: It shall be as God *wills*. 신의 뜻대로 될지어다. **3** (재산 등을) 유언으로 남기다(주다): Grandmother *willed* me her ring. 할머니는 유언으로 반지를 내게 남겨 주셨다.

[숙어] **against one's will** 본의 아니게, 억지로: She got married *against her will*. 그녀는 본의 아니게 결혼했다.

of one's own free will 자발적으로, 자유 의지로: No one told him to do it— he did it *of his own free will*. 아무도 그에게 그것을 하라고 하지 않았다. 그는 자발적으로 했다.

willful, wilful [wílfəl] *adj.* **1** 계획적인, 고의의: *willful* murder 고의의 살인, 모살 **2** 외고집의, 제멋대로의: a *willful* child 고집 센 아이
— **willfully** *adv.*

willing [wíliŋ] *adj.* **1** (명사 앞에는 쓰이지 않음) 기꺼이 …하는, 꺼리지 않는 (to do): I am quite *willing* to do anything for you. 너를 위해 무엇이든 기꺼이 하겠다. / She was not *willing* to answer a few questions. 그녀는 몇몇 질문에는 대답하기 꺼려했다. **2** 자진해서 하는, 자발적인: a *willing* worker 자진해서 일하는 사람 [OPP] unwilling
— **willingly** *adv.* **willingness** *n.*

willow [wílou] *n.* 버드나무 (willow tree)

wilt [wilt] *v.* [I] **1** (초목 등이) 시들다: The plant is *wilting* from lack of water. 그

식물은 물이 부족해서 시들고 있다. [SYN] wither **2** (사람이) 풀이 죽다, 약해지다

*★**win** [win] *v.* (won-won; winning) **1** [I,T] (경쟁·경기 등에서) 이기다: He *won* the race. 그는 경기에서 이겼다. / I never *win* at cards. 나는 카드 게임에서 이긴 적이 없다. / He *won* his bet. 그는 내기에서 돈을 땄다. [OPP] lose

※ '상대'를 목적어로 할 때는 beat를 쓴다.: You've *beaten* me. 자네에게 졌네.

2 [T] (상품 등을) 획득하다, 이겨서 얻다: He is proud of the gold medal he had *won* for swimming. 그는 수영에서 딴 금메달을 자랑스러워한다. / I *won* the first prize in the lottery. 나는 복권 추첨에서 1등에 당첨되었다.

3 [T] (노력해서) 얻다, 확보하다; (명성·칭찬 등을) 얻다; (호의·우정·동정·애정 등을) 얻다: The novel *won* him fame. 그는 그 소설로 명성이 높아졌다. / The campaign have *won* the support of many local people. 그 캠페인은 많은 지역 주민들의 지지를 얻었다. / He would do anything to *win* her love. 그는 그녀의 사랑을 얻기 위해 무엇이든 할 것이다.

n. 승리, 성공: two *wins* and three defeats 2승 3패

[숙어] **you can't win** 무엇을 해도 안 된다, 아무리 해도 잘 안 된다: Whatever you do seems to upset him— *you can't win*. 네가 하는 모든 행동은 그의 기분을 나쁘게 하는 것 같다. 넌 아무리 해도 잘 되는구나.

win ... over(round) (자기 편·자기 주장에) 끌어들이다, 설득하다: She's not sure about the idea at the moment, but I'm sure we'll *win* her *over* in the end. 당장에 그녀는 그 아이디어에 대해 확신하지 않았지만 결국 그녀를 설득할 수 있을 거라고 나는 확신한다.

win(lose) the toss ⇨ toss

*★**wind¹** [wind] *n.* **1** 바람: a seasonal

wind 계절풍 / The *wind* rises(falls). 바람이 인다(잔다). / A gust of *wind* blew the door shut. 돌풍이 불어 문이 닫혔다. **2** 숨, 호흡 능력: He stopped running to get his *wind* for a while. 그는 잠시 숨을 돌리기 위해 달리기를 멈췄다. **3** 위(장) 안의 가스: Beer gives me *wind*. 나는 맥주를 마시면 트림을 한다. **4** (winds) 관악기(류): the *wind* section of the orchestra 오케스트라의 관악기 부분

v. [T] **1** 숨차게 하다 **2** (아기에게) 트림을 시키다

[숙어] **get(have) wind of** …의 소문을 듣다: I don't want him to *get wind of* the fact that I'm leaving. 내가 떠난다는 소문을 그가 듣지 않았으면 한다.

■ 유의어 **wind**
wind '바람'을 뜻하는 일반적인 말.
breeze 산들바람, 부드럽고 상쾌한 바람을 뜻함. **gale** 강풍, 조그마한 폭풍으로 계절이 바뀔 때 나뭇잎을 떨어뜨리기도 함. **blast, gust** 한 차례의 강한 바람, 돌풍, 질풍으로 물체를 날리기도 함.

*****wind²** [waind] *v.* (wound-wound) **1** [I] (강·길이) 꼬불꼬불 구부러지다, 굽이치다: The river *winds* through the valley. 강은 계곡을 굽이쳐 흐른다. **2** [T] (팔·실·스카프 등을) 감다, 싸다: She *wound* a bandage round my arm. 그녀는 내 팔에 붕대를 감았다. / She *wound* a scarf around her neck. 그녀는 스카프를 목에 둘렀다. **3** [T] 감다, 돌리다; 손잡이를 돌려 올리다(내리다): She *wound* the car window down. 그녀는 손잡이를 돌려 차의 창문을 내렸다. / The clock's stopped; you need to *wind* it. 시계가 멈췄다. 태엽을 감아야겠다.

[숙어] **wind down** 긴장을 풀다: I need a couple of days just to *wind down*. 2, 3일 정도 그냥 쉬고 싶다.

wind up 1 (…이라는) 처지가 되다: If you keep working all night, you could

wind up with a heart attack. 계속해서 밤새도록 일하면 심장 마비가 올 수 있다. **2** …을 끝내다, …에 결말을 짓다: Let's *wind up* the meeting at 6:00. 6시에 회의를 끝내자. **3** 청산하다, (회사 등을) 폐쇄하다: Our company in Hongkong is being *wound up*. 홍콩에 있는 회사가 문을 닫는다.

winding [wáindiŋ] *adj.* 굽이치는, 꼬불꼬불한: There's a long, *winding* path leading up to the house. 그 집으로 이르는 데 길고 꼬불꼬불한 길이 있다. / *winding* stairs 나선식 계단

windmill [wíndmìl] *n.* (제분소·양수기 등의) 풍차

*****window** [wíndou] *n.* **1** 창(문): Shut the *window*. It's cold in here. 창문을 닫아라. 여기는 춥다. **2** 창유리, 창틀: They broke the *window* to get into the house. 그들은 집 안으로 들어가려고 창유리를 깼다. **3** (가게 앞의) 진열창 (show window): How much is that skirt in the *window*? 진열창에 있는 저 스커트는 얼마예요? **4** 창구, 매표구: a ticket *window* 매표창구 **5** [컴퓨터] 창, 윈도 (화면 표시의 화면을 몇으로 나눈 공간; 그 각 창에서 별도의 일을 표시할 수 있음) **6** 시간(대), 기간, 호기: I'm very busy this week but there might be a *window* on Thursday. 이번 주에 많이 바쁘지만 목요일에는 시간이 될 것 같다.

windowpane [wíndoupèin] *n.* (끼워 놓은) 창유리

window-shop [wíndouʃàp] *v.* [I] (window-shopped, window-shopped) (사지 않고) 진열창을 들여다보며 눈요기만 하면서 다니다
— **window-shopper** *n.*

window-shopping *n.* (사지 않고) 진열창 안의 물건을 들여다보며 다니기

window sill *n.* 창턱, 창받침 (window ledge)

windpipe [wíndpàip] *n.* 기관(氣管), 숨통 ※ 전문적인 용어로 trachea라고 한다.

windshield [wíndʃìːld] *n.* ([영] windscreen) (자동차의) 바람막이 유리

windshield wiper *n.* ([영] windscreen wiper) (자동차) 앞유리의 와이퍼

windstorm [wíndstɔ̀ːrm] *n.* (비를 수반하지 않는(비가 적은)) 폭풍

windswept [wíndswèpt] *adj.* 바람에 휘몰린, 바람에 노출된

windup [wáindʌ̀p] *n.* **1** 결말, 종료, 마무리; (뉴스 방송의) 끝맺는 주요 사항: *windup report* 최종 보고 **2** [야구] (투수의) 와인드업 (공을 던지기 전의 예비 동작) *adj.* 감아올리는, (특히) (장난감 등이) 태엽으로 움직이는

windy [windi] *adj.* (windier-windiest) 바람이 센, 바람 부는: a *windy* day 바람이 센 날

***wine** [wain] *n.* **1** 포도주: a glass(bottle) of *wine* 포도주 한 잔(병) / the *wine* of Bordeaux 보르도산 포도주 / In *wine* there is truth. [속담] 취중에 진담이 나온다. **2** 과실주: gooseberry *wine* 구즈베리 술

***wing** [wiŋ] *n.* **1** (새·곤충 등의) 날개: The birds spread their *wings* and flew away. 새들은 날개를 펼치고 멀리 날아갔다. **2** (비행기·풍차 등의) 날개 **3** (건물의) 윙 (중심 건물에서 옆으로 늘인 부속 건물): the west *wing* of the building 건물의 서쪽 부속 건물 **4** [정치] (좌익·우익의) 익, 당파, 진영: He is on the right(left) *wing* of the Democratic Party. 그는 민주당의 우익(좌익)이다. **5** [경기] (축구·하키 등의) 윙 **6** (the wings) 무대의 양옆(의 빈 칸)

 [숙어] **take ... under one's wing**(s) 돌보다, 보호하다: I was rather lonely and fed up at the time and he *took* me *under his wing*. 그 당시에 좀 외롭고 지쳤는데 그가 나를 돌봐 주었다.

winged [wiŋd] *adj.* **1** (복합어를 이루어) 날개가 …한: a strong-*winged* 날개가 강한 **2** 날개가 있는; 날 수 있는: Cupid is usually described as a *winged* boy with a bow and arrow. 큐피드는 대개 활과 화살을 지닌 날개가 있는 소년으로 묘사된다.

wink [wiŋk] *v.* **1** [I,T] 윙크(눈짓)하다 (at), 눈으로 신호하다: She *winked* at me, and I realized she was joking. 그녀가 윙크를 해서 그녀가 농담하고 있다는 것을 깨달았다. **2** [I] (별·빛 등이) 반짝이다, 번쩍이다: The stars *winked*. 별이 반짝였다. **3** [T] [영] (자동차 라이트 등으로) 깜박이다, 신호하다: The driver's *winking* his lights; he must be turning this way. 운전사가 라이트를 깜박이고 있다. 이 쪽으로 돌려는 게 분명하다. [SYN] blink

n. **1** 눈짓, 윙크 **2** (a wink; 보통 부정문에서) 순간, 잠깐 사이; 짧은 잠, 선잠: in a *wink* 순식간에 / She didn't sleep a *wink* last night. 어젯밤에 그녀는 한 잠도 자지 않았다.

[숙어] **forty winks** (단·복수 취급) (식후의) 낮잠, 잠깐 졸기

winner [wínər] *n.* **1** 승리자, 우승자; (경마의) 이긴 말: Who was the *winner*? 누가 우승했니? **2** 우승(수상, 성공)할 가망이 있는 사람(것): I think his idea is a *winner*. 나는 그의 아이디어가 유력하다고 생각한다. **3** 수상자(작품), 입상(입선)자: a Nobel Prize *winner* 노벨상 수상자

winning [wíniŋ] *n.* **1** 승리, 성공 **2** 획득, 점령; 점령지, 노획물 **3** (winnings) 상금, 상품 *adj.* **1** 승리를 결정하는, 결승의 **2** 애교 있는, 매력 있는: a *winning* smile 애교 있는 미소

***winter** [wíntər] *n.* 겨울: It usually snows here in *winter*. 여기는 대개 겨울에 눈이 온다. / We went skiing last *winter*. 우리는 지난 겨울에 스키 타러 갔었다.
— **wintry** *adj.* 겨울의, 겨울처럼 추운

winter sports *n.* (*pl.*) (스키·스케이트 등) 겨울 스포츠

wintertime [wíntərtàim] *n.* 겨울(철): Heating bills are highest in *wintertime*. 난방비는 겨울철에 가장 많이 든다.

***wipe** [waip] *v.* [T] **1** 닦다, 훔치다, 닦아 내다: *Wipe* your eyes. 눈물을 닦아라. / *Wipe* up the water you spilled. 엎지른 물을 닦아 내라. **2** (얼룩 등을) 없애다, 지우다; (치욕·오명 등을) 씻다: The mark was *wiped* off easily. 자국은 쉽게 없어졌다. **3** (기억·소리 등을) 지우다: I *wiped* the experience from my mind. 나는 그 경험을 기억에서 지웠다. / He accidentally *wiped* the recorded tape. 그는 잘못하여 녹음 테이프를 지웠다.

n. **1** 닦음, 훔침: He gave the table a *wipe*. 그는 테이블을 닦았다. **2** 닦개, 물티슈 [축어] **wipe out** 완전히 파괴하다, 전멸하다: A third world war will *wipe out* all human life. 3차 세계 대전은 인류를 전멸시킬 것이다.

***wire** [waiər] *n.* **1** 철사: a piece of *wire* 철사 한 가닥 **2** 전선: telephone *wires* 전화선 **3** 전보; (the wire) 전화

v. [T] **1** …에 전선을 가설하다, 배선하다: Are you *wired* for receiving cable TV? 케이블 TV를 수신하기 위해 전선을 가설했니? **2** 전송하다, 타전하다, 전보로 보내다: He *wired* me to start at once. 그는 나더러 곧 출발하라고 전보를 쳤다. **3** …을 철사로 묶다[매다]

wired [waiərd] *adj.* **1** 유선의, 케이블 TV가 설치된 **2** 철사로 묶은

wiry [wáiəri] *adj.* (wirier-wiriest) (체격 등이) 마르고도 강단 있는, 강인한: His body is *wiry* and athletic. 그의 몸은 강인하고 스포츠맨답다.

wisdom [wízdəm] *n.* **1** 지혜, 현명함, 슬기로움: a man of great *wisdom* 지혜로운 사람 [OPP] folly **2** 학문, 지식: the *wisdom* of the ancients 옛사람의 지식[학문]

wisdom tooth *n.* 사랑니

***wise** [waiz] *adj.* 슬기로운, 현명한, 총명한: It was *wise* of you to do so. 네가 그렇게 한 것은 현명했다. / I think you made a *wise* choice. 나는 네가 현명한 선택을 했다고

생각한다. / a *wise* saying 금언 [OPP] foolish
— **wisely** *adv.*

***wish** [wiʃ] *v.* **1** [T] (가정법을 수반하여) …하면[했으면] 좋겠다고 여기다 (that): I *wish* I were a millionaire. 내가 백만장자라면 좋으련만. / I *wish* he had been saved. 그가 구조되었더라면 좋으련만. **2** [I] 원하다, 바라다 (for): He *wished* for a new camera. 그는 새 카메라를 원했다. **3** [I,T] …하고 싶다(고 생각하다) (to do); …해 주기를 바라다: I *wish* to visit the temple. 나는 그 신전을 방문하고 싶다. / I *wish* you to realize its importance. 나는 네가 그 중요성을 인식하기 바란다. **4** [T] (행복·건강 등을) 빌다, 원하다: We *wish* you a merry Christmas! 즐거운 크리스마스가 되기를 바래! / I *wish* you good luck. 행운을 빌어. **5** [T] …을 바라다, 희망하다: I will do whatever you *wish*. 네가 바라는 일이면 무엇이든 다 하겠다.

n. **1** 소원, 소망, 바람: I have no *wish* to see him again. 그를 다시 보고 싶은 생각은 없다. / Make a *wish*. 소원을 빌어라. [SYN] desire **2** (wishes) (행복·평안 등을) 바라는 말, 호의, 기원: Give my best *wishes* to your parents. 부모님께 안부 전해 주세요. **3** 바라는 것, 원하는 것: She got her *wish*, a piano. 그녀는 바라던 피아노를 손에 넣었다.

■ 유의어 **wish**
wish 가능·불가능에 관계 없이 원하고 있음을 나타냄. 적극적인 소원. **want** 구어적이며 결여에서 생기는 소망을 나타냄. **desire** 몹시 원하다란 의미로 좀 딱딱한 말. **hope** 바람직한 일이 실현 가능하리라고 믿고 예기하는 표현.

wistful [wístfəl] *adj.* 그리워하는, 동경하는; 생각에 잠긴: I thought about those days in youth and grew *wistful*. 젊은 시절을 생각하자 그리워졌다.

—**wistfully** *adv.* **wistfulness** *n.*

wit [wit] *n.* **1** 기지, 재치, 위트: a man of great intelligence and *wit* 상당히 지적이고 재치 있는 사람 [OPP] dullness **2** 재치 있는 사람 **3** (-witted *adj.*) (복합어를 이루어) …의 재치가 있는, 재치가 …한: quick-*witted* 재치 있는, 눈치 빠른 / slow-*witted* 우둔한 **4** (wits) 지혜, 이해력: The little child had not the *wits* to cry for help. 어린아이는 소리 질러 도움을 구할 만한 지혜가 없었다.

[숙어] **at one's wits' end** 좋은 수가 없어서, 어찌할 바를 모르고
be frightened[scared, terrified] out of one's wits 굉장히 놀라다[무서워하다, 겁에 질리다]

witch [witʃ] *n.* 마녀, 여자 마법[마술]사 *cf.* wizard 남자 마법사

witchcraft [wítʃkræft] *n.* 마법, 요술, 주술

*****with** ⇨ p. 899

withdraw [wiðdrɔ́:] *v.* (withdrew-withdrawn) **1** [T] (손 등을) 빼다, 뒤로 물리다: *withdraw* one's hand from a pocket 주머니에서 손을 빼다 **2** [I,T] 물러나다, 철수하다 (from): The UN *withdrew* its troops from the country. UN은 그 나라에서 군대를 철수했다. **3** [T] (신청·약속 등을) 철회하다, 취소하다: The government has decided to *withdraw* funding the new project. 정부는 새 계획에 대한 자금 지원을 취소하기로 결정했다. **4** [T] (돈을) 인출하다: He *withdrew* $30 from his bank account. 그는 은행 계좌에서 30달러를 인출했다. **5** [I] 탈퇴하다, 기권하다: He *withdrew* from the election. 그는 후보를 사퇴했다. / He was forced to *withdraw* from the match due to injury. 그는 부상으로 시합을 기권해야 했다. [SYN] abstain

withdrawal [wiðdrɔ́:əl] *n.* **1** (예금·출자금 등의) 인출, 회수 **2** 철수, 철퇴: the *withdrawal* of troops from the combat zone 전투지의 부대 철수 **3** (약속 등의) 취소, 철회: *withdrawal* of government aid 정부 원조 철회 **4** 물러남, 퇴출, 탈퇴; (자진) 퇴학 **5** (약제의) 투여[사용] 중지; 마약 사용 중지로 인한 허탈, 금단 증상: *withdrawal* symptoms (마약 중독의) 금단 증상

withdrawn [wiðdrɔ́:n] *adj.* (사람이) 집 안에 틀어박힌; 수줍어하는: After her husband's death, she became quiet and *withdrawn* and rarely went out. 남편이 죽은 후에 그녀는 말이 없어지고 집 안에 틀어박혀 좀처럼 나가지 않았다.

wither [wíðər] *v.* **1** [I,T] 시들다, 말라[시들어] 죽다 (away): The flowers *withered* in the hot sun. 꽃은 뜨거운 태양열로 시들었다. **2** [I] 쇠퇴하다, 쇠약해지다, 희박해지다 (away): The industry will *wither* away before long. 그 산업은 곧 쇠퇴할 것이다.

—**withering** *adj.* 기죽이는, 위축시키는

withhold [wiðhóuld] *v.* [T] (withheld-withheld) **1** 주지[허락하지] 않고 두다, (승낙 등을) 보류하다: *withhold* information 정보를 알리지 않다 / I *withheld* payment until they had fulfilled their duties. 그들이 임무를 수행할 때까지 지불을 보류했다. **2** 억누르다, 억제하다, 말리다: The captain *withheld* his men from the attack. 대장은 부하들을 제지하여 공격하지 못하게 했다.

■ 접두어 with-
'뒤쪽에', '반대로'의 뜻을 나타냄.:
*with*hold, *with*draw

*****within** [wiðín] *prep.* **1** (기간·거리가) …이내에: She'll arrive *within* an hour. 그녀는 한 시간 이내에 도착할 것이다. / The apartment is *within* a kilometer of the station. 그 아파트는 역에서 1킬로미터 내에 위치한다. **2** …이 허용하는[미치는] 범위 안에: Try to keep *within* your budget and avoid overspending. 예산에 맞춰서 낭비하지 않도록 해라. **3** …의 안쪽에[으로],

with

with [wið] *prep.* **1** …와 함께[같이]: I saw you in town *with* your boyfriend. 나는 시내에서 네가 남자 친구와 함께 있는 걸 봤어. / Mix the flour *with* milk. 밀가루와 우유를 섞어라.

2 …을 가지고 (있는), …이 있는; 몸에 지니는: a girl *with* curly hair 곱슬머리의 소녀 / He has a box *with* a red lid. 그는 빨간 뚜껑이 달린 상자를 갖고 있다. / She read his letter *with* interest. 그녀는 흥미 있게 그의 편지를 읽었다. / I had no purse *with* me. 나는 지갑을 갖고 있지 않았다. OPP without

3 …으로, …을 사용하여: Don't write *with* a pencil. 연필로 쓰지 마라. / What did you buy *with* the money? 그 돈으로 무엇을 샀니?

4 (재료·내용물) …으로, …을: Fill the glass *with* water. 컵에 물을 가득 채워라. / The road was covered *with* mud. 길은 진흙투성이가 되어 있었다.

5 …와, …을 상대로; …에 반대하여: Stop fighting *with* your brother. 형과 그만 싸워라.

6 (감정·태도의) …에 대해서, …에(게): I'm in love *with* him. 나는 그를 사랑한다. / Be patient *with* people. 남에게 화를 내서는 안 된다.

7 …에 관하여, …에 있어서: What do you want *with* me? 내게 무슨 볼 일이 있니? / What is the matter *with* you? 무슨 일이니? / How are things *with* you? 잘 지내?

8 …을 포함하여, …을 합하여: It is $20 *with* tax. 세금을 포함해서 20달러이다.

9 …으로 인해, … 때문에, …탓으로: She was trembling *with* fear. 그녀는 무서워서

떨고 있었다. / The ground was wet *with* the rain. 비가 와서 땅이 습했다.

10 …에 맡기어; (책임·결정 등이) …에게 달려 (있어): Leave the dog *with* me. 개는 내게 맡겨 둬라. / It rests *with* you to decide. 결정은 네게 달려 있다.

11 …와 일치되어, …와 같은 의견으로, …에 찬성하고: I agree *with* her suggestion. 그녀의 제안에 찬성한다. / I'm *with* you all the way. 나는 늘 너를 지지한다. OPP against

12 …와 동시에, …와 같이[함께, 더불어]; …와 비례해서: Wisdom comes *with* age. 나이를 먹음에 따라 사람은 현명해진다.

13 …와 같은 방향으로, …을 따라: We sailed *with* the wind. 바람을 따라 항해했다. OPP against

14 (부대상황) …한 상태로, …하면서: He stood *with* his back against the wall. 그는 등을 벽에 기댄 채 서 있었다.

15 (양태) …으로, …하게 (보통 추상명사와 더불어 부사구를 만듦): He did it *with* ease. 그는 수월하게 그것을 했다. / *with* patience 참을성 있게 / *with* fluency 유창하게

숙어 **be with** (남의) 말을[이야기를] 이해할 수 있다: Are you *with* me so far? 이제까지 내가 한 말 알아들었나요? / Sorry, I'm not *with* you. Say it again. 미안하지만 알아들을 수가 없어요. 다시 말해 주세요.

with all …에도 불구하고, …이 있으면서도: *With all* his wealth, he is not happy. 그렇게 많은 재산이 있지만 그는 행복하지 않다.

with this[that] 이래서[그래서], 이렇게[그렇게] 말하고: She gave a wave and *with that* she was gone. 손을 흔들고서 그녀는 사라졌다.

W

…의 내부에[로]: Keep *within* doors. 집 밖으로 나오지 마라. / The anger rose *within* him. 분노가 그의 내부에서 치밀어 올

랐다.

adv. **1** 안에[으로], 안쪽에; 내부에: He is not *within*. 그는 안에 없다. OPP without

2 마음 속으로: She is pure *within*. 그녀는 마음이 깨끗한 사람이다.

[숙어] **within a stone's throw (from, of)** (…의) 바로 가까이에: There is a brook *within a stone's throw from* my house. 집 바로 근처에 시내가 있다.

within one's reach 손이 닿는 곳에, 힘이 미치는 범위 내에

within reach of …이 닿는 곳에, …의 범위 안에: We want to live somewhere *within reach of* a bus stop. 버스 정류장에서 가까운 곳에 살고 싶다.

within sight (of) (…이) 보이는 곳에, (…의) 근처에: The church spire was *within sight*. 교회의 첨탑이 보였다.

****without** [wiðáut] *prep.* **1** …없이, …을 갖지 않고: We can't do *without* him. 그가 없이는 해 나갈 수 없다. / I've come out *without* my glasses. 나는 안경을 쓰지 않고 나왔다. **2** (동명사를 수반하여) …하지 않고: He left *without* saying goodbye. 그는 작별 인사 없이 떠났다. / She went out *without* being noticed. 그녀는 아무도 모르게 밖으로 나갔다. **3** (가정의 뜻을 함축하여) …없이는, …이 없(었)다면: *Without* water, nothing could live. 물이 없으면 아무것도 생존할 수 없을 것이다.

adv. **1** 밖에, 외부에(는); 옥외에: The taxi awaits *without*. 택시가 밖에서 기다리고 있다. [OPP] within **2** (목적어를 생략하여) 없이: If there's none left, you'll have to do *without*. 만약 남은 것이 하나도 없으면 없는대로 해야 한다.

[숙어] **do without** …이 없이 때우다(지내다): There's no mayonnaise left, so you'll just have to *do without*. 마요네즈가 남아 있지 않으므로 그냥 없이 해야 한다.

not(never) ... without -ing …하면 반드시 ~하다: They *never* meet *without* quarrel*ing*. 그들은 만나기만 하면 싸운다.

without doubt 확실히: He is *without doubt* the best student I have ever

taught. 그는 내가 가르쳤던 학생 중에서 확실히 가장 훌륭하다.

without fail 반드시, 꼭: I go swimming every Monday and Wednesday, *without fail*. 나는 매주 월요일과 수요일에는 꼭 수영하러 간다.

withstand [wiðstǽnd] *v.* [T] (withstood-withstood) (사람·힘·곤란 등에) 저항하다, 잘 견디다, 버티다: These toys are designed to *withstand* rough treatment of the children. 이 장난감들은 아이들이 거칠게 다루어도 잘 견디도록 만들어졌다.

witness [wítnis] *n.* **1** (a witness) 목격자 (eyewitness): According to *witnesses*, the robbery was carried out by two boys. 목격자들에 따르면 두 명의 소년이 절도를 저질렀다. **2** (법정에 서는) 증인, 참고인 **3** (거래·계약·결혼 등의) 입회인: He signed the contract in the presence of two *witnesses*. 그는 두명의 입회인 앞에서 계약서에 서명했다.

v. [T] **1** 목격하다: Did anyone *witness* the accident? 사고를 목격한 사람이 있습니까? **2** 증언하다; 입증하다; …의 증거가 되다: His composure *witnesses* his innocence. 그의 침착한 태도는 그의 무죄를 입증한다. **3** …에 입회하다; (증인으로서) …에 서명하다: *witness* a document(will) 증인으로서 증서(유언장)에 서명하다

[숙어] **bear witness (to)** …의 증언을 하다, …의 증거이다: The numerous awards in his house *bear witness to* his great success. 그의 집에 있는 많은 상들은 그의 엄청난 성공의 증거이다.

witness stand *n.* ([영] witness box) (법정의) 증인석

witty [wíti] *adj.* (wittier-wittiest) 재치(기지) 있는; 재담을 잘 하는: a very *witty* remark 아주 재치 있는 말 ⇨ wit

wizard [wízərd] *n.* (남자) 마법사; 요술쟁이, 마술사 *cf.* witch 마녀, 여자 마술사

woe [wou] *n.* **1** (woes) 불행, 재난, 고난: financial *woes* 재정적 고난 **2** 비애, 비통, 고뇌 SYN grief, sorrow
— **woeful** *adj.* 슬픔에 가득 찬, 비참한
wolf [wulf] *n.* (*pl.* wolves) 이리, 늑대
***woman** [wúmən] *n.* (*pl.* women) **1** 여자, (성인) 여성, 부인: men, *women,* and children 남자들, 여자들, 아이들 / I prefer to see a *woman* doctor. 나는 여의사에게 진찰받고 싶다. **2** (-woman) (복합어를 이루어) ① '…나라(민족) 여성', '…에 사는 여자'의 뜻.: French*woman* 프랑스 여성 ② '직업·신분' 등을 나타냄.: a business*woman* 여자 실업가 / a police*woman* 여자 경찰관
womanhood [wúmənhùd] *n.* 여자임, 여자다움
womanly [wúmənli] *adj.* (womanlier-womanliest) 여자다운: She used her *womanly* charms to persuade him to change his mind. 그녀는 그의 마음을 바꾸려고 자신의 여자다운 매력을 이용했다.
womb [wu:m] *n.* **1** 자궁 **2** 태동기, (일의) 발생(요람)지
숙어 **from the womb to the tomb** 요람에서 무덤까지, 태어나서 죽을 때까지 SYN from the cradle to the grave
***wonder** [wʌ́ndər] *v.* **1** [I,T] 의아하게 여기다 (about); 호기심을 갖다, 알고 싶어하다 (about): What are you *wondering* about? 무엇을 의아하게 생각하니? / I *wonder* what made him angry. 나는 무엇이 그를 화나게 했는가 알고 싶다. / "Is he serious?" "I *wonder.*" "그는 진심일까?" "글쎄 어떨까." **2** [T] (정중하게 요청할 때): I *wonder* if I can have some more coffee. 커피를 좀 더 마셔도 될까요. **3** [I,T] 놀라다, 경탄하다 (at): I *wondered* to see you there. 너를 거기서 만나 놀랐다.
n. **1** 불가사의, 놀라움, 경탄: in *wonder* 놀라서, 경탄하여 / It is no *wonder* that he was dismissed. 그가 해고당한 것은 놀랄 만한 일이 아니다. **2** 불가사의한 물건(일); 놀

랄 만한 물건(일): the Seven *Wonders* of the World 세계 7대 불가사의
숙어 **do(work) wonders** 놀랄 만한 성공을 하다; (약 등이) 굉장히 잘 듣다: He looked so tired before, but his holiday has *done wonders.* 전에는 상당히 피곤해 보였으나, 휴가로 그는 놀랍게 좋아졌다.
It's a wonder (that) ... …은 이상한 일이다: *It's a wonder that* he didn't die in the crash. 그가 충돌 사고에서 죽지 않았으니 기적이지 뭔가.
(It's) no wonder 당연하다, 놀랄 것이 못되다: *It's no wonder* you're so tired; you've been out every evening this week. 네가 그렇게 피곤한 것은 당연하다. 이번 주에 저녁마다 외출했으니 말이다.
wonderful [wʌ́ndərfəl] *adj.* **1** 훌륭한, 굉장한, 대단한: a *wonderful* view 훌륭한 경치 / We had a *wonderful* time. 우리는 멋진 시간을 보냈다. **2** 불가사의한, 놀랄 만한: a *wonderful* discovery 놀라운 발견
— **wonderfully** *adv.*
wonderland [wʌ́ndərlænd] *n.* **1** 동화의 나라 **2** (경치 등이) 훌륭한(멋진) 곳
wondrous [wʌ́ndrəs] *adj.* 놀랄 만한, 이상한, 불가사의한
woo [wu:] *v.* [T] **1** (남자가 여자에게) 구애하다, 구혼하다: He *wooed* her for months. 그는 몇 달이나 그녀에게 구애했다. SYN court **2** (명예·부·지지 등을) 얻으려고 노력하다, 추구하다: The candidate tried to *woo* young voters. 그 후보자는 젊은 유권자들의 지지를 얻으려고 애썼다.
***wood** [wud] *n.* **1** 나무, 목재; 장작: Ebony is a hard *wood.* 흑단은 단단한 목재이다. / Put some more *wood* on the fire. 불에 장작을 좀 더 넣어라. **2** (종종 *pl.*) 숲, 수풀: We went for a walk in the *woods* in the morning. 우리는 아침에 숲 속을 산책했다.
※ forest보다 작고 grove보다 크다.
숙어 **knock (on) wood, touch wood**

([영] touch wood) (이렇게 말해도) 아무 일 없기를, 살피소서: Sunny skies for the picnic, *knock on wood.* 소풍날 날씨가 좋기를.

※ 옛 관습의 하나로 자랑 등을 한 후에 부정 타는 것을 피하거나 Nemesis(복수의 여신)의 벌을 피하려고 주위의 나무로 된 물건이나 나무를 두들기는 행위이다.

wood-cutter [wúdkλtər] *n.* 나무꾼

wooded [wúdid] *adj.* **1** 나무가 우거진, 숲이 많은 **2** (-wooded) (복합어를 이루어) …한 목질의: hard-*wooded* 나무가 단단한

wooden [wúdn] *adj.* 나무로 만든[된]: a *wooden* spoon 나무 숟가락

woodland [wúdlənd] *n.* 삼림(지대): *woodland* birds 숲새

woodpecker [wúdpèkər] *n.* [조류] 딱따구리

wood pulp [wúdpλlp] *n.* 목재 펄프 (제지 원료)

woodwind [wúdwìnd] *n.* **1** 목관 악기 류 **2** (the woodwind) (오케스트라의) 목관 악기부

woodwork [wúdwə̀ːrk] *n.* **1** (가옥 내부의 문짝·계단 등) 목조 부분 **2** 목제[목공]품; 목세공

woody [wúdi] *adj.* (woodier-woodiest) **1** 나무의, 나무와 비슷한: *woody* fiber 목질 섬유 **2** 수목[숲]이 많은

****wool** [wul] *n.* **1** 양털, 울: all *wool* 순모 **2** 털실; 모직물(의 옷): Put on your pink *wool* cardigan—it'll be warm. 분홍색의 모직물 카디건을 입으렴. 따뜻할 거야.

woolen, woollen [wúlən] *adj.* 양털 의; 모직(물)의: a *woolen* sweater[scarf] 모직 스웨터[스카프]

woolly [wúli] *adj.* (woollier-woolliest) **1** 양털의; 양모질의: *woolly* socks 모직 양말 **2** 양털 같은, 텁수룩한: *woolly* hair 텁수룩한 머리

****word** [wəːrd] *n.* **1** 말, 낱말, 단어: What's the French *word* for 'hand'? '손'은 프랑스 어로 무엇이라고 해? / How do you pronounce this *word*? 이 단어는 어떻게 발음하니? **2** 이야기, 한 마디의 말; 짧은 담화: May I have a *word* with you? 잠깐 이야기 좀 할 수 있을까요? **3** (one's word, the word) 약속: She kept her *word* and returned all the money. 그녀는 약속대로 돈을 모두 갚았다. / He gave me his *word* that he wouldn't tell anyone. 그는 아무에게도 말하지 않겠다고 내게 약속했다. **4** (words) 말다툼, 논쟁: We had *words* after the match. 우리는 시합 후에 말다툼을 했다.

v. [T] (종종 수동태) 말로 나타내다, 말을 고르다: His description was *worded* in general terms. 그의 서술은 일상적인 말로 표현되어 있었다.

[축어] **get a word in edgewise** [edgeways] 말참견하다: She was talking so much that nobody else could *get a word in edgewise*! 그녀가 말을 너무 많이 해서 누구도 끼어 들어 말할 수 없었어!

have the last word ⇨ last

in a word 한 마디로 말하면, 요컨대: *In a word,* he was a walking dictionary of the office. 요컨대 그는 그 사무실의 걸어다니는 있는 사전이었다.

in other words ⇨ other

not breathe[say] a word (of, about) (…의) 비밀을 지키다: Do *not breathe a word about* my boyfriend to Dad. 아빠에게 내 남자 친구 얘기 절대로 하지 마.

word for word 한 마디 한 마디, 문자 그대로, 축어적으로: Tell me what he said, *word for word.* 그가 한 말을 그대로 말해 주렴.

put into words 말로 나타내다: He *put* his gratitude *into words.* 그는 감사하다는 말을 했다.

put in a (good) word for …을 추천

〔변호〕하다, …을 칭찬하다: Can you *put in a good word for* me with the marketing manager? 마케팅 매니저에게 저를 추천해 주시겠어요?

take one's word for it …의 말을 믿다: *Take my word for it!* 내 말을 믿어라!

wording [wɔ́ːrdiŋ] *n.* 말씨, 어법, 용어: The *wording* is so vague that no one knows what it means. 용어가 너무 애매해서 그것이 무엇을 뜻하는지 아무도 모른다.

wordy [wɔ́ːrdi] *adj.* (wordier-wordiest) **1** 말의, 언론의, 어구의: *wordy* warfare 논전, 논쟁 **2** 말많은, 수다스러운, 장황한: a *wordy* explanation 장황한 설명

***work** [wəːrk] *v.* **1** [I,T] 일하다; 공부하다; 근무하다, 종사하다: He's *working* for a large firm in New York. 그는 뉴욕에 있는 큰 회사에 근무한다. / He *works* as a chef in a French restaurant. 그는 프랑스 식당의 주방장으로 일한다. / My teacher said that I would pass the exam if I *worked* harder. 선생님은 내가 더 열심히 공부하면 시험에 합격할 거라고 말씀하셨다. **2** [T] 일시키다, 부리다: He *worked* himself ill. 그는 일을 너무해서 병이 났다. **3** [I,T] (기계 등이) 작동하다, 움직이다: Our telephone isn't *working*. 전화가 고장났다. / Could you explain to me how to *work* the photocopier? 복사기를 어떻게 작동하는지 설명해 주시겠어요? **4** [I] 영향을 미치다, 작용하다, 효과가 있다: The plan did not *work*. 그 계획은 들어맞지 않았다. / This medicine doesn't *work* on me. 이 약은 나에게 효과가 없다. **5** [I,T] 조금씩 나아가다〔들어가다〕, 점차 …되다: The rain *worked* through the roof. 비가 지붕에서 스며들었다. / The screw has *worked* loose over time. 나사는 시간이 지나면서 느슨해졌다. **6** [I,T] (노력하여) 만들다, 가공하다; (밀가루·찰흙 등을) 반죽하다, 개다: She *worked* the clay into a beautiful vase. 그녀는 찰흙으로 아름다운 꽃병을 만들었다.

n. **1** 일, 업무; 직업; 근무처, 회사: I have lots of *work* to do today. 나는 오늘 할 일이 많다. / He is out of *work*. 그는 실직 중이다. / She goes to *work* by train. 그녀는 기차를 타고 출근한다. **2** (어떤 목적을 가지고 노력하여 하는) 일, 노동, 작업; 공부, 연구: His success is due to hard *work*. 그의 성공은 열심히 노력한 덕분이다. / All *work* and no play makes Jack a dull boy. 〔속담〕공부만 시키고 놀리지 않으면 아이는 바보가 된다. **3** 세공, 가공; (집합적) 제작품, 가공물: What a beautiful piece of *work*! 참으로 멋진 세공이구나! / This is my own *work*. 이것은 내가 만든 것이다. **4** (예술) 작품, 저작: a *work* of art 예술 작품 / the complete *works* of Shakespeare 셰익스피어 전집 **5** (works) 공사, 토목: public *works* 공공 토목공사 **6** (works; 종종 단수 취급) 공장, 제작소: a car *works* 자동차 공장 **7** [물리] 일, 일량

〔숙어〕 **at work 1** 일하고, 집무 중에: You'll find him in the garden; he is *at work*. 그는 정원에 있어요. 거기서 일하고 있어요. **2** (기계가) 작동하고, 운전 중에

get〔go, set, put〕 to work (on) 일을 시작하다: They *get* the machines *to work* at nine in the morning. 그들은 오전 9시에 기계를 가동하기 시작한다.

work at …을 공부〔연구〕하다, 노력하다: He is *working at* a difficult problem in mathematics. 그는 어려운 수학 문제를 풀려고 애쓰고 있다.

work〔sweat〕 one's guts out ⇨ gut

work on〔upon〕 1 부지런히 계속 일하다: I *worked* all night *on* that report. 나는 밤새도록 부지런히 그 보고서를 썼다. **2** …에 효험이 있다, 작용하다: This pill *worked on* me. 이 알약은 내게 효험이 있었다. **3** (사람·감정 등을) 움직이다; 애써 설득하다: They spent the weekend *working on* me to go on holiday with them. 그들은 휴가를 같이 가자고 주말 내내 나를 설득

했다.

work one's way 1 (길을) 노력하여 나아
가다: The boy *worked his way* through
the huge crowd. 그 소년은 엄청난 군중 속
을 간신히 헤쳐 나아갔다. **2** …을 노력하여 성
취〔획득〕하다; 고학하다: He *worked his
way* through college. 그는 대학을 고학으
로 나왔다.

work out 1 잘 되다: Things have
worked out well. 일이 잘 되었다. **2** 연습하
다, 훈련하다; 운동하다: He's *working out*
in the gym. 그는 체육관에서 운동하고 있
다. **3** (총액 등이) 합해서 …이 되다 (at):
The costs *work out* at about $15 each.
비용은 각각 15달러 정도이다. **4** 이해하다:
Why does she behave like that?—I
can't *work* her *out* at all. 그녀는 왜 그렇
게 행동하지? 전혀 이해가 안 된다. **5** (문제를)
풀다, 해결하다 **6** 산출〔계산〕하다: *Work out*
the total cost of the project. 프로젝트의
총비용이 얼마인지 계산해 봐라. **7** (계획 등을)
완전히 세우다: I haven't *worked out* the
route through England. 영국으로 가는
경로를 정하지 못했다.

work to rule ⇨ rule

work up 1 (흥미·의욕·식욕 등을) 불러일
으키다, 부추기다: He's trying to *work up*
enough courage to go to the dentist.
그는 용기를 내서 치과에 가려고 한다. **2** (재
료·주제를) 집성하다, 정리하다 (into): He
would *work up* these notes into a
report later. 그는 나중에 이 메모를 보고서
로 정리하려고 한다.

work up to 1 …에 까지 서서히 오르다
〔나아가다〕: Start with 10 minutes'
exercise and gradually *work up to* 30.
처음에는 10분으로 운동을 시작해서 서서히 30
분까지 늘려라. **2** …을 하려고 하다, 준비하
다: I haven't told her that I don't
want to go. I'm still *working up to* it.
나는 아직 그녀에게 가고 싶지 않다고 말하지
못했다. 아직도 말하려고 하는 중이다.

■ 유의어 **work**

work 가장 일반적인 말이며, 노력해서 하
는 육체적·정신적인 일. **job** 직업을 뜻하
는 가장 일반적인 말로 임금을 받을 것을
전제로 한 일. employment와는 달리 계
약·고용 관계는 고려되어 있지 않으므로
시간제 일 등도 job임. **employment** 고
용주와 피고용자와의 고용 관계·계약·임
금 등을 중심으로 해서 본 일.: She is in
part-time *employment*. 그녀는 파트 타
임직이다. **occupation** 대체로 정규직을
의미하며 업무를 위해 훈련이 필요한 직업.
현재 굳이 종사하고 있지 않아도 쓰임.:
Her *occupation* is a nurse. 그녀의 직
업은 간호사이다. **business** 주로 영리를
목적으로 하는 사업·서비스업에 쓰임.:
What line of *business* is he in? 그는
무슨 사업을 하고 있습니까? **profession**
변호사·교사·의사 등과 같이 전문적인 지
식을 요하는 직업. **trade** 손으로 하는 숙
련을 요하는 직업.: He's a carpenter
by *trade*. 그의 직업은 목수이다.

workable [wɔ́:rkəbəl] *adj.* (계획 등이)
성취될 수 있는, 실행할 수 있는: a *workable*
plan 실현할 수 있는 계획

workaholic [wɔ̀:rkəhɔ́:lik] *n.* 지나치
게 일하는 사람, 일벌레

workbook [wɔ́:rkbùk] *n.* 과목별 학습지
도 요령; (교과서와 병행해 쓰는) 워크북, 학습
장

worker [wɔ́:rkər] *n.* **1** 일하는〔공부하는〕
사람: a hard *worker* 노력가, 근면가 **2** 근로
자, 직공: office *workers* 사무원

workforce [wɔ́:rkfɔ̀:rs] *n.* (국가·지
역·산업체 등의) 총노동력, 노동 인구

working [wɔ́:rkiŋ] *adj.* (명사 앞에만 쓰
임) **1** 일하는, 노동에 종사하는: Most of
working mothers have problems of
childcare. 일하는 어머니들의 대부분은 육아
문제를 갖고 있다. / the *working*
population 노동 인구 **2** 경영의; 운영상의;

작업의, 일의: *working* conditions 근로 조
건 / *working* expenses 운영비, 경비 **3** 일
의 추진에 필요한, 실용적인: We are
looking for someone with a *working*
knowledge of Spanish and French.
실무 스페인 어와 프랑스 어에 능통한 사람을
찾고 있다.
n. (workings) **1** 작용; 활동, 운영, 기능: the
workings of the brain 두뇌의 작용 **2** (광
산·채석장 등의) 작업장, 채굴장, 갱도

working class *n.* (the working class
(classes)) 임금(육체) 노동자 계급
adj. 임금(육체) 노동 계급의: We're
working class. 우리는 노동자이다. /
working-class people 노동자들 *cf.* the
middle class 중산층, the upper class 상
류층

workload [wə́:rklòud] *n.* (사람·기계
의) 작업 부하, 표준 작업량(시간): He's
always complaining about his heavy
workload. 그는 항상 과중한 업무량에 대해
불평한다.

workman [wə́:rkmən] *n.* (*pl.*
workmen) 노동자, 직공; 기술자 (주로 손으
로 하는 일을 함): We'll have to get a
workman in to fix the roof. 지붕을 수리
할 기술자를 불러야겠다. / a master
workman 명공

workmanlike [wə́:rkmənlàik] *adj.*
일 잘하는, 솜씨 좋은, 척척 하는

workmanship [wə́:rkmənʃip] *n.* 솜씨,
기술: Look at the fine *workmanship* on
these pieces of furniture. 이 가구들의
섬세한 솜씨를 봐라.

workout [wə́:rkàut] *n.* **1** 연습, 트레이
닝; 운동: He does a fifteen-minute
workout every evening. 그는 매일 저녁
15분씩 운동한다. **2** (적성) 검사 **3** [경영] 기
업 가치 회생 작업, 워크아웃 (기업과 채권 금
융기관이 협력하여 추진하는 일련의 기업 구조
조정의 과정과 결과를 총칭)

workplace [wə́:rkplèis] *n.* 일터, 작업
장

workroom [wə́:rkrù(:)m] *n.* 작업실,
일하는 방

worksheet [wə́:rkʃì:t] *n.* **1** 연습 문제지
2 작업 계획표; 기획 참고 자료 용지

workshop [wə́:rkʃàp] *n.* **1** 일터, 작업장
2 (참가자들의 의견 및 실습을 행하는) 공동
연구회, 연수회

workstation [wə́:rkstèiʃən] *n.* **1** (책
상·컴퓨터가 놓인) 근로자 1인의 자리 **2** 작업
컴퓨터 (네트워크에 연결된 1대의 컴퓨터)

****world** [wə:rld] *n.* **1** (the world) 세계, 지
구: Which is the biggest city in the
world? 세계에서 가장 큰 도시는 어느 것인
지? / a journey around the *world* 세계
일주 여행 **2** (어떤 특정의) 지역, 세계: the
Third *World* 제3세계 **3** (the world) 세상
사, 인간사: Though he's young and
inexperienced, he knows about the
ways of the *world*. 그는 어리고 경험이 미
숙하지만 세상사 돌아가는 방식을 안다. / the
modern *world* 현대사 **4** (종종 복합어를 이
루어) (활동·이익·목적 등을 같이 하는) …
계, …사회; (일반적으로) 분야, 세계; (자연계
의 구분으로서) …계: He is a well-known
character in the business *world*. 그는
사업계에서 잘 알려진 인물이다. / the *world*
of sport(politics) 스포츠(정치)계 / the
world of American history 미국사의 분
야 / the animal(plant) *world* 동물(식물)
계 **5** (the world) 세상 사람들, 세인; 인간, 인
류: The whole *world* waited nervously
for the results of the peace talks. 전세계
사람들은 평화 회담의 결과를 초조하게 기다렸
다. **6** (거주자가 있는) 천체, 행성

[축어] **all over the world** 온 세계에(서):
It is found *all over the world*. 그것은 세
계 도처에서 발견된다. [SYN] all the world
over, the world over

do ... a (the) world of good 큰 도움
이 되다, 효과가 있다: This medicine *did*
me *a world of good*. 이 약은 내게는 매우 효

과가 좋았다.

for all the world like 아주 닮은, 아주
똑같은: They look *for all the world like*
the real articles. 그것들은 실제 물건과 아
주 똑같다. SYN exactly like

in the world 1 (의문사를 강조하여) 도대
체: What *in the world* happened? 도대
체 무슨 일이냐? **2** (부정어를 강조하여) 결코,
절대로: She will never *in the world*
marry him. 그녀는 절대로 그와 결혼하지 않
을 것이다.

world-famous [wɔ́:rldféiməs] *adj.*
세계적으로 유명한, 천하에 이름 높은

worldly [wɔ́:rldli] *adj.* (worldlier-
worldiest) **1** 세속적인, 속세의: *worldly*
goods 재물, 재산 / *worldly* success 세속
적 성공 SYN earthly **2** 속물의, 약삭빠른:
worldly wisdom 세속의 지혜, 처세술 / He
seems to be more *worldly* than the
other students in his class. 그는 학급의
다른 학생들보다 더 약삭빠른 것 같다.

worldwide [wɔ́:rldwáid] *adj.* 세계에
미치는, 세계적인: *worldwide* inflation 세
계적인 인플레이션

adv. 전세계에: This car will be
marketed *worldwide*. 이 차는 전세계에 팔
릴 것이다.

World Wide Web *n.* (*abbr.* WWW)
월드 와이드 웹 (인터넷에 존재하는 정보 공
간) SYN the Web

worm [wə:rm] *n.* **1** (몸통이 길고 발 없는)
벌레 (지렁이 · 땅벌레 · 거머리 등) **2** (worms)
(체내의) 기생충: have *worms* 회충이 있다
v. [T] 서서히 나아가게 하다 (along, through):
We *wormed* our way through the
crowd. 우리는 군중 속을 천천히 뚫고 나갔다.

축어 **worm one's way(oneself)
into** 교묘히 …의 환심을 사다: She *wormed*
herself *into* his affections. 그녀는 교묘히
그의 애정을 샀다.

worn-out [wɔ́:rnáut] *adj.* **1** 닳아빠진,
써서 낡은: *worn-out* shoes 닳아빠진 신발

2 기진맥진한: He looks *worn-out*. 그는
몹시 지쳐 보인다.

*****worry** [wə́:ri] *v.* **1** [I] 걱정(근심)하다, 고
민하다 (about): Don't *worry*. He'll be
all right. 걱정 마라. 그는 괜찮을 거야. /
There's nothing to *worry* about. 아무
걱정할 것 없다. / He *worried* that he
might not be able to find a job. 그는
일자리를 찾지 못할 수도 있다고 걱정했다. **2**
[T] 걱정시키다, 괴롭히다; 속을 태우다
(about): A bad tooth is *worrying* me.
치통으로 고생하고 있다. **3** [T] 귀찮게 조르다:
He *worried* his mother for money. 그
는 어머니에게 돈을 달라고 졸랐다.

n. **1** 걱정, 근심: Her face showed signs
of *worry*. 그녀의 얼굴에 고민의 기색이
보였다. **2** 걱정거리, 골칫거리: health
(financial) *worries* 건강(재정) 문제
— **worrying** *adj.* 귀찮은; 걱정되는

축어 **no(not to) worry** [영] 걱정 마라,
신경 쓰지 마라

worry(be worried) about …을 걱정
하다: They *worry about* their son's
health. 그들은 아들의 건강을 염려한다. /
I'm *worried about* the exam. 나는 시험이
걱정된다.

worse [wə:rs] *adj.* (bad, ill의 비교급) **1**
보다 나쁜: If the snow gets any *worse*
we'll have to stop walking. 눈이 더 심
하게 오면 도보를 중단해야 할 것이다. **2** (병
이) 악화된: I'm afraid he's getting
worse. 그의 병이 점점 악화되어서 걱정이다.

adv. 더 나쁘게, 보다 심하게, 더 서투르게:
She did *worse* than she was
expecting in the exams. 그녀는 기대한
것보다 더 나쁘게 시험을 봤다.

n. 더욱 나쁨, 더욱 나쁜 사람(일): I thought
the situation was bad, but the *worse*
was to follow. 상황이 나쁘다고 생각했는데
다음에 더 나쁜 일이 생겼다. / Of the two
of them, this one's the *worse*. 그 둘 중
에 이것이 더욱 나쁜 편이다.

[숙어] **the worse for wear** (옷 등이) 사용하여 낡은(닳은): This shirt looks a bit *the worse for wear*. 이 셔츠는 조금 낡아 보인다.

to make matters(things) worse 설상가상으로: *To make matters worse*, there was a big flood which destroyed all his paintings. 설상가상으로 큰 홍수가 나서 그의 그림은 죄다 망가지고 말았다.

worse luck 공교롭게도, 재수 없이: I've got to work on Sunday, *worse luck*. 공교롭게도 일요일에도 일해야 한다.

worsen [wə́:rsən] *v.* [I,T] 악화하다, 악화시키다: The company's financial problems are *worsened* last month. 회사의 재정적 문제는 지난 달 이후로 악화되었다.

worship [wə́:rʃip] *v.* (worship(p)ed-worship(p)ed) **1** [I,T] 예배하다, (신으로) 모시다, 공경하다: We *worship* regularly at the church. 우리는 교회에서 정기적으로 예배한다. **2** [T] 존경(숭배)하다: He *worshiped* his parents. 그는 부모님을 존경했다.

n. **1** 예배, 참배: a house(place) of *worship* 예배당, 교회 **2** 숭배, 존경 [OPP] contempt

— **worship(p)er** *n.* 예배자, 참배자, 숭배자

worst [wə:rst] *adj.* (bad, ill의 최상급) 최악의, 가장 나쁜; 가장 심한: It was the *worst* storm for five years. 5년 만의 최악의 폭풍우였다. / "It was the *worst* moment of my life," he said. "내 인생의 최악의 순간이었다"라고 그는 말했다. [OPP] best

adv. 가장 나쁘게; 매우, 대단히; 가장 서툴게: Who sang (the) *worst*? 누가 노래를 제일 못했니?

n. (the worst) 최악, 최악의 것(사람): The *worst* was over. 최악의 상황은 끝났다.

[숙어] **at (the) worst** 최악의 경우는; 아무리 나빠도: You will lose only five cents *at worst*. 최악의 경우라도 겨우 5센트 손해볼 것이다.

if (the) worst comes to (the) worst 최악(만일)의 경우에는: *If worst comes to worst* and I fail the course, I'll take it again next year. 최악의 경우 그 과정에 낙제하면 내년에 다시 수강할 것이다.

*****worth** [wə:rθ] *adj.* (명사 앞에는 쓰이지 않음) **1** (금전적으로) …의 가치가 있는, …의 값어치가 있는: This book is *worth* two dollars. 이 책은 2달러의 가치가 있다. / That picture is not *worth* a penny. 저 그림은 한 푼의 가치도 없다. **2** (동명사와 함께) …할 만한 가치가 있는: The play is *worth* seeing. 그 연극은 볼 만하다. **3** (명사와 함께) …의 가치가 있는: Is it *worth* all the trouble? 그것이 그렇게도 애쓸 가치가 있는가?

n. **1** 가치, 값어치, 진가; 유용성: a man of great *worth* 매우 훌륭한 사람 / He has finally proved his *worth*. 드디어 그는 진가를 발휘했다. **2** …의 값만큼의 분량, …어치 (of): three dollars' *worth* of meat 3달러 어치의 고기 / two weeks' *worth* of grocery shopping 2주치 식료품 장보기

[숙어] **get one's money's worth** ⇨ money

worth one's while …할 가치가 있는, 할 보람이 있는: It isn't *worth your while* to go now. 네가 지금 갈 만한 일이 못 된다.

■ **유의어 worth**

worth value와 바꿔 쓸 수도 있지만 주로 정신적, 문화적, 도덕적 가치를 말함.: Few knew his true *worth*. 아무도 그의 참 가치를 몰랐다. **value** 효과상의 가치, 중요성, 또는 금색으로 환산되는 가치를 말함.: the *value* of experience 경험의 가치

worthless [wə́:rθlis] *adj.* **1** 가치 없는, 쓸모 없는, 무익한: They said the jewels were *worthless* fakes. 그들은 그 보석이 가치 없는 위조품이라고 했다. [SYN] useless [OPP] valuable **2** (사람이) 도움이 되지 않

는, 아무짝에도 못 쓸: a *worthless* man 쓸
모 없는 사람

***worthwhile** [wə́:rθhwáil] *adj.* 할 보람
이 있는, 시간을 들일 만한; 상당한, 훌륭한: a
worthwhile book 읽을 만한 책 / He had
a long wait, but it was *worthwhile*
because he got the tickets. 그는 오래 기
다렸지만 표를 얻어서 기다린 보람이 있었다.

worthy [wə́:rði] *adj.* (worthier-
worthiest) **1** …할 만한 가치가 있는, (…하
기에) 족한 (of, to do): The museum is
quite *worthy* of a visit. 그 박물관은 한번
가 볼 만하다. / His proposal is *worthy*
to be considered. 그의 제안은 고려할 만한
가치가 있다. **2** 훌륭한, 존경할 만한: a
worthy man 인격자 / She made a large
donation to a *worthy* cause. 그녀는 훌
륭한 목적을 위해 거액을 기부했다.

— **worthily** *adv.* 훌륭히, 상당히

■ 접미어 **-y**
명사에 붙여서 형용사를 만들고 '…으로 가
득 찬', '…으로 된', '…와 닮은', '…의 성
질을 갖는' 등의 뜻을 나타냄.: worth*y*,
dirt*y*, hair*y*

would ⇨ 아래 참조

would-be [wúdbì:] *adj.* (명사 앞에만 쓰
임) …이 되려고 하는, …지망의, 자칭의:
advice for *would-be* parents 미래의 부
모를 위한 조언 / a *would-be* poet 자칭 시인

wound¹ [wu:nd] *n.* 부상, 상처: a knife
wound 칼로 베인 상처 / He received a
bad *wound* in his arm. 그는 팔에 심한 상
처를 입었다.

v. [T] (종종 수동태) **1** 상처를 입히다: Was
he seriously *wounded*? 그가 심하게 다쳤
니? **2** (감정을) 해치다: She was deeply
wounded by his cutting remarks. 그녀

---

would

would [wud] *aux.* (단축형 'd; 부정형
would not; 부정 단축형 wouldn't) **1** (가정을
나타내어) …할 텐데: If she saw this, she
would be angry. 그녀가 이것을 보면 화를 낼
것이다. / If I had a chance, I *would* try.
만약 기회가 있으면 해볼 텐데. / If I'd had
the time, I *would* have gone to see
her. 만약 시간이 있었다면 그녀를 보러 갔었을
텐데.
2 (의뢰·권유를 나타내어) …해 주시겠습니까:
Would you come this way, please? 이쪽
으로 와 주시겠어요? / *Would* you like
more coffee? 커피 좀 더 드시겠습니까?
3 …하고 싶다: I *would* rather die than
submit. 굴복하느니 차라리 죽겠다. / I *would*
like to do it. 그것을 하고 싶다. / I *would*
love a piece of cheesecake. 치즈 케이크
로 먹겠어요.
4 (의지·주장·고집) (흔히 부정문에서) (기어
코) …하려고 했다: He *would*n't do what I

asked him. 그는 내가 부탁한 것을 하려고 하
지 않았다. / The door *would*n't open. 문
이 도무지 안 열렸다.
5 (will의 과거형) …일 것이다: He said he
would succeed. 그가 성공할 것이라고 말
했다.
6 (wish와 함께) …이기를, …하기를: I wish
he *would* come. 그가 와 주었으면 싶은데.
7 (과거의 습관·습성) 곧잘 …하곤 했다:
When I was young, I *would* often go
there. 젊었을 때 자주 거기에 가곤 했다.
[SYN] used to
8 상습적으로 …하다; (공교로운 일 등이) 늘
…하다: He *would* be unavailable when
we want him. 그는 필요할 때면 꼭 자리에
없다.
9 (과거의 가능성·추측) …했을 것이다, …했
을지도 모른다: She *would* be 80 when
she died. 그녀가 죽었을 때 80세는 되었을 것
이다.

는 그의 심한 말에 마음이 많이 상했다.
※ wound는 attack 당할 때 쓰는 표현이며, accident에는 injure를 쓴다.

wound² [waund] wind²의 과거 · 과거분사

wounded [wúːndid] *adj.* **1** 상처 입은, 부상당한: a *wounded* soldier 부상병 **2** (마음을) 상한: *wounded* pride 자존심 상한 **3** (the wounded) (집합적) 부상자들: Ambulances took the *wounded* to hospital. 구급차가 부상자들을 병원으로 수송했다.

***wow** [wau] *int.* 야아 (놀라움 · 기쁨 · 고통 등을 나타냄): *Wow!* What a fantastic idea! 야아! 멋진 생각이야!
— *v.* [T] (관중을) 열광시키다, 대성공하다

wrangle [rǽŋɡəl] *n.* 말다툼, 논쟁, 입씨름 : We are involved in a legal *wrangle* over copyrights. 우리는 저작권에 대한 법적 논쟁에 휘말렸다.
— *v.* [I] 말다툼하다, 논쟁하다, 다투다

***wrap** [ræp] *v.* [T] (wrapped-wrapped) **1** 감싸다, 싸다, 포장하다 (up, in): The package was *wrapped* in brown paper. 소포는 갈색 종이로 포장되었다. / She *wrapped* the baby in a blanket. 그녀는 아기를 담요로 감쌌다. **2** 둘러싸다, 감다 (round, around): *wrap* the bandage around the arm 팔을 붕대로 감다

[숙어] **be wrapped up in** …에 열중하고 있다, …에 정신을 빼앗기고 있다: He *was wrapped up in* his own thoughts. 그는 생각에 빠져 있었다.

wrap up 1 (몸을 옷 등으로) 휘감다: Mind you *wrap up* well. 옷을 따뜻하게 입도록 주의해라. **2** 싸다: Have you *wrapped up* his present yet? 그의 선물을 벌써 다 쌌니? **3** (일 · 계획 등을) 완수하다, 끝내다: It's getting late—let's *wrap* it *up*. 시간이 많이 됐다. 그만 끝내자. / We'll *wrap up* this deal by Friday. 우리는 이 거래를 금요일까지 끝낼 것이다.

wrapper [rǽpər] *n.* 포장지: a candy

wrapper 사탕 포장지

wrapping [rǽpiŋ] *n.* 포장, 포장지: It was covered in waterproof *wrappings*. 그것은 방수용 포장지로 포장되었다.

wrath [ræθ] *n.* (시 · 문어) 격노, 분노: the *wrath* of God 신의 노여움 [SYN] rage
— **wrathful** *adj.* 격노한

wreath [riːθ] *n.* (*pl.* wreaths [riːðz]) 화환, 화관: He laid a *wreath* on her grave. 그는 그녀의 무덤에 화환을 놓았다. / a laurel *wreath* 월계관

wreck [rek] *n.* **1** 난파; (열차 · 자동차 등의) 충돌; 파멸, 좌절: The gale caused many *wrecks*. 폭풍으로 많은 배가 난파했다. / the *wreck* of one's hopes 희망의 소멸 **2** 난파선: They searched the *wreck*. 그들은 난파선을 수색했다. **3** (파괴된 열차 · 건물 등의) 비참한 잔해, 부서진 차, 사고차: His car was a worthless *wreck*. 그의 차는 무참한 꼴이 되어 있었다. **4** (병으로) 수척해진 사람, 신경 쇠약자: She's been a complete *wreck* since her illness. 그녀는 앓으면서 완전히 수척해졌다.
— *v.* [T] **1** (계획 등을) 좌절시키다; (몸 등을) 결딴내다, 망치다: The weather has *wrecked* our plans. 날씨 때문에 우리의 계획은 엉망이 되었다. **2** (건물 · 차 등을) 파괴하다, 부수다 **3** (배를) 난파시키다; (선원을) 조난시키다: The ship was *wrecked*. 배는 난파했다. / *wrecked* sailors 조난당한 선원들

wreckage [rékidʒ] *n.* 난파 잔해물; 잔해, 파편: The *wreckage* of the car was spread over the roadside. 자동차의 잔해가 길가에 흩어져 있었다.

wrench [rentʃ] *v.* [T] **1** (갑자기, 세게) 비틀다 (round); 비틀어[잡아] 떼다 (away, off): He *wrenched* a box open. 그는 상자를 비틀어 열었다. / He *wrenched* the bag from her grasp. 그는 그녀의 손아귀에서 가방을 잡아 빼앗았다. **2** 삐다, 접질리다: I fell and *wrenched* my ankle. 나는 넘어져서 발목을 삐었다.

n. **1** 비틀기, 꼬기 [SYN] twist **2** (관절의) 접질림, 삠 **3** (이별의) 비통(함), 쓰라림, 고통: Leaving home was a real *wrench* for her. 집을 떠나는 것은 그녀에겐 큰 고통이었다. **4** 렌치 (볼트 · 너트 등을 죄는 기구) ([영] spanner)

wrest [rest] *v.* [T] **1** 비틀다 **2** 비틀어 떼다, 잡아 떼다, 억지로 빼앗다: The policeman *wrested* the gun from the gunman. 경관은 총잡이로부터 총을 빼앗았다.

wrestle [résəl] *v.* [I] **1** 맞붙다, 레슬링[씨름]하다 (with): He began to *wrestle* with his opponent. 그는 상대와 맞붙어 싸우기 시작했다. **2** (고통 · 유혹 등과) 싸우다 (with); (일과) 씨름하다: He is *wrestling* with a difficult examination paper. 그는 어려운 시험 문제와 씨름하고 있다. [SYN] struggle

— wrestler *n.* 레슬링 선수, 씨름꾼

wrestling *n.* 레슬링, 씨름

wretch [retʃ] *n.* 가엾은 사람, 비참한 사람

wretched [rétʃid] *adj.* **1** 가엾은, 불쌍한, 비참한: I'm *wretched* you are going. 가버리다니 슬픈 일이군요. **2** 지독한, 아주 불쾌한, 질색인: The *wretched* car won't start again! (이놈의) 징글징글한 차가 또 시동이 안 걸린다!

wriggle [rígəl] *v.* [I,T] **1** 몸부림치다, 꿈틀거리다 (about, around); 우물쭈물하다: The baby was *wriggling* around on my shoulder. 아기는 내 어깨 위에서 몸을 흔들고 있었다. / Don't *wriggle* when you take an oral test. 면접 시험 때 우물쭈물하지 마라. **2** 꿈틀거리며 나아가다: The snake *wriggled* through the grass. 뱀이 풀숲을 꿈틀거리며 지나갔다.

[숙어] **wriggle out of** 요리조리 잘 빠져나가다, 발뺌하다, 곤경을 헤쳐 나가다: My brother promised he'd help me do my homework, but now he's trying to *wriggle out of* it. 오빠는 숙제를 도와 주기로 약속해 놓고서는 이제 와서 발뺌하려고 한다.

wring [riŋ] *v.* [T] (wrung-wrung) (물 등을) 짜다, 쥐어짜다 (out): He *wrung* out his wet clothes. 그는 젖은 옷을 짰다.

— wringer *n.* 탈수기

wrinkle [ríŋkəl] *n.* (피부 · 천 등의) 주름 (구김)(살): anti-*wrinkle* cream 주름 방지 크림
v. [I,T] 주름(살)이 지다, …에 주름을 잡다: The skirt *wrinkles*. 이 스커트는 잘 구겨진다. / His face was *wrinkled* with age. 나이가 들어 그의 얼굴에는 주름이 졌다.

— wrinkled *adj.*

****wrist** [rist] *n.* 손목: I took his *wrist*. 나는 그의 손목을 잡았다.

wristwatch [rístwàtʃ] *n.* 손목시계

****write** [rait] *v.* (wrote-written) **1** [I,T] 글씨를 쓰다, 적다: *Write* the address on the envelope. 봉투에 주소를 적어라. / The boy is learning to *write*. 소년은 글씨 쓰는 법을 배우고 있다. **2** [T] 저술하다, 저작하다, 작곡하다: She *writes* children's books. 그녀는 어린이 책을 쓴다. / Who *wrote* the music for that TV show? 그 TV 쇼의 음악은 누가 작곡했니? **3** [I,T] 편지를 쓰다[써 보내다] (to): He *wrote* a letter of thanks to his teacher. 그는 선생님에게 감사의 편지를 썼다. / I *wrote* my father a long letter. 나는 아버지에게 긴 편지를 썼다. **4** [T] (수표 · 영수증 등을) 쓰다 (out): I *wrote* her a check for $20. 나는 그녀에게 20달러 짜리 수표를 써 주었다.

[숙어] **write back (to)** (…에게) 답장을 쓰다[써서 보내다]: I got his letter a week ago, but I forgot to *write back*. 그의 편지를 일주일 전에 받았지만 답장 쓰는 것을 잊어버렸다.

write down 써 두다, 기록하다: *Write* it *down* before you forget it. 잊기 전에 기록해 두어라.

write in (요망 사항 · 신청 · 주문 등을) 편지로 보내다, 투서하다 (to): People have *written in* to complain about the company. 사람들은 그 회사에 대한 불평을 하기 위해 투서했다.

write off 무시하다, 무가치〔실패〕로 보다: Don't *write* me *off* yet. I'll do my best. 아직 나를 무시하지 마라. 최선을 다할 것이다.

write off〔away〕 우편으로 주문하다 (for): He *wrote off* for the book because the local bookstore didn't have it. 그는 지역 서점에 그 책이 없어서 우편으로 주문했다.

write up (설명·기사 등을) 자세히 쓰다: He *wrote up* a report on the accident. 그는 그 사고에 대하여 자세한 보고서를 썼다.

writer [ráitər] *n.* 저자, 작가, 문필가: a good *writer* 훌륭한 작가

writhe [raið] *v.* [I] 몸부림치다, 몸부림치며 괴로워하다: He was *writhing* on the bed in pain. 그는 침대에서 통증으로 몸부림치며 괴로워하고 있었다.

writing [ráitiŋ] *n.* **1** 쓰인 것; 필적, 서체: Your *writing* is hard to make out. 네 글씨는 알아보기 어렵다. **2** 쓰기, 집필, 저술: She is busy with her *writing*. 그녀는 글쓰기에 바쁘다. **3** 저술업: He turned to ,*writing* at an early age. 젊어서 그는 작가 생활에 들어갔다. **4** (문학·음악 등에서의) 형식, 기법: His *writing* shows the influence of Faulkner. 그의 문체에서 포크너의 영향을 엿볼 수 있다. **5** (writings) 저작, (문학·작곡의) 작품: the *writings* of Poe 포의 작품 / his collected *writings* in ten volumes 10권으로 된 그의 작품 모음집 ⎡축어⎤ **in writing** (글로) 써서, 서면으로: The contract should be *in writing*. 계약은 서면으로 한다.

*****wrong** [rɔːŋ] *adj.* **1** 잘못된, 틀린: a *wrong* answer 틀린 대답 / I thought it would be fun, but I was *wrong*. 나는 그것이 재미있을 거라고 생각했는데, 내가 틀렸다. / You have the *wrong* number. 전

화 잘못 거셨습니다. ⎡OPP⎤ right **2** 부적당한, 어울리지 않는: He's the *wrong* person for the job. 그는 그 일에 적합한 사람이 아니다. ⎡OPP⎤ right **3** (명사 앞에는 쓰이지 않음) 상태가 나빠서, 고장나서 (with): What's *wrong* with the car? 차가 고장났니? / Is there anything *wrong* with you? 몸이 편찮으신가요? **4** (도덕적·윤리적으로) 그릇된, 부정의, 올바르지 못한 (to do): It is *wrong* to tell lies. 거짓말 하는 것은 올바르지 못하다.

adv. **1** 잘못되게, 틀리게: You've spelled my name *wrong*. 너는 내 이름을 잘못 썼다. **2** 부정하게, 나쁘게 **3** 반대로, 거꾸로

n. **1** (도덕적인) 악, 부정: the difference between right and *wrong* 선악의 구별 **2** 부당〔부정〕 행위, 학대: She has done us a great *wrong*. 그녀는 우리를 심하게 학대했다.

v. [T] 나쁜 짓을 하다; 부당한 취급을 하다, 학대하다: You have *wronged* my sister. 너는 내 여동생에게 부당한 대우를 했다.

⎡축어⎤ **get on the right〔wrong〕 side of** ⇨ side

get ... wrong 오해하다: Don't *get* me *wrong*! I don't dislike them. 오해하지 마! 내가 그들을 싫어하는 게 아니야.

get〔start〕 off on the right〔wrong〕 foot (with) (남과의 관계를) 순조롭게〔잘못〕 시작하다, 처음부터 잘 되어 가다〔가지 않다〕

go wrong 1 잘못하다, 실수하다: I can't see where I *went wrong*. 어디서 잘못한 것인지 모르겠다. **2** 고장나다: The computer's *gone wrong*. 컴퓨터가 고장났다. **3** (일이) 잘 안 되다, 실패하다: All our plans *went wrong*. 우리의 모든 계획이 틀어졌다.

in the wrong (사람이) 잘못하여, 그릇되어: You are *in the wrong*. 네 잘못이다. ⎡OPP⎤ in the right

on the right〔wrong〕 track ⇨ track

what's wrong with ... ? …의 어디가 나쁜가?, 어디가 마음에 들지 않는가?: *What's wrong with* telling him the truth? 그에게 진실을 말하는 것이 뭐가 나쁜가?

wrongdoing [rɔ́ːŋdúːiŋ] *n.* 나쁜 행위, 비행; 범죄

wrongful [rɔ́ːŋfəl] *adj.* (명사 앞에만 쓰임) 부정〔부당〕한, 불법의: We sued the company for *wrongful* dismissal. 우리는 그 회사를 부당 해고로 고소했다. / *wrongful* imprisonment 불법 감금

— **wrongfully** *adv.*

wrongly [rɔ́ːŋli] *adv.* **1** 부정하게, 불법으로: He was *wrongly* accused. 그는 부당하게 고발당했다. **2** 잘못하여, 그릇되게: He was *wrongly* sent here. 그는 이 곳에 잘못 파견되었다.

WTO *abbr.* World Trade Organization 세계 무역 기구

■ 용법 **wrongly**와 **wrong**
wrongly는 보통 과거분사나 동사 앞에 쓰임.: He was *wrongly* diagnosed as having diabetes. 그는 당뇨병이 있는 것으로 오진 받았다. 반면에 부사로 쓰이는 **wrong**은 특히 대화에서 동사 다음이나 동사의 목적어 다음에 쓰임.: She always says my name *wrong*. 그녀는 항상 내 이름을 틀리게 말한다.

Xerox [zíərɑks] *n.* **1** 제록스 (서류 복사기; 상표명) **2** 제록스 복사물 [SYN] photocopy *v.* [T] (xerox) 제록스로 복사하다: Could you *xerox* these documents, please? 이 서류들을 복사해 주실 수 있습니까?

Xmas [krísməs, éksməs] *n.* =Christmas

***X-ray** [éksrèi] *n.* **1** (보통 *pl.*) 엑스선: an *X-ray* machine 엑스선 기계 **2** 엑스선 사진: The *X-ray* showed nothing wrong with his lungs. 엑스선 사진은 그의 폐에 아무 이상이 없다는 것을 보여 줬다. / I had to go for an *X-ray*. 나는 엑스선 검사를 받아야 했다.
v. [T] ···의 엑스선 사진을 찍다; 엑스선으로 검사하다: The doctor *X-rayed* his leg to find out if the bone was broken. 의사는 그의 다리뼈에 금이 갔는지 알아보려고 엑스선 사진을 찍었다.

***xylophone** [záiləfòun] *n.* 실로폰

yacht [jɑt] *n.* **1** 요트, 경주용 소형 범선 **2** (동력을 장비한) 유람용 호화선

yachting [játiŋ] *n.* 요트 조종(술); 요트 놀이[항해]

Yankee [jǽŋki] *n.* **1** 미국 사람, 양키 **2** 미국 북부 여러 주의 사람; 북부의 사람
※ 남북 전쟁 당시 남부 사람들이 적의와 경멸의 뜻으로 북부 사람들을 지칭한 말이다. 오늘날에도 종종 외국인이 미국 사람을 경멸하는 뜻으로 사용하며 미국인들은 보통 쓰지 않는다.

***yard** [jɑːrd] *n.* **1** [미] 정원: You can play in the *yard*. 정원에서 놀아도 된다. **2** [영] 안마당, 구내: a church*yard* 교회 경내, 묘지 / Our house has a small *yard* at the back. 우리 집 뒤에는 작은 마당이 있다. **3** (보통 복합어를 이루어) 특정한 목적을 위해 둘러싼 땅; 작업장, 일터: a brick*yard* 벽돌 공장 / a lumber*yard* 목재 집하장 **4** 야드 (*abbr.* yd; 길이의 단위; 36인치, 3피트, 약 0.914미터): three *yards* of cloth 천 3야드

■ 유의어 **yard**
yard 보통 포장되고, 울타리 등으로 둘러싸인 땅, 또는 학교 등의 구내. 미국에서는 잔디 등을 심은 앞뜰(front yard)이나 뒤뜰(back yard)도 가리킴. **garden** 꽃이나 야채를 심은 뜰.

yarn [jɑːrn] *n.* **1** (직물 · 편물용의) 실: cotton〔woolen〕*yarn* 면사〔털실〕 **2** (특히 꾸며낸) 긴 이야기; 허풍: He would often spin us a *yarn*. 그는 가끔 우리들에게 긴 이 야기를 늘어놓곤 했다.

***yawn** [jɔːn] *v.* [I] 하품하다
n. 하품: "Are you ready?" he said with a *yawn*. 그는 하품하면서 "준비됐니?" 라고 말했다.

***yeah** [jɛə] *int.* 네, 그렇소 [SYN] yes

***year** [jiər] *n.* **1** 연(年), 해 (1월 1일에 시작 하여 12월 31일에 끝남): from *year* to *year* 해마다, 매년 / the following *year* 그 다음 해 **2** 1년간: I worked here for ten *years*. 나는 10년 동안 여기서 일했다. **3** 연도: the school *year* 학년 / the financial *year* 회계 연도 **4** [영] 학년: My daughter is now in her first *year* at university. 딸에는 이제 대학교 1학년이다. **5** (보통 *pl.*) 나 이, 연령; …살: a three-*year*-old child 세 살배기 아이 / He is twenty *years* old. 그 는 20살이다. / My car is almost ten *years* old. 내 차는 거의 10년 되었다. **6** (years) 다년; 시대: It's *years* since I saw him. 그를 본지 여러 해가 되었다. / the *years* of Queen Victoria 빅토리아 여왕 시대 **7** (천문학상·관행상의) 역년: a common [leap] *year* 평[윤]년 / a solar [lunar] *year* 태양[음]년

[축어] **all the year round** 일년 내내: He indulges in some sport or other *all the year round*. 그는 일년 내내 여러 가지 운 동에 빠져 있다.

(be) in one's first [second, …] year 만 한[두, …] 살인: He *was* graduated *in his 20th year*. 그는 만 20세에 졸업했다.

year after [by] year 해마다, 매년
year in, year out, year in and year out 해마다; 언제나: *Year in and year out*, I see him working hard. 그는 언제나 열 심히 일하고 있다.

yearbook [jíərbùk] *n.* **1** 연감, 연보 **2** (대학 등의) 졸업 앨범

yearly [jíərli] *adj.* 매년의, 연 1회의
adv. 매년; 1년에 한 번: Interest is paid

yearly. 이자는 해마다 지불된다.

yearn [jəːrn] *v.* [I] 그리워[동경]하다, 갈망 하다 (for, after); 간절히[몹시] …하고 싶어하 다 (to do): We *yearn* for a long vacation. 우리는 긴 여름 휴가를 갈망한다. / I *yearned* to be a singer. 나는 가수가 몹시 되고 싶었 다.

yearning [jə́ːrniŋ] *n.* 그리워[동경]함, 사 모; 열망: He has a *yearning* for a quiet life. 그는 조용한 삶에 대한 동경을 갖고 있다.
adj. 그리워하는, 열망하는
— **yearningly** *adv.*

year-round [jíərráund] *adj.* 연중 계속 되는: a *year-round* vacation spot 연중 무휴의 휴양지

yeast [jiːst] *n.* 이스트, 효모, 누룩

yell [jel] *v.* [I, T] 고함치다, 소리지르다, 외치 다 (out): The boy *yelled* out in pain. 그 애는 아파서 소리질렀다. / I'm sorry I *yelled* at you last night. 어젯밤에 네게 소리질러 서 미안해.
n. (날카로운) 외침 소리; (고통 등의) 부르짖음

***yellow** [jélou] *n. adj.* 노란색(의), 노랑 (의): a bright *yellow* shirt 밝은 노란색 셔 츠 / the *Yellow* River 황하 / the *Yellow* Sea 황해

yellow card *n.* [축구] 옐로 카드 (심판이 반칙을 범한 선수에게 경고할 때 보이는 황색 카드)

yellow-green *n. adj.* 황록색(의)

yellowish [jélouiʃ] *adj.* 누르스름한, 황색 을 띤

yellow ribbon *n.* [미] 노란 리본 (억류된 인질·포로나 멀리 떨어진 남성이 되돌아오기 를 기원하여 나무에 걸어 둠)

yelp [jelp] *v.* [I] **1** (개·여우 등이) 캥캥[꽥 꽥]하고 울다[짖다] **2** 비명지르다, 큰 소리를 지르다
n. (개 등이) 캥캥 짖는[우는] 소리; (사람의) 비명

***yes** ⇨ p. 915

***yesterday** [jéstərdèi] *n. adv.* 어제, 어

yes

yes [jes] *adv.* **1** (질문에 긍정적으로 답하여) 예, 네: "Do you understand?" "Yes, I do." "알겠습니까?" "네, 알겠어요." / "Don't you like it?" "Yes, I do." "싫은가요?" "좋아요." OPP no
2 (부름·명령 등에 답하여) 네: "Waiter!" "Yes, sir." "웨이터!" "네, 손님." / "Be quiet while you eat." "Yes, mom." "식사 중엔 떠들지 마라." "네, 엄마."
3 (부정적인 말·명령 등을 반박하여) 아니오: "Don't say that!" "Yes, I will." "그런 말 하지 마라." "아니, 하겠어." OPP no
4 (상대방의 말에 동의를 나타내어) 그렇(습니)다, 맞(습니)다: "He may succeed." "Yes, he may." "그는 성공할지도 모른다." "그럴 거야."
5 (대개 의문형으로) ① (부름에 답하여) 네? 왜 그러지, 무슨?: "Mom!" "Yes?" "엄마!"

"왜?" ② (상대의 말에 의문을 나타내어) 그래, 설마: "He has a wonderful voice." "Yes?" "그의 목소리는 정말 멋있어." "그래?" ③ (상대의 이야기를 재촉하여) 그래요[서]?: "I was just thinking I'd better go and see her." "Yes?" "가서 그녀를 만나는 게 좋을 거라고 생각하던 참이야." "그래서?" ④ (기다리고 있는 사람 등을 향하여) 무슨 일이시죠?: "Yes?" he said as he saw the stranger waiting to speak to him. "무슨 용건이시죠?"라고 낯선 사람이 그와 이야기하려고 기다리는 것을 보고 말했다. ⑤ (상대에게 자신의 이야기를 다짐하여) 알겠죠?: You have to finish this work by tomorrow. Yes? 이 일을 내일까지 끝내야 해. 알겠지?
n. (*pl.* yeses) yes라고 하는 말, 동의의 말; 긍정, 승낙: Just answer with *yes* or no. 예, 아니오로만 대답하시오.

저께: Is this *yesterday*'s paper? 이것은 어제 신문이니? / I saw her *yesterday*. 나는 어제 그녀를 봤다.
[숙어] **the day before yesterday** 그저께: I rang him *the day before yesterday*. 내가 그저께 그에게 전화했다. *cf.* the day after tomorrow 모레
***yet** ⇨ p. 916
yield [ji:ld] *v.* **1** [T] 생기게 하다, 산출하다: The tree *yields* plenty of fruit. 그 나무에는 많은 과일이 열린다. / The experiment *yielded* some unexpected results. 그 실험은 몇 가지 예측하지 못한 결과를 낳았다. / His business *yields* big profits. 그의 사업은 큰 이윤을 냈다. [SYN] produce
2 [I] 지다, 굴복하다; 따르다 (to): Don't *yield* to impulse. 충동에 이끌리지 마라. / We will never *yield* to force. 우리는 결코 폭력에 굴복하지 않는다.
3 [T] 양보[양도]하다; 포기하다 (up): He recognized the justice of my claim,

and *yielded* up the land to me. 그는 나의 요구가 정당함을 인정하고 토지를 내게 양도했다.
4 [I] (압력 때문에) 움직이다, 구부러[휘어]지다, 무너지다: The shelf *yielded* under the heavy weight. 선반은 무거운 무게로 휘어졌다.
5 [I] (자동차 등에) 길을 양보하다 ([영] give way): You must *yield* to traffic on the right. 오른쪽에 있는 차량에 길을 양보해야 한다.
n. 산출량; 수확(량): *Yields* per acre were slightly lower than last year. 에이커 당 수확량이 작년보다 조금 줄었다.
[숙어] **yield to** …으로 대체되다: Older houses were gradually *yielding to* modern apartments. 오래된 집들이 현대적인 아파트로 점차 대체되고 있다.
Y.M.C.A. *abbr.* Young Men's Christian Association 기독교 청년회
yoga, Yoga [jóuɡə] *n.* **1** [힌두교] 유가,

y

---

yet

yet [jet] *adv.* **1** (부정어를 동반하여) 아직: The bell has not rung *yet*. 종은 아직 울리지 않았다. / He has not come *yet*. 그는 아직 오지 않았다. *cf.* still

2 (의문문에서) 이미, 벌써, 이제: Has she arrived *yet*? 그녀가 벌써 도착했니? / Have you done your homework *yet*? 벌써 숙제를 다 했니? *cf.* already

3 아직도, 지금도: His father is *yet* alive. 그의 아버지는 아직 건재하시다.

4 (특히 may, might와 함께) 언젠가(는), 머지않아, 조만간: He may come here *yet*. 그는 조만간 올지도 모른다. / I could *yet* succeed. 나는 머지않아 성공할 것이다.

5 (최상급과 함께) 이제까지: This is the biggest fossil *yet* found. 이것은 이제까지 발견된 것 중에서 가장 큰 화석이다. SYN ever

6 (비교급을 강조하여) 더욱 (더), 더 한층: This story is *yet* more interesting. 이

이야기가 (그것보다) 더욱 더 재미있다. SYN still, even

conj. 그럼에도 (불구하고), 그런데도(…), 하지만 (그래도): He worked hard, *yet* he failed. 그는 열심히 일했으나 실패했다. / Though rich, *yet* he is unhappy. 그는 부자이긴 하지만 불행하다. SYN nevertheless

숙어 **as yet** 지금까지로는, 아직까지: Little is known about the disease *as yet*. 아직까지 그 병에 대해 알려진 것은 거의 없다.

yet again 한번 더, 다시 한번: She had lied to me *yet again*. 그녀가 내게 또 거짓말을 했다.

yet another (more) (수·양 등의 증가) 잇따른, 더 많은: She bought *yet another* cook book. 그녀는 (요리책이 많음에도 불구하고) 또 요리책을 샀다. / snow, snow, and *yet more* snow 눈, 눈, 그리고 더 많은 눈

요가 (주관과 객관과의 일치를 이상으로 삼는 인도의 신비 철학) **2** (심신의 건강을 위해서 하는) 요가

yogurt, yoghurt, yoghourt [jóugəːrt] *n.* 요구르트 (유산 발효로 응고시킨 우유)

yoke [jouk] *n.* **1** (한 쌍의 짐승에게 매는) 멍에 **2** (the yoke) 속박, 지배

yolk [joulk] *n.* (계란) 노른자위, 난황

you [juː] *pron.* **1** (인칭대명사 2인칭 주격·목적격) 너, 당신, 너희들, 당신들: *You* are my best friend. 너는 나의 진정한 친구이다. / Would *you* like some coffee? 커피 좀 드시겠어요? / I'll show *you* the way. 당신에게 길을 가르쳐 드릴게요. **2** (부를 때 또는 감탄문 중에서) 여보세요, 야아, 어이: *You*, there, what's your name? 여보세요, 거기 계신 분 성함은요? **3** (일반적으로) 사람, 누구든지: Too much smoke is bad for *you*. 지나친 흡연은 건강에 좋지 않다.

young [jʌŋ] *adj.* 젊은, 어린: We have two *young* children. 우리는 어린 자녀가 2명 있다. / He is five years *younger* than I am. 그는 나보다 5살 어리다. OPP old

숙어 **young and old** 노소를 불문하고, 늙은이나 젊은이나: Death comes to *young and old*. 죽음은 노소를 가리지 않고 찾아온다.

young at heart 젊은이처럼 생각하고 행동하는: He may be 60, but he's *young at heart*. 그는 60살이지만 젊게 산다.

Young Men's Christian Association *n.* (*abbr.* Y.M.C.A.) 기독교청년회

youngster [jʌ́ŋstər] *n.* **1** 젊은이, 청(소)년, 아이 OPP oldster **2** 어린 동물, 묘목

Young Women's Christian Association *n.* (*abbr.* Y.W.C.A.) 기독교여성청년회

your [juər] *pron.* **1** (you의 소유격) 당신 (들)의; 너희(들)의: It's *your* book. 그것은 네 책이다. / Tell me *your* problem. 네 문제에 대해 말해 보렴. **2** 사람의, 모두의: The bathroom is on *your* right. 화장실은 오른쪽에 있습니다. **3** 흔히 말하는, 소위, 이른바: *your* modern woman 소위 현대적인 여성 **4** (you에 대한 경칭으로): *your*(*Your*) Highness 전하 / *your*(*Your*) Majesty 폐하

yours [juərz] *pron.* **1** (you의 소유대명사) 당신(들)의 것: Is he a friend of *yours*? 그는 네 친구니? / *Yours* is a very interesting idea. 네 것은 아주 흥미 있는 아이디어다. **2** (보통 Yours) (편지 끝맺음의) 경구, … 드림, … 올림: *Yours* sincerely (Sincerely) (친구나 지인 사이에서) / *Yours* faithfully (회사나 면식이 없는 사람 사이의 격식차린 편지에서) / *Yours* respectfully (윗사람에게) / *Yours* (ever) (친한 친구, 여성간에)

yourself [juərsélf] *pron.* (*pl.* yourselves) **1** (재귀적) 당신 자신을(에게): Don't blame *yourself*. 자신을 탓하지 마라. / Please take care of *yourself*. 부디 몸조심하세요. **2** (강조적) 당신 자신(이): You *yourself* said so. 네 자신이 그렇게 말했다. **3** (you의 대용으로): "How are you?" "Fine, thanks. And *yourself*?" "잘 지내시죠?" "네, 고마워요. 당신은요?" / No one loves him more than *yourself*. 당신만큼 그를 사랑하는 사람은 없다. **4** 평소의(정상적인) 당신: You are not *yourself* today. 오늘은 평소의 당신답지 않다.

[숙어] (all) by oneself **1** 혼자서: Did you come here *all by yourself*? 여기 혼자 왔니? [SYN] alone **2** 혼자 힘으로: You can't move these boxes *all by yourself*. 너는 혼자 힘으로 이 상자들을 나를 수 없다.

youth [ju:θ] *n.* (*pl.* youths) **1** 청년 시절, 청춘기: I was quite a good actor in my *youth*. 나는 젊은 시절에 꽤 훌륭한 배우였다. **2** 젊음; 원기, 혈기: the secret of keeping one's *youth* 젊음을 유지하는 비결 **3** 청년 (보통 남성): promising *youths* 전도 유망한 젊은이들 **4** (the youth) 청춘 남녀, 젊은이들: the *youth* of our country 우리나라의 젊은이들 / *youth* culture 젊은이들 문화

youthful [jú:θfəl] *adj.* **1** 청년의, 젊은이 특유의: *youthful* enthusiasm 청년다운 열정 **2** 젊어 보이는: a *youthful* mother 젊어 보이시는 어머니

youth hostel *n.* 유스호스텔 (주로 청소년 여행자들을 위한 숙박 시설)

yo-yo [jóujòu] *n.* (*pl.* yo-yos) **1** (장난감) 요요: The ball kept bouncing up and down like a *yo-yo*. 공은 요요처럼 위아래로 튀었다. **2** (몇번이나 급격히) 변동하는 것 *v.* [I] 오르내리다, 변동하다: The prices *yo-yoed* for weeks. 몇 주 동안 물가가 올랐다 내렸다 했다.

yr. *abbr.* **1** year, years **2** your

yrs *abbr.* **1** years **2** yours

*****yup** [jup] *ad.* =yes

yummy [jʌmi] *adj.* (yummier-yummiest) 맛있는 (주로 유아 용어) [SYN] delicious

yuppie [jʌpi] *n.* 여피족 (고학력으로 직업상의 전문적인 기술을 지니고, 도시에 살며, 높은 소득을 올리고 있는 젊은 엘리트)

Y.W.C.A. *abbr.* Young Women's Christian Association 기독교 여자 청년회

y

zZ

zeal [zi:l] *n.* 열중, 열의, 열심, 열정 (for): Her *zeal* for improving the schools bore fruit. 학교를 개선하려는 그녀의 열의가 열매를 맺었다. [SYN] great enthusiasm

---

■ 유의어 zeal

zeal 특정한 일에 대한 헌신을 나타냄.
passion 사람·물건에 대한 애정이나 관심을 나타냄.

---

zealous [zéləs] *adj.* 열심인, 열광적인, 열성적인, 열망하는: *zealous* missionaries 열성적인 선교사들 / He is *zealous* in making money. 그는 돈 버는 데 열심이다. [SYN] enthusiastic
— **zealously** *adv.*

*zebra [zí:brə] *n.* (*pl.* zebra(s)) 얼룩말 (아프리카산)

Zen [zen] *n.* [불교] 선, 선종

zenith [zí:niθ] *n.* **1** (the zenith) 천정(天頂) [SYN] peak [OPP] nadir 천저(天底) **2** (성공·힘 등의) 정점, 절정; 전성기: He was at the *zenith* of his fame. 그의 명성이 절정에 달해 있었다.

*zero [zíərou] *n.* **1** (아라비아 숫자의) 영 (0), 제로 **2** (성적·시합 등의) 영점: He got a *zero* for the math test. 그는 수학 시험에서 영점을 받았다. / They beat us ten to zero. 그들은 우리를 10대 0으로 이겼다. **3** (온도계의) 영도; 빙점: The temperature stands at ten degrees above *zero*. 온도는 영상 10도를 가리키고 있다. **4** 최하점; 밑바닥: 무(無): The population has reached *zero* growth. 인구는 더 이상 늘지 않고 있다. / Our hopes were reduced to *zero*. 우리들의 희망은 무산되었다.

zest [zest] *n.* (종종 a zest) 강한 흥미, 열의, 열정 (for): He has a great *zest* for life. 그는 삶에 대한 열정이 상당하다.
— **zestful** *adj.*

Zeus [zju:s] *n.* [신화] 제우스 (Olympus 산의 최고의 신; 로마 신화의 Jupiter에 해당)

zigzag [zígzӕg] *n.* 지그재그, Z자꼴 (보행·댄스 등의 스텝 등): They ran in *zigzags* around the playground until they were exhausted. 그들은 지칠때까지 운동장을 지그재그로 뛰어다녔다.
adj. 지그재그의, Z자형의, 꾸불꾸불한: a *zigzag* path 꾸불꾸불한 길
v. [I] (zigzagged-zigzagged) 지그재그로 나아가다, Z자 모양을 하다, 갈짓자로 걷다

zillion [zíljən] *n. adj.* (몇 조억이라는) 엄청난 수(의): a *zillion* of mosquitos 무수한 모기

zinc [ziŋk] *n.* [화학] 아연 (금속 원소; 기호 Zn)

zip [zip] *n.* ([미] zipper) [영] 지퍼
v. [T] (zipped-zipped) 지퍼로 잠그다[열다]: *Zip* your jacket up. It's windy outside. 재킷의 지퍼를 잠궈라. 밖에 바람이 많이 분다. [OPP] unzip

Zip code, zip code *n.* ([영] postcode) [미] 우편 번호

zipper [zípər] *n.* [미] 지퍼

zodiac [zóudiӕk] *n.* **1** (the zodiac) [천문] 황도대 **2** [점성] 12궁; 12궁도

■ the signs of the zodiac 12궁

Aries 백양 **Taurus** 황소 **Gemini** 쌍둥이 **Cancer** 큰 게 **Leo** 사자 **Virgo** 처녀 **Libra** 천칭 **Scorpio** 전갈 **Sagittarius** 화살 **Capricorn** 염소 **Aquarius** 물병 **Pisces** 물고기

※ 12궁은 별점을 보는 데 사용되며 사람들은 이것이 개인의 성격이나 미래에 영향을 준다고 믿는다.: "What sign (of the zodiac) are you?" "Leo." "너 별자리가 뭐니?" "사자자리야."

***zone** [zoun] *n.* **1** (특정한 성격을 띤) 지대, 지역, 구역: an earthquake *zone* 지진 지대 / a combat〔war〕*zone* 전투 지대 / a safety *zone* 안전 지대 **2** [지리] (한대·열대 등의) 대(帶): the Torrid *Zone* 열대 / the Temperate *Zone* 온대 / the Frigid *Zone* 한대
[SYN] district, sector

***zoo** [zu:] *n.* (*pl.* zoos) 동물원

zookeeper [zúkì:pər] *n.* 동물원 관리자 〔소유자, 사육사〕
— **zookeeping** *n.* 동물원 경영, (동물원에서) 동물 사육

zoology [zouálədʒi] *n.* 동물학

— **zoological** *adj.* 동물학(상)의, 동물에 관한 **zoologist** *n.* 동물학자

zoom [zu:m] *v.* [I] **1** 붕 소리를 내다, 붕하고 달리다〔질주하다〕: He got into the car and *zoomed* off. 그는 차에 타고 붕 소리를 내며 가버렸다. **2** (비행기가) 급상승하다 (up) **3** (경기·물가 등이) 급등하다 (up): House prices suddenly *zoomed* last month. 집값이 지난 달에 갑자기 올랐다. **4** (영상이) 줌 렌즈로 급격히 확대〔축소〕되다
[축어] **zoom in (on)** (줌 렌즈로) 화상을 서서히 확대하다: The camera *zoomed in on* the actor's face. 카메라가 남자 배우의 얼굴을 확대했다. [OPP] zoom out

zoom lens *n.* 줌 렌즈 (화상을 연속적으로 확대〔축소〕키 위해 초점 거리를 임의로 바꿀 수 있는 렌즈)

zucchini [zu(:)kí:ni] *n.* (*pl.* zucchini(s)) 애호박, (오이 비슷한) 서양 호박

부록

수능 영어 속담

A

- Absence makes the heart grow fonder.
  떨어져 있으면 그리워진다.
- Actions speak louder than words.
  말보다 실천.
- All is well that ends well.
  끝이 좋아야 모든 게 좋다.
- All roads lead to Rome.
  모든 길은 로마로 통한다.
- All that glitters is not gold.
  반짝이는 것이 모두 금은 아니다.
- The apple doesn't fall far from the tree.
  부전자전(父傳子傳). (사과는 나무에서 멀리 떨어지지 않는다.)
- The apples in the neighbor's garden are sweetest.
  남의 떡이 더 커 보인다. (이웃집 정원에 있는 사과가 제일 달다.)

B

- A bad workman always blames his tools.
  서투른 무당이 장고만 나무란다. (서투른 일꾼이 항상 자기 연장만 불평한다.)
- A bird in the hand is worth two in the bush.
  남의 돈 천 냥이 내 돈 한 푼만 못하다. (수중의 새 한 마리가 숲 속의 새 두 마리의 가치가 있다.)
- A burnt child dreads the fire.
  불에 놀란 아이 부지깽이만 봐도 놀란다., 자라 보고 놀란 가슴 솥뚜껑 보고 놀란다. (불에 데인 아이는 불을 두려워한다.)
- Bad news travels fast.

발 없는 말 천 리 간다. (나쁜 소식은 빨리 퍼진다.)
- Barking dogs seldom bite.
  빈 수레가 더 요란하다. (짓는 개는 좀처럼 물지 않는다.)
- Beauty is in the eyes of the beholder.
  제 눈에 안경. (아름다움은 보는 사람의 눈에 있다.)
- Beggars can't be choosers.
  빌어먹는 놈이 콩밥을 마다할까. (거지는 선택하는 자가 아니다.)
- Better a live coward than a dead hero.
  개똥밭에 굴러도 이승이 좋다. (죽은 영웅보다는 살아 있는 겁쟁이가 낫다.)
- Better a living dog than a dead lion.
  개똥밭에 굴러도 이승이 좋다. (죽은 사자보다는 살아 있는 개가 낫다.)
- Better late than never.
  늦어도 안 하느니보다 낫다.
- Birds of a feather flock together.
  유유상종(類類相從). (같은 깃털의 새끼리 무리를 짓는다.)
- Blood is thicker than water.
  피는 물보다 진하다.

C

- Clothes do not make the man.
  외양으로 사람을 판단하지 마라. (옷이 사람을 만드는 것이 아니다.)
- Constant dripping wears away the stone.
  낙수물이 댓돌을 뚫는다., 열 번 찍어 안 넘어가는 나무 없다.
- Curiosity killed the cat.
  호기심이 신세를 망친다. (호기심이 고양이를 죽인다.)

922

- Danger past, God forgotten.
  뒷간에 들어갈 적 마음 다르고 나올 적 마음 다르다. (위험이 지나가면 신을 잊어버린다.)
- Don't bite off more than you can chew.
  과욕은 금물., 송충이는 솔잎을 먹어야 한다. (네가 씹을 수 있는 것보다 더 많이 베어 물지 마라.)
- Don't bite the hand that feeds you.
  은혜를 원수로 갚지 마라. (네게 음식을 주는 손을 물지 마라.)
- Don't count your chickens before they're hatched.
  김칫국부터 마시지 마라. (병아리가 부화하기 전에 수를 세지 마라.)
- Don't cry over spilt milk.
  엎지른 물. (엎지른 우유를 갖고 울지 마라.)
- Don't judge a book by its cover.
  외양으로 판단하지 마라. (표지만 보고 책을 판단하지 마라.)
- Don't put all your eggs in one basket.
  한 번에 모든 것을 잃을 수 있는 모험은 하지 마라. (달걀을 모두 한 바구니에 담지 마라.)
- Don't put off till tomorrow what you can do today.
  오늘 할 일을 내일로 미루지 마라.

- Easy come, easy go.
  쉽게 얻은 것은 쉽게 나간다.
- (Even) Homer sometimes nods.
  원숭이도 나무에서 떨어질 때가 있다. (호머조차도 꾸벅꾸벅 졸 때가 있다.)
- Every dog has his day.

쥐구멍에도 볕들 날이 있다. (개에게도 전성기가 있다.)
- Every Jack has his Jill.
  짚신도 짝이 있다. (모든 남자(Jack)에게는 다 짝(Jill)이 있다.)
- The end justifies the means.
  모로 가도 서울만 가면 된다. (목적이 수단을 정당화한다, 끝이 좋으면 다 좋다.)

F

- A friend in need is a friend indeed.
  어려울 때 돕는 친구가 참된 친구이다.
- Familiarity breeds contempt.
  정(情)에서 노염이 난다., 친할수록 예의를 지켜라. (친분이 경멸을 낳는다.)
- Finders keepers, losers weepers.
  줍는 사람이 임자. (발견자는 주인, 분실자는 우는 사람.)
- Fine clothes make the man.
  옷이 날개.
- Fine feathers make fine birds.
  옷이 날개. (예쁜 깃털이 예쁜 새를 만든다.)
- First come, first served.
  먼저 온 사람이 먼저 대접 받는다., 선착순.
- Forewarned is forearmed.
  미리 아는 것이 미리 대비하는 것이다.
- Four eyes see more than two.
  백지장도 맞들면 낫다. (네 개의 눈이 두 개보다 더 많이 본다.)
- The first step is always the hardest.
  시작이 반. (항상 첫 걸음이 제일 어렵다.)
- The fish always stinks from head downwards.
  윗물이 맑아야 아랫물이 맑다. (생선은 항상 머리부터 아래쪽으로 가면서 냄새가 난다.)
- The foot of the candle is dark.
  등잔 밑이 어둡다.

- A golden key opens every door.
  돈만 있으면 귀신도 부린다. (금열쇠는 모든 문을 연다.)
- A good medicine tastes bitter. / Good medicine is bitter in the mouth.
  좋은 약은 입에 쓰다.
- A good neighbor is better than a brother far off.
  이웃 사촌. (멀리 있는 형제보다 좋은 이웃이 낫다.)
- Go home and kick the dog.
  종로에서 뺨 맞고 한강에 가서 눈 흘긴다. (집에 가서 개를 걷어찬다.)
- Grasp all, lose all.
  (욕심부려) 다 잡으려다가는 몽땅 놓친다.
- The grass is always greener on the other side of the fence.
  남의 떡이 커 보인다. (울타리 저 편의 풀이 항상 더 푸르다.)

- Haste makes waste.
  서두르면 일을 그르친다.
- He sets the wolf to guard the sheep.
  고양이에게 생선을 맡긴다. (늑대에게 양을 지키라고 한다.)
- He that knows nothing doubts nothing.
  모르는 게 약이다. (아무것도 모르는 자는 아무것도 의심하지 않는다.)
- He that will steal a pin will steal an ox.
  바늘 도둑이 소 도둑 된다.
- He who hesitates is lost.
  망설이는 자는 기회를 놓친다.
- He who hunts two hares loses both.
  두 마리의 토끼를 쫓다 둘 다 놓친다.
- He who laughs last, laughs best.
  최후에 웃는 자가 제일 잘 웃는다., 너무 성급히 기뻐하지 마라.
- Hunger is the best sauce.
  시장이 반찬.

- Ignorance is bliss.
  모르는 게 약. (무지가 행복이다.)
- In one ear and out the other.
  한 귀로 듣고 한 귀로 흘린다.
- In unity there is strength.
  뭉치면 살고 흩어지면 죽는다. (뭉치면 힘이 생긴다.)
- It is a piece of cake.
  식은 죽 먹기., 누워서 떡 먹기.
- It never rains but it pours.
  설상가상., 흉년에 윤달. (비가 오기만 하면 억수로 쏟아진다.)
- It takes two to tango.
  손뼉도 마주 쳐야 소리가 난다. (탱고를 추려면 두 명이 있어야 한다.)

- A journey of a thousand miles begins with a single step.
  천릿길도 한 걸음부터.

- Kill two birds with one stone.
  일석이조(一石二鳥)., 일거양득(一擧兩得).

- A leopard cannot change his spots.

세 살 버릇 여든까지 간다., 제 버릇 개 못 준다. (표범이 자기의 반점을 바꾸지는 못한다.)

- A little knowledge is dangerous.
  선무당이 사람 잡는다. (변변찮은 지식은 위험하다.)

- A living ass is better than a dead doctor.
  개똥밭에 굴러도 이승이 낫다. (살아 있는 바보가 죽은 의사보다 낫다.)

- A loaf of bread is better than the song of many birds.
  금강산도 식후경. (많은 새들의 노랫소리보다 빵 한 덩어리가 낫다.)

- Let sleeping dogs lie.
  잠자는 개[사자]를 건드리지 마라., 긁어 부스럼 만들지 마라.

- Like father, like son.
  부전자전(父傳子傳).

- Lock the stable door after the horse has been stolen[has bolted].
  소 잃고 외양간 고친다. (말을 도둑맞은[말이 도망간] 후에 마굿간을 잠근다.)

- Long absent, soon forgotten.
  안 보면 멀어진다. (오랫동안 자리를 비우면 곧 잊혀진다.)

- Look before you leap.
  돌다리도 두들겨 보고 건너라., 아는 길도 물어 가라. (뛰기 전에 살펴라.)

- The longest way round is the shortest way home.
  급할수록 돌아가라. (돌아서 가는 가장 먼 길이 집으로 가는 가장 짧은 길이다.)

- A man is known by the company he keeps.
  친구를 보면 그 사람을 알 수 있다.

- Make hay while the sun shines.
  기회를 놓치지 마라. (해가 났을 때 건초를 만들어라.)

- Man does not live by bread alone.
  사람은 빵만으로는 살 수 없다.

- Many strokes fell great oaks.
  열 번 찍어 안 넘어가는 나무 없다. (많은 일격이 오크나무를 쓰러뜨린다.)

- Misery loves company.
  동병상련.

- Money makes the mare (to) go.
  돈만 있으면 귀신도 부릴 수 있다. (돈이 암말을 움직이게 만든다.)

- Money talks.
  돈만 있으면 개도 대접받는다.

- Near neighbor is better than a distant cousin.
  이웃 사촌. (먼 사촌보다 가까운 이웃이 낫다.)

- Necessity is the mother of invention.
  필요는 발명의 어머니.

- Necessity has[knows] no law.
  사흘 굶어 도둑질 안 할 놈 없다. (필요 앞에는 법이 없다.)

- No news is good news.
  무소식이 희소식.

- No pain, no gain.
  수고가 없으면 이득도 없다.

- Nothing ventured, nothing gained.
  호랑이 굴에 들어가야 호랑이 새끼를 잡는다. (모험을 하지 않으면 얻는 것도 없다.)

- Old habits die hard.
  세 살 버릇 여든까지 간다. (오래된 버릇은 잘 고쳐지지 않는다.)

- One man's gravy[meat] is another man's poison.

갑의 약은 을의 독.

- One man sows and another man reaps.

  재주는 곰이 넘고 돈은 되놈이 번다. (한 사람은 씨를 뿌리고 다른 사람은 거둔다.)

- One picture is worth ten thousand words.

  백문이 불여일견(不如一見). (한 장의 그림이 수만의 말과 같은 가치를 지닌다.)

- One rotten apple spoils the barrel.

  미꾸라지 한 마리가 온 웅덩이를 흐린다. (썩은 사과 한 알이 한 통을(한 통 가득한 사과를) 다 망친다.)

- One swallow does not make a summer.

  속단은 금물. (제비 한 마리가 왔다고 여름이 온 것은 아니다.)

- Pie in the sky.

  그림의 떡. (하늘에 떠 있는 파이.)

- The pen is mightier than the sword.

  문(文)은 무(武)보다 강하다. (펜은 칼보다 강하다.)

- The pot calls the kettle black.

  똥 묻은 개가 겨 묻은 개를 나무란다. (냄비가 주전자보고 검댕이 묻었다고 뭐라 한다.)

- The proof of the pudding is in the eating.

  백문이 불여일견. (푸딩 맛을 증명하려면 먹어보아야 한다.)

- A rolling stone gathers no moss.

  구르는 돌에는 이끼가 끼지 않는다.

- Rivers need a spring.

  아니 땐 굴뚝에 연기 날까., 모든 일에는 원인이 있다. (강은 샘을 필요로 한다.)

- Rome wasn't built in a day.

  로마는 하루에 이루어지지 않았다.

- A stitch in time saves nine.

  제때의 한 바늘은 후에 아홉 바늘을 던다.

- Seeing is believing.

  백문이 불여일견. (보는 것이 믿는 것이다.)

- Spare the rod, and spoil the child.

  매를 아끼면 자식을 망친다.

- Still waters run deep.

  깊은 강물은 소리 없이 흐른다. (잔잔한 물이 깊이 흐른다.)

- Strike while the iron is hot.

  쇠뿔은 단김에 빼라. (쇠가 뜨거울 때 망치질을 해라.)

- Sweet meat will have sour sauce.

  양지가 있으면 음지도 있다. (단 고기에는 신 소스.)

- Sweet talk.

  감언이설(甘言利說).

- The sparrow near a school sings the primer.

  서당 개 삼 년에 풍월 읊는다. (학교 주변의 참새는 소(小)기도서를 노래한다.)

- The squeaking wheel gets the oil.

  우는 아이 젖 준다. (삐걱거리는 바퀴에 기름 친다.)

- Talking to the wall.

  쇠귀에 경 읽기. (벽에다 이야기하기.)

- There is no rest for a family (mother) with many children.

  가지 많은 나무 바람 잘 날 없다. (아이가 많은 집(엄마)에 평온이란 없다.)

- There is no royal road to learning.

  배움에 왕도는 없다.

- There's no place like home.
  집만한 곳이 없다.
- They that know nothing fear nothing.
  모르는 게 약. (아무것도 모르는 자는 아무것도 두려워하지 않는다.)
- To teach a fish how to swim.
  공자 앞에서 문자 쓴다., 부처님한테 설법(說法). (물고기에게 수영하는 법을 가르친다.)
- Too many cooks spoil the broth.
  사공이 많으면 배가 산으로 간다. (요리사가 많으면 국물을 망친다.)
- Tread on a worm and it will turn.
  지렁이도 밟으면 꿈틀한다.
- Turning green with envy.
  사촌이 땅을 사면 배가 아프다. (샘이 나서 안색이 바뀐다.)
- Two heads are better than one.
  백지장도 맞들면 낫다. (두 명의 머리가 하나보다 낫다.)

- Variety is the spice of life.
  변화는 삶의 양념이다.

- A watched pot never boils.
  기다리는 시간은 긴 법이다. (지켜보는 냄비는 끓지 않는다.)
- Walls have ears.
  낮말은 새가 듣고 밤말은 쥐가 듣는다. (벽에도 귀가 있다.)
- Well begun is half done.
  시작이 반.
- What's learned in the cradle is carried to the grave.
  세 살 버릇 여든까지 간다. (요람에서 배운 것이 무덤까지 간다.)
- What the heart thinks, the mouth speaks.
  마음에 먹은 생각은 입으로 나온다.
- When in Rome do as the Romans do.
  로마에 가면 로마의 법을 따라라., 로마에서는 로마인이 하듯이 하라.
- When the cat's away the mice will play.
  호랑이 없는 골에는 토끼가 스승이다. (고양이가 멀리 있으면 생쥐가 활개친다.)
- Where there is a will, there is a way.
  뜻이 있는 곳에 길이 있다.
- Where there's smoke, there's fire.
  아니 땐 굴뚝에 연기 날까. (연기 있는 곳에 불이 있다.)

- You have to take the good with the bad.
  행운이 있으면 불운도 있다.
- You reap what you sow.
  심는 대로 거둔다.
- You've cried wolf too many times.
  콩으로 메주를 쑨다 해도 곧이 안 듣는다. (너무나 많이 늑대야라고 외쳤다.)

듣기에 자주 나오는 단어

공항, 비행기

flight 비행(기)
passport 여권
gate 출입구
passenger 승객
board 탑승하다
boarding card〔pass〕 탑승권
departure 출발
arrival 도착
take off 이륙하다
land 착륙하다
window seat 창가 좌석
aisle seat 통로 좌석
confirm 확인하다
reservation 예약
check in 수속하다
cancel 취소하다
customs 세관
declare (세관에) 신고하다
delay 연착되다

교통, 교통 수단

get on〔off〕 타다〔내리다〕
drop off 내려 주다
subway station 지하철 역
fare 요금
heavy traffic 교통 체증
transfer 갈아타다
traffic light〔signal〕 신호등
traffic jam 교통 정체
give a ride 태워 주다
wait in line 줄서서 기다리다

길 묻기, 위치, 방향

turn right〔left〕 오른쪽〔왼쪽〕으로 돌다
forward 앞으로, 전방으로

backward 뒤로, 후방으로
toward …쪽으로
across …을 가로질러
in the middle of …의 중간에
at the corner of …의 모퉁이에
block 블록, 구역
next to …의 옆에
in front of …의 앞에
ahead of …의 전방에
behind …의 뒤에
opposite …의 맞은편에
crosswalk 횡단 보도

날씨

foggy 안개 낀
snowy 눈 오는
shower 소나기
breeze 산들바람
storm 폭풍
thunder 천둥
frost 서리
freeze 얼리다
degree 도
forecast 예보하다
weather forecaster 일기 예보원

도서관

librarian 사서
novel 소설
magazine 잡지
periodical 정기 간행물
check out (책을) 빌리다
return 반납하다
due date 반납 기일
card catalog (도서관의) 카드식 목록

병원, 의료

patient 환자
medicine 약
pharmacist 약사
prescription 처방
flu 독감
indigestion 소화 불량
stiff neck 목이 뻣뻣한
cough 기침
slight fever 미열
high fever 고열
have a sore throat 목이 아프다
sprain one's ankle 발목을 삐다
operation 수술
pull out a tooth 이를 뽑다
emergency room 응급실
get well 회복되다

쇼핑

customer 고객, 손님
clerk 점원
grocery 식료품점
electronics store 전기 용품점
men's clothing store 남성복점
stationery store 문구점
purchase 구입하다
browse, look around (상품을) 구경하다
goods 상품
become, suit 어울리다
regular price 정상 가격
sale price 세일 가격
for sale 판매 중
on sale 할인 중
bargain sale 염가 판매
be sold out 품절되다
cash 현금
check 수표

change 거스름돈
discount 할인(하다)
cut down 깎다
refund 환불
exchange 교환

식당

order 주문(하다)
serve 시중들다
book, reserve 예약하다
today's special 금일 특별 메뉴
beverage 음료
dessert 후식
taste 맛
bill 계산서
treat 대접하다
go Dutch, split the bill 각자 내다

심정

alarmed 놀란
cheerful 기분 좋은
confused 혼란스러운
disappointed 실망한
embarrassed 당황한
encouraged 용기를 얻게 된
hopeful 희망에 차 있는
indifferent 무관심한
jealous 질투하는
nervous 초조한
regretful 후회하는
relaxed 느긋한
relieved 안도하는
resentful 분개한
satisfied 만족한
scared 겁먹은
surprised 놀란

upset 당황한
worried 걱정스러운

여행, 휴가, 여가 활동

go on a vacation 휴가를 가다
take a day off 하루 쉬다
sightseeing 관광
travel agency 여행사
one-way 편도의
round-trip 왕복의
baggage 짐, 수하물
travel brochure 여행 안내 책자
box office 극장의 매표소
admission 입장료
amusement park 놀이 공원
rent a video 비디오를 빌리다

우체국

postcard 엽서
envelope 봉투
package 짐
parcel 소포
postage 우편 요금
scale 저울
weigh 무게를 달다
air mail 항공 우편
express mail 속달 우편
registered mail 등기 우편

은행

automated teller machine (ATM)
 자동 현금 입출 장치
teller 금전 출납원
deposit 예금하다
withdraw 인출하다
open an account 계좌를 개설하다
cash 현금

check 수표
credit card 신용 카드
savings account [미] 보통 예금 (계좌)

인물 묘사

thin, slender, slim 야윈, 마른
fat, overweight 살찐, 뚱뚱한
stout 풍채가 당당한
medium-length 중간 키의
straight 직모의
curly 곱슬머리의
bald 대머리의
beard 턱수염
wear glasses 안경을 쓰다
plain 무늬가 없는
striped 줄무늬의
patterned 무늬나 도안이 있는
checked 체크 무늬의

일, 업무

full-time job 전일 근무직
part-time job 시간제 근무직
temporary 임시의
résumé 이력서
interview 인터뷰, 면접
personal record 이력
fill out a form 양식에 기입하다
apply for …에 지원하다
position 직책
pay 임금
task 업무
staff 직원
client 고객
employer 고용주
employee 고용인
fire 해고하다
lay off (회사 사정으로) 해고하다
quit 그만두다

전화, 자동 응답기

operator 전화 교환원
take a message 메모를 적다
hold on 끊지 않고 기다리다
answering machine 자동 응답기
long-distance call 장거리 전화
local call 시내 전화
recorded message 녹음 메시지
leave a message 메모를 남기다
wrong number 틀린 전화 번호
hang up 전화를 끊다
receiver 수화기

직업

scientist 과학자
journalist 기자
architect 건축가
electrician 전기 기사
mechanic 기계공
repairman 수리공
plumber 배관공
police officer 경찰관
factory worker 공장 근로자
photographer 사진사
tour guide 관광 가이드
lawyer 변호사
chef, cook 요리사
bank teller 은행 창구 담당자
engineer 기술자
flight attendant 여객기 승무원

학교, 학문

entrance exam 입학 시험
mid-term exam 중간 고사
final exam 기말 고사
report 리포트, 보고서
semester 학기
major 전공(하다)
research 연구(하다)
chemistry 화학
biology 생물학
physics 물리
law 법학
economics 경제학
architecture 건축학
medicine 의학
computer science 컴퓨터 공학
politics 정치학
statistics 통계학

호텔

check in 체크 인하다
check out 체크 아웃하다
stay 숙박하다
front desk 접수대
twin room 트윈 베드가 있는 방
room service 룸 서비스
available 이용할 수 있는
vacancy 빈 방
rate 요금
wake-up call 모닝콜

덩어리로 익히는 단어

Break

break a habit 버릇을 고치다
break a leg 다리를 부러뜨리다
break a promise 약속을 어기다
break a window 창문을 깨다
break a world record 세계 기록을 깨다
break someone's heart …의 가슴을 아프게 하다
break the ice 긴장된 분위기를 깨다
break the law 법을 어기다
break the news to someone …에게 나쁜 소식을 전하다
break the rules 규칙을 위반하다

Catch

catch a ball 공을 잡다
catch a bus 버스 시간에 대다
catch a cold 감기 걸리다
catch a mouse 쥐를 잡다
catch a thief 도둑을 잡다
catch fire 불이 붙다
catch someone's attention …의 주의를 끌다
catch someone's eye …의 눈에 띄다

Come

come close 가까이 오다
come complete 완벽해지다
come early 일찍 오다
come first 우선하다
come last 마지막으로 오다
come late 늦게 오다

come prepared 준비되다
come right 바르게 되다, 좋아지다
come second 두 번째로 오다

Do

do a job 일을 하다
do a wash 세탁하다
do business 사업을 하다
do homework 숙제를 하다
do nothing 아무것도 안 하다
do one's best 최선을 다하다
do someone a favor …의 부탁을 들어주다
do the cooking 요리하다
do the housework 집안일을 하다
do the shopping 쇼핑을 하다

Feel

feel comfortable 편하게 느끼다
feel disappointed 실망감을 느끼다
feel free 마음대로 하다
feel happy 행복하게 느끼다
feel hurt 아프다
feel nervous 초조하다
feel proud 자긍심을 가지다
feel sleepy 졸리다
feel tense 긴장감을 느끼다
feel well 건강 상태가 좋다

Find

find a cure 치료법을 알아내다

find a partner 짝을 찾다
find a solution 해결책을 알아내다
find a way 길을 찾다
find happiness 행복을 느끼다
find space 장소를 마련하다
find the answer 답을 알다
find the money 돈을 마련하다
find time 시간을 마련하다

go blind 눈이 멀다, 장님이 되다
go crazy 미치다, 반하다
go dark 어두워지다
go mad 미치다
go overseas 외국에 가다
go quiet 조용해지다
go white 하얗게 되다
go wild 광란하다, 열중하다

Get

get a job 일자리를 얻다
get a surprise 놀라다
get angry 화나다
get burnt 타다
get divorced 이혼하다
get drunk 취하다
get frightened 놀라다
get home 집에 닿다, 적중하다
get lost 길을 잃다; (명령형) 꺼져
get married 결혼하다
get nowhere 성공하지 못하다, 효과가 없다
get permission 허락을 받다
get ready 준비되다
get started 출발하다
get the message 상대방의 진의를 알다
get the sack 해고당하다
get wet 젖다
get worried 걱정하다

Have

have a drink 한잔하다
have a haircut 머리를 자르다
have a headache 머리가 아프다
have a holiday 휴가를 얻다
have a problem 문제가 있다
have breakfast 아침을 먹다
have time 시간이 있다

Keep

keep a diary 일기를 쓰다
keep a pet 애완동물을 기르다
keep a promise 약속을 지키다
keep a secret 비밀을 지키다
keep an appointment 약속을 지키다
keep calm 조용히 하다
keep quiet 조용히 하다
keep the change 거스름돈을 가지다

Go

go abroad 해외로 가다
go asleep 잠들다
go bad 잘못되다, 썩다

Make

make a change 변경하다
make a mess 어지르다

make a mistake 실수하다
make a noise 떠들다
make an effort 노력하다
make haste 급히 서둘다
make money 돈을 벌다
make peace 화해하다
make progress 진보하다
make trouble 소동을 일으키다

Miss

miss a chance 기회를 놓치다
miss a flight 비행기를 놓치다
miss a goal 득점 기회를 놓치다
miss a lesson 수업에 빠지다
miss an appointment 약속을 어기다
miss an opportunity 기회를 놓치다
miss one's way 길을 잃다
miss the point 요점을 맞추지 못하다

Pay

pay a salary 월급을 주다
pay attention 주의하다
pay by cash 현금으로 지불하다
pay by check 수표로 지불하다
pay interest 이자를 갚다
pay someone a compliment …에게 듣기 좋은 말을 하다
pay someone a visit …를 방문하다
pay the bill 계산서를 지불하다
pay the price 값을 지불하다
pay wages 임금을 주다

Save

save electricity 전기를 아끼다
save energy 에너지를 절약하다
save money 돈을 절약하다
save oneself trouble …의 수고를 덜다
save one's strength 체력이 소모되지 않도록 하다
save someone's life …의 목숨을 구하다
save someone a seat …의 자리를 잡아주다
save the situation 사태를 수습하다
save time 시간을 아끼다

Take

take a bath 목욕하다
take a chance 기회를 잡다
take a look 훑어보다
take a rest 쉬다
take a seat 자리에 앉다
take a shower 샤워하다
take a taxi 택시를 잡다
take an exam 시험을 보다
take notes …을 써 놓다
take someone's place 위치를 차지하다
take someone's temperature …의 체온을 재다

주요 접두사와 접미사

Prefixes

a- **1.** in, into, on, to, toward: ashore 해변에 **2.** non-, without-: amoral 도덕 관념이 없는(=nonmoral)

ab- 이탈: abnormal 비정상의, 이상한 abuse 남용하다

ad- 접근, 방향, 변화, 첨가, 증가, 강조: advance 나아가게 하다

aero- 공기, 공중, 항공: aerodynamic 공기역학의 aerospace 우주 공간, 항공 우주 산업〔과학〕

agro-, agri- 논밭, 흙, 농업: agrology 농업과학, 응용 토양학 agriculture 농업

ambi- 양쪽, 둘레: ambidextrous 양손잡이의

ante- …의 전의, …보다 앞의: antenatal 출생 전의 antecedent 앞서는

anthropo- 사람, 인류(학): anthropology 인류학

anti- 반대, 적대, 대항, 배척: antiwar 반전의 antiseptic 살균의

arch- 첫째의, 수위의, 대(大)…: archbishop 대주교

astro- 별, 천체, 점성술: astrophysics 천체물리학 astrology 점성학〔술〕

audio- 청(聽), 소리: audiovisual 시청각의

auto- **1.** 자신의, 자기…: autobiography 자서전 autograph 자필, 친필 **2.** 자동: automatic 자동의, 자동적인

be- **1.** …으로 만들다 (타동사를 만듦): belittle 작게 하다, 하찮게 보다 befriend …의 친구가 되다 **2.** …으로 덮다, …으로 꾸미다 (타동사를 만듦): befog 짙은 안개로 뒤덮다

bi- 둘, 양, 쌍, 중(重), 복(複), 겹: bicycle 자전거 bilingual 2개 국어를 하는

biblio- 책, 성서: bibliography 서지학

bio- 생명: biology 생물학 biochemistry 생화학

by- **1.** 부대적인, 이차적인: a by-product 부산물 **2.** 곁〔옆〕의, 곁〔옆〕을 지나는: a by-passer 지나가는 사람

cardio-, cardi- 심장: cardiology 심장(병)학

centi- 100, 100분의 1: centipede 지네 centimeter 센티미터 (1미터의 100분의 1)

chrono- 시(時): chronology 연대학, 연대기

circum- 주(周), 회(回), 여러 방향으로: circumnavigate 배로 (세계) 일주하다

co- 공동, 공통, 상호, 동등: cooperate 협동하다 coexist 공존하다

com- 함께, 전혀 (b, p, m 앞에 쓰임): companion 동료 compassion 동정

con- 함께, 전혀 (b, h, l, p, r, w 이외의 자음 앞에 쓰임): confederation 동맹, 연합, 연방 conspire 공모하다

contra- 반대, 역, 대응: contradict 반박하다

counter- 적대, 보복, 역, 대응: counterattack 반격, 역습 counterpart 짝의 한 쪽, (…에) 상응하는 사람〔것〕

cross- **1.** 횡단, 교차: crossover 교차로 **2.** 반대, 역: crosscurrent 역류

cyber- 컴퓨터 통신망의, 인터넷의: cybercafe 사이버카페, 인터넷카페

de- **1.** 제거, 분리: decaffeinate 카페인을 제거하다 **2.** 반대, 역전: decline 거절하다 **3.** 저하, 감소: devalue …의 가치를 내리다

deca- 10(배): decagram 데카그램 (10그램), decathlon 10종 경기

deci- 10분의 1: deciliter 데시리터 (1리터의 10분의 1)

demi- 반(半)…, 부분적…: demigod 반신반인

demo- 사람들, 민중, 서민, 대중: democracy

민주주의 demography 인구(통계)학

di- 둘의, 이중의: dioxide 이산화물

dia- …을 통해서, …을 가로질러 (모음 앞에서는 di-): diameter 직경, 지름

dis- 비(非)…, 무…, 반대, 분리, 제거. 부정의 뜻을 강조하기도 함: dishonor 불명예 disarmament 무장 해제

e- 전자의, 인터넷의, 컴퓨터 통신의: e-mail 전자우편 e-commerce 전자 상거래

eco- 환경, 생태(학): eco-friendly 환경 친화적인

electro-, electr- 전기, 전해, 전자: electromagnet 전자석

en- (em-) 1. …안에 넣다, …위에 놓다: endanger 위험에 빠뜨리다 enfold 싸다, 접다 2. …으로 하다, …이 되게 하다: enlarge 크게 하다

equi- 같은: equidistant 등거리의

Euro- 유럽의, 유럽 공동체의: Eurocurrency 유러머니, 유럽 통화

ever- 늘, 언제나: everlasting 영구한, 끝없는

ex- 1. 전(前)의, 전…: ex-wife 전부인 2. …에서 (밖으로), 밖으로: exclude 추방하다 export 수출하다

extra- …외의, 범위 밖의, 특별한: extraterrestrial 지구 밖의 extraordinary 이상한

fore- 1. 먼저, 미리: forejudge 미리 판단하다 foreword 머리말, 서두 2. 앞부분: forebrain 전뇌 foreground (그림의) 전경

geo- 지구, 토지: geoscience 지구 과학

haemo-, hemo- 피: hemoglobin 헤모글로빈 (혈색소) hemophilia 혈우병

hemi- 반(half): hemicycle 반원형 hemisphere (지구·천체의) 반구

hepta- 7: heptagon 7각〔변〕

hetero- 딴, 다른: heterogeneous 외생(外生)의

hexa- 6 (모음 앞에서는 hex-): hexagon 6각〔변〕형

homo- 같은, 동일한, 동류의: homograph 동형이의어 homosexual 동성애의

hydr(o)- 1. 물: hydroelectricity 수력 전기 2. 수소: hydrocarbon 탄화수소

hyper- 위쪽, 초과, 과도: hypersensitive 감각 과민의 hypertension 고혈압

hypo- 밑에, 이하, 가볍게: hypodermic 피하의

in- (il-, im-, ir-) 1. 무(無), 불(不): insensitive 무감각한 incomplete 불완전한 illegal 불법의 immoral 부도덕한 irregular 불규칙한 2. 안의, 속: inbound 본국행의

infra- 밑에, 하부에: infrared 적외선

inter- 속, 사이, 상호: interaction 상호 작용

intra- 안에, 내부에: intravenous 정맥 내의

iso- 같은, 유사한: isotope 동위원소 isotherm 등온선

kilo- 천 (1,000): kilogram 킬로그램

macro- 큰, 긴: macroeconomics 거시 경제학 macrobiotics 장수(長壽)법

mal- 악(惡), 비(非): malice 악의 malnutrition 영양 실조

mega- 1. 큰, 커다란: megadose (약의) 대량 투여 2. 백만(배): megavolt 백만 볼트 megabyte 메가바이트

micro- 소(小), 미(微), 100만 분의 1…: microchip 마이크로칩

mid- 중간의, 중앙의, 중간 부분의: mid-July 7월 중순

milli- 1,000분의 1: milligram 밀리그램 (1그램의 1,000분의 1)

mini- 작은, 소형: miniskirt 미니스커트

mis- 잘못(하여), 그릇된, 나쁘게, 불리하게: misbehavior 나쁜 행실 misunderstand 오해하다

mono- 단일, 한 원자를 가진: monolingual 1개 국어를 사용하는 monorail 단궤철도, 모노레일

multi- 많은, 여러 가지: multicultural 다문화의

nano- 10억 분의 1: nanometer 나노미터 (10^{-9}미터) nanotechnology 미세공학

neo- 새로운, 근대: neoclassical 신고전주의의

neuro- 신경(조직), 신경계: neurosurgery 신경외과 neuroscience 신경과학

non- 무, 비(非), 불(不): nonalcoholic 알콜을 함유하지 않는 nonsmoker 비흡연자

nona- 9(번째): nonagon 9각〔변〕형

octa-, octo- 8: octagon 8각〔변〕형

omni- 전(全), 총(總), 범(汎): omnipotent 전능한 omnivore 잡식(성) 동물

ortho- 정(正), 직(直): orthography 철자법

out- 1. …보다 훌륭하여, …을 넘어서, 능가하여: outdo 능가하다 outlast …보다 오래 견디다〔계속하다〕 2. 바깥(쪽)에, 앞으로, 떨어져: outside 외부

over- 1. 과도히, 너무: overeat 과식하다 overwork 과로하다 2. 아주, 완전히: overjoyed 대단히 기쁜 3. 위의, 외부의, 밖의, 여분의: overcoat 외투 overtime 초과 근무 4. 넘어서, 지나서, 더하여: overhang 돌출하다

paed-, ped- 소아, 유년시대: pediatrics 소아과

palaeo-, paleo- 고(古), 구(舊), 원시: paleobotany 고식물학

pan- 전(全), 범(汎), 총(總): Pan-Africanism 범(汎)아프리카주의

para- 1. 초월, 이상: paranormal 과학적으로 알 수가 없는 2. 보조의, 준(準): paramedic 의료 보조자

patho- 고통, 병: pathology 병리학

penta- 5: pentagon 5각〔변〕형

peri- 주변, 근처

petro- 1. 바위, 돌: petrology 암석학 2. 석유: petrochemical 석유 화학 제품

philo-, phil- 사랑하는, 사랑하는 사람: philanthropist 박애가

phono- 음(音), 성(聲): phonetic 음성의 phonology 음운론, 음성학

photo- 1. 빛, 광전자: photosynthesis 광합성 2. 사진: photomontage 합성 사진

physio- 천연, 신체, 물리, 생리학: physiology 생리학

poly- 다(多), 복(復): ploygamy 일부다처

post- 후, 다음: postwar 전후의

pre- 전, 앞, 미리: preschool 취학 전의 preview 미리 보기, 예고편

pro- 1. 대신, 대용으로: pronoun 대명사 2. 찬성, 편드는: pro-democracy 민주주의를 지지하는 3. 앞(에), 앞으로: proceed 전진하다

proto- 제1, 주요한, 원시적, 최초의: prototype 원형

pseudo- 거짓의, 가짜의, 모조의: pseudo-science 사이비 과학

psycho- 정신, 영혼, 심리학: psychology 심리학 psychotherapy 심리〔정신〕 요법

quad-, quadri- 4: quadruple 4배의, 4겹의

quasi- 유사, 반…, 준(準)…: quasi-judicial 준사법적인

radio- 1. 전파, 무선: radio-controlled 무선 조정의 2. 방사성: radioactive waste 방사성 폐기물

re- 다시, 새로이, 거듭: rebuild 재건하다 rewrite 다시 쓰다

retro- 뒤로, 거꾸로, 거슬러, 재복귀의: retrospect 회고, 회상

self- 자기, 스스로의; 자동적인: self-control

자제(심) self-winding (시계의 태엽이) 자동
적으로 감기는

semi- 반…, 어느 정도, 좀…: semicircle 반
원 semifinal 준결승

septi-, sept- 7: septet 7중주

socio- 사회의, 사회학의: sociology 사회학
sociopsychology 사회 심리학

step- 의붓, 계(繼)…: stepmother 의붓어머
니, 계모

sub- 1. 아래: submarine 잠수함 2. 하위,
부(副): subdivide 세분하다

super- 1. … 위에: superstructure 상부 구
조 2. 뛰어나게 …한, 과도하게 …한, 초(超)…:
superhuman 초인적인

sym-, syn- 더불어, 함께, 동시에, 유사:
sympathy 동정심 synonym 동의어

techno- 기술, 공예, 응용: technology 과학
기술, 공학

tele-, tel- 1. 원거리: telepathy 텔레파시
telescope 망원경 2. 텔레비전: telecourse
텔레비전 강좌 teletext 문자 다중 방송 3. 전
신, 전송: telemarketing 전화를 이용한 판매

〔광고〕활동

theo- 신(神): theology 신학

thermo- 열: thermonuclear 열핵의, 원자
핵 융합 반응의

trans- 1. 횡단, 관통, 건너편: transconti-
nental 대륙 횡단의 transfix 찌르다 2. 변화,
이전: translate 번역하다 transform 변형하
다

tri- 3, 3배, 3중: triangle 삼각형

ultra- 극단으로, 초(超)…, 과(過)…:
ultrasound 초음파 ultramodern 초현대
적인

un- 부정, 반대, 제거: unable …할 수 없는
unfair 공정치 못한 undress 옷을 벗다

under- 1. 아래: underground 지하 2. 불
충분하게: underdevelopment 저개발

uni- 일(一), 단(單): unicellular 단세포의
uniform 제복, 유니폼

up- 1. 위로: uphill 오르막의 2. (위로) 뽑다,
뒤집어엎다: uproot 뿌리째 뽑다

with- 향하여, 떨어져, 반대로: withdraw 물
러나다 withstand 저항하다

Suffixes

-able, -ible, -ble 1. …할 수 있는:
acceptable 받아들일 수 있는 noticeable 눈
에 띄는 sensible 분별 있는 2. …에 적합한,
…을 좋아하는: comfortable 편안한

-age 집합, 상태, 행위, 요금, …수(數) (명사
를 만듦): storage 저장 shortage 부족
breakage 파손 postage 우편 요금

-al 1. …의, …와 같은, …성질의 (형용사를 만
듦): political 정치의 environmental 환경
의 2. 동사에서 명사를 만듦: arrival 도착
trial 시도

-ance, -ence, -ancy, -ency 행동, 상
태, 성질, 정도 (명사를 만듦): appearance
출현 existence 존재 pregnancy 임신
tendency 경향

-ant, -ent 행위자 (명사를 만듦): assistant
조수 president 대통령

-ary 1. …의 장소, …하는 사람 (명사를 만듦):
library 도서관 secretary 비서 2. …에 속
한, …에 관계가 있는 (형용사를 만듦):
elementary 초보의

-ate 1. …의 특징을 갖는, (특징으로 하여) …을

갖는, …의: passionate 정열적인 affection-ate 애정이 깊은 **2.** 직위, 지위: doctorate 박사 학위

-ation 동작, 상태, 결과 (명사를 만듦): combination 결합 organization 조직, 구성

-centric …의〔에〕중심을 가지는, …중심의: heliocentric 태양을 중심으로 하는

-cracy 정체, 정치, 사회 계급, 정치 세력, 정치 이론: democracy 민주주의 bureaucracy 관료 정치

-ectomy 절제(수술): appendectomy 충수 절제 (수술), 맹장 수술

-(e)d 1. 규칙동사의 과거·과거분사를 만듦: called, talked **2.** …이 있는, …을 갖춘〔가진〕(형용사를 만듦): bored 지루한 warm-hearted 마음씨가 따뜻한

-ee 1. …하게 되는 사람: trainee 훈련받는 사람 **2.** …상태에 있는 사람: absentee 결석자 escapee 도피자

-en 1. (형용사·명사에 붙여) …하게 하다, …이 〔하게〕되다 (동사를 만듦): deepen 깊게 하다 strengthen 강하게 하다 **2.** …의, …로 된, …제(製) (형용사를 만듦): wooden 나무로 만든 golden 금으로 만든

-er 1. …하는 사람〔것〕: teacher 교사 burner 버너 **2.** …제작자, 관계자: hatter 모자 만드는 사람 **3.** …거주자: Londoner 런던 사람 foreigner 외국인

-ese …말, …사람 (명사·형용사를 만듦): Chinese 중국인〔어〕(의)

-ess 여성명사를 만듦: actress 여배우

-fold …배(倍), 겹, 중(重) (형용사, 부사를 만듦): threefold 3배〔겹, 중〕

-ful 1. …에 가득(찬 양) (명사를 만듦): cupful 한 잔(의 분량) mouthful 한 입(의 양) **2.** …의 성질을 가진, …을 내포하는, …이 많은 (형용사를 만듦): helpful 도움이 되는 useful 쓸

모 있는

-graphy 1. 서법(書法), 사법(寫法), 기록법: photography 사진술 **2.** …지(誌), …기(記), 기술(記述)학: biography 전기 geography 지리학

-hood 신분, 계급, 처지, 상태, …들, 집단: childhood 어린 시절 neighborhood 이웃

-ial = -al: ceremonial 의식의 imperial 제국의

-ian, -an …의, …의 성질의, …사람: historian 역사가 librarian 사서

-ic 1. …의, …의 성질의, …같은, …에 속하는, …으로 된 (형용사를 만듦): angelic 천사 같은 economic 경제학의 alcoholic 알코올성의 **2.** 명사를 만듦 (특히 기술·학술명 등): critic 비평가

-ical …에 관한, …의, …와 같은 (형용사를 만듦): historical 역사상의 economical 경제적인

-ics …학, …술, …론 (명사를 만듦): physics 물리학 athletics (각종의) 운동 경기

-ide [화학] …화물(化物): oxide 산화물 chloride 염화물

-ify, -fy …로 하다, …화하다, …이 되다 (동사를 만듦): simplify 간단하게 하다 purify 깨끗이 하다

-ine 1. …에 속하는, …성질의: crystalline 수정 같은 **2.** 여성명사를 만듦: heroine 여주 인공

-ing 1. 동사의 원형에 붙여 현재분사, 동명사를 만듦: going, washing **2.** 동작, 결과, 재료 (명사를 만듦): painting 그림 cooking 요리하기

-ion 상태, 동작 (명사를 만듦): connection 관계, 연락 exhibition 전람, 전시

-ish 1. …의, …에 속하는: English 영어, 영국 사람 Swedish 스웨덴 말, 스웨덴 사람 **2.** …와 같은, …다운: devilish 악마 같은 **3.** 다

소 …의, …의 기미를 띤: reddish 불그스름한

-ism 1. …의 행위, 상태, 특성: heroism 영웅적 행위 **2.** …주의, 설(設), …교(敎), …제(制) …풍: socialism 사회주의 Buddhism 불교 **3.** …중독: alcoholism 알코올 중독

-ist 1. …하는 사람: novelist 소설가 scientist 과학자 **2.** …주의자, …을 신봉하는 사람: socialist 사회주의자

-ite 1. …의 사람, …신봉자: Israelite 이스라엘 사람 **2.** 광물, 화석, 폭약, 제품: dynamite 다이너마이트

-ive …의 성질을 지닌, …하기 쉬운 (형용사를 만듦): active 활동적인 attractive 매력적인

-ize, -ise …으로 하다, …화하게 하다, …이 되다 (동사를 만듦): modernize 현대화하다

-less 1. …이 없는: homeless 집 없는 **2.** …할 수 없는, …않는: countless 셀 수 없는, 무수한

-like …와 같은: childlike 어린이 같은, 순진한 ducklike 오리 같은

-ly 형용사, 명사에 붙여서 부사를 만듦: slowly 천천히 monthly 매달의

-ment 동작, 상태, 결과, 수단 (명사를 만듦): development 발달 punishment 처벌

-most 가장 …한 (형용사를 만듦): southernmost 최남의 topmost 최고의, 최상의

-ness 성질, 상태 (추상명사를 만듦): kindness 친절 happiness 행복

-oid …같은 (것), …모양의 (것), …질(質)의 (것): alkaloid [화학] 알칼로이드 humanoid 인간에 가까운

-ology …학(學), …론(論): biology 생물학 geology 지질학

-or 행위자, 기구: actor 배우 conductor 지휘자

-ory 1. …의, …의 성질을 가진 (형용사를 만듦): explanatory 설명적인 preparatory 예비의 **2.** …의 장소 (명사를 만듦): dormitory 기숙사

-ous …이 많은, …의 특징을 지닌, …와 비슷한, 자주 …하는 (형용사를 만듦): dangerous 위험한 religious 종교의

-phile 사랑하는, 사랑하는 사람 (형용사, 명사를 만듦): bibliophile 애서가

-philia 1. …의 경향: hemophilia 혈우병 **2.** …의 병적 애호

-phobe …을 두려워하는 (사람): hydrophobe 물을 무서워하는 사람

-phobia (특정 사물·활동·상황에 대한) 병적 공포[혐오], 공포병[증]: claustrophobia 밀실 공포증 aquaphobia 물공포(증)

-proof …을 막는, 내(耐)…, 방(防)…: bulletproof 방탄의 soundproof 방음의

-ship 1. 형용사에 붙여 추상명사를 만듦: hardship 곤란 **2.** 상태, 신분, 직, 수완 (추상명사를 만듦): friendship 우정 membership 회원임

-some 1. …하기 쉬운, …경향이 있는, …하는: troublesome 성가신 quarrelsome 싸우기 좋아하는 **2.** …으로 이루어진 무리: twosome 둘로 된, 둘이서 하는

-ward, -wards …쪽의[으로] (형용사, 부사를 만듦): backward 뒤쪽의[으로] downward 아래쪽으로의

-ways 방향, 위치, 상태 (부사를 만듦): lengthways 길게, 세로로

-wise …와 같이, …한 방식으로, …방향으로: clockwise 시계방향[오른쪽]으로 도는

-y 1. 명사에 붙여서 …의 성질을 가진, …인 것 같은, …에 찬, …으로 이루어진: dirty 더러운 icy 얼음으로 덮인 fatty 지방질의 **2.** 동사에 붙여서 …의 경향이 있는: sleepy 졸리는 curly 곱슬곱슬한

미국 영어와 영국 영어의 차이

I. 철자 (Spelling)

	[미]	[영]

1. -or / **-our**
- color / colour
- humor / humour
- labor / labour
- neighborhood / neighbourhood
- rumor / rumour

2. -er / **-re**
- center / centre
- meter / metre
- theater / theatre

3. -se / **-ce**
- defense / defence
- license / licence
- offense / offence

4. -ize/-ization / **-ise/-isation**
- civilization / civilisation
- realize / realise
- sympathize / sympathise

5. e / **ae/oe**
- encyclopedia / encyclopaedia
- maneuver / manoeuver

6. 단자음자 / 중자음자
- traveler / traveller
- wagon / waggon

7. 중자음자 / 단자음자
- fulfill / fulfil
- skillful / skilful

8. 미국 영어에서는 어미 등에 있는 e를 생략한다.
- ax / axe
- blond / blonde

9. 발음되지 않는 어미는 미국 영어에서는 생략한다.
- dialog / dialogue
- catalog / catalogue
- cigaret / cigarette
- toilet / toilette
- program / programme
- kilogram / kilogramme

10. 묵음자(silent letters)는 미국 영어에서는 대개 생략한다.
- judgment / judgement
- mold / mould
- mustache / moustache

11. 미국 영어에서는 hyphen(-)을 생략하는 수가 많다.
- goodbye / good-bye
- prewar / pre-war
- nearby / near-by

12. 기타
- check / cheque
- draft / draught
- inquire / enquire
- naught / nought
- plow / plough

II. 용어 (Vocabulary)

[미]	[영]	뜻
airplane	aeroplane	비행기
apartment	flat	아파트
baggage	luggage	수하물
bill	note	수표
box office, ticket office	booking office	매표소
bucket	pail	양동이
cab	taxi	택시
can	tin	깡통
candy	sweets	사탕
cane	stick	지팡이
check	bill	계산서
closet	cupboard	벽장
corn	maize	옥수수
cracker	biscuit	크래커
diaper	nappy	기저귀
drugstore	chemist's shop	약국
editorial	lead, leading	사설
elevator	lift	승강기
fall	autumn	가을
fan	enthusiast	팬
first floor	ground floor	1층
football	soccer	축구
french fries	chips	감자 튀김
gasoline	petrol	휘발유
hurry up	make haste	서두르다
locomotive	engine	기관차
mail	post	우편
movie	film	영화

[미]	[영]	뜻
mailbox	pillar-box, post-box	우편함
oatmeal	porridge	오트밀
package	parcel	소포
pants	trousers	바지
peanuts	monkey nuts	땅콩
pie	tart	파이
pitcher	jug	물주전자
plant	works	공장
radio	wireless	라디오
railroad	railway	철도
rest room	toilet	화장실
schedule	timetable	시간표
second floor	first floor	2층
Secretary	Minister	장관
sidewalk	pavement	인도
soft drink	mineral	탄산 음료
special delivery	express delivery	속달
stock	share	주
store	shop	가게
streetcar	tram, tramcar	전차
subway	tube, underground	지하철
suspenders	braces	바지 멜빵
trash can	bin	쓰레기통
theater	cinema	영화관
vacation	holiday	휴가
vest	waistcoat	조끼

혼동하기 쉬운 단어

adapt [ədǽpt] *v.* 적응시키다
adopt [ədápt] *v.* 받아들이다

advice [ədváis] *n.* 충고
advise [ædváiz] *v.* 충고하다

affect [əfékt] *v.* 영향을 주다
effect [ifékt] *n.* 결과 *v.* 초래하다, 성취하다

affection [əfékʃən] *n.* 애정
affectation [æ̀fektéiʃən] *n.* …인 체함

altar [ɔ́:ltər] *n.* 제단
alter [ɔ́:ltər] *v.* 변경하다

arrow [ǽrou] *n.* 화살
allow [əláu] *v.* 허용하다

bath [bæθ] *n.* 목욕 *v.* 목욕하다
bathe [beið] *n.* 목욕, 수영
　v. 목욕하다, 수영하다

beside [bisáid] *prep.* …옆에
besides [bisáidz] *prep.* …외에 *adv.* 그 밖에

blood [blʌd] *n.* 피
brood [bru:d] *v.* 알을 품다 *n.* 한 배 병아리

blow [blou] *v.* 불다 *n.* 강타
brow [brau] *n.* 눈썹

break [breik] *v.* 깨다
bleak [bli:k] *adj.* 황폐한
brake [breik] *n.* 브레이크, 제동기

breath [breθ] *n.* 숨
breathe [bri:ð] *v.* 숨쉬다

capital [kǽpitl] *n.* 자본
Capitol [kǽpitl] *n.* [미] 국회 의사당

career [kəríər] *n.* 경력
carrier [kǽriər] *n.* 운반인

certain [sə́:rtən] *adj.* 확실한
curtain [kə́:rtən] *n.* 커튼, 막

clean [kli:n] *adj.* 깨끗한 *adv.* 깨끗이
　v. 깨끗이 하다
cleanly [klénli] *adj.* 깨끗한
cleanse [klenz] *v.* 깨끗이 하다

cloth [klɔ(:)θ] *n.* 천
cloths [klɔ(:)ðz, klɔ(:)θs] *n.* cloth의 복수
clothe [klouð] *v.* 입히다
clothes [klouðz] *n.* 옷

coarse [kɔ:rs] *adj.* 거친
course [kɔ:rs] *n.* 진로

color [kʌ́lər] *n.* 색 *v.* 채색하다
collar [kálər] *n.* 깃, 칼라

command [kəmǽnd] *v.* 명령하다 *n.* 명령
commend [kəménd] *v.* 칭찬하다, 권하다
commence [kəméns] *v.* 시작하다, 시작되다

complement [kámpləmənt] *n.* 보충
compliment [kámpləmənt] *n.* 칭찬

consent [kənsént] *v.* 동의하다 *n.* 동의
contend [kənténd] *v.* 다투다
content [kəntént] *v.* 만족시키다 *n.* 만족
　adj. 만족한

corps [kɔ:r] *n.* 군단, 단체
corpse [kɔ:rps] *n.* 시체

council [káunsəl] *n.* 회의
counsel [káunsəl] *n.* 상담 *v.* 충고하다

country [kʌ́ntri] *n.* 나라
county [káunti] *n.* [미] 군(郡), [영] 주

credible [krédəbəl] *adj.* 신용할 수 있는
creditable [kréditəbəl] *adj.* 칭찬할 만한
credulous [krédʒələs] *adj.* 잘 믿는

daily [déili] *adj.* 매일의 *adv.* 매일
dairy [déəri] *n.* 착유장, 유제품 제조업
diary [dáiəri] *n.* 일기

daring [déəriŋ] *adj.* 대담한 *n.* 대담
darling [dá:rliŋ] *adj.* 귀여운 *n.* 귀여운 사람

decent [dí:sənt] *adj.* 예의바른
descent [disént] *n.* 하강

desert [dézə:rt] *n.* 사막
desert [dezə́:rt] *v.* 버리다
dessert [dizə́:rt] *n.* 디저트

differ [dífər] *v.* 다르다
defer [difə́:r] *v.* 연기하다, 미루다

difference [dífərəns] *n.* 다름, 차이
deference [défərəns] *n.* 존경

disease [dizí:z] *n.* 병
decease [disí:s] *n.* 사망

down [daun] *adv.* 아래로
dawn [dɔ:n] *n.* 새벽 *v.* 날이 새다

draught [dræft] *n.* 통풍, 한 모금
drought [draut] *n.* 가뭄

dyeing [dáiiŋ] *n.* 염색
dying [dáiiŋ] *adj.* 죽는, 죽어 가는

eminent [émənənt] *adj.* 저명한
imminent [ímənənt] *adj.* 절박한

employer [emplɔ́iər] *n.* 고용주
employee [emplɔ́ii:] *n.* 피고용인, 종업원

envelop [envéləp] *v.* 봉하다
envelope [énvəlòup] *n.* 봉투

enviable [énviəbəl] *adj.* 샘나는, 부러운
envious [énviəs] *adj.* 질투하는, 부러워하는

expand [ikspǽnd] *v.* 확대하다
expend [ikspénd] *v.* 소비하다

fragment [frǽgmənt] *n.* 파편
fragrant [fréigrənt] *adj.* 향기로운
flagrant [fléigrənt] *adj.* 극악한

gentle [dʒéntl] *adj.* 상냥한, 점잖은
genteel [dʒentí:l] *adj.* 가문이 좋은

globe [gloub] *n.* 지구
grove [grouv] *n.* 작은 숲
glove [glʌv] *n.* 장갑

hanged [hæŋd] *v.* hang(교수형에 처하다)의
　과거·과거 분사
hung [hʌŋ] *v.* hang(걸다)의 과거·과거분사

haven [héivən] *n.* 항구
heaven [hévən] *n.* 하늘

human [hjú:mən] *adj.* 인간의
humane [hju:méin] *adj.* 자비로운

industrial [indʌ́striəl] *adj.* 산업의
industrious [indʌ́striəs] *adj.* 근면한

inflection [inflékʃən] *n.* 굴절
infliction [inflíkʃən] *n.* 처벌

ingenious [indʒí:njəs] *adj.* 재간 있는
ingenuous [indʒénju:əs] *adj.* 솔직한

interpret [intə́:rprit] *v.* 통역하다
interrupt [ìntərʌ́pt] *v.* 가로막다

literary [lítərèri] *adj.* 문학의
literally [lítərəli] *adv.* 문자 그대로

lose [lu:z] *v.* 잃다
loose [lu:s] *v.* 놓아주다 *adj.* 헐거운

ludicrous [lú:dəkrəs] *adj.* 익살스러운
ridiculous [ridíkjələs] *adj.* 우스꽝스러운

mediate [mí:dièit] *v.* 중재하다
meditate [médətèit] *v.* 숙고하다

memorable [mémərəbəl] *adj.* 기억할 수 있는
memorial [mimɔ́:riəl] *adj.* 기념의

morn [mɔ:rn] *n.* morning의 시적인 표현
mourn [mɔ:rn] *v.* 슬퍼하다, 애도하다

needful [ní:dfəl] *adj.* 필요한, 없어서는 안 되는
needy [ní:di] *adj.* 가난한

odious [óudiəs] *adj.* 싫은
odorous [óudərəs] *adj.* 향기로운

odor [óudər] *n.* 향
order [ɔ́:rdər] *n.* 명령 *v.* 명령하다

participle [pɑ́:rtəsìpəl] *n.* [문법] 분사
particle [pɑ́:rtikl] *n.* 분자

physique [fizí:k] *n.* 체격
physics [fíziks] *n.* 물리학

poplar [pɑ́plər] *n.* 포플러
popular [pɑ́pjələr] *adj.* 인기 있는, 대중적인

preposition [prèpəzíʃən] *n.* [문법] 전치사
proposition [prɑ̀pəzíʃən] *n.* 제안

prince [prins] *n.* 왕자
princes [prinsiz] *n.* (*pl.*) prince의 복수
princess [prínsis] *n.* 공주
princesses [prínsəsiz] *n.* (*pl.*) princess의 복수

principal [prínsəpəl] *adj.* 주요한
principle [prínsəpl] *n.* 주의, 원칙

quit [kwit] *v.* 중지하다, 그만두다
quite [kwait] *adv.* 아주, 꽤
quiet [kwáiət] *adj.* 조용한 *v.* 진정시키다, 조용해지다

reality [riǽləti] *n.* 진실, 현실
realty [rí:əlti] *n.* 부동산

respectable [rispéktəbəl] *adj.* 존경할 만한
respectful [rispéktfəl] *adj.* 공손한
respective [rispéktiv] *adj.* 각각의

revolution [rèvəlúːʃən] *n.* 혁명
evolution [èvəlúːʃən] *n.* 진화

seize [siːz] *v.* 붙잡다, 꽉 쥐다
siege [siːdʒ] *n.* 포위

sensible [sénsəbəl] *adj.* 분별 있는
sensitive [sénsətiv] *adj.* 민감한

sensual [sénʃuəl] *adj.* 관능적인
sensuous [sénʃuəs] *adj.* 감각적인

sever [sévər] *v.* 절단하다
severe [sivíər] *adj.* 엄한

sparrow [spǽrou] *n.* 참새
swallow [swálou] *n.* 제비 *v.* 삼키다

stationary [stéiʃənèri] *adj.* 정지한, 멈추어
  있는
stationery [stéiʃənəri] *n.* 문방구

statue [stǽtʃuː] *n.* 상(像), 조각상
stature [stǽtʃər] *n.* 키

straight [streit] *adj.* 똑바른
strait [streit] *n.* 해협

study [stʌ́di] *n.* 연구, 서재 *v.* 공부하다
sturdy [stə́ːrdi] *adj.* 튼튼한

successful [səksésfəl] *adj.* 성공한
successive [səksésiv] *adj.* 연속의

surgeon [sə́ːrdʒən] *n.* 외과의사, 군의관
sergeant [sáːrdʒənt] *n.* 하사관

sweet [swiːt] *adj.* 달콤한 *n.* 단 맛
sweat [swet] *n.* 땀 *v.* 땀을 흘리다

unit [júːnit] *n.* 단위
unite [juːnáit] *v.* 결합하다

vacation [veikéiʃən] *n.* 휴가
vocation [voukéiʃən] *n.* 직업

vague [veig] *adj.* 막연한
vogue [voug] *n.* 유행

vain [vein] *adj.* 헛된
vane [vein] *n.* 바람개비
vein [vein] *n.* 정맥, 광맥

warn [wɔːrn] *v.* 경고하다
worn [wɔːrn] *v.* wear의 과거분사

wildness [wáildnis] *n.* 야생
wilderness [wíldərnis] *n.* 황야

wonder [wʌ́ndər] *v.* 놀라다, 의아해하다
  n. 경이
wander [wándər] *v.* 헤매다

숫자와 관련된 표현

I. 기수와 서수

기수 (cardinal numbers)		서수 (ordinal numbers)	
1	one	1st	first
2	two	2nd	second
3	three	3rd	third
4	four	4th	fourth
5	five	5th	fifth
6	six	6th	sixth
7	seven	7th	seventh
8	eight	8th	eighth
9	nine	9th	ninth
10	ten	10th	tenth
11	eleven	11th	eleventh
12	twelve	12th	twelfth
13	thirteen	13th	thirteenth
14	fourteen	14th	fourteenth
15	fifteen	15th	fifteenth
16	sixteen	16th	sixteenth
17	seventeen	17th	seventeenth
18	eighteen	18th	eighteenth
19	nineteen	19th	nineteenth
20	twenty	20th	twentieth
21	twenty-one	21st	twenty-first
22	twenty-two	22nd	twenty-second
30	thirty	30th	thirtieth
40	forty	40th	fortieth
50	fifty	50th	fiftieth
60	sixty	60th	sixtieth
70	seventy	70th	seventieth
80	eighty	80th	eightieth
90	ninety	90th	ninetieth
100	a/one hundred	100th	hundredth
101	a/one hundred one	101st	hundred and first
200	two hundred	200th	two hundredth
1,000	a/one thousand	1,000th	thousandth
10,000	ten thousand	10,000th	ten thousandth
100,000	a/one hundred thousand	100,000th	hundred thousandth
1,000,000	a/one million	1,000,000th	millionth

II. 숫자 읽기

859	eight hundred and fifty-nine
7,403	seven thousand, four hundred and three
80,561	eighty thousand, five hundred and sixty-one

※ 숫자의 천 단위에 콤마를 쓰거나 약간의 공백을 이용하여 표기한다.: 3,000 또는 3 000

III. 전화 번호 (telephone numbers)

1. 전화 번호를 읽을 때는 하나하나 끊어서 읽는다. (종종 두 자리 또는 세 자리마다 사이를 준다.)
   905 237   nine o five - two three seven
   ※ 숫자 0은 [ou] 또는 [zirou]로 읽는다.

2. 같은 숫자가 두 개 겹친 경우는 두 번 읽거나 double을 사용한다.
   051 77   o five one - seven seven 또는 o five one - double seven

3. 타 지역으로 전화를 할 때는 전화 번호 앞에 지역 번호(area code)를 넣어 준다.

4. 규모가 큰 회사 등에 전화를 걸 때는 내선 번호(extension number)가 필요한 경우도 있다.

IV. 분수와 소수

분수(fractions)

1/2	a half
1/4	a quarter
1/5	a fifth 또는 one fifth
1/3	a third 또는 one third
3/5	three fifths
2 2/3	two and two thirds

소수(decimals)

0.1	(nought) point one
0.25	(nought) point two five
0.44	(nought) point four four
1.85	one point eight five
4.924	four point nine two four

V. 시간 (times)

■ 대화체 표현

05:00	five o'clock
05:05	five past five
05:10	ten past five

■ 공식적 표현

05:00	(o) five hundred
05:05	(o) five o five
05:10	(o) five ten

05:15	(a) quarter past five	05:15	(o) five fifteen
05:20	twenty past five	05:20	(o) five twenty
05:30	half past five	05:30	(o) five thirty
05:35	twenty-five to six	05:35	(o) five thirty-five
05:40	twenty to six	05:40	(o) five forty
05:45	(a) quarter to six	05:45	(o) five forty-five
05:50	ten to six	05:50	(o) five fifty
05:55	five to six	05:55	(o) five fifty-five
10:12	twelve minutes past ten	10:12	ten twelve
13:10	ten past one	13:10	thirteen ten
19:56	four minutes to eight	19:56	nineteen fifty-six

※ 미국 영어에서는 가끔 past 대신에 after를, to 대신에 of를 쓴다.
※ 약간 공식적인 표현에서는 a.m.(오전), p.m.(오후)가 쓰인다.: School starts at 9 a.m.
  학교는 9시에 시작한다.

Ⅵ. 날짜 (dates)

날짜는 숫자로 또는 숫자와 문자를 함께 써서 표기할 수 있다.

표기
2003년 10월 15일
– [미] 10/15/03
– [영] 15/10/03
– [미] October 15th, 2003
– [영] 15 October 2003

읽는 법
2003년 10월 15일
– [미] October fifteenth, two thousand and three
– [영] October the fifteenth, two thousand and three 또는 the fifteenth of
  October, two thousand and three

국가와 대륙 명칭

국명 / 대륙명	형용사 / 명사
Africa	African
Albania	Albanian
Antarctica	Antarctic
America, (the) United States of America	American
(the) Arctic	Arctic
Argentina	Argentine, Argentinean
Asia	Asian
Australia	Australian
Austria	Austrian
Bangladesh	Bangladeshi
Belgium	Belgian
Brazil	Brazilian
Bulgaria	Bulgarian
Canada	Canadian
Chile	Chilean
China	Chinese
Colombia	Colombian
Cuba	Cuban
(the) Czech Republic	Czech
Denmark	Danish, a Dane
Egypt	Egyptian
England	English, an Englishman, an Englishwoman
Europe	European
Finland	Finnish, a Finn
France	French, a Frenchman, a Frenchwoman
Gabon	Gabonese
Germany	German
Ghana	Ghanaian
Greece	Greek
Great Britain, (the) United Kingdom	British, a Briton
Holland, (the) Netherlands	Dutch, a Dutchman, a Dutchwoman
Hungary	Hungarian
India	Indian

국명 / 대륙명	형용사 / 명사
Indonesia	Indonesian
Iran	Iranian
Iraq	Iraqi
Ireland	Irish, an Irishman, an Irishwoman
Israel	Israeli
Italy	Italian
Japan	Japanese
Kenya	Kenyan
Korea	Korean
Kuwait	Kuwaiti
Luxembourg	Luxembourg, a Luxembourger
Malaysia	Malaysian
Mexico	Mexican
Morocco	Moroccan
Nepal	Nepalese
New Zealand	New Zealand, a New Zealander
Norway	Norwegian
Pakistan	Pakistani
(the) Philippines	Philippine, a Filipino
Poland	Polish, a Pole
Portugal	Portuguese
Russia	Russian
Saudi Arabia	Saudi, Saudi Arabian
Scotland	Scottish, Scots, a Scot, a Scotsman, a Scotswoman
Singapore	Singaporean
Somalia	Somali
Spain	Spanish, a Spaniard
Sweden	Swedish, a Swede
Switzerland	Swiss
Taiwan	Taiwanese
Thailand	Thai
Turkey	Turkish, a Turk
Venezuela	Venezuelan
Vietnam	Vietnamese

문장 부호

마침표 (.) period [영] full stop

1. 의문문이나 감탄문이 아닌 경우의 문장 끝에 쓴다.: They're leaving now. / That's it.
2. 약어의 끝에 쓴다.: p.m. / 28 Elm Ave.

의문 부호 (?) question mark

의문 부호는 직접의문문의 끝에 쓴다.: "Who is it?" he asked.

※ 간접의문문에는 쓰지 않는다.: He asked who the person was.

콤마 (,) comma

1. 콤마는 문장 중에 잠깐 멈추는 것을 의미한다.: I ran all the way to the bus stop, but I still missed the bus. / Although he is rich, he is not happy. / However, I will do it my own way. / There was no news, nevertheless, she went on hoping.
2. 인용문이나 직접화법 앞에 쓴다.: He said, "Let me help you." / "I will help you," he said, "but you have to wait till tomorrow."
3. 항목을 열거할 때 쓴다.: It is a cold, windy day. / I can play the piano, guitar, and flute.
   ※ 영국에서는 and 앞의 콤마를 생략한다.
4. 문장에 부가적인 설명을 하는 관계절의 앞뒤에 쓴다.: That bar on Main Street, which by the way is very nice, is owned by my friend's father.
   ※ 명사를 한정하는 경우에는 관계절의 앞이나 뒤에 콤마를 쓰지 않는다.: The story which I read yesterday was moving.

감탄 부호 (!) exclamation point [영] exclamation mark

1. 문장 끝에 쓰여 놀람, 열의 또는 충격 등을 나타낸다.: What a beautiful baby! / You look good! / Oh no! I forgot to bring it!
2. 소리를 지르거나 큰 소리를 나타내는 단어 뒤에 쓴다.: Wow! / Bang!

콜론 (:) colon

긴 인용구나 목록 등을 제시할 때 쓴다.: There is a choice of main course: roast beef, turkey or omelet.

세미콜론 (;) semicolon

1. 한 문장을 대조되는 두 부분으로 분리할 때 쓴다.: She wanted to go; I did not.
2. 열거한 항목들을 구분할 때 콤마가 이미 쓰인 경우 세미콜론을 쓴다.: The school uniform consists of navy skirt or pants; gray, white or pale blue shirt; navy jumper or cardigan; gray, blue or white socks.

아포스트로피 (') apostrophe

1. 문자가 생략되거나 축약형의 경우에 쓴다.: hasn't / don't / I'm / he's
2. 소유격 부호로서 쓴다.: my friend's car / Jane's scarf
   ※ 이름이 's'로 끝나는 경우는 소유격의 'S'를 생략하기도 한다.: James's / James'
3. 단수명사와 복수명사의 소유격에서 아포스트로피의 위치에 주의한다.: the girl's keys 그

소녀의 열쇠 / the girls' keys 그 소녀들의 열쇠

인용 부호 ("" 또는 ") quotation marks

1. 다른 사람이 한 말임을 나타낼 때 인용 부호를 쓴다.: "Come to see me," said Jane.
2. 혼자만의 생각을 말하듯이 표현할 때 쓴다.: "Will they get here on time?" he wondered.
3. 책, 영화 등의 제목에 쓰인다.: 'Tarzan' was the first film I ever saw. / This photo is from 'National Geographic.'

하이픈 (-) hyphen

1. 두 개의 단어가 연결되어 하나의 의미를 형성할 때 쓴다.: a can-opener / a ten-ton truck
2. 가끔 접두사를 단어에 연결할 때 쓴다.: ill-advised / sub-zero
3. 복합수사를 형성할 때 쓴다.: thirty-five / eighty-four
   ※ 행의 끝에서 단어를 분철할 때도 하이픈을 쓴다.

줄임표, 말없음표 (...) dots〔ellipsis〕

말없음표는 특히 인용구나 대화의 끝에 말이 생략되었을 때 쓴다.: "No, I have nothing to do with that, I was just ..." He burst into tears.

대시 (—) dash

1. 하나의 구를 문장의 나머지 부분과 분리시킬 때 쓴다.: The burglars had taken the furniture, the TV and the stereo — almost everything. (문장의 끝 부분에서 나머지 부분을 요약)
2. 정보를 추가할 때 쓴다.: A few people — not more than ten — had survived. (구의 앞과 뒤에 대시를 넣어 문장에 정보를 추가)
3. 화자가 말하는 중간에 누군가 끼어들 때 쓴다.: "Have you ever —" "Watch out!" he shouted as the ball flew towards them.

괄호 ( ) parentheses [영] brackets

1. 추가 정보를 나머지 문장과 별도로 유지할 때 쓴다.: Two of them (Peter and Jane) finished the test in under an hour.
2. 문장 안에서 숫자나 문자를 괄호 속에 넣어서 사용할 때 쓴다.: What would you do if you had a lot of money? (a) buy a new house (b) save it (c) donate it (d) travel abroad / The microwave has three main advantages: 1) its low price 2) its small size and 3) its lifetime warranty

발음

I. 모음 (Vowels)

모음에는 [ɑ, e, i(ː), ɔ, o, u(ː), æ, ər, ɑ(ː), ʌ] 등의 단모음과 [ai, au, ɔi, iər, ei, ou, uər] 등의 2중모음이 있다.

a   [æ] bat, man, activity
     [ɑː] (주로 영국식, 미국식은 [æ]) dance, half, path
     [ei] (주로 e로 끝나는 말) cake, lady, nation
     [ɔ] (주로 영국식, 미국식은 [ɑ]) quality, watch
     [ɔː] all, warm, water
     [e] many, Thames

ar [ɛər] (-ar-와 연결될 경우) compare, librarian

e   [e] bed, lend, nest
     [i] English, pretty
     [iː] complete, fever
     ※ 묵음 (silent letter) hope, infinite

er [iər] here, mere
     [ɛər] there, where
     [əːr] mercy, university
     [ɑː] (주로 영국식, 미국식은 [əːr]) clerk, sergeant

ea [iː] breathe, clean
     [e] breakfast, breath
     [ei] break, great

ear [əːr] earth, learn
     [ɑːr] heart, hearth
     [ɛər] bear, pear
     [iər] beard

ei [ei] weight, veil, grey
또는 [iː] perceive, receipt

ey [ai] either (미국식은 [iː]), height
     [e] leisure [iː]

i   [i] fill, spirit
     [iː] police, machine
     [ai] (주로 e로 끝나는 말) line, tight

ir [əːr] bird, stir, virtue

o   [ɔ] (미국식은 [ɑ]) hot, stock
     [ou] (주로 e로 끝나는 말) rope, folk
     [uː] lose, move, who
     [ʌ] above, thorough

or [ɔːr] corn, short
     [əːr] world, worse

oo [u] book, good, wool
     [uː] brood, food, goose, pool
     [ʌ] blood, flood

oor [ɔːr] door, floor
     [uər] moor, poor

ou [au] count, bow, owl
또는 [ou] shoulder, bow, bowl

ow [ɔː] brought
     [uː] group, through
     [ʌ] country, enough, touch

our [auər] flour, sour
     [əːr] adjourn, journey

u   [u] bull, bush
     [uː] (주로 e로 끝나는 말) blue, conclude
     [juː] music, pupil, union
     [i] busy, business
     [e] bury

ur [uə] allure, jury
     [əːr] burst, hurt

II. 자음 (Consonants)

자음은 모음처럼 복잡하지는 않으나 철자와 발음이 일치하지 않아 혼동되기 쉬운 것이 있다.

c [s] (e, i, y 앞에 있을 때) center, citizen, cylinder
　　[k] (e, i, y 이외의 앞 또는 어미에 있을 때) careful, climate, picnic
　　[ʃ] ocean, special

ch [tʃ] church, orchard, catch
또는　[k] architect, chorus, epoch

tch [ʃ] machine, moustache
　　[dʒ] Greenwich (지명)

d [d] indeed, examined, handed
　　[t] (-ed가 무성 자음 뒤에 있을 때) watched, walked, stopped
　　[dʒ] procedure, soldier

g [g] great, begin, big
　　[dʒ] gem, magic, rage
　　[ʒ] garage[gərá:dʒ/gǽrɑ:ʒ], rouge

gh [g] ghost
　　[f] cough, draught
　　[p] hiccough
　　※ 묵음 plough, through

ph [f] philosophy, photograph
　　[v] nephew [néfju:/névju:]
　　[p] shepherd

qu [kw] conquest, equal
　　[k] conquer, quay

s [s] sink, basis, hats
　　[z] observe, reason, dogs
　　[ʃ] excursion, expansion, sugar
　　[ʒ] confusion, treasure

ss [s] assembly, impress
　　[z] possess [pəzés], scissors
　　[ʃ] assure, impression

th [θ] breath, method, theory
　　[ð] breathe, smooth, this
　　[t] Thames (템즈강)

x [ks] box, exit, experience
　　[gz] examine, luxurious
　　[kʃ] anxious [ǽŋkʃəs] (미국에서는 [ǽŋkʃəs]), luxury
　　[z] anxiety

기타 묵음

b climb, debt
c muscle, scene
d handsome, Wednesday
g sign, gnaw
h forehead, heir
k knee, knight
l salmon, folk, could
n autumn, solemn
p psalm, receipt
s aisle, island
t castle, chestnut

III. 악센트 (Accent)

영어 단어의 대부분은 2개 이상의 음절 (syllable)로 이루어져 있다. 이같이 다음 절의 단어에서 가장 세게 발음되는 음절에 악센트가 있다. 다음절의 단어에는 가장 세게 발음되는 제1 악센트(primary accent) 이외에 제2 악센트(secondary accent)를 취하는 것이 있다. 악센트에는 몇 가지의 규칙이 있으나, 그 중에서 특히 알아두면 편리한 것들이 있다.

1. 악센트 규칙

① -ion, -ian, -ial, -ient(-ence), -ious,
-sive(-tive), -ic(-ical), -ible 등으로
끝나는 단어는 그 앞의 음절에 악센트가 있다.
de-ci-sion [disíʒən]
mu-si-cian [mju:zíʃən]
es-sen-tial [isénʃəl]
con-ven-ient [kənví:njənt]
con-science [kánʃəns]
am-bi-tious [æmbíʃəs]
ex-ces-sive [iksésiv]
at-trac-tive [ətrǽktiv]
sci-en-ti-fic [sàiəntífik]
po-lit-ical [pəlítikəl]
pos-sible [pásəbəl]

② -ate, -graph, -ify, -ise(-ize), -ite,
-ity(-ety), -ment, -ude(-te) 등으로
끝나는 단어는 끝에서 세 번째의 음절에 악
센트가 있다.
as-so-ci-ate [əsóuʃièit]
tel-e-graph [téləgræf]
com-pro-mise [kámprəmàiz]
or-ga-nize [ɔ́:rgənàiz]
op-por-tu-ni-ty [àpərtjú:nəti]
anx-i-e-ty [æŋzáiəti]
par-lia-ment [pá:rləmənt]
lon-gi-tude [lándʒətjù:d]

③ -eer, -esque, -igue, -ique, -oo,
-oon 등으로 끝나는 단어는 그 음절에 악
센트가 있다.
en-gi-neer [èndʒəníər]
gro-tesque [groutésk]
fa-tigue [fətí:g]
an-tique [æntí:k]
bam-boo [bæmbú:]
ty-phoon [taifú:n]

2. 품사에 따른 악센트의 차이

한 단어가 품사에 따라 악센트의 위치를 달리
하는 경우가 있다.

① 명사는 앞 음절에, 동사는 뒤 음절에 악센트
가 있는 단어
※ 발음 기호는 명사, 동사 순
conduct [kándʌkt, kəndʌ́kt]
contest [kántest, kəntést]
contrast [kántræst, kəntrǽst]
decrease [dí:kri:s, dikrí:s]
export [ékspɔ:rt, ikspɔ́:rt]
import [ímpɔ:rt, impɔ́:rt]
increase [ínkri:s, inkrí:s]
object [ábdʒikt, əbdʒékt]
present [prézənt, prizént]
produce [prádju:s, prədjú:s]
progress [prágres, prəgrés]
record [rékərd, rikɔ́:rd]
subject [sʌ́bdʒikt, səbdʒékt]
survey [sə́:rvei, sərvéi]
transport [trǽnspɔ:rt, træspɔ́:rt]

② 형용사는 앞 음절에, 동사는 뒤 음절에 악센
트가 있는 단어
※ 발음 기호는 형용사, 동사 순
absent [ǽbsənt, æbsént]
abstract [ǽbstrækt, æbstrǽkt]
frequent [frí:kwənt, frikwént]

③ 명사는 앞 음절에, 형용사는 뒤 음절에 악센
트가 있는 단어
※ 발음 기호는 명사, 형용사 순
compact [kámpækt, kəmpǽkt]
expert [ékspə:rt, ikspə́:rt]
instinct [ínstiŋkt, instíŋkt]
minute [mínit, mainjú:t]

불규칙 동사표

현재	과거	과거분사	현재	과거	과거분사
arise	arose	arisen	dive	dived, dove	dived
awake	awaked, awoke	awaked, awoken	do, does	did	done
be	was, were	been	draw	drew	drawn
bear	bore	borne, born	dream	dreamed,	dreamed,
beat	beat	beaten		dreamt	dreamt
become	became	become	drink	drank	drunk
befall	befell	befallen	drive	drove	driven
begin	began	begun	dwell	dwelt,	dwelt,
behold	beheld	beheld		dwelled	dwelled
bend	bent	bent	eat	ate	eaten
beseech	besought	besought	fall	fell	fallen
beset	beset	beset	feed	fed	fed
bet	bet, betted	bet, betted	feel	felt	felt
bid	bade, bid	bidden, bid	fight	fought	fought
bind	bound	bound	find	found	found
bite	bit	bitten, bit	fit	fit, fitted	fit, fitted
bleed	bled	bled	flee	fled	fled
blow	blew	blown	fling	flung	flung
break	broke	broken	fly	flew	flown
breed	bred	bred	forbid	forbade, forbad	forbidden
bring	brought	brought	forecast	forecast,	forecast,
broadcast	broadcast	broadcast		forecasted	forecasted
build	built	built	foresee	foresaw	foreseen
burn	burned, burnt	burned, burnt	forget	forgot	forgotten,
burst	burst	burst			forgot
buy	bought	bought	forgive	forgave	forgiven
cast	cast	cast	forsake	forsook	forsaken
catch	caught	caught	freeze	froze	frozen
choose	chose	chosen	get	got	gotten, got
cling	clung	clung	give	gave	given
come	came	come	go	went	gone
cost	cost	cost	grind	ground	ground
creep	crept	crept	grow	grew	grown
cut	cut	cut	hang	hung,	hung,
deal	dealt	dealt		hanged	hanged
dig	dug	dug	have, has	had	had

현재	과거	과거분사	현재	과거	과거분사
hear	heard	heard	overcome	overcame	overcome
hide	hid	hidden, hid	overdo	overdid	overdone
hit	hit	hit	overhang	overhung	overhung
hold	held	held	overhear	overheard	overheard
hurt	hurt	hurt	overrun	overran	overrun
input	input, inputted	input, inputted	oversee	oversaw	overseen
keep	kept	kept	oversleep	overslept	overslept
knit	knit, knitted	knit, knitted	overtake	overtook	overtaken
kneel	knelt, kneeled	knelt, kneeled	overthrow	overthrew	overthrown
know	knew	known	pay	paid	paid
lay	laid	laid	prove	proved	proved, proven
lead	led	led	put	put	put
lean	leant, leaned	leant, leaned	quit	quit, quitted	quit, quitted
leap	leaped, leapt	leaped, leapt	read	read [red]	read [red]
learn	learned, learnt	learned, learnt	rebuild	rebuilt	rebuilt
leave	left	left	rend	rent	rent
lend	lent	lent	repay	repaid	repaid
let	let	let	rewrite	rewrote	rewritten
lie	lay	lain	rid	rid, ridded	rid, ridded
light	lighted, lit	lighted, lit	ride	rode	ridden
lose	lost	lost	ring	rang	rung
make	made	made	rise	rose	risen
mean	meant	meant	run	ran	run
meet	met	met	saw	sawed	sawn, sawed
mislay	mislaid	mislaid	say	said	said
mislead	misled	misled	see	saw	seen
misspell	misspelled, misspelt	misspelled, misspelt	seek	sought	sought
			sell	sold	sold
			send	sent	sent
mistake	mistook	mistaken	set	set	set
misunder -stand	misunder -stood	misunder -stood	sew	sewed	sewn, sewed
			shake	shook	shaken
mow	mowed	mowed, mown	shave	shaved	shaven, shaved
outdo	outdid	outdone	shear	sheared	shorn, sheared
outgo	outwent	outgone	shed	shed	shed
outgrow	outgrew	outgrown	shine	shone	shone
outrun	outran	outrun	shoot	shot	shot

현재	과거	과거분사	현재	과거	과거분사
show	showed	shown, showed	sweat	sweat,	sweat,
shrink	shrank,	shrunk,		sweated	sweated
	shrunk	shrunken	sweep	swept	swept
shut	shut	shut	swell	swelled	swollen, swelled
sing	sang	sung	swim	swam	swum
sink	sank, sunk	sunk, sunken	swing	swung	swung
sit	sat	sat	take	took	taken
slay	slew	slain	teach	taught	taught
sleep	slept	slept	tear	tore	torn
slide	slid	slid, slidden	tell	told	told
sling	slung	slung	think	thought	thought
slit	slit	slit	thrive	throve,	thriven,
sow	sowed	sowed, sown		thrived	thrived
speak	spoke	spoken	throw	threw	thrown
speed	sped, speeded	sped, speeded	thrust	thrust	thrust
spell	spelled, spelt	spelled, spelt	tread	trod	trodden, trod
spend	spent	spent	undergo	underwent	undergone
spill	spilled, spilt	spilled, spilt	understand	understood	understood
spin	spun	spun	undertake	undertook	undertaken
spit	spat, spit	spat, spit	undo	undid	undone
split	split	split	uphold	upheld	upheld
spoil	spoiled,	spoiled,	upset	upset	upset
	spoilt	spoilt	wake	waked, woke	waked, woken
spread	spread	spread	wear	wore	worn
spring	sprang, sprung	sprung	weave	wove,	woven,
stand	stood	stood		weaved	weaved
steal	stole	stolen	weep	wept	wept
stick	stuck	stuck	wet	wet, wetted	wet, wetted
sting	stung	stung	win	won	won
stink	stank, stunk	stunk	wind	wound	wound
stride	strode	stridden	withdraw	withdrew	withdrawn
strike	struck	struck, stricken	withhold	withheld	withheld
string	strung	strung	withstand	withstood	withstood
strive	strove	striven	wring	wrung	wrung
swear	swore	sworn	write	wrote	written